Das Jahrbuc

Aktuell
2000

**300000 aktuelle Daten
zu den Themen unserer Zeit**

16. Jahrgang

Harenberg

© Harenberg Lexikon Verlag
in der Harenberg Kommunikation
Verlags- und Medien GmbH & Co. KG
Dortmund 1999

Herausgeber Bodo Harenberg

Redaktion Berthold Budde (verantwortlich),
Christiane Bocklenberg, Dr. Nils Havemann, Klaus zu Klampen (Bild)

Autoren (Hauptthemen) Dr. Isabella Ackerl (Parteien und Bundesländer
Österreich), Brigitte Beier (Arbeit, Soziales, Bundesländer Deutschland),
Thomas Flemming (Staaten), Sybille Fuhrmann (Forschung und Technik,
Justiz/Kriminalität, Religion/Sekten), Dr. Petra Gallmeister (Krisen und Konflikte, Kultur, Zeitgeschichte), Dr. Nils Havemann (EU, Staaten), Jens Jürgen
Korff (Forschung und Technik, Umwelt und Natur), Kathrin Lohmeyer (Verkehr), Brigitte Lotz (Bauen und Wohnen, Bund und Länder, Entwicklungs-
politik), Alexander Merseburg (Konjunktur, Steuern und Finanzen, Weltwirt-
schaft), Bernhard Pollmann (Bilanz 2000), Ingrid Reuter (Organisationen),
Bruno Schläppi (Kantone Schweiz), Martina Schnober-Sen (Gesundheitswesen, Krankheiten, Medikamente und Therapien, Medien), Annerose Sieck
(Dienstleistungen, Personen, Unternehmen), Marcus Spatz (Telekommunikation), Dr. Bernd Ulrich (Staaten), Klaus-Michael Vent (Börse, Computer),
Carsten Wember (Energie, Militär, Sport), Dr. Wolfgang Westphal (Auto,
Bahn, Luftfahrt)

Produktion Angela Otmar
Repro NRW – Neue Reproduktions-Wege, Dortmund
Druck westermann druck, Braunschweig
Redaktionsschluss 5.7.1999

Printed in Germany
ISBN 3-611-00812-5

Zu diesem Buch

Auch auf dem Weg ins nächste Jahrhundert soll »Aktuell« seinen Benutzern ein zuverlässiger Begleiter bleiben. Um den immer stärkeren Veränderungen in allen Bereichen gerecht zu werden, ist diese Ausgabe von »Aktuell« um nochmals 144 Seiten auf nunmehr 828 Seiten erweitert und in vielen Details verbessert worden. Die Übersichtlichkeit hat weiter zugenommen – getreu dem »Aktuell«-Motto: Nicht suchen, nur finden.

Lexikon von A–Z: Der Lexikon-Teil ist nicht mehr nach Einzelstichwörtern, sondern nach Themen geordnet. So findet der Benutzer z. B. unter dem Stichwort »Arbeit« 20 Unterstichwörter, die zu diesem Komplex einen aktuellen inhaltlichen Bezug haben. Jedes Stichwort beginnt mit einer Übersicht, in der alle Unterstichwörter in alphabetischer Reihenfolge mit Seitenangaben aufgeführt werden. Mitunter ist es hilfreich, zuerst im Inhaltsverzeichnis (ab Seite 5) oder im Register (ab Seite 818) nachzuschlagen, um zielgenau die gewünschten Informationen zu finden.

Bilanz des 20. Jahrhunderts: Zu 50 Stichwörtern gibt es im Lexikon-Teil die Rubrik »Bilanz 2000«. Nach einheitlichen Kriterien sind hier Meilensteine, positive und negative Trends, Hintergründe und bedeutende Persönlichkeiten zu Themen des 20. Jahrhunderts zusammengestellt.

Tabellen und Übersichten: »Aktuell 2000« enthält über 1000 Tabellen und Übersichten, die nach einem neuen und besonders übersichtlichen Informationsschema erarbeitet wurden. Rankings (Top Ten) erleichtern die Einordnung, Landesflaggen und Symbole dienen der optischen Orientierung. Veränderungen werden durch Pfeile gekennzeichnet. Hinzu kommen Vergleiche zum Vorjahr oder zu relativen Zeiträumen. Ergänzende Informationen in der Randspalte machen auf Besonderheiten aufmerksam oder dienen der weiteren Erläuterung.

Länderteil: Der Umfang des Länderteils wurde gegenüber der letzten Ausgabe um fast die Hälfte erweitert. Alle 192 Staaten haben einen eigenen Eintrag. Die Strukturdaten für jedes einzelne Land sind mit den Daten aller anderen Länder direkt vergleichbar. Aktuelle Entwicklungen werden in den folgenden Texten dargestellt und informativ illustriert.

Internet-Verknüpfung: Ab Herbst 1999 ist »Aktuell« mit Informationen im Internet direkt verknüpft. Unter www.aktuell-lexikon.de sind alle Veränderungen abrufbar, die sich zu den Einträgen in »Aktuell 2000« nach Erscheinen dieser Ausgabe ergeben haben. So bleiben die Benutzer dieses Jahrbuchs Nr. 1. immer auf dem aktuellen Stand – ohne Zusatzkosten.

Benutzerhinweise

Kennzeichnung der Hauptteile: »Aktuell 2000« ist in sechs Buchteile gegliedert. Sie sind an den farbigen Markierungen im Beschnitt des Buches und auf jeder Seite zu erkennen.

Kolumnentitel: Neben der farbigen Markierung wird im Kolumnentitel das Stichwort genannt, das auf der jeweiligen Seite beginnt.

Struktur der Artikel: Alle Artikel sind nach einem einheitlichen Schema aufgebaut. Wo nötig, beginnt ein Artikel mit einer knappen Definition des Stichworts, es folgen Informationen über aktuelle Entwicklungen. Halbfette Zwischenüberschriften gliedern längere Einträge.

Wiederkehrende Strukturdaten: Sofern es interessant ist, bestimmte Daten, die in mehreren Einträgen zu finden sind, miteinander zu vergleichen, wurden diese Informationen in ein Schema eingefügt. So ergeben sich z. B. im Länder- und im Städteteil von Land zu Land und von Stadt zu Stadt zahllose direkte Vergleiche.

Info-Elemente: Für alle sechs Hauptteile des Buches wurden möglichst durchgehend dieselben Info-Elemente verwendet, z. B. Landesflagge zum schnellen Auffinden von Länderdaten. Auch Sonderelemente wie Chronik, Dokument, Glossar, Tabelle oder Übersicht wurden einheitlich für das gesamte Buch genutzt.

Verweise: Durch die neue thematische Ordnung sind Verweise im »Lexikon von A–Z« nur in Ausnahmefällen nötig. Verweise in andere Buchteile oder zu anderen Themengebieten nennen zuerst halbfett das Thema, dann das Stichwort (z. B. **Arbeit** → Altersteilzeit).

Internet-Adressen: Wo immer möglich, werden am Ende eines Artikels oder einer Tabelle aktuelle Internet-Adressen angegeben.

Register: Das Register am Ende des Buches ermöglicht ein schnelles Auffinden auch solcher Stichwörter und Begriffe, die keinen eigenen Eintrag haben. Mitunter empfiehlt es sich, zuerst im Register zu suchen. Darin sind 4000 Namen, Stichwörter und Begriffe verzeichnet.

Bildquellenverzeichnis

Inhaltsverzeichnis Lexikon von A–Z

Nachfolgend sind in alphabetischer Reihenfolge alle 49 Sachgruppen mit insgesamt 650 Stichwörtern des »Lexikons von A–Z« aufgeführt. Eine alphabetisch geordnete Übersicht der 50 Bilanzen des 20. Jahrhunderts und das Abkürzungsverzeichnis finden sich auf Seite 10.

Inhaltsverzeichnis

Inhaltsverzeichnis

Abkürzungsverzeichnis

Abk.	Abkürzung	Dr.	Doktor	IWF	Internationaler	mm	Millimeter	sfr	Schweizer Franken
Abs.	Absatz	DVU	Deutsche Volksunion		Währungsfonds	Mrd	Milliarde	SKE	Steinkohleeinheit
AG	Aktiengesellschaft	ECU	Europäische	J	Joule	MW	Megawatt	sog.	sogenannt
Art.	Artikel		Währungseinheit	Jh.	Jahrhundert	NATO	Organisation des	span.	spanisch
Az.	Aktenzeichen	EU	Europäische Union	k.A.	keine Angabe		Nordatlantik-Vertrags	SED	Sozialistische Ein-
BGB	Bürgerliches Gesetz-	engl.	englisch	KB	Kilobyte	NRW	Nordrhein-Westfalen		heitspartei Deutsch-
	buch	e.V.	eingetragener Verein	kcal	Kilokalorien	OECD	Organisation für wirt-		lands
BIP	Bruttoinlandsprodukt	FDP	Freie Demokratische	Kfz	Kraftfahrzeug		schaftliche Zusam-	SPD	Sozialdemokratische
BRT	Bruttoregistertonnen		Partei	kJ	Kilojoule		menarbeit und Ent-		Partei Deutschlands
BSP	Bruttosozialprodukt	FPÖ	Freiheitliche Partei	km	Kilometer		wicklung	SPÖ	Sozialdemokratische
bzw.	beziehungsweise		Österreichs	km²	Quadratkilometer	OPEC	Organisation Erdöl		Partei Österreichs
C	Celsius	franz.	französisch	kW	Kilowatt		exportierender	SPS	Sozialdemokratische
ca.	circa	GB	Gigabyte	l	Liter		Länder		Partei der Schweiz
CDU	Christlich-Demokra-	GG	Grundgesetz	lat.	lateinisch	öS	Österreich. Schilling	StGB	Strafgesetzbuch
	tische Union	ggf.	gegebenenfalls	LKW	Lastkraftwagen	OSZE	Organisation für Si-	SVP	Schweizer Volkspartei
CSU	Christlich-Soziale	GmbH	Gesellschaft mit be-	lt.	laut		cherheit und Zusam-	TA	Technische Anleitung
	Union		schränkter Haftung	max.	maximal		menarbeit in Europa	u.a.	unter anderem/
CVP	Christlich-Demokra-	GUS	Gemeinschaft Un-	m	Meter	ÖVP	Österreichische		und andere
	tische Volkspartei		abhängiger Staaten	m³	Kubikmeter		Volkspartei	UdSSR	Union der Sozialisti-
DAG	Deutsche Angestell-	GW	Gigawatt	MB	Megabyte	PDS	Partei des demokra-		schen Sowjetrepu-
	ten Gewerkschaft	h	Stunde	MdB	Mitgl. d. Bundestags		tischen Sozialismus		bliken
dB	Dezibel	griech.	griechisch	MdL	Mitgl. d. Landtags	Pf	Pfennig	UKW	Ultrakurzwelle
DDR	Deutsche Demokra-	ha	Hektar	mg	Milligramm	PKW	Personenkraftwagen	UNO	Vereinte Nationen
	tische Republik	i.d.R.	in der Regel	MHz	Megahertz	PLO	Palästinensische Be-	USA	Vereinigte Staaten
DGB	Deutscher Gewerk-	IG	Industriegewerkschaft	min	Minute		freiungsorganisation		von Amerika
	schaftsbund	inkl.	inklusive	mind.	mindestens	Prof.	Professor	W	Watt
d.h.	das heißt	insbes.	insbesondere	Mio	Million	russ.	russisch	z.B.	zum Beispiel
DM	Deutsche Mark	ital.	italienisch	MJ	Megajoule	sec	Sekunde	z.T.	zum Teil

Altersteilzeit

Im Rahmen des Bündnisses für Arbeit vereinbarten Bundesregierung, Arbeitgeber und Gewerkschaften Anfang Juli 1999 eine Ausweitung der A.-Angebote. Das deutsche Gesetz zur A., das ein sozialverträgliches vorzeitiges Ausscheiden älterer Arbeitnehmer ermöglicht, wurde bis Anfang 1999 in 25 Wirtschaftszweigen und Unternehmen mit rund 10 Mio Beschäftigten in Betriebs- und Tarifvereinbarungen umgesetzt.

Zuschüsse: Nach den Bestimmungen des Gesetzes können Beschäftigte ab dem 55. Lebensjahr ihre Arbeitszeit bei 70% ihrer bisherigen Nettobezüge halbieren. Die Arbeitgeber zahlen 50% des bisherigen Bruttoentgelts, der Restbetrag wird von der Bundesanstalt für Arbeit (BA, Nürnberg) hinzugefügt, aber nur, sofern die durch den A.-Nehmer frei werdende Stelle von einem Arbeitslosen bzw. einem ausgelernten Auszubildenden besetzt wird. Die BA stockt den Rentenbeitrag des Betreffenden auf 90% des Vollzeitentgelts auf.

Ausgleichszeiträume: Die Frist, innerhalb derer die Arbeitszeit des A.-Nehmers einen Durchschnitt von 50% erreicht, beträgt bei Vorliegen einer Tarifvereinbarung max. zehn Jahre (vor 1998: fünf Jahre), auf der Basis von Betriebsvereinbarungen ohne Tarifvertrag max. drei Jahre (vor 1998: ein Jahr). Für Ausgleichszeiträume können Betriebsvereinbarungen nur geschlossen werden, wenn der Tarifvertrag der Branche eine sog. Öffnungsklausel enthält. Innerhalb des Ausgleichszeitraums kann die Arbeitszeit beliebig verteilt werden. Bevorzugt wird das Modell, wonach der ältere Arbeitnehmer die Hälfte des Zeitraums der A. voll arbeitet und dann vorzeitig ausscheidet. Der Bezug einer vorzeitigen Rente ist generell (ab dem 60. Lebensjahr)

seit dem 1.1.1998 nur noch bei Vorliegen einer mind. einjährigen Arbeitslosigkeit oder einer mind. zweijährigen A. möglich. Bei vorzeitiger Inanspruchnahme der Rente gelten Abschläge.

Tarifregelungen: In Tarifverträgen wurden die Entgelte für A. von Arbeitgeberseite vielfach auf bis zu 85% des Nettoeinkommens aufgestockt, der Rentenversicherungsbeitrag vereinzelt auf 95% oder sogar 100%. U.a. in der Mineralölindustrie, bei VW, in Teilen der Energieversorgung und im öffentlichen Dienst ist ein anteiliger Ausgleich des Rentenabschlags vorgesehen. In einigen Tarifbereichen besteht ab einem bestimmten Alter ein Rechtsanspruch auf A.; meist ist jedoch ein Anspruch ausgeschlossen, wenn ein bestimmter Anteil der Belegschaft bzw. der Altersjahrgänge überschritten ist.

Beamte: Seit dem 1.9.1998 besteht eine A. für Bundesbeamte. Ab dem 55. Lebensjahr kann, ab dem 60. Lebensjahr muss einem Bundesbeamten A. gewährt werden, wenn dringende dienstliche Gründe nicht entgegenstehen. Er erhält bei 50% Arbeitszeit 83% der Nettodienstbezüge. Die A. gilt zu 9/10 als ruhegehaltfähige Dienstzeit. Die Bundesländer können eigene Regelungen für ihre Beamten treffen, sind aber hinsichtlich Besoldung und Versorgung an die Bestimmungen für Bundesbeamte gebunden.

Arbeitsbeschaffungs- maßnahmen

(ABM), durch A. werden für Erwerbslose Arbeitsplätze eingerichtet, die für begrenzte Zeit (meist ein Jahr) von der Bundesanstalt für Arbeit (BA, Nürnberg) voll oder anteilig finanziert werden.

Der BA-Etat für 1999 enthielt für A., berufliche Weiterbildung und Mobilitätshilfen einen Posten von 27,4 Mrd DM (1998:

Arbeitsbeschaffungsmaßnahmen 1990–99

1999[1]	165000	78000	243000[2]
1998	145000	66000	211000
1997	235000	68000	303000
1996	278000	76000	354000
1995	312000	72000	384000
1994	280000	57000	337000
1993	271000	51000	322000
1992	388000	78000	466000
1991	183000	83000	266000

1) Prognose des Instituts für Weltwirtschaft; 2) Ost und West gesamt; http://www.uni-kiel.de:8080/IfW; Quelle: Bundesanstalt für Arbeit, http://www.arbeitsamt.de

Ostdeutschland
Westdeutschland

Bei stark schwankenden Zahlen der ABM lag der Schwerpunkt der Förderung immer in Ostdeutschland. Jährlich wurden von der BA zwischen 66% und 83% der ABM zur Belebung des ostdeutschen Arbeitsmarktes eingesetzt. Da das Ziel, ABM in Dauerarbeitsplätze umzuwandeln, nur in jedem zehnten Fall erreicht wird, sind ABM dort eher sozial- als arbeitsmarktpolitische Instrumente.

25,34 Mrd DM, +8,1%) sowie 14,4 Mrd DM (1998: 12,2 Mrd DM, +18%) für weitere arbeitsmarktpolitische Maßnahmen. Vertreter von öffentlicher Hand und Gewerkschaften beschlossen mit ihrer Mehrheit im BA-Verwaltungsrat die Erhöhung der Mittel, um die aktive Arbeitsmarktpolitik insbes. in Ostdeutschland zu verstetigen. Die Arbeitgebervertreter befürworteten dagegen eine Ausgabenkürzung, um den Beitragssatz zur Arbeitslosenversicherung und damit die Lohnnebenkosten zu senken.

Entwicklung: Während sich die A. nach drastischer Mittelkürzung im Jahresverlauf 1997 halbierten, stiegen sie 1998 von 137000 zu Jahresbeginn auf 284000 im Dezember an, nachdem die alte christlich-liberale Bundesregierung im Wahljahr 1998 ein Sonderprogramm von 1 Mrd DM zur Finanzierung weiterer A.-Stellen aufgelegt hatte (Jahresdurchschnitt: 211000). Prognosen zufolge steigen die A. im Jahresdurchschnitt 1999 auf 243000 (1998: 211000, +15,6%). Hinzu kommen Strukturanpas-

sungsmaßnahmen mit Lohnkostenzuschüssen der BA für 230000 Personen (1998: 163000, +41,1%).

Vergabekriterien: Die Arbeit in A. muss gemeinnützig sein und darf nicht mit der Tätigkeit in privatwirtschaftlichen Firmen konkurrieren. Wirtschaftsunternehmen sind bei der Vergabe von A. gegenüber öffentlichen Trägern zu bevorzugen.

Kosten: Nach Berechnungen des Instituts für Arbeitsmarkt- und Berufsforschung der BA kostet eine A.-Stelle etwa das 2,5-fache der normalen Arbeitslosenunterstützung, unter Berücksichtigung der Rückflüsse aus A.-Tätigkeit (Sozialversicherungsbeiträge, Steuern) jedoch nur das 1,5-fache.

■ **Organisationen** → Bundesanstalt für Arbeit
http://www.arbeitsamt.de

Arbeitskosten

Entgelt für geleistete Arbeit plus gesetzliche und tariflich bzw. betrieblich festgelegte Personalzusatzkosten

Nach Einschätzung verschiedener Wirtschaftsforschungsinstitute haben sich die A. seit Mitte der 90er Jahre in Deutschland im Vergleich der Industrieländer insbes. wegen geringer Lohnsteigerungen günstig entwickelt. Im ostdeutschen produzierenden Gewerbe lagen die A. nach Angaben des Statistischen Bundesamtes (Wiesbaden) 1996 um fast 40% unter dem Westniveau.

Zweiter Lohn: Nach Berechnungen des arbeitgebernahen Instituts der deutschen Wirtschaft (IW, Köln) entfielen 1998 auf je 100 DM Entgelt für geleistete Arbeit im produzierenden Gewerbe in Westdeutschland 81,80 DM, in Ostdeutschland 68,10 DM Zusatzkosten. Davon betrafen 38,30 DM (West) bzw. 38,40 DM (Ost) gesetzliche Zusatzkosten (Arbeitgeberanteil der Sozialversicherungsbeiträge, bezahlte Feiertage, Lohnfortzahlung im Krankheitsfall, Mutterschutz u. a.) und 43,50 DM (West) bzw. 29,70 DM (Ost) tarifliche und betriebliche Zusatzkosten wie Urlaub und Urlaubsgeld, Weihnachtsgeld, 13. Monatsgehalt, betriebliche Altersversorgung, Vermögensbildung u. a.

Staatlich bedingte Lohnnebenkosten: Die hohe Arbeitslosigkeit (1998: 4,28 Mio) ist nach Angaben der Forschungsinstitute ein Indiz, dass die A. in Deutschland an der Wende zum 21. Jh. im internationalen Ver-

Arbeitskosten: Beitragssätze der Sozialversicherungen

Sparte[1]	1997	1998	1999
Rentenversicherung	+1,1	unver.	−0,8
Krankenversicherung[2]	+0,2	+0,1	n. v.[3]
Arbeitslosenversicherung	unver.[4]	unver.	unver.[5]
Pflegeversicherung	unver.	unver.	unver[5].
insgesamt	+1,3	−0,7	−0,8[5]

1) Anstieg der Sätze in Prozentpunkten des Bruttoverdienstes (Arbeitnehmer- und Arbeitgeberanteile); 2) Durchschnittswert aller gesetzlichen Krankenversicherungen; 3) nicht verfügbar; 4) unverändert; 5) voraussichtlich; Quelle: Bundesarbeitsministerium, http://www.bma.bund.de

gleich weiterhin zu hoch sind. Bei moderaten Tarifabschlüssen und sinkenden Lohnstückkosten wurden insbes. die staatlich verursachten Lohnnebenkosten dafür verantwortlich gemacht. Sie sind in anderen Ländern wegen einer stärkeren steuerlichen bzw. privaten Finanzierung der sozialen Sicherung oft deutlich niedriger. Für 1999 ist bei den staatlich verursachten Lohnnebenkosten trotz Wiedereinführung der vollen Lohnfortzahlung im Krankheitsfall durch Senkung des Rentenversicherungsbeitrags von 20,3% auf 19,5% zum 1.4.1999 erstmals seit 1990 ein Rückgang zu erwarten. Lt. Institut für Arbeitsmarkt- und Berufsforschung (Nürnberg) könnten 400 000 neue Arbeitsplätze entstehen, wenn binnen fünf Jahren die Lohnnebenkosten um jeweils einen Prozentpunkt gesenkt würden.

Arbeitslosenversicherung

Pflichtversicherung in Deutschland gegen die materiellen Folgen der Arbeitslosigkeit, getragen von der Bundesanstalt für Arbeit (BA, Nürnberg). Aus der A. werden Arbeitslosen- und Kurzarbeitergeld bezahlt und beschäftigungspolitische Maßnahmen finanziert. Die Kosten für Arbeitslosenhilfe trägt der Bund. Finanziert wird die A. jeweils zur Hälfte durch Beiträge von Arbeitgebern und Arbeitnehmern.

Der Beitragssatz zur A. blieb 1999 mit 6,5% des Bruttomonatsentgelts stabil. Die Bemessungsgrenze, bis zu der Beiträge zur A. entrichtet werden müssen, wurde zum 1.1.1999 in Westdeutschland um 100 DM auf 8500 DM und in Ostdeutschland um 200 DM auf 7200 DM angehoben. Nach dem vom Bundeskabinett Ende Juni 1999 gebilligten Sparpaket von Bundesfinanzminister Hans Eichel (SPD) war geplant, 2000 und 2001 Arbeitslosengeld und -hilfe nur entsprechend der Inflationsrate anzuheben (vorher Entwicklung der Nettolöhne). **Arbeitslosengeld:** Anspruch hat, wer in den letzten drei Jahren mind. 360 Tage versicherungspflichtig gearbeitet hat. Erwerbslose mit Kind erhalten 67% des Nettodurchschnittsentgelts der letzten sechs Monate, Arbeitslose ohne Kind 60%. Für nach dem 1.1.1998 erworbene Ansprüche wird das Nettoentgelt der letzten zwölf Monate inkl. Überstunden und Zuschläge zu Grunde gelegt. Personen bis 45 Jahre erhalten max. ein Jahr Arbeitslosengeld; für ältere Arbeitslose gibt es je nach Alter und Anwartschaftszeiten bis zu 32 Monate Arbeitslosengeld.

▬ Arbeitslosenhilfe: Neue Freibeträge

▶ **Abfindungen:** Generell bleibt ein Vermögen von 8000 DM bei Alleinstehenden und 16 000 DM bei Verheirateten bei der Bedürftigkeitsprüfung hinsichtlich der Arbeitslosenhilfe unberücksichtigt. Dieser Grundfreibetrag erhöht sich noch einmal um jeweils 10 000 DM, wenn das zusätzliche Geld aus einer Abfindung stammt. Eine entsprechende Anweisung des Bundesarbeitsministeriums an die Arbeitsämter vom November 1998 gilt auch rückwirkend seit dem 1.1.1998.

▶ **Private Altersvorsorge:** Nach Auslaufen des Arbeitslosengeldes müssen Erwerbslose in zumutbarem Rahmen ihr über den Freibetrag hinausgehendes Vermögen einsetzen, ehe sie Arbeitslosenhilfe beziehen dürfen. Lt. Urteil des Bundessozialgerichts (Kassel) vom März 1999 sind Mittel für die private Altersvorsorge insoweit auszunehmen, wie sich rechnerisch aus dem Kapital eine Alterssicherung von drei Siebteln der gesetzlichen Standardrente (Mitte 1999: 2145 DM) ergibt.

Arbeitslosenhilfe: Nach Auslaufen des Arbeitslosengeldes und für Personen, die mind. 150 Tage beitragspflichtig gearbeitet haben, besteht Anspruch auf Arbeitslosenhilfe, sofern der Anspruchsteller bedürftig ist. Zur Feststellung wird das Einkommen von Ehegatten, nicht ehelichen Partnern und Verwandten ersten Grades berücksichtigt. 1999 betrug die Arbeitslosenhilfe 57% (Erwerbslose mit Kind) bzw. 53% (ohne Kind) des letzten durchschnittlichen Nettolohns. Mit jedem Jahr der Erwerbslosigkeit wird die Bemessungsgrundlage gekürzt, sodass sich auch die Höhe der Arbeitslosenhilfe jährlich verringert. Die sog. originäre Arbeitslosenhilfe, die im Bedarfsfall als Referendare, Soldaten und Beamte auf Zeit sowie Wehr- und Zivildienstleistende, die noch keine Sozialabgaben geleistet haben, gezahlt wird, soll nach Plänen der rot-grünen Bundesregierung gestrichen werden. **Beitragszahlungen:** Das im Juni 1999 vorgelegte Sparpaket der Bundesregierung sieht vor, die vom Staat für Bezieher von Arbeitslosenhilfe geleisteten Zahlungen an die Sozialkassen zu senken. Bisher galten 80% des letzten Bruttoeinkommens als Berechnungsgrundlage; künftig sollen die tatsächlich geleisteten Arbeitslosenhilfe-Zahlungen (53% bzw. 57%) zugrunde gelegt werden. Damit würden auch die Rentenansprüche von Arbeitslosenhilfebeziehern sinken. **Zumutbarkeit:** Leistungen aus der A. erhält nur, wer dem Arbeitsmarkt zur Verfügung steht und bereit ist, jede zumutbare Beschäftigung anzunehmen. Innerhalb von drei Monaten nach Eintritt der Arbeitslosigkeit ist eine Beschäftigung zumutbar, sofern die Bezahlung bis 20% unter dem bisherigen Verdienst liegt; vom vierten bis zum sechsten Monat erhöht sich die Schwelle auf 30%. Danach ist eine Beschäftigung nur dann unzumutbar, wenn das daraus erzielbare Nettoeinkommen niedriger ist als das Arbeitslosengeld.

Kurzarbeitergeld: Bei Kurzarbeit – der Herabsetzung der betriebsüblichen Arbeitszeit, um einen kurzfristigen Auftragsmangel zu überbrücken und Entlassungen zu vermeiden – zahlt die BA Kurzarbeitergeld in Höhe von 67% (Personen mit Kind) bzw. 60% (Kinderlose) des letzten durchschnittlichen Nettoentgelts. Die Frist für den Bezug von Kurzarbeitergeld wurde zum 1.4.1999 auf 15 Monate verlängert (zuvor: sechs, bei struktureller Kurzarbeit zwölf Monate). Die Zahl der Kurzarbeiter sank 1998 im Jahresschnitt im Vergleich zu 1997 um 67 000 (57,7%) auf 116 000.

Meldepflicht: Arbeitslose müssen sich spätestens alle drei Monate persönlich beim Arbeitsamt melden; ausgenommen sind Personen über 55 Jahre, Kranke, Behinderte und Umschüler. Nach dem für 1.8.1999 geplanten Vorschaltgesetz sollen die Meldepflicht abgeschafft und der Arbeitslose unregelmäßig einbestellt werden.

Sperrfrist: Kündigt ein Arbeitnehmer von sich aus oder lehnt er einen zumutbaren Job ab, werden Arbeitslosengeld/-hilfe vorübergehend gesperrt oder ganz gestrichen.

▧ **Organisationen** → Bundesanstalt für Arbeit
http://www.arbeitsamt.de

Arbeitslosigkeit

1998 ging die A. in Deutschland im Jahresschnitt erstmals seit 1995 in absoluten Zahlen und bei der Quote zurück. Bis Mitte 1999 blieben die Arbeitslosenzahlen unter denen des Vorjahresmonats.

Bilanz: Im Jahresdurchschnitt 1998 sank die Arbeitslosenrate in Deutschland auf 11,2% (1997: 11,4%), wobei sich die Quote im Westen im Vergleich zum Vorjahr um 0,4 Punkte auf 9,4% verringerte, im Osten dagegen um 0,1 auf 18,2% erhöhte. Im Jahresmittel waren 4,28 Mio Menschen erwerbslos (1997: 4,38 Mio). Der Anteil der Langzeitarbeitslosen stieg in Westdeutschland von 34% auf 37%, in Ostdeutschland von 28% auf 33%. Die Dauer der A. eines Betroffenen verringerte sich in Deutschland von 32 auf 30 Wochen. 34% der westdeutschen und 10% der ostdeutschen Arbeitslosen besaßen 1998 keine abgeschlossene Berufsausbildung. Bis Mitte 1999 war saisonbereinigt nur ein geringer weiterer Rückgang der Arbeitslosenzahlen zu beobachten. Der Abstand zum Vorjahresmonat, der im Oktober 1998 noch 400 000 betragen hatte, verringerte sich bis Mai 1999 fast kontinuierlich auf 200 000.

Prognosen: Das der Bundesanstalt für Arbeit (BA, Nürnberg) angegliederte Institut für Arbeitsmarkt- und Berufsforschung (IAB) sagte für 1999 im Jahresschnitt bei einem angenommenen Wirtschaftswachstum von 2% einen Rückgang der A. um 200 000 voraus. Das Forschungsunternehmen Prognos AG (Basel) ging in einer 1998 im Auftrag noch der alten christlich-liberalen Bundesregierung erarbeiteten Studie bei günstiger Weltwirtschafts-Entwicklung von rund 4 Mio Arbeitslosen und einer Quote von über 10% in Deutschland bis 2010 aus. Erst danach sei aufgrund demographischer Faktoren (Bevölkerungsrückgang, Alterung) mit einem Rückgang zu rechnen.

Ursachen: Für die hohe A. in Deutschland wurden hohe Steuern und Sozialabgaben sowie Innovationsmangel der Unternehmen

Arbeitslosigkeit in der Europäischen Union[1]

Land	%	Tendenz
EU-Durchschnitt	10,0	▼ −0,7[2]
Belgien	8,8	▼ −0,4
Dänemark	4,7	▼ −0,8
Deutschland	9,7[3]	▼ −0,3
Finnland	11,8	▼ −1,3
Frankreich	11,9	▼ −0,5
Großbritannien	6,3	▼ −0,7
Griechenland	n.v.[4]	n.v.[4]
Irland	9,0	▼ −1,1
Italien	12,3	▲ +0,1
Luxemburg	2,3	▼ −0,3
Niederlande	4,0	▼ −1,2
Österreich	4,5	▲ +0,1
Portugal	4,9	▼ −1,9
Schweden	8,2	▼ −1,7
Spanien	18,8	▽ −2,0

1) % der Erwerbspersonen 1998, harmonisiert nach dem Konzept der International Labour Organization (ILO); 2) Tendenz gegenüber 1997; 3) nach dem Berechnungsmodus der Bundesanstalt für Arbeit 11,2% (−0,2); 4) nicht verfügbar; Quelle: Eurostat http://europa.eu.int/eurostat.html

verantwortlich gemacht. Die Gewerkschaften befürworteten u. a. Umverteilung der Arbeit durch Überstundenabbau und Arbeitszeitverkürzungen, Arbeitgebervertreter sahen in Deregulierung des Arbeitsmarkts und Senkung der Arbeitskosten geeignete Mittel zur Reduzierung der A. Maßgeblich für den leichten Rückgang der A. in Westdeutschland 1998/99 war die Konjunkturbelebung (Wachstum des BIP 1998: 2,8%). Ein Anstieg der A. im Osten wurde durch aktive Arbeitsmarktpolitik verhindert.

Förderungsinstrumente: Durch Beschäftigungsmaßnahmen der BA (berufliche Weiterbildung, Arbeitsbeschaffungsmaßnahmen/ABM, produktive Lohnkostenzuschüsse u. a.) wurde der deutsche Arbeitsmarkt 1998 um rund 1,4 Mio Personen entlastet (1997: 1,1 Mio), davon um 757 300 in Ostdeutschland. Unter den zum 1.4.1997 eingeführten Instrumenten wurden in Ostdeutschland die Lohnkostenzuschüsse für Wirtschaftsunternehmen im Rahmen der Strukturanpassungsmaßnahmen (SAM) Ost mit 204 000 (1997: 73 000), in Westdeutschland die Eingliederungszuschüsse bei Neueinstellungen mit 69 500 (1997: 23 800) besonders stark genutzt. Das für den 1.8.1999 geplante Vorschaltgesetz zur Reform des Arbeitsförderungsrechts sieht u. a. vor, dass der Eingliederungszuschuss für Ältere und Langzeitarbeitslose bereits nach einer Erwerbslosigkeit von sechs (bisher: zwölf) Monaten gewährt werden kann. ABM sollen in Eigenregie des Trägers möglich sein und SAM auf besonders förderungsbedürftige Arbeitnehmer konzentriert, die Beschränkung auf Ostdeutschland in bestimmten Bereichen soll jedoch aufgehoben werden. Die Höchstlaufzeit wird von drei auf fünf Jahre heraufgesetzt.

Jugendarbeitslosigkeit: 1998 waren in Deutschland 472 000 Personen unter 25 Jahren arbeitslos (1997: 501 000, –5,8%). Zum 1.1.1999 trat ein von der rot-grünen Bundesregierung beschlossenes Sonderprogramm in Kraft, mit dem 100 000 erwerbslose Jugendliche einen Ausbildungs- oder Arbeitsplatz erhalten sollen. Das Programm wird mit 1,4 Mrd DM von der BA und mit 600 Mio DM vom EU-Sozialfonds getragen; 40% der Mittel gehen nach Ostdeutschland. 10 000 Jugendliche sollen eine betriebliche Lehrstelle, 25 000 eine außerbetriebliche Ausbildung bekommen. 65 000 Jugendliche mit Ausbildung, aber ohne Job sollen durch Lohnkostenzuschüsse in den ersten Arbeitsmarkt vermittelt werden bzw. eine weiterqualifizierende ABM-Stelle erhalten. Hinzu kommen Trainings- und Weiterbildungspmaßnahmen. Das Programm wird 2000 mit einem Zuschuss der Bundesregierung von 2 Mrd DM fortgesetzt.

http://www.arbeitsamt.de
http://www.100000jobs.de

Arbeitsmarkt

Nach korrigierten Berechnungen des Statistischen Bundesamts (Wiesbaden) gab es 1998 in Deutschland 36,0 Mio Erwerbstätige, davon 32,0 Mio Arbeitnehmer sowie 4,0 Mio Selbstständige und mithelfende Familienangehörige. Die darin enthaltene Zahl der geringfügig Beschäftigten (ohne zusätzliche Hauptbeschäftigung) wurde auf 2,5 Mio geschätzt.

Entwicklung: Ein Vergleich mit dem Vorjahr war aufgrund der geänderten Grundlage nicht möglich. Im Vergleich zu 1991 ergab sich bis 1998 ein Rückgang der Erwerbstätigen um 1,8 Mio (4,7%). Die Zahl der Arbeitnehmer sank um 6,4%, die der

Arbeitsmarkt: Erwerbstätige nach Bundesländern		
Baden-Württ.	4 590 000	▼ –0,6[1]
Bayern	5 398 000	unver.[2]
Berlin	1 424 000	▽ –1,8
Brandenburg	995 000	▼ –1,5
Bremen	344 000	▼ –0,5
Hamburg	897 000	unver.
Hessen	2 576 000	▲ +0,1
Meckl.-Vorp.	714 000	▼ –1,1
Niedersachsen	3 052 000	▼ –0,3
Nordrh.-Westf.	7 166 000	▲ +0,7
Rheinland-Pfalz	1 482 000	▲ +0,5
Saarland	434 000	▲ +0,9
Sachsen	1 861 000	unver.
Sachsen-Anhalt	1 042 000	unver.
Schlesw.-Holst.	1 057 000	▼ –0,6
Thüringen	974 000	▼ –0,3

Stand: 1998, 1) Veränderung gegenüber 1997 (%); 2) unverändert; Quelle: Statistisches Bundesamt (Wiesbaden); http://statistik-bund.de

Selbstständigen und mithelfenden Familienangehörigen nahm um 11,7% zu. Während die Zahl der Erwerbstätigen in Land-, Forstwirtschaft und Fischerei sowie der Industrie 1991–98 um über ein Drittel zurückging, verzeichneten Handel, Gastgewerbe und Verkehr nur einen geringen Stellenabbau. Im Baugewerbe stieg die Stellenzahl bis 1995 und fällt seitdem. Großen Zuwachs gab es in den Bereichen Finanzierung, Vermietung und Dienstleister.

Verlagerung: Von den sozialversicherungspflichtig Beschäftigten arbeiteten 1998 ca. 23% in Großunternehmen ab 500 Mitarbeitern, 18% in Kleinbetrieben bis neun Mitarbeiter, 59% in mittelständischen Unternehmen. Während in den Großunternehmen innerhalb von zwei Jahren 580 000 Stellen abgebaut wurden, entstanden in kleinen Unternehmen (bis max. zehn Beschäftigte) 60 000 neue Arbeitsplätze.

Prognosen: Nach einer Modellrechnung des Instituts für Arbeitsmarkt- und Berufsforschung (IAB, Nürnberg) wird bei gleichbleibender Erwerbsquote (West- und Ostdeutschland jeweils ca. 60%) aus demographischen Gründen die Zahl der Erwerbspersonen bis 2010 jährlich um 150 000 bis 200 000 zurückgehen, danach wird sich die Abnahme verdoppeln. Lt. einer Studie des Wirtschaftsberatungsunternehmens Prognos AG (Basel) von 1998 wird die deutsche Industrie bis 2020 etwa ein Fünftel ihrer Arbeitsplätze abbauen. Im Bauhauptgewerbe und in der Chemie werde jeder dritte, bei Maschinenbau und Elektrotechnik jeder fünfte Arbeitsplatz verloren gehen, die Beschäftigtenzahl im Dienstleistungsbereich werde bis 2020 um rund 2,5 Mio Personen zunehmen.

Arbeitsschutz

Maßnahmen zur Verhütung von Arbeitsunfällen und arbeitsbedingten Gesundheitsgefahren sowie zur menschengerechten Gestaltung der Arbeit

Nach den Angaben des Unfallverhütungsberichts des Bundesministeriums für Arbeit und Soziales ging die Zahl der tödlichen Arbeitsunfälle in Deutschland im Jahr 1997 (letztverfügbarer Stand) im Vergleich zum Vorjahr um 7,9% auf 1403 zurück. Insgesamt sank die Unfallquote 1997 mit 42 je 1000 Arbeitsplätze auf ihren niedrigsten Stand überhaupt (1996: 43).

Arbeit

Mehr Arbeit für weniger Beschäftigte

Ende des 20. Jh. hat die Zahl der Arbeiter in Deutschland mit rund 35% Anteil an den Erwerbstätigen einen historischen Tiefstand erreicht (1950: 48%). Mit zunehmender Rationalisierung und Automation sowie mit dem Wandel der Wirtschaftsstruktur zu Gunsten des Dienstleistungssektors, in dem Ende der 90er Jahre zwei Drittel aller deutschen Erwerbstätigen beschäftigt waren, stieg die Zahl der Angestellten von 16% (1950) auf über 45% (1998). Moderne Erhebungen fassen »Arbeiter und Angestellte« zusammen, da die Abgrenzung kaum noch möglich ist: Der Begriff »Arbeit« bezieht sich auf ungelernte Tätigkeiten (Hilfsarbeiter, Parkwächter, Hausmeister) ebenso wie auf Spitzenpositionen in der Wirtschaft (leitende Angestellte, Vorstandsvorsitzende). Die Gesamtzahl der Beschäftigten in Deutschland hat im letzten Jahrzehnt des 20. Jh. kontinuierlich abgenommen und lag 1998 bei rund 36 Mio Menschen.

Positive Trends

▸ In Deutschland lag die Zahl der Arbeitsunfälle mit 42 je 1000 Arbeitsplätze (1997) auf dem niedrigsten Stand überhaupt.

▸ Die durchschnittliche Wochenarbeitszeit im produzierenden Gewerbe sank in Deutschland (nur altes Bundesgebiet) von 48 h (1950) auf 37,4 h (1998).

▸ Der Bruttostundenverdienst im produzierenden Gewerbe stieg in Deutschland (alte Länder) bei Männern von durchschnittlich 1,30 DM (1950) auf 27,74 DM (1997), bei Frauen von 0,88 DM auf 20,80 DM.

Negative Trends

▸ Deutschland zählt mit 44 DM (1995) Arbeitskosten/Stunde zu den Hochlohnländern (Schweiz: 41,47 DM, Österreich: 35,19 DM, Portugal: 9,17 DM) mit negativen Wirkungen auf die internationale Wettbewerbsfähigkeit.

▸ Die Arbeitslosenquote in Deutschland stieg von 8,5% (1992) auf 11,2% (1998).

▸ Die Finanzierung der Arbeitslosigkeit stellt den Staat vor erhebliche Probleme. Die Ausgaben für Erwerbslose (1989: 39,8 Mrd DM) verdreifachten sich bis Ende der 90er Jahre.

Roboter-Schweißstraße in der Automobilproduktion bei Volkswagen in Wolfsburg

Meilensteine

Vom Arbeiterschutz zum Sozialstaatsgebot

1900: Die deutsche Reichsgewerbeordnung verbessert den Arbeiter- und Lehrlingsschutz und ersetzt die Gewerbeordnung von 1869/71, die Eingriffe des Staates in das Arbeitsleben beseitigen sollte.

1911: Großbritannien führt die weltweit erste staatliche Pflichtversicherung gegen Arbeitslosigkeit ein.

1917: Nach der Oktoberrevolution der Bolschewiki übernimmt in Russland erstmals eine »Arbeiter- und Bauernregierung« die Macht.

1918: In Deutschland wird die Arbeitslosenunterstützung gesetzlich eingeführt und per Reichsverordnung den Gemeinden übertragen.

1919: Die Internationale Arbeitsorganisation (ILO) wird als Völkerbundsorganisation (ab 1946 der UN) gegründet. Der Weltfriede könne auf Dauer »nur auf sozialer Gerechtigkeit« aufgebaut werden.

1920: Das deutsche Betriebsrätegesetz räumt den Arbeitnehmern Mitspracherecht bei personalen und sozialen Maßnahmen ein.

1920: Bulgarien führt die Arbeitspflicht ein. Ab 1929 richten auch Deutschland, die Niederlande, die USA u. a. freiwillige oder gesetzliche Arbeitsdienste ein, um die Massenarbeitslosigkeit zu bekämpfen.

1949: Die Erklärung der Menschenrechte der UN enthält in Art. 23 den Satz: »Jeder Mensch hat das Recht auf Arbeit.«

1949: Das Grundgesetz verankert in Art. 9 (3) die Tarifautonomie von Gewerkschaften, Arbeitgeberverbänden und Einzelunternehmern.

1951: Der Deutsche Bundestag beschließt die paritätische Mitbestimmung in der Montanindustrie.

1955: Das Gastarbeiter-Abkommen mit Italien macht die Bundesrepublik zum Arbeitseinfuhrland.

1965: Die Tarifpartner in der Bauindustrie einigen sich auf den ersten Tarifvertrag in der BRD mit vermögenswirksamen Leistungen zu Gunsten der Arbeitnehmer.

1969: Das deutsche Arbeitsförderungsgesetz erweitert die Aufgaben der Bundesanstalt für Arbeit um Arbeitsbeschaffungsmaßnahmen, Gewährung von Konkursausfallgeld, Rehabilitationsleistungen u. a.

1970: In den Industriestaaten werden im Rahmen einer präventiven Sozialpolitik Programme zur Humanisierung der Arbeit entwickelt.

1993: Die deutsche CDU/CSU/FDP-Bundesregierung verschärft die Maßnahmen zur Bekämpfung des Missbrauchs von Leistungen der Bundesanstalt für Arbeit.

1994: In Deutschland werden private Arbeitsvermittlungsunternehmen per Gesetz zugelassen.

Stichtag: 1. Mai 1906

Streik am Tag der Arbeit

Mit dem Generalstreik in Frankreich war der 1. Mai im Jahr 1906 erstmals nicht nur von Demonstrationen, sondern von Arbeitskampf geprägt. Die von den Beschäftigten geforderte Einführung des Achtstundentags wurde zwar nicht verwirklicht, doch beschloss die Regierung des im Oktober gewählten Premierministers Georges Clemenceau sozialpolitische Reformen. Der 1. Mai war 1890 auf Beschluss der Zweiten Internationale mit Demonstrationen für die Verbesserungen des Arbeitslebens begangen worden in Erinnerung an den 1. Mai 1865, als US-Arbeiter für den Achtstundentag kämpften. 1933 entstellte die NS-Regierung den 1. Mai ideologisch zum »Tag der nationalen Arbeit«. In den kommunistischen Ländern diente er mit Massenaufmärschen zur Selbstdarstellung der Regime.

Stichwort: Achtstundentag

Arbeitszeit gesetzlich geregelt

Nach dem Sturz der Monarchie (1918) in Deutschland wurde zum 1.1.1919 der von Arbeitgebern (Verhandlungsführer: Hugo Stinnes) und Gewerkschaften (Karl Legien) ausgehandelte Achtstundentag eingeführt. Bis dahin gab es keine Höchstarbeits-, sondern nur eine gesetzliche »Mindestruhezeit« von zehn Stunden. 1918/19 wurde der Achtstundentag bzw. die 48-Stunden-Woche in Skandinavien, Frankreich, Österreich und der Schweiz eingeführt.

Ausblick

Arbeit nur für die Besten?

Rationalisierung und Wettbewerb erhöhen die Anforderungen an die Beschäftigten. Um das wachsende Heer der Arbeitslosen in Beschäftigung zurückzuführen, sind niedrige Arbeitskosten, ständige Weiterqualifikation und neue Konzepte zur Verteilung der Arbeit gefragt.

Unfälle: Die Zahl der tödlichen Unfälle im Bereich der gewerblichen Berufsgenossenschaften sank 1998 im Vergleich zu 1997 um 3,3% auf 971, bei den tödlichen Wegeunfällen ergab sich ein Rückgang um 6% auf 691. Die meldepflichtigen Arbeitsunfälle mit mehr als drei Tagen Arbeitsunfähigkeit gingen 1998 um 1,2% auf 1,2 Mio zurück. Bei den schweren Arbeits- und Wegeunfällen, die zu neuen Rentenzahlungen führten, verringerte sich die Zahl 1998 um 10% auf knapp 33 000.

Trend: Nach steigenden Unfallzahlen im Bereich der Berufsgenossenschaften Anfang der 90er Jahre – eine Folge der Ausweitung des gesetzlichen Unfallversicherungsschutzes auf die neuen Bundesländer – hielt der langfristige Trend zu sinkenden Unfallzahlen an. Ursachen sind strengere gesetzliche Sicherheitsvorschriften und verstärkte Aufklärung in den Betrieben.

Berufskrankheiten: Die Zahl der Anzeigen auf Verdacht einer Berufskrankheit sank 1998 nach Angaben des Hauptverbands der gewerblichen Berufsgenossenschaften (HVBG, Sankt Augustin) um 3,3% auf rund 75 000. Bei einer Anerkennungsquote von 34,3% bestätigte sich eine Berufskrankheit in insgesamt 27 000 Fällen.

Beitragssenkung: Bei den Berufsgenossenschaften, den Trägern der gesetzlichen Unfallversicherung der gewerblichen Wirtschaft, waren Ende 1998 nach HVBG-Angaben 42 Mio Personen und 2,9 Mio Betriebe versichert. Die Beiträge wurden nur von den Arbeitgebern gezahlt und nach ge-

zahlter Lohnsumme sowie Gefahrenklasse berechnet. Der Durchschnittsbeitrag sank 1997 auf 1,4% (1960 noch 1,51%).

EU-Richtlinien: Am 27.1.1999 wurde in Deutschland eine Verordnung zur Umsetzung von EU-Richtlinien über den Schutz der Beschäftigung gegen Gefährdung durch biologische Arbeitsstoffe erlassen. Sie soll die Sicherheit von Personen erhöhen, die mit Mikroorganismen operieren, welche beim Menschen Infektionen oder toxische Wirkungen hervorrufen. Die Frist zur Gestaltung von Büroarbeitsplätzen in Unternehmen und öffentlichen Verwaltungen nach der EU-Bildschirmrichtlinie und der deutschen Bildschirmarbeitsverordnung (1996) läuft Ende 1999 aus.
http://www.eu-osha.es

Arbeitsvermittlung

Die Bundesanstalt für Arbeit (BA, Nürnberg) erzielte 1998 mit 3,67 Mio A. (1997: 3,3 Mio), darunter 1,9 Mio Vermittlungen von Erwerbslosen, einen Rekord. Seit 1998 ist die A. gegenüber aktiver Arbeitsförderung und Leistungsauszahlung als vorrangige Aufgabe der BA ausdrücklich festgeschrieben. Nach Angaben von Präsident Bernhard Jagoda will die BA künftig neue Beschäftigungsformen und Existenzgründungen sowie internationale Vermittlungen verstärkt berücksichtigen.

Arbeitsämter: Die Zahl der A. durch die BA erhöhte sich 1998 im Vergleich zum Vorjahr um 11%, bei den vermittelten Erwerbslosen betrug der Anstieg 22%. Auf den ersten Arbeitsmarkt wurden 2,6 Mio vermittelt, 442 000 Personen bekamen subventionierte und meist befristete Beschäftigungsverhältnisse, 652 000 Personen wurden u. a. in Arbeitsbeschaffungs- und Strukturanpassungsmaßnahmen vermittelt. Hinzu kamen 500 000 durch die Selbstinformationsangebote in den Arbeitsämtern und im Internet vermittelte Arbeitsverhältnisse. Dazu gehören der Stellen-Informations-Service (SIS) mit täglich aktualisierten Stellenangeboten, der Arbeitgeber-Informations-Service (AIS) mit Stellengesuchen und der Ausbildungsstellen-Informationsservice (ASIS) für den Lehrstellenmarkt.

Private Vermittler: Gewerbsmäßige Arbeitsvermittler, die seit 1994 in Deutschland mit Lizenz der BA tätig sein dürfen, vermit-

---

▬ Arbeitsvermittlung: Internet-Jobbörsen[1]

www.arbeitsamt.de	11 600 000
www.job.de	662 355
www.jobware.de	199 510
www.karrieredirekt.de	193 103
www.careernet.de	123 518
www.jobinteractive.de	97 325
www.jobworld.de	71 205
www.stellenmarkt.de	59 260
www.jobrobot.de	56 148
www.job-suche.de	47 483

1) Visits von Jobbörsen und Job-Suchmaschinen im März 1999, Auswahl; gezählt wurden nur Visits ausgehend von den Startseiten; Quelle: Campo-Data

Arbeitszeit: Teilzeitbeschäftigung in den EU-Staaten[1]

Land	Frauen	Männer
Niederlande	68	17
Großbritannien	45	9
Schweden	40	9
Deutschland	35	4
Dänemark	34	12
Belgien	31	3
Frankreich	31	6
Österreich	29	4
Irland	23	5
Luxemburg	20	1
Spanien	17	3
Finnland	16	8
Portugal	15	6
Italien	14	3
Griechenland	8	3

1) Anteil der Teilzeitarbeitsplätze an der Erwerbstätigkeit (%); letztverfügbarer Stand: 1997; Quelle: Eurostat; http://europa.eu.int/eurostat.html.

In den Niederlanden, wo zwei Drittel aller Arbeitsplätze von Frauen Teilzeitbeschäftigungen sind, konnte die Arbeitslosenrate durch Schaffung von 500 000 Teilzeitarbeitsplätzen innerhalb von vier Jahren auf 4,1% (1998) mehr als halbiert werden.

telten 1998 nach Hochrechnungen des Bundesverbandes Personalvermittlung (BPV, Bonn) 70 000 Beschäftigungsverhältnisse, ca. 40% mehr als im Vorjahr. Etwa ein Drittel der Vermittelten war vorher arbeitslos. Die meisten Privatvermittler haben sich auf höher qualifizierte Büro- und Organisationsberufe spezialisiert. Für den Arbeitnehmer ist die A. kostenlos. Firmen, denen ein Mitarbeiter vermittelt wird, zahlen etwa 10–16% des Bruttoarbeitslohns der neuen Arbeitskraft als Provision an die privaten Vermittler.

Internet-Jobbörsen: Seit dem Start der ersten Online-Börse Jobs & Adverts (http://www.job.de) im Oktober 1995 hat sich die Zahl der Stellenvermittler über Internet in Deutschland bis Mitte 1999 auf über 250 erhöht. Neben Verlagen, die Print-Stellenanzeigen auch online veröffentlichen, gehören Personalberater und Existenzgründer, die nur davon leben, zu den Anbietern. Mehr als 200 000 Stellenangebote staatlicher und kommerzieller Anbieter fanden sich Mitte 1999 im Netz. Die Preise für Stellenanzeigen im Internet betrugen 200–1000 DM.

http://www.arbeitsamt.de
http://www.arbeit-online.de

Arbeitszeit

Die durchschnittliche tarifliche Wochenarbeitszeit betrug nach Berechnungen des Bundesarbeitsministeriums 1998 in Westdeutschland 37,4 und in Ostdeutschland 39,3 Stunden. Die Jahresarbeitszeit summierte sich nach Angaben des arbeitgebernahen Instituts der deutschen Wirtschaft (IW, Köln) 1997 in Westdeutschland auf durchschnittlich 1573, in Ostdeutschland auf 1720 Stunden (Spitzenreiter USA: 1904 Stunden). Rund 45% der Arbeitnehmer waren 1998 lt. IW-Daten außerhalb des üblichen Wochenturnus (samstags, sonn- und feiertags, abends oder nachts bzw. in Wechselschicht) im Einsatz.

Überstunden: Nach Angaben des Instituts für Arbeitsmarkt- und Berufsforschung (IAB, Nürnberg) wurden 1998 in Deutschland ca. 1,83 Mrd Überstunden geleistet, 20 Mio mehr als im Vorjahr. Sie machten rund 4,4% des Gesamtarbeitsvolumens aus und entsprachen rechnerisch 1,2 Mio Vollzeitjobs. Nach Berechnungen des gewerkschaftsnahen Wirtschafts- und Sozialwissenschaftlichen Instituts in der Hans-Böckler-Stiftung (WSI, Düsseldorf) wurden in 34,1% der west- und 42,7% der ostdeut-

Seit Mitte der 90er Jahre hat es in Deutschland kaum tarifliche Arbeitszeitverkürzungen gegeben; seit 1993 liegt die durchschnittliche Wochenarbeitszeit in Westdeutschland unter 38 Stunden, in Ostdeutschland war die 40-Stunden-Woche 1998/99 allerdings noch weit verbreitet.

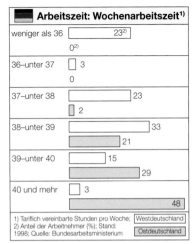

Arbeitszeit: Wochenarbeitszeit[1]

weniger als 36	23[2]
	0[2]
36–unter 37	3
	0
37–unter 38	23
	2
38–unter 39	33
	21
39–unter 40	15
	29
40 und mehr	3
	48

1) Tariflich vereinbarte Stunden pro Woche; Westdeutschland
2) Anteil der Arbeitnehmer (%); Stand:
1998; Quelle: Bundesarbeitsministerium   Ostdeutschland

schen Betriebe Überstunden geleistet. Nach IAB-Berechnungen würden durch dauerhafte Senkung der Überstundenzahl um 40% ca. 400 000 Arbeitsplätze geschaffen. Arbeitgeberverbände bestritten einen beschäftigungswirksamen Effekt. Die Gewerkschaftsforderung nach gesetzlicher Begrenzung der Zahl der Überstunden durch Herabsetzen der Höchstarbeitszeiten lehnte Bundeskanzler Gerhard Schröder (SPD) ab.

Bündnis für Arbeit: Teilnehmer und Institutionen

▶ **Arbeitgeber:** Bundesverband der deutschen Industrie (BDI), Bundesvereinigung der Arbeitgeberverbände (BDA), Deutscher Industrie- und Handelstag (DIHT), Zentralverband des deutschen Handwerks.
▶ **Gewerkschaften:** Deutscher Gewerkschaftsbund (DGB); Einzelgewerkschaften IG Metall, Öffentliche Dienste, Transport und Verkehr (ÖTV), IG Bergbau, Chemie, Energie (IG BCE) und Deutsche Angestellten-Gewerkschaft (DAG).
▶ **Bundesregierung:** Bundesministerien für Gesundheit, Finanzen, Wirtschaft, Arbeit und Soziales sowie Bundeskanzleramt.
▶ **Spitzengespräche:** Etwa alle zwei Monate finden unter Vorsitz von Bundeskanzler Gerhard Schröder (SPD) Spitzengespräche statt, an denen die Verbandspräsidenten und die Gewerkschaftsvorsitzenden und die Ressortminister teilnehmen.

▶ **Lenkungsausschuss:** Vorbereitet werden die Gespräche vom Lenkungsausschuss, dem der Kanzleramtschef vorsitzt, und dem Hauptgeschäftsführer der Verbände, leitende Gewerkschaftsfunktionäre sowie Staatssekretäre angehören. In dem alle drei Wochen tagenden Gremium sollen alle wichtigen wirtschafts-, sozial- und gesellschaftspolitischen Fragen koordiniert werden.
▶ **Arbeitsgruppen:** Bis Mitte 1999 waren elf Arbeitsgruppen zu verschiedenen Themen eingerichtet. Besondere Bedeutung wurde der Benchmarking-Gruppe beigemessen, einem Wissenschaftlergremium unter Leitung des Kanzleramts, das sich mit den Standortbedingungen in Deutschland im internationalen Vergleich beschäftigt. Ihm gehören das Wirtschafts- und Sozialpolitische Institut (WSI) des DGB und das arbeitgebernahe Institut der Deutschen Wirtschaft (IW) an.

Arbeitszeitkonten: Nach einer WSI-Umfrage hatten 1998 ca. 79% aller Privatbetriebe Vereinbarungen über Arbeitszeitkonten geschlossen. Drei Viertel ließen die Gutschrift von Überstunden, 17% sogar die Umwandlung von Geldzuschlägen für Nacht- und Wochenendarbeit in Zeitguthaben zu. Obwohl Arbeitszeitkonten dominierten, mit denen auf kurz- und mittelfristige Veränderungen im Auftragsvolumen der Unternehmen reagiert werden konnte, sahen 72% der befragten Betriebs- und 64% der Personalräte den Spielraum der Beschäftigten für individuelle Zeitgestaltung durch Arbeitszeitkonten eher erweitert.
Begrenzte Zeitguthaben: WSI-Experten befürworteten als arbeitsmarktpolitisches Instrument einen konsequenteren Freizeitausgleich und die betriebliche Festschreibung von Schwellenwerten für Zeitguthaben, bei deren Überschreiten zusätzliche Einstellungen vorgenommen werden müssten. Obwohl durch Zeitkonten Leerlauf vermieden und die Arbeit intensiviert werde, könnten sie durch Abbau von Zeitguthaben bei rückläufiger Nachfrage helfen, Entlassungen zu vermeiden.
Teilzeitarbeit: In Deutschland gab es 1998 rund 3,7 Mio sozialversicherungspflichtige Teilzeitarbeitnehmer (Anteil an allen Beschäftigten: 19%; 1997: 17,4%) in einem sozialversicherungspflichtigen Dauerarbeitsverhältnis mit kürzerer als der üblichen bzw. tariflich vereinbarten Arbeitszeit. Hinzu kamen 2,5 Mio geringfügig Beschäftigte (ohne sozialversicherungspflichtige Hauptbeschäftigung). Über 85% der Teilzeitarbeitnehmer waren Frauen. Mehr als 80% der Mütter in Westdeutschland und jede dritte Mutter in Ostdeutschland nannten nach dem Mikrozensus von 1997 familiäre Verpflichtungen als Grund für Teilzeitarbeit.

Bündnis für Arbeit
eigtl. B., Ausbildung und Wettbewerbsfähigkeit

Projekt: Auf Anregung der rot-grünen Bundesregierung kamen Spitzenvertreter der Tarifparteien und des Kabinetts am 7.12.1998 zur ersten Gesprächsrunde im Rahmen des B. zusammen. Das auf die gesamte vierjährige Legislaturperiode angelegte Forum soll nach Wegen zum Abbau der Arbeitslosigkeit suchen. Eine ähnliche

Gesprächsrunde unter Leitung des damaligen Bundeskanzlers Helmut Kohl (CDU) war im April 1996 bereits nach drei Monaten gescheitert.

Themen: Im B. sollen u.a. folgende Themenbereiche behandelt werden:
– Berufliche Aus- und Weiterbildung als Mittel zur Bekämpfung insbes. von Jugend- und Langzeitarbeitslosigkeit
– Reform der Unternehmenssteuern
– Vorzeitiges Ausscheiden von Arbeitnehmern im Rahmen von Altersteilzeit und/oder vorgezogener Rente
– Reform der Sozialversicherungssysteme, Senkung gesetzlicher Lohnnebenkosten
– Arbeitszeitpolitik inkl. Flexibilisierung, Ausbau der Teilzeitarbeit und Abbau von Überstunden
– Aufbau Ost
– Abfindungen bei Entlassungen
– Vermögensbildung und Gewinnbeteiligung von Arbeitnehmern
– Erschließung neuer Beschäftigungsfelder für gering Qualifizierte (Niedriglohnsektor) unter Einsatz neuer Instrumente.

Erste Ergebnisse: Die rot-grüne Bundesregierung, Arbeitgeber und Gewerkschaften vereinbarten im Juli 1999 die Schaffung von 10 000 zusätzlichen Lehrstellen, den Abbau von Überstunden, die Ausdehnung der Zahl der Altersteilzeitarbeitsplätze und Gespräche über die Ziele der Tarifpolitik. Das Sonderprogramm der Bundesregierung zur Bekämpfung der Jugendarbeitslosigkeit hatte im Vorfeld trotz Bedenken der Arbeitgeber hinsichtlich der Finanzierung durch die Bundesanstalt für Arbeit (BA, Nürnberg) die Zustimmung des B. gefunden.

Konflikte: Während die Gewerkschaften als vorrangige Aufgabe des B. die Umverteilung vorhandener Arbeit sahen, legten die Arbeitgeber den Akzent auf Verbesserung der Standortbedingungen. Umstritten war bis Mitte 1999, ob das B. konkrete Lohnleitlinien beschließen solle; die Gewerkschaften lehnten dies als Eingriff in die Tarifautonomie ab.

Geringfügige Beschäftigung

(auch 630-DM-Jobs), Arbeitsverhältnisse mit einer Arbeitszeit unter 15 Wochenstunden und einem regelmäßigen monatlichen Entgelt unter 630 DM

1998 arbeiteten 13% aller Erwerbstätigen in G. Zum 1.4.1999 trat eine von der rot-grünen Bundesregierung ausgearbeitete Neuregelung in Kraft.

Ziele: Alle dauerhaften Beschäftigungen werden sozialversicherungspflichtig, um die Zahl der G. einzudämmen und die Sozialversicherungssysteme zu entlasten. Höhere Abgaben entstanden meist für Personen, die außer einer steuer- und beitragspflichtigen Hauptbeschäftigung eine geringfügige Nebenbeschäftigung haben oder gesetzeswidrig mehrere G. nicht gemeldet hatten.

Auswirkungen: Nach Schätzungen der Bundesregierung sind durch das Gesetz für 1999 wegen der Abschaffung der Lohnsteuerpauschale Steuerausfälle von rund

---

▰ Geringfügige Beschäftigung: Neuregelungen vom 1.4.1999

▶ **Geringfügigkeitsgrenze:** Die Grenze für G. wurde auf einheitlich 630 DM festgesetzt (vorher: 520 DM in Ost-, 620 DM in Westdeutschland); sie wird nicht mehr jährlich angehoben. Wie bisher sind zur Prüfung, ob die Grenze hinsichtlich Arbeitszeit oder Entgelt überschritten wird, mehrere G. zusammenzurechnen.

▶ **Steuern:** Die bisher vom Arbeitgeber gezahlte Pauschalsteuer von 20% zuzüglich Solidaritätszuschlag entfällt, wenn der Arbeitgeber pauschale Beiträge zur Rentenversicherung zahlt und der Arbeitnehmer keine in der Summe positiven anderen Einkünfte (Renten, Kapitaleinkünfte usw.) hat. Zum Nachweis muss der Arbeitnehmer eine Freistellungsbescheinigung des Finanzamtes vorlegen. Bei Vorliegen anderer Einkünfte bleibt die Lohnsteuerpauschale von 20%, auch dann, wenn sozialversicherungsrechtlich, z.B. bei mehreren geringfügigen Tätigkeiten, keine G. vorliegt.

▶ **Sozialversicherung:** Statt einer Pauschalsteuer zahlt der Arbeitgeber für G. Beiträge zur Krankenversicherung von 10% und zur Rentenversicherung von 12% des Arbeitsentgelts – auch, wenn der geringfügig Beschäftigte z.B. über den Ehegatten krankenversichert ist. Für G., die nicht der gesetzlichen Krankenversicherung unterliegen (Beamte, Selbstständige) muss der Arbeitgeber nur Beiträge zur Rentenversicherung entrichten. In der Arbeitslosenversicherung bleiben G. beitragsfrei. Der Arbeitgeber ist verpflichtet, für den geringfügig Beschäftigten ein Lohnkonto zu führen.

▶ **Nebenbeschäftigung:** Beschäftigungen neben einer beitragspflichtigen Haupttätigkeit gelten nicht mehr als G. Sie werden steuerlich und hinsichtlich Kranken- und Rentenversicherung wie normale Arbeitsverhältnisse behandelt, bleiben aber frei von Beiträgen zur Arbeitslosenversicherung.

▶ **Ansprüche:** Der 12%ige Rentenbeitrag des Arbeitgebers begründet eine proportionale Rentenanwartschaft für den Arbeitnehmer, vor allem eine geringe Altersrente. Um Anspruch auf Rehabilitationsleistungen oder Rentenzahlungen bei Invalidität und eine höhere Altersrente zu erhalten, kann der geringfügig Beschäftigte den Rentenbeitrag um 7,5 Prozentpunkte auf den üblichen Beitragssatz von 19,5% aufstocken.

▶ **Meldepflicht:** Alle G. sind den Krankenkassen zu melden, auch Minijobs in Privathaushalten. Um die bisher verbreitete Praxis, bei mehreren Nebentätigkeiten nur eine G. zu melden, einzuschränken, werden G. auf der Freistellungsbescheinigung bzw. der Lohnsteuerkarte eingetragen.

▣▣ Geringfügige Beschäftigung: Tätigkeitsfelder[1]

Tätigkeit	Anzahl
Tätigkeit in Gastronomie	713 000
Putzen in Privathaushalten	494 000
Putzen in Betrieben	462 000
Handwerkstätigkeit in Privathaushalten	373 000
Zeitungen austragen	347 000
Lagerarbeiten, Regale auffüllen	306 000
Schreibarbeiten	274 000
Pflegetätigkeit	269 000
Pflege- bzw. Haushaltstätigkeit (privat)	230 000
Schüler-, Studentenjob	210 000
Verkaufs-, Werbetätigkeit	190 000
Buchhaltertätigkeit	147 000
Aushilfe im Kaufhaus	136 000
Nachhilfe, Volkshochschule	133 000
Tätigkeit für Versicherungen/Banken	115 000
Taxi, Spedition	114 000
Programmierarbeiten	103 000

1) Anzahl der Beschäftigten; Mehrfachnennungen möglich, weil ein Teil der Beschäftigten mehrere Tätigkeiten ausübt; geringfügig Beschäftigte insgesamt: 5,6 Mio; letztverfügbarer Stand: 1997; Quelle: Otto-Blume-Institut für Sozialforschung und Gesellschaftspolitik, Köln

1,3 Mrd DM sowie Mehreinnahmen für die gesetzliche Rentenversichung von 1,9 Mrd, für die gesetzliche Krankenversicherung von 1,35 Mrd DM zu erwarten.

Hintergrund: Vor Verabschiedung des Gesetzes wurden von der rot-grünen Bundesregierung nacheinander verschiedene Modelle zur Reform der G. vorgelegt. Zunächst war im Wesentlichen eine Senkung der Geringfügigkeitsgrenze auf 300 DM vorgesehen. Vorstufen zur gänzlich anders angelegten, letztlich verabschiedeten Regelung mit Steuerfreiheit und Sozialversicherungs-Beitragspauschale enthielten eine komplette Steuerbefreiung aller Minijobs sowie die eventuell verfassungswidrige Möglichkeit von Rentenbeiträgen, aus denen keine Ansprüche entstehen.

Reaktionen: Die Sozialversicherungsträger begrüßten die Neuregelung der G., die Arbeitgeberverbände, die eine Kündigungswelle und Flucht in die Schwarzarbeit prognostizierten, und zahlreiche Betroffene kritisierten sie. Vom damaligen Kanzleramtsminister Bodo Hombach (SPD) und einigen Mitgliedern der SPD-Bundestags-

fraktion wurde eine Korrektur des Gesetzes gefordert bzw. angekündigt, Bundesarbeitsminister Walter Riester (SPD) hielt bis Mitte 1999 an der Reform fest; auch für Überstunden gelte keine Steuer- und Abgabenbefreiung. Baden-Württemberg und Bayern kündigten im Frühjahr 1999 Änderungsinitiativen im Bundesrat an.
http://www.bundesfinanzministerium.de
http://www.bma.bund.de

Jobrotation

Zeitlich befristete Besetzung eines Arbeitsplatzes durch wechselnde Personen

Ursprünglich eingeführt, um der Abstumpfung durch monotone industrielle Tätigkeiten entgegenzuwirken, gehört J. an der Wende zum 21. Jh. vor allem in Großbetrieben zum Mittel der Ausbildung von Fach- und Führungskräften. Die zeitweise Versetzung in andere Abteilungen, ins Ausland oder in fremde Unternehmen soll die Flexibilität der Mitarbeiter durch wechselnde Anforderungsprofile erhöhen.

Dänisches Modell: Seit 1994 wird J. in Dänemark als Mittel der Qualifizierung der Beschäftigten und der Wiedereingliederung von Arbeitslosen eingesetzt. Nach Absprache mit dem Arbeitgeber können sich Beschäftigte bis zu einem Jahr für Weiterbildung freistellen lassen; sie erhalten in dieser Zeit volles Arbeitslosengeld. Wird ein Arbeitsloser als Stellvertreter für den Bildungsurlaubenden mit befristetem Vertrag zu einem regulären, vom Betrieb zu zahlenden Lohn eingestellt, zahlt der Staat einen Lohnkostenzuschuss. Zwar kommt im Schnitt nur auf jeden dritten Bildungsurlauber ein Stellvertreter, da jedoch mind. 40% nach Abschluss der Maßnahme wieder in den Arbeitsmarkt eingegliedert werden, erscheint J. als wirksames beschäftigungspolitisches Instrument und wurde 1998/99 auch in anderen EU-Staaten, u.a. in Deutschland, diskutiert. Entgegen dem EU-Trend reduzierte sich die Arbeitslosigkeit in Dänemark seit Einführung der J. von 10% (1994) auf 4,7% (1998).

Kündigungsrecht

Zum 1.1.1999 wurde durch ein von der rot-grünen Bundesregierung ausgearbeitetes Gesetz der volle Kündigungsschutz für alle

Arbeitnehmer in Betrieben mit fünf Mitarbeitern und mehr wiederhergestellt. Teilzeitbeschäftigte werden bei der Ermittlung des Schwellenwerts entsprechend ihrer Wochenarbeitszeit anteilig berücksichtigt.

Rücknahme: Mit dem Gesetz wurde die ab Oktober 1996 gültige, von der christlich-liberalen Regierung durchgesetzte Regelung zurückgenommen, nach der Kleinbetriebe mit bis zu zehn Mitarbeitern (vorher: fünf) nicht mehr unter die Bestimmungen des Kündigungsschutzes fielen. Nach Angaben des neuen Bundesarbeitsministers Walter Riester (SPD) und der Gewerkschaften führte die Lockerung des Kündigungsschutzes nicht zu mehr Beschäftigung. Auch hinsichtlich der Beachtung sozialer Kriterien bei betriebsbedingten Kündigungen wurde der alte Rechtszustand wiederhergestellt.

Abfindungen: Zum 1.1.1999 wurden die Steuerfreibeträge für Abfindungen um jeweils ein Drittel gesenkt. Sie betragen seitdem, nach Alter und Betriebszugehörigkeit des Arbeitsnehmers gestaffelt, 16 000, 20 000 bzw. 24 000 DM. Darüber hinausgehende Zahlungen müssen voll versteuert werden (bis dahin nur halber Satz). Eine Streckung der Versteuerung auf fünf Jahre ist auf Antrag möglich.

Der Beschluss der alten Bundesregierung, Abfindungen auf das Arbeitslosengeld anzurechnen, wurde zurückgenommen. Es droht aber eine bis zu zwölfwöchige Sperre des Arbeitslosengeldes, wenn der Arbeitnehmer durch sein Verhalten zum Ende des Arbeitsverhältnisses beigetragen hat.

Lehrstellenmarkt

Im Rahmen des Bündnisses für Arbeit verpflichteten sich die Arbeitgebervertreter Anfang Juli 1999 zur Schaffung von mind. 10 000 zusätzlichen Lehrstellen.

Bilanz: Bei einem Anstieg der in Deutschland abgeschlossenen Lehrverträge im Ausbildungsjahr 1997/98 um 4,4% auf 612 771 waren am Stichtag (30.9.1998) 35 675 Bewerber ohne Lehrstelle, 23 404 angebotene Lehrstellen waren nicht besetzt. Damit stabilisierte sich die Lehrstellenlage erstmals seit Jahren. Um zu verhindern, dass Jugendliche mehrere Ausbildungsverträge abschließen, müssen sie ab 1999 schon bei Abschluss eines entsprechenden Vertrags ihre Lohnsteuerkarte bei den Betrieben ein-

reichen. In der Vergangenheit hatte der Abschluss mehrerer Verträge dazu geführt, dass ca. 10 000 Ausbildungsplätze zu Beginn des Lehrjahres nicht angetreten wurden.

Prognose: Nach Berechnungen des Bundesbildungsministeriums ist im Ausbildungsjahr 1998/99 ein Lehrstellen-Bewerberrekord von 690 000 Jugendlichen zu erwarten, davon 655 000 Schulabgänger, 20 000 Teilnehmer an berufsvorbereitenden Kursen sowie 15 000 Jugendliche, die 1997/98 in Ermangelung einer Lehrstelle weiter zur Schule gingen.

Förderung: Die Bundesregierung ging davon aus, dass im Ausbildungsjahr 1998/99 alle Bewerber eine Lehrstelle finden werden. Zusätzlich zum jährlichen Bund-Länder-Programm zur überbetrieblichen Ausbildung in Ostdeutschland mit einem Volumen von 464 Mio DM, das 17 500 Ausbildungsstellen schaffen soll, wurde im November 1998 ein Sonderprogramm der Bundesregierung zum Abbau der Jugendarbeitslosigkeit im Umfang von 2 Mrd DM aufgelegt, durch das 100 000 Jugendliche unter 25 Jahren einen Arbeitsplatz oder eine Ausbildungsstelle erhalten sollen.

Vergütung: Die durchschnittliche monatliche Ausbildungsvergütung lag 1998 je nach Beruf zwischen 1871 DM und 713 DM (West) bzw. 1694 DM und 476 DM (Ost). Besonders hoch waren die Lehrlingsgehälter für angehende Gerüstbauer, Maurer und Bankkaufleute, besonders niedrig für Tischler, Bäcker, Floristen und Friseure. Im Gesamtschnitt ergab sich eine Vergütung von 1067 DM (West) bzw. 951 DM (Ost). Im Vergleich zum Vorjahr erhöhte sich die Vergütung im Westen um 1,1%, im Osten um 1,6%. Nach einem Urteil des Bundesarbeitsgerichts (BAG, Kassel) sind Ausbil-

1998 wurden 612 771 Ausbildungsverträge abgeschlossen, was einer Steigerung von 4,4% gegenüber dem Vorjahr entspricht.

Lehrstellenmarkt: Ausbildungsverträge

Industrie und Handel	311 663[1]	▲ + 8,9[2]
Handwerk	212 382	▲ + 0,4
Freie Berufe	51 862	▼ – 2,3
Landwirtschaft	15 762	▲ + 1,7
Öffentlicher Dienst	15 198	▽ – 4,2
Hauswirtschaft	5748	▲ +28,9
Seeschifffahrt	156	▲ + 5,4

1) Stichtag: 30.9.1998; 2) Veränderung gegenüber Vorjahr (%); Quelle: Bundesbildungsministerium

23

dungsvergütungen nicht »angemessen«, wenn sie mehr als 20% unter den branchenüblichen Empfehlungen liegen. Werden sie angehoben, müssen die Arbeitgeber während des laufenden Ausbildungsverhältnisses die Vergütung nachbessern. **Forderungen:** Als Maßnahmen zur Verbesserung der Ausbildungssituation forderten die Arbeitgeber im BIBB u. a. kürzere Ausbildungsgänge für Lernschwache und die Abschaffung des zweiten Berufsschultags im zweiten und dritten Ausbildungsjahr nach niedersächsischem Vorbild; die Gewerkschaften setzten sich für die Einführung einer gesetzlichen Umlage für nicht ausbildungswillige Unternehmen ein.
http://www.arbeitsamt.de
http://www.100000jobs.de

Lohnfortzahlung

Zahlung des Arbeitgebers an einen erkrankten Arbeitnehmer während der ersten sechs Wochen einer krankheitsbedingten Fehlzeit. Nach Ablauf der L. zahlt die Krankenkasse bei Fortbestehen der Arbeitsunfähigkeit Krankengeld.

Zum 1.1.1999 trat ein von der rot-grünen Bundesregierung ausgearbeitetes Gesetz in Kraft, das die volle L. im Krankheitsfall wiederherstellte.

Lohnfortzahlung: Krankenstand[1]

Jahr	Ost		West	
1998	4,1	▼ −0,2	4,3	▲ +0,1
1997	4,3	▼ −0,7	4,2	▼ −0,5
1996	5,0	▼ −0,1	4,7	▼ −0,4
1995	5,1	▲ +0,2	5,1	▲ +0,5
1994	4,9	unver.	4,6	▲ +0,2
1993	4,9	▼ −0,2	4,4	▲ +0,2
1992	5,1	▲ +1,1	4,2	▽ −1,0

1) Arbeitsunfähige kranke Mitglieder der gesetzlichen Krankenkassen in % aller Mitglieder (Pflichtmitglieder); Quelle: Bundesgesundheitsministerium — Ostdeutschland / Westdeutschland

Der historisch niedrigste Stand der Krankmeldungen 1998 in Deutschland wurde u. a. auf die wachsende Angst vor Arbeitslosigkeit zurückgeführt.

Rücknahme: Mit dem Gesetz wurden die zum 1.10.1996 von der alten christlich-liberalen Bundesregierung durchgesetzten Einschränkungen bei der L. (80% statt 100% des letzten Bruttoarbeitsentgelts) weitgehend zurückgenommen. Im Unterschied zu dem vor Oktober 1996 geltenden Zustand werden jedoch Überstundenvergütungen und Sonderzuwendungen bei der Bemessung der L. nicht berücksichtigt. **Tarifverträge:** Trotz der unter der alten Bundesregierung geltenden gesetzlichen Einschränkungen setzten die Gewerkschaften in den meisten Branchen die volle L. per Tarifvertrag durch. Allerdings wurden als Ausgleich vielfach Einschränkungen bei Sonderzahlungen wie Urlaubs- und Weihnachtsgeld vereinbart. **Krankenstand:** Die krankheitsbedingten Fehlzeiten in Betrieben erreichten 1998 nach Angaben des Bundesgesundheitsministeriums mit 4,1% (1997: 4,2%) im Jahresdurchschnitt den niedrigsten Stand seit Bestehen der Bundesrepublik, wobei die Quote in Westdeutschland mit 4,07% niedriger war als in Ostdeutschland (4,29%). Als Ursachen für den Rückgang wurden u. a. Angst um den Arbeitsplatz, Verdrängung krankheitsanfälliger Arbeitnehmer aus der Beschäftigung und verbesserte Gesundheitsprävention in den Betrieben (Unfallverhütung, Mitarbeitergespräche mit häufig Erkrankten) genannt.

Niedriglöhne

Um neue Arbeitsplätze für gering Qualifizierte durch N. zu schaffen, wurden an der Wende zum 21. Jh. in Deutschland Maßnahmen diskutiert, mit denen die Lohnkosten gesenkt, den in Billigjobs Beschäftigten aber ein vertretbares Mindesteinkommen garantiert werden sollte. Gewerkschafter warnten vor Mitnahmeeffekten und vor einer Erosion des tariflichen Lohnsystems bei besonderer Förderung des Niedriglohnsektors. **Negative Einkommensteuer:** Ökonomen favorisieren u. a. wegen der Übersichtlichkeit das Modell der negativen Einkommensteuer: Alle Erwerbstätigen zahlen bis zu einer bestimmten Grenze keine Steuern, sondern erhalten im Gegenteil vom Finanzamt einen degressiven Zuschuss, der um so höher ausfällt, je niedriger das Einkommen ist. Umgekehrt steigt oberhalb der Grenze die Steuer mit der Höhe des Einkommens. Nach Berechnungen des Deutschen Instituts für Wirtschaftsforschung (DIW, Berlin) verursacht die Einführung Mehrkosten von 109 Mrd DM. Das Modell erschien bis Mitte 1999 nicht finanzierbar.

Lohnsubventionen: Der Staat zahlt dem Arbeitgeber Lohnkostenzuschüsse, um ihn z. B. zur Einstellung eines Langzeitarbeitslosen zu bewegen. Diese Möglichkeit zeitlich befristeter Lohnsubventionen wurde 1998/99 bereits praktiziert.

Kombilohn: Der Staat bezuschusst den Lohn indirekt, indem er die Möglichkeit einräumt, gering bezahlte oder geringfügige Beschäftigungen nur teilweise auf Leistungen des Staates anzurechnen. Um den Anreiz zur Aufnahme einer solchen Beschäftigung zu steigern, müsste die Anrechung von Zusatzverdiensten auf die Sozialhilfe deutlich verringert werden.

Sozialversicherungsbeiträge: Der Staat übernimmt bis zu einer Verdienstgrenze die Sozialversicherungsbeiträge und gibt degressiv bis zu einer weiteren Grenze Zuschüsse zu den Beiträgen. Eine vom Bundeskanzleramt eingesetzte Expertengruppe legte im Mai 1999 im Lenkungsausschuss des Bündnisses für Arbeit ein Modell vor, nach dem bis zu einem Bruttoverdienst von 1500 DM der Sozialversicherungsbeitrag (Arbeitgeber- und Arbeitnehmeranteil) vom Staat übernommen und bis zu einem Verdienst von 3000 DM degressiv staatlich bezuschusst werden sollen. Die Kosten wurden auf mind. 15 Mrd DM beziffert. Bundesarbeitsminister Walter Riester (SPD) sprach sich für eine Subventionierung nur des Arbeitnehmeranteils aus. Er schlug einen degressiv gestaffelten Zuschuss zu den Sozialversicherungsbeiträgen für Einkommen von 630 DM (Obergrenze für geringfügige Beschäftigungen) bis 1575 bzw. 1890 DM vor.

Scheinselbstständigkeit

Nach heftiger Kritik an dem zum 1.1.1999 in Kraft getretenen Gesetz zur S. einigte sich die von der rot-grünen Bundesregierung eingesetzte Expertenkommission im Juni 1999 auf deutliche Korrekturen:
– Die Beweislast für das Bestehen von S. soll von den Betroffenen auf die Sozialver-

sicherungsträger zurückverlagert werden; Ausnahme: offensichtlicher Missbrauch.
– Für die Vermutung der S. müssen drei statt zwei Kriterien erfüllt sein (siehe unten)
– Die Beschäftigung von Familienangehörigen soll berücksichtigt werden
– Die rückwirkende Erhebung von Sozialbeiträgen soll ausgeschlossen werden
– Die Übergangsfrist für die Befreiung wurde bis zum 31.12.1999 verlängert.

Neuregelung: Mit dem Gesetz in der Mitte 1999 gültigen Fassung sollen die scheinselbstständigen Arbeitnehmer ganz in die Sozialversicherung und arbeitnehmerähnliche Selbstständige in die Rentenversicherung einbezogen werden. Die rot-grüne Bundesregierung rechnete 1999 mit Mehreinnahmen für die Rentenversicherung von jährlich 1 Mrd DM.

Kriterien: In der alten Fassung wurde eine S. vermutet, wenn eine Person mind. zwei der folgenden vier Voraussetzungen erfüllt:
– Außer Familienangehörigen keine Beschäftigung von pflichtversicherten Arbeitnehmern
– Im Wesentlichen lediglich für einen Auftraggeber tätig
– Arbeitnehmertypische Arbeitsleistungen, weisungsgebunden, in die Arbeitsorganisation des Auftraggebers eingebunden
– Kein selbstständiger unternehmerischer Auftritt am Markt.
Der Selbstständige und sein Auftraggeber können die Vermutung der S. widerlegen. Gelingt es allerdings nicht, wird der vermeintlich Selbstständige als Arbeitnehmer behandelt und ist in allen Sozialversicherungszweigen abgabepflichtig, wobei der Auftraggeber als Arbeitgeber den halben Beitrag zu zahlen hat.

Nachzahlung: Identifiziert der Sozialversicherungsträger einen Mitarbeiter nachträglich als scheinselbstständig, kann der Auftraggeber aufgefordert werden, die Sozialversicherungsbeiträge der letzten vier Jahre nachzuzahlen. Den Arbeitnehmeranteil kann er vom Beschäftigten nur für die letzten drei Gehaltsabrechnungszeiträume zurückfordern.

Arbeitnehmerähnliche Selbstständige: In diese Kategorie fallen nach dem neuen Gesetz alle Personen, welche die ersten beiden oben genannten Kriterien erfüllen, aber die Vermutung der S. widerlegen. Dieser Kreis ist lediglich rentenversicherungs-

pflichtig, muss jedoch den vollen Beitrag allein entrichten. Beitragsermäßigungen für Berufsanfänger sind möglich.
Übergangsregeln: Arbeitnehmerähnliche Selbstständige können sich bis 30.6.1999 auf Antrag von der Rentenversicherungspflicht befreien lassen, wenn sie am 1.1.1999 mind. 50 Jahre alt waren oder vor dem 10.12.1998 über eine »rentenversicherungsäquivalente« Lebensversicherung oder betriebliche Versorgungszulage verfügt haben.
Kritik: Berufs- und Wirtschaftsverbände forderten 1999 die Rücknahme bzw. Korrektur des Gesetzes, da es den Schritt in die Selbstständigkeit, die in der Anfangsphase häufig mit der Bindung an einen Auftraggeber einhergehe, behindere. Weiterer Kritikpunkt war, dass die S. zu weit gefasst sei. Arbeitgeber-Organisationen bemängelten die Haftung der Auftraggeber für unterbliebene Beitragszahlungen bei S.

Schwarzarbeit

Berufstätigkeit, ohne der gesetzlichen Anmelde- und Abgabenpflicht nachzukommen

Nach Berechnungen des Volkswirtschaftlers und S.-Experten Friedrich Schneider (Universität Linz/Österreich) wurden 1998 durch S. in Deutschland 560 Mrd DM erwirtschaftet; das entspricht einem Anteil am

Schwarzarbeit nach Ländern[1])		
Italien	🇮🇹	25,8
Belgien	🇧🇪	21,4
Schweden	🇸🇪	18,3
Norwegen	🇳🇴	17,9
Dänemark	🇩🇰	17,6
Irland	🇮🇪	15,3
Deutschland	🇩🇪	15,0
Kanada	🇨🇦	14,6
Frankreich	🇫🇷	14,3
Niederlande	🇳🇱	13,6
Australien	🇦🇺	13,0
USA	🇺🇸	9,4
Österreich	🇦🇹	8,3
Schweiz	🇨🇭	7,5

1) Anteil am BIP (%), geschätzt; letztverfügbarer Stand: 1997; Quelle: Friedrich Schneider, Universität Linz

Die Schattenwirtschaft ohne Steuern und Sozialabgaben trägt in Italien mit über einem Viertel zur volkswirtschaftlichen Leistung bei. Deutschland befand sich Ende der 90er Jahre mit einem Anteil von 15% im Mittelfeld. Dennoch wurde 1998 in Deutschland mit Schwarzarbeit mehr als eine halbe Billion DM erwirtschaftet.

BIP von 14,7%. Für 1999 sagte er bedingt durch die Neuregelung der geringfügigen Beschäftigung einen Anstieg auf 608 Mrd DM (BIP-Anteil: 15,9%) voraus.
Ursache: Der Anstieg der S. ist lt. Schneider in Überregulierungen des Arbeitsmarkts und hoher Steuer- und Abgabenlast zu suchen, die gering qualifizierte reguläre Arbeitsplätze zu teuer werden ließen. Während in fast allen Industrieländern die S. seit Jahrzehnten unvermindert zunimmt, ging in den USA mit der Zunahme der Billigjobs der Anteil der Schattenwirtschaft am BIP 1994–97 von 9,4% auf 8,8% zurück.
Auswirkungen: Die Ausfälle bei Steuern und Sozialabgaben wurden in Deutschland Ende der 90er Jahre auf jährlich rund 150 Mrd DM geschätzt. Eine Studie der Deutschen Bank von 1999 relativierte die Hochrechnungen mit dem Hinweis, dass sich die Schattenwirtschaft wegen der damit entstehenden Nachfrage auch positiv auf Sozialprodukt und Beschäftigung auswirke. Von der Zunahme der S. sei vor allem die Arbeitslosenversicherung, kaum jedoch Kranken- und Rentenversicherung betroffen.

Telearbeit

Ganz oder z. T. an einem außerhalb des Betriebs liegenden stationären oder mobilen Arbeitsplatz ausgeübte Tätigkeit, durch elektronische Kommunikationsmittel mit dem Unternehmen verbunden

Umfang: Nach Schätzungen des Fraunhofer Instituts für Arbeitswissenschaft und Organisation (Stuttgart) leisteten in Deutschland Anfang 1998 ca. 22 000 Personen nur zu Hause, rund 350 000 wechselnd daheim und im Unternehmen T.; hinzu kamen etwa 500 000 mobile Telearbeiter. Der Anteil der T. am gesamten Arbeitskräftepotenzial lag 1998 in Deutschland bei 2,2% gegenüber 14% in Großbritannien/Irland und 8,7% in den USA/Kanada.
Tarifvertrag: Im Oktober 1998 schlossen die Deutsche Postgewerkschaft (DPG) und die Deutsche Telekom AG den ersten Tarifvertrag über T. Er hat eine Laufzeit von Anfang 1999 bis Ende 2000 und gilt für ca. 210 000 Beschäftigte. 1000–3000 von ihnen werden nach Schätzungen der DPG in dieser Zeit die Möglichkeit der T. nutzen. Angeboten werden die alternierende T. mit ein bis zwei Tagen im Betrieb sowie die mobile T. für Außendienstler und Servicemit-

arbeiter. Nach dem Tarifvertrag gelten das Prinzip der Freiwilligkeit und ein Benachteiligungsverbot. Ein Rechtsanspruch auf T. besteht nicht. Für gewerkschaftliche Informationen wurde ein Zugangsrecht auf elektronischem Wege festgeschrieben, das allein während Arbeitskämpfen ruht.

Projekte: Seit Ende der 80er Jahre ermöglicht der Computerkonzern IBM Mitarbeitern in Deutschland per interner Betriebsvereinbarung T. Anfang 1999 waren ca. 20% der Beschäftigten (4000 Personen) mind. die Hälfte der Arbeitszeit nicht im Büro, sondern bei Kunden, Lieferanten oder zu Hause. Seit Herbst 1995 bis Ende 1999 läuft das gemeinsame T.-Pilotprojekt »Twist« von BMW, Siemens Nixdorf und Tally GmbH, an dem über 350 Mitarbeiter in alternierender T. (darunter ein Drittel Führungskräfte) teilnehmen. Seit Anfang 1998 bietet das Institut der deutschen Wirtschaft (IW, Köln) im Rahmen des mit EU-Mitteln finanzierten Projekts »Teleskop« praxisnahe Betreuung und Qualifizierung für Arbeitgeber und Arbeitnehmer zur T. an. Das im Herbst 1996 gestartete Förderprogramm »Telearbeit für den Mittelstand« des Bundesministeriums für Wirtschaft und der Deutschen Telekom AG bewilligte bis Ende 1998 rund 8 Mio DM Finanzmittel, mehr als 15 Mio DM steuerten die mittelständischen Betriebe bei. Im Rahmen des Programms schufen bis Ende 1998 ca. 400 kleine und mittlere Unternehmen 1700 Möglichkeiten zur T., davon 500 völlig neue Arbeitsplätze. **www.vdt.org**

Zeitarbeit

(auch Leiharbeit, Arbeitnehmerüberlassung), sozialversicherungspflichtige Tätigkeit für ein Unternehmen, das Arbeitnehmer vorübergehend an andere Firmen ausleiht

Z.-Nehmer sind meist in Vollzeit beschäftigt und werden vom Z.-Unternehmen z. B. bei unvorgesehenem Arbeitsanfall, Terminschwierigkeiten, saisonalen Arbeitsspitzen oder als Vertretung ausgeliehen. Für Z. gelten die gesetzlichen Bestimmungen wie Lohnfortzahlungs-, Bundesurlaubs- und Behindertengesetz sowie die üblichen Arbeitnehmerrechte zum Mutter-, Arbeits- und Kündigungsschutz. Die zulässige Überlassungsfrist beträgt seit 1.1.1997 zwölf Monate (vorher: neun Monate).

▬ Telearbeit: Pro und Kontra

▸ **Unternehmen:** Für die T. sprechen nach Umfragen aus Unternehmersicht niedrige Arbeitskosten durch Einsparung von Büromieten, niedrigere Fehlzeiten und gesteigerte Effizienz/ Produktivität durch nachweisbar höhere Motivation. Dagegen sprechen ein erhöhter Koordinierungsaufwand, der Verlust traditioneller Kontrollmechanismen und die Gefahr, dass die Identifikation des Arbeitnehmers mit dem Unternehmen nachlässt.

▸ **Beschäftigte:** Vorteile der T. liegen aus Sicht der Beschäftigten in größerer Zeitsouveränität, ruhigerer Arbeitsatmosphäre mit weniger Störungen, besserer Vereinbarkeit von Familie und Beruf sowie höherer Eigenverantwortung durch Vertrauensarbeitszeiten

und Beurteilung der Tätigkeit allein nach dem Ergebnis. Mögliche Gefahren sehen Beschäftigte Umfragen zufolge in der sozialen Isolation, Karriereeinbußen und dem Verlust sozialer Schutzrechte.

▸ **Volkswirtschaft und Gesellschaft:** T. bietet Beschäftigungsmöglichkeiten für spezielle Zielgruppen wie Behinderte oder Mütter von kleinen Kindern, ermöglicht die Förderung strukturschwacher Regionen sowie die Entlastung von Ballungszentren und verringert durch sinkendes Verkehrsaufkommen die Umweltschäden. Nachteile werden im Verlust direkter Kommunikation und in der Erschwernis der Solidarität unter den Beschäftigten gesehen.

Entwicklung: Nach Branchenangaben hatten die ca. 3000 Zeitarbeitsunternehmen in Deutschland (Marktführer: Randstad mit einem Anteil von 8%) im Jahr 1998 etwa 200 000 Beschäftigte, davon 20 000 (10%) in Ostdeutschland. Der Anteil der Z.-Kräfte an den Erwerbstätigen betrug nach Schätzungen 0,6% (zum Vergleich: Niederlande 3,2%). Nach Angaben des Bundesverbandes Zeitarbeit Personal-Dienstleistungen (BZA, Bonn) waren 57,5% der Mitte 1997 gezählten Zeitarbeiter vorher ohne Tätigkeit; gut ein Drittel der Beschäftigten fand bei einer Entleihfirma einen festen Job.

Bezahlung: Nach einer Studie des Instituts für Arbeitsmarkt- und Berufsforschung (IAB, Nürnberg) der Bundesanstalt für Arbeit verdienten Zeitarbeiter im Schnitt 63,4% des durchschnittlichen Monatseinkommens in der Gesamtwirtschaft.

Tarifverträge: In der deutschen Z.-Branche gab es bis Mitte 1999 nur einen Tarifvertrag zwischen der Gewerkschaft Handel, Banken, Versicherungen und einem kleineren Personaldienstleister am Bodensee. Obwohl die Gewerkschaften in der Z. weiterhin ein Mittel zum Abbau regulärer Arbeitsplätze sahen, standen sie dem Abschluss solcher Verträge nicht mehr generell negativ gegenüber. Die IG Metall verhandelte 1998/99 an der Spitze von sechs Gewerkschaften (DGB-Dach, NGG, IG Bau, ÖTV, DAG, HBV) mit dem Z.-Unternehmen Adecco GmbH über einen Tarifvertrag für die 7000–10 000 im Rahmen der Expo 2000 in Hannover temporär beschäftigten Mitarbeiter.

Ausländer

Asylbewerber

In ihrem Heimatland aus politischen, rassistischen oder religiösen Gründen Verfolgte, die in einem anderen Staat Zuflucht suchen

1998 sank die Zahl der A. in Deutschland erstmals seit Verschärfung des Asylrechts (1993) unter 100 000. Insgesamt suchten 98 644 Personen in der Bundesrepublik Asyl, 5,5% weniger als 1997. Deutschland blieb Angaben des Hohen Flüchtlingskommissars der Vereinten Nationen (UNHCR) zufolge auch 1998 Hauptziel innerhalb der EU, jedoch mit rückläufiger Tendenz: Im Vergleich zu 1996 sank die Quote von 50% auf 33% aller A.-Anträge in der EU.

Herkunftsländer: Mehr als ein Drittel der A. kamen aus der Bundesrepublik Jugoslawien, etwa 85% davon gehörten zur Volksgruppe der Kosovo-Albaner, die vor dem Krieg in ihrer Region flüchteten oder von serbischen Einheiten vertrieben wurden. 1998 kamen mit 34 979 Flüchtlingen mehr als doppelt so viele Menschen aus Jugoslawien nach Deutschland als 1997 (14 789). Die Zahl der vietnamesischen A. verdoppelte sich 1998 gegenüber dem Vorjahr auf 2991; erstmals seit 1994 zählte Vietnam zu den zehn stärksten Herkunftsländern

Im Vergleich zur Bevölkerungszahl des jeweiligen Landes wurden 1998 die meisten Asylsuchenden in der Schweiz gezählt: Hier kam ein Bewerber auf 170 Einwohner. Auch Belgien, Irland, Luxemburg, die Niederlande, Norwegen, Österreich und Schweden nahmen im Verhältnis zu ihrer Bevölkerungszahl mehr Asylsuchende auf als Deutschland, wo die Relation 1:830 betrug.

Asylbewerber: Anträge in Europa

Jahr	Anträge
1990	442 000
1991	561 000
1992	697 000
1993	556 000
1994	331 000
1995	334 000
1996	293 000
1997[1]	288 000
1998	366 000

1) ab 1997 ohne Zweitanträge; Quelle: UNHCR

(Rang 5). Die Zahl der A. aus der Türkei verringerte sich um 30,2% auf 11 754 (Rang 2 der Herkunftsländer), aus dem Irak um 47,2% auf 7435 (Rang 3).

Asylbilanz: Nur 5883 der Bewerber wurden 1998 als asylberechtigt anerkannt (4,0% der A., 1997: 4,9%, 1996: 7,4%). Insgesamt entschied das Bundesamt für die Anerkennung ausländischer Flüchtlinge (BAFl, Nürnberg) 1998 über 147 391 Anträge, wovon 62,2% abgelehnt wurden. Etwa 14 000 A. wurden 1998 abgeschoben, 5437 Personen (3,7% der A.) erhielten Abschiebeschutz.

Leistungskürzung: Der Bundesrat stimmte im Juli 1998 einer Änderung des A.-Leistungsgesetzes zu, wonach die Sozialhilfe für abgelehnte A. auf das Existenzminimum gekürzt werden soll. Von der Neufassung betroffen sind Personen, die offensichtlich nur der Leistungen wegen nach Deutschland kommen, und A., die durch Vernichtung ihrer Papiere oder durch falsche Angaben zur Person eine Abschiebung verhindern. Im Streit um Kürzungen hatte sich die damalige Bundesregierung aus CDU/CSU und FDP im Sommer 1998 auf einen entschärften Gesetzentwurf geeinigt, der wesentliche Gruppen von Ausländern, z. B. illegal Eingereiste und vorläufig Geduldete (vor allem Kriegsflüchtlinge), von der Regelung ausnimmt. 25 000 A. sollen

TopTen Asylbewerber: Anträge in europäischen Ländern

1. Deutschland	99 000
2. Großbritannien	58 000
3. Niederlande	45 000
4. Schweiz	41 000
5. Frankreich	22 000
6. Belgien	22 000
7. Österreich	14 000
8. Schweden	13 000
9. Norwegen	8000
10. Ungarn	7000
Andere Staaten	37 000

Stand: 1998; Quelle: UNHCR

Regierungsschätzungen zufolge von der Kürzung betroffen sein. Ausländerinitiativen, Kirchen und Wohlfahrtsverbände kritisierten die Neuregelung als Verletzung des im Grundgesetz (Art. 1) verankerten Humanitätsgebots und warnten vor einem Unterschreiten des Existenzminimums.

Identitätskontrolle: Die Innenminister der EU einigten sich im Dezember 1998 über die europaweite Anwendung des Eurodac-Computersystems, mit dessen Hilfe die Fingerabdrücke von A. und illegalen Einwanderern verglichen werden sollen, um Mehrfachanträge auf Asyl zu verhindern.

EU → Schengener Abkommen

Ausländer

Ende der 90er Jahre lebten rund 7,4 Mio A. in Deutschland, ihr Bevölkerungsanteil betrug 9%. Die Hälfte aller A. lebte länger als zehn Jahre in der Bundesrepublik, jeder fünfte A. war hier geboren. Mit mehr als 2 Mio Mitbürgern stellten A. türkischer Nationalität die größte Migrantengruppe in Deutschland, gefolgt von 1,2 Mio Menschen aus dem ehemaligen Jugoslawien (Serbien, Montenegro, Bosnien, Kroatien). Jeder sechste A. stammte Ende der 90er Jahre aus einem EU-Staat. Außer Krieg und Verfolgung gehörten die Aussicht auf einen Studienplatz oder eine Arbeitsstelle ebenso wie die allgemeine Hoffnung auf ein besseres Leben zu den Hauptgründen für eine Einwanderung nach Deutschland.

http://www. statistik-bund.de

Doppelte Staatsbürgerschaft

Im Mai 1999 billigte der Bundesrat ein Reformgesetz (sog. Optionsmodell) zum deutschen Staatsbürgerschaftsrecht, das ab 1.1.2000 in der Bundesrepublik geborenen Kindern von Ausländern, die seit mind. acht Jahren in Deutschland leben, die deutsche Staatsbürgerschaft zuspricht, ohne dass sie die Staatsangehörigkeit der Eltern verlieren. Mit 23 Jahren müssen sich die Doppelstaatsbürger für eine Nationalität entscheiden, sonst verlieren sie die deutsche Staatsbürgerschaft. Die neuen Regelungen zur D. sollen für Kinder, die zehn Jahre vor Inkrafttreten des Gesetzes in Deutschland geboren wurden, rückwirkend gelten.

Ausländer: Abschiebungen

Baden-Württ.	4696
Bayern	5863
Berlin	4512
Brandenburg	956
Bremen	415
Hamburg	1890
Hessen	1597
Meckl.-Vorp.	429[1]
Niedersachsen	3480
Nordrh.-Westf.	8600[2]
Rheinland-Pfalz	1991
Saarland	433
Sachsen	1382
Sachsen-Anhalt	767
Schlesw.-Holst.	293
Thüringen	654

1) bis 30.11.1998; 2) Schätzung; Stand: 1998; Quelle: Bundesinnenministerium; http://www.bundesregierung.de/inland/ministerien/innen

1998 waren 37 958 Ausländer – meist abgelehnte Asylbewerber und Personen, die wegen schwerer Straftaten verurteilt wurden – von der staatlich verfügten und überwachten Ausweisung aus Deutschland betroffen.

Härtefälle: Mehrstaatlichkeit von erwachsenen Ausländern wird in Deutschland weiterhin nur in Ausnahmefällen akzeptiert. Sie wird nur dann gewährt, wenn der ausländische Staat die Ausbürgerung verweigert oder dem Betroffenen durch Entlassung aus der alten Staatsbürgerschaft unzumutbare wirtschaftliche oder erbrechtliche Nachteile entstehen.

Ausländer: Abschiebepraxis

▸ **Abschiebehaft:** Nach §57 des Ausländergesetzes können Ausländer zur Vorbereitung und Sicherung ihrer Abschiebung in Haft genommen werden, wenn der Verdacht besteht, dass sie sich der Abschiebung entziehen wollen. Abschiebehaft kann nur auf richterliche Anordnung verhängt werden.

▸ **Abschiebestopp:** Die obersten Landesbehörden können nach § 54 des Ausländergesetzes aus völkerrechtlichen oder humanitären Gründen die Abschiebung von Ausländern für maximal sechs Monate aussetzen. Durch eine Vereinbarung der Innenministerkonferenz wurden diese Bestimmungen eingeschränkt. Dem-

nach können Abschiebestopps einzelner Bundesländer nur noch als Ausnahmetatbestand für eine kurze Zeit gelten.

▸ **Sicherungshaft:** Form der Abschiebehaft (Dauer: maximal sechs Monate) für Ausländer, die sich illegal in Deutschland aufhalten. Verhindert ein Ausländer seine Abschiebung (z. B. durch Vernichtung seiner Ausweispapiere), kann die Sicherungshaft um bis zu zwölf Monate verlängert werden.

▸ **Vorbereitungshaft:** Form der Abschiebehaft. Sie trifft insbes. ausländische Straftäter, die ihr Bleiberecht verwirkt haben, und ist auf höchstens sechs Wochen begrenzt.

Doppelte Staatsbürgerschaft: Ländervergleich

Dänemark: Lt. Gesetz müssen Ausländer bei der Einbürgerung ihre erste Staatsbürgerschaft aufgeben. In der Praxis werden verschiedene Ausnahmefälle zugelassen wie z. B. die Mehrstaatlichkeit für Kinder aus binationalen Ehen.

Finnland: Formal gilt das Verbot des Doppelpasses; ausländische Ehepartner sind davon jedoch ausgenommen.

Frankreich: Einwandererkinder mit einem schon im Land geborenen Elternteil sind mit der Geburt Franzosen. Die ausländischen Eltern erhalten bei Volljährigkeit automatisch den französischen Pass, wenn sie bis dahin mind. fünf Jahre in Frankreich gelebt haben. Der Doppelpass ist erlaubt.

Griechenland: Die D. ist ohne Einschränkungen möglich.

Großbritannien: Kinder von Zuwanderern werden Briten durch Geburt. Auch wer mind. fünf Jahre im Land gelebt hat, kann die britische Staatsangehörigkeit ohne Aufgabe der ersten Nationalität beantragen.

Italien: In Italien geborene Kinder sind automatisch italienische Staatsbürger. Eine Einbürgerung ist meist nach zehn Jahren möglich, ohne Verzicht auf den bisherigen Pass.

Niederlande: Im Land geborene Kinder ausländischer Eltern erhalten die niederländische Staatsangehörigkeit. 90% aller Anträge auf D. werden akzeptiert.

Österreich: Ausländer, die den österreichischen Pass erhalten, müssen ihre bisherige Staatszugehörigkeit aufgeben.

Schweden: Mehrstaatlichkeit ist gesetzlich nur in Ausnahmefällen zugelassen wie z. B. für Flüchtlinge, deren Heimatländer die Entlassung aus der Staatsbürgerschaft verweigern.

Schweiz: 1992 machten Gesetzesänderungen den Weg für eine generelle D. frei.

Optionsmodell: Der im Januar 1999 vom Bundesinnenministerium vorgelegte weitergehende Arbeitsentwurf zur Neuregelung des Staatsbürgerschaftsrechts, der die D. bei in Deutschland geborenen Kindern und bei eingebürgerten Erwachsenen ohne Einschränkungen vorsah, hatte heftige politische Debatten ausgelöst. Durch ein im Bundesrat zugunsten der CDU/CSU- und FDP-Opposition verändertes Kräfteverhältnis nach den Landtagswahlen in Hessen zum Kompromiss gezwungen, einigten sich im März 1999 die rot-grüne Bundesregie-

Einbürgerung: Staatsangehörigkeit

▶ **Definition:** Rechtliche Mitgliedschaft einer natürlichen Person in einem Staat, die durch Abstammung von einem Staatsangehörigen (Blutrecht, ius sanguinis), durch Geburt im Staatsgebiet (Bodenrecht, ius soli) oder Einbürgerung erworben wird. Doppelstaatsangehörigkeit kann durch die Erfüllung der Voraussetzungen für die Staatsangehörigkeit in mehreren Ländern entstehen. Ein Mensch, der die Kriterien in keinem Staat erfüllt, gilt als staatenlos.

▶ **Rechte und Pflichten:** Zu den je nach Staatsform variierenden bürgerlichen Rechten zählen Wahlrecht, Versammlungsfreiheit und das Recht auf Bekleidung öffentlicher Ämter. Zu den Hauptpflichten des Staatsbürgers gehören die Wehrpflicht und in manchen Staaten die Wahlpflicht.

▶ **Deutschland:** 1999 galt in der Bundesrepublik das Reichs- und Staatsangehörigkeitsgesetz von 1913, wonach die deutsche Nationalität durch Geburt, also Blutrecht, erworben wird. Deutscher ist, wer von Deutschen abstammt. Es besteht die Möglichkeit der Einbürgerung. Nach Art. 16 GG darf die deutsche Staatsangehörigkeit nicht zwangsweise entzogen werden. Eine Ausbürgerung darf nur erfolgen, wenn der Betroffene dadurch nicht staatenlos wird.

rung und die von SPD und FDP geführte Regierung von Rheinland-Pfalz auf das Optionsmodell, das in den Kernpunkten auf einen 1997 eingebrachten Entwurf der rheinland-pfälzischen Landesregierung zurückgeht.

Unterschriftenaktion: Die CDU/CSU reagierte auf die Reformpläne der rot-grünen Bundesregierung mit einer im Januar 1999 gestarteten bundesweiten Unterschriftensammlung gegen eine generelle D., die bis Mai 1999 von ca. 5 Mio Bundesbürgern unterzeichnet worden war. Der ehemalige Koalitionspartner FDP distanzierte sich von der Aktion. Vertreter von SPD und Bündnis 90/Die Grünen bezeichneten die Sammlung als eine gegen die Integration von Ausländern arbeitende Kampagne, die Fremdenfeindlichkeit schüre.

Praxis: Jeder zehnte in Deutschland lebende türkische Bürger (1998: 2,1 Mio) hatte 1998 nach Angaben des türkischen Außenministeriums die D. Vor allem bei Einbürgerungen von Personen aus Staaten, die wie die Türkei oder der Iran die Entlassung aus der Staatsbürgerschaft verweigern, akzeptierten die deutschen Behörden den Doppelpass als Ausnahmeregel.

Einbürgerung

Das im Mai 1999 vom Bundestag verabschiedete Gesetz soll das seit 1913 geltende deutsche Reichs- und Staatsangehörigkeitsgesetz reformieren: Das bislang geltende Abstammungsprinzip, wonach die Nationalität der Eltern für die Staatsbürgerschaft maßgeblich war, soll durch das Territorialprinzip ergänzt werden, wonach der Geburtsort ausschlaggebend ist. Dadurch wird eine doppelte Staatsbürgerschaft möglich. Die Fristen für den Anspruch auf E. werden von acht auf fünf (bei Jugendlichen bis 18 Jahren) bzw. von 15 auf acht Jahre verkürzt (Erwachsene).

Voraussetzungen: Für die E. sind außer der Mindestaufenthaltsdauer weitere Kriterien maßgeblich: Die deutsche Staatsangehörigkeit erhält nur, wer verfassungstreu ist, sich nicht strafbar gemacht hat und über ausreichende Sprachkenntnisse verfügt. Bei sog. selbstverschuldeter Inanspruchnahme staatlicher Leistungen wie Arbeitslosengeld oder Sozialhilfe soll die E. verweigert werden.

Diskussion: SPD, FDP und Teile der CDU/CSU unterstützten das Gesetz als wichtigen Schritt zur Modernisierung des Staatsbürgerschaftsrechts. Bündnis 90/Die Grünen, die bis zuletzt für weiter reichende Regelungen gekämpft hatten, kritisierten die Abkehr von der generellen Möglichkeit zum Doppelpass. Ausländervertreter hielten das Gesetz für unzureichend, weil es durch komplizierte Regelungen und befristete Mehrstaatlichkeit die Integration nicht erleichtere.

Einwanderung

Rückgang: 1997 (letztverfügbarer Stand) war die Zahl der aus Deutschland auswandernden Ausländer erstmals seit Beginn der 50er Jahre größer als die Zahl der im gleichen Zeitraum zuwandernden Immigranten. Die Änderung des Asylrechts und die Rückkehr vieler Bürgerkriegsflüchtlinge in ihre Heimat waren Hauptfaktoren des Negativsaldos. 1988–95 wuchs die Bevölkerung Deutschlands durch E. von Asylbewerbern, Familienangehörigen von in der Bundesrepublik lebenden ausländischen Bürgern, Aussiedlern und Deutschen jährlich um rund 500000 Menschen. 1997 betrug der Zustrom jedoch nur 90000 Personen. Die Aussage des Bundesinnenministers Otto Schily (SPD), die Grenze der Belastbarkeit Deutschlands durch E. sei überschritten, entfachte 1998 erneut eine politische Debatte um ein neues E.-Gesetz.

Zuwanderungsgesetz: Die FDP brachte Ende 1998 ihren bereits im Vorjahr vorgestellten Gesetzentwurf zur Wiedervorlage. Er sieht eine Höchstgrenze für die Zahl der Einwanderer vor, die jährlich auf Vorschlag einer Expertenkommission bestimmt werden soll. Mit der Quote für den Zuzug von Aussiedlern und Arbeitsimmigranten soll die Zahl der Asylsuchenden und der Familiennachzügler verrechnet werden. Die SPD, die 1997 ebenfalls einen Entwurf vorgelegt hatte, lehnte ein Zuwanderungsgesetz 1998 ab. Zum einen müsse die E.-Quote auf Null gesetzt werden (weil die Grenze überschritten sei), zum anderen sei E. keine nationale Aufgabe mehr, sondern müsse europaweit harmonisiert werden. Ein Vorstoß Bayerns, die E. zu begrenzen, wurde im Februar 1999 vom Bundesrat abgelehnt. Bündnis 90/Die Grünen plädierten in ihrem 1997 vorgestell-

ten Gesetzesmodell für eine Angleichung der E.-Zahlen von Ausländern und Aussiedlern und sahen ein Viertel der Gesamtquote für humanitäre Fälle vor.

Bevölkerungsentwicklung: In Deutschland wird die Bevölkerung im Zeitraum 1998–2040 von rund 82 Mio auf 63 Mio Menschen zurückgehen. Bevölkerungswissenschaftler forderten eine geregelte E. von ca. 250000 Menschen/Jahr. Sie argumentierten, dass die Zuwanderer für eine Verjüngung der im Durchschnitt immer älter werdenden deutschen Bevölkerung sorgen (Zahl der über 60-Jährigen 1998: ca. 20%, 2040: ca. 36%). Einwanderer könnten als aktive Beitragszahler die sozialen Sicherungssysteme stützen. Die in Deutschland lebenden Ausländer zahlten in den 90er Jahren nach Angaben des Rheinisch-Westfälischen Instituts für Wirtschaftsforschung (RWI) rund 100 Mrd DM/Jahr in die Steuer- und Sozialkassen ein, bezogen aber nur Leistungen in Höhe von 70 Mrd DM.

Mit der Abnahme des Zuzugs von Spätaussiedlern aus den osteuropäischen Ländern nach Deutschland verringerte sich 1996/97 die Zahl der Einbürgerungen. Aussiedler, Spätaussiedler und Ausländer mit langem Aufenthalt in Deutschland, die einen Rechtsanspruch auf die deutsche Staatsbürgerschaft hatten, stellten den Hauptanteil der Eingebürgerten.

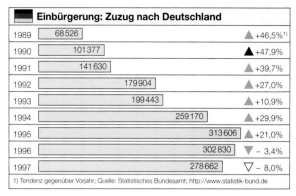

Einbürgerung: Zuzug nach Deutschland

Jahr	Zuzug	Tendenz
1989	68526	▲ +46,5%[1]
1990	101377	▲ +47,9%
1991	141630	▲ +39,7%
1992	179904	▲ +27,0%
1993	199443	▲ +10,9%
1994	259170	▲ +29,9%
1995	313606	▲ +21,0%
1996	302830	▼ – 3,4%
1997	278662	▽ – 8,0%

1) Tendenz gegenüber Vorjahr; Quelle: Statistisches Bundesamt; http://www.statistik-bund.de

Wanderungen zwischen Deutschland und dem Ausland[1]

	Zuzüge	Abwanderungen	Saldo
1991	1199	596	▲ +603
1992	1502	720	▲ +782
1993	1277	815	▲ +462
1994	1083	768	▲ +315
1995	1096	698	▲ +398
1996	960	677	▲ +283
1997	840[2]	747[3]	△ + 93

1) in 1000; 2) davon 615000 Ausländer und 225000 Deutsche; 3) davon 637000 Ausländer und 110000 Deutsche; Quelle: Statistisches Bundesamt; http://www.statistik-bund.de

Flüchtlinge

Bilanz: Ende der 90er Jahre waren Angaben des UN-Flüchtlingshochkommissariats (UNHCR, Genf/Schweiz) zufolge weltweit etwa 22,3 Mio Menschen auf der Flucht vor Krieg, Terror, Armut, Hunger und Dürre. Die Zahl der sog. Binnenvertriebenen, die innerhalb der jeweiligen Landesgrenzen flüchteten oder zwangsumgesiedelt worden waren, betrug rund 17 Mio. Nach Asien und Afrika hatte der europäische Kontinent mit ca. 6 Mio die meisten F. Mit etwa 2 Mio F. stand der Iran Ende 1997 weltweit an der Spitze der Aufnahmeländer. In Westeuropa nahm Deutschland mit 277 000 F. und Asylsuchenden den ersten Rang ein.

Kosovo: Bis Mai 1999 hatten nach Angaben des US-Außenministeriums etwa 750 000 Albaner auf der Flucht vor serbischen Militäreinheiten ihre Heimatprovinz im Süden Jugoslawiens verlassen. 600 000 weitere F. irrten in den Bergen und Wäldern des Kosovo umher. Das UNHCR betreute 1999 in den umliegenden Staaten Mazedonien und Albanien sowie in der jugoslawischen Teilrepublik Montenegro einen Großteil der vertriebenen Kosovo-Albaner, die unter teilweise menschenunwürdigen Bedingungen in Flüchtlingslagern ausharren mussten. Deutschland erklärte sich im April 1999 bereit, 10 000 Kosovo-F. aufzunehmen, die nach dem sog. Königssteiner Schlüssel, der die Verteilung der Asylbewerber regelt, den Bundesländern zugewiesen werden sollten.

Afrika: Das UNHCR warnte 1999 davor, die 8 Mio afrikanischen F. gegenüber dem Kosovo-Konflikt zu vergessen. Während 1998 etwa ein Viertel des UNHCR-Gesamtetats von 800 Mio US-Dollar nach Afrika geflossen sei, hätten viele Geberländer ihre Geldmittel 1999 auf den Balkan umgelenkt. Besonders dramatisch sei die Lage im zentralafrikanischen Gebiet der Großen Seen und in Angola, wo nach dem erneuten Aufflammen des Bürgerkriegs etwa 1,2 Mio Menschen im Frühjahr 1999 auf der Flucht waren.

EU: Zwei große Zuwanderungsströme von F. setzten 1998/99 die Staaten West- und Südeuropas unter Druck. Aus östlicher Richtung kamen F. aus den ehemaligen kommunistisch geführten Ländern, aus den Kurdengebieten der Türkei, aus dem Irak

Flüchtlinge

Millionen Opfer von Krieg und Staatsterror

Die Zahl der Flüchtlinge im 20. Jh. wird auf insgesamt 200 Mio geschätzt. Allein der Zweite Weltkrieg machte 50 Mio Menschen zu Flüchtlingen. Gegen Ende des Krieges flohen mehrere Millionen Deutsche aus den Ostgebieten vor der Roten Armee aus Angst vor Vergeltung für den deutschen Angriffskrieg. Die Potsdamer Konferenz der vier Siegermächte (Frankreich, Großbritannien, UdSSR, USA) sanktionierte 1945 die Umsiedlung der Deutschen aus Polen, Ungarn und der Tschechoslowakei. Mehr als 16 Mio Menschen wurden in den Westen vertrieben, davon kamen 3 Mio um. 1950 lebten in der BRD und in der DDR über 12 Mio Vertriebene.

Ende der 90er Jahre lagen sieben der zehn Hauptherkunftsländer von Flüchtlingen in Afrika, wo Bürgerkriege und Stammeskonflikte Migrationsströme mit 22 Mio Menschen inkl. Binnenflüchtlinge (die keine Staatsgrenzen überschreiten) auslösten. Kenia, Tansania u. a. sahen ihre Aufnahmekapazitäten erschöpft und forderten das Flüchtlings-Hochkommissariat der Vereinten Nationen (UNHCR) auf, Lager zu schließen und die Menschen in ihre noch nicht befriedete Heimat zurückzubringen. 1999 waren rund 1 Mio Kosovaren auf der Flucht vor serbischen Aggressoren: Das Nachbarland Mazedonien sperrte mehrmals die Grenze zum Kosovo, als die Zahl der Flüchtlinge auf über 25% der Eigenbevölkerung gestiegen war.

Positive Trends

▸ Die Rückführung von Flüchtlingen in ihre Heimat und materielle Hilfe vor Ort treten vermehrt an die Stelle der Aufnahme in fremden Ländern.

▸ Die Massenmedien mobilisieren durch Spendenaufrufe die große Hilfsbereitschaft.

Negative Trends

▸ Die Zahl der Wirtschafts-, Umwelt- und Binnenflüchtlinge erreicht Ende des 20. Jh. 25 Mio.

▸ Hilfsaktionen lindern das Flüchtlingselend, ohne die Ursachen beseitigen zu können.

Flüchtlinge im kriegszerstörten Berlin 1945

Meilensteine

Ein Jahrhundert systematischer Verfolgung

1904: Von den 80 000 Herero in Deutsch-Südwestafrika überleben 700 eine deutsche Strafexpedition als Flüchtlinge in Betschuanaland und 12 000 als Gefangene.

1915: Die osmanische Regierung ordnet die Vertreibung von 2 Mio Armeniern an; 1 Mio sterben.

1917–25: 2,5 Mio Menschen flüchten aus Sowjetrussland nach Westen.

1939: Bis zum Beginn des Zweiten Weltkriegs fliehen ca. 750 000 Juden und politisch Verfolgte aus Europa.

1939–45: Während des Zweiten Weltkriegs erfolgt mit rund 50 Mio Flüchtlingen und Deportierten die größte Vertreibung der Geschichte.

1944–50: 16,6 Mio Deutsche werden aus den Ostgebieten vertrieben.

1945: Ein sowjetisches U-Boot torpediert das deutsche Passagierschiff »Wilhelm Gustloff«; mehr als 6000 Flüchtlinge an Bord sterben.

1947: Nach der Unabhängigkeit Britisch-Indiens flüchten 7 Mio Muslime nach Pakistan, 9 Mio Hindus und Sikhs nach Indien, 2 Mio Menschen sterben auf der Flucht.

1948/49: Im Palästinakrieg fliehen ca. 0,9 Mio Palästinenser nach Jordanien und in den Gazastreifen bzw. werden in Lagern in Libanon und Syrien untergebracht.

1949: Nach dem Sieg der Kommunisten fliehen mehr als 4 Mio Chinesen nach Taiwan und Hongkong.

1949–61: 2,7 Mio Deutsche flüchten aus der DDR in die BRD.

1950: Die Vereinten Nationen richten das Amt des Flüchtlingshochkommisars (UNHCR) ein.

1951: Die Genfer Flüchtlingskonvention wird Basis des internationalen Flüchtlingsrechts.

1953: 3 Mio Koreaner flüchten aus dem kommunistischen Norden in das prowestliche Südkorea.

1961: Nach dem Bau der Berliner Mauer ordnet die DDR-Führung die Erschießung von Flüchtlingen an; dem Schießbefehl fallen 1961–89 265 Menschen zum Opfer.

1971: Während des Bürgerkriegs in Bangladesch flüchten 10 Mio Menschen nach Indien.

1978: Sog. Boatpeople flüchten aus dem kommunistischen Vietnam.

1979: Nach der islamischen Revolution verlassen Hunderttausende von Iranern zwangsweise das Land.

1997: Angehörige des Tutsi-Stammes vertreiben in Zaïre Hunderttausende Hutu-Flüchtlinge aus Ruanda.

1999: Serben verjagen mehr als 1 Mio Kosovo-Albaner aus ihrer Heimatprovinz.

Stichwort: Umsiedlung
Vertreibung von Minderheiten
Die Pariser Vorortverträge zur Beendigung des Ersten Weltkriegs führten den Begriff Umsiedlung – Veränderung des Wohnsitzes von Personen, Völkern und Volksgruppen – ins Völkerrecht ein. Die Siegermächte teilten Vielvölkerstaaten wie Österreich-Ungarn und das Osmanische Reich in Nationalstaaten ein. Ziel war die »Flurbereinigung« der Nationalitäten. Dies löste die bis dahin umfassendsten Migrationsströme von Minderheiten in der Geschichte aus. Bis 1922 vertrieben die Türken die griechische Bevölkerung aus Kleinasien.

Stichwort: Displaced Persons
Menschen ohne Heimatland
Auf dem Gebiet des ehemaligen Deutschen Reichs hielten sich bei Kriegsende 1945 rund 8,5 Mio Displaced Persons auf: Personen nichtdeutscher Staatsangehörigkeit, die während des Zweiten Weltkriegs nach Deutschland geflüchtet bzw. von deutschen Truppen deportiert worden waren. Sie wurden bis 1951 meist repatriiert, die in der BRD Verbliebenen erhielten als »heimatlose Ausländer« eine den Deutschen angenäherte Rechtsstellung.

Stichtag: 31. Juli 1945
Massaker von Aussig
Während der Vertreibung der 3,4 Mio Sudetendeutschen aus der Tschechoslowakei wurden 1945 80% der sudetendeutschen Einwohner von Aussig ermordet. Kurz zuvor waren beim »Brünner Todesmarsch« etwa 9000 Sudetendeutsche in Brünn ermordet worden. Ein Amnestiegesetz des tschechoslowakischen Staatspräsidenten Eduard Benes und mehrere Präsidialerlasse bildeten die Grundlage für die Amnestierung der Mörder und die kollektive Entrechtung der Sudeten- und Karpatendeutschen.

und Iran, aus Afghanistan, China, Vietnam, Pakistan, Bangladesch und anderen asiatischen Staaten in die Länder der EU. Daneben versuchten viele F. von Afrika aus über Spanien, die am nächsten gelegene Südgrenze der Staaten des Schengener Abkommens, die untereinander die Passkontrolle abgeschafft hatten, illegal nach Europa einzureisen. Im Sommer 1998 ertranken 38 F. vor der marokkanischen Küste bei der spanischen Enklave Melilla, als sie versuchten, auf ein größeres Schiff überzusetzen. Die Haltung der Behörden von Melilla, die erst nach zehn Tagen die im Wasser treibenden Leichen bargen, löste weltweit Bestürzung aus. Spanien wurde 1998/99 vorgeworfen, eine fremdenfeindliche Politik gegenüber F. zu verfolgen.

Bosnien-Herzegowina: 1998 war die Rückkehr der insgesamt 350 000 F. aus Bosnien-Herzegowina, die in Deutschland Zuflucht gefunden hatten, weitgehend abgeschlossen. Der Großteil der F. war freiwillig in die Heimat zurückgekehrt, 1435 wurden abgeschoben, 11 500 wanderten in andere Staaten ab. Im November 1998 wurde der ehemalige Bremer Bürgermeister, Hans Koschnick, zum Beauftragten der Bundesregierung für Flüchtlingsrückkehr, Wiedereingliederung und rückkehrbegleitenden Wiederaufbau in Bosnien und Herzegowina ernannt.

EU → Schengener Abkommen
Krisen und Konflikte → Kosovo
http://www.unhcr.ch

Schleuser

Personen, die gegen Bezahlung Flüchtlingen den illegalen Grenzübertritt in einen anderen Staat ermöglichen

Der Bundesgrenzschutz (BGS) griff 1998 an den deutschen Grenzen etwa 40 000 illegale Einwanderer auf, rund 14% mehr als 1997. Viele ungesetzliche Grenzübertritte geschahen im Rahmen von Großschleusungen von mehr als 50 Personen. Etwa die Hälfte der 1998 Aufgegriffenen wurde an der deutsch-tschechischen Grenze gefasst, die mit ihren 800 km Länge unübersichtlich und schwer zu kontrollieren ist.

Handgeld: Auch an den Außengrenzen anderer EU-Länder wie Spanien und Italien betrieben Schleuserbanden 1998/99 ihr lukratives Geschäft, das vom kriminellen Anreiz mit Rauschgifthandel und Prostitution vergleichbar ist. An der deutsch-tschechischen Grenze kostete 1999 eine Schleusung aus Polen oder Tschechien 500 DM, aus dem Kosovo etwa 3000 DM, aus der Türkei und den irakischen Kurdengebieten rund 6000 DM. Flüchtlinge aus Indien, Pakistan oder Sri Lanka mussten bis zu 25 000 DM zahlen.

Lebensgefahr: Seit 1993 starben mind. 81 Menschen bei dem Versuch, die deutsche Grenze illegal zu überqueren. Sie erstickten in verschlossenen Containern, fielen in Gebirgsschluchten, verirrten sich in den Grenzgebieten oder verunglückten mit den S.-Fahrzeugen.

Maßnahmen: 1998 waren ca. 7300 BGS-Beamte an den Grenzen Polens und Tschechiens im Einsatz (1993: 2500). Technisch hochgerüstet mit Hubschraubern, Bewegungsmeldern, Wärmebildkameras und Restlichtverstärkern, versuchten sie die S. aufzuspüren.

Kriminalität → Menschenhandel

Eine Flüchtlingsfrau aus dem Kosovo wartet am Grenzübergang auf Einlass nach Mazedonien.

Auto

Airbag

(engl. Luftsack), Sicherheitseinrichtung für Kfz

Risiken: Nach Untersuchungen der US-amerikanischen und der kanadischen Verkehrssicherheitsbehörden können Seiten-A. zum Sicherheitsrisiko für Kinder werden, wenn die Insassen nicht angeschnallt sind, sich aus einem Fenster lehnen oder rückwärts auf dem Sitz knien. Der deutsch-US-amerikanische Autokonzern DaimlerChrysler wurde im Februar 1999 zur Zahlung von 101,5 Mio DM Schadenersatz für riskante A. verurteilt, da die in 80 000 Chrysler-Autos der Baujahre 1988–90 eingebauten A. bei Unfällen Verbrennungen hätten auslösen können.

Tests: Eine Untersuchung von 330 A.-Unfällen durch das Institut für Fahrzeugsicherheit im Gesamtverband der Deutschen Versicherungswirtschaft (GDV) im August 1998 belegte, dass der A. bei 99% aller Kollisionen seinen Zweck erfüllt. Bei den 1% Nicht- oder Fehlauslösungen verursachte der A. Schürfwunden, Prellungen oder leichte Verbrennungen. Durch A. und Gurt geschützte Beifahrer tragen 40% weniger schwere oder tödliche Verletzungen davon als Nur-Gurtträger.

Innovation: Moderne A. blasen sich innerhalb von ca. 30 Millisekunden mit einer Geschwindigkeit von 250–300 km/h auf ihre volle Größe auf. Ein 1999 in der Entwicklung befindlicher »intelligenter« A. (auch »Smartbag«) soll sich nach den Anforderungen der Unfallsituation richten, sodass sich das Aufblähen des Prallsacks zeitlich und in seiner Stärke steuern lässt.

Autobahnen

Auf den A. in Deutschland wurden 1998/99 über 30% des gesamten Kfz-Verkehrs abgewickelt. 1998 befuhren täglich etwa 47 000 Fahrzeuge pro Autobahnkilometer.

1998 wurden in der Bundesrepublik weitere 118 km A. gebaut (Gesamtnetz am 1.1.99: rund 11 427 km).

Geschwindigkeitsregeln: Die hohe Verkehrsleistung wird nach Ansicht von Experten vor allem ermöglicht durch die in Deutschland gültige Richtgeschwindigkeit von 130 km/h, die sich auf A. als angemessenes Tempo in Abhängigkeit vom Verkehrsaufkommen bewährt habe. 99% aller deutschen Straßen waren 1998 tempobegrenzt. Anlagen zur Verkehrsbeeinflussung gab es auf 5% des A.-Netzes. Sie sollen Anfang des 21. Jh erheblich erweitert werden.

Autobahngebühren in Europa

Bulgarien: Bei Einreise werden pauschal 17 DM für PKW und etwa 100 DM für Kleinbusse erhoben. Ferner werden Gebühren für Autobahnen und drei- bis vierspurige Straßen berechnet.

Frankreich: Gebühren für Autobahn und Schnellstraßen (etwa 10 DM pro 100 km). Gesonderte Gebühren für den Mont-Blanc-Tunnel und Fréjus-Tunnel zwischen 30 DM und 60 DM.

Griechenland: Gebühren für zehn Strecken zwischen 2,50 DM und 4 DM, Zuschlag für LKW 1,25 DM.

Italien: Gebühren auf allen Autobahnen, die mit Kreditkarten oder VIACARD bezahlt werden können, etwa 10 DM auf 100 km.

Jugoslawien: Pauschal werden etwa 50 DM Straßenbenutzungsgebühr erhoben, zusätzlich Autobahngebühren.

Kroatien: Straßengebühren zwischen 3 DM und 8 DM für einige Strecken, Tunnel und Brücken.

Mazedonien: Gebühren zwischen 10 und 50 DM.

Österreich: Autobahnen und Schnellstraßen sind vignettenpflichtig. Separate Gebühren werden für Passstraßen und Tunnel erhoben.

10-Tages-Vignette 10 DM; Zwei-Monats-Vignette 21 DM; Jahresvignette 80 DM.

Portugal: Autobahnen und einige Brücken sind vignettenpflichtig und werden abhängig vom Fahrzeugtyp berechnet.

Schweiz: Gebührenpflichtig sind Autobahnen und Straßen mit weiß-grüner Beschilderung, Jahresgebühr ca. 50 DM. Tunnel und Bahnverladungen kosten extra.

Slowenien: Gebührenpflichtig sind Autobahnen und Kraftfahrstraßen, PKW und Wohnmobile bis etwa 10 DM pro Jahr, über 1600 ccm 20 DM.

Spanien: Gebühren auf fünf Autobahnstrecken sowie für Tunnel und Brücken. 100 Autobahn-km kosten etwa 15 DM.

Tschechien: Jahresgebühr für Autobahnen und Schnellstraßen, bis 3,5 t 24 DM, von 3,5 t bis 12 t 60 DM.

Türkei: Gebühren für verschiedene Strecken sowie für Bosporusbrücken 0,60 DM bis 3 DM.

Ungarn: Gebührenpflichtige Autobahnabschnitte, die Plakette kostet etwa 13 Mark.

http://www.verreisen.de
http://www.ticker.de

Euro-Vignette: Bei der Neufassung der Euro-Vignetten-Richtlinien war Mitte 1999 noch keine Lösung in Sicht. Nach Angaben des Verbandes der Automobilindustrie (VDA) belief sich der Höchstbetrag der Straßenbenutzungsgebühr für schwere Nutzfahrzeuge auf 1250 ECU. Die Gebühren im Euro-Vignetten-Gebiet müssten konsequenterweise auf der gleichen, nur wegekostenorientierten Berechnungsgrundlage beruhen, wie es 1999 für die Transitfahrten durch die Schweiz und Österreich angestrebt wurde.
http://www.adac.de; http://www.vda.de

Auto des Jahres

55 Fachjournalisten aus 25 Ländern wählten den Ford Focus zum Auto des Jahres 1998. Nach dem Escort (1981), dem Scorpio (1986) und dem Mondeo (1994) errang zum vierten Mal ein Ford-Modell den begehrten europäischen Automobilpreis. Nach Einführung des Focus im Oktober 1998 als

Der Mut zu eigenständigem Design und ein deutlich verbesserter Fertigungsstandard machten den Ford Focus zum Auto des Jahres 1998.

Drei- und Fünftürer folgten im Januar 1999 die viertürige Variante sowie die Kombiversion. Ende 1999 soll der Focus auch als bivalentes Erdgasauto (Erdgas + Kraftstoff) auf den Markt kommen. Bis Ende März 1999 wurden europaweit über 250 000 Stück verkauft (65 000 in Deutschland).
http://www.ford.com

Autodiebstahl

Nach Angaben des Bundesinnenministeriums ging die Zahl der in Deutschland gestohlenen Kfz 1998 weiter zurück. Gegenüber 1997 wurden 13,2% weniger PKW und Kombis als gestohlen gemeldet, insgesamt 82 781 (1997: 95 349). Auf Dauer verschwanden 36 881 Fahrzeuge (1997: 39 763). Bundesinnenminister Otto Schily führte den anhaltenden Rückgang seit 1994 vor allem auf die elektronischen Wegfahrsperren zurück, die nach Auffassung der Sicherheitsexperten 1998/99 den wirksamsten Diebstahlschutz boten.

Autoindustrie

Beschäftigungsanstieg: 1998 arbeiteten in der deutschen A. 720 000 Personen, 40 000 (5,9%) mehr als 1997. In den vorgelagerten Industrien (u. a. Zulieferer) waren rund 1 Mio Menschen für die Automobilindustrie tätig. Jeder siebte Arbeitsplatz in Deutschland hing 1998 direkt oder indirekt vom Automobil ab. Mit über 66 DM lagen die Lohnkosten pro Beschäftigtenstunde in der deutschen A. 1998 mehr als doppelt so hoch wie die Arbeitskosten der spanischen und italienischen Konkurrenz.
Inlandsproduktion: 1998 wurden in Deutschland 5,73 Mio Kfz produziert (+14% gegenüber 1997). Die PKW-Produktion im Inland stieg um 14,3% auf 5,39 Mio Einheiten, die der Nutzfahrzeuge um 9,8% auf 379 000 Stück. 61,3% der Produktion wurden exportiert.
Auslandsproduktion: Die deutsche A. produzierte 1998 weltweit 9 Mio Kfz (+10,6%). Die PKW-Fertigung stieg auf 8,15 Mio Einheiten (+10,2%), die der Nutzfahrzeuge um 13,9% auf 861 000 Stück. Damit erhöhte die deutsche A. 1998 ihren Weltmarktanteil auf 17% (1997: 15%). Der Anteil der im Ausland gefertigten Kfz sank von 38% (1997) auf 36% (1998). In den

▬ **Autodiebstahl: Meistgestohlene Marken**		
Audi	7622[1]	▽ – 0,1[2]
BMW	6844	▼ – 9,7
Ford	5798	▼ –13,9
Mercedes	9469	▼ – 6,5
Opel	11 973	▼ –20,1
Porsche	353	▼ – 6,9
VW	23 404	▼ –14,4
Übrige	17 318	▼ –15,7

1) 1998, insgesamt 82 781 Autodiebstähle (–13,2% gegenüber 1997); 2) Veränderung gegenüber 1997 (%); Quelle: Bundeskriminalamt (Wiesbaden), http://www.bka.de

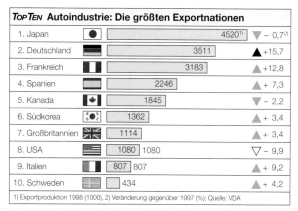

TopTen **Autoindustrie: Neuzulassungen[1]**	
1. VW	18,0[2]
2. Ford (inkl. Jaguar/Volvo)	11,9
3. Japaner	11,8
4. GM (Opel, Saab, Vauxhall)	11,5
5. PSA (Peugeot, Citroën)	11,4
6. Fiat (inkl. Lancia, Alfa Romeo)	10,9
7. Renault	10,7
8. BMW (inkl. Rover)	5,7
9. Mercedes	4,4
10. Sonstige	3,7
1) in Westeuropa; 2) Marktanteil (%) 1998; Quelle: ACEA	

TopTen **Autoindustrie: Die größten Exportnationen**			
1. Japan	●	4520[1]	▼ – 0,7[2]
2. Deutschland		3511	▲ +15,7
3. Frankreich		3183	▲ +12,8
4. Spanien		2246	▲ + 7,3
5. Kanada		1845	▼ – 2,2
6. Südkorea		1362	▲ + 3,4
7. Großbritannien		1114	▲ + 3,4
8. USA		1080 1080	▽ – 9,9
9. Italien		807 807	▲ + 9,2
10. Schweden		434	▲ + 4,2
1) Exportproduktion 1998 (1000), 2) Veränderung gegenüber 1997 (%); Quelle: VDA			

ausländischen Fertigungs- und Montagestätten der deutschen A. liefen ca. 3,3 Mio Kfz vom Band (2,8 Mio PKW und 482 000 Nutzfahrzeuge), 5,1% mehr als 1997.

Export: Der PKW-Export aus Deutschland nahm 1998 um 16% auf 3,3 Mio Autos zu. Aufgrund der Krisen in Südostasien und Russland sowie der Rezession in Japan musste die deutsche A. in diesen Ländern zwar Einbußen hinnehmen, doch gelang es ihr, diese durch Ausfuhrsteigerungen in die übrigen Regionen zu kompensieren.

Neuzulassungen in Deutschland: Gegenüber 1997 ergab sich für 1998 ein Anstieg um 5,9% auf 3,74 Mio PKW. Zu den beliebtesten Modellen zählten VW Golf, Opel Astra und VW Passat; jeder sechste neu zugelassene Wagen gehörte einer dieser Modellreihen an. Der Nutzfahrzeugmarkt verzeichnete ein Zulassungsplus in Höhe von 12,1%. Im Bereich über 6 t wurden sogar 19% mehr Fahrzeuge als 1997 in den Verkehr gebracht.

Neuzulassungen in Westeuropa: Mit 18% Marktanteil belegte VW Platz 1 in der Verkaufsskala. Im Mittelfeld lagen die Modelle von Ford (inkl. der erworbenen Marken Jaguar und Volvo), japanische Fabrikate, General Motors (Opel, Vauxhall, Saab), PSA (Peugeot, Citroën), Fiat (inkl. Lancia und Alfa Romeo) und Renault. BMW (mit Rover), Mercedes, die koreanischen und sonstigen Modelle rangierten auf den unteren Plätzen der Statistik.

Kleinstwagen: 54% der Käufer eines neuen PKW entschieden sich 1998 nach Angaben des VDA beim Neuwagenkauf für

Autoindustrie: Kfz-Produktion in ausgewählten EU-Ländern

Deutschland		5727[1]	▲ + 14,0[2]
Frankreich		2923	▲ + 13,7
Spanien		2812	▲ + 9,7
Großbritannien		1967	▲ + 1,6
Italien		1664	▼ – 8,4
Schweden		484	▲ + 0,8
Belgien		404	▽ – 14,2
Niederlande		271	▲ + 24,3
Portugal		203	▲ + 0,5
Österreich		65	▼ – 8,4
Finnland		11	▲ +450,0
EU gesamt		16531	▲ + 7,7
1) 1000 Stück, 1998 z. T. geschätzt, 2) Veränderung gegenüber 1997 (%); Quelle: VDA			

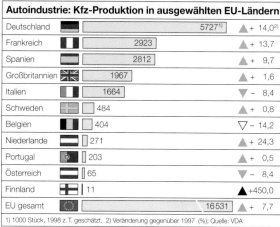

TopTen **Autoindustrie: Pkw-Neuzulassungen**		
1. VW Golf/Vento/Bora	347 149[1]	▲ +20,0[2]
2. Opel Astra	220095	▲ +15,1
3. VW Passat	160127	▲ +13,5
4. Opel Corsa	129333	▼ –10,4
5. Opel Vectra	124645	▼ –11,6
6. BMW 3er-Reihe	123937	▲ +14,5
7. Mercedes C-Klasse	112513	▼ – 2,5
8. VW Polo	108970	▽ –20,9
9. Audi A4	101935	▼ –10,1
10. Mercedes E-Klasse	93449	▼ –15,0
1) 1998; 2) Veränderung gegenüber 1997 (%); Quelle: Motor-Presse/Kraftfahrt-Bundesamt		

Autoindustrie: Weltproduktion

	Produktion	Veränderung
Europa	19 137[1]	▲ +6,4[2]
darunter EU	16 531	▲ +7,7
Nafta	16 032	▼ – 0,1
darunter USA	12 004	▼ – 1,0
Asien[3]	14 775	▼ –12,0
darunter Japan	10 058	▼ – 8,4
Übrige Welt	2708	▽ –16,0

1) 1998 (1000); 2) Veränderung gegenüber 1997; gesamt 52 652 (–2,6%); 3) Asien = Japan, Südkorea, China, Indien, Malaysia, Taiwan; Quelle: VDA, http://www.vda.de

BILANZ

2000

Auto

Symbol von Freiheit und Individualismus

In den Industrienationen ist das Auto mit einem Anteil von 80% am Verkehrsaufkommen das wichtigste Fortbewegungsmittel. In Deutschland besitzt im Jahr 2000 jeder zweite Erwachsene ein Auto. Über den reinen Transportzweck hinaus ist der PKW zu einem Statussymbol der mobilen Wohlstandsgesellschaft geworden. Als einer der Hauptproduktionszweige sorgt die Autoindustrie für kontinuierliches Wirtschaftswachstum und die Beschäftigung von Millionen Menschen, die wiederum von den Herstellern als Autokunden umworben werden.

Gegen Ende des 20. Jh. ist jedoch in Westeuropa, Asien und den USA mit mehr als 300 Mio PKW die Kapazitätsgrenze erreicht. Dauerstaus, Lärmbelästigung und Umweltprobleme durch Autoabgase erfordern, die Motorisierung des Einzelnen auf neue technische Grundlagen zu stellen. Als Alternativen werden umweltfreundliche Elektro- und Wasserstoffautos sowie Drei-Liter-PKW erprobt.

ein Fahrzeug mit einem Motor von 1,5 bis unter 2 l Hubraum. Die Kleinstwagen mit einem Hubraum unter 1000 ccm verzeichneten 1998 mit 31% die höchste Zuwachsrate.

EU-Preisunterschiede: In den Mitgliedstaaten der EU gingen die Preisdifferenzen für Neuwagen 1998/99 deutlich zurück. Einer Studie der Europäischen Kommission zufolge schwankten die Preise für die Modelle jedoch weiterhin zwischen 15% und 35%. Am günstigsten waren Neuwagen nach wie vor in den Niederlanden, in Portugal, Spanien und Schweden.

Bei den Kleinwagen waren die Preisdifferenzen für einen VW Polo mit 32% am höchsten. In der Mittelklasse mussten Autokäufer für einen VW Golf in Deutschland rund 13% mehr bezahlen als in den Niederlanden. Bei den Modellen der gehobenen Klasse wichen die Preise für den Ford Mondeo mit 34,6% am deutlichsten voneinander ab. Während er in Spanien am günstigsten war, mussten Käufer in Deutschland 27,4% mehr bezahlen. Am teuersten waren PKW in Großbritannien (Stichdatum: 1.11.1998)

http://www.adac.de; http://www.acea.be; http://www.vda.de; http://www.kba.de

Automodelle

Mercedes-A-Klasse: Der sog. Mikro-Van, der bei einem Autotest in Stockholm (sog. Elchtest) Ende 1997 umgefallen war, wurde nach der Markteinführung im Februar 1998 mit dem EPS-System zur Stabilisierung des Fahrzeugs erfolgreich nachgebessert. Beim Sandwich-Konzept, nach dem die A-Klasse konzipiert ist, befinden sich Motor und Getriebe teils vor und teils unter dem Passagierraum. Die A-Klasse erfüllt

Positive Trends

▸ Fließband- und Robotertechnik verringern die Herstellungskosten und machen das Auto zum erschwinglichen Massenprodukt.

▸ Leistungsstarke und dennoch sparsame Motoren haben den Kraftstoffverbrauch pro 100 km seit 1900 (25 l) um 300% reduziert.

▸ Materialsparende Kleinwagen sind den teureren Limousinen technisch ebenbürtig.

▸ Knautschzonen, ABS, steife Fahrgastzellen und Airbags erhöhen die Unfallsicherheit.

▸ Die Abgasreinigung durch Katalysator vermindert die Umweltbelastung des Autos.

▸ Autorecycling hat den Anteil wiederverwendbarer Fahrzeugteile bis 1999 auf 75% erhöht.

Negative Trends

▸ Die Zahl der Autos/1000 Einw. in Deutschland stieg von 21 (1936) auf 480 (1999).

▸ 1999 fuhren deutsche Autofahrer gut doppelt so viele km (11 000) als 1960 (4550).

▸ Seit 1950 forderten Verkehrsunfälle auf deutschen Straßen 600 000 Todesopfer.

▸ Autoabgase sind mitverantwortlich für Umweltschäden (u. a. das Waldsterben).

Revolution im Autobau: Fließband-Montage bei Ford in Detroit (Michigan), 1913

Meilensteine

Von der Benzinkutsche zum High-Tech-Fahrzeug

1901: In einigen deutschen und französischen Fabriken werden erste Autos in Serie hergestellt.

1902: Der britische Ingenieur Frederick Lanchester erhält ein Patent auf die Scheibenbremse.

1905: In der Reichshauptstadt Berlin wird der erste regelmäßige Autobusverkehr aufgenommen.

1910: Édouard Benedictus (F) erfindet das bruchsichere Verbundglas für Windschutzscheiben.

1913: Henry Ford (USA) nimmt das weltweit erste Montagefließband zur Autofertigung in Betrieb.

1921: Das aerodynamische sog. Tropfenauto von Edmund Rumpler (D) hat einen Luftwiderstandswert, der 50 Jahre Rekord bleibt.

1923: MAN, Benz und Daimler produzieren erste Diesel-LKW.

1928: Rennfahrer Fritz von Opel baut das erste Raketenfahrzeug.

1933: Die Firma Metzler (D) stellt die ersten Reifen aus Synthetik-Kautschuk (»Buna«) her.

1935: Ferdinand Porsche konstruiert im Auftrag des NS-Regimes den Prototyp des Volkswagens.

1936: Der Fiat-Typ 500, der kleinste PKW der Welt, geht in Serie.

1936: Das Mercedes-Modell 260 ist der erste PKW mit Dieselantrieb.

1948: In einer englischen Fabrik wird der erste Wagen mit Gasturbinenantrieb, der »Jet 1«, gebaut.

1973: In den USA erhalten Autos Katalysatoren zur Abgasreinigung.

1974: Daimler-Benz u. a. Autokonzerne nehmen die Produktion von Elektrofahrzeugen auf.

1974: Toyota (J) baut den Kraftstoff sparenden »Magermixmotor« mit reduziertem Benzinanteil.

1974: Der erste Serien-PKW mit einem die Leistung erhöhenden Turbolader ist der Porsche 911.

1977: Volkswagen baut die ersten Autos mit elektronischer, Kraftstoff sparender Einspritzung.

1982: Das elektronisch geregelte Bremssystem ABS verhindert das Blockieren der Räder.

1985: In Japan, Europa und den USA gebaute Bordcomputer erfüllen Kontrollfunktionen im Auto.

1989: In den USA werden Autos mit Airbag als Aufprallschutz bei Verkehrsunfällen ausgeliefert.

1996: Das Drei-Liter-Auto (u. a. von Mercedes-Benz) spart Energie und senkt die Schadstoffbelastung durch den Autoverkehr.

Zur Person: Henry Ford
Pionier des US-Autobooms
Henry Ford (1863–1947) wuchs in Dearbornville/Michigan auf. Nach einer technischen Ausbildung sah er auf der Weltausstellung in Chicago 1893 die ersten motorisierten Fahrzeuge und begann selbst auf dem Gebiet zu experimentieren. 1896 stellte er sein erstes Modell vor, den Quadricycle. Erst im dritten Anlauf 1903 war er mit einer Automobilfabrik erfolgreich. Die Ford Motor Company war bereits 1906 Marktführer mit einer Jahresproduktion von 8729 Wagen. Das 1908 vorgestellte Modell T (»Tin Lizzy«) wurde bis 1927 rund 15 Millionen Mal verkauft.

Zitat
Henry Ford über das Auto
»Ein vernünftiges Automobil soll seinen Besitzer überallhin transportieren – außer auf den Jahrmarkt der Eitelkeiten.«

Stichtag: 8. November 1909
Erstmals mehr als 200 km/h
Der Rennfahrer Victor Héméry (F) durchbrach 1909 in Brooklands (USA) erstmals mit einem Benzinauto die 200-km/h-Grenze. Die neue Rekordmarke über 1 km betrug 202,680 km/h. 1899 hatte der Belgier Camille Jenatzky die 100-km/h-Schallmauer durchbrochen, aber mit einem Elektroauto.

Ausblick
Weniger Autos – mehr Züge
Der Anteil der Autos an den Passagierkilometern wird von 50% im Jahr 2000 auf 43% im Jahr 2020 und nur noch 35% im Jahr 2050 zurückgehen. Im gleichen Zeitraum steigt der Anteil moderner Hochgeschwindigkeitszüge am Verkehrsaufkommen von 9% (1990) auf 41% (2050). In den kommenden 50 Jahren verdoppelt sich die Zahl der Passagierkilometer auf rund 100 Billionen.

Auto der Zukunft: Necar 4 von Mercedes auf der Basis der A-Klasse.

Micro Compact Car
»Smart« von Mercedes

die ab 1998 gültige EU-Crash-Norm für den Frontalaufprall sowie die Sicherheitsbestimmungen der USA und der EU für Seitenkollision. Für ihre Einführung im südamerikanischen Markt (Standort: Juiz de Fora, Brasilien) im April 1999 wurde die A-Klasse geringfügig modifiziert, das Fahrwerk liegt 23 mm höher als bei der deutschen Produktion. Zudem wurde die Ölwanne gegen Steinschlag verstärkt und die Bereifung angepasst.

Smart: Für Ende 1999 plante Smart die Markteinführung eines Diesel Coupés mit serienmäßigem Sechsganggetriebe und der Traktions- und Stabilitätskontrolle »Trust Plus«. Die Höchstgeschwindigkeit des Fahrzeugs wird elektronisch auf 135 km/h begrenzt, der Verbrauch liegt bei 3,4 l (Preis: ca. 20 000 DM). Für das Frühjahr 2000 stellte Smart die Version eines City Cabrios in Aussicht. Der Smart wurde 1998 vom Verkehrsclub Deutschland (VCD) zum umweltfreundlichsten Auto erklärt.

VW Beetle: Bis Mitte 1999 verkaufte sich der Käfer-Nachfolger in den USA sehr erfolgreich (80 000 Stück). In Deutschland u.a. europäischen Ländern hingegen konnte sich der Absatz des New Beetle trotz zahlreicher Vormerkungen 1998/99 nur zögerlich entwickeln, sodass VW für den Beetle den geplanten zweiten Produktionsstandort in Europa nicht einrichten wird. Bis März 1999 konnte VW in Europa nur 12 500 New Beetle ausliefern, 7600 davon in Deutschland.

http://www.daimlerchrysler.de
http://www.smart.de; http://www.vag.de
http://www.newbeetle.com

Autorecycling

Umweltgerechte Aufbereitung und Rückführung von Schrottfahrzeugen in die industrielle Produktion

Ziel: Bis 2002 will die deutsche Autoindustrie die nicht verwertbaren Bestandteile bei Neuwagen auf 15% senken (1998: 25%). Bis 2015 soll der Anteil auf 5% fallen. Das vom Verband der Automobilindustrie (VDA) und 15 weiteren Verbänden, der Arbeitsgemeinschaft Altauto (ARGE-Altauto), getragene »Gemeinsame Konzept zur umweltgerechten Altautoverwertung von Personenkraftwagen« trat mit der »Altautoverordnung« am 1.4.1998 in Kraft. Es betrifft alle Branchen, die PKW herstellen, importieren oder an der Produktion von Kfz-Teilen und Vorstoffen sowie an deren Verwertung beteiligt sind.

Monitoring: Zur Kontrolle entwickelte die ARGE-Altauto in Kooperation mit wissenschaftlichen Einrichtungen ein Monitoringkonzept mit dem Kernziel der Verringerung der Deponiebeanspruchung durch Abfälle aus der Altautoentsorgung. Der erste Monitoring-Bericht wird der Bundesregierung zum 1.4.2000 und danach alle zwei Jahre vorgelegt. In Deutschland wurden 1997 insgesamt 3,2 Mio PKW »endgültig stillgelegt«, wobei es sich nicht immer um ein Altauto handelte, da PKW auch beim Export als Gebrauchtwagen abgemeldet werden. Die Zahl der Altautos schätzte die ARGE 1998 auf 1,3 Mio–1,5 Mio. Seit Mitte 1998 wurden rund 8000 Annahmestellen, 1000 Verwertungsbetriebe und 57 Shredderunternehmen von den Kfz-Innungen anerkannt. Eine flächendeckende Infrastruktur zur Rücknahme und Verwertung von Altteilen aus PKW-Reparaturen war 1999 bereits eingerichtet.

http://www.arge-altauto.de
http://www.vda.de

Autorückrufe

1998 gab es 82 Rückrufaktionen deutscher Autohersteller. Um bei zugelassenen Kfz Mängel aus Gründen der Verkehrssicherheit und Umweltverträglichkeit zu beseitigen, nutzten die Produzenten 1998 zunehmend den Service des Kraftfahrt-Bundesamtes (KBA, Flensburg), das nach datenschutzrechtlicher Unbedenklichkeit der Rückrufmaßnahme die Halteranschriften aus dem

	Autorückrufe in Deutschland		
Monat	*Automodelle*	*Anzahl*	*Defektursache*
Februar 98	Opel Vectra-B	k. A.	Handbremshebeseil kann vorzeitig verschleißen
März 98	Rover (Range Rover/ Land Rover)	6500	Fehlauslösung des Fahrerairbags durch elektrostatische Entladung
März 98	Ford Fiesta/Courier	k. A.	Vordere Bremsschläuche können am Halter scheuern
März 98	Ford Mondeo V6/24V	k. A.	Geräusche aus dem Auspuffkrümmer durch Beschädigung des Startkatalysators
April 98	Ford Galaxy 2.0/2.3	20000	Mögliche Entzündung von losen Teilen der Motorraumdämmmatte am Abgasrückführventil
Juni 98	Lexus LS 400	876	Brandgefahr des Magnetschalter-Anlassers
	Porsche Boxter	6500	Rissbildung im Gehäuse des Zündanlassschalters
	Renault Clio	150000	Motoröl-Überfüllung verursacht Verkokung der Lambdasonde
Juli 98	Ford Escort/Mondeo/ Scorpio	124700	Fehlerauslösung beim Beifahrerairbag durch elektrostatische Entladung
August 98	Rover (Range Rover)	6600	Undichte Kühlwasserschläuche
Oktober 98	Honda Accord Coupe/ Aerodeck	4400	Klimaanlagenkompressor
	Rover MG F	5400	Verklemmgefahr der Sicherheitsgurte
Nov. 98	Ford Puma	5000	Defekter Hauptbremszylinder
	Opel Astra	59600	Vorzeitiger Verschleiß am Lenksäulenlager
	Rover Freelander	3000	Haarriss am Hinterachsen-Längs-Querlenker
	Rover (Range Rover)	1000	Pressverbindung am Druckschlauch zwischen Pumpe und ABS-Aggregat kann undicht werden
Dez. 98	Ford Ka/Fiesta ABS	10000	Defekter Hauptbremszylinder
	Mazda 626	4000	Spannrolle des Steuerriemenspanners
April 99	Mercedes CLK-Cabrios	10000	Schweißnaht an Sicherheitsgurten
	Porsche 911	5383	Unbeabsichtigte Airbagauslösung
Mai 99	VW Passat	43000	Probleme mit abnehmbarer Anhängerkupplung

Stand: Juni 1999; Quelle: ADAC/AP/abe

Zentralen Fahrzeugregister zur Verfügung stellte und im Auftrag der Hersteller die Benachrichtigungen an die Betroffenen übernahm.
– BMW rief aufgrund eines schadhaften Kühlerverschlussdeckels international 1,44 Mio Fahrzeuge aus den Baujahren 1988 bis 1994 zurück, darunter allein 940000 in Deutschland.
– Die japanische Niederlassung der Volkswagen AG rief 180000 Fahrzeuge, die 1992–98 importiert wurden, aufgrund von Problemen mit elektrischen Fensterhebern, Kabeln im Batteriebereich und wegen elektronischer Mängel an Motoren in die Werkstätten zurück.
http://www.kba.de

Autosicherheit

Crashtest: Um Aufschluss über die Unfallsicherheit von Autos zu gewinnen, waren Crashtests an der Wende zum 21. Jh. weiterhin unabdingbar. Das 1997 verabschiedete Neuwagen-Bewertungs-Programm Euro-NCAP (New Car Assessment Programme) ist ein Crashtest-Projekt, das von der Europäischen Kommission sowie von den meisten Regierungen der EU-Mitgliedstaaten, Verbraucherschutzverbänden und Automobilclubs unterstützt wurde. Ziel des Euro-NCAP ist es, bei den Bestimmungen zur A., die aus Crashtests abgeleitet wurden, eine europaweite Einigung zu erzielen. Erste Tests wurden 1998 durchgeführt.

Autosicherheit: Handy-Benutzung im Ausland

Italien		Handy-Benutzung während der Fahrt verboten. Ausgenommen sind Freisprechanlagen	50[1)]
Österreich		Ab 1.7.99 ist Telefonieren während der Fahrt nur noch mit Freisprechanlagen erlaubt	ca. 70
Polen		Verbot seit 1.1.98. Ausgenommen sind Freisprechanlagen	bis 260
Portugal		Handy-Benutzung während der Fahrt verboten	50
Schweiz		wie Italien	120
Slowakei		wie Italien	ab 15
Slowenien		wie Italien	105
Spanien		Handy-Benutzung während der Fahrt verboten, ausgenommen Freisprechanlagen, die keine elektromagnetischen Störungen verursachen	200
Tschechien		Bis Mitte 1999 keine gesetzliche Regelung Vorschrift in Arbeit	k. A.
Ungarn		Es gilt die Regelung: Andere Verkehrsteilnehmer dürfen nicht gefährdet werden	k. A.

1) Geldstrafen (DM); Stand: 1998; Quelle: ADAC

ESP: Das Electronic Stability Program (ESP), 1998 u. a. in der Mercedes-A-Klasse eingesetzt, bewirkt den dosierten elektronischen Bremseingriff an einzelnen Rädern der Vorder- und Hinterachse sowie bei Bedarf zusätzlich die elektronisch geregelte Reduzierung des Motormoments. ESP verbessert die Richtungsstabilität und wirkt sich Fahrzeug stabilisierend besonders in Kurven und bei Ausweichmanövern aus.

Handy-Nutzung im Auto: Bis Mitte 1999 war die drahtlose Kommunikation im Straßenverkehr in Deutschland nicht verbo-

TopTen Umweltfreundlichste Autos

1. MCC Smart City Coupé
2. Daihatsu Sirion
3. Opel Corsa City 1.0
4. Seat Arosa Basis 1.0
5. Mercedes Benz A 160 CDI
6. Daihatsu Curore GL
7. Fiat Seicento Suite
8. Suzuki Swift 1.0 GLS
9. Ford Ka 1,3
9. Renault Clio Campus 1.2

1998; Quelle: Auto-Umweltliste des Verkehrsclub Deutschland

ten. Im Mai 1999 kündigte jedoch Bundesverkehrsminister Franz Müntefering (SPD) bereits für 2000 Gesetzesänderungen für mehr Verkehrssicherheit an, die u. a. den Handy-Gebrauch am Steuer regeln sollen. Es galt als wahrscheinlich, dass Telefonieren mit Handys am Steuer untersagt wird. In anderen EU-Staaten – z. B. in Portugal – war es Mitte 1999 bereits verboten, während der Fahrt zu telefonieren. Der Gebrauch einer Freisprechanlage war aber uneingeschränkt erlaubt.

Auto und Umwelt

Ein PKW, der aus Umweltsicht neue Maßstäbe setzte, kam auch 1998/99 nicht auf den Markt. Die Testsieger der Auto-Umweltliste des Verkehrsclub Deutschland (VCD) waren zwar umweltverträglicher, aber keine »Öko-Autos«. Auch die verbrauchsgünstigsten PKW-Motoren verbrannten 1999 noch fast 5 l Kraftstoff auf 100 km. Neben Schadstoffemissionen und Lärmbelästigung der Autos bewertete der VCD in seiner Umweltliste den klimawirksamen Kraftstoffverbrauch als besonders kritisch.

Gesundheitsschäden: 1978–98 halbierte sich dank verbesserter Sicherheitstechnik nahezu die Zahl der im deutschen Straßenverkehr ums Leben gekommenen Personen von 14 662 auf 7772; die Zahl der Unfallopfer sank um 9,1%. Dennoch sind nach einer Studie des UPI-Instituts tief greifende Veränderungen der weltweiten Verkehrspolitik nötig, sonst werden bis 2030 rund 50 Mio Menschen durch Autounfälle getötet. 2030 werden dieser Studie zufolge weltweit etwa 100 Mio Behinderte leben, deren körperliche und seelische Beeinträchtigungen durch einen Autounfall verursacht wurde (1998: ca. 800 000).

Luftverschmutzung: Bis zum Jahr 2010 werden nach Angaben des Verbandes der Automobilindustrie (VDA) die von deutschen PKW verursachten Abgasemissionen aus dem motorisierten Individualverkehr gegenüber 1990 drastisch sinken: um 88% bei den Stickoxiden, um 80% beim Kohlenmonoxid und um 95% bei den Kohlenwasserstoffen (Quelle: VDA). 1998 gingen dem VDA zufolge Verbrauch und Emission von CO_2 gegenüber dem Vorjahr um 3,2% zurück.

Umweltschutz: Vertreter der EU verständigten sich Ende der 90er Jahre mit dem Verband der europäischen Automobilhersteller (ACEA) auf den Abschluss einer Umweltvereinbarung, in der die Reduktion der CO_2-Emissionen von PKW bis 2008 auf 140 g CO_2/km festgeschrieben wurde, was einem Rückgang von 25% gegenüber dem Mittelwert im Jahr 1998 (186 g CO_2/km) entspricht. Die ab 2000 geltenden Abgasvorschriften für PKW sehen u. a. die Einführung von Onboard-Diagnose-Systemen (OBD) für Verbrennungsmotoren vor: Eine gelbe Warnleuchte zeigt dem Fahrzeugführer, wenn die Abgasemissionen unzulässig ansteigen oder die Gefahr eines solchen Anstiegs besteht.

Treibhauseffekt: Der Beitrag des Autoverkehrs zum globalen Treibhauseffekt lag nach einer Studie des Umwelt- und Prognose-Instituts (Heidelberg) 1998/99 bei 4,4 Mrd t CO_2-Äquivalent und wird sich bis 2030 auf über 10 Mrd t CO_2-Äquivalent mehr als verdoppeln. Mit der Entwicklung emissionsarmer Beförderungsmittel, die z. B. Wasserstoff als Energieträger verwenden, soll das Klima verändernde Gas CO_2 auf ein Minimum reduziert werden.

http://www.upi-institut.de
http://www.umweltbundesamt.de
http://www.bmv.de
http://www.vda.de
http://www.vcd.de

Autoverkehr

Kfz-Bestand: Der Kraftwagenbestand in Deutschland stieg 1998 um etwa 1,2% auf 45,7 Mio. Mit 41,75 Mio PKW waren Ende 1998 rund 1% mehr PKW in Deutschland zugelassen als Ende 1997. Auf 1000 Einwohner kamen 557 Automobile, davon 509 PKW und 48 Nutzfahrzeuge (Quellen: VDA, Kraftfahrt-Bundesamt).

Globale Motorisierung: In einer Studie über die Folgen der globalen Motorisierung sagte das Umwelt- und Prognose-Institut (UPI, Heidelberg) einen Anstieg des weltweiten PKW-Bestandes von 500 Mio (1999) um das 4,5fache auf rund 2,3 Mrd PKW im Jahr 2030 voraus. Der A. wird bis dahin rund 60 Mrd t Erdöl oder fast die Hälfte der 1999 registrierten Welterdölreserven verbrauchen.

http://www.vda.de; http://www.kba.de
http://www.upi-institut.de

Brennstoffzellenauto

Kfz mit Elektromotoren, bei denen die Antriebsenergie in einer Brennstoffzelle durch sog. kalte Verbrennung von Wasserstoff hergestellt wird. Chemische Energie wird durch Reaktion von Wasserstoff mit Sauerstoff (Oxidation) in elektrische umgewandelt. Außer Wasserstoff entstehen keine Emissionen. Der Brennstoffzellenantrieb gilt in der Automobilindustrie als alternatives Antriebssystem der Zukunft.

DaimlerChrysler: Im März 1999 stellte DaimlerChrysler in den USA erstmals ein B. vor: das Null-Emissions-Auto »Necar 4«, das technisch auf der A-Klasse von Mercedes-Benz basiert. Das Brennstoffzellensystem zur Erzeugung von elektrischem Strom, der das Fahrzeug antreibt, ist im Fahrzeugboden untergebracht. Mit einer Tankfüllung flüssigen Wasserstoffs hat Necar 4 eine Reichweite von 450 km und kommt auf eine Höchstgeschwindigkeit von 145 km/h. DaimlerChrysler beabsichtigte, mit der Serienfertigung von B. 2004 zu beginnen.

Andere Modelle: BMW plante bereits zur Expo 2000 in Hannover, ein wasserstoffgetriebenes Auto auf der Basis der 7er-Reihe vorzustellen, das neben einem Wasserstoff-Verbrennungsmotor eine Brennstoffzellen-Batterie besitzt. Ford stellte im April 1999

Brennstoffzellenauto: Umweltfreundlicher Antrieb

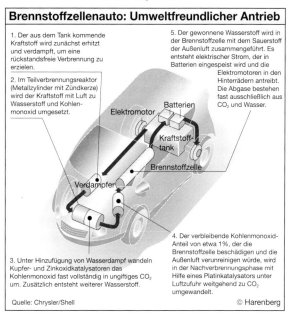

1. Der aus dem Tank kommende Kraftstoff wird zunächst erhitzt und verdampft, um eine rückstandsfreie Verbrennung zu erzielen.

2. Im Teilverbrennungsreaktor (Metallzylinder mit Zündkerze) wird der Kraftstoff mit Luft zu Wasserstoff und Kohlenmonoxid umgesetzt.

3. Unter Hinzufügung von Wasserdampf wandeln Kupfer- und Zinkoxidkatalysatoren das Kohlenmonoxid fast vollständig in ungiftiges CO_2 um. Zusätzlich entsteht weiterer Wasserstoff.

4. Der verbleibende Kohlenmonoxid-Anteil von etwa 1%, der die Brennstoffzelle beschädigen und die Außenluft verunreinigen würde, wird in der Nachverbrennungsphase mit Hilfe eines Platinkatalysators unter Luftzufuhr weitgehend zu CO_2 umgewandelt.

5. Der gewonnene Wasserstoff wird in der Brennstoffzelle mit dem Sauerstoff der Außenluft zusammengeführt. Es entsteht elektrischer Strom, der in Batterien eingespeist wird und die Elektromotoren in den Hinterrädern antreibt. Die Abgase bestehen fast ausschließlich aus CO_2 und Wasser.

Elektromotor
Batterien
Kraftstofftank
Brennstoffzelle
Verdampfer

Quelle: Chrysler/Shell

© Harenberg

Der VW Lupo besetzt in der VW-Modellpolitik den Platz unter dem größer gewordenen Polo. Er bietet mittels Leichtbau und konsequenter Raumnutzung ein in der Klasse der Mikro-Kompakt-Wagen beispielhaftes Platzangebot.

ein wasserstoffbetriebenes Konzeptfahrzeug der P2000-Forschungsreihe mit Elektroantrieb vor, das reinen Wasserdampf abgibt und den »Zero Emissions«-Standard erfüllt.

Nach dem gleichen Prinzip wie die Wasserstoff-Brennstoffzelle funktioniert die 1998/99 entwickelte Direkt-Methanol-Brennstoffzelle (DMFC), die von einem platinhaltigen Katalysator angetrieben wird. Methanol, das sich aus Erdgas erzeugen lässt, wird in einem Reformer zu Wasserstoff umgewandelt. Dabei entstehen in geringen Mengen die Schadstoffe Kohlenmonoxid und Kohlendioxid.

http://www.daimlercrysler.de
http://ford.com

Drei-Liter-Auto

Kleinwagen, der aufgrund seines geringen Treibstoffverbrauchs (3 l/100 km) und seiner Umweltverträglichkeit als zukunftsweisende Alternative zu herkömmlichen Automobilen gilt

VW Lupo: Erstmals auf dem Internationalen Automobil-Salon Paris im Oktober 1998 vorgestellt, verfügt der 3-l-Lupo über einen neu entwickelten Dreizylinder-Turbo-Dieselmotor mit 45 KW Leistung und einem automatisierten Fünfgang-Direktschaltgetriebe. Das aerodynamisch optimierte und mit zahlreichen Leichtbau-Komponenten

versehene Fahrzeug verbraucht nach Herstellerangaben 2,99 l Diesel/100 km und emittiert nur geringste Schadstoffmengen. Die Höchstgeschwindigkeit beträgt 165 km/h. VW plante 1999 die Produktion des 3-l-Lupo zunächst in Kleinserie.

Nissan Kyxx: Für 2000 plante der japanische Konzern Nissan die Markteinführung des Kyxx als D. Das Fahrzeug ist mit einem Turbodiesel-Direkteinspritzmotor ausgestattet, der einen CO_2-Ausstoß von 90 g/km nicht überschreiten soll.

Twingo SmILE: Die Umweltschutzorganisation »Greenpeace« stellte bereits 1996 den »Twingo SmILE« (Small, Intelligent, Light, Efficient) vor mit einem Verbrauch von 3,26 l Benzin auf 100 Kilometer – 50% weniger als der Original-Twingo von Renault, bei gleicher Leistung, gleichem Komfort und gleicher Sicherheit.

http://www.drei-liter-auto.de
http://www.vag.de; http://www.greenpeace.de
http://www.nissan.de

Elektroauto

Kfz mit Elektromotoren, die von wieder aufladbaren Batterien mit Antriebsenergie versorgt werden. Die Fahrzeuge sind abgasfrei und entwickeln bei niedrigen Geschwindigkeiten fast keine Geräusche.

1998 waren in Deutschland ca. 5000 E. bei steigender Nachfrage zugelassen. 1999 boten mehrere Hersteller Serienfahrzeuge an (u.a. BMW, Citroën, Honda, Renault, VW). Der US-amerikanische Autokonzern Ford plante für Ende 1999 die Markteinführung eines E. in Skandinavien. Entwickelt von der norwegischen Firma PIVCO Industries, soll das Cityfahrzeug »Think« mit einer Batterieladung etwa 100 km weit fahren können und eine Spitzengeschwindigkeit von 90 km/h erreichen. Zum Auftanken wird das Auto an eine normale Netzsteckdose angeschlossen. Einige Städte in Norwegen boten Mitte 1999 bereits das kostenlose Aufladen an öffentlichen Stationen an, um den Kauf der umweltfreundlichen E. zu fördern.

http://www.think.no

Erdgasauto

Seit Anfang der 80er Jahre werden Motoren entwickelt, die Erdgas als Kraftstoff nutzen. E. sind etwa 5000 bis 7000 DM teurer als

traditionelle Fahrzeuge, günstig wirken sich die niedrigen Betriebskosten sowie die Steuerbelastung aus. Nach Beschlüssen der rot-grünen Bundesregierung bleibt Erdgas als Kraftstoff bis 2009 mit einer deutlich niedrigeren Steuer (ca. 55%) belastet als Benzin und Diesel. Im Durchschnitt ist Erdgas 25% billiger als Diesel.
Markt: Weltweit gab es Mitte 1999 etwa 1 Mio E. Sie fuhren überwiegend in Ländern, die über hohe eigene Erdgasvorkommen verfügen. Die größten Anteile stellten Russland, Italien, Argentinien, Neuseeland und die USA. Auf deutschen Straßen waren 1998 ca. 3500 erdgasbetriebene Fahrzeuge in Betrieb. Deutsche Bushersteller wie Mercedes-Benz, MAN und Neoplan boten Erdgasbusse für den Einsatz im Öffentlichen Personennahverkehr an. Bis 2005 wird sich die Zahl der Erdgastankstellen in Deutschland von 100 auf 300 erhöhen.
Typen: Die Autoindustrie unterscheidet monovalente und bivalente E. Bei monovalenten Fahrzeugen verbrennt der Motor ausschließlich Erdgas, bivalente Autos können wahlweise mit Erdgas oder Benzin fahren. Für Mitte 1999 plante Fiat die Markteinführung des Multipla, eines sechssitzigen Mini-Van, der als bivalentes Modell mit einer Erdgastankfüllung 500 km weit fahren kann (Reichweite eines monovalenten E.: 700 km). Der Motor des E. entwickelt durch die weichere Verbrennung des Erdgas-Luft-Gemisches wesentlich weniger Lärm als herkömmliche Otto-Benzinmotoren.
http://www.erdgasfahrzeuge.de

Hybridfahrzeug

Im H. (lat. hybrid: gemischt, von zweierlei Herkunft) sind außer Elektromotoren Erdgas-, Diesel- oder Ottomotoren eingebaut, wodurch die Vorteile beider Antriebskonzepte bei Bedarf genutzt werden

In Ballungszentren wird beim H. der abgasfreie und leise Antrieb mit Elektromotoren, für Überlandfahrten werden Leistungen und Reichweite des Verbrennungsmotors optimal eingesetzt. Verbrauchswerte um 3 l/100 km galten Mitte 1999 als realistisch.
Modelle: VW, Audi, General Motors, Ford und andere Automobilfirmen stellten 1998/99 bereits Hybridkonzepte vor. Für 2003/4 plante Renault die Markteinführung einer Hybrid-Version des Mégane Scénic.
Das von Toyota entwickelte und weltweit als Erstes in Serie produzierte Hybridauto »Prius« war Mitte 1999 in Japan bereits über 20 000 mal verkauft; zur Jahrtausendwende soll es auch in Europa angeboten werden. Mit Elektro- und Vierzylinder-Benzinmotor ausgestattet, soll das Fahrzeug 3,6 l Kraftstoff auf 100 km verbrauchen. Messungen in Japan hätten gezeigt, dass an dem 1999 zur Verfügung stehenden Modell der CO_2-Ausstoß um die Hälfte und die restlichen Emissionen bis zu 90% reduziert werden können.

Katalysator-Auto

Kfz mit einer Anlage zur Verringerung von Schadstoffen im Abgas. Katalysatoren sollen zur Verminderung der Luftverschmutzung beitragen.

Nach der Vorstellung eines neuartigen Dreiwege-Katalysators 1998, der die Schadstoffe im Autoabgas um 50% gegenüber herkömmlichen Katalysatoren reduziert und den EU-Abgasgrenzwerten der Euro-IV-Norm für 2005 entspricht, entwickelte die Degussa AG (Frankfurt/M.) 1999 eine weitere Variante des »Super-Kats« HPT-X 5, die anstelle von Palladium das Edelmetall Platin zum Reinigen der Abgase einsetzt. 1998/99 fuhren rund 90% der 41,75 Mio PKW in Deutschland mit Katalysator.
www.degussa.de

Kraftstoffe

Benzin: Im Zuge der ökologischen Steuerreform beschloss die rot-grüne Bundesregierung zum 1.4.1999 die Erhöhung der

Kraftstoffe: Benzinpreise in Europa[1]

Land	Ohne Steuern	Mit Steuern
Belgien	37,3	165,2
Dänemark	45,8	181,3
Deutschland	41,2	168,4
Finnland	49,3	193,7
Frankreich	35,5	181,9
Griechenland	44,6	126,0
Großbritannien	36,9	208,6
Irland	42,7	141,3
Italien	47,9	184,6
Luxemburg	45,4	132,4
Niederlande	50,0	193,6
Österreich	48,1	154,9
Portugal	38,3	157,1
Schweden	47,4	181,0
Spanien	41,4	182,3

1) Durchschnittspreise Eurosuper (Pf/l), Stand: 26.4.1999;
Quelle: Mineralölwirtschaftsverband e.V. (Hamburg)

Mineralölsteuer um 6 Pf/l. Ende Juni 1999 vereinbarte die Koalition eine weitere Erhöhung um insgesamt 24 Pf/l bis 2003. Bereits Mitte 1998 hatte eine von VW und vom Land Niedersachsen mitfinanzierte Energiestudie eine allmähliche Erhöhung des Benzinpreises auf knapp 4 DM/l bis zum Jahr 2010 vorgeschlagen.

Kraftstoffqualität: Für Benzin und Diesel wurden im Rahmen des Auto-Öl-Programms der EU für 2000 und 2005 neue Qualitätsmerkmale festgeschrieben, insbes. die Absenkung des Schwefelgehaltes von 500 ppm (Part per million) auf 150 ppm (2000) und 50 ppm (2005). Die künftig geltenden Anforderungen an die Kraftstoffqualität sind in der Europäischen Richtlinie 98/70/EG enthalten (veröffentlicht am 28.12.1998): Die Kraftstoffanforderungen müssen spätestens zum 1.7.1999 in nationales Recht umgesetzt werden. In der Frage der Reduzierung des Kraftstoffverbrauchs, d.h. der CO_2-Emission von PKW, lag auf EU-Ebene Mitte 1999 eine Selbstverpflichtung der europäischen Automobilindustrie (ACEA) vor. Die ACEA will die CO_2-Emission bei Neuwagen bis 2008 um 25% auf durchschnittlich 140 g CO_2/km erreichen. Als alternative Kraftstoffe wurden an der Wende zum 21. Jh. elektrischer Strom, Erdgas, Flüssiggas, Wasserstoff, Alkohole und Pflanzenöle diskutiert.

Diesel: Mit 54,5% hatte Österreich 1998 den höchsten Diesel-Marktanteil am Kraftstoffverbrauch in Europa. Es folgten Belgien (52,2%), Spanien (47,8%) und Frankreich (40,2%). Deutschland stand mit 17,6% an achter Stelle, vor Norwegen (6,7%), der Schweiz (5,9%) und Dänemark (4,7%).

Biodiesel: Die umweltfreundliche Alternative zu herkömmlichem Diesel wird aus Raps hergestellt, enthält keinen Schwefel und wird innerhalb von 21 Tagen zu über 98% biologisch abgebaut. Das Abgas enthält 12% weniger Kohlenmonoxid, 35% weniger Kohlenwasserstoffe, 36% weniger Partikel und 50% weniger Ruß als herkömmlicher Diesel. Biodiesel ist frei von gesundheitsschädlichem Benzol und anderen sog. Aromaten. Als Kraftstoff aus nachwachsenden Rohstoffen unterliegt Biodiesel nicht der Mineralölsteuer und wurde Mitte 1999 in Deutschland an ca. 500 Tankstellen angeboten. Da Biodiesel nur in begrenzten Mengen zur Verfügung steht, ist ein flächendeckender Einsatz nicht möglich.

http://www.BauNetz.de/bmvbw/bau_eu/verkehr.htm; http://www.mwv.de
http://www.mwv.de; www.biodiesel.de
www.elsbett.com

Navigationssysteme

Die zur Routenführung entwickelten elektronischen Lotsen standen 1998 in Deutschland für ca. 50 Fahrzeugtypen der Mittel- und Oberklasse zumeist als Sonderzubehör zur Verfügung (auch nachrüstbar). Autofahrer können mit N. Verkehrsstörungen, z.B. Staus oder Baustellen, erkennen und sich eine Alternativstrecke erarbeiten. Möglich sind Hinweise auf Witterungsänderungen, Straßenzustände etc. Je nach Ausstattung und Hersteller kosteten N. Mitte 1999 zwischen 3000 und 7500 DM. High-End-Systeme verfügen über großflächige Monitore mit digitalisierten Straßenkarten, auf denen Position und Fahrtrichtung vermerkt werden. 1998 wurden in Deutschland rund 180000 N. in Kfz installiert. 1999 arbeiteten Forscher an einem N., mit dem sich Unfälle rekonstruieren lassen.

■ **Verkehr** → Verkehrsleitsysteme

Bahn

Bahn, Deutsche

(Deutsche Bahn AG, DB)

Beschäftigte: Die Deutsche Bahn beschäftigte zum Jahresende 1998 252 468 Menschen, 15 800 (5,9%) weniger als Ende 1997. Das Beschäftigungsbündnis Bahn wurde im Oktober 1998 von Tarifpartnern, Konzernbetriebsrat und Vorstand bis Ende 2002 verlängert.

Bilanz: Der Konzernumsatz der B. ging 1998 erstmals seit der Bahnreform gegenüber dem Vorjahr zurück und lag bei 30,0 Mrd DM (1997: 30,5 Mrd, –1,6%). Das Betriebsergebnis der B. sank 1998 auf 334 Mio DM, rund 200 Mio (37,5%) weniger als 1997. Als Hauptgrund stufte der B.-Vorstand vor allem den Umsatzausfall in Folge des Unglücks von Eschede (ca. 125 Mio DM) ein. Wegen eines unerwartet heftigen Einbruchs der deutschen Stahlkonjunktur (Produktionsrückgang: 17%) sowie eines Rückgangs des Chemieverkehrs veranschlagte die B. 1998 ihre Verluste bei DB Cargo mit rund 200 Mio DM. Durch aperiodische Einnahmeausfälle im Militärverkehr und bei der Verrechnung von Nahverkehrsleistungen verlor die B. nochmals rund 300 Mio DM.

Preisanstieg: Als Reaktion auf die von der rot-grünen Bundesregierung verabschiedete Ökosteuer erhöhte die B. zum 1.4.1999 ihre Preise für die Nah- und Fernverkehrszüge um 1,5% auf 27,2 Pf/km. Der Preis für die BahnCard (ermöglicht Fahrten zum halben Preis) der 2. Klasse wurde von 240 DM auf 260 DM angehoben. Im Gegenzug sank der Tarif für die Familien-Bahn-Card von 120 DM auf 65 DM; Kinder bis zum 5. Lebensjahr fahren kostenlos. Für die Senioren-Bahn-Card sind seit 1.4.1999 130 DM statt 120 DM zu zahlen. Die B. plante Mitte 1999 ein neues Tarifsystem, das den Preis einer Fahrkarte nach der Beliebtheit bestimmter Strecken bemisst.

Holding: Zum 31.12.1998 umfasste der Konzern neben der DB AG 193 verbundene und 76 assoziierte Unternehmen. Am

24.2.1999 legte Aufsichtsratschef Heinz Dürr sein Amt nieder; Grund waren Differenzen zwischen dem Eigentümer Bund und Dürr über die Unternehmenspolitik. Ihm folgte am 24.3.1999 Dieter Vogel.

Investitionen: Die B. verfolgte 1998/99 eine angebotsorientierte Innovationsstrategie. Schwerpunkte des rund 75 Mrd DM umfassenden Investitionsprogramms für die Jahre 1999–2003 sind der Bau neuer Fahrzeuge, die Modernisierung der Bahnhöfe, die Einführung innovativer Informations- und Kommunikationstechnik sowie die Internationalisierung des Leistungsangebotes. Die Investitionen werden aus Baukostenzuschüssen und zinslosen Darlehen des Bundes und der Länder finanziert sowie aus dem Cash-flow der DB in Höhe von 3% des Gesamtvolumens aus zinspflichtigem Fremdkapital. Die Bruttoinvestitionen der B. betrugen 1998 rund 15 Mrd DM (+ 7,3% gegenüber 1997).

Aktionsprogramm 2003: Das Strategieprogramm zur Vorbereitung der materiellen Privatisierung der B. nach 2003 setzt drei Schwerpunkte:
– Stärkung des Systemverbundes, durchgängige Innovationsstrategie des Rad-Schiene-Systems und Umsetzung der Bauvorhaben der sog. Agenda 21;

TOP TEN Bahn: Die meisten Bahnkilometer pro Einwohner		
1. Schweiz	🇨🇭	1802
2. Weißrussland		1266
3. Ukraine		1080
4. Frankreich	🇫🇷	1051
5. Österreich		1009
6. Dänemark	🇩🇰	945
7. Niederlande		926
8. Italien	🇮🇹	870
9. Tschechien		749
10. Deutschland		725

Letztverfügbarer Stand: 1997; Quelle: LITRA

– Sanierung des Kerngeschäftes, u. a. mit der Weiterentwicklung der informationstechnologischen Systeme, der Erneuerung des Fahrzeugparks und der Modernisierung der Bahnhöfe;
– Erschließung zusätzlicher Geschäftspotenziale (Europäisierung).
www.bahn.de

Bahnhöfe

Im Rahmen einer groß angelegten Modernisierung, dem sog. Bahnhofspaket, begann die Deutsche Bahn Ende der 90er Jahre, bundesweit 26 größere und mittlere B. bis 2001 zu kundenfreundlichen Verkehrsstationen umzugestalten. Zugleich plante die Bahn mit dem Programm »Projekte 21« die Neugestaltung mehrerer Bahnanlagen, u. a. für die Städte Lindau, München, Frankfurt/Main, Magdeburg, Neu-Ulm und Stuttgart.

Bahnhofspaket: Mit einer Investitionssumme von rund 1 Mrd DM sollen die Hauptbahnhöfe in Aachen, Bielefeld, Bochum, Bremen, Frankfurt/Oder, Gelsenkirchen, Kiel, Koblenz, Lübeck, Mainz, Mannheim, Münster, Nürnberg, Rostock und Wiesbaden sowie die B. Berlin-Lichtenberg, Berlin-Ostbahnhof, Berlin-Zoologischer Garten, Hamburg-Dammtor, Mülheim/Ruhr, Oberstdorf, Oldenburg, Oranienburg, Siegburg und Stralsund saniert bzw. neu gebaut werden. Etwa 60% der Kosten werden jeweils von privaten Investoren aufgebracht. Als erstes Projekt wurde am 19.2.1999 der Hauptbahnhof Weimar eröffnet, im Juni 1999 der renovierte Kölner Hauptbahnhof.

Dortmund: Der neue Hauptbahnhof soll bis 2002 fertig gestellt sein. Die als UFO (Unbegrenztes Freizeitobjekt) gepriesene Station soll auf acht Etagen Reisezentrum, Shopping Malls und Gastronomie vereinen. Spektakuläres Highlight der mind. 850 Mio DM teuren Konstruktion ist eine Diskothek auf dem Dach in 55 m Höhe.

Erfurt: Im Herbst 1999 soll der Ausbau des Hauptbahnhofs zur ICE-Station beginnen (geplante Dauer: vier Jahre).

Lehrter Bahnhof/Berlin: Auf einer Fläche von ca. 70 000 m² soll bis 2003 für etwa 800 Mio DM ein neuer Bahnhof entstehen. Auf fünf Ebenen können Reisende dann Fern- und Nahverkehrszüge sowie U- und S-Bahnen nutzen.

BILANZ 2000

Bahn
Konkurrenz von Schiene und Straße

In der zweiten Hälfte des 20. Jh. ist die Bedeutung der Eisenbahn als universelles Transportmittel drastisch gesunken: In der BRD halbierte sich 1950–90 der Bestand an Lokomotiven, Triebwagen und Personenwagen, während sich die PKW-Zahl im gleichen Zeitraum verfünfzigfachte. Das französische Eisenbahnstreckennetz wurde 1950–95 um 22,1% auf 32 272 km verkleinert, das in Großbritannien und Nordirland um 48,6% auf 16 536 km. Beim Güterverkehr entfielen in Deutschland 1996 rund 16% auf die Schiene (Straße: 50%), beim Personenverkehr nur 7% (motorisierter Individualverkehr: 82%). 1992–97 stieg die Zahl der in Deutschland im Jahresschnitt beförderten Personen von 1,56 Mio auf 1,73 Mio (+11%). Zentrales verkehrspolitisches Ziel ist der Aufbau eines transeuropäischen Hochgeschwindigkeitsnetzes mit länderübergreifender Infrastruktur, um die Bahn als umweltverträgliches Verkehrsmittel gegenüber Auto und Flugzeug wettbewerbsfähiger zu gestalten. Der Bundesverkehrswegeplan bis 2012 sieht Investitionen von 213,6 Mrd DM (Straße: 209,6 Mrd DM) bei der Modernisierung von Eisenbahnstrecken vor.

Positive Trends

▶ Die überwiegend elektrische Eisenbahn ist umweltfreundlicher als Auto und Flugzeug.
▶ Die Eisenbahn (1996: 283 Tote) ist weitaus sicherer als das Auto (1996: 8758 Tote).
▶ Eisenbahnstrecken haben einen geringeren Platzbedarf (ca. 14 m Breite) als Autobahnen (ca. 35 m) und Wasserstraßen (ca. 55 m).

Negative Trends

▶ Große Kurvenhalbmesser und geringes Steigungsvermögen bedingen erhebliche Landschaftseingriffe beim Bau von Hochgeschwindigkeitsstrassen in hügeligem und Berggelände.
▶ Die Eisenbahn bedient nur an der Strecke liegende Orte. Die Ausdünnung der Bahninfrastruktur auf dem Land wurde in den 90er Jahren im Zuge der Bahnreform fortgesetzt.
▶ Das Verteilen der Transporteinheiten auf Rangierbahnhöfen ist zeitaufwendiger als bei LKW.

Umstrittenes Schienenprojekt der Zukunft: Magnetschwebebahn Transrapid

Meilensteine

Vom Dampfross zum Hochgeschwindigkeitszug

1901: Die weltweit einzige Schwebebahn in Wuppertal, bei der die Waggons an Schienen hängen, nimmt die Personenbeförderung auf.

1903: Ein sog. Drehstromtriebwagen erreicht auf der Teststrecke Marienfelde–Zossen bei Berlin 210,2 km/h.

1904: Das erste Stück der Bagdadbahn wird eröffnet (1940: 3200 km).

1904: Die Strecke Murnau–Oberammergau wird als Erste mit Einphasenwechselstrom elektrifiziert.

1916: Der Bau der Transsibirischen Eisenbahn wird vollendet.

1920: Die deutschen Ländereisenbahnen werden reichseigen (Reichsbahn, 1949: Deutsche Bundesbahn).

1921: Fredrik Ljungström (S) baut die erste brauchbare Dampfturbinenlokomotive.

1924: Die Maschinenfabrik Eßlingen (D) baut für Russland die 1030 PS starke erste Großdiesellok mit dieselelektrischem Antrieb.

1931: Der Schienenzeppelin von Franz Kruckenberg (D), ein Triebwagen mit Luftschraubenantrieb, fährt mit 230,2 km/h Weltrekord.

1933: Der dieselelektrische Triebwagen »Fliegender Hamburger« erreicht zwischen Hamburg und Berlin 160 km/h.

1949: Die Waggonfabrik Uerdingen entwickelt den Schienenomnibus als zweiachsigen Triebwagen mit

Unterflurdieselmotor; die Deutsche Bundesbahn setzt mehr als 2200 Schienenomnibusse ein.

1950: In Spanien verkehren die ersten Talgo-Gelenkzüge; die komfortablen Fahrzeuge werden ab 1980 in Neigetechnik gebaut.

1964: Die Tokaido von Tokio nach Osaka (Japan) ist die erste Shinkansen-Hochgeschwindigkeitsstrecke.

1977: Bei der Deutschen Bundesbahn endet das Zeitalter der dampfbetriebenen Züge.

1983: Die Transrapid-Versuchsanlage Emsland in Lathen ist die erste EMS-Testanlage für elektromagnetische Schwebesysteme.

1983: Die TGV-Strecke Paris–Lyon ist die erste Hochgeschwindigkeitsstrecke Europas.

1990: Mit 513,3 km/h fährt der TGV-Atlantique auf der Strecke Paris–Tours den Geschwindigkeitsweltrekord auf Schienen.

1994: Die ersten Hochgeschwindigkeits- und Shuttlezüge rollen durch den rund 50 km langen Eurotunnel unter dem Ärmelkanal.

1994: Das seit 1920 reichs- bzw. bundeseigene Bahnwesen wird durch die Gründung der Deutschen Bahn AG privatisiert.

1998: 101 Menschen sterben, als ein ICE-Zug der Deutschen Bundesbahn bei Eschede entgleist.

Stichwort: Bagdadbahn
Mit dem Zug durch den Orient
1904 wurde das 200 km lange erste Teilstück der Bagdadbahn Konya–Bagdad eröffnet. Der Bau der ab Ende des 19. Jh. als wichtigste Landverbindung zwischen Europa und den Anrainern des Persischen Golfs geplanten Bahn wurde meist von deutschen Investoren finanziert (Deutsche Bank) und besaß strategische Bedeutung. Großbritannien und Russland werteten das deutsche Engagement als Bedrohung ihrer Einflusssphären, das Osmanische Reich nutzte den Bau der Bahn zur wirtschaftlichen Konsolidierung. Auf britischen Druck genehmigte die osmanische Regierung 1913 den Weiterbau nur bis Aleppo, da London eine deutsche Vorherrschaft am Golf befürchtete. Vollendet wurde die 3200 km lange Strecke 1940.

Stichwort: Dampfeisenbahn
Abschied vom D-Zug
1977 endete bei der Deutschen Bundesbahn die Ära der Dampflokomotiven, im selben Jahr stellte der ab 1883 eingesetzte Orientexpress den Betrieb auf der Strecke Paris–Istanbul ein. Es war der Abschied vom 19. Jh, in dem die Personen- und Güterbeförderung sowie die Nachrichtenübermittlung wesentlich beschleunigt worden waren. Der Bau von Lokomotiven, Waggons, Schienen, Bahnhöfen, Brücken u. a. förderte entscheidend die Industrialisierung.

Stichtag: 3. Juni 1998
Katastrophe bei Eschede
Beim schwersten Unfall in der Geschichte der Deutschen Bahn starben 101 Menschen, als ein ICE bei Eschede auf der Hochgeschwindigkeitslinie Hannover–Hamburg aus den Schienen sprang und gegen einen Brückenpfeiler raste. Ursache war menschliches Versagen bei der Wartung, Auslöser ein gebrochener Radreifen.

Der Dortmunder Hauptbahnhof soll in einem alle Gleise überspannenden UFO von 55 m Höhe auf acht Ebenen Büroraum, Geschäftzeilen und Freizeiteinrichtungen bieten.

Stuttgart: Die Umwandlung des Stuttgarter Kopfbahnhofs in einen Durchgangsbahnhof ist für die Jahre 2000–2008 vorgesehen. Die Gleise werden 8 m unter das bestehende Niveau gelegt und sollen quer zur bisherigen Trasse verlaufen. Gleichzeitig ist eine Anbindung der ICE-Strecke an den Stuttgarter Flughafen geplant. Die Investitionen wurden 1998 auf rund 4,9 Mrd DM veranschlagt.

Frankfurt/Flughafen: Am 30.5.1999 eröffnet, ist der Fernbahnhof Flughafen Frankfurt auf eine Kapazität von 9 Mio Reisende pro Jahr ausgelegt. Die Kosten des AIRail-Terminals betragen rund 410 Mio DM. Für Dezember 1999 ist die Direktanbindung zwischen AIRail-Terminal und Terminal 1 geplant. Ab Mai 2000 werden die ersten Shops und Gastronomie-Einrichtungen im neuen Flughafenbahnhof eröffnet. Voraussichtlich ab 2002 hat das neue AIRrail-Terminal Direktanschluss ans europäische Hochgeschwindigkeitsnetz (ICE-Strecke Köln–Rhein/Main). Durchschnittlich fünf ICE- und IC-Züge sollen pro Stunde dort verkehren. Die Strecke Amsterdam–Flughafen Frankfurt wird in 3 h (statt bisher 4:50 h) bewältigt werden.

Service: Pro Jahr wird etwa 1 Mrd DM für Investitionen und Instandhaltung der B. ausgegeben. Einnahmen erzielt die Holdinggesellschaft DB Station&Service aus Vermietungen von Bahnhofsräumen an Betriebe des Einzelhandels und der Gastronomie (bundesweit rund 840 000 m² Fläche). Außer dem Fahrscheinverkauf bietet die DB Station&Service an mehr als 50 B. Autovermietung an. In unmittelbarer Nachbarschaft zum Reisezentrum wird in größeren B. – z. B. in Frankfurt/M., Leipzig und Köln – eine DB Lounge eingerichtet. Dem Reisen-

den sollen künftig auch kulturelle Angebote wie Konzerte, Ausstellungen und Theateraufführungen in Empfangshallen und Bahnhofsfoyers angeboten werden.

Bahnreform

Das mehrstufige Privatisierungsprogramm der Deutschen Bahn (bis 2002) soll die Wirtschaftlichkeit und Wettbewerbsfähigkeit des Schienenverkehrs gegenüber Auto- und Luftverkehr verbessern. Seit 1.1.1999 ist die Deutsche Bahn in fünf selbstständige Aktiengesellschaften aufgeteilt:
– Die DB Cargo organisiert den Güterverkehr.
– Die DB Regio ist zuständig für den Nahverkehr.
– Die DB Reise&Touristik betreibt den Fernverkehr.
– Die DB Netz verantwortet Fahrweg und Trassen.
– Die DB Station&Service ist Eigentümerin der Personenbahnhöfe.

DB Cargo: Mit 140 000 Waggons und 4 600 Lokomotiven erreichte die DB Cargo 1998 eine tägliche Transportmenge von knapp 1 Mio t. Die DB Cargo beschäftigte 1998 43 509 Mitarbeiter und betrieb 13 Niederlassungen mit 41 Bahnhöfen und 10 Cargo-Werken. Der Jahresumsatz ging gegenüber 1997 um 1,4% auf 6,6 Mrd DM zurück.

RailCargoEurope: Die DB Cargo plante für 1999 mit der niederländischen NS Cargo die Fusion zu einem europäischen Schienentransportunternehmen, das spätestens Anfang 2000 umgesetzt werden soll. RailCargoEurope (RCE) strebt die Verbesserung der Qualität von Schienentransportleistungen im liberalisierten europäischen Markt durch optimale Nutzung international integrierter Fahrpläne und Produktionssysteme an.

Cargo II: Im März 1999 wurde in Mainz der Grundstein für DB Cargo II gelegt, das Ergänzungsgebäude zu Cargo I, der Zentrale des Güterverkehrs der Deutschen Bahn. Auf dem knapp 4000 m² großen Grundstück wird eine Nutzfläche von 6600 m² eingerichtet. Von beiden Gebäuden aus wird die DB Cargo AG ihren Fuhrpark steuern. Cargo II wird rund 28 Mio DM kosten und voraussichtlich im Frühjahr 2000 bezugsfertig sein.

Kombiwerk: In Magdeburg begann die DB Cargo 1999 mit dem Bau eines Kombiwerks für die Wartung und Reparatur von Waggons und Lokomotiven (Kosten des Projektes: rund 22 Mio DM, geplante Einweihung: Dezember 1999).

Freightways: Um den internationalen Schienengüterverkehr effektiver zu gestalten, richteten die europäischen Eisenbahnen 1999 gemeinsam international Bahnkorridore ein. Die Schieneninfrastrukturbetreiber DB Netz, ÖBB, Eurotunnel, Railtrack, Réseau Ferré de France und die Raab-Ödenburg-Ebenfurter Eisenbahn AG schufen auf der Basis des von der EU-Verkehrspolitik geförderten Freightway-Konzepts zwischen Glasgow (Großbritannien) und Sopron (Ungarn) einen »Trans European Rail Freight Freeway«. Die 1700 km lange Strecke kann in 33 h bewältigt werden.

DB Regio: Rund 3,6 Mio Reisende fahren täglich mit 15 000 Schienenfahrzeugen, rund 4000 DB eigenen Bussen und 8000 Auftragnehmer-Bussen zwischen den Ballungszentren der jeweiligen Region. Bis 2002/3 sollen alle Nahverkehrszüge für rund 10,3 Mrd DM modernisiert werden. Die DB Regio plant, mit günstigen Shopping- und Regional-Tickets ihr Leistungsspektrum zu erweitern und neue Kunden zu gewinnen. Im Rahmen des Programms »Fitness '99« stellte die DB Regio 48 Informationsmanager ein. 86,7% der Fernverkehrszüge waren 1998 pünktlich (1997: 84,5%). Die B. strebt eine Quote von 95% an.

DB Nachtzug: Die DB Reise & Touristik investiert in die Modernisierung ihrer Schlaf- und Liegewagen rund 120 Mio DM. Bis 2001 wird das DB-Nachtzug-Netz auf über 20 Linien innerhalb Deutschlands sowie nach Dänemark und Österreich ausgedehnt.

Bahnunfälle

Eschede-Opfer: Ein Jahr nach dem Unfall (Juni 1998), der 101 Menschen das Leben kostete, hatte die Deutsche Bahn rund 15 Mio DM für Opfer und Hinterbliebene aufgewendet. 172 Menschen beteiligten sich an Selbsthilfegruppen. Mit einem Fonds in Höhe von 5 Mio DM wollte die Deutsche Bahn die Nachbetreuung der Opfer und Hinterbliebenen finanzieren. Insgesamt erlitten 119 Menschen Verletzungen, mehr als 80 davon schwere.

Modernisierung: Als Konsequenz aus der Katastrophe von Eschede änderte die Bahn ihr Sicherheitskonzept grundlegend. Bei den ICE-Projekten Köln–Rhein/Main und Nürnberg–München wurde an mehreren Stellen auf Weichen vor Tunneln und Brücken verzichtet. Auf Neu- und Ausbaustrecken wurde die Elastizität des Fahrwegs erhöht. Mit Digitalfunk im Zug, der mit Computerzentralen verbunden ist (Funkfahrbetrieb), plante die Deutsche Bahn die klassische Leit- und Sicherungstechnik zu ersetzen. Seit 1997 wurde ein neues Betriebsverfahren entwickelt, das von Ende 1999 an in Pilotprojekten in Rheinland-Pfalz und in Ostwestfalen getestet werden soll. Die Einführung des Systems ist für 2001 vorgesehen.

Hochgeschwindigkeitszüge

ICE T: Zum 30.5.1999 verstärkte die Deutsche Bahn ihre Hochgeschwindigkeitsflotte und nahm die ersten von 63 bestellten Fernzügen mit Neigetechnik (ICE T) in Betrieb. Bis zur Expo 2000 in Hannover werden 43 H. des neuen Typs in Dienst gestellt. Sie erreichen 230 km/h und ermöglichen mit ihrer Neigetechnik höhere Kurvengeschwindigkeiten und damit kürzere Reisezeiten.

ICE 3: Der ICE 3, den die Deutsche Bahn ab 2001 in Betrieb nehmen will, besitzt gegenüber dem ICE 1 eine 50%ige höhere Beschleunigung, eine Reduktion der Masse

Bahnunfälle: Die schwersten Unglücke

▶ **Februar 1990:** Beim Frontalzusammenstoß zweier S-Bahn-Nahverkehrszüge im hessischen Rüsselsheim werden 17 Menschen getötet und 90 verletzt.

▶ **November 1992:** Beim Zusammenstoß eines D-Zugs mit einem entgleisten Güterzug kommen im niedersächsischen Northeim elf Menschen ums Leben. 52 Personen werden zum Teil schwer verletzt.

September 1994: Ein Frontalzusammenstoß zweier Triebwagen in Bad Bramstedt (Schleswig-Holstein) fordert sechs Menschenleben und 67 Verletzte.

▶ **Juli 1997:** Im hessischen Neustadt durchbohrt ein Metallrohr, das sich von einem entgegenkommenden Güterzug gelöst hat, einen Regionalexpress. Dabei sterben sechs Menschen, dreizehn werden zum Teil verletzt.

▶ **November 1997:** In Elsterwerda bei Brandenburg explodieren zwei Wagen eines mit Benzin gefüllten Kesselzuges bei der Einfahrt in den Bahnhof. Zwei Menschen werden getötet, mehrere verletzt.

▶ **Juni 1998:** In Eschede ereignet sich eine der schwersten Zugkatastrophen der deutschen Nachkriegsgeschichte. 101 Menschen werden getötet und 88 verletzt, als ein ICE entgleist und an einem Brückenpfeiler zerschellt. Als Ursache des Unglücks wird später ein defekter Radreifen ermittelt.

▶ **Februar 1999:** In Immenstadt im Allgäu stößt ein Intercity mit einem InterRegio zusammen. Zwei Menschen sterben, 20 werden verletzt.

▶ **April 1999:** Beim Absturz eines Wagens der Wuppertaler Schwebebahn kommen fünf Menschen ums Leben, 47 werden verletzt.

pro Sitzplatz um 50% sowie Komfortverbesserungen durch Halbierung des Schwingungsniveaus. Bei 300 km/h soll der Energieverbrauch 2,5 l pro 100 Personenkilometer betragen.

Thalys: Für den grenzüberschreitenden Verkehr in Europa gebaut, beförderte der Thalys in weniger als drei Jahren auf seinem Streckennetz von Paris über Brüssel nach Köln und Amsterdam etwa 10 Mio Fahrgäste. Auf der deutschen Thalys-Linie (Eröffnung: Dezember 1997) waren bis März 1999 rund 1 Mio Fahrgäste unterwegs. Seit dem 27.9.1998 gibt es eine Verlängerung nach Düsseldorf (einmal täglich). Der Streckenausbau zwischen Köln und Brüssel wird für weiteren Zeitgewinn sorgen: von 2002 an um 20 min, ab 2005 nochmals um 30 min, sodass der H. für die Linie Köln–Brüssel nur noch 1:39 h braucht.

Frankreich: Mit 1280 km verfügte Frankreich 1998 über das größte Netz für H. in Europa. Bis 2010 sollen 120 Mrd Francs in den Bau neuer oder die Modernisierung alter Schienenstrecken investiert werden, u. a. für eine TGV-Verbindung zwischen Paris und Marseille (bis 2001) und eine zwischen Paris und Straßburg (bis 2006).

Japan: Seit März 1999 verkehrt die neue Generation des Superschnellzugs Shinkansen, der »Nozomi 700«, mit knapp 300 km/h zwischen Tokio und Fukuoka.

Streckennetz

Die DB Netz betreibt und vermarktet die insgesamt 70 000 km Gleise der Deutschen Bahn und hat rund 100 Eisenbahn-Vertragsunternehmen als Kunden, die für die Nutzung der Infrastruktur Trassenpreise zahlen.

Netz 21: Die Strategie zur Modernisierung des Schienennetzes für das 21. Jh. sieht zum einen eine »Entmischung« des Schienenverkehrs vor, d. h. separate Trassen für verschiedene Zuggattungen (eigene Gleise für Güter- und Fernverkehr), zum anderen eine »Harmonisierung« der Geschwindigkeiten, die einen kontinuierlichen Verkehrsfluss unterschiedlicher Zuggattungen auf einem Gleis ermöglichen soll. Die dichtere Trassenbelegung soll die Qualität und Zuverlässigkeit des Bahnverkehrs steigern.

Streckenneu und -ausbau: Die nach rund sechs Jahren Bauzeit im Oktober 1998 fertig gestellte Hochgeschwindigkeitsstrecke Berlin–Hannover verkürzt die Fahrzeit zwischen beiden Städten auf 1:36 h. Die 264 km Neubaustrecke hat rund 5 Mrd DM gekostet und ist Teil der 17 Verkehrsprojekte Deutsche Einheit (VDE), welche die damalige CDU/CSU/FDP-Bundesregierung 1991 zur Verbesserung der Infrastruktur der neuen Bundesländer aufgelegt hatte. Die 175 km lange ICE-Strecke Köln–Frankfurt/M. wird ein Jahr später als geplant fertig gestellt (2002). Die Bahn begründete die Verzögerung mit dem Hinweis auf unerwartet schwieriges Gestein sowie mit baurechtlichen Problemen. Ursprünglich sollte die mit fast 8 Mrd DM Baukosten veranschlagte Strecke Ende 2000 eröffnet werden. Bis 2002 will die Deutsche Bahn 35 Mrd DM in das Schienennetz für den Hochgeschwindigkeitsverkehr investieren.

Transrapid

Verzögerung: Der Bau der Magnetschwebebahn T. verzögerte sich 1998/99 weiter; sie wird voraussichtlich nicht vor Oktober 2006 (statt 2005) zwischen Hamburg und Berlin verkehren. Die Planungsgesellschaft begründete die Verzögerung mit Unstimmigkeiten innerhalb geltender EU-Umweltrichtlinien. Mit einer Beschwerde bei der Europäischen Kommission hatte der Bund für Umwelt und Naturschutz (BUND) 1998 versucht, das T.-Projekt zu stoppen. Die insgesamt 20 Planfeststellungsverfahren entlang der 292 km langen Trasse werden nach Angaben der Planungsgesellschaft voraussichtlich Ende 1999 abgeschlossen.

Finanzierung: Eine Realisierung des Projektes bleibt jedoch aufgrund ungeklärter Fragen der Finanzierung zweifelhaft. Der Bau des Fahrwegs, den die Deutsche Bahn mit Bundesmitteln organisieren soll, wird nach Schätzungen mit 8,1 Mrd DM um 1,2 Mrd DM (17%) teurer als geplant. Der T. wird statt der veranschlagten 12 Mio jährlich nur 8 Mio–9 Mio Fahrgäste befördern.

USA: Im Mai 1999 stand die in Deutschland umstrittene Magnetschwebebahn vor einem Durchbruch in den USA – u. a. für ein Projekt in Florida sowie für fünf weitere Standorte. Doch dürfte die weltweite Vermarktung der Spitzentechnologie ohne eine deutsche Referenzstrecke nach Ansicht von Verkehrsexperten schwer fallen.

http://www.mvp.de

Bauen und Wohnen

Autofreies Wohnen

Modellprojekt: Im Herbst 1998 entschied sich die Stadt Köln für die stadtplanerische Maßnahme des A.: Die Gebiete Nippes-Ausbesserungswerk (zentrumnah) und Dellbrück-Moorslede (naturnah) werden bis 2002 als autofreie Siedlungen ohne PKW-Infrastruktur weiterentwickelt. Im Rahmen des seit 1996 existierenden Förderprogramms autofreier Modellprojekte des Ministeriums für Stadtentwicklung, Kultur und Sport in NRW erhielt die Kommune 338 000 DM Fördermittel. Auch Bielefeld und Münster planten 1999 Möglichkeiten des A.

Studie: Der Kölner Entscheidung war 1997 eine umfangreiche Marktanalyse zum Potenzial von A. mit Informationen über Alters-, Sozial- und Familienstruktur sowie über die Standortpräferenz vorausgegangen. 58% der Interessenten waren 25–45 Jahre alt, 61% verfügten über ein Haushaltsnettoeinkommen von über 3000 DM/Monat und lebten in Familien mit Kind. 70% bevorzugten einen citynahen Standort. Weniger Lärm und Luftverschmutzung, Kinderfreundlichkeit und höhere Lebensqualität waren Hauptmotive für den Wunsch nach A. Zur Zeit der Befragung waren bereits 51% der Haushalte ohne Auto.

Bauwirtschaft

Konjunkturkrise: Mit Bauleistungen im Wert von 527,8 Mrd DM (preisbereinigt um 3,4% weniger als 1997) schwächte sich 1998 die konjunkturelle Entwicklung in der deutschen B. weiter ab. In Ostdeutschland reduzierte sich das Bauvolumen um 8,3% auf 129,4 Mrd DM, in Westdeutschland um 1,7% auf 398,3 Mrd DM. Ein Aufschwung in der B. ist lt. Deutschem Institut für Wirtschaftsforschung (DIW) nur in kleinem Umfang zu erwarten, weil von keinem Baubereich starke Wachstumsimpulse ausgin-

gen. Für 1999 prognostizierte der Zentralverband des Deutschen Baugewerbes (ZDB) Stagnation im Wirtschaftsbau sowie einen Rückgang um 0,5 bis 1,8% im Wohnungs- und im öffentlichen Bau.

Arbeitsplätze: 1998 sank die Zahl der in den Betrieben des Bauhauptgewerbes Beschäftigten gegenüber dem Vorjahr um 5% auf 1,16 Mio. In Ostdeutschland verringerten sich die Arbeitsplätze um 9%, in Westdeutschland um 4%. Der ZDB rechnete 1999 mit einem Abbau von 50 000 Stellen, davon 30 000 in den neuen Bundesländern.

Tarifabschluss: Im April 1999 einigten sich die Tarifpartner in der westdeutschen B. auf eine Lohnsteigerung von 2,9% rückwirkend zum 1.4.1999. Während der Tarifabschluss die Erhöhung des Urlaubsgelds um 5% auf 30% vorsah, wurde das Weihnachtsgeld von 77% auf 55% gekürzt. Die Mindestlöhne wurden von 16 DM auf 18,50 DM/Arbeitsstunde angehoben. Im Mai 1999 vereinbarten Vertreter der Bauwirtschaft, die IG Bau und die Bundesregierung die Wiedereinführung des Schlechtwettergeldes.

▰ Bauwirtschaft: Entwicklung 1998–2000

	1998	1999¹⁾	2000¹⁾
Wohnungsbau	–3,4	–0,5	+1,0
West	–1,2	+0,6	+1,0
Ost	–10,8	–4,5	+1,0
Wirtschaftsbau²⁾	–3,5	+0,6	+1,0
West	–1,4	+1,5	+1,4
Ost	–8,4	–1,6	0,0
Öffentlicher Bau	–3,4	–1,8	+0,5
West	–4,0	–1,8	+0,5
Ost	–2,2	–1,7	+0,5
Insgesamt	–3,4	–0,4	+1,0
West	–1,7	+0,5	+1,1
Ost	–8,3	–3,0	+0,6

1) Prognose; 2) inkl. Bahn und Post; Quelle: Deutsches Institut für Wirtschaftsforschung (DIW); http://www.diw.de

Insolvenzen: Die anhaltende Konjunkturkrise in der B., die durch den Konkurrenzdruck ausländischer Niedriglohnunternehmen auf den deutschen Baumarkt verstärkt wurde, führte 1998 zu 7800 Insolvenzen. Im Westen mussten 1,8%, im Osten 4,5% aller Bauunternehmen aufgeben. Das Pleitenrisiko war in der B. 1998/99 dreimal höher als im Durchschnitt aller übrigen Branchen.

Feng-Shui

(chines.; Wind und Wasser) etwa 4000 v. Chr. in China entstandene Lehre von der harmonischen Landschaftsgestaltung, die sich zu einem Wohnkonzept weiterentwickelt hat

Konzept: Ab Mitte der 90er Jahre hielt F. als Konzept für umfassenden Wohnkomfort in Deutschland Einzug. Nach der Lehre, die den Menschen in Einklang mit seiner Umwelt bringen möchte, hat jeder Raum acht Ecken, die für verschiedene Lebensbereiche wie Partnerschaft und Kinder, Gesundheit, Karriere und materiellen Reichtum stehen und bestimmte Austattungen vorschreiben: In die Reichtum symbolisierende Ecke gehört z. B. ein Brunnen, der 24 Stunden am Tag in Betrieb sein muss, um den Fluss des Geldes nicht zu stören. Die Harmonie des Chi, einer allgegenwärtigen kosmischen Energie, die stets langsam durch den Raum gleiten sollte, steht im Mittelpunkt von F.

Markt: 1998 teilten sich in Deutschland etwa 50 F.-Spezialisten den Markt für Kurse, Ratgeber, Kongresse u.a. In Berlin wurde 1998 der erste deutsche F.-Laden eröffnet, der außer Zimmerbrunnen auch Wasserfall-Poster, Windspiele, Buddha-Statuen und Designerkeramik anbot.

Großsiedlungen

Studie: Eine 1998 vom Bundesverband deutscher Wohnungsunternehmen (Hamburg) in Auftrag gegebene Sozialstudie ergab, dass die in den 60er und 70er Jahren gebauten westdeutschen G. zum Sammelbecken sozialer Randgruppen (Arbeitslose, Sozialhilfeempfänger, Aussiedler und Ausländer) entwickel haben. Die Belastung der Bewohner durch den Zusammenprall vieler Nationalitäten und Lebensstile (Erwerbstätige und Arbeitslose, religiöse Unterschiede u. a.) gefährdet der Studie zufolge mittelfristig den sozialen Frieden.

BILANZ 2000

Bauen und Wohnen
Die passende Wohnung für jedermann

Die Wohnungsversorgung in Deutschland gehört Ende des 20. Jh. zu der besten der Welt. Seit 1950 ist die Pro-Kopf-Wohnfläche um über das Doppelte gestiegen: Während die Belegungsdichte 1950 bei 1,2 Personen pro Raum lag, standen Ende der 90er Jahre jedem Bundesbürger im Schnitt 38 m² zur Verfügung (neue Bundesländer: 33 m²). Im europäischen Vergleich liegt Deutschland mit 448 Wohnungen je 1000 Einwohner auf dem fünften Rang hinter Frankreich (475), Schweden (465), Dänemark (463) und Finnland (463). Hatten 1968 nur knapp ein Drittel aller Wohnungen in der BRD Zentralheizung, Bad/Dusche und WC, lag dieser Anteil 1998 in den alten Bundesländern bei 82% (neue Bundesländer: 65%).

Während der Wohnungsbau im Westen Deutschlands seit 1995 rückläufig ist (1997: –5,7%), stieg die Zahl der fertig gestellten Wohnungen in Ostdeutschland 1997 im Vergleich zum Vorjahr um fast 25%. Der Rückgang in Westdeutschland betraf Mehrfamilienbauten, während es bei Einfamilienhäusern – bedingt durch niedrige Zinsen und die Umstellung öffentlicher Wohnbauförderung zugunsten von Familien mit mittleren und niedrigen Einkommen – mit +11,5% im Westen und +22% in Ostdeutschland einen Boom gab.

Positive Trends

▸ Bei Neuvermietungen sanken die Mieten Ende der 90er Jahre um 2–3%; dieser aus Sicht der Mieter positive Trend wird sich nach Ansicht von Experten fortsetzen.

▸ Die Wohneigentumsquote lag 1997 in Deutschland auf historischem Höchstniveau: 39,5%.

Negative Trends

▸ Die Zahl von 13 Mio Einpersonenhaushalten 1997 spiegelt die seit den 80er Jahren anhaltende Tendenz zu freiwilligem bzw. unfreiwilligem Alleinleben (Isolation).

▸ In städtischen Ballungsgebieten bestehen zum Teil extreme Nachfrageüberhänge, während in ländlichen Gebieten Wohnraum leer steht.

Le Corbusiers Wohnmaschine in Marseille

Meilensteine
Wohnen zwischen Luxus und Funktionalität

1900: Die Weltausstellung in Paris ist einer der wichtigsten Multiplikatoren und Impulsgeber des Jugendstils im Sektor luxuriöse Wohnungseinrichtungen und Möbeldesign.

1900: Der Verband deutscher Mietervereine (Deutscher Mieterbund) wird als Interessenvertretung von Wohnungsmietern gegründet.

1903: Auguste Perret (F) führt im städtischen Wohnungsbau den Stahlbetonbau mit gerüstartigen Konstruktionsformen ein (z. B. rue Franklin 25, Paris).

1907: Der Deutsche Werkbund vereint Designer (Peter Behrens u.a.), Architekten, Kunstgewerbler und Firmen mit dem Ziel der Ästhetisierung von Haushaltsgeräten, Möbeln u. a. Industrieprodukten.

1909: Das in Deutschland im Kern bis heute gültige Gesetz über die Sicherung von Bauforderungen verpflichtet die Empfänger öffentlicher Wohnungsbaukredite, die Verwendung der Gelder zu belegen.

1918: Um den Wohnraummangel nach dem Ersten Weltkrieg zu beheben, wird in Deutschland die Wohnungszwangswirtschaft eingeführt; die neu eingerichteten Wohnungsämter können u. a. Zwangseinweisungen verfügen.

1919: Walter Gropius (D) gründet in Weimar das Staatliche Bauhaus.

1927: Die Weißenhofsiedlung in Stuttgart, vom Deutschen Werkbund errichtet, hat mit ihrer Kombination aus Funktionalität, Rationalismus und Gartenstadtelementen sowie der Forderung nach Fertigbauweise epochale Wirkung.

1929: Die internationale Architektenvereinigung CIAM fordert in dem Bericht »Die Wohnung für das Existenzminimum« die Produktion variabler, funktionsgerechter Möbel für Kleinstwohnungen.

1931: Das 381 m hohe Empire State Building im New Yorker Stadtteil Manhattan, errichtet von William F. Lamb, bleibt bis in die 70er Jahre das höchste Gebäude der Erde; es hat 102 Stockwerke.

1950: In der BRD wird der soziale Wohnungsbau eingeführt, die Unterstützung des Baus von Miet- und Eigentümerwohnungen.

1967: Die aus der Studentenbewegung hervorgehende Kommune I in West-Berlin leitet die Ära der Wohngemeinschaften (WG) ein.

1990: Die Wohnungsmodernisierung in den neuen Bundesländern wird Hauptaufgabe nach der deutschen Wiedervereinigung.

Stichwort: Wohnmaschine
Standardisiertes Wohnen
Der französisch-schweizerische Architekt Le Corbusier vollendete 1952 das als Teil einer »vertikalen Gartenstadt« konzipierte Wohnmaschinen-Hochhaus (Marseille). Die zweigeschossigen Wohneinheiten in einem von Gartenflächen umgebenen 1600-Personen-Hochhaus mit kubischer Grundform, Dachgarten, umlaufenden Fensterbändern, freiem Grundriss und freier Fassadengestaltung beherbergen Läden, Restaurant, Theater, Kindergarten und Freizeiteinrichtungen. Die Wohnmaschinen waren für die Architektur der 50er und 60er Jahre wegweisend.

Ausblick
Allein im trauten Heim
In den Großstädten der Industrienationen wohnen immer mehr Singles in kleinen Wohneinheiten (bis zu 50% aller Privathaushalte). Für viele ist die Einrichtung wie das Auto oder die Kleidung zum Mittel der Selbstdarstellung geworden. Mit dem Wandel individueller Wohnbedürfnisse wird sich der seit Mitte der 90er Jahre festgestellte Trend in Deutschland vom Mehrfamilienhaus zur Einpersonenwohnung verstärken.

Sozialer Wohnungsbau: Die Studie führte die räumliche Konzentration sozialer Außenseiter auf die wachsende Diskrepanz zwischen Bestand und Bedarf an Sozialwohnungen zurück. 1998 war der Sozialwohnungsbestand gegenüber 1980 von 4 Mio auf 2,4 Mio Wohnungen gesunken, die Arbeitslosenzahl in Westdeutschland jedoch von 1 Mio auf rund 3 Mio gestiegen. Sozialwohnungen sollten verstärkt in freifinanzierte Wohngebiete eingestreut werden, um eine Ghettoisierung zu vermeiden. Beratungs- und Betreuungsangebote könnten die soziale Brisanz in den G. entschärfen, wo Mieter aus bis zu 18 Nationen ihr Zuhause gefunden haben.

Plattenbau: In ostdeutschen G. war 1998 das Spektrum an Berufs- und Einkommensgruppen nach einer weiteren GdW-Studie breiter gestreut als im Westen. In Schwerin wohnten 1998 rund 43% der Bevölkerung in sog. Plattenbausiedlungen. Im Gegensatz zum Westen hätten die ostdeutschen G. nicht unter negativer Stigmatisierung zu leiden, sodass die Identifikation der Mieter mit ihrer Wohnstätte sehr hoch sei. 1995–98 seien nur 20% der Bewohner, vor allem Spitzenverdiener, ausgezogen.

Hochhäuser

Melbourne: Die Regierung des australischen Bundesstaats Victoria kündigte im Dezember 1998 für das Jahr 2000 den in Melbourne geplanten Bau eines 120 Etagen umfassenden Hochhauses an, das mit einer Gesamthöhe von 560 m die Petronas-Twin-Towers in Malaysia (452 m) als höchstes Gebäude der Welt ablösen soll. Der Turm in der mit 3,2 Mio Einwohnern zweitgrößten Stadt Australiens, für dessen Fertigstellung ca. 1,6 Mrd DM veranschlagt wurden, soll außer 450 Wohnungen und Büros ein Hotel, ein Einkaufszentrum und eine Aussichtsplattform beherbergen.

Frankfurt: 1998 stimmte die CDU-Stadtregierung in Frankfurt/M. einem Hochhaus-Rahmenplan zu, der 16 Neubau-Grundstücke für künftige H. ausweist. Die Standorte, die sich auf das im Zentrum gelegene Bankenviertel, auf die Messeregion nördlich des Hauptbahnhofs und auf dessen Gleisvorfeld konzentrieren, ermöglichen Geschossflächen von bis zu 1 Mio m². Der Plan sah Gebäude bis zu 365 m Höhe vor, womit Frankfurt auch Anfang des 21. Jh. die Stadt mit den meisten H. in Europa bleibt.

Mieten

1998 stiegen die M. für Wohnraum nach Angaben des Instituts für Städtebau (ifs, Bonn) mit 1,8% in Westdeutschland und 1,4% in Ostdeutschland stärker als die allgemeinen Lebenshaltungskosten (West: 0,9%; Ost: 1,1%). Damit setzte sich der Trend der Vorjahre fort. In Westdeutschland zahlten Privathaushalte 1998 im Schnitt M. inkl. Nebenkosten von 765 DM/Monat, in Ostdeutschland 435 DM. Die Nettokaltmie-

*Top**Ten** Hochhäuser: Die höchsten Gebäude der Welt*						
Gebäude		*Ort (Land)*	*Baujahr*	*Höhe (m)*		*Etagen*
1. Petronas-Twin-Towers		Kuala Lumpur	1996		452	88
2. Sears Tower		Chicago	1974		443	110
3. World Trade Center		New York	1972/73[1]		417/415[1]	110
4. Empire State Building		New York	1931		381	102
5. Central Plaza		Hongkong	1991		374	78
6. Bank of China		Hongkong	1989		368	72
7. Standard Oil Building		Chicago	1971		346	80
8. John Hancock Center		Chicago	1967		344	100
9. Chrysler Building		New York	1930		319	77
10. Texas Commerce Plaza		Houston	1981		305	75
1) Die Doppelwerte beziehen sich auf die beiden Türme des Gebäudes; Stand: Mitte 1999						

Dieses Ranking entspricht dem Stand von Mitte 1999. Nach 2000 wird das geplante Hochhaus in Melbourne mit 560 m alle bisherigen Wolkenkratzer überragen.

▇▇ Mieten: Die teuersten Läden in Toplagen der Innenstädte[1]

München	380[2]	360[3]	▲ +20[4]
Berlin	380	350	▲ +30[4]
Frankfurt/M.	340	350	▼ −10[4]
Köln	330	350	▼ −20[4]
Hamburg	330	330	0[4]
Düsseldorf	325	350	▼ −25[4]
Stuttgart	320	320	0[4]
Dortmund	300	320	▼ −20[4]
Hannover	270	270	▼ −10[4]
Essen	250	330	▽ −80[4]
Münster	250	260	▼ −10[4]
Mannheim	240	240	0[4]
Bremen	220	220	0[4]
Karlsruhe	220	230	▼ −10[4]
Wiesbaden	210	230	▼ −20[4]

1) DM/m²; 2) Prognosen für 1999; 3) 1995; 4) Veränderung; Quelle: Focus 47/98, Kemper-Index

te (ohne Betriebs- und Heizkosten) für eine einfach ausgestattete, 70–80 m² große Wohnung betrug bundesweit 7–11 DM/m².

Großstädte: Im Westen führten 1999 die Städte München (37% über dem gesamtdeutschen Niveau), Düsseldorf, Köln, Hamburg, Stuttgart, Bonn, Wiesbaden und Frankfurt/M. die Rangliste der M. an, im Osten Rostock, Leipzig, Schwerin, Jena und Dresden. Die ab Mitte der 90er Jahre auf Kleinwohnungen und Appartements konzentrierte Bautätigkeit führte 1998 in den Ballungszentren zu einem verminderten Angebot an Großobjekten ab 100 m². Die Preise für größere Wohnungen stiegen 1998 in den Großstädten deutlich an, sodass viele Familien zum Umzug ins Umland gezwungen waren.

Ladenlokale: 1998 hielt der rückläufige Trend bei Laden-M. in deutschen Innenstädten an. Die größten Mieteinbußen verzeichneten Essen und Potsdam, wo 1999 die Preise/m² gegenüber 1995 um 24% auf rund 200 DM bzw. um 50% auf 80 DM fielen. Während Potsdam unter der Aufwertung der benachbarten Hauptstadt Berlin litt, erwuchs den Rhein-Ruhr-Städten Konkurrenz von Europas größtem Einkaufspark, dem 1996 eröffneten Oberhausener CentrO.

Gewerberaum: Nach finanziellen Einbrüchen seit Mitte der 90er Jahre konnten sich M. für Büro- und Gewerberäume 1998 stabilisieren und Leerstände abgebaut werden. Die Büromiete stagnierte im Vergleich zum Vorjahr bei 13–18 DM/m², die Durchschnittsmiete für Hallenflächen stieg um bis zu 5% auf 8,30–9,50 DM/m². Standort, Ausstattung, Infrastruktur und Miethöhe waren für die Attraktivität von Gewerbeobjekten ausschlaggebende Faktoren.

Wohngeld

Staatlicher Zuschuss zu den Wohnkosten in Deutschland, der Beziehern von geringem Einkommen ein angemessenes Wohnen ermöglichen soll. Das W. wird jeweils zur Hälfte von Bund und Ländern finanziert. Die Höhe des W. richtet sich nach der Zahl der Haushaltsmitglieder, dem Familieneinkommen und der Monatsmiete oder – bei Wohnraumeigentümern – der finanziellen Belastung. Für das Sonder-W. Ost gilt bis Ende 2000 eine Übergangsregelung, mit der die ostdeutsche W.-Bezieher gegenüber Westdeutschen bevorzugt werden.

Stagnation: Das sog. Tabellen-W., bei dessen Berechnung die Miete je nach Wohnungsgröße, Baujahr und Ausstattung nach einer gemeindeabhängigen Mietenstufe zu einem bestimmten Höchstbetrag berücksichtigt wird, wurde seit 1990 in Deutschland nicht mehr erhöht (Stand: Mitte 1999). Im gleichen Zeitraum stiegen die allgemeinen Mieten jedoch um durchschnittlich etwa 35% und die Wohnnebenkosten wie Abfall- und Abwassergebühren um teilweise über 100%. Außerdem stagnierten oder sanken die Realeinkommen der rund 1,2 Mio Niedrigverdiener, die 1998 Anspruch auf Tabellen-W. hatten.

Wahlversprechen: Obwohl die seit Oktober 1998 amtierende SPD/Bündnis 90/Die Grünen-Bundesregierung im Wahlkampf eine W.-Erhöhung von 1,5 Mrd DM in Aussicht gestellt hatte, waren im Haushalt 1999 aufgrund des vom Bundesfinanzministeriums verordneten Sparkurses nur Ausgaben des Bundes von rund 4 Mrd DM vorgesehen, 520 Mio DM mehr als im Vorjahr. 1998 hatten die in den Haushalt eingestellten W.-Mittel von 3,5 Mrd DM jedoch nicht ausgereicht, tatsächlich wurden 3,8 Mrd DM ausgegeben, sodass das reale Plus 1999 nur 200 Mio DM betrug. Der Bundesverband deutscher Wohnungsunternehmen (GdW, Hamburg) wies darauf hin, dass der gegenüber dem Vorjahr gestiegene Etatansatz nicht zu einer Mittelerhöhung für W.-Bezieher

führe, sondern lediglich die Ansprüche einer jährlich steigenden Zahl von Empfängern sichere.

Reformpläne: Bundesbauminister Franz Müntefering (SPD) kündigte für Mitte 1999 einen Reformentwurf zum W. an, der neben weiteren Änderungen auf eine deutliche Erhöhung der Mittel abzielen sollte. Zur Finanzierung der Reform traten Vertreter von Bündnis 90/Die Grünen und Teile der SPD für eine Verminderung der Einkommensgrenzen bei der Eigenheimzulage ein. Die bisher geltenden Grenzen von 120 000 DM (Ehepaare: 240 000 DM) Bruttojahreseinkommen sollten auf 80 000 DM bzw. 160 000 DM gesenkt werden. Außerdem war eine Kürzung des sog. pauschalen W. geplant, das Sozialhilfeempfänger zur Deckung ihrer Gesamtmiete erhalten. 1998 bezogen etwa 40% der insgesamt 2 Mio W.-Berechtigten das pauschale W., sodass mehr als die Hälfte der W.-Mittel in diesen Bereich flossen. Die Einführung eines Höchstbetrags auch für Bezieher von Sozialhilfe sollte die Kostenexplosion beim pauschalen W. stoppen.

Steuern und Finanzen → Bundeshaushalt

Wohnnebenkosten 1993–98

	1993[1]		1995[1]		1998[1]	
Müllabfuhr	+23,4	+15,6	+8,8	+12,7	+7,8	+4,3
Abwasserbeseitigung	+14,2	+23,4	+8,2	+12,1	+2,2	+4,2
Wasserversorgung	+7,4	+15,2	+3,2	+7,6	+2,5	+3,3
Straßenreinigung	+8,5	+12,4	+2,4	+2,7	+1,5	+4,2
Schornsteinfeger	+5,0	+17,3	+2,9	+7,8	+1,6	+3,8
Wohnungsmieten	+5,9	+60,0	+3,9	+5,3	+1,8	+1,4
Energie[2]	+1,4	+2,1	-0,8	-0,2	-2,1	-0,1
Inflationsrate	+3,6	+10,5	+1,7	+2,1	+0,9	+1,1

1) Veränderung gegenüber Vorjahr (%); 2) Strom, Gas, Brennstoffe (ohne Kraftstoffe), Heizung, Warmwasser; Quelle: Institut für Städtebau (ifs, Bonn); Quelle: Handel aktuell

Westdeutschland
Ostdeutschland

Die zweite Miete verzeichnete in den 90er Jahren teilweise Zuwächse von fast einem Viertel. Herausragender Wert ist aber die Steigerung der Wohnungsmieten in Ostdeutschland um 60% im Jahr 1993.

Wohnnebenkosten

Die vom Mieter zu entrichtenden Gebühren u. a. für Abwasserbeseitigung, Müllabfuhr, Straßenreinigung, Schornsteinfegerdienste und Wasserversorgung

Die W. (auch zweite Miete) stiegen auch 1998 im Vergleich zur Nettokaltmiete wieder überproportional an. Die Tendenz zur Abschwächung setzte sich in Westdeutschland jedoch fort. 1998 wurde nach Angaben des Instituts für Städtebau (ifs, Bonn) fast ein Viertel der Gesamtmiete für Gebühren sowie Heizungs- und Warmwasserkosten aufgebracht.

Bilanz: Den stärksten Anstieg verzeichneten 1998 die Gebühren für Müllabfuhr (West: +7,8%; Ost: +4,3%), in Westdeutschland gefolgt von den Kosten für die Wasserversorgung (+2,5%), in Ostdeutschland von Abwasserbeseitigung (+4,2%) und Straßenreinigung (+4,2%). In den neuen Bundesländern lagen alle W. über den Mietsteigerungen von 1,4% und der Inflationsrate von 1,1%. Die Energiekosten verringerten sich dagegen um 2,1% im Westen und 0,1% im Osten.

Ökosteuer: Die von der rot-grünen Bundesregierung 1998/99 geplante Ökosteuer wird nach Einschätzung des ifs die privaten Haushalte direkt über höhere Energiekosten und indirekt über steigende Gebühren belasten. Der Deutsche Mieterschutzbund errechnete 1998 in einem Modell, dass die Ökosteuer die Jahresmiete einer vierköpfigen, in einer 90 m² großen Wohnung lebenden Familie um 230 DM verteuern wird.

Steuern und Finanzen → Ökosteuer

Wohnungsbau

Der ab Mitte der 90er Jahre registrierte Abschwung in der deutschen Bauwirtschaft hielt bis 1999 an. Der Wegfall der steuerlichen Sonderförderung (zum Jahreswechsel 1997/98) und die sinkende Nachfrage sorgten für rückläufige W.-Investitionen, die sich um 3,3% auf 290,5 Mrd DM (1997: 300,6 Mrd DM) verringerten.

Wohnungszahl: 1998 wurden 501 000 Wohnungen fertig gestellt, 13% weniger als 1997. Auch die Zahl der Baugenehmigungen für Wohnungen verringerte sich gegenüber dem Vorjahr um ca. 9% auf 477 700. Im Eigenheimbereich hielt der Aufwärtstrend in Westdeutschland an (+13%), in Ostdeutschland wurde ein stabi-

les Niveau erreicht. Beim Bau von Mehrfamilienhäusern war 1998 in Gesamtdeutschland eine Abwärtstendenz (−19%) zu verzeichnen. Die Wohneigentumsquote betrug 1998 im Westen 42%, im Osten 30%.

Während für Ostdeutschland 1999 eine etwa gleichwertige Verteilung der fertig gestellten Wohnungen auf Ein- und Zweifamilienhäuser sowie Mehrfamilienhäuser vorhergesagt wird, sollen in Westdeutschland die Ein- und Zweifamilienbauten überwiegen.

Wohnungsbau: Fertig gestellte Wohnungen

Jahr	Gesamtdeutschland	Ostdeutschland
1993	455 000	24 000
1994	573 000	68 000
1995	603 000	104 000
1996	559 000	143 000
1997	578 000	178 000
1998	501 000	129 000
1999[1]	490 000	125 000

1) Prognose; Quelle: Statistisches Bundesamt; Deutsches Institut für Wirtschaftsforschung; http://www.statistik-bund.de

Wohnungsbau in Europa[1]

Belgien		39
Dänemark		30
Deutschland		61
Finnland		60
Frankreich		49
Großbritannien		31
Irland		110
Italien		30
Niederlande		58
Norwegen		43
Österreich		68
Portugal		76
Schweden		14
Schweiz		45
Spanien		99

1) Fertig gestellte Wohnungen je 10 000 Einwohner 1998; Quellen: ifo-Institut, Euroconstruct, LBS, Globus

Sanierung: Für Modernisierung und Sanierung von Wohnungen in Ostdeutschland werden lt. Bundesverband Deutscher Wohnungsunternehmen (GdW, Hamburg) ab 2000 rund 100 Mrd DM benötigt. Die Modernisierung von zwei Dritteln des ostdeutschen Bestands (950 000 Wohnungen) hatte 1990–98 insgesamt 83 Mrd DM gekostet. Der GdW veranschlagte 1998 für eine der 400 000 verbleibenden Altbauwohnungen 120 000–180 000 DM Sanierungskosten; eine Durchschnittswohnung habe dagegen nur 40 000–60 000 DM Modernisierungskosten erfordert. Die Erneuerung der Plattenbauten wurde mit 12 Mrd DM angesetzt.

Bedarfssenkung: Die Deutsche Bank Research prognostizierte 1998 für das nächste Jahrzehnt, dass sich die Wohnraumnachfrage weiter vom Mehrfamilienhaus zu Ein- und Zweifamilienhäusern verlagern wird. Die Renditen im Mietwohnungsneubau werden gegenüber dem steuerlich begünstigten Eigenheimbau sinken, der zusätzlich von niedrigen Zinsen profitiert. Außer dem Subventionsabbau werde die Baubranche mit sinkenden Bevölkerungszahlen konfrontiert, die trotz wachsender Pro-Kopf-Wohnfläche zum Bedarfsrückgang führten.

Leerstand: Das Pestel Institut für Systemforschung (Hannover) prognostizierte 1998 für den Wohnungsmarkt 2010 einen Bestandsüberhang von 1,3 Mio Neubauwohnungen, der sich am unteren Ende der Qualitätsskala konzentriere. Eine konstante Wohnungsbauförderung des Bundes vorausgesetzt, führten die günstigen Finanzierungsbedingungen für Neubauten zu einer über den Bedarf hinaus gesteigerten Nachfrage, während ältere Wohnungen von Leerstand bedroht seien.

BILANZ 2000

Städte und Regionen

Weltweiter Wandel durch Urbanisierung

Landflucht und Ballungsprozesse prägen Ende des 20. Jh. die Siedlungsentwicklung in fast allen Staaten der Erde. Der Anteil der städtischen Bevölkerung in den Entwicklungsländern hat sich 1950–95 von 17,3% auf 37,6% mehr als verdoppelt, die Zahl der Millionenstädte ist dort von 34 auf 209 gestiegen. In Lateinamerika übertrifft der Verstädterungsgrad Ende des 20. Jh. mit 74,2% das Niveau Europas (73,6%), Spitzenreiter ist Nordamerika (76,3%). Millionenstädte ufern aus, mehrere Städte wachsen zu Ballungsräumen zusammen: Tokio hat rund 8 Mio Einwohner, im Ballungsraum der Metropole leben jedoch 32 Mio Menschen; im Bereich der Megastädte Seoul, New York, São Paulo und Mexiko-Stadt leben 15–16 Mio Einwohner. Auf engem Raum (z. B. an Rhein und Ruhr) liegen 25 der 84 Großstädte Deutschlands. In den westlichen Industriestaaten hat die Verstädterung teilweise zu extremer Wohnungsnachfrage und explodierenden Mieten geführt, auf dem Land steht dagegen immer mehr Wohnraum leer: Untere Einkommensschichten drängen in die Industriezentren (Landflucht), die wohlhabende Bevölkerung wandert in das städtische Umland (Suburbanisation) oder in ländliche Wohnräume ab (Stadtflucht).

Positive Trends

▶ Die moderne Stadt bietet Arbeitsplätze, Wohnungen und ein breites kulturelles Angebot.

▶ Der drastische Anstieg der Bodenpreise in der BRD (1970: 31 DM/m², 1996: 133 DM) hat sich Ende der 90er Jahre verlangsamt.

▶ Im Amsterdamer Vertrag räumte die EU 1997 dem Ausschuss der Regionen mehr Rechte ein u.a. bezüglich Bildung, Gesundheit und Kultur.

Negative Trends

▶ Die Millionenstädte vor allem der dritten Welt kennzeichnen Arbeitslosigkeit, Armut, Kriminalität, Obdachlosigkeit und Unterernährung.

▶ Die Verstädterung führt zur Zerschlagung traditioneller, gewachsener Dorfstrukturen.

▬ **Wohnungsbau: Wohnräume**	
1 [1)]	2,2 [2)]
2	6,2
3	22,2
4	30,4
5	19,1
6	10,1
ab 7	9,8

1) Zahl der Wohnräume ohne Küche, Bad, Diele u. a.; 2) Anteil (%); letztverfügbarer Stand: 1997; Quelle: Statistisches Bundesamt; http://www.statistik-bund.de

Futuristische Stadt vom Reißbrett: Kathedrale von Brasilia von Oscar Niemeyer

Zur Person: Le Corbusier

Pionier funktionalen Bauens

Der Architekt Le Corbusier (1887 bis 1965) prägte als Städteplaner und -bauer in Paris, Madrid, Chandigarh, Berlin und Moskau Planung und Bau von Großstädten im Sinn des Funktionalismus. Kubische Klarheit, Stahlbetonskelette mit wenigen Stützen, freie Grundrisse und Fassaden, Fensterbänder, Dachgärten, Geometrisierung und Verzicht auf dekorative Elemente charakterisieren seine Bauten: Pavillon »L'esprit nouveau« (Paris 1927); zwei Häuser der Weißenhof-Siedlung (Stuttgart 1927), Palais des Centrosojus (Moskau 1929/30), Palais der Heilsarmee (Paris 1929–33) u. a.

Meilensteine

Von der Gartenstadt zur Großwohnsiedlung

1903: In Letchworth entsteht die erste »garden city« (Gartenstadt) als von Grünanlagen durchsetzte Siedlung nahe der Großstadt London.

1903: Der Soziologe Georg Simmel (D) beschreibt in den »Reflexionen über die Bedeutung der Großstädte für das Geistesleben« die Stadt als Kristallisationspunkt der Massengesellschaft.

1905: In Köln konstituiert sich der Deutsche Städtetag als kommunaler Spitzenverband.

1911: Die im Auftrag der Firma Krupp (D) errichtete Siedlung Margarethenhöhe in Essen wird Vorbild städtischer Arbeiterkolonien.

1913: Canberra, die erste bedeutende Stadtneugründung des 20. Jh., wird als Gartenstadt und Kapitale Australiens angelegt.

1920: Berlin, acht Nachbarstädte (u. a. Charlottenburg), 56 Dörfer und 29 Gutsbezirke vereinigen sich zur 3,8-Mio-Stadt Groß-Berlin.

1933: In der »Charta von Athen« formuliert die internationale Architektenvereinigung CIAM Prinzipien der »funktionellen Stadt«: Strenge Zonierung mit Grüngürteln, Typisierung der Wohnhäuser.

1935: Die Deutsche Gemeindeordnung ersetzt 41 unterschiedliche Gemeindeordnungen. Auch die Unterscheidung von Stadt- und Landgemeinden entfällt.

1938: Die »Stadt des KdF-Wagens« (ab 1949: Wolfsburg) ist die erste nach industriellen Kriterien geplante deutsche Reißbrettstadt.

1953: Stalinstadt (ab 1961: Eisenhüttenstadt) als Wohnstätte für Beschäftigte eines Kombinats ist »erste sozialistische Stadt der DDR«.

1957: Die Internationale Bauausstellung im Berliner Hansaviertel präsentiert vielgeschossige Stahlbetonbauten als »Stadt der Zukunft«.

1960: Brasília wird Hauptstadt von Brasilien; die spektakulärste Stadtneugründung nach dem Zweiten Weltkrieg wird architektonisch von Oscar Niemeyer geprägt.

1963: In Berlin-Reinickendorf entsteht die Siedlung Märkisches Viertel mit 17 000 Wohneinheiten für 40 000 Einwohner auf nur 385 ha.

1991: Der von Helmut Jahn (USA) errichtete Messeturm in Frankfurt/M. zählt zu den markantesten Hochhausprojekten Deutschlands.

1996: Das City Centre in der malaysischen Hauptstadt Kuala Lumpur mit den Petronas Twin Towers von Cesar Pelli (USA) ist mit 452 m das höchste Gebäude der Erde.

Stichwort: Neue Städte

New Towns – Villes Nouvelles

Die britischen New Town Acts von 1946 bildeten die Grundlage für die Errichtung von Aycliffe, Basildon und weiteren rund 30 neuen Städten mit bis zu 450 000 Einwohnern zur Entlastung von Ballungszentren und zur Verbesserung der regionalen Siedlungs- und Wirtschaftsstruktur. In Frankreich wurde 1972 in der Ile-de-France bei Paris Marne-la-Vallée gegründet, die bekannteste und künstlerisch am anspruchsvollsten gestaltete »neue Stadt«.

Stichwort: Plattenbauten

Massensiedlungen in der DDR

Die Sanierung standardisierter Plattenbaukomplexe ohne hinreichende Infrastruktur an der Stadtperipherie und ihre Anpassung an westliche Wärme- und Lärmdämmungsstandards wurde 1990 eine Kernaufgabe bei der Sanierung in den neuen deutschen Bundesländern. Am Rande Leipzigs wurde ab 1976 die erste Plattenbaugroßsiedlung Grünau errichtet. Bis zur Wiedervereinigung 1990 bestanden in der DDR 225 700 Gebäude (mit einem Drittel aller Wohnungen) aus Plattenkonstruktionen.

Bevölkerung

Alter

Zum Jahreswechsel 1997/98 (letztverfügbarer Stand) lebten in Deutschland 17,927 Mio Menschen ab 60 Jahren; ihr Anteil an der Gesamtbevölkerung betrug 21,8%.

Altersaufbau: Geringe Fruchtbarkeitsraten (1,3 Kinder/Frau), gestiegene Lebenserwartung und sinkende Zuwanderung junger Menschen gelten als Ursachen dafür, dass der Anteil der Älteren an der Bevölkerung Ende des 20. Jh. in Deutschland weiter zunahm. Der Altersquotient (Anteil der ab 60-Jährigen im Verhältnis zu den 20–59-Jährigen) stieg 1990–97 in Deutschland von 35,2 auf 38,6. Nach Angaben des Statistischen Bundesamtes (Wiesbaden) werden 2040 auf 100 Personen im aktiven Erwerbsalter 76 Personen ab 60 Jahren kommen. Der zunehmende Anteil der Senioren an der Bevölkerung stellt die Rentenversicherungssysteme vor Probleme, da die Rente von immer mehr Personen durch immer weniger Erwerbstätige finanziert werden muss.

Lebenserwartung Deutschland: Bei Frauen betrug die durchschnittliche Lebenserwartung 1998 in den alten Bundesländern 79,8 Jahre, in den neuen Bundesländern 78,1 Jahre, bei Männern 73,5 bzw. 70,7 Jahre. Bis 2010 ist mit einem Anstieg auf gut 81 Jahre bei Frauen und fast 75 Jahre bei Männern zu rechnen, wobei sich der Unterschied zwischen Ost und West verringern wird. Als Ursache für die niedrigere Lebenserwartung der Männer verweisen Wissenschaftler außer auf gesundheitsschädliche Gewohnheiten wie Rauchen auf die Erbanlagen: Das zweite X-Chromosom, über das nur Frauen verfügen, wirke sich günstig auf

Alterungsprozesse aus, ebenso wie die monatliche Regelblutung vor Gefäßerkrankungen schützen könne und die Regulation des Kalziumhaushalts während Schwangerschaft und Stillzeit vorteilhaft sein könnte.

Lebenserwartung Europa: In der EU lag die durchschnittliche Lebenserwartung 1997 (letztverfügbarer Stand) bei 80,5 Jahren (Frauen) bzw. 74,0 Jahren (Männer). Die Lebenserwartung aller Europäer war lt. Weltgesundheitsorganisation (WHO, Genf) in den 90er Jahren erstmals seit Ende des Zweiten Weltkriegs rückläufig. Ökonomische Probleme sowie der hohe Konsum von Alkohol und Tabak in den ostdeutschen Ländern hätten zu einem Rückgang der durchschnittlichen Lebenserwartung aller Europäer von 73,1 (1991) auf 72,4 Jahre (1994) geführt. Das Gefälle bei der Lebenserwartung von West- und Osteuropäern nahm deutlich zu. Der Abstand zwischen West- und Mitteleuropäern auf der einen und Bewohnern der früheren UdSSR auf der anderen Seite erhöhte sich seit 1970 von 2,5 auf 11 Jahre.

Finanzen: Nach der im Mai 1999 veröffentlichten, vom Verband Deutscher Rentenversicherungsträger und vom Bundesarbeitsministerium in Auftrag gegebenen Studie »Altersvorsorge in Deutschland« (AVD) lag das Haushaltseinkommen im Alter 1996 in der finanziell am schlechtesten gestellten Gruppe der alleinstehenden Frauen mit drei und mehr Kindern bei 1434 DM (Westdeutschland) bzw. 1354 DM (Ostdeutschland), in der am besten gestellten Gruppe der Ehepaare ohne Kinder bei 4448 DM (West) bzw. 2998 DM (Ost). Für die Studie wurden erstmals Daten über die

Die Bevölkerung in Deutschland wird immer älter. Nach Berechnungen des Statistischen Bundesamtes ist 2040 nur knapp jeder Zweite im aktiven Erwerbsalter (20–59 Jahre).

Altersaufbau: Entwicklung und Prognose[1]

	1950	1980	1990	1997	2040[2]
unter 20 Jahre	30,3	26,7	21,7	21,5	15,0
20–unter 60 Jahre	55,0	53,9	57,9	56,7	48,0
ab 60 Jahre	14,7	19,4	20,4	21,8	37,0

1) Anteil an der Gesamtbevölkerung (%); bis 1980: Summe aus Ost- und Westdeutschland, ab 1990: Gesamtdeutschland; 2) Schätzung von 1998; Quelle: Statistisches Bundesamt, http://statistik-bund.de

Aussiedler: Herkunftsländer	1996	1997	1998	
Ehemalige UdSSR	172181	131895	101550	▼−41[1]
Republik Polen	1175	687	488	▼−58
Rumänien	4284	1777	1005	▼−77
Sonstige	111	60	37	▼−67
Gesamt	177751	134419	103080	▼−42

1) Veränderung gegenüber 1996 (%); Quelle: Bundesinnenministerium; http://www.bundesregierung.de/inland/ministerien/innen

Geldflüsse aus allen drei Säulen der Alterssicherung – gesetzliche Rente, Betriebsrente, private Vorsorge – berücksichtigt. Die Renten aus der staatlichen Alterssicherung stellten bei den Geburtsjahrgängen 1936–55 das wichtigste, für 17% der Männer und 36% der Frauen sogar das einzige Alterseinkommen dar.

Aussiedler

Aus Ost- und Südosteuropa übergesiedelte deutschstämmige Personen, ihre nicht deutschen Ehegatten und Kinder

Bilanz: Die Zahl der in Deutschland registrierten A. verringerte sich 1998 auf 103080; es waren 23% weniger als im Vorjahr. 99% der A. kamen aus der ehemaligen UdSSR nach Deutschland. Auch die Zahl der Aufnahmeanträge ging 1998 gegenüber 1997 stark zurück, um 32% auf 100421.

Ursachen: Der Bundesbeauftragte für A., Jochen Welt (SPD), begründete den Rückgang der Zuzüge mit der hohen Durchfallquote (ca. 30%) bei den deutschen Sprachtests, die seit 1996 zur Einwanderung von A. erforderlich sind. Außerdem wären viele Deutsche in den Aussiedlungsgebieten trotz Aufnahmebescheids bisher nicht in die Bundesrepublik ausgereist, sondern würden das Papier für Notfälle aufbewahren. Viele Russlanddeutsche hätten sich auf eine Umsiedlung in die Russische Föderation umorientiert. Für 1999 wurde eine weitere Abnahme der A.-Zahlen unter 100000 prognostiziert.

Wohnortzuweisung: Ab dem 15.7.2000 können A. ohne finanzielle Nachteile ihre Wohnorte wieder frei wählen, weil die rückläufigen A.-Zahlen dann eine Zuweisung voraussichtlich unnötig machen. Bisher erhielten die seit dem 1.3.1996 aufgenommenen A. nur an den zugewiesenen Aufenthaltsorten öffentliche Mittel wie Eingliederungs- oder Sozialhilfe, um eine gesteuerte Verteilung der A. zu erreichen.

Ausgabenerhöhung: 1999 wurde der Etat des Bundesinnenministeriums zur Integration von Aussiedlern um rund 30% auf 42 Mio DM aufgestockt. Als neuen Schwerpunkt in der A.-Politik nannte der Bundesbeauftragte Welt den Aufbau von kommunalen Netzwerken, in denen Schulen, Behörden, Sportvereine und A.-Vertreter Programme zur Integration gemeinsam erarbeiten sollten.

http://www.bundesregierung.de/inland/ministerien/innen

Behinderte

Nach Angaben des Statistischen Bundesamtes (SB, Wiesbaden) lebten Anfang 1998 ca. 6,6 Mio Schwerbehinderte (Behinderungsgrad: mind. 50%) in Deutschland, davon 3,5 Mio Frauen. Jeder zwölfte Westdeutsche und jeder 15. Ostdeutsche galt als schwerbehindert.

Gleichstellungsgesetz: Als erstes Bundesland erhielt Berlin am 29.4.1999 ein Gleichstellungsgesetz für B. Interessenverbände kritisierten, dass der Begriff der Diskriminierung in dem vom SPD-CDU-Senat

Behinderte: Ursache	
Krankheit[1]	85[2]
angeboren	5
Unfall	3
Kriegs-, Wehrdienst-, Zivildienstbeschädigung	3
Sonstige	4

1) inkl. Impfschäden; 2) Anteil (%); Stand: Anfang 1998; Quelle: Statistisches Bundesamt, http://www.statistik-bund.de

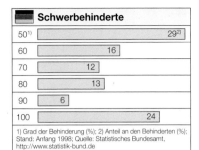

Schwerbehinderte

Grad	Anteil
50[1]	29[2]
60	16
70	12
80	13
90	6
100	24

1) Grad der Behinderung (%); 2) Anteil an den Behinderten (%); Stand: Anfang 1998; Quelle: Statistisches Bundesamt, http://www.statistik-bund.de

ausgearbeiteten Gesetz nicht definiert und Schadenersatz- oder Unterlassungsklagen kaum möglich seien. Ein ursprünglicher Gesetzentwurf mit eindeutigem Diskriminierungsverbot, Verbandsklagerecht von B.-Organisationen und Verschärfungen in der Bauordnung wurde wegen finanzieller Bedenken abgeschwächt. Der Bund und einige Bundesländer bereiteten 1999 ähnliche Gesetzentwürfe vor.

Beschäftigungsquote: In Deutschland sind Arbeitgeber mit mind. 16 Beschäftigten verpflichtet, 6% der Stellen mit Schwerbehinderten zu besetzen. Schwerbehinderte Auszubildende werden doppelt, in besonderen Fällen auf Antrag auch dreifach gezählt. Bei der Beschäftigung eines Schwerstbehinderten können Arbeitgeber auf Antrag ebenfalls bis zu drei Pflichtplätze anrechnen. Wird die Beschäftigungsquote nicht erfüllt, muss der Arbeitgeber eine Ausgleichsabgabe von 200 DM/Monat je unbesetztem Arbeitsplatz für Schwerbehinderte zahlen (Stand: 1999). Nach Angaben des Instituts für Arbeitsmarkt- und Berufsforschung der

Bundesanstalt für Arbeit (Nürnberg) waren 1997 insgesamt 189 300 Arbeitgeber zur Beschäftigung Schwerbehinderter verpflichtet, doch nur 24% kamen der Pflicht voll nach; 71 200 hatten keinen Schwerbehinderten beschäftigt. Die tatsächliche Beschäftigungsquote von Schwerbehinderten lag bei 3,9% (1995: 4,0%; Spitzenwert 1982: 5,9%). Im öffentlichen Bereich wurden 5,2%, bei privaten Arbeitgebern nur 3,5% erreicht.

Arbeitsmarkt: Bei einer Arbeitslosenquote von 17,4% (1995: 15,4%) waren 1997 rund 195 200 (1995: 176 100) Schwerbehinderte auf Arbeitssuche. Insgesamt wurden in Deutschland 818 000 (1995: 844 000) Arbeitsplätze für Schwerbehinderte angeboten.

Werkstätten: Nach einer im März 1999 veröffentlichten Grundsatzentscheidung des Bundesarbeitsgerichts (Kassel) haben in Werkstätten für Behinderte (WfB) Beschäftigte Anspruch auf einen Lohn, der mind. dem gesetzlich festgelegten Ausbildungsgeld (ca. 120 DM/Monat) entspricht. Anlass war die Klage eines schwer geistig behinderten Mannes, der während der Ausbildung 120 DM, danach jedoch nur 30 DM/Monat von seiner WfB erhalten hatte. Der Sozialverband Reichsbund (Bonn) drohte 1998 mit einer Verfassungsklage, sollte das Gehalt von WfB-Beschäftigten (Mitte 1999: 200–240 DM/Monat bei vollwertiger Arbeit) nicht deutlich heraufgesetzt werden.

Bevölkerung Deutschland

Nach Angaben des Statistischen Bundesamtes (SB, Wiesbaden) gab es 1998 in Deutschland 68 668 weniger Lebendgeburten als Todesfälle.

Geburten und Todesfälle: Nach zwei Jahren mit Steigerungen war die Zahl der Geburten in Deutschland 1998 wieder rückläufig; 782 251 Kinder kamen lebend zur Welt (−3,4% gegenüber 1997). In Ostdeutschland (inkl. Ost-Berlin) stieg die Geburtenzahl um 1,8%, im Westen ging sie dagegen um 4,2% zurück. Die Zahl der Todesfälle sank 1998 im Vergleich zum Vorjahr um 0,7% auf 850 919.

Bevölkerungsentwicklung: Zum Jahreswechsel 1997/98 lebten in Deutschland 82,057 Mio Menschen, 45 000 (0,1%) mehr als im Vorjahr (Steigerungsraten 1996:

Seit der deutschen Vereinigung (1990) ziehen immer mehr Menschen aus den alten in die neuen Bundesländer. Umgekehrt ging die Zahl der Umzüge von Ost nach West schon Anfang der 90er Jahre deutlich zurück.

Bevölkerungsbewegung im Inland

Jahr	Umzüge Ost→West[1]	Umzüge West→Ost[2]	Saldo[3]
1997	167 789[1]	157 348[2]	+ 10 441[3]
1996	166 077	151 973	+ 14 034
1995	168 336	143 063	+ 25 273
1994	163 034	135 774	+ 27 260
1993	172 386	119 100	+ 53 286
1992	199 170	111 345	+ 87 825
1991	249 743	80 267	+169 476
1990	395 343	36 217	+359 126

1) Umzüge von Ost nach West; 2) Umzüge von West nach Ost; 3) Saldo gegenüber früherem Bundesgebiet; Quelle: Statistisches Bundesamt, Wiesbaden, http://www.statistik-bund.de

0,2%, 1995: 0,3%). Für die erneute Abschwächung des Bevölkerungswachstums war neben dem niedrigen Geburtenniveau (1997: 48000 mehr Todesfälle als Lebendgeburten) die starke Verringerung des Zuwanderungsüberschusses von 282000 (1996) auf 94000 (1997) verantwortlich.

Außenwanderung: Wegen rückläufiger Aussiedlerzahlen aus Russland und Kasachstan nahm die Zahl der Zuzüge von Deutschen nach Deutschland 1997 weiter ab; aus diesen Ländern stammten 49,2% aller deutschen Zugezogenen. Aus 225000 Zuzügen und 110000 Fortzügen von Deutschen ergab sich in diesem Bereich ein Zuwanderungsüberschuss von 115000 Personen. Erstmals seit 1985 zogen 1997 wieder mehr Ausländer weg (637000) als zu (615000). Der Abwanderungsüberschuss von 22000 Ausländern war auf rückläufige Zuwanderungen aus der Türkei und Jugoslawien (Serbien und Montenegro) sowie auf die verstärkte Rückkehr von Bürgerkriegsflüchtlingen aus dem ehemaligen Jugoslawien in ihre Heimat zurückzuführen. Der Anteil der Ausländer an der Gesamtbevölkerung betrug 1997 wie im Vorjahr ca. 9%.

Binnenwanderung: 1997 verlegten 4,015 Mio Personen, fast jeder 20. Einwohner, ihren Wohnsitz innerhalb Deutschlands über eine Gemeindegrenze hinweg; der Anteil ist seit 1994 fast stabil. Eine positive Wanderungsbilanz wiesen 1997 Baden-Württemberg, Bayern, Brandenburg, Hessen, Niedersachsen, Nordrhein-Westfalen, Rheinland-Pfalz, Sachsen und Schleswig-Holstein auf. In Brandenburg, Nordrhein-Westfalen, Rheinland-Pfalz und Schleswig-Holstein gab es einen Überschuss der Zuwanderungen aus dem Aus- wie aus einem anderen Bundesland. Mit 157348 Umzügen von den alten in die neuen Bundesländer und 167789 in die umgekehrte Richtung war die Wanderungsbilanz zwischen Ost und West nahezu ausgeglichen. 1990, im Jahr der deutschen Vereinigung, waren 395343 Personen von Ost nach West, jedoch nur 36217 in den Osten umgezogen.

Prognose: Nach SB-Berechnungen wird die Bevölkerung in Deutschland bis 2040 um 13% auf rund 69 Mio zurückgehen. Selbst bei einer Nettozuwanderung von 100000–200000 Personen/Jahr wird die Zahl der Todesfälle die der Geburten und Zugezogenen bald überschreiten.

Bevölkerung: Geburten[1]

	Westdeutschland	Ostdeutschland
1997	10,7	6,5
1996	10,5	6,0
1995	10,3	5,4
1994	10,5	5,1
1993	11,0	5,1
1992	11,1	5,6
1991	11,3	6,8
1990	11,5	11,1

1) Lebendgeborene je 1000 Einwohner,
2) nicht verfügbar; Quelle: Statistisches Bundesamt, http: www.statistik-bund.de

Nach der deutschen Einheit (1990) ging die Zahl der Geburten je 1000 Einwohner in den neuen Bundesländern, u.a. verursacht durch die unsichere Zukunftsperspektive, drastisch zurück. Trotz des 1996 einsetzenden Anstiegs lag sie bis 1998 noch deutlich unter dem westdeutschen Wert.

Bevölkerung Europa

Nach einer gemeinsamen Erhebung des Europarats und des Statistischen Amtes der EU, Eurostat, lebten 1997 (letztverfügbarer Stand) in 46 europäischen Ländern (inkl. Russland, Türkei, Armenien, Aserbaidschan, Georgien) 810 Mio Menschen (Anteil an der Weltbevölkerung ca. 14%). Innerhalb der EU lebten 1997 ca. 373 Mio Menschen.

Bevölkerungsentwicklung: Geburtendefizit

1998	850919[1]	782251[2]	▼ – 68668[3]
1997	860389	812173	▼ – 48216
1996	882843	796013	▼ – 86830
1995	884588	765221	▼ –119367
1994	884661	769603	▼ –115058
1993	897270	798447	▼ – 98823
1992	885443	809114	▼ – 76329
1991	911245	830019	▼ – 81226
1990	921445	905675	▽ – 15770

1) Todesfälle, 2) Lebendgeborene, 3) Saldo; Quelle: Statistisches Bundesamt, http://www.statistik-bund.de

Bevölkerungswachstum: Zum Anstieg der Weltbevölkerung um 80 Mio Menschen 1997 im Vergleich zu 1996 trug Europa nur mit gut 1 Mio (1,1%) bei. Der Bevölkerungszuwachs in der EU verringerte sich gegenüber 1996 von 1 Mio auf 850000. Bei fast unverändertem natürlichem Bevölkerungszuwachs ist die rückläufige Tendenz durch geringere Zuwanderung bedingt (1997: 518000, 1996: 723000). Der Anteil der Zuwanderung am Wachstum der Bevölkerung ging von 70 auf 61% zurück. In Deutschland, Italien und Schweden, wo die Zahl der Todesfälle die der Lebendgeborenen deutlich übertraf, war das Bevölkerungswachstum allein auf Zuwanderung zurückzuführen.

Zusammensetzung: Außer Luxemburg stellen in allen EU-Ländern die Einheimischen mehr als 90% der Bevölkerung. Besonders niedrig ist der Ausländeranteil in Spanien, Griechenland, Italien, Portugal und Finnland (jeweils unter 2%).

Prognose: Die EU-Bevölkerung wird nach der Erhebung von Eurostat und Europarat voraussichtlich binnen zwei Jahrzehnten um 15 Mio wachsen. Bis 2040 ist in allen EU-Staaten mit Ausnahme von Deutschland, Italien, Spanien und Irland ein Bevölkerungszuwachs zu erwarten.

Homosexuelle

Wie in der Koalitionsvereinbarung vom Oktober 1998 festgeschrieben, plante die rot-grüne Bundesregierung noch für 1999 die Vorlage eines Gesetzentwurfs zur Einführung einer eingetragenen Lebenspartnerschaft für gleichgeschlechtliche Paare, die verbindliche Rechte und Pflichten der Partner gegeneinander beinhaltet. Gesetzlich geregelte Ehen von H. gab es Mitte 1999 in Dänemark (seit 1989), Norwegen, Schweden, Island und den Niederlanden.

Deutschland: Das geplante Gesetz zur rechtlichen Gleichstellung homosexueller Paare bezieht sich u.a. auf das Unterhalts-, Erb-, Steuer-, Arbeits- und Mietrecht. Geplant sind u.a. Zeugnisverweigerungsrecht vor Gericht und Besuchsrechte für den Partner in Haft und Krankenhaus. Ein Recht für H. auf gemeinsame Adoption von Kindern ist dagegen nicht vorgesehen.

Kirchenstandpunkt: In ihrem am 17.1.1999 verlesenen Hirtenwort zu Ehe und Familie sprach sich die katholische Kirche gegen die H.-Ehe aus. Sie bestreite die grundlegende Bedeutung von Ehe und Familie und sei »schädlich für die Menschen und von Grund auf zerstörerisch für die Gesellschaft«. Mitte 1999 sprach sich die Synode der evangelischen Kirche im Rheinland nahezu einstimmig gegen eine Segnung homosexueller Paare im Gottesdienst aus. Tatsächlich wurden solche Segnungen jedoch gelegentlich von evangelischen Pastoren praktiziert.

Hamburg: Noch vor der Regelung auf Bundesebene erhielten homosexuelle Männer und Frauen im April 1999 in Hamburg als erstem Bundesland die Möglichkeit, eine gleichgeschlechtliche Partnerschaft auf dem Standesamt eintragen zu lassen. Die einer traditionellen Eheschließung ähnelnde Zeremonie ist aber nur eine symbolische Handlung ohne Festschreibung gesetzlicher Rechte und Pflichten gegeneinander.

Frankreich: Ein Gesetzentwurf der sozialistischen französischen Regierung vom Februar 1999 sieht die Einführung eines Zivilpakts der Solidarität (»Pacs«). Er steht homo- und heterosexuellen Paaren, sogar häuslichen Gemeinschaften unverheirateter Schwestern und Brüder offen. Der Pacs ermöglicht u.a. die Abgabe einer gemeinsamen Steuererklärung, die Mitversicherung des Partners in der Sozialversicherung sowie eine Ehepaaren vergleichbare erb- und mietrechtliche Behandlung und enthält die Verpflichtung, im Notfall füreinander zu sorgen. Anders als Ehen werden »Pacs«-Partnerschaften nicht vor dem Bürgermeister, sondern per Erklärung in der Präfektur geschlossen.

Großbritannien und Österreich: Im Januar 1999 verabschiedete das britische Unterhaus ein von der Labour-Regierung ausgearbeitetes Gesetz, das homosexuelle Beziehungen ab 16 (bisher 18) Jahren legalisiert. Das Europaparlament in Straßburg forderte Österreich im September 1998 auf, § 209 des Strafgesetzbuchs zu streichen. Er verbietet homosexuelle Handlungen für Männer unter 18 Jahren und sieht dafür Haftstrafen bis zu fünf Jahren vor. Für heterosexuelle und lesbische Beziehungen gilt hingegen ein Mündigkeitsalter von 14 Jahren. Unterschiedliche Mündigkeitsalter bei Homo- und Heterosexuellen widersprechen der Europäischen Menschenrechtskonvention.

Bildung

BAföG

(Bundesausbildungsförderungs-Gesetz)

Erhöhung: Mit breiter Mehrheit beschloss der Deutsche Bundestag im März 1999, ab Herbst den Höchstförderungssatz des B. im Osten von 1000 auf 1020 DM, im Westen von 1010 auf 1030 DM im Monat anzuheben. Die Freibeträge, bis zu denen Einkommen der Eltern angerechnet werden, wurden um 6% erhöht. Ein Auslandsaufenthalt bis ein Jahr, eine angemessene Verlängerung der Studienzeit wegen Mitarbeit in studentischen Gremien und ein Fachwechsel bis zum Beginn des vierten Fachsemesters sind ohne finanzielle Nachteile erlaubt. Lt. rotgrüner Bundesregierung entstehen durch die B.-Novelle jährlich 265 Mio DM Mehrkosten, davon 170 Mio DM für den Bund. Die Zahl der Geförderten werde sich um 23 000 erhöhen. Bundesbildungsministerin Edelgard Bulmahn (SPD) kündigte für Ende 1999 einen Entwurf für eine grundlegende Reform der Ausbildungsförderung an. Im Gespräch waren eine Koppelung an die Lebenshaltungskosten sowie die Einführung eines direkt an alle Studenten ausgezahlten Sockelbetrags, in den Kindergeld, Kinderfreibeträge und andere Vergünstigungen aus dem Familienlastenausgleich einbezogen sind.

Empfänger: Lt. Statistischem Bundesamt (SB, Wiesbaden) erhielten 1997 (letztverfügbarer Stand) 351 000 Studenten und 184 000 Schüler B.-Leistungen, 7,3% weniger als im Vorjahr. Nach Angaben des Deutschen Studentenwerks (DSW, Bonn) betrug der B.-Anteil an allen studentischen Einnahmen 1997 in Ostdeutschland 17%, in Westdeutschland 10% gegenüber 25% in den 80er Jahren. Bundesweit bekamen nur noch 17% aller Studierenden B. Der Finanzaufwand von Bund und Ländern für die Ausbildungsförderung lag nicht höher als 1978, obwohl sich die Studentenzahl bis 1997 verdoppelt hatte.

Bildungspolitik

Trotz Etataufstockung beim Bundesministerium für Bildung und Forschung um 6,4% auf 15 Mrd DM 1999 stand die B. in Deutschland im Zeichen knapper öffentlicher Mittel. Reformansätze zur Effizienzsteigerung ohne Zusatzkosten – Qualitätsmanagement, Förderung des Wettbewerbs unter den Bildungseinrichtungen sowie verstärkte öffentliche Mittelvergabe nach Leistung und Bedarf – beherrschten die bildungspolitische Diskussion.

Bildungsausgaben: Nach einer 1998 veröffentlichten Studie des Deutschen Instituts für Wirtschaftsforschung (DIW, Berlin) lag Deutschland am Ausgang des 20. Jh. mit Bildungsausgaben von 5,3% des BIP (nach OECD-Berechnungen: 5,8%) im Vergleich aller OECD-Länder nur im Mittelfeld. Bei den durchschnittlichen Ausbildungskosten je Erwerbsperson lag Deutschland jedoch hinter der Schweiz, den USA und Österreich in der Spitzengruppe. Die Mittel für Bildung und Ausbildung in Deutschland erhöhten sich 1992–97 um 14% auf 194 Mrd DM.

Bildungsstand: Gemessen an der Durchschnittszahl von Schuljahren der Erwerbsbevölkerung lag Deutschland nach DIW-Angaben im Vergleich der OECD-Länder Mitte der 90er Jahre auf Platz eins, beim Anteil der gut ausgebildeten Personen (Abschluss mind. Sekundarstufe II) an den 25- bis 64-Jährigen mit 84% hinter den USA (86%) auf Platz zwei. Nach der 1998 vorgelegten OECD-Studie fiel Deutschland im internationalen Vergleich jedoch bei akademischen und mittleren Abschlüssen (Abitur oder Lehre) zurück. Kritiker bemängelten, dass die Studie den verschiedenen Bildungsstrukturen in den untersuchten Staaten nicht gerecht werde. Im Ländervergleich der mathematischen und naturwissenschaftlichen Kenntnisse (TIMSS-Studien) erzielten deutsche Schüler 1997/98 schlechtere Ergebnisse als der Durchschnitt.

Forum Bildung: Die Bund-Länder-Kommission für Bildungsplanung und Forschungsförderung richtete im März 1999 ein Forum Bildung ein, in dem Vertreter von Bund, Ländern, Arbeitgebern und Gewerkschaften Empfehlungen für moderne Bildungsinhalte, -methoden und -strukturen ausarbeiten und bis Ende 2001 vorlegen sollen. Ziel ist die Sicherung der Qualität und Zukunftsfähigkeit des deutschen Bildungssystems im internationalen Vergleich.

KMK-Beschränkung: Die Kultus- und Bildungsminister der Länder verständigten sich im März 1999 auf dem Jahresplenum der Kultusministerkonferenz (KMK, Bonn), nur noch Aufgaben in Angriff zu nehmen, die zur Sicherung der Mobilität zwischen den Bundesländern und zur Vertretung von Länderinteressen der Koordination bedürfen. Um die Gestaltungsfreiräume zu erhöhen, wollen sich die Kultusminister darauf beschränken, allgemeine Bildungsziele und überprüfbare Qualitätsstandards festzulegen. Sie dürfen von keinem Land unterschritten werden, damit die Vergleichbarkeit der Zeugnisse und Abschlüsse gewährleistet bleibt. Bis 1999 hatte die KMK versucht, sich auf bundesweit einheitliche Lernmethoden, Unterrichtspläne und Schulformen zu einigen.

Weiterbildung: Die Ausgaben für Weiterbildung in Deutschland gingen nach DIW-Berechnungen 1992–97 um 10% auf rund 31 Mrd DM zurück. Dazu zählten staatliche Angebote durch Volkshochschulen und die Bundesanstalt für Arbeit (BA, Nürnberg) sowie u.a. Ausgaben von Unternehmen für die Weiterbildung ihrer Mitarbeiter in Inhouse-Seminaren, bei externen Anbietern oder im Rahmen firmenübergreifender Qualifizierung. 1998 verständigten sich der Deutsche Volkshochschulverband, der Deutsche Gewerkschaftsbund und die SPD auf die Ausarbeitung eines Gesetzes, mit dem Chancengleichheit, z.b. durch ein Bildungsurlaubsgesetz in allen Bundesländern, und Qualität der Weiterbildung gesichert werden sollen. Die 1998 mit der Reform des Sozialgesetzbuches eingeführte Möglichkeit, bei Entlassungen im Rahmen eines Sozialplans Qualifizierungsmaßnahmen mit BA-Zuschüssen anzubieten, wurde bis Mitte 1999 kaum genutzt.

http://www.hrk.de; http://www.bmbf.de
http://www.kmk.org

Halbtagsgrundschule

Nach Hamburg und Hessen führte Rheinland-Pfalz zum Schuljahr 1998/99 die verlässliche H. mit festen Betreuungszeiten für Grundschüler zwischen 8 und 12 bzw. 13 Uhr ein. Mit der Reform soll dem Wunsch vieler Eltern nach einer besseren Vereinbarkeit von Elternrolle und Beruf entsprochen und eine kindgerechte Gestaltung des Unterrichtsvormittags in freier Zeiteinteilung ermöglicht werden. Auch das niedersächsische Kultusministerium plante 1999 die Einführung von garantierten Betreuungszeiten an Grundschulen. Dabei sollten auch Eltern gegen Honorar die Betreuung (nicht den Unterricht) übernehmen können. Die nach der Landtagswahl im Februar 1999 gebildete neue christlich-liberale hessische Landesregierung schaffte die Präsenzpflicht für Grundschullehrer zur Garantie fester Öffnungszeiten zum Schuljahr 1999/2000 wieder ab.

Hochschulen

Studenten: Im Wintersemester 1998/99 studierten nach Angaben des Statistischen Bundesamts (SB, Wiesbaden) 1,796 Mio Personen an deutschen Hochschulen, 28 000 (1,6%) weniger als im Wintersemester 1997/98. Es bestätigte sich der bereits seit 1994 zu beobachtende Trend eines leichten Rückgangs der Studentenzahlen. Die knapp

---

Hochschulen: Reformprojekte

▶ **Hamburg:** Im März 1999 schloss das Land mit seinen H. eine Ziel- und Leistungsvereinbarung auf drei Jahre. Die rot-grüne Stadtregierung sagte den H. für diesen Zeitraum feste Budgets zu und gab ihnen so die Möglichkeit zur Umsetzung auch mittelfristiger Vorhaben. Die Universitäten und Fachhochschulen verpflichteten sich u.a. auf Ziele bei der H.-Entwicklung, der Anpassung von Forschung und Lehre an internationale Maßstäbe und der Frauenförderung.

▶ **Nordrhein-Westfalen:** Die rot-grüne Landesregierung bot ihren H. 1999 einen »Qualitätspakt« an. Gegen die Zusage mittelfristig stabiler Budgets sollten sie sich zum Abbau von 2000 (3,3%) der 60000 Stellen binnen zehn Jahren verpflichten, im Gegenzug je-

doch jährlich 100 Mio DM aus einem Innovationsfonds erhalten, dessen Geld unter Wettbewerbsbedingungen unter den Bildungseinrichtungen verteilt werden soll. Im Mai konstituierte sich ein internationaler Expertenrat, der über die Mittelvergabe entscheiden soll.

▶ **Rheinland-Pfalz:** Zum Wintersemester 1998/99 wurde ein Personalbemessungskonzept für die vier Universitäten und sieben Fachhochschulen des Landes eingeführt. Wie seit 1994 die Sachmittel sollen auch Personalaufwendungen nach leistungs- und belastungsorientierten Kriterien zugewiesen werden. Fachbereiche oder Institute, die wegen ihrer Leistung mehr Studenten anziehen, erhalten auch mehr Geld für Personal.

1,8 Mio Studenten drängten sich rechnerisch auf 970 000 Studienplätze. Nach Prognosen der Hochschulrektorenkonferenz (HRK, Bonn) ist bis 2005 mit einem Anstieg der Studentenzahlen auf 1,2 Mio zu rechnen.
Mittel: 1998 gaben Bund und Länder 3,6 Mrd DM für den Hochschulbau (inkl. Gerätepark in Forschungseinrichtungen) aus. Für 1999 wurde der Etatansatz auf 4 Mrd DM erhöht. Die Finanzierung erfolgte je zur Hälfte durch Bund und Land. Die neue Bundesbildungsministerin Edelgard Bulmahn (SPD) kündigte eine Erleichterung der Genehmigungsverfahren und den Vorrang von Bundesländern mit hohen Studienanfängerzahlen sowie Zuschläge für aufwendige Studiengänge an.
Hochschulrahmengesetz: Ein neues Hochschulrahmengesetz trat im August 1998 in Kraft. Es war unter Federführung des alten Bundesbildungsministers Jürgen Rüttgers (CDU) ausgearbeitet, im Februar 1998 mit den Stimmen der damaligen christlich-liberalen Regierungskoalition vom Bundestag verabschiedet, von den SPD-regierten Bundesländern im Bundesrat im Mai 1998 aber abgelehnt worden. Das Gesetz wurde für zustimmungsfrei erklärt und der Einspruch der Länderkammer im Juni im Bundestag mit Kanzlermehrheit überstimmt. Die SPD lehnte das Gesetz ab, weil es kein befristetes Verbot von Studiengebühren enthält. Nach dem Gesetz soll das Studium kürzer und praxisbezogener werden; Regelstudienzeiten sollen bundeseinheitlich gelten. Die Hochschulen sollen eine größere finanzielle Autonomie erhalten. Ferner wurden Rahmenbedingungen für Studiengänge mit Bachelor- und Master-Abschlüssen geschaffen. Sie sollen den Übergang zwischen deutschen und ausländischen Hochschulen erleichtern, den Anreiz für ausländische Studenten zur Aufnahme eines Studiums in Deutschland erhöhen und ein kürzeres Studium ohne vertiefte wissenschaftliche Auseinandersetzung ermöglichen.
Internationale Studiengänge: Neben den bisherigen Diplom- und Magisterstudiengängen können an deutschen Hochschulen und Fachhochschulen nach angelsächsischem Vorbild auch Bachelor- und Masterstudiengänge eingerichtet werden. Ein kürzeres berufsorientiertes Studium

wird mit dem Bachelor abgeschlossen, das stärker wissenschaftlich orientierte Masterstudium baut auf diesem Grad auf. Der Masterabschluss der Universität oder Fachhochschule berechtigt zur Promotion. Für die Anerkennung der neuen Studiengänge wurde eine Akkreditierungskommission bei der HRK eingerichtet, die Mindestkriterien legten jedoch die Länder fest.
Professorengehälter: HRK und Ministerin Bulmahn befürworteten eine Reform des öffentlichen Dienst- und Tarifrechts mit dem Ziel, Professoren künftig stärker nach Leistung zu bezahlen. Eine Expertengruppe des Bundesbildungsministerium soll einen Wissenschaftstarifvertrag ausarbeiten. Die HRK strebt langfristig an, dass die Hochschulen vom Staat Dienstherreneigenschaft und Tarifhoheit erhalten. Die im Deutschen Hochschulverband (DHV, Bonn) organisierten Professoren lehnten die Reformvorschläge mit einem im Vergleich zum derzeitigen Gehalt niedrigeren Grundgehalt und leistungsbezogenen Zulagen ab.
Nachwuchsförderung: Im Auftrag des Bundesbildungsministeriums beschäftigte sich die im Juni 1999 berufene Kommission aus 18 Hochschulexperten mit dem Projekt, als Alternative zur Habilitation eine zeitlich befristete Assistenzprofessur einzuführen. Damit sollen Nachwuchswissenschaftler praxisnäher ausgebildet und das Einstiegsalter von Hochschullehrern gesenkt werden.
http://www.bmbf.de; http://www.hrk.de
http://www.hochschulverband.de

Privathochschulen

Stand: Anfang 1999 gab es 76 private Hochschulen in Deutschland, die meisten davon in kirchlicher Trägerschaft. Sie bildeten rund 41 500 Studenten aus. An der Wende zum 21. Jh. gab es neben neuen Einrichtungen zur berufs- bzw. studienbegleitenden Zusatzqualifikation in den Wirtschaftswissenschaften (Bayerische Elite Akademie, Business School Hannover) zahlreiche Neugründungen von P.:
– Die International University in Germany mit Sitz in Bruchsal bietet seit Herbst 1998 Masterstudiengänge in Business Administration und Information and Communication Technology
– Das International Department der Universität Karlsruhe offeriert seit Frühjahr

1999 Studiengänge in den Fächern Maschinenbau und Elektrotechnik
- Am Northern Institute of Technology Hamburg-Harburg beginnen im Herbst 1999 Masterstudiengänge in Structural Engineering Science, Environmental Engineering und Production Technology
- Das International Center for Graduate Studies der Universität Hamburg bietet ab Herbst 1999 Studiengänge in Intercultural Studies, Law and Economics, Environmental Sciences, Life Sciences, Structure of Matter
- Das Stuttgart Institute of Management and Technology bietet ab Herbst 1999 Masterstudiengänge in International Management, Finance and Investment, Information Systems
- Die Hochschule für Wirtschafts- und Sozialwissenschaften in Lahr/Schwarzwald bildet ab Herbst 1999 zum Diplom-Kaufmann aus.

Studiengänge für internationales Management sollen Ende 1999 in Dortmund, für Ingenieur-, Kultur-, Sozial- und Naturwissenschaften im Herbst 2000 in Bremen sowie für internationales Recht in Hamburg gestartet werden.

Struktur: Charakteristisch für die neuartigen P. mit straffen, praxisorientiert angelegten Studiengängen sind die internationale Ausrichtung und die häufig enge Verbindung mit öffentlichen Hochschulen, von deren Laboratorien und Bibliotheken sie profitieren. Viele P. werden zumindest in der Anfangsphase z. T. durch öffentliche Gelder finanziert und nehmen Studiengebühren, die aber für viele Studenten durch Stipendien ausgeglichen werden.

Kritik: Die Hochschulrektorenkonferenz warnte Anfang 1999 vor einer Bevorzugung der Privatuniversitäten gegenüber den öffentlichen Hochschulen und verwies auf die 1999 gegründete International University in Bremen, die 230 Mio DM an öffentlichen Geldern erhielt, während der Bildungsetat des Landes insgesamt 400 Mio DM umfasst.

Rechtschreibreform

Die im Juli 1996 von Deutschland, Österreich, der Schweiz und Liechtenstein getroffene Vereinbarung zur Reform der deutschen Rechtschreibung trat wie geplant zum 1.8.1998 in Kraft; innerhalb einer sieben-

BILANZ 2000

Bildung
Lernen im weltweiten Wettbewerb

Die internationale Konkurrenzfähigkeit von Bildungssystemen prägt Ende des 20. Jh. die Bildungspolitik in den Industriestaaten. Mit einem Anteil von 84% eines Jahrgangs mit Abitur oder abgeschlossener Lehre lag Deutschland nach einer OECD-Studie Ende der 90er Jahre auf Weltrang 2 hinter den USA; gleichzeitig belegen nach einer internationalen Vergleichsuntersuchung (1998) Schüler deutscher Oberstufen-Abschlussklassen im mathematischen Grundwissen unter 24 Ländern den 13., in der höheren Mathematik nur den 21. Platz. Das Max-Planck-Institut für Bildungsforschung (Berlin) hielt Ende der 90er Jahre 80% der deutschen Gymnasiasten in der Oberstufe zu selbstständigen Problemlösungen für nicht fähig. Diese Ergebnisse ließen die Diskussion nach einer Bildungsreform laut werden: Gefordert werden kürzere Schul- und Studienzeiten bei besserer Überwachung der Leistungen an Schulen und Hochschulen. Wegen langer Studienzeiten lagen die Ausgaben für Studenten an Hoch- und Fachschulen mit 46 000 US-Dollar klar über dem OECD-Mittelwert (26 000 US-Dollar), obwohl Deutschland mit 5,9% des BIP für Bildung nur einen Mittelrang einnahm (OECD-Schnitt: 5,9%).

Positive Trends

▸ Die Einschulungsrate erreichte Ende der 90er Jahre weltweit mit 80% einen Höchststand.

▸ Einige Bundesländer (u. a. Baden-Württemberg) verlangen Studiengebühren, um die Hochschulen von Langzeitstudierenden zu entlasten.

▸ Die teilweise Aufhebung der Koedukation an deutschen Schulen zielt auf eine bessere Förderung von Mädchen insbes. in Naturwissenschaften, Mathematik, Technik und Information.

Negative Trends

▸ Die Bildungs- und Forschungsetats von Staat und Wirtschaft in Deutschland sind in den 90er Jahren um 8% auf 305 Mrd DM gesunken.

▸ Laut UNESCO führt die Schuldenlast zur Kürzung der Bildungsetats in Entwicklungsländern.

Studentendemonstration gegen den Numerus clausus, 1971

Meilensteine
Chancengleichheit und »Studentenschwemme«

1900: Als erster deutscher Staat lässt das Großherzogtum Baden Frauen zum Universitätsstudium zu.

1901: Die Berliner Konferenz macht den Duden zur Grundlage der deutschen Einheitsrechtschreibung.

1910: Paul Geheeb (D) gründet die Odenwaldschule als Vorbild für Koedukation, Schülerselbstverwaltung und Einführung von Wahlfächern.

1912: Die Universität Frankfurt am Main ist die einzige Hochschul-Neugründung während des deutschen Kaiserreichs.

1919: Leiter der ersten Waldorfschule in Stuttgart wird Rudolf Steiner, Begründer der Anthroposophie.

1919: Die einzige während der Weimarer Republik gegründete deutsche Universität nimmt in Hamburg den Lehrbetrieb auf.

1919: Die Weimarer Verfassung sichert Gebühren- und somit Chancengleichheit im Pflichtschulbereich.

1945: Als UN-Sonderorganisation für Bildung, Wissenschaft und Kultur wird die UNESCO gegründet.

1955: Das Düsseldorfer Abkommen vereinheitlicht das Schulwesen in den Ländern der BRD.

1961: Durch Einführung eines in Entwicklungsländern viel beachteten Volksbildungssystems senkt das Regime von Fidel Castro in Kuba die Analphabetenrate von 24% auf 4,3% Ende der 90er Jahre.

1965: Die Ruhr-Universität Bochum ist die erste von mehr als einem Dutzend neuer Universitäten, die in den 60er und 70er Jahren in der BRD eröffnet werden.

1968: Ein leistungsbezogener Numerus clausus soll die »Studentenschwemme« in der BRD stoppen.

1972: Die gymnasiale Oberstufe in der BRD wird in die Kollegstufe umgestaltet: Auflösung der Klassenverbände zugunsten von Kursgruppen, Ersetzung der sechsstufigen Notenskala durch ein Punktesystem.

1973: Als UN-Einrichtung wird mit Sitz in Tokio die Weltuniversität gegründet; europäische Ableger befinden sich in Maastricht und Helsinki.

1973: Mit der Errichtung der Zentralstelle für die Vergabe von Studienplätzen (ZVS) in Dortmund wird das im GG (Art. 7, 12) garantierte Recht auf freie Wahl der Ausbildungsstätte teilweise aufgehoben.

1974: In Hagen wird die erste Fernuniversität der BRD gegründet.

1983: In Witten wird die erste deutsche Privatuniversität eröffnet.

1998: In deutschsprachigen Ländern gilt die Rechtschreibreform.

jährigen Übergangszeit gilt eine Schreibung nach alten Regeln nicht als falsch.

Urteile: Im Juli 1998 hatten der Verfassungsgerichtshof Österreichs und das Bundesverfassungsgericht (BVerf., Karlsruhe) Beschwerden gegen die Reform zurückgewiesen.

Umstellung: In den meisten deutschen Bundesländern war der Schulunterricht bereits zum Schuljahr 1996/97 auf die neuen Regeln umgestellt worden. Am 27.9.1998 erhielten bei einem Volksentscheid in Schleswig-Holstein die Gegner der Rechtschreibreform mit 56,4% der Stimmen die Mehrheit, sodass in dem Bundesland weiterhin nach den alten Regeln unterrichtet werden muss.

Die neuen Schreibweisen wurden im Amtsdeutsch für offizielle Formulare und Gesetzestexte in den meisten Bundesländern zum 1.8.1998 oder 1.1.1999 eingeführt. Zum 1.8.1999 sollen sie auch für die Bundesbehörden, Schleswig-Holstein und Mecklenburg-Vorpommern gelten. Die großen Nachrichtenagenturen in Deutschland, Österreich und der Schweiz beabsichtigten eine Umstellung zum 1.8.1999.

Regeln: Die Rechtschreibreform reduziert die Zahl der Rechtschreibregeln von 212 auf 112, der Kommaregeln von 52 auf neun. Besonders gravierend sind die Ersetzung von »ß« durch »ss« nach kurzen Vokalen, die Eindeutschung einiger Fremdwörter, neue Silbentrennungsregeln sowie Vereinfachungen bei der Groß-/Klein- und der Getrennt-/Zusammenschreibung.

Schule

Im Schuljahr 1998/99 sank erstmals seit der deutschen Vereinigung (1990) die Zahl der Schüler an den allgemeinbildenden Sch. in Deutschland. Als Hauptursache wurde der

▅▅ Schülerzahlen nach Schultypen[1]	
Hauptschulen	−1,1
Realschulen	+1,9
Orientierungsstufe	+3,8
Gymnasien	+1,1
Gesamtschulen	+1,3
Freie Waldorfschulen	+2,3
1) Veränderung gegenüber Vorjahr (%); Stand: Schuljahr 1998/99	

Schule: Leistungstests

▶ **Zeitpunkt:** Nach einem Beschluss der Kultusministerkonferenz der Länder (KMK) sollen im Jahr 2000 erstmals die schulischen Leistungen in den einzelnen Bundesländern anhand von Tests mit rund 40 000 Schülern im Alter von 15 Jahren so geprüft werden, dass ein aussagekräftiger Ländervergleich möglich ist.

▶ **Projekt:** Der Leistungsvergleich erfolgt im Rahmen der OECD-Studie Pisa: Programme for International Student Assessment, die in 30 Ländern durchgeführt werden soll. Die Bundesländer wollen über den OECD-Test hinaus mutter- und fremdsprachliche Kenntnisse prüfen.

starke Geburtenrückgang vor allem in den neuen Bundesländern nach der Wende Anfang der 90er Jahre gesehen.

Schülerzahlen: Nach Angaben des Statistischen Bundesamtes (SB, Wiesbaden) betrug die Gesamtschülerzahl 1998/99 rund 10,1 Mio, 34 500 (0,3%) weniger als im Schuljahr 1997/98. In den Grundschulen der neuen Länder war der Rückgang der Schülerzahl mit 14% besonders hoch, im alten Bundesgebiet sanken die Grundschülerzahlen leicht um 0,1%. Die Zahl der Schulanfänger sank nach lt. Kultusministerkonferenz (KMK, Bonn) zum 1998/99 bundesweit um 9,9% auf 866 100. In Ostdeutschland war dagegen ein Rückgang um 32,6% zu verzeichnen.

Abiturienten: Die Zahl der Schüler mit einem Abschluss der allgemeinen Hochschul- oder der Fachhochschulreife erhöhte sich 1997/98 im Vergleich zum Jahr um 1,3%. Der seit 1994 zu beobachtende Trend hielt an: Die Zahl der Abiturienten und Absolventen mit Fachhochschulreife erhöhte sich 1994–98 im Osten um 46,3%, im Westen nur um 6,9%. Rund 52% aller Absolventen mit allgemeiner Hochschul- oder Fachhochschulreife waren weiblich (D-Ost: 59,1%, D-West: 50,8%).

Lehrerbestand: An den allgemeinbildenden und beruflichen Schulen in Deutschland unterrichteten im Schuljahr 1997/98 rund 783 000 hauptberufliche sowie 82 000 teildenweise beschäftigte Lehrkräfte etwa 12,7 Mio Schüler. Angesichts angespannter Haushalte reagierten die Bundesländer auf den Anstieg der Schülerzahlen nicht mit Neueinstellungen von Lehrern, sondern z.B. mit Erhöhung der wöchentlichen Pflichtstundenzahl, Kürzung von Ermäßigungsstunden für ältere Lehrkräfte, Anhebung

Schule: Aufbau des Bildungssystems in Deutschland

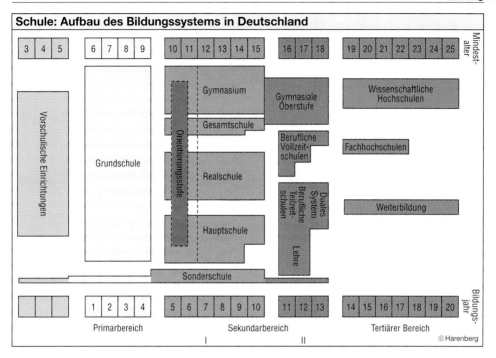

von Klassenobergrenzen und/oder Kürzung des Lehrangebots. Während die Schülerzahlen 1997/98 im Vergleich zum Schuljahr 1993/94 um 5,7% wuchsen, erhöhte sich die Anzahl der Lehrer nur um 2,3%. Die Schülerfrequenz pro Klasse stieg in den allgemeinbildenden Schulen von 21,9 (1993) auf 22,4 (1997), die wöchentlich erteilten Unterrichtsstunden pro Schüler gingen im gleichen Zeitraum von 1,47 auf 1,41 zurück. 17,6% aller hauptberuflichen Lehrer waren im Schuljahr 1997/98 älter als 55 Jahre (1993/94: 10,5%), nur 10,4% (1993/94: 12,7%) 35 Jahre und jünger

Lehrer-Neueinstellungen: Um dem Lehrerbedarf und den Abgängen durch Pensionierungen Rechnung zu tragen, müssten 1997–2000 nach Berechnungen des Deutschen Instituts für Wirtschaftsforschung (DIW, Berlin) jährlich rund 15 000 Vollzeitlehrer eingestellt werden. Tatsächlich gab es nach einer Umfrage der Gewerkschaft Erziehung und Wissenschaft (GEW) zum Schuljahr 1998/99 einen Stellenzuwachs in Baden-Württemberg (400), Bayern (333),

Hamburg (112), Rheinland-Pfalz (480) und Schleswig-Holstein (100). In Nordrhein-Westfalen wurde trotz eines Anstiegs der Schülerzahlen um 52 000 keine zusätzliche Lehrerstelle eingerichtet, in Bremen, Hessen und dem Saarland wurden sogar Stellen abgebaut.

Kosten für Schulunterricht: Nach 1999 veröffentlichten SB-Angaben gaben die öffentlichen Schulen in Deutschland 1996 pro Schüler etwa 8200 DM aus, 100 DM mehr als im Vorjahr. Der größte Teil entfiel mit 6700 DM auf den Personalaufwand. Am teuersten war die Schulausbildung in den Stadtstaaten Hamburg (11 800 DM), Bremen (10 000 DM) und Berlin (9 500 DM, jährlichen Ausgaben pro Schüler), am günstigsten in Brandenburg (6 800 DM) sowie Mecklenburg-Vorpommern und Sachsen (je 6600 DM).

Gymnasiale Oberstufe: Die Kultusminister der Länder verständigten sich im März 1999 auf größere Gestaltungsspielräume bei der Organisation der gymnasialen Oberstufe. Bayern und Baden-Württemberg wol-

73

In dieser 9. Klasse eines Hamburger Gymnasiums werden alle Fächer mit Hilfe von vernetzten Computern unterrichtet.

jährige Oberstufe ein, bei der neben Noten des 12. und 13. Jahrgangs auch die der zweiten Schuljahreshälfte des 11. Jahrgangs ins Abitur eingehen. Zugleich wurde der Abiturtermin um drei Monate vorverlegt.

Mobilität: Bei der Lehrerausbildung verständigten sich die Kultusminister auf größere Toleranz, um die Mobilität von Lehrern zu erhöhen. Zeugnisse aus anderen Bundesländern sollen großzügiger anerkannt werden, um Barrieren beim Umzug von Schülern in ein anderes Bundesland abzubauen.

len die Zahl der Abiturfächer von vier auf fünf erhöhen und das Kurssystem neu regeln. Niedersachsen beabsichtigt, die Rolle der Naturwissenschaften im Abitur zu stärken, Rheinland-Pfalz führte im Schuljahr 1998/99 eine zweieinhalbjährige statt zwei-

Sommerferien

Die Kultusministerkonferenz der Länder (KMK) einigte sich im Mai 1999 auf eine Neuregelung der S. für die Jahre 2003 bis 2008. Danach erstreckt sich der gesamte Ferienzeitraum auf elf Wochen, von der letzten Juniwoche bis Mitte September. Die Kernzeit der sechswöchigen Ferien soll außer für Bayern und Baden-Württemberg auch für Nordrhein-Westfalen künftig im August liegen. In den 13 anderen Bundesländern beginnen die Sommerferien zu einem früheren Zeitpunkt.

http://www.kmk.org

Studenten

Unter den 270 000 Studenten, die sich in beiden Semestern des Studienjahres 1998 neu an deutschen Hochschulen einschrieben, belegten nach Angaben des Statistischen Bundesamts (SB, Wiesbaden) 35,2% Fächer aus dem Bereich Rechts-, Wirtschafts- und Sozialwissenschaften, gut jeder Fünfte entschied sich für Sprach- und Kulturwissenschaften, 17,2% wählten Ingenieurwissenschaften. Der seit Anfang der 90er Jahre bestehende rückläufige Trend beim Ingenieurstudium wurde gestoppt.

Absolventen: Die Hochschul-Absolventen 1997 in Deutschland waren im Durchschnitt beim Abschluss ihres Erststudiums 28,2 Jahre alt und hatten 5,9 Jahre studiert. Die durchschnittliche Studienzeit betrug an den Universitäten 6,6 und an den Fachhochschulen 5,1 Jahre. Knapp die Hälfte der Absolventen erwarb einen Universitätsabschluss (z.B. Diplom oder Magister), fast ein Drittel ein Fachhochschuldiplom und rund 12% schlossen ein Lehramtsstudium ab. 10% der Absolventen hatten promoviert.

Schule: Sommerferien 2000–2002		2000	2001	2002
Baden-Württ.		27.7.–9.9.	26.7.–8.9.	25.7.–7.9.
Bayern		27.7.–11.9.	26.7.–10.9.	1.8.–16.9.
Berlin		20.7.–2.9.	19.7.–1.9.	4.7.–17.8
Brandenburg		20.7.–2.9.	19.7.–29.8.	4.7.–14.8
Bremen		13.7.–26.8.	28.6.–11.8.	20.6.–31.7.
Hamburg		20.7.–30.8	19.7.–29.8.	4.7.–14.8.
Hessen		23.6.–4.8.	21.6.–3.8.	27.6.–9.8.
Meckl.-Vorp.		20.7.–30.8.	19.7.–29.8.	4.7.–14.8.
Niedersachsen		13.7.–23.8.	28.6.–8.8.	20.6.–31.7.
Nordrh.-Westf.		29.6.–12.8.	5.7.–18.8.	18.7.–31.8.
Rheinland-Pfalz		23.6.–4.8.	28.6.–10.8.	4.7.–16.8.
Saarland		22.6.–2.8.	21.6.–1.8.	27.6.–7.8.
Sachsen		13.7.–23.8.	28.6.–8.8.	20.6.–31.7.
Sachsen-Anhalt		13.7.–23.8.	28.6.–8.8.	20.6.–31.7.
Schlesw.-Holst.		20.7.–2.9.	19.7.–1.9.	4.7.–14.8.
Thüringen		13.7.–23.8.	28.6.–8.8.	20.6.–31.7.

Stand: Juni 1999; Quelle: Ständige Konferenz der Kultusmin. der Länder (Bonn), http//www.kmk.org

Herkunft: Nach der 1998 vorgelegten 15. Sozialerhebung des Deutschen Studentenwerks (DSW, Bonn) ging der Anteil der Arbeiterkinder an den Universitätsstudenten 1997 im Vergleich zu 1982 von 16 auf 14% zurück, bei den Fachhochschulstudenten betrug er 1997 rund 26%. Von den Kindern, deren Eltern keinen Hochschulabschluss und eine einfache berufliche Stellung hatten, besuchten bei einem Anteil an der Gesamtbevölkerung von 52% nur 8% eine Hochschule.

Materielle Situation: Nach einer Untersuchung des unternehmernahen Instituts der deutschen Wirtschaft (Köln) musste ein Student, der nicht bei den Eltern lebte und 1998 ein Studium an einer westdeutschen Universität abschloss, im Durchschnitt ca. 99 000 DM für den Lebensunterhalt ausgeben; in Ostdeutschland waren es 72 000 DM. Nach DSW-Angaben musste 1998 ein Student im Monatsdurchschnitt in Ostdeutschland mit 1007 DM, in Westdeutschland mit 1392 DM auskommen. 69% der west- und 57% der ostdeutschen Studenten arbeiteten neben dem Studium.

Vergünstigungen: Nach einer Anfang 1999 veröffentlichten Untersuchung der

Studienabbrecher im Vergleich[1]

Land		Anteil
Italien		66
Portugal		51
Österreich		47
Frankreich		45
Belgien		37
USA		37
Niederlande		30
Schweiz		30
Deutschland		28
Finnland		25
Irland		23
Großbritannien		19
Japan		11

1) Anteil der Abbrecher in %, gemessen an der Zahl der Studienanfänger; Stand: Ende der 90er Jahre; Quelle: OECD, Globus

Universität Mannheim, die sich auf Befragungen von Studenten in Heidelberg, Mannheim und Karlsruhe stützte, sparte ein Studierender durch den Studentenausweis

Studenten an den Universitäten der Bundesländer

		Männer	Frauen	Ausländer	Gesamtzahl
Baden-Württ.		77 593	53 642	16 134	131 235
Bayern		93 601	84 828	13 338	178 429
Berlin		53 687	51 215	13 801	104 902
Brandenburg		7612	9424	1875	17 036
Bremen		8764	8405	1439	17 169
Hamburg		28 697	21 703	4106	50 400
Hessen		48 334	41 975	9935	90 309
Meckl.-Vorp.		7118	7995	649	15 113
Niedersachsen		62 776	54 572	8247	117 348
Nordrh.-Westf.		153 118	133 223	25 318	286 341
Rheinland-Pfalz		28 260	28 405	5349	56 665
Saarland		9916	8295	2075	18 211
Sachsen		25 445	24 703	2962	50 148
Sachsen-Anhalt		8666	9202	790	17 868
Schlesw.-Holst.		12 682	13 149	1524	25 831
Thüringen		11 529	10 591	894	22 120

Stand: Wintersemester 1997/98; Quelle: Statistisches Jahrbuch für die Bundesrepublik Deutschland

z. B. durch Mensaessen, kostenlosen Internet-Zugang, niedrige Wohnheimmieten sowie diverse Befreiungsmöglichkeiten und Rabatte pro Semester im Schnitt 1187 DM. Anfang 1999 gab es an 70 Hochschulstandorten in Deutschland die Möglichkeit zur kostengünstigen Nutzung öffentlicher Verkehrsmittel durch ein Semesterticket, das bei der Rückmeldung zusammen mit den Verwaltungsgebühren für die Universität bezahlt werden muss. Freistellungen für Rad- und Autofahrer waren nicht möglich.
http://www.bmbf.de

Studiengebühren

Ein befristetes Verbot von Studiengebühren, wie es die SPD befürwortete, wurde in das 1998 noch unter der christlich-liberalen Regierung verabschiedete Hochschulrahmengesetz nicht aufgenommen. Die neue Bundesbildungsministerin Edelgard Bulmahn (SPD) strebte die Festschreibung eines solchen Verbots im Rahmen eines Staatsvertrags mit den Ländern an. Bis zur Verabschiedung einer bundesweiten Regelung entscheiden die Bundesländer, ob sie Gebühren erheben. In Berlin und Niedersachsen mussten Studenten Mitte 1999 eine Semester-Einschreibgebühr von 100 DM zahlen, in Baden-Württemberg wurde eine vergleichbare Gebühr vom Verwaltungsgerichtshof für verfassungswidrig erklärt, da sie den tatsächlichen Verwaltungsaufwand erheblich überstieg. Seit dem Wintersemester 1998/99 müssen Studenten in Baden-Württemberg, welche die Regelstudienzeit um vier Semester überschreiten, pro Semester 1000 DM zahlen.
http://www.bmbf.de

Virtuelle Universität

Nach einer Studie der Bertelsmann Stiftung (Gütersloh) gab es 1997 (letztverfügbarer Stand) an 66 deutschen Hochschulen 161 virtuelle Lernprojekte, die meisten davon Kooperationsunternehmen. Im Juli 1998 startete das auf fünf Jahre angelegte Verbundprojekt Virtuelle Universität Oberrhein (Viror) mit einem multimedial und über das Internet zugänglichen Studienangebot in den Fächern Informatik, statistische Physik, Statistik, Wirtschaftswissenschaften, Psychologie und Medizin. Beteiligt waren die Universitäten Freiburg, Heidelberg, Karlsruhe und Mannheim. Die Fernuniversität Hagen strebte an, bis zum Jahr 2000 ihr gesamtes Lehrangebot zu virtualisieren.
http://vu.fernuni-hagen.de

Studiengebühren: Bundesländer im Vergleich

Baden-Württemberg: Alle Studenten müssen ab dem Wintersemester 1998/99 100 DM Einschreibegebühren zahlen. Langzeitstudenten (Überschreitung der Regelstudienzeit um fünf Semester) müssen für sog. Bildungsgutscheine 1000 DM pro Semester entrichten.

Bayern: In Bayern werden allgemeine Studiengebühren abgelehnt. Das neue Bayerische Hochschulgesetz sieht Gebühren von 800–1200 DM je Semester für Zweitstudenten vor (Ausnahmen für Zusatz-, Ergänzungs-, Aufbau- und Promotionsstudium).

Berlin: In Berlin werden 100 DM Einschreibegebühren je Semester für alle Studenten erhoben. Wissenschaftssenator Radunski forderte allgemeine Studiengebühren.

Brandenburg: Die brandenburgische Landesregierung plante 1998 keine Studiengebühren an ihren Hochschulen.

Bremen: Den Vorschlag der SPD, Einschreibegebühren in Höhe von 100 DM für alle Studenten einzuführen, lehnte die CDU 1998 ab.

Hamburg: In Hamburg gab es 1998 keine Planungen zur Einführung einer Studiengebühr.

Hessen: Die Landesregierung lehnte 1998 die Einführung von Studiengebühren ab.

Mecklenburg-Vorpommern: Die Landesregierung sprach sich 1998 gegen die Einführung von Studiengebühren aus.

Niedersachsen: Ab dem Sommersemester 1999 werden Rückmeldegebühren in Höhe von 100 DM je Semester erhoben.

Nordrhein-Westfalen: Die Landesregierung lehnt Studiengebühren ab.

Rheinland-Pfalz: An den Hochschulen wurden keine Studiengebühren erhoben.

Saarland: Die von der SPD geführte Landesregierung sprach sich 1998 gegen die Einführung von Studiengebühren aus.

Sachsen: An den sächsischen Hochschulen müssen ab dem Sommersemster 1998 zunächst Zweitstudenten 600 DM und Fernstudenten 100 DM je Semester zahlen.

Sachsen-Anhalt: Die Studenten müssen keine Studiengebühren entrichten.

Schleswig-Holstein: An den Hochschulen von Schleswig-Holstein wurden 1998/99 keine Studiengebühren erhoben.

Thüringen: In Thüringen gab es bis Mitte 1999 keine Planungen über die Einführung einer Studiengebühr.

Börse

Aktien

A. verbriefen Teilhaberrechte an einer Aktiengesellschaft (AG). Der Eigentümer von A. ist mit dem Nennwert seiner A. am Grundkapital der AG beteiligt.

Deutschland: Während bis in die 90er Jahre meist A. mit einem Nennwert von 50 DM bzw. 100 DM an deutschen Börsen gehandelt wurden, hatten die AG 1999 bis auf wenige Ausnahmen ihre A. auf einen Nennwert von 5 DM umgestellt und die Geldanlage in A. noch populärer gemacht. Die Zahl der Aktionäre stieg 1998 in Deutschland um rund 15% auf 4,4 Mio (1997: 3,9 Mio), der Anteil der Aktien am Gesamtvermögen der Privathaushalte lag im Jahresdurchschnitt bei 7,1% (1997: 6,2%).

Euro-Einführung: Zum 1.1.1999 wurden die Kursnotierungen an den deutschen Börsen auf die Währung Euro umgestellt. Schon vorher hatten viele deutsche AG angefangen, ihre A. auf Stück-A. (auch nennwertlose Stück-A.) umzustellen. Die Menge der existierenden A. einer AG orientiert sich nicht mehr nach Grundkapital: 5 DM Nennwert pro A., sondern nach Grundkapital: Anzahl der von der AG ausgegebenen A. Der Eigentümer einer Stück-A. besitzt damit mit seiner A. einen rechnerischen Anteil am Grundkapital der Gesellschaft.

Vermögensbildung: Seit 1.1.1999 genießen Arbeitnehmer, die von ihrem Arbeitgeber vermögenswirksame Leistungen (VWL) erhalten, großzügige Unterstützung aus staatlichen Fördermitteln. Die Arbeitnehmersparzulage für A.-Fondssparen wurde auf jährlich 160 DM aufgestockt (+20%). Bürger in den neuen Bundesländern erhalten sogar 200 DM (+25% Sparzulage) für Beteiligungen bis zu 800 DM/Jahr. Die Einkommensgrenze, bis zu der die Förderung an Arbeitnehmer gezahlt wird, wurde auf 40 996 DM für Alleinstehende bzw. auf 80 046 DM für Verheiratete angehoben.

Besteuerung: Seit 1.1.1999 werden Kursgewinne stärker besteuert; die Spekulationsfrist für Wertsteigerungen von A. in Privatbesitz wurde von sechs auf zwölf Monate erhöht und gilt rückwirkend zum 15.4.1998. So konnten Gewinne aus Aktienanlagen z.B. erst nach dem 15.4.1999 steuerfrei realisiert werden, wenn diese Aktien exakt ein Jahr

Aktien und Geldvermögen[1]

Jahr	Wert
1998	7,1
1997	6,2
1996	6,5
1995	5,8
1994	5,7
1993	6,1
1992	4,8
1991	5,2
1990	5,4

1) Anteil der Aktien am Vermögen der Privathaushalte (%); Quelle: Börse Online 2/1999

TOP TEN Aktien nach Umsatz

		Kurswert	Anteil
1.	DaimlerChrysler	486,3[1]	9,3[2]
2.	Deutsche Bank	323,5	6,2
3.	Siemens	262,2	5,0
4.	Allianz	258,0	4,9
5.	SAP Vorzugsaktien	252,5	4,8
6.	Volkswagen	231,5	4,4
7.	Mannesmann	184,8	3,5
8.	Bayer	165,3	3,2
9.	Veba	164,1	3,1
10.	BASF	150,5	2,9

1) Kurswert (Mrd DM); 2) Anteil am Börsenumsatz (%); Stand: 1998; Quelle: Deutsche Börse AG (http://www.exchange.de, factbook 1998)

77

Aktienmarkt ausgewählter Börsen[1]

Italien	🇮🇹	+40,9
Spanien		+35,1
Frankreich	🇫🇷	+31,2
Deutschland		+17,7
USA	🇺🇸	+17,3
Schweiz	🇨🇭	+12,4
Großbritannien	🇬🇧	+7,3
Japan	●	–3,1
Hongkong		–4,3
Australien		–6,2
Singapur		–12,6
Kanada	🇨🇦	–16,5

1) Marktentwicklung 1998 (%); Quelle: Börse Online 2/1999

Aktienbesitzer[1]

Unternehmen	37,5
Privatpersonen	15,7
Ausland	15,3
Staat	10,9
Kreditinstitute	9,5
Versicherungen	5,6
Investmentfonds	5,5

1) Anteil (%) am Aktienbesitz 1998; Quelle: VDI-Nachrichten, 27.11.1998

Im Verhältnis zur Einwohnerzahl ist Schweden das Land mit den meisten Aktionären (ca. 46%). In den USA besitzen etwa 19% der Bevölkerung Aktien, während in Großbritannien rund 17% der Einwohner über Unternehmensanteile verfügen. Frankreich liegt mit rund 10% Aktionären noch vor Japan (8,7%) und Deutschland (5,4%).

Aktien: Zahl der Aktionäre[1]

USA	🇺🇸	51,4
Japan	●	11,0
Großbritannien	🇬🇧	10,0
Frankreich	🇫🇷	5,7
Deutschland		4,4
Schweden		4,1

1) Mio; Stand: 10/98; Quelle: Handelsblatt, 28.12.1998

vorher erworben wurden und die Kursgewinne die Freigrenze von 1000 DM übersteigen. Finanzinstitute und Fondsmanager kritisierten die Verlängerung der Spekulationsfrist als schädlich für den Finanzplatz Deutschland. Diese Maßnahme könnte nach ihrer Auffassung den Trend zur Aktie bei den Privatanlegern in Deutschland umkehren.

Aktienrecht

Mit dem seit Mitte 1998 gültigen A. wurden Kontrolle und Transparenz von Unternehmen erhöht und die Möglichkeiten für den Erwerb eigener Aktien durch die Firmen erleichtert.

Die Hauptversammlung der Aktionäre kann ein Unternehmen zum Rückkauf eigener Aktien an der Börse bis zu 10% des Grundkapitals ermächtigen. Die Genehmigung ist auf 18 Monate befristet. Der Handel in eigenen Aktien ist jedoch untersagt, und der Rückerwerb muss aus frei verfügbaren Mitteln erfolgen. Zu Aktienrückkäufen kommt es meist, wenn sich die Gesellschaft unterbewertet sieht oder ihre Kapitalstruktur optimieren möchte.

Mit dem Rückkauf eigener Aktien lassen sich die Dividendenpolitik stabil halten, die Eigentümerstruktur besser beeinflussen und in begrenztem Rahmen Übernahmeversuche abwehren. Mit zurückerworbenen Aktien können auch Modelle zur Vergütung und Mitarbeiterbeteiligung mitfinanziert werden.

Anleihen

Fest oder variabel verzinsliche Wertpapiere mit fester, meist längerer Laufzeit. Der Käufer einer A. erhält zu einem bestimmten Termin den vorher festgesetzten Zins und am Ende der Laufzeit sein Kapital zurück.

A. werden von Banken, Unternehmen, Bund, Ländern und Kommunen ausgegeben. Die meisten A. sind an den Wertpapierbörsen zum Handel und zur offiziellen Börsennotierung eingeführt. Dies ist vor allem für die Investmentfonds wichtig, die immer eine offizielle Bewertung ihrer Portfolios (Wertpapierbestand) benötigen. Ferner ermöglicht die Börsennotierung den Kauf oder Verkauf von A. während der Laufzeit an den Wertpapierbörsen zu offiziellen Kursen.

Arten: Es wird zwischen in- und ausländischen A. und Eurobonds unterschieden. Inlands-A. werden von einem inländischen Emittenten (Schuldner) im Inland in inländischer Währung ausgegeben. Sie unterliegen dem inländischen Recht, der Handel wird meist über ein nationales Clearingsystem zur Abrechnung von Geschäften abgewickelt (in Deutschland: Deutsche Börse Clearing). Auslands-A. sind i.d.R. Schuldverschreibungen eines ausländischen Emittenten in dessen Währung und Land. Sie unterliegen dem Recht des jeweiligen Staates. Die Platzierung erfolgt meist über ein inländisches Konsortium, z. B. Yankeebonds in den USA, Samurais in Japan oder Bulldogs in Großbritannien.

Eurobonds: A. werden von internationalen Bankenkonsortien übernommen und in mehr als einem Land – meist außerhalb des Landes des Emittenten – abgesetzt. Die A.-Währung ist oft eine andere als die des Emittenten-Landes. Den Handel regeln internationale Clearingstellen wie Euroclear (Brüssel) oder Cedel (Luxemburg). Dominierende Emissionswährung am Eurobond-Markt ist der US-Dollar (Anteil 1998: rund 38%). Die Abgrenzung von Eurobonds gegenüber in- und ausländischen A. ist international nicht einheitlich und kann je nach Sichtweise zu unterschiedlichen Ergebnissen führen. Ein Eurobond für Anleger weltweit heißt Globalbond. Der erste Globalbond wurde 1989 von der Weltbank ausgegeben.

Jumbo: Seit Anfang 1998 hat sich das Marktsegment der von Hypothekenbanken ausgegebenen Jumbo-Pfandbriefe etabliert. Eine Jumbo-Emission hat ein Volumen von mind. 1 Mrd DM bzw. 500 Mio Euro. Jumbo-Pfandbriefe gelten in Zeiten niedriger Zinsen als interessante Anlagealternative bei A., da sie bei kaum größerem Risiko eine höhere Rendite als A. öffentlicher Schuldner abwerfen.

Börse

Handelsplatz für Wertpapiere, insbes. Aktien- und Rentenpapiere

Der seit 1992 anhaltende weltweite Aktienboom setzte sich 1998 fort. Der US-amerikanische Dow-Jones-Index erhöhte sich 1998 um 16% auf 9181,43 Punkte und überwand im März 1999 erstmals die 10 000-Punkte-Marke.

Deutschland: Der deutsche Aktienindex DAX stieg 1998 um 18,5% und bis Juni 1999 nochmals um 9%. An den deutschen

---

Börse: Die wichtigsten Begriffe

▶ **Amtlicher Handel:** Marktsegment der Börsen mit den strengsten Formvorschriften. Hier werden die großen Standardwerte gehandelt. Auf den Amtlichen Handel folgen der Geregelte Markt und der Freiverkehr mit jeweils geringeren Auflagen an die Emittenten.

▶ **Arbitrage:** Geschäft, das Preisunterschiede für dasselbe Objekt an verschiedenen Märkten (vor allem Börsen) zur Gewinnerzielung ausnutzt. Dazu muss die Kursdifferenz größer sein als die durch das Geschäft entstehenden Kosten.

▶ **Baisse:** Kursrückgang an der Börse, Gegensatz: Hausse.

▶ **Bezugsrecht:** Recht des Aktionärs, bei einer Kapitalerhöhung seiner AG z. B. durch Aufnahme weiterer Mittel über die Börse neue (junge) Aktien zu erwerben. Bezugsrechte können an der Börse gehandelt werden.

▶ **Blue Chip:** Aktie höchster Qualität von AG mit erstklassiger Bonität und guten Wachstumsperspektiven.

▶ **Bond:** engl. Begriff für Anleihe, Obligation, Schuldverschreibung.

▶ **Bulle und Bär:** Symbolfiguren der Börse; der Bulle steht mit erhobenem Kopf für die Hausse (Börsenaufschwung), der Bär auf allen Vieren mit gesenktem Kopf für die Baisse.

▶ **Chart:** Grafische Darstellung von Kursverläufen der Wertpapiere oder Indizes.

▶ **Derivate:** Finanzinstrumente wie Optionen, Terminkontrakte/Futures und Swaps.

▶ **Dividende:** Ausgeschütteter Gewinn einer Aktiengesellschaft an den Aktionär.

▶ **Emission:** Ausgabe neuer Wertpapiere (Aktien, Anleihen) durch einen Emittenten (z. B. Unternehmen oder Länder) an Kapitalanleger, meist über Banken.

▶ **Genussscheine:** Verbriefen ihren Besitzern keine festen Zinsen, sondern das Recht auf einen Anteil am Reingewinn des entsprechenden Unternehmens. Im Gegensatz zum Aktionär ist der Genussscheininhaber auf Hauptversammlungen des Unternehmens nicht stimmberechtigt.

▶ **Geregelter Markt:** siehe Amtlicher Handel.

▶ **Hausse:** siehe Baisse

▶ **Institutionelle Anleger:** Versicherungs- und Kapitalanlagegesellschaften sowie Pensionsfonds, die einen hohen Prozentsatz der neuen Wertpapiere dauerhaft übernehmen.

▶ **Kurswert:** Betrag, den ein Wertpapier zu einem bestimmten Zeitpunkt (z. B. bei Kursfeststellung an einer Börse) wert ist. Der Kurswert richtet sich nach der Marktentwicklung (Angebot und Nachfrage) und kann vom Nominalwert erheblich abweichen.

▶ **Nominalwert/Nennwert:** Der auf einem Wertpapier aufgedruckte Betrag des Papiers. Bei festverzinslichen Wertpapieren

die Summe, die der Emittent dem Inhaber eines Papiers schuldet und ihm am Ende der Laufzeit zurückgeben muss. Siehe Kurswert.

▶ **Performance:** Bezeichnung für die Steigerungsrate von Kursen oder die Leistung des Managements von Investmentgesellschaften. Der Begriff wird auch im Zusammenhang mit der Umsatzsteigerung von Börsen verwendet.

▶ **Portfolio/Portefeuille:** Gesamtheit der Anlage in Wertpapieren eines Kunden oder Unternehmens.

▶ **Rendite:** Tatsächliche Verzinsung von Kapital unter Betrachtung z.B. von Kauf- und Rückzahlungskursen sowie Laufzeit bei festverzinslichen Wertpapieren zusätzlich zum Zins.

▶ **Shareholder Value:** Unternehmenspolitik, die vor allem auf die Erhöhung der Rendite für die Aktionäre des Unternehmens ausgerichtet ist.

▶ **Zerobonds** (auch Null-Kupon-Anleihen): Anleihen ohne laufende Verzinsung. Statt dessen werden sie stark unter dem Nominalwert emittiert und bei Fälligkeit zum Nominalwert eingelöst. Zu diesem Zeitpunkt sind mögliche Gewinne bei Zerobonds zu versteuern und insofern zur Altersvorsorge interessant.

▶ **Zertifikate:** Anteilsscheine von Investmentfonds. Der Begriff wird z.T. auch für Genussscheine verwendet.

▰ Börsen-Umsätze in Deutschland		
1998	5237,69	5249,05	10646,58[1]
1996	2441,85	6556,86	8998,71
1997	3717,48	5253,59	8971,07
1995	1733,21	6353,76	8087,01
1994	2017,90	5479,34	7497,23
1993	1985,84	4881,38	6867,25

1) Umsätze gesamt (Mrd DM);
Quelle: Deutsche Börse AG

▮ Aktien (Mrd DM)   ▯ Renten (Mrd DM)

▰ Die wichtigsten Börsen[1]	
Frankfurt/M.	82,2
Stuttgart	4,9
Düsseldorf	4,3
Berlin	3,7
München	3,1
Sonstige	1,8

1) Anteil am Aktienumsatz im 1.Quartal 1999, inkl. Xetra-Handel; Quelle: Börsen-Zeitung, 8.4.1999

Wertpapierbörsen (Spitzenreiter: Frankfurt/M. mit 78,3% des Gesamtumsatzes) wurde 1998 der Rekordumsatz von 10,65 Billionen DM erzielt. Während die Aktienumsätze allein an der Frankfurter Wertpapierbörse um 57% zunahmen, waren die Rentenmarktumsätze leicht rückläufig. Die Terminbörse Eurex (ehemals DTB) wies einen Anstieg des Volumens um 63% auf 248 Mio Kontrakte auf.

Probleme: Die Gleichschaltung der EDV-Strukturen an allen acht deutschen B. Ende der 80er Jahre und ihre Konzentration in Frankfurt/M. setzten maßgebliche Wettbewerbsparameter außer Kraft. Für die Regional-B. (u.a. Düsseldorf, Hamburg und München) stellte sich stärker als in den Vorjahren die Frage, wie sie wirtschaftlich neben der umsatzstarken Frankfurter B. mit ihren elektronischen Handelssystemen bestehen können. Sie spezialisierten sich auf bestimmte Anlegerkreise oder Produkte (Auslandsaktien, Optionsscheine) und boten z.B. längere Handelszeiten an.

Asienkrise: Die Wirtschaftskrise in Asien setzte sich 1998 fort. Das Abgleiten der japanischen Volkswirtschaft (BIP 1998: −2,9%) und die sich verschärfende Bankenkrise bei gleichzeitiger Reformunfähigkeit der Politik ließen den Yen dramatisch sinken. Auch die übrigen Währungen der Region gerieten unter Druck. Die befürchtete Abwertung des chinesischen Yuan und ein starker Zinsanstieg führten zum neuerlichen Absturz der asiatischen Aktienmärkte (Tokio: −9,28%, Hongkong: −6,29%).

Russlandkrise: Das Schuldenmoratorium Russlands im August 1998 beendete endgültig die russische Aktien-Hausse. Nach einem Rückgang der Aktienkurse um über 30% im Januar 1998 verlor die Moskauer Börse nach Bekanntgabe des Schuldenmoratoriums 17% an einem einzigen Börsentag (27.8.1998). Die Krise griff auf Aktien-, Renten- und Devisenmärkte in aller Welt über.

Gesetz: Mit dem seit April 1998 geltenden deutschen Finanzmarktförderungsgesetz soll die internationale Wettbewerbsfähigkeit der deutschen Wirtschaft durch Entlastung von Steuern, Sozialabgaben und sonstigen Kosten sowie Deregulierung und Privatisierung gestärkt werden. Dazu gehört u.a. die Versorgung der mittelständischen Wirtschaft mit Risikokapital und die Verbesserung der B.-Aufsicht. Die Haftungsfrist für B.-Zulassungsprospekte wurde von 30 auf 3 Jahre verkürzt, ein Stückaktiengesetz ermöglicht die Ausgabe von Aktien ohne Nennbetrag, um die Umstellung auf den Euro zu erleichtern.

Harmonisierung: Die Vorstandsvorsitzenden der acht führenden europäischen Börsen (Amsterdam, Brüssel, Madrid, Mailand, Frankfurt, London, Paris und Zürich) unterschrieben im Mai 1999 in Madrid ein Memorandum of Understanding (MOU) über die Kooperation bei der Harmonisierung der Märkte und dem Aufbau eines paneuropäischen Aktienmarktes. Die europäische Allianz gründet aus der Partnerschaft zwischen der Deutschen Börse in Frankfurt/M. und der London Stock Exchange vom Juli 1998.

http://www.exchange.de

Computerbörse

Elektronischer Handelsplatz für Wertpapiere (z.B. Aktien, Renten) und Derivate (z.B. Optionen, Terminkontrakte)

Neben dem Handel an der Präsenzbörse, zu dem sich die Börsenmakler an den acht deutschen Börsenplätzen Berlin, Bremen,

Düsseldorf, Frankfurt, Hamburg, Hannover, München und Stuttgart im Börsengebäude für ihre Geschäfte »auf dem Parkett« treffen, ist es seit 1989 Maklern und Bankenhändlern möglich, den Handel per C. der Deutschen Börse AG (DBAG) von einem beliebigen Standort aus am Computer abzuwickeln und auf Marktinformationen zuzugreifen. Mit dem Einsatz von C. soll der Handel transparenter, schneller und preiswerter gestaltet werden. Durch elektronische Anbindung können auch ausländische Händler am deutschen Wertpapiermarkt teilnehmen.

Probleme: Mit der Einführung von Xetra verloren die Regionalbörsen an Umsatz. Im Gegensatz zum Xetra-Vorgängermodell IBIS sind sie nicht mehr automatisch am Xetra-Handel beteiligt. Die DBAG, die Xetra für den dominierenden deutschen Börsenplatz Frankfurt/M. entwickeln ließ, verlangt von den Regionalbörsen für die Aufnahme in Xetra Lizenzgebühren. Anfang 1999 beschloss die DBAG, dass die DAX-Indizes nur noch als Xetra-Werte berechnet werden, da 80% des Monatshandels mit den umsatzstarken DAX-Wertpapieren über die C. Xetra erfolgen. 1998 bot die DBAG den Regionalbörsen u. a. die kostenlose Nutzung von Xetra an, wenn im Gegenzug der Parketthandel eingestellt wird. Insbes. die Börsenmakler kämpfen um den Parkett- bzw. Präsenzhandel und damit um ihre berufliche Zukunft. Als Schwäche des Xetra werten sie, dass sich der Handel dort auf DAX- und relativ wenige liquide Werte konzentriert; für andere Wertpapiere gebe es an der C. keine realistische Preisfindung. Mitte 1999 war geplant, Makler als Spezialisten für die Betreuung aller Aktien außer Dax-Titeln in Xetra zu übernehmen.
http://www.exchange.de

Derivate

Finanzinstrumente wie Futures, Optionen und Swaps, deren Wert aus den jeweiligen zugrunde liegenden Vermögenswerten (Aktien, festverzinsliche Wertpapiere, Rohstoffe, Edelmetalle) oder Kursen (Wechselkurse, Zinsen) abgeleitet wird

Mit Hilfe von D. kann der Portfoliomanager (Vermögensverwalter) Marktrisiken gegen drohende Verluste (z. B. Zins- und Wechselkursrisiken bei Anleihen) absichern. Mit ihnen lassen sich auch Risiken kalkulieren, die sich aus Kursveränderungen von Währungen oder Zinsen ergeben.

Arten: D. werden an offiziellen Terminbörsen oder von Banken für ihre Kunden maßgeschneidert außerbörslich gehandelt.
– Optionen: Der Käufer einer Option erwirbt gegen Zahlung einer Prämie das Recht (nicht die Pflicht), z. B. Aktien oder Waren (Warenterminbörse) zu einem späteren Zeitpunkt und zu einem fest vereinbarten Preis zu erwerben (Call-Option) oder zu veräußern (Put-Option). Der max. Verlust liegt für den Käufer der Option in der Höhe der gezahlten Prämie, falls er seine Option nicht ausübt.

TopTen Derivate: Umsätze an internationalen Terminbörsen[1]

	Land		Börse				
1.	USA	CBoT	64050508[2]			217138928[3]	281189436[4]
2.	Deutschland/ Schweiz	Eurex	102974310			145248177	248222487
3.	USA	CME	42991388			183627443	226618831
4.	USA	CBOE		214662909	(0)		214662909
5.	Großbritannien	Liffe	31689645			162411337	194100982
6.	Niederlande	AEX	61261431	(3447425)		64876496	
7.	Frankreich	Matif		(3898929 / 47533334)		51432263	
8.	Schweden	OM		(27514582 / 22037802)		49552384	
9.	Frankreich	Monep	36936786	(7192145)		44128931	
10.	Australien	SFE		(2352253 / 27802625)		30154878	

1) gehandelte Kontrakte 1998 (einfache Zählung); 2) Optionen; 3) Futures; 4) gesamt; Quelle: Deutsche Börse AG, www.exchange.de

– Futures sind Termingeschäfte, bei denen der Vertrag (Terminkontrakt) zum späteren Zeitpunkt bei vorher vereinbartem bzw. an der Börse festgestelltem Kurs erfüllt wird.
– Swaps sind Tauschgeschäfte im Devisenhandel, bei dem ein Partner einem anderen sofort Devisen zur Verfügung stellt und gleichzeitig Rückkauf zu festem Termin und Kurs vereinbart. Ggf. tauschen die Partner ihre Zinszahlungsverpflichtungen, um von den guten Konditionen, die der jeweils andere auf einem bestimmten Markt eher erzielen kann, zu profitieren.

Deutscher Aktienindex (DAX)

Kennzahl der 30 umsatzstärksten deutschen Aktienwerte

Funktion: Der D. wurde von der Arbeitsgemeinschaft der Deutschen Wertpapierbörsen, der Frankfurter Wertpapierbörse und der Börsen-Zeitung entwickelt und am 11.1.1988 eingeführt.

Entwicklung: 1998 stieg der D. gegenüber dem Vorjahr um 17,7% und bis Mitte 1999 nochmals um rund 9%. Die Werte der 30 umsatzstärksten deutschen Aktiengesellschaften, die vor allem an deutschen Börsen zum amtlichen Handel zugelassen sind, entsprechen rund 60% des gesamten Grundkapitals deutscher börsennotierter Aktiengesellschaften und 80% des deutschen Börsenumsatzes. In der D.-Entwicklung drückt sich die allgemeine deutsche Börsentendenz aus. Da er den durchschnittlichen Wertzuwachs des Aktienkapitals widerspiegelt, dient er als Vergleichswert bei Anlageentscheidungen.

Basis: Die Schlusskurse der 30 Aktien am Jahresultimo 1987 wurden als Basis gewählt und auf 1000 Indexpunkte festgesetzt. Der D. wird während der amtlichen Börsen-

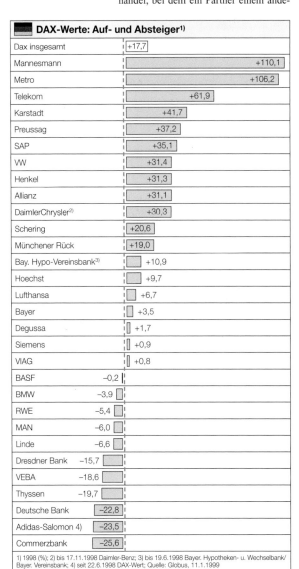

DAX-Werte: Auf- und Absteiger[1]

Dax insgesamt	+17,7
Mannesmann	+110,1
Metro	+106,2
Telekom	+61,9
Karstadt	+41,7
Preussag	+37,2
SAP	+35,1
VW	+31,4
Henkel	+31,3
Allianz	+31,1
DaimlerChrysler[2]	+30,3
Schering	+20,6
Münchener Rück	+19,0
Bay. Hypo-Vereinsbank[3]	+10,9
Hoechst	+9,7
Lufthansa	+6,7
Bayer	+3,5
Degussa	+1,7
Siemens	+0,9
VIAG	+0,8
BASF	–0,2
BMW	–3,9
RWE	–5,4
MAN	–6,0
Linde	–6,6
Dresdner Bank	–15,7
VEBA	–18,6
Thyssen	–19,7
Deutsche Bank	–22,8
Adidas-Salomon 4)	–23,5
Commerzbank	–25,6

1) 1998 (%); 2) bis 17.11.1998 Daimler-Benz; 3) bis 19.6.1998 Bayer. Hypotheken- u. Wechselbank/ Bayer. Vereinsbank; 4) seit 22.6.1998 DAX-Wert; Quelle: Globus, 11.1.1999

DAX-Zusammensetzung[1]

Auto und Zulieferer	18,36
Versicherungen	16,13
Versorger	14,69
Chemie	14,00
Banken	12,19
Elektro	9,47
Maschinenbau	7,59
Konsum	3,94
Eisen und Stahl	2,45
Transport	1,18

1) Anteil (%); Quelle: Börsen-Zeitung, 24.4.1999

zeit fortlaufend neu ermittelt; er dient auch als Grundlage für den deutschen Index-Terminhandel.

Dividendenstripping

Kombination aus Verkauf einer Aktie kurz vor dem Dividendentermin (Fälligkeit der Dividende, d. h. Zahlung des Anteils am Gewinn einer Aktiengesellschaft) und Rückkauf derselben Aktie kurz nach dem Dividendentermin.

Ziel: Durch D. soll die Differenz aufgrund des Dividendenabschlags zwischen dem Aktienkurs vor und nach der Dividendenzahlung als steuerfreier Kursgewinn vereinnahmt werden. Unter Berücksichtigung der im April 1999 von der rot-grünen Bundesregierung auf ein Jahr verdoppelten Spekulationsfrist kann eine steuerpflichtige Einnahme aus Kapitalvermögen (Dividende) in einen steuerfreien Spekulationsgewinn umgewandelt werden. D. eignet sich vor allem für ausländische Anteilseigner sowie für Aktionäre mit hoher Steuerprogression.

Dollarkurs

Entwicklung: 1998 kehrte der Dollar nach zwei Jahren des Anstiegs wieder in seinen langfristigen Abwärtstrend zurück. Nachdem er sich seit Anfang 1998 über Monate hinweg auf einem Niveau um 1,80 DM hielt, lag er zum Jahresende nur noch bei 1,67 DM. Der Kursrutsch erfolgte während der Finanzmarktturbulenzen u. a. als Folge der Asienkrise zwischen Ende August und Anfang Oktober 1998. Am 8.10.1998 fiel der Dollar auf sein Jahrestief von 1,59 DM. Hinzu kam die Befürchtung, dass die zum Jahreswechsel 1998/99 erwarteten Umschichtungen institutioneller Investoren in Euro-Anlagen zu Lasten des D. gehen könnten. Für exportorientierte Volkswirtschaften wie die deutsche bedeutet ein steigender D. höhere Einnahmen, während sich Importe verteuern.

Ursachen: Der 1998 fortgesetzte außenpolitische Konflikt mit dem Irak (u.a. Einsätze der US-Luftwaffe) wurde als Belastung für den Staatshaushalt der USA angesehen. Negativ auf den D. wirkte auch das (gescheiterte) Amtsenthebungsverfahren gegen Präsident Clinton im Frühjahr 1999 wegen der sog. Lewinsky-Affäre.

DAX: Börsenindizes

▶ **DAX-100:** Die umsatzstärksten 100 deutschen Aktienwerte (DAX und MDAX zusammengefasst).

▶ **Dow-Jones:** Die 30 wichtigsten Aktienwerte in den USA.

▶ **Dow-Jones (D J) STOXX:** Die 50 wichtigsten Aktienwerte in Europa.

▶ **FTSE 100:** Die 100 wichtigsten Aktienwerte in Großbritannien.

▶ **MDAX (Midcap Aktienindex):** Die auf die 30 DAX-Werte folgenden nächsten umsatzstärksten 70 deutschen Aktienwerte.

▶ **Nikkei:** Hauptindex der Börse Tokio.

▶ **PEX:** Pfandbriefindex, angelehnt an den REX.

▶ **REX:** Rentenindex, spiegelt den Markt der Staatspapiere am deutschen Markt für festverzinsliche Wertpapiere. Er beinhaltet alle Anleihen, Obligationen und Schatzanweisungen der Bundesrepublik Deutschland mit fester Verzinsung und Restlaufzeiten zwischen einem halben und 10,5 Jahren. Auf diesen Teilmarkt entfallen zwar nur 0,6% der Anzahl der emittierten Titel und rund 30% des Umlaufvolumens inländischer Emittenten, aber fast 90% der Börsenumsätze. Der REX ist ein gewichteter Durchschnittspreis aus 30 idealtypischen Anleihen.

▶ **SDAX:** Index für das Börsensegment SMAX (Small Cap Exchange) für weniger riskante, etablierte mittelständische Unternehmen; Eröffnung am 26.4.1999 mit über 80 zugelassenen Firmen.

▶ **Standard & Poors (S&P) 500:** Die 500 wichtigsten mittelständischen und kleineren Unternehmen.

Aussichten: Nach anfänglicher Schwäche bei Einführung des Euro zum Jahresbeginn 1999 stieg der Dollar wieder auf über 1,80 DM. Fortgesetztes Wirtschaftswachstum (1998: 3,8%), niedrige Arbeitslosigkeit (4,5%) und niedrige Inflation (1,6%) deuten auf eine stabile Entwicklung der US-Wirtschaft hin, was Geldanlagen in Dollar attraktiver macht als in europäischen Währungen.

Eurex
(European Exchange)

Im Herbst 1998 schlossen sich die 1988 gegründete Schweizer Terminbörse SOFFEX (Swiss Options and Financial Futures Exchange) und die 1990 als Lizenznehmerin des SOFFEX-Computerbörsen-Handelssystems in Betrieb genommene DTB (Deutsche Terminbörse) zur Computerbörse E. zusammen. Gehandelt werden Optionen und Terminkontrakte (Futures) der beiden Computerbörsen. Weitere Kooperationen bzw. technologische Allianzen wurden 1998 mit der französischen Terminbörse Matif (Marché à Terme International de France) und der größten Terminbörse der Welt CBOT (Chicago Board of Trade) angestrebt. Die Allianzen wurden als Angriff auf den bis dahin führenden europäischen Finanzplatz London verstanden, dessen Terminbörse Liffe (London International Financial Futures and Options Exchange) Marktführer beim Handel mit Geldmarktprodukten war.

Eurex und Liffe (gehandelte Kontrakte)

Optionen auf Bund-Futures

1. Quartal	585 374	2 804 259	17,27
2. Quartal	837 646	1 815 999	31,57
3. Quartal	2 736 714	564 636	82,90
4. Quartal	2 657 469	1508	99,94
gesamt	6 827 203	5 186 402	56,79

Derivate (Bund Futures)

1. Quartal	17 673 890	10 582 802	62,55
2. Quartal	20 118 273	3 576 185	84,91
3. Quartal	30 764 734	384 100	98,77
4. Quartal	21 320 943	5 450	99,97
gesamt	89 877 840	14 548 537	86,07

Stand: 1998; Quelle: Dt. Börse, www.exchange.de — Eurex | Liffe | Anteil Eurex (%)

Handelsvolumen: An der E. wurde 1998 der Rekordumsatz von 248,22 Mio gehandelten Kontrakten erzielt; sie stieg zur größten europäischen Terminbörse auf, im weltweiten Vergleich belegte sie den zweiten Rang hinter der CBOT. Allein im April 1999 wurden 26,5 Mio Kontrakte gehandelt. Im Vergleich zum Vorjahresmonat erzielte E. nach eigenen Angaben eine Steigerung um 26%. Der Gesamtumsatz der ersten vier Monate 1999 betrug über 110 Mio Kontrakte, 40 Mio (55%) mehr als im Vorjahreszeitraum. Auf Monatssicht war der BUND-Future mit 10,4 Mio gehandelten Kontrakten

TopTen Führende Internet-Broker

1. Schwab	93 000[1]	27,4[2]
2. Waterhouse Securities	42 000	12,4
3. E*Trade	39 992	11,8
4. Datek	33 965	10,0
5. Fidelity	31 900	9,4
6. Ameritrade	25 787	7,6
7. DLJ direct	12 656	3,7
8. Quick & Reilly	11 500	3,4
9. Discover	11 250	3,3
10. Andere zusammen	30 050	11,0

1) Transaktionen/Tag; 2) Marktanteil (%); Stand: 4. Quartal 1998; Quellen: Credit Suisse First Boston; Der Spiegel 11/1999

das umsatzstärkste Produkt an der E. (+54%) und der meistgehandelte Terminkontrakt der Welt. Der Handel in den Optionen auf den BUND-Future nahm mit rund 1,8 Mio Kontrakten im Vergleich zum Vorjahresmonat um mehr als 750% zu. Die Entwicklung beim Handel im Dow Jones Euro-STOXX 50 an der E. stieg 1998/99 weiter; der Terminmarkt wies für April 1999 einen Umsatz von mehr als 360 000 Kontrakten in Futures und Optionen aus. Im ersten Drittel 1999 wurden damit bereits über 1 Mio Futures und rund 380 000 Optionen gehandelt. Der Marktanteil der E. in diesem Bereich stieg im April auf über 95%.

Insider

(engl.; Eingeweihte), Mitglieder von Führungs- und Aufsichtsorganen von Unternehmen und Banken sowie Personen in deren Umfeld, die früher als die Allgemeinheit von wirtschaftlichen Vorgängen erfahren, die den Kurs eines Wertpapiers beeinflussen

Wer mit I.-Wissen Geschäfte auf eigene Rechnung unternimmt, kann andere Anleger schädigen. I.-Geschäfte sind strafbar. 1998 wurden über 1800 Ad-hoc-Hinweise (öffentliche Bekanntmachungen von Unternehmen, die sich auf den Kurs von Wertpapieren erheblich auswirken können) auf I.-Geschäfte untersucht. Das Bundesaufsichtsamt für den Wertpapierhandel (BAW, Frankfurt/M.), dem seit 1996 alle von Kreditinstituten und Börsenmitgliedern getätigten Geschäfte per EDV zur Auswertung mitgeteilt werden müssen, übergab lediglich 16 Fälle an die Staatsanwaltschaft. Bis Mitte 1999 wurde kein I. in Deutschland inhaftiert; die Verfahren wurden meist gegen Zahlung einer Geldstrafe eingestellt.

Internet-Broker

Unternehmen, die durch Bereitstellung von Hard- oder Software Wertpapierhandel via Internet ermöglichen

Konkurrenz erwuchs den Teilnehmern an Parkett-, Präsenz- und Computerbörsen 1998/99 durch die Möglichkeit des preisgünstigen elektronischen Wertpapierhandels via Internet.

Markt: Mitte 1999 nutzten bundesweit bereits 400 000 Anleger das Internet für Börsentransaktionen. Nach einer Prognose des

US-Marktforschungsinstituts Forrester Research sollen es bis Ende 2002 rund 3,8 Mio sein. Weltweit werde es 2002 rund 14 Mio Internet-Wertpapierkonten mit einem Gesamtvolumen von 688 Mrd Dollar geben. In den USA wickelten 1998 über 20% der Anleger ihre Geschäfte direkt via Internet ab.

Vorteile: Die rund 70 I. warben mit geringen Kosten (bis zur Gratis-Abwicklung bei ausgewählten Wertpapieren), Verfügbarkeit rund um die Uhr, schnellem Infotransfer (Charts, Kursdaten, kursrelevante Nachrichten, Analysen u. a.) und sekundenschneller Ausführung inkl. Bestätigung der Geschäfte. Persönliche Beratung durch einen Fachmann fehlt bei den meisten I.; viele Anleger schätzen jedoch die anonyme Geschäftsabwicklung.

Nachteile: Die Zahl der Beschwerden über I. bei der US-Aufsichtsbehörde für das Wertpapiergeschäft (Securities and Exchange Commission, SEC) stieg in den ersten vier Monaten 1999 gegenüber dem Vorjahreszeitraum um 33% auf 759 an. Anleger beklagten verspätete Orderausführungen, Zugangsprobleme bei ihren Internetkonten und Fehler bei der Auftragsübermittlung. Die wachsende Unzufriedenheit resultierte jedoch z. T. aus dem erhöhten Online-Ordervolumen und der damit einhergehenden Belastung der Online-Systeme. Das tägliche Handelsvolumen der I. lag im vierten Quartal 1998 bei 340 000 Aufträgen; im ersten Quartal 1997 wurden nur etwa 95 000 Transaktionen/Tag elektronisch abgewickelt.

http://www.financial.de
http://www.investorama.com
http://www.onlineinvestors.com
Dienstleistungen → E-Cash → E-Commerce
Computer → Internet

Investmentfonds

Tendenz: Soziale und demographische Veränderungen in Deutschland (wachsende Zahl von Rentnern, abnehmende Zahl von Beitragszahlern), die eine private Altersvorsorge notwendig erscheinen lassen, fallende Zinsen und steigende Aktienkurse in Europa und Amerika sorgten auch 1998 für hohe Mittelzuflüsse bei den Investmentfonds. Die deutsche Investmentbranche erreichte bei den Publikums- und Spezialfonds 1998 einen neuen Höchststand von über 1,3 Bio DM.

TopTen Investmentfonds-Vermögen[1]

1. USA	🇺🇸	30 580
2. Kanada	🇨🇦	17 140
3. Frankreich	🇫🇷	15 460
4. Schweiz	🇨🇭	13 750
5. Österreich		9960
6. Schweden		9310
7. Spanien		8140
8. Großbritannien		7280
9. Niederlande		6740
10. Italien	🇮🇹	6540

1) Pro Kopf der Bevölkerung (DM); Stand: Jahreswechsel 1997/98; Quelle: Bundesverband Deutscher Investmentgesellschaften, Globus, 2.11.1998

Investmentfonds-Vermögen[1]

1998	405
1997	345
1996	287
1995	254
1994	229
1993	182
1992	143
1991	144
1990	127

1) Mrd DM; Quelle: Deutsche Bundesbank, Globus, 12.10.1998

Zum Vergleich: Deutschland lag in dieser Statistik mit einem Pro-Kopf-Vermögen in Investmentfonds von 4190 DM auf dem 16. Rang hinter Griechenland (4410 DM) und vor Portugal (2810 DM).

Innerhalb von neun Jahren hat sich das Investmentfonds-Vermögen in Deutschland mehr als verdreifacht.

Favoriten der privaten Anleger waren Aktienfonds mit einem Wert von 38,1 Mrd DM (1997: 29,4 Mrd DM, +30%). Die seit Oktober 1998 angebotenen Altersvorsorge-Sondervermögen-Fonds (AS-Fonds) erzielten Zuflüsse von 808,4 Mio DM. AS-Fonds (abgeschlossen als Sparverträge mit mind. 18 Jahren Laufzeit oder bis zur Vollendung des 60. Lebensjahres) legen die Gelder in Aktien, Immobilien und Firmenbeteiligungen an.

Weltmarkt: Das Fondsvermögen der Publikums-Wertpapierfonds, die im Gegensatz zu Spezialfonds einem breiten Publikum angeboten werden, stieg 1998 weltweit um 19,1% auf mehr als 15 Bio DM (Europa: +29 % auf 4,7 Bio DM). Eine erneut besonders starke Zunahme wies Italien auf

85

(+96%). Es folgten Belgien (+38%), Dänemark (+32%), Spanien (+24%), die Schweiz (+20%), Luxemburg (+19%), Portugal und Frankreich (je +18%) sowie Deutschland (+16%).

Aktienfonds: 1998 zahlten die Bundesbürger ca. 38 Mrd DM neu in die 493 Aktienfonds ein; der Aufwärtstrend setzte sich in den ersten Monaten 1999 fort. Besonders gefragt waren Fonds mit Anlageschwerpunkt Europa (29 Mrd DM). Auf deutsche Werte spezialisierte Fonds mussten dagegen mit 4,5 Mrd DM ein Minus von 600 Mio DM (−11,8%) hinnehmen. Aktienfonds hatten 1998 an der Gesamtheit der Publikumsfonds (564 Mrd DM) einen Anteil von 170 Mrd DM (ca. 30%), Rentenfonds 239 Mrd DM (rund 42%) und offene Immobilienfonds 84 Mrd DM (knapp 15%).

http://www.bvi.de

Neuer Markt

Segment für Wachstumsunternehmen an der Frankfurter Wertpapierbörse, das jungen und innovativen Unternehmen Zugang zum Kapitalmarkt verschafft. Die Kurse des N. schwanken stark, sodass Anlagen mit einem hohen Risiko verbunden sind.

Im Frühjahr 1999 wurden am N. Aktien von 77 Unternehmen gehandelt (1997: 18). Die Deutsche Börse AG führte 1997 den N. für Unternehmen ein, die nach den damaligen Regeln nicht als börsenreif galten. Die für den N. typischen Firmen kommen aus zukunftsträchtigen Branchen mit hohen Umsatz- und Gewinnperspektiven – z. B.

Die starken Kursänderungen der Spitzenwerte am Neuen Markt bestätigen, dass Anleger hier mit großem Risiko operieren.

Neuer Markt: Börsenwerte[1]	
1. MobilCom	7639,18
2. EM.TV & Merchandising	3823,99
3. Edel Music	1620,00
4. Infomatec	1540,00
5. SER Systeme	1228,50
6. Elsa	395,50
7. Transtec	299,20
8. Graphisoft	275,13
9. Lösch Umweltschutz	160,00
10. Beta Systems	133,92

1) in Mio DM; Stand: 1998; Quelle: Datastream; Wirtschaftswoche, 7.1.1999

Telekommunikation, Biotechnologie, Multimedia und Umwelttechnik. Einige der am N. notierten Werte (LHS, Quiagen, Pfeiffer Vacuum, SCM Microsystems) waren gleichzeitig an der US-Wachstumsbörse Nasdaq notiert, die im Vergleich zum N. wesentlich höhere Auflagen an die Unternehmen stellt.

Gewinner: Der Aktienkurs des Medienunternehmens EM.TV stieg 1998 von 27,75 DM um insgesamt 3345% auf 956 DM, ihr Anteil am N. lag mit 9,7% an zweiter Stelle hinter der MobilCom-Aktie (16,5 %). Der N. übertraf mit seinem Wachstum (1998: +174%) den Zuwachs aller anderen deutschen Börsensegmente. Für 1999 wurden rund 60 neue Börsennotierungen von Unternehmen erwartet. Die Aktien des N. waren

TOP TEN Neuer Markt: Gewinner und Verlierer[1]	
1. EM.TV & Merchandising	+3345,0
2. MobilCom	+726,1
3. SER Systeme	+370,2
4. Infomatec	+366,0
5. Edel Music	+271,6
6. Graphisoft	−61,2
7. Lösch Umweltschutz	−55,1
8. Transtec	−54,4
9. Elsa	−50,8
10. Beta Systems	−48,7

1) Kursentwicklung 1998 (%); Quelle: Datastream; Wirtschaftswoche, 7.1.1999

TOP TEN Neuer Markt: Gewichtung[1]	
1. MobilCom	16,48
2. EM.TV & Merchandising	9,65
3. LHS Group	5,80
4. Teldafax	5,26
5. Teles	4,93
6. Brokat	3,17
7. Infomatec	2,92
8. Aixtron	2,91
9. Qiagen	2,72
10. Kinowelt Medien	2,70

1) Index-Gewichtung, Februar 1999; Quelle: Börse Online

im Frühjahr 1999 rund 40 Mrd Euro wert; das entsprach rund 36,5% des Kapitals des MDAX (die 100 umsatzstärksten deutschen Unternehmen).

SMAX: Aufbauend auf dem Erfolg des N. folgte am 26.4.1999 die Einführung des SMAX (Small Cap Exchange). Das neue Börsensegment weist ein geringeres Chancen-/Risikoprofil als der N. auf und zielt auf etablierte Unternehmen aus mittelständischen Branchen. Am Start nahmen 91 Firmen teil, darunter drei, die ihren Börsengang gleichzeitig mit der Teilnahme am SMAX verbanden. Die Einführung des SDAX (Index, in dem die 100 größten deutschen Werte innerhalb des SMAX zusammengefasst sind) wurde für Mitte 1999 erwartet.
http://www.smax.de

Warentermingeschäfte

Bei W. wird die Abwicklung eines Kaufs oder Verkaufs von Waren (z. B. Öl, Getreide, Zucker) zu einem bestimmten Zeitpunkt vereinbart.

Warenterminbörsen als Rohstoffmärkte befassen sich mit den Eigentumsrechten, nicht mit der tatsächlichen körperlichen Verfügungsgewalt über die Ware. Teilnehmer können einen Preis für die Übertragung des Eigentums an einer Warenmenge zu einem bestimmten Termin vereinbaren. Für Produzenten sind W. ein Instrument zur Absicherung gegen Preisschwankungen. Spekulanten hoffen, die Ware zu einem höheren Preis wieder veräußern zu können.

Warenterminbörse Hannover: Am 17.4.1998 nahm Deutschlands erste Warenterminbörse in Hannover den Betrieb auf. Der grenzüberschreitende Terminhandel zunächst mit Kartoffeln und Schweinen war von Anfang an vollelektronisch ausgelegt. Angesichts des 1998 im Gegensatz zu Anfangsprognosen (200–300 Kontrakte/Tag) recht geringen Tagesumsatzes (45–70 Kontrakte/Tag) sollten 1999 auch Termingeschäfte auf Weizen und Altpapier ermöglicht werden. Die Hannoveraner Warenterminbörse plant für 1999 die Einführung von Futures auf elektrische Energie.

Konkurrenz: Im April 1999 gaben Vertreter der Deutschen Börse und der US-Terminbörse New York Mercantile Exchange (NYMEX) ihre Kooperation beim Aufbau einer deutschen Energiebörse bekannt.

Mittelfristig soll die Energiewirtschaft Trägerin der Börse werden, eine Standortentscheidung war Mitte 1999 allerdings noch nicht gefallen.
http://www.wtb-hannover.de

Xetra

Kunstwort für Exchange electronic trading: engl.; elektronischer Börsenhandel

1997/98 löste die Deutsche Börse AG (DBAG) in Zusammenarbeit mit der Unternehmensberatung Arthur Andersen Consulting die bestehenden Computerbörsen IBIS (Integriertes Börsenhandels- und Informationssystem) und IBIS-R (-Rentenhandel) durch das elektronische Handelssystem X. ab. Über X. sollen bis Ende 1999 alle deutschen Aktien- und Rentenpapiere gehandelt werden. Der Anteil von X. an den Aktienumsätzen in DAX-Werten, den umsatzstärksten deutschen Wertpapieren, stieg 1998/99 auf über 80%, in Rekordmonaten sogar auf über 90%.

Das täglich von 8.30 Uhr bis 17 Uhr verfügbare System kann pro Tag rund 900 000 Aufträge (110/sec) ausführen. Für ca. 900 Aktien werden fortlaufend die aktuellen Kurse ermittelt, für die weniger stark gehandelten Papiere (rund 1000) erfolgen im Laufe des Tages Auktionen. Außerdem werden ca. 360 Rentenpapiere und rund 30 Aktien-Optionsscheine gehandelt. Die vierte Ausbaustufe von X., welche die über 6000 in Deutschland existierenden Optionsscheine mit einschließen soll, wurde von 1999 auf Mitte 2000 verschoben.

Xetra: Herkunft der Teilnehmer[1]		
Deutschland		242
Großbritannien		15
Schweiz		7
Frankreich		5
Niederlande		4
Österreich		3
Spanien		2
Dänemark		1
Finnland		1
1) Banken, Maklerhäuser; Stand: Dezember 1998; Quelle: Deutsche Börse AG		

Den Computerhandel Xetra in Deutschland beherrschten 1998 mit einem Anteil von 86,4% die deutschen Banken und Maklerfirmen

Bund und Länder

Berlin-Umzug

Das deutsche Präsidialamt unter dem damaligen Staatsoberhaupt Roman Herzog nahm im November 1998 als erste Bonner Behörde seinen vollständigen Betrieb in der Hauptstadt Berlin auf. Der Deutsche Bundestag trat im April 1999 erstmals im Berliner Reichstagsgebäude zusammen. Trotz Verzögerungen bei den Bauten hielten Bundeskabinett und Bundestag an dem für Herbst 1999 geplanten B. fest. Bis zur Fertigstellung der neuen Gebäude sollen in Berlin Zwischenunterkünfte bezogen werden. Im November 1998 beschloss die rot-grüne Bundesregierung, bis zur endgültigen Umsiedelung einmal im Monat in der Hauptstadt zu tagen.

Kosten: Der für den Berlin-Umzug vorgesehene Kostenrahmen von 20 Mrd DM wird nach Angaben des Vorsitzenden der Baukommission des Parlaments, Dietmar Kansy, um 27 Mio DM überschritten. Trotz Einsparungen bei anderen Projekten führten Mehrkosten beim Bau des Abgeordnetenhauses (Jakob-Kaiser-Haus) und bei der Infrastruktur im Regierungsviertel insgesamt zu einer Überschreitung des Finanzrahmens um rund 1,3%.

Verzögerungen: Die meisten Bundestagsabgeordneten werden bis voraussichtlich 2001 in Übergangsquartieren logieren, weil sich die Fertigstellung des Jakob-Kaiser-Hauses und des Paul-Löbe-Hauses, in denen die Abgeordneten- und Ausschussbüros untergebracht werden sollen, verzögert. Auch Bundeskanzler Gerhard Schröder und seine Mitarbeiter werden länger als geplant im ehemaligen DDR-Staatsratsgebäude residieren müssen, weil der Bezugstermin für das neu errichtete Kanzleramt am Spreebogen von Ende 1999 auf Herbst 2000 verschoben wurde.

Planstellen: Die rot-grüne Bundesregierung legte im Dezember 1998 eine neue Umzug-Obergrenze für die in Bonn bleibenden Ministerien für Bildung, Gesundheit, Landwirtschaft, Umwelt, Verteidigung und Wirtschaftliche Zusammenarbeit fest. Danach sind Ressorts mit Hauptsitz in Bonn berechtigt, bis zu 25% ihrer Planstellen in Berlin anzusiedeln. Die 1992 festgelegte Quote von 10% wird nach Aussagen von Regierungssprecher Karsten Heye (SPD) in einigen Bundesministerien bereits durch unabdingbare Stellen im unteren und mittleren Dienst (z. B. durch Chauffeure, Pförtner, Sekretärinnen) erreicht.

Finanzhilfe: Alle Bundestagsfraktionen außer der PDS forderten im Frühjahr 1999 im Rahmen der Parteienfinanzierung zusätzliche Staatsmittel, um die umzugsbedingten finanziellen Belastungen auffangen zu können. Die Parteien planten im Umzugskostengesetz zur finanziellen Deckung von Sozialplänen, Umzugskosten und Eingliederungshilfen von 50 000 DM/Mitarbeiter.

Pendler: 2500–4000 Personen werden nach Einschätzung von Bundesbauminister Franz Müntefering (SPD) nach dem Regierungsumzug zwischen Berlin und Bonn pendeln. Zur Vermeidung von Transportengpässen kündigte der Minister Verhandlungen mit der Deutsche Bahn AG über eigene Pendlerzüge für Freitag und Montag an. Es sollten auch zusätzliche innerdeutsche Flüge eingerichtet werden.

Konkurrenz der Speditionen: Für Juli 1999 war die Räumung der ersten 5300 Bonner Büros geplant. Die 669 Bundestagsabgeordneten, 854 Fraktionsmitarbeiter sowie 2276 Verwaltungsangestellte sollten zusammen mit 36 Regal-km Büchern, 11 Regal-km Aktenordnern und 120 000 Büromöbelstücken nach Berlin umgesiedelt werden. Die Verlagerung des gesamten Hausstands der Behördenmitarbeiter kam als zusätzliche Aufgabe hinzu. 1998 entbrannte ein harter

Berlin-Umzug: Neubauten im Berliner Spreebogen

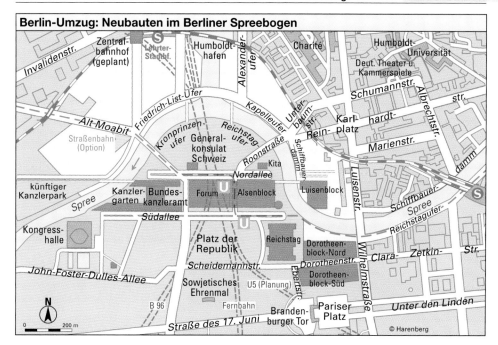

Invalidenstr.
Zentral-bahnhof (geplant)
Lehrter-Stadtbf.
Humboldt-hafen
Alexander-ufer
Charité
Humboldt-Universität
Deut. Theater u. Kammerspiele
Schumannstr.
Albrechtstr.
str.
Friedrich-List-Ufer
Alt-Moabit
Straßenbahn (Option)
Kronprinzen-ufer
Kapelleufer
Reichstag-ufer
Unter-baum-str.
Schiffbauer-damm
Karl-hardt-
Rein- platz
Marienstr.
Roonstraße
General-konsulat Schweiz
Kita
Nordallee
damm
künftiger Kanzlerpark
Spree
Kanzler-garten
Bundes-kanzleramt
Forum
Alsenblock
Luisenblock
Luisenstr.
Schiffbauer-
Spree
Reichstagufer
S
Südallee
Kongress-halle
John-Foster-Dulles-Allee
Platz der Republik
Reichstag
Dorotheen-block-Nord
Wilhelmstraße
Clara-
Zetkin-
Str.
Scheidemannstr.
Ebertstr.
Dorotheenstr.
Dorotheen-block-Süd
Sowjetisches Ehrenmal
U5 (Planung)
N
0   200 m
B 96
Fernbahn
Straße des 17. Juni
Branden-burger Tor
Pariser Platz
Unter den Linden
© Harenberg

Konkurrenzkampf zwischen Speditionsunternehmen um die Beteiligung am Jahrhundertgeschäft B.

http://www.bundesregierung.de
http://www.bundestag.de

Bundesgrenzschutz

(BGS), größte, 1951 gegründete Polizeibehörde des Bundes, die dem Bundesinnenministerium untersteht

Aufgaben: Der B. ist zuständig für die Sicherung der Staatsgrenze (30 km im grenznahen Raum), den Schutz von Bundesorganen und Ministerien sowie die Sicherheit auf Bahnhöfen und Flughäfen. Im Verteidigungsfall und in Fällen des sog. inneren Notstands kann der B. im gesamten Bundesgebiet als Polizeitruppe eingesetzt werden. Eine Spezialeinheit des B. ist die 1972 gebildete Grenzschutztruppe 9 (GSG 9) mit rund 180 Freiwilligen zur Terrorismusbekämpfung. 1998 verfügte der B. bundesweit über rund 40000 Bedienstete. Tätigkeitsschwerpunkte waren die Bekämpfung der illegalen Grenzübertritte sowie der

Schleuser- und der grenzüberschreitenden Kriminalität.

Neue Kompetenzen: Seit September 1998 darf der B. auf Bahnhöfen, in Zügen und auf Flughäfen ohne konkreten Verdacht Personen kontrollieren. Die Änderung des B.-Gesetzes erlaubt den Beamten, die Ausweispapiere zu verlangen und das Gepäck zu durchsuchen. Durch Erweiterung der Befugnisse sollten nach dem Willen von CDU/CSU, FDP und SPD Sicherheitsdefizite ausgeglichen werden, die Ende der 90er Jahre durch den Wegfall der Grenzkontrollen entstanden.

Kooperation: Im März 1999 vereinbarten der Bund und die Länder Baden-Württemberg, Hessen und Rheinland-Pfalz eine länderübergreifende Sicherheitspartnerschaft zwischen Polizei und BGS. Das einjährige Modellprojekt soll im Rhein-Neckar-Raum Fahndungen erleichtern und Kräfte bündeln. Die Verstärkung der Polizeipräsenz auf den Bahnhöfen der Region durch zusätzliche BGS-Streifen sollte Straftaten verhindern.

Ausländer → Schleuser
EU → Schengener Abkommen

89

Bundespräsidenten

Name	Partei	Amtszeit
Theodor Heuss (*31.1.1884–12.12.1963)	FDP	1949–59
Heinrich Lübke (*14.10.1894–6.4.1972)	CDU	1959–69
Gustav Heinemann (*23.7.1899–7.7.1976)	SPD	1969–74
Walter Scheel (*8.7.1919)	FDP	1974–79
Karl Carstens (*14.12.1914–30.5.1992)	CDU	1979–84
Richard Freiherr von Weizsäcker (*15.4.1920)	CDU	1984–94
Roman Herzog (*5.4.1934)	CDU	1994–99
Johannes Rau (*16.1.1931)	SPD	ab 1999

Bundespräsident, Deutscher

Das Staatsoberhaupt der Bundesrepublik Deutschland wird von der Bundesversammlung für fünf Jahre gewählt. Eine zweite Amtszeit des B., der vorwiegend repräsentative Aufgaben erfüllt, ist möglich.

Aufgaben: Der B. vertritt die Bundesrepublik Deutschland völkerrechtlich, ernennt und entlässt auf Vorschlag des Bundeskanzlers die Bundesminister, Bundesrichter und Bundesbeamten, schlägt dem Bundestag den Bundeskanzler zur Wahl vor, übt das Begnadigungsrecht aus und prüft die Verfassungsmäßigkeit von Gesetzen.

Wahl: Am 23.5.1999 wählte die Bundesversammlung den von SPD und Bündnis 90/Die Grünen nominierten früheren nordrhein-westfälischen Ministerpräsidenten (1978–98) Johannes Rau (SPD) zum achten B. der Bundesrepublik Deutschland. Der Nachfolger von Roman Herzog (CDU) setzte sich im zweiten Wahlgang gegenüber seinen Mitbewerberinnen, der Wissenschaftlerin Dagmar Schipanski (parteilos) und der Theologin Uta Ranke-Heinemann (parteilos), die von der CDU/CSU bzw. der PDS nominiert worden waren, mit der absoluten Mehrheit von 690 der 1338 Stimmen durch. Rau, der zweite sozialdemokratische Amtsträger in der Geschichte der Bundesrepublik, bot sich als Ansprechpartner auch für alle Menschen an, die ohne Pass in Deutschland leben und arbeiten.

Wahlgänge: Die gemeinsame Versammlung aller Abgeordneten des Bundestages und der Abgesandten der 16 Landtage in gleicher Zahlenstärke (1999: 1338 Mitglieder) bestimmten in geheimer Wahl den B. Im ersten Wahlgang fehlten Rau 13 Stimmen zur absoluten Mehrheit. Er erhielt 657 Stimmen, vier weniger als die Zahl der Wahlberechtigten von SPD und Bündnis 90/Die Grünen. Dagmar Schipanski bekam 588, Uta Ranke-Heinemann 69 Stimmen. Die Entscheidung im zweiten Wahlgang zugunsten Raus führte das Stimmverhalten der FDP herbei. Die Minderheit in der FDP, die Rau gegenüber der CDU-Kandidatin bevorzugte, hatte sich im ersten Wahlgang der Stimme enthalten, um sich nicht gegen das Mehrheitsvotum der eigenen Fraktion zu stellen. Im zweiten Wahlgang gab die FDP die Abstimmung frei, sodass auf Johannes Rau insgesamt 690 Stimmen entfielen, 20 mehr als zur absoluten Mehrheit nötig. Schipanski erreichte 572, Ranke-Heinemann 62 Stimmen.

Berlin-Umzug: Das Bundespräsidialamt nahm im November 1998 als erste und oberste der von Bonn in die deutsche Hauptstadt ziehenden Bundesbehörden seine Arbeit in Berlin auf. 150 Mitarbeiter, die den B. bei Information, Beratung und Oganisation unterstützen, bezogen den mit schwarzem Naturstein verkleideten ovalen Neubau (Kosten: 94 Mio DM). Das neue Bundespräsidialamt liegt 300 m von Schloss Bellevue entfernt, dem Amtssitz des B.

http://www.bundespraesident.de

Bundesrat

Föderatives Verfassungsorgan der Bundesrepublik Deutschland, in dem die 16 Länder bei der Gesetzgebung und der Verwaltung des Bundes mitwirken (Sitz: Bonn, ab 2000 voraussichtl. Berlin)

Mehrheitsverlust: Mit der Niederlage der rot-grünen Landesregierung bei der Wahl in Hessen im Februar 1999 büßte die SPD ihre Mehrheit im B. ein. Bis dahin verfügten die Bundesländer, die ohne Beteiligung von CDU und FDP regiert wurden, über 38 der 69 Stimmen. Zur Beschlussfassung ist eine Mehrheit von mind. 35 Stimmen erforderlich, wobei die Vertreter eines Bundeslandes geschlossen abstimmen müssen. Bei Differenzen innerhalb einer Koalitionsregierung ist Stimmenthaltung üblich.

Kompetenzen: Die wichtigste Funktion des B. liegt im Gesetzgebungsverfahren. Für Bundesgesetze, die Länderkompetenzen berühren, ist die Zustimmung des B. erforderlich. Gegen Gesetzentwürfe, die vom

Bundestag verabschiedet worden sind, kann der B. Einspruch erheben und die Einschaltung des Vermittlungsausschusses veranlassen, der den Gremien Einigungsvorschläge zur erneuten Beratung vorlegt.

Kräfteverhältnis: Die Mitglieder des B. werden von den Regierungen der Länder bestellt und abberufen. Jedes Bundesland verfügt je nach Einwohnerzahl über 3–6 Sitze. Durch die Niederlage bei der Hessenwahl verloren SPD und Bündnis 90/Die Grünen fünf Stimmen, sodass auf die von der SPD allein oder gemeinsam mit Bündnis 90/Die Grünen und der PDS regierten Länder nur noch 33 Stimmen entfielen, zwei weniger als für Mehrheitsentscheidungen nötig. Hans Eichel (SPD), der als hessischer Ministerpräsident den B.-Vorsitz turnusgemäß von November 1998 bis Oktober 1999 führen sollte, musste im Frühjahr 1999 den Posten an seinen CDU-Nachfolger Roland Koch vorzeitig abtreten. Ihm soll im November 1999 für ein Jahr der sächsische Landeschef Kurt Biedenkopf (CDU) folgen.

Regierung: Zur Durchsetzung von zustimmungspflichtigen Gesetzen im B. war die rot-grüne Bundesregierung ab Februar 1999 gezwungen, die Stimmen mind. eines von CDU oder FDP (mit)regierten Bundeslandes zu gewinnen. Vor allem die rheinland-pfälzische SPD/FDP-Koalition und die großen Koalitionen in Berlin, Bremen und Thüringen wurden als aussichtsreichste Kandidaten für eine Verständigung gewertet.

Opposition: Mit 21 Stimmen hatten die CDU-, CSU- und FDP-regierten Bundesländer bis Mitte 1999 nicht die erforderliche Mehrheit (35 Stimmen) im B., um aus eigener Kraft gegen einen Gesetzentwurf Einspruch zu erheben oder den Vermittlungsausschuss aus Bundestag und B. (je 16 Mitglieder) anzurufen.
www.bundesrat.de

Bundesrat: Sitzverteilung			
Baden-Württ.		CDU/FDP	6
Bayern		CSU	6
Berlin		CDU/SPD	4
Brandenburg		SPD	4
Bremen		CDU/SPD	3
Hamburg		SPD-Bündnis 90/Die Grünen	3
Hessen		CDU/FDP	5
Meckl.-Vorp.		SPD/PDS	3
Niedersachsen		SPD	6
Nordrh.-Westf.		SPD-Bündnis 90/Die Grünen	6
Rheinland-Pfalz		SPD/FDP	4
Saarland		SPD	3
Sachsen		CDU	4
Sachsen-Anhalt		SPD	4
Schlesw.-Holst.		SPD-Bündnis 90/Die Grünen	4
Thüringen		CDU/SPD	4
Stand: Juni 1999			

Bundesregierung, Deutsche

Oberstes kollegial gebildetes Bundesorgan der vollziehenden Gewalt in Deutschland (Sitz: Bonn, voraussichtl. ab September 1999 Berlin), bestehend aus Bundeskanzler und Bundesministern

Regierungswechsel: Die Bundestagswahl vom 27. September 1998 führte nach 16 Jahren CDU/CSU/FDP-Koalition zu einem Regierungswechsel. Als neuer Bundeskanzler übernahm Gerhard Schröder, Spitzenkandidat der SPD, in Koalition mit Bündnis 90/Die Grünen im Oktober 1998 die Regierungsgeschäfte. Die B. wurde durch Zusammenlegung der Ressorts Verkehr und Bauen von 16 auf 15 Bundesministerien (inkl. Bundeskanzleramt) verkleinert. Die SPD stellte Mitte 1999 zwölf, Bündnis 90/Die Grünen drei Minister. Der Rücktritt von Finanzminister und SPD-Parteichef Oskar Lafontaine im März 1999 u. a. wegen Differenzen innerhalb der B. über die Steuer- und Finanzpolitik führte zur ersten Kabinettsumbildung. Amtsnachfolger wurde der frühere hessische Ministerpräsident Hans Eichel (SPD).

Koalitionsvertrag: Im Oktober 1998 unterzeichneten SPD und Bündnis 90/Die Grünen den Koalitionsvertrag für die Regierungspolitik bis 2002. Wirtschaftliche Stabilität, soziale Gerechtigkeit, ökologische Modernisierung, außenpolitische Verlässlichkeit, innere Sicherheit und Stärkung der Bürgerrechte sowie die Gleichberechtigung der Frauen wurden als Grundlagen gemeinsamer Regierungsarbeit festgeschrieben. Die Bekämpfung der Massenarbeitslosigkeit (Mitte 1999: rund 4 Mio Erwerbslose) galt als oberstes Ziel, das Bündnis für Arbeit

▰ Bundesregierung: Kabinettsmitglieder

Ressort	Minister (Partei)	Anzahl der Staatssekretäre Beamtete	Parlament.
Bundeskanzler	Gerhard Schröder (SPD, * 7.4.1944)	1	2[1]
Äußeres	Joschka Fischer (B. 90/D. Grünen, * 12.4.1948)	2	2
Inneres	Otto Schily (SPD, * 20.7.1932)	2	2
Justiz	Herta Däubler-Gmelin (SPD, * 12.8.1943)	1	1
Finanzen	Hans Eichel (SPD, * 24.12.1941)	3	2
Wirtschaft/Technologie	Werner Müller (parteilos, * 1.6.1946)	2	1
Ernähr./Landw./Forsten	Karl-Heinz Funke (SPD, * 29.4.1946)	1	1
Arbeit/Soziales	Walter Riester (SPD, * 27.9.1943)	1	2
Verteidigung	Rudolf Scharping (SPD, * 2.12.1947)	2	2
Fam./Sen./Frauen/Jugend	Christine Bergmann (SPD, * 7.9.1939)	1	1
Gesundheit	Andrea Fischer (B. 90/D. Grünen, * 14.1.1960)	1	1
Verkehr/Bau-/Wohnungsw.	Franz Müntefering (SPD, * 16.1.1940)	2	3
Umwelt/Naturschutz/ Reaktorsicherheit	Jürgen Trittin (B. 90/D. Grünen, * 25.7.1954)	1	2
Bildung/Forschung	Edelgard Bulmahn (SPD, * 4.3.1951)	1	1
Wirtschaftliche Zusammen-arbeit/Entwicklung	Heidemarie Wieczorek-Zeul (SPD, * 21.11.1942)	1	1
Bundeskanzleramt	Bodo Hombach[2] (SPD, * 19.8.1952)	–	–

1) Bundesbeauftragter für kulturelle Angelegenheiten und Medien, Michael Naumann (SPD), und Bundesbeauftragter für Angelegenheiten der neuen Länder, Rolf Schwanitz (SPD), beide im Rang von Staatsministern; 2) bis Mitte 1999 im Amt; Stand: Juni 1999

zwischen allen gesellschaftlichen Kräften als wichtigstes Instrument.

Kontroversen: Die erste Phase der Regierungsarbeit war von Differenzen zwischen den Koalitionspartnern selbst und innerparteilichen Lagern von SPD und Bündnis 90/Die Grünen geprägt. Bis zur Sommerpause 1999 mussten zahlreiche Beschlüsse zurückgenommen oder nachgebessert werden. Vor allem die Themen Steuerreform, Atomkraftausstieg und der NATO-Einsatz im Kosovo zählten zu den Reibungspunkten.

Kürzung: Im Mai 1999 einigte sich die B. auf eine Kürzung der Übergangsgelder für Bundesminister und Parlamentarische Staatssekretäre, die nach dem Ausscheiden aus der Regierung ihr Bundestagsmandat behalten. Das Übergangsgeld für einen drei Jahre amtierenden Minister soll von bisher 244 000 DM auf 23 425 DM gesenkt werden.

Zuständigkeiten: Im Koalitionsvertrag legten SPD und Bündnis 90/Die Grünen eine neue Aufgabenverteilung zwischen den Ressorts fest. Das Finanzministerium wurde um Geschäftsbereiche des Wirtschaftsministeriums erweitert (Europapolitik, Strukturberichterstattung), das die Zuständigkeit für Technologie (Bildungsministerium) erhielt. Die Ressorts Gesundheit und Arbeit/Soziales tauschten die Bereiche Sozialhilfe und Pflegeversicherung untereinander aus. Neu eingerichtet wurde das Amt des Beauftragten für Angelegenheiten der neuen Länder.

Kulturbeauftragter: Der Bundesrat stimmte im Dezember 1998 einer Änderung des Staatssekretärgesetzes zu. Danach können auch Personen, die kein Bundestagsmandat haben, zum Staatsminister der Regierung ernannt werden. Die Neuregelung ermöglichte es dem Bundesbeauftragten für Kultur und Medien, Michael Naumann (SPD), den Titel zu führen, ohne Mitglied des Parlaments zu sein. Die neu eingerichtete Position des Kulturbeauftragten umfasst die Zuständigkeit u.a. für Kultur, Medien und Gedenkstätten (aus dem Innenministerium), Verlagswesen, Medien- und Filmwirtschaft .

http://www.bundesregierung.de

▓ Bundestag: Sitzverteilung 1949–1998

Legislatur-periode	CDU/CSU	FDP	SPD	Grüne	PDS	Sonstige	Sitze insgesamt[1]
1949–1953	139	52	131	–	–	80	402 (2)[2]
1953–1957	243	48	151	–	–	45	487 (3)
1957–1961	270	41	169	–	–	17	497 (3)
1961–1965	242	67	190	–	–	–	499 (5)
1965–1969	245	49	202	–	–	–	496
1969–1972	242	30	224	–	–	–	496
1972–1976	225	41	230	–	–	–	496
1976–1980	243	39	214	–	–	–	496
1980–1983	226	53	218	–	–	–	497 (1)
1983–1987	244	34	193	27	–	–	498 (2)
1987–1990	223	46	186	42	–	–	497 (1)
1990–1994	319	79	239	8	17	–	662 (6)
1994–1998	294	47	252	49	30	–	672 (16)
1998–2002	245	43	298	47	36	–	669 (13)

1) Bis 1987 ohne Abgeordnete Westberlins; 2) Überhangmandate; Quelle: Statistisches Bundesamt, http://www.statistik-bund.de

Bundestag, Deutscher

Zentrales Organ der politischen Willensbildung und oberstes Bundesorgan der Gesetzgebung in Deutschland mit vierjähriger Legislaturperiode

Wahl: Der 1998 neu gewählte 14. B. setzt sich aus 669 Abgeordneten (13. B.: 672 Abgeordnete) von sechs Parteien und fünf Fraktionen zusammen. Als erster Ostdeutscher wurde Wolfgang Thierse (SPD) zum B.-Präsidenten gewählt. Seine Stellvertreter sind Anke Fuchs (SPD), Rudolf Seiters (CDU/CSU), Antje Vollmer (Bündnis 90/ Die Grünen), Hermann Otto Solms (FDP) und Petra Bläss (PDS). Alterspräsident Fred Gebhardt (parteilos) gehört der PDS-Fraktion an. Im April 1999 trat der B. erstmals im Berliner Reichstag zusammen.

Fraktionen: Mit 298 Sitzen (inkl. 13 Überhangmandate) stellt die SPD die stärkste

▓ Bundestag: Ständige Ausschüsse und ihre Vorsitzenden

▸ **Europäische Union:**
Friedbert Pflüger (CDU/CSU)

▸ **Neue Länder:**
Paul Krüger (CDU/CSU)

▸ **Arbeit und Sozialordnung:**
Doris Barnett (SPD)

▸ **Auswärtiges:**
Hans-Ulrich Klose (SPD)

▸ **Bildung, Forschung und Technikfolgenabschätzung:**
Jürgen W. Möllemann (FDP)

▸ **Ernährung, Landwirtschaft und Forsten:**
Harry Peter Carstensen (CDU/CSU)

▸ **Familie, Senioren, Frauen und Jugend:** Christel Hanewinckel (SPD)

▸ **Finanzen:** Christine Scheel (Bündnis 90/Die Grünen)

▸ **Gesundheit:**
Klaus Kirschner (SPD)

▸ **Haushalt:**
Adolf Roth (CDU/CSU)

▸ **Inneres:**
Wilfried Penner (SPD)

▸ **Kultur und Medien:**
Elke Leonhard (SPD)

▸ **Menschenrechte und humanitäre Hilfe:** Claudia Roth (Bündnis 90/Die Grünen)

▸ **Petition:**
Heidemarie Lüth (PDS)

▸ **Recht:**
Rupert Scholz (CDU/CSU)

▸ **Sport:** Julius Beucher (SPD)

▸ **Tourismus:**
Ernst Hinsken (CDU/CSU)

▸ **Umwelt, Naturschutz und Reaktorsicherheit:**
Christoph Matschie (SPD)

▸ **Verkehr, Bau- und Wohnungswesen:**
Eduard Oswald (CDU/CSU)

▸ **Verteidigung:**
Helmut Wieczorek (SPD)

▸ **Wahlprüfung, Immunität und Geschäftsordnung:**
Erika Simm (SPD)

▸ **Wirtschaftliche Zusammenarbeit und Entwicklung:** Rudolf Kraus (CDU/CSU)

▸ **Wirtschaft und Technologie:**
Matthias Wissmann (CDU/CSU)

▬ Bundestag: Aufbau der fünf Fraktionen

Fraktion (Vorsitz)	Abgeordnete	Alter[1]	Frauen[2]
SPD (Peter Struck)	298	50,3	35
CDU/CSU (Wolfgang Schäuble)	245	50,7	18
Bündnis 90/Die Grünen (Kerstin Müller/Rezzo Schlauch)[3]	47	43,3	57
FDP (Wolfgang Gerhard)	43	50,7	21
PDS (Gregor Gysi)	36	46,9	36

1) Durchschnitt; 2) Anteil (%); 3) Fraktionssprecher; Stand: 1998; www.bundestag.de

Fraktion im dritten gesamtdeutschen B. (CDU/CSU: 245, Bündnis 90/Die Grünen: 47, FDP: 43, PDS: 36). Bei der Berufsstruktur der Parlamentarier blieb der öffentliche Dienst vorherrschend (47% aller Abgeordneten). Der Frauenanteil im B. betrug 31% (1994: 27%). Das jüngste B.-Mitglied war 22 Jahre, das älteste 70 Jahre alt.

Ausschüsse: Die Zahl der ständigen Ausschüsse zur Vorbereitung der parlamentarischen Gesetzesarbeit wurde um einen auf 23 erweitert. Während der Ausschuss für Post- und Telekommunikation aufgelöst und die Bereiche Verkehr und Bauwesen zum Infrastruktur-Ausschuss zusammengefasst wurden, entstanden drei neue Ausschüsse für Medien und Kultur, Menschenrechte und Aufbau Ost. Sozialdemokraten stellen 10, CDU/CSU 9, Bündnis 90/Die Grünen 2 sowie FDP und PDS je einen Vorsitzenden.

Parlamentsreform: Auch im neuen B. hielt 1999 die Debatte über die Effektivitätssteigerung an. B.-Präsident Wolfgang Thierse schlug vor, die Legislaturperiode auf fünf Jahre zu verlängern, um Verwaltungskosten bei Abgeordnetenwechseln ein-zusparen. Eine vom B. eingesetzte Reformkommission hatte 1997 beschlossen, die Zahl der Mandate ab der Wahlperiode 2002–06 von 656 (ohne Überhangmandate) auf 598 zu verringern.

■ Wahlen
http://www.bundestag.de

Bundesverfassungsgericht

(BVerfG, Sitz: Karlsruhe), höchstes deutsches Rechtsprechungsorgan, das 1951 eingerichtet wurde

Aufgaben: Das B. entscheidet über die Vereinbarkeit von Bundes- oder Landesrecht mit dem GG bei Konflikten zwischen Bund und Ländern oder innerhalb eines Landes (Normenkontrolle), über die Verwirkung von Grundrechten, die Verfassungswidrigkeit von Parteien, Anklagen von Bundestag oder Bundesrat gegen den Bundespräsidenten und über Richteranklagen. Außerdem beurteilt es Verfassungsbeschwerden von Bürgern, die 1998 mit 4676 Anträgen etwa 98% der Verfahren ausmachten. Die Erfolgsquote der Beschwerden betrug 2,6%.

▬ Bundesverfassungsgericht: Richter

Erster Senat	Vorschlag	Zweiter Senat	Vorschlag
Hans-Jürgen Papier (CSU)	CDU/CSU	Jutta Limbach (SPD)	SPD
Evelyn Haas (CDU)	CDU/CSU	Lerke Osterloh (parteilos)	SPD
Udo Steiner (parteilos)	CDU/CSU	Berthold Sommer (SPD)	SPD
Dieter Hömig (parteilos)	FDP	Winfried Hassemer (parteilos)	SPD
Dieter Grimm (parteilos)	SPD	Siegfried Broß (parteilos)	CDU/CSU
Jürgen Kühling (SPD)	SPD	Paul Kirchhof (parteilos)	CDU/CSU
Christine Hohmann-Dennhardt (SPD)	SPD	Klaus Winter (CDU)	CDU/CSU
Renate Jaeger (SPD)	SPD	Hans.-J. Jentsch (CDU)	CDU/CSU

Stand: Juni 1999

Überlastung: Obwohl die Zahl der einge-
gangenen Verfahren 1998 mit 4783 erstmals
seit 1993 unter 5000 lag, blieben Entlas-
tungsversuche des B. weitgehend erfolglos.
Zur Jahreswende 1999 blieb ein Rückstand
von 3193 unerledigten Verfahren (mit an-
hängigen Verfahren aus den Vorjahren), 216
Fälle weniger als 1997/98. Die von einer
elfköpfigen Kommission erarbeiteten Reformvorschläge, die den Entscheidungs-
spielraum des B. bei der Ablehnung von
Klagen vergrößern sollte, fanden 1998
keine Zustimmung bei den Richtern, weil
sie sich z. T. als nicht praktikabel erwiesen.
Zusammensetzung: Das B. besteht aus
zwei Senaten mit jeweils einem bzw. einer
Vorsitzenden sowie sieben Richterinnen
und Richtern. Jeder Senat bildet für ein Geschäftsjahr drei aus drei Richtern bestehende Kammern, die Verfassungsbeschwerden
durch einstimmigen Beschluss stattgeben
können, wenn sie begründet sind (d. h., der
Sachverhalt durch eine Entscheidung des B.
bereits geklärt ist), oder die Annahme einer
Verfassungsbeschwerde einstimmig ablehnen können, was nicht begründet werden
muss. Präsidentin des B. und Vorsitzende
des Zweiten Senats ist seit 1994 Jutta Limbach (SPD).
Personalwechsel: Im Herbst 1998 lösten
die Juraprofessorin Lerke Osterloh (parteilos, aber SPD-nah) und der ebenfalls parteilose, aber CSU-nahe Siegfried Broß,
Richter am Bundesgerichtshof, die Bundes-
verfassungsrichter Karin Graß (parteilos)
und Konrad Kruis (CSU) ab. Die ehemalige
hessische Wissenschaftsministerin Christine Hohmann-Dennhardt (SPD) wurde im
Januar 1999 Nachfolgerin von Helga Sei-
bert (SPD).
Richterwahl: Die Mitglieder des B. werden
je zur Hälfte von einem zwölfköpfigen Bun-
destagsausschuss und vom Bundesrat für
zwölf Jahre gewählt. Die gesetzlich vorgeschriebene Zweidrittelmehrheit, die eine
Abstimmung zwischen Regierung und Opposition erforderlich macht, führte in der
Praxis zu inoffiziellen Absprachen zwischen den Parteien über die Besetzung der
Richterposten. Vertreter von Bündnis
90/Die Grünen forderten 1999 mehr Transparenz bei der Wahl der Richter.
Wichtige Entscheidungen: Im Juli 1998
beendete das B. den jahrelangen Streit um
die Rechtschreibreform, indem es die Neu-

Bundesverfassungsgericht: 50 Jahre Grundgesetz

▶ **Wanderausstellung:** Im April 1999
wurde im Foyer des Bundesverfassungsgerichts in Karlsruhe eine Ausstellung zur Geschichte des deutschen
Grundgesetzes eröffnet, die bis zum
Jahr 2000 nach einer Station in München (11.6.–17.7.1999) in acht weiteren Städten zu sehen sein wird.

▶ **Inhalt:** Die von der Bundesrechtsanwaltskammer und der Bundeszentrale für politische Bildung gemeinsam
gestaltete Ausstellung bietet einen chro-
nologischen Rundgang durch die
deutsche Verfassungsgeschichte. Sie
stellt in ausführlicher Form Personen

und Themenbereiche vor, die zur Belebung und Weiterentwicklung des
Grundgesetzes wesentlich beigetragen haben.

▶ **Tourneeplan:** Ab August 1999 wird
die Austellung in folgenden Städten zu
sehen sein:
Köln 24.7.–27.8.1999
Oldenburg 3.9.–1.10.1999
Frankfurt/O. 8.10.–12.11.1999
Schwerin 19.11.1999–1.1.2000
Bremen 8.1.–3.2.2000
Kiel 11.2.–17.3.2000
Erfurt 24.3.–28.4.2000
Saarbrücken 5.5.–9.6.2000

---

regelung als verfassungsgemäß einstufte und
die Klage der Reformgegner einstimmig ablehnte. Mit der Anfang 1999 getroffenen Entscheidung zum Familienlastenausgleich beauftragten die Richter die rot-grüne Bundesregierung zur Bereitstellung von finanziellen
Mitteln für Steuerrückzahlungen an Ehepaare mit Kindern.

Steuern und Finanzen → Einkommen
www.jura.uni-sb.de

DDR-Unrecht

Die strafrechtliche Aufarbeitung des D. war
bis Mitte 1999 fast abgeschlossen. Das Referat II der Zentralen Ermittlungsstelle für Re-
gierungs- und Vereinigungskriminalität
(Zerv) der Berliner Polizei wurde Ende 1998
aufgelöst. Die noch offenen Fälle gingen auf
das mit Wirtschaftsdelikten befasste Referat
über. Die für D. zuständige Staatsanwaltschaft II des Berliner Landgerichts wollte
bis 30.9.1999 ihre Arbeit abschließen. Alle
Delikte der sog. Regierungskriminalität, die
nicht in Verbindung stehen mit Mord oder
Totschlag und bei denen bis Oktober 2000
kein Ermittlungsverfahren eingeleitet ist,
verjähren zu diesem Zeitpunkt.
Bilanz: Seit Oktober 1990 leitete die Berliner Staatsanwaltschaft rund 22 500 Ermittlungsverfahren ein, von denen 21 776 abgeschlossen wurden. 21 270 Fälle wurden
eingestellt. Bei 877 Personen (3,9%) führten die Ermittlungen zur Anklage. 211 Beschuldigte wurden rechtskräftig verurteilt,
davon erhielten 222 Freiheitsstrafen ohne Bewährung. 78 rechtskräftige Urteile wurden
wegen Gewalttaten an der ehemaligen innerdeutschen Grenze ausgesprochen, 16

wegen Justizunrecht (Rechtsbeugung, Strafvereitelung), 25 bei Wirtschaftsdelikten und Vermögensstraftaten im Zusammenhang mit Ausreisefällen, 12 bei Straftaten des Ministeriums für Staatssicherheit (Auftragstötungen, Entführungen) und 66 bei vereinigungsbedingten Wirtschaftsstrafsachen.

Opferbetreuung: Im November 1998 nahm die vom Bundestag gegründete Stiftung zur Aufarbeitung der SED-Diktatur in Berlin ihre Arbeit auf. Sie soll die Betreuung und Beratung der SED-Opfer durch die entsprechenden Verbände gewährleisten, Aufarbeitungsinitiativen und Zusammenschlüsse von Opfern sowie wissenschaftliche Arbeiten zur politisch-historischen Aufklärung unterstützen.

Haftung: Nach einem Urteil des Bundesgerichtshofs (BGH, Karlsruhe) vom Januar 1999 (VI ZR 386/97) muss die PDS als Rechtsnachfolgerin der SED keine Haftung für in der DDR entstandenen Schaden übernehmen. Die Klage eines rechtswidrig inhaftierten ehemaligen DDR-Bürgers wurde mit der Begründung abgelehnt, dass die SED trotz maßgeblichen Einflusses nicht mit dem Staatsapparat gleichzusetzen sei.

Verfahrenseinstellung: Aufgrund dauerhafter Verhandlungsunfähigkeit wurden 1998 sämtliche Ermittlungen und Strafverfahren gegen Erich Mielke, den damaligen Chef des DDR-Ministeriums für Staatssicherheit (Stasi), eingestellt. Die Vorwürfe gegen den 90-jährigen Mielke reichten von der Mitverantwortung für die Toten an der DDR-Grenze über die Verschleppung von Menschen durch die Stasi bis zu persönlicher Bereicherung. 1993 war Mielke wegen eines im Jahr 1931 begangenen Mordes an zwei Berliner Polizisten zu sechs Jahren Freiheitsentzug verurteilt worden, von denen er zwei Drittel verbüßte.

http://www.uni-karlsruhe.de

Eigentumsfrage

Strittige Besitzansprüche an Vermögenswerten und Grundbesitz in den neuen Bundesländern, die während des NS-Regimes oder unter sowjetischer Besatzung 1945–49 sowie in der DDR enteignet worden waren

1998 waren dem Bundesamt zur Regelung offener Vermögensfragen (Berlin) zufolge rund 85% der Verfahren zu Rückgabeansprüchen in Ostdeutschland beschieden worden. Etwa 1,9 Mio der seit 1990 gestellten

2,1 Mio Rückgabeanträge wurden bis 1998 bearbeitet. Mit 95% hatte Mecklenburg-Vorpommern die meisten Anträge erledigt.

Erbanspruch: Der Bundesgerichtshof (BGH, Karlsruhe) entschied im Dezember 1998 in Änderung seiner bisherigen Rechtsauffassung, dass Land aus der Bodenreform, das 1945–49 in der Sowjetischen Besatzungszone (SBZ) zur Enteignung von 14 000 landwirtschaftlichen Großbetrieben geführt hatte, vererbbar ist (V ZR 200/97). Mit dem Tod eines Begünstigten aus der Bodenreform geht der Besitz des zugewiesenen Grundstücks an die Erben über. Bis dahin wurden die Erben von Bodenreformland durch Gerichtsbeschluss aus dem Grundbuch gestrichen, der Boden ging in den Besitz des jeweiligen Bundeslandes über.

Rückgabeanspruch: Zwei 1999 gesprochene Urteile des Bundesverwaltungsgerichts (Berlin) verpflichteten den deutschen Staat unter bestimmten Voraussetzungen zur Rückgabe von Vermögenswerten, die 1945–49 in der SBZ konfiziert worden waren: Zum einen muss durch Rehabilitierungsbescheid nachgewiesen werden, dass die Enteignungsopfer zu Unrecht als Kriegsverbrecher oder NS-Aktivisten verfolgt und enteignet worden waren. Zum anderen müssen Verfahrenswege eingehalten werden, die bei einer Enteignung durch die sowjetische Besatzungsmacht über einen russischen Rehabilitierungsbescheid zur Vermögensrückgabe durch den deutschen Staat führen. Bei einer Enteignung durch deutsche Stellen muss von russischer und deutscher Seite eine Rehabilitierung der Opfer vorliegen. Bis dahin waren Rückgabebegehren aus dem Zeitraum 1945–49 von den deutschen Gerichten abgelehnt worden.

Beihilfe: Im Sommer 1999 prüfte die EU-Kommission, ob die Verbilligung ehemaligen Bodenreformlandes gegen EU-Wettbewerbsrichtlinien verstößt. Nach der deutschen Flächenerwerbsverordnung sind Alteigentümer und Nachfolgeunternehmen von Landwirtschaftlichen Produktionsgenossenschaften (LPG) sowie sog. Neueinrichter (meist frühere Mitglieder der LPG-Führung) zum verbilligten Erwerb von landwirtschaftlicher Fläche berechtigt, die unter die Bodenreform fiel.

http://www.uni-karlsruhe.de
http://www.bverwg.de

Finanzausgleich

Umverteilung der Mehrwertsteuereinnahmen der deutschen Bundesländer mit dem Ziel, die unterschiedliche Finanzkraft der Länder auszugleichen und gleiche Lebensverhältnisse im Bundesgebiet herzustellen

Klage: Die unionsgeführten Landesregierungen von Baden-Württemberg und Bayern reichten im Juli 1998 beim Bundesverfassungsgericht (BverfG, Karlsruhe) Klage gegen den F. ein. Beide Länder bezeichneten die bestehende Regelung als verfassungswidrig, nach der finanzstarke Länder bis zu 80% ihrer über dem Bundesdurchschnitt liegenden Steuereinnahmen an ärmere Länder abtreten müssen. Sie forderten eine Verringerung des Ausgleichs auf maximal 50%. Im Januar 1999 schloss sich Hessen mit einer Verfassungsklage der Kritik am F. an.

Gutachten: Ein von Berlin, Bremen, Niedersachsen, Saarland und Schleswig-Holstein in Auftrag gegebenes Gutachten bestätigte 1999 die Vereinbarkeit des F. mit dem Grundgesetz. Vertreter der neuen Bundesländer warfen den Klageführern mangelnde Solidarität vor und bezeichneten die Klagen als Feldzug gegen die ostdeutschen Länder, da 1998 rund 83% der Ausgleichszahlungen nach Ostdeutschland flossen. Für 1999 kündigten die Ministerpräsidenten der Bundesländer die Einrichtung einer Arbeitsgruppe zur Neuordnung des F. an.

Umverteilung: Außer Bundessteuern (z. B. Mineralölsteuer), Landessteuern (z. B. Kfz-Steuer) und Gemeindesteuern (z. B. Grundsteuer) tragen in Deutschland die sog. Gemeinschaftssteuern zum größten Teil der Einnahmen der öffentlichen Haushalte bei. Ihre Verteilung zwischen Bund, Ländern und Gemeinden ist unterschiedlich geregelt. Vom Länderanteil an der Mehrwertsteuer (48,411% der Einnahmen) werden den Bundesländern beim F. zunächst drei Viertel nach der Einwohnerzahl zugewiesen. Der Rest wird an die finanzschwachen Länder verteilt, sodass deren Finanzkraft 92% des Bundesdurchschnitts erreicht. In einem zweiten Schritt werden weitere Mehrwertsteuergelder von den reicheren zugunsten der ärmeren Bundesländer abgeschöpft. Dabei wird die Einwohnerzahl der Stadtstaaten um 35% höher gewichtet, um besondere Kosten der städtischen Infrastruktur zu berücksichtigen.

Finanzausgleich: Verteilung Gemeinschaftssteuern[1]

	Bund	Länder	Gemeinden
Einkommensteuer	42,5	42,5	15,0
Körperschaftsteuer	50,0	50,0	–
Kapitalertragsteuer	50,0	50,0	–
Mehrwertsteuer	49,389	48,411	2,2
Zinsabschlagsteuer	44,0	44,0	12,0

1) Anteil (%); Stand: 1998; Quelle: Deutsche Bundesbank (Frankfurt/M.)

Sanierungshilfen: Der Bundesrat stimmte im Februar 1999 einem Gesetzentwurf der rot-grünen Bundesregierung zu, der Bremen und dem Saarland 1999–2004 weitere Sonderzuweisungen des Bundes von 7,7 Mrd DM (Bremen) bzw. 5 Mrd DM (Saarland) zur Verfügung stellt. Die Zuwendungen sind als Abschlusshilfe vorgesehen und müssen direkt zur Schuldentilgung verwendet werden. Der Anspruch beider Länder auf die Sanierungshilfen geht auf eine Entscheidung des BverfG. von 1992 zurück, wonach die bundesstaatliche Gemeinschaft verpflichtet ist, Bremen und das Saarland aufgrund ihrer Haushaltsnotlage zu unterstützen. 1992–98 waren ihnen bereits insgesamt rund 14 Mrd DM gezahlt worden.

Steuern und Finanzen → Bundeshaushalt

Föderalismus

Aufbau einer gesellschaftlichen oder staatlichen Organisation aus eigenständigen Gebietskörperschaften, bei Staaten ein Staatenbund oder Bundesstaat

Deutschland: Nach dem GG (Art. 28–30) steht die Gliederung des Bundes in Länder und ihre Mitwirkung an der Gesetzgebung unter der sog. Ewigkeitsgarantie und kann auch durch Verfassungsänderung nicht abgeschafft werden. Im deutschen Sprachgebrauch ist Anhänger des F., wer die Selbstständigkeit der Bundesländer hervorhebt.

Reform: Im Dezember 1998 einigten sich die Ministerpräsidenten aller 16 deutschen Bundesländer auf die Einrichtung einer Arbeitsgruppe von Bund und Ländern, die eine Reform des F. vorbereiten soll. Eine Parlamentskommission von Bundesrat und Bundestag wird dem Plan zufolge ab Ende 1999 Beratungen über die Neuregelung der bundesstaatlichen Ordnung aufnehmen. Ziel ist die kritische Überprüfung der Aufgaben-, Einnahmen- und Ausgabenverteilung zwischen Bund und Ländern, wobei die Stärkung der Eigenstaatlichkeit der Länder im Vordergrund steht. Die im Solidarpakt bis Ende 2004 festgelegte besondere Förderung Ostdeutschlands soll bei der Reform unangetastet bleiben.

Steuerrecht: Außer dem Finanzausgleich der Länder sollen die bestehenden Regelungen der Finanzverfassung überprüft werden. Das CDU/CSU-Wahlprogramm zur Bundestagswahl 1998 beinhaltete die Forderung, Veränderungen im Steuerrecht vorzunehmen, sodass künftig die direkten Steuern (z. B. Mehrwertsteuer) allein dem Bund, die indirekten Steuern auf Lohn und Einkommen den Ländern zukämen. Auch Wirtschaftsvertreter schlugen 1998 vor, den Bundesländern die alleinige Verantwortung für die dort erhobenen und verwalteten Steuern zu geben. Bis Mitte 1999 entfiel der größte Teil der Staatseinnahmen auf Gemeinschaftssteuern, die zwischen Bund und Ländern aufgeteilt werden.

D-Ost: Lebensstandard[1]

Kühlschrank	96	
		99
Fernsehgerät	96	
		98
Waschmaschine	91	
		94
Telefon	49	
		94
Gefriertruhe	67	
		80
Pkw	66	
		71
Videorekorder	36	
		61
Mikrowelle	15	
	41	
Geschirrspülmaschine	3	
	26	
Videokamera	6	
	17	

1) Ausstattung der Haushalte (%); Quelle: Statistisches Bundesamt; http://www.statistik-bund.de
[1993]
[1998]

Gebietsgliederung: Die Debatte über die Neugliederung der deutschen Bundesländer wurde 1998 von Baden-Württembergs Wirtschaftsminister Walter Döring (FDP) fortgeführt. Sein Konzept sieht die Verringerung der Länderanzahl von 16 auf neun vor. Die neuen Zuschnitte sollen bisherige Ost- und West-Bundesländer vereinen, um das soziale und wirtschaftliche Gefälle zwischen westlichen Geber- und östlichen Nehmerländern zu beseitigen. Darüber hinaus könnten dadurch erhebliche Einsparungen vorgenommen und die Effizienz in der Verwaltung gesteigert werden.

Ostdeutschland

Bilanz: Ein grundsätzlich positives Fazit der wirtschaftlichen Entwicklung in O. zogen 1998 das Deutsche Institut für Wirtschaftsforschung (DIW, Berlin), das Institut für Weltwirtschaft (IfW, Kiel) und das Institut für Wirtschaftsforschung Halle (IWH) in ihrem 18. Bericht über die Anpassungsfortschritte in den neuen Bundesländern. Vor allem der industrielle Neuaufbau sei vorangeschritten, sodass sich O. 1998/99 im Kern als moderne Industrielandschaft präsentiere. Viele ostdeutsche Industrieunternehmen insbes. im verarbeitenden Gewerbe hätten sich zu wettbewerbsfähigen Firmen entwickelt, die ihre Produktionskapazitäten modernisiert, ihr Produktsortiment erneuert und ihren Markt überregional ausgeweitet hätten. Viele Unternehmen blieben aber von Kosten-, Ertrags- und Finanzierungsschwierigkeiten bedroht. Das Ziel, Anschluss an die westdeutsche Wirtschaft zu finden, liegt nach Erkenntnissen der Institute noch in weiter Ferne. Eine Fördermittelkürzung durch von westlichen Bundesländern 1998/99 geforderte Reformierung des Finanzausgleichs, die wirtschaftlich schwächere Länder bevorzugt, hielten die Forscher für kontraproduktiv.

Produktivität: 1998 lag das Wirtschaftswachstum in O. mit 2,1% unter dem für Westdeutschland (2,9%). Die Produktivität (BIP/Erwerbstätigen) stieg zwar 1998 an, lag aber mit 67% (1997: 60%) noch weit unter dem Westniveau. Als Gründe für die Produktivitätslücke wurden die einseitige industrielle Basis (überproportionaler Anteil des Baugewerbes) mit geringem Anteil innovativer Branchen und hoher Wertschöp-

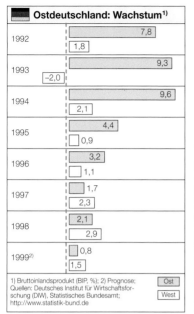

■ **Ostdeutschland: Wachstum**[1]

Jahr	Ost	West
1992	7,8	1,8
1993	9,3	−2,0
1994	9,6	2,1
1995	4,4	0,9
1996	3,2	1,1
1997	1,7	2,3
1998	2,1	2,9
1999[2]	0,8	1,5

1) Bruttoinlandsprodukt (BIP, %); 2) Prognose; Quellen: Deutsches Institut für Wirtschaftsforschung (DIW), Statistisches Bundesamt; http://www.statistik-bund.de

Ost West

■ **Ostdeutschland: Einkommen**[1]

	1993	1998
Landwirtschaft	57	93
Staat	50	82
Baugewerbe	60	78
Dienstleistung	56	76
Organisationen	53	76
Handel und Verkehr	46	75
Energie, Wasserversorgung	45	73
Industrie	37	69

1) Durchschnittliches Bruttoeinkommen der Arbeitnehmer in % des Westniveaus; Quellen: Deutsches Institut für Wirtschaftsforschung (DIW), Statistisches Bundesamt; http://www.statistik-bund.de

1993 1998

Der durchschnittliche Bruttolohn aller Arbeitnehmer in Ostdeutschland erreichte 1998 etwa drei Viertel des Westlohns. 1991 mussten sich die Arbeitnehmer in den neuen Bundesländern noch mit 47% des westlichen Lohnniveaus zufrieden geben. Beim Vergleich des Nettoeinkommens konnte sich Ostdeutschland bis 1998 auf 86% an den Westen annähern.

fung pro Beschäftigten (z.B. Telekommunikation) sowie die produktivitätsmindernde kleinbetriebliche Struktur angesehen.

Beschäftigung: Eine 1998 veröffentlichte Studie des Instituts für Arbeitsmarkt- und Berufsforschung (IAB, Nürnberg) prognostizierte bis 2010 einen weiteren Rückgang der Beschäftigung in O. und eine Zunahme der Arbeitslosigkeit (Arbeitslosenquote 1998: 18,2% gegenüber 9,4% im Westen). Jeder dritte Arbeitnehmer über 55 Jahre in O. war 1998 erwerbslos. Die anhaltend hohe Arbeitslosigkeit kostete die ostdeutschen Kommunen 1998 nach Angaben des Deutschen Gewerkschaftsbunds 2,6 Mrd DM (Sozialhilfe, Einkommenssteuerausfälle), 500 Mio DM (23,8%) mehr als 1997. Im April 1999 einigten sich Bund und Länder auf ein Sonderprogramm zur Bekämpfung der Lehrstellennot in O., wo 1998 mehr als drei Bewerber pro freier Lehrstelle registriert wurden. Ab Herbst 1999 sollen 17 500 Ausbildungsplätze geschaffen werden, die Hälfte des ca. 500 Mio DM teuren Programms trägt der Bund.

Bevölkerungsschwund: Auch 1998 setzte sich der jahrzehntelange Trend zur Bevöl-

kerungsabnahme in O. fort. Die Zahl der Bewohner verringerte sich von 19 Mio 1949 auf 17 Mio 1961 und 16 Mio bei der Wiedervereinigung 1990. Im Jahr 1998 lebten 15,2 Mio Menschen in den neuen Bundesländern. Das Statistische Bundesamt (Wiesbaden) rechnete bis 2010 mit einem weiteren Verlust von ca. 250 000 Einwohnern in O. Neben dem starken Rückgang der Geburtenzahlen (1989–94: −70%) waren auch die Wanderbewegungen von Ost nach West (bei fast ausgeglichenem Saldo 1998) Auslöser für den Bevölkerungsschwund. Vor allem junge Frauen verließen O. (1991–97: rund 433 000), da sie für sich auf dem westlichen Arbeitsmarkt größere Berufsmöglichkeiten sahen. Vom Bevölkerungsrückgang besonders betroffen waren die dünn besiedelten, strukturschwachen Gebiete im Norden und Nordosten. Eine Expertenrunde der östlichen Landesministerien plante, ab Herbst 1999 Informationen über die Auswirkungen des Bevölkerungsdefizits und der Überalterung der Gesellschaft auszutauschen, um Alternativkonzepte in Bildung, Erziehung, Wohnungsbau und Altenpflege zu entwickeln.

Die Berliner scheinen die fertigen Teile des Potsdamer Platzes als neuen Treff anzunehmen. Besonders das gastronomische Angebot rund um die Plastik »Galileo« des amerikanischen Künstlers Mark di Suvero verlockt dazu, den Musical- oder Kinoabend hier zu beginnen.

Stimmungslage: 1998 führte das Sozialwissenschaftliche Forschungszentrum Berlin-Brandenburg (SFZ) zum neunten Mal eine repräsentative Befragung über die Lebensverhältnisse in O. durch. Nur 17% der Befragten fühlten sich als Bundesbürger. Das Thema Arbeitslosigkeit rangierte in der Liste der Sorgen und Ängste auf Platz eins, gefolgt von Gewalt und Kriminalität sowie zunehmendem Sozialabbau. Etwa 80% der ostdeutschen Bürger standen Ausländern ablehnend gegenüber.

■ **Arbeit** → Arbeitslosigkeit
■ **Konjunktur**
http://www.statistik-bund.de

Potsdamer Platz

Debis-Gelände: Mit der Einweihung des 7 ha großen Neubau-Arreals der Daimler-Benz-Tochterfirma Debis am 2.10.1998 wurde der P. im Zentrum Berlins der Öffentlichkeit übergeben. Nach Plänen des italienischen Architekten Renzo Piano entstanden in fünfjähriger Bauzeit zehn Straßen, 19 Häuserblocks, eine Musical-Spielstätte, ein Spielkasino, zwei Kinopaläste und ein Hotel sowie 620 Wohnungen, zahlreiche Büros, Restaurants, Cafés und Ladenlokale. Das Stuttgarter Unternehmen investierte 4 Mrd DM in den Bau des neuen Stadtviertels.

Weitere Projekte: Trotz Fertigstellung des Debis-Geländes blieb der P. 1999 Europas größte innerstädtische Baustelle, da sich die Projekte auf den benachbarten Flächen noch in der Bau- bzw. Planungsphase befanden. Auf dem im Norden angrenzenden Areal baute der japanische Multimedia-Konzern Sony; die Einweihung des gesamten Komplexes war für 2000 geplant. Auch Teile des Park-Kolonnaden-Entwurfs der Gesellschaft A+T (Asea Brown Bovery und Terreno) sollen bis 2000 gegenüber dem Debis-Areal fertig gestellt sein. Für das letzte Viertel, das Karstadt-Gelände im Norden des P., fehlten im Frühjahr 1999 konkrete Bebauungspläne.

Geschichte: Der P. war in den 20er und 30er Jahren der verkehrsreichste Platz Europas. Die Zerstörungen im Zweiten Weltkrieg und der Bau der Berliner Mauer durch DDR-Grenztruppen (1961), die längs des Platzes verlief, hinterließen eine Brachfläche an der Nahtstelle zwischen Ost- und West-Berlin. Die Bebauung des ehemaligen Grenzlandes soll zur erneuten Urbanisierung des historischen Platzes führen.

http://www.infobox.de
http://www.sony.co.jp./InterChange/Berlin/index.html

Reichstag

Neubau: Am 19.4.1999 wurde das 1884–94 von Paul Wallot erbaute Berliner Reichstagsgebäude seiner neuen Bestimmung als Parlamentssitz dem Deutschen Bundestag übergeben. Herausragendes Merkmal des Regierungssitzes und neues Wahrzeichen von Berlin ist die weithin

---

▓ Reichstag: Historische Stationen

▶ **1894:** Nach zehnjähriger Bauzeit wird das unter Führung von Paul Wallot fertig gestellte Reichstagsgebäude eröffnet und als Symbol der Gründerzeit-Architektur gefeiert.

▶ **1918/19:** Der SPD-Politiker Philipp Scheidemann ruft 1918 im R. die Republik aus. Im R. tagt ab 1919 das erste demokratisch gewählte deutsche Parlament

▶ **1933:** Die Zerstörung des Gebäudes durch Brandstiftung wird von NS-Diktator Adolf Hitler den Kommunisten zugeschrieben und unter dem Vorwand, kommunistische Gewalttaten abzuwehren, benutzt, um die wichtigsten Grundrechte außer Kraft zu setzen.

▶ **1938–44:** Im Zweiten Weltkrieg wird das Gebäude von Bomben bis auf die Grundmauern zerstört.

▶ **Mai 1945:** Sowjetische Soldaten hissen nach Niederschlagung des NS-Regimes die rote Fahne auf dem Dach des R.

▶ **1961:** Paul Baumgarten beginnt den Wiederaufbau des R.; er lässt fünf Zwischengeschosse einziehen, die Decken abhängen und die Wände mit Gips verkleiden.

▶ **Sommer 1995:** US-Verpackungskünstler Christo und seine Frau Jeanne-Claude verhüllen zwei Wochen lang den Reichstag; das Kunstspektakel besuchen Hunderttausende.

▶ **Herbst 1995:** Nach Plänen des britischen Architekten Sir Norman Foster beginnen erneute Umbauarbeiten.

▶ **April 1999:** Feierliche Übergabe des Gebäudes an den Deutschen Bundestag.

sichtbare gläserne Kuppel, die neben ihrer ästhetischen Bedeutung Funktionen der Beleuchtung und Klimatisierung übernimmt. Ein mit 360 Spiegelelementen bestückter Trichter lenkt Tageslicht durch die Kuppel in den darunter liegenden Plenarsaal und leitet verbrauchte Luft hinauf.

Struktur: Ausgestattet mit einem Budget von 600 Mio DM hatte der britische Architekt Sir Norman Foster 1994 mit dem Umbau begonnen. Er ließ sämtliche von Paul Baumgarten in den 60er Jahren veranlasste Einbauten entfernen und konservierte die zutage tretende Originalsubstanz des ursprünglichen Erbauers Wallot, sodass neben den vorherrschenden funktionalen stahlgrauen und gläsernen Einbauten großzügige Raumfluchten und Treppenhäuser sowie Figuren, Säulen und Wandschmuck aus den 1890er Jahren zu sehen sind. Einschusslöcher aus dem Zweiten Weltkrieg und Graffiti russischer Soldaten an den Wänden verdeutlichen die Bedeutung des R. als historisches Bauwerk. Die Glaskuppel ist über eine spiralförmige Rampe von innen begehbar; sie führt zu einer Aussichtsplattform. Die Dachterasse mit Cafeteria in 50 m Höhe ist für Besucher bis spät in den Abend hinein geöffnet. Die Debatten im Plenarsaal können von Tribünen aus verfolgt werden.

Schlanker Staat

Konzept: Im Juli 1998 legte die damalige CDU/CSU/FDP-Bundesregierung ihren zweiten Bericht zur Modernisierung der Bundesverwaltung vor. Im Rahmen des Aktionsprogramms »S.«, das im Juni 1997 vom Bundeskabinett beschlossen worden war, reduzierte sich der Personalbestand des Bundes mit dem Bundeshaushalt 1998 auf rund 310 000 Planstellen, 65 000 (17%) weniger als 1993. Weitere 4000 Arbeitsplätze sollen 1999 wegfallen, sodass die Verwaltung annähernd auf den Umfang vor der Wiedervereinigung 1990 zurückgeführt ist. Der Personalbestand war durch die Verwirklichung der deutschen Einheit von 300 000 Bediensteten 1989 um 27% auf 381 000 im Jahr 1992 gestiegen. Durch den Stellenabbau wurden 1998 rund 5,4 Mrd DM eingespart. SPD und Bündnis 90/Die Grünen hatten im Wahlkampf zugesagt, das Konzept des S. weiter zu verfolgen. Das aus 15 Mi-

nistern und 24 Parlamentarischen Staatssekretären bestehende rot-grüne Kabinett war jedoch nur um einen Minister und zwei Staatssekretäre verkleinert worden.

Ministerien und Behörden: Auch die Ministerialbürokratie wurde 1993–98 um 3400 Stellen (16%) verkleinert. Die Zahl der Bundesbehörden sank gegenüber 1991 um 25% von 600 auf 450. Etwa 800 Dienststellen bzw. Außenstellen konnten im gleichen Zeitraum eingespart werden. Bei der Bundeswehr fielen ca. 350 Truppenverwaltungen weg.

Die Kuppel Sir Norman Fosters ist nicht nur Wahrzeichen des neuen Reichstags, sie bietet Besuchern auch den wohl schönsten Ausblick auf das Regierungszentrum.

Stadtschloss Berlin

Wiederaufbau: 1999 wurde in Deutschland die Debatte um den Wiederaufbau des S. von Bundeskanzler Gerhard Schröder (SPD) neu entfacht, als er sich für die Rekonstruktion des historischen Gebäudes aussprach. 1950 war die Kriegsruine des Hohenzollernschlosses für einen sozialistischen Massenaufmarschplatz gesprengt worden, auf dem ab 1973 der Palast der Republik errichtet wurde. Die Wiedererrichtung des B. wurde mit Kosten von 1–2 Mrd DM veranschlagt, wobei die Kalkulation nur für ein modernes Gebäude mit historischer Fassade gilt. Ein Wiederaufbau des S. in seiner ursprünglichen Gestalt würde nach Ansicht der Planer jeden Kostenrahmen sprengen.

Nutzung: 1999 setzten sich Politiker unterschiedlicher Parteien für das Bauvorhaben ein. Konkrete Nutzungspläne für das rekonstruierte Gebäude gab es bis Mitte 1999 nicht. Bibliothek, Kongresszentrum, zentraler Festsaal und Regierungsgästehaus waren ebenso im Gespräch wie die kommerzielle Nutzung durch Hotels und Gastronomiebetriebe sowie als Büro- und Ladenflächen.

http://www.berliner-schloss.de

Stasi

(Ministerium für Staatssicherheit, MfS)

Ende 1998 entschlüsselten Mitarbeiter der Behörde des Bundesbeauftragten für die Unterlagen des Staatssicherheitsdienstes der DDR, Joachim Gauck, eine S.-Datenbank der Hauptverwaltung Aufklärung (HVA), der von Markus Wolf geleiteten DDR-Auslandsspionage. Dabei wurden

180 000 Datensätze decodiert, die einen umfassenden Überblick über die HVA-Tätigkeit 1969–87 geben. Die Bundesanwaltschaft (Karlsruhe) schloss eine neue Welle von Ermittlungsverfahren jedoch aus, weil die Verjährungsfrist für Spionagedelikte 1999 bereits überschritten war.

Zentralkartei: Die Datenbank »System, Information, Recherche der Aufklärung«, im Dienstgebrauch »Sira« genannt, listet in Kurzfassung alle Informationen auf, die von Agenten oder Kontaktpersonen an die HVA übergeben wurden. Die fehlenden Klarnamen zur Identifizierung der Informanten sind in der HVA-Zentralkartei verzeichnet, die nach der politischen Wende in der DDR (1989) vermutlich über Moskau an den US-Geheimdienst CIA gelangte. Der Zentralkartei fehlen jedoch Angaben über die Tätigkeit der Agenten, sodass sich beide Dateien ergänzen könnten. Bis Mitte 1999 scheiterten alle Bemühungen deutscher Behörden, die CIA zur Herausgabe der Zentralakte zu bewegen.

Anonymisierung: Im Dezember 1998 beschloss der Bundestag den Entwurf zur Änderung des Stasi-Unterlagen-Gesetzes von 1991. Danach dürfen Anträge auf Anonymisierung personenbezogener Informationen in S.-Akten nicht wie vorgesehen ab Januar 1999, sondern erst ab Januar 2003 gestellt werden. Der Anspruch auf Schwärzung des Namens ist zum Schutz von S.-Opfern gedacht, hauptamtliche oder inoffizielle S.-Mitarbeiter sind ebenso von der Regelung ausgenommen wie DDR-Amtsträger und Personen der Zeitgeschichte. Der Bundestag begründete die Terminverschiebung mit der Arbeitsbelastung der Gauck-Behörde, die Mitte 1999 viele Akten noch nicht erschlossen hatte.

Dokumentationszentrum: Die Gauck-Behörde eröffnete im November 1998 in Berlin im früheren DDR-Innenministerium ein Informations- und Dokumentationszentrum über die S., das sechste seiner Art in Ostdeutschland. Das allgemeine Ausstellungskonzept, das Geschichte, Struktur, Methodik und Wirkungsweise der S. veranschaulichen soll, ist in Berlin durch den Schwerpunkt Mauerbau, Reisebeschränkungen und Einfluss der S. auf die DDR-Volkswirtschaft ergänzt worden.

Rechtsprechung: Das Bundesverfassungsgericht (BverfG, Karlsruhe) wies im

Stasi: Struktur

▶ **Aufgaben:** Die 1950 gegründete Stasi (Ministerium für Staatssicherheit der DDR) hatte die Aufgabe, die Herrschaft der SED zu sichern und die Spionage zu organisieren. Sie war politische Geheimpolizei, Untersuchungsbehörde für politische Strafsachen und geheimer Nachrichtendienst zugleich. Sie sollte die Bevölkerung überwachen, damit die Einwohner der DDR auf Linie von Partei und Staat blieben.

▶ **Methoden:** Die Stasi unterhielt ein weit verzweigtes Informations- und Spitzelsystem, das sich u.a. auf sog. Inoffizielle Mitarbeiter (IM) und Gesell-

schaftliche Mitarbeiter Sicherheit (GMS) stützte. Sie wurden in allen Bereichen des Lebens eingesetzt. Politische Überzeugung, materielle Anreize oder Erpressbarkeit waren die Gründe für die Tätigkeit der IM und GMS.

▶ **Auflösung:** Die Stasi, die 1989 über ca. 85 600 hauptamtliche Mitarbeiter verfügte, wurde im November 1989 während der Revolution in der DDR in Amt für Nationale Sicherheit umbenannt. Ende 1989 bis Mitte 1990 wurde es unter die Kontrolle von Bürgerkommitees und eines Sonderausschusses der Volkskammer aufgelöst.

Chronik der Treuhandanstalt

▶ **1.3.1990:** Der DDR-Ministerrat errichtet in Berlin die T. zur Reorganisation der ca. 8000 volkseigenen Betriebe. Die größte Industrieverwaltungsgesellschaft der Welt entsteht.

▶ **17.6.1990:** Die T. wird durch Gesetz und Einigungsvertrag eine bundesunmittelbare Anstalt des öffentlichen Rechts mit der Aufgabe, das ihr treuhänderisch übertragene volkseigene Vermögen der DDR zu privatisieren und nach den Grundsätzen der sozialen Marktwirtschaft zu verwerten.

▶ **20.8.1990:** Hoesch-Manager Detlev Karsten Rohwedder tritt als Präsident an die Spitze der dezentral organisierten Bundesanstalt zur treuhänderischen Verwaltung des Volkseigentums.

▶ **31.1.1991:** Die ehemaligen DDR-Unternehmen Interflug und Wartburg (Eisenach) werden liquidiert.

▶ **März 1991:** Die Jenoptik GmbH Carl Zeiss Jena wird von ihren hohen Altschulden befreit.

▶ **15.3.1991:** Der Erlass des Spaltungsgesetzes ermöglicht die Teilprivatisierung von Betrieben.

▶ **1.4.1991:** Detlev Karsten Rohwedder fällt in Düsseldorf einem Attentat der Roten Armee Fraktion (RAF) zum Opfer.

▶ **13.4.1991:** Die CDU-Politikerin Birgit Breuel wird zur neuen Präsidentin ernannt.

▶ **10.7.1991:** Das Bundesverfassungsgericht erlaubt die Verwaltung des SED-Parteivermögens durch die T.

▶ **22.8.1991:** Die SPD erhält 75 Mio DM und verzichtet im Gegenzug auf ihre Ansprüche an SED-Zeitungen.

▶ **17.3.1992:** Die ostdeutschen Werften werden von der T. verkauft.

▶ **19.5.1992:** Die DEFA-Filmstudios in Babelsberg werden an einen französischen Konzern veräußert.

▶ **Mai 1994:** Der Verkauf des größten ostdeutschen Stahlkonzerns, der Eko-Stahl AG in Eisenhüttenstadt, an das italienische Stahlunternehmen Riva scheitert.

▶ **31.12.1994:** Nachdem 95% der ehemals volkseigenen DDR-Betriebe in privaten Besitz überführt oder privatwirtschaftlich umstrukturiert sind, wird die T. aufgelöst.

▶ **Bilanz:** Die T. hatte 1990–94 die Reorganisation von 15 102 DDR-Unternehmen mit insgesamt 4 Mio Arbeitsplätzen übernommen. 2,5 Mio Stellen fielen durch Betriebsstilllegungen, Umstrukturierungen und Rationalisierung weg. Trotz Privatisierungserlösen von 40 Mrd DM hinterläßt die T. 204 Mrd DM Schulden, die in den sog. Erblastentilgungsfonds des Bundes übergehen.

Juli 1998 eine gegen den Bundestag gerichtete Organklage des PDS-Gruppenvorsitzenden Gregor Gysi ab. Gegenstand waren die S.-Vorwürfe des Immunitätsausschusses, Gysi sei für die S. tätig gewesen. Gysi verwahrte sich gegen den Vorwurf und betonte, der Ausschuss habe mit der Aussage seinen Überprüfungsauftrag überschritten. Das BverfG. hatte die Überprüfung der Richtigkeit des Bundestagsberichts abgelehnt.

Treuhandnachfolge

Geschäftsbilanz: Die T.-Einrichtung Bundesanstalt für vereinigungsbedingte Sonderaufgaben (BvS, Berlin) löste 1998 ihre Geschäftsstellen in Ostdeutschland auf. Ihr Personal soll 1999 um 33% von 440 auf 295 Mitarbeiter reduziert werden. Im Frühjahr 1999 kontrollierte die BvS ca. 8700 aktive Privatisierungsverträge. Als positive Bilanz ihrer Tätigkeit verwies die Bundesanstalt auf die Insolvenzquote der 11 242 privatisierten Unternehmen, die bei 1170 Konkursen nur rund 10% betrage. In Mecklenburg-Vorpommern meldeten 8% der privatisierten Unternehmen Konkurs an, in Sachsen-Anhalt 9%, in Berlin 10%, in Thüringen und Sachsen 11% und in Brandenburg 12%.

Untersuchungsausschuss: Der im Juni 1998 vorgelegte Abschlussbericht des Bundestagsuntersuchungsausschusses DDR-Vermögen gab die Schäden der vereinigungsbedingten Kriminalität mit 3–10 Mrd DM an. In einem Minderheitsvotum warfen die damaligen Oppositionsparteien SPD und Bündnis 90/Die Grünen der Treuhandanstalt Versäumnisse und Fehler bei der Privatisierung des DDR-Vermögens vor. Der Verkaufspreis der vorhandenen Immobilien sei weit unter Wert angesetzt worden.

Verfassungsschutz

Staatliche Einrichtung des Bundes und der Länder mit der Aufgabe, Informationen über verfassungs- und staatsfeindliche Bestrebungen im Inland zu sammeln und den Strafverfolgungsbehörden zuzuleiten

Im März 1999 verabschiedete der Bundestag mit der im September 1998 gewählten rot-grünen Mehrheit ein Gesetz, das die parlamentarische Kontrolle von V., Bundesnachrichtendienst (BND) und Militärischem Abschirmdienst (MAD) verstärken soll. Das Parlamentarische Kontrollgremium (PKG), ein von SPD, CDU/CSU, FDP und Bündnis 90/Die Grünen gebildeter neunköpfiger Ausschuss, wurde mit erweiterten Befugnissen ausgestattet. Das PKG kann danach Akten und Dateien der Geheimdienste einsehen und deren Mitarbeiter kontaktieren.

Der V. hat keine polizeilichen Befugnisse, darf jedoch nachrichtendienstliche Mittel (z. B. Observation) anwenden. Präsident des Bundesamts für Verfassungsschutz (BfV, Köln) ist seit 1996 Peter Frisch (SPD).

Organisationen → Bundesnachrichtendienst
http://www.verfassungsschutz.de

Computer

Betriebssystem

Software, die das Arbeiten mit einem Computer durch Definition von Geräteschnittstellen (z. B. zu Druckern), Datenstrukturen/Dateien und Programmen erst ermöglicht, steuert und kontrolliert

Zu den Komponenten eines B. gehören
– Ressourcenverwaltung (Speicherplatz)
– Datenein- und -ausgabesteuerung sowie Gerätesteuerung
– Dateisystem und -verwaltung
– Benutzeroberfläche
– Sicherheitssystem
– Compiler (Übersetzer von Computersprachen in die Sprache des Rechners).

Linux: Bis Anfang 1999 hatte die Verbreitung des B. Linux stark zugenommen (7 bis 10 Mio Nutzer; Anteil am Weltmarkt für B. Ende 1998: 6,8%). Hintergrund war die vom US-Konzern Microsoft verschobene Auslieferung des B. Windows 2000. Das 1991 vom finnischen Programmierer Linus Torvalds entwickelte B. basiert auf dem herkömmlichen B. Unix und wurde bis 1999 sukzessive zu einem vollwertigen B. für den PC entwickelt. Linux bietet alle von Unix bekannten Merkmale, darunter Multitasking (Erledigen mehrerer Arbeiten gleichzeitig), virtueller Arbeitsspeicher und die Unterstützung des TCP/IP-Protokolls (zum Versenden von Daten über das Internet). Linux ist über das Internet frei erhältlich.

Windows 2000: Die Nachfolgeversion des in Unternehmen weit verbreiteten B. Windows NT (New Technology) von Microsoft war für 1999 vorgesehen. Das B. mit 40 Mio Zeilen Programmcode war aber bis Mitte 1999 noch mit vielen Fehlern behaftet. Neue Merkmale des B. sind u. a. ein verbessertes System der Dateiverwaltung mit Kontrolle des Speicherplatzverbrauchs, ein Datensicherheits- und Verschlüsselungssystem, neue Schriftartentypen und Hilfen für Sehbehinderte.

Windows 98: Von dem ab Mitte 1998 ausgelieferten Microsoft-B. wurden binnen eines Quartals weltweit rund 10 Mio Stück verkauft, z. T. über neue PC, bei denen das Nachfolge-B. für Windows 95 bereits zu rund 50% installiert war. Über 200 PC-Herstellerfirmen lieferten das B. weltweit aus. Es brachte Microsoft lt. Schätzungen der Marktforschungsfirma Dataquest 1998 einen Umsatz von 400 Mio US-Dollar ein. Windows 98 war 1999 in 26 Sprachen erhältlich; allein in Deutschland wurden bis Mitte 1999 rund 250 000 Stück installiert. Ein Hauptmerkmal des B. ist die Verschmelzung von Internet und lokalem PC. Anfang des 21. Jh. soll Windows 98, welches das neue Speichermedium DVD (Digital Versatile Disk, engl; digitale vielseitige Scheibe) unterstützt, mit dem B. Windows NT bzw. Windows 2000 verschmolzen werden. Durch entsprechende Vertragsgestaltung mit PC-Herstellern und -verkäufern bei der Kopplung von PC-Hardware und B. hielt Microsoft 1999 einen Marktanteil von rund 90% bei der Basis-Software für PC (B., Textverarbeitung, Tabellenkalkulation, Office-Programme).

CAD/CAM

(computer-aided design/computer-aided manufacturing, engl.; computergestütztes Entwerfen/computerunterstützte Fertigung)

CAD-Systeme, bei denen der Computer das Zeichenbrett ersetzt, besitzen außer den üblichen Peripherie-Geräten wie Festplatte,

Laufwerke und Drucker hochauflösende Grafikbildschirme sowie Lichtstifte (zum Ansteuern von Punkten auf dem Bildschirm via Berührung) und Digitalisier- bzw. Grafiktablett. Auf dem meist auf magnetischer Basis arbeitenden Eingabegerät kann mit einem Stift freihändig gezeichnet werden. Mit CAD können Entwürfe leicht verändert sowie Werkstücke und Maschinen durch Simulation überprüft werden.

3D: Anfang 1999 veröffentlichte Umfragen unter 5000 deutschen Fertigungsunternehmen zeigten, dass CAD verstärkt mit 3D-Technik eingesetzt wird. 1998 waren rund 50% aller CAD-Anwendungen mit dieser Technik versehen. Anders als das 1999 noch weit verbreitete zweidimensionale Design und das Arbeiten mit physischen Modellen liefert ein dreidimensionales Modell (engl.: digital mock-up) ein exaktes Abbild der Konstruktion, mit dem sich Fehler früher korrigieren lassen.

CAM: Wenn CAD-Anwendungen mit computergesteuerten Fabrikationsanlagen verbunden werden, bilden sie ein integriertes CAD/CAM-System. CAM verbessert gegenüber traditioneller Fertigung die Steuerungsmöglichkeiten und reduziert die Zahl der Bedienungsfehler. CAM-Anlagen koordinieren die Verarbeitungsschritte durch Zahlencodes, die in Computerdateien gespeichert sind (CNC; computer numeric control).

AutoCAD: Das marktführende professionelle CAD-Programm der Firma Autodesk lag Anfang 1999 in der Version 14 vor (erste Version: 1983). AutoCAD dient als Basis für branchenspezifische CAD-Lösungen, die von spezialisierten Software-Firmen entwickelt werden.

CAD-online: 1999/2000 bot CAD-Software den Konstrukteuren die Möglichkeit, wie in einer Videokonferenz gleichzeitig von verschiedenen Arbeitsplätzen aus über ein Netzwerk, z. B. das Internet, auf CAD-Zeichnungen zuzugreifen. Jeder Teilnehmer sieht den gleichen Ausschnitt eines Modells. Er kann u. a. Markierungen und Kommentare einbringen. Basis für das Versenden digitaler Zeichnungen ist das von der US-amerikanischen Firma Silicon Graphics entwickelte Format VRML (Virtual Reality Markup Language).

http://www.autodesk.com
http://www.ba-mosbach.de/mb/cad.html

Chip

(engl.; Plättchen, auch Halbleiter), elektronischer Baustein, der Informationen speichert (DRAM-C., Dynamic Random Access Memory, engl.; dynamischer Speicher mit wahlfreiem Zugriff) oder als miniaturisierter Rechner (Mikroprozessor) Funktionen steuert. Mit zunehmender Miniaturisierung wird technisch alle drei Jahre eine Vervierfachung der Speichermenge von Daten auf einem C. erreicht.

Pentium III: Der im Frühjahr 1999 von Marktführer Intel vorgestellte Pentium-III-Prozessor verarbeitet mit einer Taktrate bis zu 600 Megahertz Computerbefehle (Pentium II: 300–400 Megahertz). Er soll die Arbeit mit Spracherkennungsprogrammen erleichtern sowie multimediale Anwendungen wie räumliche Grafiken (3D), Audio- und Videosequenzen schneller und in erheblich besserer Qualität auf dem PC aufbauen. Jeder Pentium III ist durch seine PSN (Processor Serial Number) ein Unikat und soll seinen Benutzer u. a. vor Raubkopien bei Geschäften im Internet schützen. Die PSN wurde von Datenschutzorganisationen kritisiert, weil sich der einzelne Internet-Benutzer identifizieren ließe. Der Pentium III verteuerte 1999 mit seinen nötigen Aufrüstungselementen einen PC auf rund 2000 US-Dollar (Pentium II-PC: rund 1000 US-Dollar). Intel-Konkurrent AMD (Advanced Micro Devices) stellte mit dem C. K6-3 einen ähnlich schnellen Prozessor vor.

Markt: Trotz des u. a. durch die Asienkrise bedingten C.-Preisverfalls und eines nahezu gesättigten PC-Marktes in den USA prognostizierten die C.- Hersteller-Vereinigung

TopTen Chip: Umsatz der größten Hersteller der Welt		
1. Intel	22,7[1]	▲ +4,3[2]
2. NEC	8,3	▼ −19,1
3. Motorola	6,9	k. A.
4. Toshiba	6,1	k. A.
5. Texas Instruments	6,0	▼ −18,4
6. Samsung	4,8	▼ −18,9
7. Hitachi	4,6	▽ −26,2
8. Philips	4,5	▲ + 1,4
9. STM	4,3	▲ + 7,0
10. Siemens	3,9	▲ +12,4

1) Mrd US-Dollar, z. T. geschätzt, 2) Veränderung gegenüber 1997 (%);
Quelle Dataquest; Globus Infografik, 22.2.1999

Chip: Wafer

▶ **Herstellung:** Wie bei der Projektion von Dias an eine Wand gelangen Schaltungen mittels Schattenwurf auf Siliziumscheiben (Wafer, engl.; Waffel). Zur Belichtung wird eine Maske meist aus metallbeschichtetem Quarzglas verwendet. Die Wafer wurden vorher mit lichtempfindlichem Lack überzogen. Während der partiellen Lichteinwirkung entstehen Zonen, auf denen der Lack erhalten bleibt, und unabgedeckte Bereiche. Nach Anwendung weiterer Verfahren, z.B. des Plasmaätzens, ist das Maskenschaltbild stabil in die Siliziumoberfläche fixiert. Preiswert wird ein Chip, wenn mit derselben Maske große Stückzahlen gefertigt werden können.

▶ **Alternative Verfahren:** Chipherstellung z. B. mittels Laserscannen direkt auf den Wafer sind flexibler als die Fertigung mit Masken, aber langsamer und teurer. Anfang 1999 stellten die Konzerne Siemens und Motorola 300 mm große Wafer vor, welche die Produktion komplexer Chips bei rund 30% günstigeren Herstellungskosten erlauben. Pro Fertigungsgang entstehen mehr als doppelt so viele Chips; auf den herkömmlichen 200-mm-Wafern finden pro Baustein 69, auf dem 300-mm-Wafer 173 Chips Platz.

SIA (Semiconductor Industry Association) und das Marktforschungsunternehmen Dataquest für 1999 erneut Umsatz-Zuwachsraten von 12% gegenüber dem Vorjahr; dies entspricht für 1999 einem Weltmarktvolumen von rund 133 Mrd US-Dollar. Während das Umsatzwachstum bei DRAM-C. stagniert, versprach sich die Industrie Zuwächse u. a. durch die Fertigung digitaler Signalprozessoren für Multimedia-Anwendungen.

Moores Gesetz: Anfang 1999 sagte Intel-Mitbegründer Gordon E. Moore voraus, dass sich bei ungebrochenem Wachstum die Zahl der Transistoren auf einem C. auf 1 Mrd erhöhen wird; die Leistung der Mikroprozessoren werde in den nächsten 20 Jahren um ca. 50% jährlich wachsen. 1968 hatte Moore die These aufgestellt, dass sich die Transistordichte auf einem Prozessor alle 1,5 Jahre verdoppeln lässt.

Grenzgrößen: Um 2010 erreicht die optische Lithographie, die bei der C.-Herstellung als fotografische Leittechnik beim Aufbringen der Leitungsbahnenmuster durch Belichtung dient, ihre Grenzen. Bereits um 2000 werden C. mit einer Strukturgröße von 0,25–0,18 Mikrometer (1 Mikrometer = 1/10 000 mm) gefertigt. Bei 0,05 Mikrometer wird die Grenze der Miniatursierungsfähigkeit gesehen.

Embedded Systems (engl.; eingebettete Systeme): Viele technische Geräte – darunter Personal Digital Assistants (PDA), elektronische Organizer, Pager, Set-Top-Boxen für das digitale Fernsehen und Auto-Bordcomputer – enthalten in ihren C. für das jeweilige Gerät speziell konstruierte Computeranwendungen. Mitte 1999 wurden durch diese C.-Arten Probleme bei der 2000-Datumsumstellung (mit vier statt zwei Ziffern für die Jahresangabe) befürchtet. Ein mit Embedded Systems gesteuerter Aufzug könnte z.B. beim Jahreswechsel steckenbleiben, weil in dem C. die Jahreszahl 2000 zweistellig als »00« interpretiert und der Zeitpunkt der fälligen Wartung auf das Jahr 1900 zurückgerechnet werden könnte.

Evolution: 1999 experimentierten Wissenschaftler mit digitalen Chromosomen: C. entwickeln ihr eigenes Erbgut, um Aufgaben selbstständig zu lösen. Im Forschungszentrum ATR (Advanced Telecommunications Research Institute) in Japan wurde eine Roboterkatze entwickelt, deren 40 Mio künstliche Nervenzellen in C. wachsen und sich zu einem komplexen Netz verbinden, das die Signale der »Sinnesorgane« verarbeitet.

http://www.hip.atr.co
http://www.genobyte.com

Chip: Anteil der größten Hersteller[1]

Intel	79
AMD (Advanced Micro Devices)	12
Cyrix und IBM	8
IDT	1

1) am Weltmarkt (%) 1998; Quelle: Computerwoche, 29.1.1999

Chip: Geschwindigkeit der Prozessoren[1]

	Arbeiten am PC (%)	Musik/Video (%)	Spielen (%)
Intel Pentium III 500	119	120	110
Intel Pentium II 400	100	100	100
Intel Celeron 400	91	94	92
AMD K6-III 400	87	78	79
AMD K6-2 400	83	76	75

1) Referenz ist der Intel-Pentium II 400 Megahertz (100%); Quelle: Computerbild, 29.3.1999

Chipkarte

Plastikkarte mit einem eingebauten Halbleiter (Mikroprozessor), die als Ausweis, Datenträger oder Bargeldersatz dient. Im Gegensatz zur Magnetkarte werden auf der C. Daten nicht passiv auf einem Magnetstreifen gespeichert, sondern stehen dem Prozessor aktiv für Anwendungen zur Verfügung.

Telekom-Chipkarte: Anfang 1999 gab die Deutsche Telekom als erster deutscher Anbieter C. aus, die den Richtlinien des Signaturgesetzes (Rechtswirksamkeit, Standardisierung) entsprechen. Mit der durch die C. und dazugehörige Lesegeräte gegebenen Möglichkeit zur digitalen Signatur können Telekom-Kunden z. B. Verträge rechtsverbindlich am Computer unterschreiben und Dokumente fälschungssicher über das Internet senden. Die C. kostet 50 DM, das Lesegerät 150–300 DM. Hinzu kommen Ausgaben für die Beglaubigung der digitalen Signatur (Kosten des Trust Center-Zertifikats: ca. 100 DM/Jahr).

Geldkarte: Seit Sommer 1999 können die rund 60 Mio Besitzer der von Banken und Sparkassen ausgegebenen Geldkarten, deren Chip über das Konto des Kartenbesitzers zwecks bargeldloser Bezahlung aufgeladen werden kann, auch mit der Geldkarte wie mit herkömmlichen Telefonkarten die etwa 100 000 Kartentelefone der Deutschen Telekom benutzen. Anfang 1999 war an rund 60 000 Akzeptanzstellen bargeldlose Bezahlung mit der Geldkarte möglich.

Biosensor: 1999 arbeiteten Wissenschaftler z. B. bei Siemens und der Gesellschaft für Mathematik und Datenverarbeitung (GMD, St. Augustin) an Leistungserweiterungen der C. in Form von biometrischen Sensoren. Biometrie ist die Erfassung und Auswertung personenspezifischer Daten wie Fingerabdruck, Handgeometrie, Gestik, Gesicht, Stimme. Mit biometrischen Daten soll die Rechtmäßigkeit eines Kartenbenutzers überprüft werden. Das Verfahren könnte Zugangskontrollen in Gebäuden erleichtern und bei elektronischen Geschäften (E-Commerce, Online-Banking) die Eingabe von Geheimnummern (PIN, TAN) durch Fingerdruck auf den auf der C. anzubringenden Sensor ersetzen. Weitere Möglichkeiten bestehen im Einbau eines Selbstzerstörungsmechanismus, der bei Missbrauch ausgelöst wird.

Power-Card: Anfang 1999 startete die Stadt Hannover ein Projekt, bei dem ausgewählte Kunden mit einer sog. Power-Card ihren Strom beim Anbieter ihrer Wahl beziehen können. Der herkömmliche Stromzähler wurde durch ein digitales Messgerät ersetzt, auf dessen Anzeige die Kunden Verbrauch und Restguthaben ablesen können. Die entsprechende C. wird beim Energielieferanten mit einem Guthaben versehen und in das Messgerät eingeführt. Das Verfahren hat sich in England bereits bewährt; in

Chipkarte: Entwicklung des Weltmarktes bis zum Jahr 2002[1]

	1996	2002
Kommunikation	494	1260
Finanzen	46	1260
Sicherheit	7	505
Pay-TV	46	420
Gesundheit	33	375
Transport	13	295

1) Prognose in Mio DM; Quelle: Globus, 15.6.1998

Deutschland fiel das Monopol der Stromnetzbetreiber im April 1998.

■ **Forschung und Technik** → Biometrie

Computer

Rechner zur elektronischen Verarbeitung von Daten, bestehend aus Hardware (Chips, CPU, Festplatte usw.) und Software (Programme, Betriebssystem)

Markt: Für 1999 wurde der C.-Branche weltweit durch den Branchendienst European Information Technology Observatory (Eito) ein starkes Wachstum von 9,5% prognostiziert (Marktvolumen in Europa zusammen mit Telekommunikationstechnik: ca. 800 Mrd DM); allein das Wachstum der deutschen Software-Industrie für 1999 wurde auf mehr als 13% geschätzt. Weltweit fehlten 1999 in der C.-Branche Hunderttausende Arbeitskräfte, insbes. im Zusammenhang mit der Bewältigung des Jahr-2000-Problems (eventuelle Rechenfehler bei der Datumsänderung zur Jahrtausendwende). Anfang 1999 wurden rund 70–80% aller Unternehmensdaten auf Großrechnern (Mainframes) und mittlerer Datentechnik (Midrange Rechner, z. B. mit Client-Server-Technik) verarbeitet; mehr als zwei Drittel aller Software-Budgets flossen in die Pflege alter Programme.

IBM und Dell: Anfang 1999 schloss der weltweit größte C.-Hersteller International Business Machines (IBM, USA) mit dem vor allem als Direktanbieter für PC bekannten US-Konzern Dell ein Abkommen, das als größtes seiner Art in der Branche für Informationstechnologie gilt (Volumen: 16 Mrd US-Dollar). Dell wird von IBM mit Datenspeichermedien, C.-Chips, Netzwerkzubehör und Monitoren für PC beliefert. Die Kooperation zwischen beiden US-Firmen wurde als Reaktion auf den Kauf

2002 wird das Weltmarktvolumen für Chipkarten nach Schätzungen mit rund 4,1 Mrd DM (bei 2,6 Mrd verkaufter Chipkarten) gegenüber 1996 um etwa das Siebenfache gestiegen sein.

des einst zweitgrößten C.-Herstellers Digital Equipment (DEC) durch den weltgrößten PC-Hersteller Compaq 1998 gedeutet. Mit dem Deal drang Compaq auf dem hart umkämpften C-Markt in die Domäne der mittleren und großen Rechner vor. **Trends:** Wie in den Vorjahren war 1998/99 ein verstärktes Zusammenwachsen von C. bzw. C.-Komponenten mit Telekommunikationsgeräten, Unterhaltungselektronik und Haushaltstechnik festzustellen, wozu insbes. das Internet beitrug. Es kamen z. B. Telefone mit Internet-Zugang und integriertem Bildschirm auf den Markt sowie Handys, über deren Display der Benutzer Internet-Nachrichten abrufen kann; Sprach- und Datennachrichten ließen sich unter den unterschiedlichen Medien austauschen.

Nicht nur die Parallelcomputer (sog. Supercomputer) erfuhren immense Leistungssteigerungen (Rechenoperationen im Teraflop-Bereich; ein Teraflop = 1000 Mrd Rechenoperationen/sec); auch im PC-Markt

BILANZ 2000

Computer

Auf dem Weg zur totalen Information

Der Einsatz mikroprozessorgesteuerter Computer hat im letzten Viertel des 20. Jh. die dritte technische Revolution der Weltgeschichte eingeleitet: Im Neolithikum ab 8000 v. Chr. erfolgte der Übergang vom Nomadentum zur Ackerbau und zur Sesshaftigkeit in steinernen Häusern. Die industrielle Revolution führte ab 1800 von der Agrar- zur Industriegesellschaft, die Chiprevolution leitete in den 1970er Jahren den Übergang zur postindustriellen Informationsgesellschaft ein. Gewinnung, Speicherung, Verarbeitung, Verbreitung, Vermittlung und Nutzung von Wissen (auch in manipulierter Form) ist nicht nur zu einem zentralen Produktionsfaktor der Wirtschaft geworden, sondern erfasst alle Bereiche: Freizeit, Bildung, Medizin u. a. Weitere Strukturmerkmale sind die Globalisierung aller Tätigkeitsbereiche und die Expansion des Dienstleistungssektors. Die Beschleunigung des technologischen und gesellschaftlichen Wandels durch immer mehr Information macht die kulturellen Folgen nur schwer absehbar.

Positive Trends

▸ Der Einsatz von Computern schafft neue Arbeitsplätze; 1998 fehlten in Deutschland ca. 100 000 EDV-Fachkräfte.

▸ Der Computer eröffnet enorme Möglichkeiten der Zeitersparnis (Online-Banking, E-Mail).

▸ Die vermehrte Produktion von Information anstelle materieller Güter hat positive Auswirkungen auf die Erhaltung der Umwelt.

▸ Telearbeit senkt die Produktionskosten eines Betriebs (u. a. Einsparung von Büromieten).

Negative Trends

▸ Computerspiele und Internet-Surfen können süchtig machen.

▸ Arbeit von Computern inkl. Telearbeit fördert soziale Isolation; an die Stelle persönlicher Begegnungen treten »virtuelle Freundschaften«.

▸ Privatsphäre und persönliche Daten von Computernutzern immer mehr kontrollierbarer.

▸ Ungeachtet der EU-Bildschirmrichtlinie (1996) genügen zur Jahrtausendwende 80–90% aller Computerarbeitsplätze nicht den Vorgaben.

Computer: Die wichtigsten Begriffe

▸ **BIOS:** Basic Input Output System (engl.; Basis-System für Ein- und Ausgabe), Grundprogramm eines PC. ist fest im Rechner installiert und sorgt dafür, dass der PC das Betriebssystem lädt, wenn er eingeschaltet wird.

▸ **Bit:** Kleinste Dateneinheit mit dem Wert 0 oder 1.

▸ **Bus:** Parallel geschaltete Datenleitung, welche die Bausteine eines Computers miteinander verbindet. Ende der 90er Jahre wurde die bis dahin gebräuchliche Datenleitung (sog. PCI-Bus) zunehmend vom Universal Serial Bus (USB) abgelöst. Alle Erweiterungsgeräte für den Computer (Modem, Maus, Tastaturen usw.) können über den einheitlichen USB angeschlossen werden.

▸ **Byte:** Informationseinheit aus 8 Bit. Ein Kilobyte (KB, 1024 Byte) = 1024 Zeichen, z. B. Buchstaben in einem Text. Ein Megabyte (MB) = 1024 KB. Ein Gigabyte (GB) = 1024 MB. Die Speicherkapazität von Festplatten und RAM (Zugriffsspeicher) wird in diesen Größen angegeben.

▸ **Cache:** Speicher einer Festplatte, der häufig von der Festplatte zu lesende Daten im Arbeitsspeicher (Hauptspeicher) hält. Dies erhöht die Zugriffsgeschwindigkeit auf Daten.

▸ **Client/Server:** Netzwerk mit einem sehr leistungsfähigen Computer (Server, engl.; Diener), der eine Vielzahl von Programmen und Daten bereit hält. An den Server sind sog. Clients (engl.; Kunden), Arbeitsplatzrechner mit geringerer Speicherkapazität, angeschlossen.

▸ **CPU:** Central Processing Unit (engl.; zentrale Verarbeitungseinheit), Chip, der alle internen Funktionen eines PC steuert. Im Inneren der CPU arbeiten mehrere Mio kleiner Schaltungen. Das Zusammenspiel der CPU und der anderen Bauteile (z. B. Festplatte, Haupt-/Arbeitsspeicher und Grafikkarte) bestimmt die Arbeitsgeschwindigkeit des Computers.

▸ **Grafikkarte:** Einsteckkarte für den Computer, die das Bild auf dem Monitor erzeugt.

▸ **Megahertz:** Taktfrequenz einer CPU, 1 Mio Takte/sec.

▸ **Motherboard:** Hauptplatine eines Computers.

▸ **RAM Random Access Memory** (engl.; wahlfreier Zugriffsspeicher): Haupt-/Arbeitsspeicher des Computers, in dem der Rechner die Daten verwaltet, mit denen gerade gearbeitet wird. Der Computer holt die Daten von den Speichermedien, z. B. Festplatte, Diskette oder CD-ROM. Die Daten verschwinden aus dem RAM, sobald der Computer ausgeschaltet wird, nicht jedoch von den Speichermedien.

Howard Aikens »Automatic Sequence Controlled Calculator Mark I« von 1944

Meilensteine

Vom Rechenmonster zum digitalen Superhirn

1941: Konrad Zuse (D) vollendet »Z 3«, den ersten Relaisrechner mit Programmsteuerung.

1944: Howard H. Aiken (USA) nimmt den programmgesteuerten Rechenautomaten »Mark I« in Betrieb; er arbeitet mit elektromechanischen Relais und wird über Lochstreifen gesteuert.

1946: John Mauchly/John P. Eckert (USA) bauen den ersten elektronischen Digitalgroßrechner ENIAC.

1946: John von Neumann (USA) entwickelt seine Rechnerarchitektur, auf der bis heute die meisten Computer basieren.

1949: Maurice Wilkes (GB) nimmt den ersten speicherprogrammierbaren Rechner (EDSAC) in Betrieb.

1952: Das Massachusetts Institute of Technology (USA) konstruiert Numerically Controlled Machines; diese Werkzeugmaschinen werden nicht von Hand bedient, sondern von einem Computer gesteuert.

1955: EMI (GB) konstruiert elektronische Bildabtaster mit integriertem Computer; gescannte Informationen werden weiterverarbeitet.

1960: Der mit Transistoren arbeitende PDP-1 (USA) unterschreitet als erster Computer die 1-Mio-Dollar-Grenze; auf der Transistoren- und Diodentechnik basiert die zweite Computergeneration.

1968: Mit dem 70-Bit-Chip beginnt die Computergeneration mit hoch integrierten Schaltkreisen auf einem Siliziumplättchen (Chip).

1974: Hewlett-Packard (USA) bietet den ersten programmierbaren Taschenrechner an.

1978: Erste »intelligente« Schreibmaschinen (USA) haben Computerchip und Textausgabepuffer.

1983/84: Die von IBM und Apple (USA) produzierten Personal Computer lösen eine Revolution in der Datenverarbeitung aus. Steve Jobs stattet den Apple-»Lisa« als ersten Computer mit einer Maus als Zeige- und Eingabegerät aus.

1986: Der erste 1-Mbit-Chip speichert den Inhalt einer Tageszeitung.

1989: »Laptops« sind tragbare PC mit Flüssigkristall- bzw. Plasmaanzeige; noch kleiner und leistungsfähiger sind die Notebooks.

1994: Computer, welche menschliche Sprache verstehen und in geschriebenen Text umsetzen können, erlangen Serienreife.

1997: Intel, AMD und Motorola beginnen im Auftrag des US-Energieministeriums mit der Entwicklung des 1-GBit-Chips.

Stichtag: 12. Mai 1941

Computer aus Telefonrelais

Der 1941 von Konrad Zuse vorgestellte, vor allem aus umfunktionierten Telefonrelais gebaute Computer »Z 3« hatte ein duales Rechenwerk mit 600 Relais und ein Speicherwerk mit 1400 Relais. Das Programm der metergroßen Maschine war binär (Ziffern 0 und 1) in einen Kinofilm gelocht, die Zahlenwerte wurden über Dezimaltastatur eingegeben, auf einem Lampenfeld waren die Ergebnisse ablesbar. Außer den Grundrechenarten beherrschte »Z 3« Multiplikationen mit fest eingebauten Faktoren und das Lösen von Quadratwurzeln.

Zur Person: Bill Gates

Vom Tüftler zum Monopolisten

Bill Gates (*1955) gilt als erfolgreichster Computerpionier des 20. Jh. Mit Paul Allan gründete er 1975 nicht einmal 20jährig die Microsoft Corporation, die er mit ausgeprägtem Gespür für Markttrends zum weltweit führenden Computerkonzern bei Entwicklung, Produktion und Distribution von PC-Software ausbaute. 1981 entwickelte er für IBM das Betriebssystem MS-DOS, das zum Weltstandard wurde. Nach dem Bruch mit IBM (1990) schuf er mit Windows das bis heute meistverbreitete PC-Betriebssystem.

Ausblick

Der Gläserne Online-Kunde

Lt. Prognosen deutscher Forscher wird die Informationstechnik bis 2013 fast alle Lebensbereiche erfassen. In »intelligenten« Häusern regeln Computer Heizung, Beleuchtung, Klimatisierung und die Benutzung elektrischer Geräte; ebenso alltäglich wie der elektronische Briefverkehr wird der Einkauf in virtuellen Shops sein. Die Speicherung der Kundendaten ermöglicht die Erstellung individuell zugeschnittener Produktkataloge in Papierform oder online.

![] **Computerausstattung[1)]**
CD-ROM-Laufwerk	78
Soundkarte	60
Farb-Tintenstrahldrucker	45
Modem	29
3D-Grafikkarte	24
Scanner	24
Laserdrucker	18
ISDN-Karte	13

1) in Privathaushalten (%); Quelle: Computerbild, 25.5.1999

wurden immer schnellere Rechner (300 bis 400 Megahertz, 64 MB Hauptspeicher, 8 GB Festplatte für rund 2000 DM) inkl. Peripheriegeräte (Drucker, Scanner, Modems im Bereich zwischen 100 und 200 DM) immer preisgünstiger angeboten.

▬ **Dienstleistungen** → E-Commerce

Computersimulation

(simulare, lat.; nachbilden), näherungsweises Nachbilden realer naturwissenschaftlicher, technischer und anderer Zusammenhänge oder Abläufe durch ein computererzeugtes Modell

Anwendung: C.-Verfahren spielten Ende der 90er Jahre eine wichtige Rolle beim Entwickeln von Prototypen und Modellen, in der Lernsoftware (Flugsimulatoren) und in der Forschung (Klima, Atomtests). Die

Bundeswehr setzte C. 1998/99 beim FPS/H (sog. Fliegerpsychologisches System/Hubschrauber) in der Heeresfliegerwaffenschule Achum bei Minden ein. Das als modernster psychologischer Hubschraubersimulator der Welt geltende Gerät misst u. a. die Biowerte des Piloten wie Plusfrequenz, Hautfeuchtigkeit und Atmung, um sein Verhalten in Gefahrensituationen zu erforschen. In der Automobilindustrie werden Unfall-C. eingesetzt, z. B. bei Mercedes, Porsche, Volvo und VW auf Hochleistungscomputern des Typs SX-4; dabei sind bis zu 2 Mrd Rechenoperationen gleichzeitig möglich. Der Hauptspeicher eines solchen Parallelcomputers fasst bis zu 16 Gigabyte zur Berechnung Tausender Verformungen am virtuellen Crash-Auto binnen Sekundenbruchteilen.

Computerspiele

Bildschirmspiele, in denen die Figuren und Gegenstände mittels Tastatur, Maus oder einem Steuerhebel (Joystick) bewegt werden. Sie werden mit tragbaren Gameboys, mit Konsolen (Sega, Nintendo), die mit dem Fernseher verbunden werden, oder mit dem herkömmlichen PC gespielt.

Bei vielen C. können durch Vernetzung von PC (z. B. über Internet) und entsprechender C.-Software mehrere Teilnehmer unabhängig vom ihrem Standort gegeneinander antreten oder gemeinsam eine Spielaufgabe lösen.

Nintendo: Das Ende 1998 herausgebrachte Spiel »The Legend of Zelda – Ocarina of Time« des japanischen Marktführers Nintendo war in Deutschland bereits nach wenigen Stunden ausverkauft (deutsche Erstauflage: 130 000 Stück). Weltweit wurden Ende 1998 mehr als 5 Mio Exemplare des Spiels abgesetzt, an dem 150 Programmierer über dreieinhalb Jahre gearbeitet hatten und das nach Hochrechnungen von Anfang 1999 zum meistverkauften C. aller Zeiten werden könnte.

Markt: Der C.-Markt wuchs 1999 gegenüber dem Vorjahr mit +25% erneut stark an. Deutschland lag 1998 nach den USA als Weltabsatzmarkt auf Rang 2; nach Schätzungen des Verbandes der Unterhaltungssoftware Deutschland (VUD) wurden in Deutschland 1998 Spiele und Lernsoftware (sog. Edutainment) für über 3 Mrd DM verkauft. Wirtschaftsverbände rechnen nach dem Jahr 2000 mit einem Anwachsen des

---

Computerspiele: Die wichtigsten Typen

▶ **3D-Spiele:** Die Teilnehmer agieren z.B. mit Blick über den Lauf einer Waffe hinweg in dreidimensional (3D) gestalteten Räumen. Dieser Spieletyp ist Simulationen zur virtuellen Realität nachempfunden (Beispiel: »Doom«).

▶ **Jump and Run-Spiele:** Die Figuren müssen Hindernisse überwinden und sich ihren Weg freikämpfen (»Super Mario Brothers«).

▶ **Fantasy-Rollenspiele:** Mehrere Helden mit unterschiedlichen Fähigkeiten müssen zusammen ein Problem lösen (»Das Schwarze Auge«).

▶ **Gesellschafts- oder Brettspiele für den PC:** Beispiele sind »Monopoly«, »Mensch-ärgere-dich-nicht«, »Trivial Pursuit«.

▶ **Multi-User-Spiele/Netzspiele:** Über PC-Vernetzung oder Internet

nehmen mehrere Akteure gleichzeitig am Spiel teil. Im größten Internet-Spiel »Ultima Online« bewegen sich in Spitzenzeiten bis zu 6000 Teilnehmer zeitgleich durch die mittelalterliche (virtuelle) Welt Britannia.

▶ **Paramilitärische Spiele:** Ziel ist das Abschießen möglichst vieler Spielgegner (»Wing Commander«, »Tie Fighter«). Diese C. haben ihren Ursprung in den frühen Konsolen-Spielen.

▶ **Sportspiele:** Boxen/Kampfsport, Autorennen, Basketball, Schach, Fußball u. a. Sportarten.

▶ **Strategie- oder Simulationsspiele:** Teilnehmer bauen u. a. Wirtschaftsimperien auf oder führen Armeen und Staaten (»Command & Conquer«, »Sim City«, »Die Siedler«).

Umsatzvolumens auf 5 Mrd DM allein in Deutschland, das Weltmarktvolumen sollte 1998/99 rund 20 Mrd US-Dollar erreichen. **Branchenprobleme:** Die Produktionskosten eines hochwertigen Simulations- oder Strategie-C. mit einem Verkaufspreis um 100 DM lagen in Deutschland 1998 zwischen 500 000 und 1,5 Mio DM (USA: bis 12 Mio US-Dollar). Selbst Bestseller (mit in Deutschland verkaufter Stückzahl von 100 000) sind oft nicht mehr als ein Jahr marktfähig. Auch die zunehmende Zahl von Raubkopien verursachte 1998/99 innerhalb der Branche Umsatzeinbußen von mehreren hundert Millionen DM.

Online-Premium-Spiele: Diese C. laufen auf Spielekanälen nur im Internet. Bei Zahlung monatlicher Telefontarife an entsprechende Anbieter und Abonnementgebühren für Internetnutzung sowie einmalig rund 60 DM für eine CD-ROM mit Zugangssoftware an den Spieleprovider kann jeder Teilnehmer gegen andere Abonnenten online spielen. In Deutschland waren Anfang 1999 folgende Anbieter marktbeherrschend:
– Bertelsmanns Gamechannel (Gebühr: rund 10 DM/Monat)
– Netplayer (Joint Venture der Weka-Zeitschriftengruppe, Augsburg, der Neuen Mediengesellschaft, Ulm, und des Internet-Providers 1 & 1, Augsburg): Basis-Abonnement 9,90 DM für 10 Stunden
– Gaming Zone (Microsoft)
– Rivalnet (Gräfeling); regional für den Raum München.

Computersucht

Beschäftigung mit dem Computer in der Freizeit unter suchtähnlichem Zwang

Nach einer 1998 veröffentlichten Studie der US-Psychologin Kimberly Young, die via Internet C.-Abhängigen Sprechstunden anbot, litten weltweit drei Mio Menschen an einer Internet-Abhängigkeit (Prognose für 2000: acht Mio Süchtige); die Betroffenen verbringen mehr als 40 h/Woche online. Besonders Studenten (Anteil an den Computersüchtigen: 14%) und Hausfrauen seien C.-gefährdet; in den USA waren 1998 nach Schätzungen der New Yorker Marktforschungsfirma Jupiter Communications ca. 5–10% der einige 100 Mio Computerbenutzer anfällig für C. Berufstätige Abhängige neigen dazu, auch während der Arbeitszeit

ihre C. zu befriedigen; dabei beschäftigen sich rund 20% mit den Sexangeboten im Internet. Süchtige vernachlässigen Familie, Arbeit oder Schule. Nur die wenigsten lassen sich behandeln, obwohl 90% der 1998 befragten Süchtigen angaben, Beeinträchtigungen ihres akademischen, sozialen oder finanziellen Umfelds zu erleiden. In den USA bieten sog. Internet Addiction Support Mailing Lists (engl.; Adressenlisten zur Unterstützung Abhängiger) Hilfe an.
http://www.netaddiction.com

Computerviren

Gegen den Willen des jeweiligen Nutzers in Computer/Netzwerke eingeschleuste Programme, die sich wie ein biologischer Virus vermehren (bisweilen sogar mutieren, d. h. ihren Code verändern) und Programme sowie Daten zerstören oder verändern

Neue Viren: Anfang 1999 wurde der Remote Explorer entdeckt, der sich unabhängig von den Aktivitäten des PC-Benutzers in den vom Betriebssystem Windows NT verwalteten Netzwerken ausbreitete. Das C. zerstört ausführbare Programmcodes und Daten durch Kompression (Verringerung der Dateigröße) bzw. Verschlüsselung. Seine Verbreitung ist nach Einschätzung von C.-Experten nicht auf die Weitergabe von Disketten oder den Versand von E-Mails über das Internet angewiesen: Hat das C. sich in einem Netzwerk eingenistet, pflanzt es sich selbstständig über das Netz auf andere Rechner fort. Die von Herstellern moderner Antiviren-Software 1998 entwickelten Gegenprogramme konnten den Remote Explorer zwar entdecken, aber die infizierten Dateien und Programme nicht wiederherstellen.

Chip-Virus: Bis Ende 1998 waren nur C. bekannt, die einzig die Software schädigen. Anfang 1999 trat jedoch erstmals ein C. auf, das einen Chip angreift, der eigentlich nicht vom PC-Anwender verändert werden soll: Das C. »CIH« überschreibt das für die Koordination der einzelnen PC-Komponenten notwendige Systemprogramm BIOS (Basic Input Output System) auf der Hauptplatine des Rechners. Bei einem mit »CIH« infizierten PC muss der befallene Chip ausgelötet werden.

Schaden: Die International Computer Security Association (ICSA, Pennsylvania) bezifferte Ende 1998 die Kosten, die eine

TOP TEN Computerviren: Wichtigste Virensuchprogramme[1]

1. Dr. Solomon's Antivirus Toolkit Workstation (349 DM) www.drsolomons.de	Aktualisierung: per CD-ROM (alle 3 Monate)	Dateiviren[2]	99,73
		Makroviren[3]	99,12
		Malware[4]	97,82
2. G-Data Antivirenkit 8 (199 DM) www.gdata.de	per CD-ROM (bis zu achtmal/Jahr)	Dateiviren	99,51
		Makroviren	99,63
		Malware	90,91
3. Dr. Solomon's Emergency Antivirus 2 (69 DM) www.drsolomons.de	per CD-ROM (einmalig) oder via Internet (monatl.)	Dateiviren	99,73
		Makroviren	99,12
		Malware	97,82
4. CDV Antivirus (50 DM) www.cdv.de/antivir	via Internet (monatlich)	Dateiviren	99,73
		Makroviren	99,12
		Malware	97,82
5. G-Data Power Antivirus 2 (50 DM) www.gdata.de	per CD-ROM (einmalig)	Dateiviren	99,00
		Makroviren	99,49
		Malware	90,55
6. Symantec Norton Antivirus 4.0 (99 DM) www.symantec.de	via Internet (wöchentlich)	Dateiviren	95,73
		Makroviren	97,04
		Malware	47,27
7. MacAfee/Network Associates Virusscan (99 DM) www.nai.com	per Diskette (alle 3 Monate)	Dateiviren	88,65
		Makroviren	97,17
		Malware	58,18
8. SPG Software Antivirus/ Desktop Virus Wall (199 DM) www.spg-gmbh.com	via Internet (ca. alle 2 Monate)	Dateiviren	66,46
		Makroviren	95,97
		Malware	68,00
9. Cheyenne/ Microbasic Inoculan Antivirus (79 DM) www.microbasic.de	via Internet (monatlich)	Dateiviren	87,88
		Makroviren	83,84
		Malware	83,64
10. Thunderbyte/Promus Conception Antivirus Utilities Prof. 8 (129 DM); www.promus.de	via Internet (ca. alle 2 Monate)	Dateiviren	75,71
		Makroviren	88,98
		Malware	49,82

1) Quote der von den Programmen vernichteten Viren in %; 2) Virenkonstruktionsprogramme, die keinen direkten Schaden am PC verursachen, aber ihrerseits neue Viren erzeugen; 3) trojanische Pferde; 4) Viren, die via Internet-Browser dem PC Schaden zufügen; Quelle: Computerbild, 6.7.1998

C.-Attacke auf ein Unternehmen verursacht, mit durchschnittlich 15 000 DM; es dauerte im Schnitt 44 Mannstunden, um den Schaden zu beheben. Pro Jahr werden rund 1 Mio PC von C. befallen; allein in den USA, wo der jährliche Schaden durch C. etwa 550 Mio US-Dollar beträgt, werden pro Monat 3,3% aller PC infiziert.

Typen: Weltweit waren Anfang 1999 insgesamt 25 000 C. bekannt (Steigerungsrate: +100/Monat); davon galten jedoch nur 10–20 als potenziell gefährlich. Zu den weit verbreitetsten C. zählen:

– File-Viren, die vor allem die ausführbaren .COM und .EXE-Dateien angreifen
– Boot-Sektor-Viren, die sich selbstständig in den Hauptspeicher eines Rechners kopieren und dort ihre Funktionen starten

– Makro-Viren sind produktspezifische, z. B. in der Sprache für kleine WinWord-Hilfsprogramme (Makros) erstellte C.; Anfang 1999 waren 4000 der bekannten C. Makro-Viren, auf sie entfallen 80% aller Schadensmeldungen
– Trojanische Pferde – Ende 1998 gab es rund 600 bekannte Exemplare – sind Programme, die sich in Dateien verstecken und aktiviert werden, sobald die Datei aufgerufen wird; diese C. sollen u. a. Kennwörter ermitteln.

Schutz: Ende 1998 schlossen sich die Sicherheits-Software-Unternehmen Network Associates (NAI, USA; 1997 fusionierte mit dem Virenbekämpfer McAfee) und Dr. Solomon (England) zusammen. Die Antivirensoftware von Dr. Solomon galt Mitte 1999

▮ Datenkomprimierung und -verschlüsselung: Trust–Center (Auswahl)

Trust Center		CCI	c't	DFN-PCA	IN-CA	IN-CR	TC Trust Center
Internet Adresse[1]		cci.de	heise.de	cert.dfn.de/ dfnpca	iks.de	individual.net	trustcenter.de
Gesellschafter		Dasa, Sema Group, Steinheil Optronic, TZN	Heise Verlag	Deutsches Forschungs- netz	IKS GmbH	Individual Network e.V.	Trust Center for Security in Data Networks GmbH
Zielgruppen	Behörden	▲	▽	▲	▲	▽	▲
	Unternehmen	▲	▽	▲	▲	▽	▲
	Privatkunden	▽	▲	▲	▽	▲	▲
Chipkartenlösung		Auf Wunsch	▽	in Vorbereitung	▽	▽	in Vorbereitung
Identitätsprüfung	persönlich	▲	▲	▲	▲	▲	▲
	Personalausw./ Handelsregister	▲	▲	▲	▲	▲	▲
Testzertifikat		▲	▽	▽	▲	▲	▲
Regelmäßiger Schlüsselwechsel		▲	▽	▲	▲	▲	○
Gültigkeitsdauer[2]		1–3	unbegrenzt	1	<=1	<=1	1
Anzahl der ausge- stellten Zertifikate		○	über 2000	rd. 170	rd. 200	○	○

1) Präfix: http://www.; 2) in Jahren; ▲ = Funktionalität vorhanden, ▽ = Funktionalität nicht vorhanden; ○ = keine Angaben; Quelle: Computerwoche, 10.7.1998

mit einer Erkennungsquote von fast 100% als bester Schutz vor C. Die Württembergische und Badische Versicherungsgruppe bot ab 1998 die weltweit erste Versicherung gegen Folgeschäden durch Computerviren und -saboteure (sog. Hacker) an.
http://www.icsa.com; http://www.icsa.net http://www.bsi.bund.de/gshb

Datenkomprimierung
Reduzierung des benötigten Platzes für die Speicherung oder Übertragung von Daten

Es lässt sich zwischen D. mit und ohne Informationsverlust unterscheiden. Letztere wird u. a. bei der Komprimierung von Bilddateien angewandt, wo in gewisser Informationsverlust zu vertreten ist, solange der Gesamteindruck des Bildes erhalten bleibt. Beispiele für 1998/99 verbreitete D.-Verfahren sind MPEG (Moving Pictures Experts Group) für Klang- und Videodaten und JPEG (Joint Photographic Experts Group) für Grafikdateien.
Technik: Beim sog. Packen wird die Größe einer Datei mit Hilfe komplexer Algorithmen verringert, z. B. durch Zusammenfassen sich wiederholender Zeichenfolgen in einer Tabelle. Bekannte Programme für den PC waren 1999 u.a. WinZip/PKZIP und Lharc.

Audiocodierung: Ende der 90er Jahre überspielten Privatnutzer zunehmend Musik aus dem Internet auf den heimischen PC. Ohne D. würde die Übertragung eines dreiminütigen Liedes statt Sekunden mehr als eine Stunde dauern. Das Fraunhofer Institut in Erlangen nutzte Ende der 90er Jahre erstmals die Funktion des menschlichen Ohrs: Da das Gehör nur Signale zwischen 16 Hertz und 20 Kilohertz wahrnimmt, konnten Geräusche, die unter oder über diesen Frequenzen liegen, als irrelevante Informationen bei der Datenübertragung weggelassen und die Audiosignale um den Faktor 12 verdichtet werden, ohne dass die Qualität der Musikstücke eingeschränkt wurde.

Datenkomprimierung und -verschlüsselung: Begriffe

▶ **Brute Force Attack:** Ermittlung eines Schlüssels durch das systematische Ausprobieren aller bestehenden Möglichkeiten
▶ **Kryptoanalyse:** Methoden und Techniken zum Entschlüsseln durch Codierung geschützter Daten.
▶ **Krypto-Chip:** Das Bundesinnenministerium beauftragte die Firma Siemens 1998 mit der Entwicklung des Mikrochips »Pluto«, mit dem alle E-Mails an öffentliche Stellen in Deutschland einheitlich verschlüsselt werden sollen.

▶ **Steganographie:** (stegos, griech.; geheim, unsichtbar) Technik, eine Nachricht in einer anderen Datei zu verstecken, etwa in einem Bild oder einem Videofilm.
▶ **Trust Center** (engl.; etwa: vertrauenswürdige Zertifizierungsinstanz): Institution, bei der über das Nutzung von Datenverschlüsselungstechniken Schlüssel, Name und Zeichnungsberechtigung (z.B. PIN oder Passwort) hinterlegen kann, um bei Bedarf die Urheberschaft eines Dokuments nachzuweisen.

Digitale Signatur

Technisches und mathematisches Verfahren, mit dem der Wortlaut eines elektronischen Dokumentes (E-Mail) eindeutig mit dem Namen seines Autors verknüpft werden kann. Im Online-Verkehr, z. B. beim elektronischen Handel (E-Commerce) über Internet oder Online-Dienste, ist durch D. die Originalität der verschickten Dokumente garantiert.

Codes: D. arbeiten mit einem privaten und einem öffentlichen Schlüssel (Code). Der private Code ist nur seinem Benutzer bekannt; er wird zum elektronischen Unterzeichnen verwendet und i.d.R. durch Internet-Programme wie PGP-Pretty Good Privacy generiert. Die Identität des Benutzers ist im öffentlichen Schlüssel enthalten, welcher durch eine Art elektronisches Telefonbuch jedem zugänglich ist und der Überprüfung der D. dient. Mit beiden Codes können Botschaften ver- und entschlüsselt werden.

Datenschutz: Der gemeinsame Einsatz der Codes soll sicherstellen, dass niemand unter falschem Namen via PC Nachrichten (E-Mails) verschickt oder deren Inhalt verändert. Mitte 1999 stuften Datenschützer das Verfahren als sicher ein.

Zertifizierung: Ende 1998 erhielt das Unternehmen GlobalSign (Brüssel) von der deutschen Regulierungsbehörde für Telekommunikation und Post die Genehmigung als eine der ersten Zertifizierungsstellen für D. in Deutschland. GlobalSign und vergleichbare Stellen sollen gewährleisten, dass D. ebenso rechtsverbindlich sind wie handschriftliche Signaturen. Ein Zertifikat enthält neben Namen und öffentlichem Schlüssel des Eigentümers u. a. Verfallsdatum und Seriennummer. Es kostete 1999 je nach Sicherheitsgrad zwischen 30 und 120 DM. Die größte europäische Zertifizierungsinfrastruktur wurde 1996–99 in dem Projekt ICE-TEL (Interworking Public Key Certification Infrastructure for Europe Telematics) aufgebaut, an dem 16 Firmen beteiligt sind.

Markt: Einer Studie des Instituts Datamonitor zufolge lag Ende 1998 das weltweite Marktvolumen für D. bei 115 Mio US-Dollar (Prognose für 2001: 1,9 Mrd US-Dollar).

http://www.secude.com/trustfactory/
http://www.iid.de/rahmen/
http://www.dud.de
    Dienstleistungen → E-Commerce → E-Cash

Elektronisches Buch

Digitales Lesegerät in Buchformat mit LCD-Bildschirm (Flüssigkristallanzeige)

1998 stellten mehrere Medienkonzerne ihre Versionen eines E. vor, das moderne Aspekte der Datenverarbeitung mit traditionellen Gewohnheiten des Buchlesers verbinden soll. E. orientieren sich mit ihren Schrifttypen und der Zahl der Anschläge je Zeile auf ihrem Display an standardisierten Papierseiten; das »SoftBook« ist in Leder eingebunden, das »Everybook« stellt auf seinem Bildschirm zwei Buchseiten nebeneinander dar, das »RocketBook« erinnert in seiner Form an ein Taschenbuch, dessen bereits gelesene Seiten zurückgerollt sind.

Elektronisches Buch: Die wichtigsten Typen

Typ	SoftBook	RocketBook	Everybook
Hersteller	SoftBook Press	NuvoMedia	Everybook Inc.
Internet-Adresse	www. Softbook.com	www.Nuvomedia.com	www.everybk.com
Größe (cm)	21,6 x 27,9 x 2	18 x 12,4 x 2,2	24,1 x 31,5 x 3,8
Gewicht (kg)	1,3	0,566	1,5
Laden von Buchtexten	über integriertes Modem beim Internet-Buchhandel	Anschluss an PC mit Modem nötig	über Internet-Homepage des Herst. bzw. PCMCIA-Karten
Notizen im Buch	mit integriertem Stift	mit integriertem Stift	k.A.
Seitenkapazität	100 000	4000	2 Mio
Besonderheit	Ledereinband	besonders leicht	2-(Buch) Seiten-Display
Preis (DM)	540 zzgl. monatl. Gebühr	900 zzgl. Gebühr	2890

Quelle: Konr@d, Juli 1998

Verfahren: Buchtexte werden meist über Internet per Modem auf das E. geladen. Vorteil des E. ist die große Menge an gespeicherten (Buch-)Seiten (4000–2 Mio) auf einem relativ handlichen Medium. Nachteil war Anfang 1999 noch der hohe Preis (500–2890 DM) und je nach E.-Modell die Verpflichtung der Käufer, wie in einem Buchclub monatlich Titel zu beziehen.

Digibuch: Das Hamburger Unternehmen Brainfuel bot 1998/99 mit seinem Konzept »Digibuch« Lesern die Möglichkeit, sich aus dem Internet digitalisierte Bücher direkt auf den heimischen PC zu überspielen. Bezahlt wird die Leistung per Kreditkarte, Abbuchung oder Nachnahme. Ende 1998 waren auf diese Weise rund 250 Titel, zumeist aus dem Bereich EDV, verfügbar.

   Buchmarkt → Internet-Buchhandel
→ Books on Demand

E-Mail

(electronic mail, engl.; elektronische Post), Nachrichten, die auf elektronischem Wege über Netzwerke – z. B. das Internet oder ein firmeneigenes Intranet – verschickt werden. Außer Texten können u. a. Bilder, Grafiken, Video- oder Klangdateien sowie Computerprogramme verschickt werden.

Technik: Hauptvorteile der E. gegenüber der normalen Briefpost sind die größere Geschwindigkeit (innerhalb von Sekunden oder Minuten kann eine Nachricht an nahezu jeden Punkt der Welt gelangen) und die Möglichkeit, Dokumente zur Weiterbearbeitung zu übermitteln. Für das Versenden von E. ist meist ein PC inkl. spezieller Software erforderlich sowie der Anschluss an ein Computernetzwerk, meist über Modem oder ISDN-Karte.

Verbreitung: Lt. einer Studie der US-Firma Pitney-Bowes sendeten Angestellte oder Beamte in den USA, Kanada und Großbritannien 1998 durchschnittlich 169 Nachrichten pro Tag (per E., Fax, Hauspost, Mailbox, Telefon, Pager, Briefpost oder Handy). Der Anteil sog. zeitverzögerter Mitteilungen wie E., Fax oder Mailbox wuchs 1997 um 60%. Fast die Hälfte der 3900 Befragten gab an, alle zehn Minuten durch eine eintreffende Nachricht in der Arbeit unterbrochen zu werden. In den USA nutzten 1998 rund 83 Mio Amerikaner – etwa 50% aller Beschäftigten – E. am Arbeitsplatz (Deutschland: 3,8 Mio, rund 10% der Beschäftigten). Das Versenden von

E. hat bei Online-Nutzern höchsten Stellenwert noch vor der Inanspruchnahme von Suchmaschinen oder ähnlichen Diensten zur Informationsrecherche.

Unified Messaging (engl.; vereinheitlichtes Nachrichtenversenden): Diese Dienstleistung, die 1999 in Deutschland z. B. von den Firmen Conrad Electronics und Quinity angeboten wurde, ermöglicht Reisenden das Abhören von E. über Telefon. Wer unterwegs Zugang zum Internet hat, kann Telefonate als Klangdateien abrufen bzw. sich gefaxte Seiten als Grafiken zusenden lassen. Auch ohne Internet kann ein Benutzer eingegangene E. per Telefon weiterleiten lassen; sie werden ihm über den Service von einer Computerstimme vorgelesen.

Rechtsschutz: Trotz ihrer Verbreitung ist die Vertraulichkeit von E. im Gegensatz zu Telefonaten nicht strafrechtlich geschützt; für sie gilt nicht einmal das Briefgeheimnis. In den USA sind E. als Beweismittel in Gerichtsprozessen zugelassen.

   Telekommunikation

Festplatte

(hard disk, engl.; feste Scheibe), meist fest im Computer installierter Daten- und Programmspeicher

Auf der F. befinden sich Programme und gespeicherte Texte, Grafiken, Spiele usw. Auf der sich schnell drehenden F. werden die Informationen wie bei einer Musik-Cassette magnetisch aufgezeichnet. Die maximale Speicherkapazität einer F. lag Ende 1998 bei 19 Gigabyte (GB; 1 GB = rund 1 Mrd Zeichen). In handelsüblichen Standard-PC befanden sich Anfang 1999 F. mit 8 GB bis 10 GB (Preis: ca. 500 DM), dies entspricht einer Textmenge von rund 3,3 Mio Schreibmaschinenseiten. Aufwendige Computer-

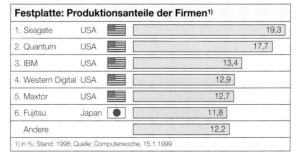

Festplatte: Produktionsanteile der Firmen[1]			
1. Seagate	USA		19,3
2. Quantum	USA		17,7
3. IBM	USA		13,4
4. Western Digital	USA		12,9
5. Maxtor	USA		12,7
6. Fujitsu	Japan		11,8
Andere			12,2

1) in %; Stand: 1998; Quelle: Computerwoche, 15.1.1999

spiele sowie Bild-, Film- und Musikbearbeitungsprogramme auf dem PC reduzieren den freien Platz auf einer F. jedoch schnell. So belegen das Betriebssystem Windows 98 und die Software Office 97 von Microsoft allein rund 1,3 GB.

Flachbildschirm

Bildschirme mit geringer Tiefe, niedrigem Volumen, Gewicht und Energieverbrauch

Vorteile: Flüssigkristall-F. (LCD-F.) werden vor allem beim Bau tragbarer Computer (Notebooks) eingesetzt. Anders als Röhrenbildschirme arbeiten LCD flimmer- und strahlungsfrei; sie sind nicht gesundheitsschädlich, sparen Platz und stören nicht die Funktionstüchtigkeit z. B. von medizinischen Geräten. Gegenüber Röhrenbildschirmen sparen F. bis zu 90% Strom.

Preis: 1998/99 waren F. trotz einsetzenden Preisverfalls, insbes. bei den 14- und 15-Zoll-Monitoren, noch immer rund doppelt so teuer wie herkömmliche Röhrenbildschirme. Ende 1998 sank z. B. der Preis eines 15-Zoll-F. von Compaq unter 2000 DM. Hauptgrund für die höheren Preise ist das aufwendige Herstellungsverfahren: F. müssen ähnlich wie Computerchips in staubfreier Umgebung gefertigt werden. Funktionieren nur einige der Mio Bildpunkte nicht, ist das Display unbrauchbar. Die Fehlerrate lag Mitte 1999 bei manchen Herstellern bei 70%.

Marktvolumen: Lt. Angaben des japanischen Monitorherstellers NEC werden die Absatzzahlen für F. u. a. durch den boomenden Markt für Notebooks und Personal Digital Assistants bis 2000 weltweit auf sechs Mio Stück steigen (1998: 1 Mio). Das Verhältnis von F. zu Röhrenbildschirmen betrug 1998 weltweit etwa 1:9.

Anwendung: F. bewähren sich, weil sie keine gesundheitsschädliche Strahlung abgeben und kaum Wärme entwickeln, insbes. dort, wo viele Monitore auf engstem Raum zusammenstehen, z. B. in den Handelsabteilungen von Börsen und Banken. Sie benötigen aufgrund ihrer geringen Bautiefe nur rund ein Viertel der Stellfläche eines Röhrenmonitors.

■ **Fernsehen** → Digitales Fernsehen

Hacker

Computernutzer, die sich meist widerrechtlich Zugang zu Rechnern von Firmen oder Privatleuten verschaffen. Sie überwinden Passwortsperren und Verschlüsselungssysteme, um an Informationen zu gelangen oder sie zu verändern, Daten zu stehlen oder Computerviren einzuschleusen bzw. Systeme oder Festplatten durch Flooding (Überfluten mit sinnlosen Datenübertragungen) lahmzulegen.

Jagd auf Hacker: Anfang 1999 wurde die Menschenrechtsseite der chinesischen Regierung im Internet Ziel von H.-Angriffen. In der Volksrepublik China wurden Anfang 1999 zwei H. zum Tode verurteilt, die in das Datennetz einer Bank eingebrochen waren und sich umgerechnet 52 000 DM überwiesen hatten. Ungeklärt war bis Mitte 1999 der Tod des H. mit dem Spitznamen »Tron« Ende 1998, den der deutschen Chaos Computer Club (CCC) angehört hatte. Er hatte wie andere Mitglieder des CCC seine Kenntnisse von Sicherheitslücken in Computersystemen von Geheimdiensten und der Industrie zur Verfügung gestellt und u. a. die Fälschbarkeit von Telefonkarten nachgewiesen.

Pentagon: Das US-Verteidigungsministerium Pentagon und andere Behörden richteten ab Mitte 1998 eine Arbeitsgruppe zur Bekämpfung terroristischer H.-Angriffe ein. Bis 2002 werden 3,2 Mrd US-Dollar bereit gestellt, um die Sicherheit der 2,1 Mio Computer, 100 000 lokalen Netzwerke und über 100 Fernnetzwerke im Verteidigungsbereich zu verbessern. Nach Schätzungen von Militärs versuchen H. etwa 250 000mal im Jahr, in Pentagon-Computersysteme einzudringen; in rund 50% der Fälle sind sie erfolgreich.

Flachbildschirm: Die wichtigsten Techniken

▶ **Aktivmatrixdisplay** (auch TFT-Display, engl.: Thin Film Transistor; Dünnfilm-Transistortechnik). Die Displays bestehen aus zwei Glasplatten mit einer Zwischenschicht aus Flüssigkristallen, deren Lichtdurchlässigkeit durch Transistoren steuerbar ist. Jeder einzelne Bildpunkt (Pixel) wird durch einen Transistor aktiviert. Wegen der geringen Lichtstreuung der Pixel wirkt das Bild besonders kontrastreich und plastisch.

▶ **Elektrolumineszenz:** Auf diesem Funktionsprinzip beruht der Ende 1998 vorgestellte F. des japanischen Elektronik-Konzerns Panasonic. Die neuen Monitore verwenden organisches Material wie z. B. Kohlenstoff, das unter Spannung Licht ausstrahlt.

Dadurch ist die eigene Beleuchtung nicht mehr erforderlich, die Schirme fallen noch flacher aus.

▶ **Plasmadisplay:** Plasma-Bildschirme bestehen aus Glasplatten, die ein Drahtgitter in einer Edelgasatmosphäre einschließen. An jedem Kreuzungspunkt kann durch Anlegen einer Spannung das Gasgemisch zum Leuchten angeregt werden. Es entsteht ein scharfes und flimmerfreies, aber nur monochromes Bild. Plasmadisplays werden außer in PC und Kleincomputern auch für großformatige Fernsehbildschirme mit bis zu 107 cm Diagonale genutzt, die aufgrund ihrer flachen Konstruktion (10 cm tief) auch an eine Wand gehängt werden können.

Sicherheitssoftware: Angesichts der H.-Aktivitäten expandierte der Markt für Sicherheitssoftware (z. B. Firewalls): Das Umsatzvolumen stieg von 45 Mio US-Dollar (1997) auf 160 Mio (1998). Nach Marktforschungen der Yankee Group (USA) steigt das Umsatzvolumen bis 2003 um jährlich knapp 50% auf 747 Mio US-Dollar. Branchenführer für Sicherheitssoftware war 1998 Internet Security Systems (ISS) mit einem Marktanteil von 30% vor Axent Technologies (19%), Network Associates und Cisco Systems (11%) sowie Security Dynamics (10%).

Internet: Die weltweite Verbreitung des Internet (Mitte 1999: rund 150 Mio Nutzer), mangelhafte Schutzmaßnahmen und eine international uneinheitliche Rechtslage boten H. bis Mitte 1999 vielfältige Möglichkeiten:

– elektronische Belästigung durch »Spamming«, z. B. die Versendung von Werbebotschaften in großer Anzahl
– Verbreitung von Computerviren
– Urheberrechtsverletzungen und Softwarepiraterie
– Ausspionieren von Festplatten mit »Trojanischen Pferden« (das Betriebssystem verändernde Dateien mit verlockenden Namen, um z. B. Kennwörter zu erfahren)
– Kredit- und Scheckkartenbetrug.

Dienstleistungen → E-Cash

Informationstechnik

(IT), Oberbegriff für Computer- und (Tele-) Kommunikationstechnik

Wachstum: 1998 entwickelte sich der IT-Markt erstmals seit mehr als zehn Jahren in Europa schneller als im Weltdurchschnitt: Lt. Branchendienst European Information Technology Observatory (Eito) stieg das Marktvolumen der IT in Europa 1998 um 8,3% auf rund 759 Mrd DM. Für 1999 wurde eine ähnliche Steigerungsrate erwartet. Ein wenig schneller (9–10%) wuchs der US-Markt, Japan hingegen musste 1998 einen leichten Rückgang um 1% hinnehmen.

Arbeitsmarkt: Die Zahl der Beschäftigten in der IT-Industrie wuchs 1998 um rund 10% (europaweit ohne Unterhaltungselektronik, Medien und Fachhandel: rund 2 Mio Beschäftigte). Doch blieben aufgrund des Fachkräftemangels in der IT über 300 000

Stellen unbesetzt (Deutschland: ca. 75 000) – fast jeder sechste Arbeitsplatz –, was das Wachstum der Branche um 1–2% bremste.

Computertechnik: Insgesamt teilte sich 1998 lt. Eito der Markt je zur Hälfte in Telekommunikation und Computertechnik. Für

Hacker: Trojanische Pferde und ihr Umfang[1]

!!porn.exe	358 974
aol.exe	55 884
aol40.zip	500 447
aolbeta.exe	97 626
contest.exe	51 234
games.exe	49 942
install.zip	119 437
modem.zip	119 364
mypics.exe	29 094
package.exe	331 605
picviewr.zip	130 232
powrtool.exe	114 552
private.exe	155 567

1) Anzahl der Bytes; Quelle: ComputerBILD, 2.3.1998

Infotechnik: Beschäftigte in der IT-Branche in Europa[1]

Belgien	27
Dänemark	47
Deutschland	423
Finnland	30
Frankreich	349
Griechenland	15
Großbritannien	435
Irland	18
Italien	197
Niederlande	121
Norwegen	41
Österreich	43
Portugal	20
Schweden	88
Schweiz	76
Spanien	110

1) in 1000 (1998 geschätzt); Quellen: Fachverband Informationstechnik im VDMA und ZVEI, Globus

TopTen Infotechnik: Umsätze der größten Unternehmen

1. Dell Computer		15176,0[1]	▲ +54,3[2]
2. Vodafone Gr.	4142,5		▲ +44,0
3. SAP	4131,1		▲ +64,9
4. Nokia		11960,0	▲ +31,4
5. Ingram Micro		19320,9	▲ +39,5
6. America Online	2599,5		▲ +54,3
7. Compuware		1253,5	▲ +43,2
8. Microsoft		14484,0	▲ +27,5
9. EMC	3386,3		▲ +33,4
10. Lexmark Int.	2723,3		△ +14,7

1) 1998 (Mio US-Dollar); 2) Veränderung gegenüber 1997; Stand: Ende 1998; Quelle: FAZ, 9.11.1998

TopTen Infotechnik: Größte Service-Anbieter[1]

1. SBS	3,50
2. IBM Global Services	3,32
3. Debis Systemhaus	2,60
4. GE CITS (inkl. Compunet)	1,95
5. Compaq (Digital)	1,50
6. EDS	1,07
7. Datev	0,98
8. CSC	0,68
9. Bull	0,57
10. Hewlett Packard Software & Service	0,53

1) Umsatz in Mrd DM 1998 in Deutschland; Quelle: Computerwoche, 8.1.1999

Infotechnik: Umsatzwachstum des Marktes[1]

	1998	1999
Hardware	+6,2	+6,2
Software-Produkte	+13,0	+13,8
Professionelle Dienstleistungen	+13,8	+14,2
Unterstützungsdienstleistungen	+1,7	+2,1
Öffentliche Netz-Infrastruktur	-7,1	+1,2
Private Netz-Infrastruktur	+5,4	+5,07
Telekommunikations-Dienstleistung	+5,7	4,5 +4,5
Insgesamt	+6,8	+7,0

1) Prognosen gegenüber Vorjahr (%); Quelle: European Information Technology Observatory (EITO), FAZ, 25.10.1998

Infotechnik: Beschäftigte[1]

Medien	41
Informationstechnik	24
Telekommunikation	19
Fachhandel, Distribution	9
Elektron. Bauelemente	5
Unterhaltungselektronik	2

1) Anteil (%); Stand: 1998; Quelle: Fachverband Informationstechnik im VDMA und ZVEI, Aachener Nachrichten, 20.3.1999

Infotechnik in Haushalten[1]

Telefon (stationär)	97
Fernsehgerät	96
Videorecorder	62
Kabelanschluss	53
PC	42
Satellitenempfang	29
Faxgerät	15
Mobiltelefon	11
Modem	10
Internetzugang	8
ISDN-Anschluss	6

1) in %; Stand: 1998; Quelle: Statistisches Bundesamt, Globus

von Jahr zu Jahr (Prognose 1999: 6,4%). Weltweit überholte die IT-Branche 1998 mit einem Marktvolumen von 2,6 Bio DM (Europa: 820 Mrd DM) die Autoindustrie.

Deutschland: Anfang 1999 gab es in Deutschland über 4,3 Mio ISDN-Anschlüsse (Steigerung gegenüber dem Vorjahr: 20%). Jeder sechste Deutsche telefonierte mobil (Steigerung: 70%), jeder elfte nutzt an seinem PC Internet oder Online-Dienste.

Telekommunikation → Mobilfunk
www.bsi.bund.de

Internet

Weltweit größtes Computernetzwerk, das dem Benutzer den rechnergestützten Zugriff auf Datenbanken und damit auf Informationen in aller Welt sowie die Kommunikation mit anderen an das I. angeschlossenen Anwendern ermöglicht.

Nutzung allgemein: Anfang 1999 nutzten in Deutschland rund 8,5 Mio Menschen das I. oder Online-Dienste, davon 3,2 Mio täg-

letzteren wird ein stärkeres Wachstum prognostiziert (1999: 9,5%); der Umsatzzuwachs der Telekommunikation verlangsamte sich wegen der sinkenden Preise seit 1995

Infotechnik: Infrastruktur

	ISDN-Anschlüsse[1]	TV-Kabelanschlüsse[2]	Mobiltelefone[3]	Internet/Online[4]
Deutschland	53	51	17	9
Frankreich	26	11	18	13
Westeuropa	21	27	20	8
Japan	21	13	32	8
Großbritann.	20	11	19	14
Italien	9	1	35	2
USA	6	65	25	27
Spanien	6	14	16	3

1) je 1000 Einw.; 2) je 100 Haushalte; 3) je 100 Einw. 4) Abonnenten je 100 Einw.; Stand: 1998
Quelle: Fachverband Informationstechnik im VDMA und ZVEI, Globus, 8.3.1999

lich (weltweit rund 150 Mio Nutzer). Wem die I.-Services nicht am Arbeitsplatz zur Verfügung stehen, kann ein Modem oder eine ISDN-Karte an seinen privaten PC anschließen und über die Software von Online-Diensten oder Providern ins I. gelangen. Mit Hilfe von sog. Browser-Software werden die I.-Seiten auf dem PC dargestellt. Die Inanspruchnahme der meisten Dienste im I. ist kostenlos. Der private Anwender bezahlt i. d. R. eine monatliche Grundgebühr für einen Anschluss an einen Rechnerknotenpunkt; hinzu kommen Nutzungs- und Telefongebühren.
Wirtschaftliche Nutzung: Über I. werden Waren und Dienstleistungen angeboten und verkauft (E-Commerce). Rund 2,2 Mio Menschen erwarben 1998 in Deutschland Produkte über das I. Über die Kosten-/Nutzen-

relation der Inanspruchnahme von I.-Diensten für Anbieter und Konsumenten kursierten Ende der 90er Jahre stark differierende Zahlenangaben und Prognosen, die u. a. auf die oft unzureichenden Sicherheitsstandards und die Rechtsunsicherheit bei der Bezahlung über das I. zurückzuführen waren.
Internet 2: Aufgrund der steigenden Nutzung war der schnelle Zugriff auf bestimmte Angebote im I. 1998/99 nicht mehr gewährleistet. Die Datenübertragung per Telefonleitung dauert z. T. viele Minuten, sodass hohe Telefonkosten anfallen. Durch Installation von Breitband- und Einsatz von Satellitennetzen soll ein schnellerer I.-Zugriff z. B. über Fernsehkanäle ermöglicht werden. Ende der 90er Jahre beteiligten sich über 100 US-Universitäten und große Unternehmen an der I.-2-Initiative. Dieses I.

Internet-Nutzer im Ländervergleich[1]

	1999	2000	2001	
Deutschland	9426	12621	16299	▲+42,4[2]
Frankreich	8175	10118	12491	△+12,9
Großbritannien	8110	10222	12254	▲+32,4
Italien	2956	4139	5616	▲+50,7
Spanien	2528	3426	4466	▲+32,2
Europa gesamt	43343	56562	71681	▲+31,3
USA	66270	75547	85338	▲+18,4
Japan	9718	13953	18996	▲+45,0
übrige Welt	27497	37566	49302	▲+42,3

1) 1000, Prognosen; 2) Wachstumsrate 1996–2000 (%); weltweit 1999: 146,8 Mio; 2000: 183,6 Mio, 2001: 225,3 Mio, Steigerung 1996–2000: +27,7%;
Quelle: European Information Technology Observatory (EITO), DIW Wochenbericht 7/1999

Internet-Kosten im Ländervergleich¹⁾

Australien	44,40²⁾	24,80	69,20
Belgien	39,30	47,50	86,80
Dänemark	12,50	50,50	62,90
Deutschland	57,10	69,70	126,80
Finnland	13,30	27,80	41,10
Frankreich	23,80	64,20	88,00
Griechenland	52,20	67,30	119,50
Großbritannien	27,00	64,40	91,40
Irland	31,00	63,70	94,70
Island	32,10	32,60	64,70
Italien	26,00	40,40	66,40
Japan	54,90	58,10	113,00
Kanada	26,60	29,90	56,50
Korea-Süd	35,60	37,40	73,00
Luxemburg	29,40	58,20	87,60
Mexiko	108,00	32,40	140,40
Neuseeland	44,60	41,60	86,20
Niederlande	23,50	50,80	74,30
Norwegen	16,40	52,50	68,90
Österreich	37,30	80,50	117,80
Portugal	33,00	59,90	93,00
Schweden	24,40	43,00	67,40
Schweiz	20,70	96,20	116,90
Spanien	18,70	62,40	81,10
Türkei	56,20	77,20	133,40
USA	33,80	35,10	68,90

1) DM/Monat für 20 Online-Stunden, 2) davon Kosten für Provider; Quellen: OECD Communications Outlook 1999, Rheinische Post, 6.2.1999

Internet-Nutzer weltweit¹⁾

Jahr	Weltweit	davon USA	davon Europa
2001²⁾	225	85	72
2000²⁾	184	76	57
1999²⁾	147	66	43
1998	116	57	33
1997	89	47	25
1996	67	37	18

1) Mio, 2) Prognosen; Quelle: European Information Technology Observatory, Globus, 1.3.1999

Internet-Einkäufe weltweit¹⁾

Hard- und Software	61,7
Bücher	50,0
Musik-CD	32,6
Kleidung	30,4
Reisen und Tickets	21,2
Unterhaltungselektronik	17,4
Eintrittskarten	14,5
Möbel/Haushaltsgeräte	11,8
Sportartikel	8,3
Lebensmittel	3,5
Sonstiges	8,2

1) Anteil (%) an den Einkäufen im Internet, Mehrfachnennungen möglich; Stand: 1998; Quelle: Bild der Wissenschaft 3/1999

soll über Glasfaserkabel bis zu 1000mal schnellere Übertragungszeiten ermöglichen (bis zu 2,4 Mrd Bits/sec; herkömmliches Modem: 56 000 Bits/sec). Die drei US-Firmen Qwest Communications International, Cisco Systems und Northern Telecom (Nortel) planten 1999, insgesamt 500 Mio US-Dollar ins I.2 zu investieren.

Internet-Telefonieren: Ende der 90er Jahre wurde die Qualität von Telefongesprächen über das I. beträchtlich gesteigert. Der Benutzer kann sich auch ohne I.-Anschluss über ein normales Telefon mit der Zugangsnummer eines Telefon-Dienstleisters in sein Ortsnetz einwählen; ein Computer wandelt die Signale und sendet sie an einen Rechner im Ortsnetz des Empfängers. Der Rechner wählt das Telefon des Angerufenen an und wandelt die Signale zurück. Internationale sind Gespräche zum Ortstarif möglich. Das Marktforschungsunternehmen Frost & Sullivan prognostizierte für das I.-Telefonieren bis 2001 einen weltweiten Umsatz von 2 Mrd US-Dollar. Die Deutsche Telekom und andere Anbieter führten 1998/99 Modellversuche zum I.-Telefonieren durch.

Kriminalität: Die Mehrheit der vom Bundeskriminalamt (BKA, Wiesbaden) gezählten Computer-Straftaten wurde 1998/99 bei der I.-Nutzung verübt, u. a.:
– Pornographie (1998: 720 Fälle von Kinderpornographie),
– gewaltverherrlichende Inhalte, Beiträge politisch radikaler Gruppen und Sekten (u. a. Anleitungen zum Bau von Bomben)
– Verkauf von Drogen und illegalen Medikamenten via I.
– Softwarepiraterie und Hackertum
– Betrügerische Geschäftsangebote
– illegales Glücksspiel
– Fälschungen von Bildern und Texten
– Belästigung durch E-Mails.
Ende 1998 verschickte das BKA an 117 deutsche I.-Provider den Entwurf einer Selbstverpflichtungserklärung zur Einschränkung der Missbrauchsmöglichkeiten im I.; die Provider sollen verhindern, dass strafbare Inhalte angeboten werden. Dem gegenüber stehen Bestimmungen des Teledienste-Datenschutzgesetzes, nach denen Provider Nutzungsdaten ihrer Kunden nur eingeschränkt zur Abrechnung speichern dürfen. Wer wann welche Daten gesendet oder erhalten hat, fällt unter das Telekommunikationsgeheimnis. Der europäische Verband der Netzdienstleister richtete Ende der 90er Jahre eine freiwillige Selbstkontrolle Multimedia (FSM) ein.
http://www.internet2.edu
http://www.itel.mit.edu
(Internet Telephony Consortium)
Dienstleistungen → E-Cash → E-Commerce

Internet-Suchmaschinen

Programme von Internet-Dienstleistern, die fortlaufend Mio Seiten des weltweiten Netzes durchsuchen und sie unter bestimmten Stichwörtern in die Datenbank des Dienstleisters eintragen, auf die Nutzer zugreifen können

Verfahren: I. gewichten die auf den Internet-Seiten vorkommenden Wörter, z. B. nach Häufigkeit und Standort im Text. Die Nutzung ihrer Dienste ist kostenlos; Anbieter von I. finanzieren sich meist über Werbung auf ihren Internet-Seiten. Das sich ständig ändernde Angebot im Internet (Mitte 1999: rund 150 Mio Surfer) ist jedoch so unübersichtlich, dass der Nutzer selbst mit Hilfe der Suchmaschinen nicht immer die gewünschten Informationen erhalten kann.

Internet: Interessen der Nutzer[1]

Interesse	Anteil (%)
E-Mails versenden	56
Produkte/Dienstleistungen[2]	34
Wirtschaftsinformationen	34
Software herunterladen	31
Fahrplan-, Flugplanauskunft	30
Homebanking	28
Chats, Newsgroups	27
Veranstaltungskalender (Kino u.ä.)	24
Reisebuchungen	23
Politiknachrichten	22
Lokale Nachrichten	21
Online spielen	18
Jobsuche, Wohnungsmarkt u.ä.	17
Unterhaltungsangebote	17
Online-Shopping	17
Erotikangebote	8

1) Anteil an der Internet-Nutzung (%), Mehrfachnennungen möglich; 2) Produkt- und Dienstleistungsangebote von Firmen; Quelle: TdWI, Globus Infografik, 23.11.1998

Suchstrategien: Um I. effizient einsetzen zu können, sollte der Surfer Folgendes beachten:
– Vor Aufruf einer I. möglichst konkret das gesuchte Ergebnis (Wort, Synonyme) und ein Zeitlimit festlegen.
– Einige I. bieten auf ihrer Homepage Kataloge mit geordneten Themengebieten an. Hier ist die Information in den meisten Fällen leichter zu finden.

Internet-Adressen: Aufbau von Dokumenten/Homepages[1]

http://www.aktuell-lexikon.de/service.html

▸ **http://** Hypertext Transfer Protocol. Gibt an, welches Datenübertragungsprotokoll des Internet angewendet werden soll. »ftp« steht z. B. für File-Transfer-Protocol zur Übertragung von Dateien.

▸ **www:** World Wide Web (weltweites Datennetz), 1990 im Kernforschungszentrum CERN bei Genf entwickeltes multimediales Informationssystem im Internet mit leicht bedienbarer grafischer Oberfläche

▸ **aktuell-lexikon.de:** Domain-Name der Homepage; hier der Startseite von »Aktuell« im Internet

▸ **.de:** Top-Level-Domain, kennzeichnet entweder den Standort eines Computers oder dessen Funktion; ».de« steht für Deutschland, ».com« z. B. für kommerzielle Dienste bzw. Firmen

▸ **service.html:** Dateiname des Dokuments, das aufgerufen werden sollte. Die Endung »html« gibt die Dokumentenart an (Hypertext Markup Language; Sprache zum Aufbau von Seiten im Internet).

1) URL (Uniform Resource Locator), standardisierte Adressierung im World Wide Web, nicht zu verwechseln mit E-Mail-Adressen, z. B. post@harenberg.de, bei denen das Zeichen @ zwischen dem Namen des E-Mail-Empfängers und seiner Adresse steht (i.d.R. die Internet-Adresse eines Online-Dienstes oder Internet-Providers)

121

Internet: Die wichtigsten Suchmaschinen und Kataloge

aladin[1]	http://www.aladin.de[2]	S	Nur Und/oder-Verknüpfungen; keine präzisen Abfragen
all-in-one	http://www.net/allinone	S	Homepage mit mehr als 20 Suchmaschinen
altavista	http://www.altavista.com	S	Umfangreichste u. ergiebigste Suchmaschine; zuverlässig, gute Bedienerführung
crawler.de	http://www.crawler.de	S	Einfacher Index, nur Und-Verknüpfung möglich; Mitte 1999 veraltet
dino	http://www.dino-online.de	K	Deutsches Internet-Organisations-System (DINO); teilweise unübersichtlich
electric library	http://www.elibrary.com	K	Auswertung publizistischer Informationen, die im Abo angefordert werden können
eule	http://www.eule.de	S/K	Und/oder-Verknüpfungen, logisches Ausschließen von Suchbegriffen möglich
excite.de	http://www.excite.de	S	Gut in der Wortfeldsuche (findet z. B. bei »ältere Leute« auch »ältere Menschen«)
fireball	http://www.fireball.de	S	Schnell, Rückgriff auf einen der umfangreichsten deutschen Kataloge
four 11	http://four11.com	S	Suchmaschine für E-Mail, findet elektronische Adressen im Internet
hotbot	http://hotbot.com	S	Suchmaschine des Online-Magazins Hotwired; über 60 Mio Links
kolibri.de	http://www.kolibri.de	S	Und/oder-Verknüpfungen, logisches »Near« möglich (findet z. B. bei »Donald Duck« auch »Duck, Donald«)
lotse.de	http://www.lotse.de	S	Kleiner Datenbestand, nicht sehr aktuell
lycos.de	http://www.lycos.de	S	Umgangssprachliche Abfrage möglich; kleiner Katalog
nathan.de	http://www.nathan.de	S	Sortierung von Fundstellen, Zusammenfassung von Mehrfachtreffern
netguide	http://www.netguide.de	S	Suchmaschine der Zeitschrift »Focus«; Datenbestand wie bei Lycos
suchen.de	http://www.suchen.de	S	Suchmaschine für E-Mail, findet elektronische Adressen im Internet
web.de	http://web.de	K	Praktische Recherchemöglichkeit für Unternehmen; umfangreicher Datenbestand
yahoo.de	http://www.yahoo.de	K	Vorbildlicher Aufbau, Serviceleistungen

1) Name; 2) Internet-Adresse; S = Suchmaschine, K = Katalog; Stand: Mitte 1999

– Rechtschreibung und Bedienungsanleitung des Suchdienstes beachten.
– Mehrere gesuchte Begriffe zur näheren Spezifizierung mit »und« bzw. »oder« verknüpfen.

Intelligente Suchdienste: Spezialisierte Anbieter liefern u. a. folgende Möglichkeiten zur Informationsrecherche:
– »Digitale Agenten« suchen im Auftrag des Nutzers Informationen gezielt und zeitsparend. Der deutsche »Shopping-Robot« ermittelt z. B. kostenlos bei 25 Online-Buchhändlern weltweit Preis, Versandkosten und Lieferzeit eines Buches.
– »Portale« sind Seiten, die zum Start ins Internet aufgerufen werden. Außer Suchhilfen und Katalogen bieten sie dem Nutzer individuell auswählbaren Zusatzservice wie Nachrichten, Einkaufsmöglichkeiten, Software u. a.
– »Intelligente Helfer« einiger I. schlagen z. B. ähnliche Seiten bei Suchergebnissen vor oder fassen Verweise (Hyperlinks) auf Dokumente desselben Suchergebnisses zusammen. Im Katalog der I. Lycos (USA) können die Internet-Nutzer die Seiten bewerten, die Maschine lernt aus diesem Ranking.
http://www.acses.com

Jahr 2000

Ende der 90er Jahre bereiteten Firmen und Institutionen weltweit ihre Elektronik auf die Datumsänderung zur Jahrtausendwende vor. Viele Computeranwendungen beinhalten noch die Zeiten knappen Speicherplatzes, d. h. bis in die frühen 80er Jahre, programmierte sechsstellige Datumsangabe in der Form 01.01.00 für den 1. Januar 2000 oder 1900 statt eines achtstelligen, eindeutigen Datums. Zum Jahreswechsel 1999/2000 wurden massive Fehlfunktionen in technischen Anlagen befürchtet, weil die Rechner auf den 1. Januar 1900 zurückspringen könnten.
Aufwand: Nach Schätzung des Bundesverbandes der deutschen Industrie (BDI) von Anfang 1999 wird die Umstellung der Computer in Deutschland mind. 45 Mrd DM kosten (USA und Europa:

Mehr als 860 Mrd US-Dollar). 98% der im BDI vertretenen Großunternehmen hatten bis Mitte 1999 die Umstellung bewerkstelligt oder erwarteten, sie rechtzeitig vor dem 1.1.2000 abzuschließen. Für kleinere und mittlere Unternehmen wurde die Umstellungsquote jedoch nur auf 60% geschätzt; rund 15% dieser Betriebe hatten sich Mitte 1999 noch nicht eingehend mit dem Problem beschäftigt (weltweit: 25% der Unternehmen). Insgesamt sind weltweit viele Mrd Programmzeilen, meist in alten Computersprachen wie COBOL oder Assembler geschrieben, zu untersuchen. Unklar war bis Mitte 1999, ob Versicherungen für J.-Schäden eintreten.

Gefahren: Außer in Computerprogrammen (Software), deren Code an einem Rechner aktualisiert werden kann, existieren Datumsangaben in »Embedded Systems« (engl.; eingebettete Systeme): Viele Mrd Mikrochips steuern z. B. Produktionssysteme in der Industrie oder Abläufe in Verwaltung und Gesundheitswesen. Verkraften sie den Datumswechsel nicht, können ganze Werke am 1.1.2000 zum Stillstand kommen. Hier sind oft Hardware-Umrüstungen notwendig, z. B. der Ausbau bzw. Austausch von Chips.

Schaltjahr: 2000 ist ein Schaltjahr mit 29 Tagen im Februar. Da viele Computerprogramme den 29. Februar nicht berücksichtigen, wurden 1999 auch bei diesen Geräten im Jahr 2000 Ausfälle befürchtet. Normalerweise entfällt das Schaltjahr, wenn sich die Jahreszahl glatt durch 100 teilen lässt. Dies gilt jedoch nicht, wenn sie sich außerdem glatt durch 400 teilen lässt.

http://www.year2000.com
http://www.iid.de/jahr2000/ (Bundesministerium für Wirtschaft und Forschung)
http://www.initiative2000.de

Java®

1995 vom US-Unternehmen Sun Microsystems zur Steuerung von Geräten der Konsumelektronik entwickelte Programmiersprache

J. fand wie kaum ein anderes Softwareprodukt bis 1999 umfassende Akzeptanz, weil es u. a. prozessor- und betriebssystemunabhängig einsetzbar ist. Anfang 1999 arbeiteten weltweit mehr als 750 000 Entwickler (1/3 aller Programmierer) an großen J.-Anwendungen; über 150 Unternehmen hatten J.-Lizenzen, mehr als 1000 auf J.-Programm-

Jahr 2000: Budgets für die Umstellung im EDV-Bereich[1]

USA	🇺🇸	655
Deutschland		82
Großbritannien	🇬🇧	41
Frankreich	🇫🇷	31
Italien	🇮🇹	14
Spanien	🇪🇸	11
Niederlande		10
Schweden	🇸🇪	6
Belgien	🇧🇪	5
Dänemark	🇩🇰	3
Finnland	🇫🇮	2
Norwegen	🇳🇴	2

1) Mrd US-Dollar; Quelle: Institut der deutschen Wirtschaft, Globus, 29.3.1999

Jahr 2000: Von Firmen befürchtete Konsequenzen[1]

Störung des Betriebsablaufs	25
Stillstand sämtlicher Geschäftsprozesse	21
Liquidation des Unternehmens	14
Keine Folgen, da automatische Umstellung	11
Falscher Datenaustausch	11
Image-Schäden, Verlust von Kunden	9
Probleme mit Partnerfirmen	5
Störung der Produktion	5
sonstige Folgen, Analyse nicht möglich	35

1) Anteil der Firmen (%), Mehrfachnennungen möglich; Quelle: BVR, Meta Group, Globus, 2.11.1998

Jahr-2000-Fähigkeit: Definition[1]

▶ Weder Leistung noch Funktionalität werden durch Datumsangaben, die sich auf die Zeit vor, während oder nach dem Jahr 2000 beziehen, negativ beeinflusst.

▶ Kein Wert für ein aktuelles Datum wird eine Betriebsunterbrechung verursachen.

▶ Jede Funktionalität, die auf einer Datumsangabe basiert, muss im Hinblick auf Datumsangaben, die sich auf die Zeit vor, während und/oder nach dem Jahr 2000 beziehen, unverändert erhalten bleiben.

▶ In allen Schnittstellen und bei der Datenspeicherung muss das Jahrhundert in jeder Datumsangabe entweder ausdrücklich oder anhand von eindeutigen Algorithmen oder Interpretationsregeln spezifiziert sein.

▶ Das Jahr 2000 muss als Schaltjahr erkannt werden.

1) nach British Standards Institution; Quelle: Computerwoche, 19.3.1999

men basierende Anwendungen wurden auf dem Weltmarkt angeboten. Lt. Prognosen der Gartner Group werden im Jahr 2001 rund 60% aller neuen Computeranwendungen in J. entwickelt sein.

Internet: Die Verbreitung von J. ist eng verknüpft mit der des Internet. J.-Programme (sog. Applets) lassen sich in die von Internet-Browsern zur Anzeige von Internetseiten verwendete Sprache HTML (HyperText Markup Language) integrieren. J. kann mit HTML gestaltete Seiten mit zusätzlicher Funktionalität, z. B. interaktiven Animationen, ausstatten.

Jini (Java Intelligent Network Interface, engl; Java intelligente Netzwerk-Schnittstelle): Mit dem 1998 entwickelten Betriebssystem der Firma Sun ist der Benutzer nicht mehr an die Dienste eines Betriebssystems oder bestimmter Computer-Hardware gebunden, sondern kann alle Geräte und Computer in einem Netzwerk verwenden. Die Jini-Befehle werden von einem virtuellen Prozessor (Java Virtual Machine; JVM), an die Geräte übertragen. Er interpretiert J.-Programmiercodes und setzt sie in Befehle für den Prozessor des Rechners um, auf dem JVM installiert ist. Abgesehen von Computern und ihren Peripheriegcräten (u. a.

Drucker, Scanner) sollen alle chipgesteuerten Apparaturen an ein Jini-Netzwerk angeschlossen und von ihm gesteuert werden, darunter Kaffee- und Waschmaschinen, Videorecorder und Fernseher.
http://www.sun.com
http://www.gamelan.com

Künstliche Intelligenz

(KI) Forschungszweig der Informatik, der sich mit der Nachahmung menschlichen Denkens und menschlicher Intelligenz durch Computer beschäftigt

Ziel: Mit der KI-Forschung soll möglichst viel Wissen über ein Anwendungsgebiet im Computer gespeichert werden. Dem Rechner werden Regeln (Algorithmen) für den Umgang mit dem Wissen gegeben, so dass er Daten aus seiner Umgebung analysiert und aufgrund logischer Schlussfolgerungen mit ihr kommuniziert, analog dem menschlichen Verstand lernt und selbstständig neue, logische Verknüpfungen vollzieht. Dabei werden oft neuronale Netze eingesetzt (Neurocomputer). KI-Software regelte Ende der 90er Jahre z. B. die Klimatisierung von Gebäuden, verstand Sprache und Gestik und setzte Klassifikationsmethoden ein.

Anwendungen: 1998 arbeiteten Wissenschaftler im japanischen Advanced Telecommunications Research Institute (Kyoto) an einem künstlichen Gehirn, das eine Roboterkatze mit Intelligenz ausstattet. Das Robokoneko (jap.; Roboterkätzchen) genannte Gerät soll mit Mikrophonen in den Ohren und Videokameras als Augen sehen, hören, denken und sich allein fortbewegen können. Sein bis 1998 fortschrittlichstes künstliches Gehirn, Cellular Automata Machine (CAM), folgt nicht allein einem eingebauten Programm, sondern entwickelt die Fähigkeit zum Lernen. Es sollen neue Verbindungen zwischen den künstlichen Hirnzellen entstehen. Ende 1999 soll Robokoneko wie eine lebendige Katze agieren.

Turing-Test: Alan Turing (1912–1954), einer der Begründer der Computerwissenschaften, entwickelte 1936 ein Frage-und-Antwort-Spiel zum Erfassen von KI: Bei der Kommunikation mit einem neutralen Beobachter – z. B. über eine Tastatur – darf sich der Computer nicht von einem Menschen unterscheiden. Wenn der Beobachter den künstlichen Gesprächspartner bei 50% von dessen Antworten für einen Menschen

---

Künstliche Intelligenz: Anwendungsgebiete

▶**Dokumentenmanagement:** 1998 stellte das Deutsche Forschungsinstitut für KI (DFKI, Kaiserslautern) eine intelligente Software vor. Sie erkennt Formulare an Hand ihres Layouts, untersucht die Struktur eingegangener Dokumente (Geschäftsbriefe, Fax-Nachrichten, E-Mails) in einem Unternehmen, filtert relevante Informationen heraus und leitet sie an die richtige Stelle im Unternehmen weiter. Pro Stunde konnten vom DFKI-Prototyp »Office Maid« 5000 Formulare bearbeitet werden, die Erkennungsrate betrug 97%.

▶**Expertensysteme:** Computerprogramme, die mittels KI und Zugriff auf umfangreiche Datenbanken Entscheidungen treffen oder Probleme lösen, die ein spezielles Gebiet betreffen, z. B. Finanzwelt (Börsenkurse) oder Medizin (Diagnosen). Ein Expertensystem analysiert Aussagen auf der Basis von Wenn-dann-Folgerungen. Die Grundfunktionen sind in zwei verschiedenen, aber miteinander verbundenen Komponenten enthalten: Die Wissensbasis stellt spezielle Fakten und Regeln zu einem Gegenstand zur Verfügung, die Schlussfolgerungsmaschine liefert die Fähigkeit des Expertensystems, durch logische Argumentation Schlüsse zu ziehen.

▶ **Neurocomputer:** (Neuron, griech.: Nervenzelle), nach dem Vorbild des menschlichen Gehirns aufgebauter Rechner. Mikroprozessoren werden zu einem neuronalen Netz verknüpft, mit dem Aufbau und Funktion des menschlichen Gehirns mit seinen Neuronen (Gehirnzellen) nachgeahmt wird. Die Chips haben wie menschliche Nervenzellen eine Zuleitung und mehrere Ausgangskanäle. Durch selbstständige Schaltungen des Systems werden Lernprozesse des Gehirns simuliert. Während im Gehirn jedoch etwa 100 Mrd Neuronen zusammenwirken, können bis Ende der 90er Jahre mit Neurocomputern nur einige 100 Prozessoren zusammengeschaltet werden.

Die Netze können mit sog. unscharfen Werten (fuzzy logic) arbeiten und Zahlenwerte als Wahrscheinlichkeiten darstellen, d.h. die intuitive Methode des Menschen bei der Lösung komplexer Probleme nachvollziehen. Fuzzy Logic wird mit Erfolg dort eingesetzt, wo komplizierte Zusammenhänge eine »streng logische« Lösung erschweren oder keine genauen Messwerte vorliegen. Fuzzy-Chips wurden Ende der 90er Jahre z. B. in Kameras eingesetzt (Belichtungsautomatik) und steuerten Haushaltsgeräte (Waschmaschinen).

hält, ist der Computer lt. Turing-Test intelligent. Anfang 1999 siegte in einem KI-Wettbewerb der australischen Flinders-Universität ein Programm namens »Albert«, das Fragen nicht geradlinig, d. h. auf der Grundlage von Wissen, beantwortete, sondern die Wörter der Frage zu einer Scheinantwort neu ordnete. Doch ließ sich bei nur 11% von »Alberts« Antworten menschenähnliche Intelligenz interpretieren.

Wahrnehmungsintelligenz (engl. perceptual computing): Am Medialab des Massachusetts Institute of Technology (MIT, Cambridge) wurde 1998/99 erforscht, wie Objekten (u. a. Kleidern und Schreibtischen) eine Art Intelligenz verliehen werden kann, mit der sie Situationen erfassen und sinnvolle Reaktionen ableiten können. Smart-Systeme sollen durch Wahrnehmungstechniken wie Maschinensehen und Mustererkennung den Menschen in seiner Umgebung unterstützen. Der Schreibtisch »Smartdesk« nutzt mit Kamera, Mikrofon und Grafikdisplay Gesten, Sprache und Mimik seines Anwenders für seine Arbeit, indem er u. a. die Sitzposition eines Bildschirmarbeiters überprüft und Verbesserungen vorschlägt.

http://www.media.mit.edu
  Forschung und Technik →Biometrie →Roboter

Modem

Kurzwort für Modulator/Demodulator. Ein M. setzt die digitalen Daten aus dem Computer, z. B. Bild- oder Textdateien, in Signale um (Modulation), die sich per Telefonleitung übertragen lassen. Das M. auf der Empfängerseite wandelt die Signale wieder in Computerdaten um (Demodulation).

Typen: Es werden externe und interne M. unterschieden. Das externe M. ist ein kleiner Kasten, der per Kabel mit der seriellen Anschlussstelle oder der USB-Schnittstelle einerseits und der Telefonbuchse auf der anderen Seite verbunden wird. Das interne Modem wird in Form einer Einsteckkarte im Rechner installiert. In Notebooks werden M. meist in Form von PCMCIA-Steckkarten (Personal Computer Memory Card International Association) integriert. 1999 erreichten Standard-M. Übertragungsgeschwindigkeiten von 56 000 Bit/sec (bps, etwa den Inhalt von zwei Schreibmaschinenseiten) und kosteten 100–250 DM. Komfortable M. mit Telefon- und Anrufbeantworterfunktionen sowie Faxmöglichkeit lagen im Preis deutlich höher (350–400 DM).

Standard: Im Herbst 1998 einigten sich die M.-Hersteller entsprechend den Forderungen der Internationalen Fernmeldeunion (ITU) auf den Standard V.90. Er garantiert, dass alle M. die Datenübertragungsgeschwindigkeit 56 000 bps mit demselben Verfahren erreichen. Ältere M. sind i. d. R. auf V.90 aufzurüsten, indem der Benutzer z. B. die Internetseite des M.-Herstellers aufsucht und sich von dort entsprechende Treiberprogramme auf seinen PC lädt.

ISDN: 1998 wurden nach Angaben des Marktforschungsinstituts Dataquest 2 Mio M. in Deutschland verkauft (+20%/Jahr). Weniger stark wuchs die Zahl der ISDN-Nutzer (Deutschland 1998: rund 4,3 Mio Anschlüsse). Die Installation einer ISDN-Karte für den PC zur Datenübertragung oder zur Nutzung von Internet und Online-Diensten ist aufwendiger als die eines M., die Datenübertragungsgeschwindigkeit eines ISDN-Kanals ist aber mit 64 000 bps rund 15% höher. Wegen der Beschränkungen der öffentlichen Telefonnetze lässt sich die Geschwindigkeit der analogen M. nicht mehr wesentlich steigern. Dies wäre mit sog. ADSL-M. möglich; hierfür muss die Deutsche Telekom in ihrem Leitungssystem durch Installation von Spezialtechnik in den Telefonvermittlungsstellen die nötigen technischen Rahmenbedingungen schaffen.

  Telekommunikation →ISDN

Multimedia

Bezeichnung für die systematische Verbindung von Telekommunikation, Computertechnik und Unterhaltungselektronik

Technik: M.-Anwendungen integrieren durch Digitalisierung (Umwandlung analoger in digitale Signale) Text, Bild, Ton (Sprache und Musik), Video und Daten, z. B. bei Computerspielen, M.-CD-ROM und Internet-Anwendungen. Ende der 90er Jahre wurden u. a. durch M.-Technik und neue Datenübertragungstechniken (ISDN, ATM, ADSL) die Grenzen zwischen Anwendungen für den Computer (insbes. Internet) und Unterhaltungsindustrie (digitale Kameras und Bildbearbeitung, Set-Top-Box für den Fernseher, DVD) zunehmend überschritten.

Markt: Das Volumen des M.-Marktes in Deutschland wurde 1998 bei rund 200 Mrd DM veranschlagt. Branchenintern

TOP TEN ▇ Multimedia: Die erfolgreichsten Firmen

	Firma	Umsatz	Veränderung
1.	SBS, München	55,0[1]	▲ +168[2]
2.	Prokodata, Köln	26,0	▲ + 40
3.	eps Bertelsmann, Gütersloh	25,0	▲ + 25
4.	Pixelpark, Berlin	23,0	▲ + 37
5.	M.I.T., Friedrichsdorf	19,0	▼ – 8
6.	Infomedia, Düsseldorf	18,0	k.A.
7.	Advesco, Schaffhausen	16,5	▲ + 6
8.	Neurotec & Chips at Work, Bonn	16,2	▽ – 32
9.	Concept!, Wiesbaden	15,4	▲ + 66
10.	Interactive Networx, Berlin	15,0	▲ + 50

1) Umsatz 1998 (Mio DM); 2) Veränderung gegenüber 1997; Quelle: kressreport, 26.2.1999

▇ Mediennutzung Jugendlicher[1]

	Jungen	Mädchen
Fernsehen	85	84
Radio	64	70
CD/Schallplatte	63	70
Zeitschriften/ Illustrierte	43	52
Video	47	40
Bücher	27	43
Tageszeitungen	37	32
Musikcassette/ Mini Disk	34	31
Videospiele/ Gameboy	37	19
CD-ROM	31	16
Internet/E-Mail	19	11
Pager, z.B. Telmi, Quix	9	5

1) % der 14–18jährigen, Mehrfachnennungen möglich, Stand: 1998; Quelle: Handelsblatt, 24.8.1998

wurde mit einem Wachstum im zweistelligen Prozentbereich für die kommenden Jahre gerechnet.

WebTV: Die Software-Firma Microsoft (USA) kündigte Ende 1998 zusammen mit dem ZDF ein Projekt an, in dem in Deutschland das Konzept des WebTV zunächst in rund 300 Haushalten getestet werden soll. WebTV wird in den USA von fast 500 000 Kunden genutzt. Zur Installation ist eine Set-Top-Box erforderlich (Gerät zum Anbinden des Fernsehens an das Kabelnetz u. a. zur Internet-Nutzung via TV), die online Zusatzinformationen zur laufenden Fernsehsendung liefert. Die Netzanbindung erfolgt über T-Online. Allerdings sind Qualitätseinbußen beim Abruf von Internet-Seiten unvermeidlich, weil die Fernsehnorm mit 625 Zeilen eine geringere Auflösung als Computermonitore bietet.

MPEG (von der Motion Pictures Expert Group, einer internationalen Normengruppe, festgelegte Datenformate): Für 1999 wurde die Norm MPEG-4 angekündigt, die noch effektiver als ihre Vorgänger insbes. speicherplatzintensive Daten wie Audio oder Video zur Übertragung komprimieren soll. Mit Datenkomprimierungen entsprechend der Norm MPEG-3 (auch MP3) überspielten tausende Internet-Nutzer 1998/99 – in den seltensten Fällen legal – kostenlos

Multimedia: Prognosen bis 2015

▶ **2003–05:** Auswahl des Reiseziels mittels Virtual Reality. Moderne Datenverschlüsselung erlaubt sichere Finanztransaktionen über das Datennetz. Digitales Geld setzt sich durch.

▶ **2006:** Das Internet der nächsten Generation ist realisiert; Telefonservice und die Übertragung bewegter Bilder werden zum Standard. Die internationalen Mobiltelefonnetze sind flächendeckend ausgebaut und so weit standardisiert, dass Nutzer mit einem Endgerät und einer einzigen weltweit gültigen und verfügbaren Telefonnummer drahtlos kommunizieren können.

▶ **2009:** Die Identifikation an Automaten findet biometrisch statt (Gesichtserkennung, Fingerabdrücke). Weite Verbreitung von Sprach- und Stimmerkennung für Computer.

▶ **2010:** Ein Monitor für die Handtasche: Flexible Displays lassen sich falten und zusammenrollen.

▶ **2011:** Das Bildtelefon ist selbstverständlich.

▶ **2012:** Alle elektronisch gespeicherten Informationen lassen sich in jeder Weltsprache abrufen.

▶ **2015:** Automatische Übersetzungssysteme im Westentaschenformat ermöglichen Verständigung auch ohne Kenntnis der Sprache des Gesprächspartners.

Musik via Internet auf den heimischen PC bzw. via CD-Brenner auf eigene CD-ROM.

Computer → Computerspiele → Virtuelle Realität
Telekommunikation

Notebook

(engl.; Notizbuch), tragbarer Klein-PC (zusammengeklappt etwa DIN A 4 groß), der über Akku oder Netzteil betrieben wird, mit relativ geringem Gewicht (2–4 kg) und flachem Flüssigkristall-(LCD-)Bildschirm im Deckel sowie Tastatur im Boden des Geräts. Moderne N. haben ein in das Gehäuse integriertes Eingabegerät (z. B. Trackball statt Maus).

Ultra-Light-Notebook: Anfang 1999 brachte PC-Hersteller Dell das »Latitude LT M266ST« zum Preis von 2300 US-Dollar heraus. Das N. ist nur 2,5 cm dick und wiegt 1,5 kg. Mit einem 266 Megahertz-Prozessor von Intel, 64 MB Hauptspeicher und einer 4,3 GB-Festplatte reicht es in der Leistungsfähigkeit an Desktop-PC heran. Ins Ultra-Light-N. ist ein Modem integriert; der Bildschirm ist mit einer Diagonale von 11,3 Zoll relativ groß. Andere Hersteller setzten 1998/99 auf widerstandsfähige N.: Das »Toughbook 71« (engl.; zähes/hartes Buch) von Panasonic wiegt 3,3 kg und soll nach Herstellerangaben einen Sturz vom Tisch schadlos überstehen (Preis: 8599 DM).

Kosten: Im Vergleich zu herkömmlichen (Desktop-) PC waren N. 1998/99 relativ teuer. Die Analysten der Gartner Group schätzten Ende 1998 die Kosten eines N. in seinem gesamten Nutzungszeitraum (einige Jahre) ca. 50% höher ein als die eines PC: Unternehmen geben pro Jahr für das N. inkl. Wartung/Support rund 18 000 DM pro Gerät aus (PC: 13 000 DM). Aufgrund der Zunahme von Telearbeitsplätzen wird bei den Unternehmen mit einem N.-Zuwachs auf 50% im Jahr 2000 gerechnet; 1998 waren 35% der geschäftlich genutzten Rechner N.

Preiskrieg: In den USA stieg 1998 die Zahl der verkauften N., die für weniger als 2500 US-Dollar angeboten wurden, um rund 20%. Diese Zuwachsrate lag zwar nur knapp über dem Plus für den gesamten PC-Markt, aber für 1999/2000 werden Zuwächse von je 30% prognostiziert. Das Weltmarktvolumen für N. lag 1998 bei rund 9 Mrd US-Dollar. In Deutschland bot der Lebensmitteldiscounter Aldi, der Ende 1998 leistungsfähige PC der Firma Medion für unter 2000 DM verkauft hatte, ein Medion-N. für 2998 DM an.

Top Ten Notebook-Markt[1]

1. Toshiba	25,0
2. Siemens Nixdorf	13,8
3. IBM	12,7
4. Compaq	9,8
5. Acer	5,9
6. Targa	5,6
7. Dell	4,8
8. Vobis	4,6
9. Hewlett-Packard	4,1
10. Apple	3,1
Andere	10,6

1) Anteil (%) der größten Anbieter in Deutschland; Stand: 2. Quartal 1998; Marktvolumen: 439,7 US-Dollar; Quelle: Computerzeitung, 22.10.1998

Online-Dienste

(online, engl.; am Netz), computergestützte Dienste, die den Zugriff auf Informationen (z. B. Computerdatenbanken) in aller Welt und die elektronische Kommunikation ermöglichen

Nutzung: Im Gegensatz zum Internet, dem mit rund 150 Mio Nutzern (Stand: Mitte 1999) weltweit größten Computernetzwerk, arbeiten O. gewinnorientiert. Ihre Kunden zahlen für die verschiedenen Services – Zugang zum Internet, Reiseauskünfte, EDV-Hotlines, Telebanking und das Abrufen elektronischer Medien (z. B. Presseberichte am Bildschirm) – meist einen monatlichen Festbetrag sowie Nutzungs- und Telefongebühren.

AOL: Der mit rund 15 Mio Teilnehmern 1999 weltgrößte O., betrieben von America Online und dem deutschen Bertelsmann-

Online-Dienste: AOL und Netscape im Vergleich

	AOL	*Netscape*
Gründung	1985	1994
Zentrale	Dulles, Virginia (USA)	Mountain View, Kalifornien (USA)
Firmenchef	Steve Case	Jim Clark
Produktpalette	AOL Internet-Dienst Compuserve Internet-Dienst ICQ Internet-Gespräche-System	Netscape Internet-Zugangssoftware Netscape Software
Märkte	AOL: 14 Mio Abonnenten[1] Compuserve: 2 Mio Abonnenten[1] ICQ: 21 Mio Abonnenten[1]	Marktanteil für Internet-Zugangsprogramme (Navigator) 1998 rund 45%

1) weltweit; Quelle: Computerbild, 6.12.1998

127

TOP TEN ■ **Online-Dienste und Provider**

Anbieter	Kunden in Deutschland	Internet-Adresse
1. T-Online	2300000[1]	www.t-online.de
2. Nacamar	750000[2]	www.nacamar.de
3. America Online (AOL)	600000[2]	www.aol.de
4. Germanynet	500000[2]	www.germanynet.de
5. Compuserve	250000[2]	www.compuserve.de
6. Primus Online	160000[2]	www.primus-online.de
7. IS Internet Services	120000[2]	www.netsurf.de
8. UUNet Deutschland[4]	8000[3]	www.de.uu.net
9. Xlink Internet Service GmbH	2000[3]	www.xlink.de
10. PSINet	1000[3]	www.psinet.de

1) Geschäfts- und Privatkunden; 2) Privatkunden; 3) Geschäftskunden; 4) 8000 Geschäftskunden entsprechen rund 250 000 Nutzern; Stand: Ende 1998; Quelle: Konr@d, Oktober/November 1998

Konzern, übernahm nach dem Kauf des Konkurrenz-O. Compuserve (Ende 1997) Anfang 1999 zusätzlich das Software-Unternehmen Netscape für 4,2 Mrd US-Dollar. Dessen Programm »Netscape Navigator« war mit einem Marktanteil von rund 45% (1998) größter Konkurrent des Branchenführers Microsoft im Bereich der Internet-Zugangssoftware. Rund 1000 der weltweit 2500 Netscape-Angestellten waren Mitte 1999 durch die Firmenfusion von Entlassung bedroht. AOL attackierte Anfang 1999 den deutschen O.-Marktführer, die Telekom-Tochter T-Online, und forderte eine Aufsplittung des T-Online-Bündeltarifs von 6 Pf/min in Kosten für Telefonverbindung und reine Online-Kosten. Der Telekom wurde vorgeworfen, sie subventioniere T-Online durch Einnahmen aus anderen Geschäftsbereichen.

T-Online: Der nach AOL zweitgrößte O. der Welt plante Ende 1998/Anfang 1999, mit der Technik ADSL (Asynchronous Digital Subscriber Line, engl.: asynchrone digitale Teilnehmer-Verbindung) seinen Kunden größere Übertragungsgeschwindigkeit zu bieten als die Konkurrenz. Durch Zusatzgeräte beim Kunden und seiner nächsten Vermittlungsstelle sollen normale Telefonleitungen Daten bis zu 70mal schneller

Online-Dienste und Provider (Auswahl)

Anbieter	Info-Telefonnr.	Grundgebühr	Freistunden	Online-Gebühr	Besonderheiten
T-Online	0130/5000	8 DM/Monat	2	0,05 DM/min	keine
AOL	0180/531364	9,90 DM/Monat	3	0,0825 DM/min	AOL-Card für Vielsurfer
Compuserve	0130/3732	9,95 US-Dollar/Monat	5	0,05 US-Dollar/min	Gebührenpflichtige Premium-Dienste
1&1	02602/960	entfällt	2	0,05 DM/min	Nur Kunden der Bank 24
TalkNet	0180/32003	7,45 DM/Monat	keine	0,04 DM/min[1]	Telefongebühren inkl. Zielgruppentarife
Mannesmann	0800/1070800	entfällt	keine	0,014 DM/min[2]	Telefongebühren inkl.
Planet Interkom	0800/1090000	entfällt	keine	0,10 DM/min	Telefongebühren inkl., 6 DM Mindestumsatz/ Monat
Nacamar	06103/9930	39 DM/Monat	keine	entfällt	Pauschalangebot: 39 DM/Monat
Germany.net	069/632001	entfällt	entfällt	entfällt	Gratis-Provider [4]
UUNet	0180/5005505	19 DM/Monat	keine	0,10 DM/min[3]	Keine Gebühren; nachts, Wochenende, Feiertage

1) Mo bis Fr 9–21 Uhr, restliche Zeit: 0,825 DM/min; 2) 9–18 Uhr, restliche Zeit: 0,10 DM/min; 3) Mo bis Fr 8–20 Uhr; 4) Finanzierung durch Werbeunterbrechungen; Quelle: Tomorrow, Februar 1999

übertragen als über herkömmliche ISDN-Technik. Ab Mitte 1999 sollen 80000 ADSL-Anschlüsse verkauft werden; das Angebot richtet sich zunächst an Intensivnutzer der O. Sie müssen künftig 250 DM für 25 h/Monat zahlen, jede weitere Stunde kostet 8 DM.

Provider (engl. to provide; zur Verfügung stellen): Außer den großen O. gab es in Deutschland 1998/99 etwa 500 Provider, die ihren Kunden meist nur über angemietete Standleitungen einen Internet-Zugang zur Verfügung stellten, sonst aber keine weiteren Dienste und Informationen anboten. Sie versuchten, mit etablierten O. wie AOL und T-Online durch günstigere Preisgestaltung zu konkurrieren und offerierten z. B. Internetnutzung ohne Zeitbeschränkung gegen eine Pauschalgebühr (z. B. 40 DM) bzw. finanzierten sich wie Germany.Net über Werbung.

Mobilcom: Anfang 1999 bot die Telefongesellschaft Mobilcom mit großem Werbeaufwand (z. B. Gratis-CD-ROM in der Zeitschrift »Tomorrow«) einen Internet-Zugang für pauschal 77 DM/Monat inkl. Telefongebühren an. Nach juristischen und technischen Schwierigkeiten (u. a. bei der Erreichbarkeit des Einwahlknotens und ungenügender Datensicherheit) stellte Mobilcom bereits wenige Wochen später seinen Service zum Pauschaltarif wieder ein. Dafür gab es eine Preissenkung beim normalen Internet-Zugang auf 6 Pf./min inkl. Telefongebühren, wie bei anderen Providern (z. B. Planet Interkom) auch eine Reaktion auf die Gebührensenkungen bei T-Online.

Dienstleistungen → E-Commerce
Telekommunikation

Parallelcomputer

(auch Supercomputer) Datenverarbeitungsanlage, bei der mehrere Mikroprozessoren gleichzeitig verschiedene Rechenschritte ausführen

Durch Arbeitsteilung operieren P. schneller als Hochleistungsrechner mit Zentralprozessoren. Eingesetzt werden P. vor allem zu militärischen Zwecken (Datenentschlüsselung), in der Forschung, bei Computeranimation und -simulation.

Innovationen: Ende 1998 brachte die IBM am Lawrence Livermore National Laboratory in Kalifornien einen P. zum Einsatz, der als schnellster Computer der Welt gilt.»Pacific Blue« kann 3,9 Billionen Berechnungen/sec ausführen (d. h. 3,9 Teraflops; Tera:

	TopTen Parallelcomputer: Die führenden Hersteller						
	Hersteller	Name	Rechenleist. (Rmax)	Standort	Land	Jahr der Installation	Verwendungszweck
1.	Intel	ASCI Red	1338000	Sandia National Laboratories, Albuquerque		1997	Forschung
2.	Silicon Graphics/Cray	T3E1200	891500	Regierung		1998	geheim
3.	Silicon Graphics/Cray	T3E900	815100	Regierung		1997	geheim
4.	Silicon Graphics/Cray	ASCI	690900	Los Alamos Blue Mountain National Laboratory		1998	Forschung
5.	Silicon Graphics/Cray	T3E900	552920	United Kingdom Meteorological Office, Bracknell		1997	Wetterforschung
6.	IBM	SP Silver	547000	IBM Poughkeepsie		1998	Energiewirtschaft
7.	Silicon Graphics/Cray	T3E1200	509900	UK Centre for Science, Manchester		1998	für akademischen Gebrauch
8.	IBM	ASCI Blue Pacific CTR SP Silver	468200	Lawrence Livermore National Laboratory, Livermore		1998	Energieforschung
9.	Silicon Graphics/Cray	T3E 900	449000	Naval Oceanographic Office (NAVOCEANO) Bay, St. Louis		1997	Wetterforschung
10.	Silicon Graphics/Cray	T3E	448600	NASA/Goddard Space Flight Center, Greenbelt		1998	Wetterforschung

Stand: Ende 1998; Quelle: http://www.top500.org

Vorsilbe für den Faktor 1012; flop: Floating Point Operation, engl. Fließkommarechnung; ein Teraflop = 1000 Mrd Rechenoperationen/sec). Der P. ist 15 000mal schneller als ein durchschnittlicher PC; er verfügt über 5800 parallel arbeitende Prozessoren und übertrifft andere P. an Geschwindigkeit um mehr als das Doppelte.»Pacific Blue« soll per Simulation die Funktionsfähigkeit alter Atomsprengköpfe überprüfen. Er ist ein Nachfolgemodell des P.»Deep Blue«, der 1996 Schachweltmeister Garri Kasparow besiegte.

IBMs Konkurrent Silicon Graphics, Käufer des P.-Herstellers Cray Research, kündigte 1999 den Bau des P.»Mountain Blue« an, der eine Rechenleistung von über vier Teraflops schaffen soll. Das Energy Department der USA plante für Mitte 2000 den Einsatz eines Zehn-Teraflops-Rechners. Bis 2003 sollen P. eine Leistung von 100 Teraflops erreichen.

Die zehn Branchenführer tur PC in Deutschland hielten 1998 einen Anteil von 73,8% am Gesamtmarkt. Insgesamt wurden 5,6 Mio PC in Deutschland verkauft, Spitzenreiter Vobis setzte 893 000 PC ab.

TopTen PC: Marktführer[1]

1. Vobis	16,0
2. SNI Siemens-Nixdorf	13,5
3. Fujitsu	11,1
4. Compaq	9,5
5. IBM	5,4
6. Dell	4,2
7. Hewlett-Packard	4,0
8. Targa	3,6
9. Acer	3,4
10. Toshiba	3,1
Alle übrigen gesamt	26,2

1) Marktanteile in %; Stand: 1998; Quelle: Dataquest, Aachener Nachrichten, 6.3.1999

PC-Marktführer weltweit[1]

1. Compaq	14,4	▼ −1,0[2]
2. Dell	9,2	▲ +3,0
3. IBM	9,2	▲ +0,9
4. Hewlett Packard	6,6	▲ +0,7
5. NEC	4,5	▼ −0,5
Andere	56,1	▽ −3,2

1) Marktanteile in % im 3. Quartal 1998; 2) Veränd. gegenüber 3. Quartal 1997 (%); Quelle: International Data Corporation, Computerwoche, 8.1.1999

Markt: Das Marktvolumen für Hochleistungscomputer belief sich 1998 lt. einer Studie der International Data Corporation (IDC) auf 5,2 Mrd US-Dollar und war damit leicht rückläufig (Anteil am Gesamtcomputermarkt: ca. 9%). Marktführer Silicon Graphics/Cray Research verzeichnete 1998 einen Anteil von 44% an der Gesamtproduktion; in der unabhängigen Top-500-Liste weltweit installierter P.-Systeme sind allein 18 Cray-P. unter den ersten 25 aufgeführt.

Quantencomputer: Ende der 90er Jahre planten verschiedene Forschungsinstitute die Herstellung neuer P., welche die Prinzipien der Quantenmechanik nutzen sollen. Der klassische Computer rechnet nach den Regeln der binären Algebra, in der eine Informationseinheit (Bit) den Wert Null oder Eins besitzt. Bei einem Quantencomputer hingegen wird ein Bit durch einen Quantenzustand dargestellt (Grundeinheit »Qubit«); hier sind neben Null und Eins unendlich viele quantenmechanische Zwischenzustände möglich, wodurch mathematische Probleme in Teilaufgaben zerlegt werden, die parallel bearbeitet werden. So könnten z. B. Verschlüsselungscodes schneller geknackt werden. Ein Prototyp des Quantencomputers aus in Chloroform gelösten Kohlenstoff- und Wasserstoffatomen wurde Ende der 90er Jahre am Massachusetts Institute of Technology (MIT, Cambridge) entwickelt. Mit dem ersten einsatzfähigen Quantencomputer wird nicht vor 2020 gerechnet.
http://www.top500.org

PC

(Personalcomputer)

1998 wurden in Deutschland lt. Marktforschungsinstitut Dataquest 5,6 Mio neue PC verkauft; 1,2 Mio mehr als 1997 (+27%). Weltweit rechnete die International Data Corporation (IDC) 1999 mit 103,2 Mio verkauften PC (Steigerung gegenüber 1998: 14,3%) Der Branchenumsatz wird aber lt. IDC wegen sinkender Preise nicht mit den Stückzahlen mithalten (Prognose für 1999: 178 Mrd US-Dollar, +4,8%) .

Zur Basisausstattung neuer PC gehörten 1999 Festplatten mit einigen GB Speicherplatz, Arbeitsspeicher von 32 MB und Rechengeschwindigkeiten (Taktraten) von über 250 Megahertz, 3,5-Zoll-Laufwerke für 120-MB-Disketten sowie Laufwerke für DVD.

Billig-PC: Auch 1998/99 drängten Lebensmitteldiscounter mit PC-Sonderangeboten in den Markt und zwangen die Branche zu Preisreduzierungen. Lidl, Norma, Plus und Aldi boten leistungsfähige PC, z.T. mit großem 17-Zoll-Monitor, für unter 2000 DM an. Aldi verkaufte 1998 rund 340000 PC (6,1% aller in Deutschland veräußerten Geräte) und 40000 Notebooks. Hinweise auf besseren Service halfen den etablierten PC-Händlern wenig: Ende 1998 musste z. B. die Schadt Computertechnik GmbH, drittgrößter Händler Deutschlands, mit der Aldi am heftigsten konkurriert hatte, Konkurs anmelden. Anfang 1999 bot der Internet-Dienstleister 1&1 einen PC für unter 1000 DM an; das Geschäft war an die Bedingung gekoppelt, dass der Käufer einen Zweijahresvertrag mit 1&1 als Internet-Provider abschließt. Branchenintern wurde der Firma vorgeworfen, durch ihre Art der Kundenbindung inkl. Internetgebühren den wahren Preis des Rechners zu verschleiern.

Free-PC: Das kalifornische Unternehmen Free-PC bot Anfang 1999 insgesamt 10000 Compaq-PC der erfolgreichen Reihe »Presario« inkl. Internet-Zugang kostenlos an. Die Interessenten mussten sich verpflichten, eine ständig auf dem Bildschirm eingeblendete Werbeleiste nicht zu entfernen und ihre persönlichen Daten zu Hobbies, Einkaufsverhalten usw. zur Weiterbenutzung freizugeben. Das DV-Unternehmen One Stop Communications (OSC) bot 1999 kostenlos den Apple-PC »iMac« an und verpflichtete die Abnehmer, über das Internet für 100 US-Dollar monatlich bei OSC einzukaufen und die Firma für rund 20 Dollar/Monat als Internet-Provider zu akzeptieren.

Apple: Im Sommer 1998 stellte der US-PC-Produzent Apple den »iMac« vor, von dem bis Mitte 1999 weltweit über 800000 Exemplare verkauft wurden. Der Computerabsatz des kalifornischen Unternehmens stieg um fast 110%; im August 1998 hatte sich der Apple-Marktanteil im PC-Geschäft der USA auf 13,5% verdoppelt. Mit dem iMac will Apple an Verkaufserfolge der frühen 90er Jahre wie den Apple Macintosh anknüpfen. In Deutschland kostete der iMac Mitte 1999 knapp 3000 DM. Er arbeitet mit einer Taktrate von 233 Megahertz, hat in der Grundversion 32 MB Arbeitsspeicher, eine 4-GB-Festplatte und ein CD-ROM-Laufwerk mit 24facher Umdrehungsgeschwindigkeit.

PC: Die größten Auslieferer weltweit

1. Compaq (13,289)[1]	14,8[2]	▲ +17,0[3]
2. IBM (7,927)	8,8	▲ +10,0
3. Dell (7,687)	8,5	▲ +63,0
4. Hewlett Packard (5,741)	6,4	▲ +28,0
5. Packard Bell – NEC (3,812)	4,2	▽ – 9,0
Andere Auslieferer (51,506)	57,3	▲ + 7,0
Insgesamt (89,962)	100	▲ +12,1

1) ausgelieferte PC in Mio Stück; 2) Marktanteil (%); Stand: 1998; 3) Veränderung gegenüber 1997 (%); Quelle: International Data Corporation; Computerwoche, 5.3.1999

PC: Wachstum der fünf größten Anbieter in Europa[1]

1. Compaq	16,8	▲+27,8[2]
2. IBM	8,5	▲+18,4
3. Dell	7,5	▲+73,0
4. Hewlett Packard	6,5	▲+20,0
5. Siemens	5,2	▲+31,1
Andere	55,5	△+ 8,6
Gesamt		▲+17,7

1) Marktanteile (%); 2) Umsatzwachstum (%); Stand: 1998; insgesamt stieg der Umsatz des PC-Marktes um 17,4%, für 1999 wurde eine Steigerung von 4,8% erwartet; Quelle: International Data Corporation, Computerwoche, 12.2.1999

Personal Digital Assistant

(PDA, engl.; persönlicher digitaler Assistent), jackentaschengroßer, mit Batterie betriebener Kleinstcomputer, der u. a. zur drahtlosen Datenübertragung eingesetzt werden kann. Der P. gehört zur Gruppe der Pen Computer (pen, engl.; Stift), bei denen Zeichnungen und Texte mit einem elektronischen Stift handschriftlich direkt auf dem Bildschirm eingegeben werden. Synonyme für PDA sind »Palm PC« (engl.; Handflächen-PC) und »Handheld PC« (engl.; in der Hand gehaltener PC).

Verbreitung: Mit leistungsfähigeren Betriebssystemen und verbesserter Software wie z. B. Windows CE (seit 1996/97) ist mit den PDA außer ihrer Grundfunktion als Terminplaner auch Textverarbeitung, Tabellenkalkulation und die Arbeit mit Datenbanken eingeschränkt möglich. Durch ihre Fähigkeit zum Datentransfer wurden die PDA 1998 zum Massenprodukt (Absatz weltweit: ca. 4 Mio Geräte, 1997: 2,5 Mio). Marktführer mit 1,4 Mio verkauften Geräten und einem Marktanteil von rund 35% war 1998 der »Palm Pilot« der Firma U.S. Robotics (3Com). Im Jahr 2001 beträgt das Marktvolumen von PDA nach Prognosen ca. 13 Mio Stück.

Personal Digital Assistant: Die wichtigsten Modelle

Modell	Palm III	Philips Nino 300	Casio Cassiopeia E-10G	Psion Serie 5
Preis (DM)	829	899	799	1599
Internet-Adresse	www.3com.de	www.philips.de	www.casio.com	www.psion.gmbh.com
Besonderheit	Marktführer	Spracherkennung	Infrarot-Datentransfer	Tastatur wie Laptop

Stand: Anfang 1999; Quelle: Tomorrow 2/99

Neuheiten: Auf der CeBit-Messe im Frühjahr 1999 stellte 3 Com die neuen PDA »Palm IIIx« und »Palm V« vor. Ihre Displays sind schärfer und besser entspiegelt als die ihrer Vorgänger, die Speicherkapazität liegt mit 4 MB doppelt so hoch wie beim Vorgängermodell »Palm III«. Die Geräte kosteten Mitte 1999 rund 350 US-Dollar. Compaq und Hewlett-Packard stellten PDA mit Farb-Display vor; Fujitsu präsentierte den »Stylistic 2300« sowie den »Point 1600« mit berührungssensitiven Bildschirmen (Touchscreens). Die Fujitsu-Geräte (Preis: 5000–7000 DM) sind jedoch doppelt so groß wie herkömmliche PDA.

Software

Die für den Betrieb eines Computers erforderlichen Programme, im Unterschied zur sog. Hardware, den technischen Einrichtungen einer Anlage zur elektronischen Datenverarbeitung (z. B. Rechner, Monitor, Tastatur).

Es wird unterschieden zwischen System-S. (Betriebssystemen wie DOS, Windows, Unix) und Anwender-S. (z. B. Textverarbeitung, Spiele). Der S.- und Servicemarkt ist der bedeutendste Wachstumssektor innerhalb der Informationstechnik. Das Münchener Ifo-Institut schätzte den Umsatz der Branche in Deutschland für 1998 auf 49 Mrd DM (+7,5% gegenüber 1997). Für 1999 wurde ein Umsatzwachstum von 8% erwartet.

Microsoft: Der weltgrößte Hersteller von S. hatte Ende der 90er Jahre einen Marktanteil von rund 90% bei der Basis-S. für PC (Betriebssysteme, Textverarbeitung, Tabellenkalkulation, Office-Programme). Der Börsenwert des Unternehmens betrug Ende 1998 261,1 Mrd US-Dollar – es löste den Industriekonzern General Electric als teuerstes Unternehmen der Welt ab; die Gewinne je Microsoft-Aktie stiegen 1988–98 um rund 43% pro Jahr. Aufgrund der Ausnutzung seiner marktbeherrschenden Stellung gab es 1998/99 in den USA mehrere Gerichtsverfahren gegen Microsoft: Die Firma wurde u. a. beschuldigt, durch Einbindung der Internet-Zugangs-S. (»Internet-Explorer«) in Windows-Betriebssysteme die PC-Hersteller zum Verzicht auf Konkurrenz-S. wie »Netscape Navigator« zu zwingen. Weiterhin wurde Microsoft von Sun Microsystems verklagt, die Regeln der Lizenz der von Sun entwickelten Programmiersprache Java verletzt zu haben: Microsoft habe durch Hinzufügen einiger auf sein Betriebssystem Windows ausgerichteter Komponenten das Ziel von Java verletzt, von Rechnersystemen unabhängig zu sein. Mitte 1999 war eine vom Gericht verfügte Aufteilung von Microsoft in mehrere Einzelfirmen wahrscheinlich.

Star-Division: Das deutsche S.-Unternehmen trat 1999 mit seinem Office-Paket (u. a. mit Textverarbeitung, Tabellenkalkulation, Terminplaner) in Konkurrenz zum Marktführer Microsoft, indem es seine 498 DM teure S. im Internet kostenlos zur Verfügung stellte. Beim Anwender entstehen nur die Kosten für rund sechs Stunden Telefonverbindung zum Herunterladen der Star Office

Top Ten Software: Die größten Firmen

	Umsatz 1997 [1]	Anteil Software am Umsatz [2]
1. IBM	12,844	16,4
2. Microsoft	12,836	98,0
3. Computer Ass.	4,457	100,0
4. Oracle	4,447	70,5
5. Hitachi	4,023	5,9
6. SAP	2,290	68,2
7. Fujitsu	2,000	5,5
8. DEC	1,174	9,0
9. Sun	1,118	13,0
10. Siemens Nixdorf	1,071	11,8

1) Umsatz 1997 (Mrd US-Dollar); 2) Anteil Software am Umsatz (%);
Quelle: Software Magazin; Stern, 23.7.1998

Version 5.0 auf den PC. Als Alternative wurde der Kauf einer CD-ROM für 79 DM inkl. Handbuch angeboten. Star-Division rechnete durch die Werbeaktion mit 10 Mio neuen Nutzern der Office-S.

AOL und Netscape: Ende 1998 kaufte der mit rund 15 Mio Nutzern weltgrößte Online-Dienst AOL das S.-Unternehmen Netscape. Dessen Programm »Netscape Navigator« war mit einem Marktanteil von 50% im Bereich der Browser-S. (zur Darstellung von Internet-Seiten) Microsofts größter Konkurrent. AOL-Kunden, die Microsofts »Internet-Explorer« nutzen, sollen zum Umstieg auf die Netscape-S. bewegt werden. AOL kooperierte 1998/99 gleichzeitig mit dem Computerhersteller Sun Microsystems bei der Entwicklung eines Netzcomputers, der ohne S. des Marktführers Microsoft auskommt.

Office 2000: Anfang 1999 kündigte Microsoft die neueste Version seiner Office-S. an. Das S.-Paket auf sechs CD-ROM benötigt 210 MB Platz auf der Festplatte. Zu den Neuerungen von Office 2000 zählen u. a.:
- Das Internet-Dateiformat HTML kann wie Word-Dokumente (doc) als Standard-Dateiformat verwendet werden.
- Anwender können eine Internet-Seite abonnieren und angeben, ob und wann sie über deren Änderung informiert werden möchten.
- Outlook 2000 soll die Arbeit mit elektronischen Dokumenten (E-Mail) vereinfachen. E-Mails lassen sich dann aus Textverarbeitung, Tabellenkalkulation usw. generieren.
- Office 2000 erkennt und behebt automatisch Fehler; Dateien und die Registrierungseinträge für das Windows-Betriebssystem werden überprüft und ggf. korrigiert.

http://www.microsoft.com
http://www.stardivision.com

Softwarepiraterie

Unerlaubtes Kopieren, Vervielfältigen und Nachahmen von urheberrechtlich geschützten Computerprogrammen

Schaden: Die Business Software Alliance (BSA), eine Schutzgemeinschaft der Softwarehersteller, schätzte 1999 den durch S. weltweit entstandenen Schaden für das letztverfügbare Jahr 1997 auf 11,4 Mrd US-

Software: Microsoft-Marktanteile[1]

Betriebssystem Windows (versch. Vers.) ges.	89
Windows NT für Netzwerke	53
Windows CE für Kleinstcomputer	25
Internet Explorer	46
Tabellenkalkulation Excel	66

1) Angaben in %; Quelle: Süddeutsche Zeitung, 20.10.1998

Dollar (Deutschland: 890 Mio DM). Allein im Internet wurden Ende 1998 auf 900 000 Seiten Raubkopien angeboten. Lt. einer Studie der Software Publishers Association (SPA) war Ende 1998 fast die Hälfte der 523 Mio weltweit genutzten Geschäftsanwendungen von S. betroffen. Die Raubkopierrate in Deutschland lag 1998 bei 33%; d.h. in deutschen Unternehmen wurde im Schnitt jede dritte Softwarekopie illegal eingesetzt. Damit liegt Deutschland europaweit im unteren Drittel der Statistik, ist jedoch in absoluten Zahlen ausgedrückt Spitzenreiter.

China: Das US-Unternehmen Microsoft gewann Anfang 1999 einen Prozess gegen chinesische Softwarepiraten. Dem größten Softwarehersteller der Welt entgehen durch S. in jeder Sekunde rund 500 US-Dollar Einnahmen. Die chinesischen Raubkopierer müssen 100 000 US-Dollar Entschädigung zahlen und sich öffentlich in Printmedien entschuldigen. Die Rate der S. lag 1998 in China bei 96%.

Sicherheitsstandards: Microsoft, wegen der weltweiten Verbreitung seiner Produkte am meisten durch S. geschädigt, stellte Ende 1998 eine Zertifizierungsmethode vor, um illegale Kopien ihrer Software einzuschränken:
- In der Mitte der CD-ROM zeigt das Software-Original ein dreidimensionales Hologramm.
- Beim Kauf der Software erhält der Kunde ein Echtheitszertifikat (Certificate of Authenticity, COA).
- Auf dem Handbuch zur Software ist ein hitzeempfindlicher Streifen mit Thermochromtinte abgelegt. Er bringt das Wort »genuine« (engl.; echt) zum Vorschein, sobald er mit Körperwärme in Berührung kommt.

Strafrecht: Wer eine Raubkopie nutzt, verstößt in Deutschland gegen §106 und §69a des Urheberrechts (UrhG). Software wird

Softwarepiraterie: Anteil raubkopierter Software in Europa

Land		Anteil (%)	Veränderung
Belgien		36[1]	▼ – 2[2]
Dänemark		32	▼ – 3
Deutschland		33	▼ – 3
Finnland		38	▼ – 3
Frankreich		44	▽ – 1
Griechenland		73	▼ – 5
Großbritannien		31	▼ – 3
Irland		65	▼ – 5
Italien		43	▼ –12
Niederlande		48	▼ – 5
Norwegen		46	▼ – 8
Österreich		40	▼ – 3
Portugal		51	▼ – 2
Schweden		43	▼ – 4
Schweiz		39	▼ – 4
Spanien		59	▼ – 6

1)1997 (letztverfügbarer Stand) in %; 2) Veränderung gegenüber 1996 (%);
Quelle: Computerwoche, 5.3.1999

juristisch als schützenswertes geistiges Eigentum betrachtet. Außer den Verbänden BSA und SPA vertritt in Deutschland der Verband der deutschen Software-Industrie (VSI) die Interessen der Hersteller. Die Verbände gehen jedem Hinweis auf illegale Software nach und beantragen ggf., Geschäftsräume von Unternehmen zu durchsuchen. Oft verzichten die Hersteller auf Schadenersatz, wenn die Software nachlizensiert wird.

Dongle: Dieser Kopierschutzstecker (auch Hardlock) soll unbefugtes Kopieren bzw. Verwenden von Software verhindern. Ein Dongle wird an die parallele Schnittstelle des PC angeschlossen. Beim Start des geschützten Programms wird das Vorhandensein des richtigen Dongle geprüft und das Programm beendet, wenn er fehlt. Doch wurden in der S.-Szene 1998/99 schon Hilfen zur Ausschaltung des Dongle angeboten.

Musikpiraterie: Der Verband der Musikverleger (DMV) beklagte Anfang 1999 einen Einbruch im Handel mit Tonträgern von 10% gegenüber 1998. Grund sei das illegale Brennen von CD, bei dem den Raubkopierern nach der einmaligen Anschaffung eines Brenners für wenige hundert DM nur noch Kosten für die CD-Rohlinge (2 bis 3 DM/Stück) entstehen. Der DMV wies auf die Möglichkeit hin, Musik illegal über das Internet zu überspielen: Mit »MP3«, einem Datenformat zur Speicherung digitaler Musikstücke, kann 1 min Stereosound in bester CD-Qualität auf 1 MB Speicherplatz untergebracht werden. Abgespielt wird die Musik über den PC oder einen eigens entwickelten Mini-Walkman. MP3 ist kostenlos im Internet erhältlich. Der Verband der US-Plattenfirmen arbeitete Mitte 1999 an elektronischen Signaturen, die legale MP3-Dateien von illegalen unterscheiden sollen.
http://www.bsa.de
http://www.spa.org
Justiz/Kriminalität →Produktpiraterie

Spracherkennungs-Software

Computerprogramme, die gesprochene Befehle verstehen

Prinzip: S. arbeitet meist mit Wahrscheinlichkeitsrechnungen bei Lautkombinationen und Wortfolgen. Benutzer diktieren dem Computer vorgegebene Texte, um das Programm auf ihre Stimme zu eichen. Neue Wörter werden wie bei den Rechtschreibfunktionen von Textverarbeitungs-Software ins Vokabular aufgenommen.

Einsatz: S. wird insbes. bei telefonischen Auskunftsdiensten, Call Centern oder als Diktierprogramm mit z. T. speziellem Wortschatz für Berufsgruppen wie Ärzte und Rechtsanwälte genutzt. An der Wende zum 21. Jh. erlaubt S. statt sog. diskreten Sprechens mit deutlichen Pausen hinter jedem Wort kontinuierliches Diktieren. Auch mit preiswerter S. für Privatkunden (unter 100 DM) lassen sich über 100 Wörter/min erfassen; die Zeitersparnis gegenüber dem Schreiben eines Textes liegt beim Diktieren inkl. Korrekturen im Textverarbeitungsprogramm bei rund 40%.

Markt: Nach Studien der Unternehmensberatung Frost & Sullivan wird der europäische Markt für S. sich bis 2002 auf fast 3 Mrd Dollar verdreifachen. Der Markt für deutsche S. für den PC wurde 1998/99 von drei Herstellern beherrscht:
– Die S. Via-Voice von IBM verfügt über ein integriertes Wörterbuch mit 320 000 Begriffen. Es können verschiedene

Stimmprofile angelegt werden; somit ist die S. von mehreren Personen hintereinander am gleichen PC nutzbar.

– Dragon Naturally Speaking von Dragon Systems hat ein Vokabular von 280 000 Wörtern und erkennt bis zu 160 Begriffe/min. Nach entsprechendem Training werden Worterkennungsraten von mehr als 90% erreicht.

– Voice Express von der belgischen Firma Lernout & Hauspie ist speziell auf die Office-Software des US-Konzerns Microsoft abgestimmt, der 1999 Anteile an Lernout & Hauspie besaß.

Hintergrund: Ende der 70er Jahre begann das US-Unternehmen IBM mit der Entwicklung von S., erzielte aber erst in den 80er Jahren auf dem Großrechner Erkennungsraten von mehr als 90% beim Vokabular von 5000 Wörtern. Das System Tangora ermöglichte ab 1986 Echtzeitverarbeitung gesprochener Texte. Ab 1993 wurde mit dem IBM Personal Dictation System bzw. Voicetype ein Produkt für den Massenmarkt angeboten. Voicetype und die Nachfolge-S. Via-Voice dienen vornehmlich als Diktiersysteme, während der Sprechspiegel von IBM mit Spielen in der Sprachtherapie eingesetzt wird.

Übersetzungs-Software

Computerprogramme zur Übertragung von Texten aus einer Sprache in eine andere

Deutschland: Deutsche Forscher hielten Ende der 90er Jahre weltweit eine Spitzenstellung im Bereich maschinellen Sprachverstehens und Ü. Das Deutsche Forschungszentrum für Künstliche Intelligenz (DFKI, Saarbrücken) kam mit dem System Verbmobil der Vision eines tragbaren Computersystems zur Übersetzung gesprochener Umgangssprache (deutsch-japanisch und deutsch-englisch) in hörbare Rede nahe, aber nur im begrenzten Themenbereich der Terminabsprache, Reiseplanung und PC-Fernwartung.

Markt: Weltweit werden pro Jahr 2 Mrd Seiten u. a. technische Anleitungen, Geschäftskorrespondenz und juristische Texte übersetzt. Allein bei der Europäischen Union in Brüssel bearbeiten 11 000 Dolmetscher 1 Mio Seiten/Jahr. Für Europa ergab sich für 1999 ein geschätztes Marktvolumen von 20 Mio–30 Mio US-Dollar für maschi-

nelle Übersetzungen (weltweit: über 10 Mrd Dollar). Außer professionellen Lösungen für bestimmte Berufsgruppen zu Preisen von mehr als 100 000 DM waren Anfang 1999 Ü.-Programme für unter 500 DM auf dem deutschen Markt. Alle hiermit gefertigten Übersetzungen bedürfen jedoch erheblicher Nachbearbeitung, z. B. Korrektur der Satzstellung oder Klärung des Sinnkontexts von Wörtern.

Quicktionary (engl. quick dictionary; schnelles Wörterbuch): Der 1997 erstmals von der Firma Hexaglott angebotene Stift im Textmarker-Format besitzt einen Lesekopf statt Schreibspitze. Damit fährt der Benutzer über Textstellen, die Wort für Wort in den Arbeitsspeicher im Stift gescannt werden. Bei der 1999 angebotenen erweiterten Version (Kosten: rund 400 DM) zeigt der Stift zwei übersetzte Wörter auf seinem LCD-Display (zzgl. zum deutschen Begriff die englische und französische Entsprechung). Die Übersetzung einzelner Wörter erscheint aber erst nach 4–15 sec; die Bearbeitung eines kompletten Satzes ist noch nicht möglich.

Internet: Einige Unternehmen boten 1999 im Internet preisgünstig oder kostenlos die automatische Übersetzung von Internet-Seiten oder anderen Texten an. Die Firma Globalink z. B. eröffnete ein Forum, in dem Teilnehmer mit anderen Interessenten in Deutsch, Englisch, Spanisch, Französisch, Italienisch oder Portugiesisch plaudern können. Eine Ü. überträgt die muttersprachlichen Eingaben in die gewünschte Fremdsprache. Jeder Internet-Teilnehmer darf den Service 1 h/Tag kostenlos nutzen.
http://babelfish.altavista.com
http://www.globalink.com

Virtuelle Realität

(auch cyberspace, engl.; künstlicher Raum) Computersysteme, mit denen dem Benutzer durch Ausnutzung mehrerer Sinneskanäle (optische, akustische und an den Tastsinn gerichtete Informationen sowie Daten über Wärme, Geruch und Gleichgewicht) ein realitätsnaher Eindruck der im Computer erzeugten Welt vermittelt wird, die er interaktiv beeinflussen kann

Der Einstieg in die virtuelle Welt erfolgt zumeist mit Hilfsmitteln wie Head Mounted Display und Datenhandschuh. V. wird u. a. für Computerspiele, in der Medizin und bei der Steuerung von Robotern in für Men-

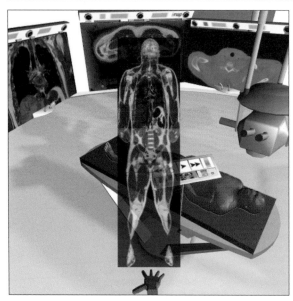

Virtuelle Realität: Nachahmung eines OP-Saals

Virtuelle Realität

▶ **Datenanzug:** Datenanzüge erweitern das Konzept des Datenhandschuhs auf den ganzen Körper. Sie erfassen mit Sensoren typische Bewegungsabläufe (z. B. eines Tänzers oder Sportlers) und werten sie aus.

▶ **Datenhandschuh:** Das Gerät sieht aus wie ein von Drähten durchzogener normaler Handschuh. Auf den Drähten sind Sensoren für Dehnung, Druck und andere physikalische Größen befestigt, die an der Hautoberfläche, an Muskeln oder hautnahen Nerven gemessen werden. Manche Datenhandschuhe enthalten aktive elektrische, pneumatische oder thermische Elemente, mit deren Hilfe sie Signale vom VR-System (Druck, Temperatur) direkt auf die Haut des Benutzers oder an sein Nervensystem senden können.

▶ **Head Mounted Display (HMD):** Zwei kleine Bildschirme werden mit Hilfe eines über den Kopf gestülpten Tragegeschirrs vor die Augen des Benutzers positioniert. Die Bilder der virtuellen Welt werden mit Umlenkspiegeln in die Augen projiziert. Um 2000 sollen HMDs auf Größe und Gewicht herkömmlicher Brillen reduziert werden.

▶ **Telepräsenz:** Der Benutzer kann sich durch das VR-System an einen Ort versetzen lassen, wo er physisch nicht ist, um dort Aufgaben zu erledigen; ein HNO-Arzt in Norddeutschland kann dadurch z. B. einen Patienten in Süddeutschland operieren.

▶ **Tracking:** Der Mechanismus teilt dem VR-System mit, wo sich der Benutzer bzw. seine Hand etc. befinden. Der zu verfolgende Gegenstand sendet bestimmte Signale aus, die vom Tracking-System empfangen werden (aktives Tracking, z. B. durch Sender am Datenhandschuh). Beim passiven Tracking wird der zu verfolgende Gegenstand meist mit einer Infrarot-Videokamera verfolgt.

▶ **VRML:** Mit der Virtual Reality Markup Language lassen sich virtuelle Systeme ansatzweise via Internet übertragen. Der Transfer ganzer Szenen war 1999 wegen des hohen Datenaufkommens noch nicht möglich; VRML überträgt aber Anweisungen über Gegenstände und die Art, wie sie sich verhalten, in einen Code, der sich mit geringer Bandbreite transferieren lässt.

schen unzugänglicher Umgebung eingesetzt. Auto- und Luftfahrtbranche setzten V. 1999 beim Entwurf von Prototypen ein (Flugsimulatoren); Architekten simulierten mit V. bauliche Veränderungen.

3D-Caves (cave, engl; Höhle): Eine Cave ist ein großer Würfel, auf dessen Seitenflächen Bilder projiziert werden. Es entsteht eine Art betretbares Hologramm. Wer sich hineinbegibt, wird Teil der virtuellen Umwelt. Er kann mit seiner eigenen Hand die virtuellen Objekte in der dargestellten Szene ergreifen und manipulieren. Das Fraunhofer-Institut für grafische Datenverarbeitung in Darmstadt (IGD) entwickelte 1998/99 eine Cave, in der die Projektoren Bilder mit einer Auflösung von 1024 x 1024 Pixel und einer Bildwiederholfrequenz von 120 Hertz auf die Wände projizieren. Mit einem Hochleistungsgrafikrechner der US-Firma Silicon Graphics können die virtuellen Umgebungen in Echtzeit mit 20 Bildern/sec gezeigt werden. In der Cave muss der Anwender eine 3D-Brille tragen und kann Interaktionsgeräte wie z. B. den Datenhandschuh einsetzen. Erste Cave-Installationen wurden 1999 bei VW genutzt, weitere Einsatzfelder eröffnen sich in Architektur und Unterhaltungsindustrie.

Avatare: In 3D-Welten im Internet nimmt der Benutzer als Avatar (kleine Bildschirmfigur) an einer Art virtuellem Gesellschaftsleben teil. »Active Worlds« besteht aus rund 1000 Unterwelten, von denen jede eine eigene Vegetation und ein eigenes Klima hat. Zu den 300 000 »Bürgern« von Active Worlds (Stand: Mitte 1999) kommen jeden Tag einige hundert hinzu. Die Teilnahme kostete 1999 ca. 20 US-Dollar im Jahr. Verwaltet werden die virtuellen Welten von der Softwarefirma Circle of Fire in Seattle, welche die Software ins Internet einspeist. Eine für Kunden maßgeschneiderte Unterwelt kostete Mitte 1999 zwischen 1000 und 50 000 US-Dollar.

Forschung und Technik →Roboter

Wechselmedien

Datenspeichermedien wie Disketten, CD-ROM oder DVD, die in ein eigenes PC-Laufwerk eingeführt werden, um auf Daten zuzugreifen

Wechselplatten: Magnetische Wechselplatten arbeiten nach dem gleichen Prinzip wie Festplatten, sind aber in einen speziellen Wechselrahmen (Cartridge) in den PC eingebaut, wodurch sie leicht zu entfernen und durch andere Wechselplatten ersetzbar sind. Schreib- und Leseköpfe u. a. elektronische Elemente befinden sich im entsprechenden Laufwerk. Wechselplatten werden zur Datensicherung, -archivierung und zum Informationstransport zwischen verschiedenen Computern eingesetzt.

JAZ-Laufwerk: Von der US-Firma Iomega hergestelltes Laufwerk mit einer Speicherkapazität von 1–2 GB und einer mittleren Zugriffszeit von 12 Millisec(ms); 1 ms = 1/1000 sec. Aufgrund der hohen Geschwindigkeit ist das Laufwerk u. a. zum Videoschnitt am PC geeignet.

ZIP-Laufwerk: 1995 erstmals von der US-amerikanischen Firma Iomega auf den Markt gebrachtes Laufwerk für Disketten mit einer Speicherkapazität von 100 MB (herkömmliche 3,5-Zoll-Disketten fassen nur ca. 1,4 MB). ZIP steht in Konkurrenz zu ähnlichen technischen Entwicklungen der Firmen Imation (LS120-Laufwerk, »Superdisk«, für Disketten mit 120 MB Speicherplatz) und Sony (HiFD-Laufwerk).

Alle Produkte wurden bis Mitte 1999 bereits auf Kundenwunsch in Standard-PC eingebaut.

DVD-RAM (Digital Versatile Disk-Random Access Memory, engl.: digitale vielseitige Scheibe mit wahlfreiem Speicherzugriff): Im Gegensatz zur lediglich lesbaren bzw. abspielbaren Daten- und Film-DVD wiederbeschreibbare DVD mit 2,6 GB Speicherplatz. Für 1999 kündigten verschiedene Hersteller neue DVD-RAM mit mehrfachem Speicherplatz an. Die japanische Firma Matsushita (Panasonic) entwickelte eine DVD-RAM, welche die Daten in zwei Schichten speichern kann, was eine Aufnahmekapazität von 8,5 GB ermöglicht. Im Gegensatz zu älteren zweiseitig bespielbaren Datenträgern dieses Typs muss der Benutzer die DVD-RAM nicht umdrehen, um die zweite Seite zu erreichen. Eine der Informationsschichten auf der Scheibe ist transparent, so dass der Laserstrahl des Laufwerks bei Bedarf die obere Schicht durchleuchten und die darunterliegende Schicht mit Daten beschreiben oder sie zum Lesen abtasten kann.

Wechselmedien: Formatunterschiede

	DVD-RAM	DVD+RW[2]	DVD/RW	MMVF[4]
Firmen	Hitachi, Panasonic, Toshiba, JVC	Philips, Sony, Hewlett Packard, Ricoh, Mitsubishi, Yamaha	Pioneer	NEC
Speicherplatz (beide Seiten, Gigabyte)	5,2	6	7,9	10,4
Beschreibbarkeit	über 100 000mal	mehr als 1000mal	mehr als 1000mal	500 000mal
Wellenlänge (Nanometer)	650	650	650	640
Cartridge	ja	nein	nein	ja
Spurabstand (Mikrometer)	0,74	0,8	0,8	0,56
liest CD-ROM	ja	ja	ja	ja
liest CD-R[1]	ja	ja	ja	ja
liest CD-RW[2]	ja	ja	ja	ja
liest DVD-ROM[3]	ja	ja	ja	ja
liest DVD-Video	ja	ja	ja	ja
beschreibt CD-R	nein	k. A.	nein	nein
beschreibt CD-RW	nein	k. A.	nein	nein
in DVD-ROM-Laufwerken lesbar	nur einseitig	in modifizierten Laufwerken	ja	nein
in anderen Laufwerken lesbar	nein	DVD-Video-Player	DVD-Video-Player	nein

1) CD-Recordable (engl.; beschreibbare CD); 2) CD-ReWritable (engl.; wiederbeschreibbare CD); 3) DVD nur mit Lesezugriff (engl. Read-Only-Memory); 4) Multi Media Video File; Quelle: Computerwoche, 28.8.1998

Dienstleistungen

Banken

Im Zuge des stärkeren Konkurrenzdrucks seit der Einführung der Europäischen Währungsunion am 1.1.1999 forcierten die deutschen B. ihre Geschäftspolitik der Kostenreduzierung durch Personalabbau, Schließung von Filialen und Zusammenschluss mit anderen Geldinstituten, um ihre Ertragslage zu verbessern.

Arbeitsplätze: Die Deutsche Bank plant bis 2001 den Abbau von 5500 Stellen. Die Dresdner Bank wollte 1999, nachdem 1994 bis 1998 bereits 4500 Stellen im Inlandnetz eingespart wurden, weitere 800 Arbeitsplätze in deutschen Geschäftsstellen abbauen. Bei der Commerzbank ist die Entwicklung ähnlich (1996: 29 334, 1997: 28 711 Mitarbeiter). Weiterer Stellenabbau war geplant. Ende März 1999 scheiterten die Tarifverhandlungen für die rund 470 000 Bankangestellten. Die Gewerkschaft Handel, Banken, Versicherungen (HBV) lehnte u. a. die von den Arbeitgebern geforderte Wiedereinführung der Sechs-Tage-Woche mit genereller Samstagsarbeit strikt ab. Anfang Mai 1999 markierte die größte Demonstration im deutschen Geldgewerbe die Schärfe des laufenden Tarifkonflikts. Trotz der Rekordgewinne vieler B. drohen durch die Schließung von Filialen und der gezielten Auslagerung des Mengengeschäfts weitere Entlassungen.

Bankenaufsicht: Die deutsche B. vereinbarte 1998 die Kooperation mit den europäischen Wertpapieraufsichtsbehörden, um grenzüberschreitende Finanzgeschäfte besser kontrollieren zu können. Im Mittelpunkt steht die Verhinderung der sog. Geldwäsche (Einschleusen von Gewinnen aus illegalen Geschäften) durch organisierte Kriminelle.

Bundesbank: Im Geschäftsjahr 1998 erwirtschaftete die Bundesbank einen Gewinn von 16,2 Mrd DM (1997: 24,2 Mrd DM).

Die Sollzinsen, die Bankkunden für die Überziehung ihres Kontos zahlen mussten, waren Ende der 90er Jahre in den Südstaaten der EU besonders teuer. Deutschland gehörte mit 10,75% im Schnitt zu den Ländern mit den günstigsten Sollzinsen. Der Durchschnitt in den Euroländern betrug 13,8%.

Im europäischen Vergleich ist der Bankensektor in Deutschland noch wenig konzentriert. Die fünf größten deutschen Kreditinstitute hatten 1997 einen Marktanteil von nur 17%, während die fünf größten Banken in den Niederlanden fast vier Fünftel des Marktes beherrschten.

Banken-Konzentration in Europa[1]

	1990	1997[2]
Niederlande	73	79
Finnland	54	78
Portugal	58	76
Belgien	48	57
Österreich	35	48
Spanien	35	44
Irland	43	40
Frankreich	43	40
Italien	19	25
Luxemburg	k. A.	22
Deutschland	14	17

1) Marktanteil der fünf größten Kreditinstitute (%), 2) letztverfügbarer Stand; Quelle: EZB

Banken: Überziehungszinsen[1]

Land	%
Spanien	29
Portugal	21,5
Großbritann.	18,8
Norwegen	18
Griechenland	18
Belgien	15
Frankreich	14,85
Dänemark	12
Italien	11,75
Österreich	11,5
Irland	10,95
Deutschland	10,75
Finnland	9
Luxemburg	9
Niederlande	8,5
Schweiz	6,25

1) Durchschnittswerte 1998 (%); Quelle: Focus Eurotest

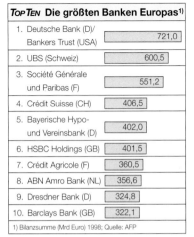

TOP TEN Die größten Banken Europas[1]

1. Deutsche Bank (D)/ Bankers Trust (USA)	721,0
2. UBS (Schweiz)	600,5
3. Société Générale und Paribas (F)	551,2
4. Crédit Suisse (CH)	406,5
5. Bayerische Hypo- und Vereinsbank (D)	402,0
6. HSBC Holdings (GB)	401,5
7. Crédit Agricole (F)	360,5
8. ABN Amro Bank (NL)	356,6
9. Dresdner Bank (D)	324,8
10. Barclays Bank (GB)	322,1

1) Bilanzsumme (Mrd Euro) 1998; Quelle: AFP

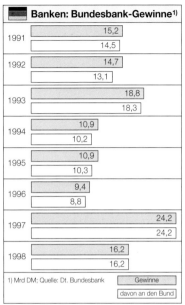

Banken: Bundesbank-Gewinne[1]

	Gewinne	davon an den Bund
1991	15,2	14,5
1992	14,7	13,1
1993	18,8	18,3
1994	10,9	10,2
1995	10,9	10,3
1996	9,4	8,8
1997	24,2	24,2
1998	16,2	16,2

1) Mrd DM; Quelle: Dt. Bundesbank

Die Gewinne der Deutschen Bundesbank schwankten in den 90er Jahren stark. Im Spitzenjahr 1997 wurde fast dreimal so viel Gewinn an den Bund abgeführt als im schlechtesten Bilanzjahr 1996.

Ihre führende Stellung auf dem europäischen Bankenmarkt behaupteten die deutschen Kreditinstitute auch 1998. Unter den TOP TEN befanden sich drei deutsche Banken auf den Rängen 1, 5 und 9.

Nach der Abgabe ihrer geldpolitischen Aufgaben an die Europäische Zentralbank (EZB, Frankfurt/M.) am 1.1.1999 übernimmt die Bundesbank als Glied der EZB verstärkt andere Aufgaben. Im Vordergrund steht die Anpassung sämtlicher Betriebsabläufe an das neue Eurosystem.
Fusionen und Übernahmen: 1998 fusionierte die Deutsche Bank mit dem US-Institut Bankers Trust zum weltgrößten Finanzunternehmen (Bilanzsumme: 721 Mrd Euro). Die Commerzbank ging ein Bündnis mit der italienischen Versicherung Generali ein. Die Württembergische Versicherungsgruppe schloss sich mit dem Wüstenrot-Konzern (Bausparkasse) zum Finanzdienstleistungsunternehmen zusammen. Auf internationaler Ebene fusionierten in Frankreich die Société Générale und Paribas (Banque de Paris et des Pays-Bas) zu einer der größten B. der Welt. Der französische Finanzverbund plante 1999 die Übernahme des Crédit Lyonnais. Bereits 1997 waren in Deutschland die Bayerische Hypo und die Bayerische Vereinsbank zum zweitgrößten deutschen Kreditinstitut HypoVereinsbank mit einer Bilanzsumme von 402 Mrd Euro (1998) vereinigt worden.
Gewinne: Trotz internationaler Finanzkrisen konnten die vier größten deutschen Geldinstitute bei ihren Jahresüberschüssen mit zweistelligen Zuwachsraten aufwarten. Allen voran die Deutsche Bank, die ihren Gewinn 1998 auf 7,9 Mrd DM steigerte

(+395%). 1997 betrug der Gewinn 2,0 Mrd DM. Die Bank, mit 22,8% an Daimler-Chrysler beteiligt, profitierte von deren Sonderausschüttung in Höhe von 3,2 Mrd Mark.
Euribor: Der Europäische Interbankzins (Euro Interbank Offerered Rate) konkurriert seit 1.1.1999 mit dem bis dahin geltenden Zinssatz für den europäischen Markt, Libor (London Interbank Offered Rate). Bei der Berechnung des Euribor werden insgesamt 57 Bankzinssätze zu Grunde gelegt. Täglich um 11 Uhr wird das Ergebnis in Frankfurt/M. veröffentlicht.
Kundenservice: Nach einem Entwurf der rot-grünen Bundesregierung soll ein für 1999 geplantes neues Überweisungsgesetz inländische und grenzüberschreitende Überweisungen einheitlich im Bürgerlichen Gesetzbuch festhalten. Der Entwurf umfasst die Regelung der Informationspflichten der Kreditinstitute, sieht Höchstlaufzeiten für Überweisungen vor (für Inlandüberweisungen gilt eine Frist von drei Tagen, für Überweisungen in andere europäische Länder fünf Tage) und führt Haftungsvorschriften für die B. ein: Schlägt eine Überweisung fehl, muss die B. den Betrag kostenlos dem Kundenkonto wieder gutschreiben.

Besonders bei den beratungsintensiven Produkten der Telekommunikation und der Softwarebranche, im Versandhandel und bei Direktbanken lohnt sich der Aufbau eines Call Centers, um Kundenaufträge zu bearbeiten. Die Prognose nimmt ein weiteres starkes Wachstum im Kundenservice an.

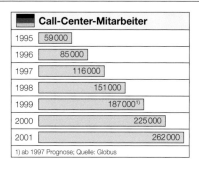

▬ **Call-Center-Mitarbeiter**	
1995	59 000
1996	85 000
1997	116 000
1998	151 000
1999	187 000[1)]
2000	225 000
2001	262 000

1) ab 1997 Prognose; Quelle: Globus

Call Center

Unternehmensinterne oder -externe Organisationseinheit zur telefonischen Kundenbetreuung. Im Gegensatz zur klassischen Telefonzentrale erreicht der Kunde meist sofort den richtigen Ansprechpartner

Telefonmarketing: Das Telefon wird eingesetzt, um Kunden zu gewinnen, den Vertrieb zu unterstützen und Waren zu verkaufen. Es schließt Hotlines, Teleshopping und Telefonbanking ein. Beim aktiven Telefonmarketing (Outbound) geht der Anruf vom Unternehmen aus, beim passiven (Inbound) vom Kunden. Im Frontoffice eines C. werden die sog. Standardfragen beantwortet, die schwierigen Fragen werden ins Backoffice weitergeleitet.

Markt: Die C. verbuchten 1998 mit 15% beim Umsatz und 36% mehr Beschäftigten gegenüber dem Vorjahr hohe Zuwachsraten. In Deutschland gab es Mitte 1999 rund 1500 C. Etwa 39% von ihnen boten einen 24-Stunden-Service an. Nach einer Benchmark-Studie (Hamburg/Indiana, USA) entfallen 14,6% der Anrufe bei deutschen C. auf die gebührenfreien 0130- und 0800-Nummern. Die sog. Shared-Cost-Rufnummern (0180) stellen dem Kunden gestaffelte Gebühren in Rechnung. Ihr Anteil beträgt 60%. Anrufe bei den 0190- oder 0900-Nummern, bei denen z. T. erhebliche Kosten anfallen, machen in deutschen C. 30% aus. Grund für die Weiterleitung von Anrufen an externe Dienstleister ist bei 75% der Unternehmen eine höhere Kapazität zu Spitzenzeiten. Rund 33% nutzen C. im Rahmen spezieller Marketingaktionen, 58% wollen durch das Outsourcing ihre zeitliche Erreichbarkeit verbessern.

Branchen: Nach Angaben des Deutschen Direktmarketing Verbandes (DDV, Wiesbaden) werden 1999 insgesamt 30 000 neue Jobs im Bereich Telemarketing entstehen. Insgesamt wurden 1998 5,1 Mrd DM für Telemarketing-Aufwendungen von deutschen Unternehmen ausgegeben, 15% mehr als 1997. Zu den bekanntesten Einsatzmöglichkeiten für C. gehören die telefonische Bestellannahme und Beratung im Versandhandel sowie für die Betreuung der Kunden von Direktbanken und Software-Herstellern (Hotline). Verstärkt auf Kundenservice setzten nach Angaben des DDV vor allem die neuen Telekommunikationsgesellschaften, Express- und Onlinedienste sowie kommunale Versorgungsunternehmen. In Deutschland startete 1998 die Fluggesellschaft Lufthansa AG ein C. für den telefonischen Ticketverkauf.

Ausbildung: Eine anerkannte Ausbildung oder ein Zertifikat gab es in Deutschland bis Mitte 1999 nicht. Einige Industrie- und Handelskammern boten allerdings die Ausbildung zum C.-Agenten an.

Direktbanken

Durch niedrige Gebühren für Bankgeschäfte und einen günstigen Aktienhandel gewann das Internet-Banking und Brokerage auch in Deutschland an Bedeutung. In den USA wurden 1998 bereits 25% aller Börsenaufträge online abgewickelt. Zu den führenden Internet-B. Europas gehörten die Schweizer Bank Crédit Suisse und die Bank 24, die Tochter der Deutschen Bank. Sie wurde 1998 von der Londoner Lafferty Information zur besten deutschen D. gekürt. Ausschlaggebend war die Präsentation des Inhalts und die Möglichkeiten des interaktiven Kontakts mit den Kunden. Die erste D. Europas, die Bankgeschäfte nur per Internet abwickelt, ging im April 1999 an den Start; die Netbank AG Hamburg wurde 1998 von sieben Sparda-Banken gegründet.

**http://www.bank24.de; http://www.netbank.de
http://www.bdb.de; http://www.etrade.de**

E-Cash

(Electronic Cash oder elektronisches Bargeld), bargeldloses Bezahlen von Waren in Warenhäusern, Restaurants, Hotels; Bezahlen von Waren oder Dienstleistungen im Internet

Die 1990 von den deutschen Kreditinstituten eingeführte Zahlungsweise per E. wies im Jahr 1997 einen monatlichen Umsatz von 3 Mrd DM auf. Das Bezahlen per Scheckkarte und Geheimnummer erbrachte 1991 eines Jahresumsatz von 1,3 Mio, 1998 von 25,7 Mio DM.

Das virtuelle oder digitale Geldgeschäft für das Internet hatte 1998 Rückschläge hinzunehmen: Digicash, einer der führenden Anbieter von elektronischem Geld, musste den Konkurs einreichen. Die Mark Twain Bank (USA) zog sich aus dem Versuch mit Digicash zurück. Lediglich 5000 Kunden hatten seit 1995 Interesse am digitalen Geld bekundet. Der Großversuch von Citibank und Chase Manhattan New York für Karten, auf denen elektronisches Wechselgeld gespeichert ist, wurde mangels Interesse ebenfalls eingestellt. Aus gleichem Grund zog sich der Digicash-Konkurrent First Virtual 1998 aus dem Geschäft zurück. Das deutsche Unternehmen Giesecke & Devrient GmbH stellte 1998 eine Geldkarte für den E. im Internet vor. Das »Network Payment System« (deutsch Netzwerk-Zahlungssystem) soll sich vor allem für kleinere Beträge eignen.

E-Commerce

(E-Business) Elektronischer Handel zwischen Unternehmen und Kunden, Privatleuten untereinander sowie zwischen Lieferanten und Händlern

Mit 9,4 Mio Nutzern im Handel via Internet hat Deutschland 1999 einen Spitzenplatz erreicht. Nach Schätzung der Lufthansa Airplus Servicekarten GmbH wird Deutschland 2000 erstmals die Führungsrolle im Internet-Handel in Europa übernehmen. Das Marktvolumen wird (nach Schätzungen) auf 6,2 Mrd DM ansteigen.

Rund 90% der Umsätze werden allerdings in den Geschäftsbeziehungen zwischen Unternehmern erzielt, nur 10% der Umsätze durch Privatkunden. 1998 gab es in Deutschland rund 2,2 Mio private Nutzer von E. 1998 waren erst 16% der deutschen Einzelhandelsunternehmen im Internet vertreten. Weltweiter Standard für elektronische Geschäftsformulare wie Aufträge und Lieferscheine ist Electronic Data Interchange (EDI). Microsoft-Chef Bill Gates will mit seinem Projekt »Biz Talk« den elektronischen Handel für sich gewinnen.

Datensicherheit: Geschäfte zwischen Firmen im Internet wollen die Deutsche Bank und HypoVereinsbank in Zusammenarbeit mit sechs weiteren Kreditinstituten (ABN

E-Commerce-Nutzung[1]

Bücher	30
Computer, Software	23
CDs	18
Kleidung, Schuhe	13
Unterhaltungselektr.	7
PC/Videospiele	6
Haushaltsartikel	5
TK-Produkte[2]	5
Geschenkartikel	5
Sportartikel	4

1) Anteil pro 100 Online-Bestellungen (%) 1998; Mehrfachnennungen möglich, 2) Telekommunikation; Quelle: EMS/GfK Stand: Anfang 1999

Mit fast einem Drittel aller elektronischen Bestellungen führten Bücher 1998 in Deutschland die Hitliste des E-Commerce an. Jeder vierte Online-Nutzer kaufte Computer und Zubehör via Internet.

Amro, Bank of America, Bankers Trust, Barclays Bank, Chase Manhattan Bank und Citibank) sicherer machen. Die neu gegründete Gesellschaft Global Trust Enterprise wollte zunächst ein Netz der Gründer betreuen, die digitale Zertifikate (elektronischer Personalausweis) an Unternehmen und ihre Mitarbeiter ausgeben. Die Identität via Internet soll damit zweifelsfrei festgestellt werden können.

Einzelhandel

Der deutsche E. steigerte 1998 seinen Gesamtumsatz um 0,7% auf 720 Mrd DM. Computer sowie optische und mechanische Feingeräte verzeichneten mit einer Umsatzzunahme von fast 9% die höchsten Zuwachsraten. Auch der Handel mit Pflegeprodukten und Kosmetika konnte ein hohes Wachstum (8%) verbuchen. Dagegen verringerten sich in der Nahrungsmittel- und Getränkebranche die Umsätze um 3,5%. Auch Textil- und Schuheinzelhandel büßten 2,5 bzw. 2,2% ihres Vorjahresumsatzes ein. Insgesamt waren 1998 im deutschen E. rund 30 000 (1,03%) der zuvor 2,895 Mio Arbeitsplätze abgebaut worden. Im März 1999 lag der Umsatz des Einzelhandels nach Angaben des Statistischen Bundesamtes 6,8% höher als vor einem Jahr.

Lebensmittel: Die traditionellen Supermärkte in Deutschland wurden gegen Ende der 90er Jahre immer mehr von Großmärkten und Billiganbietern verdrängt:

141

Die seit Jahren andauernde Konzentration im deutschen Lebensmittelhandel war 1998 so weit fortgeschritten, dass die zehn größten Unternehmen bereits mehr als 80% des Marktes beherrschten. Sie erwirtschafteten zusammen einen Umsatz von 202 Mrd DM.

TopTen ▄▄ Lebensmittelhandel[1]	
1. Edeka/AVA	38,2
2. Rewe	37,7
3. Aldi	30,0
4. Metro	28,7
5. Tengelmann	18,5
6. Lidl & Schwarz	17,1
7. Spar	16,1
8. Schlecker	6,7
9. Dohle	5,0
10. Lekkerland	4,0

1) Umsatz 1998 (Mrd DM, ohne Nonfood-Artikel); Quelle: M+M EUROdata

▄▄ Einzelhandels-Umsätze[1]	
Nahrungs-/Genussmittel[2]	−3,5
Textilien	−2,5
Schuhe, Lederwaren	−2,2
Bekleidung	−1,4
Fahrräder, Sportartikel	−1,1
Uhren, Schmuck	−0,7
Einzelhandel insgesamt	+ 0,6
Bau- und Heimwerkerbedarf	+ 1,2
Bücher, Zeitschriften, Schreibw.	+ 1,5
Möbel, Einrichtung	+2,8
Elektr. Haushaltsgeräte[3]	+ 2,9
Apotheken	+ 4,4
Kosmetika, Körperpflege	+8,1
Computer[4]	+8,8

1) Veränderung 1998 gegenüber Vorjahr; 2) incl. Getränke; 3) sowie Radio und TV; 4) sowie optische und feinmechanische Geräte; Quelle: Stat. Bundesamt (Wiesbaden); http//www.statistik-bund.de

1998 mussten in Deutschland 2400 Supermärkte schließen, die verbliebenen 46 110 erwirtschafteten mit 57,4 Mrd DM nur noch 18,5% des Umsatzes in L. Verbrauchermärkte und Discounter brachten dagegen einen Umsatz von 172,4 Mrd DM auf. Dies entsprach einem Anteil von 55,5%. Der Kölner Handelskonzern Metro AG konnte 1998 Umsatz und Ergebnis steigern; der Nettoumsatz stieg um 61,3% auf 91,7 Mrd DM. Im Ausland konnte die Metro AG ihren Umsatz mit 32,37 Mrd DM nach 3,95 Mrd DM 1997 fast verzehnfachen. Der Auslandsanteil am Umsatz erreichte rund 35%. Hauptgeschäftsfelder sind die sog. Cash-and-Carry-Märkte Metro und Makro, die SB-Warenhäuser Real, Extra, die Allkauf-Läden und verschiedene Fachmärkte (Praktiker u. a.).

Fusionen: Zu einem der größten Einzelhandelskonzerne Europas schlossen sich Mitte 1999 die Karstadt AG (Essen) und der Quelle-Konzern (Fürth) zusammen. Das fusionierte Unternehmen Karstadt Quelle AG verdrängte 1999 die Tengelmann-Gruppe von Platz 5 der TOP TEN des Deutschen Einzelhandels (1998). Der neue Konzern innerhalb der deutschen Lebensmittelhandelsbranche beschäftigt insgesamt 120 000 Mitarbeiter und kommt auf einen Gesamtumsatz von 33 Mrd DM. Die Quelle-Dachgesellschaft Schickedanz hatte bereits im Jahr 1998 48% der Stimmrechte an der Karstadt AG erworben.

http://www.diht.de; http://www.quelle.de; http://www.karstadt.de; http://www.metro.de

Die führenden Factory-Institute konnten 1998 ihren Umsatz um 14,3% auf 39,95 Mrd DM steigern. Der Umsatz stieg im vierten Jahr in Folge mit einer zweistelligen Rate. Für 1999 wurde eine ähnliche Tendenz erwartet.

Factory outlet

(engl. etwa: Verkauf ab Fabrik), Direktverkaufszentrum nach US-amerikanischem Vorbild

In Deutschland startete 1999 das erste F.-Center auf einer Fläche von über 10 000 m² in Wustermark bei Berlin. Das B5-Center bietet rund 60 Firmen Platz, hinzu kommen 1200 m² für gastronomische Betriebe.

In F. bieten mehrere Händler gemeinsam billige Markenware an. In Deutschland sind

TopTen Factoring-Institute[1]	
1. DG Diskontbank	24,58
2. Heller Bank	14,55
3. GEFA	10,38
4. GE Capital Finance GmbH	9,68
5. Süd Factoring	8,33
6. Deutsche Factoring Bank	8,05
7. Bertelsmann Distribution	7,12
8. Procedo	5,94
9. De Lage Landen Trade Finance	4,51
10. CL Factoring	3,70

1) Marktanteil (%); Stand 1998, Marktvolumen insgesamt: 39,95 Mrd. DM, Quelle: Die Welt 27.2.1999

(Stand 1999) 109 F. geplant. Der deutsche Facheinzelhandel befürchtet durch die Fabrikzentren ein Abwandern der Kunden aus den Innenstädten und somit einen noch nicht zu beziffernden Umsatzrückgang. F. entstehen in den Randbereichen der Städte, wo sich jeweils bis zu 50 Fabrikanten zu F.-Centern (FOC) zusammenschließen. Die deutsche Factoringbranche steigerte 1998 ihren Umsatz um 14,3% auf 39,95 Mrd DM. Vom Gesamtumsatz der zehn führenden Zentren entfielen rund 80% auf das Inlandsfactoring, der Rest auf Auslandsgeschäfte. Großhandel (46%), Industrie (40%) und Dienstleistung (14%) teilten sich den F.-Markt.
http://www.factoring.de

Ladenschlusszeit

1998 nutzten nur 31% der deutschen Händler die verlängerten Ladenöffnungszeiten (lt. ifo-Institut für Wirtschaftsforschung). Zwei Jahre nach Verabschiedung der Reform, die montags bis freitags eine Öffnungszeit bis 20 Uhr und Samstags bis 16 Uhr erlaubt, wurde kein nennenswerter Beschäftigungseffekt festgestellt: 38% beschäftigten genauso viele Mitarbeiter wie früher, in etwa 31% der Verkaufsstellen arbeiteten sogar weniger Personen als zuvor. Nur bei knapp einem Drittel der Händler wurde neues Personal eingestellt. Berlin plante 1999 eine Bundesratsinitiative für die völlige Abschaffung einer L. von Montag bis Samstag. Die Berliner CDU-Abgeordneten Beate Hübner (Soziales) und Wolfgang Branoner (Wirtschaft) wollten Kaufleuten freie Hand bei den Öffnungszeiten lassen. Für den Verkauf am Sonntag galten 1999 in deutschen Touristenzentren bereits Ausnahmeregelungen.

Messen

Die deutschen M. verzeichneten 1998 mit rund 4% mehr Ausstellern und 3% mehr Besuchern die höchsten Wachstumsraten der letzten Jahre. Auf den 129 internationalen Veranstaltungen gaben Aussteller und Besucher rund 19 Mrd DM aus, knapp 250 000 Erwerbstätige fanden durch die M. Beschäftigung. Um den Messestandort Deutschland weiterhin attraktiv zu gestalten, forderte der Ausstellungs- und Messeausschuss der deutschen Wirtschaft (Auma), Köln, die rotgrüne Bundesregierung auf, bei der M.-wirt-

▬ Ladenschluss im Einzelhandel[1]	
Montag	29
Dienstag	29
Mittwoch	29
Donnerstag	38
Freitag	33
Samstag	31

1) Anteil der deutschen Unternehmen mit längerer Öffnungszeit nach 18.30 Uhr bzw. samstags bis 16 Uhr; (%); Quelle: ifo

schaft nur den ermäßigten Satz der geplanten Ökosteuer anzuwenden. Um den Messestandort Deutschland zu sichern, sollen die Kapazitäten in den nächsten Jahren um 5,6% auf 2,38 Mio DM ausgeweitet werden. Dafür sind Investitionen in Höhe von 2,6 Mrd DM geplant. Im März 1999 wurden die Ergebnisse einer Untersuchung des FfH-Institutes für Markt- und Wirtschaftsforschung über die gesamtwirtschaftliche Bedeutung der deutschen M.-Wirtschaft vorgelegt. Die Zahlen beziehen sich auf 1997. Danach lösten M. gesamtwirtschaftliche Produktionswirkungen in Höhe von 41 Mrd DM aus, schufen 230 000 Vollzeitarbeitsplätze; davon 100 000 im Dienstleistungssektor, 70 000 im produzierenden Gewerbe und 50 000 in Handel und Verkehr.
http://www.auma.de

Öffentlicher Dienst

In öffentlichen Einrichtungen von Bund, Ländern und Gemeinden beschäftigte Arbeiter, Angestellte und Beamte. In Deutschland ist das Berufsbeamtentum nach Art. 33 V GG geschützt.

Personalentwicklung: 1997 (letztverfügbarer Stand) waren rund 5,2 Mio Menschen im Ö. beschäftigt; darunter 1,1 Mio Teilzeitkräfte. Im Vergleich zum Vorjahr

▬ Öffentliche Bedienstete		
Beamte	1,73[1]	▲ +0,6[2]
Angestellte	2,47	▼ −2,8
Arbeiter	0,78	▼ −7,1
Soldaten	0,19	0
Gesamt	5,17	▽ −2,3

1) Anzahl (Mio); 2) Veränderung (%); 1997Quelle: Statistisches Bundesamt, zitiert nach: Deutscher Beamtenbund

Seit November 1996 gewährt der Gesetzgeber längere Ladenöffnungszeiten: in der Woche bis 20 Uhr, samstags bis 16 Uhr. Doch die späteren Öffnungszeiten wurden bis Mitte 1999 fast nur in den City-Einkaufszentren von den Verbrauchern genutzt.

Auch der öffentliche Dienst baut seit Jahren Personal ab. Am stärksten betroffen sind die Arbeiter. Dagegen stieg die Zahl der Beamten sogar leicht, vor allem in Ostdeutschland.

143

(30.6.1996) sank die Zahl der Ö.-Mitarbeiter um 2% (–110 000). Den größten Personalabbau vollzogen die Kommunen (–3,2%) durch Privatisierung einzelner Einrichtungen und Versorgungsbereiche (Energieversorgung, Abfallbeseitigung). Während insbes. bei Angestellten (–64 000) und Arbeitern (–57 000) Stellen eingespart wurden, stieg die Zahl der Beamten um 7000. Der Anstieg betraf insbes. die Einrichtung von Beamtenstellen auf Länderebene in Ostdeutschland. Experten erwarteten mittelfristig eine weitere Zunahme der Verbeamtungen (u.a. Richterstellen) in den neuen Bundesländern; die Quote der beamteten Landesbediensteten lag dort bei 25% (alte Bundesländer: ca. 60%).

Entlohnung: Zum April 1999 wurden die Löhne und Gehälter (Grundvergütungen, Monatstabellenlöhne, Sozial- und Ortszuschläge) der Arbeiter und Angestellten im Ö. um 3,1% angehoben. Für die Monate Januar bis März vereinbarten die Gewerkschaften DAG und ÖTV mit den Arbeitgebern eine Einmalzahlung von 300 DM. Der Tarifvertrag hat eine Mindestlaufzeit bis 31.3.2000. Der Bundesrat stimmte Anfang 1999 dem Entwurf eines Besoldungs-und Versorgungsgesetzes für Beamte zu, das eine lineare Anpassung der Beamtenbezüge um 2,9% ab 1.6.1999 sowie eine Einmalzahlung für die Monate März bis Mai von 300 DM vorsah. Die Einsparung von 0,2% gegenüber dem Tarifabschluss für die Arbeiter und Angestellten des Ö. dient der Bildung von Rücklagen für die künftige Altersversorgung der Beamten. Nach der Reform des Versorgungsrechtes (1998) müssen sich Beamte an ihrer Altersversorgung beteiligen.

Arbeitszeit: Bis Herbst 1999 wollten sich die Gewerkschaften DAG und ÖTV mit den Arbeitgebern auf eine neue Regelung zur Arbeitszeit im Ö. einigen. Der Gewerkschaftsentwurf sah die Einrichtung von sog.

Arbeitszeitkonten vor und die Ausdehnung des Arbeitszeitkorridors bis 45 h/Woche vor. Die anfallenden Überstunden (z. B. durch Ruf- und Bereitschaftsdienste bei Krankenhausärzten) von bis zu 6,5 Wochenstunden gegenüber der geltenden Arbeitszeitregelung von 38,5 h/Woche sollen ohne Zuschläge als Guthaben auf dem Arbeitszeitkonto des Mitarbeiters auflaufen und in Freizeit ausgeglichen werden.

Dienstleistungsgewerkschaft: 1998/99 diskutierten die fünf Einzelgewerkschaften DAG (Deutsche Angestellten Gewerkschaft), dpg (Deutsche Postgewerkschaft), hbv (Gewerkschaft Handel, Banken, Versicherungen), IG Medien und ÖTV (Gewerkschaft Öffentliche Dienste, Transport und Verkehr) über einen Zusammenschluss zur sog. Dienstleistungsgewerkschaft »ver.di«. Die endgültige Entscheidung ist für Ende 1999 geplant.

http://www.dbb.de; http://www.bmi.bund.de http://www.ötv.de

Online-Banking
(auch Electronic Banking)

Die Zahl der Online-Konten in Deutschland stieg 1998 gegenüber dem Vorjahr um etwa 50 % auf 5,2 Mio. Für 1999 wird das Überschreiten der Zehn-Millionen-Grenze erwartet. Geführt werden die Online-Konten bei den privaten Banken (ca. 2 Mio), den Sparkassen (rund 2 Mio) und den Volks- und Raiffeisenbanken (ca. 1 Mio). In der ersten Jahreshälfte 1999 war die Zahl der Online-Konton auf 6,6 Mio angewachsen. Zum Standard beim O. gehören die Kontostandabfrage, Überweisungen, Daueraufträge und Terminaufträge, der Kauf von Sparbriefen und das Anlegen von Festgeld. Neuester Trend ist der Aktienhandel für Privatanleger, der von den Banken ausgebaut wird.

http://www.bdb.de

Scheckkarten

Kreditkarten: Durch den zunehmenden Wettbewerb unter Europas Banken planen die deutschen Geldinstitute für Mitte 1999, Verbrauchern und Handel die Benutzung von K. zu berechnen; zumindest wird ein kostendeckendes Entgelt angestrebt, über dessen Höhe man sich noch nicht einig ist. Nach Angaben des Bundesverbandes der

███ **Boom der Online-Konten[1]**	
1995	1,4
1996	1,8
1997	3,5
1998	5,2
1999	10[2]

1) Mio, 2) Prognose; Quelle: BdB

Statistisch gesehen besitzt jeder achte Bundesbürger 1998 ein Online-Konto und wickelt den größten Teil seiner Bankgeschäfte über Internet ab.

144

deutschen Banken (BdB) waren Ende 1998 ca. 15,3 Mio Kreditkarten im Umlauf. 1998 kamen 1,3 Mio Karteninhaber hinzu. Mit 7,8 Mio Karteninhabern ist Eurocard Marktführer, gefolgt von Visa (4,8 Mio), American Express (1,2 Mio) und Diners Club (340 000).

Ec-Karte: Nach einer Erhebung der Deutschen Bundesbank befanden sich 1998 in Deutschland rund 43 Mio ec-Karten im Umlauf. Im Einzelhandel war die ec-Karte neben dem Bargeld wichtigstes Zahlungsmittel. Die meisten Karten wurden von den Sparkassen ausgegeben (21,6 Mio), gefolgt von Kreditgenossenschaften (11,6 Mio), Kreditbanken (8,4 Mio) und der Deutschen Post AG (1,4 Mio).

Versicherungen

1998 beliefen sich die Beitragseinnahmen nach Angaben des Gesamtverbandes der deutschen Versicherungswirtschaft (GDV) in Berlin auf insgesamt 243 Mrd DM. Das bedeutete eine Steigerung gegenüber 1997 um 2%. Das Umsatzplus verdankt die Branche der Lebensversicherung und der privaten Krankenversicherung (Zuwachs von 4%). Die Zahl der neu abgeschlossenen Lebensversicherungsverträge lag 1998 bei 7,4 Mio (1997: 7,1 Mio). Der bedeutendste Schadenversicherungszweig, die Kraftfahrzeugversicherung, musste einen Umsatzrückgang von 4% (1997: −4,4%) auf 39 Mrd DM hinnehmen. Für 1999 kündigten die V. Beitragssenkungen an. Grund für die Senkungen in einzelnen Versicherungsgruppen waren niedrige Teuerungsrate (1998: 0,7%) und moderate Schadenentwicklung.

Fusionen: Der Trend zur Konzentration im Finanz- und Versicherungsbereich setzte sich 1998 fort: Die Württembergische Versicherungsgruppe schloss sich mit dem Wüstenrot-Konzern (Bausparkasse) zu einem Finanzdienstleistungsunternehmen mit einer Bilanzsumme von etwa 87 Mrd DM (1998) zusammen. Auf internationaler Ebene fusionierte 1999 der französische Versicherungskonzern Axa mit der britischen Versicherung Guardian Royal Exchange GRE. Die Beitragseinnahmen der beiden Versicherungskonzerne umfasste 1997 61,3 Mrd Dollar. Zusammen mit Allianz/AGF nimmt der neue Konzern Rang 1 der größten europäischen Versicherungsunternehmen ein. Die zur GRE gehörende deutsche Versicherungsgruppe Albingia Hamburg wurde damit Tochtergesellschaft der Axa Colonia Konzern AG.

Kreditkarten: Die wichtigsten Anbieter[1]

	Eurocard	Visa	A. E.[2]	Diners
1990	2600	1074	750	350
1991	3300	1352	950	360
1992	4260	1850	1000	360
1993	5100	2303	1200	340
1994	6000	2707	1200	340
1995	6900	2707	1200	340
1996	7400	4100	1200	340
1997	7900	4800	1200	340

1) 1000 Stück, 2) American Express; Quelle: Eurocard (aus BdB Datenbank für Wirtschaftsdaten)

Versicherungen: Einnahmen[1]

1991	164
1992	179
1993	196
1994	213
1995	226
1996	233
1997	238
1998	243

1) Beiträge der privaten Versicherer (Mrd DM); Quelle: GDV

Versicherungen: Quellen[1]

Leben	102,6
Kfz	39,0
Krankheit	33,6
Haftpflicht	11,2
Unfall	10,0
Wohngebäude	6,7
Rechtsschutz	5,1
Hausrat	4,6
Pflege	4,4
Feuer	4,2
Transport	3,2

1) Mrd DM; Stand 1998; Quelle: DGV

40% des gesamten Beitragsaufkommens der deutschen Versicherer entfallen auf die finanzielle Vorsorge der Hinterbliebenen im Todesfall bzw. die Absicherung des Lebensstandards im Alter über die Lebensversicherung.

145

Alkoholismus

Häufigste Suchtkrankheit in Deutschland

1999 bezifferte die Deutsche Hauptstelle gegen die Suchtgefahren (DHS, Hamm) die Zahl der alkoholabhängigen Menschen in Deutschland auf 1,7 Mio. Weitere 2,7 Mio Personen konsumierten Alkohol missbräuchlich, 4,9 Mio waren A.-gefährdet. Etwa 10% der Bevölkerung tranken nach Angaben des Deutschen Brauer-Bundes (Bonn) die Hälfte des verkauften Alkohols. **Schäden:** A. schädigt nahezu alle Organe und kann psychische Krankheiten verursachen. Er begünstigt schwere Erkrankungen wie Krebs. Wenn Frauen täglich mehr als 20 g reinen Alkohols zu sich nehmen (etwa 0,5 l Bier und 0,2 l Wein) und Männer mehr als 40 g, ist mit Gesundheitsschäden zu rechnen. Pro Jahr werden 2200 Babys in Deutschland mit schwersten körperlichen und geistigen Behinderungen infolge des A. ihrer Mütter geboren. **Konsum und Folgen:** 1997 sank der Verbrauch reinen Alkohols pro Kopf gegenüber 1996 um 0,8% auf 10,9 l. Damit setzte sich die rückläufige Entwicklung seit Beginn der 80er Jahre fort. Jedes Jahr sterben etwa 40 000 Menschen in Deutschland an den Folgen ihres langjährigen A. Der Bundesverband der stationären Suchtkrankenhilfe bezifferte den jährlichen Schaden durch A. auf 30–80 Mrd DM. **Gesellschaft:** Seit 1993 ist Suchtprävention als dritte Säule der drogenpolitischen

Maßnahmen in Europa im Maastrichter Vertrag festgeschrieben. 1996–2001 stellt die EU 27 Mio Ecu dafür zur Verfügung. Der Alkoholkonsum der Gesamtbevölkerung in Deutschland sank, doch Jugendliche, die Zielgruppe mehrerer Aufklärungskampagnen waren, tranken Ende der 90er Jahre mehr als je zuvor. Nach einer Studie des Robert Koch Instituts (RKI, Berlin) unter Berliner Schülern der Klassen sieben bis zehn stieg der Alkoholverbrauch in den Jahren 1990–98 um 32%. Jeder sechste Schüler nahm täglich Alkohol zu sich und war damit stark suchtgefährdet.

Alkoholismus blieb 1997 trotz leicht sinkenden Konsums die Droge Nr. 1 in Deutschland. In Europa lagen die deutschen hinter Portugiesen und Franzosen auf dem dritten Rang in der Alkoholstatistik.

Alkoholkonsum in Europa[1]

Portugal		11,2
Frankreich		11,1
Deutschland		10,9
Tschechien		10,1
Dänemark		10,0
Österreich		9,8
Spanien		9,3
Schweiz		9,3
Slowakei		9,2
Irland		9,1
Belgien		9,0
Griechenland		8,7
Italien		8,2
Niederlande		8,0
Großbritannien		7,6
Finnland		6,7
Polen		6,2
Schweden		4,9
Norwegen		4,0
Island		3,7

1) Liter reinen Alkohols/Einwohner 1997 (letztverfügbarer Stand)

Alkoholismus: Getränkekonsum[1]

	Bier	Wein	Sekt	Spirituosen
1992	144,2	19,0	5,0	7,4
1994	139,6	17,5	5,0	6,7
1996	131,7	18,2	4,6	6,3
1998	131,1	18,2	4,9	6,1

1) Verbrauch pro Kopf (l); gesamt 1992: 175,6 l, 1994: 168,8 l, 1996: 160,8 l, 1998: 160,3 l

Gegenmaßnahmen: 1998/99 plante die EU ein Aktionsprogramm gegen A. Werbung für alkoholische Getränke soll eingeschränkt, Alkohol nur in ausgewählten Läden verkauft werden. Auf den Preis für alkoholhaltige Getränke soll eine Abgabe aufgeschlagen werden, die für die Behandlung gesundheitlicher Schäden zurückgelegt wird. Der höhere Kaufpreis soll vom Konsum abschrecken. Im Rahmen der Produkthaftung sollen Hersteller für Gesundheitsschäden durch A. aufkommen.

http://www.bmgesundheit.de
http://www.dhs.de

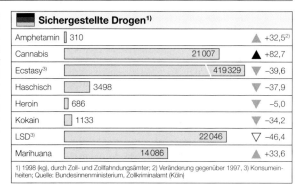

▬▬ **Sichergestellte Drogen**[1]		
Amphetamin ‖ 310		▲ +32,5[2]
Cannabis	21 007	▲ +82,7
Ecstasy[3]	419 329	▼ −39,6
Haschisch	3498	▼ −37,9
Heroin ‖ 686		▼ −5,0
Kokain	1133	▼ −34,2
LSD[3]	22 046	▽ −46,4
Marihuana	14 086	▲ +33,6

1) 1998 (kg), durch Zoll- und Zollfahndungsämter; 2) Veränderung gegenüber 1997, 3) Konsumeinheiten; Quelle: Bundesinnenministerium, Zollkriminalamt (Köln)

Anti-Drogen-Projekte

Entwicklungshilfemaßnahmen Deutschlands zur Verminderung des Drogenanbaus in Rauschgiftproduktionsländern.

Die Sondervollversammlung der Vereinten Nationen (UNO) zum Weltrauschgiftproblem Mitte 1998 griff Strategien des deutschen Bundesministeriums für wirtschaftliche Zusammenarbeit (BMZ) auf, mit denen der Drogenanbau weltweit eingedämmt werden soll. Während ältere Konzepte in Drogenanbaugebieten den Ersatz der Rauschgiftpflanze durch ein anderes Anbauprodukt anstrebten (z. B. Kaffee statt Koka), verfolgte das BMZ Ende des 20. Jh. eine Entwicklungsstrategie für die betroffene Region. Ziel war es, das Leben der Kleinbauern zu verbessern und so den Rauschgiftanbau zu reduzieren. Kritiker bemängelten, dass sich der Drogenanbau nur in andere Länder verlagere.

Projekte: Je nach Lage und Situation des Anbaugebiets förderte das BMZ den Aufbau von Gesundheitsdiensten, Ausbildungsmöglichkeiten, neuen Einkommensquellen, Vertriebswegen und Absatzmärkten. Behörden vor Ort und Nichtregierungsorganisationen wurden dabei einbezogen.

Ergebnisse: Das BMZ stellte auf der Sonderversammlung ein Projekt in Thailand vor, aus dem es sich 1998 nach 17 Jahren zurückzog, weil es unter örtlicher Leitung weitergeführt werden konnte. In der betroffenen Region war Schlafmohn zur Heroinherstellung angebaut worden. Die Produktion ging von 9 t (1980) auf 200 kg (1997) zurück. Die Kleinbauern nahmen Einkommenseinbußen durch den Anbau alternativer Produkte in Kauf, wenn sie sicherer und von Rauschgifthändlern unabhängiger leben konnten. In Lima/Peru wurde ein ähnliches A. seit 1996 durchgeführt. Ab 1998 führten die örtlichen Behörden und andere Institutionen das Projekt in Eigenregie weiter.

Drogenkonsum

Der D. nahm 1998/99 erneut weltweit zu. Lt. Internationalem Suchtstoffkontrollrat der UNO (INCB, Wien) verbrauchten Europäer die meisten stressmindernden Substanzen, Nord- und Südamerikaner hingegen konsumierten mehr leistungssteigernde und aufputschende Mittel. Jährlich werden nach Schätzungen 700 Mrd DM mit Drogen umgesetzt; das entspricht einem Anteil von 8% am internationalen Handel. In Deutschland stieg die Zahl der Rauschgiftopfer 1998 um 11,5% auf 1674. Dennoch lag die Zahl nach Angaben der Drogen-Beauftragten der Bundesregierung, Christa Nickels (Bündnis 90/Die Grünen), deutlich unter dem Höchststand von 1991 (2125 Tote).

Konsum weltweit: Der INCB stellte 1998/99 in Europa und Nordamerika einen steigenden Heroin-Konsum fest. Die Droge werde zunehmend geraucht, weil Süchtige fälschlicherweise annahmen, geraucht sei sie weniger gefährlich als injiziert. Hauptproduzenten von Heroin blieben Myanmar (Birma) und Afghanistan.

Europa: Europa war laut INCB 1998/99 wichtiger Produzent von Cannabis, das zur Herstellung der sog. weichen Drogen Haschisch und Marihuana dient. Beide Rauschmittel wurden neben synthetischen Rauschmitteln wie Amphetaminen am meisten konsumiert.

Nach jahrelangem Rückgang stieg die Zahl der Drogentoten in Deutschland 1998 gegenüber dem Vorjahr wieder an.

Drogen: Rauschgiftopfer

1991	2125
1993	1738
1995	1565
1997	1501
1998	1674

Quellen: Bundesgesundheitsministerium, Bundeskriminalamt

Nickels führte die Steigerung auf latente, dauerhafte Probleme der Jugendlichen wie Arbeitslosigkeit und Armut zurück. 1998 setzte sich im D. der Trend von beruhigenden zu stimmungsaufhellenden Drogen fort.

http://www.sucht.de (Suchthilfe)
http://www.dhs.de
(Deutsche Hauptstelle gegen die Suchtgefahren)
http://www.bmgesundheit.de

Osteuropa: In den 13 Ländern des ehemaligen Ostblocks stiegen Schmuggel und D. seit der politischen Öffnung Anfang der 90er Jahre. Cannabis, Heroin und Kokain sind vor allem in den Großstädten neben die bis dahin gebräuchlichen Suchtstoffe Alkohol, Medikamente und Lösungsmittel zum Schnüffeln getreten. Suchthilfe und Therapieeinrichtungen haben sich noch nicht auf die veränderte Lage eingestellt.

Deutschland: Die am häufigsten konsumierten Drogen waren 1998 erneut die legalen Suchtstoffe Tabak und Alkohol. Drei Viertel der Klienten in der Suchtbehandlung litten 1998 unter Alkoholismus. Die Zahl der erwachsenen Konsumenten illegaler Drogen stagnierte nach Angaben der Drogen-Beauftragten Nickels in den 90er Jahren. Der Anteil Jugendlicher mit Drogenerfahrung stieg jedoch in den 90er Jahren von 17 auf 22%, in Ostdeutschland verdreifachte er sich nahezu von sechs auf 17%.

Drogenpolitik

Der Internationale Suchtstoffkontrollrat der UNO (INCB, Wien) setzte angesichts weiterhin steigenden Handels und Konsums illegaler Drogen weltweit auf restriktive Maßnahmen. Eine restriktive D. versucht, Handel und Drogenmissbrauch mit hohen Strafen zu verhindern, und betrachtet Abstinenz als vorrangiges Ziel. Lt. Europäischer Beobachtungsstelle für Drogen und Drogensucht (EBDD, Lissabon) gewann in Europa eine akzeptierende D. an Raum, in der Vorbeugung und Hilfe für Süchtige im Mittelpunkt stelle. Die rot-grüne Bundesregierung in Deutschland entzog 1998 die Zuständigkeit für D. dem Innenministerium und übertrug sie dem Gesundheitsministerium. Aufklärung, Prävention und Hilfe sollen Leitmotive rot-grüner D. sein.

Internationale Bekämpfung: Um weiterer Drogenverbreitung entgegenzuwirken, empfahlen UNO und INCB 1998/99, Produktion und Handel von Vorläufersubstanzen und Chemikalien für die Drogenherstellung strenger zu kontrollieren. Länder sollten gegenseitige Rechtshilfe leisten; die Einschleusung der Gewinne aus illegalen Drogengeschäften in den legalen Geldkreislauf (Geldwäsche) sollte verstärkt bekämpft werden. Die 185 Mitgliedstaaten der UNO verpflichteten sich 1998, den Drogenanbau weltweit zu bekämpfen und Erwerbsalternativen zu schaffen.

Rot-grüne Drogenpolitik: Die im Herbst 1998 gewählte rot-grüne Bundesregierung betrachtete die Hilfe für Süchtige und die Strafverfolgung des kriminellen Drogenhandels als vorrangig. Die Koalition plante 1999 eine Änderung des Betäubungsmittelgesetzes, um die Einrichtung von sog. Fixerstuben zu ermöglichen, in denen Süchtige sich unter hygienisch einwandfreien Bedingungen ihre Droge spritzen können. In einem Modellversuch sollen ausgewählte

Drogen: Illegale Rauschgifte

▶ **Cannabis:** Aus Cannabisharz wird Haschisch hergestellt und aus Cannabiskraut Marihuana, beides sog. weiche Drogen. Sie werden geraucht oder geschluckt. Die Wirkung hält zwei Stunden an und ist dämpfend und entspannend. Bei einer Überdosierung kommt es zu Erbrechen und Wahnideen.

▶ **Heroin:** Das schnell und stark abhängig machende Rauschgift wird aus dem eingetrockneten Milchsaft des Schlafmohns hergestellt. 1898 wurde es erstmals als Hustensaft angeboten. Heroin wirkt zunächst euphorisierend und dann dämpfend. Die Wirkung hält höchstens vier Stunden an. Folgen einer Überdosis sind Krämpfe, Bewusstlosigkeit und Tod. Die Droge wird geraucht, geschnupft oder injiziert.

▶ **Kokain:** Das aus Kokablättern gewonnene Rauschgift wurde ab Ende des 19. Jh. zur örtlichen Betäubung

eingesetzt. Wenn es geschnupft wird, hält die euphorisierende, stimulierende und Appetit hemmende Wirkung etwa eine Stunde an. Wenn Kokain gespritzt wird, steigt das Risiko einer Überdosierung. Es wirkt wie beim Rauchen als sog. Freebase oder Crack nur wenige Minuten lang. Crack macht schon nach wenigen Versuchen süchtig. Negative Wirkungen sind eine erhöhte Aggressivität, Halluzinationen und Verfolgungswahn. Eine Überdosis führt zu Krämpfen und im Extremfall zum Tod.

▶ **LSD:** Ein Chemiker der Firma Sandoz entwickelte 1938 LSD, das aus einem Getreidepilz (Mutterkorn) hergestellt wird. LSD bewirkt sechs bis acht Stunden lang Sinnesverzerrungen sowie ein verändertes Raum- und Zeitgefühl. Eine Überdosis kann Psychosen hervorrufen. Diese Droge wird meist in Form von Tabletten eingenommen (sog. Trips).

Schwerstabhängige nach Schweizer Vorbild Heroin auf Rezept erhalten.

Legale Suchtstoffe: Als wichtigste Einstiegsdroge bezeichnete die Drogen-Beauftragte der Bundesregierung, Christa Nickels (Bündnis 90/Die Grünen), den Tabak. 1998 hatte die Hälfte der Personen, die wegen Drogenabhängigkeit behandelt wurden, auch einen gesundheitsgefährdenden Alkoholkonsum. Vorbeugung gegen Drogenmissbrauch müsse daher im Kindes- und Jugendalter ansetzen, bevor erste Erfahrungen mit Rauchen und Trinken gemacht würden. Der Kampf gegen Missbrauch und Abhängigkeit von Medikamenten müsse beim Arzt beginnen, denn die meisten süchtig machenden Arzneimittel waren rezeptpflichtig. 1998 waren in Deutschland 1,5 Mio Menschen medikamentenabhängig.

http://www.bmgesundheit.de

Ecstasy

(engl.; Ekstase, Rausch, auch XTC), Sammelbezeichnung für als Pille oder Kapsel angebotene synthetische Drogen, die überwiegend aus dem Wirkstoff Methylendioxymethylamphetamin (MDMA) oder verwandten Stoffen bestehen und euphorisierend wirken. E. wird mit 50–150 mg Wirkstoff angeboten und kostete 1999 je nach Konzentration 15–20 DM/Pille.

1998 starben 17 Menschen an den Folgen ihres E.-Konsums. Studien in den Niederlanden und den USA stellten 1998/99 Hirnschäden durch E. fest. Obwohl der Verbrauch des Rauschmittels dem Drogenbericht der rot-grünen Bundesregierung zufolge in Deutschland 1998 gegenüber 1997 um ein Viertel sank, blieb E. insbes. in der Techno-Musik-Szene beliebt. Nach Ansicht von Medizinern unterschätzten die meist jugendlichen Konsumenten die Spätfolgen der Droge.

Wirkung: E. wirkt in den meisten Fällen fünf Stunden lang stimmungsaufhellend, aktivitäts- und leistungsfördernd. Wahrnehmungsfähigkeit und Kontaktfreude werden gesteigert, die Libido lässt nach. Die Körpertemperatur erhöht sich, gleichzeitig werden Hunger- und Durstempfinden ausgeschaltet. Als unerwünschte Wirkungen traten Herzrasen, Kreislaufkollaps, innere Unruhe, optische Halluzinationen, Übelkeit, Gesichtskrämpfe, Angst und Depressionen auf. Wissenschaftler der Universität Jena stellten Mitte 1999 den Zusammen-

▬ Ecstasy: Sichergestellte Menge	
1991	4061[1]
1992	18 245
1993	77 922
1994	238 262
1995	380 858
1996	692 397
1997	694 281
1998	419 329

1) Konsum-Einheit; Quelle: Falldatei Rauschgift, Jahrbuch Sucht '99

hang zwischen E.-Konsum und Akne fest. Pickel entwickeln sich kurz nach Einnahme der Droge auf Gesicht und Hals und verschwinden, wenn die Substanz im Körper abgebaut ist.

Spätfolgen: Die erste deutsche Analyse über die Folgen des E.-Konsums ergab Anfang 1999 entgegen vorherigen Annahmen ein hohes Suchtpotenzial von E. Es wurden Angstzustände, Depressionen, Psychosen sowie Leber- und Nierenschäden als Spätfolgen beobachtet. Laut niederländischer und US-amerikanischer Studie schädigt E. das Gehirn der Verbraucher, sodass es zu Gedächtnis- und Schlafstörungen, Angstzuständen und Depressionen komme. In der US-Studie lag der letzte E.-Konsum der Testpersonen mind. drei Monate zurück. Daher gingen Wissenschaftler davon aus, dass E. das Hirn nachhaltig, vielleicht sogar dauerhaft schädigt.

http://www.ecstasy.de

Fahren unter Drogeneinfluss

Seit August 1998 wird F. in Deutschland wegen der daraus resultierenden Fahrbeeinträchtigung bis Fahruntüchtigkeit mit bis zu drei Monaten Führerscheinentzug und Geldstrafen geahndet. Keine Rolle spielt dabei, wie viel und welches Rauschgift konsumiert wurde. Nach Schätzungen nahmen in Deutschland Ende der 90er Jahre etwa 450 000 Drogenkonsumenten als Autofahrer am Straßenverkehr teil, 150 000 von ihnen unter Einfluss von Heroin. Weitere 800 000 Autofahrer waren medikamentenabhängig.

Strafmaß: Ersttäter werden mit 500 DM Geldbuße, einmonatigem Fahrverbot und vier Punkten in der Flensburger Verkehrssünderdatei bestraft. Beim zweiten Mal drohen 1000 DM Geldbuße, beim dritten Mal 1500 DM. Wiederholungstäter verlieren außerdem für drei Monate die Fahrerlaubnis und werden mit vier weiteren Punkten in der Flensburger Kartei bestraft.

Feststellen des Drogenkonsums: Während Alkoholgenuss am Geruch wahrzunehmen ist, weisen keine derartigen Indizien auf Rauschmittelkonsum hin. 1997 startete im Auftrag der Bundesanstalt für Straßenwesen (BASt, Bergisch-Gladbach) ein Schulungsprogramm für Polizeibeamte, das sie befähigen soll, Drogenkonsumenten an charakteristischen Anzeichen zu identifizieren und die zum Nachweis erforderliche Blutprobe zu veranlassen.

Fixerstuben

(auch Konsum-, Gesundheitsräume), umgangssprachliche Bezeichnung für von der Kommune eingerichtete Räume, in denen sich Drogensüchtige unter hygienisch einwandfreien Bedingungen eine Heroinspritze setzen oder die Ersatzdroge Methadon konsumieren können

Die rot-grüne Bundesregierung strebte 1999 die Änderung des Betäubungsmittelgesetzes (BtMG) an, um F. zu ermöglichen. § 29 BtMG stellt bisher die Beschaffung einer Gelegenheit zum unbefugten Verbrauch von Betäubungsmitteln unter Strafe. In einer rechtlichen Grauzone operierten die 1999 bereits bestehenden F. in Frankfurt/M., Hamburg, Hannover und Saarbrücken. Bayern untersagte 1997 die Einrichtung von F. Während Befürworter darauf hinwiesen, dass in F. Schwerstabhängigen Überlebenshilfe geleistet würde, sahen Gegner darin eine Kapitulation des Staates im Kampf gegen Drogen.

Ziel: Die rot-grüne Koalition setzte mit der Einrichtung von F. verstärkt auf Hilfe für Süchtige. Gesundheitliche Risiken wie Abszesse, Entzündungen und Infektionen mit der Immunschwächekrankheit Aids oder mit Hepatitis sollen beim Drogenkonsum vermieden werden. Die Süchtigen sollen medizinisch versorgt und über Therapieangebote informiert werden. Dabei wird toleriert, dass sich die Süchtigen die Droge illegal beschaffen.

Ergebnisse: Eine Forschergruppe der Universität Oldenburg begleitete die F. in Hannover ab Ende 1997 wissenschaftlich. Die Untersuchung ergab 1999, dass die Ziel-

Drogen

Fatale Folgen massenhafter Abhängigkeit

Nach UNO-Angaben werden Ende des 20. Jh. jährlich 700 Mrd DM mit Drogen umgesetzt, was einem Anteil von 8% am Welthandel entspricht. In Deutschland, dem größten Drogenmarkt Europas, liegt der Drogenumsatz Schätzungen zufolge bei 6 Mrd DM jährlich, die Zahl der Erstkonsumenten erhöhte sich Ende der 90er Jahre um 20% jährlich. Diese Zahlen lassen die legalen Drogen außer Acht: Alle 13 Sekunden stirbt weltweit ein Mensch an den Folgen des Rauchens; während es 1998 in Deutschland rund 250 000 Süchtige nach der illegalen Droge Heroin gab, waren 20-mal so viele Deutsche (5 Mio) süchtig nach der legalen Droge Nikotin, und 7-mal so viele (1,7 Mio) alkoholabhängig. Illegale Drogen hielten in den 60er Jahren vor allem über die in Deutschland stationierten US-Soldaten Einzug. 1972 überschritt die Zahl der Drogentoten in Deutschland erstmals die Grenze von 100 und stieg trotz Aufklärungskampagnen stetig an (1998: 1674). Die Kampagnen verhinderten nicht, dass in der Bundesrepublik der Anteil Jugendlicher zwischen zwölf und 25 Jahren, die Erfahrungen mit illegalen Drogen hatten, in den 90er Jahren von 17% auf 22% anstieg.

Positive Trends

▸ Aufklärung, Vorbeugung und Hilfe (Entzugsprojekte) flankieren in Deutschland zunehmend die repressiven Maßnahmen (Strafandrohung).

▸ Ein Aktionsplan der Gesundheitsminister der Bundesländer (1997) sieht u. a. Werbeeinschränkungen für Alkohol vor.

▸ Seit 1998 wird in Deutschland das Autofahren unter dem Einfluss illegaler Drogen strenger bestraft (u.a. mit Fahrverboten).

Negative Trends

▸ In Europa vervielfachte sich Ende der 90er Jahre vor allem der Gebrauch von »Designerdrogen« (u. a. Amphetamine, Ecstasy).

▸ Der Drogenkonsum im Leistungssport (Doping), vor allem im Radsport, in der Leichtathletik und im Schwimmen, nahm in den 90er Jahren zu auf Dutzende überführte Fälle jährlich.

Haschisch zu rauchen war Teil der Jugendkultur der 70er Jahre.

Meilensteine
Rauschmittel zwischen Mode und Abhängigkeit

1903: Dem Getränk Coca-Cola wird die Droge Kokain entzogen.

1912: Mit der Haager Konvention beginnt die internationale Ächtung der Droge Opium.

1914–18: Im Ersten Weltkrieg verbreitet sich Kokain vor allem unter Jagdfliegern; die Droge kann Angstzustände mildern.

1920: In den 20er Jahren findet Kokain als verharmloste Modedroge in den Metropolen Europas Eingang.

1920–33: Während der Prohibition in den USA sind alle Getränke mit einem Alkoholgehalt ab 0,5‰ verboten und werden illegal gehandelt.

1935: In den USA gründen Alkoholkranke die Selbsthilfeorganisation Anonyme Alkoholiker.

1938: Arthur Holl und Albert Hofmann (CH) synthetisieren LSD; 1943 entdeckt Hofmann im Selbstversuch die halluzinogene Wirkung.

1939–45: Der Zweite Weltkrieg wird zum Multiplikator von Aufputschmitteln (Amphetamine) und Kopfschmerztabletten.

1963: In den Vereinigten Staaten wird Methadon als Ersatzdroge für Heroinabhängige eingeführt.

1964–73: Während des Vietnamkriegs steigt an der Front der Heroinmissbrauch der GIs drastisch an.

1965: Ecstasy, 1912 in Deutschland als Appetitzügler synthetisiert und patentiert, taucht in New York als »Love drug« (Liebesdroge) auf.

1968: In den westlichen Industriestaaten entwickelt sich der Markt für »harte« Drogen (LSD und Heroin).

1973: Nach dem Rückzug der USA aus Vietnam steigt in den USA die Kokain-, in Westeuropa die Heroinnachfrage; die kolumbianische Drogenmafia (u. a. Medellín-Kartell) organisiert den Kokainhandel.

1975: Die Regierung Malaysias führt die Todesstrafe für Rauschgiftschmuggel ein; in zehn Jahren werden 36 Verurteilte hingerichtet.

1983: In den USA kommt die Billigdroge Crack auf den Schwarzmarkt; sie erzeugt schon nach wenigen Einnahmen Abhängigkeit.

1990: US-Präsident George Bush trifft in Cartagena (Kolumbien) mit den Präsidenten von Kolumbien, Bolivien und Peru zum ersten Drogengipfel zusammen; Kokapflanzer sollen auf andere Produkte umstellen.

1991: In Deutschland werden erstmals über 2000 Herointote gezählt.

1994: In Nordrhein-Westfalen wird der Besitz von bis zu 0,5 g Heroin, Kokain oder Amphetamin zum persönlichen Gebrauch straffrei.

Stichtag: 23. Januar 1912
Ende des Opiumhandels
Mit der Haager Konvention gegen den Opiummissbrauch begann 1912 die internationale Ächtung dieses Rauschgifts, das sich in der viktorianischen Ära zu der bedeutendsten kolonialen Ressource Großbritanniens entwickelt hatte. Um 1900 gab es in China bereits mehr als 20 Mio Opiumraucher. Hauptanbau- und -exportland war die Kolonie Britisch-Indien. Von dort wurde der Mohn nach China exportiert und zu Rauchopium verarbeitet. Von China erfolgte der Export in die Industriestaaten, wo sich wegen hoher Lohnkosten der Anbau als unrentabel erwiesen hatte. In fast allen europäischen Hafenstädten und Metropolen gab es um 1900 »Rauchlokale«, teils als vornehme »Salons«, teils als »Opiumhöhlen«. Die mit dem Boxeraufstand 1900 aufgebrochenen kolonialfeindlichen Strömungen in China und die starke Abstinenzlerbewegung in den angelsächsischen Ländern führten 1912 zur Ächtung der Droge.

Stichwort: Hippie-Kultur
Drogenkonsum als Rebellion
1966 entstand in San Francisco der sog. Psychedelic (Acid-) Rock, eine oft unter Drogeneinfluss gespielte Variante der Rockmusik, die den Drogenkonsum förderte (Bands: u. a. Grateful Dead). Timothy Leary (USA) veröffentlichte 1968 den Bestseller »Politik der Extase«, der Beatles-Zeichentrickfilm »The Yellow Submarine« (1968) galt als bildliche Darstellung eines LSD-Trips. Mit dem Hippiefestival in Woodstock (USA) erreichte die „Drogenkultur" 1969 ihren Höhepunkt, bevor einige spektakuläre Todesfälle die fatalen Folgen verdeutlichten: die Rockstars Brian Jones (Rolling Stones, †1969), Jimi Hendrix (†1970), Janis Joplin (†1970) und Jim Morrison (The Doors, †1971) starben an ihrer Sucht.

gruppe der langjährigen, verelendeten Abhängigen erreicht wurde. Die Süchtigen gaben an, durch Besuche in F. mehr auf Hygiene und kontrollierten Gebrauch ihrer Suchtmittel zu achten. Die Wissenschaftler sprachen der F. eine Brückenfunktion zu weiterführenden Therapieangeboten zu.
http://www.bmgesundheit.de

Liquid Ecstasy

(engl.; flüssige Ekstase), farb und geruchlose, leicht salzig schmeckende, flüssige Chemikalie (Gamma-Hydroxy-Butyrat, GHB), die 1960 erstmals in Frankreich hergestellt wurde

1998 wurde L. verstärkt in Deutschland konsumiert. Das flüssige Rauschmittel, das auch als Pulver oder Kapsel angeboten wurde, hat zunächst eine euphorisierende Wirkung (sog. Flash) und löst dann regelmäßig Beschwerden bis hin zum Koma aus (sog. Crash). Es war mit 2 DM/g preiswerter als die Droge Ecstasy (15–20 DM pro Pille). Experten warnten vor dem Konsum von L., das bei Überdosierung und bei gleichzeitigem Konsum von Alkohol zum Tod führen könne.
GHB: Die Droge stimuliert die Ausschüttung von Wachstumshormonen und wurde in den 90er Jahren vor allem in der Bodybuilding-Szene verwendet. Einige Ärzte setzten es zur Behandlung von Depressionen ein. Es ist leicht aus zwei Substanzen herzustellen, wobei die Wirkstoffkonzentration variieren kann, was zur Gefährlichkeit von L. beiträgt. Erste Todesfälle im Zusammenhang mit L. wurden bereits 1990 in der Techno-Musik-Szene in den USA registriert.
Wirkung: L. verursacht zunächst ein Wohlgefühl und intensiviert die Wahrnehmung. Es ist sexuell stimulierend und Potenz fördernd. Danach kommt es zu Übelkeit, Erbrechen und Atemnot. Bei einer Überdosierung, die oberhalb von 50 mg/kg Körpergewicht liegt, führt es nach stundenlangem Koma zum Tod. Einzige Behandlungsmöglichkeit ist die Verabreichung eines Gegenmittels (Anticholium, Physostigmin). Lebensgefahr löst auch die Kombination mit Alkohol aus, da sich die Wirkungen gegenseitig steigern.
Entzugserscheinungen: Das Suchtpotenzial von GHB war 1999 ungeklärt. Als Entzugserscheinungen wurden Schweißausbrüche, Schlaflosigkeit, Muskelkrämpfe, Zittern und Angstzustände beobachtet.

Methadon

Synthetisch hergestellte Droge, die seit 1988 in Deutschland ausgewählten Süchtigen als Ersatzrauschmittel für Heroin verabreicht wird

M. wirkt nicht bewusstseinsverändernd. Es stoppt den körperlichen Verfall Süchtiger, die von dem Druck befreit sind, sich Drogen illegal beschaffen zu müssen. Nach gesundheitlicher Stabilisierung sollen sie mit psychosozialer Betreuung einen Weg aus der Abhängigkeit finden und wieder in die Gesellschaft integriert werden. Die Kosten für die M.-Abgabe (12 000–25 000 DM pro Patient und Jahr) trugen Ende der 90er Jahre die Krankenversicherungen. 1998 stieg die Zahl der Rauschgifttoten, bei denen ein Zusammenhang mit M. hergestellt wurde, im Vergleich zum Vorjahr um 140% auf 240. In Hamburg starben erstmals mehr Menschen nach dem Gebrauch von M. (38) als durch Heroin (32). Die Drogen-Beauftragte der Bundesregierung, Christa Nickels (Bündnis 90/Die Grünen), forderte eine verbesserte Kontrolle der M.-Vergabe in Arztpraxen.
Wirkungsweise: Die Wirkung von M. hält 24 Stunden an. Der Abhängige braucht nur einmal am Tag eine Dosis (Heroinsüchtige etwa alle vier Stunden). M. besetzt im Gehirn dieselben Rezeptoren wie Opiate. Beim Absetzen von Heroin lindert M. Entzugserscheinungen, bekämpft aber nicht die Sucht.
Todesfälle: Trotz strenger Vorschriften waren Ärzte 1998/99 i.d.R. nicht darüber informiert, welcher Süchtige sich bei welchem Arzt mit welcher Dosis von M. behandeln ließ. Anfang 1998 lockerte die damalige CDU/CSU/FDP-Bundesregierung die Regel für die Dosen, die Süchtige mit nach Hause nehmen durften. Sie wurde von drei auf sieben Tagesdosen erweitert. Häufig verließen sich behandelnde Ärzte auf zu hohe Dosisangaben der Süchtigen. So gelangte M. auf den Schwarzen Markt. Abhängige, die nicht mit dem Ersatzrauschmittel vertraut waren, erlitten gesundheitliche Schäden bis hin zum Tod.
Gegenmaßnahmen: Die Deutsche Hauptstelle gegen die Suchtgefahren (DHS, Hamm) und Suchtmediziner setzten sich 1999 dafür ein, mit M. behandelte Süchtige (sog. Substituierte) zentral zu erfassen. So könne vermieden werden, dass einzelne Patienten sich von mehreren Ärzten M. verabreichen ließen und teilweise verkauften.
http://www.bmgesundheit.de

Nichtraucherschutz

Durch ein Urteil des Bundesarbeitsgerichts (BAG, Kassel) wurde der N. in Deutschland Anfang 1999 gestärkt. Das BAG entschied, dass in Betrieben durch Betriebsvereinbarungen generelle Rauchverbote erlassen werden dürfen. Die Belange von Rauchern und Nichtrauchern müssten zwar gegeneinander abgewogen werden, die Freiheitsbeschränkung der Raucher sei aber im Hinblick auf die gesundheitliche Belastung der Nichtraucher durch Passivrauchen zu tolerieren. Im vorliegenden Fall hatte ein Chemielaborant dagegen geklagt, dass sein Arbeitgeber Mitarbeiter zum Rauchen nach draußen schickte. Das Gericht beurteilte die Maßnahme zum N. als rechtens.

Als erste deutsche Ferienfluggesellschaft führt die LTU ab November 1999 Nichtraucherflüge im gesamten Streckennetz ein. Rauchfreie Flüge waren ab Januar 1999 auf den Strecken in die USA getestet worden. Die LTU kam mit Nichtraucherflügen einer großen Nachfrage der Kunden entgegen.

http://www.bmgesundheit.de

Rauchen

Der Zigarettenkonsum in Deutschland erreichte 1998 erneut einen Höchststand. Mit 138,4 Mrd Zigaretten wurden 0,5% mehr als 1997 geraucht. Der Konsum von Zigarren und Zigarillos erhöhte sich um 25,5%. Insgesamt gaben die Deutschen 38,9 Mrd DM für Tabakwaren aus, 26,6 Mrd DM davon gingen als Tabak- und Mehrwertsteuer an den Staat.

Gefahren: In Deutschland rauchten Ende der 90er Jahre 17 Mio Menschen (28% der Bevölkerung ab 10 Jahren). Pro Jahr starben 100 000 Menschen an den Folgen des R., das für 80–90% der Atemwegserkrankungen, 85–90% der Lungentumore und über ein Drittel aller Herz-Kreislauf-Erkrankungen verantwortlich ist.

Schadenersatz: Mitte 1999 entschied eine US-Geschworenen-Jury im US-Bundesstaat Oregon, dass der größte Tabakkonzern der Welt, Philip Morris, 81 Mio Dollar Entschädigung an die Familie eines Rauchers zahlen muss, der an Lungenkrebs gestorben war. Dies war die bis dahin höchste Entschädigungssumme, zu deren Zahlung die Tabakindustrie bislang verurteilt wurde.

Rauchen: Anti-Tabak-Konvention der WHO

Bei ihrem Amtsantritt 1998 erklärte die Generaldirektorin der Weltgesundheitsorganisation (WHO), Gro Harlem Brundtland, den Kampf gegen das Rauchen zu einer der wichtigsten Aufgaben. 1999 plante die WHO eine Anti-Tabak-Konvention, welche die Mitgliedsstaaten der Organisation erarbeiten und 2003 unterzeichnen sollen. Erstmals machte die WHO von ihrem Recht auf Konventionen Gebrauch. Der Anti-Tabak-Entwurf sah u.a. vor:

▶ Rauchfreie Umwelt für Kinder

▶ Striktes Werbeverbot für Zigaretten

▶ Verpflichtung der Tabakkonzerne zur unattraktiven Zigarettenverpackung
▶ Verpflichtung zur Angabe der Inhaltsstoffe der Zigaretten auf den Päckchen
▶ Maßnahmen gegen den Zigarettenschmuggel
▶ stete Erhöhung der Tabaksteuer
▶ verbesserter Zugang zu Ersatzprodukten wie Nikotinpflaster, um Rauchern das Entwöhnen zu erleichtern.

1998 starben global 4 Mio Menschen an den Folgen des Rauchens. Wenn sich nichts ändert, erhöht sich die Zahl lt. WHO bis 2025 auf 10 Mio.

Rauchen: Die größten Zigarettenkonzerne der Welt

Philip Morris	Marlboro	947,1[1]	18,2[2]
BAT	HB	712,0	13,7
R. J. Reynolds	Camel	316,0	6,1
Japan Tobacco	Mild Seven	288,3	5,6
Rothmans	Stuyvesant	187,0	3,6
Reemtsma	West	119,4	2,3
KT&G	88	94,3	1,8
Tekel	Maltepe	74,5	1,4
Seita	Gauloises	54,8	1,1
Tabacalera	Fortuna	46,0	0,9

1) verkaufte Zigaretten in Mrd Stück 1997, ohne China National Tobacco Corporation; 2) Anteil am Weltmarkt (%); Quelle: Westdeutsche Zeitung 12.1.1999

Rauchen: Ausgaben für Tabakwaren

Zigaretten	2125[1]	▲ + 3,8[2]
Feinschnitt	1738	▲ + 5,2
Zigarren u. Zigarillos	1565	▲ +18,6
Feinschnittrollen	1501	▲ + 7,0
Pfeifentabak	1674	▽ – 1,7

1) Mrd DM (1998); 2) Veränderung zu 1997 (%); Quelle: Statistisches Bundesamt

Vergleich: 46 der 50 US-Staaten schlossen Ende 1998 mit der Tabakindustrie einen Vergleich, der eine auf 25 Jahre verteilte Zahlung von 206 Mrd Dollar durch die Tabakkonzerne vorsieht. Damit sollen öffentliche Gesundheitsleistungen ersetzt werden, die durch R. entstanden bzw. entstehen. Die Konzerne verpflichteten sich, Werbung einzuschränken und Kampagnen gegen das R. von Jugendlichen zu unterstützen. Die Bundesstaaten schlossen im Gegenzug weitere Schadensersatzklagen aus. Privatpersonen bleibt das Klagerecht erhalten. Die Konzerne kündigten Preiserhöhungen bei Zigaretten um bis zu 10% an. Die vier übrigen Bundesstaaten hatten zuvor Entschädigungen von 40 Mrd Dollar erstritten.

Fusion: Anfang 1999 beschlossen der Tabakkonzern British American Tobacco (BAT) und der Hersteller Rothmans (Großbritannien) ihre Fusion. Der zusammengelegte Konzern BAT belegte Mitte 1999 den dritten Rang in der Welt unter den Zigarettenkonzernen. Der Zusammenschluss galt als erste internationale Großfusion in der Tabakbranche.

Werbung
http://www.bzga.de
(Bundeszentrale für gesundheitliche Aufklärung)

Raucherentwöhnung

Eine Studie der Universität in Madison (US-Bundesstaat Wisconsin), an der 1000 Raucher teilnahmen, die das Rauchen aufgeben wollten, ergab 1999 Erfolge einer Therapie mit einem Antidepressivum und/oder einem Nikotinpflaster. 36% der Testpersonen, die mit dem Medikament Zyban (auch Bupropion) und/oder Pflaster behandelt wurden, waren nach einem Jahr nicht rückfällig geworden. Wurden sie zusätzlich psychologisch betreut, erhöhte sich der Prozentsatz

■■ **Rauschgiftdelikte[1)**	
1987	74 894
1988	84 998
1989	94 000
1990	103 629
1991	117 049
1992	123 903
1993	122 240
1994	132 389
1995	158 477
1996	187 022
1997	205 099
1998	216 682

1) Anzahl der Verstöße gegen das Betäubungsmittelgesetz;
Quelle: Bundeskriminalamt; www.bka.de

Von Ende der 80er Jahre bis Ende der 90er Jahre registrierten die deutschen Rauschgiftfahnder eine Verdreifachung der Zahl der Verstöße gegen das Betäubungsmittelgesetz.

der nach einem Jahr erfolgreichen Ex-Raucher auf 40–60%. Testpersonen, die mit einer Kombination aus Antidepressivum und Nikotinpflaster behandelt wurden, zeigten geringere Gewichtszunahme nach dem R. als Probanden, die nur mit einem der Mittel therapiert worden waren. Von 20 Mio Rauchern in den USA schafften Ende der 90er Jahre nur 5% eine dauerhafte R. ohne Hilfsmittel.

Staatliche Heroinabgabe

Anfang 1999 einigten sich Bund, die Länder Hessen, Niedersachsen und Nordrhein-Westfalen sowie neun Städte mit der Drogen-Beauftragten der rot-grünen Bundesregierung, Christa Nickels (Bündnis 90/Die Grünen), auf Eckpunkte eines Modellprojekts zur kontrollierten Heroinabgabe. Ziel ist es, Schwerstabhängige zu erreichen, sie gesundheitlich und sozial zu stabilisieren und zu einem Entzug zu motivieren. Bayern lehnte das Vorhaben ab, weil das Projekt nichts ergeben werde, was nicht schon aus dem Schweizer Versuch bekannt wäre.

Projekt: 1000–2000 Süchtige, die bis dahin nicht oder nur schwer mit Therapieangeboten erreicht worden waren, sollen sich an dem auf drei Jahre angelegten Projekt beteiligen. Sie erhalten Heroin kostenlos unter streng kontrollierten Bedingungen und werden psychosozial betreut. Der Versuch wird wissenschaftlich begleitet.

Ziele: Das Modellprojekt soll zeigen, ob die Süchtigen eine Arbeit aufnehmen und in soziale Bindungen zurückkehren. Ferner soll untersucht werden, ob Beschaffungskriminalität und Prostitution abnehmen.

Kosten: Heroin und die psychosoziale Betreuung zahlen die Städte und Länder, die sich an dem Projekt beteiligen. Der Bund trägt die Kosten der wissenschaftlichen Auswertung.

Schweiz: Ab 1994 erhielten in der Schweiz mehr als 1000 Schwerstsüchtige unter ärztlicher Kontrolle Heroin. Ein Großteil der Süchtigen nahm mehr als 18 Monate am Projekt teil. Der Gesundheitszustand verbesserte sich, viele Süchtige wurden wieder sozial integriert, die Beschaffungskriminalität sank. 1998 erreichte die Zahl der Drogenopfer in der Schweiz mit 209 (1997: 240) den tiefsten Stand seit zehn Jahren.

http://www.bmgesundheit.de

Ehe und Familie

Ehe

1998 wurden nach Zahlen des Statistischen Bundesamtes (SB, Wiesbaden) in Deutschland 417 000 Ehen geschlossen, 1,2% weniger als 1997. Während es in den alten Bundesländern mit 362 000 neuen Ehen einen Rückgang um 1,8% gab, nahm die Zahl der Eheschließungen in den neuen Bundesländern und Ost-Berlin um 2,8% auf 55 000 zu, blieb aber mit rund 3,5 Eheschließungen je 1000 Einwohner deutlich unter der westdeutschen Quote (rund 5,5).

Scheidungen: 1997 (letztverfügbarer Stand) wurden nach SB-Angaben in Deutschland 187 802 Ehen geschieden, 12 250 oder 7,0% mehr als 1996. Davon entfielen 161 265 Scheidungen auf das frühere Bundesgebiet einschließlich Ost-Berlin und 26 537 auf die neuen Bundesländer. Im Westen stieg die Zahl der Scheidungen im Vergleich zum Vorjahr um 5,5%, im Osten um 16,6%. Mit einer Quote von zehn Scheidungen pro 1000 bestehender Ehen wurde in ganz Deutschland ein neuer Höchststand erreicht. Statistisch war in Westdeutschland eine seit sechs Jahren bestehende Ehe, in Ostdeutschland eine seit acht Jahren bestehende am stärksten scheidungsgefährdet.

Eheschließungsrecht: Zum 1.7.1998 trat ein neues Eheschließungsrecht in Kraft. Das Aufgebot wurde abgeschafft und durch eine Anmeldung zur Eheschließung ersetzt, die nicht mehr ausgehängt werden muss. Trauzeugen sind bei der Eheschließung nicht mehr erforderlich. Das Eheverbot der Wartezeit, das Frauen untersagte, vor Ablauf von 302 Tagen nach der Scheidung wieder zu heiraten, wurde ersatzlos gestrichen, ebenso das Verbot der Eheschließung von Verschwägerten. Die Unterscheidung zwischen Aufhebung und Nichtigkeitserklärung einer Ehe wurde abgeschafft. Bei Auflösung einer Verlobung muss der Mann seiner Ex-Verlobten keine Entschädigung (»Kranzgeld«) mehr für die »Entehrung« zahlen.

Finanzielle Rechte: Nach einer Gesetzesinitiative, die das Land Baden-Württemberg im April 1999 in den Bundesrat einbrachte, sollen nicht berufstätige Ehepartner (in der Regel Frauen) innerhalb der Lebensgemeinschaft größere finanzielle Rechte erhalten. Nichtverdienende Ehegatten sollen einen gesetzlich festgeschriebenen Anspruch auf »angemessene Geldmittel« für den Familienunterhalt und für eigene Bedürfnisse erhalten. Außerdem soll der nicht verdienende Ehegatte einen gesetzlichen Anspruch auf Auskunft über die Höhe der Einkünfte des Partners bekommen.

Nichteheliche Lebensgemeinschaften: 5,7% der erwachsenen Bundesbürger leben in einer nichtehelichen Lebensgemeinschaft (zum Vergleich: 59,9% Verheiratete, 3,4% Alleinerziehende). Seit 1972 (erste Schätzung durch den SB-Mikrozensus) hat sich die Zahl in den alten Bundesländern von 137 000 auf 1,408 Mio mehr als verzehnfacht. Nach der Rechtsprechung des Bundesverfassungsgerichts (Karlsruhe) sind Verbindungen zweier Partner unterschiedlichen Geschlechts eheähnlich, wenn sie auf Dauer angelegt sind, keine weitere Lebens-

Ehegattensplitting: Pro und kontra

Ihren ursprünglichen Plan, den Steuervorteil durch Ehegattensplitting ab 2002 auf 8000 DM jährlich zu begrenzen, gab die rot-grüne Bundesregierung nach dem Urteil des Bundesverfassungsgerichts (Karlsruhe) zur Familienbesteuerung vom 19.1.1999 zugunsten eines noch auszuarbeitenden Gesamtpakets auf. Nach dem 1999 gültigen Splittingverfahren sind maximal 22 842 DM Steuerersparnisse jährlich möglich

▶ **Funktionsweise des Splittings:** Ehepaare können generell wählen, ob sie sich getrennt oder gemeinsam zur Einkommensteuer veranlagen lassen. Bei gemeinsamer Veranlagung werden die Jahreseinkommen von Ehemann und Ehefrau addiert und anschließend durch zwei geteilt. Die darauf errechnete Steuerschuld wird verdoppelt. Je größer der Einkommensunterschied zwischen den Ehepartnern, desto größer ist infolge der Steuerprogression auch die Einsparung durch das Ehegattensplitting. Am größten ist die

Einsparung bei einem Alleinverdiener, zwei annähernd gleich verdienende Partner tragen dagegen dieselbe Steuerlast wie zwei Singles mit entsprechendem Einkommen.

▶ **Beabsichtigte Wirkung:** Das Ehegattensplitting soll gewährleisten, dass alle Ehepaare mit dem gleichen gemeinsamen Einkommen ungeachtet der Steuerprogression auch gleich besteuert werden. Zugrunde liegt die Vorstellung, dass in der Ehe ein Partner an den Einkünften und Lasten des anderen jeweils zur Hälfte teilhat.

▶ **Pro:** Befürworter des unbegrenzten Ehegattensplittings verweisen auf den besonderen verfassungsrechtlichen Schutz der Ehe, der mit dieser Steuervergünstigung konkret umgesetzt sei.

▶ **Kontra:** Kritiker des Splitting bemängeln, das es modernen Ehe- und Geschlechterrollen nicht gerecht werde, da es sog. Hausfrauenehen besonders begünstige und nicht zwischen kinderlosen Ehepaaren und Paaren mit Kindern unterscheide.

Nach der deutschen Vereinigung nahm die Zahl der Scheidungen pro bestehenden Ehen in Ostdeutschland dramatisch ab. Dies hatte seinen Grund einerseits in der Umstellung auf das bundesdeutsche Scheidungsrecht, mit der die Bearbeitung von Scheidungen hinausgezögert wurde, zum anderen darin, dass die gesellschaftlichen Umbrüche offenbar zu einer Verschiebung oder zur Aufgabe eines Scheidungswunsches führten. Die Scheidungshäufigkeit pro bestehenden Ehen hatte 1997 in Ostdeutschland den Stand in den letzten Jahren der DDR noch nicht wieder erreicht.

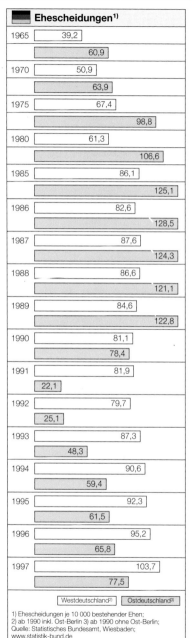

Ehescheidungen[1]

Jahr	Westdeutschland[2]	Ostdeutschland[3]
1965	39,2	
1970	50,9	60,9
1975	67,4	63,9
1980	61,3	98,8
1985	86,1	106,6
1986	82,6	125,1
1987	87,6	128,5
1988	86,6	124,3
1989	84,6	121,1
1990	81,1	122,8
1991	81,9	78,4
1992	79,7	22,1
1993	87,3	25,1
1994	90,6	48,3
1995	92,3	59,4
1996	95,2	61,5
1997	103,7	65,8
		77,5

1) Ehescheidungen je 10 000 bestehender Ehen;
2) ab 1990 inkl. Ost-Berlin 3) ab 1990 ohne Ost-Berlin;
Quelle: Statistisches Bundesamt, Wiesbaden;
www.statistik-bund.de

gemeinschaft gleicher Art zulassen und durch innere Bindungen über eine reine Haushalts- oder Wirtschaftsgemeinschaft hinausgehen. Die rot-grüne Bundesregierung strebt lt. Koalitionsvereinbarung vom Herbst 1998 eine rechtliche Aufwertung nichtehelicher Lebensgemeinschaften an.
http://www.statistik-bund.de

Familienförderung

Zu den finanziellen Leistungen des Staates zum Ausgleich von Kosten, die durch Kinder entstehen, gehörten in Deutschland Mitte 1999 neben Erziehungsgeld, Kindergeld bzw. Kinderfreibetrag u. a. besondere Regelungen für Familien bei der Wohneigentums- und Bausparförderung.

Erziehungsgeld: Nach der Geburt eines Kindes wird dem Elternteil, der das Kind betreut, staatlicherseits längstens 24 Monate ein Erziehungsgeld gezahlt. Es entfällt während der ersten sechs Lebensmonate des Kindes, wenn das Jahresnettoeinkommen der Eltern beim ersten Kind 100 000 DM (Verheiratete oder eheähnliche Gemeinschaften) bzw. 75 000 DM (Alleinerziehende; Stand: Mitte 1999) überschreitet; beide Einkommensgrenzen erhöhen sich für jedes weitere Kind um 4200 DM. Ab dem 7. Lebensmonat des Kindes gelten für den vollen Bezug des Erziehungsgeldes (600 DM monatlich) niedrigere Einkommensgrenzen: bei Verheirateten und eheähnlichen Gemeinschaften 29 400 DM, bei Alleinerziehenden 23 700 DM für das erste Kind. Auch diese Einkommensgrenzen erhöhen sich für jedes weitere Kind. Bei höheren Einkommen mindert sich das Erziehungsgeld je 1200 DM, die der Jahresverdienst über der Höchstgrenze liegt, um monatlich 40 DM. Nach Angaben des Bundesfamilienministeriums bezogen Anfang 1999 ca. 40–50% aller Eltern nach den ersten sechs Monaten weiter Erziehungsgeld in voller Höhe. Um diesen Anteil auf ca. 80–90% zu steigern, sollen nach Plänen von Bundesfamilienministerin Christine Bergmann (SPD) die Einkommensgrenzen schrittweise um insgesamt 10% bis 2002 erhöht werden.

Erziehungsurlaub: Der für die Betreuung des Kindes zuständige Elternteil kann in Deutschland einen Erziehungsurlaub von maximal drei Jahren nehmen (Stand: Mitte 1999). In dieser Zeit besteht Kündigungsschutz. Nach Plänen des Bundesfamilien-

Familienförderung: Familienurteil des Bundesverfassungsgerichts

Am 19.1.1999 entschied das Bundesverfassungsgericht (BVG, Karlsruhe), dass die Regelungen zur steuerlichen Entlastung von Familien in wesentlichen Teilen nicht verfassungskonform sind.

▶ **Kinderbetreuung:** Die Ungleichbehandlung von allein stehenden (allein erziehenden ledigen, unverheiratet zusammenlebenden, dauerhaft getrennt lebenden oder geschiedenen) Eltern und verheirateten Eltern widerspricht dem Gleichheitsgebot des Grundgesetzes. Daher müssen steuerliche Entlastungen für die Kinderbetreuung, die bisher nur Alleinstehende geltend machen konnten, auf Verheiratete ausgedehnt werden. Trifft der Gesetzgeber bis zum 1.1.2000 keine Neuregelung, gilt der Betreuungsfreibetrag für Alleinstehende von 4000 DM für das erste und 2000 DM für jedes weitere Kind auch für Verheiratete, und zwar zusätzlich zu den bisher schon geltenden Vergünstigungen von Kindergeld und Kinderfreibetrag.

▶ **Haushaltsführung:** Die Ungleichbehandlung zwischen allein stehenden und verheirateten Eltern hinsichtlich des Haushaltsfreibetrags für durch Kinder bedingte besondere Aufwendungen zur Erweiterung von Wohnung und Haushalt muss aus ähnlichen Gründen beseitigt werden. Trifft der Gesetzgeber bis zum 1.1.2002 keine Neuregelung, gilt der Freibetrag für Alleinstehende von 5616 DM auch für Verheiratete. Der Steuervorteil durch Ehegattensplitting rechtfertigt die vorliegende Benachteiligung verheirateter Eltern nach BVG-Auffassung nicht.

▶ **Existenzminimum:** In die Berechnung des in voller Höhe steuerfrei zu stellenden Existenzminimums sind bei Kindern neben den Sachkosten für Ernährung, Unterkunft und Kleidung auch Betreuungs- und Erziehungsaufwand zu berücksichtigen, und zwar unabhängig davon, von wem die Betreuung und Erziehung gewährleistet wird.

▶ **Beschluss:** Nach dem Kabinettsbeschluss vom 23.6.1999 plante eine rot-grüne Bundesregierung eine Umsetzung des BVG-Urteils durch Erhöhung des Kindergel-des für das erste und zweite Kind auf 270 DM zum 1.1.2000 sowie eine Anhebung des Kinderfreibetrages um 3000 DM auf 9964 DM. Damit würde die Steuerlast der Familien um jährlich 6,5 Mrd DM verringert.

▶ **Reformpläne:** Erwägungen innerhalb der Regierungskoalition, das BVG-Urteil so umzusetzen, dass Kindergeld und der bisherige Kinderfreibetrag durch einen deutlich höheren Kindergrundfreibetrag ersetzt werden, wurde wegen verfassungsrechtlicher Bedenken aufgegeben. Bei einem solchen Grundfreibetrag, der einen bestimmten Anteil des Einkommens völlig steuerfrei stellt, ist die Höhe der Entlastung unabhängig vom Einkommen, während beim Kinderfreibetrag Bezieher höherer Einkommen aufgrund der Steuerprogression stärker entlastet werden. Ein Kindergrundfreibetrag hätte jedoch eine »horizontale« Ungleichbehandlung zwischen kinderlosen Paaren und Eltern mit gleichem Einkommen zur Folge, die von den Karlsruher Richtern ausdrücklich ausgeschlossen wurde.

---

ministeriums sollen künftig beide Elternteile gemeinsam (bisher: abwechselnd) Erziehungsurlaub nehmen können. Bei einer unveränderten Gesamtzeit soll das dritte Jahr Erziehungsurlaub bis zum achten Lebensjahr des Kindes zu beliebiger Zeit angetreten werden können. Außerdem ist eine Ausweitung der mit dem Erziehungsurlaub zu vereinbarenden Teilzeitarbeit (bisher 19 Wochenstunden) angestrebt. In der Arbeitslosenversicherung sollen Zeiten des Erziehungsurlaubs mit Beschäftigungszeiten gleichgestellt werden.

Erziehungszeiten: Die Bewertung der Erziehungszeiten (für vor 1992 Geborene: ein Jahr; für ab 1992 Geborene: drei Jahre) für die Rente erfolgt ab 2000 zu 100% (vorher: 75%). Bei der Rentenberechnung werden Erziehungszeiten auch dann berücksichtigt, wenn der Erziehende seine Berufstätigkeit nicht unterbrochen hat.

Kindergeld: Gemäß einem mit den Stimmen der rot-grünen Regierungskoalition im Bundestag beschlossenen Gesetz wurde das Kindergeld für das erste und zweite Kind zum 1.1.1999 von 220 DM auf 250 DM monatlich erhöht. Für 2000 ist eine weitere Erhöhung auf 270 DM vorgesehen. Die Beträge von 300 DM für das dritte und 350 DM für jedes weitere Kind blieben unverändert. Seit dem 1.1.1999 ist die bei der Bundesanstalt für Arbeit (BA, Nürnberg) eingerichtete Familienkasse allein für die Auszahlung von Kindergeld zuständig. Als Alternative zum Kindergeld bietet sich insbes. für Eltern mit hohem Einkommen die Inanspruchnahme des Kinderfreibetrags (seit 1997: 6921 DM) an. Die Gesamtsumme des gezahlten Kindergeldes wird sich durch die Neuregelung nach BA-Angaben von 49,68 Mrd (1998) auf 56 Mrd DM (1999) erhöhen.

▬ Haushaltsgrößen nach Personen[1]

	Eine	Zwei	Drei	Vier	Fünf und mehr
2015[2]	37	34	14	11	5
1997	36	32	15	12	5
1950[3]	19	25	23	16	16
1900[4]	7	15	17	17	44

Während zu Beginn des 20. Jh. noch 44% der Deutschen in Haushalten mit mind. fünf Personen lebten, war es 1997 nur noch jeder 20. Einwohner. Im gleichen Zeitraum verfünffachte sich die Zahl der Einpersonenhaushalte.

1) Anteil (%) an allen Haushalten; 2) Prognose, rundungsbedingt nicht 100; 3) Westdeutschland; 4) Deutsches Reich; Quelle: Statistisches Bundesamt (Wiesbaden), www.statistik-bund.de

157

Kinderreiche Beamte: In einem am 5.2.1999 bekannt gegebenen Urteil stellte das Bundesverfassungsgericht (Karlsruhe) fest, dass der Staat seinen Beamten »amtsangemessenen« Unterhalt schulde und dabei auch »die dem Beamten durch seine Familie entstehenden Unterhaltspflichten zu berücksichtigen« habe. Die Familienzuschläge des Beamtengehalts dürften nicht niedriger liegen als 15% über dem Sozialhilfesatz. Ab dem dritten Kind ist dies bei vielen Beamten nicht der Fall. Der Bundesregierung ist aufgegeben, eine entsprechende Änderung der Besoldungsordnung bis zum 1.1.2000 vorzunehmen. Die Mehrkosten bezifferte der Deutsche Beamtenbund (DBB, Bonn) auf 200 Mio DM.

Familiensituation

In Deutschland gab es im Jahr 1997 (letztverfügbarer Stand) nach Angaben des Statistischen Bundesamtes (SB, Wiesbaden) rund 9,45 Mio Familien (Ehepaare und Alleinerziehende) mit mind. einem Kind unter 18 Jahren.

Kinderzahl:, Die Ein-Kind-Familie war 1997 in Deutschland mit einem Anteil von 50,7% die bei weitem stärkste Gruppe, gefolgt von der Zwei-Kind-Familie mit 37,5% und der Drei-Kind-Familie mit 9,2%. Nur in 1,9% der Fälle gehörten zur Familie vier Kinder unter 18 Jahren, in 0,7% der Fälle waren es fünf Kinder und mehr.

Alleinerziehende: Im April 1998 gab es nach SB-Angaben rund 2,6 Mio Kinder, die bei nur einem Elternteil aufwuchsen. Die Zahl der allein erziehenden Väter erhöhte sich von 1991 bis April 1998 um 51% auf rund 308 000. Dem standen rund 1,6 Mio allein erziehende Mütter gegenüber.

Nichteheliche Kinder: Die Zahl der nichtehelich geborenen Kinder nahm 1997 im Vergleich zum Vorjahr um 7,5% zu. In 94% der Fälle der bei unverheirateten Müttern eingeleiteten Verfahren zur Vaterschaftsfeststellung wurde der Erzeuger ermittelt. 94% der Väter in den neuen Bundesländern bekannten sich freiwillig zur Vaterschaft gegenüber 86% in den alten Bundesländern. Der Anstieg der nichtehelichen Geburten war laut SB-Anlagen eine Folge der Zunahme nichtehelicher Lebensgemeinschaften, die immer häufiger auch bei gemeinsamen Kindern nicht in eine Ehe mündeten.

Ehe und Familie

Umgestaltung traditioneller Lebensformen

Die Zahl der Eheschließungen in Deutschland ist in der zweiten Hälfte des 20. Jh. ebenso kontinuierlich gesunken wie die Zahl traditioneller Familien. Lt. Statistikbüro Eurostat (Luxemburg) wurden 1998 im EU-Durchschnitt rund ein Viertel aller Kinder außerehelich geboren (Schweden: 54%, Deutschland: 17%). 1950 lag die Zahl der Eheschließungen in der BRD bei über 750 000, Ende der 90er Jahre unter 500 000. Die Zahl der Ehescheidungen hat sich in Deutschland seit 1965 auf 104 000 (1997) mehr als verdoppelt. Das Prinzip der Bindung an einen Partner wird zwar beibehalten, die lebenslange Zweierbeziehung aber infrage gestellt. Statistisch nur in Schätzungen erfasst werden die nichtehelichen Lebensgemeinschaften: Ihre Zahl vervierfachte sich in Deutschland seit Ende der 70er Jahre auf fast 2 Mio. Von den ca. 9,5 Mio Familien in Deutschland hatten Ende der 90er Jahre rund 20% eine allein erziehende Bezugsperson.

Positive Trends

▶ Der Anstieg der Lebenserwartung (1910: rund 50 Jahre, 1998: ca. 75 Jahre) hat die nachelterliche Lebensphase in den Industriestaaten deutlich verlängert; immer mehr Menschen erleben ihre Enkel- und Urenkelkinder.

▶ Trotz erheblichen Funktionswandels im 20. Jh. ist die Familie Ursprung und Ziel grundlegender ethischer Normen und Überzeugungen.

▶ Eine geplante Kinderlosigkeit in der Ehe wird nicht mehr sozial missbilligt.

Negative Trends

▶ Eltern haben u. a. bei doppelter Berufstätigkeit wenig Zeit für Kinder, andere Instanzen (Schule) sind bei den Erziehungsaufgaben überfordert.

▶ Flexibilität, Leistungspräsenz, Mobilität u. a. Forderungen des modernen Arbeitslebens stehen im Konflikt zum Familienleben.

▶ Durch die Auflösung der traditionellen Großfamilie wächst die Einsamkeit inbes. unter älteren Menschen.

▶ Der ständige Wunsch nach Unabhängigkeit und Freizeit gefährdet tendenziell die Partnerschaften und könnte die Scheidungsraten in den Industrieländern noch weiter erhöhen.

Homosexuelle Paare können sich in Hamburg in ein Partnerschaftsbuch eintragen lassen.

Meilensteine

Wandel vom Patriarchat zur Partnerschaft

1900: Das Bürgerliche Gesetzbuch (BGB) legt die Vormundschaft des Ehemanns über die Ehefrau fest.

1905: Helene Stöcker (D) gründet den Bund für Mutterschutz und Sexualreform, der sich für den Schutz auch unverheirateter Mütter einsetzt und die Ehe der Entscheidungsfreiheit der Frauen überlassen will.

1914: Der US-Kongress erkärt den Mother's Day zum Feiertag. Ab 1923 wird der Muttertag auch in Deutschland erstmals gefeiert.

1930: In Belgien wird das Gesetz über die Gewährung von Kindergeld verabschiedet; ähnliche Gesetze folgen in Frankreich (1932), Österreich (1949) und der BRD (1954).

1952: In Frankfurt/M. wird Pro Familia als Organisation zur Familienplanungs-, Sexual- und Partnerschaftsberatung gegründet.

1956: Die Studie »Kinder erwerbstätiger Mütter« von Otto Speck (D) führt das Schlagwort »Schlüsselkinder« in die familienpolitische Diskussion ein und provoziert eine Diffamierungskampagne gegenüber berufstätigen Müttern.

1957: Das bundesdeutsche Gleichberechtigungsgesetz gibt das Alleinentscheidungsrecht des Mannes in der Ehe auf, schränkt seine Vorrechte bei der Erziehung ein und erlaubt Frauen, ihr in die Ehe eingebrachtes Vermögen selbst zu verwalten.

1963: Der Psychoanalytiker Alexander Mitscherlich (D) skizziert in »Auf dem Weg zur vaterlosen Gesellschaft« den Trend zu Familien mit allein erziehenden Müttern.

1970: In Italien wird gegen Proteste der katholischen Kirche die zivilrechtliche Ehescheidung eingeführt.

1971: Erie Pizzey (GB) eröffnet das Chiswik Women's Aid Center, das erste Frauenhaus; hier finden vor ihren Männern seelisch oder körperlich misshandelte (Ehe-)Frauen (mit Kindern) Unterkunft und Betreuung.

1977: Die Reform des Ehe- und Familienrechts in der BRD löst bei der Ehescheidung das Verschuldensdurch das Zerrüttungsprinzip ab.

1986: Die Einführung des auf die Rentenversicherung anrechenbaren »Babyjahrs« in der BRD ist der Versuch, Tätigkeit in einer Familie und Erwerbstätigkeit gleichzustellen.

1993: Das deutsche Gesetz zur Neuordnung des Familiennamensrechts ermöglicht beiden Gatten, ihre Geburtsnamen zu behalten.

1999: In Hamburg werden zum ersten Mal in Deutschland homosexuelle Paare getraut.

Stichwort: Antiautoritäre Erziehung

Mut zur Eigenverantwortung

Ab 1967 propagierte die Studentenbewegung das von Marxismus und Psychoanalyse beeinflusste Konzept einer »antiautoritären« Erziehung, die sich als Gegenpol zur »repressiven« Erziehungspraxis vieler bürgerlicher Familien verstand. Als Alternative zu Kindergärten wurden in leer stehenden Einzelhandelsgeschäften sog. Kinderläden eingerichtet. Dort sollten Drei- bis Sechsjährige ihre enge Bindung an die (oft studentischen) Eltern abbauen, sexuelle Selbstregulierungsmechanismen und ein kritisches politisches Bewusstsein entwickeln. Die antiautoritäre Erziehung führte zu oft karikierten Auswüchsen, verlor in den 70er Jahren an Einfluss, wirkte aber auf die Vorschulerziehung.

Ausblick

Vielfältige Familienformen

Nach einer Studie des Deutschen Jugendinstituts (München) lebten Ende der 90er Jahre 87% der Kinder in den alten und 73% der Kinder in den neuen Bundesländern mit ihren verheirateten leiblichen Eltern zusammen. Nur 4,7% aller Haushalte mit Kindern unter 18 Jahren waren nichteheliche Lebensgemeinschaften. 10% aller Kinder, die nicht ehelich geboren wurden, wachsen bis zu ihrer Volljährigkeit in einer nichtehelichen Lebensgemeinschaft ihrer beiden leiblichen Eltern auf.

Die Formen des menschlichen Zusammenlebens werden in den Industrienationen im 21. Jh. vielfältiger und freiwilliger. Der Trend zur Kleinfamilie mit einem Kind (1997: ca. 50,7% aller Familien in Deutschland) wird sich noch verstärken. Die moderne Familienplanung eröffnet zugleich die Möglichkeit der »bewussten Elternschaft«. An die Stelle eines lebenslangen tritt immer häufiger der »Lebensabschnittspartner«.

▬ Familieneinkommen: Netto-Haushaltseinkommen[1]		
Alleinerziehende	*Einkommen[2]*	*Ehepaare*
1	7500 und mehr	10
2	6000–7500	11
4	5000–6000	14
9	4000–5000	21
17	3000–4000	23
12	2500–3000	7
23	1800–2500	6
28	unter 1800	3
4	o.E./o.A.[3]	5

1) Monatliches Netto-Haushaltseinkommen in Haushalten mit mind. einem Kind (%);
2) DM pro Monat; 3) ohne Einkommen bzw. ohne Angabe; Stand: 1997;
Quelle: Statistisches Bundesamt (Wiesbaden); http://www.statistik-bund.de

Europa: Nach dem Demographiebericht von Europarat und Eurostat hatte in 46 europäischen Ländern (inkl. Russland, Türkei, Armenien, Aserbaidschan, Georgien) jedes vierte Kind, das 1997 geboren wurde, unverheiratete Eltern (1980: rund 10%). In Island wurde nur eines von drei Kindern ehelich geboren, in Dänemark, Norwegen, Estland und Schweden hielten sich die ehelich und nichtehelich geborenen Kinder in etwa die Waage. In Frankreich kamen ca. 40% der Kinder nichtehelich zur Welt, in Deutschland waren es 18%. Niedrige Werte erreichten Polen (11%), Italien (8,3%), die Schweiz (8,1%), Griechenland (3,3%) und Zypern (1,6%).
http://www.statistik-bund.de

Kinder und Jugendliche

Seit dem 1.7.1998 sind eheliche und nichteheliche Kinder, wie im Grundgesetz gefordert, durch das neue Kindschaftsrecht weitgehend gleichgestellt.
Kindschaftsrecht: Geschiedenen Eltern steht grundsätzlich das Sorgerecht für ihr Kind gemeinschaftlich zu; ein alleiniges Sorgerecht muss bei Gericht beantragt werden. Auch nicht miteinander verheiratete Eltern können das gemeinsame Sorgerecht ausüben. Es bleibt nach der Trennung bestehen, sofern nicht ein Elternteil die Alleinsorge beantragt. Gegen den Wunsch der Mutter kann der nichteheliche Vater das Sorgerecht nicht erhalten. Kinder haben ein

BILANZ
2000

Kinder und Jugendliche

Konsumfreiheit im Norden – Armut im Süden

Überfluss und fast grenzenlose Freiheit für Kinder und Jugendliche in den Industrienationen; Armut, Hunger und Kriminalität in den Entwicklungsländern. Die Lebensverhältnisse der jungen Generation spiegeln die Welt der Erwachsenen. Schon 1913 forderte der erste Internationale Kinderschutzkongress (Brüssel) neue pädagogische Konzepte, um das Abgleiten von Minderjährigen in die Kriminalität zu verhindern. Um 1900 wurden Ellen Keys individualpädagogische Thesen begeistert aufgenommen, nach dem Zweiten Weltkrieg wurden sie von der Sozialpädagogik verdrängt, die das Kind als Glied einer Gemeinschaft sieht. An der Wende zum 21. Jh. wird sichtbar, dass die meisten Modelle letztlich gescheitert sind: Mangelnde Zukunftsperspektiven, fehlende Ausbildungsplätze, Arbeitslosigkeit, Werteverlust und konsumorientierter Lebensstil kennzeichnen die Situation von Kindern und Jugendlichen in den Industriestaaten. Mit 1,5 Mio Beschäftigten war Großbritannien Ende der 90er Jahre das Land mit der höchsten Kinderarbeitszahl in der EU; doch im meist wohlhabenden Norden des Globus arbeiten Kinder und Jugendliche meist nicht, um Armut abzuwehren, sondern um steigende Konsumbedürfnisse zu befriedigen. Weltweit arbeiteten 1998 lt. UN-Angaben 300 Mio Kinder regelmäßig unter Bedingungen, die ihrer Gesundheit oder seelischen Entwicklung schadeten; darunter 61% in Asien (44 Mio in Indien), 32% in Afrika und 7% in Lateinamerika.

Positive Trends

▸ Kinder und Jugendliche in den Industrieländern haben Zugang zu allen Bildungsmöglichkeiten.
▸ Die Kindersterblichkeit ist in Industrieländern mit 0,5–1% auf dem historisch niedrigsten Niveau.

Negative Trends

▸ Prognosen zufolge wird die Zahl der arbeitenden Kinder bis 2000 auf 375 Mio ansteigen.
▸ In Deutschland werden jährlich 30 000 Fälle von Kindesmissbrauch amtlich erfasst.

Jugendkultur Ende der 90er Jahre: Teilnehmer der Love parade in Berlin 1998

Von Reformpädagogik bis zur »Saat der Gewalt«

1900: Ellen Key (S) prägt mit dem Titel der Studie »Das Jahrhundert des Kindes« das Schlagwort für eine neue Epoche der Erziehung, in deren Mittelpunkt das Kind steht.

1903: Das deutsche Kinderschutzgesetz verbietet die Arbeit von Kindern unter zwölf Jahren in allen gewerblichen Betrieben.

1907: Maria Montessori (I) richtet eine Casa dei bambini für drei- bis sechsjährige Arbeiterkinder ein; daraus entstehen ab 1911 die reformpädagogischen Montessori-Schulen.

1907: Robert Baden-Powell (GB) gründet die Boy Scouts (Pfadfinder), die größte freiwillige internationale Jugendbewegung der Erde.

1914: Die Schlacht von Langemark, bei der sich unter 45 000 deutschen Gefallenen meist Schüler, Studenten und Lehrer befinden, wird während des Ersten Weltkriegs zum Mythos angeblicher Opferbereitschaft der deutschen Jugend ideologisiert.

1919: Die Internationale Arbeitsorganisation legt ein Mindestalter von 14 Jahren für Industriearbeiter fest.

1924: Alexander Neill (GB) gründet die Heimschule Summerhill als Vorbild antiautoritärer Erziehung.

1947: In Trogen (CH) wird das erste Pestalozzi-Kinderdorf eröffnet.

1951: Hermann Gmeiner (A) gründet in Imst in Tirol das erste SOS-Kinderdorf für Waisen.

1955: Bill Haleys »Rock around the clock« wird als Themasong des Halbstarkenfilms »Saat der Gewalt« Hymne der ersten Jugendprotestkultur der Nachkriegszeit.

1969: Das Rockfestival in Woodstock (USA) markiert den Höhepunkt der Hippiebewegung.

1989: Die Berliner Love parade leitet die Techno-Massenfestivals der Jugendkultur der 90er Jahre ein.

1989: Die UN-Konvention über die Rechte des Kindes proklamiert staatliche Fürsorge, Schutz vor Gewalt, wirtschaftlicher Ausbeutung u. a. »Grundrechte des Kindes«; bis Ende der 90er Jahre ratifizieren 187 Staaten die Charta.

1990: In brasilianischen Millionenstädten ermorden Todesschwadrone in den 80er und 90er Jahren systematisch Straßenkinder.

1997: In Deutschland tritt das Beschäftigungsverbot für Kinder unter 15 Jahren sowie für vollzeitschulpflichtige Jugendliche in Kraft.

1999: Nach dem Blutbad zweier Schüler in Littleton (Colorado) wird in den USA erneut über strengere Waffengesetze diskutiert.

Künstler preisen die Jugend
Der Jugendstil war die erste von zahlreichen Jugendbewegungen des 20. Jh. Getragen von einer Generation, die sich vom bürgerlichen und staatlichen Kontroll- und Kulturbetrieb distanzierte, ließ er erstmals in der Geschichte »Jugend« zum Inbegriff innovativer Kulturkraft mit Marktfähigkeit in nahezu allen Bereichen werden (Mode, Industriedesign, Kunstgewerbe, Plakatkunst, Architektur, Malerei). Dekorativität, Symbolhaftigkeit und stimmungshafte Assoziation waren die wesentlichen Ausdrucksideale.

Entwicklung in Phasen
Der Schweizer Jean Piaget (1896 bis 1980) beeinflusste ab den 30er Jahren mit Studien über die kognitiven Entwicklungsstufen und Moralvorstellungen bei Kindern Psychologie und Pädagogik. Auf eine anfängliche Phase des Egozentrismus folgt lt. Piaget die psychologische Assimilation, im Schulalter entwickelt das Kind konkret-operatorisches Denken und überwindet es als Heranwachsender zugunsten formal-systematischen Denkens.

Rockfestival in Woodstock
Das dreitägige Festival in Woodstock (New York) mit den größten Rockbands der 60er Jahre wirkte als eine der schillerndsten Veranstaltungen aller Zeiten vorbildhaft für die jugendkulturellen »Events« der 80er und 90er Jahre (Love parade). Zugleich markierte es den Höhepunkt der Hippiebewegung, einer Jugendkultur, die sich von der Leistungsgesellschaft ihrer Eltern durch Flowerpower (»Blumenkraft«), Liebe und Frieden sowie den Konsum illegaler Drogen (Haschisch, Marihuana, LSD) abzusetzen versuchte.

Recht auf Umgang mit beiden Elternteilen, diese sind zum Umgang mit dem Kind verpflichtet. Geschwister und Großeltern haben ebenfalls ein Umgangsrecht. Auch im Erbrecht sind eheliche und nichteheliche Kinder, die nach dem 30.6.1947 geboren sind, weitgehend gleichgestellt. Scheidungskinder und nichteheliche Kinder werden bei Unterhaltszahlungen gleich behandelt. Gerichte dürfen bei säumigen Vätern bei Arbeitgebern und Sozialversicherungsträgern entsprechende Auskünfte einholen.

Gewaltfreie Erziehung: Nach einem im Juni 1999 vorgelegten Gesetzentwurf der rot-grünen Bundesregierung sollen Kinder ein Recht auf gewaltfreie Erziehung erhalten. Körperliche Bestrafungen, seelische Verletzungen und andere entwürdigende Maßnahmen werden darin für unzulässig erklärt, eine Kriminalisierung der Familien ist jedoch nicht angestrebt. Nach den bestehenden Gesetzen können Eltern bei Körperverletzung ihrer Kinder strafrechtlich zur Verantwortung gezogen werden.

Kindesentführung: Nach einem Grundsatzurteil des Bundesgerichtshofs (BGH, Karlsruhe) vom März 1999 kann ein Elternteil auch dann für die Entführung des Kindes bestraft werden, wenn es das alleinige Sorgerecht hat. Im zur Entscheidung anstehenden Fall hatte ein Deutscher pakistanischer Abstammung, der das alleinige Sorgerecht hatte, während der Zeit des gerichtlichen Streits über die Übertragung des Sorgerechts auf die Mutter das Kind nach Pakistan entführt. Er wurde zu knapp vier Jahren Freiheitsstrafe verurteilt.

Kindergärten: Zum 1.1.1999 trat der Rechtsanspruch auf einen Kindergartenplatz ab dem vollendeten dritten Lebensjahr uneingeschränkt in Kraft. Nach Angaben des Deutschen Städtetags (Köln) wurde Ende 1998 eine Gesamtzahl von 2 Mio Hortplätzen in Westdeutschland erreicht; bei einer Versorgungsquote von 85–90% der Drei-, Vier- und Fünfjährigen sei der Rechtsanspruch damit praktisch erfüllt. Seit seiner Verankerung im Jahr 1992 wurden in Westdeutschland rund 600 000 neue Plätze geschaffen. In Ostdeutschland wurde der Rechtsanspruch durchweg erfüllt.

Sozialhilfe: Der Zehnte Kinder- und Jugendbericht, der im Auftrag des Bundesministeriums für Familie, Senioren, Frauen und Jugend von einer unabhängigen Sachverständigenkommission erarbeitet und im August 1998 der Öffentlichkeit vorgestellt wurde, stellte bei Kindern in Deutschland ein höheres Armutsrisiko als bei Erwachsenen fest. Dies gelte insbes. für Kinder von Alleinerziehenden. Nach Angaben des Statistischen Bundesamts (Wiesbaden) waren von den rund 2,9 Mio Personen, die Ende 1997 Sozialhilfe im engeren Sinne (laufende Hilfe zum Lebensunterhalt) bezogen, 1,076 Mio Kinder und Jugendliche unter 18 Jahren. Fast die Hälfte der nicht volljährigen Sozialhilfeempfänger lebte in Haushalten von allein erziehenden Müttern.

Lebensstandard: Nach 1999 vorgelegten Berechnungen des Deutschen Instituts für Wirtschaftsforschung (DIW, Berlin) hatte eine in Deutschland lebende Familie mit zwei Kindern im Jahr 1996 im Durchschnitt lediglich 68% des Einkommens eines kinderlosen Paares zur Verfügung, bei einem Kind waren es dagegen 71%, bei drei oder mehr Kindern 61%.

Kosten: Nach Angaben der Familienwissenschaftlichen Forschungsstelle im Statistischen Landesamt Baden-Württemberg betrugen die monatlichen Ausgaben je Kind unter 18 Jahren 1998 im Durchschnitt bei einer Alleinerziehenden mit einem Kind 707 DM, bei einem Ehepaar mit einem Kind 917 DM und bei einem Ehepaar mit zwei Kindern 649 DM. Im Vergleich zu 1988 erhöhten sich die Kosten um 23% (Alleinerziehende mit einem Kind), 33% (Paar mit einem Kind) bzw. 28% (Paar mit zwei Kindern).

TopTen ▬▬	Beliebteste Vornamen[1)
Mädchen	*Jungen*
1. Maria	1. Lukas
2. Julia	2. Alexander
3. Anna/Anne	3. Maximilian
4. Sophie	4. Daniel
5. Marie	5. Philipp
6. Laura	6. Felix
7. Lisa	7. Tim
8. Vanessa	8. Jan
9. Sarah	9. Florian
10. Katharina	10. Jonas

1) Stand 1998; Quelle: Gesellschaft für deutsche Sprache (GfdS, Wiesbaden); http://www.geist.spacenet.de

Bei den beliebtesten Mädchenvornamen behauptete Maria 1998 wie im Vorjahr den ersten Rang, während Vorjahressieger Alexander vom ersten auf den zweiten Platz rutschte. Der am häufigsten verwendete Jungenname 1998, Lukas, lag 1997 noch auf dem dritten Rang. In den 90er Jahren in Deutschland der Trend zu englischen Namen (Dennis, Jessica, Kevin, Marvin) gestoppt.

Energie

Atomenergie

Deutschland: Nach Angaben des Deutschen Atomforums (Bonn) erzeugten die inländischen Atomkraftwerke 1998 eine Gesamtleistung von 161,7 Mrd kWh Elektrizität, ein Minus gegenüber dem Vorjahr von 9 Mrd kWh (5,3%). Bedingt durch längere Stillstands- bzw. Revisionszeiten sank der Anteil der A. an der nationalen Stromproduktion von 35% auf 33%. Seit 1988 werden in Deutschland etwa 10% des Energieverbrauchs durch A. gedeckt; dadurch wird die Emission des für die Atmosphäre schädlichen Gases Kohlendioxid (CO_2), das vor allem von Kohlekraftwerken ausgestoßen wird, um 160 Mio t/Jahr reduziert.

Welt: International waren 1998/99 etwa 430 Atommeiler in Betrieb, die zusammen 2,4 Billionen kWh Elektrizität lieferten. Auf die A. entfielen rund 17% der globalen Stromerzeugung.

Ausstieg: Bis Ende Juni 1999 gab es keine Einigung zwischen Atomwirtschaft und rotgrüner Bundesregierung in dieser Frage. Vertreter der Nuklearwirtschaft sprachen von bis zu 50 Jahren bis zum endgültigen Ausstieg aus der A. Auch innerhalb der Koalition war die Restlaufzeit der Anlagen umstritten; Bundeswirtschaftsminister Werner Müller (parteilos) schlug eine Laufzeit von 30 Jahren vor, sodass der letzte deutsche Meiler erst 2024 abgeschaltet würde. Bündnis 90/Die Grünen forderten eine Laufzeit von deutlich unter 30 Jahren.

Kritik: Schon die geplante Verabschiedung im Kabinett stieß auf heftigen Widerspruch der deutschen Energieversorgungsunternehmen (EVU). Hauptkritikpunkte der Stromwirtschaft waren das geplante Verbot der Wiederaufarbeitung abgebrannter radioaktiver Brennelemente ab Januar 2000 (sie dürfen nur noch durch direkte Endlagerung entsorgt werden), die Erhöhung der Deckungsvorsorge auf 5 Mrd DM (für Entsorgung des Abfalls und Stillegung der Anlagen) sowie die Verpflichtung zur Sicherheitsüberprüfung binnen eines Jahres.

Konsensgespräche: Regierungsmitglieder, Vertreter der Atomkraftwerksbetreiber und Fachgruppen erarbeiten seit Anfang 1999 eine einvernehmliche Lösung hinsichtlich des Endes der A.-Nutzung in Deutschland. Bis Sommer 1999 einigten sie sich auf folgende Punkte:

– Die EVU akzeptieren das politische Ziel des Ausstiegs aus der A.

– Der Betrieb vorhandener Atomkraftwerke ist bis zum Ende der noch zu verhandelnden Restlaufzeiten gewährleistet.

– Ein Verbot der Wiederaufarbeitung tritt in Kraft, wenn Alternativen (z. B. ausreichende Zwischenlagerkapazitäten für verbrauchte Brennelemente bei den Atomkraftwerken) vorhanden sind.

TOPTEN Atomkraftwerke: Leistung[1]

1. Grohnde	11,76
2. Palo Verde-2	11,66
3. Isar-2	11,40
4. Emsland	11,39
5. Neckar-2	11,35
6. Philippsburg-2	11,35
7. South Texas-1	11,34
8. Brokdorf	11,31
9. Kashiwazaki-6	10,90
10. Sizewell B-1	10,86

1) Bruttostromerzeugung 1998 (Mrd kWh);
Quelle: Deutsches Atomforum (Bonn)

163

– Die Novellierung des Atomgesetzes greift die in den Energiekonsensgesprächen erzielten Kompromisse auf.

Rückstellungen: Uneinigkeit herrschte bei den Energiekonsensverhandlungen in der Frage der Besteuerung der Rückstellungen (Finanzreserven der EVU für Entsorgung und Reaktorstilllegung, 1998: 74 Mrd DM). Lt. Bundesfinanzministerium kommen auf die betroffenen Unternehmen durch die Ökosteuer zusätzliche Belastungen von etwa 13 Mrd DM zu. Die Stromwirtschaft bezifferte dagegen die Abgabenlast mit fast 25 Mrd DM mehr als doppelt so hoch.

Biblis A in Hessen: Die im Frühjahr 1999 neu gewählte CDU/FDP-Landesregierung in Hessen kündigte an, das Atomkraftwerk Biblis A entgegen dem Plan der rot-grünen Vorgängerregierung weiterzubetreiben. Nach Aussage von Ministerpräsident Roland Koch (CDU) vom April 1999 werde der 24 Jahre alte, wegen Sicherheitsmängeln umstrittene 1200 MW-Reaktor auf den höchstmöglichen technischen Standard gebracht. Die rot-grüne Vorgängerregierung unter Ministerpräsident Hans Eichel (SPD) hatte für Biblis A eine Stilllegungsverfügung beschlossen, deren Zustellung an den Betreiber RWE aber nach der Wahlniederlage unterlassen.

Lubmin: Im Frühjahr 2000 wird mit der Zerlegung radioaktiver Bestandteile des ehemaligen DDR-Atomkraftwerks Nord begonnen. Die Probephase (Zerlegung der Reaktordruckgefäße) startet im August 1999, mit dem Ende der Entsorgungsarbeiten kann frühestens 2006 gerechnet werden.

Schweiz: Nach einem Grundsatzbeschluss der Berner Regierung vom Herbst 1998 vollzieht die Eidgenossenschaft den Ausstieg aus der A. in Etappen. Die Zeitpunkte der Abschaltung der fünf Schweizer Atomkraftwerke vom Netz werden in Absprache mit den Betreibern, Umweltverbänden, Kantonen sowie Kommunen festgelegt. Parallel werden Entsorgungsoptionen erarbeitet.

HTR in Südafrika: Mit dem Bau eines Hochtemperaturreaktors (HTR) auf dem Gelände des Atomkraftwerks Koeberg (bei Kapstadt) wollte der südafrikanische Energieversorger Eskom noch 1999 beginnen. Die Anlage (Kosten: ca. 185 Mio DM) liefert 265 MW thermische Energie, die elektrische Leistung liegt bei 114 MW, rund einem Zehntel der leistungsstärksten deutschen Atommeiler in Brokdorf und Grohnde (1326/1325 MW).

Norwegen: Die Strahlenschutzbehörde des Landes entdeckte Anfang März 1999 Plutonium-Spuren in der Nordsee. Als möglicher Verursacher galt die britische Wiederaufbereitungsanlage in Sellafield. 1960–90 wurden aus Sellafield ca. 200 kg Plutonium in die Irische See eingeleitet. 1999 war diese Art der Abfallbeseitigung eingestellt.

http://www.iaea.org
http://www.kernenergie.de

Atomtransport

Verbot: 1998 wurden nach Auskunft des Bundesamtes für Strahlenschutz (BfS, Salzgitter) 525 A. in Deutschland durchgeführt (1997: 679). Der deutliche Rückgang von 22,7% basiert auf dem im Mai 1998 von der damaligen Bundesumweltministerin Angela Merkel (CDU) verfügten, noch Mitte 1999 gültigen Stopp von A. zu den Wiederaufbereitungsanlagen (WAA) in La Hague (Frankreich) und Sellafield (Großbritannien). Anlass für das Transportverbot war die Messung überhöhter radioaktiver Belastungen (sog. Hot Spots) an den Außenflächen der Transportbehälter (CASTOR) für abgebrannte Brennelemente.

Studie: Nach dem im Herbst 1998 veröffentlichten Bericht der Gesellschaft für Anlagen- und Reaktorsicherheit (GRS) sei die Verstrahlung nicht in undichten Behältern begründet. Sie sei entweder beim Bestücken mit Brennelementen in den wassergefüllten Ladebecken der Atomkraftwerke oder während des Entladeprozesses entstanden. Um Verunreinigungen auszuschließen, schlug die GRS vor, die Container vor dem Beladen mit einer Plastikschutzhülle zu ummanteln. Allerdings steckte dieses Verfahren Mitte 1999 noch in der Erprobungsphase.

Wiederaufnahme: Trotz Drängens der Atomkraftwerkbetreiber werden nach Plänen des Bundesumweltministeriums 1999 keine Transporte verbrauchter Brennstäbe zu den WAA oder zu den inländischen Zwischenlagern in Gorleben und Ahaus stattfinden. Im Vorjahr festgestellten radioaktiven Grenzwertüberschreitungen bei den A. seien weiterhin nicht gänzlich auszuschließen. Nach Auffassung von Vertretern der Stromwirtschaft muss das Verbot rasch

Atomenergie: Anlagen in Deutschland

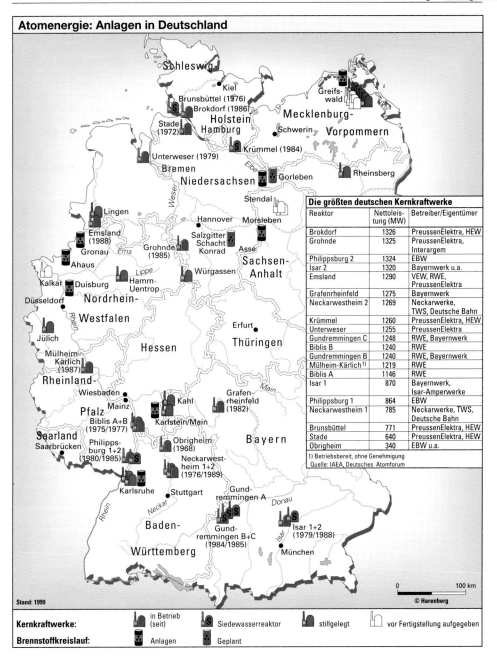

Kiel
Brunsbüttel (1976)
Brokdorf (1986)
Stade (1972)
Greifs-wald
Schwerin
Schleswig-Holstein
Hamburg
Mecklenburg-Vorpommern
Krümmel (1984)
Unterweser (1979)
Bremen
Niedersachsen
Gorleben
Rheinsberg
Stendal
Lingen
Hannover
Morsleben
Emsland (1988)
Gronau
Ahaus
Grohnde (1985)
Salzgitter
Schacht Konrad
Asse
Sachsen-Anhalt
Würgassen
Kalkar
Duisburg
Hamm-Uentrop
Nordrhein-
Düsseldorf
Westfalen
Erfurt
Jülich
Hessen
Thüringen
Mülheim-Kärlich (1987)
Rheinland-
Wiesbaden
Mainz
Pfalz
Biblis A+B (1975/1977)
Grafen-rheinfeld (1982)
Kahl
Karlstein/Main
Saarland
Saarbrücken
Philipps-burg 1+2 (1980/1985)
Obrigheim (1968)
Bayern
Neckarwest-heim 1+2 (1976/1989)
Karlsruhe
Stuttgart
Gund-remmingen A
Baden-
Gund-remmingen B+C (1984/1985)
Isar 1+2 (1979/1988)
München
Württemberg

Die größten deutschen Kernkraftwerke		
Reaktor	Nettoleis-tung (MW)	Betreiber/Eigentümer
Brokdorf	1326	PreussenElektra, HEW
Grohnde	1325	PreussenElektra, Interargem
Philippsburg 2	1324	EBW
Isar 2	1320	Bayernwerk u.a.
Emsland	1290	VEW, RWE, PreussenElektra
Grafenrheinfeld	1275	Bayernwerk
Neckarwestheim 2	1269	Neckarwerke, TWS, Deutsche Bahn
Krümmel	1260	PreussenElektra, HEW
Unterweser	1255	PreussenElektra
Gundremmingen C	1248	RWE, Bayernwerk
Biblis B	1240	RWE
Gundremmingen B	1240	RWE, Bayernwerk
Mülheim-Kärlich [1]	1219	RWE
Biblis A	1146	RWE
Isar 1	870	Bayernwerk, Isar-Amperwerke
Philippsburg 1	864	EBW
Neckarwestheim 1	785	Neckarwerke, TWS, Deutsche Bahn
Brunsbüttel	771	PreussenElektra, HEW
Stade	640	PreussenElektra, HEW
Obrigheim	340	EBW u.a.

1) Betriebsbereit, ohne Genehmigung
Quelle: IAEA, Deutsches Atomforum

0   100 km

Stand: 1999   © Harenberg

Kernkraftwerke: in Betrieb (seit) | Siedewasserreaktor | stillgelegt | vor Fertigstellung aufgegeben

Brennstoffkreislauf: Anlagen | Geplant

165

aufgehoben werden, um bei einigen Atomkraftwerken die Abklingbecken zu entlasten und die Zwangsabschaltung zu vermeiden. **Rücktransport:** Nach Ansicht der französischen Regierung ist Deutschland noch 1999 in der Pflicht, sechs CASTOR-Behälter mit hoch radioaktiven Restabfällen aus der WAA in La Hague zurückzuführen. Der Transport der mit sog. Glaskokillen gefüllten Container unterliegt allerdings dem A.-Verbot. Bundesumweltminister Jürgen Trittin (Bündnis 90/Die Grünen) sicherte im Frühjahr 1999 zu, entsprechende Voraussetzungen so schnell wie möglich zu schaffen. Experten gehen davon aus, dass bis 2002 etwa 500 Container von Frankreich nach Deutschland rollen werden; der letzte Transport fand 1997 statt.

Braunkohle

Aus untergegangenen Wäldern vor allem im Tertiär (vor 20 Mio–60 Mio Jahren) entstandene erdige bis faserige Kohle mit hohem Wasser- (bis 67%) und Aschegehalt. B. lagert oberflächennah und wird im Tagebau gefördert.

Reserven: Vom fossilen, nicht erneuerbaren Energieträger B. gab es 1999 mit über 510 Mrd t die weltweit größten Energiereserven. Bis auf Afrika wurde B. auf allen Kontinenten gefördert. Zu den Hauptabbauländern gehörten Deutschland (Welt-

marktanteil: ca. 20%), Griechenland, Polen, Russland und Tschechien. Bliebe die internationale Förderquote von 1998/99 auf konstantem Niveau, wären die globalen B.-Vorräte nach Schätzungen erst in etwa 500 Jahren verbraucht (Energiereserven bei Steinkohle: 150 Jahre, Erdgas: 70 Jahre, Erdöl: 45 Jahre). Zu rund 90% dient die abgebaute B. der Strom- und Wärmegewinnung.

Deutschland: 1998 ging der nationale B.-Verbrauch um 5,1% auf 51,5 Mio t SKE zurück (1997: 54,3 Mio t SKE). In den sechs Revieren Bayern, Helmstedt, Hessen, Lausitz, Mitteldeutschland und Rheinland belief sich das Fördervolumen 1998 auf 50,5 Mio t SKE (1997: 53,6 Mio t SKE, −5,8%). Insgesamt reduzierte sich der Abbau der B. in den alten Bundesländern um 1,4%, in den neuen Bundesländern sorgte die Fortsetzung des strukturellen Anpassungsprozessess für ein Förderminus von 13%. Ende 1998 waren im deutsche B.-Bergbau etwa 26 200 Menschen beschäftigt. **Standort Horno:** Anfang 1999 wies das Verwaltungsgericht Cottbus eine Klage des brandenburgischen Dorfes Horno gegen seine geplante Auflösung ab. Die Richter widersprachen der Ansicht der Kläger, nach der das Vorhaben gegen Selbstverwaltungs- und Eigentumsrechte der Hornoer Bürger verstoße. Die Kommune in der Niederlausitz soll bis 2002 dem B.-Tagebau Jänschwalde weichen.

Sanierung: Bis Herbst 1998 gaben Bund und betroffene Bundesländer etwa 8,4 Mrd DM für B.-Sanierungsmaßnahmen im Osten Deutschlands aus. Dabei wurden u.a. folgende Leistungen erbracht:
– Gleisanlagen auf einer Länge von fast 500 km wurden zerlegt und verschrottet.
– 36 Brikettfabriken, elf industriell genutzte Kraftwerke, die Kokerei Schwarze Pumpe und die Schwelerei in Böhlen wurden demontiert.
– 367 (rund 30%) der 1230 sog. Altlastverdachtsflächen in Ostdeutschland wurden ökologisch aufgearbeitet.
Im Juli 1997 hatten sich die damalige CDU/CSU/FDP-Bundesregierung sowie die Landesregierungen von Brandenburg, Sachsen, Sachsen-Anhalt und Thüringen auf die Fortsetzung der Sanierungsarbeiten in den Revieren Mitteldeutschland und Lausitz geeinigt. Für 1998–2002 stehen insge-

▬ Braunkohleförderung nach Revieren		
Bayern	0,1[1]	▼ − 4,1[2]
Helmstedt	4,3	▲ + 9,1
Hessen	0,2	▼ −17,7
Lausitz	50,5	▼ −15,0
Mitteldeutschland	166,0	▼ − 5,1
Rheinland	97,4	▽ − 1,8

1) Mio t; 1998; 2) Veränderung gegenüber 1997 (%); Quelle: Deutscher Braunkohlen-Industrie-Verein (Köln)

▬ Braunkohle-Veredelung		
Brikett	2345[1]	▼ −33,7[2]
Staub	2667	▼ − 2,5
Trockenbraunkohle	2	▽ −98,2
Wirbelschichtkohle	401	▲ + 3,4
Koks	185	0,0

1) 1000 t 1998; 2) Veränderung gegenüber 1997 (%); Quelle: Deutscher Braunkohlen-Industrie-Verein (Köln)

samt 6 Mrd DM bereit (1,2 Mrd DM/pro Jahr). Davon stammen 600 Mio DM aus dem Bundeshaushalt, 400 Mio DM steuern die vier Länder, die Bundesanstalt für Arbeit (Nürnberg) sowie die Lausitzer und Mitteldeutsche Bergbau-Verwaltungsgesellschaft mbH bei; außerdem wird jährlich 1 Mrd DM im Rahmen eines Beschäftigungsprogrammes zur Verfügung gestellt. Energieexperten gehen davon aus, dass sich die Gesamtkosten für die B.-Sanierung in den neuen Bundesländern auf 16 Mrd DM belaufen (Gesamtfläche: etwa 120 000 ha).

Brennstoffzelle

In einer B. wird vergleichbar mit einer Batterie durch Reaktion eines Brennstoffs (Wasserstoff, Erdgas, Kohlegas) mit Sauerstoff (Oxidation) chemische in elektrische Energie umgewandelt. Bei dieser kalten Verbrennung entsteht Wärme.

Anwendung: Die Nutzung von B. (mobil oder stationär) erstreckt sich auf die Bereiche, in denen Elektrizität oder eine Mischung aus Strom und Wärme gebraucht werden (z.B. Kraftwerke). Der theoretisch erzielbare Wirkungsgrad (Verhältnis zwischen eingesetzter und nutzbarer Energie) von B. liegt bei 95%; 1998/99 konnten in der Praxis etwa 65% Wirkungsgrad erreicht werden. Die durchschnittliche Lebensdauer einer B. ist u. a. abhängig vom Verunreinigungsgrad des Brennstoffs und der Aggressivität der Elektrolyten; Ziel der Forschung ist es, bis 2005 eine Tauglichkeit für rund 40 000 Arbeitsstunden zu gewährleisten.

Vorteile: Als Hauptvorzüge der B.-Technik werden vor allem gesehen:
– geringer Schadstoffausstoß, sauberes Abwasser

Brennstoffzellen: Technisches Prinzip

▶ **Anwendung:** Erdgas befeuerte Zellen mit Phosphorsäure (PAFC) eignen sich insbes. für die Kraft-Wärme-Kopplung in Kleinkraftwerken. Nachgeschaltete Gas- und Dampfturbinen können den Wirkungsgrad von Hochtemperatur-Zellen auf 70–80% erhöhen. Durch zahlreiche Forschungsprogramme der Europäischen Union (EU) soll bis 2005 eine Leistung von 300 kW und eine Lebensdauer von etwa 40 000 Stunden erreicht werden. Im Automobilbereich werden Niedertemperatur-Brennstoffzellen als Aggregat für Elektroautos getestet.

▶ **Emission:** Im Vergleich zu herkömmlichen Kraftwerken lässt sich der Stickoxidausstoß bei der Energieerzeugung mit Brennstoffzellen um bis zu 90% senken. Dadurch wird der Ausstoß von giftigen Kohlenwasserstoffen oder Schwefeldioxid erheblich reduziert. Durch den Gebrauch einer Brennstoffzelle wird 20–50% weniger Kohlendioxid freigesetzt.

▶ **Funktionsweise:** Ähnlich wie eine Batterie besteht die Brennstoffzelle aus Anode, Kathode und einem sie umgebenden Elektrolyten. Da ihr kontinuierlich brennbare Gase und Luft als Oxidationsmittel zugeführt werden, kann die Spannung konstant erhöhen werden. Einzelne Zellen werden in Röhren oder Platten mit Gasverteilung und Stromableitung zu einer Funktionseinheit zusammengefasst.

▶ **Typen:** Die Brennstoffzellen unterscheiden sich durch ihr Elektrolytmaterial und die Betriebstemperatur bei ihrer Elektrizitätserzeugung (Nieder-, Mittel- und Hochtemperaturzellen). Den größten Wirkungsgrad erzielen Hochtemperaturzellen (650–1000 °C). Ab 2010 ist mit einer Serienproduktion zu rechnen. Ende der 90er Jahre waren erdgasbefeuerte Zellen mit Phosphorsäure am weitesten entwickelt. Sowohl in den USA als auch in Japan wurden Kraftanlagen dieses Typs mit 50–200 kW Leistung hergestellt.

– geringe Lärmentwicklung und Vibrationsfreiheit
– hohe Wartungsfreundlichkeit
– multifunktionale Einsetzbarkeit
– hohe Verstromungs- und Brennstoffnutzungsgrade
– gute Laständerungsgeschwindigkeiten sowie Überlastfähigkeit bei sehr hohem Stromverbrauch, hervorragende Teillastwirkungsgrade.

Test in Berlin: Im Rahmen eines Modellversuchs ab Mitte 1999 erproben die Energieversorger Bewag, HEW, EDF, Preussen Elektra und VEAG in der deutschen Haupt-

---

Brennstoffzellen: Typenvergleich

Bezeichnung (Brennstoffzelle)	Betriebstemperatur (°C)	Elektrolyt	Brennstoff	Oxidant	Wirkungsgrad (%)	Einsatzgebiet
Alkalische (AFC)	80	Kalilauge	Wasserstoff	Sauerstoff	k. A.	Verkehr
Polymer-Elektrolyt-Membran (PEMFC)	50–80	Kunststofffolie	Wasserstoff, Methanol	Sauerstoff, Luft	60	Verkehr
Phosphorsäure (PAFC)	200	Phosphorsäure	Erdgas	Luft	36–46	Heizkraftwerk
Schmelzkarbonat (MCFC)	650	Lithium-, Kaliumkarbonat	Erdgas, Kohlegas	Luft	48–56	Kraftwerk, Heizkraftwerk
Oxidkeramische (SOFC)	800–1000	Zirkonoxid	Erdgas, Kohlegas	Luft	55–65	Kraftwerk, Heizkraftwerk

Quelle: Wirtschaftswoche; Stromthemen

stadt, ob B. vom Typ PEMFC bei Blockheizkraftwerken eingesetzt werden können. Als Energieträger dient Erdgas, ergänzend kann Wasserstoff direkt zugeführt werden. Die Leistung des Testaggregats soll 250 kW Strom und 230 kW Wärme ereichen. 60% der Projektkosten von etwa 7,5 Mio DM tragen die beteiligten Unternehmen, den Rest finanziert die EU.

Test in Kalifornien: Anfang April 1999 startete in dem US-Bundesstaat der Großversuch »Kalifornische Partnerschaft für Brennstoffzellenfahrzeuge«. Bis 2003 sollen 30 Pkw sowie 20 Busse der Regierung durch B. angetrieben werden. Das Projekt wird von den Unternehmen Arco, DaimlerChrysler, Ford, Shell und Texaco unterstützt.

Wasserstoff: In Hamburg eröffnete im Januar 1999 die erste öffentliche Wasserstoff-Tankstelle Europas. Zwölf kommunale Unternehmen tragen die laufenden Kosten und setzen die umgerüsteten Autos in ihren Betrieben ein. Nach Einschätzung der Betreiber reicht eine Tankfüllung für rund 150 km, der Kraftstoffpreis wurde mit rund 22 Pf/km angegeben.

CASTOR

(cask for storage and transport of radioactive material, engl.; Behälter zur Lagerung und zum Transport radioaktiven Materials). In den USA und in Europa dient der C. zur Beförderung von Brennmaterial aus Atomkraftwerken in ein Zwischenlager oder zu Wiederaufarbeitungsanlagen (WAA) wie Sellafield/Großbritannien oder La Hague/Frankreich.

Die im Herbst 1998 gewählte rot-grüne Bundesregierung wies Anfang 1999 darauf hin, dass nach geltendem Recht alle C.-Transporte durchgeführt werden müssen, die im Zusammenhang mit dem geplanten Verzicht auf die Wiederaufarbeitung abge-

brannter Brennstäbe in Deutschland oder der Rückführung von Atommüll aus den WAA in Frankreich und Großbritannien stehen. Zuvor hatten sich die Landesregierungen von Niedersachsen und Nordrhein-Westfalen wegen befürchteter Proteste von Atomkraftgegnern und Sicherheitsbedenken (verstrahlte C.-Behälter 1997) gegen weitere C.-Transporte ausgesprochen. Mitte 1999 galt ein Transportverbot wegen 1997/98 gemessener überhöhter radioaktiver Belastungen an den Außenflächen der C.-Transportbehälter für abgebrannte radioaktive Brennelemente.

Korrosion: Ende 1998 berichtete die Bundesanstalt für Materialforschung und -prüfung, dass bei einigen deponierten C.-Behältern Wassertropfen im Dichtungsbereich der Deckel gefunden worden seien. Die minimalen Undichtigkeiten hätten allerdings keinen Radioaktivitätsaustritt zur Folge gehabt. Bundesumweltministerium und Prüfbehörde machten deutlich, dass in weiteren Tests die Korrosionssicherheit der C. noch einmal detailliert untersucht werden müsse.

Drei-Schluchten-Damm

Im Zuge der Fertigstellung des weltweit größten Wasserkraftprojekts in der Volksrepublik China (geplante Inbetriebnahme: 2009) wurden 1998 im Bereich des Jangtsekiang etwa 168 000 Menschen umgesiedelt. Für 1999 planten die chinesischen Behörden den Umzug von weiteren 83 000 Personen sowie 112 ansässigen Unternehmen. Insgesamt müssen mehr als 1,2 Mio Anrainer bis zum Ende der Bauarbeiten am D. eine neue Heimat gefunden haben.

Ziele und Kosten: Nach offiziellen chinesischen Angaben dient das 1997 gestartete Vorhaben dem Hochwasserschutz in der Region, der Stromerzeugung und der Erleichterung der Schifffahrt. Die Gesamtkosten des D. belaufen sich auf umgerechnet 54 Mrd DM. Durch die aufgestauten Wassermassen werden etwa 98 753 ha Land überflutet. Die Gesamtlänge des geplanten Stausees beträgt 663 km, seine Fläche umfasst 104 500 ha, das gespeicherte Wasservolumen liegt bei 39,3 Mrd m^3. Für die Stromerzeugung wird am Fuß des Damms ein Kraftwerk mit 26 Generatoren errichtet. Ihre Gesamtleistung ist auf 18 200 MW an-

Drei-Schluchten-Damm: Bauphasen	
▶ **Phase 1 (1994–97):** Am südlichen Flussufer wird das neue Flussbett des Jangtsekiang gegraben. Die Baustelle bleibt für Schiffe passierbar. Im Verlauf der Arbeiten müssen fast 30 000 Menschen umgesiedelt werden. ▶ **Phase 2 (1997/98–2003):** Der Jangtsekiang wird in ein neues Bett umgeleitet. Im alten Flussbett beginnen die Arbeiten am 185 m hohen Hauptdamm. Jährlich müssen rund	80 000 Menschen umgesiedelt werden. 2003 sollen die ersten zwölf Generatoren des Kraftwerks in Betrieb gehen. ▶ **Phase 3 (2004–09):** Die Umleitung des Jangtsekiang wird aufgehoben, der Fluss fließt wieder in seinem alten Bett. Alle 26 Generatoren gehen in Betrieb. Im Bereich des neuen Flussbetts wird das Schiffshebewerk fertig gestellt. Der Stausee erreicht 2013 den geplanten Wasserspiegel.

gesetzt; dies entspricht etwa der Kapazität von 15 Atomkraftwerken oder 30 Kohlekraftwerken. Durch den Bau zweier Schleusenstraßen mit je fünf Schleusen ist der Jangtsekiang, der mit 6300 km längste Fluss Asiens und drittlängste Fluss der Welt, ab 2009 stromaufwärts bis zur Stadt Chongqing für Schiffe bis zu 10 000 BRT befahrbar (bisher: 3000 BRT). Nach letzten Berechnungen aus dem Jahr 1998 wird sich hierdurch die Transportkapazität auf jährlich 50 Mio t verfünffachen.
Kritik: Umweltschützer sehen in dem Projekt einen irreparablen Eingriff in die Natur. Sie befürchten Klima-, Landschafts- und Feuchtigkeitsveränderungen durch den D. Außerdem könnten durch die gewaltigen baulichen Veränderungen Erdverschiebungen hervorgerufen werden.

Endlagerung

Zeitlich unbefristete Deponierung radioaktiver Abfälle. E. ist die letzte Stufe der Atomaren Entsorgung.

Ende der 90er-Jahre gab es weltweit keine Anlage zur E. Wärme entwickelnden (hoch radioaktiven) Atommülls, der z. T. mehrere tausend Jahre lang strahlt. Das US-Energieministerium plante, neben Yucca-Mountain ein atomares Endlager in einem Salzstock bei Carlsbad (New Mexico) zu errichten. Geologischen Tests zufolge ließen sich dort aufgrund der Größe der unterirdischen, 800 m tiefen Lagerstätte sogar strahlende Abfälle aus dem Ausland unterbringen.
Atommüll: Radioaktiver Abfall mit einer vernachlässigbaren Wärmeentwicklung und wenigen Jahrzehnten Strahlungsaktivität (ca. 95% der bei der Atomenergienutzung anfallenden Rückstände) wird meist oberflächennah entsorgt. Er enthält rund 1% Radioaktivität. Hoch radioaktive abgebrannte Brennstäbe aus Atomkraftwerken und Abfälle aus der Wiederaufarbeitung abgebrannten Brennmaterials machen etwa 5% der Atomabfälle aus, bergen jedoch 99% der anfallenden Radioaktivität. Die E. dieses Wärme entwickelnden Mülls für viele Jahrhunderte ist vorgesehen in tiefen, geologisch stabilen und wasserundurchlässigen Erdschichten.
Morsleben: Das Endlager für schwach und mittel radioaktiven Atommüll in Morsleben (Sachsen-Anhalt) soll nach Plänen von Bundesumweltminister Jürgen Trittin (Bündnis 90/Die Grünen) geschlossen werden; entsprechende Vorgaben finden sich im Anfang 1999 veröffentlichten Entwurf einer Atomrechtsnovelle. Bis Ende Januar 1999 wurden in Morsleben 22 500 m³ schwach und mittel radioaktiven Abfalls deponiert, seit September 1998 ruht die Einlagerung aufgrund einer einstweiligen Anordnung des Oberverwaltungsgerichts Magdeburg. Im deutsch-deutschen Einigungsvertrag war festgelegt worden, dass die 1986 erteilte Betriebsgenehmigung mit Einschränkungen bis Ende Juni 2000 Gültigkeit besitzt. 1998 hatte die damalige CDU/CSU/FDP-Bundesregierung eine Verlängerung der Deponierfrist bis 30.6.2005 durchgesetzt (Abfallhöchstmenge: 40 000 m³).
Frankreich: Ende 1998 beschloss die französische Regierung den Bau von zwei unterirdischen sog. Labors, in denen die E. von Wärme entwickelndem (hoch radioaktivem) Atommüll ab 2003 getestet werden

soll. Einer der beiden geplanten Standorte liegt in Lothringen, wo der radioaktive Abfall in einer Lehmschicht verankert werden könnte. Die Entscheidung für den zweiten französischen Ort zur E. stand Mitte 1999 noch aus.

Energieverbrauch

Verbrauch: Trotz eines Wirtschaftswachstums von 2,8% sank 1998 der Primär-E. in Deutschland um 1,3% auf 488,6 Mio t SKE (1997: 495,1 Mio t SKE). Die sog. Energieintensität der Volkswirtschaft (Verbrauch und Ausnutzung der Energieträger) verringerte sich abermals um 4%. Der Verbrauchsrückgang lässt sich primär erklären durch die milde Witterung im Winter 1998/99 (temperaturbereinigt reduzierte sich der Primär-E. um 0,7%), Erfolge beim Energiesparen sowie strukturelle Besonderheiten im Industriesektor (abgeschwächtes Wachstum der energieintensiven Branchen). **Quellen:** Bei der Zusammensetzung des nationalen E. war Mineralöl auch 1997 mit einem Anteil von 40% wichtigster Energieträger vor Erdgas (21%) und Steinkohle (14,2%); der Beitrag Erneuerbarer Energien zum E. blieb mit 2% unbedeutend. Auch die deutsche Primärenergiegewinnung verminderte sich 1998: Insgesamt wurden nur noch rund 128 Mio t SKE bereit gestellt, ein Minus gegenüber dem Vorjahr von 6,3%. Die bedeutendsten inländischen Energieträger blieben Braun- und Steinkohle. **Energieagenturen:** Im Herbst 1998 stellte die Europäische Kommission knapp 5 Mio ECU (rund 10 Mio DM) zur Einrichtung weiterer 16 regionaler und 17 städtischer Energieagenturen zur Verfügung.

BILANZ 2000

Energie
Erneuerbare Energien als Hoffnung

Ende des 20. Jh. nimmt Deutschland im globalen Vergleich eine herausragende Position im Bereich der Techniken zur Nutzung Erneuerbarer Energien ein, die lediglich zu geringen Umweltbelastungen führen (Abfall, Biomasse, Sonne, Wasser, Wind). Die Stromerzeugung durch Windkraft hat sich in den 90er Jahren fast verzehnfacht, die Einspeisung durch regenerative Energieträger insgesamt fast verdreifacht. Lt. Bundesumweltministerium ist bis 2010 eine weitere Verdopplung realistisch, bis 2050 sogar eine Verzehnfachung. Im europäischen Vergleich liegt Deutschland mit einem jährlichen Verbrauch von rund 5800 kWh/Kopf im unteren Mittelfeld, während die Spitzenreiter Schweden (rund 15 000) und Norwegen (23 800) drei- bis viermal so viel verbrauchen. Der mit Abstand wichtigste Energieträger in Deutschland blieb mit rund 40% Erdöl vor Erdgas (21%), Steinkohle (14%) und der Atomenergie (ca. 12%). Positiv ist die zunehmende Entkopplung von Wirtschaftswachstum und Energieverbrauch: Trotz Wirtschaftswachstums von 2,2% sanken 1997 Verbrauch und Ausnutzung der Energieträger um 0,5%.

Positive Trends

▸ Die internationalen Wachstumschancen für die Nutzung Erneuerbarer Energien werden auf jährlich zweistellige Raten geschätzt.
▸ Die effiziente Ausnutzung der Energieträger verbesserte sich Ende der 90er Jahre in Deutschland um 4%.
▸ Trotz Wirtschaftsdynamik wird sich der Primärenergieverbrauch in Deutschland bis 2020 auf dem Stand der 90er Jahre stabilisieren.

Negative Trends

▸ Mit Subventionen von 28 751 DM jährlich pro Arbeitsplatz ist der Kohlebergbau die höchstsubventionierte Branche in Deutschland.
▸ Die globalen Erdölvorräte werden nach Schätzungen spätestens Mitte des 21. Jh. erschöpft sein (Erdgas in 70 Jahren, Steinkohle in 150 Jahre und Braunkohle in 500 Jahren).

▆▆ **Energieverbrauch**				
Mineralöl	195,3[1]	▼ −0,5[2]	40,0[3]	
Erdgas	102,5	▲ +0,4	21,0	
Steinkohle	69,5	▼ −0,3	14,2	
Atomenergie	60,2	▽ −5,1	12,3	
Braunkohle	51,5	▽ −5,1	10,5	
Wasser/Wind	2,6	▲ +7,2	0,5	
Sonstige	7,1	▼ −2,7	1,5	

1) 1998 (Mio t SKE), Angaben z. T. geschätzt und gerundet; 2) Veränderung gegenüber 1997 (%); 3) Anteil der Energieträger am Verbrauch (%); Quelle: Arbeitsgemeinschaft Energiebilanzen; http://www.diw-berlin.de/Projekte/Ag EB

Als Endlager für schwach radioaktiven Abfall umstritten: Salzstock in Morsleben

Meilensteine

Das Jahrhundert der fossilen Brennstoffe

1911: Friedrich Bergius (D) schafft mit der Kohlehydrierung die Voraussetzung für die industrielle Produktion von flüssigem Kohlenwasserstoff; ab 1926 wird die Methode zur Benzinherstellung eingesetzt.

1913: In Larderello (I) geht das erste geothermische Kraftwerk zur Nutzung der Erdwärme ans Netz.

1924: Das Walchenseekraftwerk (D) ist das erste große elektrische Speicherkraftwerk der Welt.

1927: Georges Darrieus (F) entwickelt mit dem Darrieus-Rotor aus zwei bzw. drei senkrechten Rotorblättern das heute verwendeten Standard für Windkraftanlagen.

1940: In Deutschland wird zur Energieeinsparung zum ersten Mal die Sommerzeit eingeführt.

1947: Im Golf von Mexiko werden erstmals Offshore-Ölbohrer außerhalb der Küstenzone fündig.

1951: Als erster Brutreaktor liefert der Atommeiler EBR-1 in Arco bei Idaho Falls (USA) elektrischen Strom ins öffentliche Netz.

1954: In den USA wird die Silizium-Solarzelle entwickelt; sie wandelt die Sonnenstrahlungs- in elektrische Energie um.

1960: Mit der OPEC entsteht das größte Rohstoffkartell der Erde.

1961: In Kahl/Main nimmt der erste Leistungskernreaktor der Bundesrepublik Deutschland den Betrieb auf.

1967: In Saint-Malo (F) startet das erste große Gezeitenkraftwerk.

1971: Im Ekofisk (N) beginnt die Erdölförderung; das Feld wird mit 28 Offshore-Installationen das größte Industriegebiet in der Nordsee.

1973: Die Universität von Delaware (USA) lässt Solar One, das erste durch Sonnenenergie versorgte Haus der Welt, erbauen.

1973: Mit dem Öllieferboykott von OPEC-Staaten gegen die USA und die Niederlande wegen israelfreundlicher Haltung wird Energie erstmals zur politischen Waffe.

1974: Das Zero-Energy-House in Korsgaard (DK) wird richtungweisend für die Entwicklung von Niedrigenergiehäusern mit einem jährlichen Verbrauch unter 100 kWH/m² und von Passivhäusern (30 kWh/m²).

1974: Der »Kohlepfennig« zur Subventionierung der Verstromung deutscher Kohle wird eingeführt.

1991: Nach Zwangsumsiedlung von 20 000 Menschen wird das Wasserkraftwerk Itaipú (B/PY) eingeweiht.

1998: Garzweiler II (NRW) ist das größte europäische Braunkohle-Tagebauprojekt.

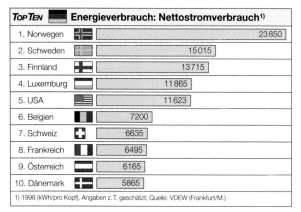

TOP TEN — Energieverbrauch: Nettostromverbrauch[1]

1. Norwegen		23850
2. Schweden		15015
3. Finnland		13715
4. Luxemburg		11865
5. USA		11623
6. Belgien		7200
7. Schweiz		6635
8. Frankreich		6495
9. Österreich		6165
10. Dänemark		5865

1) 1998 (kWh/pro Kopf), Angaben z. T. geschätzt; Quelle: VDEW (Frankfurt/M.)

Zum Vergleich: Deutschland belegt in dieser Liste mit 5848 kWh Nettostromverbrauch je Einwohner den elften Rang.

1998 wurden in Deutschland insgesamt 552 Mrd kWh Strom brutto erzeugt. Das waren 0,4% mehr als im Vorjahr.

1998/99 gab es in der EU und Norwegen bereits 173 dieser Informationsstellen für effizientere Energienutzung.

Prognose: Die Esso AG sagte 1998 in ihrer Energieprognose voraus, dass im Jahr 2020 trotz weiteren Wirtschaftswachstums der Primär-E. in Deutschland um 5% unter dem Niveau von 1997 liegen werde. Voraussetzung ist jedoch, dass die Rohölpreise und Verbrauchssteuern nur moderat steigen und die Bundesregierung sich weiterhin am nationalen Klimaziel (CO_2-Reduktion) orientiert. Auch 2020 wird das Mineralöl mit einem Anteil von ca. 35% wichtigster Energieträger sein, der Mineralölverbrauch könnte dann bei rund 134 Mio t liegen (1998: 195,3 Mio t).

Weltmarkt: Nach Einschätzung des Weltenergierates (WEC, London) wird sich bis 2050 der globale Energiebedarf auf 19,8 Gigatonnen Öläquivalent mehr als verdoppeln (1999: 9 Gigatonnen), während die Weltbe-

völkerung dann die Grenze von 10 Mrd Menschen überschritten hat. Nach den technischen Maßstäben um 2000 werden alle bekannten Primärenergieträger auch Mitte des 21. Jh. noch relevant sein, doch nehmen die Energiebereiche Atomkraft und Erneuerbare Energien bei der Deckung der Nachfrage an Wichtigkeit zu.

Stand-by: Auf EU-Ebene werden nach einer Untersuchung des Bundesumweltministeriums jährlich 100 Mrd kWh Strom durch unbenutzte, aber nicht abgeschaltete Elektrogeräte (Stand-by-Betrieb) verbraucht. In Deutschland erreichen die Leerlaufverluste etwa 20 Mrd kWh. Um Elektrizität zu sparen, sollten folgende Kriterien beachtet werden:
– Nach dem Betriebsende totales Abschalten des Gerätes
– Beim Kauf eines Gerätes auf den Stromverbrauch achten, entsprechende Hinweise liefert das Signet der Gemeinschaft Energielabel Deutschland (GED)
– Vorschaltgeräte installieren; sie reduzieren die benötigte Energie im »Leerlaufmodus« auf weniger als 1 W.
http://www.esso.de

Energieversorgung

Marktöffnung: Gemäß Vorgaben der Europäischen Kommission von 1996 (Öffnung der nationalen Energiemärkte bis Februar 1999) wurde der Strommarkt in Deutschland durch eine Änderung des Energiewirtschaftsgesetzes bereits im April 1998 liberalisiert (Ausnahme: Bis Ende 2003 gelten in Ostdeutschland Übergangsfristen für die Stromproduktion aus Braunkohle). Nach Berechnungen der Vereinigung Deutscher Elektrizitätswerke (VDEW, Frankfurt/M.) von 1998/99 profitierten insbes. Industriekunden vom Wettbewerb zwischen Energieversorgungsunternehmen (EVU). So fielen die Strompreise für diesen Kundenkreis zwischen April 1998 und Januar 1999 im Durchschnitt um 6%. Bei Privat- oder Haushaltskunden war dagegen eine eher gegenläufige Tendenz zu verzeichnen, die durch die Erhöhung der Strompreise im Rahmen der Ökosteuer (+2 Pf/kWh zusätzlich bis 2003) noch verstärkt wurde. Als Grund gaben Fachleute die zu hohen Durchleitungsentgelte für Fremdstrom auf Basis der Verbändevereinbarung an. Nach öffentli-

Energieverbrauch: Bruttostromerzeugung

Atomenergie	161,7[1]	▼ –5,0[2]
Steinkohle	151,5	▲ +5,9
Braunkohle	140,0	▼ –0,5
Erdgas	51,5	▲ +7,0
Sonstige	21,3	▲ +8,1
Wasser/Wind	20,5	▼ –1,9
Heizöl	5,5	▽ –6,8

1) 1998 (Mrd kWh, Angaben z. T. geschätzt und gerundet; 2) Veränderung gegenüber 1997 (%); Quelle: Deutsches Institut für Wirtschaftsforschung (Berlin); http://www.dwi.de

cher Kritik sicherte die deutsche Stromwirtschaft Anfang 1999 zu, nach Ablauf der aktuellen Übereinkunft (30.9.1999) eine neue, marktgerechte Tarifstruktur zu präsentieren. **Durchleitung:** Anfang 1999 wies das Bundeskartellamt (Berlin) erneut darauf hin, dass z.B. Engpässe im Stromnetz eines Energieversorgers keinen Grund darstellten, die Durchleitung von Fremdstrom zu blockieren. Für die Wettbewerbshüter sind die Netzanbieter generell in der Pflicht, solche technischen Unzulänglichkeiten schnellstens zu beheben. Die Kosten sollten anteilig zwischen EVU und Kunden getragen werden.

Wettbewerb: Branchenanalysten sahen es 1999 als zwingend erforderlich an, dass sich die Stromanbieter im Zuge des Wettbewerbs verstärkt auf Absatz- und Marketingkonzepte für ihre Unternehmen konzentrieren. Um bei steigendem Konkurrenzdruck mithalten zu können, dürfe die Sicherung bzw. Erweiterung des Kundenkreises nicht nur durch niedrige Preise erfolgen; vielmehr müssten auch die Kriterien Stromqualität, Versorgungssicherheit und Ökostrom verstärkte Beachtung erfahren.

Berlin: Im April 1999 wechselten erstmalig 180 mittelständische Betriebe im Berliner Raum ihre EVU. Der Deal wurde durch eine ortsansässige Energieagentur realisiert und bewirkt bei den beteiligten Unternehmen Stromkosteneinsparungen von knapp 27%.

Frankreich: Die Liberalisierung des französischen Energiemarktes erfolgte zögerlich und verspätet: Im März 1999 stimmte die Nationalversammlung der Umsetzung der EU-Richtlinie nach kontroverser Debatte zu. Nach neuem französischen Recht können zunächst die 400 größten Kunden ihr EVU frei wählen. Bis 2003 soll sich der Kreis dieser Unternehmen auf 2500 versechsfachen.

http://www.strom.de

Öffentliche Stromversorgung[1]

Atomenergie	33
Braunkohle	27
Steinkohle	27
Erdgas	7
Erneuerbare Energien	4
Heizöl/Sonstige	2

1) Anteil der Energieträger (%); Stand: Anfang 1999; Quelle: VDEW

Energieversorgung: Deutscher Stromhandel[1]

	Einfuhr	Ausfuhr
Dänemark	3165	359
Frankreich	4877	171
Luxemburg	846	4306
Niederlande	4	9110
Österreich	5416	3370
Schweden	849	1031
Schweiz	5491	5317
Slowakei	226	933
Tschechien	645	3
Ungarn	51	863

1) 1998 (Mio kWh); Stand: Ende 1998; Quelle: VDEW

Entsorgung, Atomare

Das deutsche Atomgesetz schreibt die E. abgebrannter radioaktiver Brennelemente aus kerntechnischen Anlagen als Voraussetzung für den Betrieb eines Atomkraftwerks vor. Die Stromversorger können seit 1994 zwischen Wiederaufarbeitung und direkter Endlagerung wählen.

1998 führte Deutschland 21 593 Mio kWh ein und exportierte 26 381 Mio kWh Strom.

Energieversorgung: Stromrechnung[1]

Belgien	106
Dänemark	95
Deutschland	94
Finnland	51
Frankreich	86
Griechenland	68
Großbritannien	75
Irland	109
Italien	152
Luxemburg	82
Niederlande	83
Österreich	89
Portugal	129
Schweden	54
Spanien	62

1) eines Drei-Personen-Musterhaushalts im Januar 1999 mit einem durchschnittlichen Stromverbrauch von 3500 kWh/Jahr (DM); Quelle: VDEW

Entsorgung: Kernbrennstoffe und Atommüll

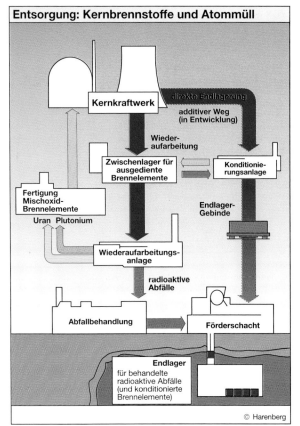

Kernkraftwerk

direkte Endlagerung

additiver Weg
(in Entwicklung)

Wieder-
aufarbeitung

**Zwischenlager für
ausgediente
Brennelemente**

**Konditionie-
rungsanlage**

**Fertigung
Mischoxid-
Brennelemente**

Uran Plutonium

**Endlager-
Gebinde**

**Wiederaufarbeitungs-
anlage**

radioaktive
Abfälle

Abfallbehandlung

Förderschacht

Endlager
für behandelte
radioaktive Abfälle
(und konditionierte
Brennelemente)

© Harenberg

Ende der 90er Jahre wurde der Großteil der Wärme entwickelnden (hoch radioaktiven) Atomabfälle aus Deutschland zur Wiederaufarbeitung nach Frankreich (La Hague) und Großbritannien (Sellafield) transportiert. Die Endlagerung hat gegenüber der Wiederaufarbeitung Kostenvorteile von 1000 DM/kg Atommüll. Mitte 1999 gab es jedoch weltweit noch kein Endlager für hoch radioaktiven Abfall.

Lagerung: Zwei Arten der E. sind möglich:
– Abgebrannte Brennelemente werden in einer Konditionierungsanlage zerlegt und verpackt. Anschließend erfolgt die zeitlich unbefristete Aufbewahrung in einem Endlager für mehrere Jahrhunderte.
– Von den verbrauchten Brennelementen wird in einer Wiederaufarbeitungsanlage das noch nutzbare spaltbare Material abgetrennt. Der Wärme entwickelnde Abfall wird mit Glas verschmolzen und in Stahl gegossen, der mit vernachlässigbarer Wärmeentwicklung (schwach und mittel radioaktiv) mit Zement vermischt und in Spezialcontainer gefüllt; beides wird anschließend endgelagert.

La Hague/Sellafield: Im Verlauf der Diskussion um die Novellierung des deutschen Atomgesetzes und ein mögliches Verbot der Wiederaufarbeitung bestanden die Betreiber der Wiederaufarbeitungsanlagen (WAA) in La Hague (Frankreich; Betreiber: Compagnie Générale des Matières Nucléaires, Cogema) und Sellafield (Großbritannien; Betreiber: British Nuclear Fuels, BNFL) auf Einhaltung der mit deutschen Energieversorgungsfirmen geschlossenen Verträge über die Verarbeitung des Atommülls. Lt. Cogema endet ein Großteil der Übereinkunfte erst im Jahr 2010, für einzelne Atomkraftwerke sind sogar längere E.-Fristen abgeschlossen worden. Die Abkommen mit BNFL weisen Laufzeiten bis 2004 (erste Tranche) und in einer zweiten Tranche bis 2014 auf (Vertragswert: 3,3 Mrd DM).

EU: Nach einer Studie der Europäischen Kommission reduzierte sich 1998 die Menge radioaktiven Abfalls innerhalb der Mitgliedstaaten der EU (ohne Finnland, Österreich, Schweden) auf $50\,000$ m^3 (Prognose von 1997: $80\,000$ m^3). Das Minus resultierte u. a. aus einem Baustopp für Atommeiler und dem Abschalten alter Reaktorblöcke.

Russland: Die britische Regierung erklärte sich im Frühjahr 1999 bereit, Russland bei der E. des Atommülls der Nordmeer-Flotte technisch und finanziell zu unterstützen. Nach Schätzungen dauert die Aufarbeitung dieses radioaktiven Mülls (Entsorgung, Endlagerung) etwa 40 Jahre (Kosten: rund 1 Billion US-Dollar).

Meereslagerung: Im portugiesischen Ort Sintra kamen die Vertragsstaaten der Oslo-Paris-Kommission zum Schutz des Nordatlantiks (Ospar) Mitte 1998 überein, bis 2020 die radioaktiven Einleitungen ins Meer fast ganz zu stoppen. Die technische Machbarkeit bei der Realisierung des Ziels sei berücksichtigt. Ein Großteil der strahlenden Substanzen im Nordostatlantik wird durch Einleitungen aus La Hague und Sellafield verursacht.

Erdgas

Gemisch verschiedener Gase (Hauptanteil: Methan, 80–95%). Auf Grund wesentlich geringeren Schadstoffausstoßes im Vergleich zum Erdöl oder zur Kohle gilt E. als der umweltverträglichste fossile Brennstoff.

Deutschland: Infolge der milderen Witterung im Winter 1998/99 stieg der E.-Verbrauch in Deutschland lediglich um 0,4% auf 102,5 Mio t SKE (1997 lag der Verbrauch bei 102,1 Mio t SKE). Hätte das Klima im Vorjahr aber den in den Vorjahren gemessenen Normaltemperaturen entsprochen, wäre in Deutschland wahrscheinlich eine Zunahme um 1,8% gegenüber 1997 zu verzeichnen gewesen. Privathaushalte, Gewerbe- und Dienstleistungsunternehmen verbrauchten 1998 mit rund 47% fast die Hälfte des genutzten E. Der Anteil des E. an der nationalen Stromerzeugung stieg 1998 gegenüber dem Vorjahr um 7% auf insgesamt 9,3%. Nach Schätzungen der Arbeitsgemeinschaft Energiebilanzen waren 1998/99 etwa 15,3 Mio Wohnungen in Deutschland mit E.-Heizsystemen ausgerüstet (ihr Anteil am deutschen Wohnungsbestand lag damit bei etwa 42%). Im Bereich der Neubauwohnungen lag der Anteil der mit E. betriebenen Heizungen sogar bei über 70%.

Importe und Reserven: Der deutsche E.-Bedarf wurde 1998 zu etwa 21% aus der inländischen Förderung gedeckt. Bei den Importen blieb Russland mit 35% der wichtigste Lieferant vor den Niederlanden und Norwegen. Ende 1998 wurden die geologisch gesicherten E.-Reserven in Deutschland auf rund 339 Mrd m³ geschätzt (Ende 1997 lagen sie noch bei etwa 347 Mrd m³).

Pipeline: Im Oktober 1998 wurde nach zweijähriger Bauzeit die Rohrleitung Interconnector zwischen dem ostenglischen Küstenort Bacton und dem belgischen Zeebrügge in Betrieb genommen. Die 235 km lange und rund 1,25 Mrd DM teure Investition ermöglicht erstmals den Transport britischen E. zum Kontinent per Pipeline. Die max. E.-Durchleitung Richtung Zeebrügge beträgt 20 Mrd m³/Jahr, nach Großbritannien können aufgrund fehlender Verdichter höchstens 8,5 Mrd m³/Jahr gepumpt werden. Interconnector-Hauptgesellschafter sind British Gas (40%), Gaprom (10%), Elf (10%), Conoco (10%) und BP (10%). Je 5%

der Anteile halten die Unternehmen Amerada Hess, Distrigaz, National Power sowie die deutsche Ruhrgas AG.

Wedal: Im Oktober 1998 wurde die E.-Fernleitung Wedal (Westdeutschland-Anbindungs-Leitung) fertig gestellt. Nach Angaben des Betreibers Wingas sollen durch die 320 km lange Verbindung von Bielefeld nach Aachen etwa 11 Mrd m³ E./Jahr fließen. Das Investitionsvolumen von Wedal betrug 600 Mio DM.

Gashydrate: Deutsche Wissenschaftler entdeckten Anfang 1999 vor der Insel Java (Indonesien) Gashydrate in rund 3000 m Wassertiefe, knapp 30 cm unter dem Meeresboden. Gashydrate setzen sich zu mind. 90% aus Methan und gefrorenem Wasser zusammen und gelten als eine der Energiereserven der Zukunft. Die weltweiten Vorkommen wurden 1999 auf 3000 Billiarden bis 7600 Billiarden m³ geschätzt (Versorgungskapazität: mehrere Jahrzehnte). Eine kommerzielle Nutzung von Gashydraten scheiterte bislang an der unzureichenden Erkundungs- und Bohrtechnik.

TOP TEN Erdgasreserven[1]

Land	Mrd m³
GUS	55,9
Iran	22,9
Katar	8,5
VAE[2]	5,8
Saudi-Arabien	5,3
USA	4,7
Venezuela	4,0
Algerien	3,7
Nigeria	3,3
Irak	3,1

1) Bio m³, Stand: Anfang 1998; 2) Vereinigte Arabische Emirate; Quelle: Esso AG

Deutsche Erdgasimporte[1]

Land	%
Russland	35
Niederlande	22
Irland	21
Norwegen	19
Sonstige	3

1) Anteil am deutschen Import (%), Stand: 1998; Quelle: Dt. Institut für Wirtschaftsforschung (Berlin)

Anfang 1998 beliefen sich die gesicherten weltweiten E.-Reserven auf 143,9 Bio m³. Die größten E.-Vorräte mit einem Anteil von rund 39% lagen auf dem Gebiet der ehemaligen UdSSR (heute Gemeinschaft Unabhängiger Staaten, GUS).

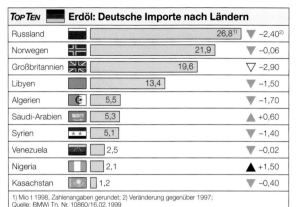

TopTen ▓ Erdöl: Deutsche Importe nach Ländern		
Russland	26,8[1]	▼ −2,40[2]
Norwegen	21,9	▼ −0,06
Großbritannien	19,6	▽ −2,90
Libyen	13,4	▼ −1,50
Algerien	5,5	▼ −1,70
Saudi-Arabien	5,3	▲ +0,60
Syrien	5,1	▼ −1,40
Venezuela	2,5	▼ −0,02
Nigeria	2,1	▲ +1,50
Kasachstan	1,2	▼ −0,40

1) Mio t 1998, Zahlenangaben gerundet; 2) Veränderung gegenüber 1997;
Quelle: BMWi Tn. Nr. 10860/16.02.1999

1998 führte Deutschland insgesamt 109 Mio t Erdöl ein (1997: 99 Mio t). Trotz der Steigerung um 10,1% sank die nationale Erdöl-Rechnung wegen des Ölpreisverfalls um 6,2 Mrd DM (25%) auf 18,5 Mrd DM.

Erdöl

Brennbares Gemisch diverser Kohlenwasserstoffe, entstanden vor Jahrmillionen aus tierischen und pflanzlichen Organismen. In sog. Speichergesteinen bildet E. Lagerstätten; von dort wird es nach Anbohrung durch natürlichen Druck oder Pumpen an die Erdoberfläche gebracht.

Förderung: Trotz insgesamt schwacher Weltkonjunktur (u.a. infolge der Wirtschaftskrisen in Asien, Lateinamerika und Russland) und verhaltener Nachfrage wurden 1998 rund 3,57 Mrd t E. gefördert. Dies war im Vergleich zu 1997 ein Anstieg um 1,7%. Der Anteil der OPEC-Staaten an der

Erdölverbrauch nach Regionen[1]		
Nordamerika	1006,2	
	988,7	
Asien/Pazifik	916,2	
	889,0	
Europa	746,9	
	738,5	
Süd-/Mittelamerika	214,3	
	205,8	
Mittlerer Osten	201,7	
	197,7	
GUS	198,6	
	196,5	
Afrika	111,6	
	108,4	

1) Mio t; Quelle: BP Statistical Review of World Energy 1998 ▣ 1997 ▢ 1996

Weltproduktion belief sich auf 1,36 Mrd t E. (etwa 38% der Weltförderung). Die größten E.-Förderländer 1998 waren Saudi-Arabien (404 Mio t), USA (402 Mio t) und Russland (304 Mio t). Die europäischen Ölproduzenten Norwegen und Großbritannien belegten im internationalen Vergleich mit einer Fördermenge von 159 Mio t sowie 139 Mio t E. die Plätze acht und neun. Nach Berechnungen der Internationalen Energieagentur (IEA, Paris) betrug 1998 der weltweite E.-Verbrauch 73,9 Mio Barrel/Tag (bpd, 1997: 73,5 Mio bpd); 1 Barrel (engl. für Fass) entspricht 159 l. Für 1999 wurde von einer E.-Nutzung von 75,0 Mio bpd (+1,46%%) ausgegangen.

Preise: Rapide sinkende Rohölpreise auf den internationalen Märkten zwangen die OPEC (Organisation Erdöl exportierender Länder mit elf Mitgliedstaaten) im April 1999, die E.-Fördermengen um weitere 2 Mio bpd zu reduzieren. Die Produktionsdrosselung läutete die dritte Runde zur Senkung der E.-Überschüsse ein: Im April 1998 hatte die OPEC eine Reduzierung um 1,25 Mio bpd beschlossen, ab Juli 1998 hatte sich die Produktion um weitere 2,6 Mio bpd vermindert.

Reserven: Nach Berechnungen des Erdölinformationsdienstes haben die weltweit bestätigten und wirtschaftlich förderbaren E.-Reserven 1998/99 gegenüber dem Vorjahreszeitraum um 1,5% auf 140,6 Mrd t zugenommen, die potentiell verfügbaren E.-Vorräte belaufen sich nach Schätzungen auf 5500 Mrd t. Spitzenreiter bei den gesicherten E.-Reserven war 1998/99 Saudi-Arabien mit einem Anteil von 25,2%, auf den Plätzen folgten Irak, Kuwait sowie die Vereinigten Arabischen Emirate.

Unternehmenskooperation: Im Frühjahr 1999 vereinbarten der russische Energiekonzern Gasprom und das deutsche Chemieunternehmen BASF die gemeinsame E.- und Erdgasförderung in Russland. Das Investitionsvolumen der Kooperation beläuft sich auf mehrere Mrd DM. Zunächst sollen Lagerstätten in Westsibirien sowie in der Region Timan-Petschora ausgebeutet werden.

Fusion: Die Konzentrationswelle im Bereich der Mineralölunternehmen erreichte im Dezember 1998 einen Höhepunkt mit der Übernahme der Mobil Corporation (Fairfax/Virginia) durch die Exxon Corporation (Irving/Texas). Der Kaufpreis wurde mit 80,1 Mrd Dollar angegeben, der Börsenwert des neuen US-Ölmultis betrug 1998/99 mehr als 230 Mrd Dollar. Zuvor hatte der französische Total-Konzern das belgische Mineralölunternehmen Petrofina übernommen, im August hatten British Petroleum und das US-amerikanische Unternehmen Amoco fusioniert.

■ **Organisationen** →OPEC
http://www.opec.org

Erdwärme

(auch Geothermie), natürliche Wärmeenergie aus Erdschichten, die zur Heizung oder Elektrizitätsgewinnung verwendet werden kann. Durch die Nutzung der E. fallen keine Schadstoffe an.

Nutzung: Ende 1998 waren weltweit geothermische Anlagen mit einer Leistung von rund 8000 MW in Betrieb. Zu den Spitzenreitern bei der Stromerzeugung aus E. gehörten die USA, die Philippinen, Mexiko und Italien, das größte E.-Areal (ca. 2000 MW) befand sich in den USA in der Nähe von San Francisco. Im Bereich der geothermischen Wärmegewinnung waren die USA neben China und Island führend. 1998/99 wurden in Island knapp 85% aller Häuser und Betriebe durch E. aus Tausenden heißer Quellen beheizt.

Verfahren: E. wird aus unterirdischen Heißwasserspeichern (Aquifere) gewonnen. Nach der Wärmeabgabe wird das Wasser zurückgepumpt; der Wasserdruck in der jeweiligen Erdtiefe muss konstant bleiben. Beim sog. Hot-Dry-Verfahren (engl.; heißer, trockener Stein) wird kaltes Wasser mit hohem Druck durch ein Bohrloch in die Tiefe gepumpt, um trockenes Gestein zu spalten. Das Wasser durchdringt die entstandenen Gesteinsrisse und -spalten, erhitzt sich und wird durch ein zweites Bohrloch wieder an die Oberfläche transportiert.

Europa: Bedingt durch geologische Gegebenheiten – die nötige Temperatur von 180 °C wird durchschnittlich erst in 6000 m Tiefe erreicht – ist die Stromerzeugung aus E. in Europa oft unwirtschaftlich. Seit 1987 läuft ein Forschungsunternehmen im elsässischen Soultz-sous-Forêts. Der Ort liegt über einer etwa 3000 km² großen Wärmeanomalie (im Oberrheingraben steigt die Erdtemperatur stellenweise 6–10 °C pro 100 m Tiefe). 1997/98 wurde ein unterirdischer Wasserkreislauf in Gang gesetzt, die thermische Dauerleistung lag knapp über

Erdwärme: Temperatur in 2000 m Tiefe

Quelle: DIE WOCHE

© Harenberg

Temperaturen

50° C	60° C	70° C	80° C	90° C	100° C	110° C

10 MW. Seit Frühsommer 1999 werden in Soultz-sous-Forêts weitere Erkundungsbohrungen durchgeführt. Sollten die Arbeiten zu einem positiven Ergebnis führen, kann frühestens 2002 mit der Elektrizitätsgewinnung begonnen werden.

Deutschland: Anfang 1999 wurde E. in Deutschland in einer Größenordnung von etwa 400 MW genutzt. Dies entsprach ungefähr 0,4% des deutschen Heizbedarfs. Der überwiegende Teil der mehr als 20 inländischen Großanlagen sowie rund 20000 kleinere Grundwasserpumpen und E.-Tauscher dienten primär der Heizwärmegewinnung. Studien zufolge könnte fast die Hälfte der deutschen Wärmeversorgung durch Geothermie geleistet werden. Hinsichtlich der direkten E.-Nutzung wird von einem Potenzial von max. 80000 MW (etwa drei Viertel des Heizbedarfs) ausgegangen.

Erneuerbare Energien

Energiegewinnung aus wieder verwertbaren bzw. unerschöpflichen Energieträgern (Abfall, Biomasse, Sonne, Wasser, Wind). Die Umwandlung von E. in Sekundärenergie führt nur zu geringen Umweltbelastungen, insbes. mit Kohlendioxid (verantwortlich für die Erwärmung der Erdatmosphäre).

Potenzial: Die internationalen Wachstumschancen für die Nutzung der E., vor allem Sonnen- (Photovoltaik) und Windenergie, wurden für Anfang des 21. Jh. von Experten auf zweistellige Prozentwerte geschätzt. Um eine betriebswirtschaftliche Nutzung der E. jedoch gewährleisten zu können, müsse die öffentliche Förderung weiter forciert werden.

Deutschland: 1998 wurden in Deutschland 5% (1997: 4,7%) der benötigten Elektrizität aus E. gewonnen. Insgesamt erzeugten die öffentlichen Energieversorgungsunternehmen (EVU) sowie private Anlagenbetreiber aus Biomasse, Müll, Photovoltaik, Wasser und Wind etwa 23,8 Mrd kWh Strom. Die Steigerung gegenüber dem Vorjahr um rund 10% beruhte vor allem auf dem starken Anstieg der Windkraftnutzung (+53%). Wichtigster regenerativer Energieträger in Deutschland war auch 1998 die Wasserkraft. Durch sie konnten 16,1 Mrd kWh Strom gewonnen werden, auf den Plätzen folgten Windener-

gie (4,5 Mrd kWh), Müllkraftwerke (2,1 Mrd kWh), Biomasse (1,1 Mrd kWh) und Photovoltaik (0,02 Mrd kWh). Für 1999 liegt die prognostizierte Elektrizitätsgewinnung aus diesen Versorgungsquellen bei fast 30 Mrd kWh (Anstieg im Vergleich zum Vorjahr: 20%). Techniken zur Gewinnung von E. erzielten 1998 auf dem deutschen Markt ein Umsatzvolumen von 6 Mrd DM. Nach Einschätzung des Bundesumweltministeriums kann sich der Anteil der E. an der nationalen Energieversorgung bis 2010 auf etwa 10% verdoppeln, bis 2050 sogar auf 50% verzehnfachen.

Tarife: Ab Januar 1999 werden gemäß Stromeinspeisungsgesetz von den deutschen Netzbetreibern neue Entgelte für die vorgeschriebene Abnahme von Strom aus E. gezahlt. Bei Wind- und Sonnenenergie liegt der Preis bei 16,52 Pf/kWh (1998 betrug der Preis noch 16,79 Pf/kWh), für Strom aus Biomasse oder kleineren Wasserkraftanlagen sieht die Tarifstruktur jetzt 14,69 Pf/kWh (1998: 14,92 Pf/kWh) vor, Wasserkraftanlagen über 500 KW erzielen 11,93 Pf/kWh (1998: 12,12Pf/kWh). Die Vergütungshöhe berechnet sich aus den durchschnittlichen Erlösen der EVU beim E.-Stromverkauf im vorletzten Jahr (hier: 1997). Dieser Wert lag Berechnungen des Statistischen Bundesamtes zufolge bei 18,36 Pf/kWh (1996: 18,65 Pf/kWh). Aufgrund der Reduktion gegenüber 1996 fallen die Einspeisevergütungen für 1999 niedriger aus als im Vorjahr.

EU: Die Europäische Kommission ging im Frühjahr 1999 von Investitionen in Höhe von 30 Mrd Euro (fast 60 Mrd DM) aus, um auf EU-Ebene den Anteil der Elektrizitätsgewinnung aus E. wie geplant wesentlich zu vergrößern. 2010 sollen 12% des Energiekonsums innerhalb der Mitgliedstaaten der EU durch regenerative Quellen abgedeckt sein, bis 2002 werden für 200 Pilotprojekte im Rahmen des Programms Förderung der erneuerbaren Energieträger (Altener II) 74 Mio Euro (fast 148 Mio DM) zur Verfügung gestellt.

Garzweiler II

Projekt: Im Rahmen des größten europäischen Braunkohle-Tagebauprojekts (Fläche: 48 km^2, Kosten: ca. 4,4 Mrd DM, Nachfolge für Garzweiler I) werden bis Anfang des

---

Erneuerbare Energien: Infostellen (Auswahl)

▸ **Bund der Energieverbraucher (BdE) e. V.**
Grabenstraße 17
53619 Rheinbreitbach
http://www.oneworld web.de/BDE

▸ **Bundesverband Solarenergie (BSE) e. V.**
Elisabethstraße 34
80796 München
http://www.bse.solarindustrie.com

▸ **Bundesverband WindEnergie e. V.**
Bundesgeschäftsstelle
Herrenteichstraße 1
49074 Osnabrück
http://www.wind-energie.de

▸ **Deutsche Gesellschaft für Sonnenenergie e. V. (DGS)**
Augustenstraße 79
80333 München
http://www.dgs-solar.org/

▸ **Deutscher Wasserstoff-Verband e. V. (DWV)**
Unter den Eichen 87
12205 Berlin
http://www.dwv-info.de

▸ **EUROSOLAR**
Plittersdorfer Straße 103
53173 Bonn
http://www.eurosolar.org

▸ **Fördergesellschaft Erneuerbare Energien e. V.**
Köpenicker Straße 325
12555 Berlin
http://www.FEE-eV.de

▸ **Initiativkreis WärmePumpe e. V. (IWP)**
Elisabethstraße 34
80796 München
http://www.waermepumpe-iwp.de

▸ **International Solar Energy Society e. V. (ISES)**
Wiesentalstraße 50
79115 Freiburg
http://www.ises.de
http://www.wire.ises.org

▸ **Verband Deutscher Ölmühlen e. V.**
Kronprinzenstraße 24
53173 Bonn
http://www.oelmuehlen.de/main.htm

---

21. Jh. etwa 7600 Anwohner aus elf betroffenen Ortschaften umgesiedelt. Rheinbraun, ein Tochterunternehmen des RWE-Konzerns, will ab 2006/7 mit dem Abbau der bis zu 210 m tiefen und 30 m dicken Flöze beginnen, die geplante jährliche Braunkohle-Jahresförderung soll 40 Mio t betragen. Die angekündigte Modernisierung der Braunkohle-Kraftwerke im Rheinischen Revier (Investitionsvolumen bis 2030: rund 20 Mrd DM) machte das Unternehmen 1998/99 abhängig von einem positiven Genehmigungsverfahren für G. II.

Politik: Im Oktober 1998 erhielt Rheinbraun vom nordrhein-westfälischen Umweltministerium die wasserrechtliche Genehmigung zur Erschließung von G. ohne sog. unzumutbare Auflagen. Der Bescheid beinhaltet u. a., dass der Betreiber das Grundwasser im geplanten Revier bis 2023 abpumpen darf, danach ist eine Überprüfung des Sachverhalts vorgesehen. In der Frage des Feuchtgebietschutzes im Bereich Schwalm/Nette wird vor Erteilung der Versickerungserlaubnis eine mehrstufige Verträglichkeitsprüfung gemäß der europäischen Fauna-Flora-Habitat-Richtlinien (FFH) durchgeführt.

Kraftwerk Neurath: Ende Mai 1999 beschloss RWE einen Kraftwerksneubau am Standort Neurath. Diese 1000 MW-Anlage (Inbetriebnahme ist für 2006 vorgesehen; die Kosten werden auf etwa 2,5 Mrd DM geschätzt) basiert auf dem BoA-Konzept (Braunkohleblock mit optimierter Anlagentechnik): Der Wirkungsgrad beträgt ca. 45% (Wirkungsgrad ältere Blöcke: 30–40%), der Kohlendioxid-Ausstoß verringert sich gegenüber herkömmlichen Braunkohlekraftwerkstypen um über 30%.

Kraftwerk Niederaußem: Im Herbst 1998 begannen die Bauarbeiten am ersten BoA-Werk (Nettoleistung: 965 MW) im rheinischen Revier. Nach der Fertigstellung im August 2002 werden im Gegenzug sechs veraltete 150 MW-Blöcke demontiert.

Heizung

Heizkosten: Die Westdeutschen gaben 1997/98 im Mittel 708 DM für die Beheizung ihrer Wohneinheiten aus. Als Berechnungsgrundlage dienten über 330 000 mit einer Ölheizung ausgestattete Wohnungen. Durchschnittskosten von 765 DM machten

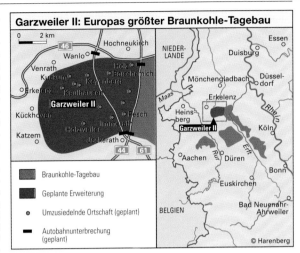

Garzweiler II: Europas größter Braunkohle-Tagebau

- Braunkohle-Tagebau
- Geplante Erweiterung
- ⊙ Umzusiedelnde Ortschaft (geplant)
- ▬ Autobahnunterbrechung (geplant)

© Harenberg

die Region um Kiel zum Spitzenreiter, nur 655 DM waren dagegen im Raum Bremen zu entrichten. Die regionalen Preisdifferenzen resultierten vor allem aus unterschiedlichen Heizölpreisen und Verbrauchsmengen.

Hausbau: 1998/99 stand das sog. Null-Heizenergiehaus kurz vor der Serienreife. Dieser neue architektonische Entwurf weist einen Restenergiebedarf von ca. 15 kWh/m^2 auf (herkömmliches Niedrigenergiehaus: rund 40 kWh/m^2), der durch intern gespeicherte Sonnenwärme gedeckt wird. Ende 1998 kündigte die SPD-Bündnis90/Die Grünen Bundesregierung an, die sog. Wärmeschutzverordnung zu verschärfen. Der zulässige Energieverbrauch bei Neu- oder Anbauten soll dann zwischen 30 kWh/m^2 und 70 kWh/m^2 liegen.

Heizung: Energiesparen

Außer dem Wärmeschutz durch verbesserte Dämmung und passive Nutzung der Sonnenenergie sind zur Reduzierung des Energieverbrauchs in Haushalten vor allem technisch verbesserte Anlagen notwendig.

▶ **Kombi-Heizanlage:** Sie erzeugt außer Strom auch Wärme (sog. Kraft-Wärme-Kopplung)

▶ **Moderne Heizkessel:** Nach Expertenschätzung waren 1999 in Deutschland ungefähr 40% aller Heizkessel älter als 15 Jahre und energetisch weit überholt. Durch den Einbau moderner Niedertemperaturkessel

könnten schätzungsweise 25–30% (bei Gas-Brennwertkessel sogar bis zu 40%) Energie eingespart werden. Weitere Spareffekte bringt die regelmäßige Wartung der H. Schon eine Rußschicht von 1–2 mm auf den Wärmetauscherflächen erhöht den Energieverbrauch um rund 6%

▶ **Wärmepumpe:** Die Restwärme von Wasser, Luft und Erde wird als Energiequelle genutzt.

▶ **Wohnungslüftung (Wärmerückgewinnung):** Feuchte, verbrauchte Innenluft wird nach Wärmeentzug ab-, frische Außenluft zugeleitet.

▬ Kohle: Steinkohlesubventionen[1]

1998	1,00	8,25	9,25[2]
1999	1,00	7,80	8,80
2000	1,00	7,50	8,50
2001	1,15	6,65	8,00[3]
2002	1,15	6,05	7,40
2003	1,15	5,35	6,70
2004	1,15	4,75	6,10
2005	1,15	4,15	5,50

1) Mrd DM; 2) gesamt; 3) ab 2001 jährlich 0,200 Mrd DM RAG-Zahlungen; ☐ NRW ■ Bund
Quelle: Der Spiegel

Kohle

Gruppe kohlenstoffreicher, fester Brennstoffe, entstanden in Jahrmillionen durch Umbildung pflanzlicher Substanz. Die Steinkohle besteht zu gut 80% aus Kohlenstoff.

Verbrauch: Witterungs- und strukturbedingt sank der Steinkohleverbrauch in Deutschland 1998 um 0,3% auf 69,5 Mio t SKE. Im Bereich der Strom- und Wärmeerzeugung wurden 51 Mio t SKE eingesetzt – eine Steigerung gegenüber 1997 um rund 2,5 Mio t SKE (+5,1%). Aufgrund stetig sinkender nationaler Stahlproduktion (Rückgang gegenüber 1997: rund 2%) war 1998 auch ein Defizit in der inländischen Kokserzeugung zu verzeichnen (–3,8%).

Förderung: Die inländische K.-Förderung passte sich 1998 den ökonomischen Gegebenheiten weiter an: So reduzierte sich der Abbau um 11% auf 42 Mio t SKE (1997: 47,3 Mio t SKE). Der deutsche K.-Bergbau beschäftigte 1998/99 knapp 72 000 Personen, 8% weniger als im Vorjahreszeitraum (78 300 Mitarbeiter). Die sog. bergbauliche

Die deutschen Kraftwerke erzeugten 1997 (letztverfügbarer Stand) insgesamt 445 888 Mio kWh Strom netto. Das entsprach einem Rückgang gegenüber dem Vorjahr um 0,4% (447 656 kWh).

Produktivität (Leistung verwertbarer Förderung je Mann und Schicht unter Tage) stieg 1998 gegenüber dem Vorjahr um 1,2% auf 5916 kg an. Da das Konjunkturtief der Stahlindustrie lt. Prognosen 1999 anhält, sollte die K.-Förderung in Deutschland (ohne das Bergwerk Ibbenbüren) binnen Jahresfrist um weitere 1,4 Mio t SKE auf 37,9 Mio t SKE gedrosselt werden.

RAG: Um ihre Position im globalen Wettbewerb zu stärken, bündelte die Ruhrkohle AG (RAG), die Holdinggesellschaft des Revierbergbaus, ihre Aktivitäten. Seit April 1999 ist die Tochtergesellschaft RAG Vertrieb und Handel (RVH) allein für den internationalen K.-Handel zuständig. Bis dahin teilten sich die RAG EBV und die RVH dieses Geschäftsfeld. Im Mai 1999 übernahm der Industriekonzern das US-amerikanische K.-Unternehmen Cyprus Amax Coal (Kaufpreis: rund 2 Mrd DM). 1998 erzielte Cyprus Amax Coal einen Umsatz von fast 1,5 Mrd DM, die K.-Förderung lag bei 68 Mio t.

DSK: Nach der Zustimmung der Europäischen Kommission im Juli 1998 zur Übernahme der Saarbergwerke AG sowie der Preussag Anthrazit GmbH durch die RAG AG nahm die Deutsche Steinkohle AG (DSK; Unternehmenssitz: Herne) im Oktober 1998 ihre Arbeit auf. Die Einheitsgesellschaft unter dem Dach der RAG AG setzt sich aus den elf Ruhr-, drei Saarbergwerken sowie der Zeche Preussag Anthrazit GmbH in Ibbenbüren zusammen. Für 1999 wurde ein Umsatz von 13 Mrd DM erwartet.

Kraftwerke

Bilanz: Im Jahr 1997 (letztverfügbarer Stand) lag die Nettostromerzeugung aller K. in Deutschland bei rund 505 Mrd kWh (Abnahme gegenüber 1996: –0,6%). Auf die öffentliche Stromversorgung entfiel ein Anteil von 88,3%, auf die Industrie 10,2% und auf die Deutsche Bahn AG 1,5%. Für den Betrieb der K. (sog. Kraftwerkseigenverbrauch) wurden mit knapp 39 Mrd kWh rund 7% der Gesamterzeugung benötigt. Bis 2010 müssen aus technischen und Umweltschutzgründen in Deutschland etwa 80%, in der EU ein Drittel der mit fossilen Energien befeuerten K. ersetzt werden. Ein Neubau von K. wird durch Stromaustausch

▬ Kraftwerke: Nettostromerzeugung

Atomenergie	160098[1]	▲ + 5,4[2]
Braunkohle	122826	▼ – 2,2
Steinkohle	115627	▼ – 2,8
Erdgas	24395	▼ – 3,2
Wasserkraft	18246	▼ – 3,3
Wind/Solarenergie	1812	▼ k. A.
Heizöl	1529	▽ –52,3
Sonstige	3167	▲ +51,9

1) 1997 (Mio kWh); 2) Veränderung gegenüber 1996 (%); Quelle: VDEW

mit anderen Staaten (z. B. über Seekabel), die Errichtung dezentraler Kraftanlagen und Energiesparmaßnahmen z. T. unnötig. **Emissionen:** Der Kohlendioxid (CO_2)-Ausstoß aus deutschen K. der öffentlichen Versorgung stieg 1998 gegenüber dem Vorjahr um 5% auf 274 Mio t an. Ursachen waren der Rückgang der Stromerzeugung bei den emissionsarmen Atomkraftwerken (von 35% auf 33%) und die verstärkte Energiegewinnung durch Stein- und Braunkohle. Durch Nutzung der Atomenergie wurden 1998 ca. 160 Mio t Kohlendioxid-Emissionen vermieden, seit Inkrafttreten der Großfeuerungsanlagen-Verordnung (1990) konnten bis 1997/98 der Schwefeldioxid-Ausstoß um etwa 80% und die Stickoxid-Emissionen um fast 60% reduziert werden. Nach Angaben der deutschen Elektrizitätswirtschaft gaben die nationalen Stromversorger 1982–97 knapp 57 Mrd DM (inkl. Betriebskosten) für Umweltschutzmaßnahmen aus. **Blockheizkraftwerke:** 1998/99 waren in Deutschland 4875 Blockheizkraftwerke (BHKW) in Betrieb (1997/98: 4725 BHKW, +3,2%). Ihre installierte Leistung lag bei 2261 MW. Der überwiegende Teil der Aggregate (54%) nutzte Erdgas als Befeuerungsmaterial, 11% benötigten Heizöl, der Rest Klär- oder Deponiegase. **Gaskraftwerke:** Im Zuge des stetig wachsenden Energiebedarfs an der Wende zum 21. Jh. gewinnen Gas-K., basierend auf kombinierter Gas- und Dampfturbinentechnik (GuD) an Gewicht. Energieexperten sehen die Vorteile solcher Anlagen in geringen Investitionen, kurzen Lieferzeiten (durch das sog. Baukastenprinzip), niedrigen Kohlenmonoxid- bzw. Stickoxid-Emissionen bei akzeptablen Wirkungsgraden (z. T. über 50%). **Prognose:** Die Internationale Energieagentur (IEA, Paris) erwartet, dass die K.-Kapazität in Westeuropa bis 2010 jährlich um 1% und die Stromerzeugung um 1,6%/Jahr steigt. Für die einzelnen Sektoren bedeutet dieser Trend:
– Kohle- und Atomkraftwerke: keine Leistungsveränderungen
– Wasserkraft: leichter Anstieg
– Erneuerbare Energien: steigender Anteil an der Gesamtleistung
– Die K.-Kapazität auf Erdgasbasis steigt im Berechnungszeitraum um ca. 87%
– Ölanlagen verlieren weiter an Bedeutung.

Reaktorsicherheit: Kategorien für Störfalle

▶ **Kategorie S:** Sofortmeldung; unverzügliche Meldefrist. Störfälle (z. B. aufgrund von akuten sicherheitstechnischen Mängeln) in Atomkraftwerken oder berichtspflichtigen Forschungsreaktoren, die sofort der Aufsichtsbehörde mitgeteilt werden müssen, damit sie untersucht werden bzw. geeignete Maßnahmen ergriffen werden können.

▶ **Kategorie E:** Eilmeldung; Meldung innerhalb von 24 Stunden. Diese Störfälle verlangen kein sofortiges Eingreifen der Aufsichtsbehörde, die Gründe für den Defekt müssen aber geklärt und in angemessener Frist behoben werden.

▶ **Kategorie N:** Normalmeldung; Meldung innerhalb von fünf Tagen. In der Regel handelt es sich um Störungen von untergeordneter sicherheitstechnischer Relevanz; sie beruhen oftmals auf routinemäßigen betriebstechnischen Fehlern.

▶ **Kategorie V:** Im Vorfeld der Brennelementebestückung eines Reaktors; Meldung innerhalb von 10 Tagen. Hierunter fallen alle meldepflichtigen Ereignisse während der Bauzeit eines Atomkraftwerkes.

Reaktorsicherheit

Bilanz: 1998 erzeugten die 19 deutschen Atomkraftwerke (AKW) 161,7 Mrd kWh Strom. 1997 lag der Wert noch bei 170,4 Mrd kWh. In diesem Zeitraum kam es nach Aussage des Deutschen Atomforums (Bonn) zu keinen technischen Defekten, die eine Gefährdung für Mensch und Umwelt hätten darstellen können. Für die Energiegewinnung wurden die deutschen Reaktoren durchschnittlich rund 7657 Stunden genutzt. Unter Berücksichtigung der Abschaltzeiten für Wartung bzw. Wechsel der Brennelemente waren die Blöcke 1998 etwa 359 Stunden (4,1% der Gesamtzeit von 8760 Jahresstunden) unplanmäßig außer Betrieb.

Strahlenschutzkommission: Im Mai 1999 wurde Maria Blettner zur neuen Vorsitzenden der Strahlenschutzkommission des Bundes ernannt. Die Bielefelder Wissenschaftlerin gilt u. a. als Expertin auf dem Forschungsgebiet Krebsrisiken bei Beschäftigten in der Atomindustrie.

AKW Krümmel: Nach einer Untersuchung der Arbeitsgruppe Medizinische Physik der Universität Bremen vom November 1998 sind in der Umgebung des Atomkraftwerks Krümmel in der Elbmarsch bei Hamburg Spuren von Reaktorplutonium (Americium 241) nachweisbar. Als Verursacher der Kontaminationen komme, so der Bericht, nur der 1983 in Betrieb genommene Siedewasserreaktor in Betracht. Das schleswigholsteinische Energieministerium und der Betreiber Hamburger Elektrizitätswerke (HEW) ordneten eine Überprüfung der Analyse an.

▰ **Sonnenenergie: Solarzellen[1]**	
2000[2]	27[2]
1999[2]	18
1998[3]	10
1997	13,7
1996	8,8
1995	5,4
1994	3,5
1993	3,3

1) Leistung in MW, 2) Prognosen, 3) Schätzung;
Stand: Ende 1998; Quelle: FOCUS, 7/1999

▰ **Sonnenenergie: Kollektoren[1]**	
2000[2]	810 000
1999[2]	540 000
1998[3]	420 000
1997	380 000
1996	269 000
1995	193 000
1994	155 000
1993	127 000

1) Fläche in m²; 2) Prognosen; 3) Schätzung;
Stand: Ende 1998; Quelle: FOCUS, 7/1999

Sonnenenergie

S. kann mit Solarzellen über chemische Prozesse in Strom umgewandelt werden (Photovoltaik), über konzentrierte Wärme Strom erzeugen (Solarthermie), durch bauliche Maßnahmen Heizenergie einsparen (Solararchitektur) oder in Sonnenkollektoren zum Beheizen von Brauchwasser genutzt werden. Als Teil der Erneuerbaren Energien ruft S. im Gegensatz zu fossilen Energieträgern keine Schadstoff-belastungen für die Umwelt hervor.

Markt: Öffentliche Energieversorger sowie private Anlagenbetreiber in Deutschland speisten 1998 rund 20 Mio kWh (1997: 10 Mio kWh) aus S. gewonnenen Strom ins nationale Netz ein. Damit trug S. mit etwa 1% zur öffentlichen Stromversorgung bei. Trotz der Verdoppelung gegenüber dem Vorjahr belegte die Photovoltaik beim Vergleich Elektrizitätsgewinnung aus regenerativen Versorgungsquellen hinter dem Sektor Biomasse den letzten Platz. 1997 erreichte der deutsche Photovoltaik-Markt einen Wert von 160 Mio DM (Solarthermen: 600 Mio DM), die installierte Leistung netzgekoppelter Anlagen betrug etwa 11 MW. Hinsichtlich der betriebsbereiten Kollektorenfläche wurde 1997 ein Zuwachs von 380 000 m² (+17%) auf 2,5 Mio m² erzielt. 1990–97 förderten Bund und Länder in Deutschland 7300 Anlagen (Leistung: 23 MW) zur Umwandlung des Sonnenlichts in Elektrizität.

Subvention: Anfang 1999 trat das von der rot-grünen Bundesregierung initiierte Förderprogramm für 100 000 Solardächer in Kraft. Hauseigentümer, die auf ihren Dächern Photovoltaik-Technik installieren wollen, erhalten über die Kreditanstalt für Wiederaufbau zinslose Darlehen mit zehnjähriger Laufzeit. Nach Berechnungen des Bundeswirtschaftsministeriums würden infolge der staatlichen Subvention bis 2004 Investitionen in Höhe von 2 Mrd DM ausgelöst. Eine durchschnittliche Photovoltaik-Anlage (Leistung: 3 KW) kostete 1998/99 etwa 45 000 DM.

Technik: Ende 1998 entwickelte das Stuttgarter Zentrum für Sonnenenergie- und Wasserstoff-Forschung (ZSW) eine Dünnschichtsolarzelle mit einem Wirkungsgrad von fast 12%, bei herkömmlichen Solarzellen beträgt das Verhältnis Stromgewinnung pro einfallender S. lediglich etwa 7%. Der Herstellungspreis der sog. CIS-Module wurde auf 2,50 DM pro Watt kalkuliert, die Stromerzeugungskosten könnten bei entsprechender Marktreife dieser Technik sowie bei Serienproduktion auf unter 1 DM/kWh fast halbiert werden (1999: 1,50 DM–1,80 DM/kWh).

Strompreise

Die Ende Juni 1999 von der rot-grünen Bundesregierung verabschiedete Erhöhung der Stromsteuer von bis dahin 2 Pf/kWh soll bis 2003 um weitere 0,5 Pf/Jahr angehoben werden. Die Erhöhung soll zusammen mit der Anhebung der Mineralölsteuer um insgesamt 24 Pf/l bis 2003 die Senkung des Beitrags zur Rentenversicherung und damit die Lohnnebenkosten um 2,3 Prozentpunkte auf dann 17,2% ermöglichen. Nach unterschiedlichen Berechnungen der Stromwirtschaft und Verbraucherzentralen könnte sich die monatliche Stromrechnung der Privatkunden um bis zu 20 DM erhöhen.

Europa: Im europäischen Vergleich mussten deutsche Privathaushalte 1998 durchschnittliche Stromentgelte bezahlen. Ein sog. Musterhaushalt (Stromverbrauch pro Jahr: etwa 3500 kWh) kam auf 94 DM/Monat, in Finnland, dem preiswertesten Versorgungsgebiet, lag die monatliche Pauschale bei nur 51 DM.

Industrie: Stromkunden aus der Wirtschaft gehörten 1998/99 zu den Gewinnern der Liberalisierung auf dem Energiemarkt. Nach Einschätzung der VDEW sanken die S. auf diesem Absatzsektor von April 1998 bis Januar 1999 im Mittel um 6%, im Vergleich zu 1998 profitieren die Abnehmer von einem realen Preisverfall von 37%.

Strombörse: Mitte Juni 1999 präsentierten die Wettbewerber um den Standort der ersten deutschen Strombörse ihre Konzepte im Bundeswirtschaftsministerium. Außer Frankfurt/M., Hannover und Düsseldorf bot Leipzig sich als Standort an.

Tarife: Ab Januar 1999 wurden gemäß Stromeinspeisungsgesetz den Netzbetreibern für die Abnahme von Strom aus Erneuerbaren Energien neue Tarife vorgeschrieben. Bei Wind- und Sonnenenergie liegt der Preis bei 16,52 Pf/kWh (1998: 16,79 Pf/kWh), für Strom aus Biomasse oder kleineren Wasserkraftanlagen bei 14,69 Pf/kWh (1998: 14,92 Pf/kWh). Wasserkraftanlagen über 500 KW erzielen 11,93 Pf/kWh (1998: 12,12Pf/kWh).

Stromverbund

Im S. werden nationale Stromnetze zusammengeführt. Er vereinfacht Energietransport und -nutzung, spart den Neubau von Kraftwerken und senkt die Strompreise, weil Elektrizität dort erworben werden kann, wo sie unter den ökonomisch und ökologisch günstigsten Faktoren produziert wird.

Berlin: Ende Juni 1999 bekräftigte das Bundeskartellamt (Berlin) in einem Pilotverfahren die Absicht, den Berliner Stromversorger Bewag zur Durchleitung des Stroms von Konkurrenten in der Hauptstadt zu zwingen. Bis Ende Juli 1999 wurde die Bewag um schriftliche Stellungnahme gebeten. Die Bewag verweigerte bis Mitte 1999 die Durchleitung von Strom mit dem Hinweis auf technische Schwierigkeiten. Nach Ansicht des Unternehmens könne die einzige von Westdeutschland nach West-Berlin reichende Hochspannungsleitung mit 400 MW

genutzt werden. Diese Grenze schöpfe die Bewag bereits aus. Bei stärkerer Nutzung der bis zu 2000 MW reichenden Kapazität könnte bei einer Leitungsunterbrechung das West-Berliner Netz möglicherweise zusammenbrechen. Ende 1998 war die deutsche Hauptstadt auch beim Stromnetz wieder vereinigt worden. Die seit 1952 getrennten Netze im Osten und Westen Berlins (ab 1992 sorgte eine Notleitung für Energieaustausch) wurden durch eine 380 kV-Leitung neu zusammengeführt. Die Investitionskosten beliefen sich nach Angaben der Bewag auf rund 400 Mio DM.

Kooperationen: Im Mai 1999 schlossen sich die Stromunternehmen Energieversorgung Spree-Schwarze Elster AG (Essag), Energieversorgung Südsachsen AG (EVS AG) und die Westsächsische Energie AG (Wesag) zur Energie Sachsen Brandenburg AG zusammen. Die Energieehe unter dem Dach der RWE Energie AG (Essen) soll insbesondere beim Kostenmanagement und Vertrieb Vorteile hervorrufen. 1998/99 planten die regionalen Energieunternehmen EVM (Magdeburg), Hastra (Hannover), Landesgas (Sarstedt) sowie ÜZH (Helmstedt), unter Federführung der Preussen

Stromverbund: Niederspannungsleitungen[1]

	Land		
Baden-Württ.		34 942[2]	119 167
Bayern		36 931	195 623
Berlin		405	15 155
Brandenburg		12 288	35 358
Bremen		209	6309
Hamburg		204	8325
Hessen		5906	73 053
Meckl.-Vorp.		7108	22 258
Niedersachsen		9446	135 356
Nordrh.-Westf.		23 305	163 992
Rheinland-Pfalz		19 144	44 644
Saarland		6231	10 584
Sachsen			
Sachsen-Anhalt		11 649	26 076
Schlesw.-Holst.		3736	38 935
Thüringen		12 581	32 511

1) km, insgesamt 765 573 km; 2) davon Freileitungen; Stand: Ende 1998; Quelle: VDEW

Elektra (Hannover) zu fusionieren. Der neue Verbund hätte einen geschätzten Jahresumsatz von fast 3,2 Mrd DM sowie rund 1,1 Mio Kunden aufzuweisen. Im Herbst 1998 gaben die RWE Energie AG und die VEW Energie (Dortmund) eine verstärkte Zusammenarbeit auf dem Gebiet der Stromerzeugung bekannt. Durch gemeinsame Kraftwerkssteuerungen im Grund-, Mittel-, und Spitzenlastbereich sind nach Konzernangaben optimale betriebswirtschaftliche Ergebnisse möglich.

Tschernobyl

Störfall: Nach Defekten im März und April musste auch Mitte Mai 1999 die Stromproduktion des noch aktiven Blocks 3 im Atomkraftwerk T. wegen einer technischem Störung im Generatorbereich auf die Hälfte gedrosselt werden. Nach Behördenmitteilung trat keine Radioaktivität aus.
Reparaturen: Am 26.4.1986 war Block 4 des Atomkraftwerks in T. explodiert und hatte zum bislang größten Atomunglück in der Geschichte der zivilen Kernenergienutzung (Super-GAU) geführt. Nach der Explosion war der Reaktor 4 mit einem Stahlbetonmantel umhüllt worden. Trotz mehrerer Nachdichtungen wies der »Sarkophag« bis 1999 immer wieder Risse und undichte Stellen auf, aus denen Radioaktivität entwich. Die ukrainischen Behörden und internationale Kernenergie-Experten gingen 1998/99 davon aus, dass die Erneuerung des

Mantels mehr als 1,3 Mrd DM kostet. Die Ukraine übernimmt einen Anteil von 86 Mio DM und knapp 175 Mio DM für begleitende Standortmaßnahmen. Die Arbeiten sollen 2005 abgeschlossen sein.
Neue Blöcke: 1995 hatten die EU und die G 7-Staaten in einem Memorandum mit der ukrainischen Regierung verabredet, das Atomkraftwerk T. bis 2000 komplett zu schließen und parallel eine Reform der nationalen Energieversorgung durchzuführen. Der Ukraine wurde zugesagt, internationale Gelder für die Fertigstellung der Reaktoren Chmelnizkij-2 und Rivne-4 (Ausbau 1991 wegen T.-Konsequenzen gestoppt) im Nordwesten des Landes bereitzustellen (geschätzte Gesamtkosten: 2,1 Mrd DM; deutscher Beitrag: 800 Mio DM).
Protest: Im April 1999 sprachen sich die Bundestagsfraktionen von SPD und Bündnis 90/Die Grünen gegen die Finanzierung dieser beiden Blöcke aus; statt dessen sollten nicht-atomare Versorgungskonzepte in der Ukraine vorangetrieben werden. Zuvor hatten Bundeskanzleramt und Bundesfinanzministerium für die Kreditvergabe durch die Europäische Bank für Wiederaufbau und Entwicklung (EBWE) votiert.

Wasserkraft

Deutschland: Bedingt durch die günstigen klimatischen Verhältnisse (ausreichende Niederschläge) war die W. auch 1998 die wichtigste natürliche Energiequelle zur Elektrizitätsgewinnung in Deutschland. Die öffentlichen Stromversorger sowie private Anlagenbetreiber, die über insgesamt 5300 W.-Werke verfügen, erzeugten 16,1 Mrd kWh Strom (+1,9%, 1997: 15,8 Mrd kWh). 1998/99 wurden knapp 95% der deutschen Fließgewässer zur W.-Gewinnung genutzt.
Welt: Nach Schätzungen lagen die weltweiten jährlichen W.-Reserven 1999 bei rund 13 Mio GWh. Dies entspricht einer Kraftwerksleistung von 3 Mio MW. Nordamerika und Europa verwerteten die vorhandenen W.-Reserven für die Energieversorgung in den 90er-Jahren zu 60–90%. In Afrika, Asien und Lateinamerika wurden dagegen erst 10% dieser Energiequelle genutzt. Im Jahr 2015 sollen weltweit fast 30% der verfügbaren W.-Reserven für die Elektrizitätsgewinnung verwendet werden.

TopTen Wasserverbrauch[1]	
1. USA	295
2. Japan	278
3. Norwegen	260
4. Schweiz	237
5. Italien	213
6. Schweden	191
7. Luxemburg	170
8. Österreich	162
9. Polen	158
10. Frankreich	156

1) Pro Tag und Einwohner (l), Durchschnittswerte inkl. Kleingewerbe, Stand: Ende 1998; Quelle: VEW-Welle, 29.4.1999

Zum Vergleich: In Deutschland lag der tägliche Wasserverbrauch je Einwohner bei 127 l. Etwa 5 l Wasser entfielen auf den Bereich Essen und Trinken.

Umwelt: Der Bau von W.-Werken ist gegenüber Wärmekraftanlagen mit ökologischen Risiken sowie hohen Investitionskosten verbunden (z. B. für Landgewinnung und Staudämme). Die Betriebskosten fallen geringer aus. Umweltschützer bemängelten im Frühjahr 1999, dass viele deutsche W.-Werke keinen ausreichenden Schutz für flussabwärts wandernde Fische aufwiesen. Abhilfe könnte erzielt werden, indem die Fanggitter für Treibgut vor den Turbinen engmaschiger konstruiert würden.

Windenergie

Nutzung: Nach der Wasserkraftnutzung war die W. die wichtigste Erneuerbare Energiequelle in Deutschland. Ende 1998 waren in Deutschland 6205 Windkraftanlagen mit einer Gesamtleistung von 2874 MW in Betrieb. Ihre Stromproduktion stieg gegenüber 1997 um 53% auf 4,6 Mrd kWh (1997: 3,0 Mrd kWh), der Anteil der W. an der nationalen Stromerzeugung lag bei rund 0,9%. Seit 1999 erhalten die deutschen Energieversorgungsunternehmen (EVU) für die Lieferung von Strom aus W. 16,52 Pf/kWh (1998: 16,79 Pf/kWh). Die Vergütungshöhe berechnet sich aus den durchschnittlichen Erlösen der EVU beim E.-Stromverkauf im vorletzten Jahr.

Prognosen: Für 1999/2000 wurde ein Leistungszuwachs um 900 MW (+31%) erwartet, die Gesamtzahl der Windkraftanlagen (Konverter) soll um rund 13% auf 7200 erhöht werden. Nach Einschätzung des Bundesumweltministeriums können sich bei günstigen Rahmenbedingungen bis 2010 rund 10000 MW W. in Deutschland installiert sein; bei konstantem Stromverbrauch könnte sich bis dahin der Anteil der W. an der öffentlichen Elektrizitätsversorgung auf 3,5% vervierfachen.

Diskussion: Der Einsatz der W. stieß auch 1998/99 in Deutschland teilweise auf Kritik:
– Betriebslärm der Rotoren und die Veränderungen im Landschaftsbild können die Wohnqualität beeinträchtigen.
– Fachleute bezweifelten den ökonomischen Nutzen der Anlagen. Durch staatliche Subventionen, steuerliche Abschreibungsmöglichkeiten etc. werden bis Anfang des 21. Jh. bis zu 30 Mrd DM an eine Energieform gebunden, die 1998 weniger als 1% des nationalen Strombedarfs abdeckte.

– Energieversorger müssen die aus den gesetzlich festgelegten Mindesteinspeisevergütungen resultierenden finanziellen Mehrbelastungen durch betriebsinterne Kosteneinsparungen (meist verbunden mit Arbeitsplatzabbau) kompensieren.

Windpark: Das Raumordnungsverfahren für den ersten deutschen Off-Shore-Windpark im Wattenmeer vor Wilhelmshaven war bis Mitte 1999 noch nicht abgeschlossen.

Der neue Rotorkopf der Flender AG in Bocholt verbindet Rotor und Generator über ein Lager direkt miteinander. Damit gelingt es den deutlich geringeren Ausmaßen an Welle, die etwa 20 t schwere Welle einzusparen.

▬ **Windenergie: Windkraftanlagen**		
Baden-Württ.		52
Bayern		67
Berlin		–
Brandenburg		300
Bremen		20
Hamburg		39
Hessen		290
Meckl.-Vorp.		425
Niedersachsen		1715
Nordrh.-Westf.		856
Rheinland-Pfalz		203
Saarland		13
Sachsen		250
Sachsen-Anhalt		186
Schlesw.-Holst.		1667
Thüringen		122
Stand: Ende 1998; Quelle: Globus		

185

Expo: Anlässlich der Weltausstellung in Hannover im Jahr 2000 soll die weltgrößte Windkraftanlage errichtet werden. Die elektrische Leistung des Projekts (Höhe: 170 m, Rotordurchmesser: 112 m) beträgt 4 MW.

▰ Zwischenlagerung: Deutschland

Name (Bundesland)	Lagerung	Inbetriebnahme
Ahaus (NRW)	Brennelemente	1992
Gorleben (Niedersachsen)	Brennelemente, Abfälle mit vernachlässigbarer Wärmeentwickl.	1984
Lubmin (Meckl.-Vorp.)	Brennelemente	1985/1998

Stand: Mitte 1999

▰ Zwischenlager bei den Atomkraftwerken[1]

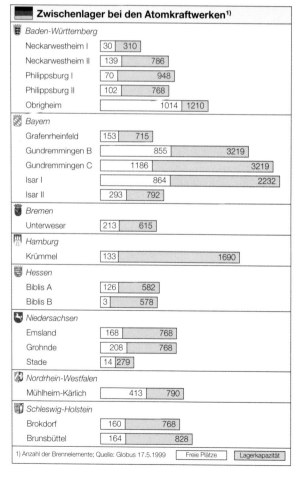

⬡ Baden-Württemberg

	Freie Plätze	Lagerkapazität
Neckarwestheim I	30	310
Neckarwestheim II	139	786
Philippsburg I	70	948
Philippsburg II	102	768
Obrigheim	1014	1210

⬡ Bayern

Grafenrheinfeld	153	715
Gundremmingen B	855	3219
Gundremmingen C	1186	3219
Isar I	864	2232
Isar II	293	792

⬡ Bremen

Unterweser	213	615

⬡ Hamburg

Krümmel	133	1690

⬡ Hessen

Biblis A	126	582
Biblis B	3	578

⬡ Niedersachsen

Emsland	168	768
Grohnde	208	768
Stade	14	279

⬡ Nordrhein-Westfalen

Mühlheim-Kärlich	413	790

⬡ Schleswig-Holstein

Brokdorf	160	768
Brunsbüttel	164	828

1) Anzahl der Brennelemente; Quelle: Globus 17.5.1999   ☐ Freie Plätze   ☐ Lagerkapazität

Zwischenlagerung

Zeitlich begrenzte Deponierung von Atommüll, z. B. verbrauchtem Kernbrennstoff aus Atomkraftwerken oder Wiederaufarbeitungsanlagen. Eine Endlagerung sog. Wärme entwickelnden (hoch radioaktiven) Atommülls kommt aufgrund der schleppenden Abkühlung erst nach etwa 40 Jahren in Betracht und ist politisch umstritten.

Stand: 1998/99 gab es weltweit keine Möglichkeit zur Endlagerung. Die Z. Wärme entwickelnden Materials oder kerntechnischer Abfälle mit vernachlässigbarer Wärmeentwicklung (schwach und mittel radioaktiv) erfolgt in den vom deutschen Gesetzgeber ausgewiesenen Zwischenlagern oder direkt bei Atomkraftwerken, Forschungseinrichtungen und Industrieanlagen.

Lubmin: Die Europäische Kommission veröffentlichte im März 1999 eine positive Bewertung für das Zwischenlager Nord (ZLN) in Lubmin (Betreiber: Energiewerk Nord und Land Mecklenburg-Vorpommern). Nach Ansicht der Experten gehe von der Anlage im Normalbetrieb und bei einem evtl. Störfall keine Gefahr für die Mitgliedsländer der EU (inkl. Beitrittskandidat Polen) aus. Die Einstufung der europäischen Behörde war zwingend erforderlich, um die endgültige Genehmigung zur Z. von Atommüll durch das Bundesamt für Strahlenschutz (Salzgitter) zu erhalten. In den sieben Hallen des ZLN wird der radioaktive Abfall aus den stillgelegten ehemaligen DDR-Atomkraftwerken Lubmin und Rheinsberg deponiert.

Gorleben: Anfang 1999 hob das niedersächsische Umweltministerium eine im Mai 1998 erlassene Verfügung gegen verstrahlte Atomtransporte in CASTOR-Spezialbehältern auf. Damals war die Annahme der Behälter im Zwischenlager Gorleben und deren Bestückung in den vier niedersächsischen Atomkraftwerken untersagt worden. Mit der Stornierung des Verbots wollte die rot-grüne Landesregierung in Hannover möglichen juristischen Schritten der Stromwirtschaft zuvorkommen.

Emsland: Ende 1998 plante die VEW Energie AG, das atomrechtliche Genehmigungsverfahren für den Bau eines Standortzwischenlagers auf dem Gelände des Atomkraftwerks Emsland (Lingen) einzuleiten. Die vorgesehene Halle soll etwa 120 CASTOR-Behälter aufnehmen, die Baukosten betragen rund 50 Mio DM.

■ Entsorgung

Abfall

Das 1996 in Deutschland in Kraft getretene Kreislaufwirtschafts- und Abfallgesetz bestimmt, dass A. in erster Linie vermieden, in zweiter verwertet und erst in dritter Linie beseitigt werden soll. Ende der 90er Jahre konkurrierten kommunale Deponien, Verbrennungsanlagen und Recycling-Unternehmen um die sinkenden A.-Mengen in Deutschland. Der Europäische Gerichtshof entschied im November 1998, dass die A.-Entsorgung als Aufgabe von Allgemeininteresse weiterhin von Behörden organisiert werden darf. Die private Entsorgungswirtschaft beklagte fallende Umsätze und Dumpingpreise bei Kommunalbetrieben.
EU: Die EU-Abfallrichtlinie von 1975 wurde 23 Jahre später von vielen EU-Staaten immer noch ungenügend umgesetzt, wie das Europäische Parlament im September 1998 feststellte. Vor allem der Verbleib von Altöl und Giftstoffen wurde kaum erfasst.
Neue Techniken: Im August 1998 wurde die von Siemens in Fürth errichtete Pilotanlage für A.-Verkokung im Schwelbrennverfahren stillgelegt, nachdem Giftgas ausgetreten war und 70 Personen verletzt hatte. Eine ähnliche Anlage mit dem italienisch-schweizerischen Thermoselect-Verfahren wurde in Karlsruhe gebaut. Im hessischen Asslar wurde Ende der 90er Jahre ein einfaches Verfahren entwickelt, den A. kurzzeitig zu verrotten und dabei zu trocknen. Das so entstehende sog. Trockenstabilat kann wie Braunkohle verbrannt oder zu Methanol

■ Abfall: Entsorgungskosten[1]

Abfallart	Kosten/Einwohner	Kosten pro Tonne
Restmüll	84	382
Biotonne	19	540
Grünschnitt		197
Sperrmüll	12	332
Schrott u. a.[2]	10	
Altpapier	9	171
Sonstiges[3]	12	

1) DM; 2) Kühlschränke, Elektronikschrott, Schadstoffmüll; 3) wilde Müllkippen, Abfallberatung; letztverfügbarer Stand: 1995. Die Entsorgung des Abfalls aus privaten Haushalten kostete 144 DM/Einwohner; Quellen: Umweltbundesamt 1998; Handelsblatt 18.11.1998

verschwelt werden. Der Rat der Stadt Dresden beschloss Anfang 1999, dieses Verwertungsverfahren zu übernehmen.

Abwasser

EU: Die EU-Kommission präsentierte im September 1998 einen ersten Bericht über die Umsetzung der Gewässerschutzrichtlinie von 1991. Sie sieht vor, dass die EU-Staaten die Wasserverschmutzung durch Nitrate aus der Landwirtschaft gebietsweise erfassen und Aktionspläne vorlegen, die z. B. das Düngen begrenzen. Der Richtlinie folgten exakt nur Dänemark, Frankreich, Luxemburg und Spanien. Viele andere Staaten, darunter Deutschland, hatten zum Berichtszeitpunkt noch keine Aktionspläne vorgelegt.
Kanalnetz: 1997 wurden in Deutschland rund 10 Mrd DM in Um- und Ausbau der

Für 1997 werden die Gesamtkosten für die Entsorgung auf rund 150 DM/Einwohner geschätzt. Weitere 50 DM/Einwohner kostete der Grüne Punkt auf den Verpackungen.

■ Abfall: Mengen und Verbleib[1]

Hausmüll, Hausmüll aus Gewerbebetrieben, kommunaler Klärschlamm	56,300[2]	688[3]
davon wiederverwertet und kompostiert	25,600	313
deponiert	24,000	293
verbrannt	9,800	120
mechan.-biolog. behandelt	1,200	15

1) Schätzung für 1997 (letztverfügbarer Stand). Die Teilmengen summieren sich auf 60,6 Mio t, weil der Abfall z. T. doppelt gezählt wird (deponierte Reste aus Wiederverwertung und Verbrennung), 2) Mio t, 3) kg/Kopf; Quelle: VDI nachrichten 26.2.1999

187

Abwassergebühren in Europa[1]

Land	Italien	Dänemark	Österreich	Frankreich	Großbrit.[2]	Deutschland
% der Einw. an biolog. Kläranlagen angeschlossen	52	70	72	74	79	85
reale Gebühren pro angeschl. Einw. in DM	50	183	304	134	129	215
bereinigte Kosten[3] pro angeschl. Einw. in DM	117	241	277	239	244	305
bereinigte Kosten in % des Bruttosozialprodukts	0,38	0,58	0,72	0,68	0,77	0,76

1) Ergebnis einer Forschungsstudie; letztverfügbarer Stand: 1995; 2) nur England und Wales, 3) Abwassermengen auf deutsche Verhältnisse umgerechnet, inkl. Anschlussbeiträgen, ohne staatliche Unterstützungen; Quelle: Bundesministerium für Umwelt (Umwelt 4/1999)

A.-Entsorgung investiert (lt. Umfrage der Abwassertechnischen Vereinigung). Jahrzehntelanger Lkw-Verkehr ließ gegen Ende des 20. Jh. die unter den Straßen liegenden A.-Kanäle an vielen Stellen undicht werden. Das Forschungszentrum Karlsruhe ermittelte 1998, dass durch Lecks große Mengen Regen- und Grundwasser in die Kanäle einsickerten und die Kläranlagen belasteten. Umgekehrt konnte austretendes A. das Grundwasser verseuchen. Experten schätzten 1998, dass rund 60 000 (15%) der insgesamt 400 000 öffentlichen Kanalkilometer Deutschlands saniert werden müssen, was bei gängiger Technik mind. 100 Mrd DM kosten werde.

Gebühren: Die A.-Gebühren/m³ stiegen 1997 in Westdeutschland im Schnitt um 3,2 %, in Ostdeutschland um 6,6 % (lt. Jahresbericht der Wasserwirtschaft). Da der Wasserverbrauch sank, gingen auch die tatsächlich gezahlten Gebühren um rund 4% von 224 auf 215 DM/Einwohner zurück.

Brasilien: Im April 1999 brach die Hauptleitung, die das A. von Rio de Janeiro ins offene Meer führt. Die Badestrände von Copacabana und Ipanema, Hauptanziehungspunkte für Touristen aus aller Welt, wurden mit Fäkalien verseucht.

http://www.umweltbundesamt.de

Batterien

B. belasten die Umwelt, weil ihre Produktion sehr energieaufwendig ist und manche Typen giftige Schwermetalle enthalten, vor allem Auto-B. und aufladbare Nickel-Cadmium-Akkus.

Gesetz: Am 1. Oktober 1998 trat in Deutschland eine neue B.-Verordnung in Kraft: Der Handel muss sämtliche Alt-B. zurücknehmen und ordnungsgemäß entsorgen. Auto-B. wurden mit 15 DM Pfand belegt. Einige besonders schadstoffhaltige B. wurden verboten.

Lithium-Ionen-Akkus: Die Neuentwicklung ist etwa dreimal so leistungsstark wie Nickel-Cadmium-Akkus und umweltneutral, aber teuer (für Notebooks z. B. 100-400 DM). Lithium-Ionen-Akkus sollen vor allem in Mobiltelefonen, Digitalkameras und Notebooks eingesetzt werden.

Bioabfall

Pflanzliche Küchen- und Gartenabfälle, die kompostiert oder zum Mulchen in Landwirtschaft und Gartenbau verwendet werden können

In deutschen Haushalten fallen jährlich nach Schätzungen rund 12 Mio t B. an. 1996 (letztverfügbarer Stand) verarbeiteten 515 Kompostierungsanlagen ca. 6,5 Mio t B. und produzierten rund 3 Mio t Kompost. Er wurde zu 39% von der Landwirtschaft, zu 30% von Garten- und Landschaftsbau sowie Sonderkulturen, zu 10% von der Erdenindustrie und zu 9% von Hobbygärtnern verwertet. Ein Problem waren die hohen Kosten des Sammelns und Kompostierens (B. aus Biotonnen: 540 DM pro 1000 kg, letzter verfügbarer Stand 1995). Die am 1. Oktober 1998 in Kraft getretene B.-Verordnung legt Schadstoffgrenzwerte für Kompost fest.

Mulchen: Versuche im Raum Hannover, im bayerischen Fürstenfeldbruck und auf Fehmarn zeigten 1998, dass es preiswerter und für Boden und Kompost gleichermaßen vorteilhaft ist, wenn gehäckselte Gartenabfälle direkt auf die Äcker gestreut (gemulcht) werden. Diese Form der B.-Entsorgung ist auch für den eigenen Garten geeignet.

Elektronikschrott

Ausrangierte Computer, Bildschirme, Fernsehgeräte, Fotokopierer, Drucker, Registrierkassen, Telefone usw. Teilweise werden auch Haushaltsgeräte dazugezählt, die korrekterweise Elektroschrott heißen.

Im Mai 1999 berieten Bundesrat und Bundesumweltministerium eine Neufassung der E.-Verordnung, die auch Weiße und Braune Ware einschließen soll. 1998 fielen in Deutschland rund 1,9 Mio t Elektro- und E. an. Da E. gefährliche Schadstoffe ebenso wie wertvolle Rohstoffe enthält (z. B. Edelmetalle), strebten die rot-grüne Bundesregierung und die EU-Kommission ein weitgehendes Recycling an. Die im Mai 1998 von der alten Bundesregierung aus CDU/CSU und FDP vorgelegte IT-Altgeräteverordnung wurde vom Bundesrat blockiert. Umstritten war, ob auch Telefone einbezogen werden, ob die Hersteller auch Altgeräte zurücknehmen sollen, ab wann der Inkrafttreten der Verordnung verkauft wurden, und wer die Geräte einsammeln soll. Bereits 1997 vereinbarte das Bundesumweltministerium mit den Herstellern Weißer Ware eine Rücknahme von Altgeräten. Die Hersteller Brauner Ware weigerten sich, eine Verpflichtung einzugehen.

Forschung: Mehrere Forschungsinstitute erarbeiteten Ende des 20. Jh. zusammen mit der Industrie Konzepte für langlebige Computer, die einfach aufgerüstet werden können, für leicht demontier- und wiederwertbare Bildschirme und Fernsehgeräte (Sony) sowie für das umweltfreundliche Recycling von Leiterplatten (Platinen).

http://www.electronic-recycling.de
http://www.recycle-it.de

Recycling

(recycling, engl.; Wiederverwertung, Kreislaufwirtschaft), Rückführung bereits benutzter Rohstoffe (Sekundärrohstoffe) in die Produktion

Das 1996 in Kraft getretene deutsche Kreislaufwirtschafts- und Abfallgesetz bestimmt, dass Abfall in erster Linie vermieden, in zweiter verwertet und erst in dritter Linie beseitigt werden soll. Ende des 20. Jh. verbesserte die deutsche Industrie die R.-Tauglichkeit vieler Investitionsgüter wie Autos und Haushaltsgeräte.

Sortierung: Der in den Gelben Säcken und in Tonnen gesammelte Verpackungsmüll

▬ Elektronikschrott: Anteile[1]

Haushaltsgeräte (Weiße Ware)	
Unterhaltungselektronik (Braune Ware)	24
Industrie- und Medizintechnik	18
Informations- und Kommunikationstechnik (IT)	14

1) 1998 (%), Abfallmenge insgesamt: 1,9 Mio t; Quelle: BUND, nach Frankfurter Rundschau 16.3.1999

▬ Elektronikschrott: Aufkommen[1]

1996	1,5
1998	1,9
2006[2]	4,0

1) Mio t; 2) Prognose; Quelle: IZT/DIW, zitiert nach Frankfurter Rundschau 16.3.1999

wurde Ende der 90er Jahre noch überwiegend von Hand sortiert. Dadurch entstanden 1998 Kosten von rund 800 DM/t Abfall. Die Restmüllentsorgung (Deponierung oder Verbrennung) kostete dagegen nur rund 400 DM/t. Automatische Sortiersysteme waren in Deutschland in der Entwicklungsphase

▬ Recycling-Quoten der Verpackungsmaterialien[1]

Papier, Pappe und Karton	93
Glas	89
Aluminium	86
Weißblech	84
Verbundmaterial (z. B. Getränkekartons)	78
Kunststoff	69

1) Anteil der für Recycling gesammelten Verpackungen (%); letztverfügbarer Stand: 1997; Quotenangaben beinhalten keine Aussagen über die tatsächliche stoffliche Wiederverwertung; Quelle: Duales System Deutschland, nach Globus 7.11.1998

Recycling: Neue Sortiertechniken

▶ **Kaktus:** Das in Aachen entwickelte System sortiert automatisch die in Gelben Säcken gesammelten Verpackungen. Magnete fischen zunächst die Dosen heraus. Im Wasserbad werden die Papierfasern abgetrennt. Der Rest (Aluminium und Kunststoffe) wird im Wasser zentrifugiert. Dabei trennen sich auch die Kunststoffsorten nach ihrer unterschiedlichen Dichte.
http://www.rwth-aachen.de/

▶ **Microsort:** Das in Wedel/Holstein entwickelte System sortiert mit optoelektronischen Mitteln farbige Glasscherben, Steine und Keramikscherben aus Klarglasscherben her-

aus. Dadurch kann der Altglasanteil bei der Produktion von klaren Gläsern und Flaschen von 40 auf schätzungsweise 85% steigen.
http://www.ecotechnikum.net/mogensen/
http://www.kieswerke.de/t9-94.htm

▶ **Nah-Infrarot-Spektroskopie** (Nir): Das in Münster (Westf.) entwickelte Messverfahren kann in eine Sortieranlage eingebaut werden und Kunststoffsorten mit Hilfe von Infrarotlicht unterscheiden. Druckluftdüsen blasen jedes identifizierte Stück in den richtigen Auffangbehälter.
http://www.uni-muenster.de/Dezernat2/forschung/fors-cbs.htm

Verpackungen: Mehrweganteile bei Getränken[1]

Mineralwasser	88,3
Bier	78,0
Cola, Limonade u. a.	77,5
Säfte u. ä. (ohne Kohlensäure)	36,7
Wein	28,6
Insg. (ohne Milch u. Spirituosen)	71,4

1) in %; letztverfügbarer Stand: 1997; Quelle: Bundesministerium für Umwelt, Globus 27.11.1998

Gesammelte Verpackungen[1]

Glas	32,8
Leichtverpackungen[2]	29,9
Pappe, Papier, Karton	18,1
Verpackungsmüll insg.	75,8

1) kg/Einwohner; 2) aus Kunststoff und Verbund; Stand: 1998; Quelle: AFP, nach Kölner Stadt-Anzeiger 4.5.1999

oder im Piloteinsatz (Kaktus in Eschweiler bei Aachen). Sie sollen die Sortierkosten in einer Größenordnung von 25–30% senken.

Verpackungen

1993–97 sank der Verbrauch an Verkaufs-V. in Deutschland um 16% von 7,5 auf 6,3 Mio t. Die Menge des zur Wiederverwertung gesammelten Verpackungsmülls stieg 1993–98 um 40% von 4 auf 5,6 Mio t.

Duales System: Jeder Deutsche sammelte 1998 im Gelben Sack oder in der Gelben Tonne 75,8 kg V. Nach einer Studie des Dualen Systems Deutschland (DSD) für

Insgesamt wurden in der EU Ende der 90er Jahre rund 60 Mio t Verpackungen verwendet, im Durchschnitt 162 kg/Einwohner.

Verpackungen: Verbrauch in ausgewählten EU-Ländern[1]

Belg./Luxemb.	218
Dänemark	192
Deutschland	163
Frankreich	187
Großbritannien	158
Italien	164
Niederlande	192
Österreich	150
Spanien	139

1) kg/Einwohner; letztverfügbarer Stand 1996; Quellen: Gesellschaft für Verpackungsmarktforschung 1998, nach FAZ 29.12.1998; eigene Berechnung

1998 wurde im Gelben Sack der Müll besser getrennt als in der Gelben Tonne, auf dem Land besser als in der Stadt. Das über den Grünen Punkt finanzierte System kostete 1999 rund 44 DM/Einwohner.

Forderungen: Die EU-Kommission verlangte Ende 1998, dass die Verwertungsaufträge des DSD ab 2000 europaweit ausgeschrieben werden. Kritik am Dualen System kam im Frühjahr 1999 vom Deutschen Städtetag: Um ihre Müllverbrennungsanlagen besser auszulasten, wollen die Kommunen kleine Plastik-V. aus dem DSD herausnehmen und verfeuern, die Kosten dafür jedoch über eine Lizenzgebühr auf Industrie und Handel übertragen. Diese Absicht stieß auf scharfen Protest der betroffenen Unternehmen.

Mehrwegquote: Die seit 1991 geltende deutsche Mehrwegquote für Getränke von 72% wurde 1997 knapp unterschritten. Nur noch 71,4% aller Getränke (außer Milch) wurden in Mehrwegflaschen verkauft. In Berlin war die Quote mit 46% am geringsten, in Baden-Württemberg mit 84% am höchsten. Damit drohte die Einführung eines Zwangspfandes auf Einweg-V. für Bier und Mineralwasser. Handel und Industrie schlugen im Mai 1999 statt dessen Einführung einer Kombiquote vor: Ein Unterschreiten der Mehrwegquote solle mit Übererfüllung von Recyclingquoten kompensiert werden können. Auch die EU-Kommission protestierte gegen die deutsche Mehrwegquote auf Mineralwasser, weil sie den Handel mit ausländischen Produkten behindere.

Pet-Flaschen: Ende der 90er Jahre kam erstmals deutsches Mineralwasser und deutsches Bier in Mehrwegflaschen aus dem Kunststoff PET auf den Markt. Das leichte Material vereinfacht den Transport erheblich, allerdings nutzen die PET-Behälter schneller ab als Glasflaschen. Ein Recycling-System war 1999 in der Entwicklung. Verbraucherschützer kritisierten jedoch Produktmängel bei PET-Flaschen.

China: Zwei mittelständische deutsche Unternehmen entwickelten 1998 selbstverrottende Essensschalen für den chinesischen Markt, wo Ende der 90er Jahre jährlich schätzungsweise 10 Mrd Styroporschalen weggeworfen wurden.

http://www.gruener-punkt.de
http://www.hausfrauenbund.de/presse1.htm

Afrika

Bilanz: Trotz einer in einigen Staaten zu be-
obachtenden Verbesserung der wirtschaftlichen Lage blieb A. 1998/99 die von Armut,
Hunger, Epidemien, Überbevölkerung,
Schuldenlast und Kriegen am härtesten betroffene Region der Welt. In den afrikanischen Staaten südlich der Sahara spitzte
sich die Situation aufgrund der internationalen Finanzkrise und der damit verbundenen Abnahme der öffentlichen und privaten
Auslandshilfen 1998 weiter zu. Obwohl in
A. 11% der Weltbevölkerung (rund 650 Mio
Menschen) lebten, betrug der Anteil des
Kontinents am Weltsozialprodukt 1998 nur
1%. Lt. UN-Entwicklungsprogramm
(UNDP) trug A. 1998 lediglich 1,8% zum
weltweiten Exportaufkommen bei. Der Anteil an der globalen industriellen Wert-
schöpfung erreichte 0,3%.

Ursachen: Für die Krisensituation im südlichen Teil von A. sind der UNDP zufolge
nicht nur ökonomische Faktoren wie die
Außenverschuldung in Höhe von insgesamt
200 Mrd US-Dollar (1998) verantwortlich,
die den Staaten einen Schuldendienst auf-
zwingt, der die jährlichen Aufwendungen
für Gesundheits- und Erziehungswesen um
ein Vielfaches übersteigt. Auch die sich weiterhin ausbreitende Aids-Epidemie, die
nach UNDP-Schätzungen bis 2025 ca.
4 Mio afrikanische Kinder zu Waisen werden lässt, verschärft die Krise. Gewaltsame
Konflikte verhindern außerdem den Aufbau
konstanter politischer, wirtschaftlicher und
sozialer Strukturen.

Kriege: 1994–98 wurden 30 der weltweit 70
bewaffneten Konflikte in A. ausgetragen;
etwa 2 Mio Menschen starben. 1998 befanden sich in A. 3,7 Mio Menschen über
Staatsgrenzen hinweg auf der Flucht. Als
Folge der Kriege werden jährlich rund 3,5
Mio t der Lebensmittelproduktion eingebüßt. 1998/99 waren mehr als ein Drittel der
42 Länder südlich der Sahara in Bürgerkriege oder zwischenstaatliche Konflikte verwickelt: Im Norden der Region schwelte ein
Grenzkrieg zwischen Eritrea und Äthiopien,
im Sudan brach 1998 eine neue Phase des
Bürgerkriegs aus, in Burundi und Ruanda
kämpften Milizen des Hutu-Stammes gegen
die Tutsi-Regierungen, in Angola dauerten
die Gefechte zwischen Regierungstruppen
und UNITA-Rebellen an, in Kongo-Kinsha-
sa standen sich zwei feindliche, aus mehreren Staaten bestehende Verbände gegenüber.

Ostafrikanische Gemeinschaft: 1998
starteten die ostafrikanischen Staaten Kenia,
Tansania und Uganda Versuche, die 1967
gegründete und 1977 nach dem Machtantritt
des ugandischen Diktators Idi Amin zerbro-
chene Wirtschaftsgemeinschaft wiederzube-
leben. Auch die Regierungen Ruandas und
Burundis zeigten Interesse. Ziel der politischen, wirtschaftlichen und sozialen Union
ist die Stärkung der ostafrikanischen Wirtschaft gegenüber dem Rivalen Südafrika.
Bis zum Jahr 2000 sollen ein gemeinsamer
Markt eingeführt, Zölle und Steuersysteme
aufeinander abgestimmt und nationale Zollschranken aufgehoben werden.

Analphabetismus

Fehlende oder unzureichende Lese- oder Schreibfähigkeit bei Erwachsenen

Das UN-Kinderhilfswerk (UNICEF)
schätzte die Zahl der Analphabeten 1999
auf etwa 1 Mrd Menschen, ein Sechstel der
Weltbevölkerung.

Dritte Welt: Die Mehrzahl der Menschen
ohne Lese- und Schreibfähigkeit lebte in
den Entwicklungsländern, wo die Bildungsausgaben aufgrund der staatlichen Schuldenlast auf ein Minimum verringert worden
waren. In Afrika sanken die Pro-Kopf-Aus-
gaben für Bildung der UNICEF zufolge von
1980 bis Mitte der 90er Jahre von 41 Dollar
auf 28 Dollar.

130 Mio der dort lebenden Kinder im
Grundschulalter, 20% ihrer Altersgruppe,

Analphabetismus: Höchstraten[1]

1. Niger		84,4
2. Burkina Faso		81,3
3. Nepal		73,0
4. Sierra Leone		68,6
5. Afghanistan		68,5
6. Senegal		66,9
7. Äthiopien		65,5
8. Guinea		64,1
9. Benin		63,0
10. Angola		63,0

1) Anteil der Analphabeten an der Gesamtbevölkerung (%); Stand: 1998; Quelle: UNO

Jugendarbeitslosigkeit verhindere das Trainieren von Schreib- und Rechenfähigkeiten, die gerade bei lernschwächeren Personen wieder verloren gingen. In Deutschland wurde die Zahl der Erwachsenen, die nur mangelhaft lesen und schreiben können, 1998 auf rund 3 Mio Menschen geschätzt.

Bildung →Schule

Armut

Bilanz: Die Finanzkrise in Asien und Lateinamerika sowie ungünstige Aussichten für die Volkswirtschaften der früheren UdSSR führten 1998/99 zu einem weltweiten Rückgang des Lebensstandards und zu wachsender A. Die wirtschaftliche und soziale Aufbauarbeit der 90er Jahre wurde lt. Weltbank in vielen Entwicklungsländern durch die internationale Krise zerstört, sodass das entwicklungspolitische Ziel, die A.-Quote bis 2015 zu halbieren, 1999 stark gefährdet war. 1998 mussten 1,3 Mrd Menschen (davon rund 1 Mrd in den Entwicklungsländern) mit 1 US-Dollar/Tag und weniger auskommen, die Zahl wird 1999 Prognosen zufolge auf 1,5 Mrd Menschen steigen. Das Vermögen der 225 reichsten Einzelpersonen der Welt (1 Billion US-Dollar) entsprach 1998 dem Jahreseinkommen der ärmsten 47% der Menschheit.

besuchten keine Schule, weil sie durch Arbeit zum Familieneinkommen beitragen mussten oder weil der Unterricht unzureichend war. In Bangladesch kam ein Lehrer im Durchschnitt auf 70 Schüler, in Äquatorialguinea, mit einem BSP/Kopf von 1060 US-Dollar eines der ärmsten Länder der Welt, betrug das Verhältnis 1:90.

Die Einschulungsrate lag 1998 in Afrika südlich der Sahara nur bei 57%, in Südasien bei 68%, im Nahen Osten und in Nordafrika bei 81%, in Lateinamerika bei 92%. Mit einer Einschulungsquote von 96% näherte sich Ostasien den Industrieländern an.

Industriestaaten: Als besorgniserregend wertete UNICEF 1998 den Anstieg des A. in den Industrieländern, der auf Erwerbslosigkeit und Verarmung zurückzuführen sei. Die

Strategien: Das UN-Entwicklungshilfeprogramm (UNDP) forderte 1998 die Industrieländer auf, ihre Leistungen in der Entwicklungshilfe an das vereinbarte Ziel von 0,7% des BIP anzugleichen und das

TopTen Die ärmsten Länder[1]

1. Mosambik		90
2. Äthiopien		110
2. Dem. Rep. Kongo		110
4. Burundi		180
5. Sierra Leone		200
5. Niger		200
7. Tansania		210
7. Rwanda		210
7. Nepal		210
7. Eritrea		210

1) BSP/Kopf (US-Dollar) 1997 (letztverfügbarer Stand); Quelle: Weltbank-Bericht 1999; http://www.worldbank.org

TopTen Die reichsten Länder[1]

1. Luxemburg		45700
2. Schweiz		43060
3. Japan		38160
4. Norwegen		36100
5. Liechtenstein		33500
6. Dänemark		32100
7. Singapur		30550
8. USA		29080
9. Deutschland		28280
10. Österreich		27920

1) BSP/Kopf (US-Dollar) 1998; Quelle: Weltbank-Bericht 1999; http://www.worldbank.org

Problem der Überschuldung zu lösen. Die von A. betroffenen Staaten müssten außer aktiver Arbeitsmarktpolitik die Möglichkeiten zum Aufbau einer eigenen Existenz stärken, indem z. B. der Erwerb von eigenem Land erleichtert wird. Als positive Entwicklung für 1998 vermerkte die UNDP die Projekte zur Bekämpfung der A. in 78 Entwicklungsländern.

Industrieländer: 1998 entfielen 86% der Konsumausgaben auf Industriestaaten, in denen nur 15% der Weltbevölkerung lebten. Sie verbrauchten 45% der weltweiten Fleisch- und Fischproduktion. Obwohl die soziale und wirtschaftliche Kluft zwischen reichen und armen Staaten Ende der 90er Jahre bestehen blieb, wuchs die A. in der westlichen Welt. 1998 lebten über 100 Mio Menschen in den 29 Industrieländern unterhalb der A.-Grenze, 37 Mio waren arbeitslos, 100 Mio obdachlos.

Bewertungsmaßstab: Die UNDP stellte 1998 einen neuen Index zur Erfassung der A. in den Industrieländern vor. Außer dem traditionellen Einkommensmaßstab wird nun auch der Bevölkerungsanteil berücksichtigt, dessen Lebenserwartung unter 60 Jahren liegt, der nicht richtig lesen kann, der weniger als die Hälfte des Durchschnittseinkommens verdient und mind. ein Jahr arbeitslos ist. In diesem Index lag Deutschland nach Schweden und den Niederlanden auf Platz drei. Die USA, das einkommensstärkste Land, rangierte an letzter Stelle.

EU-Vergleich: Die reichsten 10% der EU-Bevölkerung bezogen 1997 etwa 25% des EU-Einkommens, während sich das einkommensschwächste Zehntel der Bevölkerung mit nur 3% des Gesamtaufkommens begnügen musste. In Portugal bestand die größte Ungleichheit zwischen Ärmsten und Reichsten (28%:2%). In Dänemark und in den Niederlanden waren die Unterschiede (20%:4%) am geringsten, Deutschland (23%:3%) lag im Mittelfeld.

Kinderarmut: In Deutschland lebten 1998 nach Angaben des Caritasverbands (Freiburg i. Br.) 6 Mio Menschen an oder unterhalb der A.-Grenze (50% des Durchschnittseinkommens). Vor allem bei Kindern und Jugendlichen stieg der Anteil der Sozialhilfeempfänger überproportional an, sodass die in den 60er Jahren in der Bundesrepublik vorherrschende Altersarmut in den 90er Jahren durch die A. junger Menschen ab-

gelöst worden war. In Ostdeutschland lebte dem 1998 veröffentlichten Kinder- und Jugendbericht zufolge jedes fünfte, in Westdeutschland jedes zehnte Kind in A. Lt. Sachverständigenkommission waren Kinder aus Familien mit alleinerziehendem Elternteil viermal so häufig von A. betroffen wie Kinder in traditionellen Familienstrukturen. Zuwanderer- und kinderreiche Familien waren verstärkt von A. bedroht.

Soziales → Sozialhilfe
http://www.undp.org
http://www.worldbank.org

Asien

Krise: 1999 hatte A. weiter mit den Auswirkungen der Finanzkrise zu kämpfen, die 1997/98 insbes. die Wirtschaft der südostasiatischen Staaten Indonesien, Malaysia, Philippinen, Singapur, Südkorea und Thailand getroffen hatte. Der Konkurs hoch verschuldeter Großunternehmen hatte 1997 Währungsspekulationen nach sich gezogen. Sie zwangen die Regierungen von Indonesien, den Philippinen, Südkorea und Thailand ihre feste Wechselkursbindung an den US-Dollar aufzugeben. Es folgte ein dramatischer Wertverlust der Währungen, der zu weiteren Firmenpleiten führte. Die Weltbank betrachtete 1999 die Rückkehr von Kapital aus privater und öffentlicher Hand als Hauptvoraussetzung für die wirtschaftliche Wiederbelebung in A.

Soziale Folgen: Betroffen von der Krise war vor allem die einfache Bevölkerung in A., die Ersparnisse und Arbeitsplätze verlor. Als Folge der Geldentwertung drohte Millionen Menschen der neuerliche Abstieg in die Armut. In Indonesien wird sich die Armutsquote nach Einschätzung der Weltbank um das Jahr 2000 um etwa 50%, in Malaysia, Südkorea und Thailand um ca. ein Drittel erhöhen. Die Weltbank rechnete mit einer Verschlechterung der Ernährungslage und der medizinischen Versorgung sowie mit sinkenden Ausgaben für Schule und Ausbildung. Hauptleidtragende der Krise seien Frauen und Kinder.

Prostitution: 1998 legte die Internationale Arbeitsorganisation (ILO) einen Bericht über die ökonomischen und sozialen Grundlagen der Prostitution in A. vor, der auf Studien in Indonesien, Malaysia, den Philippinen und Thailand basiert. In den

Der kleine Stadtstaat Singapur gehörte 1997 mit einem Wirtschaftswachstum von 7,8% zu den dynamischsten Volkswirtschaften Asiens. Unter den zehn führenden Unternehmen Asiens befanden sich 1998 allein fünf aus Singapur. In diesem Jahr verlangsamte sich aufgrund der Asienkrise auch das Wachstum in Singapur auf 1,5%.

TopTen Asien: Unternehmen in Südostasien

1. Pertamina	Indonesien		14,812[1]	▽ −5,0[2]
2. Petroliam Nasional[3]	Malaysia		12,444	▲ +21,2
3. Caltex Trading	Singapur		11,383	▲ +21,0
4. Petroleum Authority	Thailand		7,639	▲ +44,6
5. SK Energy Asia	Singapur		5,933	▲ +61,2
6. Seagate Technology	Singapur		5,928	▲ +16,3
7. Nissho Iwai Petroleum	Singapur		5,785	▲ +65,2
8. Hewlett-Packard	Singapur		5,566	▲ + 0,4
9. Singapore Airlines	Singapur		5,202	▲ + 7,0
10. Astra International	Indonesien		4,828	▲ +27,9

1) Umsatz 1998 (Mrd US-Dollar), Geschäftsjahresabschluss meist per 31.3.1998; 2) Veränderung gegenüber Vorjahreszeitraum (%); 3) Petronas; Quelle: Asiaweek, Handelsblatt, 12./13.12.1998

vergangenen Jahrzehnten habe sich die Prostitution mit einem geschätzten BIP-Anteil von 2–14% zum bedeutenden Wirtschaftssektor in A. entwickelt, der Beschäftigung und Einkommen schaffe. Auf den Philippinen wurde die Zahl der Prostituierten – darunter auch Männer, Transvestiten und Kinder – auf 500 000, in Indonesien auf 230 000, in Malaysia auf 140 000 und in Thailand auf 200 000 geschätzt. Allein in Thailand wurden die aus der Prostitution erwirtschafteten Einkommen mit jährlich 27 Mrd Dollar veranschlagt. Ein Teil des Geldes fließt als regelmäßige Zahlungen an die meist bäuerlichen Familien der Prostituierten zurück und übersteigt in vielen Ländern die Mittel der nationalen Entwicklungsprogramme. Aufgrund des krisenbedingten Währungsverfalls rechnete die ILO 1999 mit einer Ausweitung des Sextourismus. Sie schlug vor, das Sexgewerbe offiziell anzuerkennen und statistisch zu erfassen, um Gefahren wie die Verbreitung von Aids besser kontrollieren und politische Maßnahmen planen zu können. Bei der Prostitution von Kindern wurde allerdings ein striktes Eingreifen des jeweiligen Staates gefordert.

Weltwirtschaft →Asienkrise
http://www.ilo.org

Entwicklungshilfe

Abwärtstrend: Die öffentlichen und privaten Kapitalströme aus den Industriestaaten in die Entwicklungsländer erreichten 1997 (letztverfügbarer Stand) mit 324 Mrd Dollar (1996: 365 Mrd Dollar, −11%) einen neuen Tiefstand. Die öffentliche E. verringerte sich gegenüber 1996 um 14,3% von 57,9 Mrd Dollar auf 49,6 Mrd Dollar. Die Organisati-

Entwicklungshilfe: Langfristige Kapitalströme aus den Industriestaaten in die Entwicklungsländer[1]

	1995	1996	1997	1998[2]
Öffentliche Gelder	53,4	32,2	39,1	47,9
Private Gelder	201,5	275,9	299,0	227,1
Bankkredite	32,4	43,7	60,1	25,1
Anleihen	26,6	53,5	42,6	30,2
Portfolio-Anlagen	36,1	49,2	30,2	14,1
Direktinvestitionen	105,4	126,4	163,4	155,0
Sonstiges	1,0	3,0	2,6	2,7

1) Mrd DM; 2) Schätzung; Kapitalzufluss abzüglich Rückzahlungen; Netto-Ressourcenzufluss: 1995 = 254,9 Mrd DM, 1996 = 308,1 Mrd DM, 1997 = 338,1 Mrd DM, 1998 (Schätzung) = 275,0 Mrd DM; Quelle: Weltbank, http://www.worldbank.org

on für Wirtschaftliche Zusammenarbeit und Entwicklung (OECD) rechnete für 1998 mit einer Verschärfung des Abwärts-trends. Die staatliche E. der sieben wichtigsten Industriestaaten (G7) verringerte sich 1997 gegenüber 1992 um rund 30%. Mit einem durchschnittlichen Anteil der Hilfeleistungen am BIP von 0,22% (1990: 0,35%) entfernten sich die OECD-Länder 1997 von der vereinbarten Zielvorgabe, mind. 0,7% des BIP für die öffentliche E. aufzubringen.

Privatinvestitionen: Das Anwachsen der Direktinvestitionen des Privatsektors von 126,4 Mrd Dollar 1996 auf 163,4 Mrd Dollar 1997 (+22,6%) zeigte keine großen Auswirkungen auf die wirtschaftliche Lage in den Entwicklungsländern. Die am wenigsten entwickelten Staaten, die nur ein Bruchteil der privaten Geldströme erreichte, blieben auf die staatliche E. angewiesen.

Deutschland: Die im Herbst 1998 gewählte rot-grüne Bundesregierung wertete das für E. zuständige Bundesministerium für wirtschaftliche Zusammenarbeit und Entwicklung (BMZ) auf; es erhielt durch Bündelung von Zuständigkeiten und Mitsprache im Bundessicherheitsrat mehr Kompetenzen. Im Haushalt 1999 wurde mit einer Erhöhung der E.-Ausgaben gegenüber 1998 um 1,8% auf 7,8 Mrd der seit 1994 herrschende Abwärtstrend gestoppt. Davon profitierten vor allem die Nichtregierungsorganisationen (NRO) sowie die entwicklungspolitische Bildungs- und Öffentlichkeitsarbeit. Als Trendwende wertete E.-Ministerin Heidemarie Wieczorek-Zeul (SPD) die Anhebung der Verpflichtungsermächtigungen (VE) um 7% auf 7,4 Mrd DM. Die VE legen den Finanzrahmen für die E.-Zusagen der nächsten Jahre fest und gelten als Indikator für die Entwicklungspolitik der Regierung.

Kostenrechnung: Die deutsche Wirtschaft profitierte von der E., da ca. 80% der staatlichen Hilfsgelder als Aufträge nach Deutschland zurückflossen. Nach einer vom BMZ 1998 in Auftrag gegebenen Studie des ifo-Instituts für Wirtschaftsforschung (München) führe eine Erhöhung der E. um 10% zu einer Ausfuhrsteigerung in die Empfängerländer um 3,7%. Außer dem finanzpolitischen Stellenwert von E. hob das BMZ die positiven Effekte in den Bereichen Umweltschutz und Krisenprävention hervor.

Kürzungen: Die deutschen Gelder für das Entwicklungsprogramm der Vereinten Natio-

Entwicklungshilfe im Vergleich (Auswahl)[1]

		Anteil
Durchschnitt		0,70
1. Dänemark	🇩🇰	0,97
2. Norwegen	🇳🇴	0,86
3. Niederlande	🇳🇱	0,81
4. Schweden	🇸🇪	0,79
5. Luxemburg	🇱🇺	0,55
6. Frankreich	🇫🇷	0,45
8. Kanada	🇨🇦	0,34
12. Deutschland	🇩🇪	0,28
13. Australien	🇦🇺	0,28
15. Großbritannien	🇬🇧	0,26
19. Japan	🇯🇵	0,22
20. Italien	🇮🇹	0,11
21. USA	🇺🇸	0,09

1) Anteil am BIP (%); letztverfügbarer Stand: 1997; Quelle: OECD, http://www.oecd.org

nen (UNDP) sollten 1999 um ein Viertel auf 75 Mio DM gekürzt werden. Kirchenvertreter und deutsche NRO kritisierten die Mittelverknappung und hoben die Bedeutung der UNDP bei der Krisenprävention in den Entwicklungsländern hervor. Die auf freiwillige Zahlungen der Mitgliedsstaaten angewiesene UNDP verzeichnete seit Anfang der 90er Jahre einen Rückgang der Beiträge um 22% auf 778 Mio Dollar (1997).

■ **Organisationen** → UNO
http://www.bmz.de
http://www.oecd.org
http://www.undp.org

Nur die ersten vier Staaten dieser Rangliste überschritten mit ihrem Anteil der Entwicklungshilfe am BIP die vereinbarte Zielvorgabe der Industrieländer von 0,7%.

Entwicklungsländer

Etwa 170 vorwiegend auf der Südhalbkugel der Erde liegende Staaten, die im Vergleich zu den Industrienationen als wirtschaftlich und sozial unterentwickelt gelten. Niedriges Pro-Kopf-Einkommen, geringe Arbeitsproduktivität, hohe Arbeitslosen- und Analphabetenquote, mangelhafte Infrastruktur, Abhängigkeit von Rohstoffausfuhren u.a. sind Kriterien zur Klassifizierung als E.

Bilanz: Das reale Wirtschaftswachstum in den E., das 1997 noch bei 4,8% und 1998 bei 1,9% lag, wird einer Weltbankstudie zufolge 1999 auf 1,5% zurückgehen; das ist der niedrigste Stand seit Ausbruch der Schuldenkrise in Lateinamerika (1982). Trotz wirtschaftlicher Stabilisierung in den direkt betroffenen Staaten litten die E. 1999 weiter unter den Folgen der asiatischen Finanzkrise, sodass die Weltbank ihre Wachstumsprognosen nach unten revidieren musste. Eine Rückkehr zu ausreichenden Zuwachsraten von 4–5% wird erst für das Jahr 2001 erwartet. Wesentliche Faktoren für die Wirtschaftsschwäche der E. waren nach Einschätzung der Weltbank der Verfall der Rohstoffpreise auf dem Weltmarkt (1998 allein bis zu 50%), der den Exporterlös vieler E. stark verringerte, und das Versiegen der Kapitalzuflüsse durch mangelndes Interesse von Investoren am Engagement in den E.

Die ärmsten Länder: Die UN-Konferenz für Handel und Entwicklung (UNCTAD) forderte 1998 Entschuldungsabkommen und eine bessere Einbindung in das multilaterale Handelssystem der Welthandelsorganisation (WTO), um die wirtschaftliche Lage der 48 am wenigsten entwickelten Länder (Least Developed Countries, LDC) zu verbessern. Das 1997 erzielte Wirtschaftswachstum der LDC von 4,8% lag zwar über dem Weltdurchschnitt (3,2%), reichte aber nicht aus, um die Armut zu überwinden. Der Anteil der meist in Afrika und Asien angesiedelten LDC am Weltsozialprodukt betrug 1997 nur 1%, das Pro-Kopf-Einkommen erhöhte sich 1980–96 um 1 Dollar auf 228 Dollar (zum Vergleich Ägypten: Steigerung von 985 auf 1350 Dollar). Zusätzlich kämpften die LDC 1998 mit den Folgen von Naturkatastrophen und politisch-militärischen Konflikten.

Wissenslücke: Der Weltentwicklungsbericht 1998 hob die Notwendigkeit hervor, die in den E. lebenden Menschen an der Wissensexplosion im Informationszeitalter zu beteiligen. Der Zugang zu finanziellem, technischem und medizinischem Wissen nehme eine Schlüsselstellung bei der Verbesserung von Lebensverhältnissen ein. Die wachsende Kommunikationstechnologie biete die Möglichkeit, die E. näher an die Industriestaaten heranzuführen, könne aber zugleich die Kluft zwischen Erster und Dritter Welt vergrößern. Zur Überwindung des Wissensdefizits wurden von den E. verstärkte Investitionen in Bildung und Erziehung sowie Kooperation zwischen Regierungen, multilateralen Institutionen und Privatsektor gefordert.

EU → Lomé-Abkommen
http://www.bmz.de

BILANZ 2000

Dritte Welt

Wachsende Kluft zwischen arm und reich

Die Entwicklungshilfe der Industriestaaten hat Ende des 20. Jh. einen Tiefstand erreicht: Die Summe von ca. 300 Mrd Dollar entspricht dem Stand von Mitte der 60er Jahre. Für viele Regionen wurden die Hilfen gekürzt, für Länder Mittel- und Osteuropas dagegen aufgestockt. Bei den traditionellen Entwicklungsländern wird Ende des 20. Jh. zwischen Staaten der Vierten Welt und Schwellenstaaten unterschieden: Länder, die keine oder nur geringe Rohstoffressourcen besitzen und deren industrielle sowie agrarische Entwicklung auf niedrigem Niveau steht, werden als Vierte Welt bezeichnet (Bangladesh, Ruanda, Somalia u.a.); Hunger, Massenelend, geringer Alphabetisierungsgrad u.a. werden die Entwicklung der ärmsten Staaten weiterhin prägen. Als Schwellenländer gelten Staaten, die aufgrund ihrer Ressourcen, hoher Eigendynamik und erfolgreicher Industrialisierung gegenüber den Industriestaaten aufgeschlossen haben (Brasilien, China, Indien, Indonesien u.a.). Die Finanzkrise Ende der 90er Jahre in Asien und Lateinamerika zeigt aber die Anfälligkeit in der Entwicklung der Schwellenstaaten. Ende des 20. Jh. halten die Entwicklungsländer (zwei Drittel der Weltbevölkerung) an der Weltwirtschaft nur einen Anteil von 39%.

Positive Trends

▶ Lt. Weltbank können China, Indien, Indonesien, Brasilien und Russland bis 2020 ihren Anteil von 8–10% am Welthandel verdoppeln.

▶ Die UNO erweist sich als geeignetes Organ für die Interessenpolitik der Dritte-Welt-Länder.

▶ Entwicklungshilfe dient Nehmer- und Geberländern und unterstützt die Friedenspolitik.

Negative Trends

▶ Die Auslandsschulden der Entwicklungsländer haben sich seit den 80er Jahren auf rund 2200 Mrd US-Dollar mehr als verdreifacht.

▶ Die internationale Landwirtschaftshilfe für die ärmsten Länder ist seit den 80er Jahren um die Hälfte auf 10 Mrd Dollar jährlich gesunken.

▶ In den ärmsten Ländern der Erde südlich der Sahara leben rund 21 Mio AIDS-Infizierte.

Arbeiter in einer Werkshalle des indischen Stahlwerks Rourkela (um 1960)

Meilensteine

Von der Entwicklungsförderung zur Selbsthilfe

1949: Für die Länder, die im Kalten Krieg als blockfreie Staaten weder dem westlichen System noch dem Ostblock angehören, wird der zunächst bündnispolitisch verstandene Begriff Dritte Welt geprägt.

1955: Auf der Bandungkonferenz fordern asiatische und afrikanische Dritte-Welt-Staaten die Beendigung der Kolonialherrschaft und die Verwirklichung der Unabhängigkeit.

1958: Die deutschen Bischöfe gründen das katholische Entwicklungshilfswerk Misereor, die heute weltweit größte kirchliche Hilfsaktion für Länder der Dritten Welt.

1959: Die Revolution in dem Dritte-Welt-Staat Kuba leitet in unmittelbarer Nähe der USA einen Konflikt ein, dessen blockpolitische Tragweite 1962 an den Rand eines Weltkriegs führt (Kubakrise).

1960: Im »afrikanischen Jahr« erhalten insgesamt 17 Kolonien in Afrika die Unabhängigkeit.

1964: Als Interessenvertretung der Entwicklungsländer in Fragen der Wirtschaft und der Entwicklung formiert sich die sog. Gruppe der 77, der 1995 132 Staaten angehören.

1973: Die Erdölkrise und die Niederlage der USA im Vietnamkrieg steigern in den Dritte-Welt-Ländern die Wahrnehmung ihrer Interessen und führen in den Industriestaaten des Nordens zur Solidaritätsbewegung mit den Entwicklungsländern.

1974: Gegen den Widerstand der westlichen Industriestaaten verabschiedet die UNO die »Charta der Rechte und Pflichten der Staaten« im Sinne der von der G77 geforderten Neuen Weltwirtschaftsordnung.

1975: Die Lomé-Abkommen assoziieren 70 AKP-Staaten (Afrika/Karibik/Pazifik), darunter 38 der ärmsten Länder, mit den EU-Staaten.

1988: Die Entwicklungsländer vereinbaren ein Zollpräferenzsystem zum Ausbau des Süd-Süd-Handels.

1990: Nach dem Ende des Kalten Kriegs koppeln die Industriestaaten vermehrt Entwicklungshilfe an politische Auflagen, die hegemoniale Interessen des Nordens spiegeln.

1996: Weltbank und IWF legen ein Hilfsprogramm vor, das die Schuldendienstfähigkeit der ärmsten Länder der Erde wiederherstellen und ihre Verbindlichkeiten auf ein tragfähiges Niveau reduzieren soll.

1997: Die G-7-Staaten vereinbaren, Entwicklungsländern im Einzelfall bis zu 80% der Schulden zu erlassen, sofern dem Land vorgegebene Strukturanpassungen gelingen.

Stichjahr: 1960
Unabhängigkeit in Afrika
1960 erhielten 17 Kolonien die Unabhängigkeit von Großbritannien, Frankreich, Belgien und Italien, darunter Belgisch-Kongo (Zaïre), Benin, Elfenbeinküste, Kamerun, Madagaskar, Niger, Nigeria, Obervolta (Burkina Faso), Somalia, Togo und Tschad. Die ohne Rücksicht auf ethnische, sprachliche und religiöse Zusammenhänge geschaffenen Kolonialgrenzen blieben aber ebenso bestehen wie die wirtschaftliche Abhängigkeit vom ehemaligen Mutterland. 30 neue Staaten gründeten 1963 die OAU (Organization of African Unity).

Stichwort: Dritte-Welt-Laden
Fairer Handel für gute Waren
Christliche Jugendlicher initiierten ab 1970 in der BRD ehrenamtlich geführte Läden mit Produkten aus Entwicklungsländern (Ende der 90er Jahre: über 700). Sie kaufen direkt beim kirchlichen Fair-Handels-Unternehmen GEPA (Gesellschaft zur Förderung der Partnerschaft mit der Dritten Welt) und lassen die Verkaufserlöse den Produzenten oder Entwicklungshilfeprojekten zukommen.

Stichwort: Nord-Süd-Kommission
Hilfe aus dem reichen Norden
Friedensnobelpreisträger Willy Brandt (D) gründete 1977 das internationale Forum für den Dialog zwischen Industrie- und Entwicklungsländern. Die Brandt-Berichte (1980, 1983) schlugen eine Verdoppelung der Entwicklungshilfe und die Erschließung neuer Finanzquellen für die Entwicklungsländer durch Einführung internationaler Steuern z. B. auf Waffenexporte vor. Die Nord-Süd-Kommission, in der u. a. der 1986 ermordete schwedische Ministerpräsident Olof Palme mitarbeitete, wies erstmals auf den Zusammenhang zwischen Wirtschafts- und Bevölkerungsentwicklung, Umwelt und Abrüstung hin.

Entwicklungsländer: Wachstumsperspektiven einzelner Regionen[1]

	1998	1999[2]	2000[2]	2001[2]
Afrika südlich der Sahara	+2,1	+2,5	+4,0	+4,0
Nordafrika und Mittelost	+1,5	+0,7	+2,5	+3,3
Lateinamerika und Karibik	+2,0	−0,8	+2,5	+3,9
Ostasien und Pazifik	+1,8	+4,0	5,5	6,3
Südasien	5,2	+4,4	+4,8	+5,2
Europa und Zentralasien	−0,3	+1,5	+2,3	+3,6
G7	+1,8	+1,4	+2,1	+2,4
Welt	+1,9	+1,9	+2,7	+3,0

1) Wirtschaftswachstum in %; 2) Prognose; Quelle: Weltbank, http://www.worldbank.org

Entwicklungsländer: Lebensverhältnisse nach Regionen

Afrika südlich der Sahara	27[1]	14,7[2]	45[3]	1[4]
Südasien	49	9,3	78	1
Mittlerer Osten/Nordafrika	64	6,3	k. A.	2
Ostasien/Pazifik	65	4,7	84	2
Lateinamerika/Karibik	53	4,1	73	k. A.
Mitteleuropa/Zentralasien	81	3,0	k. A.	9
Länder mit hohem Pro-Kopf-Einkommen	100	0,7	k. A.	7

1) Anteil der Jugendlichen mit Schulbesuch (%); 2) Kindersterblichkeit unter 5 Jahren (%); 3) Anteil an der Bevölkerung mit Zugang zu sauberem Wasser (%); 4) Krankenhausbetten je 1000 Einwohner; letztverfügbarer Stand: 1997; Quelle: Weltbank, http://www.worldbank.org

Frauenhandel

Deutschland: In den 90er Jahren gelangten jährlich etwa 30 000 Frauen als Opfer von F. nach Deutschland, zwei Drittel von ihnen stammten aus Osteuropa. Meist werden die Frauen von organisierten Banden in ihren Heimatländern unter Vortäuschung von Arbeitsplatzangeboten oder Ehevermittlung angeworben und illegal oder mit Touristenvisum eingeschleust. In Deutschland werden sie zur Prostitution gezwungen. Vor allem Berlin entwickelte sich nach dem Fall der Mauer (1989) und den politischen Umwälzungen in Osteuropa zur Drehscheibe des F. Im Jahr 1997 (letztverfügbarer Stand) wurden in Deutschland 1091 Ermittlungsverfahren gegen F. durchgeführt.

Bekämpfung: Haupthindernis bei der Bekämpfung von F. sind außer mangelnden Sprachkenntnissen die totale finanzielle Abhängigkeit und die Angst der Betroffenen vor der Gewalt ihrer Zuhälter. Vielen Frauen droht sofortige Abschiebung im Falle einer Selbstanzeige. Die EU-Kommission, die 1999 zum Internationalen Jahr gegen Gewalt an Frauen erklärt hatte, strebte die Verbesserung des Opferschutzes und engere Kooperation mit den Herkunftsländern der Frauen an. Durch europaweite Zusammenarbeit von Behörden und Nichtregierungorganisationen wie Beratungsstellen sollte die Strafverfolgung optimiert werden.

Justiz/Kriminalität → Organisierte Kriminalität

Hunger

Bilanz: Nach Angaben der UN-Organisation für Ernährung- und Landwirtschaft (FAO) stieg die Zahl der Unterernährten in den 90er Jahren weltweit um 0,7% von 822 Mio auf 828 Mio Menschen. Der Anteil der chronisch Unterernährten sank dagegen von 20% auf 19%. Weltweit litten Ende der 90er Jahre 2 Mrd Menschen in den Entwicklungsländern an Eisen-, Jod- und Vitamin-

A-Mangel. Nach UN-Angaben starben jährlich mehr als 4 Mio Kinder an Krankheiten
infolge von Unterernährung. Das auf dem
Welternährungsgipfel 1996 in Rom vereinbarte Ziel, die Zahl der Hungernden bis
2015 zu halbieren, wird nach Ansicht der
FAO nicht erreicht.
Ursachen: Armut, Bevölkerungswachstum, Missernten, Kriege und Flüchtlings-
ströme sowie Mangel an zur Nahrungsmit-
teleinfuhr nötigen Devisen sind lt. FAO für
H. verantwortlich. Aufgrund verminderter
Agrarerzeugung, hoher Arbeitslosigkeit und
sinkender Einkommen sei mit einer weiteren Verschlechterung der Ernährungslage in
der Dritten Welt zu rechnen. Die Auswirkungen der asiatischen Finanz- und Wirtschaftskrise auf die Entwicklungsländer in
anderen Kontinenten kämen als Belastung
hinzu.
Regionen: Asien blieb Ende der 90er Jahre
der von H. am meisten betroffene Erdteil.
Während sich in Südostasien die Zahl der
Unterernährten um 10,4% von 289 Mio auf
259 Mio verringerte, stieg sie in Südasien
um 7,2% von 237 Mio auf 254 Mio. In den
Staaten südlich der Sahara in Afrika war der
Anteil der Hungernden an der Gesamtbevölkerung mit 39% am höchsten (1990–92:
40%); dort hungerten Ende der 90er Jahre
210 Mio Menschen. Verwüstungen durch
das Klimaphänomen El Niño ließen seit
Mitte 1997 die Zahl der Länder, die über
Nahrungsmittelknappheit klagten, von 29
auf 40 ansteigen.
http://www. fao.org

Kinderarbeit

Bilanz: 1999 arbeiteten nach Schätzungen
der Internationalen Arbeitsorganisation
(ILO) weltweit 250 Mio Kinder zwischen 5
und 14 Jahren. Bis 2000 wird die Zahl lt.
Prognosen auf ca. 375 Mio steigen. Die Beschäftigungsformen reichten von leichter
körperlicher Arbeit bis zu sklavenähnlichen
Tätigkeiten in Gerbereien, Steinbrüchen
und Kohleminen. Zwangsarbeit, Beteiligung am Rauschgifthandel, Prostitution
und Mitwirkung an der Produktion porno-
grafischer Darstellungen zählten zu den
extremsten Auswüchsen der K. Durch Misshandlung, Unterernährung und überlange
Arbeitszeiten drohten den Kindern körperliche und seelische Schäden.

TOP TEN Die größten Hungerländer[1]

1. Somalia	★	1580
2. Eritrea		1640
3. Burundi		1710
3. Afghanistan		1710
5. Mosambik		1720
6. Äthiopien		1780
7. Komoren		1830
8. Haiti		1830
9. Kongo (Zaïre)	★	1880
10. Dschibuti		1890

1) Verfügbare Tagesmenge an Kilokalorien/Einwohner; Stand:
Ende der 90er Jahre; Quelle: FAO; http://www.fao.org

Konvention: Mitte 1998 einigten sich die
174 ILO-Mitgliedstaaten auf einen Entwurf
für eine neue Konvention, mit der die Ver-
richtung gefährlicher Arbeit z. B. im Bausektor, im Bergbau, im Bereich der Prostitution und des Drogenhandels für Kinder bis
18 Jahren verboten werden soll. Die Chancen einer baldigen Verabschiedung der Übereinkunft wurden positiv eingeschätzt, da sie
kein generelles Verbot von K., sondern nur
Regelungen für spezielle Arbeitsbereiche
enthalte. Frühere ILO-Konventionen, die
eine weltweite Ausmerzung von K. zum
Ziel hatten, fanden bei den Entwicklungsländern keine Zustimmung und wurden von
den betroffenen Kindern selbst unterlaufen,
die meist nur durch Erwerbsarbeit minima-
le Aussichten auf eine wirtschaftliche und
soziale Integration haben.
Sexhandel: Der Handel mit Kindern für
die Prostitution nahm 1998 in Asien nach
Angaben regionaler Fürsorgeorganisationen
alarmierend zu: In Indien und Kambodscha
waren etwa 30% der in der Sexindustrie
Tätigen Kinder und Jugendliche unter 17
Jahren. Auf den Philippinen wurden 1998
etwa 100 000 Kinder sexuell ausgebeutet.
Ein Drittel aller Kinderprostituierten in
Asien waren jünger als 13 Jahre. Viele zur
Prostitution gezwungene Minderjährige
waren 1998 bereits mit dem Aids-Virus HIV
infiziert. Armut und das Entwicklungsgefäl-
le zwischen Stadt und Land nannten Kin-
derschutzverbände als Hauptgrund, warum
Familien in den Entwicklungsländern ihre
Kinder an Bordelle verkauften.

Kindersoldaten: Etwa 300 000 Kinder wurden 1998 UNICEF-Schätzungen zufolge von Armeen oder Rebellenverbänden meist in Afrika und Asien als Soldaten rekrutiert. Seit 1987 starben 2 Mio Kinder im Einsatz als Soldaten, mehr als 10 Mio wurden traumatisiert. Außer Kriegsverletzungen litten sie an Mangelernährung sowie an chronischen Atemwegs- und Geschlechtskrankheiten. Die als wagemutig und leicht beeinflussbar geltenden Kinder wurden als Spione, zur Minensuche und für Selbstmordkommandos eingesetzt. Die Mehrzahl der Jungen und Mädchen wurden unter Zwang rekrutiert, andere traten getrieben von Hunger und Armut freiwillig in die

Kampfverbände ein. UNICEF forderte 1998, in der UN-Konvention das Mindestalter für den Militäreinsatz von 15 auf 18 Jahre heraufzusetzen.

http://www.ilo.org
http://www.unicef.org

Schuldenerlass

Im Juni 1999 beschlossen die sieben wichtigsten Industrienationen (G7) auf einem Gipfel in Köln, ab 2000 den ärmsten Ländern der Welt rund 70 Mrd US-Dollar an Schulden zu erlassen. Die Länder, die von dem S. profitieren wollen, müssen sich zu Wirtschaftsreformen und zur Einhaltung der Menschenrechte verpflichten. Deutschland verzichtete auf rund 4,7 Mrd US-Dollar an Rückzahlungen. Mit fünf weiteren Vertretern der größten Industrienationen hatte Deutschland 1999 eine Initiative zur Entlastung hochverschuldeter Entwicklungsländer gestartet, deren Auslandsverschuldung 1998 auf den neuen Höchststand von 2,2 Billionen Dollar kletterte. Zu den strittigen Punkten in der G7-Runde gehörten die Zahl der für den S. infrage kommenden Staaten (10–40), die notwendigen Bewährungskriterien und die Definition des S. (Entwicklungshilfe, Exporthilfen oder staatlich garantierte Handelskredite).

Deutsche Initiative: Das Bundesministerium für Wirtschaftliche Zusammenarbeit und Entwicklung (BMZ) sah ursprünglich den S. für Staaten vor, deren Auslandsschulden mind. 200% des jährlichen Exporterlöses betragen. Sie sollten sich dazu verpflichten, die freiwerdenden Gelder in Projekte zur Armutsbekämpfung zu investieren. Im Bundeshaushalt 1999 waren für die S.-Initiative rund 50 Mio DM vorgesehen. Der Verein Weltwirtschaft, Ökologie und Entwicklung (WEED) errechnete für 1998 Außenstände der Schuldnerländer bei Deutschland von 15,5 Mrd DM. Davon stammten 2,7 Mrd DM aus Entwicklungshilfekrediten, 11,5 Mrd DM aus verbürgten Handelsforderungen und 1,3 Mrd DM aus Forderungen der ehemaligen DDR.

HIPC-Initiative: Die deutschen Pläne zum S. bauten auf der 1996 von IWF und Weltbank gestarteten HIPC-Initiative auf (Heavily Indebted Poor Countries, engl.; schwer verschuldete arme Länder). Sie sah eine Schuldenreduzierung für 40 der ärmsten

Schuldenerlass: Kreditnehmer[1]

Land		Mrd Dollar
Brasilien		157,6
China		155,1
Mexiko		140,8
Indonesien		119,3
Thailand		113,0
Argentinien		101,0
Indien		96,9
Türkei		70,8
Philippinen		48,3
Malaysia		43,0
Kuba		34,8
Algerien		33,1
Pakistan		31,1
Ägypten		27,6
Chile		27,2
Peru		26,4
Kolumbien		23,7
Südafrika		23,7
Nigeria		23,6
Vietnam		23,0
Saudi-Arabien		21,4
Irak		21,2
Marokko		20,8
Venezuela		20,5

1) Schuldenstand Anfang 1998 (Mrd Dollar); Quelle: OECD; http://www.oecd.org

1998 summierte sich die Auslandsverschuldung aller Länder auf 2,2 Billionen Dollar. Mit einer Steigerung von 15% (21 Mrd Dollar) verzeichnete Brasilien gegenüber dem Vorjahr den größten Schuldenzuwachs.

Die Inuit versuchen, ihren traditionellen Lebensstil gegen die Anforderungen der technisierten Umgebung zu erhalten. Dabei hat für sie die Jagd eine besondere Bedeutung.

Länder vor. Als Bedingungen für den Eintritt ins HIPC-Programm wurden Auslandsschulden von mind. 200% der jährlichen Exporterlöse und die Durchsetzung marktwirtschaftlicher Strukturreformen für mind. drei Jahre festgelegt. Bis Anfang 1999 wurde für sieben HIPC-Staaten ein S. von rund 3 Mrd Dollar erreicht. Nach Schätzungen des IWF könnten bis Ende 2000 etwa 26 Länder die Voraussetzungen für die Teilnahme an diesem S. erfüllen. Entwicklungspolitische Gruppen kritisierten die Initiative als unzureichend, weil die Schuldenschwelle für die Teilnahme (200% des Exporterlöses) zu hoch liege und die Umsetzung des Programms zu viel Zeit beanspruche.

Naturkatastrophe: Der Pariser Club, das 1956 entstandene Forum westlicher Industrieländer zur Klärung von Zahlungsschwierigkeiten, beschloss im Dezember 1998 Schuldenerleichterungen für die mittelamerikanischen Staaten Honduras und Nicaragua, die im November 1998 vom Wirbelsturm »Mitch« verwüstet worden waren. Die Gläubiger einigten sich auf die Aussetzung der Zahlungsverpflichtungen bis 2001 und kündigten einen Teil-S. an.

http://www.bmz.de

Ureinwohner

Ende der 90er Jahre waren U., weltweit etwa 300 Mio Menschen (5% der Weltbevölkerung) in 5000 Völkern und 76 Staaten, von Armut und Unterentwicklung betroffen. Sie litten unter mangelnder Gesundheitsversorgung, wirtschaftlicher Ausbeutung, kultureller Diskriminierung und oft fehlendem Zugang zu Bildungseinrichtungen. Trotz Teilerfolgen blieb ihnen 1998/99 in vielen Staaten die gesellschaftliche Anerkennung verwehrt. Zur Verbesserung ihrer Lage forderten Vertreter der U. seit Anfang der 90er Jahre die Einrichtung eines UN-Hochkommissariats für ihre Belange.

Autonomie: Nach jahrzehntelangem Streit unterzeichneten die Provinzregierung von British Columbia (Kanada) und die 5000 Nisga'a-U. im August 1998 einen Vertrag, der dem Indianerstamm in einem 2000 km² großen, im Nordwesten der Provinz gelegenen Gebiet weitreichende Autonomie einräumt. Sie erhielten eine eigene Rechtsprechung, eigene Polizeikräfte und die Kontrolle über die Bodenschätze. Als Entschädigung für vergangenes Unrecht wurden ihnen Zahlungen von 300 Mio DM zugesagt. Im Gegenzug verzichteten die Nisga'a auf das von ihrem Stamm beanspruchte, zehnmal umfangreichere Territorium und verloren die ihnen verbriefte Steuerfreiheit. 1997 hatte die Oberste Gericht Kanadas die Territorialansprüche von 50 weiteren Stämmen gegenüber der Provinz anerkannt, weil die ersten weißen Siedler in British Columbia im frühen 19. Jh. keine Landverträge mit den U. abgeschlossen hatten und das Versäumnis auch später nicht nachgeholt worden war.

Inuit: Durch Teilung der bisherigen Nordwest-Territorien entstand am 1.4.1999 in der östlichen Arktisregion Kanadas das rund 2 Mio km² große Territorium Nunavut (Land des Volkes), das von seinen U., den Inuit (Eskimos), selbstverwaltet wird. In der Hauptstadt Iqaluit residieren die aus 19 Mitgliedern bestehende gesetzgebende Versammlung, der Ministerpräsident, das Oberste Gericht und die Finanzbehörde. Bis 2000 soll die Hälfte der Arbeitsplätze in der öffentlichen Verwaltung mit Inuit (85% der

Weltbevölkerung: Wachstumsprognosen

Asien	35 891[1] 4785[2]	▲ +33,3[3]
Afrika	779 454	▲ +86,6
Europa	729 701	▽ − 3,8
Südamerika	500 690	▲ +38,0
Nordamerika	304 369	▲ +21,4
Australien/Ozeanien	30 / 41	▲ +36,6

1) 1998 (Mio); 2) 2025 (Mio); 3) Veränderung (%); Quelle: UNFPA

Mitte 1999 lebten auf der Erde bereits 6 Mrd Menschen. Ihre Zahl wird neuesten Prognosen zufolge auf 8,04 Mrd im Jahr 2025 ansteigen.

Bevölkerung) besetzt sein. Nunavut, das mit Arbeitslosigkeit, Alkoholmissbrauch und steigenden Selbstmordraten zu kämpfen hat, soll vom kanadischen Staat mit jährlich 600 Mio Dollar unterstützt werden.

Indianer: Die U. Nordamerikas sind einer Studie des US-Justizministeriums von 1998 zufolge mehr als doppelt so oft Opfer von Gewaltverbrechen wie weiße US-Bürger. Statistisch gesehen werden 124 von 100 000 Indianern Opfer von Mord, Vergewaltigung oder anderen tätlichen Angriffen. Im Schnitt betrug das Verhältnis in den USA 50:100 000.

■ **Staaten** → Kanada

Weltbevölkerung

Die W. sollte nach Angaben von US-Forschern im Oktober 1999 die Grenze von 6 Mrd Menschen überschreiten; 80% von ihnen lebten in den Entwicklungsländern. Der Zuwachs fiel mit 1,3% geringer aus als erwartet; 1998 wurde lt. Deutscher Stiftung Weltbevölkerung (DSW) alle 4,3 sec ein Kind geboren, sodass die Bevölkerung um jährlich 78 Mio Menschen zunahm. Zu den zehn Staaten mit dem höchsten Zuwachs zählten Bangladesch, Brasilien, China, Indien, Indonesien, Mexiko, Nigeria, Pakistan, die Philippinen und die USA.

Wachstumsprognosen: Während 1990 bis 1995 die W. um jährlich 1,43% wuchs, liegt die Rate 1995–2000 bei 1,33%. Aufgrund des langsameren Anstiegs senkte der Bevölkerungsfonds der Vereinten Nationen (UNFPA) 1998 seine Vorhersage für das Jahr 2050 von 9,4 Mrd auf 8,9 Mrd Menschen. Hauptgrund für die Korrektur war lt. UNFPA die auf dem afrikanischen Kontinent explosionsartige Ausbreitung von Aids. 2013 wird die W. die Grenze von 7 Mrd, 2028 die Grenze von 8 Mrd Menschen überschreiten.

Geburtenrate: Durch Ausweitung der Maßnahmen zur Familienplanung sank 1997 die Geburtenrate weltweit auf 2,7 Kinder/Frau gegenüber 5 Kindern Anfang der 50er Jahre und 3 Kindern 1996. Die Geburtenrate in Europa betrug 1,5, in Nordamerika 1,9, in Lateinamerika und Asien jeweils 2,7, in Afrika dagegen 5,3 Kinder. China, das bevölkerungsreichste Land, erreichte 1997 durch seine Ein-Kind-Politik den Wert von 1,8 Kindern/Frau.

Bevölkerungsstruktur: Sinkende Säuglingssterblichkeit und steigende Lebenserwartung führten Ende der 90er Jahre weltweit zum überproportionalen Anstieg bei der Bevölkerungsgruppe der über 65-jährigen und der 15–24-jährigen. In den Industrieländern erhöhte sich der Anteil der Älteren an der Bevölkerung von 8% (1959) auf 14%. Er wird 2050 Prognosen zufolge etwa 25% betragen, wobei sich die Lebenserwartung für Männer auf 87,5 Jahre und für Frauen auf 92,5 Jahre erhöhen soll. Die Zunahme der Gruppe der 15–24-jährigen (1998: insgesamt 1 Mrd weltweit) beschränkte sich vor allem auf die Entwicklungsländer. 43% der Bevölkerung in den am wenigsten entwickelten Ländern waren jünger als 15 Jahre. Die UNFPA warnte vor den gesellschaftlichen Folgen dieser Trends, die zu neuer Armut und sozialen Spannungen führen könnten.

Weltbevölkerung: Regionale Verteilung

	Bevölkerung[1]	Wirtschaftsleistung[1]	Handel[1,2]
Industrieländer[3]	15,7	55,3	77,1
Entwicklungsländer	77,3	39,9	18,6
östl. Reformländer	7,0	4,8	4,2

1) Anteil (%); 2) rundungsbedingte Differenz zu 100 (%); 3) inkl. asiatischer Schwellenländer; Stand: 1997; Quelle: Internationaler Währungsfonds (IMF)

Kinder: Das Kinderhilfswerk der Vereinten Nationen (UNICEF) wies 1998 auf die Zahl von jährlich 40 Mio Kindern (ein Drittel aller Neugeborenen) hin, deren Geburt nicht behördlich registriert werde. Ohne offizielle Identität fehlte den Kindern meist der Zugang zu ärztlicher Behandlung, schulischen Einrichtungen und staatlichen Ernährungsprogrammen. Mehr als die Hälfte der Kinder ohne Geburtsschein lebte nach Angaben von UNICEF in Asien, ein Viertel in afrikanischen Staaten südlich der Sahara.
http://www.unfpa.org http://www.unicef.org

Welternährung

Ernte: Für das Agrarjahr 1998/99 erwartete die UN-Organisation für Ernährung und Landwirtschaft (FAO) eine Getreide- und Reisproduktion von 1880 Mio t (−1,3% gegenüber Vorjahreszeitraum). Der Bedarf werde lt. FAO 1999 um etwa 1 Mio t unterschritten, die Versorgungslücke könne jedoch aus Rücklagen geschlossen werden, ohne die Ernährungssicherheit zu gefährden. Naturkatastrophen vor allem in Asien und Lateinamerika führten 1998 zu schweren Ernährungsnotständen. Auch Afrika litt 1998/99 trotz guter Ernteergebnisse unter Versorgungsengpässen.

Verteilung: Eine 1998 veröffentlichte Untersuchung der FAO über das Nahrungsangebot in 177 Ländern stellte Dänemark mit einer durchschnittlich verfügbaren Pro-Kopf-Menge von 3780 Kilokalorien/Tag an die Spitze der Rangliste. Somalia nahm mit 1580 Kilokalorien den letzten Platz ein. Die Untersuchung unterschied drei Kategorien:
– Industrieländer mit durchschnittlich 3340 Kilokalorien (Deutschland: 3300, Rang 18),
– Transformationsländer (Mittel- und Osteuropa, Länder der ehemaligen UdSSR sowie ein Teil der Entwicklungsländer) mit 2850 Kilokalorien/Tag,
– am wenigsten entwickelte Staaten mit 2060 Kilokalorien/Tag.
Der internationale Durchschnitt betrug 2720 Kilokalorien/Tag, wovon etwa 65% aus Kohlehydraten, 25% aus Fetten und ca. 10% aus Proteinen bestanden. Die FAO betonte, dass 1998 eine für alle Bewohner der Erde ausreichende Menge an Nahrungsmitteln produziert worden sei. Unterernährung sei ein Zeichen von ungerechter Verteilung,

die auch in Ländern ohne Nahrungsmittelknappheit auftrete, wo Menschen durch Armut am Erwerb von Nahrung gehindert würden.

Kalorienverbrauch: Eine 30 Jahre alte, 55 kg schwere Frau braucht lt. FAO täglich 2040 Kilokalorien, wenn sie leichte Arbeit (Nähen) verrichtet, 2145 Kilokalorien bei mittelschwerer (Wäschewaschen) und 2380 bei schwerer Tätigkeit (Feldarbeit). Bei Schwangeren müssen täglich 200–280 Kilokalorien, während der Stillzeit 100–285 Kilokalorien hinzugerechnet werden. Ein gleichaltriger Mann (Gewicht: 65 kg) benötigt je nach Schwere der Arbeit 2531, 2907 oder 3429 Kilokalorien.
  Ernährung
  http://www.fao.org

In dieser Liste lag Deutschland mit einer täglich verfügbaren Menge von 3300 Kilokalorien pro Kopf auf Rang 18.

TopTen Weltbevölkerung: Die meisten Einwohner[1]

1. China		1225
2. Indien		976
3. USA		274
4. Indonesien		207
5. Brasilien		165
6. Pakistan		148
7. Russland		147
8. Japan		126
9. Bangladesch		124
10. Nigeria		122

1) Mio; Stand: 1998; Quelle: UNO

TopTen Welternährung: Nahrungsmittelüberfluss[1]

1. Dänemark		3780
2. Portugal		3650
3. Irland		3620
3. USA		3620
5. Griechenland		3600
6. Belgien/Luxemb.		3570
7. Türkei		3560
8. Frankreich		3550
9. Italien		3480
10. Neuseeland		3410

1) Verfügbare Tagesmenge an Kilokalorien/Einwohner; Stand: Ende der 90er Jahre; Quelle: FAO; http://www.fao.org

Ernährung

Ernährung

Ende der 90er Jahre verstärkten sich weltweit Nahrungsmangel und Hunger, insbes. in den Staaten südlich der Sahara, in den von der Wirtschaftskrise betroffenen Ländern Asiens und in Russland. In den westlichen Industrieländern hingegen herrschte ein Überangebot an Nahrung. Der Deutschen Gesellschaft für Ernährung (Frankfurt/M.) zufolge nahmen die Deutschen zu viel Fett, Zucker und Alkohol zu sich. Folgen dieser falschen E. waren Übergewicht, Erkrankungen des Herz-Kreislauf-Systems, Krankheiten wie Diabetes, Gelenkprobleme und Krebs.

Tiefkühlkost: 1998 war Tiefkühlkost mit einer Verbrauchssteigerung von 3,6% gegenüber dem Vorjahr eine der wachstumsstärksten Produktgruppen im Nahrungsbereich. Sie drängte laut Centraler Marketing Gesellschaft der deutschen Agrarwirtschaft

(CMA, Bonn) traditionell zubereitete Speisen zurück. Angaben der Bundesforschungsanstalt für Ernährung (Karlsruhe) zufolge war z.B. tief gekühltes Gemüse ebenso gesund wie frisches (Erhalt der Vitamine durch das Frosten). Fertiggerichte hingegen gelten als ungesund, weil ihnen zuviel Geschmacksverstärker, Bindemittel, Salz und Fett beigefügt werden.

Fleisch: Erstmals seit zehn Jahren nahm 1998 der Fleischverzehr in Deutschland zu. Mit 62,3 kg wurden 1,8 kg Fleisch pro Kopf mehr verbraucht als 1997. Die CMA führte dies auf fallende Preise und zurückgewonnene Vertrauen zu der Qualität von Rind- und Schweinefleisch zurück.

Pestizidbelastung: 3% der Proben von Obst und Gemüse, die bei einer Studie der EU Ende 1998 untersucht wurden, wiesen eine über dem Grenzwert liegende Pestizidbelastung auf. In 13% der Proben wurden Rückstände mehrerer Pestizide festgestellt. In der EU wurden Ende der 90er Jahre 800 Pestizide verwendet, von denen zahlreiche als Krebs erregend galten. In Drittländern wurden u.a. auch Chemikalien eingesetzt, die in der EU verboten waren. Der für Verbraucherschutz zuständige Generaldirektor der EU-Kommission, Horst Reichenbach, forderte eine Gesetzgebung für die Pestizidverwendung in der EU und schärfere Kontrollen für Obst und Gemüse nach dem Vorbild der Überprüfungen z.B. bei Rindfleisch.

Ernährung: Verbrauch

Nahrungsmittel[1]

Frischobst/Zitrusfrüchte	124
Gemüse	85
Brot u. ä.	84
Kartoffeln	73
Fleisch	62,3
Zucker	34

Getränk[2]

Bohnenkaffee	160
Bier	131
Wässer	102
Erfrischungsgetränke	96
Milch	78
Fruchtsäfte	42

1) Verbrauch/Kopf (kg); 2) Verbrauch/Kopf (l); Stand: 1998; Quelle: Zentrale Markt- und Preisberichtsstelle, ifo-Institut, Bundesernährungsministerium

Die beliebtesten Fischarten

Hering	24,8[1]
Alaska-Seelachs	23,4
Kabeljau/Dorsch	9,3
Lachs	7,8
Tunfisch	7,4
Seelachs	6,3
Rotbarsch	5,8
Sonstige	15,2

1) Anteil am Gesamtverzehr (%); Gesamtverzehr/Kopf 1997: 14,9 kg; Quelle: Fisch-Informations-Zentrum

Erstmals seit zehn Jahren nahm 1998 der Fleischverzehr in Deutschland zu. Mit 62,3 kg wurden knapp 3% mehr Fleisch pro Kopf verbraucht als 1997.

Obstverbrauch[1]	
Äpfel	17,6
Bananen	11,3
Apfelsinen	5,9
Clementinen	4,7
Tafeltrauben	3,7
Pfirsiche	2,8
Erdbeeren	2,3
Birnen	2,2
Zitronen	1,5
Pflaumen	1,1
Kirschen	1,0
Pampelmusen	0,9
Brom-, Heidel-, Preiselbeeren	0,5
Aprikosen	0,4

1) 1997/98, Verbrauch/Kopf (kg); Obstverbrauch insgesamt 89,0 kg/Kopf; Quelle: Bundesernährungsministerium

Fleischverzehr in den Staaten der EU[1]	
Spanien	75,0
Frankreich	71,5
Dänemark	69,7
Irland	68,2
Österreich	65,3
Belg./Luxemb.	64,6
Deutschland	60,5
Portugal	60,4
Niederlande	60,1
Italien	59,0
Griechenland	58,7
Großbritannien	52,0
Finnland	45,7
Schweden	43,4

1) pro Kopf (kg); letztverfügbarer Stand: 1997; Quelle: Deutscher Fleischer-Verband

U. a. wegen niedriger Preise stieg der Fleischkonsum der Deutschen 1998 gegenüber dem Vorjahr erstmals seit Ende der 80er Jahre wieder, von 60,5 kg/Kopf um 3% auf 62,3 kg/Kopf. Der Vergleichbarkeit halber sind in der Tabelle die für alle EU-Staaten letztverfügbaren Werte 1997 aufgeführt.

Essen außer Haus: 1997 (letztverfügbarer Stand) gaben Verbraucher in Deutschland für Essen in Gaststätten und Restaurants, Hotels und Kantinen mit 124 Mrd DM 5,9% weniger aus als im Vorjahr. Im Vergleich zu 1991 bedeutete dies einen Zuwachs von rund 17%. Die Häufigkeit des Essens außer Haus nahm von 1991 bis 1997 von 2,3-mal pro Woche im Schnitt auf 3,6-mal zu. Der Trend ging dabei zu Snacks und Fast Food. Der Durchschnittspreis für eine Mahlzeit lag 1997 mit 9,20 DM geringfügig unter dem Vorjahrspreis. Am erfolgreichsten waren 1997 Restaurantketten. Die 90 größten Gastronomie-Betriebe in Deutschland erzielten ein reales Umsatzplus von 4% gegenüber 1996.

http://www.dge.de (Dt. Gesellsch. für Ernährung)

Functional Food

(engl.; funktionelle Lebensmittel), Lebensmittel, denen über ihren Nährwert hinaus eine gesundheitliche Wirkung zugeschrieben wird. Vitamine, Ballaststoffe, Kalzium, ungesättigte Fettsäuren, Milchsäurebakterien u. a. werden als Zutaten beigemischt und sollen die Gesundheit positiv beeinflussen.

Angebot: Nahrungsmittelkonzerne brachten Ende der 90er Jahre weltweit eine Fülle neuer F.-Produkte auf den Markt (u. a. Vanilleeis, das die Darmtätigkeit regulieren soll; mit Weizen- und Palmöl angereicherter Jogurt, der beim Abnehmen helfen soll). Die Deutsche Gesellschaft für Ernährung (DEG, Frankfurt/M.) führte die Vielzahl der Produktinnovationen auf den Versuch der Firmen zurück, auf dem stark umkämpften Lebensmittelmarkt neue Marktanteile zu erobern.

Kritik: 1999 wurde in Europa nicht behördlich überprüft, ob die Aussagen der Hersteller zu ihren F.-Erzeugnissen der Wahrheit entsprechen. Viele F.-Produkte waren der DEG zufolge sinnvoll, wie Kalziumzusatz zur Vorbeugung gegen Osteoporose (Knochengewebeschwund). Die DEG kritisierte aber die mangelnde Berücksichtigung von Wirkungszusammenhängen. So müssten z. B. Omega-3-Fettsäuren mit Vitamin E haltbar gemacht werden, wenn sie ihre positive Wirkung im Körper entfalten sollen. In isolierter Form können zahlreiche Stoffe ihre Wirksamkeit verlieren.

Kaffee-Bar

Ende der 90er Jahre wurden in Deutschland verstärkt K. eröffnet bzw. waren in Planung, die bis zu 35 verschiedene Kaffee-Kreationen anboten. Dabei wurden dem Kaffee Liköre oder Sirup beigefügt. Je nach Geschäftskonzept wurden die K. in US-amerikanischem oder mediterranem Stil einge-

Neue Kaffeekreationen

▶ **Choco Mocha:** Geschäumte Milch im Longdrink-Glas mit Schokosirup und einem italienischen Espresso übergossen

▶ **Capriccio:** Lungo (verlängerter Espresso) mit einem Schuss Cointreau (Orangenlikör), geschäumter Milch und einer Prise Vanillezucker

▶ **Mexican Coffee:** Kaffee mit Tequila, Kalhua und Sahne

▶ **Mocca Laccino:** Geeister Coffee-Shake mit Kakao

▶ **Hot MMM:** Kaffee mit Milch, Tia Maria und Myers Rum

▶ **Café Romana:** Lungo (verlängerter Espresso) mit einem Glas Sambuca

Quelle: Die Woche, 26.2.1999

Die größten Kaffeetrinker Europas waren 1997 die Skandinavier. Sie belegen die ersten vier Ränge in Kaffee-Verbrauchsstatistik.

Kaffeekonsum im Vergleich[1]

Schweden		11,5
Finnland		11,0
Dänemark		9,2
Norwegen		9,2
Niederlande		9,0
Österreich		8,0
Schweiz		8,0
Deutschland		6,7
Belg./Luxemb.		6,5
Frankreich		5,7
Italien		5,1
Spanien		4,6
USA		4,0
Portugal		3,8
Griechenland		2,9
Polen		2,8
Großbritannien		2,4

1) Pro-Kopf-Verbrauch (kg), letztverfügbarer Stand 1997; Quelle: Deutscher Kaffee-Verband

richtet. 1999 planten große Ketten wie Tchibo und die World Coffee Convenience Stores GmbH 100 bzw. 120 K.-Filialen in Deutschland.

Novel Food

(engl.; neuartige Lebensmittel), gentechnisch veränderte Nahrungsmittel und deren Folgeprodukte

Bis Ende der 90er Jahre wurden in der sog. Grünen Gentechnik weltweit vor allem Eigenschaften von 40 Nutzpflanzen verändert, die Anbau, Ertrag und Haltbarkeit der Erzeugnisse verbesserten. Ende der 90er Jahre wurden in Forschungslabors zuneh-

BILANZ 2000

Ernährung
Essen im Überfluss – Hunger von Millionen

Der Hunger ist Ende des 20. Jh. zentrales Problem der Welternährung. Zwar kann die Nahrungsmittelproduktion die Versorgung der gesamten Weltbevölkerung abdecken, doch mehr als 800 Mio Menschen leiden an Hunger oder Unterernährung, während in den Industriestaaten die Lagerung von Überproduktionen subventioniert wird. Weltweit sterben jährlich 40 Mio Menschen an Hunger, andere Folgen der Unterernährung sind Schädigungen des Immunsystems sowie körperliche und geistige Behinderungen. In den ehemaligen Ostblockstaaten nehmen Unter- und Mangelernährung zu: In Russland stieg der Anteil der Kleinkinder (unter 2 Jahre), deren Wachstum wegen Mangelernährung gestört war in den 90er Jahren von 9% auf 15%. Auf dem Weltwirtschaftsgipfel in Rom 1996 vereinbarten die Staats- und Regierungschefs Maßnahmen zur Halbierung der Zahl der Unterernährten auf rund 400 Mio bis zum Jahr 2015.

Positive Trends

▶ In Deutschland sank der Anteil, den Privathaushalte für Lebensmittel ausgeben, von 32% (1962) auf 17% Ende der 90er Jahre.

▶ Der Index der Nahrungsmittelproduktion stieg in den 90er Jahren in Afrika von 100 auf 117,7, in Asien auf 130,4 und in Nord- und Mittelamerika auf 114,7; in Europa sank er auf 96,0.

▶ In Deutschland wandeln sich die Essgewohnheiten von schwerer, gesundheitsbelastender Kost zu gesundheitsbewusster Ernährung. Seit 1950 verdoppelte sich der Verbrauch von Obst und Gemüse auf rund 85 kg/Kopf und Jahr.

Negative Trends

▶ Die Trinkwasserknappheit steigt; 1997 lebten 436 Mio Menschen in Ländern, in denen das Wasser knapp ist; nach UN-Schätzungen wird diese Zahl auf über 2,2 Mrd (2050) anwachsen.

▶ In Deutschland wird lt. Deutscher Gesellschaft für Ernährung (DEG) weiterhin zu fett gegessen; die Mahlzeiten werden zu lange gekocht, sodass die meisten Vitamine vernichtet werden.

▶ Die in den 90er Jahren erhältlichen gentechnisch veränderten Nahrungsmittel sind in ihren Wirkungen und Folgen unzureichend erforscht.

Fleischangebot im Jahr der Währungsreform in Westdeutschland, 1948

Meilensteine

Zwischen Nouvelle Cuisine und Fast Food

1900: Frederick Hopkins (GB) weist die erste essenzielle Aminosäure nach; diese lebenswichtigen Eiweißbaustoffe müssen dem Organismus mit der Nahrung zugeführt werden.

1906: Frederick Hopkins (GB) erkennt, dass in der Nahrung außer Kohlehydraten, Eiweißen und Fetten weitere lebenswichtige Substanzen enthalten sind; sie werden ab 1911 »Vitamine« genannt.

1915–18: Die Hungerblockade der Alliierten im Ersten Weltkrieg fordert in Deutschland 900 000 Menschenleben.

1924: Clarence Birdseye (USA) beginnt als Erster mit der Produktion von Tiefkühlkost.

1927: Das deutsche Lebensmittelgesetz stärkt gegenüber dem Nahrungsmittelgesetz von 1879 den Verbraucherschutz.

1939: David Keilin (GB) entdeckt Zink als erstes essenzielles Spurenelement; die Stoffe sind lebensnotwendige Ernährungsbestandteile.

1945: Die FAO (Food and Agriculture Organization) der UN wird mit dem Ziel gegründet, weltweit die Ernährungsstandards zu heben.

1948/49: Die UdSSR belegt Westberlin mit einer Hungerblockade; westalliierte »Rosinenbomber« werfen 2 Mio t Lebensmittel u. a. ab.

1955: Richard und Maurice McDonald (USA) gründen das Fast-Food-Unternehmen McDonald's.

1960: Der Anstieg von Herz-Kreislauf-Krankheiten während der »Fresswelle« in der BRD löst zahlreiche »Diätwellen« aus.

1961: UN und FAO beschließen das Welternährungsprogramm, um die eigenständige Nahrungsproduktion der Entwicklungsländer zu fördern.

1976: Meisterkoch Paul Bocuse (F) kreiert die Nouvelle Cuisine mit kalorienarmen Gerichten.

1981: Der Verkauf gepanschten Speiseöls in Spanien fordert mehr als 600 Menschenleben.

1981: Innerhalb der EG werden die E-Nummern zur Kennzeichnung der Zusatzstoffe eingeführt.

1985: In England wird der erste Fall von BSE (Rinderwahnsinn) beobachtet; bis 1998 sterben 26 Menschen an einer Variante der Creuzfeld-Jakob-Krankheit, die auf den Verzehr von BSE-Fleisch zurückgeführt wird.

1994: In den USA kommt als erstes Novel Food eine gentechnisch veränderte Tomate auf den Markt.

Zur Person: Frederick Hopkins

Entdecker der Vitamine

Der britische Biochemiker Frederick Hopkins (1861–1947) entdeckte die Bedeutung der essenziellen Aminosäuren und der Vitamine in der Nahrung für den Menschen. Damit schuf er die für die moderne Nahrungsmittelchemie wichtige Lehre von den akzessorischen (»zusätzlichen«) Ernährungsfaktoren. Hierfür erhielt er 1929 den Medizinnobelpreis.

Stichtag: 2. Juli 1990

Deutsches Bier bleibt rein

Die deutsche Bierverordnung von 1990 verpflichtet die inländischen Brauereien, die mit dem Hinweis auf »Reinheit« werben, auf das bayerische Gebot von 1516. Es hat seit 1870 in Deutschland Gesetzeskraft und schreibt die alleinige Verwendung von Hopfen, Malz, Hefe und Wasser vor. 1987 entschied der Europäische Gerichtshof, dass das Reinheitsgebot nicht für Importbiere gilt.

Ausblick

Fleisch- oder Pflanzenkost

Entgegen dem europäischen Trend sank in Deutschland der Fleischverbrauch pro Kopf und Jahr von Mitte der 80er bis Mitte der 90er Jahre um ein Zehntel. Hintergrund waren Fleischskandale (Rinderwahnsinn) und ein gewachsenes Bewusstsein für hygienische Risiken und Probleme der Massentierhaltung. Ende der 90er Jahre durchgeführte Untersuchungen bestätigen, dass eine fleisch- und fettarme, ballaststoffreiche Ernährung zu weniger Erkrankungen führt. Da zur Produktion von 1 kg tierischem Protein 5–10 kg Pflanzenprotein aufgewendet werden (in Industriestaaten wird bis zu 50% des Getreides zur Fleischproduktion verfüttert), gilt welternährungspolitisch die verstärkte Hinwendung zur Mischkost als Chance zur Lösung der Hungerkrise.

mend Inhaltsstoffe der Pflanzen manipuliert, um den Produktnutzen zu verbessern. Kürbisse und Tomaten sollten mehr Vitamine enthalten, neuartige Kartoffeln in der Friteuse weniger Fett aufnehmen. Während N. in den USA von Verbrauchern akzeptiert wurde, lehnten die Europäer gentechnisch veränderte Lebensmittel aus Angst vor gesundheitlichen Schäden weitgehend ab.

Kennzeichnungspflicht: Im September 1998 trat in der EU eine Verordnung in Kraft, nach der Lebensmittel und -zutaten, die aus gentechnisch veränderter Soja und genmanipuliertem Mais hergestellt werden, zu kennzeichnen sind. Sie ergänzt die N.-Verordnung von 1997. Kennzeichnungspflicht besteht, wenn sich die Pflanzen von herkömmlichen Soja- und Maisprodukten unterscheiden, d. h. wenn sie neue Eiweiße (Proteine) oder genmanipuliertes Erbmaterial (DNA) enthalten. Die EU plante 1999 die Erweiterung der Verordnung, nach der auch alle Zusatzstoffe in Lebensmitteln zu kennzeichnen sind, wenn sie gentechnisch verändert wurden.

Ohne Gentechnik: Ab Ende 1998 dürfen Lebensmittel, die nicht gentechnisch verändert wurden, in Deutschland mit dem Etikett »Ohne Gentechnik« versehen werden. Das Label geht auf eine Initiative des Bundesrats zurück. Wer es verwendet, muss nachweisen können, dass alle beteiligten Produzenten bewusst auf Gentechnik bei der Herstellung der Nahrung verzichteten. Zuwiderhandlungen gelten als Straftaten.

http://www.bgvv.de

Öko-Siegel

Ab Herbst 1999 soll ein einheitliches Prüfsiegel für Produkte aus ökologischem Landbau die etwa 100 Markenzeichen für Öko-Produkte ablösen. Die Centrale Marketing Gesellschaft der deutschen Agrarwirtschaft (CMA, Bonn) und die Arbeitsgemeinschaft Ökologischer Landbau (AGÖL, Darmstadt) waren Initiatoren des Ö. Es garantiert dem Verbraucher, dass Lebensmittel aus streng ökologischem Anbau stammen (keine chemischen Dünger oder Pflanzenschutzmittel, kein Importfutter, keine Massentierhaltung, keine überdüngten Felder). Das neue rotgrüne Ö. trägt die Aufschrift:»Öko-Prüfzeichen. Anerkannt biologischer Landbau« und soll gut sichtbar auf Verpackungen angebracht werden.

Öko-Supermarkt

Ende 1998 öffnete in München Deutschlands erster Ö. Auf 400 m² Ladenfläche wurden ca. 3000 Öko-Produkte (ausschließlich Lebensmittel) angeboten. Im Gegensatz zum eher hohen Preisniveau der üblichen Naturkostläden bot der Ö. seine Produkte zu günstigen Preisen an. Nach monatlichen Umsatzsteigerungen von bis zu 40% rechnete der Betreiber des Ö. Mitte 1999 für das erste Geschäftsjahr mit einem Erlös von rund 4,5 Mio DM. Bis Ende 2000 sollen drei weitere Ö. entstehen. Naturkostläden im Umfeld des Ö. erlitten Umsatzeinbußen und bauten z. T. Personal ab.

Angebot: Im Ö. wurden nur Lebensmittel verkauft, darunter ca. 100 Bio-Weinsorten, Körner und Müsli bis hin zu ökologisch erzeugtem Gemüse. Besonders preiswert wurden speziell gekennzeichnete Grundnahrungsmittel wie Mehl und Milch angeboten, die über schnelle Vertriebswege binnen weniger Stunden vom Erzeuger bzw. Lieferanten auf den Ladentisch gelangten.

Markt: Die Zahl der Haushalte, die Naturkost kauften, verdoppelte sich der Centralen Marketing Gesellschaft der deutschen Agrarwirtschaft (CMA, Bonn) zufolge von 1992 bis 1996. Der Umsatz der rund 1700 Naturkostläden in Deutschland stieg 1998 um 9% gegenüber dem Vorjahr. Lt. Bundesverband für Naturkost machten Geschäfte mit großer Verkaufsfläche und breit gefächertem Angebot den meisten Umsatz.

Die größten Lebensmittelhändler Europas[1]

		Land	Umsatz
1. Metro	✚	Schweiz, Deutschland	99,5
2. Intermarché		Frankreich	60,7
3. Rewe		Deutschland	57,4
4. Promodès		Frankreich	55,3
5. Auchan		Frankreich	50,3
6. Tesco		Großbritannien	48,7
7. Aldi		Deutschland	48,2
8. Edeka		Deutschland	46,5
9. Leclerc		Frankreich	41,9
10. Carrefour		Frankreich	40,9

1) Umsatz (Mrd DM), inkl. Nicht-Lebensmittel-Bereich; Stand: 1997; Quelle: M+M Eurodata

■ Europäische Union

Agenda 2000

Im März 1999 beschlossen die EU-Mitgliedstaaten in Berlin in der A. Reformen der Agrar- und Strukturpolitik sowie die Neuordnung der EU-Finanzierung. Die A. legt die Finanzplanung der EU für 2000–2006 fest und soll mit Blick auf die geplante Aufnahme mittel- und osteuropäischer Staaten Haushaltsdisziplin und Ausgabeneffizienz der EU sicherstellen.

Eckpunkte: Die A. sieht für 2000–2006 Ausgaben von insgesamt rund 700 Mrd Euro vor. Die Agrarpolitik ist mit 298 Mrd Euro größter Posten im EU-Haushalt. Für die 2002 geplante Aufnahme neuer Mitglieder in die EU stehen bis 2006 rund 80 Mrd Euro zur Verfügung. Die Obergrenze für die Beiträge der Mitgliedstaaten zum EU-Haushalt (1,27% der Wirtschaftsleistung) soll nicht ausgeschöpft werden, um die Ausgabendisziplin zu erhöhen. Der größte Zahler Deutsch-

Agenda 2000: Finanzrahmen bis 2006[1)]

	Ausgaben mit EU-Erweiterung	Ausgaben 15 EU-Staaten	Agrarausgaben	Regionalhilfen	sonst. Ausgaben
2000 [2)]		92,0	40,9	32,0	19,1
2001 [2)]		93,4	42,8	31,5	19,1
2002	100,9	93,8	43,9	30,9	19,0
2003	102,0	93,0	43,8	30,3	18,9
2004	103,1	91,5	42,8	29,6	19,1
2005	105,0	90,8	41,9	29,6	19,3
2006	107,7	90,3	41,7	29,2	19,4

1) Mrd Euro; 2) EU-Erweiterung erst ab 2002 geplant; Gesamtausgaben 2000–2006: 700 Mrd Euro (15 EU-Staaten: 644,8; Agrarausgaben 297,8; Regionalhilfen: 213,1; sonstige Ausgaben: 133,9); Quelle: Die Welt, 29.3.1999

land kann frühestens ab 2003 auf eine leicht sinkende Nettobelastung im Verhältnis zu seiner Wirtschaftsleistung rechnen.

Agrarausgaben: Um die Agrarausgaben von 41 Mrd Euro jährlich nach der EU-Erweiterung konstant zu halten, beschlossen die Mitgliedstaaten, bei Getreide die Garantiepreise bis 2000/01 um 7,5% zu senken. Die Rindfleischgarantiepreise sollen um 20% verringert werden. Die Reform des Milchmarkts, durch die der Garantiepreis für Milch um 15% reduziert werden soll, tritt 2005/06 in Kraft. Zusatzmittel für den ländlichen Raum von 14 Mrd Euro jährlich werden ab 2000 aus dem Agrarhaushalt in die Strukturfonds eingegliedert, die von den Staaten mitfinanziert werden.

EU-Erweiterung: Als Hilfe zur Vorbereitung auf den Beitritt in die EU werden den Kandidaten (u.a. Estland, Polen, Slowenien, Tschechien, Ungarn und Zypern) in der A. bis 2006 ca. 22 Mrd Euro bereitgestellt. Für die aufgenommenen Länder werden 2002–2006 weitere Ausgaben von 58 Mrd Euro kalkuliert. Die Finanzmittel fließen in Maßnahmen zur Verbesserung der Infrastruktur und in die Landwirtschaft der neuen Mitglieder.

Deutsche Beiträge: Die jährlichen deutschen Zahlungen an die EU reduzieren sich ab 2003 um voraussichtlich 500 Mio Euro

Agrarpolitik: Subventionen[1]		
Schweiz	✚	76
Norwegen	✚	71
Japan	●	69
Island	✚	68
EU-Staaten	⚹	42
Türkei	☾✶	38
Polen	▬	22
Kanada	✦	20
USA	▤	16
Mexiko	▣	16
Ungarn	▭	16
Tschech. Rep.	◤	11
Australien	▨	9
Neuseeland	▨	3

1) für Landwirte, Anteil am Gesamteinkommen (%); Stand: 1997; Quellen: Globus, OECD

(Beiträge 1998: rund 22 Mrd Euro). In Verbindung mit der Begrenzung der Agrarausgaben und höheren Rückflüssen aus den EU-Strukturfonds sollen die Nettozahlungen Deutschlands an die EU von 0,55% des nationalen BSP (1998: 24,1 Mrd DM) bis 2006 auf 0,43% sinken. Bis 2003 steigen die deutschen Beiträge jedoch wegen bestehender Verpflichtungen in der Strukturpolitik.

Kritik: Wirtschaftsinstitute prognostizierten 1998/99 für die Zeit nach der EU-Erweiterung 40% höhere Ausgaben im Agrarbereich, als von der EU in der A. kalkuliert wurde. Um die Ausgaben für die Landwirtschaft nach Aufnahme der agrarisch geprägten Staaten Mittel- und Osteuropas wie geplant konstant zu halten, forderten sie Senkungen der Garantiepreise für Rindfleisch um 30%, für Getreide um 20% und für Milch um 18%. Das Europäische Parlament drohte, die A. zu blockieren, weil die Mittel für Forschung und Bildung sowie für die Außenpolitik um knapp 4,5 bzw. 7 Mrd Euro gekürzt wurden. Die US-Regierung bezweifelte, dass die Beschlüsse der A. im Bereich der Agrarpolitik mit den Regeln der Welthandelsorganisation (WTO) in Einklang stehen. Sie sah in den Garantiepreisen für landwirtschaftliche Produkte eine unerlaubte Subventionierung.

Agrarpolitik

Für die A. der EU standen im Haushalt 1999 rund 41 Mrd Euro (ca. 50% des Gesamthaushaltes) zur Verfügung. Sie flossen in den Europäischen Ausrichtungs- und Garantiefonds für die Landwirtschaft (EAGFL), der alle mit dem Agrarbereich verbundenen Kosten trägt. Die EU reguliert den Agrarmarkt durch Festlegung von Quoten für die Erzeugung landwirtschaftlicher Produkte und die Garantie von Mindestpreisen, zu denen sie den Bauern die Erzeugnisse abkauft. Um die Kosten für die A. auch nach dem geplanten Beitritt (ab 2002) der landwirtschaftlich geprägten Staaten Mittel- und Osteuropas in Grenzen zu halten, beschlossen die EU-Mitgliedstaaten im März 1999 in der Agenda 2000, die Ausgaben durch Herabsetzung der Garantiepreise einzudämmen. Dadurch sollen die Zahlungen für die Landwirte der EU zwischen 2000 und 2006 auf höchstens 43,9 Mrd Euro/Jahr begrenzt werden.

Agrarpolitik: Landwirtschaftliche Betriebe

Land		Landwirtschaftlich genutzte Fläche (Mio ha)[1]	Zahl der Betriebe (in 1000)[2]	durchschnittliche Betriebsgröße (ha)[3]
Belgien		1,35[1]	71,0[2]	19,1[3]
Dänemark		2,73	68,8	39,6
Deutschland		17,22	525,0	30,3
Finnland		2,19	101,0	21,7
Frankreich		28,27	734,8	38,5
Griechenland		3,58	802,4 802,4	4,5
Großbritannien		16,45	234,6	70,1
Irland		4,32	153,4	28,2
Italien		14,69	2481,1	5,9
Luxemburg		0,13	3,2	39,9
Niederlande		2,00	113,2	17,7
Österreich		3,43	221,8	15,4
Portugal		3,92	450,6	8,7
Schweden		3,06	88,8	34,4
Spanien		25,23	1277,6	19,7

1) Landwirtschaftlich genutzte Fläche (Mio ha); 2) Zahl der Betriebe (in 1000); 3) durchschnittliche Betriebsgröße (ha); Stand: 1998; Quelle: Europäische Kommission, Eurostat, Welt, 26.2.1999

Einkommen: Das Einkommen der Landwirte in der EU ging 1998 real um 3,9% zurück. Die Verschlechterung der wirtschaftlichen Lage auf den Agrarmärkten ist vor allem auf den Verlust wichtiger Ausfuhrmärkte infolge von Wirtschafts- und Finanzkrisen (z. B. in Russland) zurückzuführen.

Agrarproduktion: Die Getreideerzeugung der EU erreichte 1998 mit 208 Mio t einen Rekord (2,1% mehr als 1997). Die Milcherzeugung ging geringfügig um 1% auf 122 Mio t zurück. Die Rindfleischerzeugung verringerte sich um 4,2% auf 7,6 Mio t, die Schweinefleischproduktion stieg um 6,5% auf 17,25 Mio t.

Getreideberg: Als Folge der hohen Getreideernte musste die EU im Wirtschaftsjahr 1997/98 rund 14 Mio t Getreide aufkaufen. Um einen weiteren Anstieg zu verhindern, beschloss die EU für 1998/99, ein Zehntel der Getreideflächen (37 Mio ha) stillzulegen. Da 1997/98 weltweit steigende Getreideernten registriert wurden, ging der EU-Export auf 21,5 Mio t zurück (1996/97: 27 Mio t).

Milchstrafe: Wegen Überschreitung der von der EU festgesetzten Milchquote 1997/98 musste Deutschland eine Strafe von 226 Mio DM zahlen. Die deutschen Landwirte lieferten mit 28,1 Mio t ca. 320 000 t

Milch zuviel ab. Um eine Überproduktion zu vermeiden, erhebt die EU auf zu viel angelieferte Milch eine Abgabe von 70,63 Pf/kg. Sie wird aber nur auf jenen Teil der Übermenge fällig, der nicht mit Lieferungen anderer Erzeuger verrechnet werden kann.

Sinkende Erzeugerpreise: In den meisten EU-Staaten sanken 1998 die Preise für landwirtschaftliche Produkte; am meisten gaben sie in Dänemark (–10%), Großbritannien (–8,3%) und Österreich (–5,7%) nach. In Deutschland verringerten sie sich um durchschnittlich 2%. Nur in Frankreich (+0,2%), Italien (+2,2%) und Portugal (+4,8%) stiegen sie. Zu den insgesamt niedrigeren Erzeugerpreisen trugen vor allem Preiseinbußen bei Schweinen und Getreide bei.

Ausschuss der Regionen

▶ **Abkürzung:** AdR ▶ **Sitz:** Brüssel (Belgien)
▶ **Gründung:** 1993 ▶ **Mitglieder:** 222 Vertreter der Regionen aus den 15 EU-Ländern ▶ **Präsident:** Manfred Dammeyer, Deutschland (seit 1998)
▶ **Funktion:** Unabhängiges Organ zur Beratung der EU in allen Fragen mit regionaler Auswirkung, insbes. der Regionalförderung

Der AdR muss von der Europäischen Kommission und dem Rat in Angelegenheiten gehört werden, die einen regionalen Bezug

haben, z. B. bei Bildung, Gesundheit, transeuropäischen Netzen, grenzüberschreitender Zusammenarbeit und Regionalförderung. Der AdR kann von sich aus Stellungnahmen abgeben oder sich zu Themen äußern, zu denen der Wirtschafts- und Sozialausschuss angehört wird. Als AdR-Mitglieder werden Vertreter von Ländern, Regionen und Gemeinden auf Vorschlag der Mitgliedstaaten für vier Jahre ernannt.
http://www.cor.eu.int

Bananen

Im April 1999 urteilte die Welthandelsorganisation WTO in einem Schiedsspruch, dass die EU-B.-Marktordnung gegen internationale Handelsgesetze verstößt. Als Ausgleich erlaubte die WTO den USA, rückwirkend zum 3.3.1999 Strafzölle im Wert von umgerechnet 345 Mio DM auf Waren aus den EU-Mitgliedstaaten zu erheben. Eine Berufung gegen die Entscheidung ist nicht möglich.
Marktordnung: Die B.-Marktordnung der EU unterwirft vor allem die Importe aus Lateinamerika strengen Kontingenten (1999: 2,52 Mio t mit einem Zollsatz von 75 Euro/t). B. aus den Ländern Afrikas, der Karibik und des Pazifiks, die historisch eng mit Frankreich und Großbritannien verbunden sind, werden auf dem europäischen Markt begünstigt. Die WTO beanstandete die 1993 gegen den Widerstand Deutschlands verabschiedete B.-Marktordnung bereits zwei Mal. Als Folge billigte die EU am 1.1.1999 den amerikanischen Exportländern größere Kontingente zu. Der Handelspreis für B. stieg in Deutschland 1993–99 infolge der Marktordnung um ca. 50%.
Folgen: Als Reaktion auf die B.-Marktordnung verhängten die USA ab dem 3.3.1999

Strafzölle in Höhe von 100% auf bestimmte EU-Importwaren, darunter Erzeugnisse aus Schweinefleisch, Textilien und Käse. 20% der von den Strafzöllen betroffenen Güter kommen aus Deutschland, je 15% aus Italien und Großbritannien. Die Europäische Kommission forderte die USA im April 1999 auf, die Strafzölle aufzuheben, weil ihr Wert doppelt so hoch liege, als von der WTO in ihrem Schiedspruch erlaubt worden sei. Wirtschaftsverbände in den USA und Europa befürchteten Mitte 1999 eine Ausweitung des Handelskonfliktes durch die Verhängung von neuen Strafzöllen auf beiden Seiten.

Duty free

Die D.-Einkäufe bei Schiffs- und Flugreisen innerhalb der EU wurden zum 1.7.1999 abgeschafft. Die Mehrheit der EU-Staaten hatte im März 1999 den Vorschlag Deutschlands abgelehnt, den D.-Einkauf bis 31.12.2001 zu verlängern, dafür aber eine Mehrwertsteuer zu erheben. Die Abschaffung der D.-Läden war bereits 1991 vor Beginn des EU-Binnenmarktes beschlossen, jedoch mit einer Übergangsfrist versehen worden.
Hintergrund: Durch den D.-Handel verlor die EU 1998 rund 2 Mrd Euro an Steuereinnahmen. Nach Ansicht der Europäischen Kommission ist der steuerfreie Einkauf bestimmter Produkte (insbes. Spirituosen, Tabakwaren und Parfums) versteckte Staatsbeihilfe, die zu Wettbewerbsnachteilen für den nicht begünstigten Handel führt.
Folgen: Der Deutsche D.-Verband schätzte 1999, dass nach dem EU-Beschluss 140 000 Arbeitsplätze in den Mitgliedstaaten verloren gehen (10 000 in Deutschland). Die Tourismus-Branche rechnete mit Umsatzeinbußen von ca. 10%. Die Europäische Kommission will die zusätzlichen Einnahmen durch Abschaffung des D.-Handels in Beschäftigungsinitiativen als Ausgleich für den Verlust von Arbeitsplätzen investieren.

EU-Beschäftigungspolitik

Der Europäische Rat beschloss im Juni 1999 in Köln einen Beschäftigungspakt. Er enthält keine konkreten Vorgaben und Maßnahmen für die Schaffung neuer Arbeitsplätze und den Abbau der Arbeitslosigkeit,

Bananen-Importe nach Deutschland[1]	
Ecuador	406
Panama	253
Costa Rica	182
Kolumbien	179
Nicaragua	29
Länder der EU	23
Guatemala	22

1) 1000 t; Stand: 1998; Quelle: Die Welt, 8.4.1999

212

die in den EU-Staaten im Durchschnitt bei 10% liegt. Preisstabilität und wirtschaftliches Wachstum werden in dem Beschäftigungspakt die gleiche Bedeutung zugemessen wie dem Abbau der Arbeitslosigkeit. Den Sozialpartnern wird empfohlen, eine moderate Lohnpolitik zu verfolgen, welche die Beschäftigungspolitik fördert und die Inflation in Grenzen hält. Außerdem soll die Wettbewerbsfähigkeit der Waren-, Dienstleistungs- und Kapitalmärkte gestärkt werden. Die EU-Mitgliedstaaten vereinbarten einen ständigen Dialog zwischen Regierungen, Sozialpartnern, EU-Kommission und Europäischer Zentralbank. Darüber hinaus sprechen sie sich für eine Weiterentwicklung der sozialen Mindeststandards aus, um Wettbewerb, Flexibilität und soziale Sicherheit auf dem Arbeitsmarkt in ein ausgeglichenes Verhältnis zu bringen. Der Beschäftigungspakt geht auf einen Auftrag des Wiener EU-Gipfels vom Dezember 1998 zurück, auf dem sich Deutschland und Frankreich besonders stark für eine solche Vereinbarung eingesetzt hatten. Der vage Inhalt des Beschäftigungspaktes ist auf die Überzeugung der EU-Mitgliedstaaten zurückzuführen, dass die Arbeitslosigkeit in den einzelnen Ländern unterschiedliche Ursachen hat und daher nur im nationalen Rahmen bekämpft werden kann.

EU-Erweiterung

Im November 1998 nahmen die Mitgliedstaaten der EU Beitrittsverhandlungen mit Estland, Polen, Slowenien, Tschechien, Ungarn und Zypern auf. Sie gelten wegen ihrer Fortschritte bei der Umsetzung marktwirtschaftlicher Reformen und bei der Angleichung der Lebensverhältnisse an die EU-Staaten als aussichtsreichste Beitrittskandidaten. Auch Bulgarien, Lettland, Litauen, Malta, Rumänien, die Slowakei und die Türkei streben die Aufnahme in die EU an. Der Beitrittsantrag der Schweiz ruht seit 1992, nachdem das Volk sich in einer Abstimmung gegen die Teilnahme am Europäischen Wirtschaftsraum ausgesprochen hatte. Nach Ansicht der Europäischen Kommission können die ersten neuen Mitglieder frühestens 2002 aufgenommen werden. **Voraussetzungen:** Zur Aufnahme in die EU sind im betreffenden Land eine demokratische und rechtsstaatliche Ordnung, die

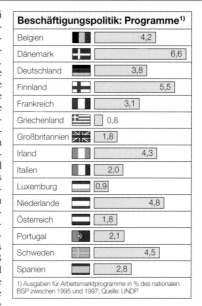

Beschäftigungspolitik: Programme[1]		
Belgien		4,2
Dänemark		6,6
Deutschland		3,8
Finnland		5,5
Frankreich		3,1
Griechenland		0,8
Großbritannien		1,8
Irland		4,3
Italien		2,0
Luxemburg		0,9
Niederlande		4,8
Österreich		1,8
Portugal		2,1
Schweden		4,5
Spanien		2,8

1) Ausgaben für Arbeitsmarktprogramme in % des nationalen BSP zwischen 1995 und 1997; Quelle: UNDP

Achtung der Menschenrechte und der Schutz nationaler Minderheiten, eine funktionsfähige Marktwirtschaft sowie Mindeststandards in der Sozialgesetzgebung und im Umweltschutz erforderlich. Im Zuge der E. werden 80 000 Seiten Regeln und Vorschriften (Besitzstand der Union, »acquis«) mit der Lage im Antragsland verglichen und für den Übergang zu den EU-Standards notwendige Schritte und Fristen festgelegt. **Kritik:** Die Europäische Kommission kritisierte Ende 1998 den Stillstand der Reformen in Tschechien und Slowenien, vor allem den fehlenden Willen der Regierungen, ihr Rechtssystem an EU-Normen anzugleichen. Bulgarien und Rumänien galten 1999 wegen wirtschaftlicher Schwäche nicht als aussichtsreiche Beitrittskandidaten. Eine Aufnahme der Türkei wurde 1999 trotz Fortschritten bei der Entwicklung zur Marktwirtschaft wegen anhaltender Menschenrechtsverletzungen, der Unterdrückung von Minderheiten (z. B. der Kurden) und des Fehlens einer zivilen Kontrolle des Militärs als verfrüht angesehen. Lettland hingegen wurden aufgrund seiner Erfolge bei wirtschaftlichen und rechtlichen Reformen für Ende 1999 oder Anfang 2000 Gespräche über einen Beitritt in Aussicht gestellt.

Malta: Malta erneuerte seine Bewerbung um Aufnahme in die EU im September 1998. Die sozialistische Regierung Maltas hatte den 1990 gestellten Antrag 1996 zurückgezogen und war nur zum Abschluss eines Freihandelsabkommens mit der EU bereit. Die bei den Wahlen im September 1998 siegreiche Nationalistische Partei kündigte einen Politikwechsel gegenüber der EU an, zumal die Europäische Kommission eine mögliche Mitgliedschaft Maltas positiv beurteilt.

Kosten: Die EU schätzt die Mehrkosten bei der geplanten E. um sechs Staaten auf rund 46 Mrd Euro jährlich. Andere Schätzungen gehen von jährlichen Zusatzausgaben von 85 Mrd Euro aus, wenn das bisherige System der Subventionen in der Agrar- und Strukturpolitik auf die landwirtschaftlich geprägten Länder Mittel- und Osteuropas ausgedehnt wird. Durch die Beschlüsse zur Agenda 2000 will die EU die Mehrkosten für die E. begrenzen.

EU-Führerschein

Am 1.1.1999 trat in Deutschland die EU-Führerschein-Regelung in Kraft. Kernpunkte sind EU-einheitliche Fahrerlaubnis-Klassen und die Einrichtung eines zentralen Registers zur Bekämpfung des Führerscheintourismus. Der Erwerb einer Fahrerlaubnis ist nur noch in dem Staat möglich, in dem der Bewerber seinen ordentlichen Wohnsitz hat. Der E. gilt mit Ausnahme der Regelung für Lkw- und Busfahrer, die sich alle fünf Jahre einer medizinischen Untersuchung unterziehen müssen, unbefristet und kann in der gesamten EU ohne Umtausch benutzt werden.

Klassen: Statt der bis 1998 in Deutschland gültigen Klassen eins bis fünf gibt es folgende Klassen:
– Klasse A: Krafträder mit einer Leistung von mehr als 25 kW dürfen erst nach zweijährigem Führerscheinbesitz gefahren werden. Die Aufstiegsprüfung von leichten zu schweren Maschinen entfällt.
– Klasse B: Berechtigt zum Fahren von Kfz bis 3,5 t Gewicht (Deutschland vorher: 7,5 t). Kraftfahrer, die ihren Führerschein vor dem 1.7.1994 erworben haben, dürfen weiterhin Fahrzeuge bis zu 7,5 t Gewicht fahren.
– Klasse C: Erlaubt das Führen von Nutzfahrzeugen über 3,5 t.
– Klasse D: Ersetzt die Fahrerlaubnis zur Fahrgastbeförderung (Busse mit mehr als acht Plätzen).
– Klasse E: Berechtigt zum Fahren mit Anhängern über 750 kg zulässigem Gesamtgewicht.
– Klasse L: Ersetzt Klasse 5 und berechtigt zum Führen von Kfz mit einer Geschwindigkeit von 25 km/h (z.B. land- und forstwirtschaftliche Fahrzeuge, Kfz mit einem Hubraum bis 50 cm^3).
– Klasse T: Neu eingeführte Klasse zum Führen von forst- und landwirtschaftlichen Fahrzeugen inkl. Anhänger mit einer Geschwindigkeit von max. 60 km/h.

Alte Führerscheine: Alle bisherigen deutschen Führerscheine bleiben gültig. Bei freiwilligem Umtausch werden die neuen Klassen-Bezeichnungen so eingetragen, dass sie den bisherigen Rechten des Führerscheininhabers voll entsprechen.

EU-Haushalt

Der EU-Haushalt umfasst 1999 ein Volumen von rund 85,8 Mrd Euro. Er stieg gegenüber 1998 (83,5 Mrd ECU) um ca. 2,9%. Der E. 1999 wurde erstmals in Euro verabschiedet. Für die Landwirtschaft sind 1999 rund 40 Mrd Euro (47% des Gesamthaushalts) vorgesehen. Die Ausgaben für die Strukturförderung reduzieren sich um 500 Mio Euro auf 30,45 Mrd Euro. Der Haushalt erreicht 1,12% der Höhe des BSP aller Mitgliedstaaten und liegt unter der zulässigen Obergrenze (1,27%).

Einnahmen: Rund 50% der E. werden aus Mehrwertsteueranteilen finanziert (1999: 1% einer auf EU-Ebene harmonisierten Bemes-

EU-Haushalt: Deutsche Beiträge an die EU (Mrd DM)			
1998	43,2[1]	19,1[2]	▼–24,1[3]
1997	42,6	20,1	▼–22,5
1996	40,3	17,8	▼–22,5
1995	41,0	14,9	▼–26,1
1994	41,8	14,2	▼–27,6
1993	37,9	14,2	▼–23,7
1992	35,7	13,6	▼–22,1
1991	33,0	14,0	▽–19,0

1) Deutsche Zahlungen an die EU; 2) EU-Zahlungen an Deutschland; 3) Nettobetrag; Quelle: Globus, Deutsche Bundesbank

sungsgrundlage, die etwa den mehrwertsteuerpflichtigen Konsumausgaben entspricht). Die EU-Länder zahlen mit Beiträgen, die ihrer Wirtschaftskraft (BSP) entsprechen, 30% des Haushaltsvolumens. Rund 20% der EU-Einnahmen stammen aus Agrarabschöpfungen, Zuckerabgaben, Zöllen u. a.

Deutsche Beiträge: 1998 betrugen die deutschen Zahlungen an die EU 43,2 Mrd DM (27,4% des E.); 19,1 Mrd DM flossen aus den Kassen der EU nach Deutschland zurück. Mit einem Nettobetrag von 24,1 Mrd DM blieb Deutschland 1998 der größte Nettozahler der EU. Im März 1999 beschlossen die EU-Staaten in Berlin Finanz- und Agrarreformen, die zur Senkung der deutschen Nettozahlungen ab 2003 um rund 950 Mio DM/Jahr beitragen sollen. Deutsche Politiker von Regierung und Opposition hatten zuvor eine weitaus stärkere Senkung des deutschen Beitrages gefordert, obwohl unstrittig ist, dass Deutschland aufgrund seiner Größe, Bevölkerungszahl und Wirtschaftskraft weiterhin einen hohen Anteil der Finanzierung des E. übernehmen muss.

Betrug: 1998 gingen der EU ca. 4 Mrd Euro (ungefähr 5% des E.) durch Betrug, Korruption und Schlamperei verloren. Durch Schwarzarbeit, Schwarzhandel und mangelhafte Eintreibung von Steuermitteln, die der EU zustehen, wurden weitere Mindereinnahmen von ca. 22 Mrd Euro bilanziert. Im März 1999 beschloss die Europäische Kommission einen Verhaltenskodex für die 16 000 EU-Beamten; sie dürfen keinerlei Weisungen und Begünstigungen von außen mehr entgegennehmen. Um Betrugsdelikte aufzudecken, soll Ende 1999 ein unabhängiges Amt für Betrugsbekämpfung (Office de lutte anti-fraude – Olaf) eingerichtet werden, das die bisherige interne Einheit der EU-Kommission zur Betrugsbekämpfung (Uclaf) ersetzt. Die Zahl der Ermittler bei Olaf wird im Vergleich zur Uclaf voraussichtlich von 150 auf 300 erhöht. Der Direktor von Olaf soll das Recht erhalten, weisungsunabhängig in allen Institutionen, Organen und Agenturen der EU zu ermitteln.

Haushalt 2000: Im April 1999 legte die Europäische Kommission einen Entwurf für den Haushalt 2000 vor. Er soll um fast 5% auf 89,5 Mrd Euro steigen. 40,8 Mrd Euro sind für Agrarausgaben vorgesehen, 32,6 Mrd Euro entfallen auf die Strukturfonds.

Das Europäische Parlament verlangte im Mai 1999 vorsorglich einen Nachtragshaushalt, weil im Entwurf für den Haushalt 2000 lediglich 280 Mio Euro an Hilfen für die vom Kosovo-Krieg betroffenen Länder vorgesehen sind. Das Europäische Parlament geht von weitaus höheren Mitteln aus, welche die EU für den Wiederaufbau der Balkanstaaten aufwenden muss.

EU-Konjunktur

Das Bruttoinlandsprodukt (BIP) stieg 1998 in der EU um 2,9% (1997: 2,5%), wobei sich der Anstieg im vierten Quartal 1998 mit 0,2% deutlich verlangsamte. Die Abschwächung ist auf den Rückgang der Exporte in die wirtschaftlichen Krisenregionen Südostasien, Russland und Südamerika zurückzuführen. Die Inflation stieg 1998 um 1,6% (1997: 1,4%).

Beschäftigung: Die Arbeitslosenrate in der EU sank 1998 leicht von 10,7% auf 10,0%. Die Zahl der Beschäftigten stieg im Vergleich zum Vorjahr um 1,5% (Anstieg der Arbeitsplätze um 2,3 Mio). Die geringste Arbeitslosigkeit in der EU hatte Luxemburg mit 3,1%, die höchste Spanien mit 18,8%. Deutschland lag mit 11,2% geringfügig über dem Durchschnitt der EU.

EU-Konjunktur: Wachstum[1]	
Belgien	1,9
Dänemark	1,7
Deutschland	1,7
Finnland	3,7
Frankreich	2,3
Griechenland	3,4
Großbritannien	1,1
Irland	9,3
Italien	1,6
Luxemburg	3,2
Niederlande	2,3
Österreich	2,3
Portugal	3,2
Schweden	2,2
Spanien	3,3
1) Prognose 1999 (%); Quelle: Europäische Kommission	

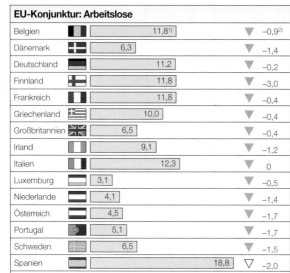

EU-Konjunktur: Arbeitslose

Land	Quote	Veränderung
Belgien	11,8[1]	▼ –0,9[2]
Dänemark	6,3	▼ –1,4
Deutschland	11,2	▼ –0,2
Finnland	11,8	▼ –3,0
Frankreich	11,8	▼ –0,4
Griechenland	10,0	▼ –0,4
Großbritannien	6,5	▼ –0,4
Irland	9,1	▼ –1,2
Italien	12,3	▼ 0
Luxemburg	3,1	▼ –0,5
Niederlande	4,1	▼ –1,4
Österreich	4,5	▼ –1,7
Portugal	5,1	▼ –1,7
Schweden	6,5	▼ –1,5
Spanien	18,8	▽ –2,0

1) Quote in % 1998; 2) Veränderung zu 1997 in Prozentpunkten; Quelle: Bundesstelle für Außenhandelsinformationen

Prognose: Für 1999 prognostizierte die OECD einen leichten Rückgang des BIP auf 2,5%. Das Wachstum soll dennoch über dem Durchschnitt aller Industrieländer (OECD-Gebiet: ca. 2%) liegen. Gründe für das solide Wachstum sind niedrige Zinsen und Anzeichen wirtschaftlicher Stabilisierung in Südostasien. Die Arbeitslosenquote in der EU wird sich trotz des Anstiegs des BIP 1999 kaum verringern.

Euro

Am 1.1.1999 wurde in elf Ländern der EU (Belgien, Deutschland, Finnland, Frankreich, Irland, Italien, Luxemburg, Nieder-lande, Österreich, Portugal, Spanien) der E. (1 E.=100 Cent) als gemeinsame Währung eingeführt. Er kann bis 2002 nur im bargeldlosen Zahlungsverkehr benutzt werden. Die auf nationale Währung lautenden Scheine und Münzen bleiben bis 2002 im Umlauf, sind jedoch seit dem 1.1.1999 nur Stellvertreter für den jeweils feststehenden E.-Geldbetrag. Die Einführung des E. ist keine Währungsreform, da Wert und Kaufkraft gleich bleiben. Dies gilt für alle Preise, Schulden, Löhne und Gehälter, Sparguthaben, in Versicherungen eingezahlte Beträge etc. Die währungspolitischen Zuständigkeiten der elf Zentralbanken (Deutschland: Deutsche Bundesbank) gingen am 1.1.1999 auf die Europäische Zentralbank über.
Kurse: Am 31.12.1998 wurde festgelegt, welchen Wert ein E. in der jeweiligen Landeswährung hat. So entspricht ein E. genau 1,95583 DM, umgekehrt eine DM 0,5113 Euro. Die Wechselkurse der elf Währungen gegenüber dem E. und die Verhältnisse der Währungen untereinander sind unveränderbar. Gegenüber den Währungen der EU-Staaten, die den E. bis Mitte 1999 nicht eingeführt hatten (Dänemark, Griechenland, Großbritannien und Schweden) kann es innerhalb einer Bandbreite weiterhin zu Schwankungen kommen.
Schwäche: Der E. sank seit seiner Einführung bis Mitte 1999 von 1,1789 US-Dollar auf unter 1,04 US-Dollar (ca. –12%). Gründe waren das fehlende Vertrauen der Finanzmärkte in die stabilitätsorientierte und wachstumsfördernde Politik der elf EU-Staaten (so wurde Italien für 1999 erlaubt, mit 2,4% des BIP 0,4 Prozentpunkte mehr Schulden zu machen, als in dem Stabilitätspakt vorgesehen war) und die stabile Stellung der US-Wirtschaft. Der Dollar wird mit einem Anteil von über 60% an den welt-

Konvergenzkriterien der vier EU-Staaten ohne Euro

	Teuerungsrate[1]		Langfristige Zinsen[1]		Öffentliches Defizit[2]		Öffentl. Schuldenstand[2]	
	1998	2000	1998	2000	1998	2000	1998	2000
Referenzwert	2,4	3,1	6,7	6,3	3,0	3,0	60,0	60,0
Griechenland	4,8	2,6	8,5	6,0	2,7	2,1	108,7	105,0
Dänemark	1,9	2,3	4,9	4,4	1,0	2,6	56,0	48,0
Schweden	–0,1	1,4	5,0	4,5	1,2	1,5	73,1	66,0
Großbritannien	2,7	2,3	5,6	4,4	0,4	1,0	50,4	49,0

1) in %; 2) % des BIP; Quelle: Commerzbank Außenhandelsblätter 2/1999

weiten Währungsreserven auch nach Einführung des E. als Leitwährung angesehen. Der Binnenwert des E., der an der Entwicklung des Preisniveaus in den elf EU-Staaten gemessen wird, gilt bei einer Inflationsrate von 0,8% als stabil. Internationale Wirtschafts- und Finanzinstitute forderten 1999 wiederholt die Regierungen der EU-Mitgliedstaaten auf, die nationalen Haushalte zu sanieren und die Staatsverschuldung zurückzuführen, um dadurch das Vertrauen der Finanzmärkte zurückzugewinnen und den Wert des Euro gegenüber dem US-Dollar zu stabilisieren.

Kosten: Die Kosten der E.-Umstellung belaufen sich für die europäischen Unternehmen auf 77 Mrd Euro, rund 70% mehr als 1997 geschätzt. Hauptkostenfaktoren sind die Umstellung des Zahlungsverkehrs, Umprogrammierungen der Computer, neue Preiskennzeichnungen und die Reorganisation von Betriebsabläufen.

Scheine und Münzen: 2002 werden E.-Banknoten und -münzen ausgegeben. Auf den Scheinen zu 5, 10, 20, 50, 100 und 500 E. sind Motive aus der europäischen Kulturgeschichte abgebildet. Münzen zu 1, 2, 5, 10, 20 und 50 Cent sowie zu 1 und 2 E. werden von den nationalen Regierungen mit unterschiedlichen Rückseiten geprägt (Deutschland: Bundesadler, Brandenburger Tor, Eichenzweig), sind jedoch im gesamten E.-Gebiet gültig. Das Bundeskriminalamt (BKA, Wiesbaden) forderte Ende 1998 eine bessere Aufklärung über Aussehen, Beschaffenheit und Sicherheitsmerkmale des E., damit die Bürger bei dessen Einführung vor Falschgeld geschützt sind.

Kriminalität → Falschgeld

Europäische Agentur für die Beurteilung von Arzneimitteln

▶ **Sitz:** London (Großbritannien) ▶ **Gründung:** 1995 ▶ **Funktion:** Beurteilung medizinischer Produkte auf dem Europäischen Binnenmarkt

Die E. beobachtet und bewertet die Entwicklungen auf dem europäischen Markt für medizinische Produkte zum Schutz der Verbraucher und im Interesse der pharmazeutischen Unternehmen. Sie sammelt Informationen über Medikamente und unterrichtet über Zulassungsverfahren in den einzelnen EU-Staaten.

Feste Euro-Wechselkurse

Währung	Wert eines Euro	Wert einer DM
Belgische Francs	40,3399	20,6255
Deutsche Mark	1,95583	–
Finnische Mark	5,94573	3,04001
Französische Francs	6,55957	3,35386
Irisches Pfund	0,787564	0,402676
Italienische Lire	1936,27	990,002
Luxemburg. Francs	40,3399	20,6255
Niederländ. Gulden	2,20371	1,12674
Österr.Schillinge	13,7603	7,03552
Portugies. Escudos	200,482	102,505
Spanische Peseten	166,386	85,0722

Europäische Agentur für Sicherheit und Gesundheitsschutz am Arbeitsplatz

▶ **Sitz:** Bilbao (Spanien) ▶ **Gründung:** 1995 ▶ **Funktion:** EU-Behörde zur Gewinnung von Informationen über die Sicherheit am Arbeitsplatz

Die E. hat die Aufgabe, die Institutionen der EU und die Mitgliedstaaten mit Daten über die Sicherheit am Arbeitsplatz zu versorgen. Sie soll u.a. auf der Basis dieser Informationen Vorschläge für neue Richtlinien erarbeiten, die zur Erhöhung des Gesundheitsschutzes der Menschen am Arbeitsplatz beitragen.

http://www.eu-osha.es

Europäische Beratungsstelle für Drogen und Drogensucht

▶ **Sitz:** Lissabon (Portugal) ▶ **Gründung:** 1994 ▶ **Direktor:** Georges Estievenart, Frankreich (seit 1994) ▶ **Funktion:** EU-Behörde zur Gewinnung von Informationen für eine wirksame Anti-Drogen-Politik

Die E. sammelt und bewertet Informationen über die Drogennachfrage in Europa. Sie befasst sich mit Strategien zur Bekämpfung der Drogensucht und mit den Folgen des Drogenhandels für die Erzeuger-, Verbraucher- und Transitländer. Die E. arbeitet eng mit internationalen Organisationen zusammen.

http://www.emcdda.org
Drogen

Europäische Kommission

▸ **Sitz:** Brüssel (Belgien) ▸ **Gründung:** 1967
▸ **Kommissare:** 20 ▸ **Präsident:** Romano Prodi,
Italien (seit 1999) ▸ **Funktion:** Ausführendes Organ
der Europäischen Union

Rücktritt: Im März 1999 traten die Mitglieder der E. geschlossen von ihrem Amt zurück. Auslöser war der Bericht eines Sachverständigen-Komitees, in dem der E. vorgehalten wurde, die politische Kontrolle über die Verwaltung der EU verloren zu haben. Das Komitee war im Januar 1999 vom Europäischen Parlament eingesetzt worden und sollte Vorwürfen von Betrug, Missmanagement und Günstlingswirtschaft in der E. nachgehen. Im März 1999 bestimmten die Staats- und Regierungschefs der EU-Mitgliedstaaten den ehemaligen italienischen Ministerpräsidenten (1996–98) Romano Prodi (Italien) zum Nachfolger von Jacques Santer (Luxemburg), dem Präsidenten der E. Das Europäische Parlament bestätigte im Mai 1999 mit 392 gegen 72 Stimmen (41 Enthaltungen) die Nominierung Prodis. Die bisherige E. bleibt so lange geschäftsführend im Amt, bis das am 12.6.1999 neu gewählte Europäische Parlament eine von Prodi zusammengestellte neue E. bestätigt (voraussichtlich Herbst 1999).

Vetternwirtschaft: Der Europäische Rechnungshof, das Europäische Parlament und die EU-Betrugsbekämpfungseinheit Uclaf stellten 1998/99 zahlreiche Fälle von Miss-

management, Betrug und Günstlingswirtschaft innerhalb der E. fest. Insbes. in den Arbeitsbereichen der französischen Kommissarin Edith Cresson (Wissenschaft, Forschung, Entwicklung, Bildung und Jugend) und des spanischen Kommissars Manuel Marín (südlicher Mittelmeerraum, Naher Osten, Asien und Lateinamerika) wurden Betrügereien, Bestechung und Vetternwirtschaft aufgedeckt. Unter ihrer Verantwortung sollen u. a. hoch dotierte Forschungsaufträge an Verwandte und Bekannte vergeben worden sein, die nicht über die notwendige Fachkompetenz verfügten.

Misstrauensvotum: Bereits im Januar 1999 scheiterte mit 232 gegen 293 Stimmen (27 Enthaltungen) der Versuch des Europäischen Parlaments, die E. mit einem Misstrauensvotum zu Fall zu bringen. Für einen Sturz der E. wäre eine sog. qualifizierte Mehrheit von mehr als der Hälfte der 626 Abgeordneten und eine Zweidrittelmehrheit der abgegebenen Stimmen erforderlich gewesen. Zuvor hatte sich das Europäische Parlament wegen der Betrugsfälle geweigert, die E. für die Ausführung des Haushaltsplans 1996 zu entlasten.

Deutsche Kommissare: Mitte 1999 war zwischen SPD, Bündnis 90/Die Grünen und CDU/CSU strittig, welche Parteien die beiden deutschen EU-Kommissionsposten beanspruchen darf. Während Bündnis 90/Die Grünen auf einer Absprache mit der SPD beharrten, wonach sie einen Kandidaten stellen dürfe, verlangte die CDU inbes. nach dem Erfolg bei den Wahlen zum Europäischen Parlament im Juni 1999 in der Europäischen Kommission vertreten zu sein. Die SPD erwog daher Mitte 1999, auf einen eigenen Kandidaten zu verzichten.

Kompetenzen: Die E. ist eine Art europäische Regierung, die mit ihren rund 21 000 Bediensteten den EU-Haushalt von ca. 85 Mrd Euro (1999) verwaltet. Sie besteht aus dem Präsidenten und 19 Kommissaren. Der Präsident wird von den Mitgliedstaaten mit Zustimmung des Europäischen Parlaments bestimmt. Im Einverständnis mit ihm werden die anderen Mitglieder der E. benannt (Amtszeit: fünf Jahre).
– Die E. hat das alleinige Recht, Gesetzgebungsvorschläge zu unterbreiten (Initiativrecht). Europäischer Rat und Europäisches Parlament können sie jedoch auffordern, Gesetzesentwürfe vorzulegen.

Europäische Kommission: Missmanagement und Betrug[1]

▸ **Mittelmeerprogramme:** Bei den sog. MED-Programmen, welche die Zusammenarbeit mit den Staaten am Mittelmeer in den Bereichen Umweltschutz, Wirtschaftsentwicklung und Infrastruktur verbessern sollen, fehlten Belege, und es gab überhöhte Abrechnungen. Der Schaden wurde auf 2,2 Mio Euro geschätzt.

▸ **Humanitäre Hilfe:** Bei Hilfsprogrammen für das ehemalige Jugoslawien und für die Region der afrikanischen Großen Seen fehlten zahlreiche Belege und lagen falsche Rechnungen oder fiktive Berichte vor. Der Schaden wurde auf etwa 2,4 Mio Euro geschätzt. Finanzielle Mittel, die für Hilfseinsätze vorgesehen waren, wurden ohne rechtliche Grundlage für Verwaltungspersonal verwendet.

▸ **Wachschutz:** Bei der Ausschreibung des Auftrags für die Sicherung der Gebäude der E. soll es Manipulationen zu Gunsten eines Unternehmens gegeben haben. Durch Vertragsänderung soll dem Unternehmen ein Zusatzgewinn entstanden sein.

▸ **Leonardo:** Für das Programm im Bereich Berufsbildung wurde ein Büro für technische Unterstützung ausgewählt. Nach einer Finanzkontrolle kamen Zweifel an der ordnungsgemäßen Anwendung von Steuer- und Sozialversicherungsvorschriften auf.

▸ **Phare:** Bei dem Programm für Mittel- und Osteuropa wurde ein Drittel der für die Sicherheit von Atomkraftwerken vorgesehenen Mittel ohne entsprechende Gegenleistung an westliche Experten gezahlt.

1) Auswahl; Stand: Mitte 1999; Quelle: Europäisches Parlament

– Die E. entscheidet größtenteils selbst, auf welchen Gebieten und wie schnell sie aktiv wird. Sie stellt den Haushaltsentwurf auf, der vom Europäischen Rat und dem Europäischen Parlament geändert werden kann.

– Sie kontrolliert, ob die Mitgliedstaaten das gemeinsam erlassene Recht ordnungsgemäß umsetzen und anwenden.

– Vor dem Europäischen Gerichtshof kann die E. Klage gegen Mitgliedstaaten erheben, die nach ihrer Überzeugung gegen das Gemeinschaftsrecht verstoßen haben. Gegen einzelne Unternehmen und Verbände darf sie Bußgelder verhängen, wenn sie EU-Recht missachten.

http://www.eu-kommission.de

Europäische Sozialpolitik

Die Europäische Kommission schlug im Februar 1999 eine Verordnung vor, die verhindern soll, dass Personen Nachteile bei ihrer sozialrechtlichen Absicherung erleiden, wenn sie ihr Recht auf Freizügigkeit wahrnehmen und in einem anderen Mitgliedstaat der EU einer beruflichen Tätigkeit nachgehen. Mitte 1999 war das Sozialrecht in der EU nicht einheitlich geregelt; Versicherungszeiten, die in einem Mitgliedstaat erworben werden, werden in einem anderen Land vielleicht nicht berücksichtigt. Nach Ansicht der Europäischen Kommission ist dadurch das Recht auf Freizügigkeit eingeschränkt.

Arbeitszeiten: Am 1.10.1998 wurde in Großbritannien eine in den anderen EU-Staaten bereits gültige Richtlinie zur Begrenzung der Wochenarbeitszeit in Kraft gesetzt: Sie darf im Durchschnitt 48 Stunden innerhalb eines Zeitraumes von 17 Wochen nicht überschreiten. Unter besonderen Bedingungen darf ein Zeitraum von 26 Wochen zu Grunde gelegt werden. Sofern sich Arbeitgeber und Betriebsrat einigen, kann ein ganzes Jahr zur Ermittlung des Durchschnitts herangezogen werden. Die Richtlinie garantiert den Beschäftigten außerdem das Recht auf drei Wochen bezahlten Urlaub (ab November 1999 vier Wochen), auf geregelte Pausen und auf eine Begrenzung der Nachtarbeit. Die 1997 abgewählte konservative Regierung in Großbritannien unter Premierminister John Major hatte die Arbeitszeitrichtlinie heftig bekämpft.

EU-Sozialpolitik: Beschäftigte[1]		
Belgien		4,1
Dänemark		7,9
Deutschland		5,8
Finnland		3,0
Frankreich		8,8
Griechenland		18,0
Großbritannien		30,0
Irland		11,7
Italien		9,3
Luxemburg		5,2
Niederlande		1,6
Österreich		3,8
Portugal		10,8
Schweden		2,8
Spanien		8,1

1) mit über 46 h/Woche (%); Stand: 1998; Quelle: FAZ 5.10.1998

LKW-Fahrzeiten: Im September 1998 forderten Fernfahrer in Belgien, Deutschland, Frankreich, Luxemburg und Spanien auf einem Aktionstag mit Straßensperren an Grenzübergängen und Häfen eine in der EU einheitliche Arbeitszeitbegrenzung. Die Fernfahrer fürchten, dass mit der Liberalisierung des Frachtverkehrs in den EU-Ländern ihre Lenkzeiten steigen. Nach Auffassung des Verbandes der Verkehrsgewerkschaften in der EU sterben in den Mitgliedstaaten jährlich ca. 3600 Fernfahrer bei Verkehrsunfällen infolge von Übermüdung durch Fahrzeiten von mehr als 60 Stunden pro Woche. Die Europäische Kommission rief Gewerkschaften und Transportunternehmen auf, eigenverantwortlich eine Arbeitszeitregelung auszuhandeln.

Europäische Stiftung für Berufsbildung

▸ **Sitz:** Turin (Italien) ▸ **Gründung:** 1994 ▸ **Direktor:** Peter de Rooij, Niederlande (seit 1994) ▸ **Funktion:** EU-Behörde zur Förderung der beruflichen Grund- und Fortbildung

Die E. befasst sich mit der beruflichen Grund- und Fortbildung sowie der Neuqualifizierung von Jugendlichen und Erwachse-

219

nen. Sie trägt zur Weiterentwicklung der Berufsbildungssysteme der Länder Mittel- und Osteuropas bei und fördert die Verbreitung von Informationen über die Berufsbildung und den Erfahrungsaustausch.

http://www.etf.eu.int

Europäische Stiftung zur Verbesserung der Lebens- und Arbeitsbedingungen

▶ **Sitz:** Dublin (Irland) ▶ **Gründung:** 1975 ▶ **Direktor:** Clive Purkiss, Großbritannien (seit 1985) ▶ **Funktion:** Wissenschaftliche Beschreibung der Lebens- und Arbeitsbedingungen in den EU-Staaten und Erarbeitung von Vorschlägen für ihre Verbesserung

Die selbstständige E. soll durch Forschungsstudien und die Verbreitung von Informationen zur Verbesserung der Lebens- und Arbeitsbedingungen in der EU beitragen. Hauptaufgabe ist der Datentransfer an die EU-Institutionen über die Lebensverhältnisse in den Mitgliedstaaten und die Beratung bei der Festlegung neuer Ziele auf dem Gebiet.

http://www.eurofound.eu.int

Europäische Umweltagentur

▶ **Abkürzung:** EUA ▶ **Sitz:** Kopenhagen (Dänemark) ▶ **Gründung:** 1994 ▶ **Exekutivdirektor:** Domingo Jiménez-Beltrán/Spanien (seit 1994) ▶ **Funktion:** Sammlung und Aufbereitung umweltbezogener Daten als Grundlage für politische Entscheidungen im Umweltschutz

Die EUA unterstützt die Europäische Kommission bei der Entwicklung ihrer Umweltpolitik. Sie verfügt über ein Informations- und Beobachtungsnetz, mit dem sie u. a. in den Bereichen Abfallbeseitigung, Bodenbeschaffenheit, Bodennutzung, Fauna, Flora, Küstenschutz, Luftqualität und Emissionen, Umweltschadstoffe, Wasserqualität und Wasserressourcen Daten sammelt und auswertet.

http://www.eea.eu.int

Europäische Union

Die Europäische Union (EU) ist ein Staatenverbund, der mit Beginn der Europäischen Währungsunion am 1.1.1999 einen weiteren Schritt auf dem Weg zu einer politischen Union vollzog. Als Verbund hat die EU mit ihren Organen (z.B. Kommission, Parlament, Ministerrat) auf verschiedenen Gebieten Rechtsetzungsbefugnisse – u.a. in der Agrarpolitik und bei den EU-Richtlinien zur Umsetzung des Binnenmarktes. Die 15 Mitgliedstaaten verpflichten sich zur Zusammenarbeit bzw. gegenseitigen Abstimmung ihrer Politik. Die Selbstständigkeit der Staaten soll durch das sog. Subsidiaritätsprinzip gewahrt werden: Die EU darf lediglich auf den Gebieten tätig werden, wo ihr durch Verträge der Mitgliedstaaten eine ausschließliche Kompetenz zugestanden wurde. In andere Bereiche darf sie nur in den Fällen eingreifen, wo die einzelnen EU-Länder ein gemeinsames Ziel allein nicht verwirklichen können.

Entwicklung: Die EU entstand aus der Europäischen Gemeinschaft (EG), die 1955 als Europäische Wirtschaftsgemeinschaft zur Schaffung eines gemeinsamen Marktes gegründet worden war. 1986 setzten sich die EG-Mitgliedstaaten in der Einheitlichen Europäischen Akte das Ziel, einen europäischen Binnenmarkt zu errichten. Nach dessen Verwirklichung (1.1.1993) wurde die EG zur EU weiterentwickelt. Im Vertrag von Maastricht (Niederlande), der 1993 in Kraft trat, verpflichteten sich die Staaten zu einer engeren Zusammenarbeit in der Außen-, Sicherheits-, Innen- und Rechtspolitik. Darüber hinaus beschloss die EU in Maastricht die Einführung der Wirtschafts- und Währungsunion zum 1.1.1999. In Amsterdam wurden 1997 zusätzliche Reformen der EU eingeleitet:

– Übertragung von Befugnissen an die EU auf dem Gebiet der inneren Sicherheit
– Stärkung des Mehrheitsprinzips bei Entscheidungen in der EU im Gegensatz zum Einstimmigkeitsprinzip
– Stärkung des Europäischen Parlaments beim Gesetzgebungsverfahren

Damit sollte die Aufnahme weiterer mittel- und osteuropäischer Staaten vorbereitet werden.

Zukunft: 1999 blieb unter den Mitgliedstaaten offen, ob die EU zu einem europäischen Bundesstaat mit europäischer Regierung und gesetzgebendem Parlament ausgebaut werden soll oder mit Blick auf die geplante Aufnahme mittel- und osteuropäischer Staaten in die EU (frühestens 2002) sich nur zu einer Konföderation in Form eines Staatenbundes mit gemeinsamer Gesetzgebung in eng abgegrenzten Bereichen entwickeln soll. Die im Vertrag von Amster-

Europäische Union: Mitgliedstaaten und Beitrittskandidaten

- EU-Mitglieder
- Beitrittsgesuche
- Beitrittsverhandlungen seit 1998

Staaten mit Beitrittsantrag

1987:	Türkei
1990:	Zypern, Malta
1994:	Ungarn, Polen
1995:	Bulgarien, Estland, Lettland, Litauen, Rumänien, Slowakei
1996:	Tschechische Republik, Slowenien

Europäisches Jan Mayen (Norw.) *Nordmeer*

0   250   500 km

ISLAND

Reykjavík

Färöer-Inseln (Dän.)

NORWEGEN

Shetland-Inseln

Orkney Inseln

FINNLAND

SCHWEDEN   Helsinki

Oslo   Stockholm

Tallinn

ATLANTISCHER   *Nord-*   *Ost-*   ESTLAND

IRLAND   Dublin   GROSS-BRITANNIEN   *see*   DÄNEMARK   Kopenhagen   *see*   Riga   LETT-LAND   RUSSLAND

LITAUEN

(RUSSL.)   Vilnius   Minsk

NIEDER-LANDE

London   Amsterdam   Berlin   Warschau   WEISS-RUSSLAND

OZEAN   Brüssel   DEUTSCH-LAND   POLEN   Kiew

BELGIEN   Prag   UKRAINE

Paris   LUX.   TSCHECH. REP.   SLOWAKEI

FRANKREICH   LIECH.   Wien   Bratislava   MOLDAU

Bern   ÖSTER-REICH   Budapest   Chișinău

SCHWEIZ   SLOWENIEN   UNGARN   RUMÄNIEN

Zagreb   Bukarest

PORTU-   ANDORRA   SAN MARINO   KROATIEN   BOSNIEN-HERZEG.   Belgrad

Lissabon   Madrid   MONACO   VATIKAN-STADT   Rom   Sarajevo   JUGO-SLAWIEN   Sofia   BULGARIEN

GAL   SPANIEN   Korsika   ITALIEN   Tirana   Skopje   MAZEDO-NIEN

Sardinien   ALBA-NIEN   GRIECHEN-LAND   TÜRKEI

Balearen   *Mittel-*   Sizilien   Athen

Gibraltar (GB)   Melilla (Sp.)   Algier   Kret a

Rabat

MAROKKO   ALGERIEN   Tunis   MALTA   Valletta

Mitgliedstaaten der Europäischen Union

EWG der 6 (1958)	Belgien, Deutschland, Frankreich, Italien, Luxemburg, Niederlande
EG der 9 (1973)	+ Dänemark, Großbritannien, Irland
EG der 10 (1981)	+ Griechenland
EG der 12 (1986)	+ Portugal und Spanien
EU der 15 (1995)	+ Finnland, Österreich, Schweden

TUNESIEN   *meer*

Tripolis

LIBYEN   © Harenberg   ZYPERN

221

dam festgehaltene »Flexibilitätsklausel« erlaubt den EU-Staaten, in der politischen Integration voranzuschreiten, ohne dass alle Mitglieder sofort daran teilnehmen müssen. Jeder Staat soll sich den vorauseilenden Ländern anschließen, sobald er es will und kann.

Europäische Wirtschafts- und Währungsunion

Die E. begann am 1.1.1999 in elf Ländern (Belgien, Deutschland, Finnland, Frankreich, Irland, Italien, Luxemburg, Niederlande, Österreich, Portugal und Spanien) mit der Einführung des Euro und der Übertragung der währungspolitischen Hoheit auf die Europäische Zentralbank. Voraussetzung für die Teilnahme war die Erfüllung sog. Konvergenzkriterien:
– Die Inflationsrate durfte in den Staaten 1997 höchstens 1,5 Prozentpunkte über dem Durchschnitt der drei preisstabilsten Länder liegen.
– Die langfristigen Zinsen durften max. zwei Prozentpunkte den Durchschnitt der drei preisstabilsten EU-Länder übersteigen.
– Im Haushalt war ein Defizit von höchstens 3% des BIP erlaubt.

– Die Verschuldung der öffentlichen Haushalte durfte max. 60% des BIP betragen.
Griechenland erfüllte als einziges Mitgliedsland nach Auffassung des Rates der EU die Kriterien nicht hinreichend. Dänemark, Großbritannien und Schweden verzichteten aus stabilitätspolitischen Bedenken und wegen des mit einer Teilnahme an der E. verbundenen Verlustes nationaler Souveränität zunächst auf die Einführung des Euro.
Haushaltssanierung: Im Februar 1999 kritisierte die Europäische Kommission die Regierungen der elf Staaten der E. nachlassender Bemühungen bei der Sanierung der nationalen Haushalte. Sie betonte die Ziele des Stabilitäts- und Wachstumspaktes, wonach die Etats der Mitgliedstaaten mittelfristig fast ausgeglichen sein oder Überschüsse aufweisen müssen, um die Voraussetzungen für einen dauerhaft stabilen Euro zu erfüllen. Die Europäische Kommission ermahnte insbes. Frankreich (Haushaltsdefizit 1998: –2,9%), Italien (–2,7%) und Portugal (–2,3%) zu größerer Ausgabendisziplin. Die mangelhafte Haushaltsdisziplin wurde als ein Grund für den Wertverlust des Euro gegenüber dem US-Dollar (seit der Einführung: ca. –12%) bewertet.

Wirtschafts-/Währungsunion: Schuldenbilanz[1]

		Haushaltdefizit		Staatsverschuldung	
		1997	1998	1997	1998
Belgien		–1,9	–1,3	123,4	117,3
Dänemark		+0,4	+0,8	63,6	58,1
Deutschland		–2,7	–2,1	61,5	61,0
Finnland		–1,2	–1,0	54,5	49,6
Frankreich		–3,0	–2,9	58,1	58,5
Griechenland		–3,9	–2,4	109,4	106,5
Großbritannien		–1,9	+0,6	52,1	49,4
Irland		+1,1	+2,3	61,3	52,1
Italien		–2,7	–2,7	122,4	118,7
Luxemburg		+2,9	+2,1	6,4	6,7
Niederlande		–0,9	–0,9	71,2	67,7
Österreich		–1,9	–2,1	64,3	63,1
Portugal		–2,5	–2,3	61,7	57,8
Schweden		–0,7	+2,0	76,7	75,1
Spanien		–2,6	–1,8	67,5	65,6

1) % des BIP; Quellen: Globus, Eurostat, NZZ vom 11.3.1999

Europäischer Zentralbankrat: Mitglieder

Wim Duisenberg	Niederlande		Präsident, Vorsitzender des Direktoriums
Christian Noyer	Frankreich		Vizepräsident, stellv. Vorsitzender des Direktoriums; Verwaltung, Personal, Rechtsdienste der EZB
Eugenio Domingo Solans	Spanien		Direktoriumsmitglied; Statistik, Banknoten und Informationssysteme der EZB
Sirkka Hämäläinen	Finnland		Direktoriumsmitglied; operative Fragen, Controlling und Organisation der EZB
Ottmar Issing	Deutschland		Direktoriumsmitglied; Volkswirtschaft und Forschung
Tommaso Padoa-Schioppa	Italien		Direktoriumsmitglied; internat. und europ. Beziehungen, Zahlungsverkehrssysteme und Aufsichtsfragen der EZB
Antonio Fazio	Italien		Nationaler Notenbankpräsident
Klaus Liebscher	Österreich		Nationaler Notenbankpräsident
Yves Mersch	Luxemburg		Nationaler Notenbankpräsident
Maurice O'Connell	Irland		Nationaler Notenbankpräsident
Luis Àngel Rojo	Spanien		Nationaler Notenbankpräsident
António F. de Sousa	Portugal		Nationaler Notenbankpräsident
Ernst Welteke	Deutschland		Nationaler Notenbankpräsident
Jean-Claude Trichet	Frankreich		Nationaler Notenbankpräsident
Matti Vanhala	Finnland		Nationaler Notenbankpräsident
Alfons Verplaetse	Belgien		Nationaler Notenbankpräsident
Nout Wellink	Niederlande		Nationaler Notenbankpräsident

Europäische Zentralbank

▶ **Abkürzung:** EZB ▶ **Sitz:** Frankfurt/M. (Deutschland) ▶ **Gründung:** 1998 ▶ **Entscheidungsgremien:** Direktorium aus Präsident, Vizepräsident und vier weiteren Mitgliedern; Rat aus dem Direktorium und den Präsidenten der nationalen Zentralbanken der elf an der Wirtschafts- und Währungsunion teilnehmenden Länder ▶ **Präsident:** Wim Duisenberg, Niederlande (seit 1998) ▶ **Funktion:** Unabhängige Zentralbank für die elf an der Währungsunion teilnehmenden Länder; Gewährleistung der Preisstabilität

Die währungspolitischen Kompetenzen in der Europäischen Wirtschafts- und Währungsunion gingen am 1.1.1999 von den nationalen Zentralbanken an die EZB über.

Ziele und Aufgaben: Vorrangiges Ziel der EZB ist die Preisstabilität. Sie darf Regierungen keine Kredite, etwa zum Ausgleich von Haushaltsdefiziten, gewähren. Sie handelt unabhängig von den Regierungen und von den Organen der EU. 2002 gibt die EZB die auf Euro lautenden Banknoten aus. Die geld- und kreditpolitischen Beschlüsse der EZB fasst der Europäische Zentralbankrat; er besteht aus den sechs Direktoriumsmitgliedern und den elf Zentralbankchefs der an der Eu-

ropäischen Wirtschafts- und Währungsunion beteiligten Länder. Die Direktoriumsmitglieder werden im europäischen Verfahren bestellt, die Zentralbankchefs im nationalen Verfahren bestimmt.

Zinspolitik: Im April 1999 senkte die EZB den zentralen Leitzins, zu dem sich die Banken bei der Notenbank Geld ausleihen können, von 3,0% auf 2,5%. Damit sollte das Wirtschaftswachstum in der Euro-Zone, das im vierten Quartal 1998 nur 0,7% betrug, erhöht werden. Durch niedrige Zinsen gelangen Unternehmen preiswerter an Kapital für neue Investitionen und können zur Stärkung der Konjunktur beitragen. Niedrige Zinsen können den Konsum anregen und der Wirtschaft neue Produktionsimpulse geben.

Unverletzlichkeit: Die EZB genießt als supranationale Einrichtung das Privileg der Unverletzlichkeit. Regierungsbeamte, die im Auftrag der Verwaltung, der Justiz, des Militärs oder der Polizei auftreten, dürfen die Räume der EZB nur mit Genehmigung des Präsidenten betreten. Ihre Archive mit Akten, Protokollen und Tonbandaufzeichnungen aller Art dürfen nicht durchsucht werden. Deutschland ist verpflichtet, die amtliche Kommunikation der EZB zu schützen. Darüber hinaus unterliegt die Bank keiner hoheitlichen Finanzaufsicht deutscher Behörden.

Währungsreserven: Die Nettowährungsreserven der EZB am 1.1.1999 betrugen 227,4 Mrd· Euro; einer Bruttowährungsreserve von 237 Mrd Euro standen Außenverbindlichkeiten von 9,6 Mrd Euro gegenüber. Die Goldreserven der EZB lagen bei 99,6 Mrd Euro. Währungsreserven dienen einer Zentralbank zur Sicherung der internationalen Zahlungsfähigkeit der Volkswirtschaft oder zur Interventionspolitik am Devisenmarkt, um eine Währung zu stützen.

http://www.ecb.int

▪ **Personen** → Wim Duisenberg

Europäischer Betriebsrat

Nach einer EU-Richtlinie müssen sich bis Oktober 1999 in allen europaweit tätigen Unternehmen, die mind. 1000 Arbeitnehmer beschäftigen und in mind. zwei Mitgliedstaaten je 150 Mitarbeiter verzeichnen, E. gebildet haben. Diese Vertretungsorgane müssen wenigstens einmal pro Jahr von der Unternehmensleitung über die Geschäftslage informiert werden. Bei wichtigen Entscheidungen wie Stilllegungen, Massenentlassungen oder Betriebsverlagerungen müssen sie rechtzeitig gehört werden. Die EU-Richtlinie gilt in allen EU-Staaten außer Großbritannien sowie in Island, Liechtenstein und Norwegen, die keine EU-Mitglieder sind, aber zum Europäischen Wirtschaftsraum gehören. Bis Anfang 1999 hatten sich nur in 500 der 1250 betroffenen Unternehmen E. gebildet. Gewerkschafter forderten, die Rechte der E. um Mitbestimmungselemente zu erweitern.

Europäischer Binnenmarkt

Freier Verkehr von Waren, Dienstleistungen, Personen und Kapital zwischen den EU-Ländern seit 1993. Es gilt der Grundsatz, dass jedes Produkt, das in einem Mitgliedstaat auf den Markt gebracht wurde, in jedem anderen verkauft werden darf.

Garantien: Nach den im April 1999 von den EU-Staaten verabschiedeten neuen Garantieregeln müssen gewerbsmäßige Ver-

BILANZ 2000

Europa

Beginn eines Zeitalters des Friedens

Mit Gründung des Europäischen Binnenmarkts (1993), der Europäischen Union (1993) und der Einführung des Euro als Zahlungsmittel in elf von 15 EU-Staaten (1999) sowie der Etablierung der OSZE (1995) als Instrument für Konfliktverhütung und Krisenmanagement hat Europa Schritte vollzogen, die Anfang des 20. Jh. undenkbar waren. Nationalstaatliche Konflikte waren in der ersten Hälfte des Jh. die Ursache, dass von Europa zwei Weltkriege mit insgesamt 70 Mio Toten ausgingen. Als das Europa der Sechs (Frankreich, Deutschland, Italien, Benelux) 1951 die Montanunion gründete, war die Basis für Jahrzehnte des Friedens gelegt. Der deutsch-französische Elysée-Vertrag besiegelte 1963 die Aussöhnung der bevölkerungsreichsten Staaten Mitteleuropas; seither gelten die früheren »Erbfeinde« als Motoren der europäischen Einigung. Nach dem Zusammenbruch des sozialistischen Ostblocks unterzeichneten 1990 in Paris 34 Staats- und Regierungschefs die KSZE-»Charta für ein neues Europa« und erklärten Menschenrechte, Demokratie und Rechtsstaatlichkeit zu Grundpfeilern des »neuen Europa«.

Positive Trends

▸ Aus dem Europa der Sechs (1951) wurden 1995 bereits 15. Im Jahr 1998 begannen Beitrittsverhandlungen mit Estland, Polen, Tschechien, Slowenien, Ungarn und Zypern.

▸ Bis 2006 will die EU 80 Mrd DM an Finanzhilfen zur Verfügung stellen, um die Wirtschaften der osteuropäischen Beitrittsbewerber zu fördern.

▸ Der Amsterdamer Vertrag (1997) erweiterte die Rechte des Europäischen Parlaments bezüglich der Haushaltskontrolle und im Gesetzgebungsverfahren.

Negative Trends

▸ Misswirtschaft, Betrug und Verschwendung von Geldmitteln (1998: rund 8 Mrd DM) brachten die EU-Kommission in Misskredit.

▸ Mit dem NATO-Einsatz gegen Jugoslawien wurde erstmals nach 1945 wieder ein Krieg in Europa ausgetragen.

Unterzeichnung der Römischen Verträge 1957 (l. Bundeskanzler Konrad Adenauer)

Meilensteine

Von der Utopie zur Realität für jeden Bürger

1923: Nikolaus von Coudenhove-Kalergi (A) gründet die Paneuropa-Bewegung; Ziel ist ein europäischer Staatenbund.

1930: Aristide Briand (F) schlägt erstmals die Errichtung einer europäischen Bundesrepublik vor.

1948: In Den Haag wird die Europäische Bewegung als nichtstaatliche »Lobby für Europa« gegründet; sie initiiert u. a. die Gründung des Europarats und die Verabschiedung der europäischen Menschenrechtskonvention (1950).

1948: Zur Durchführung des Marshallplans wird die OEEC (Organisation für Europäische Wirtschaftliche Zusammenarbeit) initiiert.

1949: Der Europarat mit Sitz in Straßburg soll das gemeinsame Vorgehen der europäischen Staaten auf politischem, wirtschaftlichem und kulturellem Gebiet vorantreiben.

1951: Der Vertrag zur Bildung der Europäischen Gemeinschaft für Kohle und Stahl (Montanunion) schafft die Basis für einen supranationalen Kohle- und Stahlmarkt.

1954: Die Pariser Verträge gründen die Westeuropäische Union (WEU) als Verteidigungsorganisation.

1957: Mit den Römischen Verträgen entstehen EWG und EURATOM.

1979: Erstmals wird ein Europäisches Parlament gewählt; bis dahin wurden die Abgeordneten von den nationalen Parlamenten delegiert.

1986: Die von den Außenministern unterzeichnete Einheitliche Europäische Akte erleichtert Mehrheitsentscheidungen im Ministerrat, stärkt die Position des Europäischen Parlaments und fixiert die Europäische Politische Zusammenarbeit.

1990: Ungarn tritt als erstes osteuropäisches Land dem Europarat bei.

1990: Die Pariser KSZE-Konferenz erklärt den Kalten Krieg für beendet und verabschiedet die »Charta für ein neues Europa«.

1993: Der Europäische Binnenmarkt schafft einen Raum ohne Binnengrenzen mit freiem Verkehr von Waren, Personen, Dienstleistungen und Kapital (»vier Freiheiten«).

1993: In Maastricht wird der Vertrag über die politische, wirtschaftliche und soziale Europäische Union (EU) geschlossen.

1995: Österreich, Finnland und Schweden treten der EU bei.

1995: Die KSZE wird in die OSZE (Organisation für Sicherheit und Zusammenarbeit in Europa) umgewandelt; Hauptaufgaben sind Konfliktverhütung und Krisenmanagement.

Stichwort: Schumanplan
Montanunion in Europa

Der französische Außenminister Robert Schuman schlug 1950 die Errichtung eines supranationalen europäischen Gremiums für Kohle und Stahl vor mit dem Ziel, die Basis für eine wirtschaftliche Einigung Europas zu legen und zugleich die »Erbfeinde« Frankreich und Deutschland auszusöhnen. Im Juni 1950 begannen die Sechsmächte-Beratungen über den Schumanplan, am 18. April 1951 unterzeichneten Frankreich, die BR Deutschland, Italien, Belgien, die Niederlande und Luxemburg den Vertrag zur Bildung der Europäischen Gemeinschaft für Kohle und Stahl (Montanunion). Damit war der erste Schritt zur europäischen Einigung vollzogen.

Stichtag: 25. März 1957
Gründung der EWG

Die politische Dimension der Montanunion wurde am 25. März 1957 deutlich, als ihre Mitglieder die Römischen Verträge zur Gründung der Europäischen Wirtschaftsgemeinschaft (EWG), der Europäischen Atomgemeinschaft (EURATOM) und der Europäischen Gemeinschaft für Kohle und Stahl (EGKS) unterzeichneten. Ziel der EWG, die am 1958 in Kraft trat, war die Schaffung eines gemeinsamen Markts und einer Zollunion.

Stichtag: 7. Februar 1992
Vertrag von Maastricht

Die Außen- und Finanzminister der Europäischen Gemeinschaft (EG) unterzeichneten 1992 in Maastricht (Belgien) den Vertrag über den Ausbau zur Europäischen Union mit einheitlicher stabiler Währung und gemeinsamer Außen- und Sicherheitspolitik. Das völkerrechtlich bindende Abkommen ersetzte und erweiterte 1993 das EG-Vertragswerk und leitete die weitreichendste Reform in der EG ein.

käufer in der EU ab 2002 zwei Jahre Gewähr auf neue Waren geben. Für Gebrauchtgüter gilt eine Garantiefrist von mind. einem Jahr. Wenn ein Verbraucher innerhalb von sechs Monaten nach einem Kauf Mängel an der Ware reklamiert, muss der Verkäufer ab 2002 nachweisen, dass die Ware fehlerfrei war (Umkehrung der Beweislast). Der Verkäufer haftet für falsche Versprechungen in der Produktwerbung oder auf Etiketten an der Ware.

Technische Normen: 1998 wurden von der Europäischen Kommission 120 Verfahren gegen Mitgliedstaaten aufgrund von Verstößen gegen den freien Warenverkehr infolge technischer Handelshemmnisse eröffnet. Insbes. Frankreich und Italien wurde vorgeworfen, durch einzelstaatliche Prüfungs-, Zertifizierungs- und Genehmigungsverfahren Marktschranken für Waren aus anderen EU-Staaten zu errichten. In einer Studie im Auftrag der Europäischen Kommission beklagten sich 40% der Unternehmen über Zusatzkosten, die im Rahmen des E. durch Anpassung von Produkten und Dienstleistungen an die jeweiligen nationalen Anforderungen entstünden.

Ehemalige Monopole: Die Europäische Kommission kündigte im Februar 1999 an, das Verhalten der marktmächtigen früheren Monopolbetriebe aus Telekommunikation, Post, Energiewirtschaft und Verkehr stärker zu überwachen. Die Kommission warf ihnen vor, ihre marktbeherrschende Stellung zu missbrauchen und gegen die Regeln des E. zu verstoßen. Sie bemängelte die zögerliche Liberalisierung der Post und den fehlenden Wettbewerb im Schienenverkehr.

Europäischer Wirtschaftsraum: Im Dezember 1998 schlossen die EU und die Schweiz ein Abkommen, das nach der Ratifizierung in den Mitgliedstaaten voraussichtlich 2001 in Kraft tritt. Es sieht den gegenseitigen freien Marktzugang und eine engere Kooperation in Luftfahrt, Landwirtschaft sowie im Personen- und Landverkehr vor. Der Vertrag ersetzt das Abkommen mit der Schweiz über den Europäischen Wirtschaftsraum (EWR), gegen das sich die Schweizer 1992 in einem Referendum ausgesprochen hatten. Außer den EU-Staaten umfasst der EWR Island, Liechtenstein und Norwegen, die sich zur Übernahme der wichtigsten Regeln für den E. verpflichteten.
http://europa.eu.int.business

Europäischer Bürgerbeauftragter

▶ **Amtsinhaber:** Jacob Söderman, Finnland (seit 1995) ▶ **Sitz:** Straßburg ▶ **Einrichtung des Amts:** 1995 ▶ **Aufgabe:** Aufdeckung von Missständen bei der Tätigkeit der Organe und Institutionen der EU im Umgang mit den Bürgern

Bilanz: Im Jahresbericht für 1998 kritisierte der E. Jacob Söderman (Finnland) die mangelhafte Transparenz der EU-Institutionen gegenüber den Bürgern der Mitgliedstaaten. Von den 1617 Beschwerden (1998) von EU-Bürgern an den E. bezogen sich rund 30% auf die Verweigerung von Informationen, 16% auf Nachlässigkeiten, 13% auf Ungerechtigkeiten oder Ermessensmissbrauch und 9% auf Diskriminierung durch EU-Organe. 15% aller Beschwerden stammten von Franzosen, 14% von Spaniern und 13% von Deutschen.

Kompetenzen: An den E. kann sich jeder EU-Bürger wenden, der sich von den Institutionen der Gemeinschaft falsch behandelt fühlt. Doch darf der E. nicht in laufende Gerichtsverfahren eingreifen oder die Rechtmäßigkeit gerichtlicher Entscheidungen in Frage stellen. Die EU-Behörden dürfen dem E. bei seinen Untersuchungen die Übergabe von internen Dokumenten verweigern. EU-Beamte, die vom E. als Zeugen gehört werden, sind an die Wahrung ihres Berufsgeheimnisses gebunden.
http://www.euro-ombudsman.eu.int.

Europäischer Gerichtshof

▶ **Abkürzung:** EuGH ▶ **Sitz:** Luxemburg ▶ **Gründung:** 1952 ▶ **Mitglieder:** 15 Richter, acht Generalanwälte, 15 Richter erster Instanz ▶ **Präsident:** Gil Carlos Rodriguez Iglesias, Spanien (seit 1994) ▶ **Präsident des Gerichts erster Instanz:** Bo Vesterdorf, Dänemark ▶ **Funktion:** Rechtsprechungsorgan der EU zur Gewährleistung und Auslegung des Gemeinschaftsrechts

Die 15 Richter und acht Generalanwälte des EuGH werden von den Regierungen der EU-Mitgliedstaaten in gegenseitigem Einvernehmen für sechs Jahre ernannt. Die Richter wählen aus ihrer Mitte den Präsidenten. Die Generalanwälte unterstützen den EuGH und stellen in den Rechtssachen Schlussanträge.

Überlastung: Der EuGH kritisierte Anfang 1999 den personellen Mangel in seinem Übersetzungsdienst, der zur langen Dauer der Verfahren (durchschnittlich zwei Jahre) beitrug. Der Rückstand der Übersetzungsarbeiten in die elf Amtssprachen der EU stieg im ersten Quartal 1999 um 50 000 Seiten auf 117 000 Seiten. Jährlich muss der Übersetzungsdienst des EuGH rund 375 000 Seiten an Entscheidungen in andere Sprachen übertragen. Durch die lange Verfahrensdauer entsteht für viele Unternehmen in bedeutenden juristischen Fragen Rechtsunsicherheit.

Verfahrensarten: Beim EuGH werden folgende Verfahrensarten behandelt:

– Amtshaftungsklage bei Streitsachen über die Haftung der Gemeinschaft für den Schaden, den EU-Organe oder ihre Bediensteten in Ausübung ihrer Tätigkeit verursacht haben

– Nichtigkeitsklage, bei der die Richter des EuGH die Rechtmäßigkeit der Rechtsakte anderer Organe prüfen

– Untätigkeitsklage, mit der Mitgliedstaaten oder EU-Organe gegen andere EU-Organe vorgehen können, wenn sie unter Verletzung von EU-Verträgen versäumt haben, einen notwendigen Beschluss zu fassen

– Vertragsverletzungsverfahren, das die Europäische Kommission anstreben kann, wenn sie der Ansicht ist, dass ein Mitgliedstaat einer Verpflichtung aus den Verträgen nicht nachgekommen ist

– Vorabentscheidungsverfahren, welches das nationale Gericht eines Mitgliedstaates einleiten kann, um beim EuGH eine vorzeitige Klärung in Fragen der Auslegung der Verträge oder über die Gültigkeit und Interpretation der Rechtsakte von EU-Organen herbeizuführen.

Dem EuGH ist ein Gericht erster Instanz mit 15 Richtern beigeordnet. Es ist u.a. zuständig für Wettbewerbsrecht und Streitfälle, die das Personal der EU-Organe betreffen. Die Urteile des Gerichts erster Instanz können beim EuGH angefochten werden, wobei dessen Prüfung sich auf Rechtsfragen beschränkt.
http://www.curia.eu.int.

Europäische Investitionsbank

▶ **Abkürzung:** EIB ▶ **Sitz:** Luxemburg ▶ **Gründung:** 1958 ▶ **Präsident:** Sir Brian Unwin, Großbritannien (seit 1993) ▶ **Funktion:** Autonomes EU-Organ zur Förderung einer ausgewogenen Entwicklung in der EU durch Finanzierung von Investitionen

Die EIB stellte 1998 Finanzmittel für die regionale Entwicklung in der EU von insgesamt 25 Mrd Euro zur Verfügung. Das

Europäischer Gerichtshof: Klagen

	Europäischer Gerichtshof		Gericht: Erster Instanz	
1995	415		253	
	289		265	
1996	423		229	
	349		229	
1997	445			624
	377		173	
1998	485		238	
	374		279	

Quelle: Frankfurter Allgemeine Zeitung, 23.3.1999 · ▨ Verfahrenseingänge · ☐ Entscheidungen

Schwergewicht bildeten mit über 70% Projekte in weniger begünstigten Entwicklungsregionen (u. a. in Südspanien, Griechenland, Portugal). Bei der Finanzierung von Projekten außerhalb der EU betrugen 1998 die Darlehen für mittel- und osteuropäische Länder sowie für Zypern 2,4 Mrd Euro.

Risikokapital: Die EIB genehmigte 1998 rund 520 Mio Euro für Eigenkapitalfinanzierungen wachstumsorientierter Firmen in der EU. Die Bereitstellung von Risisokapital für kleine und mittlere Unternehmen erfolgte im Rahmen des 1997 auf dem EU-Gipfel von Amsterdam beschlossenen Sonderaktionsprogramms zur Förderung von Wachstum und Beschäftigung (Asap).

Kontrolle und Finanzierung: Ein Rat der Gouverneure der 15 EU-Länder (meist die jeweiligen Finanzminister) überwacht die Tätigkeit der EIB, die von einem Präsidenten und sieben weiteren Mitgliedern des Direktoriums geleitet wird. Die größten EU-Staaten Deutschland, Frankreich, Großbritannien und Italien haben jeweils 17,8% des Eigenkapitals der EIB gezeichnet. Das übrige Kapital verteilt sich auf die anderen zwölf Mitgliedstaaten.
http://eib.eu.int

Europäischer Rat

▶ **Funktion:** Festlegung der Zielvorstellungen und Richtlinien der Entwicklung der EU sowie der Leitlinien gemeinsamer Außen- und Sicherheitspolitik

Zusammensetzung: Der E. ist kein Organ der EU, sondern als deren oberste Instanz ein Zusammenschluss der Staats- und Regierungschefs der EU-Mitgliedstaaten. Ihm gehört als gleichberechtigtes Mitglied der Präsident der Europäischen Kommission an (seit 1999: Romano Prodi, Italien). Der E. tagt mind. einmal pro Halbjahr in dem Land, das gerade die Präsidentschaft im Rat innehat (1. Halbjahr 1999: Deutschland; 2/1999: Finnland; 1/2000: Portugal; 2/2000 Frankreich). An den Treffen nehmen die Außenminister und ein weiteres Mitglied der Europäischen Kommission teil.

Politik: Im Rahmen der gemeinsamen Außen- und Sicherheitspolitik legt der E. die grundsätzlichen Richtlinien der EU fest. Auf ihren Treffen im Dezember 1998 in Wien und im März 1999 in Berlin verabschiedete der E. Leitlinien für die Beschäftigungspolitik sowie im Rahmen der Agenda 2000 als Vorbereitung auf die geplante EU-Erweiterung die Ausgaben für die Jahre 2000–2006.

Europäischer Rechnungshof

▶ **Abkürzung:** EuRH ▶ **Sitz:** Luxemburg ▶ **Gründung:** 1975 ▶ **Zusammensetzung:** 15 Mitglieder (ein Vertreter/Mitgliedsland) ▶ **Präsident:** Jan O. Karlsson, Schweden (seit 1999) ▶ **Aufgabe:** Prüfung von Wirtschaftlichkeit und Rechtmäßigkeit der EU-Finanzen, jährlicher Bericht

Bilanz: Im 1998 vorgelegten Prüfungsbericht für 1997 deckte der EuRH Misswirtschaft, Betrug und Verschwendung im Umfang von rund 4 Mrd Euro auf. Er kritisierte außer mangelhaftem Management bei der Europäischen Kommission das Fehlverhalten der Mitgliedstaaten, die ca. 80% der Gemeinschaftsgelder selbst verwalten. Der

EuRH warf ihnen ungenügendes Interesse an der vollständigen Zollerhebung und Behinderung der Arbeit der EU-Betrugsbekämpfungseinheit Uclaf vor.

Kompetenzen: Den 15 Mitgliedern des EuRH, die für sechs Jahre vom Rat der Union ernannt werden, unterstehen 460 Beamte. Sie prüfen Einnahmen und Ausgaben der EU auf ihre Rechtmäßigkeit (die Finanzleistugen müssen auf Rechtsakte der Union zurückzuführen sein), ihre ordnungsgemäße Verwendung (Ausgaben müssen mit Zahlungsermächtigungen übereinstimmen) und ihre Wirtschaftlichkeit (Vermeidung von Verschwendung). Die Mitglieder des EuRH müssen unabhängig sein und dürfen während ihrer Amtszeit keine andere entgeltliche oder unentgeltliche Berufstätigkeit ausüben.
http://www.eca.eu.int

Europäisches Markenamt

▶ **Name:** offiz.: Harmonisierungsamt für den Binnenmarkt (Marken, Muster, Modelle) ▶ **Sitz:** Alicante (Spanien) ▶ **Gründung:** 1994 ▶ **Präsident:** Jean-Claude Combaldieu, Frankreich (seit 1996) ▶ **Funktion:** EU-Behörde zur Sicherung gewerblicher Schutzrechte und Markenzeichen

Das E. fördert auf EU-Ebene den Erwerb von Marken, Warenzeichen, Mustern und Modellen und verwaltet die entsprechenden Rechte. Es trägt Gemeinschaftsmarken ein, die einen einheitlichen Schutz genießen und im gesamten Gebiet der EU wirksam sind. Es führt die Verfahren zur Eintragung gemeinschaftlicher gewerblicher Schutzrechte durch. Das Gemeinschaftsmarkensystem ergänzt das System nationaler Marken, die uneingeschränkt weiter bestehen. Das E. ist eine rechtlich, administrativ und finanziell eigenständige Behörde.
http://www.oami.eu.int

Europäisches Parlament

▶ **Abkürzung:** EP ▶ **Sitz:** Straßburg (Frankreich) ▶ **Sitzungsorte:** Straßburg (Frankreich), Brüssel (Belgien) ▶ **Gründung:** 1958 ▶ **Abgeordnete:** 626 ▶ **Funktion:** Volksvertretung der EU

Aus den Wahlen zum EP im Juni 1999 ging die Europäische Volkspartei (EVP), in dem sich die christdemokratischen und bürgerlichen Abgeordneten der EU-Mitgliedstaaten zusammenfinden, als Gewinnerin hervor. Sie errang mit 225 von 626 Sitzen 24 Mandate mehr als bei den Wahlen von 1994.

Europäisches Parlament: Parteien		
Europäische Volkspartei	225[1]	▲ +24[2]
Sozialdemokratische Partei Europas	180	▽ −34
Liberale und Demokratische Fraktion	43	▲ + 1
Die Grünen	37	▲ +10
Konföderale Fraktion der Vereinigten Europäischen Linken/Nord. Grüne Linke	35	▲ + 1
Unabhängige für das Europa d. Nationen	21	▲ + 5
Union für Europa	17	▼ −17
Radikale Europäische Allianz	14	▼ − 7
Fraktionslos/Sonstige	54	▲ +17

1) Anzahl der Sitze nach den Wahlen vom 13.6.1999; 2) Sitzveränderungen

Europäisches Ergebnis: Zweitstärkste Fraktion im EP wurde mit 180 Sitzen die Sozialdemokratische Partei Europas (SPE), die insgesamt 34 Mandate verlor. Die Liberale und Demokratische Fraktion (LIBE) erhielt mit 43 Sitzen ein Mandat mehr als bei den Wahlen von 1994. Die übrigen 178 Sitze verteilen sich auf fünf weitere Parteien und Fraktionslose. Die geringe Wahlbeteiligung, die mit ca. 44% noch einmal 12 Prozentpunkte unter der von 1994 lag, wurde als Zeichen für das Desinteresse der europäischen Staatsbürger an der Arbeit der EU-Institutionen gewertet.

Deutsches Ergebnis: In D. erhielt die CDU/CSU mit 48,7% (53 Sitze; +6) der abgegebenen Stimmen fast 10 Prozentpunkte mehr als 1994, während die SPD mit 30,7% (33 Sitze; −7) 1,5 Prozentpunkte verlor. Bündnis 90/Die Grünen konnten mit 6,4% (7 Sitze; −5) ihr gutes Ergebnis von 1994 (10,1%) nicht wiederholen. Die FDP scheiterte mit 3,0% an der 5%-Hürde; auf die PDS hingegen, die 1994 mit 4,7% keine Abgeordnete ins EP entsenden durfte, entfielen 5,8% der Stimmen (6 Sitze). Die Wahlbeteiligung in Deutschland lag mit 45,2% fast 15 Prozentpunkte unter der von 1994. Die hohen Stimmenverluste von SPD und Bündnis 90/Die Grünen wurden als Unzufriedenheit der Bundesbürger mit der Politik der Regierungskoalition gedeutet.

Folgen: Obwohl sich die Kräfteverhältnisse im EP zugunsten der konservativen Parteien verschoben haben, wurden Mitte 1999 keine wesentlichen Änderungen in der Politik des EP erwartet. In der Legislaturperiode 1994–99 arbeiteten die beiden größten Fraktionen, die SPE und die EVP, in allen wichtigen Fragen zusammen. Meinungsunterschiede zwischen den beiden stärksten Fraktionen gab es in der Frage einer gemeinsamen europäischen Beschäftigungspolitik, in der für die nächsten fünf Jahre keine neuen Impulse erwartet wurden, da die EVP einer staatlich gelenkten Arbeitsmarktpolitik weitgehend skeptisch gegenübersteht.

Kompetenzen und Rechte: Seit dem Vertrag von Amsterdam (1997) ist das EP in allen wichtigen Bereichen an der Legislative der EU beteiligt. Es kann Gesetzesentwürfe der Europäischen Kommission ändern und sie zu Fall bringen. Es darf selbst keine Gesetzesentwürfe einbringen (Initiativrecht), kann jedoch die Europäische Kom-

Europäisches Parlament: Sitze

Land		Sitze
Belgien	🇧🇪	25
Dänemark	🇩🇰	16
Deutschland		99
Finnland	🇫🇮	16
Frankreich	🇫🇷	87
Griechenland	🇬🇷	25
Großbritannien	🇬🇧	87
Irland	🇮🇪	16
Italien	🇮🇹	87
Luxemburg		6
Niederlande		31
Österreich		21
Portugal	🇵🇹	25
Schweden	🇸🇪	22
Spanien		64

Stand: Mitte 1999

mission auffordern, Gesetzesentwürfe vorzulegen. Das EP hat u.a. folgende Rechte:

– Haushaltsrecht: Der von der Europäischen Kommission ausgearbeitete EU-Haushalt wird vom EP beraten. Auch wenn der Rat Änderungen zurückweist, kann sich das EP mit Dreifünftelmehrheit durchsetzen.

– Beratungsrechte: Zu Entwürfen von Rechtsakten kann das EP Stellung nehmen, bevor der Rat der EU entscheidet.

– Widerspruchsrechte: In bestimmten Angelegenheiten der Europäischen Wirtschafts- und Währungsunion kann das EP den Entwürfen von Rechtsakten widersprechen. Der Ministerrat kann den Widerspruch nur einstimmig zurückweisen.

– Mitentscheidungsrechte: Auf vielen Gebieten kann das EP das Inkrafttreten von Vorschriften verhindern.

– Zustimmungsrechte: Einigen Entscheidungen, z. B. der Aufnahme neuer EU-Mitglieder, der Nominierung des Präsidenten der Europäischen Kommission und ihrer Zusammensetzung, muss das EP zustimmen.

Neubau: Im Februar 1999 tagte das EP erstmals im neuen Immeuble du Parlement Européen N0 4 (IPE 4) in Straßburg. Das Gebäude mit 200 000 m² Geschossfläche umfasst 1133 Büroräume, von denen etwa die Hälfte für Abgeordnete reserviert ist.

Unter der Parlamentskuppel finden bis zu 750 Abgeordnete Platz. Das etwa 1 Mrd DM teure Gebäude entstand in vierjähriger Bauzeit.

Diäten: Das EP beschloss im Dezember 1998, die nationalen Unterschiede in der Vergütung der Abgeordneten zu beseitigen. Bislang werden die Parlamentarier des EP wie ihre Kollegen in den jeweiligen nationalen Parlamenten bezahlt. So erhält ein Abgeordneter des EP aus Spanien mit 2827 Euro weniger als ein Drittel der Diäten eines Abgeordneten des EP aus Italien (9635 Euro). Ab Juni 1999 sollten alle Parlamentarier eine einheitliche Vergütung von 5677 Euro erhalten, die dem Durchschnitt aller Diäten aus den 15 Mitgliedstaaten entspricht. Auf diese Vergütung sollten die Abgeordneten ohne jegliche Anrechnungsmöglichkeit 22,5% Gemeinschaftssteuer in die Kasse der EU zahlen. Der Rat der EU lehnte den Diätenbeschluss des EP ab und legte im Mai 1999 einen eigenen Vorschlag für ein einheitliches Abgeordnetenstatut vor, um sich die skandinavischen Staaten (Dänemark, Finnland, Schweden) das Recht vorbehielten, ihre Abgeordneten über die 22,5% hinaus steuerlich stärker zu belasten. Außerdem forderte der Rat der EU, die Bürokosten der Abgeordneten nur bei Vorlage aller Belege zu erstatten. Bislang bekommen die Parlamentarier eine monatliche Bürokostenpauschale in

Höhe von 3262 Euro. Die Abgeordneten lehnten dies wegen des damit verbundenen Mehraufwands an Arbeit ab.
http://www.europarl.eu.int

Europäisches Währungssystem II

Am 1.1.1999 wurde das Europäische Währungssystem II (EWS II) eingeführt, dem die Länder der EU beitreten können, die nicht der Europäischen Währungsunion angehören (Dänemark, Griechenland, Großbritannien, Schweden). Es löst das 1979 in Kraft gesetzte EWS ab, an dem die EU-Mitgliedsstaaten mind. zwei Jahre teilnehmen mussten, um Anfang 1999 den Euro einführen zu dürfen.

Funktion: Im EWS II werden für die nationalen Währungen der teilnehmenden Länder zentrale Kurse gegenüber dem Euro festgelegt. Um diese Kurse können die Währungen in einer festgelegten Bandbreite schwanken. Wenn der Kurs aus der Marge fällt, greifen die Zentralbanken ein: Sie kaufen hohe Beträge der betroffenen Währung (bei sinkenden Kursen) oder veräußern sie (bei steigenden Kursen). Das EWS II soll dazu beitragen, dass die vier noch nicht an der Währungsunion beteiligten Staaten sich hinsichtlich Inflationsrate, Höhe der Zinsen und Haushaltsdefizit den Verhältnissen in den anderen EU-Staaten annähern.

Teilnehmerstaaten: Dänemark und Griechenland erklärten ihren Beitritt zum EWS II zum 1.1.1999. Die dänische Krone darf ihren Leitkurs gegenüber dem Euro um höchstens 2,25%, die griechische Drachme um max. 15% über- oder unterschreiten. Um die Souveränität in der Währungspolitik zu bewahren, verzichteten Großbritannien und Schweden auf die Teilnahme am EWS II.

Europäisches Zentrum für die Förderung der Berufsbildung

▸ **Sitz:** Thessaloniki (Griechenland) ▸ **Gründung:** 1975 ▸ **Direktor:** Johan van Rens, Niederlande (seit 1994) ▸ **Funktion:** Unterstützung der Europäischen Kommission auf dem Gebiet der Berufsbildung

Das E., das bis 1995 seinen Sitz in Berlin hatte, soll Informationen über Berufsbildungsfragen in den EU-Ländern sammeln sowie Analysen und Berichte verbreiten. Es

---

Geschichte der internationalen Währungssysteme

▸ **Goldstandard:** Zwischen 1880 und 1914 diente Gold als Zahlungs- bzw. Reservemittel. Der Goldstandard funktionierte ohne internationale Abkommen oder Institutionen. Marktmechanismus und Goldeinlösepflicht genügten zur Aufrechterhaltung des Systems.

▸ **Zwischenkriegszeit:** Die Zeit von 1918 bis 1939 war gekennzeichnet von Inflation, Abwertungswettlauf aller bedeutenden Weltwährungen und nach 1929 von der Weltwirtschaftskrise. Es herrschte Devisenbewirtschaftung vor, d.h., dass reglementierende staatliche Maßnahmen bezüglich des Zahlungsverkehrs mit dem Ausland durchgesetzt wurden, die zur weitgehenden Aufhebung der freien Konvertibiliät der Währungen führten.

▸ **Bretton Woods:** In dem zwischen 1944 und 1970 herrschenden System von Bretton Woods war der US-Dollar die Leitwährung, der wiederum an den

Goldpreis gebunden war und fast die einzige Reservewährung darstellte. Der Internationale Währungsfonds (IWF) wurde zur Überwachung des offiziellen internationalen Kapitalverkehrs gegründet. Durch die wachsenden Zahlungsbilanzdefizite und den damit verbundenen Anstieg des Goldpreises sowie durch die unterschiedlichen Wachstumsraten der einzelnen Industrieländer geriet das System Anfang der 70er Jahre in die Krise.

▸ **Smithsonian Agreement/Kontrolliertes Floating:** Seit 1971 gibt es kein einheitliches Währungssystem mehr. Die meisten Länder lassen ihre Währungen innerhalb einer Bandbreite gegenüber dem US-Dollar als Leitkurs schwanken (»floaten«). Gründung von mehreren Währungsblöcken, von denen das Europäische Währungssystem (EWS) einen wichtigen Pfeiler der verbliebenen internationalen Währungsordnung darstellt.

fördert den EU-weiten Erfahrungsaustausch und stellt Verbindungen zwischen Forschung, Politik und Praxis her.
http://www.cedefop.gr

Europol

▶ **Sitz:** Den Haag (Niederlande) ▶ **Gründung:** 1998 (Vorläufer 1994) ▶ **Direktor:** Jürgen Storbeck, Deutschland (seit 1998) ▶ **Funktion:** Bekämpfung der grenzüberschreitenden Kriminalität in den EU-Staaten

Das Europäische Polizeiamt E. wurde am 1.10.1998 in Den Haag (Niederlande) eröffnet. Nach einer vierjährigen Aufbauphase, in der sich ein Vorläufer von E. insbes. mit Rauschgiftdelikten befasste, soll sich die Behörde zum Informationszentrum aller Polizeidienste in der EU entwickeln. Mit der Eröffnung von E. trat eine Konvention in Kraft, welche die Kompetenzen der Behörde, ihre Beziehungen zu den EU-Mitgliedstaaten, zu Drittländern und zur Europäischen Kommission sowie zu internationalen Organisationen wie Interpol definiert.
Aufgaben: E. bekämpft grenzüberschreitend Drogenkriminalität, Menschenhandel, Geldwäsche und Autodiebstahl in den 15 EU-Staaten. Darüber hinaus soll die Behörde gegen den internationalen Terrorismus vorgehen. E. hat rund 250 Mitarbeiter und einen Jahresetat von ca. 17 Mio DM. Zum ersten Direktor wurde im Dezember 1998 Jürgen Storbeck (Deutschland) ernannt.
Immunität: Innerhalb der EU ist umstritten, ob die Beamten von E. bei Verfehlungen im Dienst strafrechtlich verfolgt werden sollen. Sieben EU-Länder einschließlich Deutschland hatten Mitte 1999 das Immunitäten-Protokoll noch nicht ratifiziert. Kritiker von E. bemängeln außerdem Defizite bei der Datenschutzkontrolle.

EU-Steuerharmonisierung

Die Regierungen Deutschlands und Frankreichs forderten Ende 1998, bei Entscheidungen über Steuerfragen in der EU vom üblichen Prinzip der Einstimmigkeit unter den Mitgliedstaaten abzugehen, um Mehrheitsbeschlüsse gegen den Willen einzelner Regierungen leichter durchsetzen zu können.
Steuerwettbewerb: Die britische Regierung lehnte diesen Vorschlag ab, weil sie befürchtete, in fiskalischen Fragen überstimmt

zu werden und gegen ihren Willen Steuern erhöhen zu müssen. Sie verwies auf den Vertrag von Amsterdam (1997), in dem die Einstimmigkeit in Steuerfragen ausdrücklich festgeschrieben ist. Bis 1999 galt nur ein rechtlich unverbindlicher Steuerverhaltenskodex. Danach sollen als unfair angesehene Steuervergünstigungen abgeschafft werden, die einige EU-Länder (u.a. Großbritannien, Luxemburg) eingeführt hatten, um den eigenen Wirtschaftsstandort attraktiver zu gestalten. Die Regierungen in Deutschland und Frankreich fürchten als Folge des Steuerwettbewerbs einen wachsenden Kapitalstrom in EU-Staaten mit günstigen Steuersätzen, eine ungerechte Verteilung der Steuerlast zwischen Unternehmen und Arbeitnehmern sowie eine ungleichmäßige wirtschaftliche Entwicklung der einzelnen Mitgliedsländer.
Quellensteuer: Ende 1998 beschlossen die Staats- und Regierungschefs in der EU die Einführung einer einheitlichen Quellensteuer auf Zinserträge. Weiterhin umstritten blieb allerdings die Höhe des Steuersatzes. Vertreter Großbritanniens und Luxemburgs lehnten den Vorschlag der Europäischen Kommission, einen Steuersatz in Höhe von 20% zu erheben, als zu hoch ab. Die Regierung Luxemburgs sah durch die Einführung einer einheitlichen Quellensteuer in der EU die Stellung des Landes als bedeutendster Finanzmarkt in Europa stark gefährdet. Die britische Regierung prognostizierte als Folge einer Quellensteuer den Verlust von etwa 11 000 Arbeitsplätzen im englischen Bankgewerbe.
Energiesteuer: Im Februar 1999 schlug die Europäische Kommission vor, Mindeststeuersätze für Mineralöl, Erdgas, Kohle und Elektrizität zu erheben. Die Steuereinnahmen sollten für die Schaffung von Arbeitsplätzen und Umweltschutz eingesetzt werden. Insbes. die ärmeren EU-Staaten Griechenland, Portugal und Spanien lehnten den Vorschlag ab, weil sie befürchteten, dass höhere Energiesteuern ihre industrielle Entwicklung hemmen könnten.
Einkommensteuer: Die Mitgliedstaaten der EU vereinbarten Ende 1998, die Einkommensteuer nicht zu harmonisieren. Die Regierungen jedes Landes bestehen weiterhin auf ihrem Recht, die Bürger so stark zu belasten, wie es sie innenpolitisch für durchsetzbar halten.

EU-Wettbewerbskontrolle

Aufgaben: Die Europäische Kommission kontrolliert die Einhaltung der Wettbewerbsregeln, die im Vertrag zur Gründung der Europäischen Gemeinschaft festgelegt wurden, u. a. Kartellverbot, Missbrauch marktbeherrschender Stellung und Verbot wettbewerbsverzerrender staatlicher Subventionen. Seit 1989 ist sie gemäß europäischer Fusionskontrollverordnung für alle Firmenzusammenschlüsse von gemeinschaftsweiter Bedeutung zuständig, die damit nicht mehr der Kontrolle nationaler Kartellbehörden unterstehen. Der für die E. zuständige EU-Kommissar war bis Mitte 1999 Karel van Miert (Belgien).

Reform: Die Europäische Kommission legte im April 1999 einen Entwurf für eine tief greifende Neugestaltung des EU-Wettbewerbsrechts vor. Die Kommission soll sich bei der E. auf große Fälle beschränken und für kleinere Angelegenheiten den nationalen Kartellbehörden und Gerichten die Anwendung der EU-Wettbewerbsregeln übertragen. Die Europäische Kommission erhofft sich von der Dezentralisierung der E. eine wirksamere Überwachung der Richtlinien.

▪ **Unternehmen** → Fusionen und Übernahmen

Fischereipolitik: Fischverzehr[1]

Land	kg
Belgien	18
Dänemark	20
Deutschland	12
Finnland	33
Frankreich	27
Griechenland	24
Großbritannien	18
Irland	18
Italien	21
Luxemburg	18
Niederlande	12
Österreich	10
Portugal	57
Schweden	27
Spanien	39

1) pro-Kopf (kg); Stand: 1998; Quelle: Globus/Eurostat

Fischereipolitik

Die Fischer in den EU-Mitgliedstaaten brachten 1998 rund 8 Mio t Fisch ein, ca. 11% mehr als 1970. Größter Produzent von Fischereierzeugnissen in der EU ist Dänemark mit über 2 Mio t im Jahr. Die Fangmenge der deutschen Fischer belief sich auf 300 000 t.

Fischfangüberwachung: Die EU gab 1998 rund 78 Mio DM für Kontrollmaßnahmen aus, um zu ermitteln, ob die Mitgliedstaaten ihre festgelegten Fangquoten zum Schutz vor Überfischung einhalten. Schwerpunkt der Investitionen war die Anschaffung neuer Technologien wie Satellitenüberwachungssysteme. Die EU finanzierte den Einbau sog. Blue Boxes auf Schiffen, die per Satellit kontrolliert werden können. Inspektionsschiffe und Überwachungsflugzeuge wurden modernisiert oder neu angeschafft. Durch eine wirksamere Kontrolle der Fangquoten soll einer weiteren Überfischung in der Nord- und Ostsee vorgebeugt werden, die den Bestand einzelner Fischarten wie Dorsch, Seelachs und Scholle gefährdet.

Treibnetzfischerei: Im Oktober 1998 einigten sich die EU-Fischereiminister auf eine finanzielle Unterstützung für die Treibnetzfischer in der EU, die wegen des Verbotes dieser Fangmethode Anfang 2002 ihre Tätigkeit umstellen müssen. Die Entschädigungszahlungen betragen rund 40 000 DM bei Umrüstung und 100 000 DM bei Aufgabe der Fischerei. Beihilfen erhalten vorrangig die Fischer in Frankreich, Großbritannien, Irland, Italien und Spanien. Deutschland ist von der Regelung nicht betroffen, da die Treibnetzfischerei in der Ostsee vom Verbot ausgenommen ist. Die EU beschloss bereits Mitte 1998 das Verbot der Treibnetze, weil ihre sog. Beifangrate (Tiere, die nicht verwertet werden) bis zu 80% betrug und dadurch seltene Arten gefährdet wurden.

Marokko: Im Juni 1999 kündigte Marokko an, das am 1.12.1995 in Kraft getretene Fischereiabkommen mit der EU nicht zu verlängern und zum 30.11.1999 auslaufen zu lassen. In dem Vertrag wurde Fischern aus der EU das Recht eingeräumt, in den ertragreichen marokkanischen Gewässern zu fangen. Im Gegenzug erhielt Marokko jährlich 125 Mio ECU. Marokko begründete die Kündigung des Abkommens damit, den Fischbestand schützen zu wollen.

Gemeinsame Außen- und Sicherheitspolitik

(GASP), im Maastrichter Vertrag (1992) getroffene und im Amsterdamer Vertrag (1997) bekräftigte Vereinbarung, die Zusammenarbeit der EU-Staaten in der Außen- und Sicherheitspolitik zu verstärken

Ziel: Auf internationaler Ebene soll die G. eine eigene Identität der EU entwickeln. Sie umfasst alle die Sicherheit der EU-Staaten betreffenden Fragen, darunter die schrittweise Festlegung einer gemeinsamen Verteidigungspolitik, die zu einer koordinierten Strategie im Verteidigungsfall führen könnte.
Solidarität: Dennoch ist die G. keine einheitliche Politik. Jedes EU-Mitgliedsland bleibt für seine eigene Außenpolitik verantwortlich. Aber die Mitgliedstaaten müssen die G. der EU solidarisch unterstützen, wenngleich die Verpflichtung rechtlich nicht einklagbar ist.
Beschlussfassung: Grundsätzliche Entscheidungen werden im Europäischen Rat der Staats- und Regierungschefs einstimmig getroffen. Über die Umsetzung entscheidet der Rat der EU in der Zusammensetzung der Außenminister mit qualifizierter Mehrheit (mind. zehn der 15 Mitgliedstaaten und mind. 62 von 87 Stimmen), wobei jeder Staat ein Vetorecht besitzt, wenn er wichtige Gründe der nationalen Politik benennt.
Außenpolitischer Repräsentant: Im Juni 1999 nominierte der Europäische Rat auf dem Gipfel in Köln den bisherigen NATO-Generalsekretär Javier Solana (Spanien) zum außenpolitischen Repräsentanten der EU (sog. Mister GASP). Er soll Entscheidungen in der G. vorbereiten und mit der Europäischen Kommission eng kooperieren.

Hormonstreit

Die USA drohten Mitte 1999 Strafzölle auf europäische Erzeugnisse im Umfang von ca. 202 Mio US-Dollar an als Vergeltungsmaßnahme für die Weigerung der EU, hormonbehandeltes Rindfleisch aus den USA nach Europa einzuführen. Die EU weigerte sich, der Weisung der Welthandelsorganisation (WTO) nachzukommen und das Importverbot für hormonbehandeltes Rindfleisch aus den USA aufzuheben.
Gesundheitsgefahren: Das Einfuhrverbot der EU war 1989 mit der Begründung erlassen worden, dass hormonbehandeltes Fleisch bei den Verbrauchern langfristig Gesundheitsschäden hervorrufen könnte. EU-Behörden behaupteten, dass das Hormon BST, welches im amerikanischen Rindfleisch häufig nachgewiesen wird, das Risiko von Brust- und Prostatakrebs erhöhe sowie allergische Reaktionen fördern könnte. In der EU ist der Einsatz von Hormonen in der Massentierhaltung verboten.
Handelsinteressen: US-Stellen schlugen vor, das amerikanische Rindfleisch als hormonbehandelt zu etikettieren. Sie werteten die Ablehnung des Vorschlages als Beweis dafür, dass die EU einen fairen Zugang für amerikanisches Rindfleisch zum europäischen Markt verhindern wolle. Die Handelseinbußen der US-Rindfleischhersteller werden auf rund 300 Mio US-Dollar im Jahr geschätzt.

Landwirtschaft

In Deutschland stiegen die Gewinne der Landwirtschaft 1997/98 um durchschnittlich 3,3% auf 57 668 DM/Unternehmen insbes. wegen höherer Erlöse bei Getreide, Ölsaaten, Milch und Rindern. Die Verkaufserlöse für Schlachtschweine hingegen sanken um rund 9%. Die Futterbaubetriebe (ca. 60% aller Höfe) verzeichneten mit über 14% den stärk-

Landwirtschaft: Beihilfen für Bauern[1]	
Prämien aus EU-Haushalt	14,2
Alterssicherung	4,3
Krankenversicherung	2,2
Unfallversicherung	0,6
Gasölverbilligung	0,8
Steuermindereinnahmen	1,4
Sonstiges	5,9

1) in Mrd DM; insgesamt 29,4 Mrd DM; Stand: 1998; Quelle: Die Woche, 15.1.1999

Landwirtschaft: Betriebsarten[1]	
Marktfrucht (Getreide u. a.)	74 425
Veredlung (Schweine, Geflügel)	65 451
Dauerkultur (Obst, Wein, Hopfen)	64 648
Mischbetrieb	53 032
Futterbau (Milch, Rinder)	51 355

1) ihre Gewinne in DM; Stand: 1997/98; Quelle: Globus

sten Gewinnzuwachs. Ihre Einkommen lagen aber mit 51 355 DM/Unternehmen weit unter denen der Marktfruchtbetriebe (74 425 DM). Den stärksten Gewinnanstieg registrierten die auf Ölsaaten und Getreide spezialisierten Bauern in Mecklenburg-Vorpommern (26,4%), während die Landwirte in Nordrhein-Westfalen wegen der hohen Zahl an Betrieben mit Schweinezucht Gewinneinbrüche von knapp 10% verzeichneten.

Prognose: Für das Wirtschaftsjahr 1998/99 rechneten die deutschen Bauern mit Einkommenseinbußen von 2–6%. Hintergrund ist der Preisrückgang bei Schlachtschweinen, Getreide und Zucker. Die Veredelungsbetriebe gingen von einem Gewinnrückgang von über 50% aus. Der Deutsche Bauernverband schätzte, dass 1998/99 rund 25 000 der 525 000 Betriebe (ca. 5%) wegen sinkender Einkommen aufgelöst wurden.

Beihilfen: 1998 erhielten die deutschen Landwirte knapp 29,4 Mrd DM Subventionen aus dem Haushalt der EU oder Deutschlands. Die durchschnittliche Höhe der Zuschüsse von 57 000 DM/Kopf überstieg die von den Landwirten selbst erwirtschaftete Einkommen.

Steigende Produktivität: 1998 ernährte ein Landwirt etwa 110 Menschen, elfmal soviel wie 1949. Die Zahl der agrarischen Betriebe sank im gleichen Zeitraum um rund 400% von 2,3 Mio auf 525 000, die in der Landwirtschaft Beschäftigten um 650% von 9,7 Mio auf 1,5 Mio. Ihr Anteil an der gesamten Erwerbsbevölkerung verringerte sich von 25% auf 3%. Die Erzeugungsleistung verdreifachte sich bei Getreide von 14 Mio t (1949) auf über 45 Mio t (1998). Eine Kuh gab 1998 mit durchschnittlich 5700 kg/Jahr mehr als doppelt so viel Milch wie 1950.

Ökologische Landwirtschaft: Die deutschen Ökobauern erzielten 1997/98 mit 52 912 DM einen um ca. 2% höheren Gewinn als die konventionell wirtschaftenden Betriebe mit ähnlicher Produktionsausrichtung, vergleichbarer Flächenausstattung und ähnlichen natürlichen Standortbedingungen. Höhere Umsätze erzielten die Öko-Betriebe insbes. bei der pflanzlichen Produktion sowie bei Handel und Dienstleistung. Sie profitierten von den Prämien für umweltgerechte Agrarerzeugung. 1998 bewirtschafteten die etwa 8300 ökologischen Betriebe ca. 400 000 ha Fläche.

Landwirtschaft

Anfang vom Ende der Subventionen

Art und Umfang einer Landwirtschaftsreform prägen Ende des 20. Jh. weltweit die agrarpolitische Diskussion: Kernziele sind in den Industriestaaten die Senkung der Überschussproduktion und der Abbau von Subventionen. Trotz Milliardenunterstützung trägt die Landwirtschaft in den Industriestaaten mit weniger als 5% zum Bruttosozialprodukt bei. Die Entwicklungsländer erwirtschaften dagegen bis zu 50% ihres Bruttosozialprodukts im Agrarsektor. In der Uruguay-Runde verpflichteten sich 1993 die Staaten des Zoll- und Handelslabkommesn GATT, bis zum Jahr 2001 die Agrarsubventionen um 20% zu senken, doch ist die Gesamthöhe der Subventionen umstritten, da der Begriff unterschiedlich definiert wird. Die Zahl der Erwerbstätigen in Land- und Forstwirtschaft sowie Fischerei in Deutschland sank in den 90er Jahren um ein Drittel auf 1,5 Mio, die Zahl der landwirtschaftlichen Betriebe ging um 20% auf 525 000 zurück.

Positive Trends

▸ Der Selbstversorgungsgrad bei Nahrungsmitteln aus der Landwirtschaft nimmt in Deutschland kontinuierlich zu, bei Getreide stieg er von 95% (1985) auf 101% (1996).

▸ Die Milchüberschüsse in Deutschland sanken in den 90er Jahren um rund 10% auf 28 Mio t.

▸ Die Waldschäden gingen in den 90er Jahren in Teilen Deutschlands zurück; im Nordwesten fiel der Schädigungsgrad von 48 auf 46%.

Negative Trends

▸ Die konventionelle Landwirtschaft gefährdet laut Umwelt-Sachverständigenrat durch Eintrag von Nitrat und Pestiziden sowie durch Überdüngung die Umwelt inkl. Grundwasser.

▸ Die Kosten für die Verwertung der Überschussproduktion in der EU (Lagerhaltung u.a.) bindet einen großen Teil der Haushaltsmittel.

▸ Subventionen für die Landwirtschaft binden Produktionsfaktoren, die lukrativere Wirtschaftsbereiche fördern könnten.

▸ Die Landwirtschaftshilfe der internationalen Staatengemeinschaft für die ärmsten Länder der Erde ist seit Ende der 80er Jahre um die Hälfte auf 10 Mrd US-Dollar jährlich gesunken.

Technischer Fortschritt in der Landwirtschaft: Lanz Bulldog mit Mähdrescher (20er Jahre)

Meilensteine

Ertragssteigerung durch Chemie und Technik

1906: Benjamin Holt (USA) stellt serienmäßig Gleiskettenfahrzeuge als geländegängige Land- und Forstwirtschaftsmaschinen her.

1906–10: Die stolypinsche Agrarreform (RUS) setzt an die Stelle der Dorfgemeinschaft marktfähige Einzelbauern (Kulaken).

1908: Fritz Haber (D) erfindet das Haber-Bosch-Verfahren zur Ammoniaksynthese; Carl Bosch (D) entwickelt es zur großtechnischen Produktion von Kunstdünger weiter.

1914: Zur Bekämpfung von Getreidepilzen wird erstmals Saatgut mit organischen Quecksilberverbindungen gebeizt.

1917: Nach der Oktoberrevolution (RUS) enteignen die Bolschewiken die Großgrundbesitzer und wandeln die Landwirtschaft in genossenschaftliche Großbetriebe (Kolchosen) und staatliche Sowjchosen um.

1921: Heinrich Lanz (D) erfindet den Traktor mit Rohölmotor (Bulldog); damit beginnt die Ära der Ackerschlepper.

1924: Rudolf Steiners (A) anthroposophische Vortragsreihe »Landwirtschaftlicher Kurs« beeinflusst weltweit den ökologischen Landbau.

1926: In Berlin wird die erste Grüne Woche veranstaltet, die heute bedeutendste Ausstellung für Land- wirtschaft und Ernährung.

1929–31: Während der Weltwirtschaftskrise halbieren sich die Weizenpreise, die bäuerlichen Einkommen sinken dramatisch.

1933: Das völkisch und wehrwirtschaftlich ausgerichtete NS-Agrarprogramm (u.a. Reichserbhofgesetz, Autarkiepolitik) verbessert nur kurzfristig die Lage der Bauern.

1942: Das von Paul Müller (CH) entwickelte Insektizid DDT ist die erste wirksame Agrochemikalie.

1952: Im Maisanbau werden Triazine eingeführt; sie zerstören als Photosynthesehemmer Unkraut.

1960: Nach Abschluss der Kollektivierung der Landwirtschaft sind die Bauern in der DDR Mitglieder Landwirtschaftlicher Produktionsgenossenschaften (LPG).

1976: Die Flurbereinigung in der BRD soll die Rentabilität von Land- und Fortwirtschaftsflächen steigern.

1976: Der Internationale Fonds für Agrarentwicklung (IFAD) wird als UN-Sonderorganisation zur Verbesserung der Agrarproduktion in den ärmsten Ländern gegründet.

1987: Eine EG-Verordnung legt Mindestgrößen für Massentierhaltung fest, z. B. 450 cm^2 (Dreiviertel Schreibmaschinenseite) pro Henne.

1993: In der EU werden Festpreise für einige Produkte und Ausgleichszahlungen an die Bauern eingeführt.

Stichwort: Grüne Revolution
Produktion in der dritten Welt
Der Einsatz von Hochleistungssorten, Pflanzenschutzmitteln und Bewässerungsanlagen führte ab 1965 in Asien, Lateinamerika und im Nahen Osten zur »Grünen Revolution«. Bald verbreiteten sich jedoch neue Pflanzenkrankheiten und Schädlinge, die heimischen Agrarindustrien gerieten in Abhängigkeit von Ausrüstungsgüterimporten und Auslandskapital. Hinzu kamen soziale Spannungen zwischen armen und reich gewordenen Bauern. Bis Ende der 90er Jahre stabilisierte sich die Lage: Indien und China können dank der Intensivierung ihrer Landwirtschaft Ernährungsprobleme überwiegend aus eigener Kraft lösen und erwirtschaften durch Exporte Devisen, um fehlende Lebensmittel importieren zu können.

Stichtag: 29. April 1996
Kälbermast ohne Hormone
Eine 1996 erlassene Richtlinie verbietet innerhalb der EU die Verabreichung von Sexualhormonen als Masthilfsmittel. Die EU reagierte auf das weit verbreitete Spritzen von Östrogenen, durch das Kälber bis zu 20% mehr Fleisch ansetzen. Die Richtlinie untersagt ferner beruhigend wirkende Betablocker als Tierarznei.

Ausblick
Bauern als Naturschützer?
Während die technisierte Agrarindustrie zu den Hauptbelastern der Umwelt zählt, ist der ökologische Landbau Pionier beim Naturschutz. Mit dem Verzicht auf Pestizide und synthetische Dünger, mit geringstmöglichem Verbrauch nicht erneuerbarer Energien und Rohstoffen arbeitet er im Einklang mit der Politik der nachhaltigen Entwicklung, die 1992 auf dem Umweltgipfel in Rio de Janeiro zur weltpolitischen Leitlinie in der Landwirtschaft erhoben wurde.

Lomé-Abkommen

Am 30.9.1998 begannen die Verhandlungen zwischen der EU und den 71 Staaten Afrikas, der Karibik und des Pazifiks (AKP-Länder, ehemalige Kolonien heutiger EU-Staaten) über eine Neuregelung des L., das erstmals 1975 in Lomé (Togo) abgeschlossen und danach dreimal verlängert worden war.

Die 1989 in Togo unterzeichnete gültige Konvention sieht weit reichende Handelspräferenzen der EU für die AKP-Staaten vor, muss aber neu verhandelt werden, weil sie im Februar 2000 ausläuft.

Handelspolitik: 1995–2000 stellte die EU Leistungen in Höhe von rund 26 Mrd DM zur Verfügung. Das System von Handelspräferenzen, das den AKP-Staaten u.a. freien Marktzugang bei der Einfuhr in die EU gewährt und Produkte konkurrierender Länder mit Zöllen belegt (z. B. Bananen), steht mit den Regeln der Welthandelsorganisation (WTO) nicht mehr in Einklang. Die EU strebt mit den wirtschaftlich fortgeschrittenen Partnerstaaten Freihandelszonen an. Dies lehnen die AKP-Länder ab, weil sie sich einem freien Wettbewerb auf dem Weltmarkt nicht gewachsen fühlen.

Rat der EU: Stimmen pro Land		
Belgien		5
Dänemark		3
Deutschland		10
Finnland		3
Frankreich		10
Griechenland		5
Großbritannien		10
Irland		3
Italien		10
Luxemburg		2
Niederlande		5
Österreich		4
Portugal		5
Schweden		4
Spanien		8

Insgesamt 87 Stimmen; Stand: 1999

Suspendierungsklausel: Die EU-Länder wollen ihre Unterstützung für die AKP-Staaten von einer finanziell soliden und politisch stabilen Regierungsführung abhängig machen und im neuen L. eine Suspendierungsklusel verankern. Danach soll die Aussetzung der Hilfe für ein AKP-Land möglich sein, wenn es gegen Menschenrechte und die Grundsätze von Demokratie und Rechtsstaatlichkeit verstößt. Die AKP-Staaten stimmten bis Mitte 1999 einer solchen Klausel nicht zu.

Mittelmeer-Anrainer

Die EU-Länder und zwölf Anrainerstaaten des Mittelmeers (Ägypten, Algerien, Israel, Jordanien, Libanon, Malta, Marokko, Syrien, Tunesien, Türkei, Zypern und die autonomen Palästinensergebiete) vereinbarten im April 1999 Leitlinien einer euro-mediterranen Charta für Frieden und Stabilität.

Charta: Kernelemente des rechtlich nicht bindenden Dokumentes sind die Verstärkung des politischen Dialogs, die schrittweise Entwicklung Partnerschaft bildender Maßnahmen, regionale wirtschaftliche Kooperation, die Einrichtung eines EuroMed-Informationssystems zur Katastrophenprävention sowie der Infotransfer über Menschenrechte, Terrorismusbekämpfung, Rüstungskontrolle und humanitäres Völkerrecht.

Freihandel: Die EU und die M. planen bis 2010 die Einrichtung einer das Mittelmeer umspannenden Freihandelszone von mind. 27 Staaten und 700 Mio Verbrauchern. Um das erhebliche Wohlstandsgefälle unter den M. auszugleichen und sie auf die Freihandelszone vorzubereiten, versprach die EU 1999, die bisherigen Hilfsprogramme (1995–99: 9 Mrd DM) auf hohem Niveau fortzusetzen.

Rat der EU

▶ **Name:** eigtl. Rat der Union ▶ **Sitz:** Brüssel (Belgien), Luxemburg ▶ **Gründung:** 1967 ▶ **Vorsitz:** halbjährlicher Wechsel (1/1999 Deutschland, 2/1999 Finnland, 1/2000 Portugal, 2/2000 Frankreich) ▶ **Funktion:** Beschluss fassendes Organ der Europäischen Union

Kompetenzen: Der R. besteht aus den jeweils für ein Sachgebiet zuständigen Ministern der Mitgliedstaaten. Er tagt gewöhnlich dreimal im Jahr (April, Juni, Oktober) in Brüssel und in Luxemburg. Beschlüsse kann der Rat mit einfacher oder qualifizierter Mehrheit sowie einstimmig fassen. Bei einstimmigen Entscheidungen oder einfachen Mehrheitsbeschlüssen hat jedes Land unabhängig von seiner Größe eine Stimme. Bei Beschlüssen mit qualifizierter Mehrheit haben die Länder entsprechend ihrer Größe unterschiedlich viele Stimmen. Von den insgesamt 87 Stimmen werden 62 (71%) zur qualifizierten Mehrheit benötigt. Zur Verhinderung einer Mehrheitsentscheidung ist eine Sperrminorität von 26 Stimmen (30%) notwendig. Einstimmige Beschlüsse sind erforderlich in bedeutenden Angelegenheiten wie Beitritt eines neuen Staates, Vertragsänderungen oder Aufnahme und Initiierung einer neuen Gemeinschaftspolitik.

Abstimmungsverhalten: Zwischen 1995 und Mitte 1998 wurde bei Entscheidungen des R. Deutschland am häufigsten überstimmt (40-mal). 27-mal befand sich Großbritannien in der Minderheit, 22-mal Italien, 20-mal Schweden. Die häufigen Abstimmungsniederlagen Deutschlands wurden auf mangelndes Verhandlungsgeschick und fehlende Koordination in der EU-Politik zurückgeführt.

Vorbereitungsausschuss: Die Beschlüsse des R. werden vom Ausschuss der Ständigen Vertreter der Mitgliedstaaten (AStV) und Arbeitsgruppen aus Fachbeamten der nationalen Ministerien vorbereitet. Der R. kann nur Entscheidungen treffen, wenn ihm ein Gesetzentwurf der Europäischen Kommission vorliegt, die der R. anfordern kann. Er tagt rund 90-mal im Jahr, als Allgemeiner Rat der Außenminister oder als Fachministerrat (z. B. die Landwirtschaftsminister in Fragen der Agrarpolitik, die Finanzminister in Fragen der Wirtschafts- und Währungspolitik). Er wird auf Antrag seines Präsidenten, der Europäischen Kommission oder eines Mitgliedslandes einberufen.

http://ue.eu.int/de/summ.htm

Rat der EU: Abstimmungen[1]		
Belgien		7
Dänemark		15
Deutschland		40
Finnland		7
Frankreich		6
Griechenland		9
Großbritannien		27
Irland		7
Italien		22
Luxemburg		2
Niederlande		16
Österreich		8
Portugal		8
Schweden		20
Spanien		9
1) Niederlagen 1995 bis Mitte 1998; Quelle: FAZ, 11.9.1998		

Rinderwahnsinn (BSE)

Die vor allem bei Rindern in Großbritannien seit 1984 auftretende tödliche Krankheit Bovine Spongiforme Encephalopathie (BSE) wird von Medizinern als Ursache einer neuen Variante der Creutzfeld-Jacob-Krankheit (CJK) angenommen, an der in Großbritannien 1995–98 insgesamt 39 Menschen starben. In Deutschland gab es bis Mitte 1999 keinen Todesfall durch die CJK-Variante. Dagegen starben 1998 etwa 80 Deutsche an der klassischen Form der Krankheit, die bereits vor Auftreten des R. bekannt war.

Ursprung: R. geht auf die bei Schafen in Großbritannien weit verbreitete Krankheit Scrapie zurück. Schlachtabfälle infizierter Schafe wurden zu Beginn der 80er Jahre zu Tiermehl verarbeitet und an Rinder verfüttert. Britische Tiermehlproduzenten verzichteten auf chemische Mittel zum Herauslösen der Nervenstränge und senkten die Temperaturen bei der Kadaververbrennung, sodass die Erreger nicht mehr abgetötet wurden.

Krankheiten: BSE-ähnliche Krankheiten wie CJK, das Gerstmann-Sträussler-Syndrom, Kuru und die letale familiäre Insomnie treten beim Menschen auf. Vermutlich werden die Krankheiten vom gleichen Erreger ausgelöst wie R. Bei Infizierten wird das Gehirn schwammig durchlöchert und von Eiweißfasern durchsetzt. Als wahrscheinlichste Hypothese galt 1999, dass der Erreger ein Eiweißstoff (Prion) ist, dessen Wirkung in den 80er Jahren vom Medizinnobelpreisträger 1998, Stanley Prusiner (USA), erkannt wurde.

Rückgang: 1998 sank die Zahl der BSE-Fälle im Vergleich zu 1997 um 61% von 4454 auf 1718. Mehr als 99% der registrierten Erkrankungen entfielen auf Großbritannien. Die meisten Fälle von R. (37 301) wurden 1992 verzeichnet. Seit Ausbruch der Seuche (1984) infizierten sich 163 000 Rinder mit BSE.

Schnelltest: Seit März 1999 erprobt Nordrhein-Westfalen erstmals in der EU großflächig einen BSE-Schnelltest. Der sog. Prionics-Check erkennt BSE-Prionen – charakteristisch veränderte Eiweißkörper – nach sieben Stunden (bisherige Tests: bis zu drei Wochen). Der Check kann BSE-Erkrankungen bei Rindern bis zu sechs Monaten vor Ausbruch der Krankheit anzeigen. Beim BSE-Schnelltest wird dem frisch geschlachteten Tier ein Stück Hirn entnommen und verflüssigt. Die normalen Prionproteine werden durch Verdauungsenzyme zerstört, sodass nur noch die eventuell vorhandenen und nicht angreifbaren BSE-Prionen übrig bleiben. Sie können mit Antikörpern nachgewiesen werden. Die Zuverlässigkeit des Prionics-Check liegt nach Medizinerangaben bei über 95%.

Ausfuhrerlaubnis: Der EU-Agrarministerrat beschloss gegen die Stimme Deutschlands im November 1998, das Exportverbot für britisches Rindfleisch (seit Frühjahr 1996) grundsätzlich aufzuheben. Vor der endgültigen Freigabe muss Großbritannien garantieren, dass keine Nachkommen von an BSE erkrankten Rindern in den Export gelangen. Rund 4000 nach dem 1.8.1996 geborene Tiere müssen geschlachtet werden. Die Europäische Kommission will die Sicherheit der Veterinär- und Herkunftskontrollen in Großbritannien überprüfen lassen.

Ausfuhrverbot: Die Europäische Kommission beschloss im Oktober 1998 ein Exportverbot für Rindfleisch und Lebendvieh aus Portugal. Die Aufhebung der Handelsbeschränkungen machte sie davon abhängig, dass Portugal die verschärften Sicherheitsstandards der EU bei der Tierkörperverarbeitung einhält und ein vollständiges Fütterungsverbot für Tiermehl erlässt. Portugiesische Behörden sollen sicherstellen, dass Rinderhirn, Rückenmark u.a. für BSE anfällige Rinderteile nicht mehr in die Nahrungs- und Futterkette gelangen. 1998 wurden in Portugal rund 80 Fälle von BSE registriert; bezogen auf den geringen Rinderbestand waren es fünfmal so viele Infektionen wie z.B. in Irland.

Schengener Abkommen

Vertrag zwischen 13 EU-Staaten (ohne Großbritannien und Irland) sowie Island und Norwegen über die schrittweise Abschaffung von Personen- und Warenkontrollen an den Binnengrenzen und gemeinsame Visa-, Asyl- und Polizeipolitik. Es schreibt u.a. den Wegfall der Grenzkontrollen zwischen den Teilnehmerstaaten, aber strenge Personenkontrollen an den Außengrenzen der Mitgliedstaaten vor.

Illegale Einwanderung: Vor dem Hintergrund steigenden Einwanderungsdrucks vereinbarten die Mitgliedstaaten des S. im Herbst 1998 einen Plan zur besseren Sicherung der EU-Außengrenzen. Er sieht die gegenseitige Unterstützung bei der Durchführung von Kontroll- und Überwachungsaufgaben an den Außengrenzen der EU und die Entsendung von Dokumentenberatern vor, welche die Echtheit von Visa und Ausweispapieren überprüfen sollen. Die Staaten des S. verabschiedeten eine strengere Kontrolle der See- und Fährhäfen sowie härtere Strafen für Verkehrstransportunternehmen, die Passagiere ohne oder mit unzureichenden Papieren befördern.

Rinderwahnsinn (BSE) in der EU		
Bel./Lux.	3,3	7
Dänemark	2,0	1
Deutschland	15,2	6
Finnland	1,1	0
Frankreich	20,5	40
Griechenland	0,6	0
Großbritannien	11,5	162 454
Irland	7,8	302
Italien	7,3	1
Niederlande	4,3	4
Österreich	2,2	0
Portugal	1,3	150
Schweden	1,7	0
Spanien	6,2	0
Quelle: Globus	Rinder (Mio, 1998)	BSE-Fälle 1990–98

Sonderfall Griechenland: Die Schengen-Vertragsstaaten beschlossen Ende 1998, die Personenkontrollen bei Flug- und Schiffreisen von und nach Griechenland aufrechtzuerhalten, weil die griechische Überwachung der Außengrenzen nicht dem Standard der anderen Mitgliedstaaten entsprach. 1998 kamen rund 500 000 Menschen (davon 350 000 aus Albanien) illegal nach Griechenland. Die anderen Schengen-Staaten befürchteten, dass die illegalen Einwanderer beim Wegfall der Personenkontrollen für Reisende aus Griechenland in ihre Länder weiterziehen könnten.

Kriminalität: Zur Verhütung und Aufklärung von grenzüberschreitenden Straftaten (z.B. Drogen- und Menschenhandel) vereinbarten die Schengen-Staaten Ende 1998 die Verbesserung der polizeilichen Zusammenarbeit: Polizeibehörden können ohne Einschaltung der Justiz agieren, Genehmigungen zur Verwertung schriftlicher Informationen in Strafverfahren sollen schneller erteilt werden.

Schweinepest

Anzeigepflichtige Krankheit, die durch einen Virus hervorgerufen wird und nach wenigen Tagen zum Tod von Schweinen führt. Für Menschen ist die S. ungefährlich.

Der Ausbruch der Krankheit wird durch zu dichte Viehbestände begünstigt. Die zunehmende Spezialisierung in der Landwirtschaft der EU, bei der z.B. Zucht und Mast in unterschiedlichen Betrieben stattfinden, zu denen die Tiere quer durch Europa transportiert werden, beschleunigen die Ausbreitung der S.

Impfung: Schweine dürfen in der EU seit 1990 nicht mehr gegen S. geimpft werden. Die EU-Staaten befürchteten 1998/99 Importverbote von S.-freien Drittländern wie den USA und Japan, die geimpftes Fleisch nicht einführen. Geimpftes Fleisch lässt sich von infiziertem nicht unterscheiden, weil bei der Impfung dieselben Antikörper hervorgerufen werden.

Nordwestdeutschland: Im Oktober 1998 wurden in Norwestdeutschland nach dem Ausbruch der S. 14 000–17 000 Schweine getötet. Ausgelöst wurde die Seuche wahrscheinlich durch virusinfiziertes Schweinefutter. Der Schaden wurde auf 4,5 Mio DM geschätzt.

Strukturfonds

Ziel der S. ist die Überwindung der regionalen wirtschaftlichen und sozialen Unterschiede in der EU. 1999 wurden im EU-Haushalt 30,45 Mrd Euro für die europäische Strukturpolitik bereitgestellt. 1994–99 wurden insgesamt 183 Mrd Euro für die Regionalförderung ausgegeben.

Verteilung: Die Mittel fließen in vier Fonds:

– 49,5% in den Europäischen Fonds für Regionale Entwicklung (EFRE), der wirtschaftliche Ungleichgewichte abbauen soll;

– 29,9% in den Europäischen Sozialfonds (ESF), der nationale Maßnahmen der Arbeitsförderung und Berufsbildung finanziell unterstützt;

– 17,7% in den Europäischen Ausrichtungs- und Garantiefonds für die Landwirtschaft (EAGFL), der Rationalisierungen im Agrarbereich fördert;

– 2,9% an das Finanzinstrument für die Ausrichtung der Fischerei (FIAF), das Modernisierungen unterstützt.

Reform: Im März 1999 beschlossen die EU-Mitgliedstaaten im Rahmen der Agenda 2000, der welche die Finanzplanung der EU bis 2006 festlegt, eine Reform der S. Bis Ende 1999 gilt ein vielfach als undurchsichtig kritisiertes System von Zielgebieten und Gemeinschaftsinitiativen, das entscheidet, welche Projekte (Unternehmen, öffentliche Einrichtungen) gefördert werden. Die Reformen sehen ab 2000 eine Vereinfachung vor: Zum Zielgebiet 1 (69,7% der Strukturmittel) gehören Regionen mit einem BIP/Kopf von weniger als 75% des Gemeinschaftsdurchschnitts oder in extremer Randlage (z.B. Azoren, Kanarische Inseln, Madeira). Im Zielgebiet 2 durchlaufen Industrie und Dienstleistungssektor einen sozioökonomischen Wandel, hinzu kommen ländliche Gebiete mit rückläufiger Entwicklung, Problemregionen in den Städten und von der Fischerei abhängige Krisengebiete. Die Mitgliedstaaten sollen der Europäischen Kommission ein Verzeichnis von Gebieten vorschlagen, welche die Kriterien erfüllen. Als Zielgebiet 3 gelten Regionen mit Maßnahmen zur Anpassung und Modernisierung der Bildungs-, Ausbildungs- und Beschäftigungssysteme. Über die drei Zielgebiete hinaus gibt es Übergangshilfen und Auslaufregelungen für einzelne Regionen. Insgesamt werden für die S. 2000-2006 rund 213 Mrd Euro ausgegeben. **Deutsche Förderzonen:** Nach der Reform der S. werden voraussichtlich ab 2000 in Deutschland alte Industriezonen und ländliche Regionen mit ca. 3,5 Mio Einwohnern zum Zielgebiet 2 gehören. Fast zwei Drittel entfallen auf die alten Industrieregionen an Rhein und Ruhr.

Transeuropäische Netze

Die Europäische Kommission stellte 1998 insgesamt 472 Mio ECU für die T. zur Verfügung. Die Mittel flossen in 132 Projekte zur Verkehrsinfrastruktur, insbes. in 14 vom Europäischen Rat 1994 als vorrangig eingestufte Vorhaben. Dazu gehören der Ausbau des Netzes für Hochgeschwindigkeitszüge wie den französischen TGV bzw. Thalys und den deutschen ICE (Strecken Brüssel–Köln und Paris–Straßburg–Karlsruhe). Die T. sollen grenzüberschreitende Verbindungen schaffen, den Europäischen Binnenmarkt fördern, seine Wettbewerbsfähigkeit erhöhen und Arbeitsplätze schaffen.

Wirtschafts- und Sozialausschuss

▶ **Abkürzung:** WSA ▶ **Sitz:** Brüssel (Belgien) ▶ **Gründung:** 1993 ▶ **Zusammensetzung:** 222 Mitglieder aus den 15 EU-Ländern (Deutschland: 24), paritätische Zusammensetzung aus verschiedenen Gruppen des wirtschaftlichen und sozialen Lebens ▶ **Präsident:** Tom Jenkins, Irland (seit 1996) ▶ **Funktion:** Beratendes Gremium in wirtschaftlichen und sozialen Fragen

Die Europäische Kommission und der Rat der EU müssen den WSA in allen sozialen Fragen anhören. Durch seine Stellungnahmen werden den EU-Organen auf institutionellem Weg die Standpunkte verschiedener Gruppen zu aktuellen Vorhaben der EU zur Kenntnis gebracht. Die Stellungnahmen und Leitlinien des WSA sind nicht bindend, sondern haben nur beratenden Charakter. http://europa.eu.int

Strukturfonds: Geförderte Regionen 2000-2006

	Bevölkerung in 1000	Arbeitslosenrate (%)	Beschäftigte Industrie[1]	Beschäftigte Landwirtschaft[1]
Bremerhaven	130,7	14,9	101,4	16,8
Dortmund	599,9	11,8	106,3	11,1
Duisburg	535,7	12,8	140,9	8,4
Emden	51,7	11,0	177,8	15,3
Gelsenkirchen	292,4	11,5	143,3	9,2
Gifthorn	160,3	13,2	119,6	121,1
Helmstedt	101,9	11,3	134,1	88,2
Herne	180,0	11,8	148,8	10,1
Kaiserslautern	102,0	11,0	108,4	8,1
Krefeld	249,6	11,1	147,7	14,1
Lüchow-Dannenberg	51,4	11,2	112,5	232,9
Nordfriesland	158,3	5,6	75,5	148,9
Oberhausen	224,9	11,2	131,9	9,5
Pirmasens	48,5	11,5	149,2	14,1
Saarbrücken	358,6	10,9	115,7	5,8
Salzgitter	117,8	13,0	204,2	15,9
Schweinfurt	55,6	10,9	103,2	4,9
Wolfsburg	126,6	12,5	230,8	11,1

1) EU-15 = 100; Stand: 1996/97/98; Quelle: EU-Kommission

Extremismus/
Terrorismus

Antisemitismus

Vorurteile, politische Bestrebungen und gewaltsame Ausschreitungen gegen Juden oder jüdische Einrichtungen. Der Begriff ist irreführend, da nicht alle semitischen Völker gemeint sind.

Ende der 90er Jahre nahm die antisemitisch motivierte Gewalt nach einer Studie der Universität Tel Aviv (Israel) weltweit vor allem an Brutalität zu. 1998 wurden 36 Waffen- und Sprengstoffanschläge (1997: 38) mit bis dahin unbekannter Härte verübt. Die Studie registrierte zugleich eine stärkere internationale Vernetzung der Täter. Die Zahl der unbewaffneten Anschläge, wozu u. a. Überfälle auf Rabbiner in Russland, Argentinien und Großbritannien gehörten, stieg von 116 (1997) auf 121 (1998). Außer den USA, Kanada und Schweden zählte die Studie Deutschland zu den Staaten mit wachsendem A., wo die registrierten Straffälle mit antisemitischem Hintergrund 1998 um 1,5% auf 991 Delikte zunahmen. Als besorgniserregend wurde in der Studie die Situation in Russland gewertet, wo außer verbalem A. Bomben- und Brandanschläge verübt würden und Politiker sowie Intellektuelle keine Gegenposition bezögen.

ETA

(Euzkadi ta Azkatasuna, baskisch; das Baskenland und seine Freiheit), 1959 gegründete Untergrundorganisation im spanischen Teil des Baskenlandes, die mit terroristischen Methoden für ein unabhängiges Baskenland kämpft. Seit der Aufnahme des bewaffneten Kampfes wurden bis Mitte 1999 mehr als 800 Personen durch ETA-Anschläge getötet. Zu den Opfern gehörten vor allem Repräsentanten des spanischen Staates, aber auch Unbeteiligte.

Waffenstillstand: Im September 1998 kündigte die ETA einen zeitlich unbegrenzten Gewaltverzicht an, der bis Mitte 1999 insofern eingehalten wurde, als keine Personen durch ETA-Anschläge zu Tode kamen. Jugendorganisationen der baskischen Separatisten verübten jedoch weiterhin Brandanschläge und Gewalttakte. Auch wurden weiterhin baskische Unternehmen zu Geldzahlungen (sog. Revolutionssteuer) an die ETA gezwungen. Die nationalistischen Regionalparteien des Baskenlandes bewerteten den Waffenstillstand als Schritt zum Ende der Gewalt. Die regierende konservative Volkspartei (PP) und die oppositionellen Sozialisten (PSOE) hingegen sahen in dem einseitigen Friedensangebot der ETA insbes. einen wahltaktischen Zusammenhang mit den baskischen Regional- und Lokalwahlen (Oktober 1998 bzw. Juni 1999). Bis Mitte 1999 waren keine politischen Verhandlungen zwischen Regierung und ETA zustande gekommen, weil die Regierung auf Gesprächen im Rahmen des verfassungsmäßig verankerten baskischen Autonomiestatus beharrte, während die ETA weiterhin die Selbstständigkeit des Baskenlandes forderte.

Regionalwahlen: Bei den Wahlen zum baskischen Regionalparlament im Oktober 1998 erreichte die linksnationalistische baskische Partei Euskal Herritarrok (EH, bis September 1998 Herri Batasuna) als politischer Arm der ETA mit 14 Abgeordneten (+3) ihr bislang bestes Ergebnis. Sie bildete zusammen mit der bis dahin regierenden Baskisch-Nationalistischen Partei (PNV) und der Eusko Alkartasuna (EA) die Regionalregierung.

Verhaftungswelle: Die erste große Polizeiaktion seit der Verkündung des Waffenstillstands führte im März 1999 in Frankreich und Nordspanien zur Verhaftung von 16 mutmaßlichen ETA-Terroristen. Der seit 1982 in Spanien steckbrieflich gesuchte Javier Arizeuren-Ruiz (gen. Kantauri), der als Chef des militärischen ETA-Apparates galt, wurde in Paris gefasst. Im spanischen Baskenland wurden mutmaßliche Mitglieder des sog. Kommando Donosti aufgespürt, der einzigen Terrorgruppe, die noch politisch motivierte Anschläge in größerem Umfang verüben wollten. Aus Protest gegen die Verhaftungen kam es zu einer Welle von Gewalttakten, die Sachschäden in Millionenhöhe verursachten.

GAL-Prozess: Im Rahmen einer gerichtlichen Untersuchung über die staatsterroristischen Aktivitäten 1983–87 wurden der frühere Innenminister José Barrionuevo (PSOE) und sein Staatssekretär Rafael Vera zu zehn Jahren Haft verurteilt. Den Aktionen der Antiterroristischen Befreiungsgruppen (GAL), die im Auftrag des spanischen Staates die ETA bekämpfen sollten, waren mind. 27 Menschen zum Opfer gefallen. Die beiden sozialistischen Politiker wurden für schuldig befunden, im Dezember 1993 die zehntägige Entführung eines irrtümlich der ETA zugeordneten Industriellen gebilligt und mit öffentlichen Geldern finanziert zu haben. Mit Barrionuevo und Vera mussten sich erstmals Staatsmänner für die GAL-Aktionen verantworten.

■ **Staaten** → Spanien

Extremistische Ausländerorganisationen

Bilanz: 1998 existierten in Deutschland 65 E., die ihr Mitgliederpotenzial um 1,5% auf 59 100 (1997: 58 200) steigerten. Mit über 31 000 Anhängern bildeten islamistische Gruppierungen wie die Islamische Gemeinschaft Milli Görüs (27 000 Mitglieder) die größte Gruppe. Das Bundesamt für Verfassungsschutz (BfV, Köln) registrierte 1998 einen Anstieg der politisch motivierten Ausländerkriminalität um rund 47% auf 2356 Fälle. Dazu zählten vor allem Landfriedensbruch und Verstöße gegen das Versammlungs- und Vereinsgesetz. Die Zahl der Gewalttaten mit vermutetem ausländerextremistischem Hintergrund sank um 17,8% von 314 auf 258.

PKK: Die marxistisch-leninistische Kurdische Arbeiterpartei (PKK), die 1998 ihre Mitgliederzahlen trotz des 1993 angeordneten Parteiverbots in Deutschland auf etwa 9000 steigerte, blieb auch 1998 unter Beobachtung der BfV. Nach der Festnahme des PKK-Führers Abdullah Öcalan im Februar 1999 in Nairobi (Kenia) kam es in mehreren deutschen Städten zu gewalttätigen Ausschreitungen von PKK-Anhängern. Beim Versuch, die israelische Botschaft in Berlin zu besetzen, wurden drei K. von israelischen Sicherheitskräften erschossen.

■ **Krisen und Konflikte** → Kurden
http://www.verfassungsschutz.de

IRA

(Irish Republican Army, engl.; Irisch-Republikanische Armee), katholische Untergrundorganisation, die den Anschluss des zu Großbritannien gehörenden, überwiegend protestantischen Nordirlands (Anteil der Protestanten: ca. 64%) an die mehrheitlich katholische Republik Irland (Katholiken: 94%) fordert. Der militärische IRA-Flügel mit 3000–4000 Aktivisten versuchte das Ziel mit terroristischen Methoden zu erreichen.

Friedensprozess: Am 10.4.1998 war ein Friedensabkommen für Nordirland geschlossen worden, nach dem die Region einen halbautonomen Status erhielt, gleichzeitig aber beim Vereinten Königreich verblieb. Als Voraussetzung für die Teilnahme der IRA an den Friedensgesprächen war von der britischen Regierung ein Waffenstillstand gefordert worden, den die IRA seit Juli 1997 einhielt (Stand: Juni 1999). Die Weigerung der IRA zu einer einseitigen Abrüstung – wie im Abkommen vereinbart – gefährdete Anfang 1999 den Friedensprozess. Außerdem verzögerte die ablehnende Haltung der IRA die Neubildung des nordirischen Kabinetts, weil die nordirischen Protestanten die Aufnahme von Sinn Féin, dem politischen Arm der IRA, in die Regionalregierung von der Auflösung der IRA-Waffenarsenale abhängig machten. Auch die im Rahmen des Friedensabkommens vereinbarte Bildung eines gesamtirischen Rates aus Mitgliedern des nordirischen und des irischen Parlaments stand bis Mitte 1999 noch aus.

Neue Führung: Im Dezember 1998 wurde Brian Keenan Presseberichten zufolge zum neuen Stabschef und Vorsitzenden der siebenköpfigen Armeerates der IRA bestimmt. Keenan, der wegen der Beteiligung an 18 Terroranschlägen 14 Jahre Gefängnishaft verbüßte, wird zu den den Vertretern eines harten Kurses in der Organisation gezählt.

Bombenattentat: Die Real IRA (die wahre IRA), die sich 1997 von der IRA abgespalten hatte, verübte im August 1998 den bisher schwersten Bombenanschlag in der Geschichte des Nordirland-Konflikts. In der 100 km westlich von Belfast gelegenen Stadt Omagh wurden durch die Explosion einer Autobombe 29 Menschen getötet und über 200 verletzt. Nachdem die IRA ihre Splittergruppe zur Selbstauflösung aufgefordert hatte, kündigte die Real IRA im September 1998 einen unständigen und unbegrenzten Waffenstillstand an.

■ **Krisen und Konflikte** → Nordirland

Islamischer Heiliger Krieg: Religiös motivierte Gewaltakte anderer Terrororganisationen

▸ **1993:** Islamistische Radikale verüben einen Bombenanschlag auf das World Trade Center in New York, bei dem sechs Menschen sterben und mehr als 1000 verletzt werden.

▸ **1993:** Als Vergeltung für die Zerstörung eines islamischen Heiligtums tötet eine Serie von 13 Autobomben weltweit rund 400 Menschen.

▸ **1994:** Bei einem Anschlag auf die israelische Botschaft in London werden 14 Personen verletzt.

▸ **1994:** Algerische Terroristen entführen ein Passagierflugzeug der französischen Fluggesellschaft Air France und drohen den Jet mit insgesamt 283 Insassen über Paris zur Explosion zu bringen.

▸ **1994:** Eine Autobombe zerstört jüdische Einrichtungen in Buenos Aires/Argentinien und führt zum Tod von 95 Menschen.

▸ **1995:** Die japanische Aum-Sekte verübt Nervengasanschläge auf U-Bahn-Stationen in Tokio und Yokohama (12 Tote).

▸ **1995:** Bei einem Bombenanschlag auf ein Bürogebäude der US-amerikanischen Bundesregierung in Oklahoma City kommen 168 Personen ums Leben.

▸ **1995:** In Frankreich setzt eine Terrorwelle der Bewaffneten Islamischen Gruppe (GIA) ein, die acht Todesopfer fordert.

▸ **1996:** Selbstmordattentate der Hamas beeinflussen mit einer Kette blutiger Überfälle die nationalen Wahlen in Israel.

▸ **1996:** Religiöse Gegner des saudi-arabischen Regimes verüben einen Bombenangriff auf einen Stützpunkt der US-amerikanischen Luftwaffe in Dharan/Saudi-Arabien, bei dem 19 Menschen sterben.

▸ **1997:** Die ägyptisch-islamistische Terrororganisation Gamaat al Islamia (Islamische Gemeinschaften) tötet im September zehn Menschen bei einem Anschlag auf einen Reisebus und erschießt im November 58 ausländische Urlauber im Hatschepsut-Tempel in Luxor/Ägypten.

▸ **1998:** Insgesamt 257 Menschen werden bei den verheerenden Bombenattentaten auf die US-amerikanischen diplomatischen Vertretungen in Nairobi/Kenia und Daressalam/Tansania getötet.

Islamischer Heiliger Krieg

Im Frühjahr 1998 rief der zeitweilig im afghanischen Exil lebende saudi-arabische Extremist Osama bin Laden seine muslimischen Glaubensbrüder zum Heiligen Krieg gegen die USA und Israel auf. Er kündigte an, bei der Wahl der Opfer keinen Unterschied zwischen Militär und Zivilbevölkerung zu machen. Nach der US-Bombardierung von Zielen im Sudan und in Afghanistan am 20. August 1998 wiederholte er seine Drohung. Mitte 1998 soll bin Laden eine Islamische Front gebildet haben, in der militante, islamistisch orientierte Gruppierungen aus Afghanistan, Ägypten, Algerien, Bangladesch und Pakistan zusammengeschlossen sein sollen. Von den US-Behörden wurde der Bauunternehmer mit zahlreichen Anschlägen der vergangenen Jahre in Verbindung gebracht, ohne Beweise für seine Täterschaft vorlegen zu können. Seit den Bombenanschlägen auf die US-Botschaften in Kenia und Tansania im August 1998 gilt bin Laden in den USA als Staatsfeind.

Feindbild: Bin Laden und seine Mitstreiter betrachten die USA mit ihrer regionalen Vormachtstellung ebenso wie Israel und die mit den USA verbündeten arabischen Staaten als ihre Hauptfeinde. Ziel ihres Kampfes ist die Befreiung der drei heiligsten islamischen Stätten, Mekka, Medina und die al-Aksa-Moschee in Jerusalem, von Israel und den USA, welche diese Orte nach ihrer Auffassung besetzt halten.

US-Maßnahmen: Als Vergeltung für die Bombardierungen der US-Botschaften in

Kenia und Tansania im August 1998 schossen die USA einige Tage später Raketen auf mutmaßliche Terroristenstützpunkte von bin Laden ab. Die USA ließen Geldüberweisungen an Firmen und Personen sperren, die mit bin Laden in Verbindung stehen, die mit bin Laden in Verbindung stehen.

■ **Religion** → Islam ■ **Staaten** → Afghanistan

Linksextremismus

Fälle: Die Zahl der Straftaten in Deutschland mit linksextremistischem Hintergrund stieg 1998 nach Angaben des Bundesamtes für Verfassungsschutz (BfV, Köln) um etwa 4% auf 3201, während bei den Gewalttaten ein Rückgang von rund 6% auf 783 Fälle zu verzeichnen war. Zum gewaltbereiten Spektrum gehörten 1998 ca. 7000 Personen aus

▰ Linksextremismus: Gewalttaten[1]

	1996	1997	1998
Versuchte Tötungen	2	–	4
Körperverletzungen	114	165	227
Brandstiftungen	60	77	47
Sprengstoffanschläge	5	1	1
Landfriedensbruch	230	299	289
Gefährl. Eingriffe in den Bahn-, Luft-, Schiffs- u. Straßenverkehr	237	154	56
Widerstandsdelikte	68	137	157
Raubüberfälle	–	–	2

1) Gewalttaten mit erwiesenem oder zu vermutendem linksextremistischem Hintergrund; Delikte insgesamt 1996: 716, 1997: 833, 1998: 783; Quelle: Bundesamt für Verfassungsschutz (BfV); http://www.verfassungsschutz.de

meist anarchistischen Gruppierungen. Als beachtliches Gefährdungspotenzial stufte das BfV die rund 6000 Anhänger der Autonomen Szene ein, die 1998 für einen Großteil der linksextremistischen Gewalttaten in Deutschland verantwortlich waren. Insbes. Objekte der Atomwirtschaft, aber auch der Expo 2000 in Hannover waren 1998 Ziel gewalttätiger Aktionen. Teile der Autonomen unterstützten den Kampf der in Deutschland verbotenen Arbeiterpartei Kurdistans (PKK). Im Gegensatz zu den rechtsextremistischen Vorfällen waren die Gewalttaten mutmaßlicher Linksextremisten 1998 abgesehen von einer Häufung der Fälle in der Hauptstadt Berlin gleichmäßig über Deutschland verteilt.

PDS-Gruppe: 1998 wurden in Deutschland 35 000 Personen als Linksextremisten eingestuft (1997: 34 100, +2,6%), darunter die etwa 2000 Anhänger der »Kommunistischen Plattform« der Partei des Demokratischen Sozialismus (PDS). Die Beobachtung der PDS beschränkte sich 1998 auf die Auswertung öffentlich zugänglichen Materials. Als Gründe für die Überwachung gab das BfV die Kooperation der PDS mit linksex-

tremistischen Gruppierungen und das Bekenntnis der Partei zu ihren extremistischen Fraktionen an.

Rote Armee Fraktion: Nachdem die linksextremistische Terrorgruppe Rote Armee Fraktion (RAF) Anfang 1998 ihre Auflösung erklärt hatte, war sie erstmals seit ihrer Entstehung nicht mehr Gegenstand des Verfassungsschutzberichtes.

http://www.verfassungsschutz.de

Rechtsextremismus

Bilanz: 1998 registrierte das Bundesamt für Verfassungsschutz (BfV, Köln) 708 rechtsextremistisch motivierte Gewalttaten, mehr als die Hälfte davon richtete sich gegen Ausländer. Die Zahl der Straftaten – vor allem Propagandadelikte – blieb 1998 mit 11 000 etwa konstant. Während sich die Zahl der Gewalttaten im Vergleich zum Vorjahr um 82 Fälle verringerte, stieg das rechtsextreme Potenzial 1998 um 11% auf 53 600 Personen. Die Zahl gewaltbereiter Rechtsextremisten erhöhte sich um rund 9% auf 8200.

Ostdeutschland: Die Mehrheit der Anhänger rechtsextremistischer Gruppen lebte in den neuen Bundesländern, wo 1998 etwa 48% der registrierten Gewalttaten verübt wurden. Obwohl der Ausländeranteil an der Bevölkerung in den östlichen Bundesländern mit rund 2% im Vergleich zum Westen gering war, wurde in Ostdeutschland eine deutlich höhere Quote fremdenfeindlicher Delikte vermerkt.

Bevölkerungsstudie: Rechtsextreme Parteien verfügten 1998/99 in Deutschland über ein Wählerpotenzial von rund 10%. Es bestand nach einer Studie der Freien Universität Berlin zu etwa einem Drittel aus rechtsextrem eingestellten Wählern sowie aus einem hohen Anteil politikverdrossener Bürger. 13% der Deutschen über 14 Jahre hatten der Studie zufolge eine rechtextreme Einstellung (D-West: 12%, D-Ost: 17%). Mehr als die Hälfte der zum rechten Potenzial gehörenden Personen gaben an, etablierte Parteien wie CDU/CSU und SPD zu wählen. In Westdeutschland wurde bei den Älteren ab 65 Jahren ein Anstieg des R. vermerkt, in Ostdeutschland wurde schon bei den 25–34-Jährigen eine Quote von 20% erreicht, die nach einem Rückgang in den mittleren Altersgruppen bei den 65–74-Jährigen wieder auf 25% kletterte.

Rechtsextremismus: Gewalttaten

Land	Gewalttaten [1]	Veränderung [2]
Baden-Württ.	4,9 [1]	▼ –16,9 [2]
Bayern	3,3	▲ + 3,1
Berlin	23,7	▲ +22,8
Brandenburg	22,9	▼ –39,0
Bremen	3,0	▽ –60,0
Hamburg	11,2	▲ + 5,6
Hessen	2,5	▼ –10,7
Meckl.-Vorp.	29,4	▼ –22,0
Niedersachsen	5,3	▼ –29,3
Nordrh.-Westf.	4,3	▼ –31,7
Rheinland-Pfalz	4,4	▲ + 4,3
Saarland	2,8	▼ –39,1
Sachsen	19,7	▲ + 3,1
Sachsen-Anhalt	33,1	▲ +35,1
Schlesw.-Holst.	13,0	▲ +49,4
Thüringen	14,5	▼ –14,7

1) Gewalttaten mit rechtsextremistischem Hintergrund je 10 000 Einwohner 1998; 2) Veränderung gegenüber 1997 (%); Quellen: Bundesamt für Verfassungsschutz; Statistisches Bundesamt; eigene Berechnungen; http://www.statistik-bund.de; http://www.verfassungsschutz.de

Nach dem verheerenden Bombenanschlag islamistischer Terroristen auf die US-Botschaft in Nairobi (Kenia) wurden über 150 Tote aus den Trümmern geborgen, Tausende wurden auf den Straßen des angrenzenden Geschäftsviertels verletzt.

Propaganda: Zur Verbreitung rechtsextremen Gedankenguts wurden 1998/99 verstärkt moderne Kommunikationsmittel genutzt: Nach Angaben des BfV verdoppelte sich die Zahl der Internet-Seiten mit rechtsextremem Inhalt gegenüber 1997 auf 200. Propaganda wurde elektronisch zunehmend über ausländische Netzanbieter vertrieben, um sich dem deutschen Rechtssystem zu entziehen. Auch die Zahl der Konzerte von Skinhead-Gruppen nahm 1998 zu. Bis 1998 waren etwa 150 CD, Kassetten und Schallplatten auf den Index gesetzt und ca. 200 Ermittlungsverfahren gegen sog. Rechts-Rocker eingeleitet.

Parteien: 1998 verzeichneten rechtsextreme Parteien in Deutschland lt. BfV steigende Mitgliederzahlen. Vor allem die Deutsche Volksunion (DVU) mit 18 000 Mitgliedern (1997: 15 000, +20%) und die Nationaldemokratische Partei Deutschlands (NPD) mit 6000 Mitgliedern (1997: 4300, +39,5%) profitierten vom Zuwachs. Nachdem DVU, NPD und Republikaner (REP) bei der Bundestagswahl 1998 zusammen nur 3,3% der Zweitstimmen erreichen konnten, trafen die Parteispitzen von DVU und REP, Rolf Schlierer und Gerhard Frey, Wahlabsprachen, um eine gegenseitige Schwächung zu verhindern.

Wiking-Jugend: Das Bundesverwaltungsgericht (Berlin) wies im April 1999 die Klage der neonazistischen Wiking-Jugend gegen das 1994 vom Bundesinnenministeri-

um angeordnete Verbot ab. Die 1952 gegründete, 1998 rund 400 Mitglieder starke Organisation sei in ihrer rassistischen und antisemitischen Ausrichtung dem Nationalsozialismus wesensverwandt und stelle sich gegen die deutsche Verfassungsordnung.

Bundeswehr: 1998 erhöhte sich die Zahl der in der Bundeswehr gemeldeten Vorfälle mit rechtsextremem Hintergrund um 79 (35,6%) auf 301. Bei der Mehrzahl der Fälle wurden nationalsozialistische Symbole als Graffiti an Bundeswehrgebäuden oder als Tätowierungen verwendet.

http://www.verfassungsschutz.de

Terrorismus

Politisch oder religiös motivierte Gewaltanwendung von extremistischen Gruppen und Einzelpersonen (vor allem gegen den Staatsapparat und seine Repräsentanten) oder politisch motivierte Gewaltanwendung in staatlichem Auftrag

Bilanz: 1998 wurden 273 terroristische Anschläge verübt, 40% davon richteten sich gegen US-amerikanische Ziele. Die Zahl der getöteten Opfer erreichte 1998 nach Angaben des US-amerikanischen Außenministeriums den historischen Höchststand von 700 Menschen. Fast 6000 Personen wurden verletzt. 1997 betrug die Zahl der Toten und Verletzten 1004. Als Staaten, die den internationalen T. fördern, führte das US-amerikanische Außenministerium 1998 den Iran und Irak, Kuba, Libyen, Nord-Korea, Syrien

245

und den Sudan auf. 1998 setzte sich die seit Mitte der 90er Jahre von Experten beobachtete Entwicklung fort, dass religiös begründete Massenanschläge gegen zufällige Opfer verübt werden. Die Täter, die ihre Religion als Rechtfertigung der Gewaltakte benutzen, gehören zu kleinen, schwer fassbaren Gruppen mit weltweitem Aktionsradius.

RAF: Die seit 1985 gesuchte mutmaßliche Terroristin der Rote-Armee-Fraktion (RAF), Barbara Meyer, kehrte im Mai 1999 freiwillig aus dem Libanon zurück und stellte sich den deutschen Behörden. Sie steht im Verdacht, 1985 zusammen mit anderen RAF-Mitgliedern bei Tübingen den Geldboten eines Supermarktes überfallen und schwer verletzt zu haben. Sie soll außerdem an dem missglückten Versuch, 1985 aus dem Sprengmittelbunker eines Steinbruchs bei Ottenhöfen (Schwarzwald) Sprengstoff zu beschaffen, beteiligt gewesen sein. Ihr Mitwirken an der Ermordung des Vorstandsvorsitzenden der Motoren- und Turbinen-Union, Ernst Zimmermann, 1985 und an einem versuchten Bombenanschlag auf eine Nato-Offiziersschule in Oberammergau 1984 soll untersucht werden. Anfang 1998 hatte die RAF ihre Selbstauflösung bekannt gegeben.

Festnahme: Nach 23 Jahren Fahndung wurde im September 1998 der ehemalige deutsche Terrorist Hans-Joachim Klein, der sich 1977 vom T. lossagte, in dem französischen Dorf Saint-Honorine-la-Guillaume verhaftet. Er war 1975 als Komplize des internationalen Terroristen Carlos am Überfall auf das Opec-Hauptquartier in Wien beteiligt, bei dem drei Geiseln erschossen worden waren. Der Zugriff auf Klein kurz vor der Bundestagswahl 1998 löste heftige parteipolitische Debatten darüber aus, ob die Verhaftung des Ex-Terroristen, der sich nach Informationen befreundeter Kreise freiwillig stellen wollte, als Fahndungserfolg oder als Wahlkampf-Inszenierung zu werten sei.

Lockerbie-Anschlag: Nach langem Streit und internationalen Sanktionen lieferte Libyen im April 1999 die beiden mutmaßlichen Attentäter aus, die 1988 ein US-amerikanisches Flugzeug über dem schottischen Lockerbie zur Explosion gebracht haben sollen. Die beiden ehemaligen libyschen Agenten wurden zum Gerichtsverfahren nach Den Haag/Niederlanden überstellt.

BILANZ 2000

Terrorismus

Politische Gewalt als Selbstzweck

Politisch motivierte Gewaltkriminalität von Gruppen, Einzelpersonen und Staatsapparaten war eine das 20. Jh. prägende Erscheinung. In ihrer staatsterroristischen Variante erreichte sie ihren Höhepunkt unter den totalitären Systemen des Faschismus, des Nationalsozialismus und des Kommunismus. Nach Lenin ist »roter Terror« eine legitime Form der Auseinandersetzung mit dem »Klassenfeind«; der deutsche Nationalsozialismus führte aus ideologischen Motiven die Liquidierung von mehr als 6 Mio Juden in zum Teil fabrikmäßigen Tötungsanlagen durch. In freiheitlichen Staatswesen richtete sich der politisch motivierte Terror meist gegen die jeweiligen Systemeliten, wobei nationalistische (ETA, IRA) und rechts- bzw. linksextremistisch begründete ideologische Motive (RAF, Action directe) zu den »klassischen« Gruppenmotiven zählen. Seit der islamischen Revolution im Iran 1979 hat sich als neue Form ein religiös verbrämter islamischer Terrorismus etabliert, bei dem sich Terror »von oben« (Iran, Afghanistan) und »von unten« (Ägypten, Algerien) länderübergreifend verbinden; Ziel islamischer Selbstmordattentate sind weniger politische Entscheidungsträger als Unbeteiligte (Schulkinder, Touristen, Einkaufszentren: z.B. Lockerbie, New York, Jerusalem).

Positive Trends

▶ Die terroristische Rote Armee Fraktion (RAF) erklärte 1998 ihre Selbstauflösung.

▶ Die UN-Generalversammlung verabschiedete 1997 die Konvention über die weltweite Zusammenarbeit bei der Verfolgung von Attentätern.

Negative Trends

▶ Das rechtsextreme Potenzial in Deutschland erhöhte sich Ende der 90er Jahre auf über 50 000 Personen, davon 8200 Gewaltbereite.

▶ Die Zahl ausländischer Extremisten in Deutschland erreichte 1997 mit über 53 000 Personen einen Höchststand; mit 31 000 Personen bilden islamische Extremisten die Hauptgruppe.

Auslöser des Ersten Weltkriegs: der Mord an Franz Ferdinand in Sarajevo im August 1914

Meilensteine

Vom Königsmord zum Selbstmordattentat

1900: Der Anarchist Gaetano Bresci tötet König Umberto I. von Italien.

1901: Der Anarchist Leon Czolgosz ermordet den Präsidenten der USA, William McKinley.

1914: Die nationalistische serbische Schwarze Hand ermordet in Sarajevo den österreichischen Thronfolger Franz Ferdinand; das Attentat löst den Ersten Weltkrieg aus.

1919: Der Rechtsextremist Anton von Arco Valley erschießt Kurt Eisner, den ersten Ministerpräsidenten des Freistaats Bayern.

1921: Nach der Teilung Irlands beginnt die katholische IRA den terroristischen Kampf für die Vereinigung Nordirlands mit Irland.

1922: Die Ermordung von Außenminister Walther Rathenau markiert den Höhepunkt rechtsextremen Terrors in der Weimarer Republik.

1940: Ein Sowjet-Agent erschlägt im Auftrag Stalins in Mexiko den im Exil lebenden Leo Trotzki.

1972: Ein palästinensisches Terrorkommando tötet während der Olympischen Sommerspiele in München elf israelische Sportler.

1977: Die Rote Armee Fraktion (RAF) ermordet u. a. Arbeitgeberpräsident Hanns Martin Schleyer, Generalbundesanwalt Siegfried Bu-

back und den Vorstandssprecher der Deutschen Bank, Jürgen Ponto.

1978: Der Mord an dem früheren italienischen Regierungschef Aldo Moro ist der Gipfel der Terrorserie der linksextremen Brigate Rosse.

1980: Rechtsextreme sprengen den Bahnhof von Bologna (84 Tote).

1981: Muslimische Fundamentalisten erschießen Ägyptens Präsidenten Muhammad Anwar as Sadat.

1988: Libysche Terroristen verursachen den Absturz eines US-Passagierflugzeugs über Lockerbie in Schottland; 270 Menschen sterben.

1992: Ein Militärputsch in Algerien provoziert eine islamistische Terrorwelle, der bis 1999 mehr als 100 000 Menschen zum Opfer fallen.

1995: Der jüdische Fundamentalist Jigal Amir erschießt den israelischen Premier Itzhak Rabin, der mit der PLO Frieden geschlossen hatte.

1997: Islamische Terroristen töten bei einem Attentat vor dem Hatschepsut-Tempel bei Luxor in Ägypten 58 ausländische Touristen.

1998: 258 Menschen sterben bei islamischen Terroranschlägen auf die US-Botschaften in Nairobi und Daressalam, 5000 Menschen werden verletzt; als Drahtzieher gilt der saudische Millionär Osama bin Laden.

Stichtag: 24. Juni 1922

Ermordung von Rathenau

Der deutsche Reichsaußenminister Walther Rathenau wurde im Sommer 1922 Opfer eines Mordanschlags rechtsgerichteter Terroristen. Die Täter, ehemalige Offiziere, gehörten zur Organisation Consul, einer Nachfolgegruppe der Brigade Ehrhardt, die 1920 maßgeblich an der Durchführung des antirepublikanischen Kapp-Putschs beteiligt war. Ziel der Organisation war der Sturz der Weimarer Republik und die Errichtung eines militaristisch-totalitären Systems. Seit Bestehen der Weimarer Republik (1919) war der Mord an Rathenau bereits das 354. politische Verbrechen mit rechtsextremem Hintergrund.

Stichjahr: 1977

Terror durch die RAF

Kurz vor Verkündung der Urteile im Stammheimer Prozess gegen die linksextreme Terrorgruppe Rote Armee Fraktion ermordeten am 7. April 1977 RAF-Mitglieder Generalbundesanwalt Siegfried Buback. Nachdem am 28. April die RAF-Terroristen Andreas Baader, Gudrun Ensslin und Jan Carl Raspe wegen mehrfachen Mordes verurteilt wurden, tötete die RAF am 30. Juli Jürgen Ponto, den Vorstandssprecher der Dresdner Bank. Um Baader, Ensslin und Raspe freizupressen, entführte die RAF am 5. September Arbeitgeberpräsident Hanns Martin Schleyer und ermordete ihn Wochen später; ebenfalls der Freipressung diente die Entführung der Lufthansa-Maschine »Landshut« nach Mogadischu durch palästinensische Terroristen. Als Baader, Ensslin und Raspe in ihren Zellen von der Befreiung der »Landshut«-Geiseln durch die GSG 9 erfuhren, begingen sie am 18. Oktober kollektiv Selbstmord; die RAF-Terroristin Ulrike Meinhof hatte sich bereits 1976 in Stammheim erhängt.

Forschung und Technik

Asteroiden

Klein- und Kleinstplaneten mit felsiger oder metallischer Zusammensetzung, die auf zwischen Mars und Jupiter (sog. Asteroidengürtel) liegenden elliptischen Umlaufbahnen die Sonne umkreisen

Erdbahn-Kreuzer: Anfang 1999 entdeckten US-Astronomen erneut einen A. mit stark zur Erdbahn geneigter Umlaufbahn, der eine potenzielle Gefahr für die Erde darstellt. Der A. 1999 AN10 mit 1 km Durchmesser kommt der Erde 2027 so nahe, dass er durch die Erdanziehungskraft von seiner Bahn abgelenkt, auf einen Kollisionskurs geraten und etwa zwölf Jahre später auf die Erde prallen könnte. Nach Berechnungen der Astronomen liegt die Wahrscheinlichkeit der Kollision nur bei 1 zu 1 Mrd.
Simulation: Da von der Mehrzahl der Asteroiden (geschätzte Zahl: 40 000) keine exakten Bahnverläufe bekannt sind, versuchten Wissenschaftler 1998/99 anhand von Computersimulationen die Folgen von A.-Einschlägen hochzurechnen. U.a. wurde der Einschlag eines A. mit einem Durchmesser von 1,4 km im Atlantik vor der Küste von New York simuliert: Bereits 5 sec nach dem Einschlag im Meeresboden werden mehrere hundert km^3 Gesteinsbrocken und heißer Wasserdampf in die Atmosphäre geschleudert, die z. T. auf die Erde regnen oder in der Atmosphäre bleiben. Dies führt weltweit zu einer wochenlangen Abkühlung der Erde. New York und die Ostküste würden durch die Stosswelle des Einschlags völlig zerstört.
Mond: Aufnahmen des Hubble Weltraum-Teleskops brachten neue Erkenntnisse über den Mondkrater Kopernikus, der von einem A.-Einschlag vor rund 1 Mrd Jahren herrührt. Der ca. 2 km große Asteroid verursachte einen Krater von 93 km Durchmesser.
http://www.iau.org
http://cfa.www.harvard.edu

Obwohl es im Laufe der Erdgeschichte immer wieder Einschläge von Asteroiden gegeben hat, ist die Wahrscheinlichkeit eines schweren Aufschlags sehr gering.

Asteroiden: Einschlagszenarien

Art des Treffers	Durchmesser des Meteoriten	Energie (Megatonnen) TNT	Vorkommen in Jahren[1]	Folgen/Tote
Zerbersten in der Hochatmosphäre	unter 50 m	unter 9	1	keine
Zerbersten dicht über Erdoberfläche	50–300 m	9–2000	100–1000	5000 Tote
Einschlag	300 m– 5 km	2000–10 Mio	30 000	bis 1,2 Mio Tote
Einschlag	5–10 km	15 000–10 Mio	70 000–6 Mio	bis 1,5 Mrd Tote
Einschlag	über 10 km	über 100 Mio	100 Mio	Ende der Menschheit

1) durchschnittliche Häufigkeit; Quelle: Bild der Wissenschaft 9/98

Astronomie

Wissenschaftszweig zur Erforschung des Weltalls. Die A. befasst sich mit der Entstehungsgeschichte und Struktur des Kosmos, mit der Verteilung von Materie im All und ihren Erscheinungsformen.

Wachstum des Universums: 1998/99 fanden Astronomen Belege, dass sich das Universum endlos ausdehnt. Ein Indiz lieferte die Beobachtung des Galaxienhaufens MS 1054–0321 im Sternbild Löwe. Der 8 Mrd Lichtjahre (1 Lichtjahr=9,46 Billionen km) entfernte und damit mind. 8 Mrd Jahre alte Galaxienhaufen besteht aus bis zu 10 000 Sternenansammlungen von der Größe unserer Milchstraße. Nach bisherigen Annahmen sind Galaxienhaufen erst zu einem späteren Zeitpunkt in der Entwicklung des Kosmos aus kleineren Materiewolken entstanden. Die 1998/99 gefundenen Indizien für eine frühe Existenz deuten darauf hin, dass das Universum zu diesem Zeitpunkt schon weit ausgedehnt gewesen sein muss. Forscher der Europäischen Südsternwarte (ESO, Chile) kamen nach Beobachtung von mehrere Mrd Lichtjahre entfernten Supernovae zum Ergebnis, dass diese explodierenden Sterne – die bislang als Indikatoren für Entfernungen im All genutzt wurden – weiter entfernt sein müssen, als ihr Licht vermuten lässt. Folglich dehnte sich das Universum immer schneller aus und seine Objekte entfernten sich immer schneller voneinander. Durch wachsende Ausdehnungsgeschwindigkeit würde auch die Helligkeit einer Supernova abgeschwächt. Neben der 1998/99 unterstützten Theorie einer immerwährenden Allexpansion hielten Forscher es bislang auch für möglich, dass die im Weltraum vorhandene Materie aufgrund ihrer Schwerkraft das Wachstum des Universums zum Stillstand bringen oder sogar umkehren könnte.

Himmelsdurchmusterung: In zwei internationalen Gemeinschaftsprojekten arbeiteten Astronomen seit Ende der 90er Jahre an der bis dahin umfassendsten Kartierung des Himmels; es sollen sogar kosmische Objekte in mehreren Mrd Lichtjahren Entfernung registriert werden. Beim Projekt 2dF (engl.; Two Degree Field) richteten britische und australische Astronomen ihre Teleskope auf Gebiete am nördlichen und südlichen Sternhimmel mit einer Gesamtgröße von 1700 Quadratgrad, die nach Schätzungen 250 000 Galaxien enthalten. Bei 2dF wird die Methode der sog. Multifaserspektroskopie eingesetzt, mit der gleichzeitig das Licht von 400 Objekten analysiert werden kann. Das SDSS-Projekt (engl.; Sloan Digital Sky Survey, benannt nach dem Finanzier Alfred P. Sloan Foundation, New York) durchmustert etwa ein Viertel des Himmels. An ein 2,5-m-Teleskop in Sacramento Mountains (New Mexico/USA) sind eine Digitalkamera aus 30 elektronischen Detektoren mit je 2048 x 2048 Bildpunkten sowie zwei Spektrographen angeschlossen. Die Instrumente sollen u.a. 100 Mio Sterne und 100 Mio Galaxien aufnehmen, deren Standort bestimmen und ihre Entfernung messen.

Gammastrahlenblitz: Forscher der Europäischen Südsternwarte ESO konnten mit großer Wahrscheinlichkeit die Quelle eines Gammastrahlenblitzes ausmachen, der die vielfache Stärke eines durchschnittlichen Gammstrahlenausbruchs aufwies. Dem vom italienisch-niederländischen Observatorium Beppo-Sax im April 1998 aufgezeichneten Strahlenausbruch im Sternbild Telecopium konnte eine Supernova (SN 1998 bw) in einer Spiralgalaxie in 14 Mio Lichtjahren Entfernung zugeordnet werden. Warum die Sternenexplosion mit der größ-

---

Astronomie: Die wichtigsten Begriffe

▶ **Dunkle Materie:** Galaxien wie die Milchstraße bestehen zum überwiegenden Teil aus dunkler Materie, die kein sichtbares Licht abstrahlt. Nur ihre Schwerkraft, die z.B. das Auseinanderfliegen von Spiralgalaxien wie der Milchstraße verhindert, gibt Hinweise auf ihre Existenz.

▶ **Kuiper-Gürtel:** Benannt nach dem US-amerikanischen Astronomen Gerald Kuiper. Der Kuiper-Gürtel breitet sich in einer Entfernung von 35 AE (Astronomischen Einheiten), der äußeren Pluto-Bahn, bis 1000 AE aus. In diesem Bereich ziehen die Kometen ihre Bahn.

▶ **Galaxie:** Spiralförmiges, elliptisches oder unregelmäßiges Gebilde aus etwa 1 Billion Sternen. Die ältesten Galaxien sind vermutlich über 13 Mrd Jahre alt.

▶ **Interstellare Materie:** Etwa 10% der Masse von Spiralgalaxien bilden dünn verteilt Gas und Staub. Aus dieser Materie entstehen durch Verdichtung neue Sterne.

▶ **Oortsche Wolke:** Der äußere Bereich des Kuiper-Gürtels wird auch als Oortsche Wolke bezeichnet. Sie bildet den äußersten Rand unseres Sonnensystems.

▶ **Quasare:** (Quasi-stellare Objekte), weit entfernte, energiereiche Objekte, die in ihrer Größe und Erscheinung Sternen ähneln, jedoch eine viel höhere Energie aussenden. Vermutlich bilden Quasare die Mittelpunkte weit entfernter Galaxien.

▶ **Rote Riesen:** Wenn der Vorrat an Wasserstoff aufgebraucht ist, fallen sonnenähnliche Sterne in sich zusammen. Dabei wird Energie frei, die zur Kernfusion von Heliumatomen mit schweren Elementen führt und die äußere Hülle des Sterns zu einem Roten Riesen aufbläht. Die Hülle entfernt sich vom Kern und leuchtet als sog. planetarischer Nebel noch bis zu 100 000 Jahre lang nach; der ausglühende Kern schrumpft zu einem Weißen Zwerg.

▶ **Supernova:** Sterne, mit mehr als der achtfachen Masse der Sonne. Während ihrer Sterbephase kommt es zu einer riesigen Explosion, bei der die Helligkeit millionenfach über der Ausgangshelligkeit des Sterns liegt.

ten bislang registrierten Heftigkeit stattfand, war Mitte 1999 noch unklar. Die ungewöhnlich hohe Energie, die bei der Bildung der Supernova freigesetzt wurde, deutet darauf hin, dass der explodierende Stern mind. die 20–30fache Sonnenmasse aufgewiesen haben muss. Astromomen sprechen dann von einer sog. Hypernova.

http://www.eso.org
http://www.iau.org

Bioethik-Konvention

Vom Europarat (Straßburg) 1996 verabschiedete »Konvention über Menschenrechte und Biomedizin« mit ethischen Minimalstandards für Gentechnik, Embryonenforschung und Organtransplantation. Im Zusatzprotokoll (1998) sprachen sich 19 Staaten Europas gegen das Klonen aus (Erzeugen genetisch identischer Kopien einer Zelle oder eines ganzen Organismus).

Prüfung: Anfang 1999 drängte die Bundestagsfraktion von Bündnis 90/Die Grünen auf Einrichtung einer Enquetekommission »Menschenrecht und Biomedizin/Biotechnik«. Experten unterschiedlicher Fachrichtungen sollten prüfen, ob angesichts der Fortschritte in der Molekularbiologie und Fortpflanzungsmedizin aus (medizin)ethischer Sicht Nachbesserungen am deutschen Embryonenschutzgesetz (1990) nötig sind.

Bundestagsanträge: In einem Partei übergreifenden Antrag forderten 160 Bundestagsabgeordnete Mitte 1998, mit der Unterzeichnung der B. zu warten, bis weitere Zusatzprotokolle zu Einzelthemen vorliegen und Möglichkeiten zur Individualklage bei Verstößen gegen die B. vor dem Europäischen Gerichtshof für Menschenrechte (Straßburg) geschaffen sind. Zuvor hatte eine parlamentarische Initiative (120 Abgeordnete) für die Unterzeichnung der B. votiert, um Nachbesserungen vorantreiben zu können.

Ethische Kriterien: Grundsätzlich wurden die in der B. gesetzten Minimalstandards (z. B. zum Persönlichkeitsrecht des Patienten, Verbot reproduktionsmedizinischer Techniken als Mittel der Geschlechtswahl, Verbot des kommerziellen Handels mit dem menschlichen Körper oder mit Körperteilen) für den Umgang mit Gentechnik, Embryonenforschung und Organtransplantation als nicht ausreichend bewertet. Bemängelt wurden insbes. die unpräzisen Formulierungen zum Embryonenschutz und zur

Forschung an nicht einwilligungsfähigen Patienten wie Kindern oder Alzheimer-Patienten. Bis Ende 1998 hatte eine »Internationale Initiative gegen die Bioethik-Konvention des Europarates« in Deutschland rund 2,5 Mio Unterschriften gesammelt. Die B. tritt in Deutschland erst in Kraft, wenn sie nach Unterzeichnung durch die Bundesregierung vom Bundestag ratifiziert wird.

http://www.coe.fr
http://www.uni-wuerzburg.de/gbpaed

Biometrische Identifizierung

Anwendungsbereich der Neuroinformatik bzw. der Künstlichen Intelligenz (KI). Biometrische Erkennungssysteme erfassen personenspezifische, unverwechselbare Merkmale und gelten als besonders fälschungssicher.

Markt: Nach Schätzungen von Marktforschern waren Ende der 90er Jahre rund 400 Verfahren zur B. weltweit verbreitet. Prognosen zufolge wird mit B. im Jahr 2000 weltweit ein Umsatz von ca. 5 Mrd US-Dollar erzielt.

Verfahren: Mit Sensoren (Kameras, akustische Aufnahmegeräte etc.) werden die Kennzeichen eines Zugangsberechtigten erfasst und gespeichert – z. B. Muster der Augeniris, Handlinien, Mimik, Gestik, Stimme und Handschrift einzeln oder als Kombinationen. Bei jedem späteren Zugangsversuch werden die von den Sensoren übermittelten Informationen mit dem gespeicherten Datensatz verglichen.

Anwendung: Bis Ende der 90er Jahre wurde B. insbes. in Bereichen und Unternehmen mit hohem Sicherheitsaufwand eingesetzt, z.B. beim Eintritt in militärische Anlagen oder in Tresorräume von Banken. Für Anfang des 21. Jh. wurde mit einer sprunghaften Zunahme von B.-Systemen im Alltag gerechnet, u. a. bei Passwörtern oder persönlichen Identifizierungsnummern (PIN). B. könnte die Passwörter für Zugänge bei Computernetzwerken, Online-Operationen oder beim Mobilfunk ersetzen, geschäftliche Transaktionen im Internet absichern und bei der Benutzung von Geld- und Kreditkarten anstelle der PIN-Nummer stehen. Auch Fahrzeuge könnten mit einer individuellen Zugangsberechtigung besser vor Diebstählen geschützt werden.

■ **Computer** → Künstliche Intelligenz
http://www.D/DC/dc.htm

Bionik

Nachahmung biologischer Problemlösungen bei der Entwicklung von Techniken

Ziel: Mit B. wird versucht, die Technik besser an spezielle Erfordernisse anzupassen und ähnlich vorzugehen wie die Natur, wenn sich Lebewesen an besondere Lebensbedingungen anpassen müssen. Die sog. Evolutionstechnik entwickelt Methoden, technische Systeme wie Pflanzen- oder Tierarten fortzuentwickeln: durch Mutationen (kleine zufällige Veränderungen) und Selektion (Auswahl und Fortpflanzung der jeweils besten Lösung).

Zukunftspreis: Bonner Botaniker unter Leitung von Prof. Dr. Wilhelm Barthlott wurden 1999 als eines von vier Teams für den Zukunftspreis des Bundespräsidenten nominiert. Sie entdeckten 1997 den sog. Lotus-Effekt, die Schmutz abweisende Wirkung der Lotuspflanze.

Weitere Entwicklungen: Ende des 20. Jh. entstanden B.-Lösungen u. a. in folgenden Einsatzbereichen:

– Aerodynamik: Am Vorbild des Storchenflügels wurde in Berlin ein schlaufenförmiger Aufsatz für Tragflächen entwickelt, der beim Starten kraftzehrende und lärmende Luftwirbel zerstreut.

– Medizin: In Schottland wurde Ende 1998 die erste Armprothese mit nervengesteuerten beweglichen Fingern einem Patienten angepasst. In Hannover entstand Anfang 1999 eine künstliche Nase aus kultivierten Nasenschleimhautzellen, die Tierversuche bei der Entwicklung von Nasensprays ersetzt.

– Computertechnik: Sog. Protein-Computer arbeiten mit molekularen Schaltkreisen, die nach dem Vorbild der Protein-(Eiweiß-) Synthese in Tierzellen hergestellt werden. DNA-Computer nutzen Nukleinsäuren, den Baustoff des Erbguts, und deren physiologische Fähigkeit, Informationen chemisch zu verschlüsseln und zu kombinieren.

– Künstliche Intelligenz (KI): Das Konzept der neuronalen Netze kopiert die Art, in der das menschliche Gehirn alle Informationen verarbeitet. Ziel ist, möglichst viel Wissen zu sammeln und lernfähige Maschinen zu entwickeln.

http://www.bionik.tu-berlin.de/
http://www.clearlight.com/~morph/dna/dne.htm

Bionik: Lotus-Effekt

▶ **Effekt:** Die Blätter der Lotuspflanze können vom Wasser nicht benetzt und verschmutzt werden. Das abperlende Wasser nimmt alle Schmutzpartikel mit. Ursache ist eine Wachsschicht, die durch feine Wachskristalle aufgeraut ist.

▶ **Anwendung:** Die Firma ispo stellte im März 1999 auf der Messe »Farbe '99« das erste Produkt mit angewandtem Lotus-Effekt vor: eine Fassadenfarbe, die nicht verschmutzt, auf der sich auch keine Algen und Pilze ansiedeln können.

http://www.botanik.uni-bonn.de/biodiv/bionik.htm
http://www.ispo-online.de/islotus.htm

Biotechnologie

Industrielle Anwendung gentechnischer Verfahren bzw. auf der Gentechnik beruhende Entwicklung und serielle Fertigung von Produkten (z. B. durch Einsatz gentechnisch veränderter Organismen). B. ist die integrierte Anwendung von Biochemie, Mikrobiologie und Verfahrenstechnik.

Prognose: Obwohl die Wirtschaftskraft der B.-Branche Ende der 90er Jahre noch gering war, zählte die B. zu den Wachstumsmärkten in Deutschland. Öffentliche Förderprogramme von Bund und Ländern (Gesamtetat: 1 Mrd DM bis Jahreswechsel 1997/98) sowie der verstärkte Zufluss von

1998 hat die Biotechnologie-Branche in Europa deutlich zugelegt. Nach einer Vergleichsuntersuchung des Consulting-Unternehmens Schitag, Ernst & Young stieg die Zahl der Beschäftigten auf 45 000; der Umsatz kletterte auf 7,2 Mrd DM. Noch schreiben die Unternehmen in der jungen Branche, die 1998 4,5 Mrd DM (das entspricht 60% des Umsatzes) in Forschung und Entwicklung investiert haben, rote Zahlen. Zuwenig Produkte und Verfahren konnten bislang bis zur Marktreife bzw. serienmäßigen Produktion entwickelt werden.

Biotechnologie: Märkte im Vergleich[1]

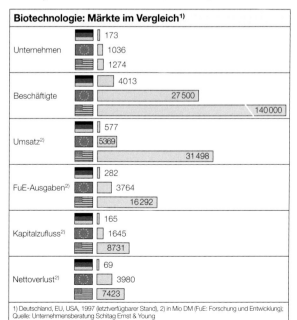

Unternehmen	173	
	1036	
	1274	
Beschäftigte	4013	
	27 500	
	140 000	
Umsatz[2]	577	
	5369	
	31 498	
FuE-Ausgaben[2]	282	
	3764	
	16 292	
Kapitalzufluss[2]	165	
	1645	
	8731	
Nettoverlust[2]	69	
	3980	
	7423	

1) Deutschland, EU, USA, 1997 (letztverfügbarer Stand); 2) in Mio DM (FuE: Forschung und Entwicklung); Quelle: Unternehmensberatung Schitag Ernst & Young

Biotechnologie: Geschäftsfelder[1]

Auftragsforschung/-produktion	220
Plattform-Technologien	215
Diagnostika	160
Andere Dienstleist./Zulieferer	155
Therapeutika	120
Umwelt	115
Feinchemikalien	100
Agrobiologie	65
Nahrungsmittelverarbeitung	35

1) Kleinunternehmen (bis 500 Mitarbeiter), Mehrfachnennungen, Quelle: Unternehmensberatung Schitag Ernst & Young, 1998

1998 waren rund 10 000 meist hoch qualifizierte Mitarbeiter in Deutschland in etwa 500 kleineren Unternehmen der Biotechnologie-Branche beschäftigt.

sog. Risikokapital durch private Investoren ließ die Zahl der Unternehmen deutlich ansteigen; die Deutsche Industrievereinigung Biotechnologie (DIB, Frankfurt/M.) ging von 50–70 Neugründungen (+25–30%) pro Jahr bis Anfang des 21. Jh. aus.

Branchenbilanz: Ende 1998 gehörten der B.-Branche rund 500 Firmen an. Darunter waren 222 (+28% gegenüber 1997) kleine und mittlere Unternehmen (mit bis zu 500 Mitarbeitern), die B. im engeren Sinne betrieben; sie entwickeln aus der biowissenschaftlichen Grundlagenforschung heraus Verfahren und Produkte zur kommerziellen Nutzung. In der EU war Deutschland nach Großbritannien der bestentwickelte B.-Standort (weltweit Rang 4 hinter den USA, Japan und Großbritannien). Insgesamt waren in der B.-Forschung 1997/98 rund 10 000 Fachkräfte tätig; 3,3 Mrd DM wurden in Forschung und Entwicklung (F+E) investiert.

Märkte: Biotechnologische Produkte und Verfahren wurden in den Bereichen Arzneimittel, Diagnostika, Pflanzenzüchtung, Nahrungsmittelproduktion, nachwachsende Rohstoffe, Umwelttechnologie sowie Feinchemikalien angewandt. Der Umsatz lag in Deutschland 1997 bei 4,4 Mrd DM. Am weitesten verbreitet war die B. in der pharmazeutischen Industrie. Bis Jahreswechsel 1997/98 waren in Deutschland 43 Arzneimittel aus biotechnologischer Produktion auf dem Markt, 30% der Diagnostika basierten auf B. Nach Schätzungen werden im Jahr 2000 rund 60% aller neuen Medikamente auf dem Weltmarkt auf Verfahren der B. beruhen. In der Umwelttechnologie

wandte sich die B. außer den sog. End-of-Pipe-Techniken (z. B. Entfernung von Schadstoffen aus Wasser, Abwasser, Luft und Boden durch Einsatz von Mikroorganismen) verstärkt der Erforschung nachhaltiger biotechnologischer Produktionsverfahren zu. Der weltweite Marktanteil biotechnischer Umwelttechnik wurde für das Jahr 2000 auf 25% geschätzt.
http://www.vci.de/dbi

DNS-Chip

Auch DNA-Chip oder Gen-Chip. Neuartige biomedizinische Technologie, die Molekularmedizin mit Verfahrenstechniken aus der Elektronik/Speicherchiptechnologie kombiniert. Wissenschaftler gingen davon aus, dass D. die medizinische Diagnostik nachhaltig verändern werden.

Anwendung: Als eine Art Sonde können D. in der Medizin zur Diagnose, Vorhersage und Therapie von Krankheiten eingesetzt werden. Darüber hinaus hoffte die Pharmaforschung, mit Hilfe von D. individuelle Medikamente (Pharmakogenomik) entwickeln zu können. Der Vorteil von D. gegenüber herkömmlichen Analyseverfahren (Anlegen einer Zellkultur) liegt insbes. im schnellen Zugriff auf das Testergebnis, das i. d. R. schon nach wenigen Stunden vorliegt. Ende 1999 waren erst wenige D. in der klinischen Erprobung; eine Zulassung stand noch aus. Die Kosten pro Chip lagen bei 300–5000 DM.

Funktionsweise: Auf Glas- oder Kunststoffplättchen, seltener Silizium- oder Goldplättchen, werden mehrere tausend einsträngige DNS-Moleküle aufgebracht, deren Bausteinfolge bekannt ist. Bei einer Diagnose mit D. wird die DNS-Doppelhelix einer entsprechenden Genprobe im Labor aufgebrochen. Danach wird die nun einsträngige Gen-Probe auf den Chip aufgebracht. Die komplementären DNS-Stränge docken aneinander an. Das Testergebnis wird i. d. R. über optische Verfahren (Markierung mit Farbstoffen) sichtbar gemacht.

Erprobung: Ende der 90er Jahre wurden D. insbes. in den USA klinisch erprobt. Getestet wurde u. a. ein D. zur Diagnostik von Enzymmutationen des Aids-Virus, von denen bislang 20 000 bekannt sind. Im klinisch-wissenschaftlichen Verfahren war auch ein D. zur Früherkennung von Mutationen des Gens BRCA-1, das Brustkrebs auslösen kann.

Bewertung: Der Einsatz von D. war 1999 umstritten. Beispielsweise wurde in Frage gestellt, ob sich die Testergebnisse überhaupt verlässlich interpretieren lassen, da bislang nur ein Drittel der 100 000 menschlichen Gene entschlüsselt ist und noch zu wenig Erkenntnisse über das Zusammenspiel der Gene vorliegen. Darüber hinaus wiesen Kritiker darauf hin, dass sich anhand eines D.-Tests nur Aussagen über die Anlage für eine genetische Veränderung treffen lassen, nicht aber darüber, ob und wann eine nachgewiesene genetisch bedingte Veränderung zum Ausbruch einer Krankheit führt. Neuen wissenschaftlichen Erkenntnissen zufolge lassen sich beispielsweise nur ein Bruchteil der Brustkrebserkrankungen auf Mutationen des BRCA-Gens zurückführen. Darüber hinaus erkranken 15% der Frauen, bei denen Mutationen des Gens BRCA-1 festgestellt werden konnten, nicht an Brustkrebs. Unklar war auch, warum eine Mutation des Enzyms Alpha-1-Antitrypsin in 80% der Fälle zu einem Lungenemphysem führt, bei 20% der Betroffenen diese Krankheit aber nicht auslöst.

Elementarteilchen

Die kleinsten bisher beobachteten Teilchen, von denen viele sich ineinander umwandeln können. Von unbegrenzter Lebensdauer sind Protonen, Elektronen, Neutrinos, Photonen und Gluonen. Neutronen existieren mehrere Minuten lang, die anderen E. nur Millionstel Sekunden und kürzer. E. und ihre Wechselwirkungen werden in Teilchenbeschleunigern erforscht.

Mesonen: Das letzte von 15 theoretisch möglichen Mesonen, das B_c-Meson, wiesen Physiker am Teilchenbeschleuniger Fermilab bei Chicago 1998 experimentell nach.

Neutrinos: Im ewigen Eis der Antarktis wurde im März 1999 ein Neutrino-Detektor in Betrieb genommen, Amanda genannt (Antarctic Myon and Neutrino Detection Array). Er besteht aus über 400 kugelförmigen Sensoren, die an langen Kabeln tief im Eis versenkt wurden, und soll kosmische Neutrinos registrieren. Diese ungeladenen Teilchen, die jegliche Materie fast ungehindert durchdringen, sind direkt kaum nachweisbar. Trifft ein Neutrino im Eis auf einen Atomkern, entsteht ein Myon, das einen blauen Lichtblitz aussendet. Die Blitze werden im klaren Eis von den Sensoren registriert.

Symmetrie: Ende des 20. Jh. setzte sich in der E.-Physik eine Sichtweise durch, die versucht, die vier auf die E. einwirkenden Kräfte als Brechungen einer ursprünglich einheitlichen Symmetrie zu begreifen.

Zeitpfeil: Auch in der Elementarteilchenphysik gilt seit 1999, dass die Zeit asymmetrisch ist, d. h. sich nicht umkehren lässt. Diese Erkenntnis war zuvor umstritten, da sich manche Zerfallsprozesse von E. symmetrisch umkehren lassen. Kaonen verwandeln sich jedoch etwas seltener in Antikaonen als umgekehrt, wie Physiker an den Teilchenbeschleunigern Fermilab bei Chicago und CERN in Genf Ende 1998 feststellten. Die Beobachtung könnte erklären, warum im Weltall mehr Materie als Antimaterie zu finden ist.

http://www.triumf.ca/welcome/
http://area51.berkeley.edu/~lowder/amanda
http://www.aps.org/meet/CENT99/BAPS/abs/S7520005.html
http://www.cern.ch/search: time's arrow

Elemente

Russischen Schwerionenforschern gelang es Anfang 1999 in Dubna bei Moskau wahrscheinlich, ein neues chemisches Element

---

Elementarteilchen: Die wichtigsten Gruppen

Nach bislang gültigem Stand der Forschung und Theorie (Mitte 1999) werden die E. in Baryonen, Mesonen, Leptonen und Eichbosonen unterteilt. Baryonen und Mesonen bestehen wiederum aus Quarks. Zu jedem E. gibt es ein Antiteilchen.

▶ **Antiteilchen** besitzen die gleiche Masse, Lebensdauer und Eigendrehung (Spin) wie das zugehörige Teilchen, während ihre übrigen inneren Eigenschaften, vor allem die Ladung, genau entgegengesetzt sind. Wenn Teilchen und Antiteilchen zusammenkommen, zerstrahlen sie zu Energie. Das Antiteilchen des Elektrons heißt Positron.

▶ **Baryonen** bestehen jeweils aus drei Quarks oder drei Antiquarks. Hierzu gehören Proton und Neutron, die schweren E. des Atomkerns.

▶ **Eichbosonen** sind nach der Quantentheorie gleichzeitig Teilchen und Quanten (kleinste Einheiten) der zwischen E. wirkenden Kräfte. Dazu gehören das Photon (Lichtteilchen, Lichtquant), die Gluonen sowie B- und

Z-Bosonen. Photon und Gluonen haben keine Ruhmasse.

▶ **Kaonen** sind eine Untergruppe der Mesonen.

▶ **Leptonen** sind leichte Elementarteilchen, die nicht der starken Wechselwirkung unterliegen. Dazu gehören Elektron, Myon, Tauon und ihr jeweiliges Neutrino.

▶ **Mesonen** bestehen aus jeweils einem Quark und einem Antiquark. Hierzu gehören u. a. die Kaonen.

▶ **Neutrinos** gehören zur Gruppe der Leptonen, sind elektrisch neutral und haben nur eine äußerst geringe Wechselwirkung mit anderen Teilchen. Sie können deshalb Materie fast ungehindert durchdringen.

▶ **Quarks** sind die (hypothetischen) Bausteine der Baryonen und Mesonen. Sie konnten noch nicht isoliert beobachtet werden. Sechs verschiedene Quarks sind bekannt, die in drei Paare geordnet werden: Up- und Down-, Charme- und Strange-, Top- und Bottom-Quark.

mit der Ordnungszahl 114, d. h. mit 114 (positiv geladenen) Protonen und 175 Neutronen im Kern zu erzeugen. Dazu beschoss das Team um Juri Oganesjan sechs Wochen lang eine plutoniumbeschichtete Kugel mit Kalzium-Atomen. Die 20 Protonen und 28 Neutronen der Kalzium-Kerne verschmolzen mit den 94 Protonen und 150 Neutronen des Plutoniums. Drei Neutronen wurden aufgrund der hohen Reaktionsenergie sofort wieder ausgestoßen; übrig blieb das neue Element. Nur ein Atom dieser Art konnten die Forscher indirekt nachweisen; es existierte 30 sec, ehe es wieder zerfiel. US-Forschern in Kalifornien gelang im Juni 1999 die Erzeugung des Elements 118, das sich nach 0,2 sec ins Element 116 umwandelte.
http://www.berliner-abendblatt.de
http://www.welt.de

Evolution

Stammesgeschichtliche Entwicklung der Lebewesen von einfachen, urtümlichen zu hoch entwickelten Formen

Neue Theorie: Fossilfunde in verschiedenen Teilen der Welt widerlegten Anfang 1999 die bis dahin verbreitete Theorie der

E., nach der sich die Artenvielfalt in der Epoche des Kambrium (vor 500 Mio bis 550 Mio Jahren) innerhalb kurzer Zeit entwickelt habe (Kambrischer Urknall). US-amerikanische und chinesische Wissenschaftler stießen in Südchina auf Fossilien mehrzelliger Organismen aus dem Präkambrium (bis vor ca. 570 Mio Jahren). Deutsche, indische und US-amerikanische Forscher entdeckten in Sandsteinsedimenten bei Chorhat (Indien) 1,1 Mrd Jahre alte, tunnelfömige Spurenfossilien, die vermutlich von wurmartigen Organismen, ebenfalls vielzelligen Lebewesen, angelegt wurden. Danach wäre das tierische Leben etwa doppelt so alt wie bislang vermutet, und der Artenvielfalt des Kambrium wäre eine lange Entwicklungsphase vorausgegangen.
Dinosaurier: US-Biologen widerlegten 1998/99 die Theorie, dass Vögel direkte Nachfahren von dinosaurierartigen Reptilien sind. Die Wissenschaftler verglichen die Entwicklung der Klauen/Zehen von Vögeln (u. a. Hühner und Kormorane) und Theropoden (kleinen fleischfressenden Sauriern). Bei beiden bildeten sich in der E. zwei von fünf Zehen zurück. Da es bei den Sauriern die Zehen vier und fünf, bei den Vögeln die beiden äußeren Zehen waren, schlossen die Forscher eine direkte Verwandtschaft zwischen Vögeln und Sauriern aus. Auch das Auftreten von Federkleidern bei Sauriern wurde neu gedeutet: Federn dienten nicht der Flugfähigkeit (wie bei Vögeln), sondern der Wärmeregulierung. Da Federn sich weniger gut erhalten als Knochen, besaßen möglicherweise mehr Dinosaurier ein Federkleid als bisher angenommen.
Deutschland: Erstmals wurden in Deutschland Überreste von Großsauriern entdeckt. Anfang 1999 stießen Paläontologen bei Minden (Westfalen) auf 160 Mio Jahre alte Knochenreste von vermutlich drei Sauriern der Spezies Camarasaurus (Länge: ca. 20 m), die bis dahin nur in den USA entdeckt worden waren. Nach Voruntersuchungen an 13 weiteren Standorten insbes. in Niedersachsen und Nordrhein-Westfalen nahmen die Forscher an, dass weitere Großsaurierskelette in Deutschland geborgen werden können. Ungeklärt blieb die Frage, wie die Großsaurier u. a. in das Gebiet des heutigen Harz-Gebirges gekommen sind, das im Erdzeitalter des Oberjura (vor ca. 150 Mio Jahren) vollständig vom Urmeer bedeckt war.

Entwicklung der Arten – Die wichtigsten Schritte

Erdzeitalter	Pflanzen- und Tierarten	Dauer[1]
Neozoikum		
Quartär	Mensch, gegenwärtige Tier- und Pflanzenwelt;	1 Mio
Tertiär	Sumpfwälder; Tiere und Pflanzen nähern sich heutigen Säugetieren	64 Mio
Mesozoikum		
Kreide	Laubhölzer, Gräser, kleine Säugetiere	70 Mio
Jura	Insbes. Nadelhölzer, Dinosaurier, erste Vögel	55 Mio
Trias	Riesenschachtelhalme und -farne; Dinosaurier, Schildkröten	34 Mio
Paläozoikum		
Perm	Nadelwälder, Wirbeltiere	55 Mio
Karbon	Wälder aus Bärlapp- und Schachtelhalmgewächsen; Kriechtiere und Lurche	65 Mio
Devon	Urfarne, erste Baumformen, Insekten, Fische	50 Mio
Silur	Landformen: Nacktpflanzen, Gliederfüßler, Panzerfische	40 Mio
Ordovizium	Fischähnliche Tiere	65 Mio
Kambrium	Leben nur im Meer; Algen, wirbellose Tiere	70 Mio

1) Jahre (ungefähre Angaben)

Forschungspolitik

FuE in der Wirtschaft: Nach Angaben des Stifterverbands für die deutsche Wissenschaft (Bonn) stiegen die Ausgaben der Wirtschaft für Forschung und Entwicklung (FuE) 1998 auf rund 70 Mrd DM (+5,8% gegenüber 1997). Die forschungsintensivsten Banchen waren außer der chemischen Industrie der Fahrzeugbau, die Büromaschinen- und Computerbranche, Elektrotechnik und Maschinenbau, auf die drei Viertel der gesamten FuE-Aufwendungen entfielen. 1998 waren 290 000 Mitarbeiter in der innerbetrieblichen FuE beschäftigt. Insgesamt wurden in Deutschland 2,4% des BIP für FuE ausgegeben; im internationalen Vergleich lag Deutschland auf Platz 3 hinter Japan (2,8% des BIP) und den USA (2,65% des BIP).

Staatliche Forschungsförderung: Die neue rot-grüne Bundesregierung hob den Etat des Bundesministeriums für Bildung und Forschung für 1999 um 904 Mio DM auf rund 15 Mrd DM an (+ 6,4% gegenüber

▬▬ Forschungspolitik: Projektförderung des Bundes[1]		
Beschäftigung/innovative Arbeit-/Technikgestaltung	65,0[2]	▲ +28,97[3]
Biotechnologie	190,0	▲ +12,89
Gesundheitswesen/ medizinische Forschung	180,0	▲ + 9,09
Informationstechnik	522,0	▲ + 5,78
Lasertechnik	67,0	▲ +19,64
Meerestechnik/Schifffahrt	40,0	▲ +14,29
Mobilität und Verkehr	175,0	△ + 4,79
Molekulare Medizin	74,0	▲ +13,85
Ökologie/Klimaforschung	340,0	▲ + 5,49

1) Teilbereiche; 2) Haushaltsentwurf des Bundesforschungsministerums für 1999 (Mio DM); 3) Veränderung gegenüber 1998 (%), mit überdurchschnittlichen Zuwächsen; Förderung gesamt: 2853,50 Mio DM (Veränderung gegenüber 1998: +4,392 Mio DM); http://www.bmbf.de

1998). Zusätzliche Mittel waren insbes. für den Bildungsbereich (Hochschulbau, Bafög-Erhöhung) vorgesehen. Erstmals wurden zur Förderung struktureller Innovationen in Bildung und Forschung 220 Mio DM bereit gestellt. Für die technologische Projektförderung war für 1999 ein Gesamtetat von 2,8 Mrd DM veranschlagt; Schwerpunkte waren Biotechnologie, Ökologie und Verkehr sowie Innovationen in der Arbeit- und Technikgestaltung.

Grundlagenforschung: In einem Gutachten (Auftraggeber: Kultusminister der Länder und Bundesforschungsministerium) zur Max-Planck-Gesellschaft und der Deutschen Forschungsgemeinschaft (DFG) kritisierte ein zehnköpfiges internationales Expertengremium 1998 die mangelhafte Kooperation der Forschungseinrichtungen mit der Wirtschaft sowie geringe Zukunftsorientierung und Chancen für Nachwuchs-

Bezogen auf die Gesamtzahl der Beschäftigten im jeweiligen Bundesland arbeiteten 1998 in Hamburg die meisten Menschen in der Forschung und Entwicklung (4,9%) und im Saarland die wenigsten (Anteil: 0,5%).

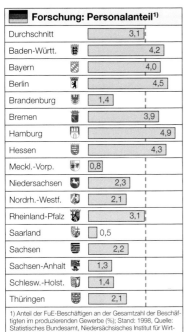

▬▬ Forschung: Personalanteil[1]		
Durchschnitt		3,1
Baden-Württ.		4,2
Bayern		4,0
Berlin		4,5
Brandenburg	1,4	
Bremen		3,9
Hamburg		4,9
Hessen		4,3
Meckl.-Vorp.	0,8	
Niedersachsen	2,3	
Nordrh.-Westf.	2,1	
Rheinland-Pfalz		3,1
Saarland	0,5	
Sachsen	2,2	
Sachsen-Anhalt	1,3	
Schlesw.-Holst.	1,4	
Thüringen	2,1	

1) Anteil der FuE-Beschäftigten an der Gesamtzahl der Beschäftigten im produzierenden Gewerbe (%); Stand: 1998, Quelle: Statistisches Bundesamt, Niedersächsisches Institut für Wirtschaftsforschung, Wirtschaftswoche 9/1999

▬▬ Forschung und Entwicklung: Beschäftigte		
FuE-Personal in Unternehmen	267 000	
	23 000	
davon unter 100 Beschäftigte (%)	8,1	
		56,8
100–499 Beschäftigte (%)	11,7	
	22,5	
500 und mehr Beschäftigte (%)		80,2
	20,7	

Stand: 1998; Quelle: Bundesforschungsministerium, http://www.bmbf.de   ☐ Westdeutschland ■ Ostdeutschland

wissenschaftler im deutschen Hochschulbetrieb. Obwohl nach Angaben des Stifterverbands für die Deutsche Wissenschaft viele Unternehmen seit Mitte der 90er Jahre FuE-Aufträge extern vergaben, profitierten davon die deutschen Großforschungseinrichtungen (rund 22 000 Mitarbeiter). Nach einer Umfrage des Zentrums für Europäische Wirtschaftsforschung (ZEW, Mannheim) kooperierten Firmen am meisten mit der anwendungsorientierten Fraunhofer-Gesellschaft oder direkt mit den Hochschulen. Der Zentralverband der Elektrotechnik- und Elektronikindustrie (ZVEI, Frankfurt/M.) forderte eine Neugliederung der außeruniversitären Forschungseinrichtungen (Förderung durch den Bund 1999: 5,6 Mrd DM). Bis Ende 1998 hatte der zuständige Wissenschaftsrat 39 der 82 Blaue-Liste-Institute (Leibnizgemeinschaft) bewertet; in sieben Fällen empfahl das Gremium, die öffentliche Finanzierung der Institute einzustellen.

Ostdeutschland: Anfang 1999 legte Bundesforschungsministerin Edelgard Bulmahn ein Programm zur Förderung von FuE in den neuen Bundesländern auf. Das Inno-Regio-Programm (Etat bis 2005: 500 Mio DM) zielt auf die Förderung regionaler Initiativen zur Verzahnung von bildungs- und Forschungseinrichtungen mit der Wirtschaft. Lt. Stifterverband für die Deutsche Wissenschaft beschäftigten insbes. kleine und mittlere Unternehmen in den neuen Bundesländern Ende 1997 (letzter verfügbarer Stand) 23 000 Mitarbeiter im FuE-Bereich (9% des gesamten FuE-Personals der deutschen Wirtschaft). Eine Westdeutschland vergleichbare, von der Großindustrie getragene FuE-Struktur fehlte völlig.

htttp://www.bmbf.de
http://www.dfg.de
http://www. europa.eu.int
htttp://www.mpg.de
http://www.niw.de
http://www.stifterverband.de

Freilandversuche

Zeitlich und räumlich befristeter Anbau von gentechnisch veränderten (transgenen) Pflanzen zu Versuchszwecken

Aus wissenschaftlicher Sicht gelten F. als unverzichtbare Zwischenstufe vom Labor bis zur Genehmigung des kommerziellen Anbaus. In F. sollen eventuelle Wechselwir-

BILANZ 2000

Forschung und Technik

Das Zeitalter ungehemmten Fortschritts

Max Planck und Albert Einstein schufen Anfang des 20. Jh. mit der Quanten- und der Relativitätstheorie die geistigen Fundamente einer neuen Physik, unter deren Zweigen die Kernphysik eine überragende Stellung einnimmt: Mit der Explosion der ersten Atombomben über Hiroshima und Nagasaki im Sommer 1945 wurde das Nuklearzeitalter eingeleitet, dessen positive Erscheinungen (Nuklearmedizin) von unkalkulierbaren Risiken begleitet werden (u. a. Tschernobyl-Katastrophe). Ab Mitte des 20. Jh. führten Automatisierung und Rationalisierung zur zweiten industriellen Revolution: Technische Aggregate führen selbsttätig Arbeits- und Produktionsprozesse durch, die bis dahin von Menschen in teils gefährlicher, gesundheitsschädigender oder schwerer körperlicher Arbeit bewältigt werden mussten. In den 70er Jahren löste die Chipentwicklung eine Revolution in der Informationstechnik aus. Um das Jahr 2000 herrscht zwischen Europa, Japan und den USA eine harte Konkurrenz bei den Schlüsseltechnologien der Zukunft (Bio- und Gentechnik, Mikroelektronik u. a.).

Positive Trends

▶ Der wissenschaftlich-technische Fortschritt brachte in den Industriestaaten Arbeitserleichterungen, Arbeitszeitverkürzungen, Wohlstand, Mobilität und eine höhere Lebenserwartung.

▶ Die Technik- und Fortschrittsgläubigkeit wird seit den 70er Jahren zunehmend von sachlichen und kritischen Stimmen begleitet (u. a. Gründung des Club of Rome 1968).

Negative Trends

▶ Die hohe Innovationsrate bewirkt, dass sich das menschliche Verhalten nur schwer auf alle Neuerungen einstellen kann.

▶ Der wissenschaftlich-technische Fortschritt hat in den Industriestaaten vielfach Arbeitsteilung und Routine bewirkt und durch Rationalisierung die Zahl der Arbeitsplätze verringert.

▶ Die Anwendung technischer Innovationen hat vielfach zur Umweltverschmutzung geführt (u. a. Klimaveränderung, Artensterben).

Physiknobelpreisträger Charles H. Townes mit seinem Mikrowellenverstärker (Maser)

Meilensteine

Vom Weltbild zu den kleinsten Teilen der Materie

1900: Max Planck (D) begründet mit der Quantentheorie die Quantenphysik; sie untersucht mikrophysikalische Erscheinungen.
1904: Ambrose Fleming (GB) erfindet die Diode und leitet das Elektronikzeitalter ein.
1905: Albert Einstein (D) formuliert die spezielle Relativitätstheorie.
1907: Leo Baekeland (NL) erfindet mit der Substanz Bakelit den ersten Massenkunststoff.
1911: Heike Kammerling Onnes (NL) entdeckt die Supraleitfähigkeit (verlustfreie Stromleitung).
1911: Ernest Rutherford (GB) entwickelt das nach ihm benannte moderne Atommodell.
1926: Hermann Staudinger (D) begründet die Makrochemie.
1925: Otto Warburg (D) erklärt die Gliederung der Photosynthese in Licht- und Dunkelreaktion.
1928: Hans Geiger und Walter M. Müller (D) konstruieren zum Nachweis des radioaktiven Zerfalls das Geiger-Müller-Zählrohr.
1928: Alexander Fleming (GB) entdeckt das Antibiotikum Penicillin.
1929: Warren M. Marrison (USA) baut die extrem genaue Quarzuhr.
1930: Clyde W. Tombaugh (USA) entdeckt den Planeten Pluto, den kleinsten unseres Sonnensystems.

1931: Ernst Ruska, Ernst Knoll (D) erfinden das Elektronenmikroskop.
1937: Chester F. Carlson (USA) lässt das Xerox-Trockenkopierverfahren patentieren.
1942: Enrico Fermi (I) löst die erste kontrollierte Kernkettenreaktion aus.
1947: Dennis Gábor (GB) entwickelt die Holographie.
1947: Edwin Land (USA) stellt die Sofortbildkamera (»Polaroid«) vor.
1948: Norbert Wiener (USA) begründet die Kybernetik.
1953: Charles H. Townes (USA) konstruiert den Maser, einen Mikrowellenverstärker.
1961: Murray Gell-Mann (USA) postuliert Quarks als die kleinsten Grundbausteine der Materie.
1967: Antony Hewish und Jocelyn Bell (GB) empfangen Radioimpulse schnell rotierender Sterne (Pulsare).
1980: Heinrich Rohrer und Gerd Binnig (CH/D) entwickeln das Rastertunnelmikroskop zum atomweisen Abtasten von Flächenstrukturen.
1987: Johannes Georg Bednorz (D) und Karl A. Müller (CH) entdecken die oxidkeramische Supraleitung.
1995: Das Fermi-Labor (USA) weist die Topquarks nach.
1996: Das Europäische Kernforschungszentrum CERN stellt Atome aus Antimaterie her.

Stichwort: Relativitätstheorie

Raum und Zeit sind relativ

Albert Einstein (D) formulierte 1905 die spezielle Relativitätstheorie als den neben der Quantentheorie bedeutendsten physikalischen Denkansatz des 20. Jh. Sie erklärt die Vorstellungen der klassischen newtonschen Physik vom absoluten Raum und der absoluten Zeit für falsch und verknüpft die Länge, Breite und Höhe mit der Zeit als vierter Koordinate zur vierdimensionalen »Raumzeit«. Darin ist jede Bewegung mit konstanter Geschwindigkeit »relativ«; Zeit läuft für Objekte mit konstanter Bewegung zueinander unterschiedlich schnell ab; Masse lässt sich als Energieform auffassen. Das Masse-Energieäquivalent $E = mc^2$ (c = Lichtgeschwindigkeit) besagt, dass sich auf Lichtgeschwindigkeit (300 000 km/sec) beschleunigte Materie in Energie umwandelt. Diese Theorie wurde von der Kernphysik theoretisch und praktisch (Kernfusion, Atombomben) bestätigt.

Stichtag: 2. Dezember 1942

Beginn des Nuklearzeitalters

Im ehemaligen Squashsaal unter der Tribüne des Football-Stadions der Universität von Chicago setzte Enrico Fermi (I) um 15.25 Uhr Ortszeit im ersten Kernreaktor der Erde die erste kontrollierte und sich selbst erhaltende atomare Kettenreaktion in Gang. Die Vorbereitungen waren unter strengster Geheimhaltung von Fermi u. a. aus Europa emigrierten Kernphysikern getroffen worden. Bereits 1938 hatten Otto Hahn (D), Fritz Straßmann (D) und Lise Meitner (A) am Kaiser-Wilhelm-Institut für Chemie in Berlin die Spaltung eines (Uran-)Atomkerns vollzogen und Kernenergie freigesetzt. 1939 lieferte Meitner die theoretische Erklärung und führte den Begriff »Kernspaltung« in die physikalische Diskussion ein.

TOP TEN Freilandversuche in der EU

1. Frankreich	399[1]	29,4[2]
2. Italien	225	16,9
3. Großbritannien	175	12,9
4. Spanien	138	10,2
5. Niederlande	109	8,0
6. Belgien	97	7,1
7. Deutschland	96	7,1
8. Schweden	42	. 3,1
9. Dänemark	34	2,5
10. Finnland	13	1,0

1) genehmigte bzw. beantragte Versuche, 2) Anteil (%), Stand: Februar 1999; Quelle: Robert-Koch-Institut (Berlin), http://www.rki.de

In Frankreich wurden bis Anfang 1999 viermal mehr, in Italien mehr als doppelt so viele Freilandversuche genehmigt als von den deutschen Behörden.

kungen mit anderen Wild- und Kulturpflanzen frühzeitig erkannt und Risiken für die Umwelt vermieden werden.

Deutschland: Nach Angaben des für die Genehmigung von F. in Deutschland zuständigen Robert-Koch-Instituts (RKI, Berlin) waren Anfang 1999 insgesamt 96 F. beantragt bzw. genehmigt; in der EU waren zu diesem Zeitpunkt 1358 F. angemeldet. Fast drei Viertel der F. bezogen sich auf den Anbau von gentechnisch verändertem Mais (25%), Raps (20%), Zuckerrüben (16%) und Kartoffeln (11%); andere F. galten transgenen Tomaten, Chicoree, Obst (Äpfel) sowie Zierpflanzen (Schnittblumen, Topfpflanzen). Erstmals waren für Mitte 1999 in Deutschland drei F. mit Rebstöcken geplant. Die meisten im F. getesteten gentechnischen Veränderungen zielten auf verbesserte Resistenz gegen Schädlinge und Unkrautvernichtungsmittel, Ertragssteigerungen und Erleichterungen beim Anbau.

Risiken: Ob gentechnisch veränderte Pflanzen in F. Wildpflanzen derselben Art und andere Kulturpflanzen gefährden, war Ende der 90er Jahre umstritten. Das RKI plädierte für den schrittweisen Abbau der Sicherheitsanforderungen; die bisher durchgeführten F. zeigten kein hohes Auskreuzungsrisiko. Eine von der Umweltschutzorganisation Greenpeace in Auftrag gegebene Studie in der Umgebung eines F.-Feldes mit modifiziertem Mais in Riegel (Kaiserstuhl) kam zum gegenteiligen Ergebnis: Herkömmliche Maispflanzen, die in 0,5 m Entfernung zum Versuchsfeld standen, wie-

sen einen Anteil von ca. 5% gentechnisch veränderter Maiskörner (Hybride) auf. Die modifizierte Erbsubstanz war durch den Flug der Maispollen übertragen worden.

Freisetzungsrichtlinie: Anfang 1999 beriet das Europäische Parlament die Novellierung der 1990 in Kraft getretenen EU-Richtline zur Freisetzung von gentechnisch veränderten Organismen. Genehmigungen sollen nur erteilt werden, wenn der Antragsteller für mögliche Risiken und Umweltschäden durch F. haftet. Es wurde eine strengere Kontrolle bis zum Verbot transgener Organismen gefordert, die Antibiotika-resistente Gene oder andere Allergien erzeugende bzw. giftige Spuren enthalten. Die gentechnische Veränderung im Erbgut der Pflanzen beeinflusst oft nicht die Widerstandsfähigkeit gegen Antibiotika. Allerdings werden Stoffe, die in Mikroorganismen Resistenzen gegen Antibiotika auslösen können, häufig als Markergenc bei der Übertragung des fremden DNS-Abschnitts eingesetzt (DNS=Trägersubstanz des Erbguts). Mit Markergenen lässt sich kontrollieren, ob das veränderte Erbgut in der Pflanze ausgeprägt ist. Trotz strengerer Kontrollen sollen die Genehmigungsverfahren für F. nach dem Willen der Mehrheit des EU-Parlaments verkürzt werden und für mehrere Länder gelten.
http://www.rki.de
http://www.greeenpeace.de

Frühmensch

Australopithecus: 1998 stießen Wissenschaftler in der Sterkfonteinhöhle nahe Johannesburg (Südafrika) auf ein 3,5 Mio bis 3,6 Mio Jahre altes, vollständiges Skelett eines Urmenschen der Gattung Australopithecus. Das Fossil ist 400 000 Jahre älter als das 1974 in Äthiopien entdeckte, dahin älteste Skelett eines weiblichen Australopithecus afarensis (»Lucy«). Mit dem Fund hofften die Forscher, offene Fragen der Evolutionsgeschichte klären zu können: Es waren 1998/99 Zweifel aufgekommen, ob der Australopithecus afarensis (Äthiopien, Alter: 3,7 Mio–2,1 Mio Jahre) und der in Südafrika beheimatete Australopithecus africanus (Alter: 3,5 Mio–2,4 Mio Jahre) einer Entwicklungslinie zuzuordnen sind. Nach Vermessung von über 100 fossilen Knochen beider Gattungen nahmen die For-

scher an, dass der Australopithecus afarensis kein unmittelbarer Vorfahr des Menschen ist, sondern einer eigenen Entwicklungslinie angehört, die später ausgestorben ist. US- Forscher präsentierten 1998 eine neue Vormenschen-Art: den Australopithecus garhi. Das 2,5 Mio Jahre alte Fossil (Fundort Äthiopien) ist vermutlich aus dem Australopithecus afarensis hervorgegangen.
Neandertaler: Bei erneuten Ausgrabungen 1998 bei Erkrath im Neandertal (nahe Düsseldorf), wo 1865 erstmals ein unvollständiges Skelett eines F. geborgen worden war, stießen Archäologen auf ca. 20 Knochenstücke und Splitter von Oberarm-, Zehenknochen, Backenzähnen, Wirbeln und Rippen eines F. sowie auf Steinwerkzeuge und verkohlte Knochenreste von Wildtieren. Da die Fragmente des F. nur z. T. dem 1865 gefundenen Skelett zugeordnet werden konnten, nahmen die Forscher an, auf die fossilen Überreste von mind. einem weiteren F. gestoßen zu sein. Die Knochenfunde wurden mit radiologischen Methoden auf ein Alter von ca. 40 000 Jahren datiert und entsprechen dem Alter des Fundes von 1865. Nähere Aufschlüsse erwarteten die Forscher aus der DNS-Analyse der Knochen. Das erste Skelett war 1997 per genetischem Fingerabdruck exakt bestimmt worden. Der DNS-Vergleich mit der DNS heutiger Menschen bestätigte, dass sich die Abstammungslinie des Neandertalers und des heutigen Menschen vor 500 000 Jahren getrennt haben. Der Homo sapiens neanderthalensis ging vor ca. 200 000 Jahren aus dem Homo erectus hervor und besiedelte bis vor 30 000 Jahren Europa und Vorderasien.

http://www.senckenberg/uni-frankfurt.de
http://www.members.aol.com/ursprach/hominid
http://www.lucy.uk.ac.uk/afaq.htm#/WWWDig
http://www.anth.ucsb.edu/index.html
http://www.neanderthal.de

Genomanalyse

1988 gestartetes, internationales Forschungsprojekt (engl.; Human Genome Project, HUGO; Kosten: ca. 3 Mrd Dollar) mit dem Ziel, bis 2005 das menschliche Erbgut (Genom) vollständig zu entschlüsseln

Kartierung: Anfang 1999 legten Wissenschaftler des HUGO-Projektes (1000 Forscher aus 40 Ländern) eine neue physikalische Karte mit rund 30 000 Genen vor. Damit war die Lage (nicht aber die Funk-

Frühmensch: Vorfahren des Menschen

Gattung	Alter (vor...Jahren)	Lebensraum
Ardipithecus ramidus	4,5 Mio–4,3 Mio	östliches Afrika
Australopitcheus anamensis	4,2 Mio–3,8 Mio	östliches Afrika
Australopithecus afarensis	3,7 Mio–2,9 Mio	östliches Afrika
Australopithecus africanus	3 Mio–2 Mio	südliches Afrika
Australopithecus robustus	2 Mio–1,2 Mio	südliches Afrika
Australopithecus boisei	2,4 Mio–1,1 Mio	östliches Afrika
Homo habilis	2,2 Mio–1,8 Mio	östliches Afrika
Homo rudolfensis	2,5 Mio–1,8 Mio	östliches Afrika, Asien
Homo erectus	1,8 Mio–400 000	Asien, Europa
Archaischer Homo sapiens	500 000–100 000	Afrika, Asien, Europa
Homo sapiens neanderthalensis	200 000–30 000	Europa, Vorderasien
Homo sapiens sapiens	seit 120 000	alle Kontinente

tion) von etwa einem Drittel aller menschlichen Gene (80 000–100 000) auf den 23 Chromosomen eines Zellkerns bekannt.
Reihenfolge: An der G., die zunächst als Grundlagenforschung angelegt war, beteiligten sich Ende der 90er Jahre auch biotechnische Privatunternehmen. Mit Hilfe neuer Sequenziertechniken versuchten sie, die Entschlüsselung der 3 Mrd aufeinander folgenden Basenpaare der DNS (Desoxyribonukleinsäure, engl.: DNA) zu beschleunigen. Lt. Prognose von US-Forschern könnten die beiden DNS-Stränge (Doppelhelix) bis 2001 vollständig entschlüsselt sein.
Genetische Marker: Anfang 1999 gründeten zehn internationale Pharmakonzerne eine auf zwei Jahre befristete Arbeits-

Genomanalyse bei nichtmenschlichen Organismen

Parallel zum HUGO-Projekt zur Entschlüsselung aller menschlichen Erbanlagen arbeiteten Forscher Ende der 90er Jahre weltweit an der Kartierung und Entschlüsselung des Genoms von Organismen. Der Vergleich ihres Erbgutes mit dem des Menschen soll Aufschlüsse über Evolutionsprozesse sowie über Funktion und Zusammenspiel der Gene liefern.

▶ **Vielzeller:** 1998 wurde erstmals das Genom eines Vielzellers komplett entschlüsselt. Der Fadenwurm Caenorhabdits elegans (Länge: 1 cm) besitzt rund 19 100 Gene. Sein Genom besteht aus 97 Mio Basenpaaren, deren Entschlüsselung acht Jahre beanspruchte. Der Vergleich der Erbsubstanz des Fadenwurms mit bereits entschlüsselten einzelligen Lebewesen (Bakterien) zeigte Ähnlichkeiten im Erb-

gut, über die z. B. Prozesse wie die Genverdopplung oder der Aufbau biochemischer Grundbausteine gesteuert werden. Der Fadenwurm wies auch Gene auf, die vermutlich für das Zusammenspiel der Zellen verantwortlich sind; sie codieren u. a. die Information für den Aufbau von Botenstoffen.

▶ **GABI:** Die 1998 vom Bundesforschungsministerium initiierte Genomanalyse im Biologischen System Pflanze (GABI, geplante Projektförderung 1999: 5 Mio DM) will das Erbgut der Labormodellpflanze Ackerschmalwand vollständig entschlüsseln. Die Ergebnisse sollen Ansätze für Forschungsprojekte mit Nutzpflanzen liefern. Zur kommerziellen Verwertung (Patentierung und Lizenzierung von Verfahren) gründeten 16 Firmen Ende 1998 einen Wirtschaftsverbund.

Genomanalyse: Das Erbgut des Menschen

▶ **Base:** Die vier Basen Adenin, Cytosin, Guanin und Thymin bilden die Grundlage für den genetischen Code. Jeweils drei Basen kodieren eine Aminosäure beim Aufbau der Proteine.

▶ **Chromosom:** Doppelsträngiges DNS-Molekül, das eine Vielzahl von Genen enthält. Der Mensch hat 23 Chromosomen (22 sog. Autosomen sowie die Geschlechtschromosomen X und Y), die im Zellkern jeweils doppelt (Geschlechtschromosomen in der Kombination XX bei Frauen, XY bei Männern) vorliegen.

▶ **DNS:** Desoxyribonukleinsäure (engl.: DNA), doppelsträngiges Molekül (sog. Doppelhelix) mit einer Abfolge von Basen, den Einheiten der genetischen Information.

▶ **Gen:** (griech.; zeugend) DNS-Abschnitt, auf dem die Informationen zum Aufbau eines Proteins gespeichert sind.

▶ **Genom:** Gesamtheit aller Gene eines Organismus.

von rund 4000 Erbkrankheiten auf jeweils ein einziges defektes Gen zurückgeführt. Über die SNP könnten individuelle Behandlungsmethoden und Medikamente entwickelt werden. Die öffentlich zugängliche Datenbank soll den beteiligten Pharma-Unternehmen gleiche Ausgangsbedingungen zur Entwicklung von Therapien und Medikamenten auf der Basis molekularbiologischen Wissens garantieren.
http://www.hugo.gdb.org

Gentechnik

Veränderung der Erbanlagen (Gene) von Organismen, um sie für den Menschen nutzbar zu machen

gemeinschaft (Etat: 45 Mio Dollar) zum Aufbau einer öffentlich zugänglichen Datenbank mit sog. SNP; die Genforscher nehmen an, dass in Abständen von etwa 1000 Basenpaaren auf der DNS Variationen auftreten (Single Nucleotide Polymorphisms, SNP, auch Snips). Diese Variationen sind genetische Marker und bei jedem Menschen individuell gestaltet. Die Identifizierung der SNP könnte Hinweise auf Gene liefern, die mit Erbkrankheiten in Verbindung stehen. Ende der 90er Jahre wurden die Auslöser

Einsatz: Die G. ist eine Querschnittstechnologie, die Ende der 90er Jahre in Medizin, Pharmazie, Landwirtschaft und Ernährungsindustrie, Chemie sowie Umwelttechnik zur Entwicklung neuer Produkte und Verfahren in Analyse, Diagnose und Therapie genutzt wurde. Anfang 1999 warnte der britische Ärzteverband BMA vor einem Missbrauch der G. für militärische Zwecke. Durch die Entschlüsselung des menschlichen Erbgutes würden Unterschiede zwischen den Rassen sichtbar, sodass auf der Grundlage dieses Wissens ethnische Biowaffen entwickelt werden könnten. Einer EU-weiten Repräsentativbefragung (Projekt Biotechnology and the European Public) zufolge hielten 46,7% der Befragten die G. für nützlich; ein Fünftel nahm an, dass die Risiken der G. mögliche Vorteile überwiegen.

Gläsernes Labor: Anfang 1999 eröffnete der Biomedizinische Forschungscampus Berlin-Buch ein gläsernes Labor. Es soll dazu beitragen, Vorbehalte gegenüber der G. abzubauen und die G. für den Bürger anschaulich zu gestalten. Das Konzept sah die aktive Beteiligung von Besuchern vor. Sie können z. B. in Experimenten Erbgut aus Pflanzen isolieren und aus dem eigenen Speichel eine DNS-Probe gewinnen. Das bis Ende 1999 geöffnete Labor wird u.a. mit EU-Mitteln finanziert.

Konvention: Im Februar 1999 scheiterten in Kolumbien Verhandlungen über eine internationale Konvention zur Sicherheit der G. (Biosafety-Protocol). Die 174 Teilnehmerländer konnten sich nicht auf weltweit verbindliche Richtlinien für Handel und Verkehr mit gentechnisch veränderten Organismen einigen. Umweltschützer befürchteten

Einstellung der Bürger zur Bio- und Gentechnik[1]

	Verschlechterung	Verbesserung
EU-Durchschnitt	19,2	46,7
Belgien	16,8	51,0
Dänemark	30,2	44,5
Deutschland	23,2	36,2
Finnland	24,5	44,3
Frankreich	14,8	48,7
Griechenland	18,7	30,1
Großbritannien	25,1	45,9
Irland	16,8	43,6
Italien	15,4	57,1
Luxemburg	20,0	43,6
Niederlande	25,1	49,5
Österreich	36,5	27,9
Portugal	8,4	54,7
Schweden	17,6	49,5
Spanien	9,9	56,3

1) Erwartete Auswirkungen auf das eigene Leben (%), Basis: Repräsentativbefragung von 16246 EU-Bürgern; Stand: 1998, fehlende Prozentwerte: kein Effekt erwartet oder kein Urteil; Quelle: Akademie für Technikfolgenabschätzung Baden-Württemberg (Stuttgart)

eine Beeinträchtigung der Artenvielfalt bei der Verbreitung transgener Organismen und Pflanzen. Die Ausarbeitung einer Konvention war als Zusatzprotokoll zum Artenschutzabkommen von Rio de Janeiro (1992) vereinbart worden (siehe Bilanz S. 262).

Ernährung   Umwelt
htttp://www.bmbf.de
http://www.afta-bw.de
http://www.greenpeace.de

Großteleskope

Astronomische Instrumente zur Untersuchung der Weltraumstrahlung, die mit Spiegeln von mehreren Metern Durchmesser aufgefangen wird. G. dienen der Beobachtung entfernter Regionen des Universums und sollen Informationen über die Entstehung des Weltalls liefern.

VLT: Das Großereignis der Astronomie war 1998/99 die Inbetriebnahme des von der Europäischen Südsternwarte ESO auf dem Cerro Parranal/Chile gebauten VLT (engl.: Very Large Telescope, Gesamtkosten: ca. 1 Mrd DM). Mit einer Spiegelgesamtfläche von 220 m² (bei Zusammenschalten aller vier Spiegel) ist es das bislang leistungsfähigste G. Nach einjähriger Testphase nahm der erste Spiegel (Durchmesser: 8,2 m, Stärke: 17 cm, Gewicht: 22 t) des VLT im April 1999 den wissenschaftlichen Vollbetrieb auf. Fast zeitgleich begann die Testphase des zweiten baugleichen Spiegels, die voraussichtl. bis Ende 1999 andauern wird. Bis Herbst 2000 sollen alle vier Teleskope installiert sein.

Das VLT bedient sich der sog. aktiven Optik: Die relativ dünnen Spiegel werden mit Hilfe von jeweils 150 computergesteuerten hydraulischen Stößel auf ihrer Unterseite optimal in Parabolform gehalten.
Testergebnisse: In der rund einjährigen Testphase der ersten VLT-Einheit (engl.; Unit Telescope 1, UT1) wurden mit dem Teleskop verschiedene Regionen der Milchstraße und mehrere Mrd Lichtjahre entfernte Objekte beobachtet. Dabei kamen zwei Zusatzinstrumente (FORS und ISAAC) zum Einsatz: Mit FORS lässt sich die Brennweite verkürzen, d.h. die Lichtempfindlichkeit des Teleskops steigern. Das Infrarotspektrometer ISAAC ist mit einer großformatigen CCD-Kamera ausgestattet. Die Aufnahmen von weit entfernten Galaxien zeigten, dass die Reichweite des VLT mit der des im All stationierten Hubble-Welt-

Großteleskope im Vergleich

	Standort/ Erstbetrieb	Spiegeldurchmesser
Gemini I und II	Mauna Kea/Hawaii/USA Cerro Pachón, Chile 2000	2 Spiegel à 8,1 m
Hobby Eberly Telescope (HET)	Mount Fowlkes /Texas/USA 1996	11 m
Keck I und II	Mauna Kea/Hawaii/USA 1993/1996	je 10 m
Large Binocular Telescope	Mount Graham Arizona/USA 2002	2 Spiegel à 8,4 m
South African Large Telescope (SALT)	Sutherland/Südafrika 2003	11m
Very Large Telescope (VLT)	Cerro Paranal/Chile 1998	4 Spiegel à 8,2 m

http://www.as.utexas.edu/macdonald htttp://www.eso.org; htttp://www.gemini.edu; http://www.keck.hawaii; http://www.medusa.as.arizona.edu; http://www.saao.ac.za

raum-Teleskops vergleichbar ist. Erstmals können von der Erde aus lichtschwache Galaxien mit ähnlicher Präzision wie aus dem Weltraum beobachtet werden.
Standorte: Ende der 90er Jahre wurden G. in Texas, Arizona, Chile und Hawaii betrieben. Diese Regionen zeichnen sich insbes. durch trockene, klare Luft aus. Die Himmelsbeobachtung störende Einflüsse wie Luftschlieren kommen dort nur selten vor. Meteorologen und Astronomen am VLT-Standort Cerro Paranal gehen an ihrem Standort von rund 350 klaren Nächten pro Jahr aus.
http://www.eso.org

Hirnforschung

Erinnerung: Neurobiologen entdeckten Ende der 90er Jahre, dass die Archivierung von Eindrücken im menschlichen Langzeitgedächtnis von einer Hirnregion vorgenommen wird, die wegen ihrer Form Hippocampus (Seepferdchen) genannt wird. Anfang 1999 wiesen Münchener Forscher nach, dass die Neuronen (Nervenzellen) des Hippocampus sogar ihre äußere Form verändern, wenn sie sich Informationen »einprägen«: An den Synapsen (Schaltstellen zu Nachbarzellen), die wegen des Vorgangs besonders aktiv sind, wachsen innerhalb einer halben Stunde sog. postsynaptische Dornen.
Intelligenz bei Tieren: Verhaltensforscher wiesen Ende des 20. Jh. nach, dass auch stammesgeschichtlich »primitive« Tiere

fähig sind, durch Nachahmung zu lernen und Werkzeuge einzusetzen. Kraken z. B. lernen von trainierten Artgenossen, Gegenstände anzugreifen, die sie von Natur aus ignorieren würden. Honigbienen konnten trainiert werden, immer hinter der dritten Wegmarke nach Nahrung zu suchen; sie können also zählen. Schmutzgeier üben regelrecht, mit einem Stein Straußeneier zu öffnen. Die Leitstute einer Pferdeherde brachte der Herde bei, sich gemeinsam gegen einen angreifenden wolfartigen Hund zu verteidigen. Seelöwen lernten, abstrakte Symbole selbst dann wiederzuerkennen, wenn sie gedreht oder gespiegelt wurden. Dagegen taten sich die bis dahin als besonders intelligent geltenden Delphine bei ähnlichen Übungen viel schwerer.

http://www.szn.it/~gfiorito/
http://alpha.szn.it/research/behav.html
http://nante.fmp-berlin.de/IZW/fg2.html

Holographie

Wellenoptische Technik der Speicherung und Wiedergabe dreidimensionaler Bilder, bei der zwei Wellenfelder aus kohärentem Licht überlagert werden und ein dreidimensionales Interferenzbild entsteht

Projektion: Auf der Messe Photokina '98 stellten Kölner Ingenieure eine neuartige holographische Projektionsleinwand (Holo-Pro) vor, die das Bild viel heller wiedergibt als gewöhnliche Leinwände und in durchsichtige Schaufenster eingebaut werden kann. HoloPro lenkt das projizierte Licht zu 90% in Richtung Zuschauer. Unsichtbar kleine regelmäßige Strukturen beugen das Licht, andere Strukturen wirken wie Linsen und vereinigen das bei der Beugung entstandene Farbspektrum wieder zu weißem Licht. HoloPro kann in Kinos und für Werbezwecke eingesetzt werden.

http://www.fh-koeln.de/presse/mitteil/
photokina.html

Hubble Space Telescope

(engl.; Hubble-Weltraum-Teleskop), 1990 auf einer Erdumlaufbahn im All stationiertes Großteleskop zur Erforschung wenig bekannter Himmelskörper

Weit entfernte Galaxien: Im Jahr 1998 gelang Astronomen mit Hilfe des H. der bis dahin tiefste Blick ins All: Bei der Auswertung von Infrarot-Aufnahmen des H. entdeckten sie zehn Galaxien in mehr als zwölf Mrd Lichtjahren Entfernung von der Erde (1 Lichtjahr = 9,46 Billionen km). Die Gala-

Gentechnik

Der Mensch greift in die Schöpfung ein

Nachdem es weltweit zu revolutionären Klon-Erfolgen im Tierversuch gekommen war (u. a. das Schaf »Dolly« 1997), kündigte 1998 der Physiker Richard Seed (USA) an, mit einem Forschungsetat von 2 Mio Dollar binnen zwei Jahren die erste genetische Kopie eines Menschen herzustellen. Die Veränderung von Erbanlagen (Gene) wurde ursprünglich entwickelt zum Nutzen des Menschen: 1988 erhielten Forscher in den USA das erste Patent auf ein gentechnisch verändertes Wirbeltier (Genmaus), seit 1998 können auch beim Europäischen Patentamt in München Bio-Patente angemeldet werden – transgene Tiere und Pflanzen, die in technischen Verfahren einsetzbar sind, z. B. bei der gentechnischen Herstellung von Proteinen in der Medikamentenproduktion. Ende der 90er Jahre wurde die Gentechnik in Medizin, Pharmazie, Landwirtschaft, Ernährungsindustrie und Umwelttechnik angewandt, rund 20% der Projekte in der Arzneimittelforschung basierten auf Bio- und Gentechnik.

Positive Trends

▸ Die Gentechnik schafft neue Arbeitsplätze; durch die EU-Richtlinien soll ein Abwandern von Firmen der Biotechnologie und Molekularbiologie in die USA verhindert werden.

▸ Die Gentechnik kann sich positiv auf die Weltgesundheit auswirken, indem Erbkrankheiten erstmals gezielt verhindert werden.

▸ Die Gentechnik wird erfolgreich bei der Verbrechensbekämpfung zur Täteridentifizierung eingesetzt (genetischer Fingerabdruck).

▸ Die Gentechnik in der Landwirtschaft macht viele Pestizide überflüssig.

Negative Trends

▸ Die Gentechnik kann den Menschen zum biologischen Versuchsmaterial degradieren.

▸ Nach der Entschlüsselung des menschlichen Genoms ist der in Aussehen, Intelligenz und Begabung »gläserne« Mensch denkbar.

▸ Bei Freilandversuchen in Deutschland wurde genmanipuliertes Erbgut vom Raps auf natürlich wachsenden Raps übertragen.

Har Gobind Khorana (USA) untersuchte als Erster im Reagenzglas eine Erbanlage.

Meilensteine

Enthüllung der Geheimnisse des Lebens

1900: Hugo de Vries (NL) entdeckt die mendelschen Regeln über die Weitergabe von Erbfaktoren neu.

1905: William Bateson (GB) erkennt, dass die Chromosomen des Zellkerns Erbmerkmale tragen.

1907: Thomas H. Morgan (USA) entdeckt mithilfe der Taufliege die geschlechtsgebundene Vererbung und den Genaustausch (Crossing-over) zwischen Chromosomen.

1946: Max Delbrück (USA) erkennt, dass Erbmaterial kombinierbar ist.

1952: Joshua Lederberg (USA) zeigt, dass Viren genetisches Material übertragen können.

1952: Rosalind Franklin (GB) entdeckt die DNS-Doppelstruktur.

1954: George A. Gamow (USA) erkennt, dass der genetische Code aus Nukleinsäuren besteht.

1955: Severo Ochoa (USA) isoliert ein Enzym, mit dem ihm die Synthese der Ribonukleinsäure gelingt; darauf aufbauend, synthetisiert Arthur Kornberg (USA) die DNS.

1961: Jacques Monod (F) findet die Regulatorgene; sie ermöglichen den Zellen, auf Änderungen der Umweltbedingungen zu reagieren.

1961: Marshall W. Nirenberg (USA) trägt mit seinen Arbeiten zur Synthese eines Eiweißproteins außer-

halb der Zelle wesentlich zur Entzifferung des genetischen Codes bei.

1964: Robert Holley (USA) entziffert den genetischen Code einer Nukleinsäureeinheit (Transfer-RNS).

1969: Jonathan Beckwith (USA) isoliert erstmals ein Gen.

1970: Howard M. Temin (USA) überschreibt den genetischen Code von RNS auf DNS; bis dahin galt der Fluss der Erbinformation von DNS auf RNS als unumkehrbar.

1970: Hamilton Smith und Daniel Nathans (USA) spalten die DNS mit einem Enzym; die Teile können sich mit anderen zu neuen Molekülen mit neuem Gencode vereinigen.

1970: Har Gobind Khorana (USA) synthetisiert ein Gen im Labor.

1978: In den USA wird erstmals ein Genom entschlüsselt (beim Virus).

1985: Forscher aus 40 Staaten beteiligen sich am Human Genome Project zur Entschlüsselung des menschlichen Erbguts.

1988: In den USA wird als erstes gentechnisch erzeugtes Wirbeltier die Genmaus patentiert.

1994: In den USA kommt als erstes gentechnisch verändertes Nahrungsmittel die Gentomate auf den Markt.

1997: Das Klonschaf Dolly (GB) ist das erste geklonte Säugetier.

Stichwort: DNS
Aufklärung über das Erbgut
Rosalind Franklin (GB) entdeckte 1952 durch Röntgenstrukturanalyse das Doppelhelixmodell des räumlichen Aufbaus der DNS. Die DNS ist eine Nukleinsäure, die in allen Lebewesen vorkommt und die Erbinformation trägt. Eine von Franklins Röntgenaufnahmen gelangte über Maurice Wilkins (NZ) an Francis Crick (GB) und James Watson (USA), die das Doppelstrangmodell 1953 publizierten und dafür 1962 den Medizinnobelpreis erhielten.

Stichtag: 23. November 1969
Erstmals ein Gen isoliert
Ein Forscherteam der Harvard University (USA) unter Leitung des Biochemikers Jonathan Beckwith isolierte 1969 aus einem Bakterium erstmals den Träger der Erbinformation. Es sollte der erste Schritt zur Heilung von Erbkrankheiten sein. Den nächsten vollzog im Jahr 1970 Har Gobind Khorana an der University of Wisconsin (USA) mit seiner Synthese einer kompletten Erbanlage im Reagenzglas.

Ausblick
Segen oder Fluch?
Die Gentechnik wird durch die systematische Anwendung in der Arzneimittelproduktion zur Hoffnung für Millionen Menschen mit seltenen oder chronischen Erkrankungen z. B. des Stoffwechsels oder des Hormonhaushalts. Zugleich besteht die Gefahr, dass der Mensch durch die vollständige Entschlüsselung der Erbanlagen, die von Forschern für das erste Jahrzehnt des 21. Jh. angekündigt wird, zum Versuchsobjekt gentechnischer Manipulateure wird. Erste Erfahrungen mit der Freisetzung transgener Tiere und Pflanzen in der Natur lassen Ende des 20. Jh. die Frage noch offen, ob damit Gefahren für die belebte Umwelt verbunden sind.

xien entstanden in der Frühzeit des Universums, das damals seine volle Ausdehnung noch nicht erreicht hatte. Bis dahin hatten Forscher angenommen, dass sich Galaxien erst zu einem späteren Zeitpunkt in der Entwicklung des etwa 13,5 Mrd Jahre alten Universums gebildet hatten. Bei der Infrarot-Durchleuchtung eines relativ unerforschten Bereichs der südlichen Himmelshemisphäre (Mission Hubble Deep Field South) entdeckte das H. 45 Mrd Galaxien. Ende des 20. Jh. wurde angenommen, dass ca. 125 Mrd Galaxien im Universum existieren.

Planetengeburt: Mit Hilfe der Infrarot-Kamera NICMOS (Near Infrared Camera and Multi-Objective Spectrometer) an Bord von H. beobachteten Astronomen die Entstehung eines Planetensystems beim 320 Lichtjahre entfernten Stern HD141569 im Sternbild Waage. Der Himmelskörper ist von einer Staubscheibe mit einem Durchmesser von 75 Mrd km umgeben. Die Forscher sichteten eine Lücke in der Scheibe, die auf die Geburt eines Planeten hindeutet.

Reparatur: Für Oktober 1999 plant die US-Raumfahrtbehörde NASA einen Reparaturflug zu H. Probleme bereiteten die Gyroskope (Kreiselsysteme) zur Orientierung von H. im Raum. Mitte 1999 arbeiteten drei der sechs Gyroskope nicht mehr bzw. unregelmäßig. Für den Betrieb von H. sind drei Kreiselsysteme erforderlich. Das H. soll 2007 durch das Next Generation Space Telescope (engl.; Weltraumteleskop der nächsten Generation) ersetzt werden, das auf

Grund seiner höheren Auflösung noch präzisere Daten von weit entfernten Galaxien und vom Rand des Universums liefern soll.
http://www.nasa.gov

Kernfusion

Verschmelzung leichter Atomkerne zu schwereren (wie im Sonneninneren) zur Energiegewinnung

Bis 1999 konnten nur die Kerne schwerer Wasserstoffatome, die Isotope (Atomarten) Deuterium und Tritium, zu Heliumkernen verschmolzen werden, wobei energiereiche Neutronen frei werden. Die K. erfordert eine Betriebstemperatur von über 100 Mio °C, bei der die Elektronenhüllen der Atome zerbrechen und ein Gemisch frei beweglicher geladener Teilchen entsteht (Plasma). Die Forschung konzentrierte sich Ende der 90er Jahre auf die Tokamak-Technik, bei der das Plasma in einem großen ringförmigen Behälter (Torus) von einem gewaltigen Magnetfeld eingeschlossen und aufgeheizt wird. Die Magnetspulen müssen supra(ver-lustfrei)leitend sein und auf unter –200 °C abgekühlt werden.

ITER: Der seit 1992 geplante Bau eines Internationalen Thermonuklearen Experimentalreaktors (ITER) wird allenfalls in verkleinerter Version realisiert. Der ITER-Rat (USA, Russland, Japan, EU) verständigte sich Mitte 1998 in Tokio auf eine Version, die statt 13 Mrd DM nur rund die Hälfte kosten soll, bei der das Plasma aber nicht aus eigener Kraft brennen kann. Über Standort, Kostenverteilung und Baubeginn soll 2001 entschieden werden. Ende 1998 beschloss die US-Regierung, das ITER-Projekt nicht weiter zu fördern.

Diskussion: Die Perspektiven der K. und ihre weitere Förderung aus Staatsmitteln werden um das Jahr 2000 international immer mehr in Frage gestellt. Zwar stehen der Brennstoff Deuterium und das Alkalimetall Lithium, aus dem der Reaktor das Tritium erbrüten soll, in fast unbegrenzten Mengen zur Verfügung, aber die technischen Probleme der K. sind so komplex (astronomische Betriebstemperatur, Verschleiß durch Neutronenbeschuss, radioaktives Tritium), dass es rund 50 Jahre nach Beginn der Forschungen immer noch keinen funktionierenden Testreaktor gibt. Selbst optimistische Forscher erwarten eine kommerzielle Nutzung der K. frühestens ab

Kernfusionsreaktor der europäischen Forschungsanlage Joint European Torus (JET) in Abingdon (Großbritannien). Hier wurde 1997 eine Sekunde lang eine Fusionsleistung von 15 MW erzielt. Als Verschmelzungsbrennstoff dienten zu gleichen Teilen Deuterium und Tritium.

2040; andere befürchteten, dass die K. ähnlich wie der Schnelle Brüter wegen ihrer gewaltigen Investitionskosten nie wirtschaftlich nutzbar sein wird.

http://www.ipp.mpg.de/ipp/iter.html
http://iter.ucsd.edu

Klonen

(Klon, griech.; Zweig), Erzeugung genetisch gleicher Kopien einer Zelle oder eines Organismus durch ungeschlechtliche Vermehrung. K. ist möglich, weil jede Zelle eines Organismus unabhängig von Differenzierungsgrad und Funktion die komplette Erbinformation enthält.

Testerfolge: Forscher in den USA, Neuseeland und Japan bestätigten 1998/99 in weiteren Versuchen die Möglichkeit des K. aus differenzierten Körperzellen. Erstmals gelang es, ein männliches Tier aus Mäuseschwanzzellen zu klonen. In Seoul (Südkorea) übertrugen Forscher 1998 das Erbgut der Körperzelle einer erwachsenen Frau in eine zuvor entkernte menschliche Eizelle; der Zellkern gibt bei natürlicher Vermehrung das Erbmaterial durch Zellteilung weiter. Das erfolgreiche Experiment wurde abgebrochen, als sich die mit dem neuen Zellkern ausgestattete Eizelle viermal geteilt hatte. Anfang 1999 kündigten australische Wissenschaftler an, den vor 60 Jahren ausgestorbenen tasmanischen Tiger durch K. wieder zu züchten. Als Ausgangsmaterial dient das Erbgut eines in Alkohol konservierten Tigerbabys aus einem Museum in Sidney. Der Tiger war 1886 präpariert worden.

Dolly: Untersuchungen der Endabschnitte der Chromosomen zeigten, dass die Zellen des Klon-Schafs Dolly bei der Geburt etwa so alt waren wie die Zellen der genetischen Mutter. Welche Auswirkungen dies auf die Lebenserwartung von Dolly hat, war Mitte 1999 noch unklar.

Embryonale Stammzellen: Ende 1998 konnten Genetiker in Israel und den USA erstmals embryonale Stammzellen dauerhaft in Gewebekulturen halten und vermehren. Darüber hinaus wurden im Labor EG-Zellen (engl. embryonic germ; embryonischer Keim) aus Keimzellen (Ei- bzw. Samenzellen) toter Föten vermehrt. Stammzellen sind unbegrenzt vermehrungsfähig, sie können sich in jeden der 210 Zelltypen des Körpers verwandeln, wenn sie in das entsprechende Gewebe verpflanzt werden. Sie eignen sich zur systematischen Züch-

Klonen: Die wichtigsten Begriffe

▶ **Blastozyste:** Vier bis sieben Tage nach der Empfängnis entwickelt sich die befruchtete Eizelle zu einer Keimblase mit einer äußeren Zellgruppe und einer Zellmasse. Aus der äußeren Zellgruppe bildet sich die Plazenta, die Zellmasse entwickelt sich zum Fötus.

▶ **Embryo:** Befruchtete Eizelle bis zur Anlage von Organen im Alter von acht Wochen.

▶ **Embryonensplitting:** Erzeugung identischer Mehrlinge durch Teilung eines embryonalen Zellhaufens (bis zum sog. Achtzellstadium).

▶ **Embryonale Stammzelle:** Zelle aus der inneren Zellmasse einer Blastozyste, die sich in jeden der 210 Zell-

typen des menschlichen Körpers verwandeln kann.

▶ **Fötus:** Befruchtete Eizelle nach Abschluss der Organentwicklung (ca. 8 Wochen) bis zur Geburt.

▶ **Stammzelle:** Zelle mit der Fähigkeit, sich selbst beliebig oft durch Teilung zu reproduzieren und zu unterschiedlichen Zelltypen zu spezialisieren.

▶ **Zellkern:** Teil der Zelle mit der gesamten Erbinformation eines Organismus.

▶ **Zellkerntransfer:** In eine entkernte Eizelle wird der Zellkern einer anderen Zelle übertragen. Das Erbgut des eingebauten Zellkerns steuert die weitere Entwicklung der Zelle.

tung von menschlichem Ersatzgewebe und Organen für Transplantationen. Die Zellen könnten z. B. abgenutztes Knorpelgewebe oder bei Alzheimerkranken die zerstörten Hirnzellen ersetzen.

Ethik: Die Verbesserung in der Methodik des K. und Fortschritte in der Molekularbiologie lösten 1998/99 die Diskussion über die ethischen Grenzen der Medizin aus. Britische Wissenschaftler forderten, das K.-Verbot für Fortpflanzung weiter aufrecht zu erhalten, das K. von menschlichen Zellen für medizinisch-therapeutische Zwecke aber zu ermöglichen. 1998 dehnten die US-Behörden die Vergabe öffentlicher Fördermittel auf die Forschung mit embryonalen Stammzellen aus. Bis dahin war die verbrauchende Embryonenforschung (Erzeugung von Embryonen zu rein wissenschaftlichen Zwecken) zwar nicht verboten, aber von der öffentlichen Unterstützung ausgenommen. In Deutschland untersagt das Embryonenschutzgesetz die verbrauchende Embryonenforschung. Doch können Stammzellen aus dem Gewebe abgetriebener bzw. frühzeitig ausgestoßener Föten gewonnen werden.

Kometen

Aus gefrorenen Gasen und festen Teilchen bestehende Himmelskörper, die sich auf elliptischen, teilweise stark zur Erdbahn geneigten Bahnen um die Sonne bewegen.

Leoniden: Nach 33 Jahren war im November 1998 wieder ein sog. Leonidenschwarm zu beobachten. Der Meteorschauer fiel jedoch schwächer aus als prognostiziert, so-

Kometenforschung mit Raumsonden

▶ **Wild 2:** Im Februar 1999 startete die US-Raumsonde Stardust (engl.; Sternenstaub; Gewicht 385 kg, Kosten der Mission: 165 Mio Dollar) ihren Flug zum Kometen Wild 2, der die Sonne alle sechs Jahre ein Mal umrundet. Im Januar 2004 wird Stardust in 150 km Entfernung an Wild 2 vorbeifliegen. Mit einem schwammartigen Instrument aus aufgeschäumtem Glas (sog. Aerogel; Zusammensetzung: 99,8% Luft, 0,2% Silizium) soll Stardust beim Flug durch die Staub- und Gashülle des Kometen (Kometenschweif) Staub- und Eispartikel aus der Atmophäre aufnehmen und speichern. Die gesammelte Materie (geschätzte Ausbeute: 1/10 Gramm) wird 2006 mit einer Landekapsel zur Erde zurückgebracht. Der Kometenstaub soll Aufschluss über die Entstehung des Sonnensystems liefern.

▶ **Wirtanen:** 2003 startet die europäische Doppel-Raumsonde Rosetta/Roland ihren Flug zum Kometen Wirtanen, der 2011 erreicht werden soll. Bei einer weichen Landung wird Roland (Abk. für Rosetta Landegerät) auf dem Kometenkern abgesetzt. Die R. soll physikalische und chemische Untersuchungen vornehmen, u.a. zur chemischen Zusammensetzung, Festigkeit und Temperatur des Kometen, zu seiner Schwerkraft und Oberflächenstruktur. Da der Komet Wirtanen noch weitgehend unerforscht ist, wurde das Vorhaben einer weichen Landung auf dem Kometenkern als besondere Herausforderung gewertet.

dass befürchtete Schäden an den im All stationierten Satelliten durch den Dauerbeschuss mit Staubkörnchen nicht eintraten. Nach Angaben der Internationalen Astronomischen Union (IAU, Paris) wurde über dem Pazifik mit rund 2000 Sternschnuppen (Meteoren) pro Stunde die größte Dichte gemessen.

Temple-Tuttle: Die Leoniden sind Staubpartikel aus dem Schweif des K. Temple-Tuttle. Durch Erwärmung des K. in Sonnennähe (Temple-Tuttle nähert sich auf seiner elliptischen Bahn alle 33 Jahre dem Inneren des Sonnensystems) verliert der K. Gas und Staubpartikel, die sich in seiner Bahn verteilen. Kreuzt die Erde diese Bahn, gerät ein Teil der Staubpartikel in die Erdatmosphäre und verglüht. Der Vorgang ist von der Erde aus als Lichtblitz zu sehen.

Herkunft: Ende der 90er Jahre waren ca. 1000 sog. kurzperiodische K. wie Temple-Tuttle bekannt, die in einem Zeitraum von bis zu 200 Jahren einmal die Sonne umlaufen. Ihre Bahnen liegen im sog. Kuipergürtel, der sich ab einer Entfernung von 35 AE (Astronomische Einheiten) ausbreitet. Die Zahl der K.-Kerne im Kuipergürtel wurde auf bis zu 10 Mrd geschätzt; davon haben bis zu 40000 einen Durchmesser von über 100 km. Kurzperiodische K. sind vermutlich aus langperiodischen K. (Umlaufzeit: 1000–100000 Jahre) hervorgegangen; ihre Bahnen wurden durch die Anziehung der Planeten (insbes. der Jupiter) näher zum Inneren des Sonnensystems hin abgelenkt. Langperiodische K. sind in der sog. Oortschen Wolke, dem äußersten Rand unseres Sonnensystems, beheimatet. Zwei 1996 von US-Astronomen entdeckte K. (1996RQ 20 und 1996TL66) lassen darauf schließen, dass zwischen dem Kuipergürtel und der Oortschen Wolke eine Gruppe von Kleinobjekten mit extrem instabilen Umlaufbahnen existiert. Bis 1999 waren ca. 500 Kleinobjekte bekannt, die von der Gravitation des Jupiters entweder ins Innere des Sonnensystems (kurzperiodische K.) oder ganz aus dem Sonnensystem hinaus gelenkt werden. http://www.iau.org

Kontinentale Tiefbohrung

Mehrere tausend Meter tiefe Bohrung ins Erdinnere, die Aufschluss über den Aufbau der tieferen Erdkruste liefern soll. Das tiefste Bohrloch der Welt ist auf der russischen Halbinsel Kola (12 260 m).

Oberpfalz: Das 9101 m tiefe Bohrloch der KTB in Windischeschenbach (Oberpfalz) soll 2001 wieder gefüllt werden. Das seit 1987 laufende Projekt zur Erforschung des Erdmantels (Kosten: ca. 600 Mio DM) lieferte Erkenntnisse über die Zusammensetzung der Erdkruste, die Erdwärme und die Entstehung von Gebirgen. Die für 1999/2000 geplanten Projekte dienen der Erdbebenforschung. U.a. wurde ein sog. vertikales seismisches Profil erstellt; an der Erdoberfläche wurden künstlich erzeugte Schwingungen in 8500 m und 3000 m Tiefe gemessen. Anfang 2000 soll unter Hochdruck Wasser in das Bohrloch geleitet werden, das im zerklüftete Gestein versickert und eine Vielzahl von (an der Erdoberfläche kaum mehr wahrnehmbaren) Minibeben auslöst. Es soll erforscht werden, wie weit die tektonischen Spannungen der Erdkruste in die Tiefe reichen.

Frühere Ergebnisse: Die ursprünglich bis in eine Tiefe von 10000 m vorgesehene Bohrung wurde bei 9101 m eingestellt, weil die Temperatur bereits die Marke von 280 °C erreichte, bei der sich das Gestein zu verflüssigen beginnt. Proben aus 7 km Tiefe gaben Aufschluss über die Entstehung des Gebirges. Die Bohrkerne wiesen stark zerbröselte Gesteinsschichten auf. Verursacht wurden die Brüche von einer Verschiebung der Kontinentalplatten vor rund 65 Mio Jahren. Dabei wurde das Gelände vermutlich um 3 km gehoben. Bislang nahmen die Geowissenschaftler an, dass die Bewegung der Erdkruste in Europa wesentlich früher,

nach der sog. variszischen Gebirgsbildungsphase (vor etwa 320 Mio Jahren), zum Stillstand gekommen war.
Hawaii: Anfang 1999 begann auf dem Mauna Kea in Hawaii eine KTB, die bis in eine Tiefe von 4 km vorstoßen soll. Das wissenschaftliche Programm unter Beteiligung des Geoforschungszentrums Potsdam dient der Untersuchung des Vulkanismus. Hawaii ist die weltgrößte Insel vulkanischen Urspungs.
http://www.gfz-potsdam.de/pb95/ktb

Kugelblitz

Seltener kugelförmiger Blitz, der 10–15 sec existiert, sich langsam bewegt und aus glühendem ionisierten Gas (Plasma) besteht

Das Geheimnis des K., der lange Zeit als Phantasieprodukt galt, wurde 1998 wahrscheinlich geklärt. Der spanische Physiker Antonio Ranada stellte die Theorie auf, dass zwei überlagerte Magnetfelder mit ihren Feldlinien das Plasma gefangen halten. Dieser Ansatz erklärt, warum K. nach außen kaum Wärme abstrahlen, entlang der Feldlinien aber rund 16 000 °C heiß sind. Andere Physiker wandten jedoch ein, dass Ranadas Theorie die langsame Bewegung der K. ungeklärt lasse.
http://www.a-site.at/Wissen/messages/88.htm

Laser

(engl.; Light Amplification by Stimulated Emission of Radiation; Lichtverstärkung durch angeregte Strahlungsemission), Verstärker für Licht oder andere elektromagnet. Strahlung; L. erzeugen durch gezielte Anregung von Elektronen in einem homogenen Medium kohärentes (im Gleichtakt schwingendes), einfarbiges Licht, das seine gesamte Energie in einem eng gebündelten Strahl zusammenhält.

Einsatz: L. werden in der Fertigungstechnik meist zum präzisen Schweißen, Schneiden, Bohren und Löten eingesetzt, in der Vermessungstechnik, in der Elektronik zur optischen Datenübertragung (z.B. in Glasfaserkabeln), zum Lesen von CDs, in L.-Druckern, in der Holographie, in der Medizin zum Schneiden und Verschweißen.

Markt: Deutschland hatte 1998 bei der Produktion von L.-Quellen und L.-Anlagen mit 1,1 Mrd DM Umsatz einen Weltmarktanteil von 25%. Für 2000 wird eine Verdreifachung des weltweiten Gesamtvolumens auf über 13 Mrd DM erwartet.

Diodenlaser: Die kompakteste und effektivste L.-Quelle sind spezielle Halbleiterdioden, die ähnlich wie Leuchtdioden funktionieren. Bislang konnten sie nur Leistungen im Wattbereich erbringen und wurden fast nur in der Elektronik eingesetzt (z.B. in CD-Spielern). Ende des 20. Jh. gelang es der Forschung, Diodenlaser so zu bündeln, dass sie bis zu 2 kW Leistung erreichen und z.B. Kunststoffteile gezielt verschweißen können. Das im Jahr 1998 vom Bundesforschungsministerium initiierte Leitprojekt »Modulare Diodenlaser-Strahlwerkzeuge« brachte insgesamt 15 Unternehmen und sechs Forschungsinstitute zusammen, um diese Lasertechnik gezielt weiterzuentwickeln.
Blaue Laser: Ende der 90er Jahre gelang die Entwicklung von Diodenlasern, die blau-violettes Licht erzeugen. Die kleinere Wellenlänge des blauen Lichts erlaubt, DVDs mit kleineren Pits zu bauen, die über 15 Gigabyte an Daten auf einer Seite speichern können.
http://www.ilt.fhg.de
http://www.berlinews.de/wista/archiv/24.shtml
http://www.BerlinOnline.de/archiv/forschung/
http://www.htw-dresden.de/~htw8939/
projekte/ klimsa/osmedia/dvd.html
http://www.physik.uni-regensburg.de/
dpgr98/pi_09_98.html

Leuchtdiode

(LED, engl.; Light Emitting Diode, auch Lumineszenzdiode), eine Halbleiterdiode, die je nach Bauart rotes, gelbes, grünes oder blaues Licht aussendet, solange Strom hindurchfließt

Anwendung: Als erstes Großunternehmen der Welt begann der niederländische Philips-Konzern Anfang 1999 mit der Produktion von Polymer-L., flächenförmigen L. aus dem Kunststoff Polyparaphenylen. Sie können als Displays z.B. in Handys eingesetzt werden und liefern gestochen scharfe, hell leuchtende Zahlen und Zeichen. Anders als die bislang üblichen Flüssigkristall-Anzeigen können sie aus jedem Blickwinkel gelesen werden. Bei einer Betriebsspannung von 4,5 Volt leuchten Polymer-L. so hell wie herkömmliche Haushalts-Glühbirnen. Röhrenartig verwobene, langkettige Kohlenstoffverbindungen ersetzen bei den Polymer-L. die bis dahin üblichen keramischen Halbleiter.
http://www.iap.fhg.de/

Grunddaten des Mars

Alter	4,5 Mrd Jahre
Durchmesser	6794 km
Masse	638,8 x 10 18 t (1/10 der Erdmasse)
Monde	2 (Phobos, Demos)
Mittlerer Sonnenabstand	227,9 Mio km
Kürzester Erdabstand	56 Mio km
Weitester Erdabstand	400 Mio km
Dauer eines Marsjahres	687 (Erd-)Tage
Dauer eines Marstages	24 h, 37 min
Temperatur	−80°C bis ca. 20°C (Äquator) bis −130°C (Polkappen)

Mars

Erdverwandtschaft: Aufnahmen der Raumsonde Mars Global Surveyor und des Hubble-Weltraum-Teleskops verdeutlichten 1999 weiter die Ähnlichkeiten der beiden Nachbarplaneten Erde und M. U.a. wurde nachgewiesen, dass auf dem M. ähnlich wie auf der Erde eine Plattentektonik (Bewegung der Kruste) stattgefunden hat, die jedoch auf die Frühzeit des M. beschränkt blieb. Das Hubble-Weltraum-Teleskop beobachtete Ende April 1999 einen Wirbelsturm über der nördlichen Polarregion des M., der Hurrikanen auf der Erde glich. Das Auge hatte einen Durchmesser von 320 km. Die Frage, ob Spuren von Wasser und frühes Leben auf dem M. nachgewiesen werden können, spaltete 1998/99 die For-

scherwelt. Einige Astronomen werteten Aufnahmen von der M.-Oberfläche (Missionen Pathfinder, Global Surveyor ab 1996) als Beleg für die Existenz früher Quellflüsse oder Meere, doch die Mehrheit der Wissenschaftler verneinte die These.

Vulkanismus: Die in einigen Regionen des M. vermessenen sog. Flusstäler mit glatter Oberflächenstruktur könnten nach jüngsten Analysen auch durch den Auswurf und die gleichmäßige Verteilung von Lava entstanden sein. Die heutige Oberflächenstruktur des M. hätte sich demnach unter dem Einfluss des Vulkanismus in einzelnen Regionen zu unterschiedlichen Zeiten herausgebildet. Gestärkt wurde die Theorie durch den Befund, dass in den Polarkappen des M. nur wenig Wasser gebunden ist, weit weniger (ca. 10%) als nach der Annahme zweier großer Meere auf der Nordhalbkugel des M. vorhanden sein müsste. Die Polarkappe des M.-Nordpols weist eine durchschnittliche Mächtigkeit von 1000 m auf. Das Volumen von ca. 1,2 Mio m^3 Eis entspricht ungefähr der Hälfte des Grönlandeises bzw. 4% des Eisvolumens der Erdantarktis.

Meteoriten-Analyse: Auch die Theorie, wonach komplexe organische Moleküle im M.-Gestein auf die frühere Existenz von einfachen Organismen hindeuten, wurde nach wiederholter Analyse des vom M. stammenden Meteoriten ALH 84001 widerlegt. Wahrscheinlich haben sich die im Meteoriten eingeschlossenen polyzyklischen aromatischen Kohlenwasserstoffe erst bei chemischen Reaktionen beim Meteoriteneinschlag in der Antarktis gebildet. Die analysierten Karbonatkügelchen im Meteoritengestein sind nach Ansicht der Forscher auf den Vulkanismus des M. zurückzuführen. Näheren Aufschluss über das unter der M.-Oberfläche eingeschlossene Wasser erwarten die Forscher von weiteren unbemannten Erkundungsmissionen zum M.

  Raumfahrt

Mikrosystemtechnik

Entwicklung und Erprobung von Mikrosystemen, d. h. mikroskopisch kleinen Baugruppen, die messen, schalten, etwas gezielt bewegen und i. d. R. Befehle von außen annehmen können

Vorteile: Die M. ermöglicht z. B. die ungestörte Aufnahme von Messwerten vor Ort und die schnelle, gezielte Reaktion. Oft

Mikrosystemtechnik: Grundbegriffe

▶ **Mikroelektronik:** Entwicklung mikroskopisch kleiner elektronischer Schaltungen, die sich zusammen mit Leiterbahnen auf einem Chip befinden und Informationen verarbeiten können.

▶ **Mikromechanik:** Entwicklung mikroskopisch kleiner Geräte, die Bewegungen ausführen können (z. B. Motoren, Propeller, Ventile).

▶ **Mikrometer:** 1 Mikrometer (µm) = 0,001 mm (1 Tausendstel Millimeter)

▶ **Mikrooptik:** Entwicklung mikroskopisch kleiner Sensoren und Schaltungen, die mit Licht arbeiten.

▶ **Mikrosystem:** Ein mikroskopisch kleines System, das meist aus Sensoren, einer elektronischen Schaltung, einem mechanischen Stellglied (z. B. Motor mit Propeller) und einer Schnittstelle zur Außenwelt besteht. Seine Größenordnung liegt im Mikrometerbereich.

▶ **Nanometer:** 1 Nanometer (nm) = 0,001 µm (1 Tausendstel Mikrometer) = 0,000001 mm (1 Millionstel Millimeter)

▶ **Sensor:** Fühler, der in seiner engeren Umgebung Messwerte aufnehmen kann (z. B. Temperatur, Druck, Konzentration eines Salzes).

werden mikrooptische und mikroelektronische Elemente kombiniert.

Entwicklungen: Spektakuläre Fortschritte machte die M. Ende des 20. Jh. vor allem in der Medizintechnik:

- Katheter mit Mess-Sensoren
- implantierbare Neurostimulatoren, die z. B. den Blasenmuskel von Querschnittgelähmten reaktivieren können
- Miniaturgreifer und -kameras für Endoskope, mit denen schonend im Innern des Körpers operiert werden kann
- implantierbare Mikropumpen, die ferngesteuert und dosiert Medikamente direkt am Wirkort abgeben
- ein Mikronadelpflaster, das die Injektionsspritze ersetzen kann
- ein Mikro-U-Boot von einem halben Millimeter Durchmesser für gezielte »Tauchfahrten« im Blutkreislauf.

Markt: Nach neueren Schätzungen wird für die M. im Jahr 2000 ein Weltmarktvolumen von 45 Mrd DM erwartet – erheblich weniger als Anfang der 1990er Jahre geglaubt. Wichtigste Umsatzträger im Bereich M. waren Ende der 90er Jahre Druckköpfe für Tintenstrahldrucker, Schreib-Leseköpfe für Computer-Festplatten und Laser-Abtaster für CDs. Deutsche Produkte fanden vor allem im Automobilbau Verwendung, z. B. bei der Steuerung von Anti-Blockiersystemen und Airbags. In den anderen Bereichen (z. B. Medizintechnik), gab es 1998/99 nur kleine Stückzahlen und eine zögerliche Umsetzung von Entwicklungen in marktfähige Produkte. Potenziell gilt die M. aber als eine der Schlüsseltechnologien des 21. Jh.

http://www.bmbf.de
http://www.iclab.fh-furtwangen.de
http://www.ruhr-uni-bochum.de

Nanotechnologie

Künstlicher Bau von Strukturen im Nanometerbereich (1 nm = 1 Millionstel mm), d. h. in der Größenordnung einzelner Moleküle. Möglich wurde die N. durch in den 80er Jahren entwickelte Verfahren wie Rastertunnel- und Rasterkraftmikroskopie.

Eigenschaften: Nanoteilchen und -strukturen zeigen besondere elektrische und optische Reaktionen wegen ihres hohen Anteils an Oberflächenatomen sowie wegen Quanten- und Tunneleffekten. Kraftänderungen wirken sich nicht kontinuierlich aus, sondern in Stufen (Quanten). Beim Tunneleffekt dringen Teilchen, meist Elektronen,

Mikrotechnische Elemente werden in Reinraumtechnik gefertigt (hier: Drehratensensoren für die Fahrdynamikregelung ESP bei Automobilen).

durch eine schmale Zone (Potenzialwall), in der die potenzielle Energie höher ist als ihre kinetische Energie.

Entwicklungen: Ende der 90er Jahre entwickelten sich die Forschungen zur N. so rasant, dass von einer »Nanorevolution« gesprochen wurde. Maschinen und Materialien sollen im 21. Jh. wie Pflanzen Atom für Atom »wachsen«. Beispiele:

- Nanoröhrchen (nanotubes) aus sechseckig verbundenen Kohlenstoffatomen, in den USA durch Laserbeschuss gewonnen, gelten als bis dahin stärkste Faser. Sie leiten Strom noch besser als Gold und kommen ohne Isolierung aus; Kurzschlüsse gibt es nicht, was extrem kleine Leitungen für Computerchips ermöglicht.
- In Dresden wurden Nanozylinder aus Graphit entwickelt, die als Leiter in Flachbildschirmen dienen sollen.
- In den Niederlanden wurde ein Transistor aus einem einzigen Molekül gebaut.
- In Japan ließen Forscher tierische Nervenzellen an vorgegebenen Bahnen entlang zu einem neuronalen Netz zusammenwachsen, das als hochkomplexer Computer arbeiten soll.

Förderung: Das Bundesministerium für Bildung und Forschung prämiierte im

Da Neutronen keine eigene Ladung besitzen, können sie weit ins Innere der Materie vordringen, sind dabei aber wesentlich schonender als z. B. Röntgenstrahlen. Die im Neutronenreaktor erzeugten Strahlen eignen sich z. B. zur Durchleuchtung von Metallen u. a. Werkstoffen. Die Ende der 90er Jahre in Europa und den USA betriebenen Neutronenreaktoren dienten vor allem der Grundlagenforschung.

Neutronenreaktoren weltweit (Auswahl)

Institut	Land/Ort	URL
Institut Laue Langevin (ILL)	🇫🇷 Grenoble	http://www.ill.fr/
ORPHÉE am Laboratoire Léon Brillouin	🇫🇷 Saclay	http://www-llb.cea.fr/
BER-II: Berliner Experimentier-Reaktor am Hahn-Meitner-Institut	🇩🇪 Berlin	http://www.hmi.de/
National Institute of Standards and Technology (NIST)	🇺🇸 Washington, D. C.	http://www.nist.gov/
Oak Ridge National Laboratory (ORNL)	🇺🇸 Oak Ridge, Tenn.	http://www.ornl.gov/
Studsvik Neutron Research Laboratory (Neutronforskningslaboratoriet – NFL)	🇸🇪 Uppsala	http://www.studsvik.uu.se/nfl/
Institute of Physics and Power Engineering (IPPE)	🇷🇺 Obninsk	http://www.ippe.rssi.ru/
BN-350	Aktau (Kasachstan)	http://www.ippe.rssi.ru/
Belojarsk BN-600	🇷🇺 Zarechny	http://www.ippe.rssi.ru/

August 1998 im Rahmen eines Wettbewerbs sechs deutsche »Kompetenzzentren in der N.« und fördert sie auf fünf Jahre hinaus mit insgesamt 100 Mio DM. Die beteiligten Institute liegen in Aachen, Berlin, Braunschweig, Chemnitz, Dresden, Hamburg, Münster, Saarbrücken und Tübingen.
Markt: In Deutschland wurde die N. Ende der 90er Jahre vor allem eingesetzt, um Verschleiß und Korrosion von Oberflächen zu untersuchen, ferner in der Arzneimittelforschung. Dazu dienen Rastertunnelmikroskope, die Oberflächen kleinster Objekte mit einer winzigen Nadel abtasten und mit Tunnelströmen auf atomarer Ebene vermessen. Das weltweite Marktvolumen für N. soll nach Schätzungen bis 2001 auf über 100 Mrd DM steigen.
http://nano.xerox.com
http://www.foresight.org
http://cnst.rice.edu
http://www.nanonet.de

Neutronenreaktor

Anlage zur Erzeugung schneller Neutronen (elektrisch neutraler Kernteilchen) durch Kernspaltung; sie dient der Grundlagenforschung (Kernphysik), der Materialprüfung, der medizinischen Strahlentherapie sowie der Forschung im Bereich Umwelttechnik und Elektronik.

FRM-II: Auf dem Baugelände des Forschungsreaktors München II (FRM-II) in Garching wurde im August 1998 der erste Abschnitt fertig gestellt. Die Kosten von 840 Mio DM sollen zur Hälfte vom Bund getragen werden. Größter Auftragnehmer ist die Firma Siemens. FRM-II soll ab 2001 den 1957 in Betrieb genommenen FRM-I, das Garchinger »Atom-Ei«, ersetzen und zur weltweit leistungsfähigsten Neutronenquelle werden.

Brennstoff: Der Streit um den Brennstoff des FRM-II hielt 1999 an. Der N. soll nach gültiger Planung mit hoch angereichertem Uran (HEU, Highly Enriched Uranium) betrieben werden, das im Prinzip auch für den Bau von Atomwaffen geeignet ist. Deshalb verlangte die US-Regierung schon 1995 einen internationalen Ausstieg aus der zivilen Nutzung von HEU. Die Münchener Kernphysiker beabsichtigten 1999 das Uran in Russland zu kaufen und wurden von der bayerischen Landesregierung unterstützt. Die im Herbst 1998 gewählte rot-grüne Bundesregierung vereinbarte im Koalitionsvertrag jedoch eine Umrüstung des FRM-II auf schwach angereichertes Uran als Brennstoff.
Bundesforschungsministerin Edelgard Bulmahn (SPD) setzte im Februar 1999 eine Expertenkommission ein, die prüfen soll, ob die Umrüstung noch möglich ist. Eine entsprechende Umstellung für den N. in Grenoble/Frankreich vereinbarte Ende 1998 das Institut Laue Langevin (ILL) mit der US-Regierung, nachdem Russland kein HEU für den Reaktor liefern konnte.
http://www.frm2.tu-muenchen.de/

Nobelpreis

Seit 1901 jährlich verliehene Auszeichnung für herausragende Leistungen in Chemie, Medizin/Physiologie, Literatur, Physik und (seit 1969) Wirtschaftswissenschaften sowie für besondere Verdienste um die Erhaltung des Friedens

1998 war der N. mit umgerechnet jeweils 1,6 Mio DM dotiert und wurde an folgende Personen verliehen:

Chemie: Walter Kohn (USA) und John A. Pople (Großbritannien) entwickelten computergestützte Methoden zur Analyse und Berechnung von Atomen und Molekülen (sog. Quantenchemie) und schufen damit Möglichkeiten zur Vorherbestimmung chemischer Reaktionen.

Frieden: Die beiden nordirischen Politiker John Hume (Katholik, Vorsitzender der Sozialdemokratischen Arbeiterpartei, SDLP) und David Trimble (Protestant, Vorsitzender der Ulster Unionist Party) wurden für ihren Einsatz um die friedliche Lösung des seit 1969 andauernden Nordirland-Konflikts geehrt. Hume und Trimble gelten als Architekten des Friedensabkommens, das im April 1998 nach 29 Jahren Bürgerkrieg zwischen Katholiken und Protestanten unterzeichnet wurde.

Literatur: Als erster Portugiese erhielt der Romancier und Publizist José Saramago den N. für sein Gesamtwerk. In seinen nach dem Ende der Salazar-Diktatur (1974) entstandenen Büchern hat Saramago immer wieder die jüngere Geschichte seines Landes thematisiert.

Medizin/Physiologie: Bereits in den 80er Jahren entdeckten die US-Amerikaner Robert Furchgott, Louis Ignarro und Ferid Murad, dass Stickstoffmonoxid (NO) im Körper mehrzelliger Lebewesen, auch des Menschen, insbes. als Signalmolekül im Herz-Kreislauf-System und bei der Abwehr von Krankheitserregern und Krebszellen wirkt. Ihre Erkenntnisse setzten zahlreiche Forschungen und Therapien in Gang: u.a. zur Behandlung von Herzerkrankungen und Arteriosklerose, bei Lungen-, Magen- und Darmerkrankungen, in der Frühgeborenen- und in der Notfallmedizin.

Physik: Robert B. Laughlin (USA), Horst Störmer (Deutschland) und Daniel Tsui (USA) erforschten den Fraktionierten Quanten-Hall-Effekt. Sie wiesen nach, dass Elektronen (negativ geladene Elementarteilchen) bei extrem tiefen Temperaturen ($-273\ °C$) und in sehr starken Magnetfeldern in einer Form auftreten können, die nur Bruchteile der Ladung eines Elektrons besitzt. Die Elektronenladung galt bis dahin als kleinste unteilbare Ladung.

Nobelpreise nach Ländern: Chemie[1]	
1. USA	45
2. Deutschland	26
3. Großbritannien	25
1) 1901–98	

Nobelpreise nach Ländern: Medizin[1]	
1. USA	78
2. Großbritannien	23
3. Deutschland	15
1) 1901–98	

Nobelpreise nach Ländern: Frieden[1]	
1. USA	19
2. Großbritannien	14
3. Frankreich	9
1) 1901–98	

Nobelpreise nach Ländern: Physik[1]	
1. USA	70
2. Deutschland	20
3. Großbritannien	19
1) 1901–98	

Nobelpreise nach Ländern: Literatur[1]	
1. Frankreich	12
2. USA	10
3. Großbritannien	7
Schweden	7
1) 1901–98	

Nobelpreise nach Ländern: WiWi[1]	
1. USA	28
2. Großbritannien	4
3. Norwegen	2
Schweden	2
1) WiWi = Wirtschaftswissenschaften 1969–98	

Bis auf Literatur waren die USA in allen Nobelpreiskategorien führend. Deutsche Wissenschaftler, die in der Jahrhundertstatistik in Chemie, Medizin und Physik unter den ersten Drei rangieren, wurden vor allem in der ersten Hälfte des 20. Jh. mit dem Nobelpreis geehrt. Seit Anfang der 30er Jahre mussten viele Forscher wegen jüdischer Abstammung vor den Nationalsozialisten aus Deutschland und später aus Österreich fliehen.

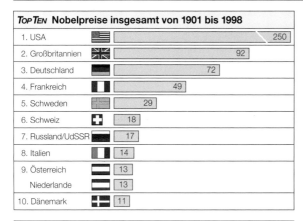

TopTen Nobelpreise insgesamt von 1901 bis 1998

1. USA		250
2. Großbritannien		92
3. Deutschland		72
4. Frankreich		49
5. Schweden		29
6. Schweiz		18
7. Russland/UdSSR		17
8. Italien		14
9. Österreich		13
Niederlande		13
10. Dänemark		11

Alternative Nobelpreise nach Fachgebieten[1]

Bildung/Sozialwesen	17,6
Gesundheitswesen/Medizin	17,6
Frieden/Völkerverständigung	11,8
Menschenrechte/Minderheitenschutz	17,6
Umwelt- und Naturschutz	23,6
Wirtschaft/Sozio-Ökonomie	11,8

1) Anteil 1989–98 (%)

Altern. Nobelpreise nach Regionen

Afrika	
Ostafrika	3
Südafrika	1
Westafrika	3
Amerika	
Mittel- u Südamerika	5
Nordamerika	5
Asien	
Mittlerer Osten	2
Ostasien	1
Süd- u. Zentralasien	5
Südostasien	2
Europa	
Mittel- u. Osteuropa	6
Westeuropa	4
Ozeanien	3
International	1

Wirtschaftswissenschaften: Der Wohlfahrtsexperte Amartya Sen (Indien) zeigte in seinen Forschungen zur Bekämpfung der Armut u.a., dass Hungerkatastrophen nicht allein durch klimatische Faktoren ausgelöst werden, sondern ökonomisches und organisatorisches Versagen eine Rolle spielen. **Verfahren:** Der N. wird jeweils am 10.12., dem Todestag des Stifters Alfred Nobel (1833–96), in Stockholm (Schweden) und Oslo (Norwegen, Friedensnobelpreis) verliehen. Komitees mit Wissenschaftlern aus aller Welt schlagen bis Sommer des jeweiligen Jahres N.-Kandidaten vor. Aus diesem Kreis bestimmen die N.-Komitees in Stockholm und Oslo die Preisträger. Die Dotierung aus den Zinsen der Nobel-Stiftung, einem aus dem Vermögen des Industriellen Nobel gebildeten Fonds, geht zu gleichen Teilen an die jeweiligen Preisträger. Der Preis für Wirtschaftswissenschaften basiert auf einer Stiftung der Schwedischen Reichsbank.

Personen
http://www.nobelprice.se

Nobelpreis, Alternativer

(eigtl. Right Livelihood Award, engl.; Preis für verantwortungsbewusste Lebensführung). Mit dem N. werden herausragende Leistungen zur Lösung drängender Menschheitsprobleme ausgezeichnet.

1998 vergab die Stiftung für verantwortungsbewusste Lebensführung (London) den mit insgesamt 400 000 DM dotierten N. zu gleichen Teilen an:
– Katarina Kruhonja und Vesna Terselic (Kroatien), die sich für Frieden, Gerechtigkeit und Versöhnung in Jugoslawien und den Nachfolgeländern des früheren Vielvölkerstaates einsetzten
– das Internationale Netzwerk für Babynahrung (Ibfan), das in 150 Ländern den Einsatz von künstlicher Babynahrung in den Ländern der Dritten Welt bekämpft und Mütter über Vorteile des Stillens aufklärt
– den chilenischen Umweltschützer Juan Pablo Orrego und die von ihm ins Leben gerufene Biobio-Aktionsgruppe, die für den nachhaltigen Schutz der Biobio-Flusslandschaft im Süden Chiles eintritt
– den US-Arbeitsmediziner Samuel Epstein, der industrielle Umweltgifte als Hauptquelle einiger Krebserkrankungen nachgewiesen hat.

Stifter: Der N. wurde 1980 von Jakob von Uexküll (*1944) gestiftet. Der deutsch-schwedische Publizist war mit der Vergabepraxis des Nobelpreiskomitees unzufrieden, das seiner Meinung nach wegweisende Modelle abseits der gängigen Wissenschaftslehre nicht berücksichtige.

> Personen
http://www.oneworld.org

Patentanmeldungen

Anträge: 1998 wurden beim Deutschen Patent- und Markenamt (DPMA, München) 83 338 P. registriert (+10,3% gegenüber 1997). In Deutschland ansässige Unternehmen und Erfinder meldeten 47 633 Patente an (+5%); die Zahl der P. aus Ostdeutschland stieg um 7% auf 3243 P. Die meisten P. bezogen sich auf Erfindungen im Maschinenbau, in der Fahrzeugtechnik sowie in der Mess- und Prüftechnik. Wie in den Vorjahren war Siemens mit 3093 P. der größte Einzelanmelder.
Erledigte Fälle: 1998 wurden 15 836 Patente erteilt (–3% gegenüber 1997). Die anhaltende Zunahme der P. sowie Haushaltskürzungen und Personalabbau beim DPMA ließ die Zahl der unerledigten Fälle weiter wachsen (31.12.1998: 90 381). Von der P. bis zur Erteilung eines Patents vergingen Ende der 90er Jahre durchschnittlich 32 Monate. Das DPMA sowie Patentanwälte fürchteten Nachteile für die Wirtschaftsentwicklung in Deutschland, da die Bearbeitung von P. insbes. mit der Schnelllebigkeit der Entwicklungen in Schlüsseltechnologien (Biotechnologie, Telekommunikation etc.) nicht Schritt hielt.
Europa: Anfang 1999 beschlossen die 19 Mitglieder der Europäischen Patentorganisation, acht mittel- und osteuropäischen Staaten den Beitritt zum Europäischen Patentabkommen zu ermöglichen. Für Mitte 1999 wurde eine Gebührenabsenkung angekündigt, die zu einer Verbilligung der P. von rund 250 Mio DM/Jahr führen soll. Beim Europäischen Patentamt (EPA, München) wurden 1998 insgesamt 82 000 P. registriert. Die aktivsten Antragsteller waren die USA (28,5%), Deutschland (19,8%) und Japan (16,8%) die 1998 auch weltweit eine Führungsrolle bei P. einnahmen.

http://www.patent-und-markenamt.de
http://www.european-patent.office.org.
http://www.patent.net.

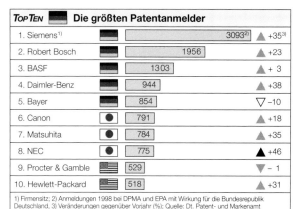

TopTen **Die größten Patentanmelder**

			Anmeldungen	Veränderung
1. Siemens[1]	🏴		3093[2]	▲ +35[3]
2. Robert Bosch	🏴		1956	▲ +23
3. BASF	🏴	1303		▲ + 3
4. Daimler-Benz	🏴	944		▲ +38
5. Bayer	🏴	854		▽ –10
6. Canon	●	791		▲ +18
7. Matsuhita	●	784		▲ +35
8. NEC	●	775		▲ +46
9. Procter & Gamble	🇺🇸	529		▼ – 1
10. Hewlett-Packard	🇺🇸	518		▲ +31

1) Firmensitz; 2) Anmeldungen 1998 bei DPMA und EPA mit Wirkung für die Bundesrepublik Deutschland, 3) Veränderungen gegenüber Vorjahr (%); Quelle: Dt. Patent- und Markenamt (München), http://www.patent-und-markenamt.de

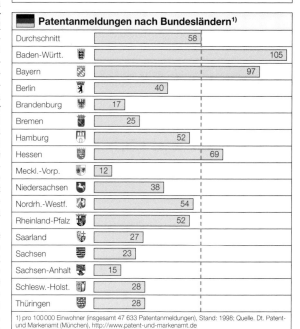

🏴 **Patentanmeldungen nach Bundesländern[1]**

Durchschnitt		58
Baden-Württ. 🛡		105
Bayern 🛡		97
Berlin 🐻	40	
Brandenburg 🦅	17	
Bremen 🛡	25	
Hamburg 🏰	52	
Hessen 🦁		69
Meckl.-Vorp. 🐂	12	
Niedersachsen 🐎	38	
Nordrh.-Westf. 🐎	54	
Rheinland-Pfalz 🛡	52	
Saarland 🛡	27	
Sachsen 🛡	23	
Sachsen-Anhalt 🐻	15	
Schlesw.-Holst. 🛡	28	
Thüringen 🦁	28	

1) pro 100 000 Einwohner (insgesamt 47 633 Patentanmeldungen), Stand: 1998; Quelle: Dt. Patent- und Markenamt (München), http://www.patent-und-markenamt.de

Planeten

Himmelskörper, die nicht selbst Licht aussenden, sondern nur das Licht eines Sterns reflektieren, den sie in elliptischen Umlaufbahnen umkreisen

Extrasolare Planeten: Ende der 90er Jahre gewann die Beobachtung von P. außerhalb unseres Sonnensystems mit erd-

Planeten: Neue Erkenntnisse

▶ **Jupiter:** Bilder der Raumsonde Galileo von 1998 zeigen, dass der Jupiter von vier Ringen umgeben ist, wobei die beiden äußeren Ringe ineinander verschlungen sind. Die Ringe sind Staubscheiben; sie werden durch Meteoriteneinschläge auf den Jupitermonden verursacht und dehnen sich bis in eine Entfernung von 250000 km aus. Bis dahin waren die Astronomen davon ausgegangen, dass Jupiter drei Ringe besitzt.

▶ **Neptun:** Der 180 km große Neptunmond Galatea bewegt sich schneller um den Planeten als Astronomen bislang nach Aufnahmen der Raumsonde Voyager 2 vorausberechnet hatten. Ob die Ursache auf einer fehlerhaften Berechnung der Umlaufzeit um 1/10 sec beruht oder andere Störfaktoren dabei eine Rolle spielen, war Mitte 1999 noch unklar. Insgesamt ist der Neptun von acht Monden umkreist.

▶ **Pluto:** Anfang 1999 durchquerte Pluto die Bahn des Neptun und ist danach wieder der äußerste Planet unseres Sonnensystems (kleinster Abstand von der Erde: 4,275 Mrd km; durchschnittl. Abstand von der Sonne: 6 Mrd km). Seine stark geneigte elliptische Bahn führt den kleinsten Planeten im Lauf einer vollständigen Sonnenumkreisung (Dauer: 247,7 Jahre) für ca. 20 Jahre in die Neptun-Bahn.

stationären und Weltraum-Teleskopen an Bedeutung. Seit der ersten Entdeckung eines P. außerhalb unseres Sonnensystems (1995, beim Stern P 51 im Sternbild Pegasus) stießen Astronomen auf rund 20 extrasolare P. Von der Erforschung dieser Himmelskörper erhofften sich die Astronomen Aufschlüsse über die Entstehung unseres Planetensystems.

Entdeckungen: 1998/99 registrierten Astronomen in aller Welt mehrere bis dahin unbekannte P.:

– Anfang 1999 beobachteten Forscher der Europäischen Südsternwarte (ESO) in Chile den bislang leichtesten P. außerhalb unseres Sonnensystems; er besitzt nur 0,42% der Masse des Jupiter (318 Erdmassen). In 3–4 Tagen umkreist er den Stern HD 75289 im Sternbild Vela, der 95 Lichtjahre von der Erde enfernt ist.

– Beim Stern Cancri 55 im Sternbild Krebs wiesen US-Astronomen außer einem P. eine Art Staubscheibe nach, die dem sog. Kuiper-Gürtel ähnelt.

– Das Hubble-Weltraum-Teleskop machte Aufnahmen eines 450 Lichtjahre von der Erde entfernten Doppelsternsystems, das von einem P. der dreifachen Größe des Jupiter (Durchmesser: 142 800 km) umrundet wird.

Planetensystem: In 44 Lichtjahren Entfernung beoachteten US-Himmelsforscher ein P.-System um den Stern Ypsilon Andromedae. Das System besteht aus drei jupiterähnlichen P., die in engen Bahnen um ihre Sonne kreisen. Die beiden äußeren P. weisen stark geneigte Umlaufbahnen auf. Dies widerspricht der bisherigen Annahme,

dass sich P. aus einer sog. protoplanetaren Scheibe aus Gas und Staub bilden und deshalb auf kreisförmigen Bahnen das Zentralgestirn umlaufen.

Erdähnlicher Planet: Astronomen aus Neuseeland und Japan stießen im rund 30 000 Lichtjahren Distanz auf einen P., der ähnliche Merkmale wie die Erde aufweist. Er umkreist den Mutterstern 98–35 in einer Entfernung vom Ein- bis Vierfachen des Erde–Sonne–Abstands (149,6 Mio km). Seine Masse liegt zwischen der Erdmasse und der des Neptun. Der weit entfernte P. wurde mit Hilfe des sog. Gravitationslinsen-Verfahrens nachgewiesen, das die Ablenkung des Lichts eines weit entfernten Sterns durch die Schwerkraft eines näher gelegenen Sterns ausnutzt.

http://www.iau.org.

Quantenphysik

Die von Max Planck um 1900 begründete Physik (Quantenmechanik, Quantenoptik, Quantenelektronik), die auf dem Welle-Teilchen-Dualismus aufbaut

Es wurde experimentell nachgewiesen, dass sich mikrophysikalische Objekte je nach Art der Beobachtung als ein Komplex von Teilchen oder eine Welle verhalten. Wechselwirkungen zwischen mikrophysikalischen Objekten (z. B. Elementarteilchen) erfolgen nicht stetig, sondern portionsweise, in Einheiten gleicher Größe (Quanten). Im Zentrum der Q. stehen die Photonen (Lichtquanten) – stabile Elementarteilchen ohne Ruhmasse, die sich mit Lichtge-schwindigkeit (300000 km/sec) bewegen und die Quanten der elektromagnetischen Strahlung darstellen.

Verschränkte Photonen: Innsbrucker Physikern gelang es 1998 vrmutlich, eine Information ohne Zeitverzug zu übertragen (zu teleportieren). Mit einem Laser und einem nichtlinearen Kristall erzeugten sie zwei miteinander verschränkte (korrelierte) Photonen A und B. Lichtquanten, die den Kristall passieren, sind entweder waagerecht oder senkrecht polarisiert. Verschränkte Photonen befinden sich in einem Schwebezustand; jedes einzelne ist gezwungen, die andere Polarisation als die seines Partners anzunehmen. Das Team um Prof. Anton Zeilinger erzeugte ein weiteres Photon C mit senkrechter Polarisation und verschränkte es in einem halbdurchlässigen Spiegel mit Photon A aus dem ersten Paar. A musste deshalb eine waagerechte Polarisation annehmen, und sofort nahm das 1 m entfernte Photon B eine senkrechte Polarisation an, wurde also zur Kopie von Photon C. In einem weiteren Experiment zeigten die Physiker, dass zwei verschränkte Photonen auch in 200 m Entfernung »wissen«, welchen Zustand ihr Partner annimmt.

Anwendung: Theoretisch ist es möglich, nach diesem Prinzip rasend schnelle Quantenrechner zu bauen, deren Bits (Einheiten 0 und 1) »Trits« wären: Es gäbe immer drei statt zwei mögliche Zustände, auch den unentschiedenen Schwebezustand. Dadurch wären weniger »Trits« nötig, um die gleiche Informationsmenge darzustellen.
http://info.uibk.ac.at/

Roboter

Rechnergesteuerte Automaten mit einer Anzahl von Bewegungsmöglichkeiten, die mit Greifern, Werkzeugen u. a. operieren

Markt: Industrie-R. waren eines der wichtigsten Themen der Hannover-Messe 1999. Weltweit gab es 1998 etwa 750 000 Stück, davon über 400 000 in Japan. Deutschland stand mit rund 73 000 R. nach den USA an dritter Stelle der Produzenten. 1998 kamen in Deutschland fast 10 000 neue R. hinzu (1997: 9000). Die meisten wurden zum Schweißen im Automobilbau eingesetzt.

Service-Roboter: Ende des 20. Jh. wurden außer den stationären Industrie-R. immer mehr mobile Service-R. eingeset. Sie bewegen sich mit Hilfe von Sensoren, Kameras und einprogrammierten Lageplänen selbständig. Wichtige Servicedienste leisten u. a. Putzroboter, automatische Putzsysteme für Hochhausfassaden und gewölbte Glashallen (z. B. Leipziger Messe), zwei

	TOP TEN Roboter pro Beschäftigte[1]	
Japan	●	277
Korea-Süd		104
Deutschland		88
Italien		63
Schweden		63
USA		42
Benelux		41
Frankreich		40
Schweiz		39
Österreich		38

1) Zahl der Roboter je 10 000 Beschäftigte, letztverfügbarer Stand: 1997; Quelle: UN, International Federation of Robotics (Angaben z. T. geschätzt)

Die Zahl der weltweit eingesetzten Roboter hat sich von Anfang der 80er bis Ende der 90er Jahre von rund 32 000 auf etwa 750 000 Stück erhöht. Von Anfang an war Japan in der Robertechnik und -anwendung führend.

riesige automatische Flugzeugputzer (Frankfurter Flughafen) sowie Lösch- und Rettungsroboter für Großbrände. Der auf der Hannover-Messe präsentierte Care-O-Bot hilft pflegebedürftigen Menschen im eigenen Haushalt. Auf der Hotelmesse Hogatec wurde im September 1998 der automatische Hotelpage »Mortimer« vorgestellt, der selbständig Koffer aufs Zimmer und Wäsche zur Wäscherei tragen kann. Auch stationäre Service-R. wurden entwickelt, z. B. ein Tank-R. (Prototyp bei BMW in München).

Schreitroboter: Das Magdeburger Fraunhofer-Institut stellte 1998 einen 21 kg schweren R. vor, der wie ein Insekt auf sechs Beinen schreitet und sich in unwegsamem Gelände bewegen kann, etwa für gefährliche Inspektionen nach Unglücken.
http://www.ipa.fhg.de/aktuell/mediendienst_04_99.php3
http://www.ipa.fhg.de/srbuch
http://www.iff.fhg.de

Sonnenfinsternis

Astronomen sagten Anfang 1999 für den 11.8.1999 gegen 12.30 Uhr für etwa zwei Minuten eine totale S. voraus, die erste im 20. Jh. in Nordwest- und Mitteleuropa. Die Totalitätszone, in der die Sonne als schwarze Scheibe zu sehen ist, erstreckt sich in Deutschland von 116 km Breite von Saarbrücken über Stuttgart bis München, in Österreich in einem Korridor von Salzburg bis Graz. In Deutschland wird ein solches

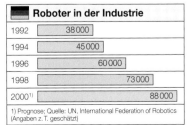

Roboter in der Industrie	
1992	38 000
1994	45 000
1996	60 000
1998	73 000
2000[1]	88 000

1) Prognose; Quelle: UN, International Federation of Robotics (Angaben z. T. geschätzt)

Arten von Sonnenfinsternissen

▸ **Partielle S.:** Der Mond verdeckt die Sonne nur teilweise. Die Helligkeit auf der Erde ist eingeschränkt. Wie weit sich der Mond über die Sonne geschoben hat, kann durch einen Filter beobachtet werden.

▸ **Ringförmige S.:** Bei dieser Form einer totalen S. kreuzt der Mond die Erdbahn in seinem erdfernsten Punkt. Von der Erde aus betrachtet ist sein Schatten kleiner als die Sonne. Von ihr bleibt auch bei einer totalen Überlagerung ein Ring sichtbar. Im Februar 1999 war eine ringförmige S. in Südostasien (über Singapur und Borneo) zu beobachten.

▸ **Totale S.:** Die Sonne wird für 2–3 min vollständig vom Kernschatten des Mondes überdeckt. In der Totalitätszone (bis zu 270 km breit), tritt Dunkelheit ein. Von der Sonne sind Chromosphäre und Strahlenkranz sichtbar.

Totale Sonnenfinsternisse in Europa

Datum	Verlauf der Zentrallinie
Oktober 2005	Spanien
März 2006	Türkei
März 2015	Atlantik vor der Küste Englands und in Norwegen
August 2026	Spanien
August 2027	Gibraltar, Nordafrika

Quelle: Sterne und Weltraum, 1999

Naturereignis erst wieder im Jahr 2135 zu beobachten sein. Bei einer S. werden die sog. Chromosphäre (Breite: ca. 6000 km) und die Sonnenkorona (Strahlenkranz) sichtbar, die sonst von der Helligkeit der Sonne überstrahlt werden.

Ablauf: Eine S. tritt ein, wenn der Mond zwischen Sonne und Erde liegt (Neumond) und der Mond die Bahnebene der Erde kreuzt. Alle drei Himmelskörper liegen dann auf einer (gedachten) Geraden, der Kernschatten des Mondes fällt bis auf die Erde. Der Mond steht so weit von der Erde entfernt, dass sein Schatten die größere Sonne verdeckt. Da die Mondbahn in einem Winkel von 5° zur Umlaufbahn der Erde um die Sonne geneigt ist und exzentrisch verläuft, kommt diese Konstellation nur zwei- bis viermal im Jahr vor. Wissenschaftler gehen davon aus, daß eine S. an einem bestimmten Standort der Erde nur alle 300 Jahre stattfindet.

http://www. wissenschaft.de

Technologiezentrum

Auch Technologiepark oder Gründerzentrum; konzentrierte Ansiedlung junger und forschungsorientierter Unternehmen auf einem von Kommunen oder privaten Investoren erschlossenen Gelände

Welt: Bis Ende der 90er Jahre gewannen T. weltweit als innovative Standorte zur Förderung von Existenzgründern (Start-Up-Unternehmen) an Bedeutung. Insbes. in Asien, Afrika und Lateinamerika sowie in Mittel- und Osteuropa übernahmen T. an der Schwelle zum 21. Jh. die Rolle von Keimzellen für den Anschluss der Volkswirtschaften an die westlichen Industriestaaten. Dort sollen T. mittel- bis langfristig die traditionellen Industrieansiedlungen ersetzen. In T. waren insbes. Hochtechnologie-Unternehmen aus Biomedizin, Biotechnologie, Informatik, Elektronik und Telekommunikation angesiedelt.

Deutschland: Ende 1998 gab es 268 deutsche T. mit über 5000 Unternehmen und 56 000 Beschäftigten. In Ostdeutschland entstanden bis Ende 1998 83 T. (2500 Unternehmen mit 17 000 Mitarbeitern). Die meisten Standorte für T. und Gründerzentren gab es in Nordrhein-Westfalen (über 60), die flächengrößten T. in Bayern. Seit Gründung des ersten T. in Berlin (1983) wurden T. mit rund 2 Mrd DM von der öffentlichen Hand (Bund, Länder, Kommunen) gefördert.

http://adt-online.de

High-Tech-Regionen in der EU[1]

Region	Wert
Stuttgart	233
Karlsruhe	211
Rheinhessen-Pfalz	201
Franche-Comté	192
Braunschweig	184
Mittelfranken	183
Tübingen	180
Unterfranken	177
Darmstadt	174
Piemont	172
Oberbayern	172
Beds-Herts	160
Elsass	159
Östra Mellansverige	155
Freiburg	154

1) Erwerbstätige in der Hochtechnologie/1000 Beschäftigte, letztverfügbarer Stand: 1997; Quellen: Eurostat, Globus

Die wichtigsten Teilchenbeschleuniger

Name	Ort		in Betrieb seit	Umfang/Länge	Typ
HERA (Hadron-Elektron-Ring-Anlage)		DESY[1] Hamburg	1992	6,3 km	Elektron-Positron
LEP (Large Electron Positron Collider)		CERN[2] Genf	1989	26,7 km	Elektron-Positron
LHC (Large Hadron Collider)		CERN, Genf	im Bau	26,7 km	Proton-Proton
Tevatron		FNAL[3] Fermilab, bei Chicago	1987	6,3 km	Proton-Antiproton
UNK		Protwino, Serpuchow	im Bau	20,8 km	Proton-Proton

1) DESY: Deutsches Elektronen-Synchrotron; 2) CERN: Organisation (früher: Conseil) Européenne pour la Recherche Nucléaire; 3) FNAL: Fermi National Accelerator Laboratory; Quelle: DESY, Hamburg

Teilchenbeschleuniger

Anlagen zur Beschleunigung von Elementarteilchen (meist negativ geladenen Elektronen oder positiv geladenen Protonen) zur Grundlagenforschung (Teilchen- und Hochenergiephysik), medizinischen Strahlentherapie, Werkstoffprüfung u. a.

T. bestehen aus ringförmigen oder geradlinigen Vakuumtunneln von mehreren hundert Metern bis Kilometern Länge und speziellen Elektromagneten, welche die Teilchen nahezu auf Lichtgeschwindigkeit (300 000 km/sec) beschleunigen und in der Bahn halten. Die Forscher lassen beschleunigte Teilchen gezielt kollidieren, wobei kurzzeitig Bedingungen entstehen, wie sie vermutlich in den ersten Millisekunden nach dem Urknall geherrscht haben. Die Teilchen verwandeln sich in Energie (andere Teilchen) und offenbaren ihre Zusammenhänge.

BESSY II: In Berlin wurde im September 1998 der Elektronenspeicherring BESSY II in Betrieb genommen. Der T. mit 240 m Durchmesser erzeugt eine Synchrotronstrahlung (von energiereichen Teilchen), in der physikalische und chemische Strukturen verschiedener Materialien auf atomarer Ebene untersucht werden sollen.

TESLA: In Rellingen bei Pinneberg (Schleswig-Holstein) begannen 1998 die Probebohrungen für den Bau eines 33 km langen Elektron-Positron-Linearbeschleunigers namens TESLA (TeV Energy Superconducting Linear Accelerator) mit einem neuartigen Röntgenlaser (Freie-Elektronen-Laser). Die Vakuumröhre soll ab 2010 vom Gelände des Deutschen Elektronen-Synchrotrons (DESY) in Hamburg bis zum schleswig-holsteinischen Dorf Westerhorn führen. Die Gesamtkosten (erste Schätzungen: über 7 Mrd DM) sollen 2001 beziffert, über den tatsächlichen Bau soll aber erst im Jahr 2003 endgültig entschieden werden. TESLA wäre der erste lineare T. mit supra(verlustfrei)leitenden Magnetspulen aus dem seltenen Metall Niob.

http://www.bessy.de/BII/bfest/ www.tesla.desy.de

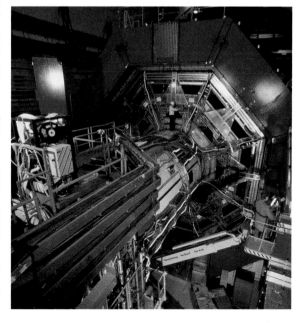

Teilchenbeschleuniger des Europäischen Kernforschungszentrums CERN bei Genf.

Transgene Lebewesen

Mikroorganismen (z. B. Bakterien), Tiere und Pflanzen, die durch gezielte gentechnische Veränderung ihrer Erbsubstanz spezielle Eigenschaften besitzen

Kulturpflanzen: 1998 wurden weltweit auf rund 30 Mio ha transgene Nutzpflanzen, insbes. Sojabohnen und Mais, angebaut (1997:12,8 Mio ha, +134%). Etwa ein Drittel der 1998 weltweit erzeugten Soja-Produktion war gentechnisch verändert. Führend in der sog. Grünen Gentechnik waren die USA, die auf 20,5 Mio ha Landwirtschaft mit transgenen Pflanzen betrieben; 30 Pflanzensorten waren dort zum Anbau freigegeben. Die genetische Modifikation bezog sich insbes. auf die Widerstandsfähigkeit gegen Schädlinge und Unkrautvernichtungsmittel. Mitte 1999 stoppte die EU-Kommission das Zulassungsverfahren für den Anbau einer sog. Bt-Mais-Sorte, der ein Gen des Bakteriums Bacillus thuringiensis eingebaut wurde, das einen Giftstoff (Bt-Toxin) gegen Schädlinge wie den Maiszünsler produziert. Ein Laborversuch in den USA hatte ergeben, dass das Bt-Toxin Schmetterlinge gefährdet. Nicht zurückgenommen wurde die in den Vorjahren erteilte Marktzulassung von zwei Gen-Mais-Sorten, deren Erbgut ebenfalls so verändert wurde, dass die Pflanze das Bt-Toxin enthält. Der Bt-Mais wurde 1998/99 in Deutschland und Spanien angebaut.

Mikroorganismen und Tiere: Weltweit erforschten Wissenschaftler 1998/99 die Übertragung artfremder tierischer bzw. menschlicher Erbsubstanz auf Mikroorganismen wie Bakterien oder (Nutz-)Tiere. Bei Laborversuchen in den USA gelang die Erzeugung des Moleküls Antithrombin III in Ziegen; der Stoff kann Blutgerinnsel auflösen. Britische Forscher übertrugen die Information zum Aufbau des menschlichen Verdauungsenzyms Alpha1-Antitrypsin (AAT) auf Schafe, die den Stoff mit der Milch abgeben. Beide Substanzen waren 1998/99 in der klinischen Erprobung. Weiter wurde versucht, die Gewebeeigenschaften von Tierorganen (z. B. vom Schwein) genetisch so zu verändern, dass bei einer speziesübergreifenden Verpflanzung (Xenotransplantation) keine Abstoßung mehr ausgelöst wird. In Japan züchteten Forscher menschliches Sperma in Hoden von Mäusen und Ratten. In den USA wurde Labor-

mäusen Eierstockgewebe von afrikanischen Elefantenkühen übertragen, worauf die Mäuse Elefantenfollikel produzierten. Die beteiligten Wissenschaftler glauben, die Techniken zur Erhaltung bedrohter Arten anwenden zu können.

Pharming (pharmazeutische Tierzucht): Neuseeländische Behörden genehmigten Anfang 1999 erstmals die Zucht einer genetisch veränderten und klonierten Schafherde, die mehrere tausend Tiere umfassen soll. Sie sollen mit ihrer Milch das Enzym AAT abgeben. Japanische Forscher kündigten die Zucht von Seidenspinnerraupen-Klonen (genetischen Kopien) an, die ebenfalls menschliche Eiweiße und Enzyme, darunter den Blutgerinnungshemmer Proxilin-S, produzieren sollen. Seidenspinnerraupen gelten als ideale Bioreaktoren, da sie im Gegensatz zu Mikroorganismen komplizierter aufgebaute Proteine (Eiweißstoffe, Grundbausteine des Lebens) erzeugen können. Gegenüber Nutztieren liegt ihr Vorteil im kürzeren Generationszyklus (45 Tage vom Schlüpfen der Raupen bis zur Verpuppung) und der größeren Population (Weibchen legen während ihrer kurzen Lebensdauer von 3–4 Tagen zwischen 300 und 500 Eier).

Wahrnehmung

Aufnahme äußerer Reize mittels spezieller Sinnesorgane (Augen, Ohren, Fühlern usw.)

Viele Tiere können Reize wahrnehmen, die Menschen nicht empfinden. Biologen entdeckten 1998 bei ihren Forschungen neue Sinnesorgane bei Tieren:

Termiten: Sie verfügen über einen Magnetsinn. Im Brust und Hinterleib der Tiere wurden mikroskopisch kleine Ferromagnete aus einem Eisenoxid nachgewiesen, mit denen sie Magnetfelder wahrnehmen und sich daran orientieren können (University of East Anglia, Norwich/Großbritannien). Bereits 1997 wurde ein Magnetsinnesorgan bei Zugvögeln entdeckt, mit dem sie sich vermutlich während des Vogelzugs orientieren.

Fische: Wissenschaftler der Universität Bonn entdeckten bei Spitzbartfischen einen elektrischen Ortungssinn. Sie können auch in völliger Dunkelheit Insektenlarven jagen, indem sie elektrische Signale abgeben und deren Störung durch benachbarte Gegenstände wahrnehmen.

Frauen

Alterssicherung

Vor allem wegen Unterbrechung oder Einschränkung der Erwerbstätigkeit zugunsten der Kindererziehung oder wegen Aufgabe des Berufes bei Familiengründung bezogen Frauen in Deutschland an der Wende zum 21. Jh. im Schnitt deutlich niedrigere eigene Renten als Männer. Durch die Hinterbliebenenrente (60% der Rente des verstorbenen Hauptverdieners) wurde diese Differenz aber vielfach kompensiert. Lt. Verband der Deutschen Rentenversicherungsträger (VDR, Frankfurt/M.) lag die durchschnittliche eigene Rente einer Frau im alten Bundesgebiet Anfang 1998 bei 812 DM monatlich, etwa 1000 DM niedriger als die Durchschnittsrente des männlichen Rentners. Die Witwenrente fiel in Westdeutschland mit einem Durchschnittswert von 1035 DM höher aus. In Ostdeutschland war wegen der höheren Erwerbsquote von Frauen die Situation umgekehrt: Durchschnittlich 1137 DM an eigener Altersrente standen 960 DM an Witwenrente gegenüber. Fast jede dritte Rentnerin in Deutschland erhielt eine Witwen- und eine eigene Altersrente, 18% lebten allein von der Witwen-, 53% nur von der Alters- oder Erwerbsunfähigkeitsrente.

Frauenarbeit

Nach Angaben des Statistischen Bundesamtes (SB, Wiesbaden) lag die Erwerbstätigenquote aller in Deutschland lebenden Frauen im April 1998 bei 65,6%. Nach Schätzungen des Bundesfamilienministeriums erreichten Frauen Ende der 90er Jahre nur 77% des Einkommens der Männer. Hauptursache sei, dass frauentypische Berufe meist deutlich geringer bezahlt seien.
Dienstleistungen: Überproportional vertreten waren Frauen im Dienstleistungssektor. Im Gesundheits- und Sozialwesen lag ihr Anteil 1996 (letztverfügbarer Stand) in Deutschland bei 76,5%, im Kredit- und Versicherungsgewerbe bei 48%.

Führungspositionen: Trotz vereinzelter Förderprogramme in Großunternehmen waren Frauen Ende der 90er Jahre in Führungspositionen der Privatwirtschaft deutlich unterrepräsentiert. Der Frauenanteil am Topmanagement betrug 1998 in deutschen Großunternehmen 3,6% (1995: 3,2%), im mittleren Management 11,0% (1995: 5,8%). In den Vorständen der 500 größten US-Firmen gab es 1998 einen Frauenanteil von 11,1% (1997: 10,6%). 86% der Unternehmen hatten in ihrem Vorstand mind. ein weibliches Mitglied.
Kind und Beruf: Knapp 60% der Mütter mit Kindern unter 18 Jahren waren nach SB-Angaben im April 1998 erwerbstätig. Die Erwerbstätigenquote lag bei den verheirateten Müttern bei 58,9%, bei alleinerziehenden bei 64%. Eine Vollzeittätigkeit übten im früheren Bundesgebiet 18,9% der verheirateten und 29,5% der alleinerziehenden Mütter aus, in den neuen Bundesländern waren es 52,3 bzw. 48,9%. Die übrigen arbeiteten Teilzeit oder als geringfügig Beschäftigte. Je jünger und zahlreicher die Kinder, desto weniger waren die Mütter berufstätig. Unter den Müttern mit drei Kindern arbeiteten aber immer noch 48,7%. Statistisch erfasst wurden Mütter im Alter zwischen 15 und 65 Jahren.

In Ostdeutschland ist die eigene Altersrente von Frauen im Schnitt höher als die Hinterbliebenenrente, in Westdeutschland ist die Situation umgekehrt.

▬▬ Frauen: Gesetzliche Renten	
2700 und mehr[1]	0,3[2] 0,2[3]
2400–2700	0,7 0,4
2100–2400	1,6 1,2
1800–2100	3,1 3,5
1500–1800	6,7 9,6
1200–1500	17,6 20,6
900–1200	20,3 25,3
600–900	14,3 19,0
300–600	20,6 12,3
unter 300	14,8 7,9

1) nach Abzug des Kranken- und Pflegeversicherungsbeitrags (DM), 2) eigene Alters- und Erwerbsunfähigkeitsrente (%), 3) Witwenrente (%); Stand: Anfang 1998; Quelle: Verband Deutscher Rentenversicherungsträger (Frankfurt/M.)

Frauenarbeit: Verheiratete Mütter

	D-West (%)	D-Ost (%)
insgesamt	55,8[1]	73,6[2]
unter 3 Jahre[3]	45,5	56,8
3–6 Jahre	49,3	64,6
6–10 Jahre	57,4	73,3
10–15 Jahre	65,2	78,9
15–18 Jahre	66,5	77,8

1) Anteil in D-West (%), 2) Anteil in D-Ost (%), 3) Alter des jüngsten Kindes, Stand: April 1998; Quelle: Statistisches Bundesamt; http://www.statistik-bund.de

Frauenarbeit: Alleinerziehende Mütter

	D-West (%)	D-Ost (%)
insgesamt	64,5[1]	63,0[2]
unter 3 Jahre[3]	45,1	48,3
3–6 Jahre	54,7	57,3
6–10 Jahre	65,8	62,6
10–15 Jahre	75,8	72,3
15–18 Jahre	77,7	69,5

1) Anteil in D-West (%), 2) Anteil in D-Ost (%), 3) Alter des jüngsten Kindes, Stand: April 1998; Quelle: Statistisches Bundesamt; http://www.statistik-bund.de

Teilzeitarbeit: Als Möglichkeit, Kindererziehung und Berufstätigkeit miteinander zu vereinbaren, wurde Teilzeitarbeit Ende der 90er Jahre mehrheitlich von Frauen genutzt. Nach OECD-Untersuchungen lag der Frauenanteil an den Teilzeitarbeitsplätzen 1996/97 in Deutschland im internationalen Vergleich mit 87,6% besonders hoch (Großbritannien: 82,8%, Frankreich: 78,8%, Schweden: 76,3%, USA: 69,8%).

Frauenquote

Richtwert für den zu erreichenden Frauenanteil bei der Besetzung von Positionen in Verwaltung, Politik und Wirtschaft bzw. real erreichter Frauenanteil

Statt an starren F. orientierte sich die Gleichstellungspolitik in Deutschland an der Wende zum 21. Jh. stärker an Förderprogrammen, um den Frauenanteil in der Politik bzw. in Führungspositionen der öffentlichen Verwaltung und der Privatwirtschaft zu erhöhen. Der Europäische Gerichtshof (Luxemburg) stellte 1997 fest, dass eine Bevorzugung von Frauen gleicher Qualifikation mit dem Ziel der Gleichstellung dem EU-Recht entspricht, sofern der Einzelfall geprüft und ein Automatismus zu Ungunsten des Mannes vermieden wird.

BILANZ 2000

Frauen

Vom Ideal zur Verwirklichung im Alltagsleben

Anfang des 20. Jh. forderten Frauen die gleichen Rechte, Bildungs- und Berufschancen wie die Männer, wobei vor allem der Kampf um das Wahlrecht im Vordergrund stand; Ende des 20. Jh. ist Gleichberechtigung von Frauen und Männern in den Industriestaaten gesetzlich garantiert, doch der formalrechtlichen Gleichstellung stehen in vielen Bereichen soziale und ökonomische Benachteiligung gegenüber. Vielfach bleiben Frauen in der tariflichen Bezahlung noch immer hinter den Männern zurück, in Frankreich verdienten sie Ende der 90er Jahre 73% dessen, was Männer in vergleichbaren Positionen erhielten, in Großbritannien nur 64%. Nur jede vierte berufstätige Frau war Ende der 90er Jahre in mittleren oder Führungspositionen tätig, und obwohl alle Frauen das passive Wahlrecht besitzen, sind sie in Parlamenten und Regierungen unterrepräsentiert. Voraussetzungen für die Emanzipation auch in der Praxis sind ein tief greifender Bewusstseinswandel und eine Veränderung »männlich« geprägter Lebens- und Arbeitsformen. Die Chancen der Frauen auch in Entwicklungsländern zu verbessern, bleibt eine der Hauptaufgaben der UN und ähnlicher Organisationen.

Positive Trends

- Frauen haben im 20. Jh. in den Industriestaaten formal die gleichen politischen und beruflichen Rechte wie Männer errungen.
- Der Anteil der Frauen im Erwerbsleben ist in der EU von 34,6% Mitte der 70er Jahre auf rund 42% Ende der 90er Jahre gestiegen.
- Der Frauenanteil in den europäischen Parlamenten ist von 16,4% Ende der 80er Jahre auf rund 17,5% Ende der 90er Jahre gestiegen.

Negative Trends

- Die Frauenarbeitslosigkeit steigt überproportional, in Deutschland von 12,3% (Männer: 8,5%) 1991 auf rund 20% (Männer: 10,7%) 1998.
- Der Frauenhandel erreichte Ende des 20. Jh. Rekordhöhen (ca. 30000 Fälle in Deutschland).
- In vielen islamischen Staaten (u.a. Afghanistan) verlieren Frauen Rechte (u.a. Arbeit, Bildung).

Idole der Frauenbewegung: Bertha von Suttner, Simone de Beauvoir und Alice Schwarzer

Meilensteine

Etappensiege im Kampf um Gleichberechtigung

1900: Als erster deutscher Staat lässt das Großherzogtum Baden Frauen zum Universitätsstudium zu.

1903: Emmeline Pankhurst (GB) gründet als militanten Flügel der Suffragetten (Frauenstimmrechtsbewegung) die Women's Social and Political Union.

1906: Die Frauen in Finnland erhalten aktives und passives Wahlrecht (Norwegen 1913, Dänemark 1915).

1911: Am ersten Internationalen Frauentag demonstrieren mehr als 1 Mio Europäerinnen für die Einführung des Frauenstimmrechts.

1914: Der US-Kongress erklärt den Mother's day zum Staatsfeiertag; ab 1923 wird der Muttertag auch in Deutschland gefeiert.

1914: Der Bund Deutscher Frauenvereine organisiert bei Ausbruch des Ersten Weltkriegs den Nationalen Frauendienst für das »Vaterland« im Dienste der militärischen Führung.

1915: Jane Addams (USA) gründet die Women's International Leage for Peace and Freedom; 1931 erhält sie den Friedensnobelpreis.

1917: Nach der Oktoberrevolution können die Sowjetfrauen wählen.

1919: In der Weimarer Verfassung wird nach dem Sturz des Kaiserreichs das Frauenwahlrecht verankert. Auch in Österreich finden nach dem Untergang der k.u.k.-Monarchie freie und gleiche Wahlen ohne Unterschied des Geschlechts statt.

1920: In den USA wird das allgemeine Frauenwahlrecht eingeführt.

1926: In der Türkei wird nach dem Sturz des Sultanats die Scharia, das islamische Recht, abgeschafft: Der Schleier fällt, Polygamie wird verboten, die Ehe zivilrechtlich geregelt. Frauen dürfen wählen, studieren und alle Berufe ergreifen.

1960: Sirimavo Bandaranaike (Sri Lanka) wird die erste frei gewählte Regierungschefin einer parlamentarischen Demokratie.

1970: »Sexual politics« von Kate Millett (USA) u. a. Studien machen »Frauenthemen« politikfähig.

1976: Die sog. medizinisch-soziale Indikation (legalisierter Schwangerschaftsabbruch) in der BRD u. a. westlichen Staaten erfüllt eine Kernforderung der Frauenbewegung.

1977: Die von Alice Schwarzer herausgegebene Zeitschrift »Emma« wird auf dem Höhepunkt der feministischen Bewegung in Deutschland die erfolgreichste überregionale politische Frauenpublikation.

1979: Nach der islamischen Revolution kehrt der Iran zum islamischen Strafrecht zurück; Frauen werden weitgehend entrechtet.

1988: Benazir Bhutto wird als erste Frau Ministerpräsidentin in einem islamischen Staat.

1994: Eine Änderung des Grundgesetzes schreibt in Deutschland die »tatsächliche Durchsetzung der Gleichberechtigung von Männern und Frauen« vor.

1998: In Deutschland wird Vergewaltigung auch in der Ehe strafbar.

Frauen in der Politik: Seit der Bundestagswahl vom 27.9.1998 stellen Frauen mit 207 von 669 Abgeordneten 30,9% (vorher: 25,9%) der Parlamentarier. Am höchsten ist der Frauenanteil in der PDS-Fraktion mit 58,3%, gefolgt von Bündnis 90/Die Grünen (57,4%). In der SPD-Fraktion blieben die Frauen mit 35,2% weiterhin in der Minderheit, ebenso bei FDP (20,9%), CDU (19,7%) und CSU (12,8%). In den 15 EU-Parlamenten lag der Frauenanteil 1998 lt. Jahresbericht zur Chancengleichheit der Europäischen Kommission nur bei 17,5%. Im Europaparlament stellten Frauen bis Mitte 1999 rund 27% der Abgeordneten. In den Regierungen der EU-Länder erhöhte sich der Anteil der Ministerinnen 1998 von 19,3 auf 21,9%. In der deutschen Bundesregierung führten Frauen fünf von 16 Ministerien (Anteil: 31,25%).

Frauenstudium

Bei einem Anteil von ca. 51% an der Gesamtbevölkerung waren in Deutschland Ende der 90er Jahre rund 49% der Studienanfänger, 44% der Studierenden und 41% der ein Hochschul- oder Fachhochschulstudium abschließenden Frauen.

Frauenstudiengänge: Um die Hemmschwelle zur Aufnahme eines Studiums in traditionell männerdominierten Fächern (z. B. Naturwissenschaften und Technik) zu erleichtern, wurden an deutschen Hochschulen und Fachhochschulen vereinzelt Studiengänge eingerichtet, die nur Frauen offen stehen: Im Wintersemester 1997/98 startete an der Fachhochschule Wilhelmshaven der Frauenstudiengang Wirtschaftsingenieur-Wissenschaften, seit Wintersemester 1998/99 gibt es einen Frauenstudiengang Feinwerktechnik an der Fachhochschule Aalen sowie einen für Energieberatung und -marketing an der Fachhochschule Bielefeld.

Frauenuniversität: Im Rahmen der Weltausstellung Expo 2000 in Hannover im Jahr 2000 planen an deutschen Hochschulen tätige Wissenschaftlerinnen eine als Modell verstandene »Frauen-Universität Technik und Kultur«. Professorinnen und Dozentinnen aus aller Welt sollen Studentinnen 100 Tage lang in ausgewählten Gebieten unterrichten. Die Initiatorinnen streben langfristig die Gründung dauerhafter Frauenuniversitäten in Deutschland an und verweisen auf die USA, wo es Ende der 90er Jahre mehr als 80 solcher Einrichtungen gab.

Akademikerinnen: Frauen sind an deutschen Fachhochschulen und Hochschulen an der Wende zum 21. Jh. weiterhin deutlich unterrepräsentiert. 33% aller Promotionen und 16% aller 1997 eingereichten Habilitationsschriften stammten von Frauen, der Frauenanteil an den Professoren betrug nur 8,5%. Mit einer Zunahme ist für Anfang des 21. Jh. zu rechnen, da jede fünfte Professorenberufung 1997 eine Frau erreichte. Besonders gering war der Anteil der Frauen bei den Professuren in Biologie (7,4%), Chemie (3,3%) und Physik (1,5%).

Gleichstellung

Die Bundesministerin für Familie, Senioren, Frauen und Jugend, Christine Bergmann (SPD), kündigte für 1999 einen Gesetzentwurf zur G. von Frauen und Männern in der Privatwirtschaft an. Diskriminierungen von Frauen in Unternehmen sollen beseitigt, Lohngerechtigkeit hergestellt, Beschäftigungsanteil und Aufstiegsmöglichkeiten von Frauen erhöht sowie deren Arbeitsbedingungen verbessert werden.

Gesetz: Diskutiert wurde u. a., die Vergabe öffentlicher Aufträge von der Existenz von betrieblichen Frauenförderplänen zu binden – wogegen juristische Bedenken vorgebracht wurden –, ferner die Einführung eines Verbandsklagerechts, damit Frauen sich besser gegen Diskriminierung im Betrieb wehren können, und eine Verpflichtung von Großunternehmen (ab 100 Beschäftigte) zur Vorlage von Frauenförderplänen. Die Ausgestaltung der Pläne soll den Unternehmen überlassen werden. Denkbar wären familienfreundliche Flexibilisierung der Arbeitszeit, Einrichtung von Betriebskindergärten, Mentoring-Programme zur Nachwuchsqualifizierung für Frauen und Einführung von Quoten.

EU-Frauenförderung: Mit dem am 1.5.1999 in Kraft getretenen Amsterdamer Vertrag (1997) wurden in der EU u. a. der Rechsrahmen verbessert, um Chancengleichheit der Geschlechter zu erreichen. Die G.-Politik erhielt eine eigene Rechtsgrundlage, das Diskriminierungsverbot wurde auf das Geschlecht ausgedehnt, der Abbau von Ungleichheiten und die Förderung von G. festgeschrieben.

Bodyscanner

Elektronisches Messverfahren für menschliche Körper mittels Laser oder Digitalkamera und Übertragung der Daten auf einen Computer

Technik: B. vermessen einen Menschen innerhalb weniger Sekunden berührungslos; im Computer wird die Vorlage für den Schnitt entworfen, nach dem ein Kleidungsstück in acht bis zehn Tagen zum Preis vergleichbarer Konfektionsware nach Maß angefertigt werden kann. B. sollen die Vorteile der Maß- mit denen der Massenproduktion verbinden.

Anwendung: Anfang 1999 arbeiteten in Deutschland wenige Geschäfte mit B. In der Mieder- und Bekleidungsindustrie wurden mit B. Konfektionsgrößen an Körpermaße angepasst, um auf Veränderungen der Durchschnittsfigur in der Bevölkerung gegenüber den 50er und 60er Jahren zu reagieren.

Projekt: Die Entwicklung des B. und seiner Nutzung in der Textilindustrie wurde bis März 1999 in dem vom Bundesforschungsministerium geförderten Projekt »Bekleidung nach Maß« vorangetrieben. Beteiligt waren das Bekleidungsphysiologische Institut Hohenstein (Bönningheim), Bekleidungshersteller sowie Versand- und Kaufhäuser.

Freizeitgestaltung

Der Gesamtumsatz für Waren und Dienstleistungen zur F. belief sich 1997 (letztverfügbarer Stand) auf 440 Mrd DM (1996: 435 Mrd DM, +1,1%). Der F.-Markt machte rund 12% des deutschen BSP aus.

Familienbudget: Eine Familie mit zwei Kindern und einem mittleren Einkommen gab 1997 im Monat in Westdeutschland 847 DM für F. aus, in Ostdeutschland 677 DM. An erster Stelle der F. stand mit Abstand der Urlaub (203 bzw. 168 DM pro Monat), gefolgt von Sport, Ausgaben für F. mit dem Auto und elektronische Unterhaltung.

Sport: Dank des gestiegenen Gesundheitsbewusstseins der Deutschen verzeichnete der Sport einen stabilen Aufwärtstrend in der F.-Wirtschaft. Etwa 3,5 Mio Menschen gingen regelmäßig ins Fitnessstudio, rund 8 Mio Deutsche betrieben Inline-Skating, das sich zu einer Massenbewegung entwickelte.

Freizeitparks

Nach Schätzungen des Verbandes der deutschen Freizeitunternehmen kamen 1998 rund 18 Mio Besucher in die 53 klassischen deutschen F. (1997: 22 Mio Besucher). Der Rückgang von 18% wurde mit einem geringeren Freizeitbudget der Familien erklärt. Der größte deutsche F., der Europa-Park Rust, verzeichnete 2,6 Mio Besucher.

Urban-Entertainment-Center: Konzepte für neue Parks bevorzugten 1998/99 eine Kombination von Unterhaltung und Einkauf, wie der geplante Bremer Space-Park, dessen Bau Ende 1998 beschlossen wurde. Die 954 Mio DM teure Anlage soll auf 60 000 m^2 Attraktionen aus Luft- und

Top Ten Freizeitaktivitäten[1]	
1. Musik hören	90,8
2. Fernsehen	86,5
3. Essen gehen	75,7
4. Zeitung lesen	72,7
5. Parties, Freunde	70,0
6. Zeitschriften lesen	68,4
7. Auto fahren	56,1
8. Rad fahren	55,3
9. Bücher lesen	53,5
10. Gartenarbeit	43,5

1) Verbraucheranalyse von 31 337 Befragten über 14 Jahren (%, Mehrfachnennung möglich); Stand: Juni 1999; Quelle: Dt. Gesellschaft für Freizeit

Für 9 von 10 Deutschen ist regelmäßiges Musik hören Lieblingsbeschäftigung in der Freizeit. Immerhin fast drei Viertel der Befragten gaben an, regelmäßig Zeitung zu lesen.

Raumfahrt sowie auf 44 000 m² Platz für Einzelhandelsgeschäfte bieten. Urban-Entertainment-Center, die den US-Malls nachempfunden sind, waren 1999 für rund 40 Standorte in Deutschland geplant.

Disneyland Paris: Der östlich von Paris gelegene F. (vormals Euro-Disney) verzeichnete 1998 mit 12,5 Mio Gästen einen leichten Besucherrückgang von 60 000 (ca. 0,5%), was die Betreibergesellschaft Euro Disney auf die im Sommer 1998 in Frankreich ausgetragene Fußballweltmeisterschaft zurückführte. Die Besucher gaben jedoch mit durchschnittlich 258 Franc 3% mehr aus als im Vorjahr, wodurch der Nettogewinn auf 290 Mio Franc stieg (+34%).

Love Parade

Am 10.7.1999 fand in Berlin die elfte L. statt. Das Tanz- und Musikspektakel (seit 1989) zieht jährlich Hunderttausende Fans der Techno-Musik an und hat sich für Berlin zur Touristenattraktion und zum bedeutenden Wirtschaftsfaktor entwickelt (Umsatzvolumen: rund 150 Mio DM jährlich)

Müll: Da die L. als Demonstration gilt, fallen die Kosten für die Beseitigung von rund 200 t Müll (1998: 240 000 DM) und die Säuberung der strapazierten Grünflächen im Tiergarten (1998: 260 000 DM) zu großen Teilen an die Stadt, werden aber auch von Sponsoren aus der Wirtschaft aufgebracht (1998: 100 000 DM).

Paris: Bei der ersten L. in Paris zogen am 19.9.1998 rund 130 000 Techno-Fans vom Place Denfert Rochereau zum Place de la Nation, wo ein sechsstündiges Konzert stattfand. Der ehemalige französische Kulturminister Jack Lang, der sich für die Pariser L. eingesetzt hatte, schlug für 1999 einen in mehreren Großstädten stattfindenden »Rave rund um den Globus« vor.

http://www.loveparade.de

Millennium Dome

(engl.; Jahrtausend-Dom), größte Fest- und Ausstellungshalle der Welt im Londoner Stadtteil Greenwich (Fassungsvermögen: 35 000 Zuschauer)

Funktion: Der genau auf dem Nullmeridian, dem die Weltzeit definierenden geografischen Längennullpunkt, liegende M. soll zur Jahrtausendwende am 31.12.1999 eröffnet werden und das Jahr 2000 über täglich

Freizeit

Mußestunden überwiegen Arbeitszeit

Zu Beginn des 20. Jh. war der Begriff Freizeit in Deutschland unbekannt: Die tägliche Arbeitszeit lag bei 10–14 Stunden, arbeitsfreie Tage waren nur Sonntag und Feiertage mit ihrer Festkultur (Volks-, Wein-, Schützenfeste usw.) sowie großstädtischen Vergnügungs- und Erholungsangeboten (Wiener Prater, Tivoli in Kopenhagen, Zirkus usw.). Erst mit Einführung des Achtstundentags nach dem Ersten Weltkrieg begann die Ausbildung von Freizeit im heutigen Sinn. Seit den 90er Jahren haben die Deutschen erstmals jährlich mehr freie Stunden, als sie für den Erwerb ihres Lebensunterhalts aufwenden: Reisen, Fernsehen und Faulenzen sind die häufigsten Freizeitinhalte, die Industrien, die Produkte und Dienstleistungen zum Füllen der freien Zeit anbieten, erwirtschafteten Ende der 90er Jahre 440 Mrd DM und erwarten bis 2000 ein Umsatzplus von ca. 30%. Die höchsten Zuwachsraten werden bei Rentnern in den neuen Bundesländern erzielt, die geringsten bei Haushalten mit Kindern. Zugewinne werden bei Sportartikeln, Autos, Zweirädern, Heimcomputern und Auslandsreisen verzeichnet, Rückgänge beim Haustierbedarf und beim Gastgewerbe. Der Anteil der Freizeitausgaben am Gesamteinkommen stagniert Ende der 90er Jahre bei gut 20%.

Positive Trends

▶ Die tägliche Freizeit stieg in der BRD von den 50er bis in die 90er Jahre von 1,5 auf 5,2 h.

▶ Wachsende Freizeit lässt sich zu aktivitäts- und konsumorientierter Gestaltung ebenso wie zur privaten Weiterbildung nutzen.

Negative Trends

▶ Konsumimpulse der Freizeitindustrie können zu Unselbstständigkeit und Passivität führen.

▶ Terminvielfalt in der freien Zeit führt zum neuen Phänomen des Freizeitstresses.

▶ In Großstädten werden neue »Spielplätze« entdeckt (Kaufhäuser, Rolltreppen, S- und U-Bahnen), bei denen Illegalität und/oder Lebensgefahr als Nervenkitzel genossen werden.

Vom organisierten Spaß zum Do it yourself

1911: Der Berliner Admiralspalast wird als großstädtisches Freizeitzentrum für 3000 Personen eröffnet; außer der Eisfläche (für Revuen und als Schlittschuhbahn) gibt es Kegelbahn, Filmvorführraum u. a.

1913: In Deutschland wird die erste »Freizeit« veranstaltet: ein mehrtägiges Gemeinschaftsleben zur »seelischen Erfrischung« in der Natur. In der Folgezeit finden auch Gesangs-Freizeiten statt.

1933: Charles B. Darrow (USA) erfindet das Gesellschaftsspiel Monopoly, bei dem Grundstücksspekulationen simuliert werden.

1952: Mit Beginn des TV-Betriebs entwickelt sich in der BRD Fernsehen zu einer der beliebtesten Freizeittätigkeiten der Deutschen.

1955: In Anaheim in Kalifornien eröffnet der Vergnügungspark »Disneyworld«. 1971 entsteht »Disneyworld« in Orlando/Florida, 1992 »Euro-Disneyland« bei Paris.

1955: Ole Kirk Christiansen (DK) erfindet den Lego-Stein; er wird eines der meistbenutzten Spielsysteme für alle Altersstufen.

1957: Die UdSSR schießt den künstlichen Erdtrabanten Sputnik 1 in den Orbit; die Industrie reagiert mit der Massenproduktion von »Sputniks« u. a. Weltraumspielzeug.

US-Star Jane Fonda propagiert Aerobic

1958: Die von den USA nach Europa ausstrahlende Hula-Hoop-Bewegung ist die erste Fitnesswelle mit Trendcharakter.

1964: Die ersten Weltmeisterschaften im Wellenreiten werden ausgetragen; 1997 wird Surfing als olympische Sportart anerkannt.

1965: Aus den USA kommend, verbreitet sich in den 60er Jahren in der BRD das Do it yourself (dt. Mach's selber) als Freizeitbeschäftigung.

1970: Der Deutsche Sportbund startet die Aktion »Trimm dich« zur Förderung des Breitensports.

1972: Noland Bushnel (USA) erfindet Bildschirmtennis als erstes erfolgreiches Videospiel.

1974: Mit der WDR-Serie »Hobbythek« von Jean Pütz wird das Fernsehen Impulsgeber aktiver Freizeitgestaltung.

1975: Der Zauberwürfel des Ungarn Ernö Rubik wird zum Bestseller.

1979: Experten aus der BRD, Österreich und der Schweiz küren erstmals das »Spiel des Jahres«.

1980: Scott und Beamon Olson (USA) entwickeln die modernen Inlineskates; Inlineskating wird Breitensport mit Szenecharakter.

1982: Das Konditionstraining Aerobic entwickelt sich u. a. durch Förderung von Stars wie Jane Fonda und Sydne Rome zum Freizeitsport; Fitnessstudios werden zu Erlebniscentern mit Vitaminbars, Saunalandschaften und Kosmetiksalons.

1983: Das Ratespiel »Trivial Pursuit« (USA) verdrängt »Monopoly« von Platz 1 der Spiele-Bestenliste.

1985: Der erste internationale Freeclimbing-Wettkampf löst einen Boom von Outdoor-Freizeitsportarten (Drachen-, Gleitschirmfliegen, Mountainbiking u. a.) aus.

1997: Der als gallisches Dorf eingerichtete Asterix-Freizeitpark in Plailly bei Paris geht an die Börse.

1998: Bei Ravensburg wird der Marken-Freizeitpark »Ravensburger Spieleland« eröffnet.

Freizeitlenkung im NS-Staat

Die pseudogewerkschaftliche Deutsche Arbeitsfront (DAF) gründete 1933 das nationalsozialistische Kultur- und Freizeitwerk Kraft durch Freude (KdF), die größte Freizeitorganisation in der deutschen Geschichte. KdF sollte die Freizeit der Arbeitnehmer lenken, sie weltanschaulich beeinflussen und durch ein breites Sport- und Erholungsangebot die Arbeitskraft der Einzelnen möglichst lange erhalten.

Freizeit im Wirtschaftswunder

Die freizügige und genusssüchtige Lebenskultur in den USA wurde wenige Jahre nach Kriegsende in Westdeutschland zum Vorbild. In Tanzsälen zeigten Rock'n-Roll-Paare artistische Kunststücke zur Musik von Bill Haley, Elvis Presley oder Buddy Holly, in Jugendlokalen bildeten Flipperautomat und Musicbox akustische und optische Attraktionen. Der italienische Vespa-Roller war das Traumgefährt für Teens und Twens.

Extremes gegen Langeweile

Parallel zum Anwachsen der Reizüberflutung in den Medien und in der Öffentlichkeit boomen um das Jahr 2000 neben Trendsportarten Risiko- und Extremsportarten, bei denen der Nervenreiz im Vordergrund steht und die Ausübenden höchstem physischen und psychischen Druck ausgesetzt sind: Bungeejumping, Canyoning, Rafting, Ironman-Triathlon, Ultralangstreckenlauf, Free-Solo-Climbing usw. Der gleiche Hang zum Extremen zeigt sich in partyähnlichen Raveveranstaltungen (von engl. to rave = rasen, toben). Die Monotonie vieler Freizeitangebote und die Sehnsucht nach intensiven Erlebnissen treibt viele Menschen in ihrer Freizeit zu teilweise gefährlichen Exzessen.

eine Multimedia-Liveshow sowie eine Ausstellung zeigen. Zwölf Zonen im Innenraum sind jeweils einem Thema gewidmet, darunter Arbeit, Lernen, Umwelt und Religion. Als Hauptattraktion gelten zwei begehbare Menschenskulpturen.

Finanzierung: Die vom britischen Architekten Richard Rogers entworfene, 80 000 m² große Teflon-Glasfiber-Konstruktion hat ein zeltartiges Dach. Die 1999 mit 2,1 Mrd DM veranschlagten Gesamtkosten sollen zur Hälfte aus Lotterieerlösen aufgebracht werden. Die andere Hälfte sollen Sponsoren, die eine Zone mitgestalten können, sowie Merchandising und Kartenverkauf bringen. Mitte 1999 wurde mit 12 Mio Besuchern gerechnet (Eintrittspreis: 56 DM); die weitere Nutzung des M. ab 2001 war unklar.

Modemarkt

Die deutsche Bekleidungsindustrie verzeichnete 1998 wie in den Vorjahren ein schwaches Jahr, rechnete aber für 1999 aufgrund gestiegener Kaufkraft der Bevölkerung durch die Steuerreform bei einem Teil der Verbraucher und einem Angebot mit vielen Neuheiten mit einem Aufwärtstrend.

Bilanz: Im deutschen Textileinzelhandel ging 1998 infolge allgemeiner Kaufzurückhaltung und gesunkener Durchschnittspreise der Umsatz auf 115 Mrd DM (1997: –2%) zurück; der Umsatz mit Damenoberbekleidung sank ebenfalls um 2% auf 50 Mrd DM. Die deutschen Bekleidungshersteller verzeichneten 1998 ein Auftragsplus von fast 3% gegenüber dem Vorjahr; der Umsatz stieg leicht auf über 21 Mrd DM (+0,1% in den ersten elf Monaten 1998). Das Auslandsgeschäft bewies sich 1998 mit einer fünfprozentigen Steigerung auf 8,2 Mrd DM als stabile Säule der Bekleidungsindustrie; die Importe sanken gegenüber 1997 um 1,1% auf 19,8 Mrd DM. Die Hersteller von Kinderkleidung konnten 1998 ihren Umsatz bei knapp 1,5 Mrd DM halten; die Importe inkl. Eigeneinfuhren wuchsen gegenüber dem Vorjahr auf 506 Mio DM (+4%), die Exporte auf 106 Mio DM (+10%).

Trends: Besonders erfolgreich waren Anbieter und Hersteller wie Hennes & Mauritz (Schweden), Gap (USA) sowie She und Bogie Gesellschaft für Modevertrieb mbH (Neuss), die statt einer Frühjahrs- und einer

BILANZ 2000

Mode

Grenzenloses Vergnügen am schönen Schein

Mit dem Verzicht auf das einengende Korsett und der Kreation des Hosenrocks durch Paul Poiret, den Begründer der modernen Haute Couture, sowie der Verbindung von bequemer »Reformkleidung« und künstlerischem Anspruch in Design und Farbgebung begann Anfang des 20. Jh. die Moderne in der Mode. Die fast grenzenlose Verfügbarkeit natürlicher und synthetischer Fasern und Farben sowie die Partizipation der Frauen am Berufsleben seit dem Ersten Weltkrieg führte zu einer auf »Funktionalität« gerichteten Mode, welche die Frauenmode männlichen Standards annäherte (Bubikopf = Herrenhaarschnitt für Frauen, Hosen für Frauen). Nach dem Zweiten Weltkrieg begann mit Christian Diors »New Look« (1947) eine kultische Überhöhung des »Neuen« mit immer kürzeren Modezyklen. Mit dem Beginn des TV-Betriebs in den 50er Jahren war der Breitenwirkung von »Mode« in den westlichen Industriestaaten keine Grenze mehr gesetzt, doch erst die Herausbildung der »Wohlstandsgesellschaften« führte in den 60er Jahren dazu, dass die Modehäuser neben teurer Exklusivauch preiswerte Prêt-à-porter-Kollektionen anboten. Die Massenmode führte zum pluralistischen Nebeneinander: Tattoos werden ebenso als chic toleriert wie Nasenpiercings oder Frauen mit Glatze.

Positive Trends

▸ Mode gilt mehr denn je als Ausdruck von Individualität; der kaufkräftige Konsument kann aus einer Vielzahl von Angeboten auswählen.
▸ Auch anspruchsvolle Mode ist für breite Bevölkerungsschichten bezahlbar geworden.

Negative Trends

▸ Mode erfasst als Anpassungssyndrom in der Massenmediengesellschaft alle Lebensbereiche (Freizeit, Essen, Kultur, sogar Politik).
▸ Das Wegbrechen des osteuropäischen Marktes hat in den neuen Bundesländern zum Rückgang der Textil-Beschäftigten von 219 000 (1989) auf 17 000 (1997) geführt.

Mode im Wandel: Abendkleid 1910, Kleid mit Cape und Turban 1941, Flickenlook 1970 (v.l.)

Zur Person: Coco Chanel
Die einfache Linie als Prinzip

Coco Chanel (F), eine der vielseitigsten Modeschöpferinnen des 20. Jh., entwickelte während des Ersten Weltkriegs ihre charakteristische einfache Linie: Sweaters, Matrosenjacken, Faltenröcke, gerade Kittel- und Hemdblusenkleider. Weltberühmt wurde ihr Parfum »Chanel No 5« (1920). In den 20er Jahren wurden ihre sportliche Jerseymode und 1926 ihr »kleines Schwarzes« bekannt; typischer Aufputz waren kleine Dreieckstücher und lange, vielreihige Perlenketten. 1954 stellte sie das Chanel-Kostüm vor: aus körnig weichen, melierten Tweeds, die Jacke kragenlos und bordiert, der Rock leicht ausgestellt.

Meilensteine

Von der Bügelfalte zum Hosenanzug für Frauen

1901: Der modebewusste Prince of Wales wird als Edward VII. britischer König; ihm wird die Erfindung der Bügelfalte zugeschrieben.
1912: Der Franzose Paul Poiret kreiert den Hosenrock.
1920: Coco Chanel (F) lanciert das Parfum »Chanel No. 5«; Ende des 20. Jh. bieten fast alle Modehäuser auch Parfüms und Kosmetik an.
1921: Asta Nielsen (DK) mit Bubikopf im Film »Hamlet« verhilft dem Kurzhaarschnitt zum Durchbruch.
1926: Das »kleine Schwarze« von Coco Chanel erobert die Modewelt.
1926: In Großbritannien beginnt die Produktion des ersten laufmaschensicheren Damenstrumpfs.
1930: Die Italienerin Elsa Schiaparelli nimmt Reißverschlüsse in kostbare Haute-Couture-Modelle auf.
1932: Wallace Carothers (USA) entwickelt die Synthetikfaser Nylon.
1938: Paul Schlack (D) erfindet reißfeste Polyamidfasern (Perlon).
1945: Die seit 1850 in den USA gefertigten Bluejeans aus Baumwolle werden in Europa Modekleidung.
1946: Louis Réard (F) kreiert den Bikini, den er nach dem US-Atomtestgelände im Pazifik benennt.
1947: Christian Dior (F) wird mit dem New Look wegweisender Couturier der 50er Jahre; 1957–62 ist Yves Saint-Laurent Chef bei Dior.
1954: Pierre Cardin (F) erzielt seinen ersten Welterfolg mit Robes bulles aus großen Ballonformen.
1954: Der 71-jährigen Coco Chanel (F) gelingt mit dem eleganten »Chanel-Kostüm« ein Comeback.
1964: Mary Quant (GB) stellt den Minirock (»miniskirt«) vor; er prägt die Mode der 60er Jahre.
1964: André Courrèges (F) entwickelt einen in Schwarzweiß gehaltenen Stil mit waagrechten und senkrechten Schnitten und geometrischem Aufbau (»harter Schick«).
1967: Mit dem superschlanken Mannequin Twiggy (GB) setzt sich ein neues Schönheitsideal durch.
1967: Jil Sander (D) eröffnet in Hamburg eine Boutique mit puristischer Mode für berufstätige Frauen: Blazer-Kostüme und Hosenanzüge in ungemusterten Stoffen.
1970: Kenzo Takada (J) eröffnet in Paris die Boutique Jungle Jap[onaise]; er verbindet japanische Tradition und westliche Avantgarde.
1981: Wolfgang Joop (D) entwirft seine erste Prêt-à-porter-Kollektion.
1983: Karl Lagerfeld (D) wird Designer für Haute-Couture bei Chanel (1984 künstlerischer Leiter).

Stichtag: 12. Februar 1947
»New Look« nach dem Krieg

Christian Diors (F) neuer Stil war auf Figur geschnitten, die Schultern rund, der Rock weit ausschwingend und wadenlang, die Haare in einer leichten Welle zum Nackenknoten geformt. Dem »New Look« folgten jede Saison sich ändernde Linien: 1953 die »Tulpenlinie«, 1953/54 die »Kuppellinie«, 1954/55 die »H-Linie«, 1955 die »A-Linie« und 1956 die »Pfeillinie«.

Stichwort: Minirock
Mode der »Swinging Sixties«

Während der durch Liberalisierung und sexuelle Revolution geprägten »swingenden 60er Jahre« stellte Mary Quant (GB) 1964 den »Miniskirt« vor. Dieser die Oberschenkel nur wenig bedeckende Rock rührte wie kein anderes Kleidungsstück an Emotionen. Trotz öffentlicher Anfeindungen (»Bekleidung für Huren«) eroberte der Minirock schon 1965 die als prüde geltenden USA sowie den gesamten europäischen Kontinent. 1966 erhielt Mary Quant sogar den hoch offiziellen Orden des British Empire.

Ende der 90er Jahre brach der Markt für Jeans ein, vor allem in Asien und den USA. Besonders betroffen war die klassische Blue-Jeans, die seit den 60er Jahren Kultobjekt von Jugendlichen war.

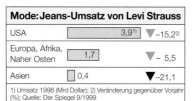

Mode: Jeans-Umsatz von Levi Strauss		
USA	3,9[1]	▼ −15,2[2]
Europa, Afrika, Naher Osten	1,7	▼ − 5,5
Asien	0,4	▼ −21,1

1) Umsatz 1998 (Mrd Dollar); 2) Veränderung gegenüber Vorjahr (%); Quelle: Der Spiegel 9/1999

Mode: Jeans-Markt[1]	
VF (Lee, Wrangler)	25,3
Hausmarken[2]	20,2
Levi's	16,9
Lizensierte Designer	7,0
Grap Inc.	4,9
Sonstige	25,7

1) Anteile am Gesamtumsatz (%); 2) von Textilunternehmen; Stand: 1998; Quelle: Der Spiegel 9/1999

Herbstkollektion alle paar Wochen eine neue Kollektion vorführten. Bevorzugte Stoffe bei den Anfang 1999 in Paris und New York vorgestellten Modeschauen für Herbst und Winter 1999/2000 waren Kaschmir, Wolle und Seide – vielfach in Weiß –, die zu fließenden Schnitten verarbeitet wurden. In der Konfektionsware setzten außer der naturbelassenen Mode (Umsatzanteil 1998: rund 1%) High-Tech-Stoffe wie Metallic neue Akzente.

Jeans: Die Levi's 501, einstiges Mode-Markenzeichen jugendlicher Rebellen, verzeichnete seit 1997 sinkende Absatzzahlen, da die Firma Levi Strauss (San Francisco) wichtige Trends wie die zu Oversized-Jeans und Cargo Pants oder Combat Trousers verpasste. 1998 kam Levi Strauss auf dem US-Markt nur noch auf einen Anteil von 16,9% (1990: 32%) und verlor die Spitzenposition.

Ökokaufhaus

Anfang 1999 öffnete in Bietigheim-Bissingen bei Stuttgart das europaweit erste Ö. In dem Einkaufszentrum, das in einer alten Mühle auf vier Etagen angesiedelt ist, befinden sich 20 Läden, deren Produkte nachweislich von der Herstellung bis zur Entsorgung keine Belastung für die Umwelt darstellen. Das 38 Mio DM teure Ö. wurde u.a. von 250 Investoren aus Deutschland über einen Fonds der Frankfurter Ökobank finanziert. Das Angebot des Ö. reicht von Bioweinen und -lebensmitteln über ungefärbte Bettwäsche, Kleidung aus Schafswolle, pflanzlich gegerbte Schuhe und Schmuck für Allergiker bis hin zu Naturholzmöbeln. Analysen zufolge soll der Umsatz mit Ökowaren in Deutschland von 5 Mrd DM Ende der 90er Jahre auf rund 30 Mrd DM in den folgenden Jahren steigen. Für den geschäftlichen Erfolg benötigte das Ö. den Betreibern zufolge täglich im Schnitt 1000–1500 Kunden. Diese Zahlen wurden bis Mitte 1999 lediglich an den Wochenenden erreicht bzw. überschritten. Zahlreiche Kunden kritisierten das vergleichsweise hohe Preisniveau der Waren im Ö.

Ökokleidung

In Deutschland betrug der Umsatz der reinen Öko-Versender und kleinen Einzelhandelsgeschäfte mit Ö. Ende der 90er Jahre jährlich rund 500 Mio DM (ca. 1% des Gesamtumsatzes der Textilbranche). Höhere Umsätze wurden im Versandhandel erwirtschaftet, bei Öko-Versendern ebenso wie bei traditionellen Händlern mit einem Sortiment an Naturtextilien. Der geringe Umsatzanteil der Ö. innerhalb der Textilbranche hängt lt. Arbeitskreis Naturtextil (AKN, Stuttgart) mit den höheren Herstellungskosten (+ 40–60% gegenüber herkömmlicher Kleidung) und der Verunsicherung der Verbraucher angesichts einer Vielzahl von unterschiedlichen Gütesiegeln zusammen, die der AKN nur zu einem Siebtel für tatsächliche Siegel für Ö. hält. **Verbandsgründung:** Der im Januar 1999 gegründete Internationale Verband der Natur-Textil-Wirtschaft (IVN), dem 40 Unternehmen aus allen Ö.-Branchen angehören, beschloss die Entwicklung branchenübergreifender Zertifikate: eines für Ö. ohne synthetische Zusätze und eines für hochwertige Naturmode, die mit synthetischen Farbstoffen gefärbt sein darf, aber über den Öko-Tex-Standard 100 der konventionellen Modeindustrie hinausgeht. Der IVN rechnete Mitte 1999 damit, u. a. durch gemeinsame Großbestellungen die Kosten zu senken und die Wettbewerbsposition der Ö. zu verbessern. Bei gezielterer Verbraucheransprache könnte die Ö. lt. AKN in fünf Jahren ihren Umsatzanteil am

gesamten deutschen Textilmarkt auf 5% verfünffachen.
Trends: Auch Ö.-Anbieter zeigten 1998/99 zwei Kollektionen im Jahr. Sie orientierten sich bezüglich Schnitten und Farbwahl teilweise an den großen Modeschauen der traditionellen Anbieter. 1999 setzten feine Stoffe wie Leinen, Strick und Jersey Trends.

Tourismus

1998 blieb die T.-Branche nach Angaben der Welttourismusorganisation (WTO) auf Wachstumskurs. Als Folge der internationalen Währungskrisen schwächte sich der Zuwachs gegenüber dem Vorjahr mit 625 Mio Ankünften im Auslandsreiseverkehr und einem Devisenaufkommen von 445 Mrd US-Dollar auf 2% ab (1997: 4%). Bis 2001 wird die Branche jedoch nach Einschätzung der WTO wieder jährliche Wachstumsraten von 4% erreichen. Die Zahl der Reisen wird sich bis 2020 voraussichtlich verdreifachen. Vor dem Hintergrund dieser Langzeitprognosen mahnten Politiker und T.-Experten vor einer Überlastung der Natur und forderten neue T.-Konzepte, die wirtschaftliche, ökologische und soziale Kriterien berücksichtigen. Durch die Fusion des T.-Konzerns Airtours (Manchester/Großbritannien) mit der Londoner Gruppe First Choice Holidays entstand im Mai 1999 das weltweit größte Reiseunternehmen.
Deutschland: Nach einer 1998 veröffentlichten T.-Analyse des BAT-Freizeit-Forschungsinstitutes (Hamburg) verkürzten die Deutschen aufgrund von stagnierenden Haushaltseinkommen ihre Reisen von durchschnittlich 18,2 Tagen 1980 auf 15,1 Tage 1998. Dennoch erwarteten die deutschen Reisebüros und Reiseveranstalter für 1999 ein deutliches Wachstum. 1998 war der Umsatz um 4% auf 79 Mrd DM gestiegen. 47% (1997: 45%) der deutschen Urlauber griffen bei der Ferienplanung auf die professionelle Hilfe der Veranstalter zurück, die anderen waren Individualreisende. Vor allem das mittelständische Reisebürogewerbe sah sich 1998 vom Direktvertrieb von Reisen durch die Großunternehmen und vom Internet als neuem Verkaufsinstrument bedroht.
Reiseziele: 1998 unternahmen rund 48,5 Mio Deutsche 63,4 Mio Reisen, die mind. fünf Tage dauerten; hinzu kamen 48,5 Mio

▬ **Tourismus: Reiseausgaben[1]**	
1949	0,0013
1954	0,7
1959	2,4
1964	4,8
1969	7,7
1974	18,8
1979	30,8
1984	37,4
1989[2]	50,2
1994	73,4
1999[3]	83,0

1) Ausgaben (Mrd DM); 2) Gesamtdeutschland; 3) Prognose; Quelle: Deutsche Bundesbank; http://www.bundesbank.de

Kurzurlaubsreisen. 18% machten mehrmals im Jahr Ferien. Pro Kopf und Reise wurden 1998 durchschnittlich 1441 DM ausgegeben, 16 DM mehr als 1997. Die Summe aller Reisekosten stieg um 3% auf 91,4 Mrd DM. Zu den beliebtesten Urlaubszielen der Deutschen zählten 1999 die innerdeutschen Gebiete Ostsee (8%), Nordsee (7%) und Bayern (7%) sowie im europäischen Ausland Spanien, die Türkei und Italien. In Übersee wurden die USA und Kuba am häufigsten gebucht. 1998 benutzte ein Drittel aller Auslandsurlauber das Flugzeug als Transportmittel, etwa die Hälfte trat die Fahrt mit Pkw oder Wohnmobil an. Nur etwa 7% stiegen in den Zug.

TopTen **Tourismus: Urlaubsziele der Deutschen im Ausland**		
1. Spanien	8,02[1]	11,0[2]
2. Türkei	3,75	1,9
3. Großbritannien	3,64	4,4
4. USA[3]	3,38	4,7
5. Italien	2,29	11,3
6. Griechenland	2,27	2,3
7. Frankreich	2,22	6,4
8. Schweiz	1,36	5,1
9. Österreich	1,12	9,5
10. Niederlande	1,08	4,0

1) Deutsche Fluggäste (Mio); 2) Ausgaben (Mrd DM); 3) incl. Kanada; Stand: 1998; Quelle: Statistisches Bundesamt, Deutsche Bundesbank; http://www.statistik-bund.de; http://www.bundesbank.de

Steigende Haushaltseinkommen, mehr Freizeit, bequemere Transportmittel und erleichterte Formalitäten sind die Hauptgründe für den sprunghaften Anstieg der Reiseaktivitäten der Deutschen seit Gründung der Bundesrepublik. In den 90er Jahren wurde das Wachstum durch stagnierende Einkommen und hohe Arbeitslosigkeit gebremst.

Urlaubsland Deutschland: Die Zahl der Übernachtungen in deutschen Hotels und Pensionen stieg 1998 um etwa 3% auf 294,5 Mio an. Mit einem Plus von 6% erreichten die neuen Bundesländer wieder ein deutlich besseres Ergebnis als Westdeutschland, wo die Übernachtungen um 2% zunahmen. 1998 kamen 34,5 Mio (+ 3%) ausländische Gäste nach Deutschland. Urlauber aus den USA, den Niederlanden und aus Großbritannien stellten über ein Drittel aller Übernachtungsgäste.

Trends: 1999 zeichnete sich der Trend zum Erlebnisurlaub ab, der sich in dem Wettstreit der Urlaubsorte um spektakuläre Ereignisse und in der starken Vermehrung künstlicher Ferienwelten widerspiegelte. Nach Meinung von Konsumforschern wuchs 1999 die Zahl der Urlauber, die ihr Reiseziel nicht mehr nach regionalen Gesichtspunkten, sondern nach der Summe der Attraktionen auswählten. Zwei Reisebüros in den USA nahmen 1998 Buchungen für einen Trip ins All an. Das pro Person etwa 8000 DM teure Unternehmen soll Ende 2001 starten.
http://www.world-tourism.org

Tunnel-Kino

Berlin: Ende 1998 wurde in der Berliner U-Bahn das erste deutsche T. auf der Strecke Zoologischer Garten–Hansaplatz eingeweiht. Der Betrachter fährt an einer Folge von Einzelbildern vorbei, die sich durch die Geschwindigkeit der U-Bahn zu einem Film zusammensetzen. Erfinder des 4,5 Mio DM teuren Berliner T., bei dem 900 Projektoren 30 Bilder/sec an die Tunnelwand werfen, ist der Filmregisseur Jörg Moser-Metius. Sein erster U-Bahn-Film 1998 zeigte Stummfilmstar Charlie Chaplin; konzipiert waren ferner Animationsfilme sowie Image- und Werbespots.

Bern: Im Herbst 1998 wurde nahe Bern im Grauholztunnel der Schweizer Eisenbahn eine andere Form von T. gezeigt: Die beiden Betriebswissenschaftler Marcel Chiappori und Peter Zemp klebten 750 Bildtafeln an die Tunnelwand, die während der Fahrt angestrahlt wurden und sich zu einem Werbespot zusammensetzten. Weitere T. waren 1998 in Paris, London und New York geplant. Auch der Eisenbahntunnel unter dem Ärmelkanal käme als »Leinwand« in Frage.

Tourismus
Die Deutschen bleiben Reiseweltmeister

Ein Phänomen ist im Tourismusbereich am Anfang und Ende des 20. Jh. gleich: Die Deutschen sind Reiseweltmeister. Zu Beginn des Jh. kannte der Großteil der Bevölkerung weder Urlaub noch Reisen, für Dienstboten, Hauslehrer und Kindermädchen waren sie gleichbedeutend mit Arbeit. Nach dem Ersten Weltkrieg wurden 1919/20 erstmals in den Industriestaaten Urlaubsregelungen getroffen, doch blieb die Zahl der Urlaubstage so niedrig (Arbeiter 3–6 Tage jährlich), dass Arbeiter keine Reiseurlaubsmöglichkeit im heutigen Sinn hatten. In dieses Vakuum stießen 1933 die Nationalsozialisten mit ihrer Gründung der zu Wehrertüchtigungs- und Propagandazwecken instrumentalisierten Freizeitorganisation Kraft durch Freude (KdF). Der moderne Tourismus entwickelte sich mit dem »Wirtschaftswunder« in der BRD in den 50er Jahren. Wurden zunächst noch die Ferienregionen der Heimat als Urlaubsziele genutzt, so entwickelte sich in den 60er Jahren der Flugtourismus mit erschwinglichen Reisen auf alle Kontinente. Ende der 90er Jahre sind die Grenzen erreicht: Überfüllte Ferienorte, teilweise zerstörte Naturlandschaften und standardisierte Angebote machen Reisen in den Sommermonaten oft zur Nervenprobe. Global gesehen erwirtschaftet der Tourismus heute rund 10% des Welt-Bruttosozialprodukts.

Positive Trends

▶ Die Zahl der Urlaubstage stieg in der BRD von den 50er bis Ende der 90er Jahre von 9 auf 31.
▶ Trotz hoher Arbeitslosigkeit ist die Reiselust der Deutschen ungebrochen (geschätzte Reiseausgaben 1999: 83 Mrd DM).
▶ Deutschland ist nach Frankreich, den USA und Italien das viertbeliebteste Reiseziel der Erde.

Negative Trends

▶ Der internationale Massentourismus bedroht die natürlichen Ressourcen der Erde.
▶ Die Ursprünglichkeit in vielen Gastgeberländern geht durch den Massentourismus verloren.

Der »Ballermann 6« in El Arenal ist zum Kultobjekt des Massentourismus geworden.

Von der Jugendherberge zum Massentourismus

1901: Karl Fischer (D) gründet den Ur-Wandervogel.

1903: Der ADAC wird als Interessenvertretung des Automobiltourismus gegründet; er ist heute auch führend in der Luftrettung tätig und unterhält über 2000 Reiseagenturen.

1905: César Ritz (CH) eröffnet in London ein Luxushotel, das den Namen »Ritz« in der europäischen Hotellerie endgültig durchsetzt.

1910: Richard Schirrmann gründet das Deutsche Jugendherbergswerk.

1927: Der Hindenburgdamm macht die Ferieninsel Sylt tideunabhängig mit der Eisenbahn erreichbar.

1930: Mit der Zugspitzbahn wird der höchste deutsche Berg (2962 m) per Zahnradbahn erreichbar.

1932: Die Campingbewegung erhält mit der Gründung der Fédération Internationale de Camping et Caravaning (FICC) eine Dachorganisation, der sich auch der 1948 gegründete Deutsche Camping-Club anschließt.

1933: Die NS-Freizeitorganisation Kraft durch Freude (KdF) ermöglicht – als ideologisches Lenkungsinstrument – breiten Bevölkerungsschichten den Pauschaltourismus.

1935: Als erste Fremdenverkehrsstraße wird in der Pfalz die Deutsche Weinstraße eröffnet.

1950: Mit Ferienzügen sorgt die Deutsche Bundesbahn für Mobilität im ersten Urlaubssommer seit 1938; Auslandsreisen sind wieder ohne Ausnahmegenehmigung möglich.

1957: Hoher Vogelsberg und Nördlicher Oberpfälzer Wald werden als erste »Naturparks« für die Erholung der Gesellschaft ausgewiesen.

1958: Nach dem Konkurs des Touristikunternehmens Krukenberg (D) sitzen Flugpauschalgäste mittellos auf Teneriffa fest.

1968: Mit der überwiegend im Pauschalreisegeschäft tätigen TUI (D) entsteht der größte Touristikkonzern Europas.

1970: Mit der Boeing 747 »Jumbo Jet« (USA) beginnt die Ära des Massentourismus in Großraumverkehrsflugzeugen.

1975: In der UN-World Tourism Organization (WTO) schließen sich 133 Fremdenverkehrsländer auf Regierungsebene zusammen.

1991: In der Alpen-Konvention verpflichten sich die Alpen- und EU-Staaten, den Tourismus zu dezentralisieren und Umwelterfordernissen anzupassen (»sanfter Tourismus«).

1997: Islamische Terroristen ermorden vor dem Hatschepsut-Tempel bei Luxor 58 ausländische Touristen. Überall in der Welt werden Reisende Opfer politisch motivierter Gewalt.

Stichtag: 4. November 1901

Gründung des Wandervogels

Mit dem »Wandervogel – Ausschuss für Schülerfahrten« rief Karl Fischer 1901 in Deutschland die erste bedeutende touristische Bewegung ins Leben, die nicht auf einkommensstarke Kreise beschränkt war. Die Wandervögel reagierten auf Industrialisierung, Verstädterung und soziale Gegensätze mit einer Hinwendung zur natürlichen Schönheit der »Heimat«. Dazu gehörten Wandern, einfache Lebensweise, Essenszubereitung auf selbst gebauten Spirituskochern, Übernachten in Dorfgasthäusern, Scheunen oder zusammensetzbaren Zelten.

Stichtag: 22. Januar 1970

Start des ersten »Jumbo Jet«

Als 1970 das Großraumverkehrsflugzeug Boeing 747 im Liniendienst von US-Fluggesellschaften und der Deutschen Lufthansa eingesetzt wurde, begann der Massentourismus in der Luftfahrt: Das größte Verkehrsflugzeug der Welt bot 490 Passagieren Platz. Nachdem sich in den frühen 60er Jahren die Fluggastzahlen von 106 auf fast 200 Mio nahezu verdoppelt hatten, wurde 1966 das Konzept einer neuen Generation von Großraumflugzeugen vorgestellt. Bereits in der Entwicklungsphase bestellte Pan American Airlines 25 Maschinen des neuen Typs.

Ausblick

Reisen in den Weltraum

Die prognostizierte Verdreifachung der Zahl der Reisen auf weltweit fast 2 Mrd bis 2020 verursacht massive verkehrstechnische, ökonomische und ökologische Probleme. Die Grenzen des Tourismus auf der Erde könnten im 21. Jh. mit einem längst deklarierten Reiseziel überwunden werden: Für Flüge zum Mond oder in den Weltraum wurden Ende der 90er Jahre bereits Vormerkungen registriert.

Gesundheitswesen

Gesundheitsreform

1999 trat das sog. Vorschaltgesetz zur G. in Kraft, in dem die rot-grüne Regierung zahlreiche Regelungen der Dritten Stufe der G. der zuvor regierenden christlich-liberalen Koalition zurücknahm. Im Jahr 2000 soll die Reform 2000 umgesetzt werden mit dem Ziel, die medizinische Versorgung der Bevölkerung langfristig auf hohem Niveau zu garantieren, die Ausgaben der gesetzlichen Krankenversicherungen (GKV) einzudämmen und die Beitragssätze zu stabilisieren.

Vorschaltgesetz: Mit dem Vorschaltgesetz wollte Gesundheitsministerin Andrea Fischer (Bündnis 90/Die Grünen) die einseitige Belastung der Versicherten durch die vorherige G. der christlich-liberalen Regierung abbauen. Zuzahlungen zu verordneten Medikamenten wurden gesenkt und das sog. Krankenhaus-Notopfer von 20 DM/Jahr und Versichertem gestrichen. Das Gesetz sah die Begrenzung des Ausgabenzuwachses 1999 auf die Steigerung der Beitragseinnahmen der GKV vor. Die Maßnahmen belasteten die Kassen 1999 zusätzlich mit 2,1 Mrd DM,

Gesundheitsreform 2000: Geplante Neuregelungen

▶ **Beitragssatzstabilität:** Die Gesamtausgaben der gesetzlichen Krankenversicherungen (GKV) sollen jährlich nicht stärker steigen als die Beitragseinnahmen, die von den Einkommen der Versicherten abhängen.

▶ **Globalbudget:** 2000 dürfen die GKV 250 Mio DM für medizinische Leistungen ausgeben. Die GKV legen fest, wieviel Geld in welche Gesundheits-bereiche fließt, z. B. für Krankenhausausgaben und Arzthonorare.

▶ **Hausärzte:** Die Bedeutung der Hausärzte wird durch Einrichtung eines gesonderten Honorartopfs gestärkt. Patienten erhalten von den GKV einen Bonus, wenn sie nur auf Überweisung des Hausarztes zum Facharzt gehen. Mit der Dokumentationspflicht sollen Mehrfachchecks vermieden werden.

▶ **Arzneimittel:** Die GKV erstatten die Kosten für verordnete Medikamente nur, wenn sie auf der sog. Positivliste aufgeführt sind. Unabhängige Experten führen dort Mittel mit nachgewiesener Wirkung auf. Andere Mittel muss der Patient selbst bezahlen.

▶ **Krankenhaus:** Die Kassen übernehmen bis 2007 außer Behandlungskosten der Kliniken stufenweise die Investitionen und erhalten stärkeren Einfluss auf die Steuerung der Kapazitäten. Mehrkosten der GKV sollen z. T. Ländern gegenfinanziert werden, die Ausgaben für Mutterschafts- und Sterbegeld übernehmen. Ab 2003 sollen Pauschalen für bestimmte

Behandlungen/Operationen eingeführt werden, unabhängig von der Verweildauer des Patienten in der Klinik. Um kostspielige Krankenhausaufenthalte zu verringern, sollen ambulante und stationäre Versorgung besser verzahnt werden. Kliniken können bei schweren Krankheiten (Aids, Krebs) auch ambulant behandeln. Eingriffe sollen verstärkt ambulant in Arztpraxen erfolgen.

▶ **Zahnarzt:** Die Vorbeugung soll gestärkt werden. Zahnersatz und Kieferorthopädie sollen preisgünstiger werden, die Honorare für vorbeugende Maßnahmen dagegen steigen.

▶ **Rehabilitation:** Die Begrenzung von Kuren auf drei Wochen wird gelockert, die Zuzahlung der Patienten von 25 DM/ Tag auf 17 DM in Westdeutschland und 14 DM im Osten verringert.

▶ **Patientenschutz:** Die GKV müssen Patienten bei der Durchsetzung von Schadenersatzforderungen nach Behandlungsfehlern unterstützen.

▶ **Vorsorge:** Gesundheitsförderung der GKV z. B. durch Kurse wird wieder erlaubt sein. Doch dürfen sie im Schnitt nicht mehr als 5 DM/Versichertem und Jahr kosten. Selbsthilfegruppen dürfen wieder unterstützt werden.

▶ **Ärztezulassung:** Die Niederlassung zusätzlicher Ärzte soll erschwert werden, um eine Überversorgung zu vermeiden. Wenn ein Arzt eine Praxis aufgibt, haben Kassen oder Kassenärztliche Vereinigungen das Recht, sie zu kaufen und stillzulegen.

Beschäftigte im Gesundheitswesen[1]

Land		
Norwegen		714
Schweiz		510
Finnland		401
Schweden		390
USA		326
Deutschland		285
Frankreich		263
Kanada		250
Ungarn		238
Niederlande		238
Tschechische Rep.		219
Belgien		211
Japan		204
Großbritannien		203
Dänemark		189
Irland		181
Luxemburg		181
Italien		180
Portugal		123
Griechenland		122
Spanien		119

1) Beschäftigte je 10 000 Einw.; Quelle: OECD Health Data 1998

was durch Einsparungen bei Ausgaben für Medikamente und durch Beitragseinnahmen geringfügig Beschäftigter (630-DM-Jobs, ab 1.4.1999) aufgefangen werden sollte.

Reform 2000: Die Beitragssatzstabilität soll mit einer gesetzlichen Kostenbegrenzung für die Ausgaben der GKV erreicht werden (Globalbudget). Der Hausarzt soll erste Anlaufstelle im Gesundheitswesen werden und teure Doppelbehandlungen vermeiden helfen (siehe Glossar).

Kritik: Interessenvertreter und Opposition kritisierten die Vorschläge als Verschlechterung der Versorgungsqualität im Gesundheitswesen. Den GKV werde mit der Steuerung der Budgets eine zu große Machtposition eingeräumt. So könnten die Kassenärztlichen Vereinigungen den gesetzlichen Sicherstellungsauftrag für die ambulante Versorgung nicht mehr übernehmen.

http://www.bmgesundheit.de
http://www.hausarzt-bda.de

Krankenversicherungen

Nach einem Ausgabenrückgang 1997 verzeichneten die gesetzlichen K. (GKV) 1998 mit rd. 72 Mio Versicherten einen Ausgabenanstieg pro Versichertem gegenüber dem Vorjahr um 1,9% in Westdeutschland und um 0,9% in Ostdeutschland auf 248,2 Mrd DM. Dennoch erwirtschafteten die GKV einen Jahresüberschuss von 1,14 Mrd DM. Die Beitragssätze sanken im bundesweiten Schnitt von Anfang 1998 bis März 1999 um 0,2 Prozentpunkte auf 13,6%. Beitragssatzstabilität und Ausgabenbeschränkung waren die Ziele des von der Regierungskoalition aus SPD und Bündnis 90/Die Grünen verabschiedeten sog. Vorschaltgesetzes für 1999 und der für 2000 geplanten Strukturreform im Gesundheitswesen (sog. Reform 2000).

Bilanz: Die Leistungsausgaben je Mitglied erhöhten sich in Westdeutschland um 0,2 Prozentpunkte mehr als die für die GKV-Einnahmen maßgeblichen Einkommen der Versicherten und blieben damit nahezu im gesetzlich beabsichtigten Rahmen. In Ostdeutschland sanken die Einkommen dagegen um 0,5% bei gleichzeitigem Anstieg der Ausgaben je Mitglied um 0,9%. Während die Westkassen einen Überschuss von 1,61 Mrd DM erlösten, verzeichneten die Ostkassen ein Defizit von 0,47 Mrd DM.

Ausgaben: Überdurchschnittlich stiegen 1998 die Ausgaben der GKV u. a. bei den Arzneimitteln (+5,5% im Westen). Bundesgesundheitsministerin Andrea Fischer (Bündnis 90/Die Grünen) wertete dies als

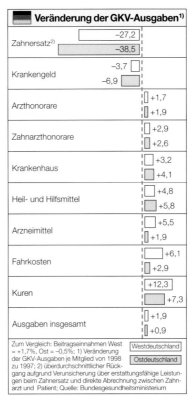

Veränderung der GKV-Ausgaben[1)]

	Westdeutschland	Ostdeutschland
Zahnersatz[2)]	−27,2	−38,5
Krankengeld	−3,7	−6,9
Arzthonorare	+1,7	+1,9
Zahnarzthonorare	+2,9	+2,6
Krankenhaus	+3,2	+4,1
Heil- und Hilfsmittel	+4,8	+5,8
Arzneimittel	+5,5	+1,9
Fahrkosten	+6,1	+2,9
Kuren	+12,3	+7,3
Ausgaben insgesamt	+1,9	+0,9

Zum Vergleich: Beitragseinnahmen West = +1,7%, Ost = −0,5%; 1) Veränderung der GKV-Ausgaben je Mitglied von 1998 zu 1997; 2) überdurchschnittlicher Rückgang aufgrund Verunsicherung über erstattungsfähige Leistungen beim Zahnersatz und direkte Abrechnung zwischen Zahnarzt und Patient; Quelle: Bundesgesundheitsministerium

Mitgliederwechsel bei den Krankenversicherungen

	Mitglieder (Mio)	Veränderung zu 1.1.1996 (%)
AOK[2)]	20,37[1)]	▽ − 8,02[3)]
Angestellten-Ersatzkassen	17,93	▲ + 1,62
Betriebskrankenkassen	6,22	▲ +19,27
Innungskrankenkassen	3,27	▲ + 9,01
Bundes-Knappschaft	1,13	▼ − 5,80
Arbeiter-Ersatzkassen	1,17	▲ +24,10
Landwirtschafts-Krankenk.	0,65	▼ − 2,98
See-Krankenkassen	0,05	0

1) Mitglieder (Mio) am 1.1.1999; 2) Allgemeine Ortskrankenkassen; 3) Veränderung zu 1.1.1996 (%); Quelle: Bundesgesundheitsministerium

▰ **Krankenhaus[1]**	
Krankenhäuser	2258
Aufgestellte Betten	580425
Nutzungsgrad der Betten (%)	80,7
Pflegetage	170818633
Fallzahlen	15510578
Durchschnittl. Verweildauer (Tage)	11
Ärzte[2]	105618
Pflegedienst	341138
Medizinisch-technischer Dienst[3]	124500
Funktionsdienst[4]	80708
Klinisches Hauspersonal	29465
Wirtschafts- und Versorgungsdienst	77438
Technischer Dienst	21878
Verwaltungsdienst	59259
Sonderdienste	5022
Sonstiges Personal	16522

1) Daten und Fakten 1997; 2) inkl. Ärzte im Praktikum;
3) Krankengymnasten; Masseure u. a.; 4) Operationshelfer,
Hebammen u. a.; Quelle: Statistisches Bundesamt

Beleg dafür, dass erhöhte Zuzahlungen bei verordneten Arzneimitteln, wie sie die christlich-liberale Regierung ab 1997 eingeführt hatte, nicht dauerhaft zur Ausgabensenkung in dem Bereich führten.

Finanzhilfe: Erstmals 1999 können die mit insgesamt 1,7 Mrd DM Schulden belasteten Krankenkassen über einen Finanzausgleich von den Westkassen bis zu 1,2 Mrd DM Hilfeleistung erwarten. Die Unterstützung der Ostkassen, welche die christlich-liberale Regierung bis 2001 befristet hatte, wollte die rot-grüne Koalition 1999 unbefristet fortsetzen. Die schwierige Finanzlage der Ostkassen wurde auf mangelnde Einnahmen durch Arbeitslosigkeit und niedrigere Einkommen als im Westen zurückgeführt.

Mitgliederwanderung: Seit Einführung der gesetzlichen Möglichkeit 1996 bis Ende 1998 machten 2 Mio Mitglieder der GKV von ihrem Recht Gebrauch, die Kasse zu wechseln. Ausschlaggebend waren meist niedrigere Beitragssätze der Konkurrenz. Die meisten Mitglieder (1,8 Mio) verloren die Allgemeinen Ortskrankenkassen (AOK). Gewinner der Mitgliederwanderung waren Betriebs- und Innungskassen.
http://www.bmgesundheit.de

BILANZ

2000

Gesundheit

Grenzen der medizinischen Heilkunst

Herz-Kreislauf-Erkrankungen und Krebs sind Ende des 20. Jh. die mit Abstand häufigsten Krankheiten und Todesursachen in den westlichen Industriestaaten, Lärmschwerhörigkeit ist die häufigste Berufskrankheit. 1997 starben mehr als 1 Mio Deutsche an Herz-Kreislauf-Erkrankungen und an Krebs. Ursachen waren außer Erbfaktoren u. a. Stress, Rauchen, Bluthochdruck, Bewegungsmangel, falsche Ernährung sowie Drogen- und Arzneimittelmissbrauch. Die verheerendste Seuche weltweit war Ende der 90er Jahre die Immunschwächekrankheit Aids mit jährlich rund 2,5 Mio Todesopfern und nahezu 6 Mio Neuinfektionen. Doch gab es im 20. Jh. spektakuläre Erfolge im Kampf gegen verheerende Krankheiten, z.B. die Entdeckung des Penicillins (Alexander Fleming, 1928) und die Schluckimpfung gegen Kinderlähmung (1954). Zu den größten Herausforderungen im 21. Jh. gehört die weltweite Verbesserung der Gesundheitssysteme trotz wachsender Finanzierungsprobleme.

Positive Trends

▶ Die Lebenserwartung in den Industriestaaten hat sich seit dem frühen 20. Jh. im Schnitt auf fast 80 Jahre nahezu verdoppelt.

▶ Mit moderner Therapeutik (z.B. Gentherapie) lassen sich bislang als unheilbar geltende Krankheiten frühzeitig behandeln.

▶ In den Industriestaaten wird den Bürgern für alle Lebensabschnitte eine umfassende Gesundheitsfürsorge geboten.

▶ In zahlreichen Regionen der Welt wurden die großen Epidemien (Grippe, Pocken, Tuberkulose) im Laufe des 20. Jh. nahezu ausgerottet.

Negative Trends

▶ Viele Krankheitserreger sind durch häufigen Einsatz von Antibiotika resistent geworden.

▶ Durch demographische Veränderungen in den Industriegesellschaften (Überalterung) ist das Gesundheitssystem mit immer weniger Beitragszahlern kaum noch finanzierbar.

▶ Neue Behandlungsmethoden u. a. durch Bio- und Gentechnologie sind in ihren Folgen noch nicht vollständig abschätzbar.

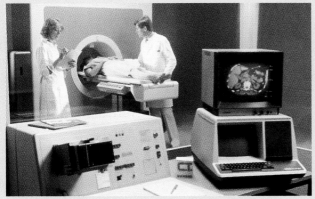
Die Computertomographie liefert ein dreidimensionales Abbild des Körpers (Bild 1975).

Meilensteine

Fortschritte in der Therapie von Körper und Geist

1900: Sigmund Freud (A) begründet mit seiner »Traumdeutung« die Methode der Psychoanalyse.

1901: Der Österreicher Karl Landsteiner entdeckt das AB0-System der menschlichen Blutgruppen.

1903: Willem Einthoven (NL) baut das Saitengalvanometer zur Messung der Herzmuskelströme (EKG).

1909: Paul Ehrlich (D) begründet mit der Arsenverbindung Salvarsan gegen Syphilis die Chemotherapie.

1913: Das von Emil von Behring (D) entwickelte Diphtherieserum wird in Deutschland für Reihenimpfungen freigegeben.

1916: Ferdinand Sauerbruch (D) entwickelt die ersten beweglichen Hand- und Unterarmprothesen.

1918: Die Spanische Grippe fordert weltweit 20 Mio Menschenleben, in Deutschland 200 000.

1920: Rudolf Steiner (A) veranstaltet den ersten anthroposophischen Medizinkurs.

1921: Frederick G. Banting (USA) und Charles H. Best (CDN) gewinnen in Reinform das Hormon Insulin; es ermöglicht die Behandlung der Zuckerkrankheit.

1928: Alexander Fleming (GB) entdeckt Penicillin, eines der wichtigsten Antibiotika gegen Infektionen.

1928: Johannes Schultz (D) entwickelt das autogene Training zur Selbstentspanning.

1929: Hans Berger (D) erstellt durch Messung von Gehirnströmen das Elektroenzephalogramm (EEG).

1935: Edward Kendall (USA) isoliert Corticoide, von denen Cortison als Enzymhemmer bekannt wird.

1939: Philip Levine (USA) entdeckt den Rhesusfaktor des Blutes.

1948: Die Weltgesundheitsorganisation (WHO) wird gegründet.

1952: Mit »Chlorpromazin« beginnt die Therapie mit Psychopharmaka gegen Geisteskrankheiten.

1954: Albert B. Sabin (USA) entwickelt die Schluckimpfung gegen Kinderlähmung.

1967: Christiaan N. Barnard (ZA) führt die erste erfolgreiche Herztransplantation am Menschen durch.

1972: Die Röntgenuntersuchung durch die von Godfrey Houndsfield (GB) und Allan M. Cormack (USA) entwickelte Computertomographie ermöglicht dreidimensionale Darstellungen des Körpers.

1981: In den USA wird die Immunschwäche AIDS festgestellt.

1992: In den USA wird erstmals einem Menschen eine Affenleber (die eines Pavians) eingesetzt.

▬ Krankenversicherungen: Pflegekosten pro Tag im Krankenhaus

Personalkosten[1]		Sachkosten[1]	
Pflegedienst	148,06	Medizinischer Bedarf	87,38
Ärztlicher Dienst	77,74	Instandhaltung	22,87
Med.-tech. Dienst[2]	42,81	Wirtschaftsbedarf[3]	18,76
Funktionsdienst[4]	33,38	Wasser, Energie	12,36
Wirtschafts- u. Versorgungsdienst	25,49	Lebensmittel	11,46
Verwaltung	22,88	Verwaltungsbedarf	9,66
Sonstiges	24,82	Sonstiges[5]	19,78

Pflegekosten insgesamt 375,18 DM; Sachkosten ilnsgesamt 182,27 DM; letztverfügbarer Stand: 1996; 1) Kosten (DM); 2) Krankengymnasten, Masseure u. ä.; 3) Reinigung, Wäscherei u. ä.; 4) Operationshelfer, Hebammen u.a.; 5) inkl. Zinsen und Kosten der Ausbildungsstätten; Quelle: Deutsche Krankenhausgesellschaft

Medizinerausbildung

Zum Wintersemester 1999/2000 startet an der Medizinischen Fakultät Charité in Berlin ein Modellstudium Medizin, das mehr Praxisnähe als der übliche Studiengang aufweist. Ermöglicht wurde das Modell für 63 von der Zentralen Vergabestelle für Studienplätze (ZVS, Dortmund) ausgewählte Studenten durch Bundesratsbeschluss Anfang 1999, nach dem Modellprojekte aus der strikten Prüfungsordnung für Ärzte ausgenommen werden können. Neben der Berliner Humboldt-Universität, Stiftungen und der Ärztekammer sollen Unternehmen als Sponsoren für die neue M. gewonnen werden.

Ausbildung: Die Unterteilung des Studiengangs in einen vorklinischen und einen praktischen Teil soll entfallen. Vom ersten Semester an werden Studenten der neuen M. in Krankenhäusern und Praxen im direkten Umgang mit den Patienten ausgebildet. In den ersten fünf Semestern werden nacheinander die einzelnen Organe behandelt. Die nächsten fünf Semester sind den Lebensstadien des Menschen vom Säugling bis zum Greis mit typischen Krankheiten gewidmet. Bei Prüfungen soll das Multiple-Choice-Abfragen von Wissen durch offene Fragen ersetzt werden.

Übungszentrum: Die Charité plante 1999, ein Laboratorium einzurichten, in dem die angehenden Ärzte praktisch üben können (z. B. Patientengespräche führen, Augenhintergründe ausleuchten, Blut abnehmen). Die Finanzierung der Kosten von rund 10 Mio DM war Mitte 1999 nicht gesichert.

Weiteres Reformprojekt: In München fand ab 1997 eine reformierte M. statt, die sich am Beispiel der US-amerikanischen Harvard-University orientierte. Bestimmte Lerninhalte wurden z. B. in kleinen Tutorengruppen vermittelt. Fach- und Lerninhalte der bestehenden Studienordnung wurden so verschoben, dass schneller auf neue Anforderungen reagiert werden kann.
http://www.charite.de/rv/reform

▬ Medizinerausbildung: Fach- und Hausärzte[1]

Allg./Prakt. Ärzte	44 465
Internisten	15 742
Frauenärzte	9513
Kinderärzte	5759
Augenärzte	5169
Neurologen/Psychiater	4785
Orthopäden	4762
HNO-Ärzte	3877
Chirurgen	3411
Hautärzte	3294
Psychotherapeuten	2485
Urologen	2458
Radiologen	2230
Anästhesisten	1737
Mund-, Kiefer-Gesichtschirurgen	640
Laborärzte	592
Pathologen	416

1) Anzahl 1998; Quelle: Kassenärztliche Bundesvereinigung

Pflegeversicherung

1998 trug die vierte Sozialversicherung neben Renten-, Kranken- und Arbeitslosenversicherung Leistungen für die häusliche und stationäre Pflege von 1,79 Mio Menschen. 71,4 Mio Menschen waren in der P. pflichtversichert, 8 Mio (Stand: 31.12.1997) hatten eine private P. Finanziert wurde die P. jeweils zur Hälfte von Arbeitgebern und Arbeitnehmern. 1999 betrug der Beitragssatz 1,7% des Bruttomonatseinkommens. Die P. ist den gesetzlichen Krankenversicherungen (GKV) bzw. privaten Kassen angegliedert; mit ihnen rechnen Heime und mobile Hilfsdienste ab. Die Regierungskoalition aus SPD und Bündnis 90/Die Grünen plante 1999 Verbesserungen des P.-Gesetzes.

Reform: Das Gesetz der rot-grünen Regierung zur P., das im Bundesrat zustimmungspflichtig ist, sah die Ausweitung einzelner Leistungen vor:
– Die Leistungen der Tages- und Nachtpflege in der mittleren Pflegestufe II sollen von 1500 DM auf 1800 DM und in der Stufe III für Schwerstpflegebedürftige von 2100 DM auf 2800 DM angehoben werden. Pflegegeld, das für den Monat gezahlt wurde, in dem der Pflegebedürftige starb, soll nicht mehr zurückgefordert werden.
– Eine Änderung im Unterhaltsrecht soll sicherstellen, dass z.B. eine geschiedene Frau, die ihr behindertes Kind pflegt, das Pflegegeld nicht mehr als Einkommen auf den Unterhalt vom Vater des Kindes anrechnen lassen muss.

– Künftig sollen nicht nur körperlich kranke Menschen Pflegehilfe bekommen, sondern auch psychisch Kranke, die zwar körperlich nicht eingeschränkt sind, aber betreut und beaufsichtigt werden müssen. Die Maßnahmen verursachen insgesamt Mehrkosten von 260 Mio DM pro Jahr, die aus den Rücklagen der P. finanziert werden sollen (Anfang 1999: rund 11 Mrd DM).

Missstände: Aufgeschreckt durch Berichte über misshandelte Pflegebedürftige, z.T. mit Todesfolge, untersuchten die GKV 1998 die Pflegequalität der Heime und Dienste. Vielfach wurde kein Fachpersonal eingesetzt, sodass Grundkenntnisse der Pflegearbeit kaum vorhanden waren. Patienten litten unter Dekubitus, wundgelegenem Rücken mit offenen Geschwüren, die zum Tod führen können. In der Medikamentenabgabe wurden Fehler entdeckt, und es wurden nicht erbrachte Leistungen abgerechnet. Bundesfamilienministerin Christine Bergmann (SPD) plante 1999 ein Gesetz, das seriöse Anbieter von Pflegeleistungen vor Dumping-Wettbewerbern schützen soll. Die Kontrollen sollen verschärft werden.

Sozialhilfe: Nach einer Studie der gewerkschaftlichen Hans-Böckler-Stiftung wurde bis 1999 das Ziel der P., das Verhältnis von 80% Sozialhilfeempfängern in Heimen und 20% Selbstzahlern umzukehren, nicht erreicht. Nach wie vor waren 80% der Heimbewohner auf Sozialhilfe angewiesen, wenn sich auch der absolute Betrag an Sozialhilfe verringerte (–10% gegenüber dem Vorjahr).
http://www.bmgesundheit.de

Leistungsempfänger der Pflegeversicherung

Pflegestufe	Täglicher Hilfebedarf	Leistungsumfang	Anteil an Pflegebedürftigen (%)	
			zu Hause	in Heimen
Stufe I	90 min einmal täglich	400 DM Pflegegeld/ 750 DM Sachleistung/ 2000 DM im Heim	49,0	36,3
Stufe II	3 h, dreimal täglich zu verschiedenen Zeiten	800 DM Pflegegeld/ 1800 DM Sachleistung/ 2500 DM im Heim	39,5	40,9
Stufe III	5 h täglich, Pflegeperson muss jederzeit erreichbar sein	1300 DM Pflegegeld/ 2800 Sachleistung/ 2800 DM im Heim	11,5	22,8

Stand: 30.6.1998; als Maßstab gilt der fiktive Zeitaufwand einer nichtprofessionellen Pflegeperson; Quelle: Bundesgesundheitsministerium

Knapp die Hälfte der Pflegebedürftigen in Deutschland, die 1998 zu Hause versorgt wurden, waren leichtere Fälle der Stufe I mit einem täglichen Pflegeaufwand von etwa einmal 90 min.

297

Positivliste

Auswahl von Arzneimitteln, die von unabhängigen Fachleuten nach therapeutischem Nutzen vorgenommen wurde. Die auf der P. verzeichneten Mittel sollen bei Verordnung weiterhin von den gesetzlichen Krankenversicherungen finanziert werden, nicht aufgelistete Mittel muss der Patient selbst tragen.

Die im Herbst 1998 gewählte Bundesregierung aus SPD und Bündnis 90/Die Grünen plante 1999 für die Strukturreform im Gesundheitswesen 2000 die Einführung einer P. mit dem Ziel, den Medikamentenmarkt zu ordnen, die Versorgung der Patienten zu verbessern und die Kosten der gesetzlichen Krankenversicherungen (GKV) für Arzneimittel zu reduzieren.

Vorteile: Nicht auf der Liste verzeichnete Mittel, deren therapeutischer Nutzen z.B. nicht nachgewiesen ist, sollen von der Erstattung ausgenommen werden. Experten errechneten, dass die GKV damit jährlich um 6–7 Mrd DM entlastet würden. Die rotgrüne Koalition erhofft sich von der Einführung der P. eine Einsparung von 2 Mrd DM pro Jahr.

Die Bundesregierung erwog 1999, ein Institut für Arzneimittelverordnung mit zwei Expertenkommissionen zu gründen, welche die Liste bis etwa 2002 erarbeiten sollen. Das Gesundheitsstrukturgesetz der christlich-liberalen Regierungskoalition von 1993 hatte ebenfalls eine P. vorgesehen, die 1995 vorgelegt, aber nicht eingeführt wurde, weil die CDU/CSU/FDP-Regierung die Rechtsgrundlage nach massiven Protesten von Interessenvertretern aus dem Gesetz strich.

http://www.bmgesundheit.de

Psychotherapeutengesetz

1999 trat nach 25-jähriger Diskussion ein P. in Kraft, das den Beruf des Psychotherapeuten gesetzlich schützt. Nach dem Studium der Psychologie oder – bei Kinder- und Jugendpsychotherapeuten – der Pädagogik bzw. Sozialpädagogik führt eine dreijährige Berufsausbildung, die mit einer staatlichen Prüfung endet, zur Erteilung der ärztlichen Berufserlaubnis. Psychotherapeuten werden dann wie Ärzte zur Kassenbehandlung zugelassen. Die Kosten einer psychotherapeutischen Behandlung bei einem zugelassenen Psychotherapeuten tragen die Krankenversicherungen.

Sexualität

Befreiung oder Vermarktung des Körpers?

Die Sexualisierung des öffentlichen Lebens durch Massenmedien inkl. Werbung, der Anstieg des Menschenhandels zum Zweck der Prostitution, die Erschließung neuer Dienstleistungsmärkte (Telefonsex, Internet) sowie die Diskussion über eine Verschärfung des Sexualstrafrechts prägen Ende des 20. Jh. die Diskussion um das Thema Sexualität. Die durch die Antibabypille ausgelöste »sexuelle Revolution« der 60er Jahre führte in der BRD in den 70er Jahren zu einer Strafrechtsreform. Sie ging vom Grundsatz aus, dass nicht die allgemeine Sittlichkeit das zu schützende Rechtsgut sei, sondern die sexuelle Selbstbestimmung der Einzelnen. Mit der Streichung des § 175, dem Verbot sexueller Belästigung am Arbeitsplatz (1994) und der Unterstrafestellung von Vergewaltigung auch in der Ehe (1998) ist das Prinzip der sexuellen Selbstbestimmung in den 90er Jahren rechtlich weiter verankert worden. Doch stieß die Reform auch eine Entwicklung an, die 1975 mit der Freigabe »weicher« Pornographie ihren Anfang nahm und in den 90er Jahren zu einer enormen Expansion der Branche geführt hat (jährlich 4,6 Mio angebotene Pornovideos). Mit ca. 400 000 Arbeitsplätzen bildet die Prostitution in Deutschland einen eigenen weiblichen Arbeitsmarkt.

Positive Trends

▶ Sexuelle »Aufklärung« wird seit Verbreitung von Aids gesellschaftlich akzeptiert, die Toleranz z.B. gegenüber Homosexuellen ist gestiegen.

▶ Moderne Verhütungsmethoden (u. a. Antibabypille) haben vielen Frauen die Angst vor ungewollter Schwangerschaft genommen.

▶ Das liberale Strafrecht in Deutschland schränkt das Sexualverhalten nur ein, wenn es die »sexuelle Selbstbestimmung« anderer verletzt.

Negative Trends

▶ Durch die Zunahme von Pornographie entsteht nach Ansicht von Psychologen eine zunehmende Verrohung des Geschlechterverhältnisses.

▶ Die millionenfache Ausbreitung von Aids schränkt die sexuelle Freizügigkeit ein.

Zwischen Doppelmoral und Politskandalen

1905: Sigmund Freud (A) verwirft in »Drei Abhandlungen zur Sexualtheorie« die Begriffe Perversion und sexuelle Degeneration und sieht in der Sexualität ein zentrales Motiv menschlichen Handelns.

1910: Das internationale Abkommen zur Bekämpfung des Mädchenhandels verbietet das Anwerben, Verschleppen oder Entführen von Frauen zum Zweck der Prostitution.

1918: Magnus Hirschfeld gründet in Berlin das Institut für Sexualwissenschaft; er propagiert sexuelle Aufklärung und die Tolerierung von der Norm abweichenden Verhaltens.

1930: Wilhelm Reich (A) gründet den Reichsverband für proletarische Sexualpolitik (Sexpol), um die Orgasmusfähigkeit des Proletariats zu verbessern und so gesellschaftliche Veränderungen zu bewirken.

1948: Der erste Kinsey-Report (USA) über das freizügige Sexualverhalten der US-Bürger löst einen Sturm der Entrüstung aus.

1957: Herbert Marcuse (D) entwirft in der Studie »Eros und Kultur« die für die Studentenbewegung der 60er Jahre wegweisende Utopie der sexuell nicht repressiven Gesellschaft.

Chr. Keeler stürzte einen Politiker (1963).

1957: Die Ermordung des Callgirls Rosemarie Nitribitt löst einen der größten Sexskandale in der 1949 gegründeten BRD aus; Nitribitt wurden Kontakte zu Politikern und Wirtschaftsführern nachgesagt.

1960: Die Antibabypille revolutioniert die Empfängnisverhütung und führt zur »sexuellen Revolution«.

1963: Der britische Heeresminister John Profumo tritt nach Bekanntwerden seiner Affäre mit dem Callgirl Christine Keeler zurück; sie hatte Kontakt zu Sowjetpolitikern.

1968: Die westdeutschen Kultusminister führen den Sexualkunde-Unterricht in die Schule ein.

1968: Der um Seriosität bemühte Aufklärungsfilm »Das Wunder der Liebe« von Oswald Kolle findet die Zustimmung der kath. Kirche.

1968: Papst Paul VI. spricht sich in der Enzyklika »Humanae vitae« gegen jede künstliche Geburtenregelung aus.

1969: Die Stonewall-Rebellion New Yorker Homosexueller löst eine internationale Schwulen- und Lesbenbewegung mit z. T. spektakulären Coming-Outs aus.

1973: Die Sexualstrafrechtsreform in der BRD geht von der Maxime aus, dass die sexuelle Selbstbestimmung zu schützendes Rechtsgut sei.

1987: Die von Alice Schwarzer initiierte Por-No-Kampagne inkl. eines Gesetzentwurfs über ein Klagerecht gegen Pornographie löst kontroverse Diskussionen aus.

1994: In Deutschland wird der § 175 über Homosexualität aus dem Strafgesetzbuch gestrichen.

1998: Das deutsche Sexualstrafrecht wird in den Bereichen Kindesmissbrauch, Vergewaltigung, Menschenhandel u. a. verschärft.

1999: Die Sexaffäre um US-Präsident Bill Clinton und Monica Lewinsky sorgt weltweit für Aufsehen; Gerichtsprotokolle werden im Internet publiziert, ein Amtsenthebungsverfahren gegen Clinton scheitert.

Stichwort: Kinsey-Report
Studie über Sex in den USA
Alfred Kinsey erregte 1948 mit der Studie »Das sexuelle Verhalten des Mannes« die US-Bürger, die sich an der Diskrepanz von Norm und Verhalten stießen: 20 000 weiße US-Amerikaner wurden erstmals nach Masturbation, vor- und außerehelichem Sexualverkehr, Petting und Homosexualität befragt. Mit seiner Sachlichkeit und den Analysemethoden setzte der Kinsey-Report Maßstäbe. 1953 erschien die nicht minder brisante Studie »Das sexuelle Verhalten der Frau«. Danach hatte jede zweite Ehefrau in den USA vor der Ehe Sexkontakte (Männer 83%). 28% der Ehefrauen waren ihrem Partner schon einmal untreu (Männer 50%).

Stichtag: 18. August 1960
Verhütung mit Antibabybille
Die Firma Searle & Co. (USA) brachte 1960 die erste Antibabypille auf den Markt. Mit einer Versagerrate von nur 0,5 Schwangerschaften pro 100 Frauenjahre revolutionierte der hormonale Ovulationshemmer die Methoden der Empfängnisverhütung und löste in den westlichen Industriestaaten den »Pillenknick«, einen starken Geburtenrückgang, aus. Zugleich legte »die Pille« einen wesentlichen Grundstein zur sexuellen Revolution der 60er Jahre.

Stichtag 25. Juli 1968:
Enzyklika »Humanae vitae«
Papst Paul VI. bekräftigte 1968 die Ansicht, Geschlechtsverkehr und »gottgewollte Fortpflanzung« seien untrennbar verknüpft. Er beschwor »Adel« und »Freiheit« der Menschen, verdammte künstliche Verhütungsmittel (nicht nur die Pille), gestattete jedoch zur Empfängnisverhütung die periodische Enthaltsamkeit. Doch dem Papst wurde Weltfremdheit vorgeworfen angesichts Bevölkerungsexplosion und Armut in der Dritten Welt.

Sterbehilfe

(auch Euthanasie, Euthanasia, griech.; gutes Sterben), Maßnahmen, die den Tod eines Kranken herbeiführen und dem Sterbenden den Tod erleichtern sollen (aktive S.). Als passive S. wird das bewusste Unterlassen von Maßnahmen bezeichnet, die das Leben eines Sterbenden verlängern oder einen Todeswilligen am Sterben hindern.

Ende 1998 verabschiedete die Bundesärztekammer Richtlinien zur Sterbebegleitung. Sie verändern nicht die Rechtslage. **Richtlinien:** Aktive S. lehnen die Ärzte ab. Sie distanzierten sich von der Praxis in den Niederlanden, wo aktive S. unter strikten Voraussetzungen Ende der 90er Jahre straffrei war. Jährlich wurden dort 4000 Fälle von aktiver S. registriert. Dagegen soll bei der Behandlung der Sterbenden, Todkranken und lebensbedrohlich Erkrankten nicht mehr die Lebensverlängerung, sondern die Linderung der Beschwerden im Vordergrund stehen. Auch vor der Sterbephase ist die Änderung des Behandlungsziels möglich, wenn dies dem erklärten oder mutmaßlichen Willen des Patienten entspricht. In jedem Fall hat der Arzt für ausreichende Versorgung des Kranken zu sorgen: menschenwürdige Unterbringung, Zuwendung, Körperpflege, Linderung von Schmerzen, Atemnot, Übelkeit sowie Stillen von Hunger und Durst. Unvermeidliche Lebensverkürzung als Folge von Maßnahmen zur Leidenslinderung (z. B. die Verabreichung von Opiaten) ist erlaubt. Bei Neugeborenen mit schwersten Fehlbildungen soll nicht der Wille der Eltern entscheidend sein für einen Behandlungsabbruch, sondern die Schwere der Schäden. Bei Wachkomapatienten soll die Länge der Bewusstlosigkeit sowie der unwiderrufliche Ausfall weiterer Organe ausschlaggebend sein. Kritiker der Richtlinien warfen der Bundesärztekammer vor, das Tor zur aktiven S. öffnen zu wollen.

Deutsche Gerichtsurteile: Über lebensverlängernde oder -beendende Maßnahmen bei Komapatienten müssen Angehörige und Ärzte nach dem mutmaßlichen Willen des Kranken entscheiden. Dieses Urteil (Az.: 13 T 478/99) sprach im April 1999 das Landgericht München I und widersprach einem Urteil des Oberlandesgerichts (OLG) Frankfurt/M. vom Juli 1998 (Az.: 20 W 224/98). Das OLG hatte entschieden, dass über Leben und Tod im Koma liegender Kranker das Vormundschaftsgericht entscheiden sollte.

Urteil in den USA: Im April 1999 wurde der als Dr. Death (engl.; Dr. Tod) bekannte Arzt Jack Kevorkian wegen Totschlags von einem Gericht in Michigan zu zehn bis 25 Jahren Haft verurteilt. Kevorkian hatte seit 1990 nach eigenen Angaben in 130 Fällen aktive S. geleistet. Er war mehrfach vor Gericht gestellt und freigesprochen worden, weil die S. in den USA nicht eindeutig geregelt war. Wenige Wochen vor der Anklage war in Michigan ein Gesetz in Kraft getreten, nach dem Beihilfe zum Selbstmord als schwere Straftat geahndet werden muss.

Zahnersatz

Die rot-grüne Bundesregierung nahm 1999 im Vorschaltgesetz zur Gesundheitsreform die 1998 von der christlich-liberalen Regierungskoalition eingeführte Kostenerstattung beim Z. zurück, nach der Patienten Leistungen zum Z. direkt mit dem Zahnarzt abrechnen mussten und einen Festzuschuss von der Krankenversicherung erhielten. Seit 1999 gilt wieder das Sachleistungssystem, bei dem die Kassen nach Vorlage eines sog. Heil- und Kostenplans für den Patienten mit dem Zahnarzt abrechnen. Der Patient erhält einen prozentualen Zuschuss von 50% der Kosten des Z. Der Anteil steigt durch nachgewiesene regelmäßige Kontrollbesuche beim Zahnarzt in den letzten zehn Jahren auf 65%. Den Rest muss der Patient selbst finanzieren. Auch nach 1978 Geborene hatten 1999 wieder Anspruch auf den Kassenanteil beim Z. Sie waren 1998 von der christlich-liberalen Koalition von der Kostenerstattung ausgenommen worden.
http://www.zahngesund.de

■■ Ärzte-Richtlinien zur Sterbehilfe

▶ **Patienteninformation:** Nach den Ende 1998 von der Bundesärztekammer beschlossenen Richtlinien zur Sterbebegleitung muss der Arzt den Patienten wahrheitsgemäß über seinen Zustand aufklären.

▶ **Patientenwille:** Eine Patientenverfügung hinsichtlich lebensverlängernder Maßnahmen an seinem Lebensende muss der Arzt als verbindlich einstufen. Die Bundesärztekammer plante 1998 Empfehlungen, welche Elemente eine Patientenverfügung enthalten sollte, um als Entscheidungsgrundlage für den Arzt zu dienen.

▶ **Gesetzlicher Vertreter:** Kann der Patient seinen Willen in Bezug auf Sterbebegleitung nicht mehr selbst kundtun, muss der Wille durch einen gesetzlichen Vertreter repräsentiert werden.

▶ **Ärztliche Entscheidung:** Ist kein gesetzlicher Vertreter benannt, soll der Arzt so entscheiden, wie es dem mutmaßlichen Willen des Patienten entspricht. Wenn dieser Wille nicht erkennbar ist, kann der Arzt nach allgemeinen, humanistischen Kriterien handeln. Im Zweifel ist für das Leben zu entscheiden.

Gewerkschaften

Dienstleistungs-gewerkschaft

Mitglieder: Für 2001 beabsichtigen die DGB-Gewerkschaften Handel, Banken und Versicherungen (HBV), ÖTV, Deutsche Postgewerkschaft (DPG), IG Medien und die außerhalb des DGB agierende Deutsche Angestellten Gewerkschaft (DAG) ihre Kräfte in der neu zu gründenden Vereinigten D. (Verdi) mit 3,2 Mio Mitgliedern aus mehr als 1000 Berufen zu bündeln; sie wäre die größte Gewerkschaft in Deutschland. Nahrung-Genuss-Gaststätten (NGG), die Gewerkschaft Erziehung und Wissenschaft (GEW) sowie die Gewerkschaft der Eisenbahner Deutschland (GdED), die zunächst ebenfalls dazugehören wollten, schieden 1998 aus, weil sie fürchteten, die Interessen ihrer Klientel könnten im Verbund nicht genügend berücksichtigt werden.

Struktur: Die Bundesgremien der fünf beteiligten Gewerkschaften einigten sich im März 1999 auf die Grundstrukturen der neuen Organisation. Sie soll, um die enge Bindung der bisherigen Mitglieder zu gewährleisten, in zwölf oder 13 Fachbereiche gegliedert sein, welche die Zuständigkeiten der fusionierenden Gewerkschaften widerspiegeln. Im November 1999 wollen die beteiligten Arbeitnehmervertretungen eine Gründungsorganisation bilden, welche die endgültige Fusion vorbereitet.

Einzelgewerkschaften

Mit 2,773 Mio Mitgliedern (Anfang 1999) war die Industriegewerkschaft (IG) Metall die stärkste Einzelgewerkschaft innerhalb des Deutschen Gewerkschaftsbundes (DGB), gefolgt von der Gewerkschaft Öffentliche Dienste, Transport und Verkehr (ÖTV) mit 1,583 Mio und der IG Bergbau, Chemie, Energie (IG BCE) mit 956 000 Mitgliedern.

Mitgliederschwund: Alle zwölf im DGB vereinigten Einzelgewerkschaften verzeichneten einen Mitgliederschwund; am stärksten betroffen waren die IG Bau-Agrar-Umwelt (IG Bau, −6,2%), die Gewerkschaft Holz und Kunststoff (−5,8%) und die IG BCE (−5,4%). Bei der Gewerkschaft der Polizei ging die Zahl der Mitglieder nur um 1,5% auf 194 000 (Anfang 1999) zurück.

▄▄ Mitglieder der Einzelgewerkschaften[1]		
IG Metall[2]	2 772 916	▼ −2,5[3]
Gew. Öffentliche Dienste, Transport u. Verkehr	1 582 776	▼ −3,7
IG Bergbau, Chemie, Energie[4]	955 734	▼ −5,4
IG Bauen-Agrar-Umwelt	614 650	▽ −6,2
Deutsche Postgewerkschaft	475 094	▼ −2,8
Gew. Handel, Banken und Versicherungen	471 333	▼ −3,5
Gew. der Eisenbahner Deutschlands	352 161	▼ −4,2
Gew. Nahrung-Genuss-Gaststätten	282 521	▼ −4,1
Gew. Erziehung und Wissenschaft	281 236	▼ −2,7
Gew. der Polizei	193 578	▼ −1,5
IG Medien	184 656	▼ −3,6
Gew. Holz und Kunststoff	145 128	▼ −6,1

Deutscher Gewerkschaftsbund gesamt: 8 310 783 (Veränderung gegenüber 1997: −3,6) 1) Mitglieder am 31.12.1998; 2) IG Metall inkl. Gewerkschaft Textil-Bekleidung; 3) Veränderung gegenüber 1997 (%), 4) IG Bergbau, Chemie, Energie: 31.1.99; Quelle: DGB

Hauptursachen waren hohe Arbeitslosigkeit und ein gewandelter Arbeitsmarkt: Tätigkeiten in industriellen Großbetrieben mit hohem gewerkschaftlichen Organisationsgrad gingen verloren, in neu entstehenden, oft kleinen Firmen im Dienstleistungs- und High-Tech-Bereich war die Gewerkschaftsorientierung gering.

IG Metall: Zum neuen Zweiten Vorsitzenden der IG Metall wurde im Dezember 1999 der niedersächsische Bezirksleiter Jürgen Peters gewählt. Peters ist Nachfolger von Walter Riester, der 1998 als Bundesarbeitsminister in die Bundesregierung wechselte. Angesichts ungünstiger Mitgliedertendenz – im Schnitt –3% pro Jahr seit 1993, Halbierung des Anteils der Mitglieder unter 25 auf knapp 8% – kündigte Zwickel im März 1999 eine Werbekampagne an (Kosten: bis zu 40 Mio DM). Seit 1.4.1999 ist die Gewerkschaft Textil und Bekleidung mit der IG Metall verschmolzen. Die Fusion mit der IG Holz und Kunststoff erfolgt am 1.1.2000.

Sanktionen: Nach einem Urteil des Bundesverfassungsgerichts (Karlsruhe) vom 24.2.1999 dürfen Gewerkschaften gegen Mitglieder vorgehen, die bei Betriebsratswahlen auf einer konkurrierenden Liste kandidieren. Durch die Koalitionsfreiheit seien auch »Maßnahmen zur Aufrechterhaltung der Geschlossenheit nach innen und außen« geschützt. Im zugrunde liegenden Fall hatte die IG Metall vier Kandidaten einer konkurrierenden Liste ausgeschlossen.

Mitbestimmung

Nach dem M.-Gesetz (1976) sind Kapitalgesellschaften in Deutschland mit über 2000 Mitarbeitern zur paritätischen Besetzung des Aufsichtsrats mit Vertretern der Anteilseigner und der Beschäftigten verpflichtet. In Pattsituationen entscheidet der Aufsichtsratsvorsitzende, der fast immer von den Eigentümern bestimmt wird.

Montan-Mitbestimmung: Lt. M.-Gesetz im Montanbereich (1951) ist der Aufsichtsrat von Kapitalgesellschaften in der Stahlindustrie und im Steinkohlebergbau mit über 1000 Beschäftigten zu gleichen Teilen mit Vertretern von Eigentümern und Arbeitnehmern zu besetzen. Da die 21. Person, die beim Patt den Ausschlag gibt, hier von Eigentümern und Belegschaft gemeinsam gewählt wird, gibt das Gesetz den Arbeitnehmern stärkere M.-Möglichkeiten als bei der allgemeinen M. Das Bundesverfassungsgericht (Karlsruhe) erklärte am 1.3.1999 das Gesetz zur Sicherung der Montanmitbestimmung in Konzernobergesellschaften (1988) in Teilen für verfassungswidrig. Es legte fest, dass die Montan-M. bei Konzernobergesellschaften, die ihr zuvor unterlagen, solange weiterhin gilt, wie mind. 20% (bei neu entstehenden Unternehmen: mind. 50%) des Umsatzes im Montanbereich erzielt werden oder dort mind. 2000 Mitarbeiter beschäftigt sind. Letztere Grenze beanstandeten die Karlsruher Richter. Die Entscheidung betrifft die Mannesmann AG und Klöckner Werke AG. Mitte 1999 unterlagen weniger als 50 Unternehmen der Montan-M.

Betriebsverfassungsgesetz: Bundesarbeitsminister Walter Riester (SPD) bekräftigte Anfang 1999 die Absicht der rot-grünen Bundesregierung, das Betriebsverfassungsgesetz in der laufenden Legislaturperiode zu novellieren. Bei der Bildung von Betriebsräten sollen neue Formen der Arbeits-, Betriebs- und Unternehmensorganisation, z. B. in virtuellen Unternehmen, berücksichtigt werden. SPD und Bündnis 90/Die Grünen haben in der Koalitionsvereinbarung vom Herbst 1998 ihre Absicht zur Stärkung der M. festgeschrieben.

Tarifverträge

Zwischen Arbeitgeberverbänden und Gewerkschaften geschlossene Vereinbarungen über Lohnerhöhungen, Zusatzleistungen wie Urlaubs- und Weihnachtsgeld, Zuschläge und Arbeitszeiten

Mit einem Anstieg der Tarifverdienste um 1,7% für Arbeiter und 1,8% für Angestellte lag die Lohnentwicklung 1998 über der Inflationsrate (0,9%), blieb aber wie 1996 und 1997 hinter der Produktionsentwicklung (1998: +2,0%) zurück. In Ostdeutschland erhöhten sich die Tarife überdurchschnittlich und erreichten 90% der Westtarife; bei

▬▬ **Tarifverträge: Sonderleistungen**	Westdeutschland	Ostdeutschland
Jahressonderzahlung[1)]	98[2)]	88[2)]
Urlaubsgeld	95	95
Vermögenswirksame Leistungen	94	62
mind. sechs Wochen Urlaub	80	55

1) Weihnachtsgeld u. ä., 2) Anteil der Arbeitnehmer (%); Quelle: Bundesarbeitsministerium; Stand: 1998

den Zuschlägen und Arbeitszeitregelungen blieb die Ost-West-Lücke bestehen.

Abschlüsse: In den Tarifrunden 1999 stand in fast allen Branchen die Lohnentwicklung im Vordergrund. Die Gewerkschaften reklamierten Nachholbedarf angesichts der Lohnzurückhaltung der vergangenen Jahre, die zur Senkung der Lohnstückkosten und zur Stärkung der deutschen Wirtschaft im internationalen Wettbewerb geführt habe. Die bis Mitte 1999 getroffenen Tarifabschlüsse bewegten sich in Westdeutschland von 2,9% (Mindestlöhne am Bau) bis 3,6% (Metall).

Lohnpolitik: Nach Angaben des Instituts für Arbeitsmarkt- und Berufsforschung (IAB) der Bundesanstalt für Arbeit (Nürnberg) könnten bei einem unter dem Produktivitätszuwachs liegenden durchschnittlichen Lohnabschluss in Deutschland binnen fünf Jahren bis zu 1 Mio neue Arbeitsplätze entstehen, doch trete der Effekt mit Verzögerung ein. Das Deutsche Institut für Wirtschaftsforschung (DIW, Berlin) sprach sich gegen Lohnzurückhaltung aus, da durch eine Stärkung der Kaufkraft neue Arbeitsplätze entstehen könnten. Einig waren sich die Forschungsinstitute, dass die Arbeitslosigkeit vor allem auf hohe Lohnnebenkosten zurückzuführen sei.

Tariftreue: Im Oktober 1998 untersagte das Bundeskartellamt dem Land Berlin die 1995 eingeführte Praxis, bei der Vergabe von Straßenbauaufträgen eine Tariftreueerklärung einzufordern. Die Behörde sah einen Verstoß gegen das kartellrechtliche Diskriminierungsverbot, der den Wettbewerb im Straßenbau einschränke. Das Land Berlin wollte mit der Entscheidung, Bauaufträge nur an Firmen zu vergeben, die sich an T. halten, Dumpinglöhne verhindern.

Tarifbindung: Lt. einer Studie der IAB von 1998 fielen 69% der Betriebe mit mind. fünf Beschäftigten in Westdeutschland in den Geltungsbereich von T. (neue Bundesländer: 52,4%). Betriebsräte hatten im Westen 15,5%, im Osten 13,9% der betriebsratsfähigen Firmen. 29,5% der deutschen Betriebe waren mitbestimmungs- und tariffrei. Bei den Beschäftigten lagen die Zahlen wegen der stärkeren Tarifbindung von Großunternehmen höher: Für knapp 75% der westdeutschen und über 80% der ostdeutschen Beschäftigten galten T., 57,7% im Westen und 50,8% im Osten wurden

Anstieg der Tarifverdienste[1]

	Arbeiter	Angestellte
1998	1,7	1,8
1997	1,3	1,3
1996	3,2	2,9
1995	2,8	3,0
1994	1,6	1,5
1993	4,0	4,3
1992	5,9	5,2

1) in Westdeutschland (%); Quelle: Statistisches Bundesamt (Wiesbaden); http://statistik-bund.de

vom Betriebsrat vertreten. Die Zahl der Firmen-T. verdoppelte sich lt. Institut der Deutschen Wirtschaft (IW, Köln) seit Beginn der 90er Jahre bis 1999 auf 5400. Insbes. in Ostdeutschland wurden Firmen-T. geschlossen, in Westdeutschland meist in Branchen mit relativ wenigen, aber großen Unternehmen (Mineralölverarbeitung, Luftfahrt). Von den durch T. gebundenen Betrieben zahlten 1997 in Westdeutschland knapp die Hälfte und in Ostdeutschland jeder sechste mehr als den Tariflohn. 1993 waren es in Westdeutschland noch fast zwei Drittel.

Öffnung der Tarifverträge: Nach einer 1998 vorgelegten Studie der Hochschule für Wirtschaft und Politik (HWP) in Hamburg gab es Ende der 90er Jahre bei über 80% der Befragten Differenzierungen und Öffnungen in den T. hinsichtlich Dauer und Lage der Arbeitszeit. Gelockert waren z. T. auch die Bestimmungen über Ausbildungsvergütung, Methoden der Entgeltgestaltung sowie Einstiegstarife für Berufsanfänger und Langzeitarbeitslose. Die Öffnung der Tarife durch Einführung gewinnabhängiger Einkommensbestandteile, wie sie die Metallarbeitgeber befürworteten, lehnte die IG Metall mit dem Argument ab, dass den Beschäftigten außer dem Arbeitsplatz- nicht auch noch das unternehmerische Risiko aufgebürdet werden dürfe.

Tele- und Zeitarbeit: Die Deutsche Postgewerkschaft (DPG) und die Deutsche Telekom AG einigten sich im Oktober 1998 auf den ersten Tarifvertrag über Telearbeit. 1998/99 kam es erstmals in Deutschland in größerem Rahmen zu Tarifverhandlungen mit einer Zeitarbeitsfirma über die bei der Expo 2000 in Hannover befristet beschäftigten Mitarbeiter.

Anwaltsschwemme

Lt. Bundesrechtsanwaltskammer (BRAK, Bonn) stieg die Zahl der zugelassenen Rechtsanwälte 1998 um 6,8% auf 97791. Die BRAK ging davon aus, dass diese Tendenz auch Anfang des 21. Jh. anhalten wird. Rund 100000 Studenten waren Ende der 90er Jahre in Deutschland im Fach Jura eingeschrieben, etwa 25000 absolvierten ein Referendariat, die Voraussetzung für das II. Staatsexamen und die Zulassung zum Anwaltsberuf. 1998 arbeiteten schätzungsweise 185000 Juristen in Deutschland; dies waren ungefähr 80% mehr als Ende der 80er Jahre.

Tele-Rechtsberatung: Forciert durch die A., entwickelten Rechtsanwälte 1998 neue Dienstleistungen. Unter Service-Telefonnummern berieten Anwälte und Kanzleien Anrufer zu einem Gebührensatz von 3,63 DM/min. Die drei größten Anbieter, die ihre Beratungsstellen bis in den späten Abend (in einem Fall von 8 bis 24 Uhr) besetzt hielten, verzeichneten nach eigenen Angaben zusammen bis zu 800 Anrufe pro Tag. Auch über das Internet wurde Rechts-

beratung offeriert. Der Schwerpunkt des juristischen Tele-Services lag bei Alltagsfragen wie Kündigungsfristen, Mietminderungen, Unterhaltshöhen nach der Scheidung sowie Fragen zum Arbeits- und Verbraucherrecht. Die Tele-Anwälte hafteten für ihre Auskünfte.

Fusionspläne: Nach einer Umfrage der Unternehmensberatung Kienbaum unter 150 Kanzleien, die Ende 1998 bereits an mehr als einem Standort vertreten waren, sahen die Großkanzleien in der Fusion ein wichtiges Instrument zur Sicherung von Marktanteilen. 57% der Kanzleien mit bis zu 25 Anwälten zogen Ende 1998 einen Zusammenschluss in Erwägung. Nach Expertenschätzung werden im Jahr 2002 die größten 20 Kanzleien im Schnitt 150 Anwälte beschäftigen. Mitte 1999 fusionierten sechs Wirtschaftskanzleien aus Dänemark, Deutschland, Großbritannien, den Niederlanden, Österreich und Schweden zur paneuropäischen Kanzlei CMS (Sitz: voraussichtlich Brüssel) mit 1400 Anwälten und einem Jahresumsatz von 500 Mio DM.
http://www.brak.de

Entführungen: Ausgang[1]	
Freilassung der Opfer nach Lösegeldzahlung	67
Freilassung der Opfer ohne Lösegeldzahlung	15
Tötung der Opfer, teilw. Lösegeldzahlung	9
Befreiung der Opfer durch Dritte (z. B. Polizei)	7
Flucht der Opfer	2

1) weltweit 1975–95 (%); Quelle: Control Risk

Entführungen

Zunehmende Gewaltbereitschaft der Entführer und explodierende Lösegeldforderungen kennzeichneten Ende der 90er Jahre die E. Neben finanziellen Motiven wurden E. in Entwicklungsländern und Krisengebieten als politisches Druckmittel eingesetzt. Anfang 1999 versuchten Rebellengruppen im Jemen mehrmals durch E. von Touristen inhaftierte Gesinnungsgenossen freizupressen. Deutsche Ermittlungsbehörden erzielten 1998/99 Erfolge bei der Aufklärung von zwei spektakulären E.-Fällen.

Dunkelziffer: 1997 registrierten Behörden weltweit 1407 E. (+60% gegenüber 1990). In der deutschen polizeilichen Kriminalstatistik waren 1998 insgesamt 1951 Fälle von Menschenraub, Kindesentziehung und Entführung erfasst. Nach Angaben der größten Assekuranzen, die gegen E. und Lösegeldforderungen Versicherungen anboten (geschätztes Prämienaufkommen: 200 Mio DM), lag die Zahl der E. achtmal so hoch, bei rund 12000 Fällen/Jahr. Es wurden Lösegelder von 50000 bis 30 Mio Dollar gefordert.

Risikogebiete: Nach einer Analyse des US-Versicherungskonzerns American International Group (AIG) war das Risiko einer E. in Kolumbien besonders hoch (rund 4200 Fälle/Jahr). 26% aller E. wurden in Russland und den anderen GUS-Staaten registriert, gefolgt vom asiatisch-pazifischen Raum. In lateinamerikanischen Ländern und auf den Philippinen hatten E.-Opfer die besten Chancen, eine E. zu überleben. Dagegen wurden die Überlebenschancen von E.-Opfern in Russland, den anderen GUS-Staaten und China auch nach Zahlung von Lösegeldern als gering eingestuft.

Deutschland: Anfang 1999 gab das argentinische Bundesgericht dem deutschen Auslieferungsantrag im Fall Thomas Drach statt. Drach gilt als mutmaßlicher Drahtzieher der E. des Hamburger Industriellen Jan-Philipp Reemtsma (1996). Argentinische Polizeibehörden hatten den mit internationalem Haftbefehl Gesuchten 1998 in einem Hotel in Buenos Aires verhaftet. Ein vierter Tatverdächtiger im Fall Reemtsma stellte sich Anfang 1999 in Hamburg.

Das Ulmer Landgericht verurteilte 1999 drei Angeklagte wegen erpresserischen Menschenraubs, räuberischer Erpressung und schweren Raubs in acht Fällen zu Haftstrafen zwischen 7,5 und 13,5 Jahren. Die Männer, die Mitte 1998 nach einem Banküberfall in Ehingen (Baden-Württemberg) festgenommen worden waren, hatten bei ihrer Vernehmung die E. der Kinder des Drogeriekettenbesitzers Anton Schlecker (1987) und 18 weitere Straftaten gestanden. Die damals 14 und 16 Jahre alten E.-Opfer konnten sich selbst befreien, nachdem mit 9,6 Mio DM die bis dahin höchste Lösegeldsumme in der deutschen Geschichte gezahlt worden war.

Falschgeld

Ende der 90er Jahre rechneten Experten mit der Zunahme gefälschter Geldscheine (sog. Blüten) im Finanzkreislauf, die bis in die ersten Jahre des 21. Jh. anhalten werde. Ursachen waren die bevorstehende Ausgabe des Euro (1.1.2002), die Einführung neuer DM-Scheine mit besseren Sicherheitsmerkmalen und die nachlassende Aufmerksamkeit der Bevölkerung.

Falschgeld: Echtheitsprüfung auf einem 100-DM-Schein

Lichtpuzzle
Zeichen auf beiden Seiten der Banknote fügen sich im Gegenlicht zu einem »D« zusammen

Mikroschrift
Nur mit der Lupe zu entziffern: zwölfmal 100 DM im Sechseck um das Lichtpuzzle

Buchstabenrelief
Die Aufschrift Hundert Deutsche Mark ist ebenfalls im Stichtiefdruck aufgeprägt

Wasserzeichen
Gegen das Licht gehalten, werden das Clara-Schumann-Porträt und darunter die Zahl 100 sichtbar

Erhabener Druck
Dank eines speziellen Stichtiefdrucks lässt sich der Schriftzug »Deutsche Bundesbank ertasten

Kinegramm
Silbrige Spezialfolie in Form einer Lyra, gekippt sind 100 und Bundesadler sichtbar

Sicherheitsfaden
Der silbern glänzende Faden, mit 100 DM beschriftet, ist mehrmals durchbrochen

Kippeffekt mit Perlglanz
Beim Kippen der Banknote erscheint im Farbbalken der Schriftzug 100 DM

Quelle: Focus 8.9.1997

DM: Seit Mitte 1997 ersetzen neue 50-DM-, 100-DM- und 200-DM-Scheine die alten Banknoten. Da die alten Scheine nur befristet im Umlauf blieben, gerieten Geldfälscher unter größeren Druck, ihre falschen Scheine in Umlauf zu bringen. Nach Angaben der Deutschen Bundesbank (Frankfurt/M.) wurden im vergangenen Jahr 36 139 (+7% gegenüber 1997) gefälschte DM-Scheine mit einem Nennwert von rund 4,1 Mio DM (+5% gegenüber 1997) aus dem Zahlungsverkehr sichergestellt. Am häufigsten (71%) wurden gefälschte 100-DM-Noten konfisziert.

Euro: Nach Expertenangaben werden Geldfälscher die Ausgabe der Euro-Scheine und -Münzen in elf Mitgliedsländern der EU zum 1.1.2002 nutzen, um Blüten und Falschmünzen in alten Landeswährungen umzutauschen. Die Kontrolle wird erschwert, da der Umtausch von Landeswährungen innerhalb der elf Euro-Länder auch außerhalb des Herkunftslandes möglich ist. Überdies wurde befürchtet, dass die Unsicherheit der Bevölkerung über das Aussehen der neuen Währung von Geldfälschern genutzt wird. Anfang 1999 beschlagnahmte die italienische Polizei auf Sizilien Matrizen für den Druck von Euro-Noten; sieben Tatverdächtige wurden festgenommen. Die Ermittlungsbehörden vermuteten, dass die italienische Mafia 1999 bereits mehrere Millionen Euro-Scheine gedruckt hatte.

Bekämpfung: Die Europäische Kommission strebte 1999 ein Kooperationsprogramm unter dem Titel »System zum Schutz des Euro« mit der Europäischen Zentralbank (Frankfurt/M.), den nationalen Behörden und der europäischen Polizeibehörde Europol (Den Haag/Niederlande) an, um die Fälschung des Euro zu erschweren. Die Aufgaben von Europol (Bekämpfung der organisierten Kriminalität, des Drogenhandels und des Terrorismus) solle auf Aktionen gegen Geldfälscher ausgedehnt und die strafrechtliche Verfolgung von F.-Kriminalität innerhalb der EU vereinheitlicht werden. 1999 war der Aufbau einer zentralen Datenbank geplant, in der die Kenntnisse nationaler Behörden über Fälscherringe und -techniken zusammenfließen. Ein Schulungsprogramm für Bankangestellte und Polizeibeamte soll die Erkennung von Euro-Blüten erleichtern.

Gefangenenarbeit

Tätigkeit während der Haft. Nach dem Strafvollzugsgesetz (§41 StVollzG) sind Inhaftierte zur Arbeit verpflichtet.

Mitte 1998 entschied das Bundesverfassungsgericht (BVerfG, Karlsruhe), dass die niedrige Entlohnung (rund 200 DM/Monat) von G. gegen das im Grundgesetz der Bundesrepublik Deutschland festgeschriebene Gebot der Resozialisierung verstößt. Dass Gefangene nicht in die Sozialversicherungssysteme einbezogen sind, sei dagegen nicht verfassungswidrig. Drei Inhaftierte und ein ehemaliger Häftling hatten Verfassungsbeschwerde wegen der Niedriglöhne bei G. eingelegt. Sie forderten außerdem die Aufnahme in die gesetzlichen Kranken- und Rentenversicherung. Darüber hinaus hatte das Landgericht Potsdam dem BVerfG die Frage zur Entscheidung vorgelegt, ob die im Stafvollzugsgesetz getroffene Regelung der G. verfassungskonform ist (sog. Normenkontrollklage).

Neuregelung: Das BVerfG verpflichtete den Gesetzgeber, bis zum 31.12.2000 eine angemessene Entlohnung für die geleistete Arbeit von Inhaftierten einzuführen, ohne deren Höhe genau zu definieren. In der Übergangszeit soll die alte Regelung in Kraft bleiben. Dem Urteil des BVerfG zufolge können neben der Anhebung der Löhne auch andere, im Wert vergleichbare Maßnahmen ergriffen werden, welche die Resozialisierung der Gefangenen unterstützen, z. B. Inhaftierten beim Abbau ihrer Schulden helfen, über die G. Rentenanwartschaften für sie aufzubauen oder Erleichterungen bei der Haftzeit zu gewähren. Den deutschen Gefängnissen blieb es freigestellt, die Insassen an den Kosten für den Strafvollzug zu beteiligen. Ein Gefangener kostete 1998 im Schnitt 130 DM/Tag.

Freigänger: Dem Urteil des BVerfG zufolge war die in manchen Bundesländern (beispielsweise in Bayern) angewandte Praxis des unechten Freigangs verfassungswidrig. Dabei sind Inhaftierte dazu verpflichtet, in Privatunternehmen außerhalb der Haftanstalt zu arbeiten; nur in Ausnahmefällen dürfen sie selbst ein unter Umständen besser bezahltes Arbeitsverhältnis eingehen. Zur Neuregelung räumte das BVerfG den Bundesländern eine Frist bis Ende 1999 ein.

Gefängnisalltag: In deutschen Haftanstalten arbeiteten Ende der 90er Jahre ungefähr zwei Drittel aller Inhaftierten (letztverfügbarer Stand 31.12.1997: 68 000). Der Durchschnittslohn von 200 DM/Monat betrug nur etwa 5% des Durchschnittstariflohns in Deutschland. Außer in gefängniseigenen Betrieben arbeiteten die Inhaftierten für Fremdfirmen. Bundesweit ließen mehrere tausend Unternehmen in den Haftanstalten Waren produzieren. Nach den zwischen den Bundesländern und den Arbeitgeberverbänden getroffenen Rahmenabkommen zahlten sie pro Arbeitsstunde durchschnittlich ca. 10 DM an die Haftanstalten, die rund 20% (2 DM) an die Inhaftierten weitergaben. Die im Gefängnis geleisteten Arbeitszeiten wurden nicht als Leistungsansprüche in der gesetzlichen Rentenversicherung in Deutschland anerkannt.
http://www.jura.uni.sb.de/

Geldwäsche

Anonymes Einschleusen von illegalen Gewinnen in den Finanzkreislauf

Ende der 90er Jahre wurde die Summe des weltweit gewaschenen Geldes auf 2–5% des globalen Bruttosozialprodukts geschätzt; allein die italienische Mafia wusch nach einer Schätzung des Anti-Mafia-Ausschusses des italienischen Parlaments 1998/99 täglich rund 1,8 Mrd DM. Der größte Teil des gewaschenen Geldes stammte aus dem Drogenhandel. In der EU war G. 1998/99 in allen Mitgliedsländern als Straftatbestand in der Gesetzgebung verankert. Ermittler schätzten, dass die Einführung des Euro-Bargeldes (1.1.2002) in elf EU-Staaten verstärkt zur G. genutzt wird.
EU-Richtlinie: 1999 plante die EU-Kommission, die seit 1991 geltende Richtlinie über Maßnahmen zur Bekämpfung der G. zu erweitern. Vorgesehen war u. a.:
– neue Straftatbestände aufzunehmen, die der G. meist vorausgehen: illegaler Waffenhandel, Menschen- und Organhandel, Prostitution, verbotenes Glücksspiel, kriminelle Kunst- und Antiquitätengeschäfte;
– außer Banken weitere Branchen zur Identifikation ihrer Kunden und zur Meldung eventueller illegaler Transaktionen zu verpflichten, z. B. den Kunst- und Antiquitätenhandel, die Immobilienbranche und Wettbüros;

Gefangene

1992	16,1[2]	39 500[1]
1993	18,4	41 600
1994	21,3	44 300
1995	22,6	46 500
1996	23,4	48 900
1997	24,5	51 600

1) einsitzende Strafgefangene inkl. Sicherungsverwahrte, jeweils am 31. März; 2) Ausländer-Anteil (%); Quelle: Der Spiegel, 5/1999

– die Zusammenarbeit zwischen den Auskunftstellen in den Mitgliedsländern erheblich zu verbessern, die bis dahin bei verschiedenen Behörden (Innenministerien, Polizei, Justizministerien) angegliedert waren.
Die EU-Kommission berief sich auf Erkenntnisse der 1989 von den G-7-Staaten gegründeten Financial Action Task Force (FATF; Paris), der 1998/99 die 29 OECD-Mitgliedstaaten sowie Hongkong und Singapur angehörten. Lt. FATF nutzten Kriminelle zunehmend Wege zur G. außerhalb des Finanzsektors (Banken, Wechselstuben) sowie den elektronischen Zahlungsverkehr über das Internet.
Deutschland: Die Zollverwaltung fand 1998 bei Bargeldtransporten im Gesamtwert von 15 Mio DM Verdachtsmomente für G.; die Polizeiliche Kriminalstatistik erfasste 1998 403 Fälle von G. (–25,8% gegenüber 1997).
Im September 1998 regte der damalige Bundesinnenminister Manfred Kanther (CDU) den Aufbau einer zentralen Meldedatei beim Bundeskriminalamt (BKA, Wiesbaden) an, in der Anzeigen wegen des Verdachts auf G. bundesweit gesammelt werden sollen. Kanther bezog sich auf die von der FATF geforderte internationale Vernetzung nationaler Datenbanken zur besseren Bekämpfung von G. Nach einer Studie des BKA wurden seit Inkrafttreten des entsprechenden Gesetzes (1993) rund 12 700 Anzeigen wegen des Verdachts auf G. gestellt. 98,5% wurden in regionalen Polizei-Datenbanken erfasst, die Hälfte der Anzeigen in die bundesweit genutzte polizeiliche Arbeitsdatei APOK eingespeist. In 25% der Fälle konnten Verbindungen zu anderen Anzeigen hergestellt werden.
http://www.bmi.bund.de

Zwischen 1992 und 1997 stieg die Zahl der Strafgefangenen um fast 30%. Gleichzeitig stieg der Anteil der Ausländer an den Gefangenen um ca. 50%.

Genetischer Fingerabdruck: Verfahren

▸ **1. Probe:** Aus dem Zellkern oder den Mitochondrien (Organellen) einer Körperzelle wird die Erbsubstanz DNA isoliert. Sie enthält außer der eigentlichen Erbinformation, den Genen, auch wiederkehrende Abschnitte, die bei jedem Menschen verschieden sind, aber keine genetische Information tragen.

▸ **2. Vervielfältigung:** Die sog. Satelliten-DNA wird mit Hilfe von Enzymen vervielfältigt (Polymerase-Ketten-Reaktion, PCR).

▸ **3. Bandenmuster:** Die vervielfältigten DNA-Abschnitte werden in einem elektrischen Feld sortiert. Je nach ihrer Länge wandern sie an verschiedene Positionen und werden sichtbar gemacht. Es entstehen Bandenmuster, ähnlich einem Strichcode, die bei jedem Untersuchten individuell ausgeprägt sind.

Genetischer Fingerabdruck

(auch DNA- oder DNS-Analyse), Verfahren zur Identifizierung von Personen anhand ihres in jeder Körperzelle enthaltenen Erbguts. Als Ausgangsmaterial der molekulargenetischen Untersuchung zur Erstellung eines Gen-Profils dienen Blut, Haut, Haare, Speichel oder Sperma.

Gen-Datenbank: In Deutschland trat im September 1998 das DNA-Identitätsfeststellungsgesetz in Kraft, das den Weg für den Aufbau einer Gen-Datenbank freigab. Von mutmaßlichen Tätern, die eine sog. Straftat von erheblicher Bedeutung begangen haben, darf im Strafverfahren ein G. gewonnen werden, wenn die Annahme begründet ist, dass der Betreffende eine vergleichbare Tat noch einmal begehen könnte. Straftaten von erheblicher Bedeutung sind lt. Gesetz insbes. Sexualstraftaten, gefährliche Körperverletzung, schwerer

Diebstahl oder Erpressung. Auch von Personen, die wegen einer solchen Straftat bereits rechtskräftig verurteilt wurden oder wegen Schuldunfähigkeit (aufgrund von Geisteskrankheit) oder fehlender Verantwortlichkeit (z. B. weil der Täter noch nicht volljährig ist) nicht verurteilt wurden, sollten ab 1999 G. erstellt werden können. Das Gesetz erklärt die Speicherung des G. beim Bundeskriminalamt (Wiesbaden) für zulässig. Der Abgleich der DNS-Probe aus aufgefundenem Spurenmaterial mit den in der Datei gespeicherten G. soll die polizeiliche Ermittlungsarbeit erleichtern.

Kritik: Die neue Bundesjustizministerin Herta Däubler-Gmelin (SPD) kündigte Ende 1998 Nachbesserungen an, nachdem das Gesetz bundesweit insbes. von Polizisten, Datenschützern und Juristen kritisiert worden war. Bemängelt wurde, dass die Straftaten, bei dem ein G. angewendet werden darf, nicht eindeutig genannt sind. Das Gesetz enthält keine Bestimmungen über Art und Dauer der Speicherung sowie über Nutzung und Weitergabe der Datensätze. Auch die richterliche Zuständigkeit zur Anordnung eines G. bei bereits verurteilten Straftätern ist nicht eindeutig festgelegt. Weiterhin werden keine Aussagen zur Regelung von sog. Massenscreenings in Ermittlungsverfahren getroffen. Kritiker des Gesetzes betonten, dass die Aufforderung zur freiwilligen Abgabe einer Speichelprobe gegen das rechtsstaatliche Prinzip der Unschuldsvermutung verstoße.

Fallbeispiel: Im Ermittlungsverfahren wegen eines Sexualmordes an einem Kind war es im April 1998 im Kreis Cloppenburg zur bis dahin größten Massenuntersuchung gekommen. 18 000 Männer von 18–30 Jahren wurden aufgefordert, eine Speichelprobe abzugeben. Der Test hatte zur Feststellung und Ergreifung des mutmaßlichen Täters geführt.

Zuverlässigkeit: Die Genauigkeit des G. wird von Experten mit rund 99% angegeben. 1998/99 wiesen Molekulargenetiker darauf hin, dass die Zuverlässigkeit durch mögliche Verunreinigungen stark beeinträchtigt werden könne. U. a. ergab eine Nachuntersuchung von 42 Genproben von Kleinstkindern, die sich über ihre Mütter mit HIV infiziert haben sollen, eine Fehlerrate beim Ursprungstest von über 50%. Bei 20 Proben konnte eine Verschmutzung der

Arbeitsstation zur Auftrennung und Auswertung von DNA-Fragmenten beim Bundeskriminalamt. Im linken Teil der Station ist das Gel enthalten, in dem während des Tests die als wiederkehrend markierten und vervielfältigten DNA-Fragmente sortiert und mit einem Laserdetektor abgelesen werden. Der entstehende Datensatz wird im Computer bearbeitet und erscheint als Bandenmuster auf dem Bildschirm.

Blutproben nachgewiesen werden, diese Verunreinigung wurde bei der Vervielfältigung mittels PCR-Verfahren immer weiter reproduziert. Experten schätzten die Fehlerrate in den ca. 70 000 veröffentlichten wissenschaftlichen Studien, die auf Forschungen unter Anwendung des PCR-Verfahrens basieren, auf bis zu 5%.

Impeachment

(engl.; öffentliche Anklage)

Anfang 1999 endete ein vom Sonderermittler Kenneth Starr initiiertes I. zur Amtsenthebung von US-Präsident Bill Clinton im Zusammenhang mit der Lewinsky-Affäre (Liebesverhältnis zu einer Praktikantin im Weißen Haus) mit Freispruch. Clinton war in vier Punkten wegen Meineids und Behinderung der Justiz angeklagt, von der Mehrheit der US-Senatoren jedoch für nicht schuldig befunden worden. Die Einleitung des I. war in der US-Öffentlichkeit umstritten; die Beweislage wurde als unzureichend bewertet.
Verfassung: Das I. ist in Art. 2 der Verfassung der USA verbrieft. Präsident, Vizepräsident sowie alle Bundesbeamten können aus ihrem Amt entfernt werden, wenn sie wegen schwerer Verbrechen und Vergehen (u. a. Hochverrat, Bestechung) schuldig gesprochen wurden. Das Präsidialsystem der USA sieht keine Abwahl eines amtierenden Präsidenten vor, sodass das I. die einzige Möglichkeit ist, den Staat vor Machtmissbrauch durch die Exekutive zu schützen.
Ablauf: Ein I. muss durch einen Beschluss im Repräsentantenhaus (435 für zwei Jahre gewählte Abgeordnete) herbeigeführt werden. Die zweite Kammer des Kongresses, der Senat (100 für sechs Jahre gewählte Senatoren), fungiert als Geschworenengericht. Den Vorsitz der Verhandlung übernimmt der oberste Bundesrichter der USA. Nach Anhörung der Anklagevertreter (vom Repräsentantenhaus bestimmte Abgeordnete) und der Verteidigung muss der Senat mit Zwei-Drittel-Mehrheit einen Schuldspruch fällen.

Justizreform

1998/99 wurde in Deutschland von Politikern und Juristen eine J. diskutiert, die zu mehr Bürgernähe, einer Angleichung der nationalen Rechtssysteme innerhalb der EU

Justizreform: Strafen		
Freiheitsstrafe ohne Bewährung	34 050[1]	7,5[2]
Freiheitsstrafe mit Bewährung	69 761	15,3
Strafarrest[3]	234	0,1
Geldstrafe	350 251	77,1

1) Verurteilte nach Allgemeinem Strafrecht ohne Straftaten im Straßenverkehr 1997; 2) Anteil (%); 3) verhängt gegen Angehörige der Bundeswehr; Verurteilte gesamt 454 293; Basis: Alte Bundesländer inkl. Berlin; Quelle: Statist. Bundesamt, 1999

und zur Entlastung der Gerichte beitragen soll. Allein der Bundesgerichtshof, die oberste Instanz in Zivil- und Strafprozessen, verzeichnete 1998 insgesamt 6096 Eingänge bei Zivil- und 3827 bei Strafverfahren.
Kernpunkte: Die Vorschläge zur J. sahen vor, das viergliedrige Gerichtssystem mit Amtsgericht, Landgericht, Oberlandesgericht und Bundesgerichtshof durch einen dreistufigen Aufbau zu ersetzen. Amts- und Landgerichte sollen zu einer zentralen Eingangsinstanz verschmolzen werden. Die sog. Tatsachenermittlung (Beweisaufnahme) soll nur in der ersten Instanz erfolgen, eine erneute Beweisaufnahme durch die nächsthöhere Instanz gäbe es nicht mehr. Dadurch würden die Möglichkeiten der Berufung stark eingeschränkt. Die Oberlandesgerichte und der Bundesgerichtshof sollen sich nach den Vorschlägen auf die Korrektur juristischer Fehler (sog. Revisionsverfahren) und die Weiterentwicklung des Rechts konzentrieren. Auch die Rückführung der an einzelne Ministerien angeschlossenen Spezialgerichte (Arbeitsgerichte, Sozialgerichte, Finanzgerichte) in die Zuständigkeit des Justizministeriums wurde 1998 erwogen. Die Vorschläge, die noch unter Bundesjustizminister Edzard Schmidt-Jortzig (FDP) entwickelt worden waren, stießen bei der SPD, die nach dem Regierungswechsel ab Oktober 1998 das Justizressort führte, auf Zustimmung.
http://www.bmj.bund.de
http://www.uni-karlsruhe.de/~BGH

Kinder- und Jugendkriminalität

Straftäter: Die Zahl der tatverdächtigen Kinder und Jugendlichen ist 1998 erneut, aber deutlich schwächer als in den Vorjahren angestiegen. In der Polizeilichen Kriminalstatistik (PKS) waren 152 774 (+5,9%

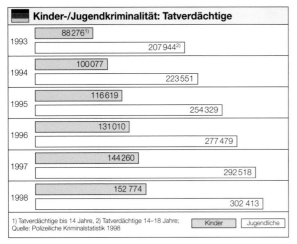

Kinder-/Jugendkriminalität: Tatverdächtige

Jahr	Kinder	Jugendliche
1993	88276[1]	207944[2]
1994	100077	223551
1995	116619	254329
1996	131010	277479
1997	144260	292518
1998	152774	302413

1) Tatverdächtige bis 14 Jahre, 2) Tatverdächtige 14–18 Jahre;
Quelle: Polizeiliche Kriminalstatistik 1998

☐ Kinder   ☐ Jugendliche

gegenüber 1997) Kinder unter 14 Jahren und 302 413 Jugendliche zwischen 14 und 18 Jahren (+3,4% gegenüber 1997) erfasst. 82,3% (1997: 81,3%) der Kinder und 79,5% (1997: 78,8%) der Jugendlichen waren deutsche Staatsbürger; bezogen auf ihre Altersgruppe gerieten 2,4% der Kinder und 7,3% der Jugendlichen mit dem Gesetz in Konflikt.

Delikte: Über die Hälfte (56,4%) der von Kindern verübten Straftaten waren Ladendiebstähle (Anstieg zu 1997: 6,8%). Überproportional zugenommen (+14% gegenüber 1997) hat die Zahl der Kinder, die wegen Körperverletzung (14 024) aktenkundig wurden. Auch die Jugendkriminalität bezog sich nach Angaben der Polizeibehörden in erster Linie auf Diebstahlsdelikte; ein Drittel aller von Jugendlichen begangenen Staftaten waren Ladendiebstähle. Darüber hinaus wurde eine starke Zunahme bei Drogendelikten (+34,1% gegenüber 1997) und Leistungser-

schleichung, z. B. Schwarzfahren (+19,7%) festgestellt. Nach Einschätzung der Kriminalexperten ist eine vergleichende Bewertung bei solchen Kontrolldelikten allerdings schwierig, da sie besonders stark vom Anzeigenverhalten abhängig sind.

Ursachen: Arbeitslosigkeit, fehlende Zukunftsperspektiven, wachsende neue Armut, konsumorientierter Lebensstil sowie mangelnde soziale Kompetenz waren nach Ansicht von Kriminalitätsexperten, Pädagogen und Soziologen die Hauptursache von K. In einer gemeinsamen Resolution wandten sich 52 Professoren für Jugendstrafrecht sowie Kriminologen Mitte 1998 gegen eine Verschärfung des Jugendstrafrechts, wie sie von Politikern 1997/98 diskutiert worden war (z. B. Absenkung der Strafmündigkeit von 14 auf zehn Jahre, härtere Strafen). Sie warnten vor einer Dramatisierung der K., die statistisch nicht zu belegen sei. Von Generation zu Generation gehörten unter den jugendlichen Straftätern 10% der Gruppe der Intensivtäter an.

Modell Berlin: Seit April 1999 erproben drei Berliner Polizeidirektionen sog. tatnahe Reaktionen auf Jugendkriminalität. Da Strafverfahren mit einer Schadenshöhe bis zu 100 DM i. d. R. eingestellt werden, sollen Polizeibeamte in einem direkten Gespräch das Unrechtsbewußtsein von Kindern und Jugendlichen beeinflussen, die bei einem sog. Bagatelldelikt (Ladendiebstahl, Schwarzfahren etc.) ertappt worden sind. Das neue Verfahren soll dazu beitragen, Wiederholungstaten zu verhindern. Kommen die Jugendbeamten zu dem Schluss, dass das Gespräch keine Wirkung auf den Betroffenen hatte, übernimmt die Justiz den Fall und entscheidet über erzieherische Maßnahmen wie gemeinnützige Arbeit u. ä.
http://www.bka.de
http://www.gdp.org

Kinder-/Jugendkriminalität: Verurteilte Jugendliche

Jugendstrafe ohne Bewährung	5321[1]	7[2]
Jugendstrafe mit Bewährung	10643	14
Erziehungsmaßregeln[3]	6081	8
Zuchtmittel[4]	53973	71

1) nach Jugendstrafrecht Verurteilte, ohne Straftaten im Straßenverkehr, Basis: alte Bundesländer inkl. Berlin, 2) Anteil (%); 3) Heimerziehung, Erziehungsbeistand, Weisungen; 4) Jugendarrest, Erteilung von Auflagen, Verwarnung; Strafmaß gesamt 76018; Stand: 1997; Quelle: Statistisches Bundesamt

Korruption

Bestechung und Bestechlichkeit, z. B. die Zahlung von Schmiergeldern zur Erlangung eines Auftrags sowie die Annahme von Schmiergeldern oder vergleichbarer Vorteile

Ausmaß: Nach einer Untersuchung der gemeinnützigen Gesellschaft Transparency International (Berlin) war die K. Ende der 90er Jahre besonders ausgeprägt in Entwicklungsländern sowie in mittel- und osteuropäischen Staaten. Die internationale Handelskammer schätzte die Summe jährlich gezahlten Schmiergeldes weltweit auf 50 Mrd DM.

Bekämpfung: 1998/99 traten in Deutschland mehrere Abkommen und Gesetze zur Bekämpfung der K. in Kraft:

– Anfang 1999 unterzeichnete Deutschland das Strafrechtsübereinkommen über K. des Europarates (Straßburg). Es soll ein Mindeststandard bei der Bekämpfung und strafrechtlichen Verfolgung der aktiven (Bestechung) wie passiven (Bestechlichkeit) K. im nationalen und internationalen Geschäftsverkehr sowie im privaten Bereich erreicht werden.

– Ende 1998 ratifizierte der Bundestag das im Vorjahr geschlossene OECD-Antikorruptionsabkommen, dem sich 34 Staaten anschlossen. Der Vertrag trat im Februar 1999 in Kraft. Danach ist in Deutschland nicht nur die Bestechung von deutschen öffentlich Bediensteten, sondern auch die Bestechung ausländischer Amtsträger (Zollbeamten, Polizisten, Rechtsanwälte, Abgeordnete, Soldaten etc.) im internationalen Geschäftsverkehr strafbar.

– Parallel zur Ratifizierung des OECD-Abkommens verschärfte Deutschland die nationalen Gesetze zur Bekämpfung von K. Neben dem neuen Straftatbestand der Bestechung ausländischer Amtsträger in Deutschland werden nach dem Gesetz auch Bestechungstaten (z. B. Schmiergeldzahlungen) verfolgt, die von Deutschen im Ausland begangen werden. Unternehmen und Firmenleiter sind bei nachgewiesener K. durch Mitarbeiter mitverantwortlich.

Fahndungserfolge: 1998/99 deckten Polizeibehörden und Staatsanwaltschaften in Deutschland einige große K.-Fälle auf. Besonders verbreitet war Bestechung in der Baubranche. Im Zusammenhang mit K. bei der Erweiterung des Frankfurter Flughafens wurde gegen 167 Tatverdächtige bei der Bauabteilung der Flughafen Frankfurt AG und Baufirmen ermittelt. Der dem Flughafenbetreiber entstandene Schaden wurde auf 10 Mio DM geschätzt. In Berlin standen Mitarbeiter des Bauamtes und Vertreter von Baufirmen unter K.-Verdacht. In Köln wurden 22 Verwaltungsangestellte sowie zwei Unternehmer wegen des Verdachts auf K. festgenommen (vermuteter Schaden für die

Korruptions-Index[1]

Land		Punktwert
Kamerun	⬛	1,4
Nigeria	⬛	1,9
Indonesien	⬛	2,0
Russland	⬛	2,4
Indien	⬛	2,9
Rumänien	⬛	3,0
Mexiko	⬛	3,3
Türkei	☾	3,4
China	⬛	3,5
Italien	⬛	4,6
Tschechien	⬛	4,8
Ungarn	⬛	5,0
Japan	⬤	5,8
Spanien	⬛	6,1
Frankreich	⬛	6,7
USA	⬛	7,5
Deutschland	⬛	7,9
Schweiz	✚	8,9
Niederlande	⬛	9,0
Schweden	⬛	9,5
Dänemark	✚	10,0

1) Auswahl; Stand: 1998; Quelle: Transparency Internat. (Berlin)

Der Punktwert spiegelt wider, wie weit Korruption im Geschäftsleben eines Landes verbreitet ist. Je niedriger der Punktwert, desto höher das Ausmaß der Korruption. In den Index gingen Umfragen und Studien u. a. der Weltbank ein.

Stadt: 10 Mio DM). In der Polizeilichen Kriminalstatistik waren 1998 7330 Fälle von K. erfasst.

Kriminalität

Ausmaß: Lt. Polizeilicher Kriminalstatistik (PKS) fiel die Zahl der registrierten Straftaten 1998 mit 6 456 996 (–2% gegenüber 1997) auf den niedrigsten Stand seit 1993 (Beginn der einheitlichen Erfassung von Straftaten in West- und Ostdeutschland). Die Aufklärungsquote der Ermittlungsbehörden stieg um 1,7% auf 52,3%. Insgesamt wurden 2 319 895 Tatverdächtige erfasst (+2,0% zu 1997); darunter waren 152 774 Kinder (bis zu 14 Jahren) und 302 413 Jugendliche (von 14 bis 18 Jahren). Die Zahl der registrierten mutmaßlichen deutschen Straftäter stieg um 3,1% auf 1 691 418; der Anteil nichtdeutscher Staatsangehöriger sank um 0,8% auf 27,1% (628 477). 186 577 von nichtdeutschen Tatverdächtigen begangene Straftaten bezogen sich auf Verstöße gegen das Ausländer- oder Asylbewerbergesetz.

Verteilung: Bezogen auf die Häufigkeit von Straftaten pro 100 000 Einwohner wies die PKS ein erhebliches Nord-Süd-Gefälle auf. Insbes. in Berlin, Hamburg und Bremen lag die Zahl der registrierten Straftaten weit über dem Bundesdurchschnitt; die wenigsten Straftaten pro 100 000 Einwohner wurden in Baden-Württemberg verübt. In den neuen Bundesländern wurden KFZ-Diebstähle, leichte Körperverletzungen, Umweltstraftaten, Brandstiftung und Raubdelikte überdurchschnittlich häufig registriert; dagegen dominierten in Westdeutschland Straftaten wie Wohnungseinbruch, Drogendelikte, Betrug und Wirtschaftskriminalität.

Delikte: Die Zahl der Diebstahlsdelikte ging 1998 weiter zurück, insgesamt machten sie aber noch etwa die Hälfte (51,5%) der registrierten Straftaten aus. Den Kriminalexperten zufolge kam es aufgrund verbesserter Sicherheitsvorkehrungen (Wegfahrsperren) erneut zu weniger Kfz-Diebstählen

Kriminalität: Straftaten in Deutschland

Baden-Württ.	5553[1]	▼ −3,7[2]
Bayern	5701	▼ −2,0
Berlin	17 121	▼ −0,1
Brandenburg	10 809	▼ −4,0
Bremen	13 278	▽ −7,7
Hamburg	16 650	▼ −4,4
Hessen	7409	▼ −2,4
Meckl.-Vorp.	11 255	▼ −3,1
Niedersachsen	7238	▼ −1,9
Nordrh.-Westf.	7409	▼ −1,7
Rheinland-Pfalz	6540	▼ −1,8
Saarland	6021	▼ −3,6
Sachsen	8103	▲ +0,8
Sachsen-Anhalt	10 571	▼ −2,1
Schlesw.-Holst.	9087	▲ +0,8
Thüringen	6997	▲ +1,0

1) Fälle/100 000 Einwohner 1998; 2) Veränderung gegenüber Vorjahr (%); Westdeutschland/Berlin = 7576 Straftaten (−2,1%), Ostdeutschland = 9281 Straftaten (−1,5%), Deutschland = 7698 Straftaten (−2,0%); Quelle: Polizeiliche Kriminalstatistik 1998

BILANZ 2000

Kriminalität

Gefahr durch organisiertes Verbrechen

Ende des 20. Jh. ist die Hauptbedrohung der rechtsstaatlichen Demokratien nicht mehr der Kommunismus, sondern die organisierte Kriminalität, die seit dem Zusammenbruch des Ostblocks einen enormen Aufschwung verzeichnet. Ende der 90er Jahre befürchten Kriminalexperten weltweit eine Unterminierung demokratischer Staatswesen durch den wachsenden Einfluss organisierter Krimineller auf Wirtschaft, Politik und Gesellschaft. In Europa lag der geschätzte Jahresumsatz der organisierten Kriminalität bei 340 Mrd US-Dollar, wobei die Russen-Mafia mit 210 Mrd US-Dollar und 114 000 Mitgliedern die Spitzenposition hielt, gefolgt von italienischen Mafia-Gruppen (64 Mrd DM, 20 300 Mitglieder) und der auf Drogenhandel spezialisierten türkischen Mafia (43 Mrd DM, 40 000 Mitglieder); am mitgliederstärksten sind in Europa die chinesischen Triaden (230 000 Angehörige, Umsatz: 11 Mrd US-Dollar). Außer Drogenhandel zählen zu den Haupteinnahmequellen der in Europa aktiven Organisationen und Syndikate eigene Wirtschaftsunternehmen, Prostitution, Waffenhandel, Schutzgelderpressung, Menschenschmuggel und Schleuserkriminalität.

Positive Trends

- 1999 nahm die europäische Polizeibehörde Europol ihre Arbeit auf. Sie dient u.a. der grenzübergreifenden Bekämpfung der Kriminalität.
- 1997/98 wurden mehrere hochrangige Mafia-Bosse in Italien zu Haftstrafen zwischen 15 Jahren und lebenslänglich verurteilt.

Negative Trends

- Die Zahl der Straftaten in der BRD hat sich von 1970 bis Ende der 90er Jahre von knapp 4000 auf über 8000/100 000 Einwohner verdoppelt.
- 9000 russische Banden mit über 100 000 Mitgliedern kontrollieren in Russland ca. 40 000 Wirtschaftsunternehmen (Banken, Börsen, Messeplätze, Energie, Rohstoffe u. a.).
- Die der slumspezifischen Kleinkriminalität entstammende Yakuza erwirtschaftet in Japan einen Jahresumsatz von mehr als 15 Mrd Dollar.

Massenmörder Fritz Haarmann (M.) wird 1924 von Polizisten zu seinem Prozess geführt.

Meilensteine

Krieg zwischen Polizeibehörden und Kriminellen

1903: Die von Francis Galton (GB) entdeckte Einmaligkeit der Hautstruktur wird als Daktyloskopie in die Kriminalistik eingeführt.

1908: Justizminister Charles Bonaparte gründet als US-Bundespolizei das Federal Bureau of Investigation.

1910: Das internationale Abkommen zur Bekämpfung des Mädchenhandels verbietet das Verschleppen oder Entführen von Mädchen und Frauen zum Zweck der Prostitution.

1913: Der erste Internationale Kinderschutzkongress (Brüssel) fordert neue pädagogische Konzepte, um das Abgleiten von Minderjährigen in die Kriminalität zu verhindern.

1920–33: Während des Alkoholverbots (Prohibition) verzeichnen die USA einen drastischen Anstieg der organisierten Kriminalität.

1921: John Larson (USA) baut den Polygraphen (Lügendetektor) zur Überführung von Straftätern.

1923: Zur Bekämpfung der organisierten Kriminalität wird in Wien die Behörde Interpol gegründet.

1925: Massenmörder Fritz Haarmann (D) wird in Hannover hingerichtet; der Ex-Polizeispitzel hatte 24 Morde an Männern gestanden.

1928: Island schafft als erster Staat Europas die Todesstrafe ab.

1932: Die Entführung und Ermordung des 20 Monate alten Babys des Atlantikfliegers Charles Lindbergh und Ehefrau Anne Morrow (USA) sind der spektakulärste Fall nicht politischen Kidnappings im 20. Jh.

1943: Bruno Lüdtke (D), der 54 Frauen tötete, wird hingerichtet.

1950: Polizisten erschießen Bandenchef Salvatore Giuliano (I); er galt als »Robin Hood Siziliens«.

1963: 15 Männer erbeuten im Postzug Glasgow–London ca. 2,63 Mio Pfund Sterling (30 Mio DM).

1969: Die Große Strafrechtsreform in der BRD schafft u. a. die Zuchthausstrafe ab und misst der Resozialisierung einen besonderen Wert bei.

1980: Per Gesetz werden in Deutschland »Straftaten gegen die Umwelt« in das StGB eingeführt.

1984: Alec Jeffreys (GB) erkennt, dass DNA-Stücke eines Menschen ein spezifisches Muster ergeben, vergleichbar einem Fingerabdruck.

1992: Richter Giovanni Falcone, Italiens erfolgreichster Mafia-Jäger, wird Opfer eines Bombenattentats.

1998: Nach dem Sexualmord an der elfjährigen Christina Nytsch (D) müssen sich 18 000 junge Männer einem Speicheltest unterziehen, der zur Ermittlung des Täters führt.

Zur Person: Al Capone

Gangsterboss der Prohibition

Al Capone war während der Ära des Alkoholverbots einer der brutalsten Mafia-Bosse der USA. Der 1899 in New York geborene Gangster italienischer Herkunft stieg 1920 in Chicago ins Geschäft mit Prostitution, Glücksspiel, Alkoholschmuggel und Schutzgelderpressung. Im Krieg gegen rivalisierende Gangs starben 1929 beim Massaker am Valentinstag sieben Verbrecher. Capone wurde 1931 wegen Steuerdelikten zu elf Jahren Haft verurteilt und 1937 vorzeitig entlassen; er starb 1947.

Stichtag: 19. Juni 1953

Agenten-Ehepaar Rosenberg

Die als Atomspione für die UdSSR verurteilten Julius und Ethel Rosenberg wurden 1953 im New Yorker Staatsgefängnis Sing-Sing durch den elektrischen Stuhl hingerichtet; US-Präsident Dwight D. Eisenhower hatte zwei Gnadengesuche der wegen Landesverrats Verurteilten abgelehnt. Die Hinrichtung des Ehepaars, das stets seine Unschuld beteuert hatte, belebte in der antikommunistischen McCarthy-Ära der frühen 50er Jahre die kontroverse Diskussion über die Todesstrafe neu.

Stichtag: 23. Mai 1992

Richter Falcone ermordet

Der Mord an Giovanni Falcone, dem erfolgreichsten Mafia-Jäger Italiens, führte zum Umdenken im bis dahin durch Resignation, Angst und Mitläufertum geprägten Verhalten der Bevölkerung gegenüber der organisierten Kriminalität: Das Begräbnis Falcones gestaltete sich zum Spießrutenlauf für die angereiste politische Elite, die mit Münzen beworfen wurde, um auf die Verstrickung von Mafia und staatlicher Macht anzuspielen; wenige Tage später zogen 50 000 Menschen auf der größten Anti-Mafia-Demonstration durch die sizilianische Stadt Palermo.

(−18,4%) sowie Diebstählen aus Autos (−10,3%). Eine deutliche Zunahme verzeichnete die PKS bei gefährlicher und schwerer Körperverletzung (+3,8% gegenüber 1997); dagegen sank der Gebrauch von Schusswaffen (Drohung und Anwendung) um 8,6% auf 19 858 Fälle. Wie in den Vorjahren ist die Zahl der registrierten Straftaten gegen das Betäubungsmittelgesetz weiter gestiegen (+5,6% gegenüber 1997). Dies wurde darauf zurückgeführt, dass Polizei und Zollbehörden die Drogenkriminalität verstärkt bekämpften. Zugenommen hat vor allem die Zahl der Cannabis-(Haschisch/Marihuana)-Fälle wie illegale Einfuhr, Schmuggel und Handel; allerdings wurden auch mehr Erstkonsumenten harter Drogen (+1,7% auf 20 943) sowie 1674 (+11,5% gegenüber 1997) Drogentote in Deutschland registriert.

http://www.bka.de
http://bmi.bund.de
http://www.gdp.org

Ladendiebstahl

Bilanz: Lt. Polizeilicher Kriminalstatistik (PKS) war die Zahl der L. 1998 seit Mitte der 90er Jahre erstmals wieder rückläufig: Bundesweit wurden 1998 647 924 L. registriert, 3,3% weniger als im Vorjahr. 13,3% der erfassten L. wurden von Kindern im Alter bis zu 14 Jahren verübt; 15,9% von Jugendlichen zwischen 14 und 18 Jahren. Nach Angaben des Hauptverbands des Deutschen Einzelhandels (HDE, Bonn)

▄▄ **Ladendiebstahl nach Waren**[1]	
Kosmetikartikel	15,63
Textilartikel	13,47
Elektroartikel	9,78
Tabakwaren	9,45
Schmuck/Uhren	7,79
Lebensmittel	7,79
Drogerieartikel	6,62
TV/Hifi-Artikel	4,72
Spirituosen	4,29
Spielwaren	3,60

1) Anteil (%); Stand: 1998; Quelle: Hauptverband des Deutschen Einzelhandels

wurden insbes. Kosmetika und Textilien gestohlen, bei zwei Drittel aller L. lag der Warenwert unter 50 DM. Der HDE führte den Rückgang auf die Verstärkung der Präventionsmaßnahmen zurück, in die der deutsche Einzelhandel 1998 rund 1,5 Mrd DM investierte. Warenhäuser und Facheinzelhandel setzten vermehrt elektronische Warensicherung, Videoüberwachung und Hausdetektive ein.

Strafgeld: Ende 1998 schlug Bundesjustizministerin Herta Däubler-Gmelin (SPD) die Einführung eines einheitlichen Strafgeldes bei L. vor. Ersttäter sollten unabhängig vom Warenwert eine Geldstrafe von 150 DM entrichten; im Wiederholungsfall sollte die Strafe deutlich höher ausfallen. Däubler-Gmelin versprach sich vom einheitlichen Strafgeld eine schnellere Strafverfolgung von L. und eine höhere Bestrafungsquote. Nach der 1998/99 üblichen Rechtspraxis wurden in Deutschland Strafverfahren wegen L. bei einem Schaden bis zu 100 DM eingestellt.

Kritik: Der HDE begrüßte den Vorschlag eines praktikableren Strafverfahrens, befürchtete jedoch eine Bagatellisierung des L., wenn der Einzug des Strafgeldes bei der Polizei liege und auch im Wiederholungsfall kein Gerichtsverfahren eingeleitet werde. Die Justizminister einzelner Bundesländer, Rechtswissenschaftler und die Gewerkschaft der Polizei (GdP, Hilden) hatten das Strafgeld kritisiert.

http: www.einzelhandel.de

Lauschangriff

Akustische Überwachung von Wohn- und Geschäftsräumen mit technischen Mitteln wie Abhörgeräten (»Wanzen«), Richtmikrofonen und Infrarotsensoren

Mit dem L. soll die Bekämpfung der Schwerstkriminalität (Raub, Mord, Erpressung u. a.) und des organisierten Verbrechens sowie des Terrorismus verbessert werden.

Verfassungsklage: Anfang 1999 legten die FDP-Mitglieder Sabine Leutheusser-Schnarrenberger und Burkhard Hirsch Verfassungsbeschwerde gegen das Ausführungsgesetz zum L. ein: Das Ziel einer möglichst effizienten Verfolgung von Straftaten rechtfertige nicht die Einschränkung verfassungsmäßiger Grundrechte

(Recht auf Menschenwürde). Auch sei die parlamentarische Kontrolle der Abhörmaßnahmen nicht geregelt.

Reaktionen: Die FDP bekannte sich zum Gesetzespaket über den L., das nach langwierigen Verhandlungen zwischen der damaligen CDU/CSU/FDP-Bundesregierung und der SPD sowie zwischen Bundestag und Bundesrat Anfang 1998 in Kraft getreten war. Der Einführung des L. war die Änderung des Art. 13 des Grundgesetzes (Unverletzlichkeit der Wohnung) vorausgegangen.

Telekommunikation: Mitte 1998 nahm der damalige Wirtschaftsminister Günter Rexrodt (FDP) einen weitgehenden Verordnungsentwurf zur Überwachung im Bereich der Telekommunikation (TKÜV) zurück. Danach sollte das Abhören in Unternehmen und Institutionen neu geregelt werden. Z. B. sollten Einrichtungen wie Hotels oder Kliniken mit über 20 Nebenstellenanschlüssen die technischen Voraussetzungen schaffen, um im Verdachtsfall jeden Anschluss abhören zu können, alle ankommenden bzw. abgehenden Gespräche zu registrieren bzw. aufzuzeichnen und Rufweiterleitungen etc. zu berücksichtigen. Voraussetzungen für den L. sollte eine richterliche Anordnung sein, die bei Gefahr im Verzug auch nachträglich eingeholt werden konnte.

Kritik: Der Entwurf stieß in einzelnen Branchen, bei Politikern, Datenschützern und Rechtswissenschaftlern auf Ablehnung: Auf der Grundlage der TKÜV könne im digitalen Zeitalter die Telekommunikation eines Unternehmens inkl. Fax-Kontakten, E-Mails, Internet- bzw. Intranet-(firmeninternes Netz)-Verkehr vollständig kontrolliert werden. Dieser L. sei mit dem Fernmeldegeheimnis nicht vereinbar und mit Sicherheitsinteressen des Staates (Verbrechensbekämpfung) nicht mehr zu begründen. Die Gesamtkosten für die technische Aufrüstung der Firmen wurden auf 40 Mrd DM geschätzt. Die Zahl richterlich angeordneter Telefonüberwachungen stieg seit Beginn der 90er Jahre um rund 200%. 1997 wurden 1990 Überwachungen angeordnet (+11% gegenüber dem Vorjahr).

Gesetz in Österreich: Mitte 1998 trat das zunächst auf zwei Jahre befristete Gesetz zum Späh- und L. in Österreich in Kraft. Sicherheitsbehörden dürfen nun auch Privat-

wohnungen abhören oder mit Videokameras überwachen, wenn der Betroffene verdächtigt wird, einer kriminellen Vereinigung anzugehören oder eine Tat begangen zu haben, die mit mehr als zehn Jahren Haft bestraft wird. Die Überwachung muss von einem Gremium aus drei Richtern angeordnet werden. Zusätzlich überprüft ein Rechtsschutzbeauftrager den L.

Lügendetektor

Ende 1998 erklärte der Bundesgerichtshof (BGH, Karlsruhe) den Einsatz von L. in Strafprozessen für unzulässig. Der L.-Test als Methode zur Untersuchung der Glaubwürdigkeit eines Angeklagen sei wissenschaftlich nicht abgesichert und deshalb ohne Beweiswert. Das Urteil fiel im Rahmen eines Revisionsverfahrens, das zwei wegen sexuellen Kindesmissbrauchs von den Landgerichten Kempten bzw. Mannheim verurteilte Täter angestrebt hatten. Sie hatten ihre Unschuld beteuert und wollten sich freiwillig einem L.-Test unterziehen. Die Landgerichte hatten den Test als Beweismittel abgelehnt.

Anwendung: Beim L. misst ein Mehrkanalschreiber Puls, Blutdruck, Atemfrequenz, Hautleitfähigkeit (Schweißfluss) und Blutfülle (Erröten), während der Betroffene von einem Psychologen zum Tathergang befragt wird. Neben dem sog. Tatwissentest wird der Kontrollfragentest angewandt. Dabei werden dem Probanden außer Fragen zur Tat Kontroll- oder Vergleichsfragen gestellt, die ihm peinlich sein können. Aus

---

Lügendetektor: Rechtsprechung

▶ **1954:** Der BGH untersagt den Einsatz von L. in Strafverfahren, da L. die im Grundgesetz garantierte Würde des Menschen verletze.

▶ **1981:** Das Bundesverfassungsgericht (BVerfG) bestätigt das BGH-Urteil. Auch wenn der Betroffene zustimme, sei der L.-Test ein verfassungswidriger Eingriff ins Persönlichkeitsrecht.

▶ **1995:** Erstmals lässt ein Gericht L. in einem Zivilprozess zu. Im Familienrechtsverfahren beweist ein des sexuellen Missbrauchs seiner Tochter beschuldigter Vater seine Unschuld mittels L.

▶ **1997:** Mit Blick auf die Rechtsprechung in Zivilverfahren und unter

Berücksichtigung der technisch-wissenschaftlichen Entwicklung bei L. empfiehlt die BVerfG die Prüfung des Einsatzes von L. in Strafverfahren.

▶ **September 1998:** Gegen die geltende Rechtsordnung lässt das Amtsgericht Malchin (Mecklenburg-Vorpommern) den L.-Test als Beweismittel in einem Strafverfahren zu. Der wegen Vergewaltigung seiner Ehefrau Angeklagte wird auf der Basis eines L. freigesprochen.

▶ **November 1998:** Der 3. Strafsenat des BGH lehnt die Einführung eines L.-Ergebnisses als Beweismittel ab, das ohne Wissen des Gerichts angefertigt wurde.

dem Vergleich der Reaktionen auf beide Fragenkomplexe werden Schlüsse zur Glaubwürdigkeit des Betroffenen gezogen. **Zuverlässigkeit:** Der BGH hatte 1998 während des Verfahrens über den L. die Urteile von vier Sachverständigen eingeholt. Ein Gutachter schätzte die Zuverlässigkeit von L. auf über 90%, die anderen drei bezweifelten, dass aus Körperreaktionen und Erregungszuständen geschlossen werden könne, ob ein Befragter lüge oder nicht. Es sei nicht auszuschließen, dass sich eine Untersuchungsperson vorab mit dem Verfahren vertraut mache und entsprechende Reaktionen einübe. Auch die Fragetechnik (Kontrollfragentest) wurde von einem Teil der Gutachter als ethisch und juristisch bedenklich eingestuft, da der Betroffene vorsätzlich getäuscht werde. Nach US-Studien liegt die Trefferquote von L. bei etwa 50%.

Gespaltene Rechtsprechung: Im Gegensatz zu Strafverfahren wurde der L. in Deutschland Ende der 90er Jahre in Zivilprozessen als Beweismittel zugelassen, insbes. vor Familiengerichten im Streit um das Umgangs- und Sorgerecht, bei denen der Vorwurf des sexuellen Missbrauchs gegen einen Elternteil erhoben wurde.

http://www.jura.uni.sb.de
http://www.uni-karlsruhe.de/~BGH

Menschenhandel

Nach Schätzung internationaler Ermittler nahm der M. bis Ende der 90er Jahre weltweit stark zu. Die Organisation illegaler Einreise gegen Geld etablierte sich zu einem festen Zweig der organisierten Kriminalität. Hauptziele des M. waren die wohlhabenden Länder in Nordamerika und Westeuropa.

Deutschland: Deutsche Grenzschützer griffen 1998 rund 40 000 Personen auf (+15% gegenüber 1997), die illegal ins Land einzureisen versuchten; davon waren 12 000 (+45% gegenüber 1997) von sog. Schleusern abhängig. Die Opfer des M. kamen überwiegend aus der jugoslawischen Provinz Kosovo sowie Afghanistan, Rumänien, dem Nahen und Mittleren Osten. Auch nach der illegalen Einreise blieben die Opfer nach Angaben des Bundeskriminalamts (BKA, Wiesbaden) von den Menschenhändlern abhängig. Viele müssten die geforderten Gelder für die Passage (mehre-

re tausend DM) in Restaurants, im Baugewerbe oder durch Prostitution nachträglich aufbringen.

Routen und Täter: Nach Erkenntnissen des BKA wurde der M. nach Deutschland 1998/99 insbes. von Tschechien aus gesteuert. Unter den 3100 im Jahr 1998 in Deutschland aufgegriffenen Schleusern machten Tschechen die größte Tätergruppe aus (rund 700), gefolgt von jugoslawischen und deutschen Staatsbürgern. In einer konzertierten Aktion nahmen die deutsche und die tschechische Polizei Anfang 1999 52 mutmaßliche Mitglieder eines Schleuserrings fest, der seit 1994 vermutlich rund 40 000 Menschen nach Westeuropa geschleust hat.

Polen: Anfang 1999 zerschlug die polnische Polizei einen Schleuserring, der 3800 Menschen über Mitteleuropa nach Deutschland gebracht haben sollte; 29 Tatverdächtige wurden festgenommen. Die Opfer kamen meist aus asiatischen Ländern und hatten 5000 US-Dollar für die Passage bezahlt. Das durch Schleusungen erworbene Vermögen der Bande wurde auf 10 Mio US-Dollar geschätzt.

USA: Die US-Einwanderungsbehörde erhob 1998 gegen 31 Tatverdächtige einer Schleuserbande Anklage, die etwa 12 000 Menschen vor allem aus Indien in die USA geschmuggelt haben sollen. Die Bande operierte von vier Kontinenten aus; Auftraggeber waren US-Firmen, die Billigarbeitskräfte suchten und dem Verbrecherring 20 000 US-Dollar für jeden Eingeschleusten zahlten.

http://www.bka.de

Mitarbeiterkriminalität

Von Beschäftigten in einem Unternehmen begangene kriminelle Delikte wie Betrug, Veruntreuung und Unterschlagung, durch die dem Unternehmen Schaden (sog. Vertrauensschaden) zugefügt wird

Ausmaß: Nach einer Analyse der KPMG Wirtschaftsprüfungsgesellschaft werden 45% aller kriminellen Delikte in Unternehmen von Mitarbeitern begangen. Betroffen sind insbes. die Unternehmensbereiche Buchhaltung und Logistik (Warenverkehr). Die Zahl der Schadensfälle durch M. hat sich in den 90er Jahren nahezu verdoppelt. 1991 waren in der Polizeilichen Kriminalstatistik 435 000 Fälle von M. registriert; nach einer Schätzung der Hermes Kreditversicherung waren es 1998 rund 820 000. Dabei entstand ein Schaden von ca. 14,5 Mrd DM. Die Experten gingen von einer hohen Dunkelziffer aus, da M. vielfach unerkannt bleibt oder verschwiegen wird. Einer Umfrage zufolge hielten 15% der Firmenchefs das Risiko von M. im eigenen Betrieb für leicht möglich und 27,2 % für wahrscheinlich. Dagegen schätzten 45,5 % der Befragten das Risiko als eher unwahrscheinlich ein, 12,3% hielten M. im eigenen Unternehmen für nahezu ausgeschlossen.

Ursachen: Fehlende Identifikation der Beschäftigten mit dem Unternehmen, ausgelöst durch die zunehmende Anonymisierung der Arbeitswelt und eine für den Mitarbeiter nicht durchschaubare Unternehmenspolitik und Unternehmensstruktur, sowie der Wegfall von Kontrollebenen nach Unternehmensverschlankung waren nach Meinung der Experten die Hauptursachen von M.

Organisierte Kriminalität

(OK), nach Definition des Europäischen Parlaments das planmäßige, arbeitsteilige und längerfristige Vorgehen einer größeren Zahl von Personen, die Staftaten mit erheblichen Schadenssummen begehen und die Gewinne durch Geldwäsche in den legalen Wirtschaftskreislauf überführen

Ausmaß: Ende der 90er Jahre registrierten Polizei und Ermittlungsbehörden eine zunehmende Internationalisierung der Aktivitäten nationaler organisierter Krimineller sowie die Verflechtung von Gruppen unterschiedlicher Herkunftsländer zum Zweck der O. Nach Berechnungen der Vereinten Nationen (UN) verursachte die O. in den Industrienationen Schäden in Höhe von 2% des BIP (auf Deutschland bezogen rund 75 Mrd DM), in Entwicklungsländern bis zu 14% des BIP. Deutschland und Westeuropa waren Ende der 90er Jahre Zielgebiet der mittel- und osteuropäischen O. Schwerpunkte waren u. a. Drogen,- Menschen- und Waffenhandel, Zigarettenschmuggel, Schutzgelderpressung, Diebstahl (insbes. Kfz-Verschiebungen) und Korruption. Anfang 1999 schloss Deutschland ein bilaterales Abkommen mit Russland zur intensiveren Bekämpfung der O.

Strukturen: Nach einer Mitte 1998 veröffentlichten Analyse des Bundeskriminalamts (BKA, Wiesbaden) verlagerten die in Italien unter Fahndungsdruck geratenen Mafia-Organisatonen ihre Operationsbasen verstärkt ins Ausland. In Deutschland richteten italienische Gruppierungen insbes. in bayerischen Groß- und Mittelstädten Regionalstützpunkte ein, die unabhängig von den Mutterhäusern agierten. In Ostdeutschland festigte die vietnamesische Mafia ihren Einfluss. Neben homogenen Gruppierungen (Clans) beobachteten die Fahnder zunehmend Aktivitäten hierarchiefreier Zweckbündnisse und auf Zeit angelegter Netzwerke. Vor allem Verbrechergruppen aus Russland und den GUS-Staaten gelang es nach Einschätzung der Ermittler, Firmengeflechte (u.a. Import-Export-Unternehmen) zur Verschleierung ihrer illegalen Aktivitäten aufzubauen. Die Zahl international aktiver russischer Gruppen der O. wurde auf insgesamt 9000 mit rund 100 000 Mitgliedern geschätzt.

Verfolgung: 1998/99 gelangen den Polizeibehörden mehrere große Schläge gegen die O. Deutsche und tschechische Fahnder nahmen 52 mutmaßliche Mitglieder eines Schleuserrings fest, der seit 1994 ca. 40 000 Menschen nach Deutschland und Westeuropa geschmuggelt haben soll. In Hamburg wurden neun Tatverdächtige unter dem Vorwurf verhaftet, bis zu 130 meist osteuropäische Frauen zur illegalen Prostitution gezwungen zu haben. Ein in Bayern festgenommener Angehöriger des italienischen Mafia-Clans N'Drangheta gestand, 30 Morde in Europa verübt zu haben. Insgesamt wurden 1997 (letztverfügbarer Stand) in Deutschland 841 Ermittlungsverfahren gegen 8089 Tatverdächtige eingeleitet. 60,1% der Tatverdächtigen waren Ausländer. Der geschätzte illegale Gewinn der O. betrug 734 Mio DM. Der deutsche Zoll stellte 1998 rund 1150 Waffen und Waffenteile sowie 1153 kg Sprengstoff sicher. Darüber hinaus wurden 595 Mio (1997: 541 Mio) Stück Zigaretten sowie ca.

Entwicklung der Mitarbeiterkriminalität		
1994	670000[1]	11,2[2]
1995	715000	9,2
1996	750000	9,3
1997	780000	12,6
1998[3]	820000	14,5

1) Fälle; 2) Schaden (Mrd DM); 3) Schätzung; Quelle: Polizeiliche Kriminalstatistik, Die Woche 14.5.1999

317

25 000 kg Drogen (Haschisch, Marihuana, Heroin, Kokain, Opium, Amphetamine u. a.) aufgegriffen.

Schweiz: Mit einem Freispruch endete im Dezember 1998 vor dem Strafgericht in Genf der Prozess gegen einen russischen Staatsangehörigen. Ihm war vorgeworfen worden, führendes Mitglied des russischen Syndikats Solznewskaja (russ.; die Sonnigen) zu sein. Der Vorwurf konnte jedoch nicht mit letzter Sicherheit bewiesen werden. Das Syndikat mit ca. 2000 Mitgliedern zählt nach Angaben des US-Bundeskriminalamts FBI zu den mächstigsten Organisationen der russischen O.

http://www.bka.de

Produkterpressung

In erpresserischer Absicht vorgetäuschte bzw. tatsächliche Verunreinigung von Nahrungs-, Arznei-, Genussmitteln und Kosmetika durch gefährliche Substanzen (z. B. Gifte) oder anderweitige Beschädigung von Produkten

Betroffene: Außer Lebensmittelherstellern, Supermarktketten und Warenhäusern waren Ende der 90er Jahre Industrieunternehmen und öffentliche Dienstleister wie Flughafenbetreiber und die Deutsche Bahn AG immer häufiger Opfer von P. Innerhalb der EU wurden in Deutschland und Großbritannien mit jeweils 150–200 Fällen/Jahr die meisten P. verzeichnet. Ermittler und Sicherheitsberater gingen jedoch von zahlreichen nicht veröffentlichten P. aus, da die betroffenen Firmen mögliche Nachahmer fürchteten und Imageschäden zu vermeiden suchten. Nach Behördenangaben gehen 2–3 Erpresserbriefe pro Woche in der deutschen Wirtschaft ein. In mehreren Verfahren gegen Tatverdächtige verhängten deutsche Gerichte 1998/99 wegen räuberischer Erpressung Haftstrafen zwischen drei und fünf Jahren.

Fälle: Der am häufigsten von P. betroffene Konzern war Ende der 90er Jahre der Schweizer Lebensmittelproduzent Nestlé. Anfang 1999 nannte eine Erpressergruppe gegenüber Nestlé erstmals ein politisches Motiv für P. Die unter dem Namen Robin Food auftretenden Verbrecher waren nach eigenen Angaben Gegner der Gentechnik. Die Gruppe drohte, vergiftete Nestlé-Produkte in Edeka- und Schlecker-Filialen in Baden-Württemberg, Bayern und Hessen zu platzieren. Auch der Autohersteller DaimlerChrysler wurde 1998/99 mehrfach Opfer von P. Der Schaden, den Unternehmen durch Rückrufaktionen, den Austausch von Produkten und Imageverluste entstand, überstieg die geforderten Lösegeldsummen: Allein die Nestlé 1996–98 entstandenen Umsatzeinbußen wurden auf 50 Mio DM geschätzt.

Täter: Kriminalexperten zufolge wurde P. überwiegend von männlichen Einzeltätern zwischen 30 und 50 Jahren verübt, die sich in einer persönlichen oder finanziellen Notlage befanden. Die meisten von ihnen waren ohne kriminelle Erfahrung. Nach einer Studie von Sicherheitsberatern und Assekuranzen erreichten P. nur selten ihr Ziel. In 3 von 500 ausgewerteten Fällen aus den 90er Jahren wurde den Erpressern das geforderte Lösegeld gezahlt. Lt. Bundeskriminalamt (BKA, Wiesbaden) werden 60% aller P.-Versuche von den Erpressern nach wenigen Kontakten abgebrochen. Doch stieg Ende der 90er Jahre die Zahl der P., bei denen die Täter ihre Drohungen durch präparierte Warenmuster unterstrichen.

Produktpiraterie

(auch Markenpiraterie), Nachahmung von Produkten unter Missachtung der Urheberrechte und des Wettbewerbsrechts

Ende 1998 waren in Deutschland 499 660 Marken, 104 313 Gebrauchsmuster sowie 305 194 Geschmacksmuster geschützt.

Ausmaß: Nach Erkenntnissen von Kriminalbehörden breitete sich die P. Ende der 90er Jahre international weiter aus. Von P. betroffen waren nicht nur die Hersteller von

---

Produktpiraterie: Fälschungssicherung

▶ **Farbmarkierungen:** Eingesetzt werden z. B. Farbstreifen an der Verschlussleiste einer Verpackung, die sich beim Öffnen des Produktes verfärben.

▶ **Hologramme:** Abbildung eines mehrdimensionalen Objekts in Form eines Lichtwellenfeldes; das Objekt ist von unterschiedlichen Blickwinkeln aus zu sehen.

▶ **Infrarot- oder Metallbarcodes:** Sie lassen sich schwerer nachahmen als Zahlencode- oder Strichcode-Etiketten; die individuelle Artikelnummer kann jedoch nur mit Spezialgeräten eingelesen werden.

▶ **Mikrochips:** Eindeutige Identifizierung eines Artikels durch individuelle Programmierung; mit ihrer Hilfe lässt sich der Weg eines Produktes vom Hersteller zum Käufer exakt verfolgen. Mikrosysteme können auf Waren jeder Art angebracht werden.

▶ **Unsichtbare Nachweisstoffe:** In Textilien eingewebte Stoffmuster und Spezialfäden; Farbcodierungen in Kunststoffpartikeln, die Lacken und anderen Erzeugnissen der chemischen Industrie beigemischt werden können. Die Nachweisstoffe lassen sich nur mit speziellen Sensoren sichtbar machen.

Markentextilien und Luxusgütern, sondern auch die Elektro-, Kfz- und pharmazeutische Industrie. Der Anteil der P. am Welthandel lag 1998 nach Schätzungen bei rund 8%. Weltweit erlitten Hersteller Umsatzeinbußen von insgesamt 500 Mrd DM. Nach Angaben des Aktionskreises gegen Produkt- und Markenpiraterie (APM, Bonn) beträgt der Umsatzverlust in Deutschland jährlich etwa 55,5 Mrd DM.

Fälschungen: 1998 beschlagnahmten deutsche Zollämter 2013 (+47% gegenüber 1997) Warensendungen mit gefälschten Produkten im Wert von 28 Mio DM (+200% gegenüber 1997). 213 Unternehmen hatten bei der Zentralstelle Gewerblicher Rechtsschutz der Oberfinanzdirektion München die Beschlagnahme von Einfuhren beantragt. Die Hälfte der sichergestellten Produkte waren Nachahmungen von Computer-Hard- und -Software. Außerdem wurden imitierte Markentextilien (20%), Konsumartikel wie Uhren, Taschen, Kosmetika, Parfüms (14%), Sportartikel (2,5%) sowie gefälschte Kfz-Teile (1,6%) aus dem Verkehr gezogen. Ein Drittel der gefälschten Waren wurde in mittel- und osteuropäischen Ländern produziert.

Bekämpfung: Mitte 1998 gründeten Herstellerverbände und Handelskammern aus Deutschland, Frankreich, Großbritannien, Italien, den Niederlanden, Schweden und den USA einen Weltverband zur internationalen Bekämpfung von P. (Global Anti-Counterfeiting Group, GACC, Sitz: Paris). Die Organisation will durch Vernetzung nationaler Datenbanken die Transportwege von gefälschten Produkten durchschaubar machen und die Akteure von P. international verfolgen. Die EU-Kommission regte Ende 1998 eine engere Kooperation von Herstellerverbänden und Behörden, die Verschärfung des Strafmaßes bei P. sowie den Einsatz moderner Techniken zur Fälschungssicherung an.

http://www.diht.de
http://www.bundesfinanzministerium.de
http://www.europa.eu.int
http://www.zka.de

Schleierfahndung

Personenkontrolle durch Polizei oder Bundesgrenzschutz (BGS) ohne konkreten Verdacht gegen die Betroffene

Gesetzesnovelle: Am 1.9.1998 trat eine Änderung zum deutschen BGS-Gesetz in Kraft, das die Befugnisse der Grenzschützer

Top Ten Produktpiraterie: Länder[1]	
Tschechien	34
Polen	21
Türkei	12
Thailand	12
China[2]	8
Korea-Süd	3
USA	3
Indonesien	2
Vietnam	2
Taiwan	1
Sonstige	2

1) sichergestellte Einfuhren nach Deutschland (Anteil, %); 2) inkl. Hongkong; Stand: 1998; Quelle: Zentralstelle Gewerblicher Rechtsschutz (ZGR bei der OFD München)

Etwa 83% der 1998 in Deutschland sichergestellten Waren stammten aus osteuropäischen Ländern oder aus Ostasien. Das einzige westliche Industrieland, aus dem 1998 in nennenswertem Umfang nachgeahmte Produkte eingeführt wurden, waren die USA.

im Hinblick auf S. erweitert. Der BGS kann verdachtsunabhängige Kontrollen auf Bahnhöfen, in Zügen und auf Flughäfen vornehmen. Personen dürfen kurzzeitig angehalten und befragt, ihre Papiere und ihr Gepäck können überprüft werden. In der 30 km breiten Zone im grenznahen Hinterland kann der BGS auch PKW-Kofferräume oder LKW-Aufbauten ohne jegliche Verdachtsmomente kontrollieren. Die erweiterten Befugnisse des BGS sollen helfen, die illegale Einreise nach Deutschland bzw. in die EU-Staaten des Schengener-Abkommens zu verhindern. In Portugal, Spanien, Frankreich, Belgien, Niederlande, Luxemburg, Deutschland, Österreich und Italien waren die Binnengrenzkontrollen 1999 aufgehoben.

Länderinitiative: Im Herbst 1998 lehnte der SPD-geführte Bundesrat einen von den unionsregierten Ländern Baden-Württemberg und Bayern eingebrachten Antrag zur flächendeckenden Einführung der S. ab. Ihre Anwendung durch die Polizei blieb den Bundesländern überlassen (Polizeihoheit). Außer Baden-Württemberg und Bayern hatten Mecklenburg-Vorpommern, Sachsen und Thüringen Mitte 1999 die S. in ihre Polizeigesetze aufgenommen und praktizierten sie in einer 30 km breiten grenznahen Zone.

Klage: Das Landesverfassungsgericht von Mecklenburg-Vorpommern (Sitz: Greifswald) nahm 1999 eine Klage von fünf Bür-

319

gern gegen das Sicherheits- und Ordnungsgesetz (SOG) des Bundeslandes zur Entscheidung an. Die Beschwerdeführer sahen in dem Gesetz, das die Grundlage für S. schafft, eine Verletzung der Grundrechte. Ein Urteil wurde noch für 1999 erwartet.

Erfolge: Nach Angaben des bayerischen Innenministeriums wurden allein zwischen April und Juli 1998 rund 5800 Straftaten durch S. in Bayern aufgedeckt, darunter 2500 Fälle von illegaler Einreise nach Deutschland sowie 600 Straftaten im Bereich der Rauschgiftkriminalität. Im Zuge von S. wurden 3500 Verstöße gegen das Ausländerrecht registriert.

http://www.bmi.bund.de

Sexualstraftaten

Ende 1998 standen drei Sexualstraftäter in Bielefeld, Leipzig und Oldenburg wegen Sexualmorden an Kindern vor Gericht. Die Prozesse entfachten erneut die öffentliche Diskussion um S., die Behandlung der Täter und den Opferschutz. Nach mehreren spektakulären Sexualmord-Fällen ab Mitte der 90er Jahre war das deutsche Strafrecht bei S. Anfang 1998 verschärft sowie der Strafvollzug und die Behandlung von Sexualstraftätern neu geregelt worden.

Rückfallquote: Nach Forschungen deutscher und niederländischer Sexualmediziner besteht bei 20% der Sexualstraftäter auch nach einer Psychotherapie und medikamentöser Behandlung eine Rückfallgefahr. Bundesjustizministerin Herta Däubler-Gmelin (SPD) räumte 1998 Mängel bei der Beurteilung der Rückfallrisiken von Sexualstraftätern ein und kündigte eine verbesserte Aus- und Fortbildung von Gutachtern und Richtern an. Der Rechtsexperte von Bünd-

nis 90/Die Grünen, Christian Ströbele, warf Gutachtern, Richtern und Strafanstalten vor, falsche Maßstäbe anzulegen. Gutachten fielen meist bei Tätern positiv aus, die sich während der Haft stark angepasst hätten. Gerade Sexualstraftäter verhielten sich jedoch im Alltag überangepasst.

Täter und Opfer: Lt. polizeilicher Kriminalstatistik (PKS) wurden 1998 insgesamt 16 600 Fälle von sexuellem Missbrauch von Kindern angezeigt. Die Zahl der aktenkundig gewordenen Fälle lag damit auf dem Niveau der Bundesrepublik zu Beginn der 70er Jahre. Die Behörden gingen jedoch von einer hohen Dunkelziffer aus. Rund 25% der Tatverdächtigen waren mit dem kindlichen Opfer verwandt oder bekannt. Nach Einschätzung des Kriminologischen Forschungsinstituts Niedersachsen war die Bereitschaft, S. anzuzeigen, größer, wenn Täter und Opfer sich nicht gekannt hatten. Einer Untersuchung des Instituts zufolge geschieht die Mehrheit der S. im familiären Umfeld: 30% der Täter missbrauchten Nichten und Neffen, ein Drittel den eigenen Nachwuchs, 14% ihre Enkelkinder.

Auch in Fällen von Vergewaltigung und schwerer sexueller Nötigung von Erwachsenen bestand zwischen Tätern und Opfern in rund der Hälfte der Fälle eine engere Beziehung: 37% der erfassten Tatverdächtigen waren mit dem Opfer bekannt, 15,5% verwandt.

▪ Ehe und Familie

Sicherheitsdienste, Private

Markt: Nachdem S. in Deutschland ihre Umsätze in der ersten Hälfte der 90er Jahre verdoppeln konnten, schwächte sich das Wachstum Ende der 90er Jahre deutlich ab. Nach einer Prognose des Bundesverbandes Deutscher Wach- und Sicherheitsunternehmen (BDWS, Bad Homburg) stieg der Umsatz 1998 gegenüber dem Vergleichsjahr 1996 um 4,2%; im gleichen Zeitraum erhöhte sich die Zahl der Unternehmen um 2,7% auf 1850 und die Zahl der Beschäftigten um 5,3% auf 118 000.

Einsatzgebiete: S. wurden insbes. im Werk- und Objektschutz, z.B. als Pförtner bzw. Wachposten eingesetzt. Darüber hinaus übernahmen sie Aufgaben im Personenschutz (bei Kulturveranstaltungen, Messen und Kongressen), bei der Betriebs- und

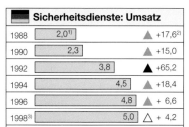

Sicherheitsdienste: Umsatz		
1988	2,0[1]	▲ +17,6[2]
1990	2,3	▲ +15,0
1992	3,8	▲ +65,2
1994	4,5	▲ +18,4
1996	4,8	▲ + 6,6
1998[3]	5,0	△ + 4,2

1) Mrd DM; 2) Veränderung gegenüber Vorvorjahr; 3) Schätzung; Quelle: Bundesverband Deutscher Wach- und Sicherheitsunternehmen, http://bdgw.de

Werksfeuerwehr und betrieben Notruf- und Serviceleitstellen. Im öffentlichen Bereich waren S. als Citystreifen in zahlreichen Fußgängerzonen im Auftrag des Einzelhandels tätig, überwachten Bahnhöfe und Züge des öffentlichen Personennahverkehrs, übernahmen Personenkontrollen auf Flughäfen oder Geschwindigkeitskontrollen im Straßenverkehr.
Auftraggeber: 78% ihrer Aufträge erhielten S. von Wirtschaft, Handel und Industrie, 2% von Privatpersonen. Der öffentliche Sektor wurde als Wachstumsmarkt der Zukunft eingeschätzt; 1998 waren S. zu 20% (inkl. Bewachungsdienstleistungen) im Auftrag von Bund, Ländern und Gemeinden tätig.
http://www.bdgw.de

Sicherheitswacht

Einsatz freiwilliger Helfer zur Unterstützung der Polizei

Die S. ist oft an örtliche Polizeidienststellen angegliedert. Ihre Präsenz soll das Sicherheitsgefühl der Bürger erhöhen und zu einer Verringerung der Kriminalität beitragen. Ende der 90er Jahre gab es S. in Baden-Württemberg (Freiwilliger Polizeidienst), Bayern und Brandenburg. Nach einem Modellversuch 1998/99 in vier Städten (Görlitz, Leipzig, Pirna und Weißwasser) plante Sachsen, die S. sukzessive in allen Kommunen des Freistaates einzuführen. In ihrem Programm für die Landtagswahl Anfang 1999 in Hessen hatte Wahlsieger CDU die Einführung von S. angekündigt.
Einsatzgebiete: S.-Mitglieder unterstützten die Polizeidienststellen ihres Wohngebietes durch Streifengänge in Wohnsiedlungen, Parks, an Haltestellen öffentlicher Verkehrsmittel und in der Nähe von Vandalismus besonders betroffener Gebäude. In Baden-Württemberg umfasste der Einsatz im Freiwilligen Polizeidienst (1961 eingeführt) auch die Sicherung von Gebäuden, technische Dienste und die Regelung des Straßenverkehrs.
Befugnisse: Während S.-Mitglieder in Brandenburg keine über die sog. Jedermann-Rechte hinausgehenden Vollmachten erhielten, durften sie in Bayern und Sachsen zur Beweissicherung und Gefahrenabwehr Personen befragen, Personalien feststellen und Platzverweise erteilen. Die S.-An-

Strafformen: Verurteilungen nach Straftaten[1]

Staßenverkehrsdelikte	250 200	32,1[2]
Diebstahl u. Unterschlagung	170 300	21,8
Andere Vermögensdelikte	145 100	18,6
Straftaten gegen die Person	75 300	9,7
Betäubungsmittelgesetz[3]	41 300	5,3
Andere Straftaten	98 300	12,6

1) 1997, Basis: Alte Bundesländer inkl. Berlin; 2) Anteil (%); 3) Verstöße; Verurteilte gesamt 780 500; Quelle: Statistisches Bundesamt, 1999

gehörigen waren mit Reizgas ausgestattet. Nach dem baden-württembergischen Landesgesetz über den Freiwilligen Polizeidienst wurden S.-Mitgliedern während eines Einsatzes die gleichen hoheitlichen Befugnisse eingeräumt wie Polizeibeamten.

Strafformen, Neue

Bundesjustizministerin Herta Däubler-Gmelin (SPD) plante 1999 die Einführung von S. bei leichten und mittleren Straftaten. Der Bundesrat brachte Anfang 1999 einen eigenen Gesetzentwurf ein. Die S. sollen die Haftanstalten entlasten, die Ende der 90er Jahre in nahezu allen Bundesländern vollständig belegt bzw. überbelegt waren.
Sanktionen: Nach den Plänen des Bundesjustizministeriums soll die gemeinnützige Arbeit als eigenständige Strafform bei Kleinkriminalität ins allgemeine Strafrecht eingeführt werden. Sie könnte angewandt werden, wenn das Gericht eine Geldstrafe für nicht ausreichend hält, um auf den Täter einzuwirken (bislang: Kurzstrafe), bzw. wenn sich abzeichnet, dass ein Verurteilter eine Geldstrafe nicht begleichen kann. Auch andere S. wie der elektronisch überwachte Hausarrest (sog. elektronische Fußfessel) bzw. der befristete Führerscheinentzug auch bei Straftaten, die nicht im Zusammenhang mit Verstößen gegen die Straßenverkehrsordnung stehen, wurden unter Juristen diskutiert.
Rechtsordnung: Das allgemeine Strafrecht sieht zwei Hauptsanktionsformen vor: Freiheitsstrafe (mit bzw. ohne Bewährung) und Geldstrafe. Kann ein Verurteilter eine Geldstrafe nicht bezahlen, wird sie nach §43 Strafgesetzbuch (StGB) durch eine Freiheitsstrafe ersetzt; einem Tagessatz der Geldstrafe entspricht ein Tag Haft. 1997

wurde in 81,7% aller Verurteilungen eine Geldstrafe verhängt. Das Strafgesetzbuch räumt den Gerichten Ermessensspielraum bei der Verhängung kurzer Freiheitsstrafen ein. Nach § 47 StGB sollen Haftstrafen unter sechs Monaten nur dann verhängt werden, wenn sie unerlässlich sind, um auf den Täter einzuwirken oder wenn eine Geldstrafe zur Verteidigung der Rechtsordnung nicht ausreicht. 1996 (letztverfügbarer Stand) wurden ca. 40% aller Freiheitsstrafen für weniger als sechs Monate ausgesprochen.

Täter-Opfer-Ausgleich: Mitte 1999 legte die Bundesregierung einen Gesetzentwurf vor, mit dem die Schadenswiedergutmachung fest in der Strafprozessordnung (StPO) verankert werden soll. Lt. Entwurf müssen Staatsanwälte und Gerichte in jedem Stadium des Strafverfahrens prüfen, ob der Täter bereit ist, den durch ihn entstandenen Schaden wieder gut zu machen oder bereits wieder gut gemacht hat. Der sog. Täter-Opfer-Ausgleich soll sich strafmindernd auswirken. Die Möglichkeit der Schadenswiedergutmachung wurde 1994 in das Strafgesetzbuch engeführt (§46a StGB), bislang allerdings nur selten angewandt (bei insgesamt rund 700 000 Verurteilungen pro Jahr in rund 9000 Fällen). Die strafverfahrensrechtliche Verankerung des Täter-Opfer-Ausgleichs soll diese Quote deutlich erhöhen und die Interessen der Opfer von Straftaten stärker berücksichtigen.

http://www.bmj.bund.de
htttp://www.bundesrat.de

Wirtschaftsspionage

Ausmaß: Obwohl keine konkreten Fallzahlen vorlagen, gingen Polizei und Ermittlungsbehörden Ende der 90er Jahre von einer Zunahme der W. in Deutschland mit Schäden in Milliardenhöhe aus. Die deutschen Verfassungsschutz- und Geheimdienstbehörden beklagten das mangelnde Problembewusstsein vieler Unternehmen in Deutschland, die auch für sensible Geschäftsbereiche (Forschungs- und Entwicklungsabteilungen u. a.) keine ausreichenden Sicherheitsbestimmungen entwickelt hätten. Stark gefährdet waren Unternehmen der Informations- und Kommunikationstechnik, der Medizintechnik, Mikroelektronik, Luft- und Raumfahrt sowie im Maschinen- und Motorenbau.

Akteure: Außer Geheimdiensten der ehemaligen Ostblock-Staaten dehnten nach Expertenansicht auch Nachrichtendienste sog. befreundeter Staaten wie Frankreich und USA 1998/99 ihre W. in Deutschland aus und nutzten ihre Aufklärungssysteme (z.B. das weltumspannende, vom US-Nachrichtendienst NSA betriebene Abhörsystem Echelon) für W.-Zwecke. Als auffälliges Indiz für W. galt das Erscheinen eines nahezu identischen, aber billigeren Konkurrenzproduktes unmittelbar vor der geplanten Markteinführung eines eigenen neuen Produktes.

http://www.verfassungsschutz.de/spion.htm

Zeugenschutz

Im Dezember 1998 trat in Deutschland ein neues Zeugenschutzgesetz in Kraft. Es soll vor allem die Position von besonders Schutzbedürftigen wie Kindern, die Opfer einer Straftat geworden sind, in Gerichtsverfahren verbessern. Mit der Novelle wurde die Videovernehmung in die Strafprozessordnung eingeführt.

Anwendung: Zu den wichtigsten Bereichen des Z. durch die Videovernehmung gehören:
– Die Zeugenbefragung kann im Ermittlungsverfahren auf Video aufgezeichnet werden, um einer Mehrfachbefragung sog. Opferzeugen vorzubeugen.
– Bei Straftaten gegen die sexuelle Selbstbestimmung oder das Leben kann die Videoaufzeichnung aus dem Ermittlungsverfahren die Zeugenaussage vor Gericht ersetzen. Bei mutmaßlichen Opferzeugen bis zu 16 Jahren soll die Videovernehmung die Regel sein.
– Ein Zeuge kann auch außerhalb des Gerichtssaals aussagen, wenn sein Erscheinen eine Gefährdung seiner eigenen Person darstellt. Die Befragung wird auf Video aufgezeichnet und über eine Standleitung in Echtzeit ins Sitzungszimmer übertragen.

Juristischer Beistand: Zeugen, die vermutlich Opfer einer schweren Straftat geworden sind, über die vor Gericht verhandelt wird, haben unabhängig von ihrer wirtschaftlichen Situation Anspruch auf einen sog. Opferanwalt; die Kosten trägt der Staat.

http://www.bmj.bund.de

Alpenklima

Durch die Lawinenunglücke im Februar und die Überschwemmungen im Mai 1999 geriet das A. in den Blickpunkt der Öffentlichkeit.

Klimaveränderung: Die Schweizer Gletscherkommission gab bekannt, dass im Winter 1997/98 von den 102 Alpengletschern der Schweiz 86 geschrumpft seien, teilweise um über 100 m im Jahr. Dieser Trend hält seit vielen Jahren an. Die Wintertemperaturen auf der A.-Nordseite liegen seit Mitte der 70er Jahre über dem Mittel der Jahre 1901–60. Die Niederschlagsmengen steigen entsprechend, fallen aber seltener als Schnee.

Folgen: Im Oktober 1998 legte die Umweltschutzorganisation Greenpeace eine Studie des Wiener Instituts für Bodenkultur vor. Danach könnte sich durch das veränderte A. die Saison für Wintersport um mehrere Wochen verkürzen. Die geeigneten Gebiete könnten sich stark verkleinern. Die Gefahr von Überschwemmungen und Erdrutschen (Muren) nehme zu.

Wettervorhersage: Schweizer Meteorologen kündigten im März 1999 das umfangreichste Wetterforschungsprojekt an, das es im Alpenraum je gegeben hat. Ein Netz von Messstationen, Radarsystemen, Flugzeugen und der Wettersatellit Meteosat 6 sollen von August bis November 1999 die Niederschläge am Lago Maggiore, die Föhnbildung am Hochrhein und die Wolkenbildung im ganzen Alpenraum erforschen, um genauere Wettervorhersagen und Katastrophenwarnungen zu ermöglichen.
http://www.sma.ch

Arktis und Antarktis

Klimaveränderung: In beiden Polarregionen wurde Ende des 20. Jh. ein starkes Abschmelzen des Pack- bzw. Schelfeises festgestellt. Die deutsche Antarktis-Forschungsstation auf dem Filchner-Schelfeis geriet im Oktober 1998 auf eine vom Schelfeis weggebrochene Eisinsel und musste geborgen werden. US-amerikanische Biologen meldeten 1998 einen Rückzug des arktischen Packeises und der typischen Fauna (Alk-Vögel, Karibus). Für die aktuellen Erscheinungen könnte das Klimaphänomen El Niño verantwortlich sein, welches das Oberflächenwasser des Pazifiks aufgeheizt

Blick vom Kreuzkoflerjoch bei Brixen nach Süden über die Dolomiten. Stärkere UV-Einstrahlung im Sommer und heftigere Regenfälle im Frühling steigern die Erosion des weichen Dolomitgesteins.

hat. Anderen Forschern zufolge ist die Ende der 90er Jahre beobachtete Erwärmung der Arktis längerfristig wirksam und stärker als die der mittelalterlichen Wärmeperiode. Die arktische Eisdecke ist seit Beginn der 70er Jahre zwischen 6% und 30% dünner geworden (Angaben von 1998).

Atmosphäre

Die bis in eine Höhe von etwa 500 km reichende Gashülle des Planeten Erde. Sie besteht in Erdnähe zu 78,1% aus Stickstoff, zu 21% aus Sauerstoff und zu 0,9% aus dem Edelgas Argon. Dazu kommen Spurengase, z. B. Kohlendioxid (0,035%) und Wasserdampf.

Der Mensch verändert vor allem durch seine industrielle Tätigkeit weltweit die A. und damit das Klima durch Ausstoß von Gasen und Aerosolen (feinstverteilte Luft- und Stoffgemische).

Die rund 250 km dicke Ionosphäre (äußerste Schicht der A.) wird alle fünf Jahre um etwa 1 km dünner. Zu diesem Ergebnis kamen 1998 Wissenschaftler des British Antarctic Survey, die Daten der letzten 38 Jahre auswerteten. Ursache könnte der Treibhauseffekt sein, der die Wärme in der unteren A. gefangen hält, sodass die höheren Schichten abkühlen.

El Niño und La Niña

(span.; der Junge, d.h. das Christkind; das Mädchen). El Niño ist ein etwa alle vier Jahre in der Weihnachtszeit auftretendes Klimaphänomen, bei dem sich die Meeresströmung im Pazifik ändert. In Äquatornähe erwärmt sich der östliche Pazifik (vor den Westküsten Amerikas), der westliche (vor Südostasien und Australien) kühlt sich ab. La Niña dreht im folgenden Sommer die Verhältnisse wieder um.

Atmosphäre im Überblick

▶ **Aerosole:** Gemische von flüssigen oder festen Stoffen mit Luft. Aerosole sind z. B. Nebel, Wolken, Staub- und Aschewolken sowie Rauch.

▶ **FCKW:** Fluor-Chlor-Kohlenwasserstoffe sind chemisch sehr stabile, ungiftige Gase, die über viele Jahrzehnte hinweg beispielsweise als Kältemittel in Kühlschränken, als Treibmittel in Spraydosen und beim Verschäumen von Kunststoffen eingesetzt wurden. Sie steigen im Lauf der Jahre in die Ozonschicht der Atmosphäre auf und zerstören dort bei großer Kälte das Ozon, das die Erde vor der schädlichen ultravioletten Strahlung schützt. Außerdem tragen sie zum Treibhauseffekt bei.

▶ **Ionosphäre:** Die äußerste Schicht der A. zwischen 250 und 500 km Höhe. Die Gase sind hier durch die Sonnenstrahlung teilweise ionisiert und sehr heiß (bis zu 1000 °C). Nach der Temperaturkurve werden die beiden äußeren Schichten Meso- und Thermosphäre genannt.

▶ **Kohlendioxid** (CO_2, nach neuerer Nomenklatur: Kohlenstoffdioxid): Das Verbrennungsprodukt des Kohlenstoffs ist ein farb- und geruchloses, ungiftiges Gas. Es wird bei der Atmung von Pflanzen und Tieren sowie beim Verbrennen von Holz und fossilen Brennstoffen (Kohle, Erdöl, Erdgas) in die A. entlassen und trägt wesentlich zum Treibhauseffekt bei.

▶ **Kühlhauseffekt** (auch Whitehouse-Effekt): Die dem Treibhauseffekt entgegengesetzte Wirkung bestimmter Aerosole in der Atmosphäre, z. B. von Vulkanasche, Rauchgasen (Schwefeldioxid) aus Kraftwerken, Waldbränden usw. Aerosole reflektie-

ren das Sonnenlicht nach außen und bewirken eine Abkühlung der Troposphäre.

▶ **Methan** (CH_4): Das farb- und geruchlose, ungiftige Gas ist Hauptbestandteil von Erdgas und Biogas. Es entsteht bei Fäulnisprozessen, z. B. in Sümpfen, Reisfeldern, beim Wiederkäuen der Kühe, in Mülldeponien und Klärschlamm, und trägt zum Treibhauseffekt bei.

▶ **Ozon** (O_3): Eine kurzlebige Verbindung aus drei Sauerstoff-Atomen; stechend riechendes, chemisch aggressives, gesundheitsschädliches Gas. Entsteht aus Sauerstoff (O_2) z. B. bei starker Einstrahlung von UV- (ultraviolettem) Licht, vor allem in der Ozonschicht der Stratosphäre (in 20 km bis 30 km Höhe). In Bodennähe kann sich an sonnigen Sommertagen unter dem Einfluss von Autoabgasen Ozon bilden (Sommersmog). Dieses bodennahe Ozon trägt zum Treibhauseffekt bei.

▶ **Ozonloch:** Ein Bereich der Ozonschicht über der Antarktis, in dem das Ozon regelmäßig im antarktischen Frühjahr (September/Oktober) stark abgebaut wird. Dadurch gelangt ungefiltertes, für Lebewesen schädliches UV-Licht bis zum Erdboden. An dem Prozess sind ein großräumiger stabiler Luftwirbel, große Kälte und sog. polare stratosphärische Eiswolken beteiligt. Das Ozonloch ist seit seiner Entdeckung 1985 in geraden Jahren stets größer als in ungeraden.

▶ **Ozonschicht:** Eine Luftschicht in der Stratosphäre in etwa 20 km–30 km Höhe, in der sich durch das UV-Licht der Sonne besonders viel Ozon bildet. Dabei wird ein Großteil der schädlichen UV-Strahlung ab-

sorbiert. Verschiedene vom Menschen produzierte Gase, vor allem FCKW, bauen das Ozon in der Ozonschicht ab. Als Folge gelangt mehr UV-Licht bis zur Erdoberfläche, und es kommt vermehrt zu Verbrennungen an Pflanzen, Sonnenbrand, Hautkrebs und Grauem Star. Der Treibhauseffekt begünstigt den Abbau der Ozonschicht, weil die von der Troposphäre »gefangene« Wärmestrahlung nicht mehr zur Ozonschicht durchkommt, wodurch diese stärker abkühlt.

▶ **Stratosphäre:** Die zweitunterste Schicht der A., zwischen 12 km und 50 km Höhe. Sie enthält die Ozonschicht.

▶ **Treibhauseffekt:** Die Erwärmung der unteren Troposphäre und der Meeresoberflächen unter dem Einfluss von Treibhausgasen. Diese Gase lassen das direkte Sonnenlicht ungehindert passieren, absorbieren aber einen großen Teil der von der Erdoberfläche reflektierten oder abgestrahlten Wärmestrahlung und geben die Hälfte davon wieder nach unten ab. Ohne den natürlichen Treibhauseffekt des Wasserdampfs und des Kohlendioxids wäre es auf der Erde über 30 °C kälter. Der vom Menschen verursachte zusätzliche Treibhauseffekt beruht zu 50% auf Kohlendioxid aus der Verbrennung von fossilen Brennstoffen (Kohle, Erdöl, Erdgas); zu 25% auf FCKW; zu 13% auf Methan; zu 7% auf bodennahem Ozon; zu 5% auf Lachgas (N_2O).

▶ **Troposphäre:** Die unterste Schicht der A., bis etwa 12 km Höhe. Sie enthält zwei Drittel der Gasmasse, in ihr entstehen Klima und Wetter.

Im Winter 1997/98 fiel El Niño besonders heftig aus und führte in den Ländern rund um den Pazifik, in China und einigen Staaten in Afrika zu zahlreichen Unwettern und Überschwemmungen oder zu verheerenden Dürren und Waldbränden. Auf seinem Höhepunkt stieg die Wassertemperatur in einigen Regionen des Pazifik bis auf 32 °C; im Frühjahr 1998 fiel sie dort auf 24 °C (La Niña).

Bilanz: Nach Schätzungen des Worldwatch-Instituts vom Januar 1999 töteten durch E. verursachte Flutkatastrophen in Afrika, China und Südamerika sowie Dürren und Waldbrände in Südostasien, Australien und Neuseeland etwa 32 000 Menschen. Über 100 000 Dörfer wurden zerstört, 300 Mio Bewohner verloren ihr Obdach, der Gesamtschaden wurde auf 150 Mrd DM angesetzt. Die brasilianische Kaffee-Ernte fiel durch E. 1997/98 allerdings um 80% höher aus als im Vorjahr.

Wirbelstürme: La Niña verursachte im Herbst 1998 eine Welle von starken Hurrikanen im Atlantik und im Golf von Mexico, darunter den Wirbelsturm »Mitch«, der im Oktober Honduras und Nicaragua erhebliche Schäden anrichtete (9000 Tote). Im Mai 1999 folgte eine ungewöhnliche Häufung von Tornados in den US-amerikanischen Bundesstaaten Oklahoma und Kansas.

http://www.pmel.noaa.gov/toga-tao/el-nino/
http://www.dkrz.de/klima/elnino/enso.html

Klimaschutz

Weltweite Bemühungen, den Ausstoß von Kohlendioxid u. a. Treibhausgasen zu verringern, um Treibhauseffekt und Klimaveränderung zu begrenzen

Bis 2008 bzw. 2012 sollen in 30 Industriestaaten – darunter die USA, Japan und die EU-Länder – der Ausstoß von Kohlendioxid reduziert werden. Im Dezember 1997 hatte der Klimagipfel von Kyoto (Japan) erstmals verbindliche Reduktionsziele festgelegt, deren Umsetzung 1998 Thema internationaler Konferenzen war.

EU: Die Umweltminister der EU-Staaten einigten sich im Juni 1998 auf die interne Verteilung der K.-Anstrengungen nach dem Kyoto-Protokoll. Bis 2012 soll der Kohlendioxid-Ausstoß der EU insgesamt um 8,1% sinken. Vor Kyoto hatte die EU noch ein Reduktionsziel von 15% festgelegt, aber nur für den Fall, dass die USA sich beteiligten.

Klimaschutz: Umsetzung der Vereinbarungen

▶ **Emissionshandel** (Emissions Trading): Länder, die weniger Kohlendioxid ausstoßen als ihnen im Kyoto-Protokoll (1997) erlaubt wurde, können die nicht ausgeschöpften Kontingente an andere Länder verkaufen, die diese Differenzmengen ihrem eigenen Konto gutschreiben dürfen.

▶ **Gemeinsame Umsetzung** (Joint Implementation): Klimaschutzprojekte (z. B. Ersetzung ineffektiver Kraftwerke), die ein Industriestaat in einem anderen Industrie- oder Transformationsstaat (Schwellenland) vornimmt, der selbst keine Reduktionspflichten hat. Der Investor kann den Spareffekt seinem eigenen Kohlendioxid-Konto gutschreiben.

▶ **Heiße Luft** (Hot Air): Kohlendioxidmengen, die ein Land nur deshalb nicht mehr ausstößt, weil ein Teil seiner Industrie wirtschaftlich zusammengebrochen ist. Wegen solcher Krisen ging z. B. der Kohlendioxid-Ausstoß Russlands Ende der 90er Jahre gegenüber dem Stichjahr 1990 stark zurück. Umstritten ist, inwieweit Heiße Luft im Emissionshandel vermarktet werden kann.

▶ **Lastenteilung** (Burden Sharing): Mehrere Länder (z. B. die EU-Staaten) können eine gemeinsame Gesamtverpflichtung zur Reduktion übernehmen und untereinander aushandeln, welches Land wie viel beiträgt.

▶ **Mechanismus für saubere Entwicklung** (Clean Development Mechanism): Entwicklungshilfeprojekte, die auch eine Verringerung des Kohlendioxid-Ausstoßes zum Ziel haben und deren Spareffekt sich der Investor gutschreiben kann.

Die Quoten für einzelne EU-Staaten liegen zwischen 28% Reduktion für Luxemburg (21% für Deutschland) und 27% Zuwachs für Portugal.

USA: Im November 1998 unterzeichnete US-Präsident Clinton als 60. Regierungschef der Welt trotz einer monatelangen heftigen Protestkampagne der US-Industrie das K.-Protokoll von Kyoto. 17 000 US-Forscher hatten Clinton im Frühjahr 1998 in einer Petition aufgefordert, das Protokoll nicht zu unterzeichnen. Es fuße auf unsicheren Daten und werde die Wirtschaft der USA ruinieren.

UN-Klimakonferenz: Auf der vierten Klimakonferenz der UNO im November 1998 in Buenos Aires (Argentinien) blieb die Frage umstritten, ob die Entwicklungs- und Schwellenländer sowie China, wie von den USA gefordert, sich ebenfalls auf eine Reduzierung des Kohlendioxid-Ausstoßes verpflichten, was die große Mehrheit der betroffenen Länder strikt ablehnte. Außerdem möchten die USA die Möglichkeit haben, sich durch den Kauf von Emissionsrechten oder durch K.-Investitionen in anderen Ländern (Joint Implementation) von Änderungen im eigenen Land freizukaufen; die EU-Staaten möchten diesen Ausweg versperren. Die strittigen Fragen wurden bis Ende 2000 vertagt. Argentiniens Präsident Carlos Menem gab eine freiwillige K.-Verpflichtungserklärung für sein Land ab, dem sich Kasachstan anschloss. Bis

2010 will Argentinien als Beitrag zum K. 7% seines Stroms mit Windkraftanlagen gewinnen.

http://www.comlink.apc.org/germanwatch/
http://www.itas.fzk.de/deu/TADN/TADN198/
981NEUES04.htm
http://www.dkrz.de/schule/
Klimaschutz/kyo-100.htm

Klimaveränderung

(Klimawechsel, Erderwärmung, Global Warming), die ungewöhnlich rasche Erwärmung des Erdklimas in den letzten 100 Jahren, vor allem seit etwa Anfang der 70er Jahre. Als wichtigste Ursache wird der Treibhauseffekt vermutet.

Das Jahr 1998 war wiederum das wärmste seit Beginn der regelmäßigen Klimaaufzeichnungen Mitte des 19. Jh. Die Jahresdurchschnittstemperatur lag um 0,58 °C über dem Mittel von 1961–90 (1995: +0,43 °C). Extreme Hitzewellen gab es in den USA, in Russland, Katar und Neuseeland sowie im östlichen Mittelmeer (z. B. Zypern). Ursache war teilweise das etwa alle vier Jahre auftretende Klimaphänomen El Niño.

Zweifel an der K.: Die 1997 aufgekommenen wissenschaftlichen Zweifel an der These von einer K. wurden 1998 z.T. ausgeräumt. US-Wettersatelliten hatten seit 1980 in 3–9 km Höhe über den Ozeanen eine Abkühlung festgestellt. Diese Daten gingen jedoch offenbar auf fehlerhafte und unsichere Messmethoden zurück.

Klimaveränderung und Golfstrom

Der deutsche Ozeanograph Stefan Rahmstorf vom Potsdam-Institut für Klimafolgenforschung erhielt 1999 einen der zehn »Jahrhundertpreise« der US-amerikanischen James-S.-McDonnell-Stiftung für folgendes Szenario:

▶ **1. Golfstrom:** Eine kontinuierliche starke Meeresströmung im Atlantik verfrachtet warmes Oberflächenwasser aus der Karibik bis ins Nordmeer zwischen Norwegen und Grönland. Dort kühlt es ab, sinkt in die Tiefe und strömt zurück nach Süden. Die vom Golfstrom erwärmte Luft hält arktische Brisen aus Nordkanada davon ab, nach Europa zu gelangen.

▶ **2.** »Salzpumpe« (Thermohaline Ozeanzirkulation): Am Rande der Arktis gefriert ein Teil des Oberflächenwassers zu Eis. Das Salz konzentriert sich in der darunter strömen-

den Wasserschicht. Dieses Wasser wird durch Abkühlung und steigende Salzkonzentration dichter und schwerer als das tiefere und fällt in einem großen »Wasserfall« in die Tiefsee.

▶ **3. Erwärmung:** Wenn das Wasser des Golfstroms wegen der Erderwärmung im Nordmeer nicht mehr gefriert und große Mengen salzarmes Regen- und Schmelzwasser hinzukommen, sinkt die Salzkonzentration, und die Salzpumpe stoppt. Der Golfstrom würde nicht mehr bis Europa durchkommen.

▶ **4. Europäische Eiszeit:** Arktische Luftströmungen hätten freien Zugang nach Europa. Die milde Westzirkulation würde stoppen. Ozeanograph Rahmstorf hält zwar die Erwärmung in Europa für wahrscheinlicher, aber auch eine Abkühlung um 5 °C für möglich.

Klimamodelle: Klimaforscher versuchten in den 90er Jahren weltweit, mit komplizierten Computermodellen die Entwicklung des Weltklimas möglichst genau abzubilden und vorherzusagen. Sie stützten sich auf die seit Jahrzehnten auf dem Festland gemessenen Klimadaten, für deren Einschätzung und Fehlerkorrektur langjährige Erfahrung besteht. Die Modelle ergaben Ende der 90er Jahre für die Zeit bis 2100 eine voraussichtliche Erhöhung der Weltdurchschnittstemperatur um 2,7 °C. Anfang der 90er Jahre waren Klimaforscher noch von bis zu 6 °C ausgegangen.

Folgen: Ein regionales Klimamodell wurde 1998 für Bayern aufgestellt. Danach würden die Augusttemperaturen in Bayern in den nächsten 50–100 Jahren um durchschnittlich 6 °C steigen, wenn die globale Mitteltemperatur um 2,5 °C zunimmt. Die von Nordwesten heranziehenden Tiefdruckgebiete würden nicht mehr bis Bayern durchkommen; monatelang würde heiße Kontinentalluft dominieren. Wälder könnten vertrocknen und abbrennen, die Wasserstände der Seen drastisch sinken.

Eine Modellrechnung deutscher Ozeanographen ergab im Jahr 1998, dass wegen der K. der warme Golfstrom im Atlantik versiegen könnte. Als paradoxe Folge könnte Europa im Treibhaus Erde eine kleine Eiszeit erleben.

Die Vermutung, dass die Zahl der Wirbelstürme durch die K. ansteigt, wurde im Herbst 1998 in einer Studie Kölner Meteorologen widerlegt. Danach ist deren Zahl seit Jahrzehnten mit etwa 87 starken Tropenstürmen pro Jahr relativ konstant. Doch könnten sie durch die K. stärker werden und größere Gebiete bedrohen.

http://www.dkrz.de/
http://www.mpimet.mpg.de/deutsch/forsch.html
http://www.pik-potsdam.de

Kohlendioxid

(nach neuer Nomenklatur: Kohlenstoffdioxid; CO_2), Verbrennungsprodukt des Kohlenstoffs, ein farb- und geruchloses, giftiges Gas. K. wird bei der Atmung von Pflanzen und Tieren sowie beim Verbrennen von Holz, Kohle, Erdöl oder Erdgas in die Atmosphäre freigesetzt, wo es hauptverantwortlich ist für den Treibhauseffekt.

Eine weltweite Reduzierung des K.-Ausstoßes galt Ende des 20. Jh. als eines der wichtigsten Ziele des Klimaschutzes, um

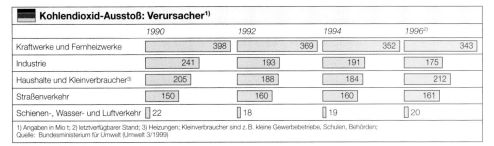

▬ Kohlendioxid-Ausstoß: Verursacher[1]

	1990	1992	1994	1996[2]
Kraftwerke und Fernheizwerke	398	369	352	343
Industrie	241	193	191	175
Haushalte und Kleinverbraucher[3]	205	188	184	212
Straßenverkehr	150	160	160	161
Schienen-, Wasser- und Luftverkehr	22	18	19	20

1) Angaben in Mio t; 2) letztverfügbarer Stand; 3) Heizungen; Kleinverbraucher sind z. B. kleine Gewerbebetriebe, Schulen, Behörden; Quelle: Bundesministerium für Umwelt (Umwelt 3/1999)

eine lebensbedrohliche Erwärmung der Erde zu verhindern.

Trends und Ziele: Der K.-Anteil der erdnahen Atmosphäre stieg seit Ende des 19. Jh. von 0,28 auf 0,36 ‰. Die meisten Klimaforscher nehmen als Ursache den gestiegenen K.-Ausstoß aus der Verbrennung fossiler Brennstoffe an. Die rot-grüne Bundesregierung bekräftigte Ende 1998, dass sie wie das alte CDU/CSU/FDP-Kabinett den K.-Ausstoß in Deutschland bis 2005 gegenüber 1990 um 25% reduzieren will. Auf dem Klimagipfel 1997 in Kyoto/Japan hatten sich 30 Industriestaaten, darunter die USA, Japan und die EU verpflichtet, ihren K.-Ausstoß 1990–2012 um 5,2% zu vermindern. 1998 sank die deutsche K.-Emission gegenüber dem Vorjahr um 1,2% auf 857 Mio t (10,4 t pro Kopf); es waren 13,1% weniger als 1990. Die USA waren Ende der 90er Jahre für rund ein Viertel des energiebedingten K.-Ausstoßes der Menschheit verantwortlich. Ihre Emission stieg 1990–96 um 9%, die Japans um 11%, die der EU um 2,5%. Der Ausstoß Russlands fiel 1990–95 wegen ökonomischer Krisen um 35%.

Perspektiven: Ohne Einbußen in der Lebensqualität wird Deutschland seinen K.-Ausstoß 1990–2005 nur um 13–15% statt der geplanten 25% reduzieren können. Das ergaben im November 1998 vorgelegte Studien des Ölkonzerns Esso, der Baseler Prognos und des Energiewirtschaftlichen Instituts der Universität Köln. Eine Absenkung des K.-Ausstoßes kann erreicht werden durch:
– Sparsamere Kraftwerke und Motoren
– Kraft-Wärme-Kopplung (dezentrale Erzeugung von Strom und Fernwärme im gleichen Heizkraftwerk)
– Bessere Wärmedämmung an Häusern
– Reduzierung des Stromverbrauchs, des Auto-, LKW- und Luftverkehrs

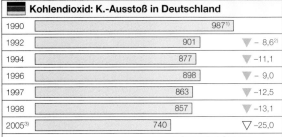

▬ Kohlendioxid: K.-Ausstoß in Deutschland

1990	987[1]	
1992	901	▼ – 8,6[2]
1994	877	▼ –11,1
1996	898	▼ – 9,0
1997	863	▼ –12,5
1998	857	▼ –13,1
2005[3]	740	▽ –25,0

1) Mio t Kohlendioxid aus energiebedingter Verbrennung fossiler Brennstoffe; 2) Rückgang gegenüber 1990 (%); 3) Ziel der Bundesregierung; Quellen: Umweltbundesamt, Bundesministerium für Umwelt (Umwelt 6/1998)

Kohlendioxid-Ausstoß durch Verbrennung[1]

Mineralöl	37,2
Naturgas	22,9
Steinkohle	19,8
Braunkohle	19,7
sonstige Brennstoffe	0,4

1) Anteil (%); Stand: 1998; Quelle: Deutsches Institut für Wirtschaftsforschung (DIW)

– Ersatz fossiler Brennstoffe durch erneuerbare Energien.

http://www.eia.doe.gov
http://www.umweltbundesamt.de

Ozon

Kurzlebige Verbindung aus drei Sauerstoff-Atomen; stechend riechendes, chemisch aggressives, gesundheitsschädliches Gas. Entsteht aus Sauerstoff (O_2) z. B. bei starker Einstrahlung von UV-(ultraviolettem) Licht, vor allem in der Ozonschicht (in 20–30 km Höhe). In Bodennähe kann in sonnigen Sommertagen unter dem Einfluss von Stickoxiden und Kohlenwasserstoffen aus Autoabgasen O. bilden (Sommersmog).

Ozonalarm: Zum ersten Mal seit Inkrafttreten des Sommersmog-Gesetzes (Juli 1995) wurde im August 1998 in Hessen,

Baden-Württemberg, Rheinland-Pfalz und dem Saarland Ozonalarm ausgelöst, wegen wechselnden Wetters aber bereits nach einem Tag wieder aufgehoben. Die Ozonwerte hatten an mehreren Messstationen den Grenzwert von 240 µg (Mikrogramm, Millionstel Gramm) pro m^3 Luft überschritten. Es galt ein Fahrverbot für Autos und Motorräder ohne geregelten Katalysator, das jedoch wegen zahlreicher Ausnahmen unüberprüfbar war und weitgehend wirkungslos blieb.

Trend: Bodennahe Luft in Deutschland enthielt Ende des 20. Jh. doppelt so viel O. wie zu Beginn des Jh.: durchschnittlich 40 µg/m^3. Durch Katalysatoren und Entstickungsanlagen nahm die Konzentration der O.-Vorläufersubstanzen (Kohlenmonoxid, Kohlenwasserstoffe und Stickoxide) 1990–97 um knapp ein Drittel ab, während die Zahl sonnenreicher Sommertage zunahm. Die O.-Mittelwerte blieben in den 90er Jahren fast konstant, die Höchstwerte gingen 1984–97 von 365 auf 253 µg/m^3 zurück.

Folgen: O. reizt die Schleimhäute, worauf nach Angaben des Umweltbundesamtes etwa 10–15% der Bevölkerung empfindlich reagieren. Es verursacht Ernteschäden an Zuckerrüben, Kartoffeln und Weizen, wie ein dreijähriger Laborversuch bis Mitte 1998 im Auftrag des Landesumweltamtes NRW in Essen ergab. Das bodennahe O. trägt zum Treibhauseffekt bei.

Gegenmaßnahmen: Das Umweltbundesamt empfahl im Sommer 1998 als effektivste Maßnahmen gegen Sommersmog rechtzeitige Fahrverbote und großräumige Tempolimits, eine modernere Abgastechnik für LKW und Busse, die Überwachung geltender Tempolimits für LKW und den Verzicht auf Rasenmäher mit Zweitakt-Benzinmotor. Jeder Mäher erzeuge pro Stunde so viele Kohlenwasserstoffe wie 200 Autos mit geregeltem Katalysator. Ähnliches gelte für Zweiräder mit Zweitaktmotor.

http://www.umweltbundesamt.de/
uba-info-daten
http://www.geowissenschaften.de/

Ozonschicht

Luftschicht in der Stratosphäre in etwa 20–30 km Höhe, in der sich durch das ultraviolette Licht der Sonne aus Sauerstoff (O_2) Ozon (O_3) bildet. Dabei wird ein Großteil der schädlichen UV-Strahlung absorbiert.

Verschiedene vom Menschen produzierte Gase, vor allem die jahrelang als Kälte- und Treibmittel eingesetzten Fluor-Chlor-Kohlenwasserstoffe (FCKW), bauen bei großer Kälte, besonders über der Antarktis, die O. ab (Ozonloch). Als Folge dieser Entwicklung gelangt mehr UV-Licht bis zur Erdoberfläche und löst vermehrt Verbrennungen an Pflanzen, Sonnenbrand, Hautkrebs und Grauen Star aus. Im Frühjahr 1999 trat anders als in den beiden Vorjahren kein Ozonloch über der Arktis auf. Als Ursache für die Erholung der arktischen O. gilt der besonders milde Winter.

Ozonloch: Das Ozonloch über der Antarktis war im September 1998 mit 27 Mio km^2 so groß wie nie zuvor (zweieinhalb Mal so groß wie Europa). 1997 war es 20 Mio km^2 groß, 1996 26 Mio km^2. Die Weltorganisation für Meteorologie (WMO) stellte 1998 fest, dass die Konzentration Ozon schädigender Chlorverbindungen in der Troposphäre abnimmt. Sie erwartete aber erst für Mitte des 21. Jh. eine Erholung der O. Frühestens im 2010 soll sich der erst im Montreal-Protokoll von 1987 beschlossene weltweite Ausstieg aus der FCKW-Produktion auf die O. auswirken. Grund für die Verzögerung ist die lange Verweildauer der FCKW in der Atmosphäre. In Russland und China wurde Ende der 90er Jahre weiterhin FCKW und die noch gefährlicheren Halone produziert, die als Löschmittel eingesetzt werden.

Folgen: Das antarktische Ozonloch gefährdet möglicherweise die Krill-Bestände in den Weltmeeren und damit die Nahrungsgrundlage zahlreicher Tiere wie der Pinguine und der Wale. Australische Forscher entdeckten 1998 im Labor, dass die garnelenartigen Kleinkrebse stärker als andere Tiere von UV-Licht geschädigt werden.

Gegenmaßnahmen: In Deutschland darf das ozonschädigende Kältemittel R 12 auch in bestehenden Kälteanlagen seit dem 1.7.1998 nicht mehr verwendet werden. Von Anfang 1996 bis Mitte 1998 wurde der Bestand an R 12 von 6740 t etwa halbiert (in gewerblichen Kälteanlagen um rund 1400 t, in Auto-Klimaanlagen nur um 10% auf rund 1550 t).

http://www.geowissenschaften.de/
http://auc.dfd.dlr.de
http://www.wmo.ch
http://lap.physics.auth.gr

Außenwirtschaft

Jeder vierte Arbeitsplatz in Deutschland hängt von der A. ab. Deutschland ist nach den USA das stärkste Exportland der Welt. 1998 wurde mit Ausfuhren von 949,7 Mrd DM (1997: 888,6 Mrd DM) und Einfuhren von 821,1 Mrd DM (1997: 772,2 Mrd DM) ein Rekord erzielt. Das Wachstumstempo der A. verringerte sich 1998 aber auf 6,9% gegenüber 12,7% im Vorjahr. Für 1999 wurde nur noch mit einer Exportsteigerung von 1,7% gerechnet. Ursache der niedrigeren Wachstumsraten sind vor allem die Krisen in Asien, Russland und Lateinamerika. **Zahlungsbilanz:** Der deutsche Exportüberschuss stieg 1998 um 10,4% auf 128,6 Mrd DM. Dennoch erhöhte sich das Leistungsbilanz-Defizit, in dem sich auch der Reiseverkehr ins Ausland sowie Überweisungen von Erwerbs- und Vermögenseinkünften in andere Staaten niederschlagen, auf 6,3 Mrd DM. Ursache waren erhöhte Dividendenzahlungen an ausländische Kapitaleigner deutscher Unternehmen. **Direktinvestitionen:** Grenzüberschreitende Direktinvestitionen nahmen 1998 stark zu. Deutsche Unternehmen investierten 152,4 Mrd DM in Tochterfirmen im Ausland (1997: 69,9 Mrd DM), ausländische Firmen 35,0 Mrd DM (1997: 16,7 Mrd DM) in deutsche Tochtergesellschaften. Einige ausländische Unternehmen machten ihre Bereitschaft zu höheren Investitionen von Fortschritten der deutschen Unternehmensteuerreform abhängig. **Hermes-Bürgschaften:** Die rot-grüne Bundesregierung kündigte 1999 an, das System der Hermes-Bürgschaften für die A. mit Versicherungen für Exporte gegen Zahlungsunfähigkeit ausländischer Kunden oder Krisen des Empfängerlandes zu reformieren. Künftig sollen auch entwicklungspolitische, soziale und ökologische Kriterien bei der Vergabe von Bürgschaften berücksichtigt und die Absicherung von Waffenexporten eingestellt werden.
Weltwirtschaft → Welthandel

Außenhandel: Entwicklung[1]

	1996	1997	1998
Ausfuhr	788,9	888,6	949,7
Einfuhr	690,4	772,2	821,1
Überschuss	98,5	116,4	128,6

1) in Mrd DM; Quelle: Deutsche Bundesbank; http://www.bundesbank.de

Bruttoinlandsprodukt (BIP)

Messgröße für die wirtschaftliche Gesamtleistung einer Volkswirtschaft

Das BIP umfasst den Geldwert aller in einem Jahr erzeugten Waren und Dienstleistungen. Berücksichtigt werden jedoch nur statistisch erfassbare Daten; unbezahlte Hausarbeit, Schwarzarbeit oder Umweltschäden gehen nicht in die Berechnung ein. Die Steigerung

Wirtschaftswachstum[1]

Deutschland gesamt	+2,8
Baden-Württ.	+4,1
Bayern	+3,4
Berlin	−0,2
Brandenburg	+3,2
Bremen	+3,4
Hamburg	+2,8
Hessen	+3,3
Meckl.-Vorp.	+0,2
Niedersachsen	+4,0
Nordrh.-Westf.	+2,0
Rheinland-Pfalz	+2,2
Saarland	+2,5
Sachsen	+1,7
Sachsen-Anhalt	+3,0
Schlesw.-Holst.	+1,3
Thüringen	+2,6

1) Veränderung des BIP 1998 gegenüber 1997 (%); Quelle: Arbeitskreis Volkswirtschaftl. Gesamtrechn. der Bundesländer

des BIP wird als Wirtschaftswachstum bezeichnet. In Deutschland betrug 1998 das BIP 3758,1 Mrd DM und stieg gegenüber dem Vorjahr real um 2,8%.

Wachstum: Die Vorhersage eines vorübergehend geringeren Wachstums im Jahr 1999 begründeten die Wirtschaftsinstitute vor allem mit verschlechterten Exportaussichten infolge der Asienkrise und damit verbundener Investitionszurückhaltung. Die Inlandsnachfrage werde nicht stark genug sein, um diese Tendenz auszugleichen und ein Wachstum wie im Vorjahr zu erzielen.

Neue Berechnungsbasis: Im April 1999 veröffentlichte das Statistische Bundesamt (Wiesbaden) erstmals eine Neuberechnung des BIP nach dem Europäischen System volkswirtschaftlicher Gesamtrechnungen (ESVG), das die Europäische Union ab 2000 schrittweise einführt. Dadurch werden für die Bewertung der Wirtschaftsdaten neue Kriterien festgelegt, welche die Statistiken EU-weit vergleichbar machen sollen, und z.B. auch Urheberrechte sowie Software in die Kalkulation einbeziehen. Nach dem ESVG erwirtschaftete Deutschland 1998 ein BIP von 3799,4 Mrd DM, was einer realen Steigerung von 2,3% gegenüber dem Vorjahr entsprach.

Bruttosozialprodukt: Im Unterschied zum BIP zeigt das Bruttosozialprodukt, welcher Wert von Staatsbürgern des betreffenden Gebiets geschaffen wurde. Es bezieht Einnahmen von Deutschen im Ausland ein, während

▬▬ Bruttoinlandsprodukt

Entstehung des BIP

Land- und Forstwirtschaft[1]	40,1[2]	▲ + 1,8[3]
+ produzierendes Gewerbe	1192,8	▲ + 4,2
+ Handel und Verkehr	522,5	▲ + 2,7
+ Dienstleistungen	1368,5	▲ + 4,9
= Unternehmen	3123,9	▲ + 4,2
+ Staat und private Haushalte	495,7	▲ + 0,7
= Bruttowertschöpfung	3619,6	▲ + 3,7
Bruttowertschöpfung, bereinigt [4]	3472,6	▲ + 3,8
Bruttoinlandsprodukt [5]	3758,1	▲ + 3,7
Reales Bruttoinlandsprodukt [6]	3186,7	▲ + 2,8

Verwendung des BIP

Privater Verbrauch [6]	1800,1	▲ + 1,9
Staatsverbrauch [6]	616,3	▲ + 0,6
Ausrüstungsinvestitionen [6]	297,3	▲ +10,1
Bauinvestitionen [6]	369,7	▽ – 4,3
Vorratsinvestitionen [6]	88,3	–
Außenbeitrag	15,0	–

Verteilung des BIP

Einkommen aus unselbstständiger Arbeit	1933,0	▲ + 1,4
+ Einkommen aus selbstst. Arbeit u. Vermögen	900,4	▲ + 8,6
= Volkseinkommen	2833,4	▲ + 3,6
Bruttosozialprodukt	3719,4	▲ + 3,3

1) einschließlich Fischerei; 2) 1998 (Mrd DM); 3) Veränderung gegenüber 1997 (%); 4) nach Abzug der Entgelte für Bankleistungen; 5) bereinigte Bruttowertschöpfung zuzüglich Umsatzsteuer und Einfuhrabgaben; 6) in Preisen von 1991; Quellen: Deutsche Bundesbank, Deutsches Institut für Wirtschaftsforschung; http://www.bundesbank.de

Einnahmen von Ausländern in Deutschland abgezogen werden. Im Rahmen des ESVG tritt das Bruttonationaleinkommen an die Stelle des Bruttosozialprodukts.

Steuern und Finanzen →Einkommen
http://www.bundesbank.de
http://www.statistik-bund.de

Inflation

Sinken des Geldwerts durch Preissteigerungen, die durch staatliche Maßnahmen wie Steuererhöhungen, durch einen allgemeinen Wertverfall der Währung oder dadurch entstehen können, dass die Nachfrage nach Gütern durch das Angebot nicht befriedigt wird

Bilanz: 1998 herrschte in Deutschland und den meisten anderen an der gemeinsamen Währung Euro teilnehmenden Staaten Preisstabilität, die von der Europäischen Zentralbank als I.-Rate unter 2% definiert wurde. Die Teuerungsrate betrug in Deutschland 1%, fiel Anfang 1999 auf 0,2% und stieg im April nach Einführung der Ökosteuer auf 0,7%. Die führenden Wirtschaftsinstitute erwarteten für 1999 und 2000 Preissteigerungen von 0,7% bzw. 1,5% im Jahresdurchschnitt. Der Preisauftrieb wurde vor allem durch drei Faktoren gedämpft: sinkende Energiepreise (insbes. des Erdöls um bis zu 50%) auf dem Weltmarkt, billigere Agrarerzeugnisse sowie niedrigere Preise für importierte Waren.

Lebenshaltungsindex: Die I.-Rate wird in Deutschland nach den Preisen eines Warenkorbs berechnet, der rund 750 typische

▧ Bruttoinlandsprodukt nach EU-Statistik (ESVG)

Entstehung des BIP

Land-, Forst- und Fischereiwirtschaft	45,5[1]	▲ + 1,9[2]
+ produzierendes Gewerbe ohne Baugew.	912,0	▲ + 5,4
+ Baugewerbe	190,0	▽ – 6,3
+ Handel, Gastgewerbe und Verkehr	610,6	▲ + 2,2
+ Finanzier., Vermietung, Unternehmensdienstl.	1060,9	▲ + 5,2
+ öffentliche und private Dienstleistungen	761,6	▲ + 1,9
= Bruttowertschöpfung	3580,6	▲ + 3,3
Bruttoinlandsprodukt[3]	3799,4	▲ + 3,4
Reales Bruttoinlandsprodukt[4]	–	▲ + 2,3

Verwendung des BIP

Konsum privater Haushalte	2103,4	▲ + 2,8
Konsum privater Organisationen	61,2	▲ + 3,0
Staatsverbrauch	718,5	▲ + 0,4
Ausrüstungsinvestitionen	297,0	▲ +10,0
Bauinvestitionen	457,9	▼ – 4,3
sonstige Anlageinvestitionen	37,8	▲ + 8,2
Vorratsinvestitionen	59,1	–

Verteilung des BIP

Arbeitnehmerentgelt	1999,8	▲ + 1,5
+ Unternehmens- und Vermögenseinkommen	848,5	▲ + 6,6
= Volkseinkommen	2848,3	▲ + 3,0
Bruttonationaleinkommen[5]	3768,6	▲ + 3,0

1) 1998 (Mrd DM); 2) Veränderung gegenüber 1997 (%); 3) Bruttowertschöpfung abzüglich Bankdienstleistungen und zuzüglich Umsatzsteuerabgaben; 4) in Preisen von 1995; 5) entspricht im Wesentlichen dem Bruttosozialprodukt; Quelle: Statistisches Bundesamt; http://statistik-bund.de

Güter und Dienstleistungen enthält, die nach Erkenntnis der Statistiker regelmäßig von Durchschnittsverbrauchern gekauft werden. In dem Warenkorb sind Kosten für Mieten oder Heizung ebenso berücksichtigt wie Nahrungsmittel oder Freizeitausgaben. **Neuer Index:** Da die Verbrauchergewohnheiten von Staat zu Staat verschieden sind, weichen die Berechnungsverfahren der I. voneinander ab. Im Rahmen der Europäischen Union gilt seit 1998 für internationale Vergleiche ein harmonisierter Verbraucherpreisindex (HVPI), der von den nationalen Statistiken abweichen kann. Deutschland hatte danach 1998 eine Preissteigerungsrate von 0,7%.

◾ **EU** → Landwirtschaft ◾ **Steuern und Finanzen** → Ökosteuer ◾ **Weltwirtschaft** → Rohstoffe
http://www.statistik-bund.de
http://europa.eu.int/en/comm/eurostat/
serv.de/part3/indic.htm

Investitionen

Einsatz von Kapital zur Vermehrung und Verbesserung des Produktionsmittelbestands oder zum Ersatz verbrauchter Produktionsmittel. In der volkswirtschaftlichen Gesamtrechnung sind die I. eine Position auf der Verwendungsseite des BIP.

Die I. stiegen in Deutschland 1998 inflationsbereinigt um real 8,2% auf 826 Mrd DM. Die einzelnen Arten der I.-Tätigkeit

wiesen jedoch starke Unterschiede auf. Günstige Preise auf dem Weltmarkt, vor allem für Rohstoffe, führten dazu, dass viele Unternehmen über Bedarf und im Vergleich zu 1997 mehr als doppelt so viel in Vorräten investierten.

Ausrüstungen: Die Ausrüstungs-I. stiegen 1998 wegen günstiger Finanzierungsbedingungen um 10,1%, betrafen jedoch zum größten Teil die Anschaffung von Fahrzeugen, die in den Vorjahren zurückgestellt worden war. Ende 1998 flauten die Ausrüstungs-I. wieder ab. Die führenden Wirtschaftsinstitute rechneten für 1999 mit einem Zuwachs von nur noch 4,6%, weil gesunkene Exporterwartungen infolge der Asienkrise und eine vorübergehende Planungsunsicherheit im Zusammenhang mit der Steuerreform-Diskussion in Deutschland viele Unternehmen bei Neuanschaffungen zurückhaltender werden lassen.

Bau: Einen erneuten Einbruch verzeichnete die Bauwirtschaft. Die I. gingen in diesem Sektor 1998 um 4,3%, in Ostdeutschland sogar um 8,2% zurück. Sie sind damit seit 1995 Jahr für Jahr gesunken. Niedrige Baupreise und Hypothekenzinsen förderten zwar den Eigenheimbau, verhinderten jedoch nicht den weiteren Rückgang beim Mietwohnungsbau sowie bei gewerblichen Bauten und öffentlichen Bau-I. Hier wirkten sich u. a. Leerstände von Wohnungen und Büros negativ aus. Die führenden Wirtschaftsinstitute rechneten für 1999 bei den Bau-I. mit einer Stagnation und für 2000 mit einem weiteren Anstieg von 1%.

◾ **Bauen und Wohnen** → Bauwirtschaft ◾ **Steuern und Finanzen** → Unternehmenssteuerreform ◾ **Unternehmen** → Standort Deutschland ◾ **Weltwirtschaft** → Asienkrise
http://www.bundesbank.de

Leitzinsen

Zinssätze, welche die Zentralbank einer Währung bei ihren Geldgeschäften mit den Banken des Währungsgebiets berechnet. Sie beeinflussen die Zinshöhe in der gesamten Volkswirtschaft. Hohe L. wirken inflationsdämpfend, niedrige L. fördern Investitionen und kreditfinanzierte Bauvorhaben und kurbeln dadurch die Konjunktur an. Neue Arbeitsplätze werden geschaffen.

Seit 1.1.1999 werden die L. für die Länder, die am neuen Währungssystem Euro teilnehmen, von der Europäischen Zentralbank (EZB) festgelegt. Wichtigster L.-Satz ist der

---

Leitzinsen: Die wichtigsten Begriffe

▶ **Basiszinssatz:** Am 1.1., 1.5. und 1.9. berechnet die Deutsche Bundesbank den Basiszinssatz, der in allen Verträgen und Vorschriften an die Stelle des früheren Diskontsatzes der Bundesbank getreten ist. Der Basiszinssatz verändert sich zu diesen festen Terminen, wenn sich der Zinssatz der Europäischen Zentralbank (EZB) für längerfristige Refinanzierungsgeschäfte um mehr als 0,5% verändert hat.

▶ **Diskontsatz:** In verschiedenen Währungsgebieten können sich Banken durch Verkauf von Wechseln bei der Zentralbank Geld besorgen; vor 1999 war dies auch in Deutschland möglich. Die Zentralbank berechnet einen Abzug (Diskont). Seit 1999 ist in Deutschland statt des früheren Diskontsatzes der Basiszinssatz maßgeblich.

▶ **Einlagenfazilität:** Die Banken können jederzeit bei der EZB Geld einzahlen, das ihnen verzinst wird. Der Zinssatz sank ab 9.4.1999 auf 1,5%.

▶ **Hauptrefinanzierungsgeschäft:** Einmal pro Woche können sich Banken für eine Laufzeit von zwei Wochen gegen entsprechende Sicherheiten Geld bei der EZB leihen. Der dafür berechnete Zinssatz ist der wichtigste Leitzins des Euro-Wirtschaftsraums.

▶ **Längerfristige Refinanzierungsgeschäfte:** Einmal monatlich vergibt die EZB Kredite mit vierteljährlicher Laufzeit an die Banken. Der Zinssatz hierfür sank 1999 von 3,13% auf 2,53% im April.

▶ **Lombardsatz:** Gegen Verpfändung von Wertpapieren vergeben Zentralbanken Lombard-Kredite an Banken. Vor 1999 bestand auch in Deutschland ein Lombardsatz. An seiner Stelle ist jetzt der Zinssatz der EZB für die Spitzenrefinanzierungsfazilität maßgeblich.

▶ **Spitzenrefinanzierungsfazilität:** Die Banken können sich jederzeit gegen entsprechende Sicherheiten bei der EZB für einen Tag Geld leihen (Übernachtkredit).

Hauptrefinanzierungssatz, den die EZB für Kredite berechnet, die sie wöchentlich einmal mit vierzehntägiger Laufzeit vergibt. Bis 7.4.1999 betrug er 3,0%, am 14.4.1999 wurde er auf 2,5% gesenkt.
Diskont und Lombard: Wenn in Verträgen oder Vorschriften auf den früher von der Deutschen Bundesbank festgelegten Diskontsatz Bezug genommen wird, ist ab 1999 statt dessen ein Basiszinssatz maßgeblich, der dreimal jährlich von der Bundesbank festgestellt wird. Bis 30.4.1999 betrug er 2,5% und ab 1.5.1999 1,95%. An die Stelle des früheren Lombardsatzes der Bundesbank ist der Zinssatz für ständig mögliche eintägige Kredite der EZB getreten, der ab 9.4.1999 3,5% betrug.
Entwicklung: 1999 sanken die L. in den westlichen Industriestaaten, weil die Zentralbanken keine Inflationsgefahr sahen. Im Mai 1999 waren die L. in Großbritannien und den USA mit 5,25% bzw. 4,5% höher als im Euro-Währungsgebiet, während sie in Japan und der Schweiz mit 0,5% ein Rekordtief erreichten.

 EU → Europäische Zentralbank
 ■ **Organisationen** → Deutsche Bundesbank
 http://www.bundesbank.de
 http://www.ecb.de

Privater Verbrauch

In der volkswirtschaftlichen Gesamtrechnung werden bei der Verwendung des BIP Verbrauch (Staatsverbrauch und P.), Investitionen und Außenbeitrag (Überschuss der Exporte über die Importe) unterschieden. Der P. entspricht rechnerisch dem Teil der Summe aller verfügbaren Einkommen, der nicht gespart wurde.
2156 Mrd DM (88,2% des verfügbaren Einkommens) wurden 1998 in Deutschland für den P. verwendet, der inflationsbereinigt um real 1,9% (1997: 0,5%) anwuchs. Er wurde neben dem Export wieder zu einer wichtigen Stütze der Konjunktur. Die führenden Wirtschaftsinstitute rechneten für 1999 und 2000 mit weiteren Steigerungen um 2,5 bzw. 2,6%.
Hintergrund: Eine größere Zahl von Beschäftigten, steuerliche Entlastungen, höheres Kindergeld und gestiegene Löhne bewirkten, dass die Gesamtsumme des verfügbaren Einkommens aller privaten Haushalte stieg (1998: +2,6%). Vielfach

▬▬ **Privater Verbrauch**		
Bildung, Unterh., Freizeit	203,91[1]	▲ +2,4[2]
Gesundheits- u. Körperpflege	120,39	▲ +1,7
Haushaltsenergie	73,09	▽ −0,5
Haushaltsführung	176,10	▲ +2,2
Kleidung, Schuhe	135,86	0
Nahrungs- und Genussmittel	382,83	▲ +0,7
Persönl. Ausstattung, sonst.	161,95	▲ +2,4
Verkehr u. Nachrichtenüberm.	360,57	▲ +3,4
Wohnungsmieten	435,98	▲ +3,1

1) 1998 (Mrd DM); 2) %, inflationsbereinigt in Preisen von 1991; Quelle: Deutsches Institut für Wirtschaftsforschung, privater Verbrauch gesamt 2156,12 Mrd DM (Veränderung zu 1997: +1,9%); http://www.diw-berlin.de

konnten Anschaffungen finanziert werden, die in den Vorjahren zurückgestellt worden waren.

 Steuern und Finanzen → Einkommen
 → Sparquote
 http://www.diw-berlin.de

Staatsquote

Statistische Größe, bei der die Höhe der Ausgaben der öffentlichen Haushalte (Bund, Länder, Gemeinden, Sozialversicherungen) rechnerisch zum Bruttoinlandsprodukt ins Verhältnis gesetzt wird. Die S. gibt an, wieviele der in der Volkswirtschaft geschaffenen Werte im Verlauf eines Jahres durch die Kassen des Staates fließen. Eine hohe S. über 50% gilt als Anhaltspunkt für einen zu starken Eingriff des Staates in die Marktwirtschaft.
Die S. betrug im Jahr 1998 in Deutschland 48%. 1995 hatte sie mit 51% einen Höchststand erreicht.
Senkung: Den Anstieg der S. in Deutschland führten Ökonomen auf die Staatsverschuldung (erhöhte Zinszahlungen für aufgenommene Kredite) sowie die nach der Wiedervereinigung (1990) erfolgten Transferzahlungen für Ostdeutschland zurück. Die rot-grüne Bundesregierung will die S. bis 2002 auf 45% senken.
Internationaler Vergleich: Nach Angaben der Organisation für wirtschaftliche Zusammenarbeit und Entwicklung (OECD) lag 1998 in den Industrieländern die S. in Schweden (59,6%) und Frankreich (53,9%) besonders hoch, während Japan (38,4%) und die USA (31,2%) die niedrigsten Quoten aufwiesen.

 Steuern und Finanzen → Öffentliche Haushalte, Staatsverschuldung, Wirtschaftsförderung Ost

Krankheiten

Aids

(Acquired immune deficiency syndrome, engl.; erworbenes Immunschwäche-Syndrom), die schwere Störung des Immunsystems ist die Folge einer Infektion mit dem HI-Virus. Es kommt zu einer massiven Verminderung der T-Helferzellen des Immunsystems, die für die Infektabwehr zuständig sind. Neben A. selbst können auch normalerweise harmlose Infektionskrankheiten tödlich für Patienten mit derartig geschwächtem Immunsystem sein. Die A.-Infektion erfolgt über Körperflüssigkeiten wie Blut und Sperma. Nach zehn bis 15 Jahren in den Industrieländern bzw. wegen der schlechteren Versorgung nach drei bis acht Jahren in den Entwicklungsländern bricht die Krankheit bei den Infizierten aus. Sie war 1999 nicht heilbar und es existierte kein Impfstoff dagegen.

Weltweit steckten sich Ende der 90er Jahre jede Minute elf Menschen mit dem A.-Virus HIV an. 33,4 Mio Menschen hatten sich seit Bekanntwerden der Krankheit 1981 bis Ende 1998 nach Angaben des UNO-A.-Programms Unaids mit dem Virus infiziert, 14 Mio waren bereits daran gestorben. Lt. Unaids war A. insbes. in den ärmeren Regionen der Welt außer Kontrolle geraten.

Ausbreitung: 1998 infizierten sich weltweit 5,8 Mio Menschen mit A., die Hälfte von ihnen war zwischen 15 und 24 Jahre alt. 83% der 2,5 Mio A.-Toten 1998 stammten aus den Ländern Afrikas südlich der Sahara. In China rechneten Experten mit einer epidemischen Zunahme von A.-Fällen, weil die Bevölkerung über Praktiken zum Schutz gegen A. nicht informiert war.

Afrika: Von den 500 Mio Einwohnern Europas und Nordamerikas infizierten sich 1998 etwa 75 000 mit A. Im 600 Mio Einwohner zählenden Schwarzafrika waren es 50-mal mehr. In zwölf Ländern südlich der Sahara war mehr als jeder zehnte Erwachsene zwischen 15 und 49 Jahren HIV-infiziert. A. war hier 1998 die häufigste Todesursache (weltweit: vierthäufigste Todesursache). Epidemische Ausmaße nahm die Seuche in Südafrika an. Waren 1997 noch 12,9% der Bevölkerung HIV-positiv, so waren es Ende 1998 bereits 15%.

Ursachen: Die Aufklärung über A. und Schutzmaßnahmen war 1999 in weiten Teilen Afrikas unzureichend. Von jährlich 1,6 Mrd Dollar, die für Schutzmaßnahmen gegen A. weltweit aufgewendet wurden, entfielen Ende der 90er Jahre nur 200 Mio Dollar auf die Entwicklungsländer. Die Mehrzahl der männlichen Afrikaner lehnte die Benutzung von Kondomen zum Schutz vor A. ab. Das weit verbreitete System der Wanderarbeiter trug zur Verbreitung von A. bei. Die Arbeiter infizierten sich bei Prostituierten und steckten später ihre Frauen an.

Auswirkungen: In Afrika fiel dem Virus ein großer Teil der arbeitenden Bevölkerung zum Opfer. Folgen waren sinkende Produktivität in Industrie und Landwirtschaft und ein verringertes Pro-Kopf-Einkommen in Ländern, die ohnehin zu den ärmsten der Erde zählen. Mit den jungen Menschen verliert die Wirtschaft die bestausgebildeten Menschen. Für das Überleben der vielen Waisen war in den meisten Staaten noch nicht ausreichend gesorgt.

Deutschland: Mit 811 bzw. rd. 600 sanken die Zahlen der Erkrankungen und A.-Todesfälle 1998 auf den niedrigsten Stand seit zehn Jahren. Verbesserte Therapiemöglichkeiten verzögerten den Ausbruch der Krankheit. Die Zahl der Neuinfektionen blieb mit 2000 stabil. Seit Beginn der A.-Epidemie 1981 infizierten sich in Deutschland 21 000 Menschen, 16 000 von ihnen

Aids: Infizierte und Todesopfer weltweit		
	Infizierte[1]	Neuinfizierte[1]	Todesopfer[1]
Männer	18,40	3,10	1,09
Frauen	13,80	2,10	0,90
Kinder	1,20	0,59	0,51

1) Anzahl (Mio Personen); Stand: 1998; Quelle: Unaids

Aids: Geschätzte Infektionen mit HI-Virus

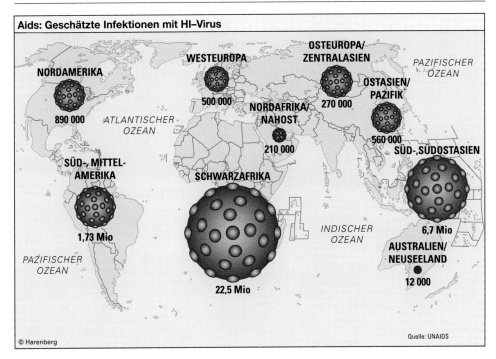

NORDAMERIKA

890 000

ATLANTISCHER
OZEAN

WESTEUROPA

500 000

NORDAFRIKA/
NAHOST

210 000

OSTEUROPA/
ZENTRALASIEN

270 000

SÜD-, MITTEL-
AMERIKA

SCHWARZAFRIKA

1,73 Mio

22,5 Mio

PAZIFISCHER
OZEAN

PAZIFISCHER
OZEAN

OSTASIEN/
PAZIFIK

560 000
SÜD-, SÜDOSTASIEN

INDISCHER
OZEAN

6,7 Mio

AUSTRALIEN/
NEUSEELAND

12 000

© Harenberg

Quelle: UNAIDS

starben bis Ende 1998. Hauptbetroffene waren homo- und bisexuelle Männer.

Impfung: Die Entwicklung eines A.-Impfstoffes ist schwierig, weil die Virustypen HIV 1 und HIV 2 zahlreiche Untergruppen gebildet haben. Ein Impfstoff muss gegen alle Virusvarianten wirksam sein. Üblicherweise wird mit abgetöteten oder abgeschwächten Erregern geimpft. Das Risiko, dass diese Impfung A. erst auslöst, ist groß. Bei zu stark abgeschwächten Viren wird keine Immunität erlangt. A.-Experten zufolge ist eine Impfung die einzige Chance, die Seuche weltweit erfolgreich zu bekämpfen. Sie kritisierten, dass Pharmaunternehmen mehr in die Entwicklung neuer Medikamente investierten, die in den Industrieländern, aber nicht in Entwicklungsländern bezahlt werden könnten, und dabei die Suche nach einem Impfstoff, der weniger profitträchtig ist, vernachlässigten.

▶ Deutsche Aids-Hilfe e.V., Postfach 610149, 10921 Berlin ▶ Deutsche Aids-Stiftung »Positiv leben«, Pippinstr. 7, 50667 Köln
http://www.rki.de
http://www.aidshilfe.de

Allergie

Überempfindlichkeit des menschlichen Organismus gegenüber körperfremden Stoffen (Allergene)

1999 litt ein Drittel der Deutschen unter einer oder mehreren A. Etwa 20000 Stoffe waren als A. auslösend bekannt. Am häufigsten verursachten Blütenpollen, Katzen- und Hundehaare, die Ausscheidungen der Hausstaubmilbe sowie Schimmelpilze und Lebensmittel A. Etwa 16–20% der Bevölkerung litten an Heuschnupfen, 7% an einer Kontakt-A. und 6% an einer Lebensmittel-A. (Mehrfachnennungen möglich).

Ursachen: Die Gründe für die Überempfindlichkeit des Immunsystems waren weitgehend ungeklärt. Als gesichert galt, dass eine ererbte Veranlagung A. fördert. Ist ein Elternteil Allergiker, beträgt das Risiko, dass das Kind ebenfalls eine A. entwickelt, 30%; sind beide Eltern Allergiker, erhöht sich das Risiko auf 50–70%. Eine Studie Münchner und Leipziger Wissenschaftler ergab, dass der westliche Lebensstil das Risiko von A. erhöht. Nach der Vereinigung Deutschlands

335

Allergie: Blütezeit Allergie verursachender Pflanzen

	Febr.	März	April	Mai	Juni	Juli	Aug.	Sept.
Haselnuß								
Erle								
Weide								
Ulme								
Pappel								
Birke								
Esche								
Buche								
Eiche								
Ruchgras								
Robinie								
Segge								
Wiesenfuchsschwanz								
Wiesenrispengras								
Roggen								
Wiesenhafer/Goldhafer								
Schwingel								
Knäuelgras								
Spitzwegerich								
Trespe								
Kamm- u. Lieschgras								
Rohr- Glanzgras								
Lolch, Raygras								
Glatthafer								
Honiggras								
Linde								
Weizen								
Straußgras								
Holunder								
Goldrute								

▭ Vor-/Nachblüte ▭ Hauptblüte © Harenberg

erkrankten im Osten des Landes 50% mehr Kinder an einer A. als zuvor in der DDR. Die Zahl der Heuschnupfen- und Asthmafälle näherte sich an die westdeutschen an.
Medikament: US-Wissenschaftler fanden 1999 heraus, dass für die Entstehung von al-lergischen Reaktionen nicht nur das vom Immunsystem produzierte Immunglobulin Ige, sondern auch die Zahl der Andockstellen (sog. Rezeptoren) für dieses Ige entscheidend sind. Die Forscher entwickelten Medikamente, die sowohl die Menge von Ige im Blut als auch die Zahl der Rezeptoren für Ige senken. In klinischen Tests gelang es, die starke Immunreaktion, die allergische Symptome hervorruft, zu unterbrechen. Bis dahin bekämpften A.-Medikamente i. d. R. nur die Symptome.
http://www.daab.de (Deutscher Allergie- und Asthmabund e.V.)

Allergietest

Ende 1998 wurde in Schwerin ein A. entwickelt, mit dem schneller und einfacher als zuvor herausgefunden wird, gegen welche Stoffe (Allergene) ein Patient allergisch ist. Der A. befand sich Mitte 1999 in der Erprobung.

Übliche Verfahren: Bis 1999 wurden Allergiepatienten einem Hautreizungstest unterzogen, um Allergie auslösende Stoffe zu ermitteln. Dabei wurde die Haut auf Unterarmen oder Rücken eingeritzt und mögliche Allergene in die Wunden geträufelt. Bildeten sich juckende Quaddeln, war ein Allergen identifiziert.
Bei Lebensmittelallergien konnte i.d.R. nur durch eine gezielte Weglass-Diät erkannt werden, auf welche Nahrungsmittel der Patient allergisch reagierte. Das Verfahren dauerte unter Umständen Jahre.
Neuer Test: Den Allergiepatienten werden bei dem neuen Verfahren mehrere stecknadelkopfgroße Gewebeproben entnommen.

Allergie: Verbreitungsursachen

▸ **Autoabgase und Rauchen:** Auspuffgase und Zigarettenrauch verstärken die allergisierende Wirkung von Pollen.
▸ **Moderner Lebensstil:** Wärmeisolierte, mit Teppich ausgelegte Wohnungen, in denen Hausstaubmilben gut gedeihen, Kleintierhaltung in der Wohnung und sich ändernde Ernährungsgewohnheiten begünstigen die Verbreitung von Allergien, weil damit zahlreiche Allergene in der häuslichen Umgebung bzw. bei der Nahrungsaufnahme verbunden sind. Ebenso fördern Pestizide und Insektizide im Essen, Schwermetalle und Krebs erregende Weichmacher im Spielzeug, Formaldehyd in Cremes und Sonnenschutzmitteln, schädliche Farbstoffe in der Kleidung, Lösungsmittel und Mottengifte in Möbeln, Teppichen und Textilien die Allergieausbreitung.
▸ **Kindliches Immunsystem:** Kinder mit ihrem noch nicht voll entwickelten Immunsystem, ihrem raschen Stoffwechsel und ihrer im Verhältnis zum Körpergewicht größeren Hautoberfläche reagieren auf fast alle Schadstoffe zwei- bis dreimal empfindlicher als Erwachsene.
▸ **Entwicklung des Immunsystems:** Bei Allergikern produziert das Immunsystem als Reaktion auf ein Allergen das ansonsten kaum benötigte Immunglobulin Ige. Die Abwehrzellen eines Neugeborenen sind noch nicht auf eine bestimmte Abwehr (Immunglobulin-Art) spezialisiert. Durch Umwelterfahrung entscheidet sich der Körper innerhalb der ersten Lebensjahre, ob er überwiegend Keim abwehrende Immunglobuline produziert oder das bei Allergien charakteristische Ige. Die hoch entwickelte Hygiene in den Industrienationen führt dazu, dass das Immunsystem zu selten mit Infektionen konfrontiert wird, die es mit Keim abwehrenden Immunglobulinen bekämpfen müsste. Also produziert es zu viel Ige.
▸ **Kinderbetreuung:** Kinder kommen häufig erst ab dem vierten Lebensjahr, wenn sie in den Kindergarten gehen, mit anderen Kindern und damit mit Infektionen in Berührung. In den ersten Lebensjahren werden sie von möglichen Infektionsquellen wie Menschenansammlungen oder kranken Spielkameraden fern gehalten. Das Immunsystem kann die Keimabwehr nicht trainieren.

Die Proben für den Hauttest stammen aus der Hüfte, die von Lebensmittelallergikern aus dem Darm und die von Asthmatikern aus der Lunge. Im Labor werden sie mit verschiedenen Allergenen versetzt. Schütten die Gewebezellen typische Alarmstoffe wie Histamin aus, ist ein Allergen erkannt.

Alzheimerkrankheit

Schwere, ständig fortschreitende, unheilbare Hirnleistungsschwäche. Die A. tritt i.d.R. nach dem 60. Lebensjahr auf, die vermutlich errebte A. (10% der Fälle) nach dem 40. Lebensjahr. Sie macht sich durch Nachlassen bestimmter Gedächtnisleistungen bemerkbar, es folgen Störungen des Denkvermögens, der Orientierungsfähigkeit und der Sprache. Die A. mündet in Geistesverwirrung und führt bei ererbter A. in etwa sieben, sonst nach 11–15 Jahren zum Tod.

1998 litten 1,3 Mio Bundesbürger an der nach dem deutschen Neurologen Alois Alzheimer (1864–1905) benannten Krankheit. Ab dem 65. Lebensjahr verdoppelt sich das Risiko, an A. zu erkranken, alle fünf Jahre. **Ursachen:** 1999 waren mehrere Gene als Auslöser für A. bekannt. US-Forscher von der Wayne State University in Detroit fanden in den Gehirnen verstorbener Alzheimerpatienten eine Lungenbakterie (Chlamydia pneumoniae), die Asthma und Herzmuskelentzündungen, eine Hauterkrankung sowie Arthritis in Knie und Sprunggelenk auslösen kann. Seit Ende der 90er Jahre steht sie im Verdacht, Arteriosklerose, Herzinfarkte und Multiple Sklerose zu verursachen. Die US-Forscher vermuteten, dass Chlamydia pneumoniae die Vorgänge im Gehirn, die zu A. führen, potenziert. Allerdings konnte nicht mit Gewissheit entschieden werden, ob die Erreger A. auslösen oder sich erst später im Gehirn einnisten.

Behandlung: In Deutschland waren 1999 zwei Medikamente gegen die A. zugelassen, an zahlreichen weiteren wurde geforscht. Sie wirkten meist ausschließlich im frühen Krankheitsstadium und konnten den Krankheitsverlauf lediglich um etwa zwei Jahre verzögern.

Vorbeugung: Britische Wissenschaftler fanden Ende 1998 heraus, dass die verstärkte Aufnahme von Vitamin B 12 und Folsäure das Risiko, an A. zu erkranken, mindert. Mit nur einem Drittel der empfohlenen Vitamin-B-12-Dosis stieg das A.-Risiko um

das Vierfache, bei Folsäuredefiziten verdreifachte es sich.

In Deutschland gingen Altersforscher davon aus, dass eine Kombination von Gehirn- und Körpertraining der A. vorbeugt. Gedächtnis- und Konzentrationsübungen sowie leichtes körperliches Training verringern das Risiko, an A. zu erkranken.

http://www.alzheimer-europe.org/germany

Alzheimertest

▶ **Diagnose:** Düsseldorfer Wissenschaftler entwickelten Ende 1998 den ersten biochemischen A., der zu Lebzeiten des Alzheimerpatienten die Diagnose der Krankheit ermöglicht. Bis dahin konnte die fortschreitende, unheilbare Hirnleistungsschwäche nur nach dem Tod des Patienten an Ablagerungen in seinem Gehirn nachgewiesen werden. Diese müssen allerdings nicht zwangsläufig zur A. führen. Neurologische Tests und das Ausschließen anderer Ursachen für Geistesverwirrung ermöglichten die Diagnose der A. zu 80–95% im Frühstadium.

▶ **Test:** Im zentralen Nervensystem von Alzheimerpatienten finden sich Plaques aus Eiweiß, das verklumpt ist. Die Düsseldorfer Wissenschaftler entnahmen dem Rückenmark der Patienten Flüssigkeit und setzten ein fluoreszierendes Eiweiß zu. Trifft ein Laserstrahl auf die Verbindung von verklumptem und fluoreszierendem Eiweiß, entsteht ein Fluoreszenzblitz, der mittels Computer ausgewertet wird. Die Proteine der Rückenmarksflüssigkeit von Kontrollprobanden leuchteten nur kurz auf.

▶ **Erprobung:** Der A. soll in einer Versuchsreihe an mehreren Kliniken in Düsseldorf und Hamburg erprobt werden. Die Entscheidung der Krankenkassen zur Kostenübernahme des A. stand Mitte 1999 aus.

Depressionen

(depressio, lat.; das Niederdrücken), Zustand der gedrückten Stimmungslage. In der Psychiatrie ist die D. die häufigste Form der psychischen Störung. Die sog. reaktive D. entsteht als Reaktion auf ein äußeres Ereignis und klingt ab, sobald die Ursache wegfällt. Die sog. endogene D. tritt unabhängig von äußeren Anlässen auf. Vor allem ältere Menschen sind betroffen.

Weltweit litten Ende der 90er Jahre nach Angaben der Weltgesundheitsorganisation (WHO, Genf) 330 Mio Menschen an D. 90% von ihnen wurden nicht richtig behandelt. Die WHO ging davon aus, dass D. im Jahr 2020 zweithäufigste Krankheit nach Herz-Kreislauf-Erkrankungen sein werden. **Neue Therapieform:** I.d.R. werden D. mit Medikamenten und Psychotherapie behandelt. In schweren Fällen wird die sog. Elektro-Krampf-Therapie angewandt, die durch einen starken Elektroschock im Gehirn einen Krampfanfall auslöst und dadurch Linderung verschafft. 1999 entwickelten Mediziner weltweit das schonendere Verfahren der transkraniellen Magnetstimulation (TMS), das den Elektroschock ersetzen soll. Dabei wird mit einer stromdurchflossenen Kupferspule für kurze Zeit ein starkes Magnetfeld aufgebaut, das die Hirnrinde reizt. Stimuliert wird i.d.R. die linke Stirnhirnhälfte, die bei D.-Patienten nur wenig Aktivität zeigt. Bei 50% der Patienten trat eine deutliche Stimmungsaufhellung ein. Die Magnetstimulation ist kaum spürbar, als Nebenwirkung traten leichte Kopfschmerzen auf. Ziel der Mediziner war 1999, Reizstärke, -dauer und -frequenz der Spule sowie die Behandlungsdauer zu optimieren.

Diabetes: Folgeerkrankungen

▶ **Diabetisches Koma:** Bei extrem hohem Blutzuckerspiegel, die Zahl der Diabetiker, die daran sterben, lag Ende der 90er Jahre weniger als 1%. Viele Überlebende litten aber lange Zeit an Gefäß-, Nieren- und Augenerkrankungen.

▶ **Erblindung:** Erkrankungen der kleinen Blutgefäße des Auges können zu Auswachsungen und Blutungen am Augenhintergrund führen. Glaskörper und Netzhaut werden geschädigt. Mögliche Folge ist die Erblindung; bei den unter 60-Jährigen ist der Hauptgrund dafür Diabetes. 2% der Diabetiker leiden an Sehstörungen aufgrund einer Netzhauterkrankung infolge von Diabetes.

▶ **Herz-Kreislauf:** Liegen Blutzuckerwerte über einen längeren Zeitraum zu hoch, kann es zu Schäden der großen Blutgefäße kommen. Sie erhöhen das Risiko eines Herzinfarkts oder Schlaganfalls. 15% der Todesfälle bei Typ-II-Diabetikern und

10% bei Typ-I-Diabetikern sind auf Herz-Kreislauf-Erkrankungen zurückzuführen.

▶ **Nervenleiden:** Mit der Dauer der Erkrankung an Diabetes erhöht sich das Risiko eines Nervenleidens (Polyneuropathie) erheblich. Bei etwa 70% der Zuckerkranken wurden Nervenerkrankungen festgestellt. Bei 25% von ihnen führt das zur Invalidität. Auch sind Nervenleiden Hauptgrund für den sog. diabetischen Fuß, der im Extremfall amputiert werden muss.

▶ **Nierenerkrankungen:** Diabetes erhöht das Risiko des Nierenversagens. 40% der Dialysepatienten in Deutschland, die sich mehrmals wöchentlich einer Blutwäsche an der künstlichen Niere unterziehen müssen, sind Diabetiker. Die Wahrscheinlichkeit, an Nierenversagen zu sterben, liegt für Diabetiker 23-mal höher als bei der Bevölkerung mit normalem Zuckerspiegel.

Diabetes: Glossar

▶ **Blutzuckerspiegel:** In Deutschland gilt der Blutzuckerspiegel als zu hoch, wenn der Blutzucker eine Konzentration von 140 Milligramm im Blut übersteigt. Symptome für zu hohe Werte sind starker Durst, häufiger Harndrang und ein Gefühl körperlicher Abgeschlagenheit.

▶ **Insulin:** Das in der Bauchspeicheldrüse produzierte Hormon Insulin schleust aus der Nahrung stammenden Zucker als Energiequelle in die Körperzellen. Ist dieser Stoffwechselvorgang gestört, weil zu wenig Insulin ausgeschüttet wird oder die Zellen auf das Insulin nicht ansprechen, steigt die Konzentration des Zuckers im Blut. Wichtige Körpereiweiße werden verzuckert, können ihre Funktion nicht mehr erfüllen und wirken auf Dauer schädlich. Geschädigt werden

vor allem große und kleine Blutgefäße sowie Nervenstränge.

▶ **Typ-I:** Bei der vor allem im Kindes- und Jugendalter auftretenden Form von Diabetes zerstört das Körpereigene Immunsystem die Insulin produzierenden Zellen in der Bauchspeicheldrüse. Die Betroffenen müssen sich zeitlebens Ersatzinsulin spritzen. Als Ursachen gelten vererbte Veranlagung, Nahrungs- und Umweltgifte, Viren und andere infektiöse Erreger.

▶ **Typ-II:** Die Reaktion der Körperzellen auf das in der Bauchspeicheldrüse gebildete Insulin ist nicht mehr ausreichend. Daraufhin wird mehr Insulin ausgeschüttet, dann bricht die Produktion zusammen, weil die Insulin bildenden Zellen erschöpft sind. Die häufigste Ursache für Typ-II-Diabetes ist eine genetische Veranlagung.

Selbstmordursache: In Deutschland begingen Ende der 90er Jahre überproportional viele ältere Menschen Selbstmord. Bei 12 256 Selbsttötungen 1997 (letztverfügbarer Stand) waren die Menschen in 4398 Fällen älter als 60 Jahre. Bei den Frauen bedeutete jeder zweite Suizid den Tod einer Frau über 60 Jahre, obwohl der Anteil dieser Altersgruppe an der weiblichen Bevölkerung nur bei 25% lag. Bei den Männern verhielt es sich ähnlich. Die Deutsche Gesellschaft für Suizidprävention (DGS, Würzburg) wies darauf hin, dass vielen dieser Selbstmorde D. zugrunde lägen, die behandelbar seien, sodass der Tod vermeidbar wäre. Ursachen für diese D. seien Vereinsamung, Ausgrenzung infolge eines gesunkenen gesellschaftlichen Bewusstseins vom Wert des Alters, das Gefühl der Nutzlosigkeit und die zunehmende Beschäftigung mit dem Thema Sterben.

Diabetes

(eigentlich Diabetes mellitus, auch Zuckerkrankheit), Störung des Fett-, Kohlehydrat- und Eiweißstoffwechsels, die durch die Zerstörung von Insulin bildenden Zellen in der Bauchspeicheldrüse (Typ I) ausgelöst wird oder im Alter durch zunehmende Resistenz des Körpers gegen eigenproduziertes Insulin (Typ II) entsteht. Als Spätfolgen treten u. a. Herzinfarkt, Schlaganfall, Nierenversagen, Impotenz, Erblindung und Blutgefäßverstopfungen auf, die zu Hand- bzw. Fußamputationen führen können.

Weltweit litten Ende der 90er Jahre nach Angaben der Weltgesundheitsorganisation (WHO, Genf) 143 Mio Menschen an D., bis 2025 werde ihre Zahl auf 300 Mio ansteigen. In Deutschland gab es 1999 etwa 5 Mio Diabetiker, 2001 wird mit 8 Mio gerechnet.

Langzeitstudie: Die britische United Kingdom Prospective Diabetes Study, die mit 20 Jahren Dauer größte Langzeitstudie in der Geschichte der D.-Forschung, ergab 1998, dass die Senkung des hohen Blutzuckerspiegels der Testpersonen durch Medikamente das Risiko von Spätschäden deutlich minderte, und zwar stärker als die Kontrolle des Blutzuckerwertes durch Diät. Keine eindeutige Wirkung hatte die Blutzuckersenkung dagegen auf die Sterblichkeitsrate. 40–60% der Diabetiker leiden zusätzlich unter zu hohem Blutdruck. Wie die Studie zeigte, konnte mit der konsequenten Senkung des Blutdrucks das Herzinfarkt- und Schlaganfallsrisiko verringert werden.

Erblindung: D.-Experten in Deutschland wiesen Ende 1998 darauf hin, dass diabetische Netzhautschäden in Europa häufigste Ursache von Erblindung bei Menschen im arbeitsfähigen Alter seien. 12 000–15 000 Diabetiker waren in Deutschland Ende der 90er Jahre durch D. erblindet. Die Hälfte der Fälle sei bei richtiger Behandlung vermeidbar. Die Patienten müssten informiert werden, dass sie ihre Augen mindestens einmal pro Jahr untersuchen lassen müssen. Neueste Studien belegten, dass es für diese Netzhautschäden Risikogruppen gibt, wie Schwangere, die D. entwickeln können, Jugendliche in der Pubertät und Bluthochdruckpatienten. Bei ihnen müssten die Augen in kürzeren Abständen kontrolliert werden.

Insulin zum Inhalieren: Ein deutscher Pharmakonzern entwickelte Ende 1998 gemeinsam mit einem US-Pharmaunternehmen ein inhalierbares Insulin, das die übliche Spritze ersetzen soll. Ein Spezialgerät erzeugt aus einem insulinhaltigen Silberstreifen einen feinen Nebel, der eingeatmet wird. Mitte 1999 war das Präparat in der klinischen Erprobung. Insulin kann nicht als Tablette verabreicht werden, weil die Magensäure das Hormon zerstört. Über die Lunge eingeatmet gelangt das Präparat dagegen schnell ins Blut.

▸ Bund diabetischer Kinder und Jugendlicher e.V., Hahnbrunnerstr. 46, 67659 Karlsruhe ▸ Deutscher Diabetiker Bund e.V., Danziger Weg 1, 58511 Lüdenscheid

Grippe

(Influenza), epidemisch auftretende Infektionskrankheit, die mit hohem Fieber, Kopf- und Gliederschmerzen sowie Entzündungen der Atemwege einhergeht.

Die G. wird durch Influenzaviren ausgelöst, von denen Ende der 90er Jahre drei Typen sowie zahlreiche Untertypen bekannt waren, insgesamt 400 Erreger. In unregelmäßigen Abständen von 15 bis 30 Jahren breiten sich weltweit G.-Epidemien aus. Jährlich erkranken etwa 100 Mio Menschen in Europa, Japan und den USA an G. Sie wird durch Tröpfcheninfektion von Mensch zu Mensch übertragen. Eine Infektion dauert wenige Tage. Bei Kindern, alten Menschen sowie Personen mit Herz-, Nieren- und Lungenleiden, Diabetes, Blutarmut und Immundefekten kann die G. tödlich sein.

Diabetes: Zahl der Erkrankungen

Region	Diabetiker 1995 (Mio)[1]	Veränderung bis 2025 (Prognose, %)[2]
Afrika	3[1]	▲ +330[2]
Mittlerer Osten	14	▲ +307
Ozeanien	26	▲ +215
Südostasien	28	▲ +285
Amerika	31	▲ +206
Europa	33	△ +145

1) Diabetiker 1995 (Mio), 2) Veränderung bis 2025 (Prognose, %); Quelle: Weltgesundheitsorganisation (WHO)

In den USA wurde 1998 ein Medikament entwickelt (GS 4104), das in Studien die Dauer der Erkrankung verkürzte, die Symptome linderte und Komplikationen vermied. Sechs Wochen lang vorbeugend eingenommen verhinderte das Mittel in 99% der Fälle eine Infektion.

Das Mittel gehört zur Substanzklasse der Neuraminidase-Hemmer. Das Eiweiß Neuraminidase ist entscheidend für die Fähigkeit der G.-Viren, Zellen und Organismen zu infizieren. Wird das Eiweiß gehemmt, kann sich das Virus nicht ausbreiten. 1999

Grippe und Erkältung: Unterscheidungsmerkmale

Symptom	Grippe	Erkältung
Fieber	plötzlich, heftig, über 40 °C	selten
Kopf- und Gliederschmerzen	heftig	wenig
Entkräftung	rasch, heftig	wenig
Niesen, verstopfte Nase	selten	heftig
Husten	häufig, heftig, trocken, stoßweise	häufig
Lebensbedrohung	möglich	keine

Grippeinfektion und Vorbeugung

▸ **Ausbreitung:** Grippeviren verbreiten sich normalerweise beim Sprechen, Niesen, Husten durch Tröpfcheninfektion oder werden beim Händedruck weitergegeben.

▸ **Infektion:** Die Viren dringen in die Schleimhautzellen der Atemwege ein. Sie vermehren sich. Die Zelle platzt und setzt Viren frei, die weitere Schleimhautzellen angreifen und zerstören.

▸ **Inkubationszeit:** Die Krankheit kann innerhalb von Stunden oder erst einige Tage nach der Infektion ausbrechen.

▸ **Mögliche Komplikation:** Als häufigste Komplikation der Grippe tritt eine Lungenentzündung auf, wenn Bakterien oder Viren die durch die Grippe angegriffene Lungenschleimhaut befallen.

▸ **Vorbeugung:** Als wirksamstes Mittel zur Prävention empfehlen Ärzte die Grippeimpfung im September oder Oktober. Sie sollte jährlich wiederholt werden, weil sich die Grippeviren verändern und dementsprechend der Impfstoff aktualisiert wird. Der Impfschutz tritt zwei Wochen nach der Impfung ein. Abhärtung durch frische Luft, Wechselduschen und, falls möglich, das Meiden von Menschenansammlungen mindern ebenfalls das Risiko einer Grippeinfektion.

soll das Mittel in den USA zugelassen werden. Wann es in Deutschland auf den Markt kommt, war Mitte 1999 ungeklärt.

Hepatitis

Leberentzündung mit Schädigung und Funktionsbeeinträchtigung der Leberzellen, die abhängig vom Erregertyp in unterschiedlichen Formen auftritt und zu Leberzerstörung (Zirrhose) und Leberkrebs führen kann.

Mitte bis Ende der 90er Jahre wurden durch gentechnische Methoden neue H. auslösende Virustypen erkannt. Nur gegen die Typen A und B schützte eine Impfung. Während Typ A ausheilt, können Typ B und C chronisch werden. Typ D und G haben, verglichen mit Typ B, einen schwereren Krankheitsverlauf. Typ E heilt zwar aus, ist aber für Schwangere wegen des schweren Krankheitsbilds gefährlich.

Weltweit waren 1999 etwa 200–300 Mio Menschen mit H. Typ B und 300 Mio Menschen mit Typ C infiziert. In Deutschland waren es 600 000 bzw. 800 000 Personen mit stetig steigender Tendenz.

Gefahr: Obwohl die Zahl der Infizierten, die H. bei Blutkontakten und beim Sexualverkehr weitergeben können, die der Aidsinfizierten um ein Vielfaches überstieg und z. B. H. Typ B 100-mal ansteckender ist als Aids, war die Gefährlichkeit von H. Typ B und C nicht allgemein bekannt. Ärzte unterschätzten häufig die Symptome und wiesen nur selten auf Risiken für Bezugspersonen Infizierter hin.

Therapie: Die Mittel Interferon und Interferon alpha hemmen die Vermehrung der H.-Viren im Körper. Beide Mittel waren mit Nebenwirkungen wie Depressionen, Phobien, neurologischen Erkrankungen und Funktionsstörungen der Schilddrüse ver-

Hepatitis: Wichtigste Virustypen

	Hepatitis-Typ A	Hepatitis-Typ B	Hepatitis-Typ C	Hepatitis-Typ E
Verbreitung	weltweit, vor allem in Entwicklungsländern	weltweit	weltweit, vor allem in Entwicklungsländern	vorwiegend Asien, Nordafrika, Südamerika, östl. Mittelmeerraum
Infektionswege	verseuchte Nahrungsmittel und Wasser, seltener Blut	durch Blut und andere Körperflüssigkeiten, Sexualverkehr	verseuchte Nahrungsmittel und Wasser, seltener Blut	verseuchte Nahrungsmittel, verseuchtes Wasser (Fäkalien)
Inkubationszeit	zwei bis sechs Wochen	ein bis sechs Monate	14 Tage bis drei Monate	14 bis 60 Tage
Krankheitsbild	Abgeschlagenheit, Appetitlosigkeit, Übelkeit, Durchfall, Gelbfärbung der Augäpfel und der Haut, Kinder meist ohne Symptome	über die Hälfte der Infektionen unerkannt, 5-10% der Erwachsenen, 80% der Kinder entwickeln eine chronische Leberentzündung. Mögliche Folgen: Leberzirrhose, -krebs	drei bis acht Wochen nach der Infektion erhöhte Leberwerte. In Einzelfällen Müdigkeit, Appetitlosigkeit, Bauchschmerzen, oft aber symptomfrei. Hohes Krebsrisiko, Leberzirrhose in 20% der Fälle	ähnlich wie bei Typ A, aber leichterer Verlauf. Keine Gefahr einer chronischen Leberentzündung
Therapie und Heilungschancen	gewöhnlich vollständige Heilung von selbst innerhalb von drei Monaten	bei chronischer Hepatitis B Interferon	Selbstheilung bei 20-40%, 60-80% der Fälle werden chronisch, Therapie: Interferon alpha, Kombinationstherapie mit antiviralen Wirkstoffen	sehr gefährlich für Frauen bei Erstinfektion im letzten Drittel der Schwangerschaft
Infektionszahl	in Deutschland ca. 5000 gemeldete Infektionen pro Jahr, Dunkelziffer: 50 000	200–300 Mio chronisch Infizierte weltweit, in Deutschland jährlich ca. 6000 gemeldete Infektionen, Dunkelziffer: 50 000	weltweit etwa 300 Mio Infizierte, in Deutschland ca. 320 000, 6000 Neuinfektionen pro Jahr (Schätzung)	Indien: 2 Mio Infektionen jährlich, Mitteleuropa: nur bei Reisenden aus Seuchengebieten
Impfung	möglich	möglich	nicht möglich	nicht möglich

Quelle: Stern, 48/1998

bunden. 30% der H.-C-Kranken erlitten Rückfälle. Sie wurden zusätzlich mit antiviralen Wirkstoffen behandelt, die aus der Aidsforschung bekannt waren (Kombinationstherapie). Wirkungslos waren Interferon und Kombinationstherapie, wenn bereits eine Leberzirrhose vorlag. Eine Lebertransplantation half nur selten, weil auch die Spenderleber von den im Körper zirkulierenden Viren befallen wurde.

Indisches Mittel: Das seit 2000 Jahren in der traditionellen asiatischen Heilkunde gegen Gelbsucht eingesetzte Phyllantus amarus konnte Ende der 90er Jahre als standardisiertes Präparat in 80% der Fälle die Zahl der H.-Viren im Blut der Patienten deutlich senken. Der Gesundheitszustand der Testpersonen verbesserte sich erheblich. Nebenwirkungen waren 1999 nicht bekannt. 2001 soll das Naturheilmittel auch in Deutschland zugelassen werden.

http://www.hepatitis-c.de
http://www.rki.de (Robert Koch Institut, Nordufer 20, 13353 Berlin)
▶ Deutsche Hepatitis Liga e.V., Bernhard Lunkenheimer, Postfach 200666, 80006 München, Tel. 089/504091

Herz-Kreislauf-Erkrankungen

H. wie Herzinfarkt, Schlaganfall, Hirnschlag, Gefäßerkrankungen im Gehirn und an den Nieren sind in Deutschland häufigste Todesursache. 1997 starben 860389 Menschen an den Folgen einer H. (letztverfügbarer Stand). Rauchen, Stress, Bluthochdruck und Bewegungsmangel fördern H. Ende der 90er Jahre wiesen Studien darauf hin, dass eine Infektion mit dem Lungenbakterium Chlamydia pneumoniae eine Arteriosklerose und daraus resultierend einen Herzinfarkt auslösen kann.

Betablocker: Die europäische sog. Cibis-II-Studie ergab Ende 1998, dass die Verabreichung sog. Betablocker an Patienten mit chronischer Herzmuskelschwäche, die bislang als riskant galt, die Sterblichkeitsrate um ein Drittel senkt. Betablocker dämpfen das autonome Nervensystem und verlangsamen den Puls, wodurch sich die Herzbelastung verringert. Auch bei akutem Herzinfarkt senkten Betablocker 1998 einer US-Studie zufolge die Todesrate. Auf 100 behandelte Personen bezogen verhinderte das Mittel etwa zehn Todesfälle pro Jahr.

Mobilfunküberwachung: Pro Jahr überleben etwa 170000 Menschen in Deutschland einen Herzinfarkt, das entspricht einem Anteil von 65% aller Herzinfarkte pro Jahr. 10% von ihnen sterben im ersten Jahr danach an einem weiteren Infarkt. Um diese Rate zu senken, wurde Anfang 1999 in Basel/Schweiz ein Pilotversuch gestartet, bei dem Menschen, die einen Herzinfarkt erlitten hatten, mit einem Messsystem zur Ermittlung der Herzstromkurve (Elektrokardiogramm, EKG) in Zigarettenschachtelgröße ausgestattet werden. Fünf Hautelektroden registrieren permanent die elektrischen Signale des Herzens. Alle 30 Minuten werden die Daten über ein integriertes Mobilfunkteil an den Überwachungs-PC in der Universitätsklinik gefunkt, wo Ärzte sofort etwaige Anomalien entdecken und bei Bedarf auf Online-Betrieb umschalten, um den Herzschlag des Patienten live zu verfolgen. Über ein Handy kann der Betroffene darüber informiert werden, was in Notsituationen zu tun ist. Der Patient kann bei Unwohlsein mit einem Alarmknopf die Übertragung seiner Herzdaten an die Klinik veranlassen.

Drogen → Rauchen
http://www.herzinfarkt.de

Krebs

Bezeichnung für 200 Arten bösartiger Gewebe- und Blutveränderungen, an deren Entstehung bislang nur vereinzelt geklärte Faktoren beteiligt sind. K. gilt als Folge von Störungen im Bereich des genetisch gesteuerten Zellwachstums.

Jährlich erkranken in Deutschland 340000 Menschen an K. Mit den vorhandenen Behandlungsmöglichkeiten können etwa

Krebs: Größte Risikofaktoren	
Rauchen	30[1]
Übergewicht, Ernährung	30
Virusinfektionen	5
Mangelnde Bewegung	5
Genetische Veranlagung	5
Alkohol	3
Umweltverschmutzung	2
Sonstige	20

1) Anteil an Krebstoten pro Jahr (%); die Angaben beziehen sich auf Krebstodesfälle in den USA; Quelle: Harvard Center for Cancer Prevention, Focus, 19.7.1998

Krebserkrankungen Männer weltweit	
Prostata	3505[1]
Darm	3175
Lunge	3135
Magen	2315
Mund- und Rachenraum	2005
Blase	1850
Lymphsystem, Knochen	1460
Leber	765

1) Erkrankungen 1997 (1000); Quelle: Weltgesundheitsorganisation; http://www.who.org

Krebserkrankungen Frauen weltweit	
Brust	7995[1]
Gebärmutterhals	3955
Eierstock, Gebärmutterboden	3080
Darm	3010
Magen	1400
Lunge	1335
Lymphsystem, Knochen	1280
Leukämie	880

1) Erkrankungen 1997 (1000); Quelle: Weltgesundheitsorganisation; http://www.who.org

45% von ihnen langfristig geheilt werden. 210 000 Deutsche sterben jährlich an K. Weltweit setzten Mediziner neue Strategien im Kampf gegen K. ein, dem 1997 insgesamt 6,2 Mio Menschen zum Opfer fielen. Die Weltgesundheitsorganisation (WHO, Genf) präsentierte Ende 1998 eine Initiative mit dem Ziel, die Zahl der jährlichen K.-Erkrankungen zu senken und die Todesrate zu stabilisieren.

Therapien: Mit den Standardbehandlungsmethoden operatives Entfernen des K.-Herds, Chemo- und Strahlentherapie waren Ende der 90er Jahre fast 45% der K.-Fälle heilbar. Bei Menschen, deren K. nicht operabel war, setzten die Mediziner 1999 auf folgende lebensverlängernde Therapien:
– Gentechnisch veränderte Zellen wurden in die K.-Zellen eingeschleust mit dem Ziel, sie zu zerstören. Darm-, Brust- und

Prostata-K. gehörten zu den weltweit am häufigsten mit Gentherapie behandelten K.-Arten
– Antikörper wie der K.-Wirkstoff Herceptin (insbes. bei Brust-K.) oder Mabthera (insbes. bei Lymphdrüsen-K.) stabilisierten den K. oder ließen die Tumoren schrumpfen bzw. ganz verschwinden. Die Kosten der Behandlung mit diesen Stoffen lagen 1999 bei 10 000–20 000 DM
– Die sog. Antiangiogenese verhindert, dass die für ein Überleben des Tumors notwendigen Blutgefäße sprießen
– Die Überwärmung (Hyperthermie) des Körpers in einem speziellen Gerät auf 41,8 °C erhöht die Wirkung von Zellgiften. Bei jedem zweiten Patienten, der sonst nicht mehr auf Zellgifte ansprach, schrumpfte der Tumor ganz oder teilweise.

Vorbeugung: Durch konsequente Teilnahme an K.-Vorsorgeuntersuchungen, Einschränkung des Alkohol- und Tabakkonsums, ausreichende Bewegung sowie eine ausgewogene Ernährung mit Obst, Gemüse und Ballaststoffen könnte nach Ansicht der Mediziner die Hälfte der K.-Erkrankungen vermieden werden. Jährlich wenden die Krankenkassen in Deutschland 500 Mio DM für die Früherkennung von Brust-, Darm-, Gebärmutter-, Haut- und Prostata-K. auf. Knapp die Hälfte der Frauen, aber nicht einmal 20% der Männer nahmen sie in den 90er Jahren in Anspruch.

Weltweiter Kampf: Das Programm der WHO zur Bekämpfung des K. sieht Maßnahmen zur Eindämmung des Tabakkonsums, die Förderung einer gesunden Ernährung, den Ausbau der Früherkennungsprogramme sowie die Entwicklung

Krebs: Vorbeugung durch die Ernährung

▶ **Ballaststoffe:** Während Befürworter von ballaststoffreicher Ernährung davon ausgingen, dass durch die kürzere Verweildauer der Nahrung im Darm Krebs vorgebeugt werden könne, ergaben Studien von Gegnern dieser These, dass der Ballaststoffanteil der Nahrung keine Auswirkung auf die Entstehung von Darmkrebs habe.

▶ **Beeren:** Erdbeeren und Himbeeren enthalten wie Walnüsse einen Stoff (Terpen), der sich im Versuch ungünstig auf die Krebsentstehung auswirkte.

▶ **Blumenkohl, Brokkoli:** Diese Gemüsesorten weisen Organo-Schwefel-Verbindungen auf, die im Tierversuch die Entstehung von Krebs verhinderten.

▶ **Karotten:** Beta-Carotin, das in Möhren wie auch in Aprikosen und Spinat enthalten ist, wirkt krebsvorbeugend.

▶ **Tee:** Bestimmte Stoffe im schwarzen und grünen Tee, sog. Polyphenole, wirken ebenfalls krebsvorbeugend.

▶ **Vitamine:** Versuche ergaben, dass die Vitamine A (u. a. in Möhren und Spinat), C (in Paprika, Zitrusfrüchten und Kiwi) und E (u. a. in Nüssen, Olivenöl) krebsvorbeugend wirken. Die erforderliche Dosis war Ende der 90er Jahre umstritten.

▶ **Zitrusfrüchte:** Dieses Obst weist wie Lavendel und Minzöl sog. Limonene auf, vorbeugend gegen Krebs wirkende Proteine.

verschiedener Heilmethoden vor. Die WHO will Nahrungsmittelhersteller zum teilweisen Verzicht auf Fette und zur Erhöhung des Anteils an Ballast- und Faserstoffen in ihren Produkten bewegen. Die Zahl der bis 2020 ohne Gegenmaßnahmen erwarteten K.-Erkrankungen soll mit der Initiative um ein Viertel, die der Sterbefälle um die Hälfte reduziert werden.

Drogen → Rauchen
http://www.krebshilfe.de
http://www.rki.de/CHRON/KREBS/KREBS:HTM

Krebsregister

Bundesweite Datensammlung über Krebserkrankungen als Grundlage für Erkenntnisse über Ursachen, Vorsorge- und Therapieerfolge.

Ende 1998 stimmte Sachsen als letztes der fünf neuen Bundesländer dem Staatsvertrag zu, mit dem das weltweit umfangreichste nationale K. der DDR fortgesetzt werden soll. Es wurde seit 1953 geführt und umfasste 2,3 Mio Patientendaten. Nach der Vereinigung der DDR mit Westdeutschland 1990 ruhte das K. zunächst aus Datenschutzgründen.

Vorgeschichte: 1995 verabschiedete die CDU/CSU/FDP-Bundesregierung ein Gesetz über die Einführung eines K. und die Weiternutzung des K. der DDR. Bis dahin existierten in Westdeutschland nur regionale K. in Hamburg und im Saarland. Das Gesetz ist Grundlage der unterschiedlich ausgestalteten K. der Bundesländer.

Register der neuen Länder: Das gemeinsame K. der ostdeutschen Bundesländer soll in Berlin geführt werden. Art und Häufigkeit von Tumorerkrankungen sowie anonymisierte persönliche Patientendaten sollen gemeldet werden. Die Daten dienen als Grundlage für Forschungsprojekte.

Malaria

(ital.; eigentlich schlechte Luft, auch Sumpffieber, Wechselfieber), durch Sporentierchen (Plasmodien) hervorgerufene Infektion, die vor allem in warmen Ländern vorkommt. M.-Erreger gelangen durch Stiche der Anophelesmücke in den menschlichen Organismus und reifen zunächst in der Leber heran. Nach der Vermehrung zerstören sie rote Blutkörperchen und lösen Fieberschübe aus.

Jährlich starben Ende der 90er Jahre 2 Mio–4 Mio Menschen an M. Alle 30 Sekunden fiel der Weltgesundheitsorganisa-

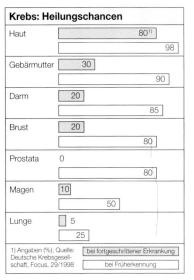

Krebs: Heilungschancen		
Haut		80[1]
		98
Gebärmutter	30	
		90
Darm	20	
		85
Brust	20	
		80
Prostata	0	
		80
Magen	10	
		50
Lunge	5	
	25	

1) Angaben (%); Quelle: Deutsche Krebsgesellschaft, Focus, 29/1998 — ▨ bei fortgeschrittener Erkrankung — ☐ bei Früherkennung

Die Zahlen der Deutschen Krebsgesellschaft sprechen für die Inanspruchnahme der Krebsvorsorgeuntersuchungen. Andere Krebsexperten zweifeln den Nutzen an.

tion (WHO, Genf) zufolge in Afrika ein Kind unter fünf Jahren der Krankheit zum Opfer. Bis zu 500 Mio Menschen infizierten sich pro Jahr mit dem M.-Erreger. Auch Touristen waren zunehmend betroffen.

WHO-Initiative: Lt. WHO verursachte die M. in Afrika, insbes. in den ärmsten Ländern der Welt südlich der Sahara, jährliche Kosten von 2 Mrd Dollar. Um das Vordringen der M. zu stoppen, startete die WHO Ende 1998 eine Initiative. Damit soll der Zugang aller Menschen zu Kliniken und Erste-Hilfe-Stationen garantiert werden. Vorgesehen sind preiswerte, effiziente Präventionsmaßnahmen wie die Ausgabe von mit Insektiziden getränkten Moskitonetzen.

Impfstoff: Wissenschaftler vom M.-Forschungsprogramm der US-Marine entwickelten Ende 1998 eine sog. DNS-Vakzine aus Erbsubstanz des Erregers, die in Muskelzellen des Menschen injiziert wird. Bei elf von 20 gesunden Testpersonen entwickelte sich eine Immunabwehr, die ausreicht, um mehrere Stämme des M.-Erregers zu bekämpfen.

Am staatlichen National Institute of Allergy and Infectious Diseases in den USA stellten Forscher gentechnisch ein Eiweißmolekül her, das Kaninchen gegen die M. tropica, die gefährlichste Form der Krankheit, immunisierte. Der Impfstoff zielte auf alle vier

Entwicklungsstadien des M.-Erregers ab. 1999 soll er an Affen, ab 2000 am Menschen getestet werden.

Medikament: Ende der 90er Jahre verloren die traditionell gegen M. eingesetzten Mittel an Wirksamkeit. Chinesische Forscher verbanden einen Bestandteil (Artemisinin) eines Mittels, das seit dem 2. Jh. v. Chr. in der chinesischen Medizin verwendet wird, mit einem neu synthetisierten Stoff. Ein Schweizer Pharmakonzern testete das Kombinationspräparat (Coartemether) an 3000 Testpersonen. Es wird erst bei Ausbruch der Krankheit eingenommen und vernichtet in wenigen Tagen die M.-Erreger im Körper. Der Pharmakonzern verpflichtete sich, das Mittel voraussichtlich 1999 zu einem auch in Afrika bezahlbaren Preis anzubieten.

Ursachen: Infolge des Bevölkerungswachstums in den Entwicklungsländern werden Gebiete wie der tropische Regenwald sowie Sümpfe und feuchte Niederungen in Küstennähe besiedelt. Die Anophelesmücke findet in diesen Regionen ideale Lebensbedingungen. Die Neusiedler stammen i.d.R. nicht aus M.-Gebieten und haben daher keinen körpereigenen Schutz gegen den Erreger.

▪ **Medikamente/Therapien** → Antibiotika
http://www.unep.org, http://www.who.org

Mikroben

Bezeichnung für Mikroorganismen wie Bakterien, Viren und Pilze.

Ende der 90er Jahre starben nach Angaben der Weltgesundheitsorganisation (WHO, Genf) weltweit täglich 50 000 Menschen infolge von Infektionskrankheiten durch M. Gegen die meisten Infektionen gab es weder Impfstoffe noch Heilmittel. WHO und Seuchenmediziner warnten vor dem Auftreten neuer M. Bereits besiegt geglaubte Infektionskrankheiten flammten wieder auf. Insbes. Entwicklungsländer waren zur Jahrtausendwende von Seuchen durch M. betroffen.

Neue Infektionen: In den vorangegangenen 20 Jahren wurden weltweit 30 neue Infektionskrankheiten beim Menschen festgestellt. Im Oktober 1998 brach in Malaysia eine Hirnhautentzündung-Epidemie aus, die bis Mitte 1999 mit 250 Erkrankten und etwa 100 Todesopfern alle früheren Ausbrüche übertraf. Auslöser der Hirnhautentzündung war neben dem bekannten sog. Japanischen Enzephalitis-Virus, ein durch Mücken übertragener Krankheitserreger, der in nahezu allen südost- und ostasiatischen Ländern vorkommt, ein zweites, bis dahin unbekanntes Virus.

Wieder aufflammende Seuchen: In Asien breitete sich Ende der 90er Jahre wieder das Denguefieber aus. Vor allem Kambodscha war von der Infektionskrankheit betroffen, die durch Mücken übertragen wird. Unter der Bevölkerung, die durch weitere Seuchen wie Tuberkulose und Typhus geschwächt war, forderte die Krankheit zahlreiche Opfer. In den 60er Jahren fast ausgerottete Schlafkrankheit verbreitete sich in den Krisengebieten Afrikas wie Angola, Demokratische Republik Kongo, Sudan, Uganda, Burundi und Ruanda. In Angola war in einigen Gebieten lt. WHO mehr als ein Fünftel der Bevölkerung erkrankt. Die Schlafkrankheit wird von der Tsetsefliege übertragen und führt unbehandelt zum Tod. In den GUS-Staaten nahm die Tollwut seit Anfang der 90er Jahre zu. Während 1992 noch 99 Tollwutfälle registriert wurden, waren es 1997 bereits 1779. Die Tollwut wurde von ausgesetzten Hunden übertragen. Ferner flammten in Osteuropa Typhus, Cholera, Kinderlähmung und Hepatitis wieder auf.

Ursachen: Vor allem in Afrika und Osteuropa begünstigten Bürgerkriege bzw. der Untergang staatlicher Systeme den Zusammenbruch des Gesundheitssystems. Effektive Vorsorge und Behandlung der Patienten waren auch wegen Geldmangels unmöglich. Zudem wurden klimatische Veränderungen und Eingriffe in das Ökosystem wie die Ausweitung der Landwirtschaft vor allem durch Bewässerung für das Vordringen der

---

Mikroben: Größte Bakterie entdeckt

Eine Gruppe deutscher, spanischer und US-Forscher entdeckte Mitte 1999 im Atlantischen Ozean eine Bakterie, die mit 0,75 mm Durchmesser 100-mal größer war als alle bis dahin bekannten Bakterien.

▪ **Name:** Das Forscherteam schlug als Namen für die Rekordmikrobe »namibische Schwefelperle« (lat.: Thiomargarita namibiensis) vor.

▪ **Lebensraum:** Die zur Gruppe der Schwefelbakterien gehörigen neuen Mikroben leben auf dem Meeresboden in einem flüssigen grünen Schlamm, der reich an Plankton ist.

▪ **Form:** Im Meeresschlamm verbinden sich die Bakterien zu losen Ketten von im Schnitt zwölf Zellen Länge und erinnern so an Perlen auf einer Schnur.

▪ **»Schwefelperle«:** Neben der perlenschnurartigen Form bewog eine weitere Besonderheit die Forscher zum Namen »namibische Schwefelperle«: Die Bakterie speichert ihren Nitratvorrat in einem großen weißen Sack, der blaugrün schimmert.

Mikroben: Wieder aufflammende Seuchen

▶ **Cholera:** Die schwere akute Infektionskrankheit tritt vor allem in Asien und Afrika epidemisch und endemisch, d. h. örtlich begrenzt, auf. Ende der 90er Jahre brach die Cholera auch in Osteuropa immer wieder aus. Die Übertragung erfolgt über mit dem Bakterium Vibrio cholerae verseuchtes Trinkwasser und Lebensmittel, die damit in Berührung kamen. Nach einer Inkubationszeit von einem bis vier Tagen treten Durchfall und Erbrechen auf, die mit einem großen Flüssigkeitsverlust und raschem Kräfteverfall einhergehen. Die Behandlung besteht in reichlicher Flüssigkeitszufuhr, meist durch Infusionen, und der Verabreichung von Breitbandantibiotika gegen den Erreger. Vorbeugende Impfungen gegen die Cholera mit abgetöteten Erregern sind nur begrenzte Zeit wirksam.

▶ **Denguefieber:** Die häufig auch Siebentagefieber genannte Viruskrankheit kommt insbes. in den Tropen und Subtropen vor. Sie wird durch Stechmücken der Gattung Aedes übertragen. Die Inkubationszeit beträgt fünf bis acht Tage. Danach treten hohes Fieber und Schüttelfrost sowie Muskel-, Gelenk- und Kreuzschmerzen auf, die zu einem steifen Gang führen (dengue, span.; Ziererei). Hinzu kommt ein masernähnlicher Hautausschlag. Die Behandlung besteht in der Symptombekämpfung.

▶ **Kinderlähmung:** Seit Einführung der Schutzimpfung ist die stark ansteckende Infektionskrankheit in Nordamerika und Europa selten geworden. Sie wird durch Tröpfchen- oder Kotinfektion übertragen. Etwa drei bis 14 Tage nach der Infektion treten Fieber, Entzündung der Nasen- und Rachenschleimhaut, trockener Husten, Erbrechen und Durchfall auf. Nach einer fieberfreien Phase kommt es zu Lähmungserscheinungen. In der sog. Reparations-

phase bilden sich die Lähmungen mehr oder weniger zurück. Zwei Jahre nach der Infektion sind die bleibenden Schäden wie Gelenkfehlstellungen und Wachstumshemmungen zu beurteilen. Eine spezifische Behandlung gegen die Kinderlähmung ist nicht bekannt.

▶ **Schlafkrankheit:** Die durch den Stich der Tsetsefliege von Mensch zu Mensch übertragene Schlafkrankheit tritt in Äquatorial- und Südafrika auf. Die Infektionskrankheit dauert zwei bis sechs Jahre an und weist einen schubartigen fieberhaften Verlauf auf. Sie beginnt mit Schlaflosigkeit und Reizbarkeit, dann folgen Schlafsucht und Apathie. Nach zwei bis drei Jahren kommt es zu geistiger Umnachtung und körperlichem Verfall bis hin zu Koma und Tod. Die Schlafkrankheit ist mit Medikamenten behandelbar. Vorbeugend werden die Erreger bekämpft.

M. verantwortlich gemacht. Klimaerwärmung und Wasser erleichtern Insekten, die zahlreiche Krankheiten übertragen, die Vermehrung und Ausbreitung.

Medikamente/Therapien →Antibiotika
http://www.who.org

Plötzlicher Kindstod

(auch Krippentod), in Deutschland zweithäufigste Todesursache von Neugeborenen. Als eine der Ursachen für P. wurde die starke seitliche Drehung des Babyköpfchens in Bauch- und Rückenlage angenommen, die Durchblutungsstörungen im Hirnstamm erzeugen kann. Zudem galten Überhitzung des Babys beim Schlafen, Rauchen der Mutter während der Schwangerschaft und der Eltern in den ersten Lebensjahren des Kindes sowie Abstillen des Kindes vor dem sechsten Lebensmonat als Auslöser von P.

Ursache Herzrhythmusstörung: Italienische Wissenschaftler fanden 1998 heraus, dass etwa die Hälfte der Kinder, die an P. sterben, zuvor Herzrhythmusstörungen hatten. Das Herz brauchte zu lange, um sich zusammenzuziehen und zu entspannen. Dieses Lange QT-Syndrom kann auch bei Erwachsenen zum Tod führen. Meist werden sog. Betablocker dagegen eingesetzt, die sich auch für Babys eignen würden. Allerdings war es Ende der 90er Jahre nicht möglich, alle Babys routinemäßig auf Herzrhythmusstörungen zu untersuchen. Da viele Kinder kurzfristig solche Störungen aufweisen, müssten viele Säuglinge und Kleinkinder Betablocker erhalten.

Schmerz

In Deutschland litt 1999 die Hälfte der Bevölkerung unter ständig wiederkehrendem S., z. B. infolge von Rückenleiden, Migräne und Rheuma. Etwa 800 000 Menschen waren von chronischem S. betroffen, u.a. infolge von Krebs. S.-Experten rügten Ende 1998 die mangelnde Ausbildung vieler Ärzte und unzureichende Hilfsangebote für Betroffene.

Ärzte: Nur wenige Ärzte verfügten nach Ansicht der Experten über genügend Fachwissen zur S.-Therapie. Untersuchungen zufolge verordneten Ärzte Ende der 90er Jahre in 75% der Fälle S.-Therapien, die von Experten ausdrücklich nicht empfohlen wurden. S.-Therapie war im Medizinstudium und in der Weiterbildung für Ärzte kein Pflichtfach.

Hilfsangebote: Für die 800 000 unter unerträglichen S. Leidenden standen landesweit nur 220 S.-Ambulanzen oder Schwerpunktpraxen zur Verfügung. Experten hielten 1000 S.-Behandlungszentren für erforderlich. Die wirksamste S.-Therapie bestand in einer Kombination aus medikamentöser und psychologisch-verhaltensmedizinischer Behandlung.

Morphium: Vor allem Patienten, die unter unerträglichen S. litten, könnte mit der Verschreibung von Morphium geholfen werden. Doch viele Ärzte schätzten das bei richtiger Anwendung geringe Suchtpotential falsch

345

Schmerz: Migräne und die Kosten

Freiverkäufliche Migräne- und Kopfschmerzmittel	1300[1)]
Verordnete Migräne- und Kopfschmerzmittel	140
Folgekosten durch Schmerzmittelmissbrauch[2)]	170
Kosten durch migräne- bedingte Fehltage[2)]	2900

Letztverfügbarer Stand: 1996; 1) Kosten (Mio DM), 2) laut Untersuchungen der Universität Bayreuth

ein. Der Bundesverband der Deutschen Schmerzhilfe (Hamburg) ging davon aus, dass mindestens 80% der Tumorpatienten im Endstadium mit Morphium behandelt werden müssten, um die S. auf ein erträgliches Maß zu reduzieren. 1996 wurden nur 50% der 250 000 Tumorpatienten in Deutschland mit M. behandelt.

Cannabis: Das in Deutschland als Einstiegsdroge geltende Cannabis sollte Experten zufolge verstärkt in der S.-Therapie eingesetzt werden. Im Gegensatz zu Morphium regt es den Appetit an. Bei gleichzeitiger Cannabisgabe kann die Morphiumdosis oft reduziert werden.

▶ Deutsche Schmerzhilfe e.V. Bundesverband, Sietwende 20, 21720 Grünendeich, Tel. 04141/810434

Schwerhörigkeit

Obwohl Ende der 90er Jahre etwa 14 Mio Menschen in Deutschland an Hörschäden litten, trugen wegen Sprache überdeckender Nebengeräusche und schlechten Tragekomforts nur etwa 2,5 Mio ein Hörgerät. Ende 1998 entwickelte eine Schweizer Firma ein Hörsystem, bei dem ein kleines Mikrofon nur für die Verstärkung der Sprache sorgt. Es kostete 4000 DM. Das Mikrofon ist drahtlos mit dem wie üblich hinter dem Ohr zu tragenden Hörgerät verbunden. Der Schwerhörige kann es in der Nähe einer Schallquelle, z.B. des Fernsehers, aufstellen. Per Zoom-Funktion wird das Mikrofon zu einem Richtmikrofon, das der Schwerhörige selbst in der Hand in Richtung eines Sprechers hält. Damit kann er auch in geräuschvoller Umgebung Sprache gut verstehen. S. ist eine Krankheit, die bei den Betroffenen zu dem Verlust von Sozialkontakten führen kann.

Tuberkulose

(Tb, Tbc), in Deutschland meldepflichtige Infektionskrankheit, die von Bakterien verursacht wird. In 90% der Fälle gelangen die Erreger in die Atemwege und setzen sich in der Lunge fest, die sie funktionsunfähig machen können.

1999 war die T. die am häufigsten zum Tode führende Infektionskrankheit. Obwohl sie zu 100% heilbar ist, starben von den jährlich 9–20 Mio Neuinfizierten etwa 3 Mio an der Krankheit. Zur Jahrtausendwende war ein Drittel der Weltbevölkerung mit dem T.-Erreger infiziert. Mehr als 90% der Infizierten lebten in Entwicklungsländern.

Entwicklungsländer: Vier Fünftel der T.-Patienten in den Entwicklungsländern waren Ende der 90er Jahre zwischen 15 und 49 Jahre alt. In dieser Altersgruppe ging jeder vierte Todesfall auf T. zurück. Grund für die starke Verbreitung der T. in Entwicklungsländern waren hohe Aidsraten und Armut. Aidsinfizierte tragen ein 30-fach erhöhtes Risiko, an T. zu erkranken.

Russland: In Osteuropa, insbes. in Russland, breitete sich die T. seit dem Zusammenbruch der Sowjetunion infolge verschlechterter Lebensbedingungen aus. 1990 erkrankten 7,7 von 100 000 Menschen an T., Ende der 90er Jahre waren es zwischen 60 und 90 pro 100 000. In russischen Gefängnissen griff die T. epidemisch um sich, 1999 waren 120 000 der insgesamt 1,1 Mio Häftlinge erkrankt. Die Unterbringung auf engstem Raum, schlechte Ernährung und das von Alkohol, Drogen oder Aids geschwächte Immunsystem der Häftlinge trugen zur Ausbreitung bei. Ein Sechstel der infizierten Gefangenen wies T.-Erreger auf, die gegen die gängige Therapie mit der Kombination aus drei Mitteln resistent waren. Ihre Behandlung würde nach Angaben von Medizinern 17 000 DM pro Person kosten.

Deutschland: Mit 13,6 Krankheitsfällen pro 100 000 Einwohner erreichte die T. in Deutschland 1997 (letztverfügbarer Stand) einen Tiefststand. 35% der Erkrankten waren Ausländer, die sich bereits in ihren Heimatländern mit T. infiziert hatten.

Erbgut: Britischen Wissenschaftlern gelang es Mitte 1998, das Erbgut des T.-Erregers, Mycobacterium tuberculosis, vollständig zu entschlüsseln. Die Informationen über das Erbgut erleichtern die Entwicklung neuer Medikamente und wirksamerer Impfstoffe.

Golfregion

Die Auseinandersetzungen um Waffenkontrollen der Vereinten Nationen (UN) im Irak, die nach der irakischen Niederlage im Golfkrieg 1991 beschlossen worden waren, mündeten am 16.12.1998 in vier Tage während Luftangriffe der USA und Großbritanniens auf das Land am Persischen Golf. Die Bombardements führten zu einer weiteren Verhärtung der Standpunkte.

Luftangriff: Da die Angriffe ohne Absprache im UNO-Sicherheitsrat und ohne eindeutiges UNO-Mandat erfolgten, gab es Verstimmungen zwischen den USA und Großbritannien einerseits sowie den anderen ständigen Ratsmitgliedern China, Russland und Frankreich. Auch die UNO, deren Generalsekretär Kofi Annan in der G. noch im Februar 1998 erfolgreich vermittelt hatte, fühlte sich übergangen. Auslöser für die Luftschläge war der vorab den USA übergebene Bericht des Leiters der UNO-Sonderkommission zur Waffenkontrolle (Unscom), Richard Butler. Er beklagte eine fortwährende Behinderung seiner Arbeit durch den Irak. Im November 1998 war ein Angriff in letzter Minute verhindert worden, als der Irak, der am 31.10.1998 alle Kontakte zur Unscom beendet hatte, der UNO versicherte, wieder mit den Rüstungsinspektoren zu kooperieren.

Rüstungskontrolle: Aufgabe der Unscom ist die Zerstörung aller irakischen Massenvernichtungswaffen, zu deren Verzicht sich das vom diktatorisch regierenden Präsidenten Saddam Hussein geführte Land nach dem Golfkrieg 1991 verpflichtet hatte. Die UN-Kontrolleure beanstandeten wiederholt, dass der Irak sie hindere, allen Hinweisen auf noch vorhandene chemische und biologische Kampfstoffe wie das Nervengas VX und Milzbrandbakterien nachzugehen. Lt. Aussagen Butlers war im Sommer 1998 außer den biologischen Waffen der Zerstörung des irakischen Massenvernichtungspotenzials fast abgeschlossen.

Embargo: Mit dem erfolgreichen Abschluss der Unscom-Mission ist die Aufhebung der 1990/91 verhängten Wirtschaftssanktionen gekoppelt. Die UNO hatte zwar im Februar 1998 eine vordringliche Behandlung der Sanktionsaufhebung zugesagt, aber keine Änderung beschlossen. Dies nahm die irakische Führung zum Anlass, die Kooperation mit Unscom aufzukündigen. Das Embargo trifft insbes. die irakische Zivilbevölkerung. Lt. UN-Ernährungsorganisation FAO starben 1991–98 mehr als 500 000 Kinder im Irak an Unterernährung und fehlender medizinischer Versorgung. Das Anfang 1997 gestartete UNO-Programm Öl für Lebensmittel – der Irak kann zweimal im Jahr Erdöl im Wert von 5,2 Mrd Dollar verkaufen und von zwei Dritteln des Erlöses Lebensmittel und Medikamente einführen – reichte für die Grundversorgung der Bevölkerung nicht aus und wurde von Präsident Saddam Hussein nicht immer voll ausgeschöpft. Die Sanktionen haben nicht, wie von der US-Regierung angenommen, zur Destabilisierung des Regimes in Bagdad beigetragen.

Flugverbotszonen: Nach Luftangriffen Ende 1998 sprach sich Iraks Führung gegen weitere Rüstungskontrollen aus und erklärte, die 1991 zum Schutz der Kurden bzw. Schiiten eingerichteten Flugverbotszonen nördlich des 36. und südlich des 33. Breitengrades nicht mehr anzuerkennen. Ab Anfang 1999 beschossen US-Kampfjets, die in den für irakische Flugzeuge verbotenen Zonen patrouillierten, alle paar Tage irakische Luftabwehr- oder Kommandostellungen, meist wenn sie vom irakischen Radar erfasst worden waren. Nach irakischen Angaben wurden auch zivile Ziele getroffen.

Ausschüsse: Zur Lösung der Krise beschloss der UNO-Sicherheitsrat im Januar 1999 die Bildung von drei Ausschüssen, die sich mit der irakischen Abrüstung, der Versorgungslage der Bevölkerung und dem Schicksal seit dem Golfkrieg vermisster Personen befassen. Die Unscom soll sich am Abrüstungsausschuss beteiligen.

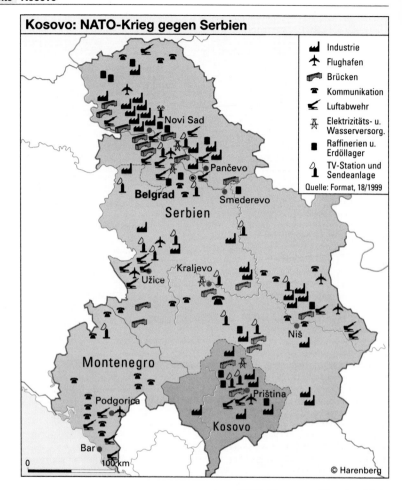

Kosovo: NATO-Krieg gegen Serbien

Industrie
Flughafen
Brücken
Kommunikation
Luftabwehr
Elektrizitäts- u. Wasserversorg.
Raffinerien u. Erdöllager
TV-Station und Sendeanlage

Quelle: Format, 18/1999

Novi Sad
Pančevo
Belgrad
Smederevo
Serbien
Kraljevo
Užice
Niš
Montenegro
Priština
Podgorica
Kosovo
Bar

0   100 km

© Harenberg

Kosovo

Das K., in dem Anfang 1999 zu 90% Albaner lebten, ist eine Provinz des Teilstaats Serbien, der mit Montenegro die Bundesrepublik Jugoslawien bildet.

Kriegsende: Nachdem die NATO die Bundesrepublik Jugoslawien zehn Wochen lang wegen der Vertreibung und Verfolgung der Albaner durch serbische Truppen im K. bombardiert hatte, stimmten das serbische Parlament und der jugoslawische Präsident Slobodan Milosevic am 3.6.1999 einem von der EU, den USA und Russland ausgearbeiteten Friedensplan zu. Mit dem Abschluss

eines Militärabkommens über den Rückzug der jugoslawischen Truppen stellte die NATO am 10.6.1999 die Luftangriffe ein.

Friedensplan: Der Friedensplan für das K. basierte auf der Erklärung der Außenminister der G-8-Staaten vom 6.5.1999. Er bezog Russland, das wie China die NATO-Luftangriffe abgelehnt hatte, wieder mit in den Friedensprozess ein und wies auch der UNO eine politische Rolle zu. Der Friedensplan, der zugleich die Grundlage für die K.-Resolution des UNO-Sicherheitsrats vom 10.6.1999 bildete, sah im Wesentlichen folgende Schritte vor:

– Sofortiges und nachprüfbares Ende der Gewalt und Unterdrückung im K.
– Rückzug der militärischen, polizeilichen und paramilitärischen Kräfte aus dem K.
– Stationierung von internationalen Sicherheitskräften (Kfor) unter UNO-Aufsicht
– Einrichtung einer Übergangsverwaltung für das K. mit Autonomie
– Sichere Rückkehr aller Flüchtlinge
– Entmilitarisierung der albanischen ehemaligen Untergrundarmee UCK.

Deutschland beteiligte sich mit 8500 Soldaten an der rund 50 000 Mann umfassenden Friedenstruppe (Kfor), der auch ein russisches Kontingent angehört. Sie soll weitere Feindseligkeiten von Albanern und Serben unterbinden und ein sicheres Umfeld für die Rückkehr der Flüchtlinge schaffen.

Flüchtlinge: Nach Beginn der NATO-Luftangriffe am 24.3.1999 trafen fast täglich Tausende von Flüchtlingen aus dem K. in den Nachbarländern ein. Bis Mitte Juni hatten lt. UN-Flüchtlingshilfswerk UNHCR ca. 860 000 Personen das K. verlassen, vor Ausbruch der Kämpfe waren 120 000 Menschen geflohen. Im Juni wurde geschätzt, dass im K. selbst noch eine halbe Million Menschen herumirrten. Die Flüchtlinge berichteten über Misshandlungen, Vergewaltigungen, Hinrichtungen sowie die Verhaftung von Männern aus den Flüchtlingskonvois. Da die Nachbarländer Mazedonien und Albanien dem Ansturm nicht gewachsen waren, beteiligten sich die NATO-Staaten an der Versorgung der Vertriebenen und flogen etwa 100 000 nach Westeuropa und Übersee aus. Mazedonien, dessen Bevölkerung zu mind. einem Viertel aus Albanern besteht, befürchtete ein Übergreifen der Auseinandersetzungen auf das eigene Land.

Konflikt: Der Konflikt um das K. geht auf das Jahr 1989 zurück, als die Zentralregierung in Belgrad der Provinz die Autonomie nahm und die Albaner aus dem öffentlichen Leben zurückdrängte. Während der von den K.-Albanern gewählte Präsident Ibrahim Rugova mit friedlichen Mitteln für die Wiederherstellung der Autonomie eintrat, forderte die Albanische Befreiungsarmee Kosova (UCK) die Unabhängigkeit. Bereits Mitte 1998 war es zu heftigen Kämpfen zwischen UCK und serbischen Sicherheitskräften gekommen, die auch gegen Zivilisten vorgingen. Als die NATO Jugoslawien Luftangriffe androhte, stimmte Milosevic

Kosovo-Flüchtlinge in angrenzenden Ländern

Albanien	442 100
Mazedonien	250 100
Montenegro	66 300
Bosnien-Herzeg.	21 500
Serbien[1]	60 000

1) nach Angaben Belgrads; Stand: Ende Mai 1999; Quelle: UNO-Flüchtlingskommissariat UNHCR, Die Welt, 28.5.1999, FR, 1.6.1999

im Oktober 1998 zu, unbewaffnete Beobachter der Organisation für Sicherheit und Zusammenarbeit in Europa (OSZE) ins K. zu lassen und Militäraktionen einzustellen.

Verhandlungen: Nachdem die Kämpfe Ende 1998 wieder aufgeflammt waren, brachte die Balkan-Kontaktgruppe (USA,

Kosovo-Flüchtlinge in Europa

Deutschland	12 627
Türkei	7475
Norwegen	4941
Italien	3758
Frankreich	3717
Österreich	3388
Niederlande	2594
Schweden	2133
Dänemark	1513
Großbritannien	1465
Belgien	1223
Polen	1049
Finnland	958
Spanien	900
Tschechien	824
Schweiz	816
Portugal	808
Slowenien	483
Irland	449
Kanada	4919
USA	3851
Australien	1627

Stand: Ende Mai 1999; Quelle: UNHCR, Die Welt, 28.5.1999, Frankfurter Rundschau, 1.6.1999

Großbritannien, Frankreich, Italien, Russland, Deutschland) K.-Albaner und Serben im Februar 1999 in Frankreich (Rambouillet und Paris) zu Verhandlungen. Das vorbereitete Abkommen über weitgehende Autonomie des K., Entwaffnung der UCK und Stationierung von NATO-Truppen im K. mit Bewegungsfreiheit in ganz Jugoslawien wurde am 18.3.1999 von den K.-Albanern unterschrieben. Die serbische Regierung stimmte dem politischen Teil zu, lehnte aber die Stationierung von NATO-Truppen ab. **Krieg und Völkerrecht:** Die am 24.3.1999 begonnenen Bombardierungen begründete die NATO damit, die im K. lebenden Albaner vor den Angriffen und der Vertreibung durch serbische Einheiten schützen zu wollen. Erstmals seit dem Zweiten Weltkrieg beteiligte sich Deutschland an Kampfeinsätzen (mit Tornado-Flugzeugen), und erstmals seit ihrer Gründung griff die NATO einen anderen Staat ohne Mandat des UNO-Sicherheitsrats an. Die NATO beanspruchte ein Recht auf humanitäre Intervention – gemäß dem in der UN-Charta festgeschriebenen Völkerrecht ist militärische Gewalt nur bei Selbstverteidigung, Verteidigung eines angegriffenen Staates oder bei Billigung durch den UNO-Sicherheitsrat erlaubt. **Angriffe:** Die Luftangriffe der NATO galten außer rein militärische Zielen (Kommandostellungen, Luftabwehr, Truppenverbände) in Serbien, Montenegro und im K. auch Verkehrswegen, Ölraffinerien sowie Kommunikations- und Versorgungseinrichtungen. Getroffen wurden auch zivile Ziele (Wohnviertel, Krankenhäuser und ein Flüchtlingstreck), wobei die Bombardierung der chinesischen Botschaft in Belgrad am 7/8.5.1999 die Beziehungen zwischen der NATO und China belastete. Während der NATO-Luftangriffe gingen die Kämpfe in Kosovo zwischen serbischen Einheiten und der UCK sowie Verfolgung und Vertreibung der Albaner verstärkt weiter. **Bilanz:** Die NATO flog mehr als 31 000 Angriffe, deren Hauptlast die USA trug. Nach westlichen Schätzungen wurden während des Krieges etwa 5000 Menschen in Jugoslawien getötet, nach jugoslawischen Angaben 576 Soldaten und Polizisten sowie 2000 Zivilpersonen. Die Zahl der getöteten Albaner im K. wurden Ende Juni 1999 auf über 10 000 geschätzt. Ein Drittel der Dörfer im K. soll vor und ein Drittel nach den NATO-Angriffen ganz oder weitgehend niedergebrannt worden sein. Lt. eigenen Angaben zerstörte die NATO in Jugoslawien 45 Straßen- und Eisenbahnbrücken sowie 57% der Mineralölvorräte. Die Europäische Kommission schätzte im Juni, dass für den wirtschaftlichen Wiederaufbau auf dem Balkan Finanzmittel in Höhe von mind. 55 Mrd DM benötigt würden.

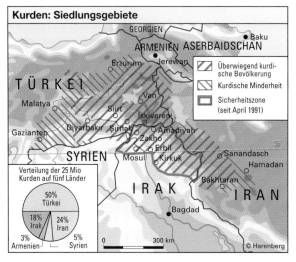

Kurden: Siedlungsgebiete

GEORGIEN
ARMENIEN ASERBAIDSCHAN
●Baku
Erzurum Jerewan

TÜRKEI
Malatya
Van
Gaziantep Diyarbakır Siirt Şırnak Iskivereh
Zakho Amadiyah
SYRIEN Mosul Erbil Kirkuk Sanandasch
Hamadan
IRAK Bakhtaran
Bagdad IRAN

Überwiegend kurdische Bevölkerung
Kurdische Minderheit
Sicherheitszone (seit April 1991)

Verteilung der 25 Mio Kurden auf fünf Länder
50% Türkei
18% Irak 24% Iran
3% Armenien 5% Syrien

0   300 km

© Harenberg

Kurden

Mit der Verhaftung des Chefs der linksextremistischen Arbeiterpartei Kurdistans (PKK), Abdullah Öcalan, am 15./16.2.1999 in Nairobi/Kenia und dem Todesurteil gegen ihn am 29.6.1999 versetzte die Türkei der PKK, die sich als einzige legitime politische Vertreterin der K. versteht, einen schweren Schlag. Zugleich wurden die Versuche Öcalans und des dialogbereiten PKK-Flügels beendet, die K.-Frage im Rahmen einer internationalen Konferenz politisch zu lösen. Die 1984 ausgebrochenen Kämpfe zwischen den nach Autonomie strebenden K. und der türkischen Armee in Südostanatolien forderten bis 1999 ca. 30 000 Todesopfer, 3000 der 9000 K.-Dörfer wurden zerstört und 2 Mio bis 3 Mio Menschen in die Flucht getrieben. **Volk ohne Staat:** Die K., ein ca. 25 Mio Menschen umfassendes westasiatisches Volk mit eigener Sprache und Kultur, aber ohne eigenen Staat, streben die Anerkennung ihrer kulturellen Eigenständigkeit an. Etwa die Hälfte von ihnen lebt in der Türkei. Die übrigen K. waren 1998 in Iran (6 Mio), Irak (4 Mio), Syrien (1 Mio), Armenien und Aserbeidschan (400 000) sowie in Europa (1 Mio) ansässig. In Deutschland lebten 1998 rund 500 000 K., von denen etwa 11 000 (2,2%) nach Erkenntnissen des Verfassungsschutzes der 1993 in Deutschland verbotenen PKK angehörten.

Fall Öcalan: Am 29.6.1999 wurde Öcalan von einem türkischen Gericht auf der Gefängnisinsel Imrali im Marmarameer wegen Hochverrat und Separatismus zum Tode verurteilt. Nach türkischem Recht wird gegen jedes Urteil automatisch Berufung eingelegt. Falls das Berufungsgericht das Urteil bestätigt, wird es dem Parlament und dem Präsidenten zur erneuten Prüfung vorgelegt. Der PKK-Chef war im Februar 1999 nach einer Odyssee in der kenianischen Hauptstadt auf der Straße festgenommen worden. Im September 1998 hatte Öcalan auf türkischen Druck seinen Stützpunkt in Syrien verlassen müssen. Am 12.11.1998 wurde er bei der Einreise in Italien aufgrund eines deutschen Haftbefehls festgenommen. Da die Bundesregierung wegen befürchteter K.-Proteste in Deutschland auf ein Auslieferungsersuchen verzichtete und Italien ihn wegen der drohenden Todesstrafe nach geltendem italienischem Recht nicht in die Türkei ausliefern durfte, konnte Öcalan Italien am 16.1.1999 wieder verlassen.

Besetzungen: Nach Öcalans Ergreifung in Kenia protestierten K. in ganz Europa zu Tausenden vor griechischen und kenianischen Botschaften und Konsulaten oder drangen in sie ein. Es kam z. T. zu Geiselnahmen und Auseinandersetzungen mit der Polizei. Bei der Besetzung des israelischen Generalkonsulats in Berlin – der israelische wie der US-Geheimdienst sollen bei der Festnahme mitgewirkt haben, was israelische Vertreter jedoch bestritten – erlitten am 17.2.1999 vier K. durch Schüsse israelischer Sicherheitsbeamter tödliche Verletzungen.

Türkei: Die PKK hielt nach Öcalans Festnahme am bewaffneten Kampf fest und kündigte Anfang März 1999 an, ihre Terroraktionen auf den Westen der Türkei auszudehnen. Mitte 1999 hatte die PKK jedoch ihre Rückzugsgebiete in Syrien, im Libanon und im benachbarten Nordirak weitgehend

verloren. Die türkische Regierung, die Verhandlungsangebote Öcalans stets abgelehnt und Anfang 1999 in Südostanatolien mind. 200 000 Soldaten stationiert hatte, kündigte Ende Februar 1999 ein Entwicklungsprogramm für die K.-Gebiete an. Gleichzeitig setzten die türkischen Streitkräfte ihre Offensive gegen PKK-Stellungen in der UNO-Schutzzone im Nordirak fort; dort hatte die Türkei 1997 mit Zustimmung der mit der PKK konkurrierenden Demokratischen Partei Kurdistans (KDP) Stützpunkte errichtet.

Nordirak: Die beiden rivalisierenden K.-Organisationen in der 1991 nach dem Golfkrieg eingerichteten Schutzzone, die KDP von Masud Barsani und die Patriotische Union Kurdistans (PUK) von Dschalal Talabani, unterzeichneten im September 1998 in Washington/USA ein Abkommen. Es beinhaltet die Wiederbelebung der gemeinsamen Regionalverwaltung, die 1996 nach den Kämpfen zwischen KDP und PUK zusammengebrochen war, und die Abhaltung von Wahlen im Sommer 1999. Die Kämpfe zwischen K.-Einheiten waren u. a. wegen des Streits um die Einkünfte aus den am türkisch-irakischen Grenzübergang erhobenen Zöllen ausgebrochen, deren Neuverteilung vereinbart wurde. Die Umsetzung des Abkommens ging 1999 nur schleppend voran.

Macau

Status: Das portugiesische Überseegebiet M. (auch: Macao), eine mit dem chinesischen Festland verbundene Halbinsel westlich von Hongkong, soll am 20.12.1999 an die Volksrepublik China übergeben werden. Die chinesische Regierung hat sich verpflichtet, wie im Fall Hongkong (»Ein Land, zwei Systeme«) die gesellschaftliche und wirtschaftliche Ordnung auf M. bis 2049 beizubehalten. Im Mai 1999 bestimmte ein Wahlausschuss den Bankier Edmund Ho zum ersten Regierungschef.

Chinesen: Streitpunkt bei den Übergabeverhandlungen 1998/99 war der Status der rund 110 000 Chinesen mit portugiesischem Pass: Die Administration Chinas war gegen die Ansicht der Regierung Portugals, die Chinesen auf M. als EU-Bürger anzuerkennen, wodurch sie in China Konsularschutz besäßen. Die portugiesischen Stellen drängten Anfang 1999 auf die rasche Errichtung eines Obersten Gerichtshofes auf M.

Status quo: Seit Gewährung der inneren Autonomie 1976 hat M. eine eigene Regionalregierung, in der auch Chinesen vertreten sind. Die Portugiesen, die M. schon 1974 an China abtreten wollten, überließen den Chinesen immer mehr Einfluss. Von den ca. 450 000 Einwohnern auf M. sind 3% Portugiesen und etwa 95% Chinesen. Das Steuereinkommen von M. stammt zu mehr als 50% aus Einnahmen aus dem (in Hongkong und China verbotenen) Glücksspiel, das Gangstersyndikate und Geheimgesellschaften auf die Halbinsel zog.

Naher Osten

Mit der Wahl von Ehud Barak (Arbeitspartei, Liste Ein Israel) zum israelischen Ministerpräsidenten am 17.5.1999 verbanden sich Hoffnungen, den unter seinem Amtvorgänger Benjamin Netanjahu und dessen konservativ-religiöser Regierung stockenden Friedensprozess im N. wieder zu beleben. Barak bekannte sich zur Politik des Ausgleichs mit den arabischen Nachbarn und stellte den Abzug der israelischen Truppen aus dem Libanon in Aussicht.

Palästinenser: Im Wahlkampf hatte Barak versprochen, die israelische Bevölkerung über ein endgültiges Abkommen mit den Palästinensern abstimmen zu lassen. Die US-Regierung hatte im Frühjahr 1999 auf eine Abschlussvereinbarung innerhalb des nächsten Jahres gedrängt. Zuvor muss über die jüdischen Siedlungen im Gazastreifen und Westjordanland, die unter Premier Netanjahu forciert ausgebaut wurden, über den Status von Ost-Jerusalem, das Israelis und Palästinenser beanspruchen, und über weitere Truppenrückzüge verhandelt werden.

Wye-Abkommen: Nach monatelanger Verhandlungspause stimmte das Kabinett Netanjahu im Oktober 1998 auf dem Gipfel in Wye Plantation (Maryland/USA) zu, seine Armee binnen zwölf Wochen aus weiteren 13% des besetzten Teils des Westjordanlandes zurückzuziehen. Im Gegenzug versprach Jasir Arafat, Vorsitzender des palästinensischen Autonomierats, terroristische Organisationen zu bekämpfen und anti-israelische Passagen aus der PLO-Charta zu streichen. Gemäß den ab 1993 geschlossenen Verträgen, welche die Aussöhnung unter die Formel »Land gegen Frieden« stellten, hätten die israelischen Truppenrück-

BILANZ 2000

Kriege

Gewalt als Instrument der Politik

Das 20. Jh. war wie kein anderes ein Jahrhundert der Kriege. Mit 8,5 Mio Gefallenen im Ersten und rund 60 Mio Toten im Zweiten Weltkrieg erreichte das Massensterben ein nie gekanntes Ausmaß. Ab 1945 verlagerte sich das Kriegsgeschehen von Europa, das in der zweiten Hälfte des 20. Jh. eine in dieser Länge nie dagewesene Zeit des Friedens erlebte, in die Dritte Welt und die Entwicklungsländer, wo bis Ende der 90er Jahre fast 200 Kriege und bewaffnete Konflikte mit mind. 20 Mio Toten geführt wurden. Die Zahl der jährlich geführten Unabhängigkeits-, Guerilla-, Kolonial-, Grenz-, Stammes- und Bürgerkriege stieg von zwölf in den 50er Jahren auf 40 in den 80er Jahren. Die vorübergehende Hoffnung auf ein Zeitalter des Friedens nach dem Ende der Blockkonfrontation erwies sich als Illusion: 1992 stieg die Marke der jährlich geführten Kriege auf 52, serbische Todesschwadrone und NATO-Bomben auf Jugoslawien trugen 1999 den Krieg nach Europa zurück. Mit dem Ende der Gefahr eines großen Krieges der Supermächte, der mit dem Einsatz von Atomwaffen verbunden wäre, wuchs die Wahrscheinlichkeit der konventionellen Waffengänge. Viele hochgerüstete Staaten (Irak, Indien, Pakistan, Israel) verfügen auch über chemische und biologische Kampfmittel.

Positive Trends

▸ Die Kriegsbeteiligung von Frankreich, Großbritannien und den USA, die mit über 40 Kriegen nach 1945 den Einsatz von Gewalt wesentlich geprägt haben, ist rückläufig.

▸ Die UNO und ihre multinationalen Truppen setzen sich weltweit für Friedenssicherung ein.

Negative Trends

▸ Die Nachfolgestaaten der UdSSR und das ehemalige Jugoslawien haben sich seit 1989/90 zu neuen Kriegsregionen entwickelt.

▸ In den 90er Jahren ist weltweit eine Zunahme ethnischer Konflikte zu verzeichnen (Burundi, Zaïre, Afghanistan, Ruanda, Jugoslawien u. a.).

Deportation der Juden aus dem Warschauer Getto 1943 durch die deutschen Besatzer.

Meilensteine

Vom Kolonialkrieg zur humanitären Intervention

1899–1902: Im Burenkrieg unterwirft Großbritannien Südafrika.

1900–01: Ein internationales Kontingent unter deutscher Führung zerschlägt den Boxeraufstand in China.

1904/05: Durch den Russisch-Japanischen Krieg wird Japan zur Vormacht in ganz Ostasien.

1912/13: Im Ersten Balkankrieg treiben die Balkanstaaten das Osmanische Reich fast ganz aus Europa.

1913: Im Zweiten Balkankrieg wird Serbien Vormacht auf dem Balkan.

1914–18: In den Ersten Weltkrieg sind fast alle Staaten verwickelt.

1918–21: Im russischen Bürgerkrieg besiegen die »Roten« (Revolutionäre) die »Weißen«.

1936–39: Der Spanische Bürgerkrieg führt zum Sturz der Republik durch die von NS-Deutschland unterstützten Nationalisten.

1939–45: Im Zweiten Weltkrieg, dem mit 60 Mio Toten verheerendsten militärischen Konflikt der Geschichte, etabliert sich die UdSSR als Weltmacht neben den USA.

1946–54: Die französischen Kolonien Vietnam, Laos und Kambodscha erkämpfen die Unabhängigkeit.

1948/49: Im Palästinakrieg wehrt Israel den Angriff von Ägypten, Jordanien, Libanon, Irak und Syrien ab.

1950–53: Der Krieg zwischen dem von der UdSSR und China unterstützten Nordkorea und dem von US- und UNO-Truppen unterstützten Südkorea verschärft den Kalten Krieg.

1954–62: Im Krieg erringt Algerien die Unabhängigkeit von Frankreich.

1964–75: Nord-Vietnam erkämpft die Vereinigung mit Süd-Vietnam.

1975–91: Der Bürgerkrieg im Libanon zwischen Christen, Drusen und der PLO ist eng verflochten mit dem israelisch-arabischen Nahostkonflikt.

1976–92: Bürgerkrieg in Mosambik (Afrika) zwischen der marxistischen FRELIMO und der von Südafrika unterstützten RENAMO.

1980–88: Der Golfkrieg zwischen Irak und Iran führt beide OPEC-Staaten an den Rand des Ruins.

1982: Im Falklandkrieg erobert Großbritannien die von Argentinien besetzten Falkland-Inseln zurück.

Ab 1989: Nach Abzug der Sowjetarmee versinkt Afghanistan in einen islamistischen Bruderkrieg.

1991: Im zweiten Golfkrieg zwingt eine internationale Allianz aus 31 Ländern unter Führung der USA den Irak zum Rückzug aus Kuwait.

1992–99: Großserbische Expansion und Kriegsverbrechen prägen den Konflikt in Jugoslawien.

Stichwort: Erster Weltkrieg
Ausbruch der »Urkatastrophe«
Begonnen von Deutschland und Österreich-Ungarn als Machtkrieg, weitete sich der Erste Weltkrieg wegen des globalen Kolonialsystems auf alle Erdteile aus und führte zur politischen, sozialen und territorialen Neuordnung ohne gewachsene Strukturen. Die den Ersten Weltkrieg beendenden Pariser Verträge zerschlugen »Vielvölkerstaaten« (Österreich-Ungarn) in »Nationalstaaten«, provozierten ethnische Säuberungen (Kleinasien), Bürgerkriege, Revisionsdenken und neue Kriege und legten in den »Verliererstaaten« die Basis für die Entstehung totalitärer Systeme.

Stichtag: 1. September 1939
Beginn des Zweiten Weltkriegs
Auf Befehl Adolf Hitlers feuerte ab 4 Uhr 45 die Besatzung des deutschen Linienschiffs »Schleswig-Holstein« auf die Westerplatte vor Danzig, gleichzeitig flog die Luftwaffe erste Angriffe. Am selben Tag begann in Frankreich und Großbritannien die Mobilmachung. Entsprechend ihrer Garantie- und Beistandserklärungen für Polen forderten London und Paris den sofortigen Abzug der deutschen Truppen. Als dieser unterblieb, erklärten Großbritannien und Frankreich am 3. September Deutschland den Krieg. Heute wird der 1. September in Deutschland als »Antikriegstag« begangen.

Stichtag: 6. August 1945
Atombombe auf Hiroshima
Um Japan zur Kapitulation zu zwingen, ordnete US-Präsident Harry S. Truman 1945 den ersten Einsatz von Kernwaffen an. Am 6. August warf ein B-29-Bomber einen Uransprengsatz auf Hiroshima, 110 000–200 000 Menschen kamen ums Leben, viele starben qualvoll an Langzeitfolgen, 80% der bebauten Fläche Hiroshimas wurden völlig zerstört.

züge aus dem Westjordanland bereits im August 1998 abgeschlossen sein sollen.

Umsetzung: Nach der Räumung von 2% des Westjordanlandes, dem ersten Rückzug seit dem Teilabzug aus Hebron Anfang 1997, setzte Netanjahu Ende 1998 den weiteren Abzug nach neuen Gewalttaten gegen israelische Siedler und Soldaten aus.

Libanon: Der neue Premier Barak erklärte im Mai 1999 nach seiner Wahl, die israelischen Truppen innerhalb eines Jahres aus der Sicherheitszone im Süden des Libanon abziehen zu wollen, wo es seit Jahren zu verlustreichen Kämpfen mit der schiitischen Miliz Hisbollah kam (1998: 24 israelische Opfer). Das setzt die Wiederaufnahme der Gespräche mit Syrien voraus, der Schutzmacht im Libanon, die im Mai 1996 ausgesetzt worden waren. Dabei wird auch die von Syrien geforderte Rückgabe der 1967 von Israel besetzten und später annektierten Golanhöhen erörtert werden müssen.

Nordirland

Auseinandersetzung mit religiös-sozialem Hintergrund um den Status des zu Großbritannien gehörenden, mehrheitlich protestantischen N. (protestant. Bevölkerungsanteil: ca. 64%). Seit Wiederaufflackern der Gewaltaktionen zwischen Katholiken und Protestanten (1969) forderte der Konlikt in N. 3500 Tote. Die Verhandlungen über die Umsetzung des Friedensabkommens von 1998 brachten bis Mitte 1999 keine Lösung in der Frage der Einsetzung der nordirischen Regionalregierung.

Streitpunkt: Die Regionalregierung soll von der im Juni 1998 gewählten Regionalversammlung gemäß dem Proporz der in ihr vertretenen Parteien bestimmt werden (ursprünglich bis zum 10.3.1999). Die pro-

Initiatoren des Friedensprozesses in Nordirland von links: Protestantenführer David Trimble, der britische Premier Tony Blair und Katholikenvertreter John Hume. Trimble und Hume erhielten 1998 den Friedensnobelpreis.

testantische Ulster Unionist Party (UUP), deren Vorsitzender David Trimble als designierter Erster Minister (Regierungschef) gilt, lehnte es ab, mit der katholischen Sinn Féin eine Regierung zu bilden, solange die mit Sinn Féin verbündete terroristische Irisch-Republikanische Armee (IRA) nicht mit der Übergabe oder Vernichtung ihrer Waffen begonnen habe. Sinn Féin-Vorsitzender Gerry Adams wies die Vorbedingung allerdings zurück, weil das Nordirland-Abkommen für die Entwaffnung eine Frist von zwei Jahren lässt.

Abkommen: Der im April 1998 zwischen Großbritannien, Irland sowie nordirischen katholischen und protestantischen Parteien geschlossene und durch Volksbefragungen in Nordirland und Irland mit klarer Mehrheit (über 70%) angenommene Vertrag sieht einen halbautonomen Status für N. vor, das weiterhin im Vereinigten Königreich bleibt. Die legislativen Befugnisse nimmt die Regionalversammlung wahr, das erste nordirische Parlament seit 1974. Ein aus Nordirland und Irland gebildeter Nord-Süd-Rat und ein Britisch-Irischer Rat regeln gemeinsame Belange.

Regionalparlament: In der parlamentarischen Versammlung haben die das Abkommen befürwortenden Parteien 80 von 108 Sitzen inne. Im September 1998 begannen die Abgeordneten ihre Arbeit mit Beratungen über die Bildung der Regionalregierung. Sie sprachen sich im Februar 1999 mit einer klaren Mehrheit von 77:29 Stimmen für eine gemeinsame Regierung von Protestanten und Katholiken in N. aus.

Anschläge: Der mühsame Friedensprozess wurde auch 1998/99 von Terror extremistischer Splittergruppen überschattet. Im August 1998 forderte ein verheerender Bombenanschlag in Omagh 28 Todesopfer und über 200 Verletzte. Die sich zum Anschlag bekennende Real IRA (wahre IRA), eine Splittergruppe der IRA, schloss sich danach dem von der IRA im Juli 1997 verkündeten Waffenstillstand an. Im Januar 1999 wurde Eamon Collins ermordet aufgefunden; das ehemalige IRA-Mitglied hatte gegen frühere Kampfgefährten ausgesagt. Im März 1999 wurde die Rechtsanwältin Rosemary Nelson, die IRA-Mitglieder verteidigt hatte, bei einem von der protestantischen Terrorgruppe Red Hand Defenders verübten Bombenattentat getötet.

Palästinensische Autonomiegebiete

Gazastreifen (365 km²) sowie acht Städte und ca. 400 Dörfer im Westjordanland, die 1994–98 von israelischer Oberhoheit in palästinensische Selbstverwaltung übergingen. Etwa 5% des Westjordanlandes unterstehen palästinensischer Verwaltung, 25% kontrollieren Palästinenser und Israelis gemeinsam, wobei Israel vor allem für Sicherheit zuständig ist.

Der in den Abkommen von Hebron (1997) und Wye (1998) vorgesehene weitere Rückzug israelischer Truppen aus den P. wurde bis Mitte 1999 nur geringfügig umgesetzt. Im Gazastreifen und im Westjordanland, wo es außer palästinensischen etwa 170 jüdische Siedlungen gibt, leben auf engstem Raum rund 2,9 Mio Menschen.

Palästinenserstaat: Am 4.5.1999 endete die im Osloer Abkommen zwischen Israel und den Palästinensern festgelegte Interimsphase; bis dahin hätte der endgültige Status der besetzten Gebiete geklärt werden sollen. Jasir Arafat, der Präsident der Autonomiebehörde, verschob nach Gesprächen mit europäischen und US-amerikanischen Regierungsvertretern die für den 4.5. geplante Proklamation eines palästinensischen Staates, um den israelischen Wahlkampf nicht zu beeinflussen. Im Gegenzug hatten die Staats- und Regierungschefs der EU im März 1999 zugesagt, die Gründung eines Palästinenserstaates binnen zwölf Monaten zu unterstützen. Auch US-Präsident Bill Clinton erkannte das Selbstbestimmungsrecht der Palästinenser an. Im Juli 1998 wurde die palästinensische Vertretung, die seit 1974 einen Beobachterstatus bei der UNO hatte, als teilnehmendes Mitglied der Vollversammlung aufgenommen, womit sie Rede-, aber kein Stimmrecht erhielt.

Palästinensische Regierung: Die politische Macht in den P. liegt beim Autonomierat (Legislative mit 88 gewählten Mitgliedern) und bei der Autonomiebehörde (Exekutive mit 30 Mitgliedern bzw. Ministern). Ihr Präsident Jasir Arafat ist zugleich Vorsitzender der Palästinensischen Befreiungsorganisation (PLO), die den Friedensprozess mit Israel trägt und 50 Abgeordnete im Autonomierat stellt. Die Anhänger der islamisch-fundamentalistischen Hamas, die Verhandlungen mit Israel ablehnt und zugleich eine Annäherung an die Autonomiebehörde sucht, wurde 1998 auf höchstens 25% der Bevölkerung in den P. geschätzt.

Palästinensische Autonomiegebiete

Wirtschaft: Systematische Korruption (Veruntreuung öffentlicher Gelder) sowie die Beschränkungen des Warenverkehrs und der Arbeitsmöglichkeiten der Palästinenser von Seiten Israels erschwerten den Aufbau der P. Die Arbeitslosenquote wurde 1998 auf mind. 24% geschätzt, der Lebensstandard war niedriger als 1993, auch wenn 1998 erstmals seit 1995 das Bruttoinlandsprodukt stieg (um 3%). Im November 1998 wurde im Gazastreifen der erste Flughafen in den P. eröffnet; nach den Bestimmungen des Wye-Abkommens vom Oktober 1998 sollen außerdem zwei Transitwege zwischen Gazastreifen und Westjordanland entstehen. Auf der zweiten Geberkonferenz für die Palästinenser in Washington Ende 1998 sagten u. a. die Europäische Union (EU) und die USA den P. für die nächsten fünf Jahre Aufbauhilfe in Höhe von 3 Mrd Dollar zu (1993: 2,3 Mrd). Für das Jahr 1999 sind Kredite und Finanzzuschüsse im Volumen von 770 Mio Dollar geplant.

Kultur

Books on demand

(engl.; Bücher auf Anforderung). Seit 1998 bietet der Buchgroßhändler Libri (Hamburg) B. an, elektronisch aufbereitete Buchtitel, die erst hergestellt und ausgeliefert werden, wenn ein Kunde sie verlangt.

Das Angebot ist für Buchtitel gedacht, bei denen eine Neuauflage zu teuer wäre oder die wegen zu geringer Absatzchancen nicht realisiert würden. Die Verlage brauchen ihre B.-Titel nur als Datei an Libri zu senden und die Kosten für die elektronische Vorhaltung im Libri-System zu zahlen; für sie entfallen Auflagenrisiken und Lagerkosten. Für ein 200-Seiten-Buch, das binnen Minuten gedruckt ist, beläuft sich die Investition auf etwa 250 DM. Der Kunde muss genauso viel bezahlen wie für ein normales Hardcover. Bis Mitte 1999 nutzten rund 50 Verlage sowie zahlreiche Selbstverleger oder Anbieter eines Einzelprodukts das B.-Angebot.

http://www.libri.de

TOP TEN		Buchmarkt: Jahresbestseller Belletristik 1998	
	Land	Autor	Titel
1.		Marianne Fredriksson	Hannas Töchter
2.		Ken Follett	Der dritte Zwilling
3.		John Grisham	Der Partner
4.		Donna Leon	Sanft entschlafen
5.		Donna Leon	Aqua alta
6.		Minette Walters	Das Echo
7.		Benoîte Groult	Leben heißt frei sein
8.		Ingrid Noll	Röslein rot
9.		Arundhati Roy	Der Gott der kleinen Dinge
10.		Marianne Fredriksson	Simon

Ermittelt bei deutschen Sortimentsbuchhandlungen; Quelle: Der Spiegel, 28.12.1998

Buchmarkt

Der deutsche Buchhandel verzeichnete im Jahr 1998 dem Branchenmagazin »Buchreport« zufolge ein Umsatzplus von 1,4% (1997: –1,2%). Die 80 größten Geschäfte, die zusammen einen Marktanteil von 30% hielten, konnten ihren Umsatz im Schnitt sogar um 6,7% steigern. Mit einem Umsatz von 299 Mio DM war Heinrich Hugendubel der größte deutsche Buchhändler (1997: Karstadt, 260 Mio DM Umsatz). Der Konzentrationsprozess auf dem hart umkämpften deutschsprachigen Buchmarkt setzte sich 1998/99 fort.

Verlage: Die 100 größten Buchverlage im deutschsprachigen Raum steigerten 1998 ihren Umsatz nach Angaben von »Buchreport« um 5,1% (1997: +3,7). Die höchste Zuwachsrate, 9,1% (1997: 7,7%), verzeichneten die im Segment Recht, Wirtschaft und Steuern publizierenden Verlage, die geringste erbrachten mit 1,6% (1997: 5,2%) die Zeitschriften. Die deutschen Publikumsverlage verzeichneten ein Wachstum von 5,4% (1997: 0,9%). Droemer Knaur (Holtzbrinck) war 1998 wie schon 1997 der erfolgreichste Hardcover-Verlag, Goldmann (Bertelsmann) blieb im Taschenbuch führend.

Verlagskonzentration: Im September 1998 schlossen sich zwölf Verlage der Konzerne Holtzbrinck (Stuttgart) und Weltbild (Augsburg) zur Verlagsgruppe Droemer Weltbild (München) zusammen, die ein Umsatzvolumen von mehr als 200 Mio DM erreichte und nach Bertelsmann Nummer zwei am deutschen Markt wurde. Zur neuen Verlagsgruppe gehören u. a. Droemer, Knaur, Scherz, Schneekluth und Naturbuch. Ebenfalls im September 1998 ging das Münchner Verlagshaus Goethestraße (Econ, List,

Claasen, Bucher u. a.) zu 95% an die Axel Springer AG (Berlin), die zum dritten großen Publikumsanbieter aufstieg. Der Wissenschaftsverlag Springer (Berlin, Heidelberg) sowie der österreichische Springer-Verlag (Wien) sind seit Anfang 1999 Teil der Bertelsmann Fachinformation. Seit Januar 1999 ist Holtzbrinck mit 45% an Kiepenheuer & Witsch (Köln) beteiligt.

Weltbild: Der Weltbild Verlag überschritt im Geschäftsjahr 1997/98 in Deutschland mit 1,01 Mrd DM erstmals die Umsatzmilliarde (Wachstum: 11%). Als erfolgreich erwiesen sich vor allem die mit Buchhändler Heinrich Hugendubel betriebene Weltbild-plus-Buchhandlungs-Kette mit günstigen Angeboten, deren Filialen sich 1998 von 77 auf 118 erhöhten und deren Umsatz um fast 80% wuchs.

Bertelsmann: Bertelsmann konnte im Geschäftsjahr 1997/98 zwar seinen Gesamtumsatz auf 7,3 Mrd DM (ohne Random House) steigern (Vorjahr: 7,1 Mrd), doch in Deutschland sank der Buchumsatz von 2,3 Mrd auf 2,1 Mrd DM, der Gewinn von 550 Mio auf 300 Mio DM. Hauptproblem waren die Buchclubs, deren Gewinne um 50% auf 50 Mio DM einbrachen und deren Mitgliederzahl auf 4,6 Mio zurückging (gegenüber 1997: –300 000). Um den Negativtrend zu stoppen, soll das Buchclubangebot 1999 durch eine Erhöhung der Titel und der Exklusivofferten verbessert werden.

Buchpreisbindung

In der Auseinandersetzung zwischen Deutschland und Österreich sowie dem EU-Wettbewerbskommissar Karel Van Miert um die vor allem zwischen Deutschland und Österreich wirkende B., die einen Festpreis für jedes Buch im gesamten Sprachraum garantiert, zeichnete sich im Juni 1999 ab, daß die EU-Kommission die deutsch-österreichische B. noch im Sommer 1999, vor Ende ihrer Amtszeit, untersagt. Dagegen könnten die Buchverleger und die rot-grüne Bundesregierung, wie von ihr Ende 1998 angekündigt, vor dem Europäischen Gerichtshof (Luxemburg) klagen.

Kompromiss: Im Februar 1999 hatte der deutsche Staatsminister für Kultur Michael Naumann als Kompromissregelung eine Teilung des Buchmarkts ins Gespräch gebracht: Anspruchsvolle, künstlerische und wissen-

TOP TEN		Buchmarkt: Jahresbestseller Sachbuch 1998	
	Land	Autor	Titel
1.		Dale Carnegie	Sorge dich nicht, lebe!
2.		Jon Krakauer	In eisige Höhen
3.		Monty Roberts	Der mit den Pferden spricht
4.		Ute Ehrhardt	Gute Mädchen kommen in den Himmel...
5.		Richard von Weizsäcker	Vier Zeiten
6.		Harriet Rubin	Machiavelli für Frauen
7.		Stéphane Coutois u.a.	Das Schwarzbuch des Kommunismus
8.		Peter Kelder	Die Fünf »Tibeter«
9.		Günter Ogger	Absahnen und abhauen
10.		Hans Herbert von Arnim	Fetter Bauch regiert nicht gern

Ermittelt bei deutschen Sortimentsbuchhandlungen; Quelle: Der Spiegel, 28.12.1998

schaftliche Bücher sollten nach wie vor der B. unterliegen, Bestseller und andere Massenprodukte könnten frei gehandelt werden.

Pro und contra: Die Europäische Kommission hatte bereits 1997 ein Verfahren gegen Deutschland und Österreich wegen der B. eingeleitet, da sie den Wettbewerb einschränke, auf Preisabsprachen beruhe und den Verlagen großzügige Gewinnmargen garantiere. Dagegen betonte der Börsenverein des Deutschen Buchhandels, eine Aufhebung der B. gefährde Arbeitsplätze sowie die Existenz kleinerer Verlage und Buchhandlungen. Qualitätsliteratur mit geringen Auflagen werde durch die mit Bestsellern erzielten Gewinne subventioniert, was den Lesern zugute komme.

Anlass: Die Auseinandersetzung um die B. war ausgelöst worden, als die Medienkette Librodisk (Wien) 1996 bei der EU eine Beschwerde gegen die B. einreichte.

documenta

Seit 1955 alle vier bis fünf Jahre in Kassel stattfindende Ausstellung internationaler zeitgenössischer Kunst

Die nächste d. (XI) ist für den 8.6. bis 15.9.2002 geplant. Zum Leiter wurde 1998 der Nigerianer Okwui Enwezor bestimmt, der 1997 die Johannesburg Biennale geleitet und das »Journal of Contemporary African Art« gegründet hatte. Enwezor kündigte 1998 an, mit der elften d. dem Besucher auch Spaß bereiten zu wollen. Als Themen für 2002 nannte er Globalisierung der Kom-

◼ documenta-Ausstellungen

Leitung/Thema	Etat (Mio DM)	Besucher
1955 Arnold Bode/Werner Haftmann Überblick über Kunst seit 1900	0,379	130 000
1959 Arnold Bode/Werner Haftmann Kunst nach 1945	0,991	134 000
1964 Arnold Bode/Werner Haftmann Abstrakte Malerei, Pop-art, Nouveau Réalisme, Plastik	2,4	200 000
1968 Arnold Bode/Jan Leering Aktuelle Kunst der USA	2,1	207 000
1972 Harald Szeemann Fotorealismus, Konzeptkunst, psychiatrische Kunst	4,6	220 000
1977 Manfred Schneckenburger Kunst und Medien	4,8 4,8	355 000
1982 Rudi Fuchs Junge Wilde, Projekt »7000 Eichen« von Joseph Beuys	6,7	380 000
1987 Manfred Schneckenburger Utopie, Mythos, Politik und Sozialpsychologie in Kunst	10,1	476 000
1992 Jan Hoet Vom Kunstwerk zum Betrachter	16,0	585 000
1997 Cathérine David Bestandsaufnahme und Interpretation heutiger Kultur	20,4	631 000
2002 Okwui Enwezor Globalisierung der Kommunikation		

munikation, die sich wandelnde Rolle der Nationalstaaten und der Dritten Welt sowie Arbeitslosigkeit. Die zehnte d. 1997 unter Leitung der französischen Kunsthistorikerin Cathérine David war von vielen Kunstkritikern und Besuchern als zu intellektuell eingestuft worden.

Expo

Auf einer E. werden industrielle, kulturelle und wissenschaftliche Errungenschaften der beteiligten Länder vorgestellt. Weltausstellungen finden seit 1851 an wechselnden Orten und in unregelmäßiger Folge statt.

Über die Bewerbung der Veranstaltungsorte entscheidet das Bureau International des

BILANZ 2000

Buchmarkt

Spannungsfeld zwischen Titel- und Bilderflut

Mit 25 000 Titeln zu Beginn des Jh. und mehr als 70 000 Titeln Ende der 90er Jahre hat sich die Buchproduktion in Deutschland nahezu verdreifacht. Innerhalb der EU liegt sie auf dem zweiten Rang hinter Großbritannien (101 000) und vor Spanien (48 000), Frankreich (34 700), Italien (34 400) und den Niederlanden (34 000); in den USA wurden 1995 etwa 62 000 Titel produziert. In Frankreich, Italien, Spanien und den Niederlanden stellen Belletristik, in Deutschland (15 700), Großbritannien (21 600) und den USA (12 800) Sachbücher die meisten Veröffentlichungen. Als Entscheidungshilfen bei der Vielfalt der Titel haben sich in fast allen Bereichen Bestsellerlisten etabliert (Literatur, Sachbuch, Sportbücher, Esoterik usw.), die den Erfolg eines Buches nach der Zahl der in ausgewählten Barsortimenten verkauften Exemplare beziffern. Die Verknüpfung von Bildmedien (inkl. Film) und klassischem Buchmarkt hat erstere zu bedeutenden Multiplikatoren für den Verkauf einzelner Titel werden lassen, im Bereich Literatur ebenso wie bei Ratgebern, Kinderbüchern und Abenteuerserien. Die fünf größten Medienkonzerne der Erde (Time Warner, Bertelsmann, Walt Disney, Viacom, News Corporation) sind weltweit auch im Buchbereich engagiert.

Positive Trends

▶ Preisgünstige Buchausgaben und neue Medien erschließen neue Käuferschichten.

▶ Übersetzungen und Lizenzausgaben sowie das Entstehen der Internet-Buchhandlungen haben einen »Weltbuchmarkt« herausgebildet.

▶ Unterhaltungsliteratur behauptet trotz TV, Film und neuen Medien ihren Stellenwert.

▶ Sachbücher zu brisanten Themen stoßen politische und gesellschaftliche Diskussionen an.

Negative Trends

▶ Die Orientierung an Bestsellerlisten spiegelt nicht automatisch Qualität wider.

▶ Die neuen Medien sind eine ernsthafte Konkurrenz zum Buch vor allem bei Jugendlichen.

Bücher für jedermann und überall: rororo-Taschenbuch (1950) und elektronisches Buch

Meilensteine

Vom Schöngeistigen zum Produkt für jedermann

1901: Aus dem Verlag der Jugendstilzeitschrift »Die Insel« geht der Insel Verlag hervor, der ab 1905 unter Leitung Anton Kippenbergs Maßstäbe in der Buchkunst setzt.

1901: Das Gesetz über das »Urheberrecht an Werken der Literatur und Tonkunst« regelt in Deutschland die Nutzung und Verwendung geistigen Eigentums.

1904: Caspar Hermann (D) und Ira W. Rubel (USA) entwickeln den Offsetdruck, ein Flachdruckverfahren, das in den 70er Jahren den traditionellen Buchdruck (Hochdruck) stark zurückdrängt.

1912: Die in Leipzig gegründete Deutsche Bücherei (heute: Deutsche Bibliothek in Frankfurt/M. und Leipzig, 10,5 Mio Bände) sammelt das deutschsprachige Schrifttum.

1924: Die Büchergilde Gutenberg wird durch Gewerkschaftsinitiative gegründet. Ziel ist, gute Bücher zu niedrigem Preis zu verbreiten.

1933: Das barbarische NS-Regime lässt 20 000 Bücher »undeutschen Geistes« verbrennen.

1949: Die Frankfurter Buchmesse entwickelt sich zum bedeutendsten Messeplatz des Weltbuchmarkts.

1950: Der Bertelmann Lesering avanciert unter dem Namen Bertelsmann Club (25 Mio Mitglieder) zur größten Buchgemeinschaft der Erde.

1950: Durch den Friedenspreis des Deutschen Buchhandels erlangt der Börsenverein des Deutschen Buchhandels, die Spitzenorganisation des deutschen Buchhandels (1825), internationale Bedeutung.

1950: Rowohlt bringt als erster deutscher Verlag Taschenbücher im Rotationsdruck heraus; die preiswerten rororo-Romane erschließen rasch breite Leserschichten.

1965: Rudolf Hell (D) erfindet den computergesteuerten fotoelektronischen Lichtsatz, der die Buchherstellung revolutioniert.

1966: Der Vatikan schafft den Index librorum prohibitorum ab, das Verzeichnis der für jeden Katholiken verbotenen Bücher.

1986: Bertelsmann wird durch Übernahme von Doubleday (USA) zweitgrößten Medienkonzern der Erde.

1991: Der von Silvio Berlusconi (I) 1978 gegründete Medienkonzern Fininvest übernimmt Mondadori, den größten italienischen Verlag.

1998: Die weltweit führende Internet-Buchhandlung amazon.com (USA) übernimmt den bisherigen deutschen Marktführer in diesem Bereich, ABC Bücherdienst.

Stichtag: 14. Februar 1989

Khomeini ruft zum Mord auf
Der schiitische iranische Geistliche und Staatsführer Ayatollah Khomeini rief 1989 alle Muslime zur Ermordung des indisch-britischen Autors Salman Rushdie auf. In dessen Roman »Die satanischen Verse« (1988) befänden sich angeblich gotteslästerliche Passagen. Für die Ermordung des Autors, der seitdem im Verborgenen lebte, wurde ein Kopfgeld von ca. 10 Mio DM ausgesetzt. Der freie Buchmarkt ließ sich von dem fundamentalistischen Mordaufruf aus Teheran, der 1997 erneuert wurde und auch für Übersetzer, Verlage und Buchhandlungen gilt, nicht beeindrucken. Die deutsche Ausgabe der »Satanischen Verse« erschien 1989 in dem eigens zu diesem Zweck gegründeten Verlag Artikel 19 (in Anlehnung an den Paragraphen der UN-Menschenrechtscharta). 1991 ermordeten muslimische Killer zwei Rushdie-Übersetzer. Der Autor erhielt u. a. 1992 den Österreichischen Staatspreis für europäische Literatur.

Ausblick
Ende des Buches?
Mit Beginn des Fernsehzeitalters (in Deutschland 1952) wurde erstmals das baldige Ende des Buchs fehlprognostiziert. Obwohl die elektronische Konkurrenz seither erheblich zugenommen hat, ist die Häufigkeit des Lesens von Büchern 1967–98 fast konstant geblieben. Im gleichen Zeitraum stieg die Zeit, die pro Kopf in der Bundesrepublik auf das Lesen von Unterhaltungsbüchern verwendet wird, von 127 auf 154 min, bei Sachbüchern von 65 auf 151 min. Um im 21. Jh. gegenüber elektronischen Medien weiter bestehen zu können, müssen (Sach-)Bücher die geänderten visuellen Mediengewohnheiten (u. a. Schnelligkeit, Aktualität) und neue Angebote des Medienmixes berücksichtigen.

Attraktionen wichtiger Weltausstellungen

	Land/Ort	Anziehungspunkte
1998	Lissabon	Ozeanarium (Meerwasseraquarium)
1992	Sevilla	Virtual-reality-Ausrüstung
1970	Osaka	Durch Druckluft aufgeblasene Hallenkonstruktion
1958	Brüssel	Atomium (Atommodell)
1926	Philadelphia	Tonfilm
1900	Paris	Rolltreppe
1889	Paris	Eiffelturm
1876	Philadelphia	Dampfmaschine
1873	Wien	Elektromotor
1851	London	Kristallpalast

Quelle: Der Spiegel, 3.3.1997; VDI nachrichten, 16.10.1998

Expositions (frz.; Internationales Ausstellungsbüro, Paris). Die nächste E. wird vom 1.6. bis 31.10.2000 in Hannover auf einer das Messegelände einbeziehenden Fläche von 170 ha gezeigt.

Programm E. 2000: Die erste Weltausstellung in Deutschland steht unter dem Motto »Mensch–Natur–Technik« und will »Lösungsansätze für die globalen Probleme von morgen« vorstellen. Die Ansätze sollen insbes. im Themenpark, einer Neuerung auf E., in Erlebnislandschaften zu elf Themen (u. a. »Zukunft der Arbeit«, »World of Visions«) entfaltet werden. Hinzu kommen Nationenpavillons, ein Kultur- und Ereignisprogramm sowie mehr als 200 der E. zugeordnete Projekte in aller Welt, die der Forderung nach einer nachhaltigen positiven Entwicklung entsprechen. Bis Mitte 1999 hatten 190 Staaten und Organisationen ihre Teilnahme zugesagt.

Kosten: In die Finanzierung (ca. 3 Mrd DM) sind Bund, Land Niedersachsen, Kreis und Stadt Hannover sowie die Beteiligungsgesellschaft der deutschen Wirtschaft eingebunden. Im Oktober 1998 sagten Bund und Land weitere 400 Mio DM und die Übernahme zusätzlicher Bürgschaften zu, um einen drohenden Verlust bei der E. 2000 in Höhe von 400 Mio DM aufzufangen. Damit stehen Bund und Land bei der E. mit rund 1,8 Mrd DM im Risiko.

Bilanzdefizit: Als Gründe für die Finanzmisere und das Abrücken von der ursprünglichen Vorgabe einer ausgeglichenen Bilanz wurden schleppender Kartenverkauf ge-

Literatur
Nabelschau oder Story mit Niveau

Ende des 20. Jh. ist weder die deutsche noch die internationale Literatur so homogen wie zu Beginn des Jh.. Damals ließ sich mit Begriffen wie Naturalismus, Décadence, Heimatkunst, Impressionismus, Symbolismus und Neoromantik fast das gesamte Spektrum erfassen. Zahlreiche moderne Autoren entziehen sich jeder Zuordnung, der Pluralismus an Stilen und Formen lässt eine allgemeine Tendenz nicht erkennen. In Deutschland beendete die staatliche Einheit die Ära der Nachkriegsliteratur und löste eine Ost-West-Debatte aus, die erst 1998 mit der Wiedervereinigung der PEN-Zentren Ost und West zu Ende ging. Martin Walsers Roman »Die Verteidigung der Kindheit« (1991), die Fontane-Adaption »Ein weites Feld« (1995) von Günter Grass, das »kollektive« Tagebuch »Das Echolot« (1993) von Walter Kempowski u. a. Werke spiegeln die neue Auseinandersetzung mit der deutschen Vergangenheit. In der US-Literatur steht seit Ernest Hemingway, John Steinbeck, Pearl S. Buck, William Faulkner u. a. das Geschichtenerzählen im Vordergrund; diese Tradition setzen u. a. John Irving (»Witwe für ein Jahr«, 1998) und John Updike (»Erinnerungen an die Zeit unter Ford«, 1992) erfolgreich fort.

Positive Trends

▶ Im 20. Jh. haben sich auch andere als die klassischen Sprachen als weltliteraturfähig etabliert: z.B. japanisch (Kawabata, Mishima, Oe), indisch (Tagore) und isländisch (Laxness).

▶ Frauen haben die Weltliteratur des 20. Jh. mitgeprägt; von Gertrude Stein über Virginia Woolf bis Doris Lessing und Nadine Gordimer.

▶ Die steigende Zahl von Übersetzungen macht Lesern auch exotische Literaturen zugänglich.

Negative Trends

▶ Die unübersehbare Fülle jährlicher Neuerscheinungen erschwert für Leser die Orientierung und macht einen globalen Überblick unmöglich.

▶ Bestsellerlisten als Orientierungshilfen spiegeln Verkaufszahlen, Quantität muss aber nicht gleichbedeutend mit Qualität sein.

Alfred Döblin: »Berlin Alexanderplatz« (1929)   Jostein Gaarder: »Sofies Welt« (1991)

Meilensteine

Zwischen Experiment und Spiel mit Traditionen

1913–22: Marcel Proust (F) erkundet im Zyklus »Auf der Suche nach der verlorenen Zeit« literarisch die Methoden der Bewusstwerdung.

1917: Knut Hamsun (N) schildert in dem Roman »Segen der Erde« das einfache bäuerliche Leben und prägt die moderne Heimatliteratur.

1922: James Joyce (IRL) experimentiert im »Ulysses« mit Erzähltechniken (stream of consciousness) und dem Verhältnis von Erzähl- zu erzählter Zeit; ein Tag im Jahr 1904 wird auf 1000 Seiten geschildert.

1924: Der Bildungsroman »Der Zauberberg« begründet den Weltruhm von Thomas Mann (D).

1925: Präzise Wortwahl, kurze Sätze und lebensechte Dialoge kennzeichnen die Erzählungen »In unserer Zeit«, mit denen Ernest Hemingway die Short story erneuert.

1925: Max Brod (CZ) editiert postum den Roman »Der Prozess« von Franz Kafka, in dem eine fantastischbedrohliche Welt mit minuziöser Genauigkeit beschrieben wird.

1927: Hermann Hesse (D) reflektiert im Roman »Der Steppenwolf« innere Zerrissenheit angesichts einer untergehenden Kultur.

1929: Alfred Döblin (D) setzt im Großstadtroman »Berlin Alexander-platz« alle modernen Erzähltechniken ein (Reportage, Montage, Perspektivenwechsel, Simultantechnik, Stream of consciousness).

1938: Das fiktive Tagebuch »Der Ekel« von Jean-Paul Sartre (F) begründet mit der psychologischen Darstellung einer Sinnsuche die existenzialistische Literatur.

1947: Albert Camus (F) schildert im existenzialistischen Roman »Die Pest«, wie aus der Revolte gegen die Sinnlosigkeit des Lebens menschliche Solidarität erwächst.

1957: Der Roman »Doktor Schiwago« von Boris Pasternak (RUS) erscheint in italienisch; in der UdSSR ist er jahrzehntelang verboten.

1959: Günter Grass' »Blechtrommel« ist der erste Welterfolg der deutschen Nachkriegsliteratur.

1967: Gabriel García Márquez (CO) wird mit seinem Roman »Hundert Jahre Einsamkeit« Hauptexponent des fantastischen Realismus.

1972: Der Kölner Heinrich Böll erhält den Literaturnobelpreis.

1980: Umberto Eco (I) verbindet in dem Roman »Der Name der Rose« Ideen- und Detektivgeschichte.

1991: Der philosophiegeschichtliche Roman »Sofies Welt« von Jostein Gaarder (N) wird ein Weltbestseller.

Hans W. Richter und Alfred Andersch gründeten 1947 in Herrlingen bei Ulm eine informelle Vereinigung von Schriftstellern, die mit ihrer zeitkritischen, antiautoritären Grundhaltung wesentlich die deutschsprachige Nachkriegsliteratur prägten. Zu der bis 1977 bestehenden Gruppe gehörten u. a. Ilse Aichinger (Roman »Die größere Hoffnung«), Ingeborg Bachmann (Lyrik »Die gestundete Zeit«), Heinrich Böll (Roman »Ansichten eines Clowns«, 1972), Günter Eich (Hörspiel »Träume«), Hans M. Enzensberger (Gründer der Kulturzeitschrift »Kursbuch«), Günter Grass (»Danziger Trilogie«) und Martin Walser (Anselm-Kristlein-Romantrilogie).

Im 20. Jh. wurden zahlreiche kritische Schriftsteller wie zu Zeiten der Inquisition verfolgt und oft ermordet. 1933 verbrannten die nationalsozialistischen Barbaren Bücher missliebiger Autoren wie Kurt Tucholsky, Heinrich Mann und Lion Feuchtwanger. Publizist Carl von Ossietzky wurde festgenommen und starb 1938 an den Folgen der KZ-Haft, der Autor Albrecht Haushofer wurde ermordet. Franco-Falangisten erschossen 1936 Federico García Lorca, der als bedeutendster spanischer Autor des 20. Jh. gilt. 1989 rief im Iran Ayatollah Khomeini zum Mord am britisch-indischen Autor Salman Rushdie wegen angeblicher Gotteslästerung auf. 1993 töteten islamische Fundamentalisten 37 liberale türkische Schriftsteller und Journalisten. 1995 ließ das Militärregime in Nigeria trotz weltweiter Proteste Ken Saro-Wiwa hinrichten, den Träger des alternativen Nobelpreises und einen der bekanntesten Autoren Schwarzafrikas.

nannt und geringere Sponsorengelder aus der Wirtschaft (bis Ende 1998: 340 Mio DM, bis Mai 1999: 600 Mio DM durch Weltpartner). Die Ausrichter betonten jedoch, dass ein Drittel der Gesamtkosten auf Investitionen in langfristig nutzbare Infrastruktur und Bauten wie Messehallen, Straßen und Grünanlagen entfallen.
http://www.expo2000.de

Film

Die Zahl der Kinobesucher stieg in Deutschland 1998 gegenüber dem Vorjahr um 4% auf 148,9 Mio; damit setzte sich der 1996 begonnene Aufwärtstrend fort, wenn auch verlangsamt (1997: +7,7%). Der

Die besten US-Filme[1]

Film (Jahr) Regisseur

1. Citizen Kane (1941) Orson Welles
2. Casablanca (1942) Michael Curtiz
3. Der Pate (1972) Francis F. Coppola
4. Vom Winde verweht (1939) Victor Fleming
5. Lawrence von Arabien (1962) David Lean
6. Das zauberhafte Land (1939) Victor Fleming
7. Die Reifeprüfung (1967) Mike Nichols
8. Die Faust im Nacken (1954) Elia Kazan
9. Schindlers Liste (1993) Steven Spielberg
10. Du sollst mein Glücksstern sein (1952) Vincente Minnelli
11. Ist das Leben nicht schön? (1946) Frank Capra
12. Boulevard der Dämmerung (1950) Billy Wilder
13. Die Brücke am Kwai (1957) David Lean
14. Manche mögen's heiß (1959) Billy Wilder
15. Star Wars (1977) George Lucas
16. Alles über Eva (1950) Joseph L. Mankiewicz
17. African Queen (1951) John Huston
18. Psycho (1960) Alfred Hitchcock
19. Chinatown (1974) Roman Polanski
20. Einer flog über das Kuckucksnest (1975) Milos Forman

1) In die Auswahl kamen 400 zwischen 1912 und 1996 in den USA gedrehte Filme, die Experten für das American Film Institute zusammenstellten. Mehr als 1500 US-Prominente suchten daraus die Top 100 aus. Quelle: American Film Institute, 1998

BILANZ 2000

Film
Faszination bewegter Bilderwelten

Verstärkter Einsatz digitaler Computereffekte, eine enorme Steigerung der Produktionskosten inkl. Werbeetat auf z.T. 100 Mio Dollar sowie das Entstehen von Filmkonsumzentren (sog. Multiplexkinos) prägen Ende des 20. Jh. das Kino in den westlichen Industriestaaten. 1993 eröffnete Steven Spielberg mit »Jurassic Park« (USA) die digitale Tricktechnikrevolution, die jedes gewünschte Bild im Film Wirklichkeit werden lässt. Roland Emmerichs 71 Mio Dollar teure Raumschiffproduktion »Independence Day« (1996) schlug mit ihren Special-Effects alle Verkaufsrekorde. Die Zahl der Kinobesucher stieg in Deutschland, dem nach den USA zweitgrößten Filmmarkt der Erde, in den 90er Jahren kontinuierlich an und nähert sich der 150-Mio-Besuchermarke (nach Auswahl der verkauften Tickets). Mega-Produktionen wie »Titanic« (1998) mit fast 18 Mio Zuschauern allein in Deutschland bestimmen einen von den USA dominierten Weltmarkt. Unter den 1997 380 neu eröffneten Kinosälen befanden sich 230 in Multiplexkinos: Mit der Einheit aus postmoderner Architektur, hoher technischer Ausstattung, Sitzplatzangeboten für bis zu 5000 Menschen, Gastronomie und Boutiquen sollen in den 90er Jahren neue Kunden für das »Erlebnis Kino« erschlossen werden.

Positive Trends

▶ Technische und ästhetische Innovationen (Farbfilme, Schnitttechnik, Erzählstruktur) haben den Film zur eigenen Kunstform entwickelt.
▶ Fernsehen und Video machen Kinofilme einem breiten Publikum mehrfach zugänglich.

Negative Trends

▶ Große Hollywood-Streifen sind mit Kosten von 100 Mio Dollar kaum noch finanzierbar, Gagen der Topstars explodieren (bis zu 30 Mio Dollar).
▶ Der Verdrängungswettbewerb verschärft sich; auf zwei Kino-Neueröffnungen kam in Deutschland Ende der 90er Jahre eine Schließung.
▶ Anspruchsvolle Filme werden in Programmkinos verdrängt und finden nur wenig Publikum.

Zwischen Kunstanspruch und Kassenerfolg

1903: Edwin Porters »großer Eisenbahnraub« ist der erste Western.

1916: Das Bürgerkriegsepos »Geburt einer Nation« (USA) von David W. Griffith setzt Maßstäbe in Montagetechnik, Perspektivenwechsel u. a. Ausdrucksmöglichkeiten.

1917: Ein Großteil der deutschen Filmindustrie wird zur Universum Film AG (Ufa) zusammengefasst.

1919: Charlie Chaplin u. a. gründen die Produktionsfirma United Artists.

1925: Sergej M. Eisenstein (RUS) setzt in dem Agitationsfilm »Panzerkreuzer Potemkin« Massenszenen und Montagetechnik stilbildend ein.

1927: Alan Crosslands »Der Jazzsänger« (USA) mit dem Gesang von Al Jolson ist der erste erfolgreiche Tonfilm; er macht Warner Brothers zu einem der größten Filmkonzerne.

1928: Walt Disneys »Steamboat Willy« ist der erste Micky-Maus-Zeichentrickfilm mit Ton.

1929: Emil Jannings (D) und Janet Gaynor (USA) erhalten in Hollywood die ersten Darsteller-Oscars.

1930: Mervin LeRoys »Little Caesar« (1930) markiert den Beginn der großen Hollywood-Gangsterfilme.

1930: »Der blaue Engel« (D) von Josef von Sternberg mit Marlene

Plakat zu »Vom Winde verweht« (1939)

Dietrich ist der erste international erfolgreiche deutsche Tonfilm.

1939: Victor Flemings »Gone with the wind« (USA) wird einer der erfolgreichsten Filme aller Zeiten.

1941: John Hustons »The maltese falcon« (USA) ist das erste markante Werk des Film Noir.

1941: Orson Welles setzt mit »Citizen Kane« neue künstlerische und technische Maßstäbe im Kino (u. a. Schnitttechnik, Erzählstruktur).

1946: Erstmals werden die Filmfestspiele in Cannes veranstaltet.

1951: In Berlin findet die erste Berlinale statt (Preis: Goldener Bär).

1953: 20th Century Fox (USA) präsentiert das Breitwandverfahren Cinemascope (Film »Das Gewand«).

1960: Mit »Psycho« (USA) etabliert sich Alfred Hitchcock als Meister des Psychothrillers.

1963: Der Ausstattungsfilm »Cleopatra« (USA) von Joseph L. Mankiewicz mit Elizabeth Taylor setzt mit Produktionskosten von 40 Mio US-Dollar neue Etatmaßstäbe.

1963: Ingmar Bergmans »Das Schweigen« (S) bricht mit der Tabuisierung der Darstellung von Sexualität im Kino.

1968: Sergio Leones »Spiel mir das Lied vom Tod« (I) wird der erfolgreichste Italowestern.

1968: Die Science-fiction-Parabel »2001 – Odyssee im Weltraum« von Stanley Kubrick ist der erste Film in Dolby-Stereosound.

1974: »Der weiße Hai« (USA) leitet die durch aufwendige Tricktechnik geprägten Filmerfolge von Steven Spielberg ein.

1983: Brutalität und Gewaltverherrlichung erfahren durch Ted Kotcheffs »Rambo« (USA) eine ideologische Aufwertung.

1997: »Titanic« (USA) von James Cameron wird der kommerziell erfolgreichste und teuerste Film des 20. Jh. (Kosten: 220 Mio Dollar); er erhält wie »Ben Hur« 1960 insgesamt elf Oscars.

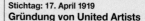

Stichtag: 17. April 1919

Gründung von United Artists

Die Schauspieler, Regisseure und Produzenten Charles Chaplin, Douglas Fairbanks, Mary Pickford und David W. Griffith gründeten 1919 die erste erfolgreiche Filmautoren-Produktions- und Verleihgesellschaft, United Artists (UA). Sie wollten Qualitätsfilme unabhängiger Filmemacher finanzieren. UA benötigte z. B. keine eigenen Filmtheater, da ihre Produktionen dank der Popularität der Firmengründer in allen bestehenden Kinoketten vermarktet wurden. Zu den größten Erfolgen in der Anfangszeit zählten Griffiths »Broken Blossoms« (1919), Pickfords »Pollyana« (1920) und Chaplins »Goldrausch« (1925).

Stichtag: 16. Mai 1929

Erste Oscar-Verleihung

Douglas Fairbanks überreichte 1929 in Hollywood erstmals den von der Academy of Motion Picture Arts and Sciences gestifteten Academy Award; für die vergoldeten Statuen bürgerte sich ab 1931 der Name »Oscar« ein. Seit 1953 wird die Verleihung im Fernsehen übertragen. Oscars werden heute u. a. in folgenden Kategorien verliehen: bester Film, Regie, Haupt- und Nebendarsteller, Drehbuch, Kamera, Schnitt, Musik, Ton, Kostüme und bester Auslandsfilm.

Ausblick

Vom Effekt- zum Erzählkino?

Technisch scheint im Kino des 21. Jh. nahezu alles möglich. Doch zeichnet sich seit den 90er Jahren ein Ende der reinen technischen Spielerei zugunsten erzählender Filme ab, wie sie das Kino im 20. Jh. mitprägten. Zu den größten Kassenerfolgen der 80er Jahre zählen die romantischen Komödien »Pretty Woman« und »Harry und Sally«. Der Megahit »Titanic« (1998) wäre ohne die Liebesstory zwischen Kate Winslet und Leonardo di Caprio undenkbar.

Ticket-Umsatz erhöhte sich um 9% auf 1,6 Mrd DM, wozu Preiserhöhungen (im Schnitt +4,8%) beitrugen.

Kinohits: Publikumsrenner des Jahres 1998 war der US-Streifen »Titanic« (Regie: James Cameron), der in Deutschland mit fast 18 Mio Besuchern die Kinohitliste mit großem Abstand anführte. Auch insgesamt waren 1998 wie im Vorjahr F. aus den USA die Kassenschlager.

Deutsche Filme: Die 1998 kommerziell erfolgreichsten deutschen Lichtspiele, »Comedian Harmonists« (2,8 Mio Besucher) und »Lola rennt« (2,0 Mio), belegten nur

Rang 15 bzw. 19. Der Marktanteil deutscher F. sank 1998 mit 9,5% (1997: 17,3%) auf den Stand von 1995. Die deutsche F.-Industrie produzierte 1998 mit 52 Streifen 15% weniger als im Vorjahr. Für 1999 wurde ein besseres Ergebnis erwartet, u. a. dank des erfolgreichen Starts des F. »Aimée & Jaguar«, dessen Hauptdarstellerinnen Juliane Köhler und Maria Schrader auf der Berlinale 1999 Silberne Bären als beste Schauspielerinnen gewannen.

F.-Verleih: Im Oktober 1998 wurde der 1982 gegründete Pandora-Filmverleih von der Kinowelt Medien AG übernommen. Pandora hatte ambitionierte (Autoren-)F. aus aller Welt, darunter viele Festivalgewinner, in deutsche Kinos gebracht und den öffentlich-rechtlichen Fernsehanstalten angeboten, was den finanziellen Rückhalt lieferte. Als die Fernsehanstalten beschlossen, anspruchsvolle F. nur noch in Paketen mit Mainstream-F. anzukaufen, die Pandora nicht im Programm hatte, gab den Verleih auf.

Hollywood: Obwohl in den USA 1998 mit fast 7 Mrd Dollar Rekordeinnahmen an der Kinokasse erzielt wurden, spielten nur etwa ein Drittel der F. die Produktions- und Vermarktungskosten ein. Diese Aufwendungen verdoppelten sich 1990–98 von 38,8 Mio auf 78 Mio Dollar pro Film. Aufgrund des verschärften Wettbewerbs der Studios wurde ein Drittel der Gesamtkosten in Werbung und Promotion investiert. Im Sommer 1998 überschritten gleich neun US-F. die Kostenschwelle von 100 Mio Dollar. 1999 liefen in der für den finanziellen Erfolg entscheidenden (Ferien-)Zeit von Mai bis August insgesamt 49 F. an (1989: 3). Zwar griffen die Studios 1998/99 zu Einsparungen (z. B. bei Spezialeffekten, Drehbuchankäufen, Extrawünschen der Stars), doch kündigten sie für 1999/2000 weitere millionenschwere F. an (u. a. den vierten Teil der »Star Wars«-Serie: »The Phantom Menace«).

Trends: Auf Spezialeffekte zu verzichten sowie mit Handkamera und nur an Originalschauplätzen (statt im nachgebauten Studio) zu drehen, dazu verpflichteten sich dänische Regisseure wie Thomas Vinterberg und Lars von Trier in ihrem Manifest »Dogma '95«. Ihre ersten diese Vorstellungen umsetzenden F. erzielten 1998/99 auf Festivals Erfolge. Nach Jahren des Komödienbooms wandte sich das deutsche Kino 1998 ernsthafteren Themen wie der NS-Zeit zu.

Top Ten ▬▬ **Die erfolgreichsten Filme in Deutschland[1]**

Titel	Land	Zuschauer (Mio)
1. Titanic	🇺🇸	17,98
2. Armaggedon – Das jüngste Gericht	🇺🇸	5,30
3. Der Pferdeflüsterer	🇺🇸	3,99
4. Dr. Dolittle	🇺🇸	3,81
5. Soldat James Ryan	🇺🇸	3,56
6. Mulan	🇺🇸	3,25
7. Deep Impact	🇺🇸	3,08
8. Besser geht's nicht	🇺🇸	3,05
9. Godzilla	🇺🇸	2,95
10. Verrückt nach Mary	🇺🇸	2,65

1) im Jahr 1998; Quelle: Filmförderungsanstalt (Berlin); http://www.ffa.de/Hitlisten

---

▬▬ **Die erfolgreichsten deutschen Filme**

Comedian Harmonists	2 805 503[1]	15[2]
Lola rennt	2 057 526	19
Das merkwürdige Verhalten geschlechtsreifer Großstädter zur Paarungszeit	1 325 242	31
Pippi Langstrumpf[3]	1 086 315	35
Bin ich schön?	823 784	47
Der Campus	718 069	49
Der Eisbär	710 081	50
Solo für Klarinette	415 235	74
Zugvögel – einmal nach Inari[4]	401 961	76
Benjamin Blümchen	521 839	89
Frau Retich, die Czerni und ich	231 557	96

1) Zuschauer 1998; 2) Rang auf der deutschen Top-100-Liste; 3) Koproduktion mit S und CDN; 4) Koproduktion mit F; Quelle: Filmförderungsanstalt (Berlin); http://www.ffa.de/Hitlisten

Die wichtigsten internationalen Filmpreise

Preis/ Kategorie	Regie/Preisträger	Film
■ Goldener Bär 1999 (Berlin)	Terrence Malick	Der schmale Grat
■ Goldene Palme 1999 (Cannes)	Luc und Jean-Pierre Dardenne	Rosetta
■ Goldener Löwe 1998 (Venedig)	Gianni Amelio	Così ridevano
■ Deutscher Filmpreis 1999 (Berlin)	Tom Tykwer	Lola rennt
■ Oscar 1999 (Los Angeles)		
Bester Film	John Madden	Shakespeare in Love
Bester Hauptdarsteller	Roberto Benigni	Das Leben ist schön
Beste Hauptdarstellerin	Gwyneth Paltrow	Shakespeare in Love
Beste Regie	Steven Spielberg	Der Soldat James Ryan
Bester Auslandsfilm	Roberto Benigni	Das Leben ist schön
■ Europäischer Filmpreis Europa 1998 (London)		
Bester Film	Roberto Benigni	Das Leben ist schön
Europ. Entdeckung des Jahres	Thomas Vinterberg	Das Fest
(Fassbinder-Preis)	Erick Zonca	Liebe das Leben

Bei der Verleihung der wichtigsten internationalen Filmpreise 1998/99 gab es zwei herausragende Ereignisse: Nach fast 20 Jahren meldete sich US-Regisseur Terrence Malick mit einem Kriegsstreifen in der internationalen Filmszene zurück, der bei der Berlinale als bester Film ausgezeichnet wurde. Die Schrecken der Judenverfolgung im Zweiten Weltkrieg thematisiert Roberto Benignis bittere Komödie »Das Leben ist schön«, die außer dem Oscar als beste ausländische Produktion noch zahlreiche Filmpreise gewann.

Filmförderung

Deutschland: Am 1.1.1999 trat die im Vorjahr beschlossene Novellierung des F.-Gesetzes von 1968 in Kraft. Sie soll die Rolle deutscher Produzenten gegenüber Filmimporten stärken und den Absatz deutscher Filme ausweiten. F. erfolgt über die Filmförderungsanstalt (FFA, Berlin) als Einrichtung des Bundes, die sich aus freiwilligen Beiträgen der öffentlich-rechtlichen und privaten Fernsehanbieter sowie einer gesetzlichen Abgabe von Film- und Videowirtschaft finanziert und die F. der Länder.

Kritik: Vertreter der Filmwirtschaft bemängelten 1999, dass die Produzenten, vor allem gegenüber dem Fernsehen, noch zu wenig Rechte hätten (z. B. bei der Rückgabe der Filmrechte). Bei der Koproduktion mit TV-Anstalten würden Filme mit Chancen auf hohe Einschaltquoten (und damit hohe Werbeeinnahmen) gegenüber künstlerisch innovativen Filmen bevorzugt.

Schweiz: Ein im April 1999 in der Schweiz vorgelegter Expertenentwurf für ein neues Filmgesetz sieht eine Lenkungsabgabe auf Filme und Videos vor. Sie soll die Vielfalt des Angebots erhalten bzw. der hohen Präsenz (über 90%) von Hollywood-Kassenhits auf dem Markt entgegenwirken. Auf Filme, die mit mehr als 50 Kopien in die Schweizer Kinos kommen, soll eine Abgabe erhoben werden, die in einen Fonds zur Verleih- und Vertriebsförderung fließt. Es wurde mit jährlichen Einnahmen von 4 Mio sFr kalkuliert.

Internet-Buchhandel

Deutschland: 1998 wurden in Deutschland rund 45 Mio DM im I. umgesetzt. Das entsprach einem Anteil von weniger als 1% am gesamten Buchumsatz, doch wird bis 2003 mit einer Steigerung auf mind. 5% Marktanteil gerechnet. Die Webseiten der meisten Internet-Anbieter enthalten Angaben zu den Lieferbedingungen und Rezensionen der Bücher. Bei manchen muss ein Kundenkonto eröffnet werden; die Lieferung erfolgt einige Tage nach Bestellung, innerhalb Deutschlands meist versandfrei. Außer den nur online arbeitenden Versandern bieten auf Themen spezialisierte Buchhandlungen Bücher über das Internet an.

BOL: Im Februar 1999 startete die Bertelsmann AG (Gütersloh), der drittgrößte Medienkonzern der Welt (Umsatz 1998: 7,3 Mrd DM), unter dem Namen BOL (Bertelsmann Online) in Deutschland und Frankreich einen eigenen I., in den Folgemonaten auch in Großbritannien, den Niederlanden und Spanien. In Deutschland bot BOL, dessen Aufbaukosten auf 300 Mio US-Dollar geschätzt wurden, 1999 ca. 500 000 Bücher an. Langfristig soll das Internet-Angebot auch andere Medienprodukte (CD, Videos) umfassen und in den fünf europäischen BOL-Filialen auf 4,5 Mio Titel anwachsen.

Barnesandnoble.com: Im Oktober 1998 erwarb Bertelsmann für 200 Mio US-Dollar einen Anteil von 50% an der Tochterfirma der US-Buchhandelskette Barnes & Noble, in deren Aufbau weitere 100 Mio US-Dollar

▪ Buchmarkt: Internet-Buchläden im Urteil der Benutzer[1]

	Buecher.de	Amazon.de	BOL Deutschland
Website: Bedienung, Bestellvorgang, Kontakt	☆☆☆☆☆	☆☆☆☆	☆☆☆☆
Schnelligkeit/Service	☆☆☆☆	☆☆☆☆	☆☆☆☆☆
Preise	☆☆☆☆☆	☆☆	☆☆☆
Versand: Kosten, Timing, Versandstatus	☆☆☆☆☆	☆☆☆☆	☆☆☆☆
Bezahlung: elektronisch, Fax, Telefon	☆☆☆☆	☆☆☆☆	☆☆☆☆
Rücknahme	☆☆☆	☆☆☆	☆☆
Gesamtwertung	☆☆☆☆	☆☆☆	☆☆☆☆

1) Höchstwertung: 5 Sterne; Quelle: Convergence, Handelsblatt, 19./20.3.1999

investiert werden. Barnesandnoble.com ist mit einem Markanteil von 20% der zweitgrößte elektronische Buchhändler der USA, nach Amazon.com (Seattle/Washington) mit einem Marktanteil von rund 70%.

Amazon.com: Der weltweite Branchenführer verzeichnete auch 1998 wegen hoher Investitionen in Service und Infrastruktur noch keine Gewinne. Er war 1999 auch in Deutschland, wo er im April 1998 eingestiegen war, der größte Internet-Buchhändler. Platz zwei nahm 1998 die im Vorjahr gegründete Buecher.de AG (München) ein.

Internet-Museum

Das Deutsche Historische Museum (Berlin, Mitte 1999 wegen Renovierung geschlossen) und das Haus der Geschichte (Bonn) zeigen seit Januar 1999 ihre Archivbestände im Internet im »Lebendigen Virtuellen Museum Online« (Lemo). Mit aufwendiger Technik wurden Texte, Grafiken, Fotos, Filme und Tonspuren zur jüngsten deutschen Geschichte vom Kaiserreich bis zur Gegenwart für das Internet aufbereitet. Die Animation aus dreidimensionalen Räumen ermöglichte es, jeden Zeitabschnitt durch eine Metapher darzustellen: Der Raum des Ersten Weltkriegs erscheint als Käfig aus gitterförmigen Betonträgern, gemäß Erich Maria Remarques Ausspruch »Die Front ist ein Käfig«. Mitte 1999 war geplant, dass Internet-Surfer Kameras in den Ausstellungsräumen der Museen fernbedienen können.
http://www.dhm.de/lemo

Kinos

Die Konzentration der deutschen Kinolandschaft auf Ballungszentren und Großbetrieber nahm 1998 weiter zu: 219 der 413 neu eröffneten K. mit mind. 1500 Plätzen, wenigstens acht K.-Sälen unterschiedlicher Größe und verschiedenen gastronomischen Angeboten. Die Groß-K. in Deutschland vereinigten 1998 rund ein Drittel aller Besucher (1997: 22,5%) und des Kartenumsatzes (1997: 25,5%). Der verschärfte Wettbewerb führte zur Schließung von insgesamt 262 überwiegend kleineren oder nicht modernisierten Filmtheatern (1997: 168). Die Zahl der K.-Betreiber ging auf 1189 zurück (gegenüber 1997: −1,7%).

Multiplex: Mit 25 Neueröffnungen 1998 gab es Anfang 1999 in Deutschland 77 Multiplexkinos mit 729 Leinwänden und mehr als 180 000 Sitzplätzen. Kritiker warnten davor, am Bedarf vorbeizubauen, da der für den wirtschaftlichen Erfolg benötigte Einzugsbereich von 200 000 Einwohnern in einigen Städten schon unterschritten wurde. Großkinos, die 1990/91 eröffnet worden waren, verzeichneten 1998 Besucherrückgänge von 13% und Umsatzeinbußen von ca. 11%. Allerdings haben die Multiplex-K. mit großen Leinwänden, moderner Technik, bequemeren Sitzen und Zusatzangeboten zum seit einigen Jahren zu verzeichnenden Besucheranstieg in den K. beigetragen (1995: 124,5 Mio, 1998: 148,9 Mio).

Kölnarena

Die im Oktober 1998 in Köln-Deutz eröffnete größte und technisch modernste Mehrzweckhalle Deutschlands wurde mit ihren 18 000–20 000 Sitzplätzen für Shows, U- und E-Konzerte sowie Sportveranstaltungen (u.a. des Eishockeyclubs Kölner EC) konzipiert. Die Bühne der 300 Mio DM teuren, durch private Mittel finanzierten K. hat eine abdeckbare Eisfläche und lässt sich innerhalb von Stunden verwandeln. Ein an der 42 m hohen Hallendecke hängender Videowürfel überträgt Nahaufnahmen, Wiederholungen und Zeitlupen.

Die von dem Kölner Architekten Peter Böhm entworfene K., zu der gastronomische Einrichtungen und Shopping-Läden gehören, wird von der K. Management

GmbH betrieben, einer Tochterfirma des Bauherrn Philipp Holzmann AG (Frankfurt/M.). Sie rechnete bereits im ersten Jahr 1999 mit etwa 1,3 Mio, danach jährlich mit 2 Mio Besuchern.

Kultursponsoring

Kriterien: Der Arbeitskreis K. der deutschen Wirtschaft, dem Mitte 1999 50 Großunternehmen angehörten (u. a. VW, BASF, Telekom, Thyssen, Sony), verabschiedete im Herbst 1998 Regeln für die Unterstützung von Museen, Theatern, Opern, Kunsthallen etc. Als wichtigster Punkt wurde festgehalten, dass die Wirtschaft die inhaltliche Selbstbestimmung der gesponserten Kulturinstitutionen garantiert. Zudem sprach sie sich für ein höheres und langfristiges Engagement aus.

Ziele: Die Unternehmen versprechen sich vom K. eine Imageverbesserung, die Kultureinrichtungen waren 1998/99 angesichts des Sparzwangs in öffentlichen Haushalten auf neue Geldquellen angewiesen.

Ausgaben: 1998 gaben Bund, Länder und Kommunen ca. 15 Mrd DM für Kultur aus, das K. belief sich auf etwa 600 Mio DM. Seit 1997 können Unternehmen ihr K. auch ohne direkten inhaltlichen Bezug zwischen Kulturereignis und Firma als Betriebsausgaben steuerlich geltend machen. Seit 1998 brauchen Empfänger für Sponsorengelder keine Körperschafts- und Gewerbesteuer (aufgrund der Mitwirkung an Werbemaßnahmen des Sponsors) mehr zu entrichten, wenn in Programmen, Katalogen, Plakaten etc. auf die Unterstützung durch den Sponsor nur mit Namensnennung oder Logo hingewiesen wird.

Kulturstadt Europas

Seit 1985 benennt die EU für jeweils ein Jahr eine K., in der mit kulturellen Veranstaltungen (u. a. Aufführungen, Ausstellungen, Konzerten, Kongressen) Vielfalt und Gemeinsamkeiten des kulturellen Erbes in Europa dokumentiert und gefördert werden sollen.

Weimar: Die K. 1999 ist mit rund 60 000 Einwohnern die bislang kleinste und erste K. aus einem ehemaligen Ostblockland. Für Stadterneuerung und Infrastrukturprojekte in Weimar wurden vom Land Thüringen etwa 410 Mio DM bereit gestellt, 180 Mio DM flossen für ca. 170 Investitionsvorhaben in

die Wirtschaftsförderung. Für das von der Kulturstadt GmbH entwickelte Programm standen gut 60 Mio DM (von Bund, Land und EU) zur Verfügung; Sponsoren (u. a. Deutsche Bahn AG, VW) brachten weitere 10 Mio DM ein. Bis Ende 1999 werden etwa 5 Mio Besucher in Weimar erwartet.

Die Kölnarena bei Nacht: Durch die Glashaut des Gebäudes sind die Treppenaufgänge zu den Sitzplätzen zu erkennen; das Dach der Arena hängt mit Tragseilen an der beleuchteten Bogenkonstruktion.

Kulturstädte Europas 2000–2004		
Jahr	*Stadt*	*Einwohner*
2000	Avignon	89 000
	Bergen	221 000
	Bologna	401 000
	Brüssel	950 000
	Helsinki	525 000
	Kraków (Krakau)	745 000
	Prag	1 220 000
	Reykjavik	156 000
	Santiago de Compostela	95 000
2001	Porto	310 000
	Rotterdam	599 000
2002	Brügge	120 000
	Salamanca	160 000
2003	Graz	240 000
2004	Genua	668 000
	Lille	959 000

Programm: Mehr als 300 Veranstaltungen setzen sich mit den Blütezeiten deutscher Kultur ebenso wie mit der NS-Barbarei auseinander. Zum Schwerpunktthema Goethe (250. Geburtstag am 28.8.1999) gehören u. a. »Faust«-Inszenierungen, die Wiedereröffnung des Goethe-Nationalmuseums im Mai 1999 und eine begehbare Kopie von Goethes Gartenhaus. Ausstellungen erinnern an die 1919 in Weimar ausgearbeitete demokratische Verfassung der »Weimarer Republik« und an das Bauhaus. Eine sog. Zeitschneise führt von Schloss Ettersburg, dem »Musenhof«, an dem Goethe Theater spielte, zum nahe gelegenen Konzentrationslager Buchenwald, in dem 1937–45 rund 56000 Menschen starben.

K. 2000.: Aufgrund der symbolischen Bedeutung des Jahres ernannte die EU neun Städte zur K. 2000. In über 1000 Veranstaltungen wollen sie die kreative Vielfalt Europas zu Beginn des neuen Jahrtausends präsentieren. Die Stadt Bologna organisiert eine Ausstellung zur Idee des europäischen Geistes.

http://www.weimar.de

Kunstmarkt

Christie's (London), eines der beiden weltweit führenden Auktionshäuser, erzielte 1998 mit einem Umsatz von 1,183 Mrd Pfund zum dritten Mal in Folge einen leichten Vorsprung vor dem Konkurrenten Sotheby's (New York), der 1998 einen Umsatz von 1,168 Mrd Pfund bilanzierte. Sotheby's beherrschte jedoch weiterhin den US-Markt, wo das Haus einen Umsatzzuwachs von 17% verzeichnete (Christie's: –9%), Christie's steigerte seine Verkäufe in Europa um 21% (Sotheby's: –3%). Umsatzeinbußen für beide Häuser (Christie's: –29%, Sotheby's: –36%) brachte der für den K. wichtige asiatische Markt infolge der dortigen Wirtschaftskrise.

Teuerste Bilder: Auf dem K. waren 1998 Bilder der klassischen Moderne und der Impressionisten marktbeherrschend. Das teuerste Bild, Vincent van Goghs letztes Selbstporträt (1889, als Geschenk für seine Mutter gedacht) erreichte mit einem Preis von 65 Mio Dollar zugleich Rang drei der Liste der höchst bezahlten Bilder aller Zeiten. Von den Gemälden Pablo Picassos, die 1997 noch die ersten drei Ränge der Verkaufsliste belegt hatten, gelangte 1998 nur sein Werk

BILANZ 2000

Kunst

Verbindung von Ästhetik und Markt

Mit Jugendstil und Sezessionen begann Anfang des 20. Jh. die Befreiung der Kunst von Akademien und staatlich vorgegebenen Normen und zugleich die Verbindung von Kunst und Industrie: Erstmals in der Geschichte bewiesen Künstler in allen Bereichen – Malerei, Kunsthandwerk, Architektur, Bildhauerei, Buchgestaltung, Plakatkunst –, welcher ökonomische Innovationsschub dem Sprengen überlieferter Formen innewohnen kann. Die »offizielle« Verbindung zwischen Avantgarde und Industrie erfolgte 1907 mit der Gründung des Deutschen Werkbunds und der Berufung des Sezessionsmitbegründers, Architekten und Designers Peter Behrens als künstlerischer Beirat der AEG. »Kunst« war erstmals zur gesamtgesellschaftlichen Avantgarde mit bedeutendem Einfluss auf die Industriepoduktion geworden. Diese Tendenz setzte sich nach dem Sturz der Monarchien in Europa mit der Forderung nach »Kunst für das Volk« fort. In immer schnellerer Folge traten neue Avantgarden auf, spätestens seit dem Dadaismus, erstreckte sich der Kunstbegriff nicht mehr nur auf die abgeschlossene Formgebung. Kunst wurde, was als Kunst bezeichnet wird: der Pop-Art-Siebdruck ebenso wie der »Fettfleck« von Joseph Beuys.

Positive Trends

▶ Museumsneubauten und Ausstellungen machen Kunst für viele Menschen erlebbar.

▶ Sponsoren aus Industrie und Handel ermöglichen Ausstellungen, die kein Museum aus eigenem Etat finanzieren könnte.

▶ Kunstgegenstände (vor allem Gemälde) sind seit den 70er Jahren Spekulationsobjekte und damit eine Form interessanter Geldanlage.

▶ Industrielles Design macht Produkte der »Kunst« einer breiten Masse zugänglich.

Negative Trends

▶ Auktionshäuser und Anleger haben die Preise für viele Kunstwerke so hoch getrieben, dass sie für kein Museum mehr erschwinglich sind.

▶ Rasch wechselnde Designtrends machen »Kunst« zum Teil der »Wegwerfgesellschaft«.

August Macke, »Mädchen unter Bäumen«, 1914, Staatsgalerie moderner Kunst, München

Vom Expressionismus zur Welt der Pop-Art

1905: Erich Heckel, Ernst Ludwig Kirchner u. a. gründen die expressionistische Gruppe »Die Brücke«.

1905: Ein Kritiker bezeichnet auf dem Salon d'automne in Paris die Gruppe um Henri Matisse (F) als »Fauves« (Wilde).

1910: Robert Delaunay (F), Fernand Léger (F), Marc Chagall (RUS) u. a. poetisieren den Kubismus und entwickeln ihn zum Orphismus weiter.

1910: Wassily Kandinsky (RUS) leitet mit »Das erste abstrakte Aquarell« die gegenstandslose Malerei ein.

1911: An der ersten Ausstellung des expressionistischen »Blauen Reiters« beteiligen sich u. a. Wassily Kandinsky, Franz Marc, August Macke und Gabriele Münter.

1912: Die Sonderbundausstellung in Köln vereinigt Vorläufer (Vincent van Gogh, Paul Cézanne) und Vertreter der europäischen Avantgarde (Pablo Picasso, Nabis, Fauves, Edvard Munch, Expressionismus).

1916: Hugo Ball (D) eröffnet in Zürich das »Cabaret Voltaire« und begründet den Dadaismus, die heterogene »Narrenspiel«-Kunst (Hans Arp, Tristan Tzara).

1917: Der Niederländer Piet Mondrian gründet die radikalkonstruktivistische Gruppe De Stijl.

1919: Das Staatliche Bauhaus in Weimar vereinigt Architektur, Bildhauerei, Malerei, Kunstgewerbe und Handwerk; Lehrer sind u. a. Lyonel Feininger, Paul Klee, Kandinsky und László Moholy-Nagy.

1924: André Breton (F) publiziert das »Manifest des Surréalismus«.

1925: Der Titel der Kunsthandwerk-Weltausstellung »Exposition Internationale des Arts Décoratifs et Industriels Modernes« gibt dem Stil des Art déco seinen Namen.

1925: Die Ausstellung »Neue Sachlichkeit« gibt einer subjektiv-expressionistischen Richtung den Namen, welche die Realität präzise erfasst (Otto Dix, George Grosz).

1947: Jackson Pollock (USA) prägt den abstrakten Expressionismus.

1955: In Kassel wird die erste »documenta« veranstaltet.

1962: Andy Warhols (USA) Siebdrucke u. a. von Suppendosen macht Werbung zu einem Bestandteil des Pop-Art-Kunstmarkts.

1979: In Innsbruck findet die Ausstellung »Photographie als Kunst – Kunst als Fotografie« statt.

1989: Mit der Glaspyramide erhält der Louvre in Paris, das berühmteste Kunstmuseum der Erde, einen zeitgemäßen Zugang.

TopTen Kunstmarkt: Die teuersten Bilder 1998[1]		
1 Vincent van Gogh	Portrait de l'artiste sans barbe (1889)	65
2 Claude Monet	Bassin aux Nympheas et Sentier au Bord de l'Eau (1900)	18[2]
3 Andy Warhol	Orange Marilyn (1964)	15,75
4 Amedeo Modigliani	Jeanne Hébuterne (1919)	13,75
5 Claude Monet	Le Grand Canal (1908)	11
6 Paul Cézanne	Le Château Noir (um 1904)	10,50
7a Paul Cézanne	L'Estaque vu à travers les Pins (um 1882/83)	10
7b Pablo Picasso	Femme nue (1909)	10
8a Amedeo Modigliani	Jeanne Hébuterne Assise dans un Fauteuil (1918)	9
8b Claude Monet	Le Bassin aux Nympheas (1917/19)	9
9 Rembrandt	Porträt eines bärtigen Mannes (1633)	8,25
10 Claude Monet	Canotiers à Argenteuil (1874)	8,20

1) Mio US-Dollar; 2) Mio Pfund Sterling; Quelle: Frankfurter Allgemeine Zeitung, 2.1.1999

»Femme nue« (1909) unter die TOP TEN. Rembrandts Porträt eines bärtigen Mannes (1633) erzielte einen Preis von 8,25 Mio Dollar; seit Herbst 1996 hat das Interesse internationaler Kunsthändler an den sog. Alten Meistern stark zugenommen.

Internet-Auktionen: Im Juli 1999 startete Sotheby's den Auktionshandel im Internet, Christie's plante den Online-Auftritt für Herbst 1999. Auf Internet-Versteigerungen in den USA wurden 1998 für 1,2 Mio Dollar Käufe abgeschlossen, meist niedrig-

preisige Sammlerware. Auch Sotheby's wollte 1999/2000 online preiswerte Objekte (300–10 000 Dollar) anbieten.

Deutsche Auktionen: Auf deutschen Auktionen überschritt 1998 nur ein Bild – »Rotblondes Mädchen« (1919) von Emil Nolde – mit 1,65 Mio DM die Millionen-Preisgrenze (1997: 5 Bilder). Platz zwei teilten sich eine Madonna von Murillo (um 1600) und Max Pechsteins »Javanischer Schal« (1920; je 850 000 DM). Außer Expressionisten lag erneut Carl Spitzweg mit drei Bildern (»Gähnende Schildwache«, »Besuch auf dem Lande«, »Der Kaktuslieb-haber«) hoch in der Käufergunst.
http://www.christies.com
http://www.sothebys.com

Museen

Die deutschen M. verzeichneten 1997 92,7 Mio Besucher (1996: 90,5 Mio, +2,4%). Besonders erfolgreich waren 1998 M., die aufgrund ihrer Architektur selbst zur Attraktion wurden, sowie große Werkausstellungen einzelner Maler. Zu den größten Werkschauen gehörten 1998/99 die über Jan und Pieter Breughel (Essen, Wien), René Magritte (Brüssel) und Anthonis van Dyck (Antwerpen, London).

Musical

Nach Jahren des M.-Booms in Deutschland zeichnete sich 1998 eine Marktsättigung ab.
Stella AG: Die Stella AG, Marktführer unter den privat betriebenen, meist in eigener Spielstätte aufgeführten M., schrieb 1998 erstmals rote Zahlen: Bei einem Umsatz von 580 Mio DM schloss sie mit einem Fehlbetrag von 95 Mio DM vor Steuern ab, da die Auslastung der sieben Spielstätten auf 78% zurückgegangen war (1997: 85%, 1996: 93%). Zu den Anfang 1999 beschlossenen Sparmaßnahmen, mit denen die Kosten um ein Fünftel reduziert werden sollen, gehört die Absetzung der M. »Les Misérables« (seit 26.1.1996 in Duisburg) und »Joseph« (seit 13.12.1996 in Essen) bis Ende 1999. Für das Essener Colosseum wird eine alternative Nutzung gesucht, der Spielort Duisburg, für dessen Infrastruktur das nordrhein-westfälische Wirtschaftsministerium 13 Mio DM an Zuschüssen gezahlt hatte, soll ganz aufge-

Museums-Neueröffnungen (Auswahl)

▶ **Jüdisches Museum (Berlin):** Das im Januar 1999 eröffnete Bauwerk des US-Architekten Daniel Libeskind besitzt die Form eines zerbrochenen Davidsterns. Als Erweiterung des Berliner Stadtmuseums geplant, wurde der 121 Mio DM teure Bau ein eigenes Museum für die Geschichte des Judentums in Deutschland. Die Eröffnung der ersten Ausstellung ist für Oktober 2000 vorgesehen.

▶ **Neues Museum (Weimar):** Der für 23 Mio DM sanierte Neorenaissancebau des ehemaligen großherzoglichen Museums beherbergt seit 1.1.1999 die Sammlung moderner Kunst des Galeristen Paul Maenz.

▶ **Musée d'Art Moderne et Contemporain (Straßburg):** Der Ende 1998 eröffnete, für 71 Mio DM von Adrien

Fainsilber errichtete Museumskomplex zeigt die Entwicklung der modernen Kunst von 19. Jh. bis zur Gegenwart. Angeschlossen sind Bibliothek, Vortrags- und Kinosaal sowie Restaurant.

▶ **Museum Küppersmühle (Duisburg):** Das im April 1999 eröffnete, restaurierte und zum Museum umgebaute ehemalige Mühlen- und Speichergebäude zeigt die Sammlung des Immobilienhändlers Hans Grothe, der seit den 70er Jahren zeitgenössische Künstler wie Joseph Beuys, Jörg Immendorf, Georg Baselitz oder Anselm Kiefer sammelt. Eine kommunale Entwicklungsgesellschaft und das Land Nordrhein-Westfalen investierten 55 Mio DM in das Museum, das Grothe leitet und für dessen Betriebskosten er aufkommt.

geben werden. »Miss Saigon« (seit 2.12.1994 in Stuttgart) soll 1999/2000 wahrscheinlich durch den 1999 in Wien laufenden »Tanz der Vampire« (nach dem Film von Roman Polanski) ersetzt werden.

Weltpremiere: Von der Welturaufführung des »Glöckners von Notre Dame« (nach dem Disney-Trickfilm) am 5.6.1999 im neuen M.-Theater am Potsdamer Platz in Berlin versprach sich die Stella AG eine neue Besucherattraktion in der Hauptstadt.

Unabhängige: Andere Veranstalter setzten 1999 auf die Übernahme erfolgreicher Broadway-M. wie »Jekyll & Hide« (seit 19.2.1999 in Bremen) und »Rent« (seit 22.2.1999 in Düsseldorf) bzw. auf Eigenproduktionen wie das in Wien für Oktober 1999 geplante M. über Wolfgang Amadeus Mozart und das über den Bayernkönig, »Ludwig II. – Sehnsucht nach dem Paradies«, das ab März 2000 im eigens erbauten Theater gegenüber Schloss Neuschwanstein gezeigt werden soll.

Musikmarkt

Die im Bundesverband der Phonographischen Wirtschaft zusammengeschlossenen Unternehmen, die 94% des deutschen Tonträgermarktes abdecken, verzeichneten 1998 einen leichten Umsatzrückgang auf 4,99 Mrd DM (–1,5%). Sie verkauften mit 218,9 Mio

Musical: Auslastungen der Stella-Musicals		
Starlight Express	Bochum	98[1] 1703[2]
Die Schöne und das Biest	Stuttgart	92 1814
Cats	Hamburg	84 1120
Das Phantom der Oper	Hamburg	81 1830
Joseph	Essen	70 1513
Miss Saigon	Stuttgart	64 1800
Les Misérables	Duisburg	58 1536

1) Verkaufte Tickets 1998 (%), 2) vorhandene Plätze; Quelle: Focus 6/1999, Buddy KG, Handelsblatt, 5./6.3.1999

CD, MC und LP 2,4% weniger als im Vorjahr. Die Branche in Deutschland, dem drittgrößten Markt der Welt hinter den USA und Japan, setzte 1998 5,3 Mrd DM um.

Raubkopien: Von den 75 Mio verkaufter CD-Rohlinge wurden 1998 nach Schätzungen zwei Drittel mit Raubkopien versehen und verkauft. Die Verluste durch Piraterie im Internet, wo Fans ihre Sammlungen, Interpreten ihre Songs und Agenturen Angebote präsentieren, wurden 1998 weltweit auf mehr als 3 Mrd DM geschätzt. Der Umsatz mit Piraterieprodukten stieg weltweit von 1,1 Mrd Dollar 1988 auf 5,3 Mrd Dollar 1997. Branchenvertreter setzten sich 1998/99 für verbesserten Urheberschutz in Deutschland und in der EU ein.

Top Ten Single-/Longplay-Charts		
	Singles	Longplays
1.	My Heart Will Go On (Céline Dion)	Titanic) (Soundtrack)
2.	Flugzeuge im Bauch (Oli P.)	Bravo Hits 21 (Diverse)
3.	Ein Schwein namens Männer (Die Ärzte)	Let's Talk About Love (Céline Dion)
4.	Out Of The Dark (Falco)	Back For Good (Modern Talking)
5.	Alane (Wes)	Ray Of Light (Madonna)
6.	It's Like That (Run DMC vs. Jason Nevins)	Eros (Eros Ramazzotti)
7.	Stand By Me (4 The Cause)	Mächtig viel Theater (Pur)
8.	Die Flut (Witt/Heppner)	Bravo Hits 22 (Diverse)
9.	Bailando (Loona)	Radio Maria (Marius Müller Westernhagen)
10.	Immortality (Céline Dion)	Bleibt alles anders (Herbert Grönemeyer)

1998; Quelle: Media Control

Musik: Umsatzanteile nach Bereichen		
Pop	45,7[1]	▼ –1,0[2]
Rock	14,1	▽ –0,1
Klassik	9,6	▼ –2,1
Schlager	7,7	▼ –0,6
Dance	6,5	▼ –3,0
Kinderprodukte	4,1	▼ –0,5
Volksmusik	1,9	▽ –0,1
Jazz	1,1	0
Soundtrack/Filmmusik	2,6	▼ –0,3
Instrumentalmusik	1,7	▼ –0,9
Weihnachtsproduktionen	1,4	▽ –0,1
Country/Folk	1,1	▽ –0,1
Sonstige	2,5	▼ –0,2

1) 1998 (%); 2) Veränderung gegenüber 1997; Quelle: GfK Panel Services, Phonographische Wirtschaft

371

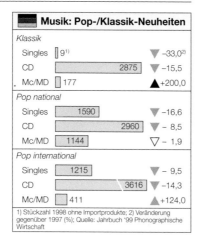

Musik: Pop-/Klassik-Neuheiten		
Klassik		
Singles	9[1]	▼ –33,0[2]
CD	2875	▼ –15,5
Mc/MD	177	▲ +200,0
Pop national		
Singles	1590	▼ –16,6
CD	2960	▼ – 8,5
Mc/MD	1144	▽ – 1,9
Pop international		
Singles	1215	▼ – 9,5
CD	3616	▼ –14,3
Mc/MD	411	▲ +124,0

1) Stückzahl 1998 ohne Importprodukte; 2) Veränderung gegenüber 1997 (%); Quelle: Jahrbuch '99 Phonographische Wirtschaft

Grammy: Bei der 41. Verleihung des Grammys, des weltweit wichtigsten Musikpreises, erhielt die US-Hip-Hop-Sängerin Lauryn Hill 1999 mit fünf Trophäen so viele Auszeichnungen wie keine Frau zuvor (u.a. Bestes Album, Beste Nachwuchskünstlerin). Als beste Platte des Jahres wurde der »Titanic«-Filmsong »My Heart Will Go On« der kanadischen Sängerin Céline Dion ausgezeichnet, die insgesamt vier Grammys erhielt. Die deutsche Geigerin Anne Sophie Mutter gewann in der Kategorie Beste Instrumentalperformance eines Solisten den als Musik-Oscar geltenden Grammy.

Oper

Opernhaus des Jahres: Die Staatsoper Stuttgart wurde im Herbst 1998 von der Zeitschrift »Opernwelt« zum Opernhaus des Jahres gekürt. Die Auszeichnung galt der Aufbauarbeit des Hauses zur Akzeptanz moderner O., was in der Spielzeit 1998/99 z.B. mit dem zeitgenössischen Musikwerk »Al gran sole carico d'amore« des italienischen Komponisten Luigi Nono fortgesetzt wurde, einer O. über die Geschichte revolutionärer Frauen.

»Schneewittchen«: Bedeutende neue O. in der an wichtigen Uraufführungen armen Spielzeit war »Schneewittchen« des Schweizer Komponisten Heinz Holliger nach dem Dramolett von Robert Walser. In der im Oktober 1998 im Zürcher Opernhaus uraufgeführten O. stehen neue Sichtweisen

BILANZ 2000

Rock, Pop, Jazz

Musikalische Innovation und Reproduktion

Rock, Pop und Jazz haben die Unterhaltungsmusik des 20. Jh. geprägt. Bis etwa 1950 dominierte der Jazz die Szene. Ausgehend vom Blues der schwarzen Baumwollarbeiter in den USA entwickelten u. a. Louis Armstrong, Duke Ellington, Benny Goodman, Dizzy Gillespie, Charlie Parker und Miles Davis den Jazz zur international bedeutendsten Musikform des 20. Jh. 1954 begann mit Elvis Presley (USA) und Bill Haley (USA) die kurze, aber musikalisch einflussreiche Ära des Rock'n'Roll. Haileys »Rock around the clock«, Titelsong des Halbstarkenfilms »Saat der Gewalt« wurde zur Hymne der »Rocker«, die durch Demolierung von Kinopalästen und Konzerthallen Frustrationsstaus abzubauen versuchten. In der Wohlstandszeit der 60er Jahre wurden die Beatles Symbol für überwiegend gewaltfreie jugendkulturelle Lebensformen und einen »befreienden« Umbruch im Denken. Den rebellischen Gegenpol bildeten Bands wie die Rolling Stones, The Who und The Doors. Nach der Auflösung der Beatles (1970) zersplitterte die Popmusik in einen durch Subgenres und Revivals (z. B. Rock, Folk) bestimmten Stil-Pluralismus, der immer wieder auf die Wurzeln der Unterhaltungsmusik des 20. Jh. zurückgreift.

Positive Trends

▶ Unterhaltungsmusik aller Epochen und Stile ist durch elektronische Medien jederzeit verfügbar.

▶ Nach fast einem Jahrhundert mit jeweils einem dominierenden Stil pro Dekade hat der Jazz seit den 80er Jahren eine bislang unbekannte musikalische Vielfalt erreicht.

Negative Trends

▶ Popmusik ist extrem wandelbar; wechselnde Moden prägen immer neue Trends.

▶ Multinationale Medienkonzerne entscheiden über die Marktfähigkeit musikalischer Produkte; dabei geben nicht künstlerische, sondern wirtschaftliche Kriterien den Ausschlag.

▶ Die Videoclip-Ästhetik seit den 80er Jahren droht den akustischen Eindruck der Musik zugunsten visueller Effekte zu überlagern.

»Beatles for Sale« (1964)

Charlie Parker: »In a Soulful Mood«

Zur Person: Louis Armstrong
»Mister Jazz« aus New Orleans
Louis Armstrong (1900–1971), genannt Satchmo (USA), war eine der stilbildenden Persönlichkeiten des traditionellen Jazz. Ab 1928 spielte er ausschließlich Trompete; Perfektion im Timing, harmonische Sicherheit, Leichtigkeit der Improvisation und Feingefühl für das musikalisch Wesentliche machten ihn zum Gestalter als Ensemblemusiker (Hot Five, Hot Seven) ebenso wie als Solist. Darüber hinaus gilt er als »Erfinder« des Scatgesangs. Mit Hits wie »What a wonderful world« (1968) wurde er über den Jazz hinaus einem breiten Publikum bekannt.

Meilensteine
Tonträger machen Musik weltweit konsumierbar

1917: Nach Schließung des Vergnügungsviertels Storeyville in New Orleans werden die wichtigsten Schallplatten des New-Orleans-Jazz in Chicago aufgenommen, wo der »hektische« Chicago-Stil entsteht.

1923: Fletcher Henderson (USA) gründet das Roseland Ballroom Orchestra, die erste bedeutende Big Band des Jazz.

1933: Duke Ellington (USA) macht auf einer Tournee Europa mit dem neuen Stil des Swing bekannt.

1934: Der Roma Django Reinhardt gründet in Paris die Quintette du Hot Club de France; er wird der erste auch in den USA anerkannte europäische Jazzmusiker.

1938: Der weiße Klarinettist Benny Goodman (USA) tritt als erster Jazzmusiker in der New Yorker Carnegie Hall auf.

1941: In Reaktion auf den kommerzialisierten Swing entwickeln Dizzy Gillespie, Charlie Parker u. a. den Bebop; der Jazz gibt seine Funktion als reine Tanzmusik auf.

1954: Mit »That's All Right Mama« von Elvis Presley und »Rock around the clock« von Bill Haley beginnt die kurze Ära des Rock'n'Roll.

1960: Ornette Coleman (USA) begründet mit der LP »Free Jazz« eine Richtung, die alle Gestaltungsprinzipien des Jazz einschließlich Beat und Tonalität infrage stellt.

1963: Mit »Please please me« beginnt die Ära der Beatles (bis 1970).

1965: »I can get no satisfaction« ist der erste Hit der Rolling Stones.

1966: In San Francisco entsteht der Psychedelic Rock, eine oft unter Drogeneinfluss gespielte Variante der Rockmusik (u.a. Grateful Dead).

1969: Mit dem Hit »Spinning Wheel« wird die Rockgruppe Blood, Sweat & Tears (USA) Pionier des Jazzrock.

1970: Mit dem Album »Bridge over Troubled Water« setzt das Duo Simon & Garfunkel einen Meilenstein in der Popmusik.

1970: Das Album »Bitches brew« von Miles Davis (USA) ist die wegbereitende Einspielung des Rockjazz (Synthese von Rock und Jazz).

1971: Das vierte Album von Led Zeppelin wird mit dem Song »Stairway to Heaven« zum größten Erfolg der Heavy-Metal-Formation.

1973: Das Album »Dark side of the moon« markiert den Höhepunkt des orchestralen Rock von Pink Floyd.

1974: Die Gruppe Abba (S) gewinnt mit »Waterloo« den Grand Prix Eurovision und startet eine Weltkarriere.

1982: Michael Jackson (USA) erzielt den Durchbruch mit der 40 Mio Mal verkauften LP »Thriller«.

1983: Mit ihrem ersten Hit »Holiday« steigt Madonna zum ersten weiblichen Weltstar des Pop auf.

Stichtag: 16. Februar 1963
Beatles erstmals Nummer 1
Mit dem Hit »Please please me« begann 1963 die Ära der Beatles. Aus dem Rock'n'Roll, Skiffle, Country und Rhythm & Blues Ende der 50er-Jahre mischten John Lennon, Paul McCartney, George Harrison und Ringo Starr ihre nach dem rhythmischen Grundschlag »Beat« genannten Kompositionen, mit denen sie die 60er Jahre musikalisch prägten – von der Debütsingle »Love me do« (1962) bis zum letzten öffentlichen Auftritt 1966 in San Francisco. 1970 löste sich die Gruppe wegen Meinungsdifferenzen auf.

Stichwort: Punk Rock
Mut zur Hässlichkeit
Das Album »Anarchy in the UK« der Londoner Punkrockband Sex Pistols brachte 1977 den Durchbruch eines Stils: Überlautstärke, rasende Tempi, zynisch-resignative Texte, Positivbewertung von Primitivität und Hässlichkeit bis hin zur Selbstverstümmelung von Musikern und Fans zählen zu den Ausdrucksidealen einer anarchistischen Gesinnungsmusik. Die kurze Punk-Ära endete um 1980 u. a. mit dem Tod einiger Protagonisten (Sid Vicious, † 1979).

auf ein Märchen bzw. die Frage im Blickpunkt, was nach dem Ende des Märchens geschah.

Neues Finale: Über 100 Jahre nach der Premiere wurde Jacques Offenbachs O. »Hoffmanns Erzählungen« im Januar 1999 an der Hamburgischen Staatsoper erstmals mit dem authentischen Finale des Giulietta-Aktes gespielt. 24 Seiten der handschriftlichen Partiturskizze Offenbachs waren 1993 aufgetaucht und wurden 1998 gleich zweimal von Editoren herausgebracht, die um die Verwertungsrechte stritten.

»Ring«: Mehrere Häuser widmeten sich 1998/99 Richard Wagners »Ring des Nibelungen« als Werk der Zeitenwende. Die O. über die Zwänge der Macht und den Konflikt von Geld und Liebe wurde u.a. in Amsterdam, Stuttgart, Duisburg (Hüttenwerkshalle) und Chemnitz aufgeführt.

Theater

Nach dem Erfolg junger britischer Autoren eroberten 1998/99 junge deutschsprachige Dramatiker mit teils schockierenden, teils grotesken Gegenwartsstücken das T.

Mühlheimer Theatertage: Im September 1998 wurde die Parabel um Altern, Tod und Glamour, »King Kongs Töchter«, am Zürcher Neumarkt-Theater uraufgeführt. Die Autorin Theresia Walser war von der Zeitschrift »Theater heute« zur Nachwuchsautorin des Jahres 1998 gekürt worden. Mit Marius von Mayenburgs »Feuergesicht« brachten die Münchner Kammerspiele im Oktober 1998 (und später das Kleist Theater Frankfurt/Oder) ein Psychogramm über einen jugendlichen Brandstifter heraus. Um Rezession und verödete Landstriche in Ostdeutschland geht es in »Gäste« von Oliver Bukowski, das am theater 89 in Berlin Premiere feierte und im Juni 1999 den Dramatikerpreis der dem Gegenwartstheater verpflichteten Mühlheimer Theatertage erhielt.

Berliner Theatertreffen: In Berlin werden jedes Jahr die herausragenden Inszenierungen des deutschen Theaters gezeigt. Dazu gehörte 1998 die deutsche Erstaufführung des Stücks »Gesäubert« an den Hamburger Kammerspielen, dessen junge britische Autorin Sarah Kane im Februar 1999 Selbstmord beging. Ebenfalls beim Berliner Theatertreffen gezeigt wurde die erste Neuinszenierung eines Stückes von Thomas

BILANZ 2000

Oper

Tradition auf deutschen Musikbühnen

Die traditionelle Oper ist der einzige Kulturbereich des 20. Jh., der entgegen dem allgemeinen Trend überwiegend an Bewährtem festhielt: Trotz zahlreicher Experimente gab es kaum bleibende musikalische Neuerungen. Die dennoch ungebrochene Faszination der Oper zeigt, dass Festhalten an Werten gewünscht wird. Die Innovationen beschränkten sich auf die Vermittlung neuer Bild- und Klangerlebnisse bei der Inszenierung des traditionellen Repertoirs, was zu einer überragenden Stellung von Dirigenten, Regisseuren, Intendanten, Sängern und Sängerinnen führte. Gleichzeitig etablierte sich der Festspielbetrieb für ein internationales Publikum an Plätzen, die überwiegend mit Klassikern verbunden sind (Verona, Bayreuth). Der musikalische Konservatismus wird deutlich beim Blick auf Spielpläne Ende der 90er Jahre: Unter den zehn meistgespielten Opern auf deutschen Bühnen in der Saison 1997/98 war Wolfgang Amadeus Mozart mit vier Werken vertreten, darunter Platz 1 mit »Die Zauberflöte« (1791), Platz 3 mit »Die Hochzeit des Figaro« (1786), Platz 6 mit »Così fan tutte« (1790) und Platz 9 mit »Don Giovanni« (1787); einzige Opern aus dem 20. Jh. unter den Top Ten waren »Tosca« (1900, Platz 4), und »Madame Butterfly« (1904, Platz 10) von Giacomo Puccini.

Positive Trends

▸ Das Opernpublikum bewahrt Kulturgut; dieser Wertkonservatismus steht im Gegensatz zum Fortschritts-Trend des 20. Jh.

▸ Moderne Opernregie trägt zur psychologischen Vertiefung klassischer Werke bei.

▸ Im deutschsprachigen Raum hat sich die Zahl der Opernspielstätten seit 1945 verdoppelt.

Negative Trends

▸ Die Versuche von Opernregisseuren, klassische Stücke in »zeitgemäßer« Form zu inszenieren, werden vom Publikum kontrovers aufgenommen.

▸ Experimentelle Opernkompositionen bleiben beim breiten Publikum ohne große Resonanz.

»Die Walküre« von Richard Wagner, Bayreuther Festspiele 1976, Inszenierung P. Chéreau

Meilensteine

Vom Verismo zu Klangbildern der Neuen Musik

1900: Giacomo Puccinis »Tosca« ist ein Höhepunkt des Verismo.

1902: Enrico Caruso (I) besingt die erste Edisonwalze; mit 266 Plattenaufnahmen wird er weltberühmt.

1904: An der Mailänder Scala wird die Oper »Madame Butterfly« von Giacomo Puccini (I) uraufgeführt.

1905: Im Musikdrama »Salome« (Dresden) geht Richard Strauss (D) an die Grenzen der Tonalität.

1911: Richard Strauss »Rosenkavalier« wird eine der meistgespielten Opern des 20. Jh.

1913: Mit Aufführungen von Giuseppe Verdis »Aida« wird die erste Opernstagione in der Arena von Verona veranstaltet.

1920: Die ersten Salzburger Festspiele wurden von Hugo von Hofmannsthal, Max Reinhardt und Richard Strauss initiiert.

1924: Leos Jánáceks »Das schlaue Füchslein« hat in Brünn Premiere.

1925: Erich Kleiber dirigiert in Berlin die UA der Zwölftonoper »Wozzeck« von Alban Berg (A).

1926: Arturo Toscanini dirigiert an der Mailänder Scala die UA von Giacomo Puccinis »Turandot«.

1928: Die »Dreigroschenoper« von Bert Brecht/Kurt Weill wird einer der Operntriumphe der 20er Jahre.

1934: John und Audrey Christie gründen das Glyndebourne Festival; Fritz Busch macht es berühmt durch Inszenierungen von Mozart-Opern.

1937: UA von Carl Orffs »Carmina Burana« in Frankfurt/M.

1947: UA von »Dantons Tod« von Gottfried von Einem in Salzburg.

1954: UA von Benjamin Brittens »The Turn of the Screw« (Venedig).

1960: Premiere von Hans W. Henzes »Der Prinz von Homburg« (Hamb.)

1965: Bernd A. Zimmermanns Oper »Soldaten« verwendet u. a. Zwölftonmusik, Jazz, Tonbandgeräusche, Gregorianische Choräle.

1976: Patrice Chéreau (F) inszeniert anlässlich des 100-jährigen Bestehens der Bayreuther Festspiele den umstrittenen »Jahrhundert-Ring«.

1978: UA von György Ligetis »Le grand Macabre« in Stockholm.

1981: »Donnerstag« von Karlheinz Stockhausen (D), uraufgeführt in Mailand, bildet den Auftakt des siebenteiligen Opernzyklus »LICHT«.

1984: Luciano Berios »Un re in ascolto« feiert Premiere in Salzburg.

1989: UA von Siegfried Matthus »Graf Mirabeau« in Berlin (Ost).

1992: Aribert Reimanns Oper »Das Schloss« nach Franz Kafkas Roman feiert in Berlin Premiere.

Bernhard nach dessen Tod (1989). Das Wiener Akademietheater hatte trotz testamentarischen Verbots des Dichters, seine Stücke in Österreich zu spielen, 1998 eine Aufführung gewagt.

Peymann-Abschied: Sie zeigt drei Bernhard-Dramolette um Claus Peymann, der im Sommer 1999 das Wiener Burgtheater verlässt, um das Berliner Ensemble zu übernehmen. Seine letzte Wiener Premiere galt dem umstrittenen Balkankrieg-Stück von Peter Handke »Die Fahrt im Einbaum oder Das Stück zum Film vom Krieg«.

Unwort des Jahres

1991 von der Gesellschaft für deutsche Sprache (GfdS, Wiesbaden) begründeter Wettbewerb für einen sprachlichen Fehlgriff in der öffentlichen Diskussion

Begriffe: Der Vorsitzende des Frankfurter Zweigs der GfdS, der Sprachwissenschaftler Horst Dieter Schlosser, erklärte zum U. 1998 »sozialverträgliches Frühableben«. Der Begriff war von Karsten Vilmar, dem damaligen Präsidenten der Bundesärztekammer, als Kritik an der Gesundheitspolitik der rot-grünen Bundesregierung gebraucht worden. Nach Meinung der sechsköpfigen Jury – vier Germanisten, zwei Journalisten – habe Vilmar die Seriosität einer offiziellen Stellungnahme verfehlt und ärztliches Handeln in gedankliche Nähe zum NS-Euthanasieprogramm gebracht, bei dem sich Ärzte an der Tötung behinderter Menschen beteiligt hatten. Vilmar selbst bezeichnete seine Wortwahl als bewußt ironisch überzogene Formulierung. Als sprachlichen Missgriff wertete die Jury auch Martin Walsers Formulierung »Moralkeule«, die der Schriftsteller bei seiner Rede zur Verleihung des Friedenspreises des deut-

	Unworte des Jahres
1998	Sozialverträgliches Frühableben
1997	Wohlstandsmüll
1996	Rentnerschwemme
1995	Diätenanpassung
1994	Peanuts
1993	Überfremdung
1992	Ethnische Säuberung
1991	Ausländerfrei

BILANZ 2000

Theater
Dominanz der Klassiker – Mut zum Experiment

Die in Deutschland Ende des 20. Jh. meistgespielten Bühnenautoren sind die Klassiker William Shakespeare, Johann Wolfgang von Goethe und Friedrich Schiller; als einziger deutschsprachiger Klassiker konnte sich im 20. Jh. Bert Brecht etablieren. Diese Dominanz des Klassischen, das mit seiner zeitlosen Aussage die meisten Theaterbesucher anspricht, führte einerseits zur Ausbildung des Regietheaters mit überragender Stellung der Regisseure, andererseits standen ihr in der zweiten Hälfte des Jh. Experimentierfreude (Straßentheater, Happenings, Theaterkollektive, Politfarce) sowie die Tendenz zum zeitgebundenen Bühnenstück gegenüber. Mit Dario Fo (I) erhielt einer der einflussreichsten Impulsgeber dieser Richtung 1997 den Literaturnobelpreis. Eine der erfolgreichsten Exponentinnen ist in den 90er Jahren im deutschsprachigen Raum Elfriede Jelinek (A), die das Publikum mit zuweilen pornographischen Handlungen (»Raststätte oder Sie machen's alle«, 1994) und zuletzt mit dem »Sportstück« (1998) provoziert. Ähnliche Impulse kommen aus Großbritannien, das Ende der 90er Jahre als Brennpunkt der internationalen Theateravantgarde gilt: Die erfolgreichste ausländische Produktion 1998 in Deutschland war die Kapitalismusfarce »Shoppen & Ficken« von Mark Ravenhill (GB), das 59-mal u. a. in Berlin, Stuttgart und Wien gespielt wurde.

Positive Trends

▸ Die Klassiker bilden weiterhin den Schwerpunkt des Publikumsinteresses, das moderne Regietheater hat jedoch durch Abkehr vom klassischen Darstellungsstil die Ausdrucksmöglichkeiten auf der Bühne stark erweitert.

▸ Das moderne Regietheater macht selbst viel gespielte Repertoirestücke zum »Erlebnis«.

Negative Trends

▸ Die Subventionen für die rund 380 deutschen Theater als wichtige Kulturinstitutionen sind in den 90er Jahren rückläufig.

Helene Weigel als Mutter Courage in einer Inszenierung des Berliner Ensembles (1949)

Meilensteine

Vom Naturalismus bis zum absurden Drama

1902: Konstantin P. Stanislawski inszeniert in Moskau die Premiere des Naturalismus-Dramas »Nachtasyl« von Maxim Gorki (RUS).

1904: »Der Kirschgarten« von Anton P. Tschechow (RUS) gilt als ein Hauptwerk des impressionistischen Stimmungsdramas.

1904: Das Märchenspiel »Peter Pan« von James Barrie (GB) wirkt bis in die Spielzeugindustrie und Kindermode hinein.

1906: Regisseur und Schauspieler Max Reinhardt (A) eröffnet die Berliner Kammerspiele und begründet das illusionistische Regietheater.

1906: In der Tragödie »Frühlings Erwachen« greift Frank Wedekind (D) das Tabuthema Pubertät auf.

1908: August Strindbergs (S) Kammerspiel »Gespenstersonate« wirkt prägend für den Expressionismus.

1917: »Die Brüste des Tirésias« von Guillaume Apollinaire (F) ist das erste surrealistische Drama.

1920: Mit einer Aufführung des »Jedermann« von Hugo von Hofmannsthal (A) werden die ersten Salzburger Festspiele eröffnet.

1921: Luigi Pirandello (I) spielt in »Sechs Personen suchen einen Autor« ansatzweise alle Stilarten der Theatermoderne durch.

1927: Erwin Piscator (D) gründet in Berlin die erste Piscator-Bühne; er integriert Technik und theaterfremde Ausdrucksmittel.

1930: »Aufstieg und Fall der Stadt Mahagonny« von Bert Brecht (Text) und Kurt Weill (Musik) ist die erste paradigmatische Verwirklichung des epischen Theaters.

1943: Mit dem Résistance-Drama »Die Fliegen« (Jean-Paul Sartre) beginnt das existenzialistische Theater.

1947: Giorgio Strehler und Paolo Grassi gründen das Piccolo Teatro di Milano, das erste »ortsfeste« Theater Italiens.

1953: »Warten auf Godot« von Samuel Beckett (IRL) ist ein Hauptwerk des absurden Theaters.

1963: Mit »Der Stellvertreter« von Rolf Hochhuth (D) beginnt in der BRD eine Welle politischen Dokumentartheaters.

1971: »Wildwechsel« von Franz X. Kroetz (D) leitet eine Renaissance des kritischen Volkstheaters ein.

1981: Claus Peymann inszeniert bei den Salzburger Festspielen die Premiere des soziale und seelische Deformationen zeigenden Stücks »Am Ziel« von Thomas Bernhard.

1986: Uraufführung von Bernhards »Heldenplatz« in Wien.

schen Buchhandels im Oktober 1998 in Bezug auf das Thema Holocaust gewählt hatte. Lt. Jury habe Walser den positiven Be-

Weltkulturerbe in Deutschland, Österreich und der Schweiz

■■■ *Deutschland*

Aachen	🛡	Dom
Bamberg	🛡	Altstadt
Berlin/Potsdam	🛡	Schlösser und Parks (Sanssouci, Babelsberg, Cäcilienhof, Glienicke, Pfaueninsel u. a.)
Brühl	🛡	Schlösser Augustusburg und Falkenlust
Dessau, Weimar	🛡 🛡	Bauhaus-Stätten
Eisleben/Wittenberg	🛡	Martin-Luther-Gedenkstätten
Goslar	🛡	Altstadt, Kaiserpfalz und Silberbergwerk Rammelsberg
Hildesheim	🛡	Dom und Michaeliskirche
Köln	🛡	Dom
Lorsch	🛡	Kloster mit Königshalle
Lübeck	🛡	Altstadt
Maulbronn	🛡	Kloster
Messel	🛡	Schiefergrube (Fossilien)
Quedlinburg	🛡	Altstadt mit Schloss, Stiftskirche St. Servatius
Speyer	🛡	Dom
Steingaden	🛡	Wieskirche
Trier	🛡	Röm. Baudenkmäler, Dom, Liebfrauenkirche
Völklingen	🛡	Eisenhütte
Weimar	🛡	»Klassisches Weimar« (Goethes und Schillers Wohnhäuser, Herder-Stätten, Stadtschloss, Wittumspalais, Park a. d. Ilm, Fürstengruft u. a.)
Würzburg	🛡	Residenz

▬▬▬ *Österreich*

Hallstadt-Dachstein	🛡	Kulturlandschaft: Salzabbau
Salzburg	🛡	Historisches Zentrum
Semmeringpass	🛡	Semmeringbahn
Wien	🛡	Schloss und Garten Schönbrunn

✚ *Schweiz*

Bern	🛡	Altstadt
St. Gallen	🛡	Kloster
Müstair	🛡	Benediktinerkloster St. Johann

Stand: Januar 1999; Wappen: Bundesländer und Kantone; Quelle: UNESCO

griff der Moral mit dem amoralischen Keulenschwingen verbunden. Von der Gfds gerügt wurden 1998 ferner die Begriffe »Belegschaftsaltlasten« und »Humankapital«. **Verfahren:** Die Wahl des U. erfolgt aufgrund von Einsendungen aus der Bevölkerung. Sie orientiert sich an sprachkritischen Kriterien, nicht an der Häufigkeit der Nennungen, wobei beide Komponenten, wie 1998 beim Begriff »sozialverträgliches Frühableben«, übereinstimmen können.

Weltkultur- und Naturerbe

Im Dezember 1998 wurden weltweit 27 Kulturdenkmäler und drei Naturdenkmäler in die Liste des W. aufgenommen, die seitdem 582 schützenswerte Stätten in 114 Staaten umfasst. Die Zahl der deutschen W.-Denkmäler erhöhte sich auf 20, die der österreichischen von drei auf vier. Mit der Benennung von Denkmälern für die W.-Liste, die von der UN-Sonderorganisation für Bildung, Wissenschaft, Kultur und Kommunikation (UNESCO) geführt wird, verpflichten sich die Staaten, ihre W.-Stätten langfristig zu erhalten. Ärmere Staaten werden aus einem Welterbefonds finanziell unterstützt, in den jährlich etwa 4 Mio Dollar aus Pflicht- sowie freiwilligen Beiträgen der Mitgliedstaaten fließen.

Aufnahmen: 1998 kamen u.a. folgende Denkmäler auf die W.-Liste:

– Ensemble »Klassisches Weimar« (u.a. Wohnhäuser von Goethe und Schiller, Anna-Amalia-Bibliothek, Fürstengruft, Schloss Ettersburg, Schloss Tiefurt) als Zeugnis der herausragenden Rolle Weimars als Geisteszentrum im 18./19. Jh.

– Semmeringbahn (1854) südlich von Wien als Meisterleistung der Ingenieurkunst aus der Pionierphase des Eisenbahnbaus

– Troja/Türkei als eine der berühmtesten Ausgrabungsstätten der Welt und früher Schnittpunkt der Kulturen des Nahen Ostens und des Mittelmeerraums

– Lwow (Lemberg) in der Ukraine als Zeugnis des jahrhundertelangen Zusammenlebens von Menschen verschiedener Kulturen, Religionen und Bevölkerungsgruppen (Ukrainer, Polen, Juden, Armenier, Deutsche)

– Großer Platz in Brüssel/Belgien als homogenes Ensemble von öffentlichen und privaten Gebäuden, zumeist aus dem 17. Jh.

Potsdam: Das Welterbekomitee kritisierte im Dezember 1998 erneut, dass die Schlösser und Gärten in Potsdam, die seit 1991 zum W. gehören, durch das geplante Potsdam-Center, ein Dienstleistungszentrum am Bahnhof, beeinträchtigt werden könnten. Es forderte bis September 1999 einen neuen Bericht der Landesregierung Brandenburgs an. Dennoch wurde Mitte 1999 nicht damit gerechnet, dass Potsdam auf die »Rote Liste« der durch Kriege, Verfall, Naturkatastrophen oder städtebauliche Vorhaben bedrohten W.-Stätten kommt.
http://www.unesco.de
http://www.unesco.org/whc

Wort des Jahres

Seit 1978 von der Gesellschaft für deutsche Sprache (GfdS, Wiesbaden) gewählter Begriff, der als bezeichnend für die Entwicklung der letzten zwölf Monate gilt

Im Dezember 1998 kürte die GfdS »Rot-Grün« zum W. 1998. Die politische Debatte sei sehr stark von Farbmetaphorik geprägt gewesen; »Rot-Grün« habe sich von einem im Wahlkampf zunächst als Warnung verwendeten Begriff zu einem Erfolgswort gewandelt. Auf Platz zwei kam »Viagra«; der Name der Potenzpille sei sofort im übertragenen Sinn verwandt worden, z. B. bei »Viagra-Architektur« eines Hochhauses. Rang drei erreichte der Begriff »Neue Mitte«, mit der die im Bundestagswahlkampf 1998 am stärksten umworbene Wählerschicht und ein neues Politikverständnis umschrieben wurde. Auf Platz vier folgte das geflügelte Wort des früheren Münchner Fussballtrainers Giovanni Trapattoni:»Ich habe fertig!« Rang fünf erreichte mit »Event« der Fremdwort-Aufsteiger des Jahres.
http://www.geist.spacenet.de/gfds/verlag-D.html

Wörter des Jahrhunderts

Auswahl: Lexikografen des britischen Verlags Harper Collins (London) stellten Ende der 90er Jahre Wortneuschöpfungen des 20. Jh. zusammen, in denen sich der Zeitgeist widerspiegelt oder die auf Phänomene hinweisen, die das Leben veränderten. Als Auswahlkriterium mussten die Begriffe in den allgemeinen Sprachgebrauch eingegangen und in Wörterbücher aufgenommen worden sein. Jedes W. wurde einem Jahr des 20. Jh. zugeordnet.

Begriffe: Die Lexikografen berücksichtigten Begriffe aus den verschiedensten Bereichen. Für Politik steht z. B.»Glasnost« (1985), für Wirtschaft u. a.»Tupperware« (1945). Wissenschaft und Technik sind mit »Penicillin« (1928) und »Silikon-Chip« (1958) vertreten, Gesellschaft und Kultur durch »Yuppie« (1984) und »Rock'n'Roll« (1953).

Wort des Jahres: Spitzenreiter	
Jahr	Wort
1998	Rot-Grün
1997	Reformstau
1996	Sparpaket
1995	Multimedia
1994	Superwahljahr
1993	Sozialabbau
1992	Politikverdrossenheit
1991	Besserwessi
1990	Die neuen Bundesländer
1989	Reisefreiheit

Quelle: Gesellschaft für deutsche Sprache (GfdS, Wiesbaden)

Wörter des 20. Jahrhunderts (Auswahl)			
Aids	1983	Mickey Mouse	1936
Bikini	1946	Minirock	1965
Bolschewik	1918	Nato	1950
Dada	1916	Nylon	1938
Faschismus	1919	Oscars	1931
Fliegende Untertassen	1947	Radar	1941
Gestapo	1933	Schizophrenie	1912
Gigolo	1922	Solidarność	1980
Jazz	1909	Suffragette	1906
Jeep	1940	Surrealismus	1924
Kulturrevolution	1966	Tank	1915
Laser	1960	Teddybär	1902
Lego	1955	Television	1926
Luftangriff	1911	Watergate	1972
Maginot-Linie	1929	Workaholic	1971

Quelle: Neue Zürcher Zeitung, 1.12.1997

Großraumflugzeuge wie der Airbus A3XX erfordern die Lösung ganz neuer Problemfelder. So wäre ohne intensive Forschungen die Wirbelschleppe eines solchen Flugzeugs unakzeptabel groß und eine Gefahr für jede kleinere Maschine. Auch die Logistik der Flughäfen wird sich auf neue Dimensionen einzustellen haben.

Airbus

(engl: Luftbus), das Verkehrsflugzeug A. ist eine Gemeinschaftsentwicklung europäischer Luftfahrtunternehmen, die zur Airbus Industrie mit Sitz in Toulouse/Frankreich zusammengeschlossen sind.

Bilanz: Die Airbus Industrie verbuchte 1998 von 36 Kunden 556 Festbestellungen im Gesamtvolumen von 39 Mrd US-Dollar. 1998 lieferte die Airbus Industrie 229 Flugzeuge im Wert von 13,3 Mrd US-Dollar aus, darunter 47 Modelle aus dem Doppel-Programm A330/A340, 14 Großraum-Flugzeuge (A300/A310) sowie 168 Maschinen der Typen A319, A320 und A321.

Airbus A318: Im April 1999 startete die Airbus Industrie das Programm für den Airbus A318, der in seiner Basisversion Platz für max. 107 Passagiere bietet und über eine Reichweite von 3700 km verfügt. Der Jet soll in Hamburg konstruiert werden, die ersten Maschinen werden 2002 ausgeliefert. Der deutsche Partner DaimlerChrysler Aerospace (Dasa) liefert Rumpf und Seitenruder, die französische Aerospatiale Cockpit und Vorderteil, British Aerospace die Flügel und die spanische Casa das Leitwerk. Der weltweite Bedarf für Jets in dieser Größenordnung wird für die kommenden 20 Jahre auf 8500 Maschinen geschätzt. Der Airbus-Konkurrent Boeing bot in diesem Segment Ende der 90er Jahre die Typen 737-600 und 717 an.

Großraumflugzeug: Der Megaliner A3XX wird mit vier Triebwerken sowie einem völlig neuen Airbus-Design ausgestattet. 1999 waren drei Versionen mit 480, 550 und 650 Sitzen auf zwei Passagierdecks geplant. Länge und Spannweite des Großraumflugzeugs sollen jeweils 80 m nicht überschreiten. Die Geschwindigkeit wird bei 0,85 Mach (rund 1000 km/h) liegen. Der Baubeginn ist für Ende 1999 vorgesehen, die ersten A3XX werden voraussichtlich 2005 ihren Dienst aufnehmen. A.-Konkurrent Boeing plante für Anfang des 21. Jh. den Großraum-Jet 747 weiterzuentwickeln. Eine neue Version des Jumbo-Jets soll die Sitzplatz-Kapazität um 100 auf 500 erhöhen und die Reichweite des Flugzeugs um 500 auf 7300 nautische Meilen (rund 13 500 km) vergrößern.
http://www.airbus.com
http://www.daimlerchrysler.com

Flughäfen

Bis Anfang des 21. Jh. werden die wichtigsten deutschen Verkehrsflughäfen mit Milliardeninvestitionen umgebaut.
Berlin: Für den Bau des Großflughafens Berlin Brandenburg International (BBI), dessen Eröffnung für 2007 geplant ist, sind in der ersten Phase Investitionen von

TopTen Die größten Flughäfen[1]	
1. Frankfurt/M.	42,7
2. München	19,3
3. Düsseldorf	15,8
4. Hamburg	9,1
5. Berlin-Tegel	8,8
6. Stuttgart	7,2
7. Köln/Bonn	5,4
8. Hannover	4,8
9. Nürnberg	2,5
10. Leipzig/Halle	2,1

1) Fluggäste 1998 (Mio); Quelle: Arbeitsgemein. Deutscher Verkehrsflughäfen; http://www.adv-net.de

4,85 Mrd DM vorgesehen (Gesamtinvestition: 6 Mrd–7 Mrd DM). Auf 200 000 m² soll ein Passagierterminal mit drei Ebenen sowie einem Bahnhof entstehen. Der Großflughafen soll über zwei parallele, voneinander unabhängige Start- und Landebahnen verfügen.

Bremen: Nach fast zehnjähriger Bauzeit wurde im August 1998 mit der Einweihung des Terminals 3 der neue Airport fertig gestellt. Rund 390 Mio DM wurden in die Suprastruktur, 250 Mio DM in die luftfahrttechnische Infrastruktur investiert. Bis 2010 rechnet der Flughafen mit rund 3,3 Mio Fluggästen. Ab 2006 soll eine Autobahn-Anschlussstelle ans Verkehrsnetz angeschlossen werden.

Düsseldorf: Bis Mitte 2001 werden die Terminalbereiche A und B, der Flugsteig B und eine Station der Kabinenbahn, die den Flughafen-Fernbahnhof mit dem Terminal verbindet, neu errichtet. Die Kosten für Um- und Neubau betragen etwa 665 Mio DM. Die Passagierkapazität soll sich von 15 Mio (1999) auf mehr als 22 Mio pro Jahr erhöhen.

Frankfurt/M.: Das Terminal 1 wird komplett renoviert und erweitert. Im Mittelpunkt steht der Flugsteig B, der mit einer langen Glaskuppel versehen wurde. Gleichzeitig liefen 1999 die Bauarbeiten für die Verlängerung des Flugsteigs A um weitere 500 m auf insgesamt 1000 m mit Platz für zwölf zusätzliche Flugzeug-Abstellpositionen am Gebäude. Nach Abschluss aller Baumaßnahmen wird die Gesamtkapazität der Fluggastanlagen bei über 55 Mio Passagieren pro Jahr liegen.

Hamburg: Am 30.3.1999 wurde die neue Rollbahn »Lima« als Teilprojekt der ersten Ausbauphase des Airports in Betrieb genommen. Weitere Projekte sind eine zweite Lärmschutzanlage für Triebwerksprobeläufe von Großraumflugzeugen sowie elf zusätzliche Abfertigungspositionen für Verkehrsflugzeuge. Bis 2004 soll der S-Bahn-Anschluss fertig gestellt werden.

Hannover: Für neue Jetparkplätze und Rollfelder werden bis zur Expo-Eröffnung im Jahr 2000 rund 61 Mio DM investiert. Auf 180 000 m² entstehen etwa zwei Dutzend Jetparkplätze, Rollwege, Leitsysteme und Lichtanlagen. Zur Expo 2000 wird mit einem zusätzlichen Passagieraufkommen von 1,2 Mio Personen gerechnet.

TopTen Die weltgrößten Flughäfen[1]

#	Flughafen		Mio Passagiere 1998
1.	Atlanta		73,5
2.	Chicago		72,4
3.	Los Angeles		61,2
4.	London Heathrow		60,8
5.	Dallas		60,5
6.	Tokio Haneda		51,2
7.	Frankfurt/M.		42,7
8.	San Francisco		40,1
9.	Paris Charles de Gaulle		38,6
10.	Denver		36,8

1) Mio Passagiere 1998; Quelle: Welt am Sonntag, 2.5.99

Köln: Vorgesehen ist der Bau eines neuen Terminals mit unterirdischem ICE- und S-Bahnhof, zwei Parkhäusern sowie einem neuen Zu- und Abfahrtssystem für Kfz. Im Frühjahr 2000 soll das Terminal eröffnet werden. Die Baukosten von Terminal 2000 sind auf ca. 380 Mio DM veranschlagt. 2002 wird der Flughafen über eine 15 km lange Schleife mit der ICE-Neubaustrecke Köln–Rhein/Main verbunden sein.

München: Mit bauvorbereitenden Maßnahmen für das Terminal 2 soll Ende 1999 begonnen werden, die Fertigstellung und Inbetriebnahme ist für Sommer 2003 geplant. Die Anfangskapazität des Terminals 2 liegt bei 15 Mio Passagieren/Jahr. Bis zur Inbe-

Flughafen-Neubauten in Europa[1]

Standort	Kosten (Mrd Dollar)	Beschreibung
Athen-Spata	2,3	Neuer Airport im Jahr 2000
Lissabon	2,4	Neuer Airport im Jahr 2005
Zürich	1,5	Erweiterung im Jahr 2000
London-Heathrow	1,0	Neues Terminal 5 im Jahr 2013
Rom/Fiumicino	2,9	Erweiterung bis 2005
Berlin-Schönefeld	4,6	Ausbau zum Großflughafen bis 2007
Frankfurt/M.	1,4	Terminal-Erweiterung
München	1,3	Neues Terminal 2002/2003
Düsseldorf	1,1	Terminal-Neubau mit Bahnhof
Amsterdam-Schipol	18,4	Terminal- und Runway-Erweiterung
Paris	3,6	Neuer Airport ab 2015
Moskau	1,5	Erweiterung aller vier Airports

1) Kosten (Mrd Dollar); Stand: Mai 1999; Quelle: FlugRevue/ACI/Momberger Airport Information

Der Flughafen Köln 2000 im Modell. Das großzügige neue Terminal schließt sich links an die alten Gebäude an, die seit Aprill 1999 in Betrieb befindlichen beiden neuen Parkhäuser bieten 10 000 PKW Platz.

triebnahme des Terminals 2 ist ein weiterer Ausbau des bestehenden Terminals 1 vorgesehen. Das Finanzvolumen für Terminal 1 beträgt über 100 Mio DM, für Terminal 2 etwa 1,7 Mrd DM.

Malpensa 2000: Im Oktober 1998 in Betrieb genommen, soll der neue internationale Flughafen Malpensa in Mailand bereits im Jahr 2000 nach London, Paris, Frankfurt/M. und Amsterdam zum fünftgrößten Flughafen Europas avancieren. Gerechnet wird bis dahin mit 700 Flügen täglich sowie einem Passagieraufkommen von zunächst 12 Mio/Jahr.

http://www.german-airports.de
http://www.adv-net.de

Fluglinien

Allianzen: Der internationale Luftverkehr wird von zwei großen Allianzen dominiert, wobei jeweils eine große europäische Airline zusammen mit einer bedeutenden US-amerikanischen Gesellschaft den Kern bildet. Hinzu kommen jeweils eine kanadische Linie und Partner in Asien/Ozeanien sowie weitere internationale Airlines. Oneworld befördert jährlich rund 174 Mio Passagiere zu 632 Zielen in 138 Ländern, Star Alliance fliegt 654 Ziele in 108 Ländern an und kommt pro Jahr auf ca. 184 Mio Passagiere.

Mitglieder: Zum Konglomerat Oneworld gehörten Mitte 1999 u. a. die F. American Airlines, British Airways, Canadian Airlines und Cathay Pacific. Die Star Alliance bilde-

ten u. a. Lufthansa, United Airlines, Air Canada, die schwedische SAS und die japanische All Nippon Airways.

http://www.flyoneworld.org
http://www.star-alliance.com

Flugsicherheit

Die Fluglotsen der Deutschen Flugsicherung GmbH (DFS) kontrollierten 1998 insgesamt 2,215 Mio Flüge (+5% gegenüber 1997). Der Anteil des zivilen Flugverkehrs lag bei 2,12 Mio Flugbewegungen (+5,2%), während der militärische Flugverkehr um 1,1% auf 95 000 stieg. Die Bundesstelle für Flugunfalluntersuchung (BFU) wurde zum 1.9.1998 aus dem Luftfahrt-Bundesamt (LBA, Braunschweig) herausgelöst und in ein eigenständiges Unternehmen umgewandelt.

Ramp-Checks: Die »Technische und flugbetriebliche Inspektion« (»Task Force«) des Luftfahrt-Bundesamts überprüfte 1998 98% der nach Deutschland einfliegenden Airlines. Von 922 Ramp-Checks an ausländischen Luftfahrzeugen aus EU-Staaten und Drittländern entsprachen 88% den internationalen Standards. Bei 10% wurden Mängel festgestellt, bei denen der Abflug noch erlaubt wurde. In 19 Fällen (2%) wurde ein Startverbot ausgesprochen, was nach Behebung der Mängel vor Ort aufgehoben werden konnte.

Airbags: Im Flugzeug wird das aus der Automobilbranche stammende Prinzip des Luftkissens im festen Teil des Sitzgurts eingesetzt. Der A. funktioniert unabhängig von den Bordsystemen. Während Airbags in Kraftfahrzeugen in 35–40 Millisekunden aufgeblasen werden, entfalten sie sich im Flugzeug rund 100 Millisekunden später. **Beinahe-Zusammenstöße:** Im Flugverkehr über Deutschland kam es 1998 nach Auskunft der unabhängigen Expertenkommission Aircraft Proximity Evaluation Group (APEG) zu insgesamt 17 Luftfahrzeug-Annäherungen, von denen neun der Kategorie A (akute Zusammenstoßgefahr) und acht der Kategorie B (Sicherheit nicht gewährleistet) zugerechnet wurden. **Verspätungen:** 1998 startete nach Angaben des Verbandes der Europäischen Fluggesellschaften (AEA) etwa jede fünfte Maschine mit mind. 15 min Verspätung. Verantwortlich sei lt. AEA schlechtes Management des Luftraums sowie der Starts und Landungen. Ein einheitliches Vorgehen wurde in Europa erschwert, da 1998/99 in den einzelnen Staaten insgesamt 49 Zentren mit 31 nationalen Systemen in 30 Programmsprachen für die F. verantwortlich waren.

Flugzeugabstürze: Das größte Unglück 1998 war der Absturz einer MD 11 der Swissair am 3.9. über Halifax, Kanada (229 Tote; Ursache: Brand im Cockpit). Am 16.2.1998 verunglückte ein Airbus A300 der China Airlines beim Landeanflug in Taipeh (Taiwan). Dabei kamen 204 Menschen ums Leben. Beim Absturz eines Airbus A310 der Thai Airways in ein Sumpfgebiet am 11.2.1998 gab es 101 Tote.

http://www.bfu.de http://www.lba.de
http://www.lba.net http://www.dfs.de
http://195.243.93.104/9099.htm

Luftfahrtforschung

Luftfahrttechnologieprogramm: 1999 bis 2002 beabsichtigt die rot-grüne Bundesregierung mit einem Technologieprogramm in Höhe von 1,2 Mrd DM die im Rahmen des L.-Programms 1995–98 begonnenen Entwicklungen fortzusetzen (u. a. Kohlefaserflügel, elektronische Flugsteuerung, Rumpftechnologie, Bordsysteme). An den Kosten des Programms soll sich die Industrie mit 60% sowie der Bund und die jeweiligen Standort-Länder mit 20% beteiligen. Inhaltliche Schwerpunkte sind u. a. der Megaliner (Großraumflugzeug mit mehr als 500 Passagieren), der leise Allwetter-Hubschrauber sowie der effiziente und umweltfreundliche Antrieb (Senkung der CO_2- und NO_X-Emissionen). Die EU fördert die L. mit insgesamt 700 Mio Euro (1,369 Mrd DM).

Fluglärmreduzierung: Das Deutsche Zentrum für Luft- und Raumfahrt (DLR, Köln) beginnt 1999 mit einem Projekt zur deutlichen Herabsetzung des Triebwerklärms. Mikrofone nehmen den Lärm im Triebwerk auf und senden ihn über miniaturisierte Lautsprecher phasenversetzt ins Triebwerk zurück. Die ursprünglichen Schallwellen werden durch die zeitlich versetzten Wellen des Gegenschalls überlagert, sodass der Schall sich auf diesem Weg selbst ausgleicht.

Satellitengestützte Flugführung: Der internationale Luftverkehr stößt an der Wende zum 21. Jh. in vielen Regionen der Welt an seine Kapazitätsgrenzen. Probleme bereiteten den Luftverkehrs-Planern vor

Flugsicherheit: Die größten Crashs 1998/99

Datum	Ort	Typ	Airline	Ursache	Opfer
4.2.1998	Claveria/Philippinen	DC-9	Cebu Pacific Air	Bodenkollision	104
16.2.1998	Taipeh/Taiwan	Airbus A300	China Airlines	Absturz bei Landung	204
19.3.1998	Kabul/Afghanistan	Boeing 727	Ariana Airlines	unbekannt	22
20.4.1998	Bogota/Kolumbien	Boeing 727	Air France	Kollision mit Berg	53
29.8.1998	Quito/Ecuador	Tupolev 154	Cubana	Absturz beim Start	80
3.9.1998	Halifax/Kanada	MD 11	Swissair	Brand im Cockpit	229
11.12.1998	Suratthani/Thailand	Airbus A310	Thai Airways	Absturz in Sumpfgebiet	101
24.2.1999	Wenzhou/China	Tupolev 154	China Southwest	Explosion bei Landung	61
7.4.1999	Ceyhan/Türkei	Boeing 737	Turkish Airlines	Explosion an Bord	6

Stand: 21.5.99; Quelle: http://195.243.93.104/9099.htm

allem mangelnde Kontrollen und unwirtschaftliche Abläufe innerhalb des Flugverkehrs. Eine effiziente Flugverkehrskontrolle und neue Navigationstechniken werden von einer satellitengestützten Ortung und Navigation erwartet (Telematik). Die Euro Telematik arbeitete 1999 im Auftrag der Europäischen Kommission an neuen Methoden zur Optimierung zukünftigen Luftverkehrs-Managements.

http://www.bmu.de
http://www.bmwi.de
http://www.euro-telematik.de

Luftverkehr

1998 beförderten die europäischen Fluggesellschaften nach Angaben der Association of European Airlines (AEA, Brüssel) auf internationalen Linienflügen insgesamt 177 Mio Passagiere, 7,9% mehr als im Vorjahr. Nach Angaben der Arbeitsgemeinschaft Deutscher Verkehrsflughäfen (ADV, Stuttgart) benutzten im Jahr 1998 etwa 125,9 Mio Passagiere einen der insgesamt 16 internationalen deutschen Flughäfen, 4,6% mehr als 1997.

Das Wachstum wurde vor allem vom Linienverkehr getragen, der gegenüber dem Vorjahr um rund 6% zunahm. Der Charterverkehr registrierte Ende 1998 eine Zuwachsrate von lediglich 2%. Die Luftfrachtmenge nahm im Jahr 1998 um 3,9% auf 1,9 Mio t ab, das Volumen der beförderten Post sank um 9,8% auf 163 000 t. Von deutschen Flughäfen starteten 1998 nach Angaben des Statistischen Bundesamtes (Wiesbaden) insgesamt 62,6 Mio Passagiere, 5,2% mehr als im Vorjahr. Der Inlandsverkehr stieg gegenüber 1997 um 5,9% auf 19,9 Mio Fluggäste.

http://www.adv-net.de

Weltluftverkehr 1998–2017

	Wachstum/Jahr	Verdoppelung
Transportleistung	+ 5%	in 15 Jahren
Flugbewegungen	+ 2%	in 37 Jahren
Treibstoffverbrauch	+ 3%	in 22 Jahren
Neue Flugzeuge	+12 300	in 16 Jahren
durchschnittliche Flugzeuggröße	1998: 180 Plätze	2017: 230 Plätze

Quelle: Deutsches Verkehrsforum/FlugRevue 11/98)

BILANZ
2000

Luftfahrt
Das Flugzeug als Massenverkehrsmittel

Ende des 20. Jh. ist der Luftverkehr mit Wachstumsraten von jährlich 10% beim Passagieraufkommen der am kräftigsten expandierende Verkehrssektor. Deutschland und andere Industriestaaten liegen mit einem Plus von 6–8% (1998) unter dem Schnitt, während Südostasien, Lateinamerika, Afrika und China die stärksten Zuwachsraten verzeichnen. Der erwartete Bedarf von 16 000 neuen Ziviljets in den kommenden 20 Jahren wird die Umsatzeinbußen der Flugzeughersteller auf dem militärischen Sektor nach dem Ende des Kalten Krieges mehr als ausgleichen. Der Preiswettbewerb hat in den 90er Jahren einerseits zu Allianzen von Fluggesellschaften geführt und zugleich das Ende für die meisten Flugzeughersteller gebracht: Seit 1997 sind nur noch Boeing (USA) und der multinationale europäische Konzern Airbus auf dem Markt für zivile Großraumflugzeuge tätig. Um die wachsenden Passagierzahlen bewältigen zu können, werden weltweit Milliarden in Aus- und Neubau von Flughäfen investiert. Seit den 80er Jahren ist der Abbau von Schadstoffausstoß und Lärmentwicklung zentraler Aspekt beim Flugzeugbau.

Positive Trends

▶ Mit 0,05% liegt die Todesfallrate im Luftverkehr seit Jahrzehnten bei weniger als einem Hundertstel der Todesfallrate im Straßenverkehr.

▶ Das Luftfahrtforschungsprogramm der Bundesregierung sieht bis 2010 eine Verminderung der Schadstoffe und des Treibstoffverbrauchs um 25% vor sowie eine Verringerung des Fluglärms um 12 Dezibel (Halbierung der Lautstärke).

Negative Trends

▶ 1987–97 starben im Jahresschnitt 1243 Menschen bei 49 Flugzeugabstürzen.

▶ 1998 wiesen neun von 34 Flughäfen in Europa Sicherheitsmängel u. a. bei Brandschutz und Evakuierungsmöglichkeiten auf.

▶ Werden Ausrüstungs- und Ausbildungsstandards in einigen Schwellenländern nicht verbessert, ist ab 2015 wöchentlich mit einem schweren Unfall im Weltluftverkehr zu rechnen.

17.12.1903: Orville Wright beim ersten Flug in seinem Doppeldecker »Flyer I«

Zur Person: Ernst Heinkel
Erfinder des Düsentriebwerks

Ernst Heinkel (1888–1958) revolutionierte durch das Turbinenluftstrahltriebwerk die Luftfahrt: Das für die He 178 entwickelte Düsentriebwerk (1939) wurde wegweisend für den Flugzeugbau, da es die Fertigung von Hochgeschwindigkeitsmaschinen ermöglichte. Die erstmals in der Geschichte der Luftfahrt mit einem Schleudersitz ausgestattete He 280 (1941) war zugleich das erste Jagdflugzeug mit Strahltriebwerken, 1942 startete Heinkels Nachtjäger He 219. Für den Flugzeugbau bedeutungslos blieb die He 176, das erste Raketenflugzeug (1939).

Meilensteine

Vom ersten »Luftsprung« bis zum Überschall-Jet

1900: Ferdinand Graf von Zeppelin (D) unternimmt bei Friedrichshafen am Bodensee die erste Fahrt mit einem lenkbaren Starrluftschiff.

1901: Gustave Whitehead (USA) absolviert in Connecticut den ersten Motorflug der Geschichte.

1903: Karl Jatho (D) vollführt in der Lüneburger Heide »Luftsprünge« und Flüge von bis zu 60 m Länge.

1903: Die Brüder Orville und Wilbur Wright (USA) unternehmen erste gesteuerte Motorflüge.

1909: Louis Blériot (F) überquert mit einem 25 PS starken Eindecker den Ärmelkanal.

1910: Eugene B. Ely (USA) startet mit einem Curtiss-Doppeldecker von einem Schiff aus.

1915: Hugo Junkers (D) baut das erste Ganzmetallflugzeug.

1919: In Großbritannien läuft die »Hermes«, der erste Flugzeugträger, vom Stapel.

1927: Charles A. Lindbergh (USA) überfliegt von New York nach Paris den Atlantik allein und nonstop.

1928: Zwischen Paris und Buenos Aires wird die erste Transatlantik-Fluglinie eröffnet.

1932: Auguste Piccard (CH) erreicht in einem Stratosphärenballon 16 201 m Höhe.

1937: Die Explosion des Passagierluftschiffs LZ 129 »Hindenburg« in Lakehurst bei New York bedeutet das Ende der Verkehrsluftschifffahrt.

1939: Igor Sikorsky (USA) konstruiert den ersten flugtauglichen Helikopter mit nur einem Rotor.

1939: Die von Ernst Heinkel (D) entworfene He 178 ist das erste Flugzeug mit Strahltriebwerk.

1947: Charles E. Yeager (USA) durchbricht mit der Bell X-1 die Schallgrenze.

1969: Die »Concorde« (F/GB) geht ein Jahr nach der Tu-144 (UdSSR) als zweites Überschallverkehrsflugzeug auf Jungfernflug.

1970: Mit der Boeing 747 »Jumbo Jet« (USA, bis zu 500 Sitzplätze) beginnt die Ära der Großraumverkehrsflugzeuge zur Bewältigung steigender Passagierzahlen.

1981: Der Tarnkappenbomber F-117 A »Night Hawk« (USA) ist das erste in Stealth-Technik entwickelte Militärflugzeug mit extrem verminderter Radar- und Infrarotsignatur.

1981: MacCrerdy (USA) überquert mit dem Solarflugzeug »Solar Challenger« den Ärmelkanal.

1999: Bertrand Piccard (CH) und Brian Jones (GB) umrunden die Erde als Erste in einem Ballon.

Stichtag: 17. Dezember 1903
Erster gesteuerter Motorflug

Orville Wright (USA) gelang am 17. Dezember 1903 in den Sanddünen von Kitty Hawk in North Carolina der erste gesteuerte Motorflug. Vor den Augen seines Bruders Wilbur legte er mit dem Doppeldecker »Flyer I«, dessen Luftschrauben einen 12-PS-Benzinmotor bewegt wurden, 53 m in 12 sec zurück; noch am selben Tag flog er 255 m in 59 sec. Der bis heute in den USA amtlich vertretene Anspruch der Brüder Wright auf den ersten Motorflug überhaupt wird von vielen Luftfahrthistorikern zugunsten des Deutsch-Amerikaners Gustave Whitehead (1901) bestritten.

Ausblick
Expansion des Luftverkehrs

Nach Prognosen des Deutschen Zentrums für Luft- und Raumfahrt (Köln) und der Deutschen Flugsicherung (Offenbach) wird sich die Zahl der Flugreisen innerhalb und nach Deutschland von 48 Mio im Jahr 1998 auf 84 Mio im Jahr 2015 nahezu verdoppeln. Experten gehen davon aus, dass sich der Weltluftverkehr in den kommenden 50 Jahren verzehnfachen wird.

Medien

Business-TV

(engl.; Unternehmensfernsehen), Fernsehprogramme, die von Firmen mit weit verzweigtem Filialnetz veranstaltet, i. d. R. über Satellit ausgestrahlt und in den Filialen mit einem Gerät zur Entschlüsselung der Signale (sog. Decoder) empfangen werden. Ein Telekommunikationsrückkanal bietet die Möglichkeit zur Interaktion zwischen Veranstalter und Zuschauer. Durch eine Verknüpfung von B. mit dem PC können B.-Sendungen mit unmittelbaren Rückfragen gekoppelt abgespeichert werden.

Nach Einführung der digitalen Satellitenübertragung 1996 entwickelte sich B. zu einer Wachstumsbranche mit jährlichen Zuwachsraten von 50%. Für das Jahr 2001 ging das Bundeswirtschaftsministerium von einem Marktvolumen von 200 Mio DM in Deutschland aus. B. wurde in Deutschland 1999 von rund 20 Firmen, überwiegend Großunternehmen, veranstaltet, die ein eigenes Studio aufbauten oder das Equipment professioneller Anbieter wie Pro 7 und ZDF nutzten.

Business-TV: Technik

▶ **Ausstrahlung:** Die Bilder und Töne aus dem Digitalstudio eines Business-TV-Veranstalters gelangen über eine sog. Uplink-Station zu einem Fernsehsatelliten. Dieser strahlt sie in ganz Europa als verschlüsseltes Fernsehsignal aus.

▶ **Empfang:** Lediglich Empfänger mit einem Zusatzgerät für die Entschlüsselung der Signale können die Sendungen sehen. Dabei ist es möglich, in den Unternehmen spezielle Zielgruppen zu definieren, z. B. Management oder Vertriebsmitarbeiter. Infolge der Verschlüsselung und der erforderlichen Entschlüsselung können dann nur diese Zielgruppen das ausgestrahlte Programm empfangen.

▶ **Empfangsgeräte:** Die Übertragung der Signale bis zum Gerät des Empfängers dauert eine Viertelsekunde. Der Empfänger benötigt eine Satelli-

tenantenne und ein Zusatzgerät zur Entschlüsselung (Decoder) mit Fernsehgerät oder einen PC mit Decoderkarte. Über einen sog. Videoserver, der die Bilder erhält, können die Programme über das in den Firmen vorhandene Intranet oder das lokale Netz bis zum jeweiligen Arbeitsplatz übertragen werden.

▶ **Interaktion:** Die integrierte Rückkanaltechnologie ermöglicht die zeitgleiche Kommunikation des Zuschauers mit dem Sendestudio über Telefon, Internet oder Intranet.

▶ **Kosten:** Die technische Ausrüstung der Empfangsstationen kostete Ende der 90er Jahre jeweils rund 3500 DM. Für die Einrichtung eines Digitalstudios für Business-TV zahlten die Firmen bis zu 1,5 Mio DM. Die Produktionskosten schlugen pro Sendeminute mit etwa 300 DM bis 4000 DM zu Buche.

Quelle: VDI-Nachrichten, 19.3.1999

Vorteile: B. wurde eingesetzt, um die Kommunikation in Unternehmen mit zahlreichen Filialen zu verbessern. Die Aus- und Weiterbildung der Mitarbeiter wird effektiver, die Unterrichtung aller Mitarbeiter z. B. über neue Vermarktungsstrategien und Produkte schneller und besser. Kostenintensive Schulungen und Dienstreisen entfallen.

Mittelstand: Die Kölner Communication Media Consulting, Siemens und ein Fürther Software-Haus arbeiteten 1999 an der Entwicklung eines B.-Systems, das sich in die in Firmen vorhandene Infrastruktur integrieren lässt und so auch für kleinere Firmen erschwinglich sein soll.

Digitales Fernsehen

(auch Digital Video Broadcasting, DVB, engl.; digitale Fernsehausstrahlung), Übertragung von TV-Signalen mit digitaler statt analoger Technik und anschließender Datenkomprimierung. Damit wird eine höhere Übertragungskapazität von mehr als 100 Programmen allein in Deutschland ermöglicht.

Die Bundesregierung aus SPD und Bündnis 90/Die Grünen beschloss Ende 1998, dass die analoge terrestrische Fernsehübertragung 2010 durch digitale Ausstrahlung ersetzt werden soll. Sie ging davon aus, dass bis dahin 95% der Fernsehgeräte in Deutschland auf digitalen Empfang eingerichtet sind.

Angebot: 1999 wurden in Deutschland Premiere und DF 1 als kostenpflichtiges digitales Abonnementfernsehen (sog. Pay-TV) angeboten. Die Sender ARD und ZDF strahlten unverschlüsselt und frei empfangbar ein digitales Angebot aus. Die Deutsche Telekom plante, digitale Programme im Kabelnetz zu vermarkten.

Empfang: Voraussetzung für den Empfang von D., das 1999 i. d. R. über Satellit und Kabelnetz verbreitet wurde, ist ein Entschlüsselungsgerät, das digitale Daten in Bild- und Tonsignale umwandelt (Preis 1999: rund 1000 DM). Für den Empfang der Pay-TV-Programme war ein eigenes Entschlüsselungsgerät erforderlich (D-Box, Kaufpreis 1999: 1000 DM, Mietpreis: rund 20 DM pro Monat).

DVB-T: 1998/99 wurde die terrestrische Verbreitung DVB-T erprobt. Sie soll den Empfang von rund 50 digitalen Programmen mit der üblichen Hausantenne und einem besonderen Fernsehgerät ermöglichen. 1999 empfingen lediglich noch 15% der Haushalte terrestrisch verbreitete TV-Programme. Die Fernsehsender erhofften sich 1999 von DVB-T Einsparpotenziale von bis zu 90%, weil Gebühren für Kabel- oder Satellitenkanäle entfallen.

Digitales Radio

Hörfunkprogramme, deren Tonsignale in digitalen Sendeimpulsen ausgestrahlt werden. D. übertrifft analog ausgestrahlten Hörfunk in der Reichweite. Bei D. werden akustische Informationen, die für das menschliche Ohr nicht wahrnehmbar sind, herausgefiltert; so können über eine Hörfunkfrequenz bzw. einen Satellitenkanal sechs bzw. zwölf Programme ausgestrahlt werden (Ausnahme: Digitales Satellitenradio, DSR). Über D. lassen sich zusätzliche Datendienste (z. B. Nachrichten und Verkehrsmeldungen rund um die Uhr) und mit entsprechendem Bildschirm Bilder empfangen.

Das 1989 gestartete erste digitale Satellitenradio DSR mit 16 Programmen stellte 1998 seinen Sendebetrieb mangels ausreichender Hörerschaft ein. Für den Empfang von DSR, das eine der CD vergleichbare Klangqualität erreichte, war ein spezielles Gerät erforderlich, das bis 1998 lediglich 100 000 Hörer

erworben hatten (Preis: bis zu 3500 DM). Über terrestrische Frequenzen wurde 1999 überwiegend in Feldversuchen Digital Audio Broadcasting verbreitet (engl.; digitale Hörfunkausstrahlung, DAB), dessen 30 Programme und zusätzliche Datendienste langfristig den herkömmlichen UKW-Rundfunk ersetzen sollen. Als erstes Bundesland nahm Sachsen-Anhalt im April 1999 den Regelbetrieb mit DAB auf. Für den Empfang von DAB waren spezielle Hörfunkgeräte, für den Empfang im Auto besondere Autoradios Voraussetzung. DAB erreichte bis 1999 wenig Akzeptanz. Daneben wurden rund 80 Programme als Astra Digital Radio (ADR) über den Satelliten Astra verbreitet und konnten mit Satellitenantenne und speziellem Radiogerät (Preis 1999: unter 500 DM) gehört werden. Erprobt wurde auch die Nutzung des Standards für digitales Fernsehen, Digital Video Broadcasting (DVB), zur Ausstrahlung von Hörfunkprogrammen. Über DVB wurden die Programme terrestrisch verbreitet. Durch starke Datenreduktion war die Übertragung von 180 Programmen pro Kanal möglich. Angeboten wurden 1999 etwa 50 Programme über DVB, für dessen Empfang ein Zusatzgerät (sog. Set Top Box) erforderlich war.

Einschaltquoten

Erstmals seit sechs Jahren setzte sich 1998 mit der ARD wieder ein öffentlich-rechtlicher TV-Sender in der Publikumsgunst

▬▬ Einschaltquoten des deutschen Fernsehens[1]

	Zuschauer ab 3 Jahre[2]		Zuschauer 14–49 Jahre[2]	
ARD	15,4	▲ +0,7[3]	11,2	▲ +0,5[3]
RTL	15,1	▽ –1,0	17,8	▼ –0,7
ZDF	13,6	▲ +0,2	9,0	▲ +0,6
3. Progr.	12,3	▲ +0,7	8,3	–
SAT.1	11,8	▽ –1,0	12,9	▼ –0,5
Pro 7	8,7	▼ –0,7	13,9	▽ –0,8
Kabel 1	4,4	▲ +0,6	4,7	▲ +0,3
RTL 2	3,8	▼ –0,2	5,0	▼ –0,3
Super-RTL	2,9	▲ +0,6	2,6	▲ +0,5
Vox	2,8	▼ –0,2	3,7	▼ –0,2

1) Zuschaueranteil (%) 1998; 2) Für die Werbewirtschaft relevante Zielgruppe; 3) Veränderung gegenüber 1997 (%); Quelle: MGM/PC#TV; W&V 2/1999

durch. Die ARD verdrängte den langjährigen Marktführer, den privaten Sender RTL, auf Rang zwei, gefolgt vom öffentlich-rechtlichen ZDF. Die dritten Programme der ARD rangierten auf Rang vier vor dem zweiten großen privaten Anbieter SAT.1. In der für die Werbewirtschaft relevanten Zielgruppe der 14–49-jährigen behauptete das werbefinanzierte RTL seinen Spitzenplatz.

Zuschauererfolge: Die ARD hatte den Wechsel an der Spitze der E. vor allem durch Übertragungen von der Fußball-Weltmeisterschaft 1998 in Frankreich herbeigeführt, deren E. RTL auch mit Formel-1- und Champions-League-Übertragungen nicht übertreffen konnte. Informationssendungen und Eigenproduktionen wie »Der Laden« nach dem Bestseller von Erwin Strittmatter erzielten ebenfalls gute E.

Dritte Programme: Mit der verstärkten Regionalisierung der Inhalte ab 1992 erzielten die dritten Programme der ARD Ende der 90er Jahre hohe E. 1997 gewannen sie im Gegensatz zu den großen Anbietern Marktanteile hinzu, 1998 verzeichneten sie mit einem Zuwachs von 0,7 Prozentpunkten gegenüber 1997 eine der höchsten Steigerungen unter den Fernsehsendern. Sie setzten auf mehr Service und Unterhaltung in ihren Programmen sowie auf Gemeinschaftsproduktionen, die vergleichsweise günstig herzustellen waren. Ähnlich wie das private RTL, das sich mit RTL 2 und Super-RTL mehrere Sender für die Ausstrahlung von teuer eingekauften Serien und Spielfilmen sowie von Eigenproduktionen geschaffen hatte, nutzte die ARD die dritten Programme als Zweit- und Drittverwerter.

Fernsehen

Mit 198 min sah jeder deutsche Zuschauer 1998 im Schnitt täglich 4 min länger fern als 1997. Erhöhte Bedeutung kam im Wettbewerb um die Publikumsgunst bei öffentlich-rechtlichen und privaten Anbietern den Eigenproduktionen zu.

Eigenproduktionen: 1998 wendeten die deutschen Fernsehsender die Rekordsumme von 3,2 Mrd DM für selbst produzierte Programme auf. 1,8 Mrd DM davon entfielen auf private Anbieter, 1,4 Mrd DM auf ARD und ZDF. Um nicht auf überteuerte US-Spielfilme und Serien angewiesen zu sein, verdoppelten die Sender die Budgets für Ei-

BILANZ 2000

Fernsehen und Rundfunk

Unterhaltung und Information rund um die Uhr

Ende des 20. Jh. ist Deutschland mit rund 33 Mio Fernsehhaushalten der weltweit zweitgrößte TV-Markt nach den USA. In Kabel- (44%) und Satellitenhaushalten (33%) können mehr als 30 Programme empfangen werden. Täglich sehen die Deutschen 198 min (über drei Stunden) fern. Durch Einführung des »Frühstücksfernsehens« und das Schließen der sog. Nachtlücke ist seit den 90er Jahren Fernsehen rund um die Uhr möglich. Innerhalb des »dualen« Systems aus öffentlich-rechtlichen und privaten Anbietern gibt es Programmunterschiede, da nur die öffentlich-rechtlichen Sender den gesetzlichen Programmauftrag zur Information, Unterhaltung und Bildung haben. Ein gravierender Unterschied betrifft die Werbung: Während bei ARD und ZDF knapp 4% der Sendezeit auf Reklame entfallen, liegt dieser Anteil bei Privaten bei 20%. Die Werbeblöcke beim größten und erfolgreichsten Privatsender RTL betragen im Schnitt 3:14 min (Pro7 3:51 min, ZDF 2:14 min). 1997 ging der »Kinderkanal« von ARD und ZDF auf Sendung, die für die Fernsehwerbewirtschaft interessanteste, da konsumfreudigste Zielgruppe ist jedoch 14–49 Jahre alt. RTL hat sein Programm am besten auf diese Zielgruppe abgestimmt (17,8% Zuschaueranteil) vor Pro 7 (13,9%) und SAT 1 (12,9%). In den 90er Jahren beinhaltete jede dritte Sendeminute eine Wiederholung.

Positive Trends

▸ 99% aller deutschen Haushalte haben ein TV (1970: 85%), 50% ein Zweit- oder Drittgerät.

▸ Die öffentlich-rechtlichen Sender organisieren mit Spendenaufrufen Hilfsaktionen für aktuelle (Kosovo) oder Langzeitprobleme (z. B. Hunger).

Negative Trends

▸ Der Kampf um Einschaltquoten führt zu einer Verflachung des Angebots.

▸ Die fiktive Darstellung von Gewalt (Filme) kann ebenso zur Nachahmung verführen wie die reale Darstellung (Reality-TV, News-Sendung).

Fernsehen aus der guten alten Zeit: Die erste deutsche TV-Ansagerin Irene Koss, 1952

Meilensteine

Von der Flimmerkiste zum Digitalfernsehen

1906: Reginald A. Fessenden (CDN), der Erfinder der Amplitudenmodulation, überträgt erstmals drahtlos einen gesprochenen Text.

1915: Lee De Forest (USA) schafft mit dem Rückkopplungsprinzip eine Grundlage der Rundfunktechnik.

1920: KDKA (USA) strahlt im Mittelwellenbereich das weltweit erste regelmäßige Radioprogramm aus.

1923: Wladimir Zworykin (USA) lässt eine vollelektronische Wiedergaberöhre patentieren und legt die Basis für die Fernsehtechnik.

1923: Mit einem im Voxhaus in Berlin installierten 250-W-Mittelwellensender beginnt der öffentliche Rundfunk in Deutschland.

1928: Die Station WGY (USA) strahlt mit einem von General Electric entwickelten System die ersten regelmäßige TV-Sendungen aus.

1929: Die BBC beginnt mit regelmäßigen TV-Übertragungen nach dem System von John L. Baird.

1930: Manfred von Ardenne (D) überträgt das erste vollelektronische Fernsehbild.

1933: Auf der Funkausstellung in Berlin wird der im Auftrag der nationalsozialistischen Regierung zu Propagandazwecken entwickelte »Volksempfänger« vorgestellt.

1950: Die Länderanstalten gründen die Arbeitsgemeinschaft der öffentlich-rechtlichen Rundfunkanstalten der BR Deutschland (ARD).

1951: Mit einer Unterhaltungsshow des Senders CBS (USA) beginnt das Zeitalter des Farbfernsehens.

1952: In der BRD beginnt der regelmäßige Fernsehbetrieb.

1963: Mit Sendebeginn des ZDF werden in ausgewählten Haushalten Geräte zur repräsentativen Ermittlung der Einschaltquote installiert.

1967: In Westeuropa (außer Frankreich) beginnt das Farbfernsehzeitalter auf Basis des von Walter Bruch (D) entwickelten PAL-Systems.

1981: Das Bundesverfassungsgericht macht den Weg frei für die Einführung des privaten Hörfunks und Fernsehens in der BR Deutschland.

1991: Der Pay-TV-Sender Premiere strahlt über Kabel und Satellit ein werbefreies Programm aus.

1995: Die Affäre um einen Betrüger (D), der seit 1980 über 30 gefälschte Fernsehreportagen verkauft hat, nährt Zweifel an der fernsehjournalistischen Sorgfaltspflicht.

1998: Die EU-Wettbewerbsbehörde untersagt eine Allianz von Kirch-Gruppe und Bertelsmann (D) zur Vereinheitlichung des Digital-TV.

Stichtag: 1. Januar 1984
Beginn des Privatfernsehens
Im Rahmen des ersten deutschen Kabelfernsehprojekts in Ludwigshafen ging 1984 auch das private Satellitenprogramm SAT. 1 auf Sendung. Damit fiel der Startschuss für Verlage, Medienkonzerne und Verbände, im Rahmen des »dualen« Fernseh- und Rundfunksystems neben den öffentlich-rechtlichen Anstalten als Programmanbieter aufzutreten. Die Privaten, die sich aus Werbeeinnahmen finanzieren (wollen), lösten durch ihre Programm- und Preispolitik einen harten Konkurrenzkampf um Einschaltquoten aus. 1984–98 erwirtschafteten sie insgesamt Verluste in Höhe von 4,2 Mrd DM, Gewinne erzielten nur RTL, Pro 7 und der Musikkanal Viva. ARD und ZDF konnten sich gegenüber der privaten Konkurrenz in der Gunst der Zuschauer behaupten: Spitzenreiter waren Ende der 90er Jahre der öffentlich-rechtliche Sender ARD und der Privatsender RTL.

Stichwort: Sportübertragungsrechte
Fußball im Frauensender
Ein Coup gelang 1998 dem anglo-australischen Medienunternehmer Rupert Murdoch in Deutschland mit dem Erwerb der nationalen Übertragungsrechte für die europäische Fußball-Champions League im bisherigen Frauensender tm3. Murdoch, der zwei Drittel der Anteile an tm3 besitzt, zahlt für die Übertragung der Spiele nach Schätzungen rund 240 Mio DM/Saison. Der bislang kleine Sender tm3 erhofft sich mit der Ausstrahlung der lukrativsten Fußballklasse in Europa einen Zuschauerboom. Der bisherige deutsche Rechteinhaber für die Champions League, RTL, hatte pro Spieltag via TV bis zu 10 Mio Sportfans erreicht, war aber von den Verhandlungen über die Senderechte ab 1999 wegen überhöhter Forderungen zurückgetreten.

Haushaltsausstattung mit Fernsehgeräten im Vergleich

	TV-Haushalte[1]	Farbfernseher[2]	2 u. mehr Geräte[2]	Videorecorder[2]
Westeuropa	97	98	42	66
Zentral- u. Osteuropa	97	88	33	37
USA	97	99	74	84
Japan	99	98	99	77

1) % aller Haushalte; 2) % aller TV-Haushalte; letztverfügbarer Stand: 1997; Quelle: IP; »Television – European Key Facts«

Fernsehen: Adolf-Grimme-Preisträger 1999

Fiktion und Unterhaltung	Titel	Sender
Jo Baier (Regie) Martin Benrath (Darsteller)	Der Laden	ORB, WDR, SWR, MDR, BR, ARTE
Xaver Schwarzenberger (Regie) Tobias Moretti, Christine Neubauer, Gabriel Barylli (Darsteller)	Krambambuli	BR, ORF, SWR
Oliver Storz (Buch, Regie) Karoline Eichhorn, Stefan Kurt, Bruno Ganz (Darsteller)	Gegen Ende der Nacht	SWR, ORF, SF-DRS
Frank Beyer (Regie)	Abgehauen	WDR, NDR
Connie Walter (Regie), Renée Soutendijk (Darstellerin)	Hauptsache Leben	ZDF
Daniel Nocke (Buch, Regie)	Der Peitschenmann	ZDF
Information und Kultur		
Ute König (Buch, Regie)	Eine Frau im Männerknast	NDR
Dominik Graf, Michael Althen (Buch, Regie)	Das Wispern im Berg der Dinge	BR, WDR
Wilfried Huismann, Klaus Schlösser (Buch, Regie)	Machtspieler	WDR, RB
Enno Hungerland, Volker Anding (Buch, Regie), Werner Kubny (Bildgestaltung)	Ratten	WDR, ARTE
Azzedine Medour (Team Algerien), Patrice Barrat (Idee, Konzeption), Dierk Ludwig Schaaf (Redaktion, Realisation)	Fenster zur Welt – Das andere Algerien	WDR, ARTE, Koproduzenten
Spezial		
Jürgen Stähle	(Simultanübersetzung)	
Anke Engelke	Die Wochenshow	SAT.1
Thomas Schadt	(Dokumentarfilme)	
Sonderpreis des Kulturministeriums NRW		
Hermann Vaske	Das ABC der Werbung	ZDF, ARTE
Publikumspreis der Marler Gruppe		
Thomas Schadt	Der Kandidat	SWR

genproduktionen seit Mitte der 90er Jahre. In Deutschland strahlten die TV-Sender 1998 etwa 1815 Stunden Eigenproduktionen aus (Großbritannien: 1225; Frankreich: 576).

Rundfunkstaatsvertrag: Für die vierte Änderung des Rundfunkstaatsvertrags einigten sich die für Rundfunk zuständigen Bundesländer im April 1999 auf eine Lockerung der Werberichtlinien für Privatsender und eine Verschärfung des Jugendschutzes. Danach dürfen indizierte Filme lediglich noch im digitalen Fernsehen verbreitet werden, wo technische Vorkehrungen verhindern sollen, dass Minderjährige jugendgefährdende Sendungen sehen können (bis dahin: Ausstrahlung nach 23 Uhr auch im frei empfangbaren TV erlaubt). Eine Neuregelung des ARD-Finanzsystems, nach dem große Sendeanstalten kleinere unterstützen, wurde auf den Herbst 1999 vertagt. Während SPD-regierte Länder den Umfang des Finanzausgleichs innerhalb von zehn Jahren auf max. 1,5% des Gebührenaufkommens zurückschrauben wollten, setzten sich CDU/CSU-regierte Länder für eine Reduzierung um 1% der Gebühreneinnahmen in vier bis fünf Jahren ein. Von den Kürzungen betroffen wären vor allem die kleinen ARD-Anstalten Sender Freies Berlin (SFB) Saarländischer Rundfunk (SR) und Radio Bremen (RB).

TV und Internet: Medienforscher gingen Ende der 90er Jahre langfristig vom Zusammenwachsen der Medien Fernsehen und Internet aus. 1999 fanden zahlreiche Projekte zur Verknüpfung von TV und Internet statt. Für die nächsten zwei bis drei Jahre rechneten die Experten in Deutschland allerdings nicht damit, dass Zuschauer ihr Fernsehgerät über eine Set-Top-Box mit dem Telefonnetz verbinden und damit die Internetnutzung ermöglichen. Eher sei zu erwarten, dass TV-Sender das Internet zunehmend als Zusatzinformationsdienst und für interaktive Werbung nutzen.

Fernsehwerbung

Rundfunkstaatsvertrag: Im Rahmen der vierten Änderung des Rundfunkstaatsvertrags einigten sich die für Rundfunk zuständigen Bundesländer im April 1999 auf eine Lockerung der Werberichtlinien für Privatsender. Es gilt künftig das sog. Bruttoprinzip, nach dem die Dauer der F. auf die Länge eines Spielfilms angerechnet wird und der Film daher möglicherweise öfter als bis dahin durch F. unterbrochen werden darf. Außerdem dürfen die Sender die Werbeblöcke flexibler platzieren, so dass z.B. Sportübertragungen nicht an der spannendsten Stelle unterbrochen werden müssen. 1998 sendeten öffentlich-rechtliche und private TV-Veranstalter 679 658 min F. (Anstieg zu 1997: 12%). Der Trend ging zu kürzeren Spots, sodass sich die Anzahl der Werbespots gegenüber 1997 um 20% auf den Rekordwert von 1,8 Mio steigerte. Anders als in den Vorjahren konnten 1998 alle TV-Sender ihre Einnahmen aus der F. steigern.

Bilanz: Das Fernsehen war 1998 hinter den Tageszeitungen wiederum zweitstärkste Mediengruppe bei den Werbeeinnahmen. Das seit Mitte der 90er Jahre gebremste Wachstum der Einnahmen aus F. setzte sich fort. Mit 6,3% war der Zuwachs 1998 erneut niedriger als im Vorjahr (+7,8%). Insgesamt erlösten die TV-Sender rund 7,9 Mrd DM. Davon entfielen 7,2 Mrd DM auf private und 664 Mio DM auf öffentlich-rechtliche Sender. Der Anstieg gegenüber dem Vorjahr betrug bei privaten Veranstaltern 6%, bei ARD und ZDF 8%. Für 1999 wurde ein moderater Zuwachs der TV-Werbeeinnahmen um insgesamt 4% erwartet.

▬ Die größten Werbeträger[1]	
Tageszeitungen	11,5
Fernsehen	7,9
Werbung per Post	6,8
Publikumszeitschriften	3,7
Anzeigenblätter	3,4
Adressbücher	2,3
Fachzeitschriften	2,2
Hörfunk	1,2

1) Nettowerbeeinnahmen 1998 (Mrd DM); Quelle: Zentralverband der deutschen Werbewirtschaft

Giga

Fernsehprogramm zu den Themen Computer und Internet

Ende 1998 startete G., das vom europäischen Ableger des US-Fernsehunternehmens NBC veranstaltet wird. 1998/99 besaß die Deutsche Fernsehagentur DFA, Tochterfirma des Verlags »Rheinische Post«, 75% Anteile an NBC Europe. Das werbefinanzierte Programm von G. lebt von der Beteiligung der Zuschauer: Sie schicken E-Mails mit Alltagsgeschichten, geben interessante Internet-Seiten an, die im Programm ange-

▬ Entwicklung der Netto-Einnahmen aus Fernsehwerbung				
1989	22 554,6[1]	2256,8[2]	23,0[3]	16[4]
1990	24 613,2	2764,2	22,5	11
1991	28 347,0	3704,6	34,0	13
1992	31 255,0	4328,2	16,8	14
1993	31 917,9	4827,4	11,5	15
1994	33 927,5	5630,4	16,6	17
1995	36 338,5	6342,0	12,6	17
1996	37 285,8	6896,9	8,7	18
1997	38 653,7	7438,2	7,8	19
1998	41 113,6	7904,9	6,3	19

1) Netto-Werbeeinnahmen insgesamt (Mio DM), 2) TV-Netto-Werbeeinnahmen (Mio DM), 3) TV-Zuwachs (%), 4) Anteil TV am Werbemarkt (%); Quelle: Zentralverband der deutschen Werbewirtschaft (ZAW)

surft werden, und schildern ihre Computer-Probleme, die G. zu lösen versucht. Durch das Programm führt jeweils ein Moderator. Die Sendungen von G. können vergleichsweise preiswert produziert werden, weil z. B. teure Außendrehs oder der Einkauf von Senderechten entfallen.
http://www.giga.de

Internet-Radio
Hörfunk, der über das Internet verbreitet wird

Anfang 1999 sendeten mehr als 100 Adressen im World Wide Web Hörfunkprogramme, darunter auch mehrere deutsche Sender. Während die etablierten Anbieter in Deutschland wie die Deutsche Welle oder der Bayerische Rundfunk das Internet neben dem üblichen Hörfunk als Zusatzangebot und Experimentierfeld für neue Techniken nutzten, setzten zahlreiche neue Sender allein auf diesen Übertragungsweg. Experten gingen 1999 davon aus, dass sich I. langfristig zur Konkurrenz für herkömmliches Radio entwickeln wird. **Empfang:** Für den Empfang von I. waren ein Computer mit Soundkarte und Boxen sowie ein Internetzugang erforderlich. Für die Dauer des Hörens musste der Nutzer 1999 die Gebühren für die Internetnutzung bezahlen. Die Klangqualität blieb weit hinter der des üblichen Radios zurück. **Angebot:** Etablierte deutsche Sender wie Bayern 3 sendeten im I. Teile des eigenen

Internet-Radio: Adressen

http://www.bayern3.de	Hitradio, Nachrichten
http://www.bloomberg.com	Wirtschaftsnachrichten
http://www.broadcast.com	diverse Spartenprogramme
http://www.cyberradio.de	Hitradio, Nachrichten
http://www.dasding.de	Jugendradio
http://www.dwelle.de	Nachrichten in 35 Sprachen
http://www.disney.go.com/radiodisney	Radio für Kinder
http://www.netradio.com	über 100 Spartenprogramme
http://www.vatican.va/news-services	Messen, Musik
http://www.wrn.org	internationales Inforadio
http://www.zdnet.com/zdtv/radio	High-Tech-News
http://www.zero24-7.org	alternative Musik, Weltmusik
http://www.Radio-on-the-Internet.com[1]	

1) Suchmaschine für Radioprogramme; Quelle: Der Spiegel 15/1999

Hörfunkprogramms. Viele Stationen boten zusätzlich die Möglichkeit, ausgewählte Sendungen abzurufen. Vor allem neu gegründete I. richteten ihr Programm gezielt auf die Nutzer im Internet aus. Gesendet wurden Nachrichten, Musik und Kurzreportagen. Einige Sender übertrugen gleichzeitig Videobilder des Moderators, so dass sich die Grenzen zwischen Fernsehen und Hörfunk auflösten. **Finanzierung:** Der Betrieb eines I. war preiswerter als der herkömmlicher Radiostationen. Kosten für Satelliten- oder Kabelverbreitung entfallen. Finanzieren wollten sich I.-Stationen in Deutschland ebenso wie herkömmlicher privater Hörfunk über Werbeeinnahmen.

Kabelnetz
Netz aus breitbandigem Kupferkoaxialkabel oder Glasfaserkabel, das die Telekom in Deutschland zur Verbreitung von Hörfunk und Fernsehprogrammen eingerichtet hat. Die Nutzung des K. erhöht die Zahl der zu empfangenden Programme (analog: etwa 33) gegenüber der üblichen Hausantenne und garantiert einen weitgehend störungsfreien Empfang. Neben der Telekom betrieben private Firmen eigene kleinere K. und den Anschluss der einzelnen Haushalte an das K. der Telekom, das in zwei Dritteln der Fälle lediglich bis zur Haustür verlegt war. Von den Mitte 1999 rund 36 Mio Wohneinheiten waren etwa 21,3 Mio an ein K. angebunden.

Auf Druck der EU-Wettbewerbsbehörde, die mehr Konkurrenz auf dem zweitgrößten K.-Markt der Welt forderte, und aufgrund der bisherigen jährliche Verluste von rund 1,3 Mrd DM aus dem K.-Geschäft wollte die Telekom das K. 1999 verkaufen. **Verkauf:** Die Telekom gliederte Anfang 1999 das K.-Geschäft in eine Tochterfirma aus. Die Kabel Deutschland GmbH (Bonn) soll an die Deutsche Bank verkauft werden, die das K. ihrerseits an Investoren veräußern soll. Während die Telekom 20 Mrd DM für das K. forderte, bot die Deutsche Bank 9 Mrd DM. **Multimedia-Leitung:** Interessenten für das K. der Telekom, vor allem private K.-Betreiber, planten, das K. zu einem Datenweg für zahlreiche Dienste neben Fernseh- und Hörfunkübertragung auszubauen. So wurde in Pilotprojekten ab 1997 das Telefonieren über das K. erprobt. Es hatte eine mit dem herkömmlichen Telefonieren vergleichbare Qualität und wurde i.d.R. erheblich preiswerter angeboten. Daneben sollen ein gegenüber dem bisherigen wesentlich leistungsstärkerer Internetzugang und der Empfang von digitalem Pay-TV (engl.; Bezahlfernsehen) oder Pay per view (engl.; bezahlen fürs Sehen) möglich sein, bei dem der Zuschauer für den Empfang eines Fernsehprogramms oder eines Films bezahlt. Voraussetzung für diese Nutzung des K. ist seine Aufrüstung, deren Kosten private Betreiber 1999 mit 600–1000 DM pro Anschluss bezifferten. Marktforscher gingen 1999 davon aus, dass sich die mit dem K. erwirtschafteten Umsätze bis 2004 auf 32 Mrd DM verdoppeln lassen.

Kanalabschaltung: Das Wirtschaftsministerium plante Mitte 1999, fünf Kanäle aus dem K. bundesweit und weitere drei zumindest regional 2005 abzuschalten. Vor allem die von privaten Betreibern verlegten Anschlüsse der einzelnen Haushalte an das K. der Telekom seien häufig so mangelhaft, dass die übertragenen Fernsehsignale nach außen dringen und den Funkverkehr von Rettungsdiensten und Flugzeugen stören. Fernsehveranstalter hofften, dass bis dahin digitales TV mit Übertragungsmöglichkeiten von mehr als 100 Programmen im K. die Engpässe bei der 1999 analogen Übertragung von TV- und Hörfunkprogrammen überwindet.

Medienkonzentration

Treibende Kraft für die sich 1998/99 fortsetzende weltweite M. waren u. a. das starke Vordringen des Internet, die Digitalisierung der elektronischen Medien, die mehr als 100 Fernsehprogramme allein in Deutschland ermöglichen soll, und die Annahme, dass Telekommunikation, Fernsehen und Computer zu einer Einheit verschmelzen. Die Bundesregierung aus SPD und Bündnis 90/Die Grünen plante eine Neuordnung der Kontrolle, mit der eine die Meinungsvielfalt gefährdende M. verhindert werden soll.

Neuregelung: Vorgesehen war u. a., die Landesmedienanstalten, die den privaten Rundfunk beaufsichtigen, und die Regulierungsbehörde für Telekommunikation in einen Kommunikationsrat zu überführen. Die Landesmedienanstalten sollen innerhalb dieses Rats durch eine Bundesmedienanstalt ersetzt werden, in der Delegierte aller Bundesländer vertreten sind. Ob die 1997 geschaffene Kommission zur Ermittlung der Konzentration im Medienbereich (KEK) bestehen bleibt, war Mitte 1999 unklar.

Medienkonzentration: Die größten Unterhaltungskonzerne

Name		Sitz (Gründung)	Umsatz[1]
Time Warner Inc.	▆▆	New York (1923)	24,6
Walt Disney Comp.	▆▆	Burbank (1922)	22,5
Viacom Inc.	▆▆	New York	13,2
News Corporation	⌗	Sydney, London, New York (1952)	12,8
Bertelsmann	▬▬	Gütersloh (1835)	12,6
Sony	●	Tokio (1946)	10,0
Tele-Communications Inc.	▆▆	Denver (1968)	7,6
Granada Group	⌗	London (1934)	6,7
Universal Studios	▆▆	Universal City (1912)	6,4
Polygram	▬▬	Baarn (1972)	5,5

1) Unterhaltungssparten 1997/98 (Mrd Dollar); Quelle: US-Branchenblatt Variety, Focus 31.8.1998

Neuordnung: Das Bundeskartellamt lehnte im Oktober 1998 die Aufstockung der Anteile der Bertelsmann-Tochterfirma Ufa/CLT und der Münchner Kirch-Gruppe am Abonnementkanal Premiere auf je 50% wegen der dann marktbeherrschenden Stellung der beiden Konzerne im Pay-TV und frei empfangbaren Privatfernsehen ab. Bertelsmann (Anteile an RTL, RTL 2, Super-RTL und Vox) konzentrierte sich daraufhin auf das frei empfangbare, werbefinanzierte Privatfernsehen (sog. Free TV). Langfristig sah der Konzern die Zukunft des Privatfernsehens im Internet. Kunden sollen Spielfilme gegen Gebühr von Bertelsmann abrufen können, wenn eine gute Qualität von Filmübertragungen im Internet gewährleistet ist. Der Konkurrenzkonzern Kirch übernahm 1998/99 den privaten Sportkanal DFS zu 100%, stockte seine Anteile am zweitgrößten Privatsender SAT. 1 auf 59% auf und kaufte bis auf 5% die Anteile von Bertelsmann am Pay-TV-Sender Premiere (Preis: 1,6 Mrd DM), den der Konzern mit seinem eigenen digitalen Pay-Angebot DF 1 verschmelzen wollte. Damit war Kirch Monopolist auf dem 1999 noch kleinen Markt für digital übertragenes TV. Der Konzern verstärkte seine Medienmacht zusätzlich mit dem Einstieg des italienischen Medienunternehmens Fininvest und des saudischen Prinzen Al Waleed in seine Kirch Media KGaA, in der er Anfang 1999 die profitablen Kerngeschäftsfelder seines Konzerns, werbefinanziertes Fernsehen, Programmproduktion und Filmbearbeitung sowie Lizenzhandel, gebündelt hatte. Die neuen Partner zahlten rund 750 Mio DM. Mit Fininvest plante Kirch Kooperationen auf den Gebieten Multimedia und Internet sowie die Bildung einer europaweiten Privatfernsehallianz.

Markteinstieg: Mit dem Kauf von 66% Anteilen am Münchner Frauensender TM 3 Ende 1998 und dem Erwerb der Übertragungsrechte für die Fußball-Champions League (höchster Wettbewerb im europäischen Vereinsfußball) im Mai 1999 wollte der australisch-US-amerikanische Medienunternehmer Rupert Murdoch seinen Einfluss im deutschen Fernsehmarkt ausdehnen. Murdoch war ab 1994 mit 49,9% am Privatsender Vox beteiligt, Mitgesellschafter Bertelsmann hatte aber Versuche vereitelt, Murdochs Einfluss zu vergrößern. In Australien kontrollierte Murdoch 1999 mit seiner News Corporation, dem viertgrößten Medienunternehmen der Welt, zwei Drittel der Tagespresse, in Großbritannien und den USA führende Tages- und Boulevardzeitungen sowie in den USA 15 Fernsehstationen und das Filmstudio Twentieth Century Fox. Seine Satellitenkanäle konnten auf vier Kontinenten empfangen werden.

Nachrichtenkanal

Fernsehsender, der überwiegend Informationssendungen anbietet

Das drittgrößte deutsche Privat-TV Pro 7 plante 1999 einen eigenen N. namens N 24. Der zweitgrößte private Fernsehanbieter SAT. 1 wollte sein Informationsangebot ausbauen. 1998/99 gehörten Fernsehnachrichten mit im Schnitt rund 33 Mio Zuschauern zu den quotenträchtigsten Sendungen im deutschen TV. Fernsehexperten sahen in Informationssendungen einen Wachstumsmarkt. Der bis 1999 einzige private deutsche N. N-TV machte 1998 erstmals nach sieben Jahren Gewinne (591 000 DM vor Steuern). Daneben boten der gemeinsam von ARD und ZDF betriebene Kanal Phoenix sowie der US-Sender CNN Nachrichten und Informationssendungen.

N 24: Die Pro 7 Media AG wollte mit N 24 die Programmpalette der zum Konzern gehörenden privaten Sender Pro 7 und Kabel 1 ergänzen, die überwiegend Filme und Serien ausstrahlten. Neben Nachrichten soll N 24 Wirtschaftsberichte sowie wissenschaftliche und zeitgeschichtliche Dokumentationen senden. Vier Jahre nach dem Start soll der N. Gewinne erlösen.

SAT.1: Der Mainzer Sender stellt voraussichtlich im Herbst 1999 eine Nachrichtenzentrale in der Hauptstadt Berlin fertig. Der Informationsanteil am Programm soll dann deutlich erhöht werden. So wurde z. B. eine zusätzliche 15–20-minütige Nachrichtensendung am späten Abend geplant.

Ursachen: Fernsehexperten stellten Ende der 90er Jahre ein erhöhtes Informationsbedürfnis der Zuschauer fest. Ereignisse wie der Kosovo-Krieg steigerten das Interesse an Nachrichten. Mit der wachsenden Zahl privater Anleger an deutschen Börsen wuchs das Interesse an Wirtschaftsinformationen. Außerdem waren Nachrichten für die Sender im Vergleich zu Spielfilmen oder Sportübertragungen günstiger herzustellen.

Pay-TV

(to pay, engl.; bezahlen, auch Bezahlfernsehen, Abonnentenfernsehen), TV-Programme, die gegen eine Gebühr abonniert werden.

Anfang 1999 übernahm die Kirch-Gruppe (München) bis auf 5% die Anteile am erfolgreichsten deutschen P. Premiere von

---

Pay-TV in Europa

Frankreich: Canal plus war 1999 das in Europa erfolgreichste Pay-TV mit 6 Mio Abonnenten in Frankreich, 1,6 Mio Kunden in Spanien und weiteren 1,5 Mio Zuschauern in Italien. Aus dem deutschen Pay-TV Premiere stieg der Sender Anfang 1999 aus. Gleichzeitig verhandelte er mit dem britischen Pay-TV BskyB über eine Fusion.

Großbritannien: Den britischen Pay-TV-Markt beherrschte die News Corp. des US-amerikanisch-australischen Medienunternehmers Rupert Murdoch. Er war mit 40% an BskyB (7 Mio Abonnenten) beteiligt, das in Großbritannien u.a. wegen der Sportberichterstattung der britischen Premier League eine Monopolstellung hatte. Analog verbreitete BskyB 24 Programme, ab Oktober 1998 bot es 140 digital ausgestrahlte Kanäle an, für die es bis Januar 1999 rund 350000 Kunden gewinnen konnte, davon mehr als 40% Neukunden. Der Konkurrent Ondigital sendete ab

November 1998 rund 30 digitale Programme.

Italien: Bis 1999 waren sowohl das dominierende Pay-TV Telepiu als auch der Wettbewerber Stream defizitär (Verlust: je 700 Mrd Lire, rund 720 Mio DM). Telepiu hatte 400000 Kunden, Stream 70000. Beide Anbieter lieferten sich einen harten Konkurrenzkampf. Fusionsverhandlungen waren bis 1999 mehrfach gescheitert.

Spanien: Angesichts der lediglich drei frei empfangbaren Fernsehprogramme entwickelte sich Pay-TV in Spanien im europäischen Vergleich relativ früh. Bereits 1990 bot der spanische Canal plus ein Vollprogramm gegen Gebühr. 1998 machte er einen Gewinn von 15,4 Mrd Ptas (184 Mio DM). 1 Mio Kunden empfingen Canal plus analog, 600000 das digitale Paket Canal Satélite Digital. Mit dem Konkurrenten im digitalen Bereich, Vía Digital, wurden Fusionsverhandlungen geführt. Vía Digital hatte rund 355000 Abonnenten.

Quelle: Handelsblatt, 4.3.1999

den vorherigen Mitgesellschaftern, dem französischen P. Canal plus und der Bertelsmann-Tochterfirma UFA/CLT (Preis: 1,56 Mrd DM). Die Kirch-Gruppe, die ab 1996 neben Premiere mit DF 1 digital verbreitetes P. betrieb, wollte beide P.-Angebote im Oktober 1999 verschmelzen. Ab 2001 wird dieses P. voraussichtlich nur digital zu empfangen sein. Ab etwa 2004 soll das bis 1999 defizitäre P. mit 4 Mio Kunden rentabel sein. **Premiere und DF 1:** 1,2 Mio Premierekunden empfingen das P. Anfang 1999 in der üblichen analogen Form, rund 470 000 hatten das digitale Premiere abonniert. DF 1 der Kirch-Gruppe hatte Anfang 1999 rund 320 000 Kunden und war damit hinter den Erwartungen des Konzerns zurückgeblieben. Der verschmolzene Sender soll ab September 1999 rund 20 einzelne Kanäle anbieten, darunter auch einen Volksmusikkanal für die ältere Generation, einen Disney-Kanal für Kinder, einen Horror- und einen Erotikkanal. Dokumentationen und Magazine, bis dahin fester Programmbestandteil bei Premiere, sollen in das digitale Angebot verschoben werden, um Kunden des analogen P. zum Umstieg auf das digitale zu bewegen. Das Abonnement von zehn Kanälen soll 25 DM kosten, 20 Kanäle 50 DM. **Empfang:** Für den Empfang von analogem P. war ein sog. Decoder zur Entschlüsselung des ausgestrahlten Programms und eine Chipkarte mit der Abonnentennummer erforderlich. Digitales P. konnte nur mit einem speziellen Zusatzgerät empfangen werden (sog. Set-Top-Box), das die digitalen Signale umwandelte.

Anteilsübernahme: Vor der Einigung zwischen Kirch und Bertelsmann hatten die beiden Konzerne eine Allianz im P. angestrebt mit jeweils 50% Anteilen an Premiere. Das Bundeskartellamt hatte jedoch die paritätische Führung des P. untersagt. Es befürchtete eine Monopolstellung der beiden, auch im frei empfangbaren Privatfernsehen (sog. Free-TV) führenden Konzerne, die andere Wettbewerber im P.- und im werbefinanzierten Fernsehmarkt abschrecken könnte.

Presse

Der Markt für P.-Erzeugnisse blieb 1998 insgesamt stabil. Der Wettbewerb durch kostenlos verteilte Zeitungen verschärfte sich vor allem im Bereich der Tages- und Wochenzeitungen. Konkurrenz erwuchs den P.-Erzeugnissen durch das Internet und Online-Dienste, die ebenfalls um die Aufmerksamkeit der Leser warben.
Gratisblätter: Ende der 90er Jahre wurden zahlreiche kostenlose Anzeigenblätter, Sonntagszeitungen und kommunale Amtsblätter mit umfangreichem redaktionellem Teil herausgegeben. Herausragend war dabei u.a. der Erfolg des gratis verteilten Sonntagsblatts »Zeitung zum Sonntag«, das 1997 mit 120 000 Exemplaren in Freiburg/ Br. startete und sich ausschließlich über Anzeigen finanziert. 1998 wurde der angestrebte Umsatz von 4 Mio DM mit 4,2 Mio DM Erlös übertroffen. Nachdem Versuche der Verlage von Konkurrenzblättern gescheitert waren, die Gratisausgabe zu stop-

Presse: Die erfolgreichsten Zeitschriften

	Umsatz 1998 (Mio DM)[1]	Veränderung zu 1997 (%)[2]	Anteil der Anzeigen am Gesamtumsatz (%)[3]
Der Spiegel	740,75	▲ +5,7	63,2
Stern	703,52	▲ +9,7	63,8
Focus	625,12	▲ +8,3	71,1
Bild am Sonntag	548,28	▲ +2,9	46,8
TV Spielfilm	419,80	▲ +5,3	57,6
Hörzu	400,01	▲ +1,0	30,4
TV Movie	349,57	▲ +6,1	46,8
Brigitte	294,09	▲ +2,4	66,2
TV Hören und Sehen	257,72	▽ −4,9	17,8
Bild der Frau	232,39	▲ +1,2	45,9

1) Umsatz 1998 (Mio DM); 2) Veränderung zu 1997 (%); 3) Anteil der Anzeigen am Gesamtumsatz (%); Quelle: Kress Report 5/1999

pen, beteiligte sich der Gruner+Jahr Verlag (Hamburg) 1998 mit 50% an dem Freiburger Sonntagsblatt. 1999 wurden 20 Standorte in Deutschland auf ihre Tauglichkeit für die Herausgabe der »Zeitung zum Sonntag« geprüft. Das Blatt sprach die Leser insbes. mit journalistisch anspruchsvollen Artikeln an.

Wirtschaft: Mit einem Ausbau ihrer Wirtschaftsteile reagierten 1998/99 zahlreiche Tageszeitungen auf das gestiegene Interesse an Börsennachrichten. Der Hamburger Verlag Gruner+Jahr plante 1999 gemeinsam mit der britischen »Financial Times«, die zur Pearson-Gruppe gehörte, eine deutschsprachige Wirtschafts-Tageszeitung. Das Blatt soll in einer angestrebten Auflage von 150 000 Exemplaren kritische Wirtschaftsberichterstattung, Analysen, Reportagen und Klatsch aus der Wirtschaft bieten. Ende 1998 startete der Axel Springer Verlag (Hamburg) seine sonntäglich erscheinende Wirtschafts- und Finanzzeitung »Euro am Sonntag« (Preis: 3,50 DM). Das 80-seitige Blatt mit der angestrebten Mindestauflage von 50 000 Exemplaren umfasste einen Finanzteil und einen Mantel mit Reportagen und Berichten. Die bis dahin monatlich erscheinende »Geld-Zeitung« wurde eingestellt.

Internet: 1999 waren 138 Tages- und Wochenzeitungen im Internet vertreten. Dabei boten Regionalzeitungen wie die »Rheinzeitung« zusätzlich Dienstleistungen an wie einen Internetzugang, die Erstellung und Pflege persönlicher Internetseiten und die Einrichtung einer E-Mail-Adresse. Branchenfremde Online-Anbieter drangen zunehmend in die traditionellen Märkte der Zeitungen wie Rubrikenanzeigen ein. Für die Zeitungen rechnete sich das Engagement im Internet bis 1999 nicht.

Pressefreiheit

In Deutschland ist die P. durch Art. 5 GG geschützt, der die freie Meinungsäußerung in Presse, Rundfunk und Film garantiert. Der Organisation Reporter ohne Grenzen zufolge war die P. Ende der 90er Jahre lediglich in 30 Ländern sichergestellt. Mehr als 4 Mrd Menschen blieb sie vorenthalten. 1998 wurden nach Angaben der Internationalen Journalisten-Föderation (IJF, Brüssel) weltweit 50 Journalisten wegen ihrer Arbeit getötet. Die

Presse

Vielfalt trotz Konzentration im Blätterwald

Globale Medienkonzentration, ein leichter Rückgang der Auflagen und zunehmende Einschränkung der Pressefreiheit kennzeichnen Ende des 20. Jh. die Lage der Printmedien. Sensationsblätter behaupten bei den Verkaufszahlen Spitzenpositionen (1998): Die Bild-Zeitung ist mit 4,5 Mio Exemplaren täglich das meistverkaufte Presseerzeugnis Europas, das britische Boulevardblatt »Daily Mirror« kommt auf 2,7 Mio täglich, während von der »Westdeutschen Allgemeinen Zeitung« als auflagenstärkster Zeitung in Deutschland »nur« 0,8 Mio Exemplare täglich verkauft werden. Der Rückgang der Gesamtauflage in Deutschland 1992–98 von rund 33 Mio auf 32 Mio ist u.a. bedingt durch das Zeitungssterben in den neuen Bundesländern, wo nahezu alle Neugründungen wieder vom Markt verschwunden sind, die wirtschaftliche Krise und die Pressekonzentration. Das Internationale Presse Institut IPI (CH) stellte Ende der 90er Jahre in fast allen Staaten eine Verschlechterung der Arbeitsbedingungen für Journalisten fest. In 80 der 185 UN-Mitgliedsstaaten gilt die Pressefreiheit als gefährdet. 1999 wurden u.a. zwei deutsche Reporter im Kosovo in Ausübung ihres Berufes getötet.

Positive Trends

▸ Die tägliche Zeitungsnutzungsdauer ist seit den 80er Jahren von 33 auf 31 min gesunken und damit fast konstant geblieben.

▸ 131 Tageszeitungen stellten 1998 ihre Informationen auch online zur Verfügung.

▸ Die deutschen Tageszeitungen behaupteten 1998 ihre Position als führende Werbeträger.

▸ Die Zahl der Special-Interest-Zeitschriften stieg in Deutschland von 237 (1970) auf 751 (1998); größte deutsche Zeitschrift ist in Deutschland die »ADAC-Motorwelt« (12,5 Mio).

Negative Trends

▸ Die Zahl der Zeitungen mit Vollredaktion ging in Deutschland in den 90er Jahren von 157 auf ca. 130 zurück.

▸ Vier Verlagsgruppen kontrollieren 43,6% aller Publikumszeitschriften in Deutschland.

Grenze bei Helmstedt wird gesichert!

Erste »Bildzeitung« am 24.6.1952

Erste Ausgabe des »Spiegel«, 4.1.1947

Meilensteine

Zwischen Sensationsgier und Kontrolle der Politik

1903: Mit dem »Daily Mirror« wird Alfred Harmsworth Northcliffe einer der Begründer der britischen Sensationspresse.

1912: Wladimir I. Lenin gründet die »Prawda« (»Wahrheit«), die unter Stalin führende (propagandistische) Tageszeitung der UdSSR wird.

1916: Der Pressekonzern von Alfred Hugenberg erwirbt den Scherl Verlag und wird die mächtigste deutsche Mediengruppe.

1923: Britton Haddon (USA) gründet »Time«, das erste Nachrichtenmagazin der Welt.

1925: Mit der Nachrichtenagentur TASS entsteht eines der wichtigsten Propagandainstrumente der UdSSR.

1933: Die Gleichschaltung der Presse durch die NS-Regierung führt zu Verboten und Enteignungen; die Auflage des »Völkischen Beobachters« hingegen steigt von 15 000 (1928) auf 836 000 (1941).

1945: Die Besatzungsmächte führen in Deutschland den Lizenzzwang für die Presse ein; Lizenzen erhalten u. a. »Süddeutsche Zeitung« (1945), »Frankfurter Rundschau« (1945) und »Die Welt« (1946).

1947: Rudolf Augstein gründet den »Spiegel«, das bis in die 90er Jahre führende deutsche Nachrichtenblatt.

1948: Henri Nannen (D) prägt mit der politisch engagierten Illustrierten »stern« das deutsche Zeitschriftenwesen der Nachkriegszeit.

1949: Die westdeutschen Nachrichtenagenturen vereinigen sich zur Deutschen Presse-Agentur (dpa).

1952: Das im Axel Springer Verlag gegründete Straßenverkaufsblatt »Bild« avanciert zur auflagenstärksten Zeitung Europas.

1952: Rupert K. Murdoch (AUS) gründet die News Corporation und baut sie zu einem der größten Medienkonzerne der Erde aus.

1956: Als publizistische Selbstkontrolleinrichtung wird der Deutsche Presserat gegründet.

1967: Studentische Proteste gegen den Axel Springer Verlag führen zur Einsetzung einer parlamentarischen Untersuchungskommission über die Pressekonzentration und ihre Folgen für die Meinungsvielfalt.

1989: Durch Fusion von Time und Warner Brothers entsteht Time Warner, der weltgrößte Medienkonzern.

1993: Die Burda GmbH gründet das Nachrichtenmagazin »Focus«.

1997: Der Autounfall von Prinzessin Diana auf der Flucht vor Reportern in Paris wirft erneut die Frage nach der Ethik von Journalisten auf.

Zur Person: Egon Erwin Kisch
Der rasende Reporter

Der tschechische Schriftsteller Egon Erwin Kisch (1885–1948) erhob die Reportage zur Kunstform. Sozial engagiert und unbestechlich, wurde er in den 20er Jahren mit stilistisch brillanten Reportagen über die Lebens- und Arbeitsbedingungen von Industriearbeitern Starreporter Berliner Tageszeitungen. Der Titel seiner Sammlung »Der rasende Reporter« (1925) wurde zum Synonym für seine Arbeit. 1935 hielt er in Paris seine berühmte Rede über die »Reportage als Kunstform und Kampfform«.

Stichwort: Nachrichtenmagazin
Fakten statt Gefälligkeiten

Britton Haddon gründete 1923 in New York die Wochenzeitschrifft »Time« (Auflage 1998: 4,1 Mio), die mit ihrer Mischung aus an »stories« exemplifizierten Wort- und Bildbeiträgen weltweit den Typ des politischen Nachrichtenmagazins prägte; 1933 folgte »Newsweek USA« (3,2 Mio), 1947 Rudolf Augsteins »Spiegel« (1,0 Mio): Investigativer Journalismus statt Hofberichterstattung und Aufdeckung zahlreicher Affären (u. a. Flick, Neue Heimat, Co op) brachten dem »Spiegel« internationales Renommee ein.

Stichwort: Watergate
Der Journalist als Detektiv

1974 trat US-Präsident Richard Nixon zurück, nachdem die detektivisch arbeitenden Reporter der »Washington Post«, Bob Woodward und Carl Bernstein, seine Verstrickung in einen Einbruch in die Watergate Appartments (1972) der oppositionellen Demokraten aufgedeckt hatten. Monatelang hatten die beiden Reporter Hunderte von Interviews geführt. Der Fall wurde 1976 von Alan J. Pakula unter dem Titel »Die Unbestechlichen« mit Robert Redford und Dustin Hoffman verfilmt.

DSF-Spartenkanäle Activ,
Plus und Golf

meisten Fälle wurden in Kolumbien (10), Mexiko (6) und Russland (5) registriert. Laut Reporter ohne Grenzen wurden die Journalisten Opfer bei Recherchen über Korruption oder Verbindungen zwischen Behörden und organisierter Kriminalität.

Privatfernsehen

Die Privatsender verloren 1998 Marktanteile an die öffentlich-rechtliche Konkurrenz. Die ARD löste den größten P.-Anbieter RTL an der Spitze der Publikumsgunst ab. Die dritten Programme der ARD erzielten die vierthöchsten Einschaltquoten und verdrängten das zweitgrößte Privat-TV SAT.1 auf den fünften Rang.

Neuordnung: Der Gütersloher Medienkonzern Bertelsmann konzentrierte sich mit seinem 50%-Anteil am Privat-TV-Betreiber CLT-Ufa (Anteile an RTL, RTL 2, Super-RTL und Vox) auf das frei empfangbare, werbefinanzierte P. (sog. Free TV). Der Konkurrenzkonzern Kirch (München), der u.a. Anteile an SAT. 1, DFS, Pro 7 und Kabel 1 kontrollierte, setzte auf das Pay-TV (engl.; Bezahlfernsehen, Abonnementkanäle), das er etwa 2004 mit dann geplanten 4 Mio Kunden rentabel machen wollte. Dazu übernahm Kirch Anfang 1999 bis auf 5% die Anteile von Bertelsmann am Pay-TV-Sender Premiere, den der Konzern mit seinem eigenen digitalen Pay-Angebot DF 1 verschmelzen wollte. Bertelsmann wollte die Kooperation zwischen den Sendern RTL, RTL 2 und Super-RTL bei Programmplanung, Rechteeinkauf und Vermarktung von Werbezeiten verstärken, um Kosten einzusparen.

SAT.1: Das Bundeskartellamt erlaubte dem Kirch-Konzern Ende 1998 die Übernahme von weiteren 15% Anteilen und damit die Kontrolle über die Mehrheitsanteile (59%) beim zweitgrößten Privat-TV SAT.1. Den Sportkanal Deutsches Sportfernsehen (DFS) übernahm Kirch zu 100% (bis dahin: 66,5%). Experten gingen davon aus, dass beide Sender u.a. als Programmlieferant für die Pay-TV-Sender Premiere und DF 1 dienen sollten.

Finanzen: Neben RTL und dem drittgrößten Privat-TV Pro 7, die wie in den Vorjahren erhebliche Gewinne erzielten, erwirtschaftete SAT.1 nach mehreren Jahren erstmals wieder rund 6,3 Mio DM Überschuß. Kabel 1, das vollständig der Pro 7

Media AG angehörte, erlöste zum ersten Mal einen Gewinn in Höhe von 19 Mio DM. Die übrigen privaten Sender, überwiegend Spartenkanäle, machten i.d.R. Verluste (Ausnahmen: der Musiksender Viva und der Nachrichtenkanal N-TV).

Radio

1998 standen die öffentlich-rechtlichen R.-Sender der ARD in der Hörergunst weiterhin an erster Stelle. Die privaten R.-Stationen warben jedoch laut Media-Analyse (MA) II/1998 Hörer ab. Während die 60 ARD-Sender im Schnitt 80 000 Hörer pro Stunde im Vergleich zur MA I/1998 verloren, gewannen die 171 privaten Anbieter 110 000 hinzu, und zwar ausschließlich aus Ostdeutschland. Danach hatten die ARD-Sender an Werktagen im Schnitt 7,96 Mio Hörer pro Stunde, die privaten Stationen 7,56 Mio.

Werbeeinnahmen: Bei den Werbeeinnahmen warben die öffentlich-rechtlichen R.-Sender mehr als die privaten. Unter den fünf einnahmenstärksten Anbietern waren 1998 drei private und zwei ARD-Sender. Während sich der öffentlich-rechtliche Rundfunk im Wesentlichen aus Gebühren finanziert, sind Werbeerlöse die einzige Einnahmequelle der privaten Anbieter.

Wortanteil: Zwei Drittel ihres Programms bestritten öffentlich-rechtliche Sender 1997 (letztverfügbarer Stand) mit Musikeinspielungen. Einer Studie des Instituts der deutschen Wirtschaft (Köln) zufolge hatten Radio Bremen und der Saarländische Rundfunk die wortkärgsten Programme mit 24,4% bzw. 27,9% Wortanteil. Der Sender Freies Berlin und der Bayerische Rundfunk erreichten mit 45,7% bzw. 44% nahezu die höchsten Wortanteile. Sie wurden lediglich vom bundesweiten Informations- und Kulturkanal Deutschlandradio übertroffen, dessen in Köln produzierte Sendungen auf 71,5% Wortanteil kamen.

Spartenkanäle

Fernsehprogramme für eine bestimmte Zielgruppe. Das Angebot von S. beschränkt sich im Gegensatz zu sog. Vollprogrammen auf spezielle Themen.

Auf dem Weltmarkt gewannen S. Ende der 90er Jahre an Bedeutung. In Deutschland standen nicht genügend Plätze im Kabelnetz der Telekom zur Verbreitung neuer S. zur

Verfügung. Die Kabelplätze mit hoher Reichweite waren Voraussetzung für den wirtschaftlichen Erfolg, weil die Werbung treibende Wirtschaft nur bei hoher potenziell zu erreichender Zuschauerzahl Spots in den S. schaltete. Die S. mussten anders als beispielsweise in den USA, wo Kabelnetzbetreiber Gebühren an S. entrichten, für die Einspeisung ins Kabelnetz zahlen und diese Kosten sowie die übrigen Aufwendungen allein aus Werbung finanzieren. Die Verbreitung über Satellit war mit einer Reichweite von 33% der TV-Haushalte keine Alternative. Bis auf wenige Ausnahmen wie dem Musiksender Viva und dem Nachrichtenkanal n-TV machten die 20 S. 1998 Verluste.

Teleshopping

(engl.; per Bildschirm einkaufen), 1999 boten in Deutschland die Kanäle Home Order Television (H.O.T., München) und QVC (Quality, Value, Convenience, Düsseldorf) Waren über das Fernsehen an, die Kunden per Telefon bestellen konnten. Daneben gab es virtuelle Warenhäuser im Internet, aus denen Kunden Waren am PC-Bildschirm wählen und ordern konnten.

Der Markt für T. per Fernsehen wurde in Deutschland Ende der 90er Jahre auf 1 Mrd DM pro Jahr geschätzt. 1998 steigerte H.O.T. seinen Umsatz gegenüber 1997 um 144% auf 199 Mio DM. H.O.T. hatte 1 Mio Kunden (Stand: Juni 1999), insgesamt 20 Mio Haushalte erreichte der Sender über Kabel und Satellit in Deutschland, Österreich und der Schweiz. Der Umsatz des Konkurrenten QVC erhöhte sich 1998 gegenüber dem Vorjahr um 250% auf 95 Mio DM. QVC rechnete mit ersten Gewinnen im Jahr 2000. Von 1997 bis 1998 vervierfachte sich die Kundenzahl von QVC auf 400 000, für 1999 strebte der Sender eine weitere Verdoppelung der Zahl an. Die Rücksendequote der georderten Produkte war mit 18% relativ hoch.

Wirtschaftsfernsehen

TV-Kanal mit Wirtschafts-, Finanz- und Börsenthemen.

Mitte 1998 startete in Europa der neu formierte Wirtschafts-TV-Sender CNBC. Anfang 1998 hatten der US-Fernsehsender NBC und der Konzern Dow Jones & Company ihre defizitären europäischen TV-Aktivitäten CNBC und EBN (European Business News) zu »CNBC: a service of NBC und Dow Jones« zusammengefasst. Ende

1998 startete der Wirtschaftskanal Bloomberg TV des US-Medienkonzerns von Michael Bloomberg. Deutschland galt als schwieriger Markt für W., das sich vollständig durch Werbung finanzierte.
CNBC: Das englischsprachige W. strahlte Wirtschaftsnachrichten, Interviews, Analysen zu wirtschaftlichen Themen und Live-Sendungen von den großen Börsen aus. Weltweit erreichte CNBC Ende der 90er Jahre 170 Mio Haushalte, in Deutschland waren es 8 Mio.
Bloomberg TV: In 30-Minuten-Schleifen sendete das deutschsprachige W. Nachrichten und Reportagen. Der Bildschirm war dabei in fünf Felder mit jeweils anderer Information (z. B. Meldungen, Börsendaten) unterteilt. Die Reichweite soll 1999 von 30% der Fernsehhaushalte auf 50% gesteigert werden.

Worldspace

(engl.; Weltraum), digitales Satellitenradio für die Entwicklungsländer. W. soll die herkömmlichen Verbreitungsmedien in den Entwicklungsländern, z. B. die Kurzwelle, langfristig ersetzen.

Im Oktober 1998 startete mit Afristar der erste von drei Satelliten, die ab Ende 1999 für ein umfassendes Hörfunkangebot für 4,6 Mrd Menschen in Entwicklungsländern sorgen sollen. In der zweiten Hälfte 1999 sollen die Satelliten Ameristar und Asiastar folgen. Betrieben wurde W. 1999 von dem Äthiopier Noah A. Samara.
Angebot: W. soll eine Mischung aus lokalen, regionalen und globalen Programmen mit Inhalten wie Information, Bildung und Unterhaltung bieten. Der Wortanteil soll mind. 25% betragen. Dazu sollen weltweit Radioveranstalter und große Auslandsradios wie Voice of America und die Deutsche Welle gewonnen werden, die ihre Programme über W. verbreiten sollen. Langfristig wollte Samara 5% der Sendekapazität für humanitäre Zwecke reservieren.
Empfang: Voraussetzung für den Empfang von W. ist eine flache Antenne, die an spezielle tragbare Geräte angeschlossen werden muss. Die ersten vier Gerätetypen wurden ab Ende 1998 angeboten. Über zwei konnte lediglich W. empfangen werden, mit den anderen beiden war zusätzlich der Empfang von UKW, Mittel- und Kurzwelle möglich (Preis 1999: 200–300 Dollar).

Medikamente/ Therapien

Abtreibungspille

(Mifegyne, früher RU 486), Präparat zum medikamentösen Schwangerschaftsabbruch. Der Wirkstoff Mifepriston ist Gegenspieler des schwangerschaftserhaltenden Hormons Progesteron und wirkt Frucht abtreibend. Die befruchtete Eizelle wird aus der Gebärmutterschleimhaut gelöst und durch ein 48 Stunden später verabreichtes Wehenmittel (Prostaglandine) abgestoßen. In Frankreich und Schweden wird die A. bis zum 42. Tag nach der Befruchtung eingesetzt, in Großbritannien bis zum 63. Tag.

Der Hersteller der A. beantragte im März 1999 bei der Europäischen Arzneimittelagentur (EMEA, London) die zentrale Zulassung des Medikaments. Die A. wird damit voraussichtlich Mitte 1999 auch in Deutschland angeboten werden. Nach einer Änderung des Arzneimittelgesetzes vom April 1999 darf sie nur an Einrichtungen abgegeben werden, in denen Schwangerschaftsabbrüche durchgeführt werden. Während die rot-grüne Bundesregierung und die oppositionelle FDP die Einführung begrüßten, lehnte die katholische Kirche dies als Mord am ungeborenen Leben ab.

Vorgeschichte: Während das Medikament in Frankreich, Großbritannien und Schweden sowie in mehreren Ländern Asiens seit 1988 bzw. Anfang der 90er Jahre eingesetzt wird, hatte der Hersteller, eine französische Tochterfirma der Hoechst AG, die Zulassung in anderen europäischen Ländern aus Angst vor Boykottmaßnahmen von Abtreibungsgegnern zunächst nicht beantragt. 1997 trat Hoechst die industriellen Eigentumsrechte an den Ex-Vorstandschef der französischen Tochterfirma ab, der ein Unternehmen für den Vertrieb der A. gründete.

Frankreich: In den 800 zu legalen Schwangerschaftsabbrüchen berechtigten Kliniken des Landes wird die A. seit 1988 als Alternative zum operativen Abbruch durch Absaugen unter lokaler Betäubung oder Ausschaben unter Vollnarkose eingesetzt.

Entgegen den Befürchtungen von Abtreibungsgegnern nahm die Zahl der legalen Schwangerschaftsabbrüche nicht zu. Der Anteil der mit der A. durchgeführten Abtreibungen lag 1997 bei einem Drittel. Ursachen für die eingeschränkte Verwendung der als schonender geltenden A. waren strikte Anwendungskriterien: Raucherinnen, Frauen, die an Allergien oder Asthma leiden, Epileptikerinnen, Bluthochdruckpatientinnen sowie Frauen mit Herz-Kreislauf-Problemen, Magen-, Darm- und Leberstörungen sind ebenso wie Frauen über 35 Jahre von der Behandlung ausgeschlossen.

Diskussion: Befürworter der A. wiesen 1999 darauf hin, das den Frauen alle verfügbaren Mittel für einen Schwangerschaftsabbruch zur Wahl stehen müßten. Bei der A. gehe es um die Ausführung eines bereits beschlossenen Abbruchs. Gegner wie die katholische Kirche sahen mit der Pille die Tötung von ungeborenem Leben in gefährlicher Weise verharmlost.

Aidstherapie

Behandlung der Immunschwächekrankheit Aids. 1999 gab es weder ein Medikament, das Aids heilen konnte, noch einen Impfstoff, der eine Infektion vermieden hätte.

Dank der verbesserten Therapiemöglichkeiten verlängerte sich die Zeit von der Aidsinfektion bis zum Ausbruch der Krankheit in den Industriestaaten Ende der 90er Jahre auf zehn bis 15 Jahre. In den Entwicklungsländern, wo die teuren Medikamente nicht finanzierbar waren, lag der Zeitraum bei zwei bis acht Jahren. Die Überlebenszeit nach Ausbruch von Aids verdoppelte sich in den Industriestaaten auf 25 Monate. Probleme der neuen Behandlungsmethoden waren Nebenwirkungen sowie Resistenzen der Viren. Aidsexperten forderten daher die Entwicklung neuer Medikamente. Die nach den Anfangserfolgen der Kombinationstherapie zurückgefahrenen Mittel für die Forschungsförderung müssten aufgestockt werden.

Kombinationstherapie: Die seit 1996 standardmäßig eingesetzte Therapie mit drei Mitteln senkte die Viruszahl bei Infizierten und Erkrankten unter die Nachweisbarkeitsgrenze. Nicht erreicht wurden Viren in Lymphknoten und im Gehirn von Erkrankten. Nach Absetzen der Medikamente vermehrten sich die Viren schneller als vor der Therapie. Auch war die Behandlung mit starken Nebenwirkungen wie Diabetes, erhöhten Blutfettwerten, massiven Fettansammlungen im Körper, die z. B. die Darmpassage blockierten, und Bewusstseinstrübungen verbunden.

Resistenzen: Etwa die Hälfte der mit der Kombinationstherapie behandelten Patienten sprach nach zwei Jahren nicht mehr auf die Mittel an. Es hatten sich z. T. Viren gebildet, die gegen alle zur Verfügung stehenden Mittel widerstandsfähig waren. Die Resistenzen waren auf Fehler der minutiösen Einnahme von bis zu 60 Tabletten am Tag zurückzuführen, die z. B. drogenabhängige Erkrankte nur selten einhielten. Unter den Ärzten wurde 1999 diskutiert, ab welchem Aidsstadium die Kombinationstherapie angebracht sei, um möglichst viel Zeit bis zur Entstehung von Resistenzen für den Patienten zu gewinnen.

Neue Ansätze: Forscher der Universität Washington/USA entnahmen Aidskranken sog. Killerzellen, die im Immunsystem für die Virusbekämpfung zuständig sind. Sie vermehrten sie außerhalb des Körpers und injizierten sie wieder. Die Zellen wanderten in die Lymphknoten der Patienten und zerstörten Aidsviren. Allerdings waren die Zellen sieben Tage nach der letzten Injektion wieder aus dem Blut verschwunden.

In Saint Louis (US-Bundesstaat Missouri) verbanden Wissenschaftler ein Protein mit einem Enzym und schleusten beides in den Körper. In den virusbefallenen Zellen wird das Enzym freigesetzt und zerstört die Zelle. Weitere Forschungsansätze gingen dahin, die Andockstellen für Aidsviren im Körper zu blockieren. Ferner wurde entdeckt, dass ein Eiweiß aus dem Urin Schwangerer gegen den HI-Virus wirkte.

http://www.rki.de
http://www.aidshilfe.de

Aids in Deutschland

Jahr	Verstorben	Erkrankte
1998	600[1]	811[2]
1997	813	1104
1996	1597	1656
1995	1933	2041
1994	2123	2176
1993	2030	2177
1992	1780	2075
1991	1597	1941
1990[3]	1301	1722
1989	946	1807
1988	652	1461
1987	546	1167

1) geschätzt; 2) Erkrankte inkl. geschätzte Anzahl der nicht gemeldeten Fälle; 3) ab 1990 inkl. Ostdeutschland; Quelle: Robert Koch Institut (Berlin)

Aufgrund verbesserter Therapiemöglichkeiten ging die Zahl der Erkrankungen und Todesfälle 1997/98 zurück.

Amalgam

Vor allem als Zahnfüllung verwendete grauschwarze Legierung von Quecksilber mit Anteilen von Silber, Kupfer, Zink und Zinn. Das giftige Quecksilber wird im Mund freigesetzt und lagert sich im Körper ab. Es steht im Verdacht, u. a. Kopf- und Magenbeschwerden sowie Nierenschäden zu verursachen. In der Zahnmedizin wird A. mittelfristig durch neue Stoffe ersetzt.

1999 wurden mehr als 50 Ersatzstoffe für A. angeboten. Am geeignetsten erschienen Kunststofffüllungen.

Einsatz: Wegen der vermuteten Gesundheitsrisiken durfte A. 1999 bei Frauen im gebärfähigen Alter, Schwangeren und Kindern nicht mehr eingesetzt werden. Auch Schneide- und Eckzähne von Erwachsenen wurden mit alternativen Füllstoffen behandelt. Für Backenzähne gab es Mitte 1999 kein ebenso belastbares Füllmaterial wie A.

Komposite: Eine Komponente der Kunststofffüllungen ist eine Paste aus verschiedenen Chemikalien, die bei Licht aushärtet. Als zweite Komponente werden feine Glas- oder Keramikperlen unter die Paste gemischt, welche die Füllung abriebfester machen. Nachteile der Komposite waren die im Vergleich zu A. geringere Abriebfestigkeit sowie ein Schrumpfen der Füllung beim Aushärten. Dabei entstehen Spalten zwischen Füllung und Zahn, in denen sich Karies auslösende Bakterien ansiedeln können.

Zahnkaries: Ursachen und Behandlung

▸ **Entstehung:** Die Zahnkaries steht in Zusammenhang mit der Mikroflora der Mundhöhle, der Ernährung und der Zahnpflege. Hervorgerufen wird sie durch bakteriellen Zahnbelag.

▸ **Symptome und Behandlung:** Die Karies zeigt sich zunächst als weißer Fleck auf dem Zahn, dessen Substanz sie fortschreitend aufweicht. Im Anfangsstadium, wo der Patient nur Temperaturschwankungen schmerzhaft wahrnimmt, ist die Beseitigung der kariösen Teile des Zahns und sein Wiederaufbau durch eine Zahnfüllung möglich. Wurde bereits das Zahnmark von Bakterien befallen, entsteht eine Entzündung. Bei Nichtbehandlung kommt es nach Zerfall des Zahnmarks zu einer akuten oder chronischen Entzündung der Zahnwurzelhaut. Der betroffene Zahn kann nur selten erhalten werden.

▸ **Vorbeugung:** Als vorbeugend gelten gute Zahnpflege und eine zuckerarme Ernährung, die reich an Mineralsalzen und Vitaminen ist.

Anti-Karies-Gel

Gallertartige Substanz, mit der Zahnkaries schmerzlos und ohne Bohren entfernt werden kann.

Voraussichtlich 1999 wird in Deutschland ein A. (Carisolv) angeboten, das Mitte der 90er Jahre bereits in Schweden getestet wurde. Nebenwirkungen des Gels waren 1999 nicht bekannt. Bei schwer kariösen Zähnen kann es nicht eingesetzt werden.

Zahnfäule: Zahnkaries ist die häufigste Zahnkrankheit, bei der chronisch zersetzende Prozesse die Zahnsubstanz angreifen. Hervorgerufen wird sie durch bakteriellen Zahnbelag. Ende der 90er Jahre wurden kariöse Stellen an Zähnen mit dem Bohrer entfernt. Der Eingriff war infolge von Druck, Hitze und Vibrationen an Zahn und Zahnnerv meist schmerzhaft. Der Zahnarzt musste auch gesunde Bereiche des Zahns wegbohren, um die Zahnkaries vollständig zu entfernen.

Carisolv-Anwendung: Das in Göteborg/Schweden entwickelte A. wird auf die kariöse Stelle aufgetragen. Es zersetzt die befallenen Bereiche des Zahns und tötet Bakterien ab. Nach 15 min kann der Zahnarzt das Gel mit Watte entfernen.

Vorteile: Die Carisolv-Behandlung ist schmerzfrei. Gesunde Zahnbereiche bleiben unangetastet. Sog. Sekundärkaries, die unter mangelhaft gereinigten Löchern für Zahnfüllungen entstehen kann, wurde in Schweden nach der Behandlung mit A. bis 1999 nicht beobachtet. Der Bohrer muss weiterhin zum Entfernen alter Zahnfüllungen eingesetzt werden oder bei Karies-Herden unter dem Zahnschmelz.

Kosten: Bei der Behandlung mit A. fallen nach Herstellerangaben voraussichtlich 40 DM an zusätzlichen Materialkosten an. Die Behandlungsdauer wird sich verlängern. Die Kostenübernahme durch die Krankenversicherungen in Deutschland war Mitte 1999 nicht gesichert.

Antibiotika

Von Mikroorganismen, z. B. Schimmelpilzen, gebildete Stoffwechselprodukte und ihre chemisch erzeugten Abwandlungsformen (z. B. Penizillin, Tetrazyklin), die auf Bakterien vermehrungshemmend oder abtötend wirken. Gegen Viren oder Pilze sind sie wirkungslos.

Am 1.7.1999 trat in der EU ein Verbot von vier A. in Kraft, die als Futterzusatz in der Tiermast eingesetzt wurden. Die Mittel werden auch in der Humanmedizin verwendet. Experten wiesen darauf hin, dass neben unsachgemäßer Verschreibung und Anwendung von A. beim Menschen auch der übermäßige Einsatz in der Tiermast zu Bakterienstämmen führe, gegen die A. wirkungslos würden.

Wirkungslosigkeit: Mediziner wurden in den 90er Jahren mit Lungenentzündungen, Magen-, Darm- und Geschlechtskrankheiten konfrontiert, bei denen selbst das als Reservemittel dienende A. Vancomycin nicht mehr wirkte. Resistente Bakterienstämme verbreiteten sich in kurzer Zeit, wie das Beispiel vielfach resistenter Tuberkelbazillen zeigte, die von Asien aus nach Europa und in die USA gelangten. Auf den Einsatz von A. in der Tiermast führten Ärzte die Entstehung eines resistenten Salmonellenerregers zurück, der Ende 1998 zum Tod eines Menschen führte.

Resistenz: A. werden gegen einen oder (als Breitband-A.) gegen mehrere Bakterien eingesetzt. Die Krankheitserreger können ihr Erbmaterial jedoch so verändern, dass sie ein Eindringen von A. verhindern oder A. zerstören. Diese Abwehrstrategien werden in der Erbinformation gespeichert und an andere Bakterien weitergegeben, sodass resistente Stämme entstehen.

Ursachen: Durch den übermäßigen Einsatz von A. und vorzeitigen Abbruch von A.-Therapien können Bakterien Resistenzen entwickeln. Schätzungen zufolge waren Ende der 90er Jahre zwei Drittel aller A.-Verordnungen nicht gerechtfertigt. In der Tiermast werden A. als Wachstumsförderer und zur Infektionsvorbeugung eingesetzt. In Deutschland war Ende der 90er Jahre jedes dritte Mittel, das in der Tiermast verabreicht wurde, ein A. Mit dem Fleisch der Tiere und mit von Gülle und Mist verunreinigtem Grundwasser gelangen A. in den menschlichen Körper.

Gegenmaßnahmen: Das A.-Verbot in der Tiermast der EU betraf die Hälfte der als Futterzusatz eingesetzten A. Die übrigen Mittel wurden ausschließlich in der Veterinärmedizin verwendet. In Schweden, wo A. in der Tiermast bereits verboten waren, hatte dies keine Auswirkungen auf die Rentabilität der Viehhaltung.
http://www.rki.de

Antifettpille

Medikament, das eine Gewichtsreduktion bewirkt

Im September 1998 bzw. im Februar 1999 wurden zwei A. in Deutschland zugelassen. Das Präparat Xenical verringert die Fettaufnahme im Darm, Reductil verstärkt das Sättigungsgefühl. Beide A. waren 1999 rezeptpflichtig und nur für krankhaft Übergewichtige empfohlen. Eine Monatspackung kostete 198 DM bzw. 132 DM, die Kosten wurden nicht von den Krankenkassen übernommen.

Übergewicht: In Deutschland galt Ende der 90er Jahre jeder Zweite als übergewichtig. 11,4% der Übergewichtigen waren krankhaft dick und 1,5% extrem dick. Bemessungsgrundlage war der sog. Body Mass Index (BMI, engl.; Körpermasse-Index). Er errechnet sich aus dem Körpergewicht (in kg) dividiert durch das Quadrat der Körpergröße (in m). Bei einem BMI ab 30 galt der Mensch als krankhaft dick, ab 40 als extrem dick.

Xenical: Das Mittel bewirkt, dass 30% der Fette aus der Nahrung nicht vom Organismus aufgenommen werden. Nebenwirkungen sind ein breiiger Stuhl und starke Durchfälle, insbes. wenn der Patient nach der Einnahme viel und fett isst. In Tests hatten die Patienten nach einjähriger Behandlung 10-16% ihres Körpergewichts abgenommen. Nach Absetzen der A. nahmen sie wieder zu.

Reductil: Das Präparat greift über den Wirkstoff Sibutramin in den Gehirnstoffwechsel ein und verstärkt das Gefühl der Sättigung. Nebenwirkungen sind Kopfschmerzen, Bluthochdruck, erhöhter Puls und Schlaflosigkeit. Für Herzkranke wurde es nicht empfohlen.

▬▬ Antifettpille: Kosten der Fettsucht	
Arbeitsausfall, Frührenten und Tod im Arbeitsleben	15,0[1]
Krankenkosten	8,0
Arztbesuche	2,5
Medikamente	2,5
Rehabilitation/Kuren	0,5
Sonstige	1,5

1) Schätzung der jährlichen Aufwendung der gesetzlichen Krankenversicherungen (Mrd DM); Quelle: Institut für Gesundheitsökonomie der Universität Köln

Indikation: Ärzte durften beide A. nur krankhaft übergewichtigen Menschen bei gleichzeitiger fettnormalisierter Kost verordnen. Ohne eine Umstellung bei Ernährung und Bewegung reduzierten A. das Gewicht nicht dauerhaft.

Kritik: Ernährungswissenschaftler wiesen darauf hin, dass fettleibige Menschen mit A. der Verantwortung für ihren Körper enthoben würden. Fettreduktion in der Nahrung, verändertes Essverhalten und Bewegung führten ohne Nebenwirkungen zu dauerhaftem Gewichtsverlust.

Krankheiten → Diabetes → Ernährung

Arzneimittel

Nach einem Rückgang 1997 stiegen die Ausgaben der gesetzlichen Krankenversicherungen (GKV) für A. 1998 gegenüber 1997 um 5,5% im Westen und 1,9% im

Arzneimittel: Die größten Pharmakonzerne			
Hoechst/Rhône Poulenc	▮▮	14117[1]	46521[1]
Merck	▆▆	13647	23637
Glaxo	▨▨	13087	13087
Novartis	✛	10734	21503
Bristol Myers Squibb	▆▆	9932	16701
Pfizer	▆▆	9239	12188
American Home	▆▆	8669	14196
Roche	✛	8324	12942
Johnson & Johnson	▆▆	7696	22629
Smithkline	▨▨	7498	12784

1) Umsatz 1997 (Mio Dollar); Quelle: Firmenangaben, Frankfurter Allgemeine Zeitung, 2.12.1998   ☐ Pharmabereich   ☐ Gesamt

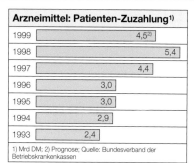

Arzneimittel: Patienten-Zuzahlung[1]

Jahr	Mrd DM
1999	4,5[2]
1998	5,4
1997	4,4
1996	3,0
1995	3,0
1994	2,9
1993	2,4

1) Mrd DM; 2) Prognose; Quelle: Bundesverband der Betriebskrankenkassen

Osten Deutschlands. Die Zunahme führten die GKV auf die häufige Verordnung von neuen und damit teureren Medikamenten zurück. Die Bundesregierung aus SPD und Bündnis 90/Die Grünen wollte mit dem Festhalten an Höchstbeträgen für A.-Verordnungen, bei deren Überschreiten die Ärzte die darüber liegende Summe selbst zahlen müssen (sog. Budget), die Ausgaben der GKV für A. reduzieren. Das sog. Vorschaltgesetz zur Gesundheitsreform für 1999 und die Strukturreform im Gesundheitswesen ab 2000 sahen u. a. diese Budgets vor. Ferner war eine sog. Positivliste geplant, auf der alle erstattungsfähigen A. registriert sind.

Zuzahlungsregelung: Die Patienten wurden 1999 durch eine verringerte Zuzahlung zu verordneten Medikamenten entlastet. 1998 hatte ihr Eigenanteil nach Schätzungen 5,4 Mrd DM betragen. Die rot-grüne Regierungskoalition senkte die Zuzahlung von 9, 11 bzw. 13 DM je nach Packungsgröße auf 8, 9 und 10 DM. Obergrenze für die Patientenbelastung ist 1% des Bruttojahreseinkommens. Darüber liegende Beträge werden erstattet. Chronisch Kranke werden nach einem Jahr wegen zu hoher finanzieller Belastung von der Zuzahlung befreit.

Konzentration: Weltweit wurden 1998 mit A. 185,4 Mrd DM umgesetzt. Pharmaunternehmen versuchten 1998/99, u. a. durch Fusionen ihre Marktposition zu verbessern. Der deutsche Hoechst-Konzern und das französische Pharmaunternehmen Rhône Poulenc wollen im November 1999 zur neuen Gruppe Aventis und damit zum Weltmarktführer im Pharmabereich fusionieren. Der britische Pharmakonzern Zeneca und die schwedische Astra-Gruppe schlossen sich Ende 1998 zum drittgrößten Phar-

maunternehmen der Welt zusammen. Durch die Fusionen sollen die Kosten bei Herstellung und Vertrieb gesenkt und die Entwicklung neuer gewinnträchtiger Medikamente forciert werden.

▪ **Gesundheitswesen** →Gesundheitsreform →Krankenversicherungen
http://www.kbv.de

Arzneimittel-Festbeträge

Preise, die nach dem Sozialgesetzbuch die Spitzenverbände der Krankenkassen für mehrere Arzneimittelgruppen festsetzen, nämlich für Mittel mit denselben Wirkstoffen (Gruppe 1), mit vergleichbaren Wirkstoffen (Gruppe 2) und für Medikamente mit therapeutisch vergleichbarer Wirkung (Gruppe 3). Dabei müssen die Spitzenverbände Sachverständigen der medizinischen und pharmazeutischen Wissenschaft und Praxis Gelegenheit zur Stellungnahme geben. Die A. sollen im unteren Drittel der Preisspanne liegen, die sich aus den Herstellerpreisen ergibt.

Kostenerstattung: Bei Verordnung von Arzneimitteln mit A. erstatten die gesetzlichen Krankenversicherungen (GKV) lediglich den festgesetzten Betrag. Wird ein einzelnes Produkt teurer angeboten, muss der Patient selbst die Preisdifferenz zahlen. Meist führt die A.-Regelung dazu, dass die Hersteller teurerer Arzneimittel die Preise für ihre Produkte senken. Ziel der A. ist es, die Ausgaben der GKV für Medikamente einzudämmen. Nach eigenen Angaben sparten die GKV jährlich 3 Mrd DM durch A. ein.

Urteil: Bundesgesundheitsministerin Andrea Fischer (Bündnis 90/Die Grünen) plante 1999, die Festlegung der A. neu zu regeln. Das Düsseldorfer Landgericht hatte im Januar 1999 beanstandet, dass die Regelung europäisches Kartellrecht verletze. Danach ist jede auch nur mittelbare Fixierung von Preisen und jede kollektive Einflussnahme auf die Preisbildungsfreiheit der Unternehmen untersagt. Dagegen wäre nach Ansicht der Richter eine gesetzliche Festlegung von Höchstpreisen rechtens.

Neuregelung: Nach Andrea Fischers Plänen soll das Verfahren für die Bestimmung der A. komplett vom Gesetzgeber vorgeschrieben werden und nicht mehr im Ermessen der GKV liegen. Der Marktanteil einer Medikamentengruppe soll Grundlage der Festbetragsberechnung sein. Die Rechenformel zur Preisberechnung soll gesetzlich fixiert werden.

Arzneimittel-Nebenwirkungen

1998 wurden mehrere Medikamente vom Markt genommen, weil schwere A. bei Pati-enten auftraten. Arzneimittelexperten stellten 1999 eine Zunahme von A. fest. Bei der Hälfte der erstmals angebotenen Präparate müsse damit gerechnet werden, dass sie gra-vierende Gesundheitsstörungen verursachen. Die Mediziner forderten Pharmafirmen auf, abzuwägen, ob Vorteile neuer Präparate es rechtfertigten, Patienten Risiken auszusetzen. Die Zulassungsbehörden dürften nur noch solche Arzneimittel zulassen, bei denen mit einem therapeutischen Vorteil zu rechnen sei.

Ursachen: Aus wirtschaftlichen Gründen wurden Ende der 90er Jahre neue Medikamente weltweit nahezu gleichzeitig angeboten. Aggressives Marketing führte i. d. R. dazu, dass innerhalb kurzer Zeit Millionen von Menschen die Mittel einnahmen. Neue Medikamente wurden oft nur an 2000–5000 Kontrollpersonen getestet. Die Substanzen waren häufig hochwirksam, sodass sie schwere A. auslösen konnten. Außerdem traten vermehrt Wechselwirkungen mit anderen Medikamenten auf, weil immer mehr Menschen verschiedene Präparate gleichzeitig einnahmen. Der steigende Anteil älterer Menschen an der Bevölkerung förderte A., weil sich die Verteilung der Wirkstoffe im Organismus mit zunehmendem Alter ändert. Fettlösliche Mittel werden z. B. verstärkt im Fettgewebe gespeichert.

Gegenmaßnahmen: Experten riefen zu einem vorsichtigeren Umgang mit Medikamenten auf. Patienten sollten darauf achten, mit möglichst wenigen Mitteln auszukommen. Anwendungshinweise sollten genau beachtet werden. Säuglinge, Kinder und ältere Menschen dürften nur mit bewährten Präparaten behandelt werden.

Brustimplantate

Mit Flüssigkeit gefüllte Kunststoffkissen, die Frauen nach Brustamputationen infolge von Krebs zum Aufbau einer neuen Brust oder zur Vergrößerung der gesunden Brust eingepflanzt werden

Ende 1998 entwickelte eine deutsche Firma B., die haltbarer als herkömmliche sind und bei Austreten der Füllung keine Gesundheitsschäden verursachen. Bis dahin wurden mit Silikon gefüllte B. verwendet, die im Verdacht stehen, beim Austreten des Silikons in den Körper gesundheitsschädlich zu sein. Mit Kochsalzlösung gefüllte B. formten aufgrund der wässrig-weichen Konsistenz der Kissen die Brust der Frau nicht optimal.

Implantat: Die Kunststoffhülle des neuen B. ist mit einem Hydrogel (Polyvinylpyrrolidon, PVP) gefüllt. Die Hülle ist reißfester als bei vorherigen B. Sollte dennoch Hydrogel in den Körper austreten, wird es über die Nieren ausgeschieden, ohne den Körper zu schädigen. Die B. sind im Gegensatz zu Silikon- oder Kochsalz-B. für Röntgenstrahlen durchlässig.

Kosten: Brustkrebs ist in Deutschland die häufigste Krebsart bei Frauen. Den Wiederaufbau einer neuen Brust mit dem B. nach einer Krebsoperation finanzierten 1999 die Krankenkassen. Auch für Frauen, die aufgrund einer fehlerhaft entwickelten Brust schwere psychische Probleme haben, übernahmen die Kassen die Kosten für B. Frauen, die sich aus kosmetischen Gründen das B. einpflanzen ließen, mussten die Kosten von 10000 DM selbst tragen.

▸ Vereinigung der Deutschen Plastischen Chirurgen, Bleibtreustraße 12 A, 10623 Berlin, Tel. 0 30/8 85 10 63 ▸ Deutsche Gesellschaft für Plastische und Wiederherstellungschirurgie, Diakoniekrankenhaus Elise-Averdieck-Str. 17, 27342 Rotenburg/Wümme, Tel. 0 42 61/77 21 26 ▸ Deutsche Gesellschaft für Ästhetisch-Plastische Chirurgie, Beiertheimer Allee 18 B, 76137 Karlsruhe, Tel. 07 21/37 44 13

Neue Mittel gegen Organabstoßung

▸ Um Abstoßungsreaktionen des eigenen Körpers vorzubeugen, erhalten Transplantierte lebenslang eine sog. Basis-Immunsuppression, d. h. ihr Immunsystem, das das neue Organ abstoßen könnte, wird weitgehend unterdrückt. Die Standardbehandlung bestand 1999 aus der Kombination von zwei bis drei Medikamenten. Dennoch traten bei 30–40% der Patienten innerhalb des ersten Jahres Abstoßungen auf. Sie lassen sich zwar behandeln, erhöhen aber das Risiko von Organschäden durch das Immunsystem. Im Schnitt verlieren z. B. Nierentransplantierte das neue Organ innerhalb von zehn Jahren. 1998 wurden zwei neue Medikamente gegen Abstoßungsreaktionen entwickelt:

▸ Das Eiweiß Daclizumab stammt ursprünglich von der Maus und wurde gentechnisch so verändert, dass es vom Patientenkörper als wenig fremd erkannt wird. In Studien verringerte es erheblich die Abstoßungsreaktionen von ca. 47% auf rund 27%. Es hemmte speziell die Immunreaktion, die zur Abstoßung führen könnte. Mitte 1998 wurde das Mittel in den USA zugelassen.

▸ Kanadische und US-Wissenschaftler stellten Mitte 1998 ein Medikament (Rapamycin) vor, das Bakterien, aber auch Immunzellen des Menschen in der Vermehrungsrate hemmt. In Studien lag die Abstoßungsrate innerhalb der ersten sechs Monate nach der Organtransplantation bei Patienten, die mit dem neuen Mittel behandelt wurden, bei 11%, in der konventionell behandelten Vergleichsgruppe bei 25 bis 30%.

Haarwuchspille

Arzneimittel mit dem Wirkstoff Finasterid, das
ein weiteres Schrumpfen von Haarwurzeln und
somit fortschreitenden Haarausfall bei Männern
verhindert

Anfang 1999 wurde die H. (Propecia) erstmals in deutschen Apotheken angeboten. In internationalen Studien stoppte die H. den Haarausfall bei sechs von sieben Testpersonen. Zwei Dritteln der Männer wuchsen neue Haare. In Deutschland litten Ende der 90er Jahre Millionen von Männern an frühzeitiger Glatzenbildung, die bis dahin nicht dauerhaft und effektiv behandelt werden konnte.

Wirkung: Nur wenn die Haarwurzel noch nicht vollständig zurückgebildet ist, kann die H. die Bildung des Hormons Dihydrotesteron hemmen, das für das Schrumpfen der Haarwurzel verantwortlich ist.

Risiken: Die H. wird nur bei erblich bedingtem Haarausfall empfohlen. Für Frauen sind die Pillen gesundheitsschädlich. Schwangere dürfen mit der H. nicht in Berührung kommen, da der Wirkstoff über die Haut aufgenommen wird und eine Fehlgeburt auslösen kann.

Kosten: 1999 kostete eine Therapie mit der H. 114 DM pro Monat. Die Einnahme erfolgt lebenslang. Sobald das Mittel abgesetzt wird, schreitet die Glatzenbildung fort.

Handtransplantation

Erstmals nähte ein internationales Ärzteteam Ende 1998 in Lyon/Frankreich einem Mann, dem nach einem Unfall die Hand amputiert werden musste, die Hand eines verstorbenen Spenders an. Die Ärzte wollen mit der H. den Einstieg in die Gliedmaßentransplantation ermöglichen, die Millionen von Unfall- und Minenopfern, Kriegsversehrten und mit missgebildeten Gliedern Geborenen zu funktionsfähigen Gliedmaßen verhelfen könnte.

Die Hand wurde zusammen mit dem unteren Teil des Arms verpflanzt. Zunächst wurden die Knochen des Unterarms fixiert, dann wurden alle Venen, Nerven, Sehnen und Muskeln zusammengenäht. Bei geglückter Operation soll die neue Hand ebenso funktionieren wie zuvor die eigene.

Wie bei Organtransplantationen wird durch genaue vorherige Prüfung soweit wie möglich ausgeschlossen, dass die Spendergliedmaßen vom Körper des Patienten abgestoßen werden.

Hightechmedizin

Neue Materialien und computerunterstützte Verfahren sollen die Diagnose- und Behandlungsmöglichkeiten sowie den Informationsaustausch unter den Ärzten verbessern. Während Befürworter die größere Präzision und Sicherheit der H. lobten, warnten Gegner vor einer zu großen Elektronikabhängigkeit in der Medizin.

Neue Operationsplatte: Eine in Deutschland Ende 1998 vorgestellte Operationsplatte aus Kohlefasern ermöglicht es, dass ein Unfallopfer vom Zeitpunkt der Bergung bis zur Operation nicht mehr bewegt werden muss und Verschlimmerungen von Verletzungen vermieden werden. Der Verletzte wird am Unfallort auf die Operationsplatte gelegt, die als Trage im Rettungswagen oder Notfallhubschrauber dient. Die Platte passt in Computertomographen und ist strahlendurchlässig. Sie kann auch auf den Operationstisch gelegt werden (Preis: 1 Mio DM).

Caspar: Der 1998 in Deutschland entwickelte Roboter Caspar soll bei Knie-, Wirbelsäulen- und Schulteroperationen assistieren (Preis 1999: 865 000 DM). Seit Anfang der 90er Jahre wird der US-Roboter Robodoc für Hüftoperationen eingesetzt

---

Gewebezüchtungen als Organersatz

▶ **Blutgefäße:** 1999 ließen sich kleine Blutgefäße außerhalb des Körpers biotechnisch auf mehrere Arten erzeugen, auch Muskelzellen wurden kultiviert.

▶ **Brust:** Natürliche Implantate sollen künstliche z.B. aus Silikon ersetzen. Forscher arbeiteten 1999 an der Entwicklung verpflanzbaren Fettgewebes. Brustwarzen und Haut konnten bereits aus lebenden Zellen hergestellt werden. Problematisch war dagegen noch die Blutversorgung des neuen Gewebes.

▶ **Haut:** Gezüchtete Haut wurde 1999 erfolgreich bei Verbrennungsopfern oder bei Patienten mit chronisch offenen Wunden eingesetzt. Später soll auch die unsichtbare Beseitigung von Tätowierungen mit gezüchteter Haut möglich werden.

▶ **Knochen:** Bei der Nachzucht von Knochen wird eine Struktur für die gewünschte Knochenform aus natürlichem oder künstlichem Material her-

gestellt. Knochenzellen werden darauf angesiedelt und sollen neuen, echten Knochen bilden, was im Experiment bereits gelang. Wissenschaftler arbeiten auch daran, die Selbstreparatur des Körpers mit eingepflanzten Knochenbrücken und der Verabreichung von Wachstumshormonen zu fördern.

▶ **Knorpel:** Zellen dieses Gewebes lassen sich gut züchten. Die Maus mit dem nachgezüchteten menschlichen Ohr auf dem Rücken wurde weltberühmt. Knorpel zur Heilung beschädigter Kniegelenke wurde 1999 klinisch erprobt.

▶ **Leber:** 1999 konnten Leberzellen erzeugt und bei Patienten mit funktionsuntüchtiger Leber zur Überbrückung der Wartezeit auf ein Spenderorgan in Leberersatzmaschinen eingesetzt werden. Lebergewebe konnte jedoch erst bis zu einer Größe von wenigen Zentimetern hergestellt werden.

Quelle: Stern 45/1998

(Preis 1999: 1 Mio DM). Er platziert ein künstliches Hüftgelenk so, dass es zu 95% Kontakt mit dem Knochen hat und schon nach kurzer Zeit belastbar ist (bis dahin: max. 30% Kontakt).

Herzoperationen: Anfang 1999 wurde in Leipzig (Sachsen) eine Computeranlage für Herzoperationen in Betrieb genommen (Preis: 1 Mio DM). Insgesamt drei Sonden werden durch winzige Öffnungen in den Brustkorb eingeführt, mit zweien wird operiert, die dritte trägt ein Kamerasystem, dessen dreidimensionale Bilder in zehnfacher Vergrößerung auf einen Bildschirm übertragen werden. Vor dem Bildschirm sitzt der Operateur, am Bedienungspult steuert er die Instrumente an den Sonden. Schon nach wenigen Tagen können mit dem Computer operierte Patienten das Bett verlassen. Nachsorgeaufwand und Komplikationsrate verringerten sich.

OP 2015: Insbes. Operationen im Gehirn soll der vom Stuttgarter Fraunhofer Institut für Produktionstechnik und Automatisierung (IPA) in Zusammenarbeit mit einem Neurochirurgen 1998 entwickelte Roboter OP 2015 ausführen. Der Prototyp kann bis auf tausendstel Millimeter genau ein Endoskop führen, das durch ein Loch in der Schädeldecke in das Gehirn geschoben wird. Von einem Computercockpit aus steuert der Neurochirurg das Endoskop. Anhand von dreidimensionalen Computerbildern des Patientenkopfes kann der Eingriff virtuell geübt werden. Seit Mitte 1998 wurde OP 2015 klinisch getestet.

Informationsaustausch: Der Austausch von Patientendaten, der Doppeluntersuchungen vermeidet, sowie die Möglichkeit der Ferndiagnose per Online-Verbindung wurden 1999 in Deutschland nur selten genutzt. Untersuchungen ergaben, dass Anfang 1999 erst 15% der Ärzte über den notwendigen Internetanschluss verfügten, um Daten zu versenden.

Musik-Kondom

Präservativ, in dessen Spitze ein Musikmodul in einem Schaumstoffball integriert ist, das auf Druck eine Melodie ertönen lässt

Das von einem Dortmunder Erfinder entwickelte M. soll ab Mitte 1999 zum Preis von 3 DM pro Stück angeboten werden. Geplant waren acht Melodien zur Auswahl und

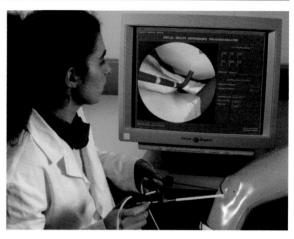

Anhand dreidimensionaler Computerbilder kann eine besonders schwierige Operation vorher geübt werden. Auch für die Ausbildung der Chirurgen eröffnen sich neue Perspektiven (Abb.: Virtuelle Operation am Knie).

24 verschiedene Formen des M. wie Weihnachtsmänner und Krokodile.

Anfang 1999 entwickelte der Erfinder des M. gemeinsam mit der Weltgesundheitsorganisation (WHO, Genf) ein Kondom, dessen Musikmodul in verschiedenen Sprachen vor ungeschütztem Geschlechtsverkehr warnen soll. Weitere internationale Gesundheitsorganisationen wollten das M. im Kampf gegen die Immunschwächekrankheit Aids einsetzen.

Musik-Kodom: Weitere Verhütungsmittel

▶ **Chemische Mittel:** Salben, Tabletten, Sprays und Zäpfchen, die vor dem Geschlechtsverkehr in die Scheide eingeführt werden. Sie töten Spermien ab oder machen sie bewegungsunfähig, sodass sie nicht bis in die Gebärmutter gelangen können.

▶ **Diaphragma:** Drahtspirale mit elastischer Gummimembran, die vor dem Geschlechtsverkehr in die Scheide eingeführt und danach wieder entfernt wird. Sie ist spermienundurchlässig.

▶ **Femidom:** Das Kondom für Frauen besteht aus Kunststoff und wird in die Scheide eingeführt, wobei es einen Teil der Schamlippen bedeckt. Dadurch wird das Eindringen der Spermien verhindert.

▶ **Kondom:** Eine über das erigierte Glied zu streifende Gummihülle, durch die Spermien nicht in die Scheide gelangen. Kondome sind in Deutschland das zweithäufigste Verhütungsmittel.

▶ **Spirale:** Kunststoffspirale, die in die Gebärmutter eingesetzt wird und das

Einnisten eines befruchteten Eis verhindert. Nachteile sind Blutungen, Entzündungen und Schmerzen, die bei 15% der Frauen auftreten. In Schweden wurden Spiralen entwickelt, die, in die Gebärmutter eingesetzt, das Hormon Levonorgestrel abgeben. Sie sollen gut verträglich sein und können auch in deutschen Apotheken bestellt werden.

▶ **Sterilisation:** Bei dem Eingriff werden beim Mann die Samenstränge, bei der Frau die Eileiter durchtrennt. In Deutschland waren Mitte der 90er Jahre rund 8% der Frauen sterilisiert.

▶ **Temperaturmethode:** Die Körpertemperatur der Frau, morgens im Mund oder After gemessen, steigt zwischen den Monatsblutungen innerhalb von 1–2 Tagen um 0,5 °C. Der Eisprung erfolgt im Schnitt 1–2 Tage vor dem Temperaturanstieg. Zwischen dem 2. Tag nach dem Anstieg und der folgenden Regelblutung ist mit einer Empfängnis nicht zu rechnen.

■ Organtransplantation: Bedarf an Nieren

Jahr	Transplantationen	Warteliste
1980	793	1824
1985	1440	4583
1990	2358	6945
1995	2128	9496
1998	2340	10 849

Quelle: Deutsche Stiftung Organplantation   □ Transplantationen   □ Warteliste

Organtransplantation

1998, ein Jahr nach In-Kraft-Treten des ersten Transplantationsgesetzes in Deutschland, stieg die Zahl der Organspenden im Vergleich zum Vorjahr um 13%. Die Deutsche Stiftung Organtransplantation (DSO, Neu-Isenburg) führte dies auf die größere Rechtssicherheit durch das Gesetz zurück. Das Angebot an gespendeten Organen blieb jedoch weiterhin hinter dem Bedarf zurück. Die Forschung konzentrierte sich daher weltweit auf Alternativen zu menschlichen Organen.

Bedarf: Obwohl die Zahl der O. 1998 mit 3918 um 2,1% gegenüber 1997 anstieg, starb in Deutschland jeder vierte Patient, der auf ein lebensrettendes Organ wartete. 1999 warteten 13 000 Menschen auf eine O.

Dreifach-Transplantation: In Göttingen gelang im Mai 1999 die weltweit erste O. von Herz, Leber und Niere gleichzeitig. Der Patient litt an einer genetisch bedingten Störung des Eisenstoffwechsels, die zur Schädigung dieser drei Organe geführt hatte. Mit dem Eingriff war auch die Krankheit gestoppt.

Gewebezüchtungen: Ende der 90er Jahre setzte die Forschung u. a. auf patienteneigenes Gewebe, das außerhalb des Körpers nachgezüchtet wurde und keine Ab-stoßungsreaktionen verursachte. Bei Verbrennungen z. B. konnte derartiges Gewebe erfolgreich implantiert werden. Dieses Prinzip soll auf Herzklappen und Lebern übertragen werden. Patienteneigene Zellen sollen außerhalb des Körpers ein Objekt so besiedeln, dass die gewünschte Form entsteht. Ebenfalls außerhalb des Körpers wurden Ende der 90er Jahre aus lebenden Zellen Knochen, Knorpel, Gefäße und Haut gezüchtet. Beim sog. Cell engineering (engl.; Zellkonstruktion) werden einzelne Zellen umgebaut oder neu erzeugt, die z. B. Hormone ausscheiden oder ein zerstörtes Blut- bzw. Immunsystem neu aufbauen. Prototypen von Blutgefäßen und einer Harnblase existierten 1998 bereits; Fernziel war es, funktionierende Organe wie Lebern und Herzen zu züchten.

Embryonale Stammzellen: Aus diesen Urzellen des ungeborenen Fötus, aus denen sich alle Arten von Zellen bilden, kann jedes Organ gezüchtet werden. Ende 1998 konnte mit der Übertragung von Hirnzellen abgetriebener Föten im Tierversuch und in ersten klinischen Studien in Schweden die Parkinsonkrankheit gelindert werden. Wegen der ethischen Problematik dieser Praxis war sie in Deutschland verboten.

Fremdorgane: Auch mit sog. Xenotransplantationen, Übertragungen von tierischen Organen auf den Menschen, wurde in den 90er Jahren experimentiert. Geeignetster Spender war das Schwein, dessen Organe in Größe und Art den menschlichen am meisten ähneln. Als problematisch erwies sich die Abstoßungsreaktion des menschlichen Körpers. Weder ethische noch rechtliche Fragen eines solchen Eingriffs waren 1999 geregelt.

http://www.interfit.de/deutsch/html/organ.html

■ Organtransplantation

Niere	2340
Leber	722
Herz	542
Lunge	131
Bauspeicheldrüse	183

Transplantationen insgesamt: 3918; Quelle: Deutsche Stiftung Organtransplantation (Neu-Isenburg)

Phytotherapie

Wissenschaft von der Heilbehandlung mit pflanzlichen Substanzen.

Zur Jahrtausendwende gewann die P. an Bedeutung, weil die chemische Pharmazie im Kampf gegen Krankheiten wie Aids, Gelenkentzündungen (Arthritis) und Malaria bis dahin keinen Durchbruch erzielt hatte. Durch Fortschritte der Chemie, die verstärkt nach dem Vorbild natürlicher Substanzen Wirkstoffe künstlich herstellte, hatte der Einfluss der P. im 20. Jh. abgenommen.

Forschung: 1999 waren der Wissenschaft 100 000 Wirkstoffe aus Pflanzen bekannt. Nur etwa 1000 wurden in Arzneimitteln eingesetzt. Grund war die teure und zeitraubende Zuordnung wirksamer Naturstoffe zu einzelnen Krankheiten. Fortschritte in der Biotechnik erleichterten das Verfahren. So konnte eine Berliner Firma 1999 einen Pflanzenextrakt innerhalb von 24 Stunden in 300 Einzelkomponenten zerlegen. Die Suche blieb jedoch weitgehend zufallsgesteuert.

Volksmedizin als Quelle: Häufig griffen Forscher bei der Suche nach wirksamen Natursubstanzen auf überlieferte Wirkungen zurück. Ein großes Reservoir bildeten dabei die europäische Volksmedizin und das Wissen der Medizinmänner in Entwicklungsländern. Die Wissenschaftler versuchten, die für die Wirkungen verantwortlichen Inhaltsstoffe der Pflanzen zu isolieren.

Erfolge: Ein Extrakt aus Wolfsmilchgewächsen wurde erfolgreich gegen Brustkrebs eingesetzt, das Zellgift eines Pilzes gegen einen Tumor des Nervensystems. In der Rheumatherapie bewährten sich mehrere Phytopharmaka. Lianenextrakte heilten im Tierversuch Malaria bei Mäusen.

Krankheiten → Aids, Malaria

Potenzpille

1998 erstmals in den USA angebotenes Medikament (Viagra), das in 70% der Fälle Erektionsstörungen bei Männern behebt

Im September 1998 wurde Viagra europaweit zugelassen, ab Oktober wurde es in deutschen Apotheken angeboten. Das Medikament ist rezeptpflichtig und kostet je nach Dosierung und Packungsgröße 18–26 DM pro Pille, die nicht von den Krankenversicherungen erstattet werden. Mediziner warnten vor der unbedachten Einnahme, da es unter Viagra-Patienten bis Ende 1998 etwa 130 Todesfälle gegeben habe.

Wirkung: Viagra enthält den Wirkstoff Sildenafil. Er beseitigt einen biochemischen Mangel, der die Entspannung der Gefäßmuskulatur an den Schwellkörpern verhindert. Die Entspannung dieser Muskulatur ist Voraussetzung für eine Erektion. Die Wirkung setzt 15 min bis 1 h nach Einnahme der P. ein.

Gegenanzeigen und Nebenwirkungen: Viagra muss von einem Arzt verordnet werden. Männer mit Herz- und Lebererkrankungen sind von der Verschreibung ausgenommen. In Kombination mit Herz-Kreislaufmitteln kann es zu einem gefährlichen Blutdruckabfall kommen. Die gleichzeitige Einnahme von Aufputschmitteln und Viagra ist tödlich. Als Nebenwirkungen traten Kopfschmerzen, Gesichtsrötungen und -schwellungen, Verdauungsstörungen, verstopfte Nase, Hautausschlag und Beeinflussung des Sehvermögens auf. Es kam auch zu schmerzhaften Dauererektionen, die ärztlich behandelt werden mussten.

Kosten: Der US-Hersteller der P. setzte innerhalb des ersten Jahres seit Markteinführung 1 Mrd Dollar mit dem Mittel um. In Deutschland wurden in den ersten sechs Monaten nach der Einführung 2,5 Mio Tabletten verschrieben. 1999 litten etwa 7,5 Mio deutsche Männer an Impotenz. Bei einer Kostenübernahme für die P. befürchteten die Krankenversicherungen in Deutschland Mehrkosten von 25 Mio DM pro Jahr.

Schwangerschaftsabbruch

In Deutschland war ein S. 1999 gemäß der 1995 nach heftigen innenpolitischen Debatten verabschiedeten Fristenregelung bis zur

Gemeldete Schwangerschaftsabbrüche		1998	1997	1996
Baden-Württ.		14513	14588	14486
Bayern		15838	14414	12482
Berlin		11396	12156	12217
Brandenburg		5557	5100	5359
Bremen		1776	3145	3383
Hamburg		3983	4270	4370
Hessen		10062	11477	11808
Meckl.-Vorp.		3646	3647	4127
Niedersachsen		10089	7927	7790
Nordrh.-Westf.		26613	27150	26484
Rheinland-Pfalz		4716	3269	3056
Saarland		1193	1857	1969
Sachsen		7420	7627	8617
Sachsen-Anhalt		5748	5779	6070
Schlesw.-Holst.		3683	3164	3039
Thüringen		5139	4386	5343

Quelle: Statistisches Bundesamt (Wiesbaden)

409

zwölften Schwangerschaftswoche zwar nicht rechtmäßig, blieb allerdings straffrei, wenn sich die Frau drei Tage vor dem Abbruch beraten ließ.

▰ Schwangerschaftsabbruch: Gesetzliche Regelungen

▸ Straffrei und rechtmäßig ist der Schwangerschaftsabbruch nach Indikation, also wenn das Leben der Mutter gefährdet, sie einer schweren seelischen oder körperlichen Beeinträchtigung ausgesetzt oder das Kind voraussichtlich schwer geschädigt ist (medizinische Indikation). Eine Abtreibung nach einer Vergewaltigung ist ebenfalls rechtmäßig (kriminologische Indikation).

▸ Ziel der obligatorischen Beratung der Schwangeren ist es, das Lebensrecht des Ungeborenen auch der Mutter gegenüber bewusst zu machen. Die Beratung muss ergebnisoffen geführt werden und darf nicht bevormunden. Frauen müssen die Gründe für den Abbruch nicht darlegen.

▸ Nötigung zum Schwangerschaftsabbruch wird strafrechtlich verfolgt.

▸ Mit Ausnahme der Abtreibungen auf Indikation müssen Frauen Abbrüche selbst finanzieren. Bei niedrigem Monatseinkommen der Frauen übernimmt die Krankenkasse die Kosten.

Schwangerschaftsabbruch: Ländervergleich

Frankreich: Bis zur zehnten Woche können Frauen frei entscheiden, ob sie eine Schwangerschaft fortsetzen oder beenden wollen. Nötig ist nur die Information des behandelnden Arztes. Die Kassen erstatten 75% der Kosten des Eingriffs. Jährlich werden 200 000 Schwangerschaften abgebrochen, hinzu kommen Abbrüche mit der Abtreibungspille, die Mitte 1999 nur noch in Großbritannien und Schweden zugelassen war.

Großbritannien: Innerhalb der ersten 24 Wochen müssen zwei Ärzte der Frau bescheinigen, dass die Fortsetzung der Schwangerschaft die Patientin physisch oder psychisch gefährdet. Jährlich werden 190 000 legale Abtreibungen durchgeführt. Hinzu kommen etwa 9000 Frauen aus Nordirland und Irland, wo nur in seltenen Fällen abgetrieben werden darf.

Italien: Bis zur 13. Woche kann nach vorheriger Beratung die Schwangerschaft abgebrochen werden, wenn Gefahr für die Gesundheit von Mutter und Kind besteht. Lediglich in Ausnahmefällen können soziale oder finanzielle Gründe für den Abbruch geltend gemacht werden.

Niederlande: Abbrüche sind bis zur 22. Schwangerschaftswoche erlaubt. Bedingung ist ein Gespräch mit dem Arzt und eine Bedenkzeit von fünf Tagen. Jährlich werden 27 000 Schwangerschaften unterbrochen, darunter 8000 bei ausländischen Frauen.

Österreich: Es gilt eine Fristenregelung, nach der bis zur 23. Woche unter ärztlicher Aufsicht straffrei abgetrieben werden kann. In konservativ regierten Bundesländern ist es Kliniken häufig verboten, Abbrüche vorzunehmen.

Portugal: Anfang 1998 verabschiedete das Parlament eine Fristenregelung, nach der Schwangerschaftsabbrüche bis zur zehnten Woche nach vorheriger Beratung erlaubt sind. Bis dahin waren Abtreibungen nur möglich, wenn der Fötus missgebildet oder das Leben der Mutter gefährdet war.

Skandinavien: In Dänemark, Finnland, Island, Norwegen und Schweden entscheidet sich die Schwangere bis zur zwölften Woche eigenverantwortlich für oder gegen das Kind. Von der 13. bis zur 18. Woche bedarf der Eingriff der Zustimmung zweier Ärzte. Bei Abtreibungen bis zur 23. Woche muss die Genehmigung der staatlichen Gesundheitsbehörde eingeholt werden.

Spanien: Abtreibungen sind nur erlaubt, wenn Gefahr für Leben und Gesundheit der Mutter besteht, die Frau vergewaltigt wurde oder der Fötus missgebildet ist. Bei den jährlich 45000 Eingriffen berufen sich die meisten Frauen auf psychiatrische Gutachten.

USA: Die USA verfügen über das weltweit liberalste Abtreibungsrecht. Schwangerschaften können fast bis zur Geburt abgebrochen werden. Jährlich werden 1,2 Mio Abbrüche durchgeführt, die meisten davon innerhalb der ersten zwölf Wochen und ohne Beratung.

Quelle: Der Spiegel, 26.1.1998; Neue Zürcher Zeitung, 6.2.1998

Bayern: Das Bundesverfassungsgericht (BVerfG, Karlsruhe) erklärte Ende 1998 einen großen Teil des Bayerischen Schwangerenhilfe-Ergänzungsgesetzes von 1996 für verfassungswidrig und damit nichtig. Die Regelung, dass Ärzte lediglich 25% ihres Einkommens aus S. erzielen dürfen, sei ein Verstoß gegen das Grundrecht der Berufsfreiheit. Bayern hatte damit die Entstehung von Abtreibungskliniken verhindern wollen. Ebenso verfassungswidrig seien die Vorschriften, dass der Arzt den S. nicht vornehmen darf, wenn die Frau ihre Gründe dafür nicht darlegt, und dass er Arzt bei Verstoß gegen die staatliche Erlaubnispflicht mit strafrechtlicher Verfolgung rechnen muss.

Spätabtreibungen: Bundesärztekammer und weitere Ärzteorganisationen forderten 1999 die Wiedereinführung einer zeitlichen Begrenzung, bis zu der S. bei Behinderung des Fötus vorgenommen werden dürfen. Ihren Angaben nach erhöhte sich die Zahl der sog. Spätabtreibungen von behinderten Föten nach der 25. Woche kurz vor der Geburt, weil die Mutter auf eine unzumutbare Belastung verwies.

In einigen Fällen überlebten die Föten außerhalb des Mutterleibs und mussten dauerhaft ärztlich versorgt werden. Um dies zu verhindern, töteten manche Ärzte die Föten bereits im Mutterleib ab, was innerhalb der Ärzteschaft wegen der Nähe zur Sterbehilfe umstritten war. Die zeitliche Begrenzung (22. Woche) war mit der Neuregelung des S. 1995 entfallen, als die embryopathische Indikation (Behinderung des Kindes) in die medizinische eingegangen war.

Katholische Beratung: Auf ein Schreiben von Papst Johannes Paul II. hin suchten die katholischen deutschen Bischöfe 1998/99 nach einer Alternative zum Beratungsschein in der Schwangerenkonfliktberatung, weil der Schein Bedingung für den S. war. Die Kirche lehnte S. als Tötung ungeborenen Lebens ab. Den Vorschlag, den Beratungsschein um eine Liste konkreter Rechtsansprüche und Hilfszusagen für die Betroffenen zu erweitern, lehnte der Papst ab. Die Bischöfe beschlossen im Juni 1999, auf dem Schein darauf hinzuweisen, dass er nicht zu einem straffreien S. benutzt werden dürfe. Damit soll die ablehnende Haltung der katholischen Kirche zur Tötung ungeborenen Lebens unmissverständlich ausgedrückt werden.

Menschenrechte

Gerichtshof für Menschenrechte

Vor dem Europäischen Gerichtshof für Menschenrechte in Straßburg können alle Bewohner der 40 Mitgliedstaaten des Europarats gemäß Europäischer Menschenrechtskonvention (von 1950) Klagen gegen ihre Regierungen und Behörden wegen Menschenrechtsverletzungen erheben. Die Urteile des mit 40 hauptberuflichen Richtern besetzten G. sind völkerrechtlich verbindlich. **Urteile:** Der G. fällte 1998 wie im Vorjahr 106 Urteile. 24 ergingen gegen die Türkei, u. a. wegen Übergriffen gegen Kurden und oppositionelle Politiker, zudem wurde die Nichtzulassung einer kommunistischen Partei für rechtswidrig erklärt. Da es an die 3000 Klagen wegen unzumutbar langer Gerichtsverfahren in Italien gab, forderte das Ministerkomitee des Europarats die italienische Regierung durch eine Resolution auf, den Missstand zu beheben.
Klagen: 1998 wurde mit 16345 Klagen eine starke Zunahme (+30,8%) der eingehenden Beschwerden verzeichnet (1997: 12500), was mit dem wachsenden Bekanntheitsgrad des G. in den ehemaligen Ostblockstaaten zusammenhing. Beschwerden aus Russland und der Ukraine wandten sich gegen Inhaftierungen ohne richterliche Anordnung und gegen katastrophale Zustände in Gefängnissen.

Internationaler Strafgerichtshof

Eine von den Vereinten Nationen (UNO) vorbereitete Staatenkonferenz beschloss im Juli 1998 in Rom die Gründung eines Internationalen Strafgerichtshofs, der für Völkermord, Verbrechen gegen die Menschlichkeit, Kriegsverbrechen und völkerrechtliche Aggression (Angriffskrieg) zuständig ist. **Modalitäten:** Der I. wird aus 18 Richtern und einem Öffentlichen Ankläger bestehen

und seinen Sitz in Den Haag/Niederlande haben. Er kann seine Arbeit aufnehmen, wenn 60 Staaten den Gründungsvertrag ratifiziert haben, der 1998 in Rom von 120 Staaten (bei sieben Gegenstimmen und 21 Enthaltungen) gebilligt wurde (u. a. von Deutschland).
Zuständigkeit: Der I. ist zuständig, wenn ein Vertragsstaat unfähig oder nicht willens ist, die auf seinem Boden verübten Verbrechen juristisch zu ahnden. Die Staaten, auf deren Gebiet die Verbrechen begangen bzw. deren Staatsangehörigkeit die Beschuldigten besitzen, müssen Vertragsmitglieder sein. Der Öffentliche Ankläger kann von sich aus Ermittlungen einleiten, wenn genügend Anhaltspunkte für eine Straftat im Sinne des I. vorliegen, auf Verlangen des UNO-Sicherheitsrates oder auf Antrag eines Mitgliedslandes.
Weigerung der USA: Die US-Regierung, die dafür eintrat, dass der I. nur auf Beschluss des UNO-Sicherheitsrates tätig werde, lehnte den Vertrag ab. Sie befürchtete u. a. weltweit politisch motivierte Ermittlungen gegen Angehörige ihrer Streitkräfte.

Kindersoldaten

Ausmaß: Mind. 300000 Kinder kämpften 1999 nach Angaben der Menschenrechtsorganisation Amnesty International in bewaffneten Konflikten. Sie wurden von regulären Armeen oder Rebellenverbänden rekrutiert und mussten an Kämpfen teilnehmen, Botengänge oder Trägerdienste leisten sowie Landminen auslegen oder aufspüren. Zu den Ländern, die 1999 Kinder zum Waffendienst zwangen, z. T. sogar Kinder unter zehn Jahren, gehörten u. a. Kolumbien, Kongo (Zaire), Sierra Leone, Sri Lanka, Sudan und Uganda. K., welche die Kämpfe überleben, tragen außer physischen Verletzungen oft seelische Schäden davon.
Mindestalter: Im Januar 1999 scheiterte ein Versuch des UNO-Sondergesandten für

die Teilnahme von Kindern an bewaffneten Konflikten, Olara Ottonu, das gültige Mindestalter für Rekruten von 15 Jahren in einem Zusatzprotokoll zur UNO-Konvention zum Schutz der Kinder (1989) auf 18 Jahre zu erhöhen. Außer einigen Dritte-Welt-Staaten wandten sich die USA und Großbritannien dagegen, da in ihren Ländern Jugendliche bereits ab 16 Jahren zur Armee zugelassen sind.

http://www.amnesty.de

Kriegsverbrechertribunal

Vom UN-Sicherheitsrat 1993 in Den Haag/ Niederlande eingerichteter Internationaler Gerichtshof (ICTY), der Kriegsverbrechen im Gebiet des ehemaligen Jugoslawien untersucht. Chefanklägerin des Tribunals, das 1999 625 Mitarbeiter hatte und über ein Budget von 94 Mio Dollar verfügte, ist bis September 1999 die Kanadierin Louise Arbour (seit 1996).

Bilanz: Bis Mitte 1999 erhob das K. gegen 87 Personen öffentlich Anklage, geheim ermittelte es gegen zahlreiche mutmaßliche Kriegsverbrecher. Das Tribunal fällte acht Urteile; 26 Beschuldigte waren Mitte 1999 inhaftiert.

Anklage: Im Mai 1999, während des Krieges zwischen der NATO und der Bundesrepublik Jugoslawien, klagte das K. den jugoslawischen Präsidenten Slobodan Milosevic und vier weitere Mitglieder der Belgrader Führung an. Sie seien verantwortlich für die Ermordung von 340 Kosovo-Albanern und die Vertreibung von 740 000 Menschen aus dem Kosovo. Mit Milosevic wurde erstmals ein amtierendes Staatsoberhaupt wegen Kriegsverbrechen angeklagt.

Urteil: Im ersten Prozess, in dem eine Vergewaltigung als Kriegsverbrechen im Mittelpunkt stand, erhielt der bosnische Kroate Anto Furundzija im Dezember 1998 eine zehnjährige Haftstrafe. Als Leiter einer paramilitärischen Sondereinheit hatte er 1993 beim Verhör der Vergewaltigung einer Frau tatenlos zugesehen.

Arusha-Tribunal: Das 1994 vom UNO-Sicherheitsrat eingesetzte Internationale Ruanda-Tribunal in Arusha/Tansania untersucht den 1994 von Hutu-Stammesmitgliedern an den Tutsi begangenen Völkermord. Das dem Haager Gericht unterstellte Tribu-

BILANZ 2000

Menschenrechte
Demokratien als Vorkämpfer der Humanität

Obwohl die demokratischen Rechtsstaaten Ende des 20. Jh. mehr denn je zur Sicherung der Menschenrechte unternehmen (z. B. politischer Druck der EU auf die Türkei) und 1999 sogar durch Krieg die Einhaltung der Grundrechte durchzusetzen versuchten (NATO-Intervention in Ex-Jugoslawien), ist die weltweite Verwirklichung der 1948 in der UN-Deklaration kodifizierten Rechte bis 2000 nicht erreicht worden, z. B. Artikel 23: »Jeder Mensch hat das Recht auf Arbeit.« Doch gilt der Katalog weltweit als Richtschnur, in Deutschland werden die Menschenrechte über das Staatsprinzip hinaus als »Grundlage jeder menschlichen Gemeinschaft, des Friedens und der Gerechtigkeit in der Welt« anerkannt (GG Art. 1 Abs 2). Die US-amerikanische Menschenrechts-Stiftung Freedom House kam 1997 zu dem Ergebnis, dass die politischen und bürgerlichen Grundrechte in 81 Staaten uneingeschränkt und in 57 Staaten teilweise geachtet werden: 53 Staaten galten als unfrei, darunter wurden Afghanistan, China, Irak, Iran, Somalia und Sudan, in denen die Menschenrechte systematisch missachtet wurden, als besonders repressiv eingestuft.

Positive Trends

▶ Die allgemeinen Menschenrechte wurden erweitert durch Menschenrechte der »zweiten Generation« (saubere Umwelt und Frieden) sowie durch »soziale Menschenrechte«.
▶ Die nicht verbindlichen UN-Menschenrechtskataloge beziehen auch die neuesten Entwicklungen ein (Gentechnologie).
▶ Da die UN-Menschenrechtscharta international anerkannt wird, bietet sie die Möglichkeit, ihre Einhaltung aktiv zu fordern.

Negative Trends

▶ Die UN-Menschenrechtscharta ist in vielen Punkten zu allgemein gehalten und lässt totalitären Systemen Handlungsspielraum.
▶ In Staaten, in denen die Menschenrechte nicht geachtet werden, sind auch Menschenrechtler Verfolgungen ausgesetzt (Türkei, Sudan u. a.).

Platz des Himmlischen Friedens in Peking, 1989: Panzer gegen Menschenrechtler

Meilensteine
Von der Tatenlosigkeit zum Kampf gegen Unrecht

1907: Nach internationalen Protesten wegen Menschrechtsverletzungen überlässt der belgische König Leopold II. seine Privatkolonie »Kongostaat« dem belgischen Staat.

1910: Die Verfassung Südafrikas schreibt die Rechtlosigkeit der Farbigen (80% der Bevölkerung) fest.

1933–45: Während der NS-Diktatur werden in einem »Holocaust« genannten Völkermord mehr als 6 Mio Juden in teilweise fabrikmäßigen Vernichtungsanlagen ermordet.

1935–39: Der »Großen Säuberung« unter Stalin fallen über 2 Mio Menschen zum Opfer.

1948: Die UN verabschieden die Deklaration der Menschenrechte.

1949: Nach Proklamation der VR China liquidieren die Kommunisten in mehreren Säuberungswellen die alten Führungseliten und deren Anhänger, ca. 10 Mio Menschen.

1950: Mit der Europäischen Menschenrechtskonvention (EMRK) schafft der Europarat institutionelle Mindeststandards an Grundfreiheiten und Rechten.

1961: Die Europäische Sozialcharta formuliert 19 soziale Rechte, darunter sieben »Kernrechte«.

1966–69: Während der Kulturrevolution in China ermorden maoistische Rote Garden und Rote Rebellen mehr als 1 Mio Menschen.

1971–79: Während der Terrorära Idi Amins werden 50 000 Asiaten aus Uganda vertrieben und Hunderttausende von Menschen ermordet.

1975: Die KSZE-Schlussakte von Helsinki sorgt mit ihren Menschenrechtspassagen für ein Anwachsen von Bürgerbewegungen, welche die Einhaltung der Menschenrechte in den sozialistischen Staaten fordern.

1976–83: Während der Militärdiktatur in Argentinien »verschwinden« Hunderttausende; viele werden später in Massengräbern gefunden.

1976–79: Dem Staatsterrorismus der Roten Khmer fallen über 2 Mio Kambodschaner zum Opfer.

1977: Die Menschenrechtsorganisation Amnesty International erhält den Friedensnobelpreis.

1979: Eine islamische Revolution stürzt das verhasste Schah-Regime im Iran. Die Mullahs setzen die Menschenrechtsverletzungen fort.

1990: In Warschau beginnt das OSZE-Büro für demokratische Institutionen und Menschenrechte seine Hilfe beim Aufbau rechtsstaatlicher Strukturen in Osteuropa.

1997: Die UNESCO unterbreitet in der »Allgemeinen Erklärung zum Humangenom und den Menschenrechten« Vorschläge, die Gentechnik mit den Menschenrechten in Einklang zu bringen.

Stichtag: 10. Dezember 1948
UNO über Menschenrechte
Mit 48 Stimmen bei acht Enthaltungen verabschiedete die UN-Vollversammlung Ende 1948 die »Allgemeine Erklärung der Menschenrechte«. Sie hat nur empfehlenden Charakter, doch wurden ihre Artikel in z. T. stark erweiterter Form in die Verfassungen aller demokratischen Rechtsstaaten aufgenommen.

Zitat:
GG-Grundrechtskatalog
Artikel 1–19 des 1949 verabschiedeten Grundgesetzes der BRD enthalten einen Grundrechtekatalog, der weit über die UN-Menschenrechts-Charta hinausgeht. Die ersten drei Artikel lauten in der Fassung von 1989:
»Art. 1 – (1) Die Würde des Menschen ist unantastbar. Sie zu achten und zu schützen ist Verpflichtung aller staatlichen Gewalt [...]
Art. 2 – (1) Jeder hat das Recht auf die freie Entfaltung seiner Persönlichkeit, soweit er nicht die Rechte anderer verletzt und gegen die verfassungsmäßige Ordnung oder das Sittengesetz verstößt. (2) Jeder hat das Recht auf Leben und körperliche Unversehrtheit. Die Freiheit der Person ist unverletzlich [...]
Art. 3 – (1) Alle Menschen sind vor dem Gesetz gleich. (2) Männer und Frauen sind gleichberechtigt. Der Staat fördert die tatsächliche Durchsetzung der Gleichberechtigung von Frauen und Männern und wirkt auf die Beseitigung bestehender Nachteile hin. (3) Niemand darf wegen seines Geschlechtes, seiner Abstammung, seiner Rasse, seiner Sprache, seiner Heimat und Herkunft, seines Glaubens, seiner religiösen oder politischen Anschauungen benachteiligt oder bevorzugt werden. Niemand darf wegen seiner Behinderung benachteiligt werden.«

nal verurteilte im September 1998 den ruandischen Ministerpräsidenten von 1994, Jean Kambanda, zu lebenslanger Haft. Bis Mitte 1999 sprach es insgesamt fünf Angeklagte schuldig. Drei erhielten lebenslange Haftstrafen, die beiden anderen bekamen 15 bzw. 25 Jahre Haft.
http://www.un.org/icty

Menschenrechts-Verletzungen

Menschenrechte sind uneingeschränkt geltende Grundrechte und Freiheiten, die jedem Menschen zustehen und in der Menschenrechtscharta der UNO von 1948 festgelegt sind.

Amnesty-Bericht: Die Menschenrechtsorganisation Amnesty International hielt in ihrem Jahresbericht für 1998 fest, dass in 125 Ländern Inhaftierte gefoltert oder misshandelt wurden. In Europa war Folter in Jugoslawien, Weißrussland und der Türkei systematisch verbreitet. In 55 Ländern wur-

den staatliche Morde durch Armee, Polizei oder Paramilitärs registriert, in 37 Staaten »verschwanden« politische Gegner. In 78 Ländern saßen politische Gefangene in Haft.

Human Rights Watch: Die US-Menschenrechtsorganisation Human Rights Watch warf 1998 in ihrem Jahresbericht insbes. Afghanistan, Irak, Libyen, Myanmar (Birma) und Nordkorea schwere M. wie Folter, Hinrichtungen politischer Gegner oder Massenvergewaltigungen vor.

Türkei: Nach Angaben des Türkischen Menschenrechtsverbandes wurden 1998 in Istanbuler Polizeiwachen 564 Menschen, darunter 26 Minderjährige, physisch oder psychisch gefoltert. Auch das Antifolter-Komitee des Europarates (Straßburg) stellte Anfang 1999 nach Überprüfung von Polizeistationen und Gefängnissen in der Türkei die Misshandlung Inhaftierter fest. Zugleich bescheinigten die Kontrolleure den türkischen Behörden größere Anstrengungen zur Bekämpfung von Folter und inhumaner Behandlung.

Menschenrechts-Verletzungen weltweit

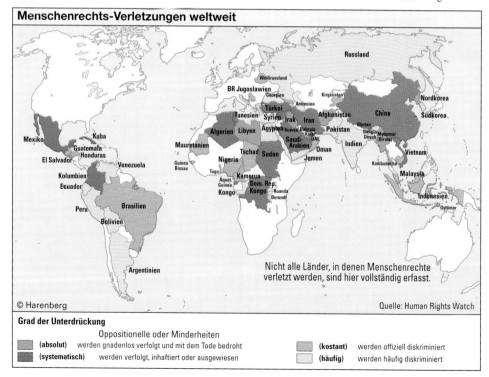

Nicht alle Länder, in denen Menschenrechte verletzt werden, sind hier vollständig erfasst.

© Harenberg

Quelle: Human Rights Watch

Grad der Unterdrückung

Oppositionelle oder Minderheiten

(absolut) werden gnadenlos verfolgt und mit dem Tode bedroht	**(kostant)** werden offiziell diskriminiert
(systematisch) werden verfolgt, inhaftiert oder ausgewiesen	**(häufig)** werden häufig diskriminiert

Todesstrafe in den USA

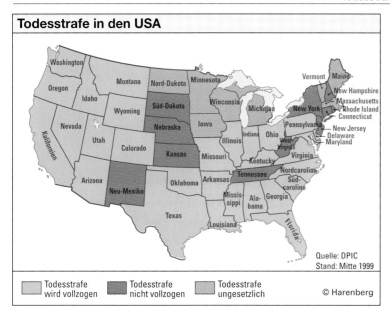

Washington, Oregon, Montana, Nord-Dakota, Minnesota, Vermont, Maine, New Hampshire, Idaho, Süd-Dakota, Winconsin, Michigan, New York, Massachusetts, Rhode Island, Connecticut, Nevada, Wyoming, Iowa, Pennsylvania, New Jersey, Kalifornien, Utah, Nebraska, Illinois, Indiana, Ohio, West Virginia, Delaware, Maryland, Colorado, Kansas, Missouri, Kentucky, Virginia, Arizona, Oklahoma, Arkansas, Tennessee, Nordcarolina, Neu-Mexiko, Missis-sippi, Ala-bama, Georgia, Süd-carolina, Texas, Louisiana, Florida

Quelle: DPIC
Stand: Mitte 1999

☐ Todesstrafe wird vollzogen   ■ Todesstrafe nicht vollzogen   ☐ Todesstrafe ungesetzlich

© Harenberg

China: Der Menschenrechtsbericht des US-Außenministeriums warf China 1999 Folter, willkürliche Festnahmen, Verweigerung angemessener Rechtsverfahren sowie die Verfolgung von Tibetern und Muslimen vor. Amnesty verwies im April 1999 auf M. in der überwiegend von Muslimen bewohnten Provinz Xinjiang, wo die chinesische Regierung auf separatistische Bestrebungen ab 1996 mit Folter und Hinrichtungen reagierte. **Interessen:** Eine China kritisierende Resolution kam auf der Jahrestagung der UNO-Menschenrechtskommission im März 1999 nicht zustande. Menschenrechtler werfen den westlichen Staaten seit Jahren vor, über M. in Ländern hinwegzusehen, mit denen enge wirtschaftliche Beziehungen bestehen.

Todesstrafe

Nach Angaben der UNO von Anfang 1999 wurde die T. in 88 Staaten vollstreckt. In 42 Staaten war sie legal, wurde aber seit mehr als zehn Jahren nicht mehr vollzogen. 65 Staaten hatten die T. aus ihren Gesetzen gestrichen. In der BRD wurde die T. 1949 (Art. 102 GG) abgeschafft, in der DDR 1987.

Hinrichtungen: 1998 registrierte Amnesty International 1625 Hinrichtungen in 37 Staaten (1997: 2375). Allein in China wurden 1067 T. vollstreckt und 1657 T. verhängt. Mehr als 80% aller T. wurden in nur vier Staaten vollzogen: China, Iran, der Demokratischen Republik Kongo und den USA. Seit Wiederzulassung der T. in den USA bis 1999 wurden mehr als 500 Menschen hingerichtet (1998: drei).
USA: 1978–98 mussten in den 38 der 50 US-Bundesstaaten mit T. 75 zum Tode verurteilte Menschen wegen erwiesener Unschuld freigelassen werden, einige kurz vor der Hinrichtung. 1998 wurden 68 T. vollstreckt. Im Februar bzw. März 1999 wurden die deutschstämmigen Brüder LaGrand wegen Raubmords in Arizona hingerichtet, trotz Einspruchs des Internationalen Gerichtshofs (Den Haag). Den LaGrands war, wie vier weiteren in den USA seit Anfang 1998 exekutierten ausländischen Staatsbürgern, die von der Wiener Konvention vorgeschriebene rechtliche Betreuung vorenthalten worden.
Philippinen: Auf den Philippinen wurde 1999 erstmals nach 23 Jahren wieder eine Hinrichtung vollzogen, nachdem die T. dort 1994 wieder eingeführt worden war.

Abrüstung

Anfang Mai 1999 begann in Genf/Schweiz die zweite Sitzungsperiode der UN-Abrüstungskonferenz (1999 waren drei Verhandlungsrunden geplant). Bis Mitte 1999 konnten sich die 61 Mitgliedsstaaten nicht darüber verständigen, ob außer einem Produktionsstopp für spaltbares Material auch das Thema atomare Abrüstung aufgegriffen werden sollte. Hintergrund waren diplomatische Differenzen zwischen den fünf offiziellen Atommächten (China, Frankreich, Großbritannien, UdSSR, USA), die vor allem ihre nationalen Sichcrheitsüberlegungen in den Vordergrund stellten, sowie den sog. Blockfreien und einigen atomaren Schwellenländern (u.a. Indien, Israel und Pakistan). Die Aufnahme konkreter Verhandlungen wurde frühestens für Anfang 2000 erwartet.

Atomtests

Damit der im Herbst 1996 von der UN-Vollversammlung mit Zweidrittelmehrheit gebilligte Atomteststopp-Vertrag (Compre-

hensive Test Ban Treaty, CTBT) wie geplant im Oktober 1999 in Kraft tritt, muss er bis dahin von mind. 44 namentlich erwähnten Staaten mit Atomanlagen ratifiziert werden. Bis Mitte 1999 war der Ratifizierungsprozess erst in wenigen Ländern abgeschlossen, obwohl insgesamt 152 Staaten das Abkommen unterzeichnet hatten. Sind bis zur vorgegebenen Frist nicht die notwendige Anzahl von Staaten dem Vertrag zur Beendigung aller A. beigetreten, sollen auf einer internationalen Konferenz weitere politische Schritte erörtert werden.

Indien/Pakistan: Weder Pakistan noch der Nachbarstaat Indien gehörten bis Mitte 1999 zu den Unterzeichnerstaaten des CTBT, der die Produktion und Verbreitung von Atomwaffen untersagt. Im Herbst 1998 hatten die Regierungen in Neu-Delhi und Islamabad allerdings ihre Unterschrift bis September 1999 unter der Voraussetzung angekündigt, dass die internationalen Sanktionen, verhängt in Folge der Atomtests im Frühjahr 1998, aufgehoben werden.

USA: Im Herbst 1998 führten die USA in Nevada mehrere sog. subkritische, nichtexplosive A. durch. Nach Aussage des US-Verteidigungsministeriums hätten die Versuche dem Atomteststopp-Vertrag entsprochen, da keine kritische Menge an spaltbarem Material verwandt worden sei (fehlende atomare Kettenreaktion).

Atomwaffen

Im Frühjahr 1999 signalisierte der russische Präsident Boris Jelzin seine Zustimmung zu einem Gesetzentwurf der Staatsduma (russisches Parlament), der den Ratifizierungsprozess des START II-Abkommens in Moskau in Kraft setzen könnte. Der Parlamentsvorschlag fordert Russland auf, START II unter der Voraussetzung zu akzeptieren, dass die USA den 1972 geschlossenen ABM-Vertrag zum Verbot eines Abwehrsystems mit ballistischen Raketen

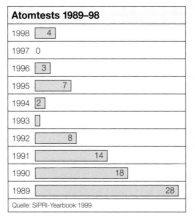

Atomtests 1989–98

1998	4
1997	0
1996	3
1995	7
1994	2
1993	
1992	8
1991	14
1990	18
1989	28

Quelle: SIPRI-Yearbook 1999

Von 1945 bis Mitte 1999 fanden insgesamt 2052 Atomtests statt. Die USA führten in diesem Zeitraum 1032 Versuche durch, Russland 715, Frankreich 210, China und Großbritannien je 45, Indien 3 und Pakistan 2.

nicht neu auslegen. Sonst habe Russland die Option, START-II aufzukündigen.

START II: 1993 hatten die USA und Russland als Ergänzung zum START I-Abkommen den Abrüstungsvertrag START II geschlossen. Die 1996 vom US-Senat gebilligte Übereinkunft sieht u.a. vor, die strategischen A. (Reichweite: ab 5500 km) bis 2003 auf jeweils 3000–3500 Sprengköpfe zu reduzieren. Russland und die USA kamen im März 1997 überein, nach der parlamentarischen Annahme von START II mit den nächsten Abrüstungsgesprächen (evtl. START III) zu beginnen. Um die russischen Ratifizierungsbedenken weiter zu entkräften, vereinbarten die beiden Supermächte im Herbst 1997, die Verschrottung der russischen A. zeitlich bis 2007 zu strecken, ihre Deaktivierung muss allerdings bis 2003 erfolgen. Im Gegenzug erhielten die USA die Zustimmung, die Entwicklung mehrerer nichtstrategischer Raketenabwehrprogramme zu forcieren.

Raketenabwehr: Mitte März 1999 votierten Senat und Repräsentantenhaus der USA für die Schaffung eines Raketenabwehrsystems. Für Sommer 1999 plante Präsident Bill Clinton seine Entscheidung über eine mögliche Installation, das Verteidigungsministerium (Pentagon) hält eine Realisierung ab 2005 für möglich. Bis Anfang 1999 wurden für entsprechende Forschungsarbeiten mehr als 50 Mrd Dollar ausgegeben, im US-Bundeshaushalt für 2000 sind 6,6 Mrd Dollar eingeplant. Abrüstungsexperten wiesen 1998/99 darauf hin, dass die Raketenabwehrpläne der USA einige Bestimmungen des ABM-Vertrages verletzen könnten.

Rüstungskosten: Nach einer Studie der Washingtoner Brookings-Institution von Ende 1998 kostete das atomare Aufrüsten die USA zwischen 1940 und 1996 insgesamt 5,821 Billionen Dollar. Die Berechnungen erfolgten inflationsbereinigt und haben den Dollar-Wert des Jahres 1996 als Grundlage.

Biologische Waffen

(auch B-Waffen), lebende Organismen (Viren und Bakterien) oder von ihnen abstammende Gifte, die bei Lebewesen Krankheit oder Tod verursachen und zu militärischen Zwecken eingesetzt werden

Für 1999 waren in Genf/Schweiz mehrere Verhandlungsrunden geplant, um einen Überwachungsmechanismus für die Kon-

vention zum Verbot von B. zu erarbeiten. Bis Mitte 1999 waren der Übereinkunft aus dem Jahr 1972 (1975 in Kraft getreten) 140 Staaten beigetreten (inkl. Ratifikation). Das Abkommen verbietet die Herstellung, Lagerung sowie den Einsatz aller bakteriologischen Kampfstoffe. Die Vertragsländer haben sich verpflichtet, existierende B.-Potentiale spätestens neun Monate nach der Ratifikation zu vernichten, zur Landesverteidigung können geringe Mengen an B. zurückgehalten werden.

Pocken: Bis zum Jahr 2000 müssen alle Pockenviren vernichtet worden sein – diesen Beschluss fasste die Weltgesundheitsorganisation (WHO) auf ihrer Jahrestagung Ende Mai 1999 in Genf/Schweiz. Im April 1999 hatten sich die USA einer früheren WHO-Vereinbarung widersetzt, wonach alle Pockenstämme bis Juni 1999 entsorgt werden müssen. Die US-Regierung begründete ihre Weigerung mit sicherheitspolitischen Erwägungen. Die Pockenproben könnten darüber hinaus wichtige wissenschaftliche Erkenntnisse im Kampf gegen Aids- und Ebola-Viren liefern.

Bundeswehr

Einsatz: Mit Beginn der NATO-Luftschläge (Aktion: Allied Forces) gegen Jugoslawien am 24.3.1999 beteiligten sich deutsche Streitkräfte erstmals seit Ende des Zweiten Weltkriegs wieder an einem Krieg. 10 ECR-Tornado-Kampfflugzeuge – im April 1999 wurden vier Aufklärungs-Tornados aus taktischen Erwägungen aus Italien abgezogen – sowie unbemannte Aufklärungsdroh-

Bundeswehr: Wichtige Auslandseinsätze

▸ **Sommer 1990–März 1991:** Deutsche Kriegsschiffe werden während des Golfkriegs ins Mittelmeer verlegt.

▸ **April 1991:** Deutsche Marine hilft beim Minenräumen vor Kuwait.

▸ **Mai 1992–November 1993:** Sanitäter der B. gehen nach Kambodscha.

▸ **Juli 1992–Oktober 1996:** Die B. beteiligt sich an der Überwachung des Waffenembargos gegen das ehemalige Jugoslawien.

▸ **April 1993–Dezember 1995:** Soldaten der B. sind in die NATO-Aktion zur Überwachung des Flugverbots über Bosnien eingebunden.

▸ **August 1993–März 1994:** Einheiten der B. nehmen teil am humanitären Einsatz in Somalia.

▸ **Dezember 1995–Dezember 1996:** Die B. stellt 4000 Mann für Sfor-Einsatz in Bosnien-Herzegowina.

▸ **Seit Dezember 1996:** B.-Soldaten sind Teil der Sfor-Friedenstruppe in Bosnien-Herzegowina.

▸ **Februar 1999:** Deutsche Truppen sollen eine Kosovo-Friedenstruppe unterstützen.

▸ **Ab März 1999:** Die B. nimmt teil am Luftkrieg der NATO gegen die Bundesrepublik Jugoslawien.

Quelle: Der Spiegel, 1999

nen vom Typ CL 289 nahmen an den Kampfeinsätzen teil. Ende 1998 beschloss der Bundestag, bis zu 250 Soldaten für die »Extraction Forces« der NATO (französisches Oberkommando; Gesamtstärke: etwa 1500 Mann; Standort: Mazedonien) zur Verfügung zu stellen. Die multilaterale Einheit hatte vor Ausbruch des militärischen Konflikts die Aufgabe, die rund 2000 Kosovo-Beobachter der Organisation für Sicherheit und Zusammenarbeit in Europa (OSZE) vor Gewalt zu schützen. Im Rahmen der internationalen Friedenstruppe für das Kosovo (Kfor; geplante Gesamtstärke: bis 50 000 Soldaten) 1999 sollen rund 8500 B.-Soldaten in Mazedonien stationiert werden. Darüber hinaus stellten die deutschen Streitkräfte Kontingente für die Logistikoperation Allied Harbour in Albanien (gemäß Bundestagsentscheidungen vom Februar und Mai 1999).

Reform: Anfang Mai 1999 setzte Bundesverteidigungsminister Rudolf Scharping (SPD) die Kommission »Gemeinsame Sicherheit und Zukunft der B.« ein. Bis September 2000 soll eine 20-köpfige Expertengruppe unter Vorsitz von Alt-Bundespräsident Richard von Weizsäcker Vorschläge für eine Neustrukturierung der B. erarbeiten.

Haushalt: Eine Untersuchung des SPD-Finanzexperten Volker Kröning kam im Frühjahr 1999 zu dem Ergebnis, dass bei weiteren Konsolidierungsmaßnahmen im Bundeshaushalt und unter Beibehaltung der Wehrpflicht eine Reduzierung der nationalen Streitkräfte um 20% von geplanten 338 000 auf 270 000 Mann bis 2005 nicht auszuschließen sei. Zivilpersonal könnte bis dahin ebenfalls um 20% verringert werden.

UN: Im Februar 1999 sicherte die B. den Vereinten Nationen (UN) zu, künftig 4000–5000 Soldaten als Bereitschaftskräfte (Stand-by-forces) im Rahmen internationaler Einsätze zur Verfügung zu stellen.

Rechtsextremismus: 1998 wurden innerhalb der B. 35,6% mehr rechtsradikale Vorfälle registriert als im Vorjahr. Bei den 301 Meldungen (1997: 222 Fälle) handelte es sich meist um Propaganda-Delikte, achtmal fanden Gewalttaten wie z. B. Überfälle auf Ausländer statt. Lt. Bundesverteidigungsministerium resultierte der Anstieg primär aus einem sorgfältigeren Meldeverhalten der Soldaten.

Wehrbeauftragter: Der Jahresbericht 1998 der Wehrbeauftragten des Bundestages (Claire Marienfeld, CDU) weist als Kritikpunkte u. a. mangelnde politische Bildung, zu harte Ausbildung und fortschreitende Bürokratisierung innerhalb der B. auf. Besonders gravierend sei, dass es den jungen Soldaten z. T. an staatsbürgerlichem Bewusstsein fehle.

http://www.bundeswehr.de

Bundeswehrsold	
1. Rekrut[1]	14,50[2]
2. Gefreiter	16,00
3. Obergefreiter	17,50
4. Hauptgefreiter	19,00
5. z. B. Unteroffizier	22,00
6. z. B. Feldwebel	23,00
7. z. B. Leutnant	24,00
8. Oberleutnant	25,00
9. Hauptmann	26,00
10. z. B. Major	27,00
11. z. B. Oberfeldarzt	28,00
12. z. B. Oberst	29,00
13. General	31,00

1) Soldgruppe/Dienstgrad, 2) Tagessatz (DM); Stand: Anfang 1999; Quelle: Bundesgesetzblatt Jahrgang 1998 Teil I Nr. 36

Bei den Offiziersrängen beziehen sich die Tagessätze auf Wehrübungen u. a.; der Sold wird bei Offizieren zusätzlich zu den normalen Dienstbezügen gezahlt.

Chemische Waffen

(auch C-Waffen), chemische Substanzen, die wegen ihrer giftigen Wirkung für militärische Zwecke verwendet werden

Vertrag: Bis Anfang 1999 hatten 121 Staaten die C.-Konvention (CWC) zugestimmt, rund 40 weitere Länder hatten das Vertragswerk unterzeichnet, die Ratifikationsprozesse waren aber noch nicht abgeschlossen. Das Abkommen von 1993 trat im April 1997 in Kraft, nachdem 65 Nationen ihre Ratifizierungsurkunden hinterlegt hatten. Die Konvention verbietet, C. einzusetzen, zu entwickeln, herzustellen oder zu lagern, Vorhandene C.-Bestände müssen bis 2007 zerstört werden. Als Kontrollbehörde fungiert die Organization for the Prohibition of Chemical Weapons (OPCW) in Den Haag/Niederlande. Ihre Inspektoren haben Zugang zu Industriebetrieben, militärischen Anlagen und C.-Lagern.

Probleme: Verschiedene Gutachten kamen 1998/99 zu dem Schluss, dass wichtige Unterzeichnerstaaten maßgebliche Verpflichtungen der Konvention nicht ausreichend nachkommen oder grundlegende Bestimmungen je nach nationalen Interessen ändern: Die US-Behörden schränkten die Immunität der Überwachungsinspektoren ein und erklärten die Analyse der C.-Proben im Ausland für unzulässig; Russland kann wegen technischer und finanzieller Defizite der Zerstörung der C.-Produktionsstätten nur zeitversetzt Folge leisten. Ungefähr ein Viertel der CWC-Länder sah sich nicht in der Lage, die nationalen C.-Bestände bzw. die Produktionsmengen korrekt zu deklarieren. Auch über den Handel mit meldepflichtigen Grundstoffen wurde die Kontrollbehörde oftmals nur unzureichend informiert.

Den Haag: Die Chefanklägerin des Kriegsverbrechertribunals in Den Haag/Niederlande, die Kanadierin Louise Arbour, untersucht seit Anfang 1999, ob bosnische Serben 1995 beim Granatwerferangriff nahe Srebrenica Giftgas eingesetzt haben. Sie stützt sich auf eine Untersuchung der Organization Human Rights Watch (HRW). Nach HRW-Einschätzung soll ein sog. Psychogas verwandt worden sein. Der Vorwurf wurde bis Mitte 1999 nicht bestätigt.

Eurofighter

Europäisches Kampfflugzeug, an dessen Entwicklung und Produktion Deutschland, Großbritannien, Italien und Spanien beteiligt sind

Projekt: Bis 1999 wurden mit den Prototypen des E. von über 20 Piloten mehr als 800 Testflüge durchgeführt. Ende 1997 hatten die Verteidigungsminister der am E.-Bau beteiligten Staaten den Beginn der Serienproduktion vereinbart. Zunächst sollen 620 Kampfjets vom Typ EF 2000 gebaut werden, eine Option ermöglicht bei Bedarf die Produktion weiterer 90 Maschinen. Die Bundeswehr kauft gemäß Vereinbarung 180 E. (Stückpreis: 125,4 Mio DM; Gesamtkosten: rund 23 Mrd DM), ihre Auslieferung erfolgt sukzessive von 2002–2014. Die Jets sollen die dann veralteten Phantom F4F sowie MiG 29 ersetzen. Großbritannien bestellte 232 Flugzeuge, 121 E. sind für die italienische, 87 E. für die spanische Luftwaffe eingeplant.

Eurofighter-Entwicklung

▶ **1985:** Die Bundeswehr sieht erstmals Bedarf für ein neues Kampfflugzeug (insgesamt 250 Maschinen, der Stückpreis wurde auf 17,5 Mio DM kalkuliert).

▶ **1988:** Deutschland, Großbritannien, Italien und Spanien vereinbaren, gemeinsam ein Jagdflugzeug zu entwickeln.

▶ **April 1992:** Nach ersten Berechnungen der Industrie liegt der Systempreis (Kosten inkl. Bodenservice) für einen Jet bei 133,6 Mio DM, siebenmal höher als geplant.

▶ **Dezember 1992:** Die beteiligten Verteidigungsminister beschließen die Entwicklung einer Light-Version namens Eurofighter 2000, im Beschaffungsplan der Bundeswehr ist der Kauf von 180 E. vorgesehen.

▶ **März 1994:** Erster Flug eines Prototypen.

▶ **September 1994:** Das Bundesverteidigungsministerium kalkuliert den Systempreis des E. auf 103 Mio DM.

▶ **Dezember 1996:** Nach Berechnungen der Industrie ist ein Systempreis von 144,5 Mio DM zu erwarten.

▶ **März 1997:** Der Stückpreis wird vom Bundesverteidigungsministerium auf die Marge von 125,4 Mio DM festgelegt.

▶ **Oktober/November 1997:** Der Deutsche Bundestag stimmt dem Bau des E. zu.

▶ **1999:** Testflüge mit Bewaffnung und anderen Außenlasten sind geplant.

▶ **2002:** Die Bundeswehr (Jagdgeschwader 73/Laage) erhält die ersten E.-Maschinen.

▶ **2014:** Die Auslieferung der letzten E. an die Bundeswehr soll abgeschlossen sein.

Eurofighter: Technische Daten

Flügelfläche	50 m^2
Höchstgeschwindigkeit	Mach 2[1)]
Höhe	5,28 m
Länge	15,96 m
Leermasse	9999 kg
Spannweite	10,95 m
Startmasse (max.)	21 000 kg

1) rund 2300 km/h; Quelle: Die Welt, 27.11.1998

Industrie: 37,5% der Produktion gehen an die British Aerospace (GB), 30% an Daimler-Benz Aerospace (D), 19,5% an Alenia (I) und 13% an das spanische Unternehmen Casa. Wirtschaftsexperten prognostizierten, dass die Herstellung des E. in Europa fast 150 000 Arbeitsplätze sichere, allein in Deutschland seien etwa 18 000 Stellen langfristig abgesichert.

Export: Auf dem internationalen Markt für Militärtechnologie wird der E. unter dem geschützten Produktnamen Typhoon (dt.: Taifun) präsentiert. Darauf verständigten sich die Partnerländer im Herbst 1998. Nach Einschätzung der Eurofighter GmbH könnten 2005–2025 etwa 400 E. außerhalb der Vertragsstaaten verkauft werden, der Geschäftswert läge bei rund 35 Mrd DM. Als mögliche Abnehmerländer kamen Mitte

1999 die beiden Länder Norwegen und Australien in Betracht.

Griechenland: Anfang 1999 beschloss die griechische Regierung, Verhandlungen über die Beteiligung am E.-Programm aufzunehmen. Der Einstieg ins europäische Gemeinschaftsprojekt könnte durch das staatliche Luftfahrtunternehmen Hellenic Aerospace Industry erfolgen. Zugleich plante das Athener Kabinett die Beschaffung von 60–80 E. für die griechische Luftwaffe. Mit der Auslieferung soll 2005 begonnen werden.

Kriegsdienstverweigerer

Lt. Art. 4 GG darf in Deutschland keiner gegen sein Gewissen zum Kriegsdienst gezwungen werden.

Rekord: 1998 erreichte die Zahl der K. mit 171 657 Anträgen (1997: 154 972, +10,8%) den höchsten Stand in der Geschichte der Bundeswehr. Dennoch beurteilte das Bundesverteidigungsministerium die Nachwuchssituation bei der Bundeswehr als gut: 65%–70% eines Jahrgangs entschieden sich für den Grundwehrdienst. Nach Ansicht der Deutschen Friedensgesellschaft/Vereinigte Kriegsdienstgegner sei für die hohe Zahl der K.-Anträge die Angst vor Auslandseinsätzen

der Bundeswehr in Krisengebieten mitverantwortlich. Seit Einführung der allgemeinen Wehrpflicht in Deutschland 1956 haben mehr als 2 Mio Männer das Recht auf Kriegsdienstverweigerung für sich in Anspruch genommen.

Dauer: Bündnis 90/Die Grünen strebten Ende 1998 die Verkürzung des Zivildienstes von 13 auf zehn Monate wie bei den Wehrpflichtigen an. Da Soldaten nach ihrer Bundeswehr-Zeit zu Reserveübungen eingezogen werden können, dauert der Zivildienst drei Monate länger.

KSE-Vertrag

(KSE: Konventionelle Streitkräfte in Europa, auch VKSE oder CFE, engl.: Conventional Armed Forces in Europe)

Im April 1999 einigten sich die 30 Vertragsstaaten in Wien auf eine Neufassung des K. (1990), deren Unterzeichnung im Rahmen des Istanbuler OSZE-Gipfels im November 1999 geplant ist. Die Überarbeitung war notwendig geworden, da die bis dahin gültige Begrenzung der Militärarsenale im Bereich Truppenstärke, Panzer, gepanzerte Mannschaftswagen, Artilleriegeschütze, Kampfhubschrauber und -flugzeuge gemeinsame Obergrenzen für die Verteidigungsbündnisse NATO und den 1991 aufgelösten Warschauer Pakt vorsah. Das zukünftige System basiert auf nationalen und territorialen Obergrenzen, d.h. den Ländern werden direkt militärische Höchstkontingente zugewiesen. Die Übereinkunft war möglich geworden, weil die am 1.4.1999 hinzu gekommenen NATO-Mitglieder (Polen, Tschechien und Ungarn) russischen Sicherheitsinteressen entsprachen und einer deutlichen Verringerung ihrer bodengebundenen Waffensysteme bis 2003 zustimmten.

http://www.nato.int
http://www.osce.org

Landminen

Ausmaß: 1999 bedrohten nach Untersuchungen von Hilfsorganisationen weltweit 60 Mio–120 Mio sog. Antipersonenminen in über 60 Staaten das Leben der Zivilbevölkerung. Pro Jahr werden 26 000 Menschen durch L. getötet oder verstümmelt. Antipersonenminen (Produktionskosten: 5–50 DM) wurden 1999 noch in 16 Ländern hergestellt,

▬▬ Kriegsdienstverweigerer			
Baden-Württ.	🛡	19 845	▽ −261[1]
Bayern		18 357	▲ + 7
Berlin		4948	▲ +344
Brandenburg		3760	▲ +111
Bremen		1351	▼ − 84
Hamburg		2781	▼ − 72
Hessen		9964	▼ −173
Meckl.-Vorp.		2211	▼ − 14
Niedersachsen		11 338	▼ − 39
Nordrh.-Westf.		29 508	▼ − 62
Rheinland-Pfalz		5407	▲ +260
Saarland		1691	▲ + 34
Sachsen		9565	▼ −226
Sachsen-Anhalt		3833	▲ + 76
Schlesw.-Holst.		3763	▼ −177
Thüringen		4854	▼ −128

Insgesamt: 133 176 Zivildienstleistende, Stand: Anfang 1999; 1) Veränderung gegenüber Anfang 1998; Quelle: Bundesamt für den Zivildienst (Köln)

vor allem in China, Russland und in den USA. Die Bundeswehr hatte bis Ende 1997 ihre Bestände an L. vernichtet. 1998 stellte Deutschland für Minenräumprojekte in aller Welt insgesamt 19 Mio DM zur Verfügung. **Ächtung:** Am 1.3.1999 trat der Vertrag über das Verbot von Einsatz, Lagerung, Herstellung und Weitergabe der L. und über deren Vernichtung in Kraft. Bis Mitte 1999 hatten 136 Staaten die Konvention unterzeichnet, der Ratifizierungsprozess wurde in rund 80 Ländern abgeschlossen. Das Verbot der L. war im Dezember 1997 in Ottawa/Kanada von 121 Staaten beschlossen worden. Die Vertragspartner verpflichteten sich u.a., alle vorhandenen L. innerhalb von vier Jahren zu vernichten. Die Räumung der L.-Felder muss binnen zehn Jahren abgewickelt sein. Eine Schwäche der multilateralen Übereinkunft besteht darin, dass Länder wie die USA (evtl. Beitritt 2006), China und Russland nicht zu den Unterzeichnerstaaten gehörten. Die US-Regierung begründete ihre Haltung mit dem Umstand, L. evtl. zur Verteidigung eigener Streitkräfte in Korea zu benötigen. Vertreter Chinas und Russlands wiesen auf ihre langen, schwer zu kontrollierenden Grenzen hin.
Maputo-Konferenz: Beim ersten Folgetreffen des Abkommens zum Antipersonenminenverbot in Maputo (Mosambik) im Mai 1999 erklärten China und die Türkei ihren Willen, den Export solcher Waffen zu unterbinden. Vertreter der Regierungen Israels und der Türkei stellten in Aussicht, die L.-Produktion gänzlich einzustellen. Hinsichtlich der Überwachung kamen die Teilnehmerländer überein, vor allem per E-Mail und Internet Informationen auszutauschen.

Militärausgaben

Nach einer Analyse des Stockholmer Internationalen Friedensforschungsinstituts (SIPRI) reduzierten sich 1998 die M. gegenüber 1997 weltweit um etwa 3,5% auf rund 696 Mrd Dollar (1997: ca. 721 Mrd Dollar). Für 1996/97 war dagegen noch ein Anstieg in Höhe von 1,7% zu verzeichnen gewesen. Im Zehn-Jahres-Vergleich (1989–98) sanken die staatlichen Aufwendungen für Militärgüter um mehr als ein Drittel (1989: 1050 Mrd Dollar). Der Anteil der M. am BIP lag 1998 bei 2,6%. Die Verringerung im Bereich der internationalen M. resultierte vor

allem aus den deutlichen Einsparungen im russischen Verteidigungshaushalt – hier sorgten die staatlichen Zahlungsschwäche sowie hohe Inflationsraten für ein Minus gegenüber 1997 von 55%. Die SIPRI-Forscher prognostizierten für Anfang des 21. Jh. wieder einen leichten Anstieg der globalen M. Die US-Regierung betonte 1998, dass in den nächsten sechs Jahren aus sicherheitspolitischen Erwägungen der Verteidigungsetat des Landes erhöht werden müsse.
Deutschland: Der Konflikt in der rot-grünen Bundesregierung über das Volumen des Verteidigungshaushalts konnte Mitte 1999 beigelegt werden. Der Kompromiss sieht vor, dass die Hardthöhe 1999 mit Finanz-

Landminenräumung: Deutsche Hilfe[1]

Land		Mio DM
Afghanistan		5,12
Ägypten		0,68
Angola		3,50
Bosnien-H.		1,48
Georgien		1,07
Kambodscha		0,55
Kroatien		1,02
Laos		2,01
Mosambik		2,31
Somalia		0,27
Tschetschenien		0,02
Vietnam		0,87

1) Hilfszahlungen (Mio DM); Quelle: FAZ, 3.5.1999

Verlegte Landminen[1] (Auswahl)

Land		Mio
Ägypten		23
Iran		16
Angola		15
Irak		10
Afghanistan		10
Kambodscha		9
Bosnien-H.		4,5
Kroatien		3
Jugoslawien		0,5
Zypern		0,017

1) Mio; Stand: Ende 1998; Quelle: UNO

mitteln von 47,05 Mrd DM ausgestattet wird. Für 2000 beschloss das Kabinett im Rahmen des Sparpakets für den Haushalt Einsparungen von 3,5 Mrd DM. Die deutschen Kosten für den Kosovo-Einsatz (1999: ca. 400 Mio DM) gehen zu Lasten der »Allgemeinen Finanzverwaltung«.

UNO-Friedenstruppen

1998/99 standen 14 347 sog. Blauhelm-Soldaten (inkl. Polizisten und Beobachter) im Dienst der Vereinten Nationen. Seit Gründung der UN (1945) fanden insgesamt 49 Friedensmissionen statt, 1999 wurden noch 15 UN-Aktionen durchgeführt. Die größte laufende Operation mit 4528 UNO-Soldaten sollte Feindseligkeiten an der Grenze zwischen Libanon und Israel unterbinden (Unifil-Mission), das kleinste Kontingent (26 Beobachter, Unmop-Mission) überwachte die entmilitarisierte Prevlaka-Halbinsel zwischen den Balkanstaaten Kroatien und Montenegro.

Angola: Im Februar 1999 beendete der UN-Sicherheitsrat auf Empfehlung des UN-Generalsekretärs das Mandat für die Friedensmission im Südwesten Afrikas. Hintergrund waren neue Kampfhandlungen zwischen Regierungstruppen und rechtsgerichteten UNITA-Rebellen.

Waffenhandel

Der internationale Handel mit schweren konventionellen Waffen reduzierte sich 1998 nach einer Analyse des Stockholmer Internationalen Friedensforschungsinstituts (SIPRI) gegenüber dem Vorjahr um rund 20% (Volumen 1998: 21 944 Mio Dollar; 1997: 27 416 Mio Dollar).

Rückgang: Der seit 1994 zu verzeichnende Trend eines zunehmenden W. wurde 1998 erstmals umgekehrt. Der Rückgang basierte vor allem auf dem Auslaufen bestehender Lieferverträge; dagegen spielte die finanzielle Krise im asiatischen Raum (ab 1997) kaum eine Rolle. Zu den führenden Staaten im W. gehörten die USA, Russland, Frankreich, Großbritannien, Deutschland sowie China. Insgesamt waren die Länder 1998 für 88% aller Lieferungen schwerer konventioneller Waffen verantwortlich. Wie in den Vorjahren bildeten 1998 Taiwan, Saudi-Arabien, die Türkei und Ägypten die

Militär

Weltweites Geschäft mit der Zerstörung

Mit dem deutsch-britischen Wettrüsten zur See etablierte sich Anfang des 20. Jh. die Entwicklung hochtechnologischer Waffensysteme als Schlüsselindustrie. Sie erreichte während des Kalten Krieges ihren Höhepunkt mit dem atomaren Rüstungswettlauf von USA und UdSSR und ließ den militärisch-industriellen Komplex zur bedeutendsten Macht in den Industriestaaten des Nordens werden. Die Verflechtung militärischer, politischer, industrieller und wissenschaftlicher Interessen wurde zu einem von demokratischen Institutionen kaum mehr kontrollierbaren Machtfaktor, den der ehemalige General und US-Präsident Dwight D. Eisenhower 1961 in seiner Abschiedsrede als »Verbindung eines immensen Militärestablishment und einer riesigen Rüstungsindustrie« bezeichnete. Als in den 80er Jahren andere Schlüsseltechnologien (Mikroprozessoren, Gentechnik) als zukunftsträchtiger erkannt wurden, begannen in den Industriestaaten die Rüstungsausgaben zu sinken: Parallel zur Abrüstungs-Entwicklung in den Industriestaaten erfolgte in den letzten Jahrzehnten des 20. Jh. die Aufrüstung in einigen Entwicklungsländern sowie im Nahen Osten, in Süd- und Ostasien. Ein neues Problem ergab sich nach Auflösung der UdSSR mit der Kontrolle der Waffensysteme in den GUS-Staaten, vor allem in Russland mit seiner hoch organisierten Kriminalität.

Positive Trends

▶ Die Rüstungsindustrie schafft Arbeitsplätze; die Produktion des Kampfflugzeugs »Eurofighter« sichert in Deutschland, Großbritannien, Italien und Spanien ca. 150 000 Arbeitsplätze.

Negative Trends

▶ Immer mehr Staaten versuchen, sich internationalen Kontrollabkommen zu entziehen bzw. sie zu umgehen (Irak, Libyen).

▶ Der Handel mit schweren konventionellen Waffen hatte Ende der 90er Jahre ein Volumen von über 20 Mrd Dollar.

Europäisches Gemeinschaftsprojekt Eurofighter, Kampfflugzeug für das 21. Jh.

Meilensteine

Zwischen Wettrüsten und kollektiver Sicherheit

1900: Das von Alfred von Tirpitz formulierte Zweite Flottengesetz sieht die Verdoppelung der deutschen Marine vor und provoziert das deutsch-britische See-Wettrüsten.

1906: Mit dem Stapellauf des ersten »Dreadnought« (GB) beginnt die Ära der Großkampfschiffe.

1906: Das erste deutsche (Torpedo-)U-Boot wird in Dienst gestellt.

1912: Frankreichs Armee bringt mit der Gasgewehrgranate chemische Waffen zur Einsatzreife.

1915: Deutsche Luftschiffe bombardieren im Ersten Weltkrieg erstmals London und Paris.

1915: In der Schlacht bei Ypern setzen deutsche Verbände als Erste Giftgas (Chlorgas) ein.

1916: In der Sommeschlacht werden von den Briten erstmals Panzer (»tanks«) eingesetzt.

1919: »Hermes« (GB) ist der erste militärische Flugzeugträger.

1942: Willy Messerschmitt (D) baut das erste Jagdflugzeug mit Turbinen-Luftstrahltriebwerk, Me 262.

1942: Louis Fieser (USA) entwickelt das gelartige, leicht entzündliche Brandmittel »Napalm«

1944: Die deutsche V2 ist die erste Flüssigkeitsgroßrakete und Prototyp aller modernen Fernraketen.

1945: US-Präsident Harry S. Truman ordnet den ersten Einsatz von Kernwaffen über Japan an.

1949: In Washington gründen USA, Kanada und 14 europäische Staaten das Militärbündnis NATO.

1949: In Genf wird das Abkommen zum Schutz der Kriegsopfer und der Zivilbevölkerung vereinbart.

1949: Die UdSSR bricht das Kernwaffenmonopol der USA; das nukleare Wettrüsten beginnt.

1955: UdSSR, DDR, Albanien, Bulgarien, Polen, Rumänien, CSSR und Ungarn gründen die Militärallianz Warschauer Pakt.

1967: Der Vertrag zur friedlichen Nutzung des Weltalls wird signiert.

1977: In den USA beginnt die Serienproduktion der Neutronenbombe; sie vernichtet Menschen und Natur und erhält Gebäude.

1983: US-Präsident Ronald Reagan initiiert SDI, ein weltraumgestütztes Abwehrsystem gegen Atomraketen.

1991: Im zweiten Golfkrieg kommt ein Teil der Rüstungstechnik, die für eine potenzielle militärische Ost-West-Auseinandersetzung entwickelt wurde, im Irak zum Einsatz.

1999: Die früheren Warschauer-Pakt-Staaten Polen, Tschechien und Ungarn treten der NATO bei.

Stichtag: 22. April 1915
Beginn des Chemiekrieges
In der Schlacht bei Ypern mitten im Ersten Weltkrieg erfolgte 1915 durch deutsche Verbände der erste größere Fronteinsatz von Giftgas (Chlorgas), obwohl die Haager Landkriegsordnung (1899, 1907) die Anwendung von chemischen Kampfstoffen untersagte: Etwa 5000 alliierte Soldaten starben, 10 000 erlitten schwere Vergiftungen. 1916 setzte Großbritannien ebenfalls Chlorgas ein, in der Folgezeit steigerte sich die Bedeutung des »Gaskriegs« trotz ständiger Optimierung der Schutzmechanismen (Gasmaske). 1917 wurde das nach den deutschen Chemikern Lommel und Steinkopf benannte Lost (Senfgas) erstmals eingesetzt; die Folgen waren monatelanges Leiden der Opfer bis zum qualvollen Tod. In den 80er und 90er Jahren wurde dem Irak vorgeworfen, im Golfkrieg gegen Iran sowie im Kampf gegen Kurden im Nordirak Giftgas eingesetzt zu haben.

Stichtag: 3. Oktober 1942
Erste Flüssigkeitsgroßrakete
Auf dem Prüfstand der Raketenversuchsanstalt Peenemünde startete 1942 die von Walter Dornberger und Wernher von Braun entwickelte erste Flüssigkeitsgroßrakete der Welt. Die unbemannte Flugbombe konnte rund 1000 kg Sprengstoff bis 300 km weit transportieren und war der Prototyp moderner Fernraketen, z. B. der mit Nuklearsprengköpfen bestückten Cruise Missiles und der mit konventionellen Gefechtsköpfen ausgestatteten Tomahawks. Unter dem Namen V2 (V = Vergeltungswaffe) wurden 1944/45 3000 dieser Raketen auf Ziele in Großbritannien, Frankreich und Belgien abgeschossen. Ihre Bekämpfung war mit den damaligen Abwehrmitteln nicht möglich; heute erfolgt die Abwehr mit Hilfe von Spezialflugzeugen.

Top Ten Waffenhandel: Die größten Exporteure[1]

USA		53 882
Russland		12 260
Frankreich		10 585
Großbritannien		8913
Deutschland		7211
China		2826
Niederlande		2344
Italien		1742
Ukraine		1541
Kanada		1394

1) Mio Dollar, insgesamt 112 278 Mio Dollar, Angaben in Preisen von 1990; Stand: Anfang 1999; Quelle: SIPRI-Yearbook 1999

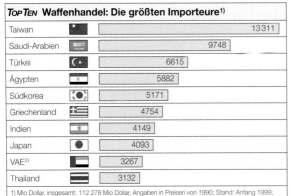

Top Ten Waffenhandel: Die größten Importeure[1]

Taiwan		13 311
Saudi-Arabien		9748
Türkei		6615
Ägypten		5882
Südkorea		5171
Griechenland		4754
Indien		4149
Japan		4093
VAE[2]		3267
Thailand		3132

1) Mio Dollar, insgesamt 112 278 Mio Dollar, Angaben in Preisen von 1990; Stand: Anfang 1999; 2) Vereinigte Arabische Emirate; Quelle: SIPRI-Yearbook 1999

Wehrpflicht innerhalb der NATO

Belgien		1994 abgeschafft
Deutschland		10 Monate
Dänemark		4–12 Monate
Finnland		6 Monate
Frankreich[1]		10 Monate
Griechenland		18–21 Monate
Großbritannien		Berufsarmee
Kanada		Berufsarmee
Luxemburg		Berufsarmee
Island		keine Armee
Italien		10 Monate
Niederlande		keine Einberufung
Portugal[2]		4–12 Monate
Schweden		7,5–17,5 Monate
Spanien[2]		9 Monate
Türkei		18 Monate
USA		Berufsarmee

1) ab 2002 Berufsarmee; 2) Übergang zur Berufsarmee geplant; Stand: Anfang 1999; Quelle: stern 10/99

Wehrpflicht

Förderung: Seit März 1999 können arbeitslose oder von Erwerbslosigkeit bedrohte junge Wehrpflichtige auf Antrag ihren Grundwehrdienst von zehn auf max. 13 Monate verlängern. Während der Zusatzzeit beteiligen sie sich an beruflichen Qualifizierungsmaßnahmen, der praktische und theoretische Unterricht findet in zivilen oder Bundeswehr-Bildungsstätten statt. Die gemeinschaftliche Initiative von Bundeswehr und Bundesanstalt für Arbeit (BA, Nürnberg) ist Teil des Sonderprogramms der rot-grünen Bundesregierung zur Bekämpfung der Jugendarbeitslosigkeit.

Sold: Seit Januar 1999 bekommen die Wehrpflichtigen in Deutschland pro Tag 1 DM mehr Sold (Tagessatz eines Rekruten: 14,50 DM). Auch Wehrpflichtige, die ihren Militärdienst an Standorten ableisten, welche weiter als 30 km von ihrem Wohnort entfernt sind, erhalten seit Juli 1998 einen sog. Mobilitätszuschlag von 1 DM/Tag, Fahrtwege von mehr als 50 km oder 100 km werden mit 3 DM/Tag bzw. 6 DM/Tag subventioniert.

Spitzengruppe bei den Ländern mit den meisten Waffenimporten.

USA: Seit 1991 sind die USA Spitzenreiter beim Verkauf schwerer konventioneller Waffensysteme (Anteil 1998: 56%). Aufgrund 1999 bestehender Lieferverträge werden die USA in den nächsten zehn Jahren ihre Spitzenstellung beim W. behalten.

Kooperationen: Anfang 1999 gaben der staatliche französische Rüstungskonzern Giat und der britische Vickers-Konzern bekannt, ihre Zusammenarbeit auf den Bau von Panzern auszuweiten. Im Januar 1999 fusionierten die beiden größten britischen Rüstungsfirmen Marconi und British Aerospace. Der neue Verbund hat einen geschätzten Marktwert von etwa 47,3 Mrd DM.

Parteien

Bündnis 90/Die Grünen

Seit Oktober 1998 sind B. erstmals an der Bundesregierung beteiligt. Die ökologisch-sozial ausgerichtete Partei erzielte bei der Bundestagswahl am 27.9.1998 einen Stimmenanteil von 6,7% (1994: 7,3%) und stellte mit 47 Abgeordneten (1994: 49) die drittstärkste Fraktion im Deutschen Bundestag. Kerstin Müller und Rezzo Schlauch wurden im Oktober 1998 zu Sprechern der Fraktion gewählt. Die B. stellten in der Koalitionsregierung mit der SPD drei Minister: Joschka Fischer (Äußeres), Jürgen Trittin (Umwelt) und Andrea Fischer (Gesundheit).

Sonderparteitag: Eine heftige Kontroverse über die Haltung zum NATO-Einsatz im Kosovo bestimmte den Sonderparteitag in Bielefeld am 13.5.1999. Mehrheitlich wurde ein Leitantrag des Bundesvorstandes verabschiedet, der einen befristeten Stopp der NATO-Angriffe vorsah, um eine diplomatische Lösung zu ermöglichen. Fünf grüne Abgeordnete in Hamburg verließen wegen der Kosovo-Politik der Bundesregierung am 18.5.1999 Partei und Fraktion.

Bundesländer: In den Bundesländern waren Mitte 1999 B. an Koalitionsregierungen mit der SPD in Schleswig-Holstein, Hamburg und Nordrhein-Westfalen beteiligt. Bei den Landtagswahlen in Hessen im Februar 1999 erhielten die B. nur 7,2 % der Stimmen (1995: 11,2%) und verloren mit der SPD die Regierungsmehrheit.

Delegiertenkonferenz: Auf der Bundesdelegiertenkonferenz in Leipzig wurden im Dezember 1998 Gunda Röstel und Antje Radcke zu Vorstandssprecherinnen gewählt. Erstmalig bestimmten die Delegierten einen 25-köpfigen Parteirat. Der Parteivorstand wurde auf fünf Mitglieder verkleinert.

Mitglieder: Die Mitgliederzahl von B. lag Ende Oktober 1998 nach einem leichten Anstieg bundesweit bei 50 177.

http://www.gruene.de

CDU

Die Christlich-Demokratische Union gewann bei der Europawahl am 13.6.1999 mit ihrer Schwesterpartei CSU mit 48,7% der Stimmen gegenüber der Bundestagswahl vom 27.9.1998 (35,1%) 13,6 Prozentpunkte hinzu. 1998 hatte sie das schlechteste Ergebnis seit 1949 erzielt und nach 16 Jahren die Regierungsverantwortung verloren.

Führungswechsel: Unmittelbar nach der Wahlniederlage trat Helmut Kohl als CDU-Vorsitzender zurück. Ein Sonderparteitag in Bonn wählte am 7.11.1998 den als Fraktionsvorsitzenden bestätigten Wolfgang Schäuble mit 93,4% der Delegiertenstimmen auch zum Parteichef. Stellvertretende Vorsitzende wurden Annette Schavan, Volker Rühe, Christian Wulff und Norbert Blüm. An die Stelle des zurückgetretenen Generalsekretärs Peter Hintze trat die frühere Umweltministerin Angela Merkel. Kohl wurde einstimmig zum Ehrenvorsitzenden der Partei gewählt.

Bundesländer: Die CDU war Mitte 1999 in fünf Bundesländern in Koalitionen an der Regierung beteiligt und regierte in Sachsen

CDU/CSU: Bundestagswahl[1]	
1998	35,1
1994	41,5
1990	43,8
1987	44,3
1983	48,8
1980	44,5
1976	48,6
1972	44,9
1969	46,1
1965	47,6

1) Stimmenanteil (%)

425

mit absoluter Mehrheit allein. Sie stellte in fünf Ländern (Baden-Württemberg, Berlin, Hessen, Sachsen, Thüringen) den Ministerpräsidenten. Nach dem CDU-Sieg bei der Landtagswahl in Hessen am 7.2.1999 (43,4%; +4,2%) können die unionsregierten Länder Gesetzentwürfe der rot-grünen Bundesregierung im Bundesrat blockieren. Nach der Bestätigung der großen Koalition in Bremen bei der Landtagswahl am 6.6.1999 (37,1%; +4,5%) vereinbarten SPD und CDU, sich im Bundesrat bei Uneinigkeit nicht generell zu enthalten.

Parteitag: Auf dem Bundesparteitag in Erfurt im April 1999 unterstützte die CDU die Haltung der rot-grünen Bundesregierung zum Krieg im Kosovo und die deutsche Beteiligung an NATO-Kampfeinsätzen.

Mitglieder: Die Zahl der CDU-Mitglieder lag bundesweit Ende November 1998 bei 627 293, fast 10 000 weniger als Ende 1997.

http://www.cdu.de

CSU

Die nur in Bayern vertretene Christlich-Soziale Union (CSU) konnte ihre führende Position bei der Landtagswahl am 13.9.1998 behaupten. Sie erhielt 52,9% der Stimmen (1994: 52,8%) und bildete mit 123 Abgeordneten (1994: 120) die stärkste Fraktion im bayerischen Landtag.

Vorsitz: Der bayerische Ministerpräsident Edmund Stoiber wurde auf dem Sonderparteitag im Januar 1999 mit 93,4% der Delegiertenstimmen zum Parteichef gewählt. Sein Vorgänger und frühere Finanzminister Theo Waigel hatte nach der Bundestagswahl im September 1998 seinen Rücktritt erklärt. Nachfolger des ebenfalls zurückgetretenen CSU-Generalsekretärs Bernd Protzner wurde der frühere bayerische Umweltminister Thomas Goppel.

Bundestag: Seit der Bundestagswahl vom 27.9.1998 ist die CSU mit 47 Abgeordneten im Deutschen Bundestag vertreten. Sie bildet als Landesgruppe eine Fraktionsgemeinschaft mit der CDU.

Mitglieder: Im November 1998 gehörten der CSU 178 859 Mitglieder an (Ende 1997: 180 156). Im Februar 1999 tagte in München erstmals eine parteiinterne Finanzkommission, die Auswege aus der angespannten Finanzlage aufzeigen soll.

http://www.csu.de

BILANZ 2000

Parteien (Deutschland)

Demokratie = wechselnde Mehrheiten

In der Frage nach den stärksten Parteien gleicht sich die Situation in Deutschland zu Beginn und am Ende des 20. Jh.: Waren um 1900 Zentrum und SPD die stärksten Kräfte, so sind es Ende der 90er Jahre die Zentrums-Nachfolgeparteien CDU/CSU sowie weiterhin die SPD. Grundlegend geändert haben sich nach den Erfahrungen der gefährdeten Demokratie in der Weimarer Republik und der NS-Diktatur die Zielsetzungen der Volksparteien: War das Zentrum eine kritikfähige Garantin des monarchischen Systems, so erstrebte die SPD unter Führung August Bebels die Machtübernahme durch das »Proletariat«. Ende des 20. Jh. haben sich die beiden Parteien so weit angenähert, dass nach 16 Jahren CDU-geführter Regierung kein grundlegender Politikwechsel erkennbar wurde, als 1998 eine SPD-geführte Regierung unter Bundeskanzler Gerhard Schröder die Macht übernahm: Der mit dem Begriff Neue Mitte propagierte Regierungswechsel war Ausdruck eines gesellschaftlichen Willens nach Aufbruch und Erneuerung – Erwartungen, die angesichts von Haushaltsengpässen und Massenarbeitslosigkeit schwer realisierbar sind. Auch der Wandel der Partei Bündnis 90/ Die Grünen von der pazifistischen Opposition zu einer kriegstragenden Regierungspartei spiegelt die Tendenz zur Nivellierung wider.

Positive Trends

▶ Neue soziale Bewegungen der 70er Jahre wie Frauen- und Umweltbewegung haben sich politisch u. a. bei den Grünen niedergeschlagen.

▶ Das deutsche Rechtssystem erlaubt auch die Gründung von radikalen Parteien, sofern sie nicht gegen die Verfassung verstoßen.

Negative Trends

▶ Die politischen Profile der Volksparteien sind kaum noch voneinander zu unterscheiden.

▶ Zahlreiche Affären (u. a. Spiegel-Affäre, Parteispendenskandal) haben das Vertrauen der Bürger in die deutsche Politik untergraben.

Wahlplakate: Volksfront in der DDR 1949 (l.), Sicherheit mit Konrad Adenauer 1953

Meilensteine

Zwischen Demokratie und Einparteien-Diktatur

1903: Bei den ersten Reichstagswahlen im 20. Jh. behauptet sich das katholische Zentrum mit 100 Abgeordneten als stärkste Fraktion; die SPD wird zweitstärkste Kraft (81) vor den Deutsch-Konservativen (54).

1919: Karl Liebknecht und Rosa Luxemburg gründen die linksextreme KPD, Anton Drexler gründet die rechtsextreme [NS]DAP, der sich später Adolf Hitler anschließt.

1919: Bei den Wahlen zur Weimarer Nationalversammlung wird die M-(Mehrheits)SPD mit 37,9% stärkste Kraft vor dem Zentrum (19,7%).

1932: Die republikfeindlichen NSDAP (33,1%) und KPD (16,9%) erhalten im Reichstag die Mehrheit.

1933: Die NS-Regierung löst alle Parteien in Deutschland auf und etabliert die Einparteien-Diktatur.

1945: Josef Müller wird erster Vorsitzender der CSU, die 1949 mit der CDU eine Fraktion im Deutschen Bundestag bildet.

1945: Die Reichstagung christlicher Politiker führt zur Gründung der CDU, die sich 1950 auf Bundesebene zusammenschließt.

1946: In der SBZ werden KPD und SPD zur SED zwangsvereinigt.

1948: Liberale gründen die FDP mit Theodor Heuss als Parteichef.

1949: Bei den ersten Bundestagswahlen wird die CDU/CSU mit 31,0% stärkste politische Kraft, gefolgt von der SPD (29,2%).

1949: Unter Führung der SED werden alle Parteien und Massenorganisationen der DDR zur Nationalen Front (NF) zusammengeschlossen; die DDR ist Einparteien-Diktatur.

1953: Um einer Zersplitterung der Parteienlandschaft vorzubeugen, wird in der BRD die Fünfprozentklausel eingeführt.

1956: Das Bundesverfassungsgericht verbietet die KPD.

1980: Mit den Grünen konstituiert sich erstmals eine Partei, die – in der Opposition – »basisdemokratische« Werte propagiert.

1985–87: Der Parteispendenprozess gegen Hans Friderichs (FDP), Otto Graf Lambsdorff (FDP) und Flick-Manager Eberhard von Brauchitsch entwickelt sich zur Affäre.

1989: Als Nachfolgerin der SED wird die PDS gegründet.

1990: Die ersten gesamtdeutschen Bundestagswahlen gewinnen CDU und CSU unter Bundeskanzler Helmut Kohl mit 43,8% der Stimmen.

1998: Der SPD mit Kanzlerkandidat Gerhard Schröder gelingt mit 40,9% der Stimmen der Machtwechsel.

Stichtag: 13. August 1923

Große Koalition in Weimar

Gustav Stresemann (DVP) bildete 1923 die erste »große Koalition« der deutschen Geschichte: Selbstständige Parteien verbanden sich zur Bildung einer gemeinsamen Regierung mit breiter parlamentarischer Basis. Die von Stresemann geführte große Koalition wurde getragen von Zentrum, Demokraten, Deutscher Volkspartei (DVP) und SPD, während Stresemanns parteiloser Vorgänger Wilhelm Cuno ohne Mehrheit zu regieren versucht hatte. In der BRD gab es bislang nur eine große Koalition: 1966–69 regierten CDU/CSU und SPD gemeinsam, mit Kurt-Georg Kiesinger (CDU) als Bundeskanzler und Willy Brandt (SPD) als Außenminister.

Stichtag: 15. Juli 1949

CDU für die Marktwirtschaft

Mit den Düsseldorfer Leitsätzen verabschiedete sich die CDU 1949 von der im Ahlener Programm 1947 aufgestellten Utopie eines »christlichen Sozialismus« und erhob die soziale Marktwirtschaft zur Leitlinie. Als die CDU im selben Jahr Regierungspartei wurde, bildete das modifizierte Parteiprogramm die Regierungsgrundlage. 1949 wurden CDU/CSU mit 31,0% stärkste politische Kraft und steigerten ihren Stimmenanteil bis 1957 auf 50,2%.

Stichtag: 15. November 1959

SPD wird Volkspartei

Mit dem Godesberger Programm vollzog die SPD 1959 den Wandel von der »Partei der Arbeiterklasse« zu einer »Partei des Volkes«. Sie bekannte sich zum freien Wettbewerb und öffnete sich erfolgreich bürgerlichen Wählern: 1961 steigerten die Sozialdemokraten ihren Stimmenanteil von 31,8% auf 36,2%, 1965 auf 39,3%, 1969 auf 42,7%. Mit Willy Brandt stellte sie 1969 den ersten sozialdemokratischen Kanzler.

CVP

Abstimmung: Die Christlichdemokratische Volkspartei (CVP) der Schweiz erlitt am 13.6.1999 eine herbe Niederlage, als das Volk die Mutterschaftsversicherung verwarf und der für die CVP typischen konservativen Familienpolitik eine Absage erteilte.
Machtverlust: Seit 1979 hat die CVP ein Viertel ihrer Sitze im Nationalrat (Volkskammer) eingebüßt. Mitte 1999 hielt sie 34 (1979: 44) von 200 Sitzen und einen Stimmenanteil von 17%. Einen starken Einfluss hatte sie aber mit 15 von 46 Abgeordneten im Ständerat (Länderkammer). Im Bundesrat (Regierung der Schweiz) ist die CVP mit zwei Ministern vertreten, Joseph Deiss (Außenressort) und Ruth Metzler (Justiz). Als Partei der politischen Mitte, die Sitze und Stimmenanteile insbes. in den eigenen katholischen Stammlanden verlor, erwuchs ihr 1999 in der SVP harte politische Konkurrenz. In den Kantonsparlamenten verlor die CVP 1995 bis Mitte 1999 insgesamt 63 Mandate.

Diäten

Aufwandsentschädigungen für Parlamentarier, um deren finanzielle Unabhängigkeit zu sichern

Über die Erhöhung der D. beschließen in Deutschland der Bundestag und die Länderparlamente (in Thüringen: automatische Anpassung an Einkommens- und Preisentwicklung). Auf Vorschlag des im Herbst 1998 neu gewählten Bundestagspräsidenten Wolfgang Thierse (SPD) sollen die D. der Bundestagsabgeordneten ab 2000 vier Jahre lang um je 350 DM auf 14 275 DM erhöht werden. Als Signal zum Sparen erklärten die Fraktionen von SPD und Bündnis 90/Die Grünen im Juni 1999 ihren Verzicht auf die geplanten Erhöhungen. Zuvor hatten schon PDS und FDP die Erhöhungen abgelehnt. Zum 1.1.1999 wurden die D. für Bundestagsabgeordnete um 525 DM (4,25%) auf 12 875 DM erhöht. Die zusätzliche steuerfreie Kostenpauschale blieb bei 6344 DM. Lt. Abgeordnetengesetz von 1995 werden die Bezüge der Abgeordneten schrittweise der Besoldung von Richtern an oberen Bundesgerichten angeglichen.
http://www.bundestag.de

FDP

Die Freie Demokratische Partei (FDP) ist seit Oktober 1998 erstmals seit 29 Jahren nicht mehr an der Bundesregierung beteiligt. Die Liberalen erhielten bei der Bundestagswahl am 27.9.1998, einen Stimmenanteil von 6,2% (1994: 6,9%) und 43 Mandate (1994: 47). Die neue Fraktion wählte im Oktober 1998 den Parteivorsitzenden Wolfgang Gerhardt als Nachfolger von Hermann Otto Solms auch zum Fraktionschef.
Bundesländer: Die FDP stellte Mitte 1999 Minister in den Landesregierungen von Baden-Württemberg, Rheinland-Pfalz und Hessen und waren außerdem im Landtag von Schleswig-Holstein vertreten. Die Zahl der Mitglieder ging um 1600 (2,3%) zurück und lag Ende des Jahres bei etwa 68 000.
Parteitag: Auf dem Parteitag in Bremen im Mai 1999 wurden Gerhardt als Vorsitzender sowie Rainer Brüderle und Cornelia Pieper als seine Stellvertreter bestätigt. Dritter Stellvertreter wurde Walter Dörin, der Cornelia Schmalz-Jacobsen ersetzte. Als Nachfolger des zurückgetretenen Solms wurde Carl-Ludwig Thiele Schatzmeister.
http://www.fdp.de; http://www.liberale.de

FDP bei Bundestagswahlen[1]

Jahr	Stimmenanteil (%)
1998	6,2
1994	6,9
1990	11,0
1987	9,1
1983	7,0
1980	10,6
1976	7,9
1972	8,4
1969	5,8
1965	9,5

1) Stimmenanteil (%)

FDP (Schweiz)

Die Freisinnig-Demokratische Partei, in den 70er und 80er Jahren weitaus stärkste Fraktion in der Bundesversammlung (National- und Ständerat), stellte Mitte 1999 44 von 200 Nationalräten (Volkskammer) und 17 von 46 Ständeräten (Länderkammer). Sie war Mitte 1999 mit zwei Bundesräten in

der Schweizer Regierung vertreten (Pascal Couchepin, Volkswirtschaftsminister, und Kaspar Villiger, Finanzminister).
Parteitag: Auf dem Parteitag im Oktober 1998 versuchte die frühere Wirtschaftspartei FDP sich das Image einer modernen Volkspartei zu geben, die unterschiedlichen Wählerschichten offensteht. In den Wahlen zu den Kantonsparlamenten musste sie 1995 bis Mitte 1999 Verluste von 64 Mandaten hinnehmen. Im Wirtschafts- und Stadtkanton Zürich verlor sie die politische Führungsrolle an die SVP.
Flügel: 1998/99 spaltete sich die FDP in zwei Lager: eine eher liberale, jedoch eine sozialverträgliche Politik anvisierende Fraktion in der welschen Schweiz und den eher dem Kurs der rechtsbürgerlichen SVP folgenden Flügel, der dem Sozialstaat enge Grenzen setzen will. 1999 forderte die FDP u. a. Begrenzung der Steuerzahlungen und Senkung der Staatsausgaben.

Freiheitliche (FPÖ)

Dank der populistischen Politik ihres Parteiobmannes Jörg Haider verringerten die F. den Stimmenabstand zu den anderen Parteien weiter, bzw. überholten sie z. T. – trotz Skandalen wie die Fälle Meischberger oder Rosenstingl und des Ausscheidens führender Abgeordneter (Thomas Prinzhorn, Klaus Lukas, Rüdiger Stix).
Wahlen: Bei der Europawahl am 13.6.1999 erreichten die F. mit ihrer neuen Spitzenkandidatin Daniela Raschhofer 23,5% der Stimmen (–4 Prozentpunkte gegenüber 1996). Nach Erfolgen bei den Landtagswahlen u. a. in Tirol (7 statt 6 Sitze) wurden die F. in Kärnten am 7.3.1999 mit 42,1% der Stimmen stärkste Partei im Landtag; am 8.4.1999 wurde Parteichef Haider zum zweiten Mal zum Landeshauptmann (Regierungschef) gewählt.
Affäre Rosenstingl: Im Mai 1998 verschwand der niederösterreichische FPÖ-Abgeordnete Peter Rosenstingl nach Brasilien; er hinterließ einen Schuldenberg von 400 Mio öS (= 56,85 Mio DM). Seine Firma Omikron war bei den Banken hoch verschuldet. Auch die FPÖ in Niederösterreich hatte bei Rosenstingls Firma Geld angelegt. Mit einem Vergleichsvertrag konnte der Konkurs der Landespartei abgewendet werden, sie musste aber Anteile an einer Wohn-

baugesellschaft den Banken überschreiben. Im Juni 1999 wurde Rosenstingl an Österreich ausgeliefert. Am 1.10.1998 entschied der Verfassungsgerichtshof, dass Rosenstingls Mandat erloschen sei. Parteiführer Haider ersetzte den wegen der Rosenstingl-Affäre belasteten niederösterreichischen Landesrat Hans-Jörg Schimanek durch Klubobmann Ewald Stadler.
Affäre Meischberger: Nationalratsabgeordneter Walter Meischberger wurde 1998 wegen Anstiftung zur Steuerhinterziehung zu einer teilbedingten Geldstrafe rechtskräftig verurteilt, weigerte sich aber aus dem Parlament auszuscheiden, da er das Urteil bei der EU in Straßburg anfechten wollte. Der FPÖ, deren Ehrenrat Meischberger freigesprochen hatte, wurde vorgeworfen, der Politiker sei im Parlament geblieben, weil er nach dem 4.4.1999 einen Anspruch auf eine Pension erworben hätte. Am 22.2.1999 legte Meischberger doch sein Mandat zurück, die Partei distanzierte sich von ihm.
http://www.fpoe.at

⊞ Entwicklung der Parteien im Nationalrat 1979–95[1]

	1979	1983	1987	1991	1995
CVP	21,5	20,2	19,7	18,3	17,0
FDP	24,1	23,4	22,9	21,0	20,2
SPS	24,4	22,8	18,4	18,5	21,8
SVP	11,6	11,1	11,0	11,9	14,9
Grüne	3,6	2,6	5,3	6,8	5,8

1) Stimmenanteile (%) bei Wahlen zur Großen Kammer (Volkskammer)

▬ Freiheitliche: Wahlergebnisse[1]

Jahr	Ergebnis
1999	23,5[2]
1995	21,9[3]
1994	22,5
1990	16,6
1986	9,7
1983	4,9
1979	6,1
1975	5,4
1971	5,4
1966	5,3

1) Stimmenanteil (%), 2) Europawahl, 3) ab 1995 Nationalratswahlen

GPS

Die oppositionelle Grüne Partei der Schweiz setzte sich 1998/99 für die Erhaltung der in der Schweiz hohen Umweltstandards ein; die bürgerlichen Parteien wollten einzelne Standards revidieren. In der Sozialpolitik unterstützten die Grünen die Regierung bei der Bewahrung des Sozialstaats, dessen Leistungen u. a. die FDP zu reduzieren suchte. Mitte der 90er Jahre hatten die Grünen noch den Einbezug der Schweiz in den Europäischen Wirtschaftsraum (EWR) abgelehnt; auf dem Parteitag im September 1998 trat sie, gegen Widerstand des Zürcher Flügels, für den EU-Beitritt der Schweiz ein. **Wähler:** 1998/99 stagnierte das Wählerpotenzial des GPS in der deutschen Schweiz, im französischsprachigen Teil des Landes verzeichnete sie Stimmenzuwächse. 1995 bis Mitte 1999 gewann sie bei den Wahlen zu den Kantonsparlamenten 17 Mandate hinzu.

Grüne (Österreich)

Seit 1995 stellen die 1986 gegründeten österreichischen G. neun Abgeordnete im Nationalrat. Kernthemen für das sog. Superwahljahr 1999 waren ökosoziale Steuerreform, Grundsicherung für jeden Staatsbürger, europäische Beschäftigungspolitik und Ökostrom. Im November 1998 signalisierten die Grünen ihre Bereitschaft zu einer rot-grünen Regierungskoalition. Als Quereinsteiger für die Nationalratswahlen 1999 präsentierten sie den Innsbrucker Internisten Kurt Grünewald.

ÖVP: Wahlergebnisse[1]	
1999	30,6[2]
1995	28,3[3]
1994	27,7
1990	32,1
1986	41,3
1983	43,2
1979	41,9
1975	42,8
1971	43,1
1966	48,3

1) Stimmenanteil (%), 2) Europawahl, 3) ab 1995 Nationalrat

Wahlen: Bei den Europawahlen am 13.6.1999 erreichten sie mit Spitzenkandidat Johannes Voggenhuber und Schauspielerin Mercedes Echerer 9,3% der Stimmen (+2,3 gegenüber 1996). Die Landtagswahlen 1998/99 in Kärnten, Salzburg und Tirol verliefen für die Grünen verlustreich. In Kärnten verpassten sie mit 3,9% der Stimmen den Einzug in den Landtag. In Tirol und Salzburg verloren sie jeweils ein Mandat.
http://www.gruene.at

Liberales Forum

Dem L., das seit 1995 mit zehn Mandaten die viertstärkste Fraktion im Nationalrat bildet, wurde auch 1998/99 vorgeworfen, sich mit Marginalthemen (z. B. Homosexuellenehe) zu verzetteln. Schwerpunkte der Politik waren 1998 im Rahmen der Steuerreform die Forderung nach Jahresbesteuerung, die Streichung der steuerlichen Begünstigung für das 13./14. Monatsgehalt bzw. Streichung und Umlagerung der Sonderzahlungen auf das Jahr. **Neue Kandidaten:** Für die Nationalratswahlen im Herbst 1999 nominierte das L. im Februar 1999 den Harvardprofessor Christian Köck, im März die Psychotherapeutin Christa Pölzlbauer sowie Journalistin Elfriede Hammerl. Unternehmer Hans-Peter Haselsteiner führt wieder die Nationalratsliste. **Wahlen:** Bei den Wahlen zum Europäischen Parlament am 13.6.1999 erreichte das L. 2,6% der Stimmen (+1,6 gegenüber 1996). Bei den Landtagswahlen in Kärnten, Salzburg und Tirol verfehlte es den Einzug in die Parlamente. Als Folge der Wahlschlappe trat Bundesgeschäftsführer Gerhard Kratky zurück (Nachfolger: Michael Schiebel).
http://www.lif.at

ÖVP

Europawahlen: Bei den Wahlen zum Europäischen Parlament am 13.6.1999 erhielt die ÖVP 30,6% der Stimmen (+1% gegenüber 1996). Spitzenkandidatin Ursula Stenzel führte die Europaliste an vor dem bisherigen Generalsekretär der Partei, Othmar Karas. Karl Habsburg war zuvor aus dem Europawahlteam der ÖVP entfernt worden, nachdem ihm vorgeworfen wurde, Gelder für das Hilfswerk World Vision für den eigenen Wahlkampf verwendet zu haben.

Landtagswahlen: In Kärnten und Tirol verliefen die Wahlen am 7.3.1999 für die ÖVP verlustreich (jeweils −1 Mandat auf 8 bzw. 18 Sitze). In Tirol ging die seit 1945 verteidigte absolute Mehrheit verloren. Bei den Salzburger Landtagswahlen gewann die ÖVP ein Mandat (insgesamt: 15), die Stimmengewinne gingen auf Kosten der Freiheitlichen und der Grünen. In Salzburg und Tirol stellte die ÖVP 1999 weiter den Landeshauptmann. In Kärnten wurde FPÖ-Parteichef Jörg Haider mit Duldung der ÖVP zum Landeshauptmann gewählt.

Politik: Hauptthemen waren 1998/99 die Familienpolitik (Karenzgeld für alle) und die Bürgergesellschaft (mehr Solidarität, Verantwortung und Rechte für den Einzelnen). Ende April 1999 wurde Parteiobmann und Außenminister Wolfgang Schüssel mit 96% der Stimmen wiedergewählt. Mit dem Regierungspartner SPÖ ergaben sich im Frühjahr 1999 zwei Konfliktfelder: Die SPÖ meldete Ansprüche auf das Außenministerium an, in der Frage der NATO-Mitgliedschaft Österreichs befürwortete die ÖVP im Gegensatz zur SPÖ klar den Beitritt zur westlichen Verteidigungsgemeinschaft.

Parteienfinanzierung

Parteien finanzieren sich vor allem durch Mitgliedsbeiträge, staatliche Zuschüsse und Spenden. Staatliche Zuwendungen dürfen die von den Parteien selbst erwirtschafteten Einnahmen nicht übertreffen.

Höchstgrenze: Im Dezember 1998 beschloss der Bundestag rückwirkend zum 1.1.1998 die Anhebung der Höchstgrenze der Staatszuschüsse für die Parteien um 15 Mio DM auf 245 Mio DM jährlich.

Ansprüche: Anspruch auf Zahlungen haben Parteien, die bei der letzten Europa- oder Bundestagswahl mehr als 0,5% oder bei der letzten Landtagswahl mehr als 1% der Stimmen erzielten. Für jede Zweitstimme der ersten 5 Mio Wähler erhalten die Parteien 1,30 DM, für jeden weiteren Wähler 1 DM. Unabhängig vom Wahlerfolg wird ein staatlicher Zuschuss von 0,50 DM pro eingenommener DM aus Mitgliedsbeiträgen und Spenden gewährt.

Rückzahlung von Zuschüssen: Im Rechtsstreit um die Rückzahlung von Zuschüssen an die FDP für 1996 in Höhe von 12,4 Mio entschied das Oberverwaltungsgericht Münster Mitte Mai 1999, dass die FDP zwar keinen Anspruch auf die

▨	Parteienfinanzierung	
SPD		90,8[1)]
CDU		69,0
CSU		16,5
Bündnis 90/Die Grünen		17,0
PDS		12,5
FDP		12,4
1) 1998 (Mio DM)		

Zuschüsse habe, jedoch nur 300 000 DM zurückzahlen müsse – über den übrigen Betrag habe die Bundesverwaltung zu entscheiden. Die FDP hatte den Antrag auf P. verspätet und nicht ordnungsgemäß eingereicht, woraufhin drei kleinere Parteien Klage gegen die Gewährung des Zuschusses erhoben hatten.

PDS

Mit 5,8% der Stimmen bei den Europawahlen am 13.6.1999 zog die Partei des Demokratischen Sozialismus erstmals ins europäische Parlament ein. Bei der Bundestagswahl am 27.9.1998 hatte die PDS mit 5,1% der Stimmen erstmals die Fünf-Prozent-Hürde (1994: 4,4%) übersprungen (36 Abgeordneten als Fraktion).

Bundesländer: In allen sechs ostdeutschen Bundesländern (inkl. Berlin) stellte die PDS Mitte 1999 Landtagsabgeordnete. In Niedersachsen trat der Abgeordnete von Bündnis 90/Die Grünen Christian Schwarzenholz im Januar 1999 zur PDS über. In Mecklenburg-Vorpommern bildete die PDS im Oktober 1998 eine Koalitionsregierung mit der SPD, in Sachsen-Anhalt toleriert sie die SPD-Minderheitsregierung.

Parteitag: Der PDS-Vorsitzende Lothar Bisky wurde im Januar 1999 in Berlin mit großer Mehrheit bestätigt. Zum Stellvertreter wurde der frühere SPD-Politiker Dieter Dehm gewählt. Erstmals seit vier Jahren kam mit Michael Benjamin wieder ein Vertreter der orthodoxen »Kommunistischen Plattform« in den Parteivorstand. Der bisherige Wahlkampfleiter André Brie kandidierte nicht wieder für den Vorstand.

Mitglieder: Ende 1998 gehörten der Partei bundesweit etwa 96 500 Mitglieder an.

http://www.pds-online.de

431

SPD

Bei der Europawahl am 13.6.1999 büßte die Sozialdemokratische Partei Deutschlands mit 30,9% der Stimmen gegenüber der Bundestagswahl vom 27.9.1998 (40,9%) zehn Prozentpunkte ein. Bei der Bundestagswahl war sie mit 298 Mandaten (1994: 252) erstmals seit 1972 wieder stärkste Partei. Erstmals seit 1982 stellte sie mit Gerhard Schröder wieder den Bundeskanzler. In der Regierungskoalition mit Bündnis 90/Die Grünen stehen Sozialdemokraten an der Spitze von elf Ministerien. Am 23.5.1999 wurde Johannes Rau als zweiter Sozialdemokrat nach Gustav Heinemann (1969–74) von der Bundesversammlung zum Bundespräsidenten gewählt.

Fraktion: Die SPD-Bundestagsfraktion wählte am 20.10.1998 Peter Struck zum neuen Fraktionsvorsitzenden. Der bisherige Erste Parlamentarische Geschäftsführer trat an die Stelle von Rudolf Scharping, der auf den Fraktionsvorsitz zugunsten des Verteidigungsministeriums verzichtete.

Bundesländer: Die SPD war Mitte 1999 in acht Bundesländern in Koalitionen an der Regierung beteiligt und regierte in vier Bundesländern mit einer absoluten Mehrheit allein. Sie stellte in zehn Bundesländern den Ministerpräsidenten. Mit dem Verlust der rot-grünen Regierungsmehrheit in Hessen bei den Landtagswahlen am 7.2.1999 verloren die SPD-regierten Länder ihre Mehrheit im Bundestag.

Parteitag: Bundeskanzler Schröder wurde am 12.4.1999 auf einem Sonderparteitag in

Bonn zum neuen Parteivorsitzenden gewählt. Für ihn stimmten knapp 76% der Delegierten. Der bisherige Vorsitzende Oskar Lafontaine war am 11.3.1999 nach innerparteilichen Konflikten vor allem über den künftigen wirtschaftspolitischen Kurs überraschend von seinen Ämtern als Bundestagsabgeordneter, Parteivorsitzender und Bundesfinanzminister zurückgetreten. Der Parteitag billigte mit großer Mehrheit die Kosovo-Politik der Bundesregierung, welche die NATO-Luftangriffe zur Beendigung der Vertreibung der Albaner in der serbischen Provinz befürwortete.

Mitglieder: Nach einem leichten Anstieg der Mitgliederzahlen gehörten der SPD Ende Oktober 1998 insgesamt 775 419 Mitglieder an. Damit blieb sie die größte Volkspartei in Deutschland.

http://www.spd.de

SPÖ

Die Sozialdemokratische Partei Österreichs veränderte sich weiterhin von einer Mitglieder- zu einer Wählerpartei; Ende 1997 gab es nur mehr 428 000 Mitglieder (1984: 690 000).

Europawahlen: Bei den Wahlen zum Europäischen Parlament am 13.6.1999 erhielt die österreichische Regierungspartei SPÖ 31,7% der Stimmen (+2,6% gegenüber 1996). Überraschung hatte die Nominierung eines Nichtparteimitgliedes, des »Spiegel«-Korrespondenten und Buchautors Hans-Peter Martin, als Spitzenkandidat für die EU-Wahlen ausgelöst. Der bisherige Listenführer Hannes Swoboda war an die vierte Stelle gereiht worden, was vor allem in der Wiener SPÖ zu Unmut geführt hatte.

Parteiprogramm: Am 30.10.1998 wurde auf einem außerordentlichen Parteitag ein neues Programm verabschiedet. Das Prinzip von der klassenlosen Gesellschaft wurde fallengelassen, insgesamt ist das neue SPÖ-Programm wesentlich wirtschaftsfreundlicher. Bis 2003 soll in der SPÖ eine Frauenquote von 40% erreicht werden. Nach heftigen Diskussionen wurde eine Erhöhung der Mitgliedsbeiträge beschlossen. Differenzen wurden sichtbar, als Minister Caspar Einem eher für eine linke Orientierung eintrat. Die Junge Generation innerhalb der SPÖ hatte einen eigenen Programmentwurf vorgelegt.

SPD: Bundestagswahl[1]

Jahr	Stimmenanteil (%)
1998	40,9
1994	36,4
1990	33,5
1987	37,0
1983	38,2
1980	42,9
1976	42,6
1972	45,8
1969	42,7
1965	39,3

1) Stimmenanteil (%)

Themen des Wahljahres: Seit Beginn des Kosovo-Krieges im März 1999 waren Neutralität bzw. NATO-Beitritt Österreichs das beherrschende Thema. Die SPÖ tritt für eine Wahrung der österreichischen Neutralität ein. Im Januar 1999 beschloss der Parteivorstand ein 15-Punkte-Programm zur Beschäftigungspolitik. Die Asylpolitik des SPÖ-Innenministers ist auch innerparteilich umstritten, seit im Frühjahr 1999 ein Asylbewerber, der in sein Heimatland zurückgebracht werden sollte, zu Tode kam.
Landtagswahlen: Die Kärntner Landtagswahlen (7.3.1999) wurden für die SPÖ wegen personeller Probleme zum Debakel mit einem Verlust von zwei Mandaten auf 12 (von 36). Bei den Salzburger und Tiroler Landtagswahlen (7.3.1999) gewann die SPÖ jeweils ein Mandat hinzu (12 bzw. 8 Sitze). In Tirol bedeutete es den Verlust der absoluten Mehrheit für die ÖVP.
http://www.spoe.at

SPÖ: Wahlergebnisse[1]

Jahr	Stimmenanteil
1999	31,7[2]
1995	37,9[3]
1994	34,9
1990	42,8
1986	43,1
1983	47,6
1979	51,0
1975	50,6
1971	50,0
1966	42,6

1) Stimmenanteil (%), 2) Europawahl, 3) ab 1995 Nationalrat

SPS

Die Sozialdemokratische Partei ist vom Stimmenanteil her (21,8%) die stärkste Partei in der Schweiz. Sie stellte Mitte 1999 57 von 200 Abgeordnete im Nationalrat (Volkskammer, PdA und FraP eingerechnet) und 5 von 46 im Ständerat (Länderkammer). Im Bundesrat (Landesregierung) war sie mit zwei Ministern vertreten (Moritz Leuenberger, Energie/Umwelt/Verkehr/Kommunikation, sowie Ruth Dreifuss, Inneres/Sozialpolitik) und stellte 1999 die Bundespräsidentin.
Programm: SPS am linken und SVP am rechten Flügel polarisierten 1998/99 die schweizerische Innenpolitik. Auf ihrem Parteitag Ende Mai 1999 in Neuenburg bekäftigte die SPS ihren sozialpolitischen Kurs, rief zu einer humanitären Flüchtlingspolitik auf und bezog Gegenposition zu den rechtsbürgerlichen Parteien, die den Abbau des Sozialstaats forderten.
Ende der 90er Jahre erhöhte die SPS ihre Sitzzahl in den Kantonsparlamenten sukzessive um insgesamt 37 Mandate. Im bevölkerungsreichsten Kanton Zürich musste sie im Frühjahr 1999 aber erstmals wieder Stimmenverluste hinnehmen. Seit dem Wechsel des Parteipräsidiums von Peter Bodenmann zu Ursula Koch verstärkten sich interne Richtungskämpfe.

SVP

Die Schweizerische Volkspartei ist die kleinste der vier in der Landesregierung (Bundesrat) vertretenen Parteien (außerdem CVP, FDP und SPS). Sie stellte Mitte 1999 31 von 200 Abgeordneten im Nationalrat (Volkskammer) und 7 von 46 im Ständerat (Länderkammer). Im Bundesrat war sie mit Adolf Ogi als Minister für Verteidigung, Bevölkerungsschutz und Sport vertreten.
Bei den letzten Nationalratswahlen 1995 erhöhte die SVP ihren Stimmenanteil um drei Prozentpunkte auf 14,9% und ihre Sitzzahl in der Grossen Kammer um drei auf 31 Mandate.
Politik: Die Partei, die sich gegen jede Öffnung der Schweiz Richtung EU stellt, reklamiert die Führungsrolle im rechtskonservativen Lager und schürt Fremdenängste. Auf dem Parteitag im Frühjahr 1999 sprach sie sich vehement gegen die Sozialpolitik der Schweizer Regierung aus und forderte einen rigorosen Sparkurs. Die Ablehnung der Mutterschaftsversicherung am 13.6.1999 verbuchte sie als Teilerfolg. Einige rechtsextreme Nationalräte in ihren Reihen bekämpften die neue Bundesverfassung. Seit 1995 hat die SVP in allen Wahlen zu den Kantonsparlamenten massiv Sitze gewonnen (+85), vor allem auf Kosten der kleinen Rechtsparteien Schweizer Demokraten und Freiheitspartei, aber auch der CVP und FDP. Im französischsprachigen Teil der Schweiz stieß die SVP aber wegen ihrer antisozialen und fremdenfeindlichen Politik 1998/99 zunehmend auf Ablehnung.

433

Raumfahrt

Ariane

A. ist eine von der Europäischen Raumfahrtagentur ESA entwickelte Trägerrakete zum Transport von Nutzlasten (insbes. Satelliten) ins Weltall. Die neue Generation A.5 soll auch für Versorgungsflüge zur Internationalen Raumstation (ISS) genutzt werden.

Einsatz: 1998 transportierten elf Raketen des Typs A.4 14 Satelliten ins All; damit erhöhte sich die Zahl der A.4-Flüge seit dem Ersteinsatz 1988 auf 114. Insbes. bei Rundfunk- und TV-Satellitentransporten in die sog. geostationäre Umlaufbahn in 36 000 km Höhe zählt A. zu den zuverlässigsten Trägerraketen. A. war mit einem Anteil von 55% Marktführer beim kommerziellen Satellitentransport. Nach Angaben der Betreibergesellschaft Arianespace (Gemeinschaftsunternehmen von 53 europäischen Firmen, Sitz: Evry, Frankreich) wurde 1998 ein Umsatz von rund 2,2 Mrd DM erzielt. Für 1999 und die Folgejahre lagen ca. 40 Aufträge für Satellitentransporte mit A. vor. **Ariane 5:** Ende 1998 absolvierte eine Rakete des Typs A.5 (Gewicht: 750 t, Länge: 51 m, maximale Nutzlast für geostationäre

Bahn: 6,8 t) ihren dritten und letzten Testflug ins All. Ab 2004 soll sie die A.4 vollständig ersetzen. Der erste Flug der A.5 mit kommerziellen Nutzlasten (zwei Telekommunikationssatelliten) war für Mitte 1999 geplant. Parallel wurde eine Weiterentwicklung der A.5 zur A.5 Plus angestrebt. U. a. soll bis 2006 die Schubkraft der Rakete schrittweise erhöht werden, sodass bis zu 11 t Nutzlast ins All transportiert werden können. Eine wiederzündbare letzte Raketenstufe soll die Aussetzung von Satelliten an verschiedenen Stellen im Orbit möglich machen.

http://www.esa.lt
http://www.arianespace.com

Erderkundung

Beobachtung der Erdoberfläche und -atmosphäre aus dem Weltraum

Nach der Telekommunikation ist die E. der wichtigste Anwendungsbereich von Satelliten in der Raumfahrt. Ende der 90er Jahre wurden Radarsatelliten international für E. genutzt, die auch bei Dunkelheit und Bewölkung Aufnahmen von der Erdoberfläche machen können.

Cluster: Anfang 1999 beschloss die europäische Raumfahrtagentur ESA, das Clustersatelliten-Progamm zur Erforschung des Erdmagnetfeldes zu wiederholen. Die vier baugleichen Satelliten (neuer Name: Phoenix) sollen im Jahr 2000 mit russischen Sojus-Raketen ins All transportiert werden. Die Clustersatelliten (Kosten: 840 Mio DM) waren beim gescheiterten Jungfernflug der Trägerrakete Ariane 5 (Mitte 1996) vollständig zerstört worden.

Topographische Kartierung: Für September 1999 war der Start des von der US-Raumfahrtagentur (NASA) und des Deutschen Zentrums für Luft- und Raumfahrt (DLR) gemeinsam entwickelten Projektes SRTM (engl.; Shuttle Radar Topography Mission) geplant, das ein neues topographisches Profil der Erdoberfläche erstellen soll.

Trägerraketen im Vergleich

Name (Herkunft)	Ersteinsatz	Länge (m)	Transportkapazität (t)[1]	Startkosten (Mio DM)
Ariane 4 (Europa)	1988	54	4,9	76
Ariane 5 (Europa)	1997	51	6,8	115
Atlas 2 AS (USA)	1996	35	3	75
Atlas 3 A (USA)	1999	43	3,6	85
CZ 3 (China)	1985	43–54	4,8	25
Delta 2 (USA)	1990	38	1,8	45
Delta 3 (USA)	1998	38	3,8	85
Eurockot (Europa/Russl.)	10/1999	28,5	1,9[2]	13
Kistler K1 (USA)	7/1999	36	4,4[2]	17
Proton K (Russl.)	1965	45	4,5	80
Zenit 3 (Russl./Ukraine)	3/1999	50	5,8	65

1) in geostationärer Umlaufbahn (36 000 km Höhe), 2) in erdnaher Umlaufbahn (200 km);
Quelle: Bild der Wissenschaft 2/99

Zwei in der Ladeluke eines Space Shuttle positionierte Radargeräte sowie zusätzliche Empfangsantennen, die an einem ausfahrbaren 60 m langen Mast befestigt sind, erzeugen Stereoaufnahmen von der Erdoberfläche.

Envisat: Für 2000 war der Start eines neuen von der ESA entwickelten E.-Satelliten (Envisat) geplant, der den seit 1995 im All befindlichen Satelliten ERS-2 ersetzen soll. Der Radarsatellit (Gewicht: 8 t, Gesamtkosten: 3 Mrd DM) tastet die Erdoberfläche mit Mikrowellenstrahlung ab. Envisat ist mit zwei neuartigen Messinstrumenten ausgestattet. Das Infrarotspektrometer MIPAS (engl.; Michelson Interferometer for Passive Atmospheric Sounding) misst die Konzentration von 20 Spurengasen wie Stickoxiden und Fluorchlorkohlenwasserstoffen (FCKW) in der Atmosphäre sowie die Temperatur. Das aus fünf Kameras bestehende Spektrometer MERIS (engl.; Medium Resolution Imaging Spectrometer) misst 15 Spektralbereiche im sichtbaren und infraroten Licht. Aus dem Vergleich der Lichtspektren werden u. a. die Verteilung von Wolken, Eisberge oder Meeresverschmutzungen berechnet.

http://www.dasa.de
http://www.esa.it

Internationale Raumstation

Ständig im All stationierter Raumflugkörper, der als permanentes Forschungslabor und Wohnraum für sieben Astronauten sowie als Ankopplungsstation für Raumfahrzeuge dient. An der I. beteiligten sich 16 Nationen, darunter auch Deutschland. Die I. geht voraussichtl. 2005 für 10–20 Jahre in Betrieb.

Verzögerung: Der chronische Geldmangel der russischen Raumfahrtagentur RAK verzögerte den Bau der von Russland zur I. beigesteuerten Module mit zentraler Funktion für den Betrieb der I. Um das Gesamtprojekt nicht scheitern zu lassen, übernahmen die USA einen Teil der Baukosten. Mit knapp 18-monatiger Verzögerung begann Ende 1998 der Aufbau der I. in ca. 460 km Höhe. Im November transportierte eine russische Proton-Trägerrakete das Grundelement Zarya (russ.; Morgenröte) ins All, das die zentrale Energieversorgung der I. sicherstellt. Einen Monat später koppelte ein Astronautenteam der US-Raumfähre Endeavour den zentralen Verbindungsknoten Unity (engl.; Einheit) an, an den weitere

---

Bau der Internationalen Raumstation
▶ **November 1998:** Transport des Grundelements Zarya ins All.
▶ **Dezember 1998:** Anschluss des zentralen Verbindungsknotens Unity.
▶ **Juli 1999:** Anschluss des Servicemoduls.
▶ **Februar 2000:** Das US-amerikanisches Forschungslabor wird angedockt.
▶ **2002:** Anschluss des japanischen Forschungslabors und der von Japan betriebenen Plattform für Außenexperimente.
▶ **2003:** Anschluss des europäischen Labors Columbus Orbital Facility (COF), eines russischen Forschungslabors; Aufbau der Solarzellen zur Energieversorgung u. einer Zentrifuge (Bau: USA).
▶ **2004:** US-amerikanische Wohnstation dockt an.

Forschungsmodule angeschlossen werden. Das Service-Modul, das die Lageregelung und Wohneinheiten für die dreiköpfige Montagemannschaft beherbergt, soll ab Mitte 1999 ins All transportiert werden.

Montage: Zum Komplettaufbau der I. (Größe: 108,4 m x 74,1 m, Gewicht: 462 t) sind bis 2004 voraussichtlich 45 Transportflüge ins All notwendig. Nach einer Hochrechnung werden die astronautischen Bautrupps 1700 Stunden in der Schwerelosigkeit arbeiten. Gegenüber einer früheren Prognose (40 Mrd Dollar) wurden die Kosten für den Bau und zehn Jahre Betrieb der I. Anfang 1999 auf bis zu 100 Mrd Dollar geschätzt. An die Zentraleinheit werden drei russische, ein US-amerikanisches, ein japanisches und das europäische Forschungsmodul Columbus Orbital Facility (COF; Länge: 7 m, Durchmesser: 4,5 m, Gewicht inkl. Ausrüstung: 12 t) angedockt. Deutschland trägt 41% der Kosten (ca. 2,5 Mrd DM) für den Bau und Betrieb von COF.

http://www.esa.it
http://www.nasa.gov

Mars-Missionen

1998/99 wurde die Erkundung des Nachbarplaneten der Erde mit unbemannten Raumsonden fortgesetzt. Mit einjähriger Verzögerung begann die Sonde Mars Global Surveyor (Start: 1996), die in marsnaher Umlaufbahn den Planeten umkreist, mit der Kartierung der Marsoberfläche. Zugleich nahm die japanische Raumsonde Planet B ihr Programm zur Erforschung der höheren Schichten der Marsatmosphäre auf. Die

---

Nach einer gut sechsjährigen Aufbauphase soll die Internationale Raumstation um 2005 in Betrieb gehen. Im günstigsten Fall wird sie 20 Jahre als ständige Arbeits- und Forschungsstätte im Weltall genutzt.

1998/99 gestarteten M. (Ankunft auf dem Mars: Ende 1999) dienten insbes. der Erforschung des Klimas, der Bodenzusammensetzung und der Suche nach Spuren von Leben (z. B. Organismen) bzw. nach Wasser als Basis für die Entstehung von Leben. Der erste bemannte Raumflug zum Mars wurde von Experten für 2015 prognostiziert. **Projekte:** Ende 1998 startete die US-Sonde Mars Climate Orbiter, die lt. Plan im September 1999 in eine marsnahe Umlaufbahn (in ca. 400 km Höhe) einschwenkt und ein Marsjahr (687 Tage) lang klimatische Veränderungen auf dem Planeten dokumentieren soll. Im Januar 1999 nahm die Sonde Mars Polar Lander ihre Mission auf. Hauptaufgabe der mit zwei Kameras, einem Roboterarm und einem Mikrofon ausgestatteten Sonde ist die Suche nach Wasser in der Nähe der südlichen Polkappe des Mars. Über das Mikrofon sollen erstmals Geräusche von einem anderen Planeten auf die Erde übertragen werden. Bei ihrem Landeanflug im Dezember 1999 sprengt die Sonde eine kleinere Flugkörper (Mission Deep Space 2) ab, die sich bis zu 1 m tief in den Marsboden bohren und das Marsgestein auf möglichen Wassergehalt und thermische Leitfähigkeit untersuchen sollen. **Mars-Rover:** Anfang 1999 führte die NASA in der kalifornischen Mojave-Wüste Tests mit einem weiterentwickelten Robotfahrzeug durch, das 2003 zum Mars transportiert werden soll. FIDO (engl.; Field Integrated Design and Operations) ist sechsmal so groß wie das Vorgängermodell Sojourner (FIDO: Länge 105 cm, Breite:

55 cm, Gewicht: 70 kg); es kann selbstständig steuern und erreicht eine Höchstgeschwindigkeit von 300 m/h. Der Mars-Rover verfügt über einen Gesteinsbohrer und mehrere Kameras. Er soll Gesteinsproben aus der Kruste des Mars sammeln und Aufnahmen vom Inneren der Bohrlöcher machen. **Europäische Mission:** Nach dem Fehlschlag der Mission Mars 96 (Absturz der russischen Trägerrakete Ende 1996), an der sich 20 Nationen unter Federführung Russlands beteiligten, beschloss die ESA Ende 1998 eine eigenständige M. Die Sonde Mars-Express soll 2003 starten und ein Landegerät (Gewicht: 60 kg) auf dem Mars absetzen. Um das Projekt (Kosten: ca. 300 Mio DM inkl. Startkosten) in der Kürze der Zeit realisieren zu können, nutzt die ESA Hardware- und Software-Ressourcen der M. Mars 96 bzw. baut für andere Missionen entwickelte Instrumente nach.

http://www.esa.in
http://www.jpl.nasa.gov
http://planet-b.isas.ac.jp

Mir

(russ.; Frieden) von der russischen Raumfahrtagentur RKA betriebener, seit 1986 im Weltall stationierter bemannter Raumflugkörper, der als Forschungslabor und Wohneinheit für Astronauten dient

Weiterbetrieb: Im Januar 1999 entschied der damalige russische Premierminister Jewgenij Primakow, den Betrieb der M. für weitere drei Jahre zu genehmigen. In dieser Zeit soll die M. ausschließlich kommerziell genutzt werden. 1998 hatte die russische Regierung noch beschlossen, die M. zum Jahresende 1999 stillzulegen, um das Raumfahrtbudget ganz auf den Bau der neuen Internationalen Raumstation verwenden zu können. Eine Stilllegung der M. 1999 scheint wahrscheinlich, wenn keine privaten Investoren gefunden werden, welche die Betriebskosten von ca. 200 Mio Dollar pro Jahr übernehmen. Dann wird die Raumstation schrittweise auf niedrigere Umlaufbahnen abgesenkt. Nach dem Eintritt in die Erdatmosphäre sollen ihre Trümmerteile gezielt über dem Pazifik niedergehen. **Letzte Mission:** Im Februar 1999 dockte die offiziell letzte M.-Besatzung mit der Raumkapsel Sojus-TM-29 an M. an. Es war die 27. bemannte Mission zur M., die am 20.2.1986 ihren Betrieb aufgenommen hat

Laufende und geplante Mars-Missionen

Name/Start		Auftrag/Ergebnis
Mars Global Surveyor 7.11.1996		Fotos aus Marsumlaufbahn übermittelt; seit März 1999 Kartierung der Marsoberfläche
Planet B 1.10.1998		seit März 1999 Untersuchung der höheren Schichten der Atmosphäre des Mars
Mars Climate Orbiter 11.12.1998		Ankunft September 1999; Beobachtung der Klimaveränderungen während eines Marsjahres
Mars Polar Lander 3.1.1999		Ankunft Dezember 1999; Landung in der Nähe des Mars-Südpols; Suche nach Wasser, Übertragung von Geräuschen vom Mars
Mars Express, 2003		Landung; Suche nach Wasser
Mars Surveyor, 2003		Landung; Freisetzung eines Robotfahrzeugs

und ursprünglich nur für sechs Jahre im All bleiben sollte. Ab Mitte der 90er Jahre hatte die Raumstation mit erheblichen Verschleißerscheinungen zu kämpfen, die von 1996–98 zu zahlreichen Pannen führten. M. (Basisblock: Gewicht: 21 t, Länge: 13 m, Durchmesser: 4,2 m) umkreist mit einer Geschwindigkeit von rund 22 400 km/h in 350–400 km Höhe die Erde. An das Basismodul wurden bis 1996 fünf Labormodule angedockt. Das Forschungsprogramm umfasste Projekte aus den Bereichen Biomedizin, Erderkundung, Klimaforschung, Materialwissenschaft und Weltraumforschung.

Raumfähre

(engl.: space shuttle), wiederverwendbarer, bemannter Flugkörper zum Transport von Nutzlasten (z.B. Forschungsplattformen, Satelliten) und Astronauten in den Weltraum. Ende der 90er Jahre wurden R. nur von der NASA betrieben.

Einsätze: 1998 waren R. insgesamt fünfmal im Einsatz. Die Flüge dienten insbes. der Vorbereitung (u. a. Test von Materialien und Werkzeugen wie Roboterarmen) und dem Aufbau der Internationalen Raumstation (ISS). Ende 1998 brachte die R. Endeavour das US-amerikanische Bauteil Unity ins All, das in einem fünfstündigen Außenbordeinsatz mit dem von Russland gebauten und zwei Wochen zuvor im Weltraum platzierten Zentralmodul Zarya verbunden wurde. Im Mai 1999 fand das erste Andockmanöver einer Raumfähre an Unity statt; bei diesem Flug wurden weitere Geräte und Baumaterialien zur ISS transportiert.

Besatzung: Als menschliches Versuchsobjekt war der US-amerikanische Senator und Ex-Astronaut John Glenn (*1921) Mitglied der Besatzung der R. Discovery im Oktober 1998. Bei dem neun Tage dauernden Aufenthalt in der Schwerelosigkeit führte Glenn Experimente zur Erforschung der Alterungsprozesse in Zellen durch. Der wissenschaftliche Nutzen des Programms wurde jedoch in Zweifel gezogen. Zahlreiche Forscher werteten den Flug des Weltraumveteranen, der 1962 als erster Amerikaner in einer Mercury-Raumkapsel dreimal die Erde umkreist hatte, als Werbeveranstaltung für die Raumfahrt.

Nachfolgefähre: Wegen technischer Schwierigkeiten verzögert sich der Testflug des Prototyps X33, eines verkleinerten Modells der neuen R.-Generation Venture Star

Raumfähren im Einsatz

Zeitraum	Nr. Mission	Raumfähre	Zweck
2.–12.6.98	91	Discovery	Neunter und letzter Versorgungsflug zur russischen Raumstation Mir
29.10.–7.11.98	92	Discovery	Zweiter Flug des US-Raumfahrtveteranen John Glenn ins All, Experimente zur Altersforschung
4. 15.12.98	93	Endeavour	Transport und Anschluss des zweiten Moduls (Verbindungsknoten Unity) der internationalen Raumstation
27.5.–5.6.1999	94	Discovery	Erstes Andockmanöver an die internationale Raumstation, Transport von Baumaterial und Werkzeugen

http://www.spaceflight.nasa.gov

voraussichtlich um zwölf Monate auf Mitte 2000. Venture Star soll ab 2004 einsatzbereit sein und ab 2012 die alte R.-Flotte (Space Shuttles Atlantis, Columbia, Discovery, Endeavour) vollständig ersetzen. Der von der Firma Lockheed Martin entworfene Raumgleiter ist mit einem neuartigen einstufigen, sog. Aerospike-Antrieb ausgestattet, kann maximal 27 t Nutzlast transportieren und soll die Kosten für den Alltransport von 22 000 Dollar/kg Nutzlast auf rund 2200 Dollar/kg reduzieren.
http://www.nasa.gov

Raumfahrt

Europa: Neben der Beteiligung an der Internationalen Raumstation, dem größten internationalen Projekt der R. Ende der 90er Jahre, war die Verbesserung der Wettbewerbsfähigkeit gegenüber den USA das wichtigste strategische Ziel der europäischen R. Angestrebt wurde eine engere Kooperation mit der EU sowie eine stärkere Einbindung der Industrie in die Forschungs-

Die größten Luft- und Raumfahrtunternehmen[1]

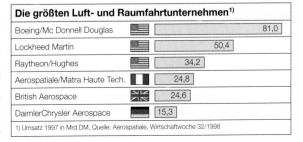

Boeing/Mc Donnell Douglas	🇺🇸	81,0
Lockheed Martin	🇺🇸	50,4
Raytheon/Hughes	🇺🇸	34,2
Aerospatiale/Matra Haute Tech.	🇫🇷	24,8
British Aerospace	🇬🇧	24,6
DaimlerChrysler Aerospace	🇩🇪	15,3

1) Umsatz 1997 in Mrd DM, Quelle: Aerospatiale, Wirtschaftswoche 32/1998

programme. Mitte 1999 verabschiedeten die Forschungsminister der 14 an der europäischen R.-Agentur ESA beteiligten Staaten ein neues Raumfahrtprogramm für den Zeitraum 1999–2006. Bis 2002 steht der ESA ein Forschungsetat von ca. 2,9 Mrd DM (Gesamtbudget: ca. 4,2 Mrd DM) zur Verfügung. Neben der Weiterentwicklung der europäischen Trägerrakete Ariane bildeten der Aufbau eines eigenen Satellitennavigationssystems (in Kooperation mit der EU), die Entwicklung von Multimedia-Satelliten im Bereich der Telekommunikation sowie die Erd- und Umweltforschung die Schwerpunkte des Programms.

Deutschland: Bundesforschungsministerin Edelgard Bulmahn (SPD) kritisierte das auf die Internationale Raumstation konzentrierte R.-Engagement der alten Bundesregierung (deutsche Beteiligung am ESA-Labor Columbus: 41%) und kündigte eine neue Ausrichtung der R.-Politik an. In Übereinstimmung mit den Zielen der ESA forderte sie eine stärkere Orientierung von R.-Projekten am wirtschaftlichen Nutzen bzw. ihrer Bedeutung für die Wissenschaft. 1999 stellte das Bundesforschungministerium einen Etat von 1,2 Mrd DM (ohne Grundfinanzierung des DLR sowie Mittel für Forschungsinstitu-

BILANZ 2000

Raumfahrt

Friedlicher Wettlauf im Weltraum

Während die Raumfahrt bis zum Ende des Kalten Krieges von der Konkurrenz zwischen USA und UdSSR geprägt war und überwiegend Forschungs- und militärischen Zwecken diente, hat die wachsende Nachfrage für Starts kommerzieller Telekommunikationssatelliten sowie erdnah stationierter Kleinsatelliten für Multimedia und Mobilfunknetze zur Herausbildung eines Markts geführt, auf dem Ende des 20. Jh. fast 20 meist staatlich subventionierte Anbieter auftreten. Führend ist die Betreibergesellschaft Arianespace mit der von der ESA entwickelten Trägerrakete »Ariane«. Ihr Anteil an kommerziellen Satellitenstarts betrug 1998 mehr als 50%. Dem Trend zur Wiederverwertbarkeit und damit Kostenersparnis folgt auch der US-Anbieter Kistler Aerospace mit der Entwicklung einer Rakete, die mit russischen Triebwerken ausgestattet ist. Das wichtigste Großprojekt der Raumfahrt an der Wende zum 21. Jh. ist die unter internationaler Beteiligung von 15 Industriestaaten konzipierte Raumstation ISS, ein Gemeinschaftsprojekt der USA, Russlands, Japans, elf europäischer Staaten – darunter Deutschland – und Kanadas. Abgesehen von diesem ehrgeizigen Projekt, ist die Raumfahrt seit den 90er Jahren von erheblichen Kürzungen in den nationalen Budgets betroffen.

Positive Trends

▶ Der Einsatz geostationärer Satelliten hat die Wettervorhersage und die Kommunikationssituation auf der Erde deutlich verbessert.
▶ Durch Technologietransfer werden Erkenntnisse der Raumfahrt auch in Nichtraumfahrtbereichen nutzbar (Luftfahrt, Rüstung, Robotik u. a.).
▶ Internationale Verträge verbieten die Stationierung von Massenvernichtungswaffen im All.

Negative Trends

▶ Der Nutzen astronomischer Budgets für Raumfahrt (60 Mrd US-Dollar für ISS) ist umstritten.
▶ Das Problem des Weltraummülls verstärkt sich (1998: 100000 Schrottteile im Orbit).

Finanzierung der Europäischen Raumfahrtagentur ESA[1]

Durchschnitt	7,15
Deutschland	25,00
Frankreich	17,31
Italien	14,74
Großbritannien	13,93
Spanien	7,31
Niederlande	4,54
Schweiz	3,91
Belgien	3,19
Schweden	2,71
Österreich	2,52
Dänemark	1,72
Norwegen	1,56
Finnland	1,15
Irland	0,61

1) Pflichtbeiträge (%), letztverfügbarer Stand; 1997; Quelle ESA; http://www. esa.int

1957: Satellit »Sputnik 1« (l.), 1969: US-Astronaut Edwin Aldrin auf dem Mond

Meilensteine

Vom Sputnik-Schock zum Mondlande-Triumph

1957: Die Sowjetunion schießt »Sputnik 1«, den ersten künstlichen Erdtrabanten, in den Orbit.

1958: Die US-Luft- und Raumfahrtbehörde NASA wird gegründet.

1959: Als erster Raumflugkörper erreicht »Lunik 2« (UdSSR) die Mondoberfläche und zerschellt nach 34-stündigem Flug.

1961: Juri Gagarin (UdSSR) umkreist in der Kapsel »Wostok« als Erster die Erde.

1962: John H. Glenn startet als erster Amerikaner in den Orbit.

1963: Walentina W. Tereschkowa (UdSSR) umfliegt im Raumschiff »Wostok VI« als erste Frau der Erde.

1965: »Mariner 4« (USA) passiert als erster von Menschen gebauter Flugkörper den Mars.

1965: Gemini 6 und 7 (USA) gelingt das erste Rendezvousmanöver im All.

1965: Alexej Leonow (UdSSR) schwebt als Erster frei im All.

1965: »Early Bird« (USA) ist erster kommerzieller Nachrichtensatellit.

1966: »Wenera 3« (UdSSR) erreicht als erstes von Menschen gebautes Objekt einen Planeten; sie schlägt hart auf der Venus auf.

1967: Der Vertrag zur friedlichen Nutzung des Weltraums wird unterzeichnet (USA, GB, UdSSR).

1969: Neil Armstrong, Edwin Aldrin (USA) landen auf dem Mond.

1970: Die Astronauten der im Weltall treibenden Kapsel »Apollo 13« (USA) kehren nach improvisiertem Rettungsmanöver zur Erde zurück.

1971: Die UdSSR schießt die erste Raumstation, »Saljut 1«, ins All.

1975: Das Koppelmanöver von »Sojus 19« (UdSSR) und »Apollo 18« (USA) ist das erste Treffen der Supermächte im All.

1975: Mit Sitz in Paris wird die europäische Weltraumorganisation ESA gegründet.

1981: Mit der »Columbia« (USA) beginnt die Ära der wieder verwendbaren Space Shuttles.

1986: Bei der Explosion der Raumfähre »Challenger« (USA) sterben sieben US-Astronauten.

1988: In Kourou startet die europäische Trägerrakete »Ariane 4« zum Transport von Satelliten ins All.

1989: Die US-Sonde »Voyager 2« verlässt nach Passieren des Planeten Jupiter unser Sonnensystem.

1990: Die Raumsonde »Magellan« tastet 90% der Venus mit Radar ab.

1998: Die Versorgungseinheit der modular ausbaubaren internationalen Raumstation ISS wird in den Orbit gebracht.

Stichtag: 12. April 1961

Gagarin erster Mensch im All

Der sowjetische Kosmonaut Juri A. Gagarin startete am 12. April 1961 in Baikonur mit dem 4725 kg schweren Raumschiff »Wostok« (»Osten«) zum ersten Weltraumflug eines Menschen. In 89,1 min umrundete er die Erde im Abstand von 175–327 km auf einer elliptischen Bahn, nach 108 min landete er in der Nähe von Saratow an der Wolga. In Moskau u. a. Städten des Ostblocks fanden Freudenkundgebungen statt, Regierungschef Nikita S. Chruschtschow richtete einen Friedensappell an alle Völker der Welt, das SED-Organ »Neues Deutschland« kommentierte das Ereignis in einem Extrablatt: »Kommunismus verwirklicht kühnste Träume der Menschheit«.

Stichtag: 21. Juli 1969

Menschen auf dem Mond

Am 20. Juli 1969 landeten die US-Astronauten Neil A. Armstrong und Edwin E. Aldrin mit der Mondfähre »Eagle« als erste Menschen auf dem Mond, den Armstrong um 3 Uhr 56 MEZ (am 21. Juli) als Erster betrat mit den Worten: »Es ist ein kleiner Schritt für einen Menschen, aber ein gewaltiger Sprung für die Menschheit.« Ein Viertel der Erdbevölkerung verfolgte das Ereignis am Fernsehgerät. Mit den ersten Menschen auf dem Mond – nach Armstrong hielt sich auch Aldrin etwa zweieinhalb Stunden auf dem Erdtrabanten auf – hatten die USA den prestigeträchtigen Weltraumwettlauf der Supermächte für sich entschieden. Die Astronauten pflanzten die Flagge der USA auf, stellten wissenschaftliche Messgeräte und eine Fernsehkamera auf, testeten die Fortbewegung unter den Bedingungen der Schwerelosigkeit, fotografierten die Mondoberfläche und sammelten Mondgestein für die Analyse in irdischen Laboratorien.

ESA-Programm 1999–2002

Programmbereich	Etat (Mio Euro)
Erderkundung (Umwelt- u. Klimaforschung)	593,0
Internationale Raumstation	298,5[1]
Mikrogravitation	48,0[2]
Satellitennavigation	58,4
Telekommunikation/Satellitentechnik	260,0
Trägerraketen (Ariane 5 Plus)	667,0

1) Etat bis 2001, 2) Etat bis 2003; Quelle: ESA

te wie DFG, Max-Planck-Gesellschaft) bereit; davon gingen 970 Mio DM direkt an die ESA. Für das nationale R.-Programm standen 310 Mio DM zur Verfügung.

Branche: 1998/99 waren in Deutschland ca. 2000 Mitarbeiter in der R.-Forschung und weitere 5000 in der R.-Industrie beschäftigt. Um die Wettbewerbsposition gegenüber den marktführenden US-amerikanischen Luft- und Raumfahrtunternehmen zu verbessern, verhandelten die europäischen Luft- und Raumfahrtkonzerne über paneuropäische Fusionen. Als Reaktion auf die von Bundesregierung und ESA geforderte stärkere Beteiligung der Industrie an den R.-Projekten schlugen der Raumfahrtkonzern DASA sowie weitere, am Bau des europäischen Forschungslabors COF beteiligte französische und italienische Firmen Mitte 1999 vor, Betrieb, Nutzung und Management von COF von 2001–2012 zum Festpreis von 6 Mrd DM zu übernehmen. Im Gegenzug verlangten die Unternehmen 10% der Forschungskapazitäten für eigene Projekte nutzen zu können. Die Übernahme zum Festpreis brächte der ESA Planungssicherheit bei der Kalkulation für COF.

Raumfahrtakademie: Die DASA plante, in Bremen ab Mitte 1999 eine R.-Akademie aufzubauen. Sie soll in Kooperation mit der ESA, der US-Raumfahrtagentur NASA, Hochschulen und Industrieunternehmen betrieben werden und der praxisorientierten Aus- und Weiterbildung von Wissenschaftlern und Technikern in der R.-Forschung dienen. Kernstück der Akademie ist das Weltraumlabor Spacelab, das in den 70er Jahren von der DASA gebaut und nach 22 Missionen im All außer Dienst gestellt wurde.

http://www.dasa.de; http://www.dlr.de
http://www.esa.int; http://www.nasa.gov

Raumsonde

Unbemanner Raumflugkörper zur Erkundung des Weltraums. Ende der 90er Jahre wurden R. insbes. in der interplanetaren Weltraumforschung eingesetzt.

Technologische Entwicklung: Neben Missionen zu Planeten und Kometen unseres Sonnensystems stand die Entwicklung neuer Technologien zur kostengünstigeren Weltraumforschung Ende der 90er Jahre im Vordergrund. Erstmals kam 1998 eine R. mit einem Ionenantrieb zum Einsatz. Die R. Deep Space One (engl.; Tiefes Weltall Eins; Baukosten: 141 Mio Dollar) ist Teil des von der US-amerikanischen Raumfahrtagentur NASA entwickelten R.-Technologie-Programms New Millennium. Ziel der R. war der Asteroid 1992 KD in 193 Mio km Entfernung, an dem Deep Space One im Herbst 1999 in einer Distanz von 10 km vorbeifliegt. Nach erfolgreichem Abschluss dieser Primärmission ist der Weiterflug zu den beiden Kometen Wilson-Harrington und Borelly geplant.

Funktionsweise des Ionenantriebs: Mit Hilfe einer Hochfrequenzspule wird der gasförmige Treibstoff Xenon positiv aufgeladen. Die dabei entstehenden Xenon-Ionen werden in einem doppelten Metallgitter (ein Teil positiv, der andere negativ geladen) beschleunigt und mit einer Geschwindigkeit von ca. 100 000 km/h in den Raum geschleudert. Dieser Prozess hat einen Rückstoss zur Folge, der die R. antreibt.

Neue Komponenten: Insgesamt werden mit der R. Deep Space One zwölf neue Technologien getestet. U. a. ist die R. mit Hochenergie-Solarzellen ausgestattet. Dabei bündeln kleine Linsen das Sonnenlicht auf der Oberfläche der Zellen zusätzlich. Darüber hinaus wird die R. über einen Bordcomputer autonom gelenkt. Der Computer kann die Position der R. im Weltraum selbst bestimmen, steuert selbstständig Ziele an und kontrolliert die an Bord befindlichen Geräte und Messinstrumente.

SOHO-Mission: Vier Monate, nachdem ein Bedienungsfehler der Bodenkontrolle Mitte 1998 zum Abbruch des Funkkontaktes mit dem 1,5 Mio km von der Erde entfernten Sonnenobservatorium SOHO (engl.; Solar and Heliospheric Observatory) geführt hatte, wurde die R. wieder auf die Sonne ausgerichtet, sodass ihre Instrumente wieder in Betrieb genommen werden konnten.

Dabei stellten die Forscher fest, dass die mit dem Energieverlust von SOHO verbundene Abkühlung der Instrumente auf Alltemperaturen (−100 °C) und ihre nachfolgende erneute Erwärmung durch die Sonne auf bis zu 100 °C zur Erhöhung der Lichtempfindlichkeit des Teleskops um 50% geführt hat.

■ **Forschung und Technik** → Astronomie

Satelliten

Unbemannte Raumflugkörper auf einer Erdumlaufbahn bis zu einer Höhe von 36 000 km (sog. geostationäre Bahn). S. werden insbes. in der Telekommunikation und zur Übertragung von Rundfunkprogrammen eingesetzt. Darüber hinaus dienen sie der Erd- und Wetterbeobachtung, der Weltraumforschung und der Navigation.

Forschung: Ende 1998 wurde einer der erfolgreichsten Forschungssatelliten abgeschaltet. Der deutsche Röntgen-S. Rosat hatte in den vergangenen acht Jahren 150 000 unbekannte Röntgenstrahlenquellen im All registriert; vor der Rosat-Mission waren nur ca. 1000 Objekte bekannt, die Röntgenlicht abstrahlen. Dieses kann von der Erde aus nicht gemessen werden. Der Erfolg des S. gab den Anstoß zu weiteren Missionen mit Röntgen-S. (u. a. in den USA, Europa und Japan); den Auftakt machte Anfang 1999 der deutsche Röntgen-S. Abrixas (engl.; a broad band imaging X-ray all sky survey). Der S. (Kosten: 35 Mio DM; geplante Betriebszeit: 3 Jahre) besteht aus sieben Teleskopen mit je 16 cm Durchmesser und kann Röntgenstrahlen mit einer Energie bis zu 12 000 eV messen. Damit kann Abrixas auch Röntgenstrahlen von weit entfernten Objekten empfangen. Seine Röntgenkartierung des Alls bildet die Grundlage für nachfolgende Missionen zur Erforschung auffälliger Einzelobjekte.

Telekommunikation: Als erstes Mobilfunknetz, das zur weltweiten Datenübertragung S. (engl.; Low Earth Orbit) in erdnahen Umlaufbahnen bis zu 1500 km Höhe nutzt, nahm Ende 1998 das Iridium-Netz seinen Betrieb auf. Das 4,8 Mrd DM teure Kommunikationsnetz (Betreiber: Motorola/ USA) arbeitet mit 66 S. als Relaisstationen in 780 km Höhe. Neben schmalbandigen Netzen, die nur auf die Übertragung von Sprache und Daten ausgerichtet sind, planten Telekommunikationsunternehmen weltweit den Aufbau von sog. breitbandigen Funknetzen im erdnahen Orbit, die u. a. den

Globale Kommunikation mit LEO-Satelliten (Auswahl)

Projekt	System	Anzahl Satelliten	Betrieb
Ellipso	Breitband-Netz	k. A.	2001
Global Star	Schmalband-Netz	48	2000
Ico	Breitband-Netz	12	2000
Iridium	Schmalband-Netz	66	1998
Satcon	Schmalband-Netz	72	2001
Teledisc	Breitband-Netz	800	2003

Geplante Forschungssatelliten-Projekte

▶ **Chandra:** US-amerikanischer Röntgensatellit (Gewicht: 5 t, Kosten: 3,6 Mrd DM), der Mitte 1999 seinen Betrieb im All aufnimmt. Chandra soll insbes. Aufschlüsse über sterbende Sonnen liefern.

▶ **Integral:** Von der europäischen Raumfahrtagentur ESA und internationalen Kooperationspartnern entwickeltes Gammastrahlenobservatorium (Gewicht: 4 t, Kosten: 600 Mio DM), das 2001 auf einer stark elliptischen Umlaufbahn (Erdabstand: 10 000–135 000 km) im Weltall stationiert wird. Gammastrahlen entstehen nur bei extrem starken Energiefreisetzungen im Kosmos, beispielsweise bei der Bildung von Supernovae oder Schwarzen Löchern.

▶ **XMM:** Von der ESA betriebener Röntgensatellit (Baukosten: 1 Mrd DM), der Ende 1999 ins All transportiert wird. XMM kann extrem schwache Röntgenstrahlung messen. Mit seiner Hilfe will man weit entfernte, in der Frühphase des Universums entstandene Röntgenquellen ausfindig machen.

Zugang zum Internet ermöglichen können und zur Übertragung von digitalen Rundfunk- und Fernsehprogrammen geeignet sind. Nach Expertenschätzungen werden bis 2010 rund 1000 LEO-S. für Telekommunikationszwecke im All stationiert.

http://www.abrixas.aip.de
http://www.dlr.de

Satellitennavigation

Satellitengestütztes Ortungsverfahren, mit dem sich die Position von z. B. Fahrzeugen auf der Erde präziser bestimmen lässt als etwa mit Radartechnik

Anfang 1999 stellte der für Verkehr zuständige EU-Kommissar Neil Kinnock den 15 EU-Mitgliedstaaten ein Konzept zum Bau und zur Finanzierung eines europäischen S.-Netzes vor. Das S.-Projekt Galileo/ENSS soll in zehn Jahren betriebsbereit sein und zivile Nutzer von den einzigen bislang betriebenen, primär militärischen Systemen Russlands (GLONASS) und den USA (GPS) unabhängig machen.

Galileo/ENSS: Das als ENSS (Europäisches Satellitennavigationssytem) bezeichnete Netz soll aus jeweils sieben Satelliten bestehen, die auf drei polaren Umlaufbah-

Satellitennavigationssysteme

▶ **GPS:** Weltweit meistgenutztes Satellitennavigationssystem. Das von den US-Militärs entwickelte, zentimetergenaue Ortungssystem wurde für zivile Anwendungen künstlich verschlechtert (Ungenauigkeiten bis 15 m).

▶ **GLONASS:** Russisches System, das seit 1996 auch zivile Signale aussendet. Das System arbeitet wegen technischer Unzulänglichkeiten im zivilen Bereich nicht präziser als GPS.

▶ **DGPS:** Differential-GPS; Methode, mit der die Ungenauigkeit der GPS-Signale auf weniger als 1 m verringert werden kann. Dabei sendet ein lokaler UKW-Sender Korrektursignale an den DGPS-Empfänger, z. B. in einem Flugzeug. Seit 1997 sendet der bundesweit zu empfangende DGPS-Funkdienst auf Basis eines Langwellensenders aus der Nähe von Frankfurt/M.

▶ **EGNOS:** Von der europäischen Raumfahrtagentur ESA entwickeltes System für ganz Europa. Ähnlich wie DGPS gleicht es mit Hilfe von Korrektursignalen die Ungenauigkeit der von GPS bzw. GLONASS gelieferten Grunddaten aus. EGNOS nimmt voraussichtlich 2002 seinen Betrieb auf.

nen über Europa/Afrika, Amerika und Asien kreisen. Die Satellitensignale sollen eine Positionsbestimmung mit einer Genauigkeit von zwei Metern ermöglichen.

Finanzierung: Die Baukosten für ENSS wurden auf ca. 6 Mrd DM geschätzt. Rund 1,5 Mrd DM sollen nach den Plänen der EU-Kommission aus dem Gemeinschaftshaushalt der EU in das Projekt fließen; die ESA plante, sich mit ca. 1 Mrd DM am Aufbau des S.-Netzes zu beteiligen.

Einsatzfelder: Navigations-Systeme, die Satellitensignale nutzen, steuern den Luftverkehr und die Schiffahrt; sie werden im Straßenverkehr (Verkehrsleitung, Routenplanung) und im Gütertransport eingesetzt. Auch in der Fischerei und Landwirtschaft, in der Raum- und Infrastrukturplanung sowie in der Telekommunikation gewinnen sie an Bedeutung. Das Marktvolumen von Technologien, die sich auf S. stützen, wurde von der EU-Kommission auf 80 Mrd bis 100 Mrd DM im Jahr 2005 geschätzt.

Verkehr → Verkehrsleitsysteme

Sea Launch

Bewegliche Abschussplattform für Trägerraketen zum Transport von Nutzlasten (z. B. Satelliten) ins All. S. ist eine umgebaute Ölbohrinsel, die vom internationalen Firmenkonsortium Sea Launch Limited Partnership (fünf Unternehmen aus Norwegen, Russland, Ukraine, USA) betrieben wird.

Einsatz: Anfang 1999 glückte der erste Start einer russischen Zenit-Rakete von S. Die Rakete transportierte bei ihrem Testflug eine Satellitenattrappe ins All. Die schwimmende Plattform S. war im Pazifik auf Höhe des Äquators (Entfernung zu Hawaii: 2200 km) plaziert worden, um die Erddrehung für eine maximale Beschleunigung der Rakete zu nutzen. Die 1980 gebaute Ölplattform (Höhe: 78 m, Gewicht: 1500 t) verfügt über acht Antriebsschrauben und kann ihren Standort aus eigener Kraft verändern.

Stopp: Mitte 1998 verfügte das US-amerikanische Außenministerium eine Unterbrechung des Projektes, um das Kooperationsabkommen des Firmenkonsortiums auf mögliche Schwachstellen zu untersuchen, die das wirtschafts- und sicherheitspolitische Interesse der USA gefährden könnten. Konkret wurde befürchtet, dass die am Projekt beteiligte US-Firma Boeing sensitives Datenmaterial der amerikanischen Raumfahrt an ihre russischen und ukrainischen Partner weitergegeben haben könnte. Die Untersuchung blieb ergebnislos.

Konkurrenz: Das Beispiel S. regte Raumfahrtexperten an, nach weiteren Alternativen zum Abschuss von Trägerraketen für Raumfahrtmissionen zu suchen. Wissenschaftler des Instituts für Luft- und Raumfahrt der Technischen Universität (Berlin) ließen zwei Kleinsatelliten (Gesamtgewicht: 11 kg) mit einer russischen Rakete vom Typ SS-N-23 in eine erdnahe Umlaufbahn transportieren. Die Rakete (max. Transportkapazität: 70 kg) wurde von einem russischen Atom-U-Boot (Typ Delphin) in der Nähe von Murmansk abgefeuert. Die Kosten für den Raketenstart wurden auf 500 000 Dollar beziffert. Die Betreiber der europäischen Rakete Ariane, Arianespace, planten eine Erweiterung ihres Weltraumbahnhofs Kourou (Franz.-Guyana), um die derzeitige Kapazität von max. 20 Raketenstarts pro Jahr zu erhöhen. Der Ausbau (Kosten für Abschuss- und Kontrolleinrichtungen: ca. 200–600 Mio DM) soll neben den Starts von Ariane-Rakten auch den Abschuss von russischen Sojus-Raketen ermöglichen, an deren Vermarktung Arianespace seit 1996 (franz.-russ. Joint-Venture-Unternehmen Starsem) beteiligt ist. Gegenüber anderen großen stationären Weltraumbahnhöfen (Baikonur/Kasachstan, Cape Canaveral/Florida, USA) begünstigt die Äquator nahe Lage des Weltraumbahnhofs Kourou den Start von Trägerraketen. Die Raketen erhalten durch die Erdrotation mehr Schwung und können deshalb größere Nutzlasten (gegenüber Cape Canaveral ca. 5–10%) ins All transportieren.

http://www.arianespace.fr

Religion/Sekten

Fiat Lux

(lat.; es werde Licht); 1980 von der Schweizerin Erika Bertschinger-Eicke alias Uriella gegründete Gemeinschaft mit Hauptsitz in Ibach (Schwarzwald)

Gerichtsurteil: Im Dezember 1998 verurteilte das Landgericht Mannheim die Gründerin der Sekte F. Uriella wegen Steuerhinterziehung von 1,2 Mio DM zu einer 22-monatigen Freiheitsstrafe auf Bewährung sowie zu einer Zahlung von 100 000 DM an eine gemeinnützige Einrichtung. Die mitangeklagte Privatsekretärin der F.-Gründerin und der Geschäftsführer des sekteneigenen, 1998 aufgelösten Heilmittelvertriebs Fiat Lux GmbH (Strittmatt) erhielten zur Bewährung ausgesetzte Haftstrafen von sieben bzw. elf Monaten und Geldbußen von 10 000 bzw. 15 000 DM. Als strafmildernd wertete das Mannheimer Gericht das Geständnis der Angeklagten und ihre religiöse Überzeugung.

Heilmittelschmuggel: Uriella hatte 1988–93 durch F.-Mitglieder sog. Heilmittel aus der Schweiz nach Deutschland schmuggeln lassen, um sie dort zu vertreiben. Die umstrittenen Substanzen waren in Deutschland nicht als Medikamente zugelassen. Den deutschen Zoll- und Finanzbehörden entgingen Einfuhr- und Umsatzsteuerabgaben in Millionenhöhe. Im Prozess hatten frühere F.-Mitglieder die Sektenführerin belastet. Sie habe die illegalen Importe als legitim erklärt, um den Willen des Heilands zu erfüllen. Die Aussteiger berichteten von der Ausübung psychischen Drucks auf F.-Mitglieder.

Sektenpraxis: F.-Gründerin Uriella betrachtet sich als Sprachrohr Gottes und Volltrancemedium. Die Sekte glaubt an einen bevorstehenden Weltuntergang. Die Zahl der Mitglieder von F. wurde 1998 auf etwa 700 geschätzt. Sie verzichten auf Alkohol, Nikotin und Fernsehen. Sektengründerin Uriella, die 1996 wegen fahrlässiger Tötung und Körperverletzung vor Gericht stand, aber freigesprochen wurde, lehnt die Schulmedizin ab.

Islam

(arabisch; Hingabe an Gott), vom arabischen Propheten und Prediger Mohammed (um 570–632) gegründete monotheistische Religion, die in über 80 Glaubensrichtungen aufgesplittert ist. Nach dem Christentum ist der I. mit rund 1 Mrd Angehörigen in 184 Ländern die zweitgrößte Glaubensgemeinschaft der Welt.

Islamische Welt: Ende 1998 sprach sich das pakistanische Parlament für eine Änderung der Verfassung und die Einführung des strengen islamischen Rechts (Scharia) aus. Im Zuge der Wirtschaftskrise in Indonesien und Malaysia, wo bis dahin ein gemäßigter I. vorherrschte, erstarkten 1998/99 islamische fundamentalistische Bewegungen und Parteien. In Indonesien wurden vereinzelt christliche Minderheiten durch die islamische Bevölkerungsmehrheit verfolgt.

Terror: Der von den islamistischen extremistischen Gruppen ausgehende Terrorismus erreichte 1998/99 eine neue politische Dimension. Eine »Internationale Islamische

▬ Islam-Unterricht

Im November 1998 gestand das Berliner Oberverwaltungsgericht der Islamischen Föderation zu, I. an Berliner Schulen zu erteilen. Nach Ansicht der Richter erfüllte der islamische Dachverband alle Merkmale einer Religionsgemeinschaft und dürfe deshalb nach Art. 4 GG I. erteilen. Da Religionsunterricht in Berlin nicht zu den schulischen Pflichtfächern zählt, liegen die Inhalte des I. in der alleinigen Verantwortung der Islamischen Föderation.

▶ **Diskussion:** Das Urteil setzte über Berlin hinaus eine Diskussion um I. an deutschen Schulen in Gang. Angesichts von 700 000 Schülern islamischer Religionszugehörigkeit (Stand: 1998) forderten Politiker aller Parteien und Vertreter der islamischen Organisationen die Aufnahme von I. als Pflichtfach, das nach den Grundsätzen der Religionsgemeinschaft in der Verantwortung des Staates gelehrt werden solle. Auch die beiden großen christlichen Kirchen sprachen sich für I. als Regelunterricht in deutscher Sprache aus.

Strukturen: Der Bedarf an Pädagogen wurde bei einer bundesweiten Einführung auf 4500 geschätzt; bis Mitte 1999 gab es an deutschen Hochschulen noch keinen Lehrstuhl für islamische Religionskunde. Als Hindernis erwies sich, dass der Islam keine Organisationsform kennt, die den christlichen Religionsgemeinschaften entspricht. Den Schulbehörden fehlte ein Ansprechpartner, der alle Muslime in Deutschland vertritt.

▶ **Praxis:** Um den Einfluss fundamentalistischer Koranschulen zurückzudrängen, wurde seit Mitte der 90er Jahre in der Mehrzahl der Bundesländer I. im Rahmen des freiwilligen muttersprachlichen Ergänzungsunterrichts (ME) angeboten. Er wurde meist von türkischen Lehrkräften in türkischer Sprache erteilt. Die Lehrpläne wurden in Kooperation mit dem türkischen Erziehungsministerium entwickelt. Einzig Nordrhein-Westfalen hatte für dieses Fach seit dem Schuljahr 1995/96 einen eigenen Lehrplan aufgestellt und eigene Lehrkräfte ausgebildet.

Front für den Heiligen Krieg gegen Juden und Christen« bekannte sich zu Terroranschlägen auf die US-amerikanischen Botschaften in Kenia und Tansania, bei denen Mitte 1998 etwa 260 Menschen starben. Führer und Finanzier der Gruppe war nach Einschätzung von US-amerikanischen Sicherheitsbehörden und Geheimdiensten der saudi-arabische Dissident und Multimillionär Usama bin Laden, der als einflussreichster Führer der islamistischen Untergrundbewegung gilt. Dagegen schworen inhaftierte Mitglieder der in Ägypten aktiven Gaamat al Islamia (lslamische Vereinigung) der Gewalt ab.

Deutschland: Die abnehmende Bindung an das Herkunftsland von Ausländern, die bereits in der zweiten und dritten Generation in der Bundesrepublik leben, sowie eine verstärkte Zuwanderung nichttürkischer Muslime führten Ende der 90er Jahre zur Entwicklung eines weniger den türkischen Traditionen verhafteten I. Der Zentralrat der Muslime in Deutschland richtete 1999 das Amt einer Frauenbeauftragten mit einer deutschen Muslimin ein.

Weitere Schwerpunkte der Arbeit in Deutschland tätiger islamischer Verbände waren 1998/99 die Einführung von Islam-Unterricht (in deutscher Sprache) an deutschen Schulen und politische Themen wie Einbürgerung und Doppelte Staatsbürgerschaft. Den Verbänden gehörten rund 15% der in Deutschland lebenden 2,5 Mio Muslime an (darunter etwa 1,9 Mio türkischer Herkunft).

■ **Bevölkerung** → Ausländer
■ **Extremismus** → Terrorismus

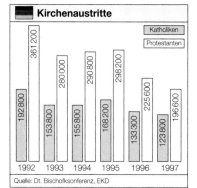

Kirchenaustritte

	Katholiken	Protestanten
1992	361 200	192 800
1993	280 000	153 800
1994	290 800	155 800
1995	298 200	168 200
1996	225 600	133 300
1997	196 600	123 800

Quelle: Dt. Bischofskonferenz, EKD

Bei insgesamt zurückgehender Zahl von Kirchenaustritten bis 1997 blieb das Verhältnis von Protestanten und Katholiken etwa gleich. Im Schnitt traten in den 90er Jahren knapp doppelt so viele Christen aus der evangelischen als aus der katholischen Kirche aus.

Kirche, Evangelische

Ende 1997 (letztverfügbarer Stand) war die K. mit 27,39 Mio Mitgliedern die größte christliche Glaubensgemeinschaft in Deutschland.

Bilanz: Erstmals seit Beginn der gesamtdeutschen Statistik (1992) fiel die Zahl der Kirchenaustritte Ende 1997 unter die Marke von 200 000. Um Einnahmeverluste aus dem geringeren Kirchensteueraufkommen auszugleichen, votierten 1998/99 die Landeskirchen in Bremen, Niedersachsen, Westfalen und im Rheinland für die Einführung des sog. Kirchgelds in glaubensverschiedenen Ehen. Außer in Bayern wird das Kirchgeld ab 2000 bundesweit von der K. erhoben.

Neue Bischöfin: Die amtierende Generalsekretärin des ev. Kirchentages, Margot Käßmann, wurde Mitte 1999 zur Bischöfin der Landeskirche Hannover gewählt.

Einigung: Mitte 1999 einigten sich die beiden großen Kirchen im fast 500 Jahre alten Streit über die Rechtfertigungslehre, d. h. in der Frage, ob der Mensch sein Heil durch Gottes Gnade (Martin Luther) oder durch gute Taten erreicht (katholischer Glaube). Mit der Formel, dass der Mensch unabhängig von Taten gerechtfertigt werde, akzeptierte die kath. Kirche einen Hauptgedanken der Reformation.

Sparmaßnahmen: Aufgrund der anhaltenden Finanznot der K. regte der Verband diakonischer Dienstgeber (VdDD) die Einführung eines neuen Verdienstmodells für Beschäftigte in kirchlichen Einrichtungen an. An die Stelle der Orientierung am Bundesangestelltentarif soll ein zweistufiges System aus Grundgehalt und leistungsbezogenem Zusatzentgelt treten (10–40% des Gesamtgehalts). Das Zusatzentgelt könnte nach der individuellen Leistungsbereitschaft des Mitarbeiters und der Leistung der Einrichtung bzw. einer Abteilung bemessen werden. 1998/99 beschäftigten die beiden großen christlichen Kirchen in Deutschland ca. 700 000 Arbeitnehmer.

Ostdeutschland: Die Frage, ob sich die K. als Minderheiten-K. in Ostdeutschland nach außen öffnen solle, spaltete die Landeskirchen der K. in den neuen Ländern. Die Debatte entzündete sich an einer für 1998 geplanten Sonntagspredigtreihe in Weimar, die von der zuständigen Thüringer Landeskirche untersagt wurde. Die Reihe sah vor, Prominente zu Bibelversen predigen zu lassen, z. B. auch Politiker wie Gregor Gysi (PDS).

Kommerzielle Priester: Anfang 1999 boten mehrere freikirchliche Priester in Deutschland via Internet Dienstleistungen an, u. a. Segnungen von Nichtkonfessionsangehörigen oder gleichgeschlechtlichen Lebensgemeinschaften im Rahmen von Eheschließungen außerhalb der Kirche. Während kirchliche Vertreter den Missbrauch der Sakramente zum Zweck einer glaubensentleerten Ritualisierung anprangerten, ergab eine Umfrage des Meinungsforschungsinstituts Emnid (Bielefeld) eine große Aufgeschlossenheit bei einem Drittel der Bevölkerung für kommerzielle priesterliche Dienste außerhalb der Kirchen.
http://www.ekd.de

Katholische Kirche weltweit[1]	
Gläubige	1, 05 Mrd
Anteil der Weltbevölkerung	17,3%
Anteil der Bevölkerung in:	
Nord- und Südamerika	62,9%
Europa	41,4%
Ozeanien	27,5%
Afrika	14,9%
Asien	3%
Pfarreien und kirchliche Zentren	334 680
Bischöfe	4420
Priester	404 208
Ständige Diakone	24 407
Ordensschwestern	819 278
Stand: 31.12.1997; Quelle: Päpstliches Jahrbuch 1999	

Kirche, Katholische

Größte christliche Glaubensgemeinschaft mit 1,05 Mrd Gläubigen weltweit. In Deutschland gehörten Ende 1997 (letzter verfügbarer Stand) 27,38 Mio Christen der K. an.

Deutschland: Priestermangel, Sparmaßnahmen durch erwartete Einbußen bei der Kirchensteuer und die Neuregelung der katholischen Schwangerschaftskonfliktberatung prägten die K. 1998/99. Mitte 1999 forderte die Katholische Frauengemeinschaft Deutschlands (KFD, Düsseldorf; Mitglieder: 750 000) die Zulassung von Frauen zu allen kirchlichen Ämtern; die Haltung des Vatikans (Nichtzulassung von Frauen zu Weihe- und Priesteramt) verletzte nach Meinung der KFD den biblischen Gleichheitsgedanken (Mann und Frau als Ebenbilder Gottes). Das Bistum Limburg startete 1999 ein auf fünf Jahre befristetes Modellprojekt, um das Fehlen von Priestern (1998: 175 Priester im Bistum; Prognose für 2007: 88 Priester) abzufedern. Kernpunkte des Konzeptes waren die Neugliederung der 368 Pfarreien zu 105 pastoralen Räumen sowie eine stärkere Kooperation von Seelsorge und karitativen Diensten, z. B. die Übertragung von Aufgaben im Bereich der Krankenhaus- und Schulseelsorge auf nichtgeweihte Mitarbeiter der K.
Johannes Paul II: Das Oberhaupt der K., Papst Johannes Paul II., beging 1998 sein 20jähriges Pontifikat. In den zurückliegenden zwei Jahrzehnten hat der Papst über 120 Länder bereist und 13 Enzykliken (päpstliche Rundschreiben) verfasst. Zuletzt sprach

er sich in der Enzyklika Fides et Ratio (Glauben und Vernunft, Oktober 1998) für eine Annäherung von Theologie und Philosophie aus und wandte die Disziplinen wie Logik, Sprachphilosophie und Anthropologie. Dagegen wurden philosophische Wissenschaftszweige wie der Nihilismus, die nicht von einer Werteordnung ausgehen, verurteilt.
Jahr 2000: In einer Verkündigungsbulle zum Jubeljahr 2000 räumte Papst Johannes Paul II. ein schuldhaftes Verhalten der K. ein, ohne explizit schwerwiegende Verfehlungen in der Geschichte der K., z. B. die Inquisition oder die Rolle der K. im Dritten Reich, zu nennen. Darüber hinaus forderte der Papst den Trialog von Christen, Juden und Muslimen. Zum Jubeljahr versprach das Oberhaupt der K. Rom-Pilgern den Ablass der Sünden. Insgesamt werden im Jahr 2000 voraussichtlich 30 Mio Katholiken Rom besuchen.
Ernennung: 1999 wurde der Bischof der Diözese Rottenburg-Stuttgart (2 Mio Mitglieder), Walter Kasper, in ein Amt der Römischen Kurie berufen. Welche Funktion der Bischof in der Kirchenverwaltung übernehmen wird, war Mitte 1999 noch unklar. Es wurde angenommen, dass Kasper als Sekretär dem »Päpstlichen Rat zur Förderung der Einheit der Christen« vorstehen wird, der sich mit Fragen der Ökumene (Zusammenarbeit mit anderen christlichen Glaubensrichtungen) beschäftigt.
http://www.katholische-kirche.de
http://www.vatican.va

Kirchenasyl

(Asyl, griech.; unter göttlichem Schutz stehender Ort), vorübergehende Schutzgewährung abgewiesener und von Abschiebung bedrohter Asylbewerber in Kirchen und Gemeinderäumen, um eine erneute Prüfung des Asylbegehrens oder eine andere humanitäre Lösung zu erreichen.

Der ökumenischen Bundesarbeitsgemeinschaft Asyl in der Kirche (BAG, Bonn) zufolge gewährten 1998 insgesamt 94 kath. und ev. Kirchengemeinden und Klöster 375 Flüchtlingen K. Im Jahr 1998 wurden 53 neue Stätten für K. eröffnet. 72% der Betoffenen kamen aus der Türkei und waren meist kurdischer Abstammung.

Bilanz: In 70% der K., die 1998 beendet wurden, konnten rechtliche und humanitäre Lösungen gefunden und eine Abschiebung verhindert werden. Davon betroffen waren 123 Personen. 13 K. mit 47 Personen endeten durch Abschiebung bzw. Rückkehr der Betroffenen in ihre Heimatländer. In zwei Fällen drang die Polizei in Kirchenräume ein, um einen Abschiebungsbeschluss zu vollstrecken. 51 K. mit 205 Betroffenen konnten 1998 nicht beendet werden. Lt. BAG war die Durchschnittsdauer von nicht beendeten K. 1998 gegenüber 1997 von zwölf auf 16 Monate gestiegen.

Standpunkte: Die Kommission Migration der Deutschen Bischofskonferenz bekräftigte Ende 1998 ihr Festhalten am K. als Akt der Flüchtlingsnothilfe. Die zeitlich begrenzte Aufnahme in eine Kirchengemeinde solle einem abgewiesenen Flüchtling, bei dem der Verdacht besteht, zu Unrecht abgelehnt worden zu sein, zu seinem Recht verhelfen. Kritik übte die Kirche an der in Deutschland 1998 betriebenen Flüchtlingspolitik, die den anerkannten Schutzbedürfnis der Betroffenen nach der Genfer Flüchtlingskonvention und anderen internatonalen Vereinbarungen nicht genüge. Die Position war kirchenintern umstritten. Der Fuldaer Bischof Johannes Dyba betonte, dass K. weder im kath. Kirchenrecht noch in der deutschen Rechtsordnung vorgesehen sei.

▰ Kirchenasyl: Flüchtlinge aus der Türkei		
1998	269, davon Kurden 251	375
1997	212, davon Kurden 179	334
1996	147, davon Kurden 137	294

Quelle: Ökumenische Bundesarbeitsgemeinschaft Asyl in der Kirche — ▮ Türkei ▯ Gesamt

BILANZ 2000

Verweltlichung und radikaler Glaubenskrieg

Zunehmende Profanisierung und gleichzeitig ein drastischer Anstieg ersatzreligiöser Bewegungen kennzeichnen Ende des 20. Jh. die Situation in den überwiegend christlich geprägten Industriestaaten, während sich im islamischen Raum fundamentalistische Strömungen verstärken. Auch den Hinduismus, die mit 12,9% der Weltbevölkerung drittgrößte Weltreligion nach Christentum (33,2%) und Islam (19,9%), prägen fundamentalistische Tendenzen. Trotz starken Zulaufs bei Sekten, religiösen Sondergemeinschaften, neuen Religionen und sog. Jugendreligionen ist das Christentum im ausgehenden 20. Jh. die mit Abstand stärkste religionspolitische Kraft in Europa: 82% der europäischen Bevölkerung bekennen sich zu der Gemeinschaft, in Deutschland waren es 1998 rund 70%.

Positive Trends

▶ 1900–98 blieb der Anteil der Christen an der Weltbevölkerung mit rund 33% konstant; bis 2035 wird ein Anstieg auf 35% erwartet.

▶ Randreligionen werden zunehmend akzeptiert; so ist seit 1995 im afrikanischen Staat Benin Voodoo offiziell als Religion neben Christentum und Islam anerkannt.

▶ Islam, Hinduismus und Buddhismus lehnen die negativen Auswirkungen der Säkularisierung (Materialismus, Konsumismus) ab.

Negative Trends

▶ Der Anteil der Nichtreligiösen an der Weltbevölkerung ist 1900–98 auf 15% leicht gestiegen.

▶ Die »neuen Religionen«, die seit den 60er Jahren das religiöse Vakuum in den Industriestaaten zu füllen versuchen, haben teilweise zur Bildung zahlreicher totalitärer Sekten geführt.

▶ Der islamische Fundamentalismus bringt in den christlichen Staaten den Islam in Verruf, da politischer Extremismus religiös verbrämt wird; 1900–98 stieg der Anteil des Islam an der Weltbevölkerung von 12% auf 19%; bis 2025 wird ein Anstieg auf 24% erwartet.

▶ Starkulte, Wissenschafts-, Fortschritts- und anderen »Gläubigkeiten« nehmen vermehrt quasireligiösen Charakter an; sie sind mit Glauben, Hoffnung, Liebe (Identifikation) u.a. religionsanalogen Erlebnissen verbunden.

Eröffnung des Zweiten Vatikanischen Konzils 1962 im Petersdom in Rom

Meilensteine

Auf der Suche nach verlorener Sinngebung

1905: Die Trennung von Staat und Kirche in Frankreich löst bürgerkriegsähnliche Unruhen aus; 1911 trennt auch Portugal, 1918 Sowjetrussland Staat und Kirche.

1907: Pius X. verurteilt die liberalen Grundlagen moderner Staaten und den »Modernismus« der Kirche.

1914: Die Zeugen Jehovas erwarten die Wiederkunft Christi (dann 1918, zuletzt 1975).

1924: Die Türkei schafft den Titel Kalif (Nachfolger Mohammeds) ab.

1928: Hasan al-Banna gründet die Muslimbruderschaft; sie kämpft mit z. T. terrostischen Mitteln für eine Islamisierung der Welt.

1929: Die Lateranverträge gründen den Stato della Città del Vaticano als einzigen Sakralstaat Europas.

1931: Papst Pius XI. betont in der Sozialenzyklika »Quadragesimo anno« die Notwendigkeit sozialstaatlicher Strukturpolitik.

1934: Die Bekennende Kirche organisiert den evangelischen Widerstand gegen das NS-Regime.

1950: Ron Hubbard (USA) begründet mit »Dianetics« Scientology.

1953: Gerald Gardner (GB) gründet die moderne Hexenreligion Wicca.

1954: Sun Myung Mun (ROK) gründet die Vereinigungskirche.

1958: Maharishi Mahesh Yogi (IND) gründet das Spiritual Regeneration Movement, dessen weltweite Jünger in den 60er Jahren transzendentale Meditation praktizieren.

1962–65: Das Zweite Vatikanische Konzil berät eine »Öffnung« der katholischen Kirche gegenüber der modernen Welt.

1974: Candra Mohan Rajneesh (IND) ruft die religiös-therapeutische Bhagvan-Bewegung ins Leben.

1979: Der Schiitenführer Khomeini proklamiert die Islamische Republik Iran; der Islam wird Staatsreligion.

1984: Sikh-Fundamentalisten erschießen die indische Ministerpräsidentin Indira Gandhi.

1988: Die Weihe von Priestern durch den Traditionalisten Marcel Lefebvre (F) provoziert ein Schisma in der katholischen Kirche.

1989: Der 14. Dalai-Lama, das politische und religiöse Oberhaupt des tibetischen Lamaismus, erhält den Friedensnobelpreis.

1996: Islamische Milizionäre proklamieren Afghanistan zum »Gottesstaat« und führen die strenge Scharia als Rechtssystem ein.

1999: Erstmals seit über 1000 Jahren begegnen sich ein Papst und das Oberhaupt einer orthodoxen Kirche.

Stichtag: 3. März 1924
Ende des Kalifats in der Türkei
1924 beschloss die türkische Nationalversammlung die Aufhebung des Kalifats. Seit dem Tod des Propheten Mohammed (632) war »Kalif« der Titel seiner offiziellen Nachfolger, im 16. Jh. ging er auf den osmanischen Sultan über: Während die Katholiken im Papst ihr geistliches Oberhaupt anerkennen, war der osmanische Sultan als Kalif geistiger Oberherr der (sunnitischen) Muslime. Alle Bestrebungen, das Kalifat wieder zu beleben, blieben erfolglos.

Stichwort: Bekennende Kirche
Widerstand gegen NS-Regime
Die evangelische Bekennende Kirche verkündete 1934 in Berlin-Dahlem das »kirchliche Notrecht« und protestierte gegen die Gleichschaltung der Kirchen durch das NS-Regime; sie bezeichnete Christentum und NS-Rassenlehre als unvereinbar, verwarf das Führerprinzip und den Arierparagraphen und rief dazu auf, dem vom NS-Staat eingesetzten »Reichsbischof« Ludwig Müller den Gehorsam zu verweigern. Zu den Gründern zählten Martin Niemöller, der 1938-45 in KZ-Haft war, und Dietrich Bonhoeffer, der 1945 im KZ hingerichtet wurde.

Stichwort: Vatikanisches Konzil
Kirchenfürsten in Klausur
Papst Johannes XXIII. eröffnete 1962 im Petersdom in Rom das Zweite Vatikanische Konzil. Die 2908 teilnahmeberechtigten Konzilsväter aus 133 Nationen berieten bis 1965 Reformen in der katholischen Kirche. 200 Theologen wurden als Berater hinzugezogen, darunter Hans Küng und Joseph Ratzinger. Zu den zentralen Ergebnissen zählte neben der Liturgiereform (Einführung der Landessprache anstelle des Lateinischen) die Öffnung gegenüber nichtkatholischen Kirchen und nichtchristlichen Religionen.

Kirchensteuer

Die beiden großen christlichen Kirchen in Deutschland dürfen als Anstalten des öffentlichen Rechts nach Art. 140 GG von ihren Mitgliedern K. erheben. Bemessungsgrundlage ist die Lohn- und Einkommensteuer. Der K.-Satz beträgt je nach Bundesland 8–9% der Einkommensteuer.

Steuerausfälle: Durch die von der rot-grünen Bundesregierung im Frühjahr 1999 verabschiedete Steuerreform rechneten Wirtschaftsforscher und Finanzexperten der Kirchen für 1999 mit einem Rückgang der K.-Einnahmen um ca. 310 Mio DM gegenüber dem Vorjahr. Nach Schätzungen büßen die Kirchen bis 2002 gegenüber dem alten Steuerrecht bis zu 2,6 Mrd DM ein. Zugleich rechneten die Kirchen mit einer Mehrbelastung ihrer Haushalte durch die geplante Ökosteuer. Sie warnten vor Einschränkungen im sozial-karitativen Bereich als Folge der K.-Ausfälle. 1998 verbuchten die Kirchen K.-Einnahmen von 7,8 Mrd DM (ev.) bzw. 8,4 Mrd. DM (kath.).

Diskussion: Die Klagen der Kirchen lösten 1998/99 eine politische Debatte über K. aus und führten zur Bildung einer Arbeitsgruppe aus Vertretern der Kirchen und der Finanzministerien der Länder. Der rheinland-pfälzische Ministerpräsident Kurt Beck (SPD) schlug vor, die K. an der tatsächlichen Höhe des Einkommens zu bemessen und nicht an der ermittelten Einkommensteuerschuld. Politiker von Bündnis 90/Die Grünen betonten, der Rückgang der K.-Einnahmen werde vor allem durch demographische Veränderungen in der Mitgliederentwicklung (Überalterung, Zahl der Aufnahmen und Austritte) der Kirchen beeinflusst. Allein durch Austritte verloren die kath. und die ev. Kirche in Deutschland von 1992–97 (letztverfügbarer Stand) 2,5 Mio Mitglieder.

  Steuern und Finanzen
  http://www.kirchen.de

Religionsunterricht

Nach Grundgesetz Art. 7 ist R. ein Pflichtfach an öffentlichen Schulen unter staatlicher Aufsicht nach den Grundsätzen der Religionsgemeinschaften. Kein Schüler kann zur Teilnahme verpflichtet werden; es entscheiden die Erziehungsberechtigten.

Verfassungsklagen: Der Streit um konfessionellen R. oder alternativen Ethikunterricht beschäftigte 1998/99 mehrfach das Bundesverfassungsgericht (BVerfG, Karlsruhe). Anfang 1999 wurden drei Verfassungsbeschwerden aus Bayern, Baden-Württemberg und Niedersachsen zum Ethikunterricht als Wahlpflichtfach wegen formaler und inhaltlicher Mängel abgelehnt. Die Kläger sahen in der Pflicht zur Teilnahme am Ethikunterricht bei Nichtbesuch des R. einen Verstoß gegen das Grundrecht auf Glaubens- und Gewissensfreiheit (Art. 4 GG). Bis Ende 1999 wurde eine Entscheidung des BVerfG zum Fach LER (Lebensgestaltung–Ethik–Religionskunde) erwartet, das in Brandenburg seit 1996/97 anstelle des konfessionsgebundenen R. Schulpflichtfach ist.

LER: Im Schuljahr 1998/99 wurde an 250 brandenburgischen Schulen (+47% gegenüber 1997/98) ab der 7. Klasse LER unterrichtet. Fünf Grundschulen und zwei Schulen für Lernbehinderte beteiligten sich an einem zweijährigen Modellversuch zum LER-Unterricht bereits ab der 1. Klasse als Bestandteil des Sachkundeunterrichts. Unter Berufung auf Art. 7, III GG hatten einzelne ev. Landeskirchen und kath. Bistümer sowie Eltern und Schüler 1996/97 Verfassungsbeschwerde eingelegt. Darüber hinaus lag dem BVerfG Mitte 1999 ein von ca. 170 Bundestagsabgeordneten gestellter Normenkontrollantrag vor.

Berlin: Ende 1998 forderten die beiden großen christlichen Kirchen die Einführung von Ethik/Religion als Pflichtunterricht an Berliner Schulen. In der neuen Fächergruppe sollen R. nach Glaubenszugehörigkeit (z. B. ev., kathol., islam. R.) sowie Ethik/Philosophie gleichrangig verteten sein. Auch der Berliner Senat plante die Angleichung des Landesschulgesetzes im Fach Religion an die in anderen Bundesländern geltende Regelung nach Art. 7 GG. Nach der sog. Bremer Klausel (Art 141 GG) war R. in Berlin bis 1998/99 kein Pflichtfach. Es wurde wahlweise in Verantwortung der Religionsgemeinschaften angeboten.

http://www.ekibb.de

Schwangerschafts-konfliktberatung

Gesetzlich vorgeschriebene Beratung von Schwangeren in einer Not- und Konfliktlage, die einen Schwangerschaftsabbruch erwägen.

Neuregelung: Im Juni 1999 stimmte die Deutsche Bischofskonferenz der Forderung des Vatikans nach einer Zusatzformulierung auf dem Beratungsschein zu, wonach der Schein nicht für eine straffreie Abtreibung benutzt werden dürfe. Der Zusatz soll die Haltung der kath. Kirche zum Schwangerschaftsabbruch als Tötung von ungeborenem Leben unmissverständlich zum Ausdruck bringen. Das von den Bischöfen nach mehrfacher Kritik des Papstes im Februar 1999 vorgelegte Modell zur S. in kath. Einrichtungen hielt der Vatikan nicht für ausreichend.

Modell: Das von einer Arbeitsgruppe aus Bischöfen und Laien in zwölf Monaten erarbeitete Modell sah u. a. vor, den bis dahin ausgestellten Beratungsschein durch einen detaillierten Beratungs- und Hilfeplan zu ersetzen, der rechtsverbindliche Zusagen zur Unterstützung der Schwangeren bis zum dritten Lebensjahr des Kindes enthält. Dadurch sollten schwangere Frauen zum Austragen des Kindes ermutigt werden.

Reaktionen: Der Beschluss, die vom Papst verlangte Zusatzformulierung in den Text des Beratungsscheins aufzunehmen, stieß bei kath. Laienverbänden, Politikern, Ärzten und Juristen überwiegend auf Kritik. Es wurde beklagt, dass ein innerkirchlicher Konflikt auf die staatliche Ebene verlagert worden sei und die betroffenen Frauen verunsichere. In Frage gestellt wurde auch, ob die Beratung im Sinne des Gesetzes noch ergebnisoffen geführt werden könne und ein Verbleib der kath. Kirche in der S. weiter möglich sei. Die Laienorganisation Kritische Katholiken verlangte, die kath. Beratungsstellen auf von den Bischöfen und dem Vatikan unabhängige kath. Laienorganisationen zu übertragen.

Beratungsalltag: Nach Angaben des Deutschen Caritasverbandes (DCV, Freiburg) wurden 1997 in den 270 kath. Beratungsstellen 116 300 schwangere Frauen betreut; rund 21 000 (17%) hatten eine Stelle zur Pflichtberatung im Schwangerschaftskonflikt (§219 StGB) aufgesucht. In 76% der Gespräche wurde ein Beratungsschein ausgestellt. Zwei Drittel der Frauen erwogen eine Abtreibung wegen finanzieller Probleme. 39% der Frauen, die eine S. in einer kath. Beratungsstelle gesucht hatten, waren Katholikinnen, 18% Prostestantinnen und 12% Musliminnen.

> **Frauen   Gesundheitswesen**
> → Schwangerschaftsabbruch
> **http://www.katholische-kirche.de**

Scientology: Wichtige Organisationen

▶ **Association for Better Living and Education (ABLE):** Dachverband der Scientology-Firmen im sozialen und Bildungsbereich. Dazu gehören u. a. Criminon (Wiedereingliederung von Straftätern), KVPM (Kommission für Verstöße der Psychiatrie gegen Menschenrechte; rund 8 Niederlassungen in Deutschland), Narconon (Drogentherapie; eigenes Therapienzentrum in Deutschland), ZIEL (Zentrum für individuelles und effektives Lernen)

▶ **Church of Scientology International:** Mutterkirche, welche die Expansion und Aktivitäten der Kirchen, Missionen und Organisationen wie Di-

anetik-Zentren weltweit plant und koordiniert. In Deutschland hatte 1998 sieben Kirchen, zehn Missionen und drei Celebtriy-Center betrieben.

▶ **Religious Technology Center (RTC):** Regelt Lizenzvergabe zum Gebrauch der Waren- und Dienstleistungszeichen für Kurse, Tests, E-Meter, Bücher an alle Scientology-unternehmen.

▶ **World Institute of Scientology Enterprises (WISE):** Dachverband der nach Scientology-Methoden arbeitenden Wirtschaftsunternehmen. In Deutschland gehörten WISE 1998 ca. 150 Firmen an.

Quelle: Bundesministerium für Familie, Frauen, Senioren und Jugend

Scientology

1954 vom US-Science-Fiction Autor L. Ron Hubbard gegründete Organisation mit nach eigenen Angaben 8 Mio, in Deutschland 30 000 Mitgliedern

Ziele: S. will Mitgliedern durch einen psychischen Reinigungsprozess die Erhöhung der Intelligenz und geistige Freiheit vermitteln. Im November 1998 beschlossen die Innenminister von Bund und Ländern, die Beobachtung von S. in Deutschland durch den Verfassungsschutz fortzusetzen. Nach einjähriger Observation von S. hielten die Behörden die weitere Überwachung für angezeigt, weil S. eine Gesellschaftsordnung anstrebe, welche die Demokratie ersetzen solle und die innere Sicherheit Deutschlands gefährde. Eine systematische Unterwanderung von Politik, Wirtschaft und Gesellschaft durch S., wie von Sektenkritikern befürchtet, konnte nicht festgestellt werden.

Ergebnisse: Nach Erkenntnissen der Verfassungsschützer hatte S. 1998 in Deutschland mit 5000–6000 Mitgliedern weniger Anhänger als angenommen. Bis Ende 1998 waren bundesweit rund 40 Fälle von Mitarbeitern des öffentlichen Dienstes bekannt geworden, die S. angehörten. 150 meist mittelständische Firmen in Deutschland gehörten dem wirtschaftlichen Dachverband von S. an (World Institute of Scientology Enterprises, WISE), vor allem im Immobiliensektor, in Unternehmensberatung und Werbung sowie im Datenverarbeitungsbereich.

Aussteiger: 1998/99 wurde eine steigende Zahl von Aussteigern registriert. Sie lehnten die Organisationsstruktur von S. ab, betrachteten aber die philosphische Lehre und die psychologischen Techniken Hubbards als wertvoll und boten Kurse sowie Gesprächstherapien an. Als bekanntester Verband von Aussteigern galt der Verein Freie Zone (Sitz: Bayern).

Urteil: Nach einer Entscheidung des Bundesverfassungsgerichts (BVerfG, Karlsruhe) von Ende 1998 stellt die fälschliche öffentliche Bezeichnung eines Bürgers als S.-Mitglied eine Verletzung des Persönlichkeitsrechts dar. Dieses Grundrecht habe bei Werturteilen Vorrang vor der Meinungsfreiheit. Der in Deutschland lebende österreichische Künstler Gottfried Helnwein hatte Verfassungsbeschwerde eingelegt, nachdem das Oberlandesgericht Frankfurt seine Unterlassungklage abgewiesen hatte. Helnwein hatte gegen zwei Vereine geklagt, die dem Künstler öffentlich Verbindungen zu S. nachgesagt hatten.

http:///www.jura.uni.sb.de

Sekten

Religiös-weltanschauliche Glaubensgemeinschaften mit Selbstverwirklichungs- und Heilversprechungen

In Deutschland waren Ende der 90er Jahre rund 300 S. und Psychogruppen mit 1,5 Mio bis 2,5 Mio Mitgliedern aktiv. Behörden beobachteten 1998/99 einen weltweiten Anstieg von S. mit Endzeitvisionen.

Jahr 2000: Kurz vor dem Jahrtausendwechsel wurde weltweit eine Zunahme von Massenselbstmorden befürchtet. Ende 1998 wurden in Seoul (Südkorea) 7 Mitglieder der S. »Kirche des ewigen Lebens« tot geborgen. Weitere Anhänger blieben verschwunden. In Denver (Colorado, USA) wurden 56 Anhänger der S. »Concerned Christians« vermisst; zehn Mitglieder tauchten in Jerusalem auf. Die israelischen Behörden wiesen auf das Gefahrenpotenzial für Jerusalem hin, das von S. ausgehe, die das Ende des 20. Jh. fürchteten. 2000 wurden dort Millionen Pilger erwartet.

Deutschland: Auch in Deutschland waren Kollektivselbstmorde nach Ansicht von S.-Beauftragten der Bundesländer nicht auszuschließen. Eine entsprechende Ideologie vertrat z. B. der in Eckernförde (Schleswig-Holstein) ansässige »Verein zur Errichtung des geistchristlichen Zentrums Metharia«, der 1998 bundesweit 200 Mitglieder hatte. Nach der Lehre der S.-Gründerin Edeltraud Schröder werden die Anhänger als Geistwesen vor der Apokalypse durch Außerirdische vom Planeten Metharia gerettet.

http://www.ekd.de./ezw

Vereinigungskirche (Mun)

Südkorean. Sekte, in Deutschland Vereinigungskirche genannt. Sektengründer und -führer Sun Myung Mun versteht sich als Stellvertreter Gottes, der die Menschheit vom Bösen befreit. Von ihm ausgewählte Paare (Massenadoption) sollen die neue Menschheit zeugen.

Ende der 90er Jahre strich die Sekte das spirituelle Element »Kirche« aus ihrem internationalen Namen und firmiert seitdem als »Association of Families for Unification and World Peace« (engl.; Familienverband für Vereinigung und Weltfrieden).

Umzug: 1998 verlegte die Mun-Sekte ihren Sitz von den USA in den brasilianischen Bundesstaat Mato Grosso Do Sul. Auf einem 800 km^2 großen Gelände entstand das Zentrum »New Hope«, das einigen tausend Menschen Platz bietet. Nach Schätzungen von US-Behörden investierte Sektenführer Sun Myung Mun, der ein weltweit operierendes Wirtschaftsimperium führt, 25 Mio Dollar in den Aufbau des Zentrums. Als Grund für den Umzug wurden wirtschaftliche Erwägungen vermutet. Mun suchte von Brasilien aus in ganz Lateinamerika Fuß zu fassen. Außerdem war die Zahl seiner Anhänger in den USA stark rückläufig (ca. 3000 Mitglieder 1998/99, weltweit ca. 500 000). Dem deutschen Ableger V. gehörten 1998 nach Schätzungen einige hundert Mitglieder an.

Sekten: Gruppen mit destruktiven Tendenzen

Experten stufen Sekten als problematisch bzw. gefährlich ein, auf die folgende Kriterien zutreffen:

▸ **Ideologie:** Allmachtsphantasien, Wahrheitsmonopol, Schwarz-Weiß-Denken, Endzeitvision, Rettungsplan für Gläubige, expansiver Machtanspruch

▸ **Zentralfigur:** Führerkult, Anspruch absoluter Loyalität, autoritärer Führungsstil, idealisierende Verehrung der Führerfigur

▸ **Gruppenstruktur:** Abschottung nach außen, gegenseitige Überwachung und Kontrolle innerhalb der Gruppe, ausgeprägte Hierarchien, Gruppe versteht sich als Elite, Ausbeutung, Zwang zu illegalen Tätigkeiten

▸ **Bewusstseinskontrolle:** Entindividualisierung, Einflussnahme auf das Alltagsleben, materielle Abhängigkeit, Bruch mit persönlicher Lebensgeschichte, Zuweisung einer neuen Identität/Name, magisches Denken

▸ **Persönlichkeitsveränderung:** Anwendung von emotionalisierenden, euphorisierenden und bewußtseinsverändernden Techniken, wiederholte Labilisierung durch z. B. Fasten, Schlafentzug, um Ziel, ein spirituelles Erlebnis herbeizuführen, das die Gruppenideologie festigt.

▸ **Außenkontakte:** Manipulative Anwerbemethoden, Bunkermentalität, Bedrohung von Aussteigern, Einschüchterung von Kritikern.

Quelle: Das Parlament, 21.8.1998

Altersvorsorge

Privatvorsorge: Nach einer noch von der alten christlich-liberalen Bundesregierung in Auftrag gegebenen Studie zur Altersvorsorge in Deutschland verfügten Ende der 90er Jahre 59% der Männer und 52% der Frauen in West- sowie 64% der Männer und 52% der Frauen in Ostdeutschland unter den rentennahen Jahrgängen 1936–55) über eine private Altersvorsorge. Auf Kritik auch innerhalb der rot-grünen Bundesregierung stieß der von Bundesarbeitsminister Walter Riester (SPD) vorgelegte Plan zur Einführung eines Pflichtbeitrags der Arbeitnehmer zur privaten Altersvorsorge (ab 2003 zunächst 0,5%, bis 2007 2,5% des Bruttoeinkommens). Das Vorhaben wurde daraufhin noch im Juni 1999 wieder zurückgezogen. Geblieben ist nur die Absicht, durch steuerliche und staatliche Förderung »solidarische Hilfe« für zusätzliche Eigenvorsorge zu leisten.

Betriebliche Altersvorsorge: Nach der Studie zur Altersvorsorge hatten Ende der 90er Jahre 36% der Männer und 9% der Frauen in West-, aber nur 4% der Männer und 2% der Frauen in Ostdeutschland Anspruch auf eine Zusatzversorgung über Betriebsrenten.

Als Instrument der betrieblichen A., die zuvor in Deutschland gesetzlich nicht möglich war, wurde 1998 der von Vertretern unterschiedlicher Parteien, Arbeitgeberverbänden und Gewerkschaften gleichermaßen favorisierte Pensionsfonds diskutiert. Nach amerikanischem Muster sollen Betriebsrenten durch eine externe Kapitalanlage finanziert werden. Allerdings müssten durch die Fonds auch das Hinterbliebenen- und Invaliditätsrisiko abgesichert und eine Mindestrente garantiert sein.

Tariffonds: Im Herbst 1998 legte Bundesarbeitsminister Riester ein Modell zur Schaffung von Tariffonds vor. In Tarifvereinbarungen sollten Arbeitgeber und Arbeitnehmer sich verpflichten, Teile von Lohnsteigerungen einem Fonds zuzuführen, mit dem die Abschläge für Frührentner in der ge-

setzlichen Rentenversicherung ausgeglichen werden. Soweit das Fondsvermögen nicht dafür ausgegeben wird, soll es als Deckungskapital für eine zusätzliche eigene A. der einzahlenden Arbeitnehmer verwendet werden. Das vermehrte Ausscheiden älterer Arbeitnehmer dank der mit dem Tariffonds erreichten vollen Rente mit 60 Jahren werde die Chancen Jüngerer auf dem Arbeitsmarkt erhöhen. Nach Kritik von Gewerkschaften und Arbeitgebern an dem Modell, das schwer handhabbar sei und die Lohnnebenkosten weiter in die Höhe treibe, wurden die Tariffonds von der Bundesregierung im Rahmen der Gespräche über ein Bündnis für Arbeit bis Mitte 1999 nicht weiter verfolgt.

Rentenversicherung

Das unter der alten christlich-liberalen Bundesregierung beschlossene Rentenreformgesetz, das durch Berücksichtigung eines demographischen Faktors (Alterung der Gesellschaft) eine schrittweise Senkung des Rentenniveaus ab dem 1.7.1999 vorsah, wurde unter der neuen rot-grünen Bundesregierung bis zu einer für 2001 geplanten Neuregelung ausgesetzt.

Rücknahmen: Ein Gesetz zur Rücknahme der Reform trat nach Verabschiedung durch den Bundestag und Billigung durch den Bundesrat zum 1.1.1999 in Kraft. Die unter der alten Bundesregierung beschlossenen Kürzungen bei den Berufs- und Erwerbsunfähigkeitsrenten sowie die Anhebung der

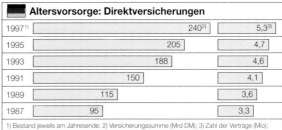

Altersvorsorge: Direktversicherungen

Jahr	Versicherungssumme (Mrd DM)	Zahl der Verträge (Mio)
1997[1]	240[2]	5,3[3]
1995	205	4,7
1993	188	4,6
1991	150	4,1
1989	115	3,6
1987	95	3,3

1) Bestand jeweils am Jahresende; 2) Versicherungssumme (Mrd DM); 3) Zahl der Verträge (Mio); Quelle: Gesamtverband der Deutschen Versicherungswirtschaft (Bonn)

Der betrieblichen Altersvorsorge dient die direkte Lebens- oder private Rentenversicherung, die der Arbeitgeber für den Arbeitnehmer abschließt, wobei er den Prämienbetrag von dessem Gehalt abzieht. Der Gehaltsanteil wird pauschal mit 20% (inkl. Solidaritätszuschlag von 22,5%) belegt und unterliegt nicht der Lohn- bzw. Einkommensteuer. Es besteht kein Rechtsanspruch auf eine Direktversicherung.

Altersgrenze für Schwerbehinderte von 60 auf 63 Jahre wurden ebenfalls revidiert. Kindererziehungszeiten werden, wie unter der CDU/CSU/FDP-Koalition vereinbart, ab 2000 zu 100% (vorher: 75%) angerechnet und bei der Rentenberechnung auch dann berücksichtigt, wenn der Erziehende seine Berufstätigkeit nicht unterbrochen hat.

Beitragssenkung und Finanzierung: Der Beitragssatz zur R. wurde zum 1.4.1999 von 20,3 auf 19,5% des Bruttoarbeitsentgelts gesenkt. Zur Entlastung der Rentenkassen überweist der Bund für Kindererziehungszeiten ab 1.6.1999 echte Beiträge und erstattet der R. einigungsbedingte Leistungen (Auffüllbeträge zu Ostrenten, Leistungen gemäß SED-Unrechtsbereinigungsgesetz) von 2,5 Mrd DM. Zur Finanzierung der Beitragssenkung stiegen im Zuge der Ökosteuerreform ab 1.4.1999 die Energiepreise. Nach dem im Juni 1999 vom Bundeskabinett gebilligten Rentenkonzept von Bundesarbeitsminister Walter Riester (SPD) sollen die Beiträge bis 2003 durch Einnahmen aus der Ökosteuer um einen weiteren Prozentpunkt gesenkt werden.

Ausweitung der Versicherungspflicht: Zusätzliche Einnahmen hatten die Rentenkassen durch den Einbezug der geringfügigen Beschäftigungsverhältnisse in die Sozialversicherung (ab 1.4.1999) und die Neuregelung zur Scheinselbstständigkeit (ab 1.1.1999), mit der Betroffene leichter in die Sozialversicherung einbezogen werden können und arbeitnehmerähnliche Selbstständige (u. a. freiberuflich Tätige mit nur einem Auftraggeber) rentenversicherungspflichtig werden.

Rentenerhöhung: Die Altersrenten wurden zum 1.7.1999 in Anlehnung an die Nettolohnentwicklung in Westdeutschland um 1,34%, in Ostdeutschland um 2,79% angehoben. Die Standardrente, der 45 Versicherungsjahre mit Durchschnittslohn zugrunde liegen, stieg von 1980 auf 2008 DM (West) bzw. von 1694 auf 1741 (Ost). Die Standard-Ostrente erreichte 1999 ein Niveau von 86,7% (1998: 85,6%) der Westrente. Die rot-grüne Bundesregierung plante Mitte 1999, in den Jahren 2000 und 2001 die Koppelung der Renten an die Nettolohnentwicklung auszusetzen und sie nur entsprechend dem Anstieg der Lebenshaltungskosten anzupassen. Danach würden die Renten 2000 voraussichtlich um 0,7% statt 3,7% und 2001 um 1,6% statt 3,5% steigen. Das Rentenniveau (Durchschnittsrente im Verhältnis zum Durchschnittslohn) ginge von 70 auf 66–67% zurück.

Bemessungsgrenzen: Die Grenzen, bis zu denen die Beiträge zur R. zu entrichten sind, stiegen zum 1.1.1999 von 8400 auf 8500 DM (West) bzw. von 7000 auf 7200 DM (Ost). In der knappschaftlichen Rentenversicherung wurden die Kappungsgrenzen für Rentenbeiträge von 10 300 auf 10 400 DM (West) bzw. von 8600 auf 8800 DM (Ost) erhöht.

DDR-Sonderrenten: Das Bundesverfassungsgericht (BVerfG, Karlsruhe) erklärte die Überleitung der Ost-Renten ins bundesdeutsche Rentensystem in vier am 28.4.1999 erlassenen Urteilen z. T. für verfassungswidrig. Die Rentenüberleitung wurde im Prinzip bestätigt, einzelne Berechnungsmethoden zur Kürzung von Sonderrenten sog. systemnaher Personen (Stasi-Mitarbeiter, Angehörige des Staatsapparats, Wissenschaftler) wurden jedoch für nichtig erklärt bzw. müssen bis 30.6.2001 neu geregelt werden. 330 000 Rentner sowie bis zu 2 Mio Erwerbstätige in den neuen Bundesländern können mit höheren Renten rechnen.

http//www.vdr.de
http//www.bma.de

Rentenversicherung: Reformvorschläge

▸ **Soziale Grundsicherung:** Nach den von Bundesarbeitsminister Walter Riester (SPD) vorgelegten, im Juni 1999 vom Bundeskabinett gebilligten Eckpunkten zu einer für 2001 geplanten Rentenreform soll die gesetzliche Rente durch die Einführung einer bedarfsorientierten sozialen Grundsicherung, die aus Steuern finanziert wird, »armutsfest« gemacht werden.

▸ **Hinterbliebenenrente:** Nach den Plänen Riesters sollen Ehegatten, die ihre Ehe nach dem In-Kraft-Treten der Reform schließen, zwischen drei Modellen wählen können. Beim Partnerschaftsmodell werden die während der Ehe erworbenen Rentenansprüche schon zu Lebzeiten beider Ehegatten hälftig geteilt; beim Tod eines Partners erhält der Überlebende eine Rente von 75% der gemeinsam erworbenen Ansprüche. Beim Teilhabemodell behält jeder zu Lebzeiten seine eigenen Ansprüche. Beim Tod eines Partners bekommt der Überlebende eine Rente von 70% aller vor und in der Ehe von beiden erworbenen Ansprüche. Beim Unterhaltsersatzmodell erhält jeder Ehegatte beim Tod des Partners seine volle eigene Rente und zusätzlich eine 60%-ige Hinterbliebenenrente aus der Anwartschaft des Verstorbenen; bei der über einem Freibetrag von 630 DM werden voll angerechnet.

▸ **Kapitaldeckung:** Die alte christlich-liberale und die neue rot-grüne Bundesregierung wollten am der Umlagefinanzierung der Rentenversicherung (»Generationenvertrag«) festhalten. Doch wurden 1998/99 Elemente der kollektiven Vorsorge für den eigenen Lebensabend durch Kapitalanlage diskutiert.

▸ **Ausweitung der Versicherungspflicht:** Erörtert wurden Vorschläge zur Einführung einer Volksversicherung, die nach Schweizer Vorbild mit einem deutlich gesteigerten Beitragssatz alle Bevölkerungsschichten (auch Beamte, Selbstständige u. a.) zur Altersvorsorge verpflichtet.

Sozialabgaben

Beiträge zur gesetzlichen Renten-, Kranken-, Pflege- und Arbeitslosenversicherung, von Arbeitnehmern und Arbeitgebern je zur Hälfte zu entrichten.

Die S.-Quote erhöhte sich 1998 in Deutschland geringfügig auf 42,0% (1997: 41,8%) des Bruttoverdienstes in West- und 42,4% (1997: 42,2%) in Ostdeutschland; sie erreichte damit einen neuen Höchststand. Zum 1.4.1999 verringerte sie sich durch die Senkung des Rentenbeitragssatzes um 0,8 Prozentpunkte. Politiker der etablierten Parteien, Arbeitgeber, Gewerkschaften und die Bundesanstalt für Arbeit (BA, Nürnberg) sehen in den hohen S. ein Hemmnis für die Belebung des Arbeitsmarktes.

Sätze: Die Senkung der Rentenbeiträge von 20,3% auf 19,5% des Bruttoverdienstes erfolgte im Rahmen der ersten Stufe der Ökosteuerreform. Die Beiträge zur Pflegeversicherung (1,7%) blieben seit 1996, die zur Arbeitslosenversicherung (6,5%) seit 1977 bis Mitte 1999 stabil. Die Beiträge zur Krankenversicherung erhöhten sich 1998 im Vergleich zum Vorjahr in Deutschland im Schnitt auf 13,5% (1997: 13,3%), in Ostdeutschland auf 13,9% (1997: 13,7%).

Höchstbeiträge: Zum 1.1.1999 wurden die Beitragsbemessungsgrenzen, bis zu deren Höhe die S. berechnet werden, erhöht: in Westdeutschland in der Renten- und Arbeitslosenversicherung von 8400 DM auf 8500 DM (D-Ost: 7200 DM statt 7000 DM), in der Kranken- und Pflegeversicherung von 6300 DM auf 6375 DM (D-Ost: 5400 DM statt 5250 DM).

Gerichtsurteile: Durch 1999 gefällte bzw. zu erwartende Urteile des Bundesverfassungsgerichts (Karlsruhe) könnten auf die Sozialversicherungsträger weitere Belastungen zukommen:

– Das sog. Familien-Urteil vom Januar 1999 führt durch die steuerliche Entlastung der Löhne zum rein rechnerischen Anstieg der an die Nettoeinkommen gekoppelten Rentenbeiträge um fünf Prozentpunkte.

– Die Urteile zu den DDR-Sonderrenten vom April 1999 bedeuten voraussichtlich eine Belastung der Rentenkassen in dreistelliger Millionenhöhe.

– Das noch ausstehende Urteil über die Sozialabgaben auf Weihnachts- und Urlaubsgeld könnte zur Beitragserhöhung um 0,5 bzw. 1,7 Punkte führen. Bislang wurden auf Sonderzahlungen volle Sozialabgaben

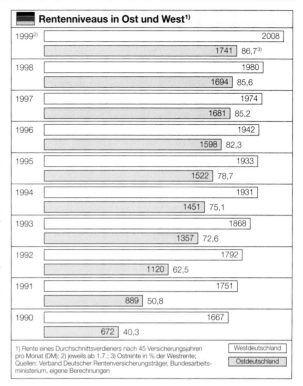

Rentenniveaus in Ost und West[1]

	Westdeutschland	Ostdeutschland
1999[2]	2008	1741 86,7[3]
1998	1980	1694 85,6
1997	1974	1681 85,2
1996	1942	1598 82,3
1995	1933	1522 78,7
1994	1931	1451 75,1
1993	1868	1357 72,6
1992	1792	1120 62,5
1991	1751	889 50,8
1990	1667	672 40,3

1) Rente eines Durchschnittsverdieners nach 45 Versicherungsjahren pro Monat (DM); 2) jeweils ab 1.7.; 3) Ostrente in % der Westrente; Quellen: Verband Deutscher Rentenversicherungsträger, Bundesarbeitsministerium, eigene Berechnungen

erhoben, ohne dass daraus zusätzliche Leistungen resultieren.

– Die finanziellen Folgen des noch ausstehenden Urteils über die Besteuerung von Renten waren Mitte 1999 nicht abschätzbar. Renten wurden bis dahin nur im Ertragsanteil, Beamtenpensionen dagegen voll versteuert.

Seit der deutschen Vereinigung (1990) stiegen die Renten in Westdeutschland um 20%, in Ostdeutschland um 159%.

Sozialhilfe

Um finanzielle Anreize zur Arbeitsaufnahme von S.-Empfängern zu schaffen, wurde 1998/99 in Deutschland die staatliche Subventionierung von Sozialversicherungsbeiträgen im Niedriglohnsektor diskutiert. Damit würde sich der Abstand zwischen S. und Netto-Arbeitseinkommen vergrößern. U. a. von IG-Metall-Chef Klaus Zwickel wurde eine Streichung bzw. Kürzung der S. von ausbildungsunwilligen Jugendlichen vorgeschlagen.

Ausgaben: Die Aufwendungen für S. gingen 1997 gegenüber dem Vorjahr zum zweiten Mal in Folge zurück, um 11% auf 44,4 Mrd DM (1996: -4,5%). Von den Ausgaben entfielen 20,2 Mrd DM auf laufende Hilfe zum Lebensunterhalt, 24,2 Mrd DM auf Hilfe in besonderen Lebenslagen. Ursache war die Entlastung der S. durch die Pflegeversicherung, die 1997 erstmals in der ambulanten und stationären Versorgung für ein volles Jahr wirksam wurde.

Empfänger: Laufende Hilfe zum Lebensunterhalt (S. im engeren Sinne) bezogen nach Anfang 1999 veröffentlichten Angaben des Statistischen Bundesamtes (SB, Wiesbaden) 1997 in Deutschland 2,89 Mio Menschen (1996: 2,72 Mio), rund 3,5% der Bevölkerung. Pro Monat erhielt jeder S.-Empfänger im Schnitt 787 DM. 37% waren Kinder und Jugendliche unter 18 Jahren, von denen fast die Hälfte in Haushalten von allein erziehenden Müttern lebten. Fast jede dritte Alleinerziehende war auf Hilfen zum Lebensunterhalt angewiesen. Knapp 1 Mio S.-Empfänger könnten nach SB-Schätzungen eine Beschäftigung aufnehmen, wenn geeignete Arbeitsplätze bereit stünden.

http://BMGesundheit.de

Sozialstaat: Abgabenquote in der EU

Durchschnitt		42,6[1]
Belgien	🇧🇪	46,6
Dänemark	🇩🇰	53,1
Deutschland	🇩🇪	41,6
Finnland	🇫🇮	47,5
Frankreich	🇫🇷	46,3
Griechenland	🇬🇷	k.A.
Großbritannien	🇬🇧	35,9
Irland	🇮🇪	34,1
Italien	🇮🇹	44,5
Luxemburg		45,6
Niederlande	🇳🇱	45,9
Österreich	🇦🇹	44,9
Portugal	🇵🇹	37,9
Schweden	🇸🇪	54,1
Spanien	🇪🇸	36,2

1) Steuern und Abgaben (% des BIP 1997); Quelle: Eurostat

Mit einer Steuer- und Abgabenquote von 41,6% des Bruttoinlandprodukts lag Deutschland 1997 knapp unter dem EU-Durchschnitt. Gegenüber 1996 stieg die Abgabenquote im EU-Durchschnitt um 0,2 Prozentpunkte, wobei steigende Steuern durch sinkende Sozialabgaben ausgeglichen wurden.

Sozialleistungsmissbrauch

Inanspruchnahme von Sozialleistungen wie Sozialhilfe oder Arbeitslosenunterstützung ohne gesetzliche Voraussetzungen sowie Umgehung von Beitragszahlungen zu den Sozialversicherungen durch illegale Beschäftigung oder Scheinselbstständigkeit.

Zentraldatei: Die vom Verband Deutscher Rentenversicherungsträger (VDR, Frankfurt/M.) in Würzburg eingerichtete Zentraldatei wurde Mitte 1998 bereits von 200 Kommunen genutzt. Zum 1.1.1998 war eine Änderung des Bundessozialhilfegesetzes in Kraft getreten, die zur Aufdeckung von S. Datenabgleich zwischen den statistischen Ämtern von Bund, Ländern und Kommunen sowie den Sozialversicherungsträgern ermöglicht. So können Hilfsempfänger aufgespürt werden, die einer illegalen Nebenbeschäftigung nachgehen, oder Personen, die von mehreren Stellen Sozialhilfe beziehen.

Sozialstaat

Die politische Diskussion um eine Reform des S. in Deutschland wurde angesichts hoher Staatsverschuldung und Sozialausgaben 1998 fortgesetzt. Innerhalb des Bündnisses für Arbeit wurde eine Arbeitsgruppe zur Reform der sozialen Sicherung gebildet.

Sozialversicherung: Neue Akzente setzte die rot-grüne Bundesregierung mit ihrer in der Koalitionsvereinbarung vom Herbst 1998 festgeschriebenen Absicht, langfristig alle Formen dauerhafter Erwerbstätigkeit, also auch die von Beamten und Selbstständigen, in die Sozialversicherung einzubeziehen. Sozialexperten forderten, sich angesichts zunehmender Individualisierung der Gesellschaft in der sozialen Sicherung nicht länger am überkommenen Leitbild des ununterbrochen Vollzeitbeschäftigten, sondern am tatsächlichen Bedarf einzelner Personen zu orientieren und statt Arbeitsplätze Menschen zu versichern. Als Maßnahme gegen Arbeitslosigkeit von Geringqualifizierten wurde die staatliche Subventionierung der Sozialbeiträge bei Niedriglöhnen diskutiert.

Sozialleistungen: Lt. Sozialbericht des Bundesarbeitsministeriums war 1997 (letztverfügbarer Stand) erstmals seit Anfang der 90er Jahre die Sozialleistungsquote (Anteil der Sozialausgaben am BIP) niedriger als im Vorjahr (34,9% statt 34,4%). Bis 2001 soll sie auf 30,9% und damit wieder auf das Niveau von 1991 fallen.

Doping

Einnahme oder Verabreichung aufputschender bzw. leistungsfördernder Mittel; auch niedrige Dosierungen können zu schweren gesundheitlichen Schädigungen bei Mensch oder Tier führen.

Radsport: Nach dem D.-Skandal bei der Tour de France 1998 geriet der Radprofi Frank Vandenbroucke (BEL) im Frühjahr 1999 in Verdacht, unerlaubte Mittel zur Konditionssteigerung eingenommen zu haben. Im Mai 1999 wurde der ehemalige Kapitän des Festina-Rennstalls, Richard Virenque (F), in Polizeigewahrsam genommen, um als Zeuge vernommen zu werden. Der Giro- und Tour de France-Sieger des Jahres 1998, Marco Pantani (I), musste die Italien-Rundfahrt im Juni 1999 vorzeitig beenden. Die in seinem Blut gemessenen überhöhten Hämatokritwerte (Volumen der Blutzellen) ließen den Verdacht unerlaubten sog. Blut-D. zur Leistungssteigerung aufkommen.

EU: Die Sportminister der Europäischen Union (EU) forderten Anfang Juni 1999 die internationalen Fachverbände auf, D.-Erstäter mit einer zweijährigen Mindestsperre zu belegen, doch wurde auf die verschuldensunabhängige Sanktionierung verzichtet. Eine »eindeutige und für alle Sportarten sowie für alle Länder geltende Liste der verbotenen Substanzen und Methoden« soll entwickelt werden. Auf der Anti-D.-Weltkonferenz des Internationalen Olympischen Komitees (IOC) im Februar 1999 war eine Deklaration gegen D. im Sport verabschiedet worden; sie beinhaltet u. a. die Einrichtung einer Anti-D.-Agentur, die internationale Trainingskontrollen koordinieren soll. Im Gegensatz zur EU sieht der IOC-Beschluss bei schweren D.-Vergehen aber nur eine vom Einzelfall abhängige Regelstrafe vor.

Leichtathletik: Auf Grund erhöhter Werte der Hormone Testosteron/Epitestosteron in ihrer Urinprobe wurde die deutsche Langstreckenläuferin Uta Pippig im Herbst 1998 vom Deutschen Leichtathletik-Verband (DLV) suspendiert. Beim verbandseigenen Rechtsausschuss beantragte das DLV-Präsidium wegen dringenden D.-Verdachts eine zweijährige Sperre. Mit einer Entscheidung des Rechtsausschusses ist voraussichtlich erst im Herbst 1999 zu rechnen. Uta Pippig hatte u. a. 1994–96 den Boston-Marathon gewonnen.

EPO: Australische Sportwissenschaftler wiesen im April 1999 eklatante Leistungsverbesserungen durch Gabe von Erythropoietin (EPO) nach. 22 Hochleistungssportler hatten sich für eine Testreihe zur Verfügung gestellt, die Hälfte der Athleten war mit Placebos behandelt worden. EPO bewirkt im menschlichen Körper eine rasante Vermehrung der roten Blutkörperchen und so eine leistungssteigernde vergrößerte Sauerstoffaufnahmekapazität des Blutes.

DDR: Ende 1998 veröffentlichte der Potsdamer Sporthistoriker Giselher Spitzer eine Untersuchung über D. in der DDR. Der 1993 vom Sportausschuss des Deutschen Bundestages beim Bundesinstitut für Sportwissenschaften (Köln) in Auftrag gegebene Forschungsbericht nimmt an, dass von 1972 bis 1989/90 in der DDR bis zu 10 000 Sportler D.-Mittel verabreicht bekamen. Nach Erkenntnissen Spitzers wurden seit 1968 die DDR-Wintersportler gedopt, ab 1972 waren leistungstärkende Anabolika in allen wichtigen Sportarten präsent. DDR-Athleten gehörten in den 70er und 80er Jahren in zahlreichen Sportarten zur Weltspitze.

Fußball

Bundesliga: Der FC Bayern München wurde 1999 zum 15. Mal deutscher Meister. Absteigen mussten der 1. FC Nürnberg, VfL Bochum und Borussia Mönchengladbach. Mit 23 Treffern wurde Michael Preetz (Hertha BSC Berlin) Torschützenkönig vor Ulf Kirsten (Bayer 04 Leverkusen, 19 Tore) und Oliver Neuville (FC Hansa Rostock, 14 Tore). Als Aufsteiger in die Erste Bundesliga für die Saison 1999/2000 setzten sich Arminia Bielefeld sowie die Spielvereinigungen Unterhaching und Ulm durch.

Europapokalsieger: Mit 2:1 Toren gewann Manchester United im Mai 1999 in Barcelona (ESP) das Finale der Champions League gegen den FC Bayern München;

Der FC Bayern München und Bayer 04 Leverkusen nehmen automatisch an der Champions League teil. Hertha BSC Berlin sowie Borussia Dortmund spielen in der Champions League-Qualifikation, im UEFA-Cup sind SV Werder Bremen (als Pokalsieger), 1. FC Kaiserslautern und der VfL Wolfsburg. Die deutschen UI-Cup-Teilnehmer lauten Hamburger SV und MSV Duisburg.

Fußball-Bundesliga

1. FC Bayern München	78[1]	76:28[2]
2. Bayer 04 Leverkusen	63	61:30
3. Hertha BSC Berlin	62	59:32
4. Borussia Dortmund	57	48:34
5. 1. FC Kaiserslautern	57	51:47
6. VfL Wolfsburg	55	54:49
7. Hamburger SV	50	47:46
8. MSV Duisburg	49	48:45
9. TSV München 1860	41	49:56
10. Schalke 04	41	41:54
11. VfB Stuttgart	39	41:48
12. SC Freiburg	39	36:44
13. SV Werder Bremen	38	41:47
14. Hansa Rostock	38	49:58
15. Eintracht Frankfurt	37	44:54
16. 1. FC Nürnberg	37	40:50
17. VfL Bochum	29	40:65
18. Borussia Mönchengladb.	21	41:79

1) Punkte; 2) Torverhältnis

den letztmals ausgetragenen Europapokal der Pokalsieger sicherte sich im Mai 1999 in Birmingham (GB) Lazio Rom durch einen 2:1-Erfolg über RCD Mallorca; UEFA-Pokal-Sieger wurde in Moskau der AC Parma (3:0 gegen Olympique Marseille).

Frauenfußball-Bundesliga

1. 1. FFC Frankfurt	59[1]	96:11[2]
2. FCR Duisburg	56	77:14
3. Spfr Siegen	37	32:28
4. Turbine Potsdam	29	41:39
5. FSV Frankfurt	29	26:31
6. WSV Wolfsburg	27	39:48
7. 1. FC Saarbrücken	24	21:31
8. TuS Niederkirchen	24	26:54
9. GW Brauweiler	23	29:51
10. SC Bad Neuenahr	23	18:43
11. Heike Rheine	22	29:44
12. SC Freiburg	11	18:58

1) Punkte; 2) Torverhältnis

Neuer Modus: Ab der Saison 1999/2000 wird die Champions League auf 32 Mannschaften aufgestockt (früher 24 Teams). Teilnehmer sind nach einem Länderschlüssel der jeweilige Landesmeister, Vize-Meister und Qualifikanten. Der Europapokal der Pokalsieger geht im UEFA-Cup auf; hier wird weiterhin im K.o-System gespielt. Außer den Pokalsiegern (Ausnahme: Pokalsieger ist nationaler Meister) kommen auch Vereine in den UEFA-Cup, die in der Champions League-Qualifikationsrunde unterlegen waren, sowie die Dritten der Champions-League-Vorrundengruppen, drei UI-Cup-Teilnehmer und die drei Besten der UEFA-Fair-Play-Wertung.

Schiedsrichter: In der Saison 1999/2000 sollen nach einem Votum des Internationalen Fußball-Verbands (FIFA) probeweise erstmals zwei Schiedsrichter ein Spiel begleiten. Das Experiment wurde von Vertretern Norwegens und Brasiliens begrüßt, eine endgültige Entscheidung über den Einsatz stand Mitte 1999 noch aus. Lt. FIFA haben beide Unparteiische dieselben Kompetenzen, doch fungiert nur ein Referee als Zeitnehmer. Die Schiedsrichter-Assistenten an der Seitenlinie werden beibehalten.

WM 2006: Im April 1999 bekräftigte der Deutsche Fußballbund (DFB) seine Bewerbung bei der FIFA um die Ausrichtung der Fußball-Weltmeisterschaft 2006. Konkurrenten waren Brasilien, England, Marokko und Südafrika. Eine Entscheidung trifft das FIFA-Exekutiv-Komitee im Frühjahr 2000.

EM: Im Mai 1999 votierte die UEFA gegen einen Ausschluss Jugoslawiens aus der Qualifikation für die Europameisterschaft 2000 in Belgien/Niederlande wegen des Kosovo-Kriegs. Vertreter der EU hatten einen Sportboykott gegen Jugoslawien gefordert. Das EM-Qualifikationsspiel gegen Irland in Dublin im Juni 1999 wurde abgesagt, da die jugoslawische Elf für das Match keine Einreiseerlaubnis erhielt.

Spieltage: Das Exekutiv-Komitee der UEFA beschloss im April 1999, dass ab der Saison 1999/2000 die Champions League dienstags und mittwochs ausgetragen wird, am Donnerstag finden die Begegnungen im UEFA-Cup statt. Sind Länder mit mehr als drei Mannschaften im UEFA-Cup vertreten, kann auch der Dienstag für den Wettbewerb genutzt werden; doch muss das Spiel vor 18.00 Uhr Ortszeit angepfiffen werden.

Unternehmen: Die 57 Mitglieder des DFB-Beirats vereinbarten im April 1999 eine Ergänzung des § 7 des Lizenzspielerstatuts. Demnach dürfen Unternehmen, die sich bei mehreren Bundesliga-Klubs wirtschaftlich engagieren, nur noch Vertreter in die Führungs- bzw. Aufsichtsratsgremien eines Vereins entsenden. Die Bertelsmann-Tochter Ufa Sports GmbH (Hamburg), personalpolitisch verwoben mit den beiden Vereinen Hertha BSC und Hamburger SV sowie Marketingpartner von Borussia Dortmund, behielt sich Rechtsmittel gegen den Beschluss vor.

Olympische Spiele

Im Juni 1999 wurde Turin (Italien) die Olympischen Winterspiele 2006 zugesprochen. Turin setzte sich gegen die Mitbewerber Sion, Helsinki, Klagenfurt, Zakopane und Poprad-Tatry durch. Insbes. in Sion wurde die Entscheidung des IOC auf den Einfluss des in Turin ansässigen Automobilherstellers Fiat bewertet.

Korruption: 1998/99 geriet das Internationale Olympische Komitee (IOC, Lausanne/Schweiz) durch Veröffentlichungen des Schweizer IOC-Mitglieds Marc Hodler in die größte Krise seiner über 100-jährigen Geschichte. 1995 soll es bei der Abstimmung über die Vergabe der Winterspiele an Salt Lake City/USA (2002) zu Stimmenkäufen gekommen sein. Außerdem wird einigen IOC-Mitgliedern vorgeworfen, sich durch das Organisationskomitee von Salt Lake City im Verlauf der Bewerbung bestochen haben zu lassen. Untersuchungskommissionen, das US-Justizministerium und die US-Bundespolizei FBI ermittelten 1999 im Fall Salt Lake City. Auf der außerordentlichen Vollversammlung des IOC im März 1999 schlossen die Delegierten sechs Mitglieder aufgrund eindeutiger Bestechungsbeweise mit sofortiger Wirkung vom IOC aus.

Reformen: Im Juni 1999 tagte erstmals die als Reaktion auf die Korruptionsaffären ins Leben gerufene Reformkommission »IOC 2000«. Das 80-köpfige Gremium aus IOC-Angehörigen und unabhängigen Persönlichkeiten wie dem ehemaligen US-Außenminister Henry Kissinger soll möglichst bis 1999/2000 Vorschläge für eine neue Struktur und Organisation des IOC erarbeiten.

Top Ten Fußballschiedsrichter-Gehalt	
1. Deutschl.	4000[1)]
2. Frankr.	2300
3. Spanien	1830
4. Niederl.	1690
5. Portugal	1500
6. England	1125
7. Schweiz	1000
8. Russland	950
9. Italien	630
10. Wales	105

1) Honorar (DM) je Spiel (höchste nationale Spielklasse); Stand: Saison 1997/98; Quelle: Die Welt 20.1.1999

Während ein deutscher Schiedsrichter für seinen Einsatz in einem Spiel der 1. Fußball-Bundesliga ein vergleichsweise respektables Honorar erhält, muss sein Kollege aus Wales eine Erstliga-Begegnung nur aus Idealismus leiten.

Bewerbung: Hinsichtlich der Vergabe der Winterspiele 2006 wurde festgelegt, dass IOC-Mitglieder die Kandidatur-Orte nicht besuchen dürfen und die Wahlkommission, die den Austragungsort bestimmt, sich aus IOC-Delegierten, Athleten und Verbandsfunktionären zusammensetzt.

Atlanta und Sydney: Im Juni 1999 geriet Atlanta (USA), Ausrichter der O. 1996, in Verdacht, bei der Bewerbung IOC-Mitglieder mit unerlaubten Geschenken beeinflusst zu haben. Wenige Tage zuvor hatte der Vize-Präsident des IOC, Richard Pound (CAN), die Vergabe der O. an Sydney 2000 kritisiert, da IOC-Mitgliedern ebenfalls Vergünstigungen gewährt worden seien.

Sportübertragungsrechte

Von Sportvereinen und Verbänden an Rechteverwerter oder Rundfunksender verkaufte Erlaubnis, Sportveranstaltungen zu übertragen. Durch die Ausstrahlung der Ereignisse im sog. Pay-TV (Zugang für die Zuschauer gegen zusätzliche Gebühr) können die Honorare für S. refinanziert werden.

Champions League: Der Münchener Privatsender Tele München 3 (tm3) sicherte sich im Mai 1999 die nationalen Ausstrahlungsrechte an der finanziell lukrativsten Spielklasse im europäischen Fußball. Der Vertrag beginnt mit der Saison 1999/2000 und endet 2003. Nach Schätzungen zahlt tm3 rund 240 Mio DM/Jahr an die Europäische Fußball-Union (UEFA). tm3 gehört zu zwei Dritteln dem australischen Medienunternehmer Rupert Murdoch und zu einem Drittel dem Münchener Filmhändler Her-

TOP TEN	TV-Sportarten
1. Fußball	4231[1]
2. Motorsport	2331
3. Tennis	1919
4. Radsport	1060
5. Leichtathletik	788
6. Motorrad	707
7. Basketball	616
8. Ski alpin	613
9. Boxen	561
10. Eishockey	491

1) Sendestunden/Jahr; Quelle: Die Welt, 10.2.1999

bert Kloiber. Die Champions-League wurde in Deutschland seit 1992 vom Kölner Privatsender RTL übertragen.

Fußball-Bundesliga: Mit Ende der Saison 1999/2000 laufen die Bundesliga-Fernsehrechte aus. Bislang erhält der Deutsche Fußball Bund (DFB) als alleiniger Rechte-Vermarkter 170 Mio DM/Jahr aus dem Bereich des Free-TV, vom Pay-TV (Premiere) werden 150 Mio DM gezahlt. Die Neuvergabe der TV-Lizenzen bis 2003 stand Mitte 1999 noch aus. Der DFB setzte weiterhin auf eine zentrale Vermarktung für alle Fernsehbereiche, einige Bundesliga-Vereine (z. B. Bayern München, Borussia Dortmund) forderten jedoch für den Pay-TV-Sektor den dezentralen Verkauf (Einzelvermarktung). Dies stößt auf Hindernisse, da die Firma Ufa ein Vorkaufsrecht zur Übertragung von Fußball-Bundesligaspielen im Pay-TV bis 2003 besitzt.

Sportförderung

Nach Beratungen des Haushaltsausschusses des Deutschen Bundestages im April 1999 wurden dem Sportetat Fördermittel von rund 239 Mio DM zugebilligt (Zuwachs gegenüber 1998: 18,6 Mio DM, +8,4%). Für das Unterstützungsprogramm »Goldener Plan Ost« wurden von der rot-grünen Bundesregierung bis 2002 insgesamt 115 Mio DM zur Verfügung gestellt. Mit der Sonderförderung werden die ostdeutschen Länder sowie Berlin bei der Planung und Errichtung neuer Sportstätten für den sog. Breitensport protegiert.

BILANZ 2000

Sport

Vom Spaß an der Bewegung zum Kommerz

Mit der Zunahme der Freizeit in der postindustriellen Informationsgesellschaft des späten 20. Jh. kommt dem Sport eine gesellschaftlich überragende Bedeutung zu. Schul-, Freizeit- und Behindertensport sowie professionell betriebener Spitzensport sind Hauptsegmente. Mit der Produktion und Vermarktung von Sportlern, Sportartikeln und TV-Großereignissen bildet der Sport Ende des 20. Jh. zugleich eine der umsatzstärksten Industrien. Die wirtschaftliche Bedeutung des Sports lässt sich nur in Einzelbereichen ablesen, etwa bei der millionenschweren Vergabe von Sportübertragungsrechten oder beim Sponsoring: Mit 2,5 Mrd DM floss der größte Teil der 1997 in Deutschland gezahlten Sponsoring-Gelder in den Sport (vor allem Fußball und Formel 1), mit Abstand gefolgt vom Kultur-Sponsoring (0,6 Mrd DM). Seit 1983 haben 18 englische Vereine die Umwandlung in eine Aktiengesellschaft vollzogen, auch in Deutschland steht um 2000 der Börsengang von Spitzenvereinen bevor.

Positive Trends

▶ Seit dem Zusammenbruch des Ostblocks hat der Missbrauch des Sports zu ideologischen Zwecken abgenommen.

▶ Der Sport hat einen hohen Unterhaltungswert, Spitzensportler agieren als TV-Stars.

▶ Anders als der Spitzensport kann der Freizeitsport die Gesundheit fördern.

Negative Trends

▶ Die Kosten der Gewalt vor allem im Umfeld von Fußballgroßveranstaltungen bezahlt die Öffentlichkeit (u. a. Einsätze der Sicherheitsorgane).

▶ Die Kommerzialisierung des Sports hat zu zahlreichen Korruptionsfällen geführt (IOC).

▶ Die Aufnahme »neuer« Sportarten in das olympische Programm erfolgt nach dem Kriterium der aktuellen Marktfähigkeit.

▶ Im Kunstturnen und Eiskunstlaufen werden bereits Kinder zu Spitzensportlern mit stundenlangem täglichen Training herangezüchtet.

▶ Berichte über Tierquälereien beim Sport häufen sich (z. B. »Barren« von Springpferden).

Vorsprung durch Doping: Ben Johnson (r.) bei den Olympischen Spielen in Seoul, 1988

Meilensteine

Zwischen Leistung, Politik und Vermarktung

1900: In Leipzig wird der Deutsche Fußball-Bund gegründet, der heute größte Sportfachverband der Erde.

1900: Dwight F. Davis (USA) stiftet die International Lawn Tennis Trophy (Davis Cup).

1903: Vor 500 Zuschauern gewinnt der VfB Leipzig mit 7:2 gegen den DFC Prag die erste deutsche Fußballmeisterschaft.

1903: 60 Fahrer starten bei Paris zur ersten Tour de France.

1924: Im Skistädtchen Chamonix (F) werden die ersten Olympischen Winterspiele veranstaltet.

1928: An den IX. Olympischen Spielen in Amsterdam dürfen erstmals auch Frauen in den Leichtathletikwettbewerben teilnehmen.

1930: Uruguay gewinnt mit 4:2 gegen Gastgeber Argentinien die erste Fußballweltmeisterschaft.

1935: Jesse Owens (USA) erzielt innerhalb von 45 Minuten fünf Leichtathletik-Weltrekorde.

1960: Armin Hary (BRD) erreicht mit 10,0 sec über 100 m die bis dahin als Traumgrenze geltende Rekordmarke im Sprint.

1963: Die Fußball-Bundesliga startet mit 16 Vereinen.

1968: Gastgeber Italien gewinnt die erste Fußball-Europameisterschaft.

1972: Mark Spitz (USA) gewinnt bei den Olympischen Sommerspielen in München sieben Goldmedaillen im Schwimmen.

1972: Palästinensische Terroristen ermorden bei Olympia in München elf israelische Sportler.

1973: Bundesligist Eintracht Braunschweig betreibt als erster deutscher Fußballverein Trikotwerbung.

1974: Muhammad Ali (USA) holt sich gegen George Foreman den gerichtlich aberkannten Weltmeistertitel im Schwergewichtsboxen zurück.

1980: Die USA und 56 andere Staaten boykottieren die XXII. Olympischen Sommerspiele in Moskau.

1983: Tottenham Hotspur (London) wird als erster Fußballklub in eine Aktiengesellschaft umgewandelt.

1983: Stars der ersten Leichtathletik-Weltmeisterschaften in Helsinki (FIN) mit jeweils drei Goldmedaillen sind Carl Lewis (USA) und Marita Koch (DDR).

1984: Die Olympischen Spiele in Los Angeles werden erstmals ganz durch Sponsoring finanziert.

1998: Gastgeber Frankreich gewinnt mit 3:0 gegen Brasilien die Fußball-WM mit erstmals 32 Teams; Gewalt britischer und deutscher Hooligans überschattet das Sportereignis.

Zur Person: Paavo Nurmi
Wunderläufer aus dem Norden
Paavo Nurmi (FIN) war einer der herausragendsten Läufer der Leichtathletikgeschichte. Auf den Strecken von 1500 m bis 20 km lief er 22 Weltrekorde, bei den Olympischen Spielen 1920, 1924 und 1928 gewann er neun Gold- und drei Silbermedaillen. 1924 gewann er in Paris innerhalb von 70 Minuten zwei Goldmedaillen (1500 m in 3:53,6 min; 5000 m in 14:31,2 min). Wegen Verstoßes gegen die Amateurbestimmungen wurde er 1932 vom Internationalen Leichtathletikverband gesperrt und von den Olympischen Spielen ausgeschlossen, weil er für Auftritte Geld erhalten hatte. 1952 wurde Nurmi »rehabilitiert« und trug bei der Olympia-Eröffnung in Helsinki die olympische Flamme.

Zur Person: Suzanne Lenglen
Erster weiblicher Superstar
Tennisspielerin Suzanne Lenglen (F) war die erste »Göttliche« im Sport. 1919–25 gewann sie siebenmal das Wimbledon-Finale und holte 1920 bei den Olympischen Spielen in Antwerpen die Goldmedaille; 1920, 1922 und 1923 sowie 1925/26 holte sie den Titel bei den French Open. Lenglen war von ihrem vermögenden Vater schon als Kind auf eine internationale Tenniskarriere getrimmt worden. Bereits als 15-Jährige war sie beste Hartplatzspielerin der Welt.

Ausblick:
Hochleistung nur mit Doping?
In zahlreichen Sportarten sind die Grenzen der Leistung durch hartes Training erreicht. Um weiter Rekorde überbieten zu können, nehmen immer mehr Sportler illegal leistungsfördernde Mittel ein. Wenn systematisches Doping noch verhindert werden kann, muss die (TV-)Zuschauer als wichtigster Adressat der Sportindustrie zur Erkenntnis gezwungen werden, dass Sport mehr ist als nur zu gewinnen.

Steuern und Finanzen

Bundeshaushalt

Der B. 1999 wurde vom Deutschen Bundestag mit Ausgaben von 485,7 Mrd DM beschlossen. Der Anstieg um 6,3% gegenüber 1998 war insbes. Ergebnis höherer Staatszuschüsse zur Rentenversicherung. Die Neuverschuldung lag mit 53,5 Mrd DM um 2,7 Mrd DM (4,8%) unter dem B. 1998.

Konsolidierung: Bundesfinanzminister Hans Eichel (SPD) plante 1999 drastische Einsparungen für den B. 2000–2003, um die jährliche Neuverschuldung zu verringern. Es bestehe 2000 ein Konsolidierungsbedarf von 30 Mrd DM. 1998 musste der Bund bereits 85,85 Mrd DM (17,7% des B.) für Zinszahlungen vorsehen; Anfang des 21. Jh. wird sich der Betrag noch erhöhen und den finanziellen Handlungsspielraum des Bundes weiter einengen.

Kriegskosten: Im B. 1999 wurden nur 300 Mio DM für humanitäre Kosovo-Hilfe und 441 Mio DM für den Bundeswehreinsatz vorgesehen. Nach Berechnungen der Deutschen Bank wird der Anteil Deutschlands an den Gesamtkosten der NATO-Luftangriffe auf Jugoslawien und den Folgekosten rund 12 Mrd DM betragen.

■ **Krisen und Konflikte** → Kosovo
http://www.bundesfinanzministerium.de

▬ Bundeshaushalt 1999[1]

Arbeit und Sozialordnung	172,41
Schuldzinsen	85,85
Verkehr, Bau- und Wohnungswesen	47,96
Verteidigung	47,05
Allgemeine Finanzverwaltung	27,06
Beamtenpensionen	16,81
Wirtschaft und Technologie	16,18
Bildung und Forschung	14,93
Familie, Senioren, Forschung und Jugend	11,85
Ernährung, Landwirtschaft, Forsten	11,55
Wirtschaftliche Zusammenarbeit und Entwicklung	7,76
Finanzen	7,61
Inneres	7,23
Auswärtiges Amt	3,64
Bundeskanzleramt	2,93
Gesundheit	1,61
Bundestag	1,16
Umwelt, Naturschutz, Reaktorsicherheit	1,13
Justiz	0,73
Bundespräsidialamt, Bundesrat, Bundesrechnungshof, BVerfg	0,26

1) Mrd DM, Ausgaben insgesamt: 485,7 Mrd DM; Quelle: Haushaltsgesetz 1999;
http://www.bundesfinanzministerium.de

▬ Bundeshaushalt: Sparpaket

Mitte 1999 legte die Bundesregierung ihre Pläne für ein Steuer- und Sparpaket 2000–2003 vor.

▸ **Sparmaßnahmen 2000:** Im Bundeshaushalt sollen 30 Mrd DM eingespart werden. Die Nettokreditaufnahme soll auf 49,5 Mrd DM sinken. Für Bezieher von Arbeitslosenhilfe werden geringere Sozialbeiträge gezahlt. Die Renten steigen 2000 und 2001 nur in Höhe der Inflationsrate. Bestimmte Subventionen, u.a. in der Landwirtschaft, werden gekürzt.

▸ **Finanzplanung bis 2003:** Bis 2003 sollen die jährlichen Einsparungen im Bundeshaushalt bis auf 50 Mrd DM steigen. In der nächsten Legislaturperiode soll so schnell wie möglich ein ausgeglichener Haushalt ohne Schulden erreicht werden.

▸ **Familien:** Zum 1.1.2000 soll das Kindergeld erneut um 20 DM auf 270 DM erhöht werden. Ein Betreuungsfreibetrag für Kinder bis 16 Jahren von rund 3000 DM wird eingeführt. Ab 2002 soll ein weiterer Schritt der Familienentlastung zur Erfüllung der Vorgaben des Bundesverfassungsgerichts führen, das dem Gesetzgeber auferlegt hatte, den Aufwand für Kinder steuerlich besser zu berücksichtigen.

▬ Verfügb. Einkommen/Ersparnis[1]

Nettolohn-/-gehaltssumme	1043,4[2]	▲	+1,3[3]
Verfügbares Einkommen	2445,5	▲	+2,6
Sparquote	11,8[4]		

Stand: 1998; 1) auf Grundlage der bis 1999 angewandten deutschen volkswirtschaftlichen Gesamtrechnung; 2) Nettolöhne und -gehälter zuzüglich öffentlicher Einkommensübertragungen, Privatentnahmen der Selbständigen und Vermögenseinkünfte privater Haushalte (Mrd DM); 3) Veränderung gegenüber Vorjahr (%); 4) Anteil der Ersparnis am Verfügbaren Einkommen (%); Quelle: Deutsche Bundesbank, http://www.bundesbank.de

Einkommen

Die Bruttoverdienste der Arbeitnehmer stiegen 1998 um 1,4% (1997: 0,8%), während das Volkseinkommen entsprechend des neuen Europäischen Systems der volkswirtschaftlichen Gesamtrechnung um 3% zunahm. Die Unternehmens- und Vermögenseinkommen erhöhten sich um 6,6% (1997: 7,4%). Der Anteil der Arbeitnehmerentgelte am Volkseinkommen (Lohnquote) fiel um einen Prozentpunkt auf 70,2%.

Tariflöhne: Die tariflich vereinbarten Löhne und Gehälter stiegen 1998 in Westdeutschland um 2%, in Ostdeutschland um 2,6%. Die Grundlöhne erreichten in den östlichen Bundesländern 90,5% des Westniveaus; insgesamt erhielten Arbeiter und Angestellte dort 1998 netto rund 86% ihrer westdeutschen Kollegen.

Verfügbares Einkommen: Rechnet man zu den Nettolöhnen und -gehältern öffentliche Zahlungen (Renten, Arbeitslosengeld, Sozialhilfe usw.) und Vermögenseinkünfte (Zinsen) hinzu, ergibt sich das verfügbare Einkommen, das 1998 insgesamt 2445,5 Mrd DM betrug (1997: 2382,7 Mrd DM, +2,6%). Nach einer Anfang 1999 veröffentlichten Studie des Statistischen Bundesamtes (Wiesbaden) verfügte ein Privathaushalt 1997 im Schnitt über 5140 DM/Monat.

Unternehmen → Unternehmensgewinne
http://www.statistik-bund.de

Erbschaft- und Schenkungsteuer

Lt. Schätzungen von Wirtschaftsinstituten wurden 1999 in Deutschland über 280 Mrd DM vererbt. Die E. wird auf Erbschaften und auf Schenkungen unter Lebenden erhoben. Bebaute Grundstücke werden nach der

▬ Verteilung des Volkseinkommens

Volkseinkommen[1]	2848,3	▲	+3,0[2]
Arbeitnehmerentgelt[3]	1999,8	▲	+1,5
Lohnquote[4]	70,2	▽	−1,0
Unternehmens- und Vermögenseink.	848,5	▲	+6,6
Bruttoverdienst pro Arbeitnehmer[5]	50200	▲	+1,4
Lohnstückkosten[6]	61,0		

Stand: 1998, 1) Berechnungsgrundlage: Europäisches System der Volkswirtschaftlichen Gesamtrechnungen ab 1999 (Mrd DM); 2) Steigerung gegenüber Vorjahr, 3) Lohnquote inkl. Sozialbeiträge der Arbeitgeber (Mrd DM); 4) Anteil des Arbeitnehmerentgelts am Volkseinkommen (%); 5) Bruttoverdienst ohne Arbeitgeber-Sozialbeiträge (DM); 6) Arbeitnehmerentgelt (Lohnkosten) pro Arbeitnehmer im Verhältnis zum Bruttoinlandsprodukt pro Erwerbstätigen in Preisen von 1995 (%); Quelle: Statistisches Bundesamt, http://www.statistik-bund.de

▬ Erbschaftsteuer: Tarifstufen[1]

Betrag (DM)	Steuerklasse I	Steuerklasse II	Steuerklasse III
bis 100000	7	12	17
bis 500000	11	17	23
bis 1 Mio	15	22	29
bis 10 Mio	19	27	35
bis 25 Mio	23	32	41
bis 50 Mio	27	37	47
über 50 Mio	30	40	50

1) %; I: Ehegatten, Kinder, Enkel; Eltern und Großeltern bei Erbschaft; II: Geschwister und deren Kinder, Schwiegereltern, Geschiedene; Eltern und Großeltern bei Schenkung; III: übrige Personen, http://www.bundesfinanzministerium.de

erzielbaren Miete (Ertragswertverfahren) bewertet.

Freibeträge: Der persönliche Freibetrag für Ehegatten beträgt 600000 DM, für Kinder 400000 DM. Er darf bei Schenkungen in zehn Jahren insgesamt nur einmal in Anspruch genommen werden. Im Erbfall erhalten Ehegatten zusätzlich einen Versorgungsfreibetrag von 500000 DM, Kinder bis 27 Jahren je nach Alter 20000 bis 100000 DM.

http://www.bundesfinanzministerium.de

Garantiefrist

Ab 2002 gilt in allen Staaten der Europäischen Union (EU) eine einheitliche Garantie von zwei Jahren beim Kauf von Neuwaren und von einem Jahr bei Gebrauchtwaren. Bis dahin müssen die EU-Mitgliedstaaten eine 1999 erlassene Richtlinie in nationales Recht umsetzen. Die G.-Regelung ist rechtlich bindend, anderslautende Bestimmungen in Ver-

461

trägen oder Geschäftsbedingungen werden ungültig. Bis Ende 2001 darf nationales Recht mit kürzerer G. (Deutschland: sechs Monate) in Kraft bleiben.

Reklamation: Die Kunden müssen ab 2002 einen Fehler innerhalb von zwei Monaten nach Feststellung reklamieren. Als Fehler gelten auch unsachgemäße Montageanleitungen oder nicht eingehaltene Versprechen der Werbung. Wenn im ersten halben Jahr nach dem Erwerb reklamiert wird, muss der Verkäufer beweisen, dass die Ware in Ordnung war; erst danach trägt der Käufer die Beweislast für Fehler. Zunächst hat der Verbraucher Anspruch auf Reparatur oder Ersatz; führt dies nicht zum Erfolg, kann Preisminderung oder Stornierung des Kaufs verlangt werden.

http://www.ihk-koeln.de/recht/ redaktionelles/garantie.htm; ttp://www.agv.de

Gebühren

Abgaben der Nutzer für öffentliche Leistungen

1993–98 stiegen die G. für Müllabfuhr in Westdeutschland um 54%, die Abwasser-G. um 33% und die Kosten für die Wasserversorgung um 20%. Die Abwasser-G. erhöhten sich 1998 im Bundesdurchschnitt um 5% auf 4,84 DM/m³; Spitzenreiter war Brandenburg mit 7,21 DM/m³. In Ostdeutschland waren die Müllabfuhr-G. 1998 doppelt so hoch wie 1991. Eine der Ursachen lag im zunehmend umweltbewussten Verbraucherverhalten. Während geringere Müllmengen anfielen, mussten die kommunalen Betriebe gleichbleibend hohe Abzahlungen auf Kredite (z. B. für neue Müllverbrennungsanlagen) leisten und hatten zugleich hohe Fixkosten bei unausgelasteten Kapazitäten.

Entsorgung →Abfall

Gemeindefinanzen

Außer Gebühren erhalten die Gemeinden einen Anteil an bestimmten Steuern sowie Zuweisungen aus Bundes- und Landesmitteln. Sie erheben eigene Steuern, z. B. Gewerbe- und Grundsteuer. Ein großer Teil der Ausgaben betrifft die Sozialhilfe, für die Gemeinden zuständig sind.

1998 verbesserte sich die Haushaltslage der Städte und Gemeinden in Deutschland durch den Verkauf von Vermögen sowie unerwartete Steuermehreinnahmen. Erstmals seit 1989 wurde ein Überschuss (4,7 Mrd DM) erzielt. Die Gesamtverschuldung der Gemeinden ging leicht auf 201 Mrd DM zurück (1997: 202 Mrd DM).

Besonderheit: Die höheren Einnahmen von 1998 waren Einmaleffekte. Die Steuermehreinnahmen betrafen zum größten Teil Nachzahlungen, die nur bei wenigen Städten anfielen. Für 1999 rechnete der Deutsche Städtetag wieder mit einem Defizit der G.

Landkreise: Die 323 Landkreise verbuchten 1998 ein Minus von 1 Mrd DM. Da sie keine eigenen Finanzquellen besitzen, sondern auf Zahlungen der Länder und Gemeinden angewiesen sind, wurde für 1999 mit einem starken Rückgang der Investitionen der Landkreise gerechnet.

http://www.staedtetag.de
http://www.landkreistag.de

Kfz-Steuer

Nach Angaben des Zentralverbands des Kraftfahrzeuggewerbes hat sich die 1997 in Kraft getretene Reform der K. bewährt. Durch die steuerlichen Anreize sei eine rasche Modernisierung der deutschen Autos erzielt worden. Ende 1998 erfüllten 80% aller Pkws mind. die Euro-1-Norm. Die Reform sieht für schadstoffärmere Fahrzeuge geringere Steuern vor. Für Kfz der Euro-3-

Gemeindefinanzen: Haushalte

Ausgaben gesamt	▼ −1,4[2]	277,5[1]		282,2[1]	▲ +3,0[2]	Einnahmen gesamt
Personal	▼ −0,5	76,1		95,2	▲ +8,8	Steuern
Sozialleist.	▼ −1,5	51,2	34,2		▲ −3,1	Gebühren
Investitionen	▽ −2,9	47,7		89,5	▲ −1,3	Zuweisungen[3]
			4,7			Saldo

Stand: 1998, 1) Mrd DM, 2) Veränderung gegenüber dem Vorjahr (%) 3) Zuweisungen von Bund/Ländern; Quelle: Gemeindefinanzbericht 1999, http://www.staedtetag.de

bzw. Euro-4-Norm sind außerdem Steuerbefreiungen von 250 DM bzw. 600 DM für Benzin- und 500 DM bzw. 1200 DM für Dieselfahrzeuge vorgesehen. Ab 2001 wird die K. für weniger schadstoffarme Kfz erneut angehoben.

Auto → Katalysator-Auto
http://www.bundesfinanzministerium.de

Mehrwertsteuer

Die M. wird nur vom Endverbraucher getragen und zusammen mit dem Kaufpreis bezahlt. Jeder Unternehmer erhebt beim Verkauf seiner Waren vom Kunden M., zieht die M. ab, die er selbst an andere Unternehmer gezahlt hat, und führt den Rest ans Finanzamt ab.

1998 wurde in Deutschland die M. um einen Prozentpunkt auf 16% erhöht. Der ermäßigte Satz – u. a. für Lebensmittel und Bücher – betrug 7%. Bis Mitte 1999 wurde über eine mögliche weitere Erhöhung der M. diskutiert. 1 Prozentpunkt mehr bringt rund 15 Mrd DM Zusatzeinnahmen in die Staatskassen.

Gemeinschaftssteuer: Die M. steht Bund, Ländern und Gemeinden gemeinschaftlich zu. Von den Einnahmen (1998 inkl. Einfuhrumsatzsteuer: 250,2 Mrd DM) wurden 1998 vorab 3,64% (1999: 5,63%) an die Rentenversicherung gezahlt. Die Restsumme verteilte sich auf Bund, Länder und Gemeinden im Verhältnis 49,389 zu 48,411 zu 2,2.

Bund und Länder → Finanzausgleich
Europäische Union → EU-Steuerharmonisierung
http://www.bundesfinanzministerium.de

Öffentliche Haushalte

Einnahmen und Ausgaben der Gebietskörperschaften eines Staates (in Deutschland Bund, Länder, Gemeinden) sowie der Sozialversicherungen

Die Lage der Ö. verbesserte sich 1998/99 gegenüber dem Vorjahreszeitraum. In haushaltsmäßiger Abgrenzung der finanziellen Entwicklung betrug 1998 das Defizit der Gebietskörperschaften 57,5 Mrd DM (1997: 97 Mrd DM). In Abgrenzung der Volkswirtschaftlichen Gesamtrechnung lagen die Staatsausgaben bei 1803,2 Mrd DM (48% des BIP). Der Finanzierungssaldo des Staates machte 78,9 Mrd DM aus (1997: 101,5 Mrd DM); das entspricht 2,1 % des BIP.

Steuerausfälle: Im Mai 1999 korrigierte der unabhängige Arbeitskreis Steuerschät-

■■ Öffentliche Haushalte: Gesamtrechnung

Ausgaben gesamt	1857,7	1788,9	Einnahmen gesamt
	1803,2	1724,3	
Staatsverbrauch	729,7	911,2	Steuern
	710,1	861,6	
Zinsen	136,5	751,9	Sozialabgaben
	134,5	736,9	
Finanzierungsdefizit	68,8		
	78,9		

1) in Abgrenzung der volkswirtschaftlichen Gesamtrechnung; 2) Prognose; Quelle Frühjahrsgutachten 1999 der führenden Wirtschaftsinstitute

1999 (Mrd DM)[2]
1998 (Mrd DM)

zungen seine Vorhersage für die kommenden Jahre. Danach wurde für 2000–2003 mit Steuermindereinnahmen der Ö. von rund 35 Mrd DM gegenüber der Schätzung von 1998 gerechnet.

Konjunktur → Staatsquote
http://www.bundesfinanzministerium.de

Ökosteuer

Umbau des Steuersystems, um aus ökologischen Gründen Energie, Schadstoffausstoß, umweltschädigende Produkte und Herstellungsverfahren zu verteuern und die Lohnnebenkosten zu senken, damit der Faktor Arbeit verbilligt und die Schaffung neuer Arbeitsplätze angeregt wird.

Am 1.4.1999 trat die erste Stufe der von der rot-grünen Bundesregierung geplanten Ö. in Kraft, mit der eine Stromsteuer eingeführt und die Mineralölsteuer erhöht wurde. Die Einnahmen von rund 8,4 Mrd DM fließen in die gesetzliche Rentenversicherung. Ihr Beitragssatz, der je zur Hälfte von Arbeitgeber und Arbeitnehmer gezahlt wird, wurde zum 1.4.1999 um 20,3% auf 19,5% gesenkt.

Stromsteuer: Die Stromsteuer beträgt 2 Pf/kWh, bei Nachtspeicherheizungen und der Bahn 1 Pf/kWh, im produzierenden Gewerbe und der Landwirtschaft 0,4 Pf/kWh.

Mineralölsteuer: Für Kraftstoffe stieg der Regelsteuersatz um 6 Pf/l, für Heizöl um 4 Pf/l und für Gas um 0,32 Pf/kWh. Das produzierende Gewerbe muss für Gas und Heizöl nur 20% dieser Steuererhöhungen zahlen. Kraft-Wärme-Kopplungsanlagen ab 70% Nutzungsgrad wurden von der Mineralölsteuer insgesamt befreit.

Nächste Stufen: Die Bundesregierung kündigte Mitte 1999 weitere Stufen der Ö. an, durch die 2000–2003 die Minealölsteuer zum Jahresbeginn jeweils um 6 Pf/l und die Stromsteuer um 0,5 Pf/kWh angehoben wird. Der Beitrag der Rentenversicherung soll dadurch bis 2003 gesenkt werden.

Arbeit → Lohnnebenkosten
Energie → Energieverbrauch
Soziales → Rentenversicherung
http://www.bundesfinanzministerium.de

Schulden

Ende 1998 betrug die Summe aller von Banken in Deutschland gewährten Kredite an Privatpersonen 1,5 Billionen DM (1997: 1,36 Billionen DM), davon 1 Billion für den Wohnungsbau. Die in regelmäßigen Raten abzuzahlenden Bankkredite (ohne Hypotheken und Wohnungsbaukredite) erhöhten sich 1998 um 3% auf 207,7 Mrd DM. Ein Drittel aller Haushalte hatte Konsumentenkredite abzuzahlen.

Überschuldung: 2,6 Mio Haushalte galten 1999 nach Angaben von Verbraucherverbänden als überschuldet. 600 000 Privatpersonen (+2,6%) mussten den Offenbarungseid leisten.

Verbraucherkonkurs: Seit 1999 gilt anstelle der früheren Konkurs- und Vergleichsordnungen eine neue Insolvenzregelung mit der Möglichkeit einer Restschuldbefreiung von Privatpersonen. Der Schuldner muss mit Hilfe einer Schuldnerberatungsstelle, eines Rechtsanwalts oder Steuerberaters versuchen, eine außergerichtliche Einigung mit den Gläubigern herbeizuführen. Danach kann er sich mit einem Vermögensverzeichnis und einem S.-Bereinigungsplan ans Gericht wenden. Während der anschließenden siebenjährigen Wohlverhaltenszeit muss der Schuldner den pfändbaren Teil seiner Einkünfte und ggf. auch die Hälfte von Erbschaften an einen Treuhänder abtreten. In dieser Zeit ist er verpflichtet, jede zumutbare Arbeit anzunehmen. Danach kann das Gericht die verbliebenen S. erlassen.

Kosten: Unklar war 1999 in fast allen Bundesländern, wie im Verbraucherkonkurs die Gerichtskosten (bis zu 4000 DM) getragen werden. Verbraucherverbände kritisierten, dass keine genauen Regelungen bestehen, ob Prozesskostenhilfe gezahlt wird, und dass die Schuldnerberatungsstellen mangels finanzieller Förderung über zu wenig Personal verfügen.

http://www.agv.de; http://www.fh-fulda.de
http://www.sozialnetz-hessen.de
http://www.wuerzburg.de
http://www.caritas-hildesheim.com

Solidaritätszuschlag

Ergänzungsabgabe zur Lohn-, Einkommen- und Körperschaftsteuer für den wirtschaftlichen Aufbau Ostdeutschlands. Der S. steht dem Bund zu.

1999 kündigte das Bundesfinanzministerium an, der S. werde auch nach Auslaufen des bislang gültigen Konzepts der Wirtschaftsförderung Ost im Jahr 2004 weiter erhoben, da der Bund noch über längere Zeit für den Aufbau Ost eine besondere Belastung zu tragen habe.

▶ Steuerreform im Überblick

▶ **Steuerentlastung 1999:** Ab 1.1.1999 sank der Eingangssteuersatz von 25,9% auf 23,9%. Der Höchststeuersatz für gewerbliche Einkünfte reduzierte sich von 47% auf 45%. Das Kindergeld wurde um 30 DM auf 250 DM angehoben. Die Körperschaftsteuer für einbehaltene Gewinne sank von 45% auf 40%.

▶ **Steuerentlastung 2000:** Der Grundfreibetrag, der das Existenzminimum von der Steuer befreit, steigt ab 1.1.2000 von 12 365 DM auf 13 500 DM (27 000 DM für Verheiratete). Der Eingangssteuersatz sinkt auf 22,9%. Der Höchststeuersatz reduziert sich auf 51%, für gewerbliche Einkünfte auf 43%.

▶ **Steuerentlastung 2002:** Der Grundfreibetrag wird ab 1.1.2002 auf 14 093 DM an-

gehoben. Der Eingangssteuersatz wird auf 19,9% gesenkt, der Höchststeuersatz auf 48,5%.

▶ **Sparerfreibetrag:** Der Sparerfreibetrag für Zinsen sinkt ab 1.1.2000 inkl. Werbungskostenpauschale von 6100 DM auf 3100 DM (Verheiratete: 6200 DM).

▶ **Abfindungen:** Freibeträge für Abfindungen sanken ab 1999 ein Drittel auf 16 000 DM (ab 50 Jahren und 15 Jahren Dienstverhältnis: 20 000 DM, ab 55 Jahren und 20 Jahren Dienstverhältnis: 24 000 DM). Die Steuerfreiheit von Übergangsgeldern wurde auf 24 000 DM beschränkt.

▶ **Spekulationsfrist:** Der Zeitraum für die Versteuerung von Verkaufsgewinnen wurde ab 1999 bei Grundstücken von zwei auf

zehn Jahre, bei Wertpapieren von sechs Monaten auf ein Jahr erhöht.

▶ **Mindestbesteuerung:** Verluste aus verschiedenen Einkunftsarten können nicht mehr unbegrenzt mit anderen Einkünften verrechnet werden.

▶ **Abbau von Steuervergünstigungen:** Über 60 weitere Steuervergünstigungen, vor allem für Großunternehmen, werden abgebaut, sog. Steuerschlupflöcher geschlossen: Gewinne können weniger als zuvor durch Abschreibungen und Rückstellungen und Verlustverlagerungen steuermindernd verringert werden. Die Gewährung des halben Durchschnittssteuersatzes für außerordentliche Einkünfte wird abgeschafft.

http://www.bundesfinanzministerium.de

Höhe: Seit 1998 beträgt der S. 5,5% der Steuerschuld. 12,2 Mio Steuerpflichtige müssen keinen S. mehr zahlen, weil ihr Jahresbruttoeinkommen unterhalb der Grenzen (für Ledige 26 192 DM) liegt.
http://www.bundesfinanzministerium.de

Sparquote

Verhältnis der Ersparnisse der privaten Haushalte zu ihren verfügbaren Einkommen

1998 erreichte die S. in Deutschland mit 11,8% den tiefsten Stand seit 1991 (13,2%). Die sinkende s. drückt aus, dass die Konsumausgaben der Bevölkerung stärker angewachsen sind als die Einkommen. Als Ursache gilt vor allem die Verschiebung der Einkommensverhältnisse, durch die Einkommen aus unselbstständiger Arbeit einen sinkenden Anteil am Volkseinkommen verzeichneten. Was die Arbeitnehmerhaushalte weniger sparten, wurde durch größere Ersparnisse aus den Unternehmereinkommen nicht ausgeglichen.

Staatsverschuldung

Die Verschuldung der öffentlichen Haushalte in Deutschland stieg 1998 auf 2282,5 Mrd DM und war damit mehr als doppelt so hoch wie 1990. Unter Zugrundelegung der Kriterien des Maastrichter Vertrags über die Europäische Wirtschafts- und Währungsunion betrug die S. 61,1% des Bruttoinlandsprodukts.
Sondervermögen: Zur S. zählen auch die Schulden von Sondervermögen, die aus den öffentlichen Haushalten ausgegliedert wurden. Das aus dem ehemaligen Marshallplan (engl.: European Recovery Program) hervorgegangene ERP-Sondervermögen dient vor allem der Wirtschaftsförderung in Ostdeutschland. Der Fonds »Deutsche Einheit« versorgte die neuen Bundesländer mit Finanzmitteln, bevor sie in den Länderfinanzausgleich einbezogen wurden. Der Erblastentilgungsfonds trägt neben Schulden der DDR-Wohnungswirtschaft vor allem die Verluste der ehemaligen Treuhandanstalt zur Privatisierung der DDR-Wirtschaft. Das Bundeseisenbahnvermögen verwaltet Altschulden der früheren Deutschen Reichsbahn der DDR und der Deutschen Bundesbahn. 1999 wurde ein Gesetz verabschiedet, dass die Schulden der Son-

▬▬ **Staatsverschuldung: Zusammensetzung**	
Bund	958,0[1]
Westdeutsche Länder	525,6
Ostdeutsche Länder	98,2
Westdeutsche Gemeinden	161,0
Ostdeutsche Gemeinden	40,0
Bundeseisenbahnvermögen	77,2
Fonds »Deutsche Einheit«	79,3
ERP-Sondervermögen	34,1
Erblastentilgungsfonds	305,0
Ausgleichsfonds Steinkohleneinsatz	4,1

1) Mrd DM, Staatsverschuldung insgesamt: 2282,5 Mrd DM; Stand 31.12.1998; Quelle: Deutsche Bundesbank; http://www.bundesbank.de

dervermögen wieder als Teil der Bundesschuld ausgewiesen werden sollen.
Bund und Länder → Treuhandnachfolge
Europäische Union → Europäische Wirtschafts- und Währungsunion **Konjunktur** → Staatsquote
http://www.bundesbank.de

Steuern

Geldleistungen, die nicht eine Gegenleistung darstellen und vom Staat zur Erzielung von Einnahmen allen auferlegt werden, bei denen der jeweilige S.-Tatbestand vorliegt

1998 betrugen die S.-Einnahmen 833 Mrd DM (+4,5% gegenüber 1997). Für 1999 und 2000 rechnete der unabhängige Arbeitskreis Steuerschätzungen mit Einnahmen von 876,8 Mrd DM bzw. 904,4 Mrd DM. Es waren niedrigere Steigerungsraten als noch 1998 angenommen.
Steuerreformen: Am 1.4.1999 traten die erste Stufe einer Öko-S. und die Abschaffung der Pauschalbesteuerung von 630-Mark-Jobs in Kraft. Die von der rot-grünen Bundesregierung geplante S.-Reform sah über drei Stufen – zum 1.1.1999, 2000 und 2002 – eine Gesamtentlastung von rund 57 Mrd DM vor. Eine Durchschnittsfamilie mit zwei Kindern soll 2002 gegenüber 1998 rund 2500 DM weniger S. zahlen.
Steuerpaket: Das Bundeskabinett plante, Mitte 1999 ein weiteres Steuerpaket vorzulegen, das die Unternehmen-S. und die Familienbesteuerung reformieren soll. Das Bundesverfassungsgericht hatte Anfang 1999 dem Gesetzgeber auferlegt, eine Neuregelung zu schaffen, die Sach- und

1) in haushaltsmäßiger Abgrenzung der finanziellen Entwicklung (Mrd DM); 2) das Aufkommen steht Bund, Ländern und Gemeinden im Verhältnis 42,5 : 42,5 : 15 zu; 3) das Aufkommen steht Bund und Ländern im Verhältnis 50 : 50 zu, an der Zinsabschlagsteuer sind vorab die Gemeinden mit 12% beteiligt; 4) vom Steueraufkommen erhielt der Bund vorab 3,64% für den Zuschuss zur Rentenversicherung, die Restsumme stand Bund, Ländern und Gemeinden im Verhältnis 49,389 : 48,411 : 2,2 zu; 5) einschließlich Solidaritätszuschlag zu Einkommen- und Körperschaftsteuer; 6) davon wurde eine Umlage in Höhe von 10,3 Mrd DM erhoben, die zu 42,2% dem Bund und 57,8% den Ländern zustand; Quelle: Deutsche Bundesbank.

Steuereinnahmen 1998[1]

Gemeinschaftl. Steuern	590,4
Lohnsteuer[2]	258,3
Veranlagte Einkommensteuer[2]	11,1
Körperschaftsteuer[3]	36,2
Kapitalertragsteuern[3]	34,6
Umsatzsteuern[4]	250,2
Bundessteuern	130,5
Mineralölsteuer	66,7
Tabaksteuer	21,7
Versicherungssteuer	14,0
Branntweinabgaben	4,4
sonstige Bundessteuern[5]	23,7
Ländersteuern	37,3
Kfz-Steuer	15,2
Vermögensteuernachzahlungen	1,1
Erbschaftsteuer	4,8
Biersteuer	1,7
übrige Ländersteuern	14,5
EU-Zölle	6,5
Gemeindesteuern	68,3
Gewerbesteuer[6]	50,5
Grundsteuern	16,2
sonstige Gemeindesteuern	1,6
Insgesamt	833,0

Betreuungsaufwand für Kinder steuerlich in größerem Umfang als bisher berücksichtigt.

Steuerhinterziehung: Die S.-Behörden ermittelten 1998/99 in mehreren tausend Fällen gegen Banken, deren Mitarbeiter sowie Kunden wegen S.-Hinterziehung bzw. Beihilfe, weil Gelder nach Luxemburg oder andere Staaten verschoben wurden. Die Bankkunden versuchten sich durch Selbstanzeigen vor Strafverfolgung zu schützen.

■ **Arbeit** → Geringfügige Beschäftigung

Subventionen

Unterstützungszahlungen öffentlicher Haushalte (Finanzhilfen und Steuererleichterungen) zur Förderung bestimmter Wirtschaftszweige, wirtschaftspolitischer Ziele, Regionen oder Unternehmensarten

Nach dem S.-Bericht 1998 der Bundesregierung betrugen die S. 115,2 Mrd DM. Größter Empfänger war die gewerbliche Wirtschaft (50%), 41% der Bundes-S. flossen nach Ostdeutschland.

Umfang: Die Gesamthöhe der S. ist unter Ökonomen und Politikern umstritten, da verschiedene Abgrenzungen des S.-Begriffs verwendet werden. Das Institut für Weltwirtschaft (Kiel) geht von 291 Mrd DM aus und bezieht auch die Förderung halbstaatlicher Einrichtungen wie z. B. des Rundfunksenders »Deutsche Welle«, von Kliniken oder Kultureinrichtungen ein. 36,5% des Steueraufkommens bzw. 8,1% des BSP würden für S. verwendet. Demgegenüber führt die Bundesregierung vor allem staatliche Leistungen an Betriebe und wirtschaftlich bedeutsame Förderungen wie den Wohnungsbau als S. Das rot-grüne Bundeskabinet plante Mitte 1999, im Rahmen der Unternehmensteuerreform bis zu 20 Mrd DM an S. zu streichen.

Kohle: Den höchsten S.-Betrag erhielt 1998 die deutsche Steinkohlenwirtschaft mit 9,25 Mrd DM. Die S. sollen 1999 auf 8,8 Mrd DM und 2000 auf 8,5 Mrd DM verringert werden. Ab 2002 unterliegt die Kohle nicht mehr den Sonderbestimmungen des Montanvertrags aus dem Jahr 1952, sondern ist wie alle Waren dem Wettbewerbsrecht der Europäischen Union (EU) unterworfen. Insbes. die Regierung Großbritanniens setzte sich gegen die als unfair bezeichneten deutschen Kohle-S. ein.

Wettbewerbskontrolle: S., die den Handel innerhalb der EU beeinträchtigen, können von der Europäischen Kommission untersagt werden. 1998 genehmigten die Brüsseler Kommissare u. a. die S. für ein neues DaimlerChrysler-Werk in Brandenburg und das Opelwerk bei Kaiserslautern. Ab 2000 gilt die S.-Kontrolle der EU in vollem Umfang auch für Ostdeutschland.

■ **EU** → Agrarpolitik → EU-Wettbewerbskontrolle
■ **Energie** → Kohle
http://www.uni-kiel.de/ifW

Unternehmensteuerreform

Mit einer U. sollen die Betriebe steuerlich entlastet und im Gegenzug Steuervergünstigungen und Subventionen abgebaut werden. In Deutschland besteht kein einheitliches Unternehmenssteuerrecht: Während Kapitalgesellschaften (AG, GmbH) der Körperschaftsteuer unterliegen, gilt für Personenunternehmen (90% aller Betriebe) die Einkommensteuer.

Die rot-grüne Bundesregierung legte Mitte 1999 ein Konzept zur U. vor, nach dem der Körperschaftsteuersatz für einbehaltene Gewinne ab 1.1.2001 auf 25% gesenkt werden soll. Personenunternehmen soll die Möglichkeit geschaffen werden, im Rahmen der Einkommensteuer ebenfalls diesen ermäßigten Satz für im Unternehmen verbleibende Gewinne anzuwenden. Ausgeschüttete Gewinne sollen künftig zu 50% bei der Einkommensteuer berücksichtigt werden. Zusammen mit Solidaritätszuschlag und Gewerbesteuer verringert sich dadurch die steuerliche Belastung der Unternehmen auf höchstens 35%.

Verfassungsmäßigkeit: Die Diskussion zur U. wurde 1999 durch eine Entscheidung des Bundesfinanzhofs wesentlich beeinflusst, der die Frage unterschiedlicher Höchstsätze für gewerbliche u. a. Einkünfte in der Einkommensteuer dem Bundesverfassungsgericht zur Prüfung vorlegte. Rechtsexperten hielten es für verfassungswidrig, dass Gewerbetreibende mit einem Steuerhöchstsatz von 45% (ab 2000: 43%) gegenüber anderen Einkommensbeziehern bevorzugt werden, z. B. Selbstständigen wie Rechtsanwälten oder Ärzten, für die der normale Steuerhöchstsatz von 53% (ab 2000: 51%) gilt.

Gewerbesteuer: Seit 1998 wird in Deutschland nur noch eine Gewerbesteuer auf den Gewerbeertrag erhoben, die abzüglich einer Umlage für Bund und Länder den Gemeinden zusteht. Zum Ausgleich ihrer Einnahmeausfälle der früheren Gewerbekapitalsteuer erhalten die Kommunen eine direkte Beteiligung von 2,2% an der Mehrwertsteuer.

http://www.bundesfinanzministerium.de

Vermögen

Lt. Schätzungen von Wirtschaftsinstituten besaßen die Bundesbürger 1999 rund 5800 Mrd DM an Geld-V. (1990: 3077 Mrd DM) und 7400 Mrd DM an Immobilien-V. (1990: 5082 Mrd DM). Über die V.-Verteilung lagen Ende der 90er Jahre keine neueren Untersuchungen vor; im Jahr 1993 besaßen 6% der Haushalte über ein Drittel aller Kapitalanlagen.

Steuer: Nachdem der deutsche Gesetzgeber kein neues mit den Vorgaben des Bundesverfassungsgerichts übereinstimmendes

V.-Steuergesetz erlassen hatte, wird die V.-Steuer seit 1997 nicht mehr erhoben. Politiker der Regierungsparteien SPD und Bündnis 90/ Die Grünen setzten sich 1999 für die Verabschiedung eines neuen V.-Steuergesetzes ein.

Vermögensbildung

1999 trat in Deutschland eine Reform der V. in Arbeitnehmerhand in Kraft. Sie legt höhere staatliche Zulagen zu den vom Arbeitgeber gezahlten vermögenswirksamen Leistungen (VL) für Bausparen sowie für Beteiligungssparen (Erwerb von Anteilen am eigenen oder anderen Unternehmen) fest.

Einkommensgrenzen: In den Genuss der V. kommen Arbeitnehmer mit zu versteuerndem Jahreseinkommen bis zu 35 000 DM (Verheiratete: 70 000 DM). Zwei Drittel aller Arbeitnehmer können an der V. teilnehmen, sofern ihr Arbeitgeber VL zahlt.

Vermögenswirksame Leistungen: Die Höhe der VL der Arbeitgeber richtet sich nach den Tarif- bzw. Arbeitsverträgen. Bei Beteiligungen am eigenen Unternehmen liegt das Geld für eine Sperrfrist von sechs Jahren fest, bei den anderen Anlagearten für sieben Jahre.

Bausparen: Für Bausparverträge wird wie bisher eine Zulage von 10% auf VL bis zu 936 DM/Jahr gezahlt. VL für Lebensversicherungen und Banksparpläne sind weiterhin möglich, werden aber nicht mehr mit staatlichen Zulagen gefördert.

Aktien: Zusätzlich zur Bausparförderung werden VL in Form von Beteiligungen am eigenen oder an fremden Unternehmen (Aktiensparen) bis zu 800 DM/Jahr mit 20% in Westdeutschland und in Ostdeutschland bis 2004 mit 25% bezuschusst.

http://www.bma.de

Wirtschaftsförderung Ost

Mittelfristiges Förderkonzept der Bundesregierung für die wirtschaftliche Entwicklung in den ostdeutschen Bundesländern bis 2004

1999 stellte die neu gewählte rot-grüne Bundesregierung klar, dass ihre Sparpläne für den Bundeshaushalt der kommenden Jahre nicht die W. betreffen. Die zur Verfügung stehenden Mittel wurden 1999 um 8 Mrd DM aufgestockt. Seit 1991 ist über

1 Billion DM an Fördergeldern nach Ostdeutschland geflossen.

Investitionszulagen: Die früheren Sonderabschreibungen sind ab 1999 weggefallen, stattdessen wurden die Investitionszulagen in Ostdeutschland, auf die Rechtsanspruch besteht, erhöht. Alle Unternehmen des verarbeitenden Gewerbes, produktionsnaher Dienstleistungen sowie (bis 2001) des Handwerks und des innerstädtischen kleinflächigen Handels erhalten 10% der Investitionskosten als staatliche Zulage, Betriebe unter 250 Arbeitnehmern 20%. Auch der Mietwohnungsbau wird mit 10%, die Modernisierung bestehender Wohnungen mit 15% gefördert.

Gemeinschaftsaufgaben: Im Rahmen der im Grundgesetz (Art. 91a) verankerten Gemeinschaftsaufgaben von Bund und Ländern zur Verbesserung der regionalen Wirtschaftsstruktur bzw. der Agrarstruktur und des Küstenschutzes können auf Antrag nach Prüfung Zuschüsse gezahlt werden. Beide Gemeinschaftsaufgaben kommen zum größten Teil Ostdeutschland zugute.

Weitere Instrumente: Zur W. zählen auch zinsgünstige Darlehen, ein Programm zur Eigenkapitalhilfe, Bürgschaften der öffentlichen Haushalte, ein Sonderprojekt der Forschungsförderung (bis 2001) sowie ein Fonds, über den sich Geldgeber am Kapital ostdeutscher Unternehmen beteiligen können.

Zukunft: Führende Wirtschaftsinstitute befürworteten 1999, die besondere Förderung Ostdeutschlands durch Investitionszulagen nach 2004 zu beenden und die W. nur noch im Rahmen der Gemeinschaftsaufgaben zu betreiben.

■ **Bund und Länder** → Ostdeutschland
http://www.bmwi.de

Zinsbesteuerung

Zinserträge aus Sparguthaben und Wertpapieren unterliegen oberhalb eines möglichen Freibetrags einer Quellensteuer, die am Ort der Entstehung (Kreditinstitut) erhoben wird.

1999 konnten Sparer für Kapitaleinkünfte bis zum Freibetrag von 6100 DM (Verheiratete: 12200 DM) ihrer Bank einen Freistellungsauftrag erteilen. Die Freibeträge werden ab 2000 auf 3100 DM bzw. 6200 DM gesenkt. Bei fehlendem Freistellungsauftrag oder höheren Zinseinnahmen führt die Bank pauschal 30% Quellensteuer zuzüglich 5,5% Solidaritätszuschlag ans Finanzamt ab. Über die Einkommensteuererklärung kann der Sparer eine Verrechnung vornehmen lassen, wenn sein Steuersatz unter 30% liegt. Der Solidaritätszuschlag steht dem Bund zu, die Einnahmen der Quellensteuer verteilen sich zu 12% auf die Gemeinden und je 44% auf Bund und Länder.

Vereinheitlichung: Innerhalb der Europäischen Union (EU) wurden 1999 keine Fortschritte zur Vereinheitlichung der Z. erzielt. Ein Vorschlag der Finanzminister sieht vor, dass alle EU-Staaten entweder eine generelle Quellensteuer einführen oder zumindest für Bürger anderer EU-Staaten beschließen oder, wenn sie auch dies ablehnen, die Finanzbehörden des Heimatlandes über Zinseinkünfte informieren. So soll die Steuerflucht in andere EU-Länder eingedämmt werden, in denen bislang keine Z. besteht. Schätzungen zufolge entgingen 1998 den deutschen Finanzämtern über 30 Mrd DM, weil Gelder z. B. in Luxemburg angelegt wurden, wo weder Z. noch eine Kontrolle von Zinseinkünften existierte.

■ **Europäische Union**
→EU-Steuerharmonisierung
http://www.bundesfinanzministerium.de

Zinsbesteuerung: Quellensteuer		
Belgien		15,00[1]
Dänemark		0
Deutschland[1]		31,65
Finnland		28,00
Frankreich		25,00
Griechenland		15,00
Großbritannien		20,00
Irland		26,00
Italien		27,00
Luxemburg		0
Niederlande		0
Österreich		25,00
Portugal		20,00
Schweden		30,00
Spanien		25,00

1) in %; 2) inkl. 5,5% Solidaritätszuschlag; Quelle: Bundesfinanzministerium; http://www.bundesfinanzministerium.de

Telekommunikation

Handy

Mobiles, drahtloses Telefon, das auch für Fax und Datenfernübertragung benutzt werden kann

Anfang 1999 überschritt die Zahl der deutschen Mobilfunkteilnehmer die 16-Mio-Grenze. Mit einer H.-Dichte von 18% lag Deutschland in Europa noch auf einem hinteren Rang. Bis Ende 1999 soll die H.-Dichte 25 % betragen (Ende 2003: 50 %).
Technik: Die Sprache bzw. die Daten werden per Funk übermittelt, die Gesprächskosten über einen Mobilfunknetzbetreiber abgerechnet, der als Berechtigungsausweis dem Kunden eine ins H. eingelegte SIM-Karte (Subscriber Identification Module, engl.; Karte zur Kundenidentifizierung) zur Verfügung stellt. Die SIM-Karte beinhaltet eine dem Nutzer zuzuordnende Telefonnummer, anhand derer die handyunabhängige Gebührenberechnung erfolgt.
Sicherheit: Jedes H. besitzt eine eindeutige Identifizierungsnummer (IMEI). Bei Verlust oder Diebstahl kann das H. vom jeweiligen Eigentümer unabhängig vom genutzten Mobilfunknetzbetreiber gesperrt werden. In 1998/99 veröffentlichten wissenschaftlichen Gutachten konnten keine Gesundheitsgefahren durch H.-Nutzung festgestellt werden. Jedoch können H. elektrische Geräte beeinflussen. Daher wird die Verwendung von H. an immer mehr öffentlichen Orten verboten.
Innovationen: 1998/99 neu entwickelte H. waren kleiner, leichter und leistungsfähiger als ihre Vorgänger (Preise: 250–1100 DM). Sie verfügten über Infrarotschnittstellen, Notizbücher, Kalender, Vibrationsalarm und integrierte Spiele. Als neuestes Produkt für Mobiltelefonierer wurde auf der CeBit 1999 WAP vorgestellt. WAP (Wireless Application Protocol; engl.: drahtloses Anwendungsprotokoll), ist ein neuer Standard, der es ermöglicht Internetangebote auf dem H.-Display anzeigen zu lassen. Mit WAP können grafisch aufbereitete Informationen aus dem Internet für die drahtlosen H. auf handliche Textformate reduziert werden. E-Mails können gelesen und verschickt

▓ Handy-Verbote

▶ **Krankenhäuser:** H. können hochempfindliche medizinische Geräte oder auch Herzschrittmacher stören.

▶ **Flugzeuge:** H.-Signale können bei eingeschaltetem Autopiloten Kursänderungen verursachen.

▶ **Tankstellen:** Beim Herunterfallen eines H. kann der Akku Funken schlagen und eine Explosion auslösen.

▶ **Verkaufsräume:** H. können Brandmeldeanlagen stören.

▶ **Busse und Bahnen:** Funkwellen könnten Auswirkungen auf die Steuerelektronik und das elektronische Gaspedal sowie das Antiblockiersystem (ABS) haben.

▶ **Autos:** H. können den Airbag auslösen und lenken den Fahrer ab.

werden. Depot- und Kontenabfragen sowie die Erledigung diverser Bankgeschäfte werden über das H. ermöglicht. Über 90% aller Hersteller von Mobiltelefonen und Notepads haben sich vorgenommen, WAP zu einem Erfolg zu machen. Ab Sommer 1999 sollen die ersten WAP-H. in den Handel kommen.

Mobilfunk

Fernmeldedienst zur standortunabhängigen Kommunikation durch Funk mit jedem beliebigen Teilnehmer. Die Funksignale können zur Datenübertragung, zum Faxen oder zum Telefonieren genutzt werden. Hierzu wird ein mit einer Sende- und Empfangseinrichtung ausgestattetes Funkgerät (Handy), das sich frei bewegen lässt, benutzt.

Anfang 1999 gab es in Deutschland fünf Mobilfunknetze C, D1, D2, E-Plus und VIAG-Interkom, in denen nahezu 16 Mio (1998: 9 Mio) Teilnehmer telefonierten. Die Deutsche Telekom wird das veraltete analoge C-Netz Ende 2000 abschalten. Den 330 000 Kunden werden D1-Verträge angeboten. Prognosen zufolge werden Ende 1999 über 25 % der Deutschen mobil telefonieren. Bis Ende 2003 werden 50% Mobiltelefonierer erwartet.
GSM: (Global System for Mobile Communication, engl.; Globales System für Mobilkommunikation): Mit dem international anerkannten Standard ist es z. B. möglich, ein in Deutschland gekauftes Handy in über 130 Ländern zu benutzen. Die Übertragungsrate bei GSM liegt bei 9600 Bit/sec. In der GSM-Association waren im Mai 1999 über 347 Netzbetreiber, Hersteller und

■ Mobilfunk: Satellitennetze

	Globalstar	ICO	Teledisc	Odyssey	Iridium
Investitionen (Mrd $)	1,9	2,8	9	3,2	3,4
Zahl der Satelliten	48	12	840	12	66
Verbindungsgebühren	1 $/min	noch unklar	Tarife in Planung	unter 1 $/min	3 $/min weltweit
Handy-Preis	750 $	noch unklar	kein Handy	700 $	2500–3000 $
Lebensjahre der Satelliten	7,5	12	10	15	5
Inbetriebnahme	3.Quartal 1999	2000	2001	2001	1998

Stand: 1999, Quelle: International Telecommunication Union (ITU) und Netzbetreiber

Regierungsvertreter aus 133 Ländern zusammengeschlossen. Die GSM-Netzbetreiber hatten weltweit insgesamt über 160 Mio Kunden, davon telefonierten allein in Deutschland mehr als 16 Mio Kunden.

Satellitensysteme: Im September 1998 nahm die Firma Iridium ihr neues Satellitentelefonsystem in Betrieb. Es ist ein von Motorola eingesetztes Kommunikationssystem und stützt sich auf 66 LEO-Satelliten (engl.: Low Earth Orbit Satellites; niedrig fliegende Satelliten), die als Relaisstationen in einer Höhe von 740–780 km (zum Vergleich: ASTRA-TV-Satelliten: 68000 km) über der Erde kreisen. Dadurch sind sehr kleine Endgeräte (Handys) möglich. Benutzer haben eine ortsunabhängige, persönliche Rufnummer. Außer von Iridium kann das Satellitensystem von Inmarsat benutzt werden. Es wird vor allem von Reportern oder Hilfsorganisationen verwendet, da sie Standort unabhängig korrespondieren können. Betreiber der vier Satelliten von Inmarsat war ein Konsortium von 38 Unternehmen der Telekommunikationsbranche aus 76 Ländern, darunter die Tochter der Deutschen Telekom, T-Mobil. Bis 2000 will T-Mobil das Nachfolgersystem von Inmarsat, ICO, in Betrieb nehmen. Die zwölf Satelliten für das ICO-System werden auf zwei Umlaufbahnen von knapp 800 km und geostationär von 36000 km stationiert. Kommunikationssatelliten wiegen durchschnittlich nur 125 kg. Für Anfang des 21. Jh. sind 20 weitere TK-Projekte mit LEO-Satelliten geplant.

UMTS: (Universal-Mobile-Telecommunication-System): Die dritte M.-Generation UMTS soll spätestens 2002 zur Verfügung stehen. Jeder Nutzer dieses Systems ist über eine persönliche Kommunikationsnummer weltweit erreichbar. Mit einer Übertragungsrate von 2 Megabit/sec sind Multimedia-Anwendungen, der Download aus dem Internet und Videokonferenzen wichtigste Dienste des neuen Standards. 1999 wurde ein UMTS-Testnetz in Düsseldorf-Oberkassel installiert. Die UMTS-Lizenzen werden von der Regulierungsbehörde nicht gegen Gebühr vergeben, sondern versteigert – der Meistbietende gewinnt. Alle verfügbaren UMTS-Lizenzen sollen auf einmal vergeben werden und nicht nacheinander wie bei den D- und E-Netzen. Die Versteigerungen sollen spätestens im Januar 2000 stattfinden. Bis Mitte 1999 bekundeten 38 Unternehmen ihr Interesse der Regulierungsbehörde, darunter auch viele aus dem Ausland. Ungeklärt war, wie viele Lizenzen insgesamt vergeben werden. Das verfügbare Frequenzband reicht nach Meinung von Experten für drei bis sechs Netze. Offen blieb auch, ob außer bundesweiten Lizenzen auch regionale vergeben werden sollen. Finnland hat als erstes Land der Welt Lizenzen für die dritte M.-Generation UMTS vergeben.

■ Mobilfunk: Innovationen

▶ **Dualbandgeräte** funken im GSM-900- (D-Netze) und im GSM-1800- und GSM-1900-Bereich (E-Netze und US-amerikanischer Standard).

▶ **Satellitenhandys** können im D-Netz, E-Netz und im Satelliten-Netz von Iridium betrieben werden.

▶ **Dualmode** zählte 1999 zu den Plänen neuer Festnetzbetreiber, bei denen das Mobilfunknetz mit einem Festnetz gekoppelt wird. Dualmode-Handys nutzen im Heim u. Büro die digitale Schnurlostechnik DECT. Außerhalb funken sie im D- oder E-Netz. Im Heimbereich kann das Handy im preiswerteren Festnetztarif benutzt werden.

▶ **Dualrate-Geräte** wurden entwickelt, um die vorhandenen Netze besser zu nutzen. Außer der herkömmlichen Fullrate-Übertragung werden zwei weitere Varianten der Sprachübermittlung eingesetzt: Beim Halfrate-Codec wird ein optimierter Algorithmus (Rechenvorgang) genutzt, um mehr Gespräche im Netz führen zu können; beim Enhanced-Fullrate-Codec (EFR) wird der Algorithmus zur Verbesserung der Sprachqualität eingesetzt. Die Betreiber der deutschen D-Netze favorisierten 1999 die Einführung der Halfrate-Technik; E-Plus und das E2-Netz zogen das EFR vor.

Post, Deutsche

Dienstleistungen: Lt. Gesetz von 1998 behält die P. bis Ende 2002 den Exklusivlizenzbereich zur Beförderung von Briefen bis 200 g und 5,50 DM Porto sowie für Massendrucksachen bis 50 g (zusammen rund 80 % aller Briefsendungen). Private Wettbewerber benötigen eine Lizenz, die von der Regulierungsbehörde für Telekommunikation und Post (RTP) vergeben wird (1998: über 150 Lizenzvergaben). Privatunternehmen sind verpflichtet, ihre Dienste in einem Gebiet von mind. 2 500 km² anzubieten. Bei qualitativ höherwertigen Dienstleistungen dürfen sie auch leichtere Briefe als der Monopolist P. befördern.

Über eine Verschärfung der Lizenzvergaben durch die RTP soll die Dienstleistungsversorgung der vorgesehenen Fläche gewährleistet werden.

Eine Gesetzesklausel soll sicherstellen, dass neue Unternehmen nicht mit unverhältnismäßig vielen geringfügig Beschäftigten (630-DM-Veträgen) oder sog. Scheinselbstständigen arbeiten.

Ministeriumsauflösung: Mit Inkrafttreten des P.-Gesetzes zum 1.1.1998 wurde das Bundespostministerium aufgelöst. Verbleibende Aufgaben, die nicht in die Zuständigkeit der Regulierungsbehörde fallen, werden vom Bundeswirtschaftsministerium (Rechtsfragen) oder vom Bundesfinanzministerium (Eigentümerfunktion und Herausgabe von Briefmarken) wahrgenommen.

Bilanz: Der Gesamtumsatz der P. stieg 1998 um 3,8% auf 28,7 Mrd DM, ihr Gewinn erhöhte sich um fast 70% auf 1,267 Mrd DM. Ende 1998 beschäftigte die P. 260 520 Mitarbeiter (inkl. Nachwuchskräfte), etwa 10 000 (3,9%) weniger als 1997. Der Frauenanteil lag bei 47,2%. Gemäß Tarifvereinbarungen soll der Stellenabbau sozialverträglich erfolgen und bis zum 31.12.2000 auf betriebsbedingte Kündigungen verzichtet werden.

Durch die Mitte 1999 geplante Kooperation zwischen Deutscher Telekom und P. werden 4150 Beschäftigte innerhalb der beiden Unternehmen wechseln. Die P. wird den gesamten Logistikbereich der Telekom übernehmen (Umsatz 1998: rund 500 Mio DM).

Börsengang: Für den im Herbst 2000 geplanten Börsengang erwartet die P. als internationaler Konzern einen Umsatz von

Post: Briefmarkt in Europa[1]

Deutsche Post		24
La Poste		22
Royal Mail		14
Poste Italiane		8
TGP Niederlande		8
Post Schweiz		6
Post Schweden		4
Post Belgien		3
Andere		11

1) Marktanteile 1998 (%); Quelle: Deutsche Post AG

Post: Paket- und Expressmarkt[1]

Deutsche Post und Partner	12,7[1]
La Poste / DPD	10,2
DHL	6,7
TGP/TNT	6,4
UPS	6,2
Parcel Force / GP	3,6
Andere	54,2

1) Marktanteile 1998 (%); Quelle: Deutsche Post AG

Die deutsche und die französische Post dominierten 1998 mit einem Anteil von fast der Hälfte den Briefverkehr in Europa.

Auf dem Paket- und Expressmarkt in Europa agierten 1998 noch zahlreiche Anbieter. Die beiden größten Dienste, die deutsche und die französische Post, stellten zusammen weniger als ein Viertel des Gesamtmarkts.

50 Mrd DM. 2001 wird die hauseigene Bank folgen, ca. 30% ihrer Anteile sollen breit gestreut werden.

Postbank: Zum 1.1.1999 übernahm die P. zu 100% das Kapital der Deutschen Postbank. Neben den zusätzlichen Leistungen von Bausparen, Investmentfonds, Kreditkarten, Krediten, Baufinanzierungsvermittlungen und Versicherungen will die P.-Bank Anfang 2000 in das Direct Brokerage an der Börse einsteigen. Die Bilanzsumme der Postbank erhöhte sich 1998 um 2,4% auf 114 Mrd DM. Der Jahresüberschuss betrug 16 Mio DM (1997: 27 Mio DM). Das Institut beschäftigte Ende 1998 rund 12 500 Mitarbeiter (−7,3% gegenüber 1997).

Telekommunikation

Elektronische Informationsübertragung über weite Strecken

Markt: Seit 1998 können Privatunternehmen nach der EU-weiten Auflösung der Monopole staatlicher Fernmeldegesellschaften ihre Festnetze für die Fernübertragung von Sprache und Daten und ihre eigenen Telefondienste auf dem deutschen Markt anbieten.

Regulierungsbehörde: Die Regulierungsbehörde für Telekommunikation und Post wurde Anfang 1998 als Bundesoberbehörde im Geschäftsbereich des Bundesministeriums für Wirtschaft mit Sitz in Bonn errichtet. Die Regulierungsbehörde übernahm die Aufgaben des bisherigen Bundesministeriums für Post und Telekommunikation, das zum Jahresende 1997 aufgelöst worden war. Außerdem wurden weitere Aufgaben (z. B. Gesetze über die elektromagnetische Verträglichkeit von Geräten) in die Regulierungsbehörde integriert. Die Regulierung von T. und Post sowie die Frequenzordnung und die Rufnummernverwaltung sind hoheitliche Aufgaben des Bundes. Aufgabe der Behörde ist es, den Wettbewerb zu fördern und flächendeckend ausreichende Dienstleistungen (Infrastrukturauftrag) zu gewährleisten. Bei der Regulierungsbehörde können u. a. persönliche Telefonnummern beantragt werden. Sie haben unabhängig vom Wohnort eine eigene Vorwahl (07 00). Dahinter folgt die persönliche achtstellige Ziffernfolge (Teilnehmerrufnummer). Mit der persönlichen Telefonnummer ist ein Zugang von und zu allen Telekommunikationsnetzen unter einer Rufnummer möglich; unabhängig vom Standort, vom Endgerät, von der Übertragungsart (Kabel oder Funk) und von der Technologie. Da nur noch Telefone mit einer kombinierten Tastatur aus Ziffern und Buchstaben zugelassen werden sollen, können aus Telefonnummern Wörter gebildet werden. So ergibt z. B. die persönliche Telefonnummer (07 00) 53 66 27 36 den Namen LEONARDO.

Telekommunikationsdienste

ADSL (Asymmetric Digital Subscriber Line, engl.; digitale, asymmetrische Anschlussleitung): ADSL ermöglicht über das normale Telefon-Kupferkabel den Datenaustausch mit einer Übertragungsgeschwindigkeit von bis zu 8 Mbit/sec (ISDN 64 Kbit/sec). Diese Technologie eignet sich besonders für Internet-Dienste. Die deutsche Telekom installiert ADSL bis Jahresende 1999 in 43 Ortsnetzen. Bis 2003 soll ADSL bundesweit ausgebaut sein und bei Internetanwendungen die herkömmliche ISDN-Technik ablösen. Der Grundpreis für das T-DSL, wie ADSL bei der Deutschen Telekom heißt, beträgt 98 DM im Monat.

ATM (Asynchronous Transfer Mode, engl.; Asynchroner Übertragungsmodus): Die standardisierte Übertragungs- und Vermittlungstechnologie deckt eine Bandbreite von 2 Mbit/sec bis 155 Mbit/sec ab. ATM verbindet die Vorteile verbindungsorientierter Vermittlung (jeder Teilnehmer hat seine eigene Leitung) mit denen der sog. Paketvermittlung. Durch Zerlegung der Daten in einheitlich lange Pakete mit einer Kennung für den Zielort können unterschiedliche Signale (Sprache, Daten, Bilder) zugleich über höchster Übertragungsgeschwindigkeit über eine einzige Leitung geschickt werden. Jeder Benutzer zahlt nur die Datenübertragungsrate, die er auch wirklich im Netz nutzt.

ISDN (Integrated Services Digital Network, engl.; diensteintegrierendes digitales Netzwerk): Mit dem computergesteuerten Netz zur Datenfernübertragung werden Sprache,

■■ ISDN: Kosten und Leistungen eines Anschlusses[1]

Mehrgeräteanschluss	Standard	Komfort
Monatlicher Grundpreis	46,00 DM	51,00 DM
Übermittlung der Rufnummer	✔	✔
Drei Rufnummern	✔	✔
Rückfrage, Makeln, Dreierkonferenz, Anklopfen	✔	✔
Rückrufen, wenn besetzt	✔	✔
Nutzung mehrerer Telefondosen	✔	✔
Mehrfachrufnummern	✔	✔
Anrufweiterschaltung	–	✔
Anzeige der Gesprächsgebühren	–	✔

1) Einmalgebühr für einen Basisanschluss: 100,00 DM

■■ ISDN: Vorteile

▶ **Niedrige Gebühren:** Die Telefontarife der Telekom sind bei Ferngesprächen günstiger als von einem Analoganschluss aus.

▶ **Multifunktionalität:** Zwei Leitungen für zwei parallele Verbindungen können gleichzeitig für ein Telefongespräch und ein Telefax oder ein Telefonat und eine PC-Verbindung zur Datenübertragung genutzt werden.

▶ **Nummernvielfalt:** Ein Anschluss hat 3–10 Telefonnummern.

▶ **Sonderleistungen:** Anklopfen, Anzeige der Rufnummer (wenn der Anrufer damit einverstanden ist und die Weitergabe freigibt), Makeln zwischen zwei Gesprächen, Dreierkonferenz und Anrufweiterschaltung zu weiteren Anschlüssen sind möglich.

▶ **Schnelle Verbindung:** Über Computer können Daten (Texte, Bilder und Grafiken) in hoher Geschwindigkeit bis zu 128 Kilobit/sec übertragen werden (modernes Modem: 58 Kilobit/sec).

▬ Telekommunikations-Unternehmen

▸ **Arcor** (Festnetz): Die Mannesmann Arcor AG & Co. war Ende 1998 zweitgrößter Anbieter von TK-Diensten in Deutschland. Arcor verfügte über ein eigenes flächendeckendes Netz (ca. 40000 km). Hauptgesellschafter von Arcor waren das Mannesmann Konsortium (Anteil: 74,9%) und die Deutsche Bahn AG (25,1%). Die unternehmerische Führung liegt bei der Mannesmann AG. Zum 1.4.1999 übernahm Arcor zum Kaufpreis von 2,25 Mrd DM die Firma Otelo mit ca. 2800 Mitarbeitern. Der Handel schloss die 100%-ige Tochter germany.net mit ihren über 600000 Internet-Kunden ein. Der Anteil von Arcor am deutschen Markt wuchs bei den privaten Anbietern mit dem Kauf um über 50%.

▸ **D2-Privat** (Mobilfunk): 1998 war für Mannesmann Mobilfunk das erfolgreichste Geschäftsjahr. Der Umsatz lag 1998 mit 1,8 Mrd DM rund 30% höher als im Vorjahr. Das Unternehmen stellte 1998 über 1000 neue Mitarbeiter ein (Beschäftigte insgesamt: 6500). Mannesmann Mobilfunk startete 1999 den Service D2-Publisher. Damit können Kunden Nachrichten oder Mitteilungen auf das Handy-Display leiten und zum »Verleger« eigener Info-Kanäle werden. Die Zahl der D2-Kunden stieg 1995–99 von 1 Mio auf 6 Mio.

▸ **Mobilcom** (Festnetz und Mobilfunk): Im Sommer 1992 vermarktete Mobilcom zum D2-Netzstart Anschlüsse nebst Handy. Es folgten Firmenneugründungen zur Vermietung von Handys und für den Direktvertrieb. 1996 wandelte sich die Unternehmensgruppe in eine AG um. Ab 1.1.1998 etablierte sich Mobilcom mit einer neuen Tarifstruktur bei Festnetzaktivitäten in dem Bereich als Marktführer unter den Wett-bewerbern der Deutschen Telekom. 1998 steigerte Mobilcom seinen Umsatz (1,5 Mrd DM) um mehr als das Viereinhalbfache im Vergleich zum Vorjahr. Das Gewinn-Ergebnis (250,5 Mio DM) verneunfachte sich im Vergleich zu 1997.

▸ **Otelo** (Festnetz): Gegründet im Februar 1997 von der RWE AG und der VEBA AG, wurde Otelo im April 1999 von Mannesmann Arcor aufgekauft. Grund waren u.a. unterschiedliche Vorstellungen der Stromversorgungsfirmen RWE und VEBA. Hinzu kamen strategische Probleme wie z.B. die verspätete Einführung von Call-by-Call.

▸ **Talkline** (Festnetz und Mobilfunk): Die private Talkline (Sitz: Elmshorn) gehört zur größten dänischen Telefongesellschaft Tele Danmark. Seit Eintritt in den liberalisierten deutschen Markt 1992 zählt sie hier zu den führenden Anbietern von TK-Diensten.

▸ **Tele2** (Festnetz): 1998 war Tele2 mit ihren Tarifen tagsüber Preisführer auf dem deutschen TK-Markt und in der Spitzengruppe bei Abend- und Wochenendtarifen. International setzte Tele2 durch einheitliche Preise einfache und transparente Tarif-Maßstäbe. Alle über die Tele2-Netzvorwahl 01013 geführten Telefonate gelten ohne Extragebühren oder Mindestumsätze. Durch Kapazitätserweiterungen versucht Tele2 bis Ende 1999 ihr Netz so auszubauen, dass über 10 Mio Gesprächs- minuten/Tag abgewickelt werden können. Das entspricht ungefähr 2 Mio Kunden.

▸ **Telekom, Deutsche** (Festnetz und Mobilfunk): Der größte europäische Anbieter scheiterte im April 1999 mit der geplanten Fusion mit der Telecom Italia. Der neue Konzern hätte zu den zehn größten der Welt (Börsenwert Mitte 1999: 317 Mrd DM) gehört. Die Deutsche Telekom AG verfügte Mitte 1999 mit mehr als 150000 km über das dichteste Glasfasernetz der Welt.

▸ **Westcom** (Festnetz und Mobilfunk): Das Unternehmen der GTS-Gruppe (Nasdaq und Easdaq) hatte 1999 eine eigene bundes- und europaweite Infrastruktur. Dazu gehörten u.a. 13200 km Glasfaserstrecke. Bis Ende 1999 sollen mehr als 18000 km Glasfasernetze verlegt werden.

Texte, Bilder und Computerdateien übermittelt. Grundlage für ISDN bildet das digitalisierte telefonische Fernmeldenetz. Die Anzahl der ISDN-Kanäle der Deutschen Telekom stieg 1998 gegenüber dem Vorjahr um 38% auf rund 10,1 Mio Anschlüsse. Die Deutsche Telekom verfügte weltweit über das bestausgebaute ISDN-Netz als die USA und Japan zusammen. Einem Basisanschluss stehen zwei Kommunikationskanäle zur Verfügung. ISDN ist leistungsfähiger als bestehende Netze (Übertragungsgeschwindigkeit ISDN: 64 Kbit/sec, Telefonnetz: 4,8 Kbit/sec) und für die Übertragung großer Datenmengen geeignet (z.B. Bilder bei Videokonferenzen). Herkömmliche Geräte können nicht mit einem ISDN-Anschluss verknüpft werden; die analogen Endgeräte müssen gegen ISDN-Apparate ausgetauscht werden. Möglich ist die Installation einer ISDN-Telefonanlage oder eines Adapters (Preis: ab 100 DM), an die herkömmliche Telefone angeschlossen werden.

EURO-ISDN: Dieser europäische Betriebsstandard, mit dem z.B. Rufnummern des analogen Telefonnetzes ins ISDN-Netz übernommen werden können, soll bis 2000 ISDN ablösen. Die Vereinheitlichung des ISDN-Betriebes, an der sich seit 1996 insgesamt 20 Länder beteiligen, soll den europaweiten Datenaustausch verbessern.

SDSL (Symmetric Digital Subscriber Line, engl.; digitale, symmetrische Anschlussleitung): Diese Technik integriert gleichzeitig ISDN-Dienste. Sie arbeitet ohne Splitter (Geräte, welche die Frequenzbänder von Telefon- und Datenübertragung trennen und beim Anwender installiert werden müssen). Auf der Kupferdoppelader der normalen Telefonleitung sind Übertragungsraten von 2,3 Mbit/sec in beide Richtungen (vom und zum Anwender) möglich. Der Teilnehmer kann sämtliche ISDN-Leistungsmerkmale nutzen, darunter Anklopfen, Makeln, Rufweiterleitung und Dreierkonferenz. SDSL kann parallel zu ADSL eingesetzt werden: Durch eine reduzierte Datenrate werden größere Strecken zwischen Teilnehmer und Vermittlungsstelle überbrückt. Bei einer Datenrate von 2 Mbit/sec reicht das System rund 3,5 km weit, bei 656 Kbit/sec sogar bis zu 6 km. Die breitbandige Datenübertragung per SDSL eignet sich besonders für Internetnutzer z.B. bei Online-Spielen und

▬ Internet-Telefonieren: Tarife der Deutschen Telekom[1]	
Normales Telefonat Hamburg–München um 10 Uhr	0,24
Internet-Telefonat Hamburg–München um 10 Uhr (mit Net2Phone)	0,15[2][3]
Normales Telefonat Hamburg–New York um 10 Uhr	0,73[2]
Internet-Telefonat Hamburg–New York um 10 Uhr (mit Net2Phone)	0,18[2][3]

1) Stand: Mitte 1999 (DM/Min), 2) abhängig vom aktuellen Dollarkurs, 3) inkl. Modem-Verbindungsgebühr zum Citytarif, ohne Providergebühr

Telekommunikation

Globale Netze für die totale Information

Die technische Entwicklung der Informations- und Kommunikationstechniken hat seit den 70er Jahren die Lebens- und Arbeitsbedingungen in den Industriestaaten dramatisch verändert. In der Informationsgesellschaft kommt der Speicherung, Verarbeitung, Verbreitung und Nutzung von Daten eine zentrale Bedeutung zu (Teleshopping und -learning, Online-Banking u.a.). Telekommunikation umfasst (in der BRD seit 1987) nicht nur die traditionellen Bereiche Fernsprechen und Telegrafie, sondern auch TV und Rundfunk-Kommunikation über Rechnernetze (z.B. Internet). Versuche, das Stromnetz zum Kommunikationssystem zu erweitern, stehen vor der Realisierung: Immer mehr Privathaushalte besitzen Zweit- und Drittcomputer oder -fernsehgeräte. Alle Apparate sollen über die Stromquelle zum Netzwerk verbunden werden. Seit der EU-weiten Auflösung der Monopole staatlicher Fernmeldekonzerne 1998 können Privatfirmen auch in Deutschland Festnetze zur Fernübertragung von Sprache und Daten sowie eigene Telefondienste anbieten.

Videoübertragungen. Unternehmen können Telekommunikations-Anlagen miteinander vernetzen oder Videokonferenzen mit hoher Qualität schalten. Die Inbetriebnahme des SDSL-Systems in Deutschland ist für das Jahr 2000 geplant.

Telekommunikations-Innovationen

1999 wurden in Deutschland Computer-Netzwerke in Betrieben und privaten Haushalten über die vorhandenen Stromleitungen in der Wand getestet. Ein Adapter wandelt die von einem PC gesendeten digitalen Daten in elektrische Schwingungen um und schickt sie über die Steckdose in die Stromleitung. Dort fließen die Daten parallel zur elektrischen Spannung mit einer Geschwindigkeit von bis zu 350 Kbit/sec. Der Adapter des Empfänger-Computers wandelt die Informationen wieder in Daten zurück.
Internet-Telefon: Gespräche über das weltweite Datennetz waren bereits 1999 so komfortabel wie mit dem heimischen Telefon. Internet-Telefonierer benötigen nicht einmal mehr einen Computer; mit einem normalen Telefon kann ein Teilnehmer einen Sprachcomputer des jeweiligen Telekommunikationsanbieters, der im Ortsnetz installiert ist, anwählen und sich zum gewünschten Anschluss des Telefonpartners durchstellen lassen. Bei diesem Verfahren können die Kosten für Ferngespräche viermal so niedrig liegen wie beim herkömmlichen Telefonieren. Auch per Computer sind Telefongespräche über das Internet möglich, wenn der Rechner über Soundkarte, Lautsprecher und Mikrofon verfügt. Die Gesprächspartner müssen die gleiche Software benutzen und sich zu einem bestimmten Zeitpunkt verabreden. Die US-Marktforschungsfirma IDC prognostizierte, dass bis 2000 weltweit rund 16 Mio Menschen über Internet telefonieren.

Positive Trends

▶ Die Telekommunikation gilt als Schlüsseltechnologie mit Wachstumspotenzial; der weltweite Umsatz wird sich nach Schätzungen von 3281 Mrd DM 1993 bis 2000 verdoppeln.
▶ Informations- und Kommunikationstechniken können Entwicklungs-, Produktions- und Verteilungsprozesse wesentlich verkürzen.
▶ Die Telekommunikation schafft neue Arbeitsplätze, doch wird durch Rationalisierung u.a. bei Banken u. Handel Beschäftigung abgebaut.

Negative Trends

▶ Die Speicherung von Daten kann zur Verfügbarkeit über den »gläsernen Menschen« führen.
▶ Daten können verfälscht/manipuliert werden.
▶ Trotz neuer Stellen könnte durch Telekommunikation höhere Arbeitslosigkeit entstehen.
▶ Das Schlagwort vom »global village« bezieht sich bislang überwiegend auf Industriestaaten; es besteht die Gefahr, dass Entwicklungsländer von der Information abgekoppelt werden.

Fernsprechen in der Kaiserzeit: Telefonvermittlungsstelle in Berlin, um 1900

Meilensteine

Vom Funk zur digitalen Übermittlungstechnik

1901: Guglielmo Marconi (I) beweist mit dem ersten Transatlantik-Telegramm, dass die elektromagnetischen Wellen der Erdkrümmung folgen und sich nicht »verlieren«.

1906: Arthur Korn (D) übermittelt telegrafisch ein Porträt und legt die Basis der Telekopie.

1908: Das erste öffentliche Selbstanschlussamt in Europa wird in Hildesheim in Betrieb genommen; es hat 1200 Anschlüsse.

1914: Edward E. Kleinschmidt (D) entwickelt in den USA den Springschreiber, den ersten schreibmaschinenähnlichen Fernschreiber.

1923: In Weilheim (D) wird die erste vollautomatische Netzgruppen-Fernwählvermittlung der Welt in Betrieb genommen.

1928: Über eine Funkstrecke geht zwischen London und New York die erste transatlantische Telefonverbindung in Betrieb.

1928: Die Reichspost (D) gibt die Postleitungen für die Nutzung von Fernschreibern frei.

1962: Mit dem TELSTAR (USA) beginnt der Durchbruch bei den TV- und Telekommunikations-Satelliten.

1966: Die AEG (D) erhält das Grundlagenpatent auf die Glasfaser-Lichtwellenleiter-Technologie; ein kugelschreiberdickes Faserbündel kann eine Milliarde Telefonate gleichzeitig weiterleiten.

1969: Die Vernetzung von Computern in Forschung und Militärtechnik in den USA markiert den Beginn des Internet.

1970: Von Europa nach den USA ist Telefon-Direktwahl möglich.

1974: In der BRD wird das elektronische Wählsystem eingeführt.

1983: In der BRD werden die ersten Kartentelefone installiert.

1984: Die Deutsche Bundespost führt BTX (Bildschirmtext) als Datenübermittlungssystem ein.

1987: Das in Deutschland eingeführte digitale ISDN-Telekommunikationsnetz vereinigt Sprache, Text, Daten, Fest- und Bewegtbilder.

1992: In Deutschland werden erste Digital-Mobilfunknetze aufgebaut.

1992: Für schnurlose Telefone wird in Europa der digitale DECT-Standard mit zehn Kanälen und zwölf Bereichen = 120 Kanäle eingeführt.

1997: Die flächendeckende Digitalisierung der Kommunikationsnetze in Deutschland wird abgeschlossen.

1998: Mit Auflösung staatlicher Fernmeldemonopole beginnt in der EU der freie Wettbewerb auch bei der Telekommunikation.

Stichwort: Funktechnik

Beginn der Telekommunikation

Guglielmo Marconi (I) arbeitete ab 1894 an der Nutzung der von Heinrich Hertz (D) entdeckten elektromagnetischen Wellen zur Signalübertragung. Da die italienische Regierung die Bedeutung des Projekts nicht erkannte, übersiedelte er nach Großbritannien, wo die neue Technik aus militärischen Gründen gefördert wurde. 1899 überbrückte Marconi drahtlos den Ärmelkanal, 1901 gelang ihm die erste transatlantische Signalübermittlung. Nach diesen Erfolgen erklärte die deutsche Regierung die drahtlose Telegrafie zur Angelegenheit von nationaler Bedeutung. Auf Druck des Kaisers wurde 1903 mit der AEG mit dem Ziel gegründet, ein auch die Kolonien umfassendes Netz für drahtlose Telegrafie aufzubauen.

Stichtag: 16. Mai 1923

Aus für »Fräulein vom Amt«

In Weilheim wurde 1923 die erste vollautomatische Netzgruppen-Fernwählvermittlung in Betrieb genommen. Die Reichspost schaltete mehrere Telefonortsnetze zusammen und stattete sie mit Zeitzonenzählern aus. Es erlaubte die Schaltung von Fernverbindungen ohne Vermittlung durch das »Fräulein vom Amt«, erstmals konnten Gespräche auch automatisch nach Zeitdauer und Entfernung berechnet werden.

Stichtag: 6. April 1965

Satellit für Nachrichten

Als erster kommerzieller Kommunikationssatellit für die Übertragung von Telefongesprächen, TV-Programmen und Daten wurde 1965 »Early Bird« (USA) ins All geschossen. In 36 000 km Höhe begleitete er die Erde mit der Winkelgeschwindigkeit ihrer Eigenrotation und blieb so in Relation zu ihrer Oberfläche »ortsfest«. Dies machte ihn von denselben Bodenstationen aus ständig erreichbar.

■ **Umwelt und Natur**

Abgasgrenzwerte

PKW: Das Europäische Parlament beschloss im September 1998 verbindliche Grenzwerte für die Reinheit von Benzin und Diesel, strengere A. für PKW (Neuwagen) und Regeln für die Umsetzung, die jeweils zum 1.1.2000 und zum 1.1.2005 in Kraft treten. Dem Beschluss war ein Vermittlungsverfahren mit den EU-Regierungen vorausgegangen. Die Hersteller müssen die Einhaltung der A. ab 2005 für 100 000 km garantieren (bisher 80 000). Ab 2000 müssen Benzin-Neuwagen über ein eingebautes Diagnosesystem verfügen (Diesel-PKW, Klein-LKW ab 2003), das ein anhaltendes Überschreiten der Grenzwerte meldet. Bleihaltiges Benzin

soll es ab 2005 nicht mehr geben. Niedrige Schwefelgehalte im Kraftstoff sind für die Wirksamkeit von Katalysatoren erforderlich. **Kohlendioxid:** Zum klimarelevanten Kohlendioxid(CO_2)-Ausstoß der Autos akzeptierten die EU-Umweltminister im Oktober 1998 folgende Selbstverpflichtung des Verbandes der europäischen Autoindustrie (ACEA):
– Bis Ende 2000 wollen die 15 europäischen Autohersteller 5-Liter-Modelle anbieten:
– Ab 2008 sollen Neuwagen im Schnitt höchstens 140 g CO_2 pro km ausstoßen. Dazu soll ihr Durchschnittsverbrauch auf 6,0 l Benzin bzw. 5,3 l Diesel sinken.
Im Europäischen Parlament und bei Umweltverbänden stieß die Vereinbarung auf heftige Kritik, weil die EU vorher eine Reduktion des CO_2-Ausstoßes von Neuwagen auf 120 g ab 2005 angestrebt hatte. 1995 stießen europäische PKW im Schnitt noch 186 g CO_2 pro km aus.
Motorräder: Eine 1998 eingerichtete Projektgruppe im Bundesministerium soll das Problem des Lärms und des hohen Schadstoffausstoßes von Motorrädern (vor allem von Zweitaktmaschinen) lösen. Vertreter der Bundesarbeitsgemeinschaft Motorrad verließen im August 1998 die Projektgruppe aus Protest gegen Bestrebungen, geregelte Katalysatoren (G-Kat) auch für Motorräder vorzuschreiben. Der Hersteller BMW kündigte allerdings 1999 an, mit einer Ausnahme alle seine Motorradtypen mit G-Kat auszurüsten.
LKW und Busse: Die EU-Umweltminister vereinbarten Ende 1998 neue A. für LKW und Busse. Die sog. Euro-III-Norm soll zum 1.1.2000 in Kraft treten, die noch schärfere Euro-IV-Norm zum 1.1.2005 (siehe Tabelle). Bundesumweltminister Jürgen Trittin (Grüne) betonte, dass die eine Million LKW in Deutschland genau so viele Stickoxide ausstoßen wie die 42 Mio PKW.

EU-Abgas- und Schwefelgrenzwerte			
Fahrzeugart/ Schadstoffe	ab 1.1.1997 (Euro II)	ab 1.1.2000 (Euro III)	ab 1.1.2005 (Euro IV)
Schwefel im Benzin[1]	0,5	0,15	0,05
Schwefel im Dieselkraftstoff[1]	0,5	0,35	0,05
PKW mit Benzinmotor			
Stickoxide[2]	0,252	0,14	0,07
Kohlenmonoxid[2]	2,7	1,5	0,7
Kohlenwasserstoffe[2]	0,341	0,17	0,08
PKW und Klein-LKW mit Dieselmotor			
Stickoxide[2]	k.A.	0,5	0,25
Kohlenmonoxid[2]	k.A.	0,6	0,47
Rußpartikel[2][3]	0,08	0,05	0,025
LKW und Busse ab 3,5 t			
Stickoxide[4]	7,0	5,0	3,5
Kohlenmonoxid[4]	4,0	2,1	1,5
Kohlenwasserstoffe[4]	1,1	0,66	0,46
Rußpartikel[3][4]	0,15	0,1	0,02

1) in Promille; 2) g/gefahrenem km; 3) inkl. sonstiger Partikel; 4) g/kWh Motorleistung; Quellen: Bundesgesetzblatt; Bundesministerium für Umwelt; Frankfurter Rundschau 11.7.1998

▨ Artenschutz: Die Pflanzen und Tiere des Jahres 1999

▸ **Bocks-Riemenzunge:** Die aus der Mittelmeerregion stammende, in Deutschland seltene Blume ist die Orchidee des Jahres.

▸ **Fischotter:** Das Tier des Jahres 1999, (zoologischer Name: Lutra lutra) gehört zur Marderfamilie und ist in Deutschland schon fast ausgerottet. Etwa 500 Exemplare der Fischjäger gibt es noch in der Oberlausitzer Teichlandschaft, 200 in einigen bayerischen Gebirgsbächen. Da er Fische mag, die der Mensch gern verzehrt, wurde er früher gnadenlos gejagt. Durch Bachbegradigung und Wasserverschmutzung schwand ein Großteil seiner Lebensräume.
http://www.bnv-regen.de/home/naturpark/tiere.htm

▸ **Florfliege:** Chrysopa nennen Entomologen (Insektenkundler) das Insekt des Jahres 1999. Sie ist grün und zierlich, hat goldene Augen und lange, schleierartige Flügel mit Netzmuster. Ihre Larve, der Blattauslöwe, vertilgt bis zu 500 Blattläuse. Die deutschen Entomologen kürten 1999 zum ersten Mal ein Insekt, um das Image der artenreichsten Tiergruppe zu verbessern (32 000 Arten allein in Deutschland). In ungespritzten Gärten und Obstkulturen kommen Florfliegen noch reichlich vor.
http://www.naturkost.de/aktuell/981207g.htm

▸ **Goldammer:** Der Vogel des Jahres 1999 (zoologischer Name: Emberiza citrinella) ist mit 2 Mio Exemplaren in Deutschland noch recht häufig, aber durch die moderne Landwirtschaft vor allem in den Niederlanden und Norddeutschland auf dem Rückzug. Die meist gelb gefärbten finkenartigen Vögel mit ihrem rotbraunen Bürzel, mögen insbes. Hecken, Sträucher und Obstbäume.
http://www.nabu-neuss.de/gold1.htm
http://www.g-o.de/kap3/3at.htm

▸ **Silberweide:** Stellvertretend für alle Weidenarten wurde die Silberweide (Salix alba) zum Baum des Jahres 1999 gewählt. Sie heißt so wegen ihrer silbrig behaarten Jungblätter und wurde durch Flussbegradigungen, das Verschwinden periodisch überschwemmter Auwälder und Trockenlegung von Tümpeln stark dezimiert.
http://www.dainet.de/sdw/silberweide.htm

▸ **Sumpfdotterblume:** Das noch häufig anzutreffende Hahnenfußgewächs (botanischer Name: Caltha palustris) ist Blume des Jahres 1999. Sie wächst hauptsächlich an naturbelassenen Bachufern und wird durch Bachbegradigungen und die Entwässerung von Feuchtwiesen gefährdet.
http://www.nloe.de/neudocs/natur/ sumpfdotterbl.html

▸ **Wollschwein:** Das teilweise blond-, teils rotlockig behaarte, robuste Schwein wurde zur Nutztierrasse des Jahres 1999 gewählt. Seine Zucht lässt sich bereits bis ins 12. Jh. zurückverfolgen. 1999 gab es in Mittel- und Südosteuropa nur noch 1500 Exemplare. Sein Fleisch ist den meisten heutigen Verbrauchern zu fett.

Artenschutz

Maßnahmen zum Schutz der durch menschliche Eingriffe in die Natur vom Aussterben bedrohten Tier- und Pflanzenarten

Artensterben: Lt. Worldwatch-Institut waren Ende des 20. Jh. etwa 25% der Säugetierarten (darunter ca. die Hälfte der 233 Menschenaffenarten), 25% der Lurch-, 11% der Vogel-, 34% der Kriechtier- und 20% der Fischarten vom Aussterben bedroht. Auch 30% der Nutztierrassen waren nach Angaben der Welternährungsorganisation FAO bedroht. Die Zahl der Tier- und Pflanzenarten wird auf 13 Mio–30 Mio geschätzt. Davon waren 1998 erst 1,8 Mio von den Biologen erfasst und beschrieben: rund 1 Mio Gliederfüßer (Insekten, Spinnen u. ä.), 130 000 Weichtiere (Schnecken, Muscheln u. ä.), 44 000 Wirbeltiere (20 000 Fische, 2800 Lurche, 5900 Kriechtiere, 8600 Vögel, 6000 Säugetiere), 270 000 Farn- und Samenpflanzen, ferner Würmer, Algen, Pilze usw. Das Bundesamt für Naturschutz veröffentlichte 1998 die Rote Liste der gefährdeten Tierarten in Deutschland. Viele von ihnen gibt es nur noch in ausgewiesenen ostdeutschen Nationalparks.

Ostsee: 1998 waren von 126 natürlichen Biotopen in der Ostsee 105 gefährdet. Die Schadstoffkonzentration hat zwar deutlich abgenommen, aber die Belastung durch Stickstoffverbindungen aus der Landwirtschaft und durch Autoabgase hält an.

▨ Artenschutz: Rote Liste[1]

Art	Zahl	gefährdeter Anteil (%)
Farn- und Blütenpflanzen	3001	26[2]
Säugetiere	100	38
Brutvögel	256	38
Kriechtiere (Schlangen, Eidechsen)	14	79
Lurche (Frösche, Unken u. ä.)	21	67
Meeresfische	207	25
Süßwasserfische	70	69
Großschmetterlinge	ca. 1450	37
Bienen	547	47
Ameisen	108	61
Käfer	6537	42
Libellen	80	58
Webspinnen	956	52
Krebse (nur Blattfußkrebse)	12	52
Landschnecken u. ä.	333	47

1) Stand: 1998; 2) Stand: 1997; Quelle: Bundesamt für Naturschutz

Schmuggel: 1998 wurden am Frankfurter Flughafen über 21 000 illegal eingeführte bedrohte Tiere und Pflanzen bzw. Teile vom Zoll beschlagnahmt (1997: 11 351), darunter Korallen, Muscheln, Elfenbein, Krokodil- und Schlangenhäute, Bärenfelle.
http://www.edf.org

Bodenschutz

Im März 1999 trat das Bundes-B.-Gesetz in Kraft. Es erhob den Boden erstmals in den Rang eines Umweltmediums, das zu schützen seine Nutzer verpflichtet sind. Es wurden bundeseinheitliche Grenzwerte für Schadstoffe im Boden festgelegt, je nach Verwendungszweck der Fläche. Die Sanierung von Altlasten-Verdachtsflächen wurde vereinfacht, wenn auf Industriebrachen neue Gewerbegebiete entstehen sollen (Flächenrecycling). Die Landwirte wurden verpflichtet, die Abtragung des Bodens durch Wind und Niederschläge (Erosion) sowie Bodenverdichtungen durch das Befahren mit Landmaschinen zu vermeiden. Eine Durchführungsverordnung, die vor allem den Umgang mit Altlasten regelt, hatte die alte CDU/CSU/FDP-Bundesregierung im September 1998 dem Bundesrat vorgelegt. 1998 wurden in Deutschland täglich 87 ha Boden zugebaut.

Saurer Boden: Die Enquête-Kommission des Deutschen Bundestages zum Thema »Schutz des Menschen und der Umwelt« widmete ein zentrales Kapitel ihres im November 1998 vorgelegten Zwischenberichts dem Problem der Versauerung der Böden. Ursachen sind der saure Regen aus Stickoxiden und Schwefeldioxid in den Abgasen von Autos, LKW, Kraftwerken und Feuerungen sowie Nitrate aus der Landwirtschaft. Zu den schwerwiegenden Folgen gehören Waldschäden.

Bodenerosion: Ende des 20. Jh. wurden pro Jahr weltweit rund 100 000 km² fruchtbares Ackerland von Wind und Wasser abgetragen. Von deutschen Äckern erodieren

BILANZ 2000

Umwelt

Jenseits der Grenzen des Wachstums

Angesichts der zunehmenden Vernichtung natürlicher Ressourcen wurde der Schutz der den Menschen umgebenden »Umwelt« und des Menschen (Gesundheit) in den 70er Jahren zentrales Thema der Politik in den Industriestaaten. In der BRD wurde 1974 das Umweltbundesamt eingerichtet, auf einer Konferenz in Rom berieten zwölf Anrainerstaaten über Möglichkeiten, das gefährdete Leben im Mittelmeer zu erhalten. Die sieben Anrainerstaaten der Ostsee unterzeichneten ein Abkommen zum Schutz der Meeresumwelt, und der EG-Ministerrat verabschiedete eine Vorschrift, die das Einleiten von Altöl in fließende Gewässer und in das Grundwasser verbot. Ende des 20. Jh. sind die Folgen der Vernichtung natürlicher Lebensräume (z. B. Abholzung der Regenwälder und Treibhauseffekt) global. Zwischen Industrie- und Entwicklungsländern gibt es große Unterschiede: So stieg die Waldfläche in Europa 1980–95 um 4,3%, während zugleich rund 10% aller Wälder in Afrika und Südamerika abgeholzt wurden (6,4% in Asien).

Positive Trends

▶ In Deutschland ging in den 90er Jahren die Luft- und Wasserbelastung deutlich zurück.
▶ Auf der Klimakonferenz in Kyoto verpflichteten sich die Industriestaaten 1997, den Ausstoß von Treibhausgasen bis 2010 um durchschnittlich 5,2% zu senken (EU: 8%, USA: 7%).
▶ Bis 2010 müssen in Deutschland 80%, in der EU ein Drittel der mit fossilen Brennstoffen befeuerten Kraftwerke ersetzt werden.

Negative Trends

▶ Der Kohlendioxid-Ausstoß des Straßenverkehrs stieg in Deutschland 1990–97 um 10%.
▶ Lt. Studie des Umwelt- und Prognose-Instituts (Heidelberg) sterben 25 000 Menschen in Deutschland an den Folgen von Autoabgasen, doppelt so viel wie bei Verkehrsunfällen.
▶ Das Verursacherprinzip (der Verursacher muss die Kosten tragen) lässt sich gegenüber dem Gemeinlastprinzip (die Steuerzahler kommen für die Kosten auf) schwer durchsetzen.

Bodenschutz: Flächennutzung

Acker- und Weideland usw.	54,1[1]	▽ –0,6[2]
Wälder	29,4	▲ +0,2
Gebäude und umbaute Freiflächen	6,1	▲ +0,3
Straßen und sonstige Verkehrsflächen	4,7	▲ +0,1
Wasserflächen	2,2	0
Felsen, Dünen, Übungsgelände u. a.	2,1	▼ –0,1
Halden, Lagerplätze u. ä.	0,7	0
Erholungsflächen	0,7	▲ +0,1

1) Anteil an der Gesamtfläche von 357 000 km² (%), letztverfügbarer Stand: 1997; 2) Veränderung gegenüber 1996 (Prozentpunkte); Quelle: Statistisches Bundesamt

Umweltgefahren durch Atomtechnik: Explodierter Reaktor in Tschernobyl, 1986

Meilensteine

Von der Naturromantik zur Überlebensfrage

1904: Hugo Conwentz (D) erreicht mit der Studie »Die Gefährung der Naturdenkmäler« die Gründung der ersten staatlichen Stelle für Naturdenkmalpflege (1906) in Berlin.

1909: Der Verein Naturschutzpark kauft Flächen in der Lüneburger Heide, um sie vor der Zerstörung zu retten; 1921 werden sie als erstes Naturschutzgebiet ausgewiesen.

1935: Das Reichsnaturschutzgesetz (D) tritt landesweit in Kraft (Neufassung 1976).

1961: In Gland (CH) wird die Naturschutzorganisation WWF gegründet.

1970: Der Nationalpark Bayerischer Wald ist der erste in Deutschland.

1971: In Kanada wird die Greenpeace gegründet.

1972: Das Umweltprogramm der UNO (UNEP) wird gegründet.

1972: Die im Auftrag des Club of Rome verfasste Studie »Grenzen des Wachstums« prangert den Fortschrittsglauben an.

1974: Die Errichtung des Umweltbundesamts institutionalisiert in der BRD den Umweltschutz.

1976: Aus der Chemiefabrik bei Seveso (I) entweichen giftige Dioxine.

1976: Das Abwasserabgabengesetz (BRD) führt das Verursacherprinzip in den Umweltschutz ein.

1980: Die US-Umweltstudie »The Global 2000 Report to the President« prognostiziert eine Bevölkerungsexplosion, globale Umweltzerstörungen und eine schnelle Erschöpfung natürlicher Ressourcen, falls die Politik ungebremsten Wachstums nicht gestoppt werde.

1982: Dem ersten Waldschadensbericht zufolge sind in der BRD 8% der Bäume geschädigt (1997: 59%).

1985: In der BRD wird erstmals Smogalarm ausgerufen.

1986: Der Reaktorunfall in Tschernobyl führt in Deutschland zur Gründung des Bundesministeriums für Umwelt, Naturschutz und Reaktorsicherheit (BMU).

1989: Der Tanker »Exxon Valdez« (USA) schlägt nach Manövrierfehlern vor Alaska leck; 44 000 t Rohöl verseuchen die Arktis, die Fischerei muss eingestellt werden.

1991: Mit der Einführung des sog. Dualen Systems wird Deutschland internationales Vorbild bei der Müllbeseitigung.

1994: Das Tropenholzabkommen verpflichtet 50 Import- und Exportnationen, nur mit Holz aus kontrollierter Forstwirtschaft zu handeln.

1994: Im GG wird der Umweltschutz als Staatsziel verankert.

Stichwort: Umweltgipfel
Zukunftssicherung durch Ethik
Der UN-Umweltgipfel in Rio de Janeiro erhob 1992 das Prinzip der nachhaltigen Entwicklung (Sustainable Development) zum umwelt- und entwicklungspolitischen Leitbild: »Entwicklung« (Fortschritt) müsse darauf Rücksicht nehmen, »dass den Entwicklungs- und Umweltbedürfnissen heutiger und künftiger Generationen in gerechter Weise entsprochen wird«. Dieses Prinzip basiert auf den Forderungen der anthropozentrischen Umweltethik, der zufolge der Mensch um des Menschen willen Pflichten gegenüber der Natur hat. Weiter reichende Forderungen stellt die biozentrische Umweltethik, der zufolge der Mensch Pflichten gegenüber allem Leben hat, sei es menschlich, tierisch oder pflanzlich (Albert Schweitzer). In der christlichen Umweltethik setzten 1985 die Deutsche Bischofskonferenz und der EKD-Rat ein Signal, indem sie den biblischen Herrschaftsauftrag des Menschen (1 Mos 1,28) mit dem Paradies-Bewahrungsauftrag (1 Mos 2,15) verknüpften und der Natur einen Wert beimessen, der sich nicht im Nutzen für den Menschen erschöpft.

Stichwort: Umweltkrieg
Umweltschäden durch Militär
Die Entlaubung der vietnamesischen Wälder mit Agent Orange u. a. Herbiziden durch die USA während des Vietnamkriegs löste eine Diskussion über die Möglichkeiten von Umweltkriegführung aus. Um den Einsatz umweltverändernder Techniken in Kriegen zu verhindern, wurde 1977 das internationale Umweltkriegsübereinkommen unterzeichnet. Dessen ungeachtet setzte der Irak 1991 im 2. Golfkrieg in Kuwait 727 Ölquellen in Brand und löste eine Umweltkatastrophe aus.

je nach Lage bis zu 10 t Boden/ha und Jahr. In Brandenburg und Mecklenburg-Vorpommern waren 1998 etwa ein Viertel des Ackerbodens durch Erosion gefährdet. Agrarforscher fanden 1998 heraus, dass sich die Erosion stark verringern lässt, wenn die Bauern auf das Pflügen verzichten und im Winter Zwischenfrüchte sähen.

Wüstenkonvention: In Dakar/Senegal trafen sich Ende 1998 ca. 2000 Delegierte und 500 andere Vertreter aus 140 Staaten auf der zweiten Vertragsstaatenkonferenz zur UN-Wüstenkonvention. Hauptthema war, die Überweidung durch Vieh, die Übernutzung von Äckern und das Roden von Schutzwäldern einzudämmen, da diese Praktiken den fruchtbaren Boden erodieren lassen.

Sahelzone: Ende 1998 teilte das UN-Wüstensekretariat mit, dass die Staaten der Sahelzone südlich der Sahara für 1998 und 1999 gute Ernten mit jeweils 10,5 Mio t Getreide erwarteten. US-Forscher schlossen 1998 aus Satellitenaufnahmen, dass die Sahara sich zwischen 1980 und 1995 nicht, wie erwartet, immer weiter nach Süden in die Sahelzone ausgedehnt hat (Desertifikation). Vielmehr wanderte die Südgrenze dreimal um je 300 km vor und zurück.

http://www.unccd.ch/
http://www.centre.unep.net/unepweb/merc_w
eb/nat_res2.htm; http://www.iisd.ca/linkages/
desert/cop2/index.html

Gewässerschutz

Landwirtschaft: Die Umweltbelastung aus der deutschen Landwirtschaft ging in den 90er Jahren leicht zurück. Die Phosphor-Einträge sanken in den alten Bundesländern gegenüber 1980 um 60% (auf 16 kg/ha). Die Stickstoff-Einträge sanken bis 1995 um 23% auf 129 kg/ha (1987: 166 kg/ha). In den neuen Ländern lagen die Werte durchweg tiefer. Effektiveres Düngen, bessere Sorten und Anbautechniken ließen vor allem den Getreide- und Gemüsebau sauberer werden, während die Tiermast mit einem Stickstoffüberschuss von 166 kg/ha (vor allem Ammoniak aus Gülle und Stallmist) Böden und Gewässer stark belastete.

Folgen: Stickstoff- und Phosphorverbindungen überdüngen Böden und Gewässer, fördern Algenblüten in Seen und Küstenmeeren, das Verschlammen von Seen und Teichen, Waldschäden, und das Verschwinden sog. Magerwiesen mit ihren typischen

Pflanzen (z. B. Küchenschelle). Sie belasten das Trinkwasser und erhöhen die Wasseraufbereitungskosten.

Elbe: Die vom Hamburger Versandhändler Michael Otto gegründete »Stiftung für Umweltschutz« und die Umweltverbände BUND, NABU und WWF stellten im Mai 1999 ihr Programm zur Rettung der natürlichen Flusslandschaft der Elbe vor. In mehreren Projekten wurden Auen wieder ins Nasse gelegt, Truppenübungsplätze renaturiert und Storche angesiedelt.

http://www.biopark.de/nabu-elbtalaue.html

Lärm

Ende der 90er Jahre klagten rund 70% der Deutschen über L. im Straßenverkehr, 22% fühlten sich durch L. stark belästigt. Die L.-Belastung durch Straßenverkehr blieb in Westdeutschland 1992–97 konstant. Besserer L.-Schutz an Fahrzeugen und Gebäuden wurde durch das gestiegene Verkehrsaufkommen kompensiert.

Folgen: Mittlerer Verkehrslärm von 65 dB erhöht lt. Bundesgesundheitsamt (Berlin) die Herzinfarktrate von Männern von 40 bis 60 Jahren um 10–20%. Ursache ist die Ausschüttung des Stresshormons Adrenalin.

TA Lärm: Im November 1998 trat eine novellierte Technische Anleitung L. in Kraft. Sie ersetzte eine Regelung von 1968 und legt Obergrenzen für den L. in Gewerbebetrieben fest (außer Gast- und Sportstätten). Erstmals bezieht sie die gesamte L.-Belastung der betroffenen Menschen ein.

http://www.umweltbundesamt.de
http://umwelt-online.de/recht/luft/tlaer_fs.htm
http://www.dega.itap.de/nad/nad_home.htm
http://www.dalaerm.de/
http://www.lhh.org/noise/inad/

Lawinen

Extrem starke Schneefälle in den Alpen führten im Februar 1999 zu hunderten von L., bei denen 74 Menschen getötet wurden. In Galtür im Tiroler Paznauntal verschüttete eine Staubschneelawine viele Häuser, 37 Menschen kamen ums Leben. In Evolène im Schweizer Kanton Wallis erreichte eine Lawine Stadtteile, die als ungefährdet galten; es gab acht Tote. In Chamonix starben zehn Menschen in verschütteten Ferienhäusern. Ab dem 18. Februar wurden ganze Skitourismus-Regionen von der Umwelt abgeschnitt; die Gotthard-Autobahn blieb vom 19.–25. Februar gesperrt. Über 100 000 Wintersportgäste mussten ihre Ferien unfreiwillig verlängern; anreisende Gäste mussten in Notunterkünften Quartier nehmen.

Ursachen: Eine stabile Nordwest-Wetterlage führte den nördlichen Zentralalpen binnen 30 Tagen in Höhen von mehr als 2000 m 5–7 m Neuschnee zu. Steigende Temperaturen machten den Schnee rutschig und schwer. Langfristig lagen die Wintertemperaturen auf der Alpennordseite seit Mitte der 1970er Jahre über dem Mittel von 1901 bis 1960. Die Niederschlagsmengen stiegen entsprechend.

In den Zentren des Skitourismus hatten viele Hoteliers und Gastwirte durchgesetzt, auch in lawinengefährdeten Gebieten bauen zu dürfen. Fangvorrichtungen (Zäune und Mauern) sollten die Menschen schützen, waren bei den extremen Schneeverhältnissen aber vollgelaufen; die Lawinen konnten darüber hinwegrutschen.

http://www.sma.ch/de/a_z/?lawinen.shtml

Luftverschmutzung

Die L. mit den Schadstoffen Schwefeldioxid, Stickstoffoxide und Staub nahm in Deutschland in den 90er Jahren kontinuierlich ab. Die Belastung mit Ozon (Sommersmog) stieg dagegen im Mittel leicht an.

Dieselabgase: Durch Einführung der Direkteinspritztechnik sank in den 90er Jahren der Ausstoß von Dieselruß. Dabei reduzierte sich nicht die Zahl der Partikel, sondern ihre Größe. 1998 warnten US-amerikanische und deutsche Mediziner davor, dass die kleineren Rußpartikel leichter in die Atemwege eindringen und für Lunge und Herz gefährlicher sein könnten als größere Teilchen. Japanische Forscher entdeckten 1997 in Dieselabgasen die Krebs erregende Verbindung 3-Nitrobenzanthron. Der Stickstoffoxid-Ausstoß von Dieselmotoren konnte bis 1998 nur durch niedrigere Verbrennungstemperaturen um den Preis eines relativ hohen Kraftstoffverbrauchs gesenkt werden. 1998 stellte die Siemens AG den ersten Diesel-Katalysator vor, der Stickstoffoxide in einer wässrigen Lösung mit Harnstoff bzw. dem daraus entstehenden Ammoniak reduziert.

Umwelt → Abgasgrenzwerte
http://www.umweltbundesamt.de

▬ Luftverschmutzung

	1994	1995	1996[1]
Schwefeldioxid SO$_2$	2587	2130	1851
Stick(stoff)oxide[2]	2032	1932	1859
Staub	537	521	518
Ozon[3]	41	42	41

1) letztverfügbarer Stand; 2) umgerechnet auf Stickstoffdioxid (NO$_2$); 3) Konzentrationsmittelwerte aller Messstationen, in µg/m³ Luft; Quelle: Umweltbundesamt

Nationalparks

Größere Gebiete noch weitgehend unberührter Landschaft von weltweit einmaligem Charakter, in denen wirtschaftliche Nutzung und Verkehr stark eingeschränkt sind. Sie wurden nach dem Vorbild des 1876 gegründeten Yellowstone-N./USA eingerichtet, um besonders artenreiche natürliche Lebensräume zu schützen.

Nationalparks in Deutschland, Österreich und der Schweiz

Name/Bundesland/Kanton		Größe[1]	Gründung
Schleswig-Holsteinisches Wattenmeer	🛡	2850	1985
Niedersächsisches Wattenmeer	🛡	2400	1986
Hohe Tauern (Österreich)	🛡	1787	k. A.
Vorpommersche Boddenlandschaft	🛡	805	1990
Müritz (Mecklenburgische Seenplatte)	🛡	318	1990
Jasmund (auf Rügen)	🛡	300	1990
Bayerischer Wald	🛡	240	1970/1997
Berchtesgadener Land	🛡	210	1921/1978
Neusiedler See – Seewinkel[2]	🛡	200	k. A.
Nockberge	🛡	184	k. A.
Sächsische Schweiz	🛡	170	1990
Schweizerischer N. (Engadin)	🛡	169	k. A.
Oberösterreichische Kalkalpen	🛡	164	1997
Harz	🛡	158	1994
Hamburgisches Wattenmeer	🛡	117	1990
Elbtalaue	🛡	109	1998[3]
Unteres Odertal	🛡	95	1992
Donau-Auen	🛡	93	1996
Hainich (bei Eisenach)	🛡	76	1998
Thayatal/Podyji[4]	🛡	65	1991
Hochharz	🛡	59	1990

Insgesamt: 10 569, 1) einschl. Gewässern (km²); 2) davon 120 km² in Ungarn; 3) Einrichtung rechtlich umstritten; 4) davon 52 km² in Tschechien

Flusslandschaft Elbe: 1998 wurde das Biosphärenreservat Mittlere Elbe (Sachsen-Anhalt) zum Reservat Flusslandschaft Elbe ausgeweitet. Es erstreckt sich von Wittenberg elbabwärts bis zum niedersächsischen Lauenburg und ist mit 3700 km² das größte deutsche Biosphärenreservat. Nach einem Urteil des Oberverwaltungsgerichts Lüneburg im Februar 1999 entspricht der 1998 vom Land Niedersachsen eingerichtete N. Elbtalaue zwischen Schnackenburg und Bleckede nicht den Kriterien eines schützenswürdigen Reservats. Lt. Gesetz können lediglich Gebiete zum N. erklärt werden, in die der Mensch nur geringfügig eingegriffen hat. Die niedersächsische Regierung legte Rechtsmittel ein.

Schweiz: 1998 wurde beschlossen, den N. im Engadin um die Seenplatten von Macun und Lais da Rims, die Weidegebiete von Jufplaun, den Arvenwald von Tamangur und mehrere Moore zu erweitern.

http://www.europarc.org
http://www.nationalpark.net
http://www.europarc-deutschland.de/
http://www.nationalpark.ch/nationalpark/
index.html;
http://www.bmu.gv.at/~parks/

Naturkatastrophen

Mit bis zu 50 000 Todesopfern und Schäden von rund 165 Mrd DM war 1998 das Jahr mit den schlimmsten N. der Geschichte. Die Münchener Rückversicherungs-AG, weltweit größter Versicherer in diesem Bereich, zählte 707 N., darunter 240 schwere Wirbelstürme und 170 katastrophale Überschwemmungen. 80 N. wurden auf das etwa alle vier Jahre auftretende Klimaphänomen El Niño/La Niña zurückgeführt.

Katastrophen: Über 10 000 Menschen starben durch den Hurrikan »Mitch« in Mittelamerika. Er verursachte einen Sachschaden von rund 6,8 Mrd DM. 3700 Tote forderten Überschwemmungen am Jangtse in China; sie ließen 223 Mio Menschen vorübergehend obdachlos werden und richteten Schäden von 50 Mrd DM an. Bangladesch wurde von den Fluten des Ganges und des Brahmaputra zu zwei Dritteln unter Wasser gesetzt (Schäden: 5,8 Mrd DM). Ein Wirbelsturm an der indischen Westküste (Gujarat) kostete ca. 5000 Menschen das Leben, zwei Erdbeben in Afghanistan forderten

Naturkatastrophen: Schäden

Überschwemmungen	48[1]
Stürme	37
Erdbeben	2
Sonstige	13

1) Anteil 1998 (%); Quelle: Münchener Rückversicherung

9000 Todesopfer. Eine Flutwelle (Tsunami), ausgelöst durch ein Seebeben, riss in Papua-Neuguinea 8000 Menschen in den Tod.

Trends: In der Dekade 1988–98 entstanden durch große N. Schäden von weltweit etwa 680 Mrd DM. Die Münchener Rück legte im Juli 1998 eine neue Weltkarte der N. vor. Danach haben Ausmaß und Intensität der Wirbelstürme weltweit zugenommen. In Europa haben die Winterniederschläge 1967–97 z.T. um 40% zugenommen. Wegen der Erhöhung der Dauerfrostgrenze in den Alpen sagten die Versicherer Probleme durch Erdbewegungen im Alpengebiet voraus. Die Schäden durch N. stiegen vor allem deshalb stark an, weil sich die Erdbevölkerung immer stärker in Küstenregionen und Flusslandschaften konzentrierte.

Maßnahmen: Durch systematische Verbesserung von Wetterprognosen, medizinischer Versorgung und organisierter internationaler Hilfe (auch bei Hungersnöten) sank die Zahl der Todesopfer: 1900–79 starben pro Jahrzehnt im Durchschnitt über 2 Mio Menschen bei N. und Hungersnöten, in den 80er Jahren 600 000, in den 90er Jahren knapp 500 000.

http://www.munichre.com

Naturschutz

Der Schutz von natürlichen und naturnahen Landschaften, Biotopen (natürlichen Lebensräumen), Pflanzen- und Tierarten vor Schädigungen durch die menschliche Zivilisation. Dem dient vor allem die Ausweisung von N.-Gebieten.

Naturschutzgesetz: Das novellierte Bundesnaturschutzgesetz trat im September 1998 trotz des Protestes der Bundesländer in Kraft. Umstritten waren die vorgesehenen Ausgleichszahlungen an Land- und Forstwirte, die unter N. gestellte Flächen nicht mehr wirtschaftlich nutzen dürfen. Das Gesetz definiert u.a. die verschiedenen Schutzkategorien für Gebiete und einzelne Naturdenkmale.

Global 200: Im Auftrag der internationalen N.-Organisation WWF (World Wide Fund for Nature) stellten Biologen im Projekt »Global 200« während der 1990er Jahre eine Liste von weltweit 233 Gebieten mit besonders großer Artenvielfalt zusammen, die vorrangig geschützt werden müssten, um die Artenvielfalt der Erde zu erhalten. 110 davon sind stark bedroht.

Ostdeutschland: Die Privatisierung ostdeutscher N.-Gebiete ging 1998 weiter. Auch das Herzstück des Biosphärenreservats Schorfheide-Chorin nordöstlich von Berlin stand zum Verkauf. Die Konferenz der Umweltminister der Länder forderte Ende 1998 die Bundesregierung auf, den Verkauf weiterer Gebiete auszusetzen.

Schweiz: Die N.-Gebiete der Schweiz wurden Ende 1998 von der OECD kritisiert. Vielfach beginne der Schutz erst oberhalb der Waldgrenze. Ein Drittel des Schweizerischen Nationalparks sei artenarmes Geröll, Schnee- und Eisgelände. Intensive Landwirtschaft und Zersiedlung bedrohe viele Tier- und Pflanzenarten mit dem Aussterben. Die geplante Ausweitung des Nationalparks wurde begrüßt.

http://www.europarc.org
http://www.bfn.de

Ökologischer Landbau

Eine Form der Landwirtschaft, die auf Mineraldünger, Pestizide und Futterzusatzstoffe völlig, auf zugekauftes Tierfutter möglichst weitgehend verzichtet. Die den Feldern entzogenen Nährstoffe werden durch sinnvolle Fruchtfolgen, Gründüngung mit stickstoffbindenden Pflanzen (z. B. Klee), Kompost und Mist wieder zugeführt; Unkraut wird von Hand entfernt, Schädlingsbefall biologisch reguliert.

Anfang 1999 waren in Deutschland 7250 Betriebe mit insgesamt 374 000 ha als Betriebe des Ö. registriert (6% mehr Fläche als im Vorjahr). In den alten Bundesländern wurde 1,6%, in den neuen 3% der landwirtschaftlichen Nutzfläche ökologisch bewirtschaftet. Die höchsten Anteile gab es in Mecklenburg-Vorpommern, Brandenburg, Baden-Württemberg, Hessen und dem Saarland. Produkte des Ö. erreichten 1996 (letztverfügbarer Stand) ein Umsatzvolumen von über 3 Mrd DM (knapp 2% des deutschen Nahrungsmittelumsatzes). SPD und Bündnis 90/Die Grünen beschlossen im Oktober 1998 in ihrer Koalitionsvereinbarung, eine Ausweitung des Ö. zu fördern.

Naturschutz: Schutzkategorien für Gebiete

▶ **Biosphärenreservat:** Ein von der UNESCO (Paris) anerkanntes größeres Schutzgebiet, das für ein bestimmtes Ökosystem besonders typisch ist. Es dient der wissenschaftlichen Beobachtung des Verhältnisses zwischen Mensch und Natur. In der Kernzone ist die wirtschaftliche Nutzung eingeschränkt. Seit 1970 wurden weltweit über 300 Biosphärenreservate eingerichtet, davon 13 in Deutschland.

▶ **Landschaftsschutzgebiet:** Ein landschaftlich reizvolles, wenig besiedeltes Gebiet mit hohem Erholungswert, dessen landschaftliche Eigenart gegen grobe Eingriffe geschützt wird. Die hergebrachte land- und forstwirtschaftliche Nutzung bleibt jedoch unberührt. Ca. 6000 solcher Gebiete mit insgesamt 90000 km² waren 1999 in Deutschland ausgewiesen.

▶ **Nationalpark:** Ein größeres Gebiet noch weitgehend unberührter Landschaft von weltweit einmaligem Charakter, in dem wirtschaftliche Nutzung und Verkehr stark eingeschränkt sind.

Es dient dem Erhalt eines artenreichen Tier- und Pflanzenbestandes. Im Mai 1999 gab es in Deutschland 13 Nationalparks mit insgesamt 7798 km² Fläche (inkl. Meer).

▶ **Naturpark:** Ein größeres, landschaftlich reizvolles Gebiet mit hohem Erholungswert und wenig Industrie und Besiedlung, das vorwiegend für Erholung und Fremdenverkehr genutzt wird, aber auch für Land- und Forstwirtschaft. Es umfasst meist zahlreiche Landschaftsschutzgebiete, einzelne Naturschutzgebiete und ungeschützte Flächen. In Deutschland gab es Anfang 1999 über 70 Naturparks.

▶ **Naturschutzgebiet:** Ein meist kleineres naturnahes Gebiet, dessen Pflanzen, Tiere und natürliche Lebensräume unter strengem Schutz stehen. Zu diesem Zweck ist die wirtschaftliche Nutzung und z. T. auch der Zutritt stark eingeschränkt. 1998 gab es in Deutschland rund 5000 Naturschutzgebiete mit 7676 km² Gesamtfläche, zwei Drittel davon kleiner als 50 ha.

Öko-Prüfzeichen: Ein wichtiges Marketingproblem des Ö., das Fehlen einer einheitlichen, allgemein anerkannten Produktkennzeichnung, wurde 1999 gelöst. Am 29.1.1999, dem Tag des Ö. auf der Grünen Woche in Berlin, unterschrieben Vertreter der Arbeitsgemeinschaft Ö. (AGÖL) und der Centralen Marketing-Agentur der deutschen Agrarwirtschaft (CMA) einen Kooperationsvertrag über die Einführung eines zentralen Öko-Prüfzeichens für Produkte aus Ö. Die Verbände der AGÖL sollen darüber wachen, dass die ausgezeichneten Produkte den Richtlinien des Ö. entsprechen. CMA und das Land Sachsen sollen den Anschub des Marketings finanzieren. Im Mai 1999 wurde in Bonn die Öko-Prüfzeichen GmbH gegründet.

Gentechnik: Mehrere Verbände des Ö. in Deutschland und der Schweiz gründeten Anfang 1999 eine Arbeitsgemeinschaft Lebensmittel ohne Gentechnik mit einer Datenbank für gentechnikfreie Vorprodukte.

Trinkwasser: Da der Ö. das Grundwasser kaum mit überschüssigen Stickstoffverbindungen und nicht mit Pestiziden belastet, wurde er Ende der 1990er Jahre auch von über 30 deutschen Wasserwerken gefördert.

http://www.agoel.de; http://www.soel.de
http://www.n-bnn.de; http://www.allesbio.de

Regenwald

Der immergrüne Wald der Tropen mit ganzjährig heißem und feuchtem Klima (Mittagsregen), der noch etwa 4% (ursprünglich 9%) der Landfläche der Erde bedeckt (Amazonasbecken, Zentralafrika, Indien, Südostasien). Außer dem tropischen gibt es auch R. in gemäßigten Breiten (borealen R.: in Neuseeland, Südwest-Kanada und Chile). Der R. gilt als artenreichster natürlicher Lebensraum. Nach Schätzungen leben dort etwa die Hälfte aller Tier- und Pflanzenarten, von denen die meisten noch gar nicht bekannt und beschrieben sind.

Zerstörung: Nach Schätzungen der Welternährungsorganisation FAO (Rom) gingen in den 90er Jahren jährlich 137 000 km² R. verloren (mehr als die Fläche Österreichs und der Schweiz), etwas weniger als in den 80er Jahren. Ursachen waren die Brandrodung zur Gewinnung von Acker- und Weideland (Viehzucht und Soja in Brasilien, Palmöl und Kautschuk in Indonesien), der Einschlag von Tropenholz und der Abbau von Bodenschätzen. Die weitaus größten Verluste gab es in Brasilien und Indonesien. Die Philippinen und China verboten 1998 den Holzeinschlag in Urwäldern.

Nachhaltige Nutzung: Das 1996 eingeführte internationale Gütesiegel für Holz aus umwelt- und sozialverträglichem Anbau (FSC, Forest Stewardship Council) hatte bis Frühjahr 1999 weltweit 160 000 km² Wald zertifiziert, darunter allerdings auch viele Flächen außerhalb der Tropen. In Ecuador hatte ein Projekt Erfolg, Kaffee im Schatten der Urwaldbäume anzubauen. 1998 wurden insgesamt 328 000 km² tropischer R. nachhaltig genutzt. Anhaltender Widerstand von Umweltschützern und fallende Goldpreise zwangen Goldschürfer in Ecuador und Costa Rica zum Rückzug aus dem R.

http://panda.org/forests4life/index.htm
http://www.umwelt.org/robin-wood/index.htm
http://www.hotwired.com/road/95/48/deed.html
http://www.fao.org

Tierschutz

Schutz der vom Menschen genutzten Tiere vor vermeidbaren Schäden und Qualen.

Bundeslandwirtschaftminister Karl-Heinz Funke (SPD) unterstützte im März 1999 bei der Vorlage des T.-Berichtes Initiativen in Bundesrat und Bundestag, den T. als Staatsziel ins Grundgesetz aufzunehmen. Die Fraktionen von SPD und Bündnis 90/Die Grünen brachten im Januar 1999 einen Entwurf in den Bundestag ein. Als Art. 20b soll u. a. der Satz eingefügt werden: »Tiere werden als Mitgeschöpfe geachtet.«

Legebatterien: Im April 1999 begann vor dem Bundesverfassungsgericht ein Normenkontrollverfahren um die deutsche Verordnung zur Haltung von Legehennen in Käfigbatterien. Einige Bundesländer (u. a. Nordrhein-Westfalen) hatten Klage eingereicht, weil sich die Verordnung nach ihrer Auffassung zu Unrecht auf das T.-Gesetz berufe. Experten stritten vor Gericht in der Frage, ob Hennen in Legebatterien leiden. Die Bundesregierung wollte sich um eine EU-Richtlinie zur Verbesserung der Lebensbedingungen von Legehennen bemühen.

Tierversuche: Die Zahl der Versuchstiere in deutschen Labors stagnierte 1997 (letztverfügbarer Stand) seit dem Vorjahr bei 1,5 Mio (1991: 2,4 Mio). Darunter waren rund 733 000 Mäuse, 401 000 Ratten, 129 000 Fische, 76 000 Vögel und 1905 Affen. 48% der Tierversuche dienten der Arzneimittelforschung.

Umweltgifte

Konvention: Mitte 1998 trat in Montreal/Kanada erstmals ein zwischenstaatlicher Ausschuss der UNO zusammen, der bis 2000 eine Konvention zum weltweiten Verbot der zwölf gefährlichsten U. ausarbeiten soll. Es sind persistente (langlebige) organische Schadstoffe (persistent organic pol-

---

Regenwald: Gefährdete Gebiete

▶ **Brasilien:** Nach Angaben des brasilianischen Instituts für Weltraumforschung (Inpe) verschwanden 1998 im Amazonasbecken 16 800 km² R. Seit Beginn der jährlichen Aufzeichnungen 1972 schrumpfte der brasilianische R. um rund 530 000 km², etwa die Fläche Frankreichs. Anfang 1999 veröffentlichte die Umweltbehörde erstmals eine Liste der zehn größten Waldfrevler (Viehzüchter).

▶ **Indonesien, Malaysia:** Wegen der Asienkrise ging der Tropenholzabsatz in Japan, Korea und Taiwan 1998 stark zurück, in Japan z. B. um die Hälfte. Viele Rodungsunternehmen in Indonesien und Malaysia gaben auf.

Andere rodeten weiter und legten auf den Freiflächen Palmölplantagen an. Kahlschlag und Wilderer zerstörten in den 1990er Jahren die R.-Gebiete im Norden der Insel Sumatra. Der Bestand an Orang-Utans wurde in der ölreichen Provinz Aceh in fünf Jahren halbiert; auch Elefanten, Sumatra-Tiger und Sumatra-Nashörner waren dort vom Aussterben bedroht.

▶ **Kanada:** Der kanadische Konzern MacMillan Bloedel kündigte im Juni 1998 nach jahrelangen Protesten von Umweltschützern an, den von ihm betriebenen Holzeinschlag im R. in der kanadischen Provinz British Columbia stark einzuschränken.

lutants, POP), das sog. dreckige Dutzend: Aldrin, Chlordan, Dieldrin, DDT, Dioxine, Endrin, Furane, Heptachlor, Hexachlorbenzol, Mirex, polychlorierte Biphenylen (PCB) und Toxaphen – überwiegend Pestizide. Alle Stoffe sind nicht akut, sondern langfristig giftig. Da sie kaum abgebaut werden, reichern sie sich in bestimmten Nahrungsketten, Tieren und menschlichen Geweben an. Die meisten stehen im Verdacht, Krebs oder Mutationen (Erbänderungen) auszulösen.

Arktis: Die Inuit Circumpolar Conference (ICC), welche die Interessen von 125 000 Inuit (Eskimo) in Grönland, Kanada, Alaska und der russischen Region Chukotka vertritt, appellierte im August 1998 in Nuuk/Grönland an die Staaten der Welt, keine langlebigen U. mehr auszustoßen, da sie sich stark in den Fischen und Robben des Polarmeeres anreichern und über die Nahrungskette die Inuit vergiften.

http://www.umweltanalytik.com/ing1.htm

Die gefährlichsten Umweltgifte

▶ **DDT** (Dichlor-Diphenyl-Trichloräthan): Das Insektenvertilgungsmittel wurde jahrzehntelang im Pflanzenschutz eingesetzt und dient in tropischen Ländern weiterhin der Bekämpfung der Malariamücke. DDT ist extrem persistent, reichert sich in Nahrungsketten an und setzt sich im Fettgewebe und in der Leber ab. Beim raschen Abbau von Fettpolstern, z. B. in der Schwangerschaft, wird das DDT wieder mobilisiert. Es kann Mutationen und Krebs auslösen. In den Industrieländern ist DDT seit Jahren verboten.

▶ **Dioxine und Furane** (polychlorierte Dibenzodioxine und Dibenzofurane): Eine Klasse von 75 chlorierten Kohlenwasserstoffen, von denen 17 zu den giftigsten künstlichen Verbindungen zählen. Sie entstehen bei Produktion und Verbrennung von Unkrautvernichtungs- und Holzschutzmitteln sowie von PCB, z. B. beim Verbrennen von behandeltem Holz oder PCB-haltigen Kunststoffen. 1993 wurden in den Sinteranlagen von Stahlwerken Dioxine festgestellt. Sie werden erst bei Temperaturen über 1000 °C sicher zerstört. Am 10.7.1976 entwichen aus einer Chemiefabrik in Seveso/Italien 1–3 kg Tetrachlor-Dibenzodioxin (TCDD). Als Spätfolge verdoppelte sich in der Region die Zahl der Todesfälle durch Leukämie; Leber- und Gallenkrebs traten zehnmal häufiger auf als normal.

▶ **PCB** (polychlorierte Biphenyle): Eine Gruppe besonders giftiger und persistenter chlorierter Kohlenwasserstoffe, z.T. unbrennbar und nicht oxidierend. Wegen guter Isoliereigenschaften wurden PCB ab 1929 in elektrischen Kondensatoren und Transformatoren eingesetzt, bis in die 1980er Jahre als Zusatzstoff in Farben und Lacken sowie als Weichmacher (z. B. in Bodenbelägen aus PVC). Etwa 1 Mio t PCB wurden weltweit erzeugt, die sich in Fischen, Vögeln, Eiern, Margarine, Muttermilch u.a. nachweisen lassen. In Deutschland wurde die Erzeugung erst 1989 eingestellt, in Russland wurden PCB 1999 noch produziert.

Umweltschutz

Maßnahmen zum Schutz der Natur vor der Zerstörung durch menschliche Eingriffe (Artenschutz, Bodenschutz, Klimaschutz, Naturschutz, Tierschutz) und des Menschen vor gesundheitsschädlichen Belastungen am Arbeitsplatz und Wohnort sowie durch Konsumartikel.

Regierungswechsel: Durch den rot-grünen Wahlsieg am 27.9.1998 wurde die aus der U.-Bewegung hervorgegangene Partei Bündnis 90/Die Grünen erstmals Regierungspartei auf Bundesebene und der Grüne Jürgen Trittin Bundesumweltminister. In der Koalitionsvereinbarung setzten SPD und Grüne zwei umweltpolitische Schwerpunkte: die ökologische Steuerreform und den »Einstieg in den Ausstieg« aus der Atomenergie. Weitere Themen waren u.a.:
– Schaffung eines Umweltgesetzbuches mit Klagerecht der Umweltverbände,
– Überarbeitung des Bundesnaturschutzgesetzes,
– besserer Bodenschutz,
– Novelle der Sommersmogverordnung,
– Umgestaltung der Verpackungsverordnung und Regelung der Elektronikschrott-Entsorgung,
– Förderung und gleichzeitige Begrenzung der Bio- und Gentechnologie,
– Förderung erneuerbarer Energien und des Energiesparens,

– Förderung der Bahn und des öffentlichen Personennahverkehrs,
– besserer Lärmschutz,
– Tempo 30 in geschlossenen Ortschaften,
– Verbot von Antibiotika in der Viehzucht,
– weniger Dünge- und Pflanzenschutzmittel in der Landwirtschaft,
– Ausdehnung des Ökologischen Landbaus,
– Aufnahme des Tierschutzes ins GG.

Umweltschutz-Ausgaben[1]

Schweiz	🇨🇭	422[2]
USA	🇺🇸	399
Niederlande	🇳🇱	366
Österreich	🇦🇹	358
Deutschland	🇩🇪	308
Frankreich	🇫🇷	264
Schweden	🇸🇪	199
Kanada	🇨🇦	187
Großbritannien	🇬🇧	182
Dänemark	🇩🇰	162
Japan	🇯🇵	128

1) öffentliche und private, inkl. prozessintegrierte Ausrüstungen; 2) US-Dollar/Kopf, letztverfügbarer Stand 1996; Quellen: OECD, Institut der deutschen Wirtschaft (Köln)

Ökosteuer: Durch die im April 1999 eingeführte erste Stufe der ökologischen Steuerreform stiegen die Stromtarife im April gegenüber dem Vorjahresstand um 7,7%, die Kraftstoffpreise um 4,5% und die Heizölkosten um 6,8%. Die Beiträge zur Rentenversicherung sanken im Gegenzug um 0,8 Prozentpunkte auf 19,5%. Ziel ist, Energie zu verteuern und die Lohnnebenkosten zu senken. Dem Trend, dass immer mehr menschliche Arbeit durch energieintensive, klimaschädliche Maschinen ersetzt wird, soll gegengesteuert werden.

Bericht: Im September 1998 legten die alte Bundesumweltministerin Angela Merkel (CDU) und Alexander Troge, Präsident des Umweltbundesamts (Berlin), ihren Jahresbericht vor: Das deutsche Klimaschutzziel (25% weniger Kohlendioxid-Ausstoß 1990 bis 2005) könne erreicht werden, wenn sparsamer mit Strom umgegangen, mehr erneuerbare Energien (z. B. Biomasse, solare Wärmeerzeugung) und die Kernkraft weiter genutzt würden. Ziel der Umweltpolitik sei es, 2010 ca. 40% der Abfälle zu verwerten.

Arbeitsplätze: Etwa die Hälfte des deutschen Umsatzes mit Technik und Dienstleistungen in der U. wurde 1998/99 in Nordrhein-Westfalen erzielt. Mit 120 000 Beschäftigten und 45 Mrd DM Umsatz war die Branche bereits 1995 die drittgrößte des Landes. Für 2005 sagte die rot-grüne Landesregierung weitere 50 000–130 000 Arbeitsplätze im U. voraus; das Deutsche Institut für Wirtschaftsforschung (DIW) prognostizierte für 2004 über 1,5 Mio U.-Arbeitsplätze in Deutschland (1998/99: ca. 1 Mio).

Osteuropa: Nach Schätzungen der EU-Kommission vom September 1998 wird es 200–240 Mrd DM kosten, die Umweltstandards der zehn mittel- und osteuropäischen Länder sowie Zyperns, die in die EU eintreten wollen, an die Standards der Gemeinschaft anzupassen. 1994–98 investierten EU und internationale Finanzinstitute nach Angaben der OECD 6,6 Mrd DM in U.-Projekte Osteuropas, vor allem zur Luftreinhaltung, Abwasserreinigung und Trinkwasseraufbereitung. In Polen wurde das Verursacherprinzip gesetzlich verankert: 40% der Geldmittel für nationale U.-Projekte stammten Mitte 1998 aus Steuern und Strafabgaben von Umweltverschmutzern.

http://www.bmu.de/index1.htm
http://www.umweltbundesamt.de
http://www.grida.no
http://www.unep.org
http://www.worldwatch.org
http://www.bund.net
http://www.umwelt.de
http://www.upi-institut.de/umwelt-l.htm

Umwelttechnik

Deutschland lag 1997 (letztverfügbarer Stand) in der U. mit einem Weltmarktanteil von 18,7% vor den USA (18,5%) an der Spitze. Zahlreiche neue Verfahren wurden vorgestellt, von denen sich einige bereits auf dem Markt durchsetzten.

Abfallsortierung: An der Universität Münster wurde eine Messanlage entwickelt, die durch Nah-Infrarot-Spektroskopie gebrauchte Kunststoffverpackungen berührungsfrei ordnet, um sie sortenrein wiederverwerten zu können.

Autogas: Das Umweltbundesamt (Berlin) förderte Ende der 90er Jahre den Einsatz erdgasbetriebener Autos, Busse u.a. Nutzfahrzeuge. Weltweit fuhren etwa 1 Mio solcher schadstoffarmen und sehr leisen Fahrzeuge. Anders als Elektroautos und Wagen mit Brennstoffzellen hatten sie bereits 1997 eine günstige Energiebilanz und wurden in Serie produziert. Modellprojekte liefen in Augsburg, auf Usedom und im Nordharz.

Biodiesel: Der Absatz von Treibstoff aus Rapsöl-Methylester stieg in Deutschland 1994–98 von 5000 auf 100 000 t; für 2002 wurden über 500 000 t prognostiziert. Genutzt wird Biodiesel vor allem in der Landwirtschaft und für Bootsmotoren. Da er fast schwefelfrei ist, sind seine Abgase leicht

---

Umwelttechnik: Zukunftskonzepte

▸ **Faktor 10:** Unter dem Schlagwort »Faktor 10« diskutierten internationale Umweltexperten, Manager und Politiker Ende des 20. Jh. neue Wohlstandsmodelle, die dem Umwelt- und Klimaschutz gerecht werden sollen. Wohlstand und Konsum müssten in den Industrieländern so organisiert werden, dass die Menschheit langfristig das Wohlstandsniveau der Industrieländer erreicht, ohne die Erde zu zerstören. Dafür müsste der Pro-Kopf-Verbrauch an natürlichen Ressourcen (Luft, Wasser, Boden usw.) in den Industrieländern auf ein Viertel (um den Faktor 4), später auf ein Zehntel (Faktor 10) des Standes von 1998/99 reduziert werden.

▸ **Dematerialisierung:** Bestandteil des Faktor-10-Konzepts ist die Umstellung auf geringen Material- und Energiefluss. Langlebige Geräte, die nicht weggeworfen, sondern von Hand repariert und an neue Aufgaben angepasst werden, sollen neue Arbeitsplätze schaffen. Friedrich Schmidt-Bleek, Gründer des Faktor-10-Klubs, nannte 1998 als Beispiele: Häuser, die meist aus Holz bestehen, brauchen vier- bis sechsmal weniger Material als Ziegel- oder Betonhäuser. Kleine, langlebige Autos aus faserverstärktem Kunststoff statt Blech benötigen 20–30 Mal weniger Material als herkömmliche Autos.
http://www.techfak.uni-bielefeld.de/~walter/f10/
http://iisd1.iisd.ca/didigest/jan96/3jan96.htm

mit Katalysatoren zu reinigen. Problematisch sind aber die ozon- und klimaschädlichen Lachgas-Emissionen beim Rapsanbau.
Klimatechnik: Nachdem Klimaanlagen wegen meist klimaschädlicher Kältemittel in den 90er Jahren in Verruf geraten waren, entstanden in Deutschland und der Schweiz Konzepte für eine umweltfreundliche, energiesparende Gebäudeklimatechnik: In Grabs/Schweiz wurde ein Firmengebäude auf 570 wasserdurchflossene Betonpfähle gegründet, die 45% der benötigten Kühlenergie aus dem Erdreich gewinnen. In Deutschland waren Anfang 1999 rund 150 Gebäude mit thermoaktiven Bauteilen in Planung, die über ein Rohrnetz mit milden Temperaturen beheizt oder gekühlt werden können. Absorptionskältemaschinen nutzen die Abwärme eines Blockheizkraftwerkes zum Kühlen. Die Stadtwerke Remscheid bauten 1999 eine Apparatur ein, welche die hygroskopische (wasserziehende) Wirkung von Aktivkohle, Zeolithen oder Silikagel nutzt und mit Sonnenkollektoren betrieben wird.
Lösungsmittel: US-Chemiker entwickelten sog. ionische Flüssigkeiten (künstliche Salze, die bei Raumtemperatur flüssig sind). Sie können die in der Industrie üblichen gesundheits-, klima- und wasserschädlichen organischen Lösungsmittel ersetzen.
Wasseraufbereitung: Berliner Chemiker entwickelten Ende der 90er Jahre ein katalytisches Verfahren, das gesundheitsschädliche Nitrate im Trinkwasser zu unschädlichem Stickstoff reduziert. In einem für Kläranlagen geeigneten Prozess könnten sich sogar die beiden großen Wasserbelaster Ammoniak und Nitrat gegenseitig neutralisieren. Nordirische Chemiker entwickelten ein Verfahren, das Wasservorräte von schädlichen Hormonen, Pestiziden u. a. organischen Stoffen befreit. Bei Anwesenheit des Katalysators Titandioxid reicht die im Sonnenlicht vorhandene ultraviolette Strahlung aus, um die Stoffe in kurzer Zeit zu zersetzen.

http://www.uni-muenster.de/Dezernat2/
forschung/fors-cbs.htm
http://www.umweltbundesamt.de/uba-info-
daten/daten/gasantrieb.htm
http://www.welt.de/cgi-bin/out.pl?url=/ ar-
chiv/1999/01/14/0114wi13.htm
http://www.ulst.ac.uk
http://www.biodiesel.de
http://www.stadtwerke-remscheid.de
http://www.wissenschaft.de/bdw/ticker

Wald: Geschädigte Bäume[1]

	1996	1997	1998
Buche	32	29	29
Eiche	48	46	37
Fichte	18	18	26
Kiefer	13	12	10
alle Bäume	22	22	21

1) Anteil (%); Quelle: Bundesministerium für Ernährung, Landwirtschaft und Forsten

Wald

Deutschland: Nach dem Waldschadensbericht der Bundesregierung verbesserte sich der Zustand der deutschen Wälder 1998 weiter: Der Anteil der deutlich geschädigten Bäume sank von 22 auf 21%, der schwach geschädigter von 42 auf 41%. Positiv wirkten sich 1998 die feuchte Witterung, schwächerer Schädlingsbefall und der Rückgang der Luftschadstoffe (Schwefeldioxid und Stickstoffoxide) aus. Eine deutliche Verbesserung gab es bei den Eichen

Wald: Baumschäden in Europa[1]

Tschechien		69
Bulgarien		50
Polen		37
Italien		36
Niederlande		35
Norwegen		31
Luxemburg		30
Frankreich		25
Griechenland		24
Dänemark		21
Deutschland		20
Großbritannien		19
Belgien		17
Schweiz		17
Schweden		15
Spanien		14
Portugal		8
Österreich		7

1) Anteil der Bäume mit deutlicher Schädigung (%), letztverfügbarer Stand: 1997; Quelle: Europäische Kommission

In ihrem Internationalen Waldbericht 1999 schätzte die Welternährungsorganisation FAO die weltweite Waldfläche auf 34 Mio km². Sie schrumpfte Ende der 90er Jahre jährlich um und 113 000 km² (0,3%). 1997/98 waren Brandrodungen und Waldbrände Hauptursache für Verluste. In den Industrieländern nahm die Waldfläche 1980–95 um 2,7% zu, in den Entwicklungsländern um 9,1% ab.

Waldflächen der Erde

Land	Mio km²
Russland	7,8[1]
Brasilien	5,5
Kanada	2,5
USA	2,2
China	1,4
Indonesien	1,2

1) Mio km², letztverfügbarer Stand: 1997, Quellen: FAO, AP

Veränderung der Waldfläche[1]

Region	%
Europa	+4,1
Nordamerika	+2,6
Australien, Neuseeland, Japan	+1,0
Afrika	−6,4
Asien, Ozeanien	−9,7
Lateinamerika, Karibik	−10,5

1) 1980–95 (%); Quellen: FAO, nach AP

(37% statt 46%), während die Schädigung der Fichten von 18 auf 26% stieg.

Europa: In den EU-Ländern sowie in 15 mittel- und osteuropäischen Staaten waren 1997 (letztverfügbarer Stand) 25,3% aller Bäume stark geschädigt. Insbes. in Italien,

Wasserknappheit: Wasserverbrauch[1]

Land	l
USA	296
Japan	278
Norwegen	260
Schweiz	237
Italien	213
Schweden	191
Österreich	162
Polen	158
Frankreich	156
Großbritannien	149
Niederlande	130
Deutschland	127
Belgien	120

1) täglicher Verbrauch je Einwohner (Haushalte und Kleingewerbe, in l); letztverfügbarer Stand, in Deutschland 1998, Quellen: Bundesverband der dt. Gas- und Wasserwirtschaft; OECD

den Niederlanden, Bulgarien und Tschechien verschlechterte sich der Waldzustand durch Luftverschmutzung und Dürren.

Nachhaltige Forstwirtschaft: Anfang 1999 waren weltweit 160 000 km² W. mit dem 1996 eingeführten Gütesiegel des Weltforstrats FSC (Forest Stewardship Council) für Holz aus nachhaltiger Forstwirtschaft zertifiziert (1998: 30 000 km²). Internationale Holzkonzerne wie Assi-Domän und SCA in Schweden ließen 1998 ihre Forsten zertifizieren. Die FSC-Kriterien schließen Kahlschläge, Pestizideinsatz und die Anpflanzung standortfremder Baumarten aus. Die meisten deutschen Forstbesitzer lehnten bis 1999 die »Fremdbestimmung« durch den FSC ab.

http://umwelt.org/robin-wood/
http://www.wwf.de
http://www.ecolink.org/robin-wood/german/fsc.htm

Wasserknappheit

Das Umweltprogramm der Vereinten Nationen (UNEP) gab im März 1999 neue Daten zur weltweiten W. bekannt: Danach sterben jährlich 5,3 Mio Menschen, weil sie kein sauberes Trinkwasser haben. In den kommenden 25 Jahren droht einem Drittel der Menschheit akute W. (vor allem im Nahen Osten, in Pakistan, Afghanistan, Teilen Indiens und Chinas sowie Südafrika). Der Wasserverbrauch der Menschheit vervierfachte sich 1950–98. 70% des Frischwassers verschlang die Landwirtschaft.

Naher Osten: Im Frühjahr 1999 spitzte sich der Konflikt zwischen Israel und Jordanien um das knappe Wasser des Sees Genezareth zu. Da im Winter 1998/99 nur 35–40% des Regens gefallen war, der nötig gewesen wäre, um den See wieder aufzufüllen, wollte die israelische Regierung die vertraglich zugesicherte Wasserlieferung an Jordanien um 60% kürzen. Auch im palästinensischen Gazastreifen versiegten 1998/99 viele Brunnen. Israel plant den Bau von Meerwasser-Entsalzungsanlagen.

Zypern: Nach drei Jahren Dürre gingen der Mittelmeerinsel Ende der 90er Jahre die Wasservorräte weitgehend aus. Die Landwirtschaft kam zum Erliegen. Der türkische Nordteil wurde von der Türkei aus von Schleppern mit Wasserballons beliefert. Die W. wurde durch künstliche Bewässerung

ungeeigneter Agrarprodukte, durch Tourismus und defekte Leitungsnetze verschärft.
Aralsee: Usbekische Umweltexperten warnten davor, dass der Salzsee östlich des Kaspischen Meeres bis 2015 fast völlig austrocknen könnte. Trinkwassermangel und Bodenerosion würden dann zu einer Massenauswanderung aus der Region führen. Der Wasserstand des Aralsees sank 1960–1998 um 13 m ab, seine Fläche ging von 64 500 auf 41 000 km^2 (nach anderen Angaben 28 000 km^2) zurück; die ursprünglich ergiebige Fischerei musste schon in den 80er Jahren eingestellt werden. Ursache ist die künstliche Bewässerung von Baumwollplantagen in Usbekistan.

Weltmeere

Die Natur der Weltmeere wurde 1998/99 durch steigende Wassertemperaturen, Wasserverschmutzung (u. a. aus der Schifffahrt), Unterwasserlärm und exzessive, oft illegale Fischerei gefährdet. Ihr Schutz war Gegenstand internationaler Konferenzen.
Soares-Kommission: Am 1.9.1998 legte die 1995 gegründete sog. Soares-Kommission der UNO (unter Vorsitz des früheren portugiesischen Präsidenten Mario Soares) ihren Abschlussbericht zum Thema »Der Ozean – unsere Zukunft« vor. Der Bericht zeigt Probleme der Klimaveränderung, des Überfischens, der Verschmutzung (u. a. Ölteppiche), der überlasteten Meeresstraßen, der Piraterie usw. auf, nennt positive Entwicklungen wie die UNO-Seerechtskonvention und empfiehlt eine Weltkonferenz über die Ozeane sowie die Gründung eines internationalen Ozean-Observatoriums.
Ospar-Konferenz: Im Juli 1998 vereinbarten die Umweltminister der 15 Länder der Oslo-Paris-Konvention (Ospar) (13 europäische Küstenländer, die Schweiz und Luxemburg) in Sintra bei Lissabon Schutzmaßnahmen für Nordsee und Nordost-Atlantik:
– Die Einleitung radioaktiver Abwässer aus den britischen und französischen Atommüll-Wiederaufbereitungsanlagen soll gestoppt werden.
– Öl-/Gasbohrinseln sollen bis auf wenige Ausnahmen an Land entsorgt werden.
Fischerei: Durch Fischerei wurde vor der Küste Neufundlands der sog. Scheunentor-Rochen bis Ende der 90er Jahre fast völlig ausgerottet. Die Jungtiere verfangen sich in

den Netzen der Kabeljaufischer. Im Südpolarmeer wurden die Bestände des sog. Schwarzen Seehechts (auch Patagonischer Zahnbarsch gen.) durch illegale Fischerei stark dezimiert. Das schmackhafte Fleisch des Tieres bringt in Japan umgerechnet bis zu zehn DM pro kg ein. An den Fangleinen der Fischer sterben zahllose Albatrosse und Sturmvögel. Die Welternährungsorganisation FAO diskutierte im Oktober 1998, die UNO-Kommission für nachhaltige Entwicklung im April 1999 das Problem der Überfischung, u. a. bei Haien und Rochen. Am Rande der Konferenz im April einigten sich die Artenschutz-Organisation WWF (World Wide Fund for Nature) und der Unilever-Konzern auf ein Gütesiegel für Fisch aus ökologisch verträglichem Fang.
Korallensterben: 1997–99 wurde in allen Ozeanen ein großräumiges Absterben der Korallenriffe beobachtet. Besonders betroffen waren die Riffe der Karibik, der Malediven, der Seychellen, um Sri Lanka, Madagaskar und Mauritius, der Philippinen, um Samoa sowie das Große Barriere-Riff vor der australischen Ostküste. Ursache waren wahrscheinlich Heiße Flecken (Hot Spots) in den Ozeanen, in denen die Wassertemperatur teilweise monatelang auf bis zu 37 °C anstieg. Sie standen im Zusammenhang mit der Klimaveränderung und dem Klimaphänomen El Niño. Auch illegales Fischen mit Sprengstoff und Gift wurde als mögliche Ursache genannt. In Korallenriffen leben etwa 25% aller bekannten Meeresfischarten.
Wale: Die International Whaling Commission (IWC) verlängerte im Mai 1999 auf Druck der USA das seit 1986 bestehende Walfangverbot. Norwegen und Japan verlangten eine teilweise Freigabe der Jagd, weil sich die Bestände einiger Walarten gut erholt hätten, und drohten mit dem Austritt aus der IWC.
Ende des 20. Jh. strandeten häufig verirrte Wale an den Küsten. Ursache war nach Auffassung griechischer und amerikanischer Meeresbiologen der Unterwasserlärm von Marineschiffen, Ölgesellschaften und illegalen Sprengstofffischern.

Klima →El Niño →Klimaveränderung
http://www.wwf.org; http://www.fao.org
http://www.eos.ubc.ca/links
http://www-ocean.tamu.edu
http://reefcheck.home.pages.de
http://coral.aoml.noaa.gov
http://www.coral.org.

Existenzgründungen

Bilanz: Nach Angaben des Verbandes der Vereine Creditreform (Neuss) wurden 1998 insgesamt 858 000 (+8% gegenüber 1997) neue Betriebe und Firmen eingetragen. Demgegenüber stieg die Zahl der Löschungen um 5,8% auf 665 700 (Saldo: +192 300). Die neu gegründeten Firmen schufen 1998 insgesamt 361 100 (1997: 294 000; +22,7%) Arbeitsplätze. In Westdeutschland wurden nach Abzug der Löschungen 22% neue Firmen, in Ostdeutschland 3,4% Neugründungen gemeldet. Im Westen wurden durch E. 287 700 neue Arbeitsplätze (+26,6%) geschaffen, die E. in Ostdeutschland kamen auf 73 400 neue Mitarbeiter (+9,2%).

Förderung: Die Deutsche Ausgleichsbank (DtA) vergab 1998 in Westdeutschland für Neugründungen 56 300 Kredite (19% mehr als 1997). In Ostdeutschland wurden 12 000 Kredite bewilligt. Nach Angaben der DtA stieg 1998 die Zahl der Existenzgründer, die eine bereits bestehende Firma übernahmen, gegenüber 1997 um 20%. Für 1999 plante die DtA, das Fördersystem zu vereinfachen und verstärkt Kleinkredite zu gewähren. Seit Mai 1999 steht das Start-Geld-Programm zur Verfügung (vor allem für Frauen), das durch 80%-tige Haftungsfreistellung die Hausbanken entlastet. Der Bund förderte

Die größten Probleme bereiteten Gründungswilligen in Deutschland 1998 alle Fragen rund um die Finanzierung ihres Unternehmens. Sie waren auf Informationen öffentlicher Einrichtungen (u. a. Kammern und Technologiezentren) und auf die umfassende Beratung von Banken angewiesen.

1998 u. a. mit 525 Mio DM Beteiligungskapital und der Mobilisierung entsprechender Partner 700 technologieorientierte E. Bei 16 000 traditionellen Gründungsvorhaben wurden mit ERP-Eigenkapitalhilfedarlehen von 1,9 Mrd DM Finanzierungslücken geschlossen. 22 000 Gründer erhielten insgesamt 3 Mrd DM an ERP-Krediten.

Beteiligungskapital: 1998 stellte das Wirtschaftsministerium mit dem Programm »BTU – Beteiligungskapital für kleine Technologieunternehmen« 525 Mio DM für Unternehmensbeteiligungen in Deutschland bereit. 1999 plante das Bundesministerium für Wirtschaft die Ausdehnung der Förderung junger Technologieunternehmen; mit 1 Mrd DM soll das Eigenkapital der E. aufgestockt werden. Mitte 1999 waren in Deutschland 130 Beteiligungsgesellschaften tätig.

Branchen: Die meisten E. verzeichneten 1998 Handel und Dienstleistung. Im Westen gehörten 48% der E. zu den Dienstleistern, 30% zum Handel (Ostdeutschland: Dienstleister 43%, Handel 24%). Der Anteil des verarbeitenden Gewerbes in Ost- und Westdeutschland an den E. lag auf gleicher Höhe (West: 12%; Ost: 11%), die Bauwirtschaft verzeichnete im Westen nur 10% E., in Ostdeutschland dagegen 22%.

http://www.bmwi.de; http://www. bma; http://www.bmj.bund.de; http://www.stern.de; http://www.arbeitsamt.de

Franchising

In den USA entwickelte Lizenzvergabe getesteter Firmenkonzepte an Existenzgründer. Durch Übernahme der bewährten Geschäftsidee hat der Franchisenehmer einen Wettbewerbsvorteil. Er ist aber an Weisungen des Franchisegebers gebunden.

Deutschland: 1998 boten 610 Firmen F. an. 80% waren Mitglieder des Deutschen Franchise-Verbandes (DFI, München). Insgesamt wurden 33 000 Franchisenehmer registriert. 1998 entstanden durch F. 40 000 neue Arbeitsplätze. In der Branche arbeiteten 320 000 Menschen (Umsatz: 36 Mrd DM), 75% in Handel und Dienstleistungen.

▬ Existenzgründungen: Sorgen der Pioniere[1]

Fianzierungsfragen	49
Balance zwischen Beruf u. Privatleben	43
Steuerliche Bestimmungen	33
Bürokratischer Aufwand	31
Informationsbeschaffung	23
Versicherungsfragen	23
Betriebsaufbau, -organisation	21
Wahl der Rechtsform, Finanzierung	21

1) Nennungen von je 100 Befragten als besonders gravierend; Stand: 1998; Quelle: Bundesverband der Volksbanken und Raiffeisenbanken

Konzept: F. zielt auf Existenzgründer ohne eigene Geschäftsidee. Seriöse F.-Geber (FG) bieten dem Geschäftspartner außer der erfolgreichen Idee Zusatzleistungen an: ein erprobtes Marketingkonzept, ein Unternehmensprofil, eine bekannte Marke, vielseitige Erfahrungen, Unterstützung beim Aufbau des eigenen Standorts und Betriebes sowie laufende betriebswirtschaftliche Beratung. Umgekehrt setzt der FG Mitwirken im F.-System voraus.

Scheinselbstständigkeit: Nach In-Kraft-Treten des Gesetzes zur Verhinderung der Scheinselbstständigkeit am 1.1.1999 zog sich Tiefkühl-Einzelhändler Eismann aus dem F. zurück; die Rechtsprechung hatte den Lizenznehmern die Eigenschaft als selbstständige Unternehmer abgesprochen. Nach Angabe des DFI ist die Eigenschaft als Unternehmer aber bei den meisten Lizenssystemen leicht nachzuweisen.

http://www.franchise-net.de

Fusionen und Übernahmen

Deutschland: Lt. Unternehmensberatung M & A International GmbH (Königstein) waren deutsche Firmen 1998 an 2046 F. beteiligt (+146 bzw. 7,7% gegenüber 1997). 49% der F. waren rein innerdeutsch, 51% grenzüberschreitend. Der Transaktionswert (der für die Unternehmen gezahlte Preis) verdreifachte sich fast von 152 Mrd (1997) auf 442 Mrd DM (1998). Nach Berechnungen des Bundeswirtschaftsministeriums erreichte der Wert der F. zwischen Firmen verschiedener Länder 1998 weltweit insgesamt 600 Mrd US-Dollar.

Ursachen: F. wurden 1998/99 forciert durch fortschreitende Liberalisierung und Globalisierung der Märkte, Etablierung der europäischen Währungsunion, hohen Rationalisierungsdruck und raschen technischen Fortschritt. Zu den Vorteilen einer F. zählen:
- Durch Übernahme von Konkurrenten lässt sich ein Platz in der Spitzengruppe erringen.
- Die Produktpalette wird erweitert.
- Massenproduktion reduziert Stückpreise.
- Weltweite Ausbreitung streut das Risiko.
- Überkapazitäten können im Verbund leichter abgebaut werden.

http://www.Karstadt.de;
http://www.Quelle.de; http://www.telekom.de;
http://www.Deutsche Bank.de

Die wichtigsten Fusionen und Übernahmen

▸ **Automobilindustrie:** Zu den weltgrößten F. in der Autobranche gehörte der Zusammenschluss von Daimler-Benz (D) und Chrysler (USA; Übernahmewert: 36 Mrd DM). Mit 450 000 Mitarbeitern und einem Gesamtumsatz von 230 Mrd DM (1997) rangierte der neue Konzern auf Platz neun der größten Konzerne der Welt. Volvo (S) wurde durch den Kauf eines 12,8%-tigen Aktienpostens des Lkw-Produzenten Scania AB (S) Anfang 1999 zum Marktführer Europas bei der Herstellung von Nutzfahrzeugen; die vollständige Fusion wurde für 1999 angestrebt. Der weltweit zweitgrößte Automobilhersteller Ford Motor Company (USA) erwa für 6,45 Mrd Dollar die Pkw-Sparte von Volvo.

▸ **Banken:** 1998 fusionierte die Deutsche Bank mit dem US-Bankers-Trust zum weltgrößten Finanzunternehmen (Bilanzsumme: 1,3 Billiarden DM, Mitarbeiter: 95 000). Die Commerzbank (D) ging ein Bündnis mit der Versicherung Generali (I) ein. Die Württembergische Versicherungsgruppe schloss sich mit dem Wüstenrot-Konzern (Bausparkasse) zusammen (Bilanzsumme: 87 Mrd DM, Mitarbeiter: 9 417). International fusionierten die Société Générale und Paribas (F) zu einer der größten Banken der Welt, die Mitte 1999 auch die Übernahme von Crédit Lyonnais plante.

▸ **Chemieindustrie:** Eines der führenden Spezialchemieunternehmen der Welt entstand 1998 durch die F. von Degussa AG (Frankfurt/M.) und Hüls AG (Betriebsergebnis vor Steuern 1998 zusammen: 600 Mio DM). Zum größten Spezialchemie-Konzern fusionierten im Schweiz die Clariant AG und Ciba Spezialitätenchemie AG (erwarteter jährlicher Umsatz: 21,6 Mrd DM). Von den 55 000 Arbeitsplätzen sollen 3000 (5,5%) abgebaut werden. Die deutsche Hoechst AG war 1998 mit 45% an Clariant beteiligt. Die Fusion der Mischkonzerne Viag (D) und Alusuisse-Lonza (CH) ließ in Deutschland das sechstgrößte Industrieunternehmen entstehen (erwarteter Gesamtumsatz: 53 Mrd DM); von den 127 000 Arbeitsplätzen sollen 2500 (2%) abgebaut werden.

▸ **Einzelhandel:** Die Schickedanz-Gruppe (Quelle, Fürth) und Karstadt (Essen) fusionierten Mitte 1999. Das neue Unternehmen kommt auf 120 000 Mitarbeiter und 33 Mrd DM Umsatz (jeweils 1998).

▸ **Mineralölindustrie:** Exxon und Mobil (beide USA) schufen 1998 den weltgrößten Ölkonzern (Transaktionswert: 134,9 Mrd DM). Mit 123 000 Mitarbeitern und einem Marktwert von 400 Mrd DM lag der Konzern vor Royal Dutch/Shell (GB, NL). Mit dem Kauf (Preis: 48 Mrd Dollar) von Amoco (USA) durch British Petroleum (BP) entstand das weltweit drittgrößte Unternehmen dieser Branche (100 000 Beschäftigte, 192 Mrd DM Umsatz).

▸ **Pharmaindustrie:** Hoechst AG (D) und Rhône-Poulenc SA (F) bildeten nach der Fusion unter dem Namen »Aventis« 1998 den weltgrößten Pharmakonzern (Umsatz: 24 Mrd DM, 95 000 Mitarbeiter). Die Astra AB (S) und die Zeneca Group (GB) schufen durch ihre Fusion den größten Arzneimittelkonzern der Welt (Gesamtumsatz: 26,5 Mrd DM). Von den 55 000 Arbeitsplätzen sollen 6000 (10,9%) abgebaut werden.

▸ **Stahlindustrie:** Die F. der Ruhrkonzerne Thyssen AG und Krupp AG (1.3.1999) umfasst ein Umsatzvolumen von 70 Mrd DM (Mitarbeiter: 173 000). Die SMS Schloemann-Siemag (Düsseldorf und Hilchenbach) und die Mannesmann Demag AG (Duisburg) wurden durch ihre F. Weltmarktführer im Stahl- und Walzwerkbau (Gesamtumsatz: 3,6 Mrd DM).

▸ **Tabakindustrie:** Die Nummern zwei und vier auf dem Zigarettenmarkt, British American Tobacco (BAT) und Rothmans International kündigten Anfang 1999 ihre F. an. Der neue Konzern (Börsenwert: ca. 35 Mrd DM) erreicht einen Weltmarktanteil von 16%.

▸ **Telekommunikation:** Die für 1999 geplante Fusion der Deutschen Telekom AG mit der Telecom Italia SpA ist vorerst gescheitert, nachdem der italienische Olivetti-Konzern die Telecom Italia SpA übernommen hat. Mit einer Beteiligung von 600 Mio Dollar an der Mobilfunkfirma Nextel setzte der Computerkonzern Microsoft seine Expansion im Internet- und Telekommunikationssektor fort. Für 5 Mrd Dollar übernahm Microsoft 1999 einen Anteil von 3,5% an der größten US-Telefongesellschaft AT & T. Der weltgrößte Onlinedienst America Online (AOL) zahlte 1998 für 7 Mrd DM die Softwarefirma Netscape. Im Mai 1999 kündigten die US-Telefonkonzerne Global Crossing und US West ihren Zusammenschluss an. Es entsteht damit ein Unternehmen mit 15 Mrd Dollar Umsatz im Jahr.

Handwerk

Der Umsatz des deutschen H. stieg 1998 um 1% auf rund 1000 Mrd DM. Auch für 1999 prognostizierte der Zentralverband des Deutschen Handwerks (ZDH) 1% Wachstum. Die Zahl der Beschäftigten im deutschen H. lag bei 6,4 Mio. In Westdeutschland wurden 15 000, in Ostdeutschland 6500 H.-Betriebe registriert.

Politik: Der ZDH forderte die rot-grüne Bundesregierung auf, Renten- und Krankenversicherung zu reformieren, durch eine Unternehmenssteuerreform die kleinen und mittleren Unternehmen zu entlasten und höhere Freibeträge bei der Besteuerung von Veräußerungsgewinnen einzuräumen.

Arbeitsplätze: Ohne Meisterprüfung dürfen Handwerksbetriebe in Deutschland nicht arbeiten. Der Bundesverband unabhängiger Handwerker (BUH) stellte fest, dass 1998 Tausende von Gesellen gehindert wurden, eine eigene Existenz aufzubauen. Mitte 1999 forderte der ZDH die sofortige Aussetzung des geänderten 630-Mark-Gesetzes. Bis dahin waren 170 000 geringfügige Beschäftigungen im H. durch Kündigungen und Aufgaben verloren gegangen. Für das Jahr 2000 nimmt der ZDH an, dass die Zahl der Minijobs von 600 000 auf 300 000 halbiert wird. Als Grund für die Unternehmen wurden die entstandenen Mehrkosten (Sozialabgaben) genannt.

http://www.Zdh.de; http//www.Handwerk.de

Insolvenzen

Deutschland: 1998 zählte das Statistische Bundesamt in Deutschland 27 828 I., 354 (1,3%) mehr als 1997. Während in den alten Bundesländern die Zahl um 0,7% auf 19 213 I. sank, stieg sie in den neuen Bundesländern um 6% auf 8615. Der Insolvenzschaden lag mit 59 Mrd DM um 9,2% unter dem Vorjahreswert von 65 Mrd DM. Als Grund für den Rückgang des I.-Schadens wurde der hohe Anteil des Mittelstandes (höchstens 50 Mitarbeiter) von 97,3% (alte Bundesländer) bzw. 96% (Ostdeutschland) an den I. angegeben. Besonders betroffen waren Einzelhandel und Bauwirtschaft. Durch I. verloren 1998 rund 501 000 Menschen in Deutschland den Arbeitsplatz.

Prognose: Der Bundesverband der Deutschen Volks- und Raiffeisenbanken (BVR, Bonn) rechnete für 1999 mit einem Anstieg der Zahl der I. um 1% (D-West) bzw. 8% (D-Ost) insbes. in Bauwirtschaft, Einzelhandel und Handwerk. Dagegen wird die Zahl der I. im verarbeitenden Gewerbe nach Schätzung des BVR eher abnehmen.

Rechtsänderung: Deutsche Unternehmer befürchteten im Zuge der seit 1.1.1999 geltenden Insolvenzordnung, welche die bisherige Konkursordnung sowie die Gesamtvollstreckung ablöste, einen weiteren Zuwachs der I. Danach kann der Schuldner den Konkurs bereits beantragen, wenn Zahlungsunfähigkeit droht. Vor dieser I. musste Zahlungsunfähigkeit bereits vorliegen.

Westeuropa: Bei 190 100 I. (1997: 198 606, –4,3%) entstanden 1998 in Westeuropa Gläubigerschäden von 165 Mrd DM (1997:187 Mrd DM, –11,8%). Durch I. gingen in Westeuropa 1,6 Mio Arbeitsplätze verloren (1997: 1,8 Mio, –11,1%). Die größte prozentuale Abnahme der I. gab es in Griechenland (–26,9%), Spanien (–20,7%) und Schweden (–16,4%).

Vor allem junge, mittelgroße Unternehmen aus den Bereichen Handel und Dienstleistungen mussten nach Angaben der Creditreform-Studie in Europa überdurchschnittlich oft ihre Geschäftstätigkeit aufgeben.

Nach Ermittlungen des Verbandes der Vereine Creditreform ist der Anstieg der Insolvenzen deutscher Unternehmen in den 90er Jahren nur auf starke Pleitenzuwächse in den neuen Bundesländern zurückzuführen. Westdeutschland lag im Trend Westeuropas, wo die Zahl der Firmenzusammenbrüche zurückging.

Insolvenzen pro 10 000 Unternehmen

Frankreich	277
Schweden	270
Schweiz	241
Österreich	228
Großbritannien	147
Dänemark	110
Deutschland	107
Niederlande	80
Italien	46
Spanien	4

Stand: 1998; Quelle: Creditreform, http://www.creditreform.de

Insolvenzen

Jahr	Wert
1988	10 562
1990	8730
1992[1]	10 920
1994	18 837
1996	25 530
1998	27 828

1) ab 1991 Gesamtdeutschland, vorher nur BRD; Quelle: Statistisches Bundesamt, http://www.statistik-bund.de

Leasing

Vermietung von (Investitions-)Gütern, insbes. Industrieanlagen, wobei die Mietzahlungen beim eventuellen späteren Kauf angerechnet werden können

Bilanz: Die deutsche L.-Branche verzeichnete 1998 einen Umsatz von 74 Mrd DM. 20% der Ausrüstungsinvestitionen und 50% der außenfinanzierten Anlageinvestitionen des verarbeitenden Gewerbes entfielen auf L.

Branchen: Die L.-Güterarten untergliedern sich in Immobilien (Geschäfts- und Bürogebäude, Produktionsgebäude, Hallen) und Mobilien (Fahrzeuge, Büro- und Produktionsmaschinen, Nachrichtentechnik, Handelsobjekte). Der Mobilienbereich machte 1998 rund 85,5%, der Immobilienbereich 14,5% aller Güterarten aus. Seit 1999 erhalten Firmen in den neuen Bundesländern für geleaste Maschinen Bundesfördermittel.

Öffentlicher Sektor: Die deutsche L.-Wirtschaft sieht für Anfang des 21. Jh. ihr wichtigstes Betätigungsfeld in der Gewinnung von Bund, Ländern und Kommunen als L.-Partner, vor allem in den Bereichen Ver- und Entsorgung, Gesundheitswesen, Erholung und Kultur. Nach einer Erhebung des ifo-Instituts (München) erreichte das staatliche Immobilien-L. 1998 ein Wachstum von 12%. Der Anteil des Staates an den gesamten L.-Investitionen erhöhte sich 1998 leicht von 3,1% (1997) auf 3,4%. Zur Entlastung der öffentlichen Haushalte wird L. auch von Städten, Gemeinden und Kommunen eingesetzt. So verkauften z. B. die Münchner Stadtwerke 1998 ihre 180 1977–88 eingesetzten U-Bahnen für 210 Mio DM für sechs Jahre an die Münchner Malina Mobiliengesellschaft. Nach Ablauf kann der L.-Geber die U-Bahnen an den L.-Nehmer (für 110 Mio DM) einem Markt zurückerwerben. Durch den Vertrag erzielten die Münchner Stadtwerke einen Barwertvorteil von 11,5 Mio DM. Weitere Wachstumsmärkte der deutschen L.-Branche liegen nach Angaben des BDL in den Sektoren Software und Telekommunikation.

Nachfolgeregelung

Nach Untersuchungen des Bonner Instituts für Mittelstandsforschung und des Instituts der Deutschen Wirtschaft werden in Deutschland bis ins Jahr 2000 insgesamt 120 000 Unternehmer ihren Betrieb aufgeben; jeder vierte hatte keinen geeigneten Nachfolger. In Deutschland waren nach einer Studie der Deutsche Ausgleichsbank (DtA) durch die N. bis zu 4 Mio Arbeitsplätze gefährdet. Jeder vierte der 3,4 Mio Unternehmer in Deutschland war 1999 älter als 55 Jahre. Mit einer Gemeinschaftsinitiative wollten die DtA, der Deutsche Industrie- und Handelstag (DIHT), der Zentralverband des Deutschen Handwerks (ZDH) und das Bundesfamilienministerium die Unternehmensnachfolge erleichtern. Die Unternehmensbörse »Change« bietet seit Beginn 1999 drei Datenbanken im Internet kostenlos an. Außer DIHT und ZDH können auch Sparkassen, Volks- und Raiffeisenbanken online Inserate schalten. Ziel ist, Daten zur Unternehmensnachfolge aus ganz Deutschland zusammenzuführen und Offerten aus allen Branchen zu erfassen.
http://www.change-online.de

Outsourcing

(Outside Resource Using); Übertragung von Firmenbereichen, die nicht das Kerngeschäft betreffen, an dienstleistende Spezialisten. O.-Bereiche sind z.B. Logistik, EDV und Vertrieb.

Immer mehr Unternehmen in Deutschland übertragen die Datenverarbeitung aus Personal- und Kostengründen einem O.-Dienstleistungsunternehmen. Zu den führenden Anbietern auf dem deutschen Markt gehört das debis Systemhaus, das u. a. für Kunden wie Henkel oder Hauni das Management von Rechenzentren und Datenbanken erledigt. 1997 erreichte debis mit O. einen Jahresumsatz von 1,55 Mrd DM. Weitere große Anbieter sind: SNI/SBS (1,31 Mrd DM), IBM (0,95 Mrd DM), EDS (0,75 Mrd DM) und Datev (0,63 Mrd DM). Nach Analysen der Philip Audoin Conseil (PAC), München, wird der deutsche Outsourcing-Umsatz bis 2004 um über 100% zunehmen. O. hat nach

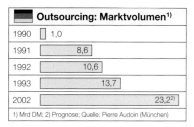

Outsourcing: Marktvolumen[1]	
1990	1,0
1991	8,6
1992	10,6
1993	13,7
2002	23,2[2]

1) Mrd DM; 2) Prognose; Quelle: Pierre Audoin (München)

Untersuchungen der Gartner Group allerdings auch Grenzen. Strategisch wichtige Kernkompetenzen sollten im Unternehmen verbleiben. Gartner rechnet damit, dass der weltweite Umsatz von 262 Mrd Dollar 1997 auf 517 Mrd Dollar im Jahr 2002 steigt.

Selbstständige

Nach Angaben des Instituts der deutschen Wirtschaft (IW, Köln) arbeiteten 1998 in Deutschland 3,5 Mio S., 120000 (0,4%) mehr als 1997. 1 Mio S. waren Frauen.

Gesetz: Mit dem seit dem 1.1.1999 in Deutschland geltenden Gesetz zur Sozialversicherung und zur Sicherung der Arbeitnehmerrechte sollen Sozialversicherungsträger Scheinselbstständige besser erfassen können. Das Gesetz gibt im neu eingefügten §7 Absatz 4 Sozialgesetzbuch IV vier Kriterin vor. Sind mind. zwei erfüllt, so wird vermutet, dass die betreffende Person »gegen Arbeitsentgelt beschäftigt« ist:

– Der S. beschäftigt abgesehen von Familienangehörigen keinen versicherungspflichtigen Arbeitnehmer.

– Er ist für nur einen Auftraggeber tätig.

– Er erbringt Leistungen, die für Beschäftigte typisch sind, vor allem bei weisungsgebundenen Ausgaben.

– Er ist nicht als Unternehmer am Markt.

Nach einer Studie des Instituts für Mittelstandsforschung der Universität Mannheim vollzieht sich in Deutschland seit Mitte der 90er Jahre ein markanter Wandel bei den S. zum Einpersonen-Unternehmen. Ursachen sind Outsourcing (Auslagerung einzelner Arbeitsbereiche, z. B. EDV) und neue Technologien, mit denen Tätigkeiten außerhalb des Betriebs möglich sind (u. a. Bildschirmarbeit). Von den 3,5 Mio S. in Deutschland arbeiteten 1998 bereits 45% allein. Das Wachstum der Einpersonen-Unternehmen konzentrierte sich auf wissensintensive (z. B. Übersetzer, Lektoren) und unternehmensorientierte Bereichen des Dienstleistungssektors.

Finanz-Tüv: Der erste »Finanz-Tüv« für mittlere und kleine Unternehmen nimmt voraussichtlich im Sommer 1999 seine Tätigkeit auf. Er soll den S. die Aufnahme von Fremdkapital erleichtern. Die Rating-Agentur wurde von der Deutschen Ausgleichsbank (DtA) gegründet.

■ **Arbeit** → Scheinselbstständigkeit

Standort Deutschland

Deutsche Unternehmer forderten 1998/99 von der rot-grünen Bundesregierung Maßnahmen zur Verbesserung der Wettbewerbsfähigkeit des S. und zur Gewinnung ausländischer Investoren durch steuerliche Entlastung und Senkung der Lohnnebenkosten. Zwar stiegen die ausländischen Direktinvestitionen in Deutschland bis ins dritte Quartal 1998 um 2 Mrd DM auf 16,2 Mrd DM, die deutschen Direktinvestitionen im Ausland betrugen zum gleichen Zeitpunkt jedoch mit 45,6 Mrd DM fast das Dreifache.

Umsatzrendite: Im internationalen Standortwettbewerb gilt das Verhältnis von Gewinn in Prozent des Umsatzes als wichtige Richtgröße. Nach einem Bericht des Instituts der deutschen Wirtschaft (IW, Köln) ergab sich für die deutsche Industrie 1993–97 im Durchschnitt eine Nettoumsatzrendite (nach Steuern) von 1,7%. Im Jahr 1997 erzielte die Industrie eine Durchschnittsrendite von 3%. Im Ländervergleich lag Deutschland weit hinter Irland (10,5%), den Niederlanden (7,4%), Griechenland (6,5%), Schweden (5,8%) und den USA (5,7%). Im Mittelfeld befanden sich Großbritannien und Portugal (jeweils 5,1%), während hinter Deutschland nur noch Frankreich (2,7%), Italien (2,5%) und Japan (1,5%) rangierten. 1998 steigerten deutsche Firmen ihre Umsatzrendite auf 3,3%.

Ursachen: Als Handikap für den S. wurden nach einer von Prognos Consult 1999 durchgeführten Umfrage von deutschen Unternehmern vor allem hohe Lohnkosten, Lohnzusatzkosten und Steuerbelastungen genannt. Weitere Ursachen für Standortnachteile war nach Ansicht der Unternehmer die unzureichende Ausrichtung der deutschen Wirtschaft auf die Schlüsseltechnologien Bio- und Gentechnologie, Mikroelektronik, Mikrosystemtechnik und Telekommunikation.

Forderungen: Um den S. zu stärken, verlangten Vertreter der deutschen Wirtschaft von politischen Entscheidungsträgern die Schaffung besserer Rahmenbedingungen:

– Ausbau der Infrastruktur

– Flexibilisierung des Tarifvertragsrechts

– erweiterte betriebliche Gestaltungsmöglichkeiten

– Abschaffung der ertragsunabhängigen Unternehmenssteuer

– ein transparentes Steuersystem
– eine effiziente Verwaltung
– Senkung der Lohnzusatzkosten
– eine gesetzliche Regelungsdichte
– Förderung von Existenzgründern durch Kapitalbereitstellung.
  Steuern und Finanzen → Unternehmenssteuerreform

Unternehmensgewinne

Nach dem Einbruch von 1996 (–5%) stiegen die U. in Deutschland 1997 (letztverfügbarer Stand) durch harte Kostensenkung um 2% auf 105 Mrd DM (nach Steuern). In der Industrie wurde eine Bruttoumsatzrendite (Gewinn vor Steuern in Prozent des Umsatzes) von 4% erreicht, in der Bauwirtschaft nur 1%. Die steigenden U. führten nicht zur Zunahme der Beschäftigung.

Automobilindustrie: Die Volkswagen AG steigerte im Geschäftsjahr 1998 den Umsatz um 18,5% auf 134,2 Mrd DM. Das Ergebnis vor Steuern lag 1998 bei 6,287 Mrd DM (1997: 3,846 Mrd DM). Im Fusionsjahr 1998 erreichte die DaimlerChrysler AG einen U. von 15,95 Mrd DM (vor Steuern; 1997: 12,08 Mrd DM). Der Umsatz des Konzerns stieg 1998 um 12% auf 257,7 Mrd DM. Von der U.-Entwicklung profitierten die 140 000 Beschäftigten im deutschen Fahrzeuggeschäft durch eine Ergebnisbeteiligung von 1700 DM (1997: 1070 DM).

Banken: Die Deutsche Bank, die 1998 mit Bankers Trust fusionierte, vervierfachte ihren Überschuss vor Steuern auf ca. 8 Mrd DM. Dazu trug die Sonderausschüttung von Daimler-Benz von 3,2 Mrd DM bei.

Chemie: 1998 musste der Chemiekonzern Bayer AG mit 54,1 Mrd DM einen leichten Umsatzrückgang hinnehmen (1997: 55 Mrd DM). Der Gewinn betrug 5,3 Mrd DM (1997: 5,1 Mrd DM). Übernahmen, Kooperationen und Verstärkung der eigenen Forschungen sollen den Umsatz 1999 steigern (Investitionen: 10 Mrd DM).

Elektro: Die Siemens AG erhöhte ihren Umsatz im Geschäftsjahr 1997/98 um 10 % auf 117 Mrd DM (1997:106,9 Mrd DM). Der Konzern plante 1999, sich durch Verkäufe von einem Siebtel des Weltumsatzes zu trennen. Das Halbleitergeschäft sollte 1999 an die Börse geführt werden. Zum langfristigen Umbau gehört der Einstieg in das Netzwerkgeschäft der USA.

▬ Standort-D: Industrieproduktion[1]	
Büromaschinen, EDV	+5
Stahlbau	+3
Kunststoffverarbeitung	+2
Druck	+2
Eletrotechnik	+2
Gummiverarbeitung	+1
Papiererzeugung	+1
Holzverarbeitung	+1
Straßenfahrzeugbau	+1
Nahrungs- und Genussmittel	0
EBM-Waren (Eisen, Blech, Metall)	0
Chemie	−1
Textil	−1
Stahlverformung	−2
Papierverarbeitung	−2
Gießereien	−3
Ziehereien, Kaltwalzwerke	−4
Bekleidung	−5
Eisen und Stahl	−7
1) 1999 im Vergleich zu 1998 (%); Quelle: ifo-Prognose	

Luft- und Raumfahrt: Die Deutsche Lufthansa AG steigerte 1998 ihren Umsatz auf 22,7 Mrd DM (1997: 21,6 Mrd DM). Der Gewinn vor Steuern (1998: 2,48 Mrd DM, 1997: 1,75 Mrd DM) sollte in den Aufbau der Flotte investiert werden. Die Daimler-Chrysler Aerospace AG (Dasa) vermochte ihren Gesamtumsatz 1998 um 12% auf 17,2 Mrd DM zu steigern. 30% davon entfielen auf den militärischen Teil. Der Gewinn betrug 592 Mio DM (1997: 432 Mio DM).

Telekommunikation: Die Deutsche Telekom AG musste Einbußen bei Ferngesprächen und Auslandsverbindungen hinnehmen. Dem Umsatzrückgang standen Kosteneinsparungen von 600 Mio DM und eine Verbesserung des Beteiligungsergebnisses von 250 Mio DM gegenüber. Der Gesamtumsatz lag 1998 bei 69,9 Mrd DM (1997: 67,6 Mrd DM).

http://www.telekom.de
http://www.volkswagen.de
http://www.DaimlerChrysler.de
http://www.Deutsche Bank.de
http://www.Bayer.de; http://www.Siemens.de

Die Wirtschaftsforscher des Münchner ifo Institutes rechneten damit, dass die Industrieproduktion in Deutschland insgesamt zurückgeh. Die Binnennachfrage blieb 1999 schleppend.

Alpentransit

1998 wurden rund 140 Mio t Güter mit LKW und Bahn über die Alpen transportiert. Lärm und Abgase des LKW-Verkehrs, der mehr als die Hälfte des A. ausmacht, belastete zunehmend die Umwelt. Im Dezember 1998 schlossen die EU-Verkehrsminister mit der Schweiz ein Landverkehrs-Abkommen, das den LKW-Transit durch die Schweiz neu regelt und den über den Brenner (Österreich) entlasten soll.

Schweiz: Lt. Abkommen dürfen beliebig viele 40-t-LKW durch die Schweiz fahren. Bis 1999 galt ein Gewichtslimit von 28 t. Während der Übergangszeit werden gegen eine nach Schadstoffen gestaffelte Gebühr Kontingente für 40-t-LKW zugelassen: 300 000 von 2001–02, 400 000 von 2003–04. Der Transitpreis von 200 Ecu (392 DM) soll erst erhoben werden, wenn einer der beiden geplanten Schweizer Alpentunnel gebaut ist und der Güterverkehr auf die Schiene verlagert werden kann. Im September 1998 billigten die Schweizer eine »Leistungsabhängige Schwerverkehrs-Abgabe« (LSVA), die ab 2001 schrittweise den Straßentransport bis zu 3 Pf pro t/km verteuern und die Bahn konkurrenzfähiger machen soll.

Österreich: Die EU-Kommission schätzte 1998, dass aufgrund der neuen Regelung 200 000–250 000 LKW weniger den Umweg über Österreich nehmen. 1998 rollten 678 600 LKW über den Brenner. Eine Fahrt kostete 1999 im Schnitt 170 DM und deckte die Strecke bis Kufstein ab. Die EU-Kommission ließ das gegen Österreich angestrengte Verfahren wegen überhöhter Gebühren für die Tunnel-Passage fallen.

Alpentunnel: Im Dezember 1998 hatten die Schweizer bei einem Volksentscheid dem Finanzierungsmodell der Neuen Al-

Alpentransit: Sicherheit der Alpentunnel

	Länge	Fluchttunnel	Löschwasserleitung	Autom. Brandm.	SOS-Telefone	Sonstiges	Bewertung
Gotthard	17 km	Ja, Übergänge alle 250 m	Hydranten alle 125 m	Ja	Alle 125 m	Alle Handy-Netze funktionieren; Rauchgasabsaugung; Dauerüberwachung durch 85 TV-Kameras; Stau-Infos über Verkehrsfunk	Gut
Großer St. Bernhard	5,8 km	Nein	Hydranten alle 120 m	Nein	Alle 120 m	Dauerüberwachung mit 50 Kameras; Alarmauslösung sobald ein Fahrzeug anhält	Mangelhaft
Felber-Tauern	5,2 km	Nein	Hydranten alle 200 m	Ja	Alle 200 m	Alle Handy-Netze funktionieren; drei Wendekavernen für LKW; 30 Überwachungskameras	Mangelhaft
Tauern	6,4 km	Nein	Hydranten alle 106 m	Ja	Alle 212 m	Alle Handy-Netze funktionieren; 36 Überwachungskameras; Stau-Infos über Verkehrsfunk	Bedenklich
Katsch-Berg	5,4 km	Nein	Hydranten alle 106 m	Ja	Alle 212 m	Alle Handy-Netze funktionieren; 31 Überwachungskameras; Stau-Infos über Verkehrsfunk	Bedenklich
Gleinhalm	8,3 km	Nein	Hydranten alle 106 m	Ja	Alle 212 m	Alle Handy-Netze funktionieren; 40 Überwachungskameras; Stau-Infos über Verkehrsfunk	Bedenklich
Kara-wanken	7,8 km	Nein	Hydranten alle 106 m	Ja	Alle 250 m	Rauchgasabsaugung alle 125 m; alle Handy-Netze funktionieren; Dauerüberwachung durch TV-Kameras; vier Wendekavernen für LKW	Ausreichend

Stand: Mai 1999; Quelle: ADAC motorwelt 5/99

■ Binnenschifffahrt nach Hauptgüterarten

Steine und Erde einschl. Baustoffe	52,0[1]	22,6[2]	▼ − 1,3[3]
Erdöl, Mineralölerzeugnisse, Gase	42,4	19,0	▼ − 4,6
Erze und Metallabfälle	39,7	18,0	▽ − 5,6
Feste mineralische Brennstoffe (Kohle)	31,7	11,7	▲ +16,3
Chemische Erzeugnisse	18,9	7,1	▲ + 2,4
Eisen, Stahl und NE-Metalle	13,2	5,6	▲ + 1,9
Nahrungs- und Futtermittel	14,3	5,6	▲ +10,0
Land-, forstwirtschaftliche Erzeugnisse	9,0	8,5	▲ + 6,4
Düngemittel	7,5	3,1	▲ + 5,3
Andere Halb- und Fertigerzeugnisse	2,4	0,9	▲ +10,8
Besondere Transportgüter	7,2	2,9	▲ + 6,6

1) Mio t; 2) Anteil am Gesamtverkehr (%); 3) Veränderung gegenüber 1997; Abweichungen in den Summen durch Runden; Gesamt 236,4 Mio t, Anteile am Verkehr gesamt: 100,0%, Veränderung gegenüber 1997: +1,2; Stand: 1998; Quelle: Statistisches Bundesamt

pentransversalen (NEAT) mit Tunneln durch Gotthard (Länge: 57 km) und Lötschberg (30 km) zugestimmt. Die Kosten für den zweispurigen Gotthardtunnel und den einspurigen Lötschbergtunnel betragen ca. 16 Mrd DM. 55% sollen aus der LVSA bezahlt werden. Die geplante Gottharddurchquerung wäre der längste Tunnel der Welt (1999: Seikantunnel/Japan, 54 km).

Binnenschifffahrt

Die Beförderungsmenge der B. stieg 1998 in Deutschland um 1,2% auf 236,3 Mio t, rund 96 Mio t (+2%) wurden auf deutschen Schiffen transportiert. Das Wachstum der B. resultierte vor allem aus dem starken Anstieg der Kohleimporte (+33% auf 16 Mio t). Die Verkehrsleistung nahm 1998 um 3,4% auf 64,3 Mrd t/km zu (ca. 14% des Güterverkehrs in Deutschland). Für 1999 erwartete das Ifo-Institut (München) einen Rückgang des Transportvolumens um 2% auf 232 Mio t. Die wirtschaftlichen Einbußen je Schiff betrugen 1998 60000–100000 DM. Der Marktanteil der deutschen Anbieter fiel in zehn Jahren von 56% auf unter 40%.

Hilfsprogramme: 1998 wurde die 1989 begonnene Abwrackaktion der EU fortgesetzt. B.-Unternehmen, die ihre Schiffe verschrotten, erhalten eine Abwrackprämie: Bei Abgabe eines 800 t tragenden Schiffes wird zuzüglich Schrotterlösen und Nutzung verwertbarer Aggregate ein Erlös von 300000 DM erzielt.

■ Binnenschifffahrt auf Wasserstraßengebieten

Rheingebiet	51,000[1]	▲ + 3,4[2]
Westdeutsches Kanalgebiet[3]	7,005	▼ − 0,7
Elbegebiet	2,950	▲ + 6,8
Donaugebiet	1,990	▲ +23,1
Wesergebiet	0,873	▼ − 2,1
Gebiet Berlin	0,196	▽ −24,0
Gebiet Brandenburg	0,246	▲ + 2,5
Gebiet Mecklenburg	0,009	▲ +33,3

1) Mrd Tonnenkilometer 1998; 2) Veränderung gegenüber 1997 (%); 3) inkl. Mittellandkanalgebiet; Gesamt: 64,269 Mrd Tonnenkilometer (Veränderung gegenüber 1997: +3,3%); Quelle: Statistisches Bundesamt, http://www.statistik-bund.de

Infrastruktur: Die finanziellen Mittel für den Ausbau der Bundeswasserstraßen stiegen für das Jahr 1999 von 2,9 Mrd DM auf 3 Mrd DM. Davon flossen 1,3 Mrd DM in Investitionen. Schwerpunkt waren die Wasserstraßen vom Rhein über das Ruhrgebiet nach Hannover und Magdeburg bis nach Berlin. Die Ausbauten an Rhein, Mosel, Neckar, Main, Saar, Mittelweser, Mitte- und Oberelbe sowie in Berlin und Brandenburg wurden fortgesetzt.

Bestand: 1998 gab es in Deutschland insgesamt 7367 km schiffbarer Flüsse und Kanäle, 1719 km davon auf dem Rhein und seinen zahlreichen Nebenflüssen. Von den 1994 gezählten 1400 Schiffsbetreibern blieben Ende 1998 weniger als 1000. Die Zahl der in der B. Beschäftigten sank 1992–98 um 33% auf unter 6000.

Fährschiff-Unglücksfälle		
	Ereignis	*Tote*
1998	Zwei Fährschiffe kentern im Osten Kongos auf dem Kivu-See wegen starker Stürme.	200
	Die philippinische Fähre »Princess of the Orient« sinkt 100 km südlich von Manila in einem Taifun.	120
1997	Eine indonesische Fähre kentert auf dem Tobasee (Sumatra/Indonesien) wegen Überladung.	100
	Die überladene haitianische Fähre Fierte Gonavienne kentert, weil Wasser eingedrungen ist.	300

Car-Sharing

(engl.; sich ein Auto teilen), C. zielt auf Verringerung verkehrsbedingter Luftverschmutzung durch Verkleinerung des Kfz-Bestandes. Wirtschaftlich sinnvoll ist C. für Autofahrer mit jährlich unter 7000 km Fahrleistung (Kosteneinsparung: bis 4000 DM/Jahr).

1999 gab es in Deutschland 75 C.-Unternehmen mit ca. 25 000 Mitgliedern, meist in Großstädten und Studentenhochburgen wie Tübingen und Göttingen. Nach Angaben der rot-grünen Bundesregierung ließen sich der 42 Mio zählende PKW-Bestand um 1,2 Mio (2,8%) und die Fahrleistungen um bis zu 7 Mrd km/Jahr reduzieren.

Neuordnung: Geringe Verfügbarkeit und das Fehlen bundeseinheitlicher Bestellmöglichkeiten hemmten 1998 die Ausweitung des C. Die 47 000 deutschen Kfz-Werkstätten könnten in den Abruf einbezogen werden und C. als professionelle Dienstleistung anbieten. Einige größere C.-Firmen rüsteten 1999 um. C. soll mit dem öffentlichen Personennahverkehr enger verzahnt werden.

CashCar: Der Modellversuch erweitert das C.-Konzept um die Nutzung von Privatautos. Halter sollen ihren PKW bei Nichtgebrauch gegen einen Geldbonus einer örtlichen C.-Flotte überlassen. Nach ersten Erfahrungen reduzierte der Verleih die monatlichen PKW-Kosten um 30–50%. Vorreiter war 1998 das auf fünf Jahre begrenzte, mit Bundesmitteln geförderte Projekt »Choice Mobilitätsproviding« in Berlin. Gesellschafter sind die Audi AG, das Wissenschaftszentrum Berlin (WZB), die C.-Firma Stattauto Berlin und die Deutsche Bahn AG. Über ein einheitliches Abrechnungssystem mit Mobilcard können seit 1.1.1999 alle Verkehrsleistungen berechnet werden. Die Mobilcard ist zugleich elektronischer Schlüssel für die Autos.

Umwelt und Natur → Luftverschmutzung

Fährschiffsicherheit

Auf den ca. 800 europäischen Fährverbindungen wurden 1999 etwa 500 Mio Passagiere und Autos transportiert, auf Nord- und Ostsee allein 106 Mio Fahrgäste und 18 Mio Autos. 1998 verpflichteten sich die Reeder von Auto-Passagierfähren zur Einhaltung eines international verbindlichen Qualitätssicherungssystems.

Test: Bei einer ADAC-Überprüfung von 23 Fähren in Nord- und Ostsee, im westlichen und östlichen Mittelmeer sowie auf der Kanaren-Route erhielten Mitte 1999 zwölf Fähren die Note »gut«, eine »sehr gut«. Sechs wurden mit Mängeln eingestuft. Beurteilungsbasis waren die Solas-Bestimmungen (Safety of Life at Sea), die von der International Maritime Organization (IMO, London) ständig aktualisiert werden. Häufigste Mängel der beanstandeten Fähren waren nicht verschlossene Luken, Schotts, Bullaugen und Autodecktüren sowie nicht gesicherte LKW, Busse und Ladungen.

Kanaltunnel

1994 eröffnete Eisenbahnverbindung zwischen Großbritannien und Frankreich unter dem Ärmelkanal

Die britisch-französische Betreibergesellschaft Eurotunnel wies 1998 erstmalig nach dem Börsengang 1987 ein positives Ergebnis aus (Reingewinn: 185,8 Mio DM). Ohne Hilfe der Banken, mit denen Eurotunnel im April 1998 ein Rettungspaket ausgehandelt hatte, hätte das Unternehmen aber weiter rote Zahlen geschrieben. Die Folgen des Tunnelbrandes vom November 1996 hatten sich negativ auf die Transportbilanz ausgewirkt. Durch das Verbot des Duty-free-Handels ab 1.7.1999, der 1998 rund 30% (585 Mio DM) des Gesamtumsatzes erzielte, erwartete Eurotunnel für 1999 eine Verschlechterung der Ertragslage. Als Ausgleich für den Umsatzausfall wurden die Ticketpreise erhöht. Vor der Erhöhung lagen sie 40% unter dem Niveau von 1994.

Transportbilanz: 1998 nutzten 20 Mio Menschen den K., 33% mehr als 1997. Die beförderte Frachtmenge stieg von 6 Mio auf 11 Mio t. Der Umsatz erhöhte sich 1998 um 36%, die Einnahmen auf 6,03 Mrd Franc (1,80 Mrd DM). Die Abfertigung von PKW stieg 1998 um 45% auf 3,35 Mio, die der

LKW auf 704 666. Damit betrug der Marktanteil beim PKW-Transport etwa 50%, im Frachtbereich 37%. Die Verladung von Bussen nahm um 49 % auf 96 324 zu.

Sicherheit: Lt. Bericht der Channel Tunnel Safety Authority (CTSA) im Auftrag der britischen Regierung gab es 1997/98 im K. 173 Zwischenfälle, aus denen potentiell tödliche Gefahren entstanden. 61-mal musste der Zug mitten im Tunnel stoppen. 13-mal überfuhren die Züge ein rotes Warnsignal, viermal wurden gebrochene Schienen entdeckt, zweimal hatten sich Waggons voneinander abgekoppelt. Zum Auslaufen von Benzin oder Dieselöl bei verladenen Autos kam es 74-mal. Ausgelaufenes Benzin war 1996 die Ursache für den Tunnelbrand.

LKW-Verkehr

1999 steigt das Transportaufkommen des L. in Deutschland nach Prognosen des Ifo-Instituts für Wirtschaftsforschung (München) um 1% auf 3227 Mio t. Die Verkehrsleistung des L. (beförderte Güter mal zurückgelegte Strecke) erhöhte sich 1998 um 5% auf 318 Mrd t/km. Damit entfielen 1998 in Deutschland 67,6% der Güterverkehrsleistung auf LKW-Transporte (Anstieg von 1992–98: rund 25%). Die Transporte ausländischer LKW auf deutschen Straßen nahmen in den Jahren 1992–98 um fast 70% zu (1998: 88,5 Mrd t/km).

LKW-Gebühr: Ende 1998 vereinbarten die EU-Verkehrsminister die Einführung einer Euro-Vignette, die nach Schadstoffausstoß und Größe der LKW berechnet wird. Ab Mitte 2000 gilt sie in Deutschland. Die Jahresvignette kostet 2500–3100 DM, die Tageskarte 16 DM. Ab 2002 soll die Gebühr in Deutschland nicht mehr nach Zeit berechnet, sondern in eine leistungsbezogene Maut nach Entfernung umgewandelt werden. Die Schweizer billigten im September 1998 eine »Leistungsabhängige Schwerverkehrs-Abgabe« (LSVA), die ab 2001 den Straßentransport schrittweise bis 3 Pf pro t/km verteuert und die Wettbewerbslage der Bahn verbessern soll.

Produktion: Deutsche LKW-Hersteller produzierten 1998 etwa 861 000 Nutzkraftwagen (+14%), mehr als die Hälfte im Ausland. Für 1999 wurde mit einem Zuwachs von etwa 1% gerechnet. Der Anteil deutscher Marken an der Weltproduktion lag

▬▬ **LKW-Verkehr: Gütertransport**		
LKW-Verkehr	3227,4[1]	▲ +1,0[2]
Eisenbahn	298,4	▽ –2,6
Binnenschiff	232,4	▼ –1,8
Mineralölfernleit.	93,0	▲ +2,9
Luftfrachtverkehr	1,9	0

1) Mio t 1999, Prognose; 2) Veränderung gegenüber 1998 (%); Güterverkehr 1999 gesamt: 3853,1 Mio t (Veränderung gegenüber 1998: +0,6%); Quelle: Ifo-Institut für Wirtschaftsforschung (München)

1998 bei 6%, bei schweren LKW bei 20%. Weltweit wurden 1998 14,8 Mio Nutzkraftwagen produziert. Dominierend waren Hersteller aus den USA (44% der Weltproduktion), Japan, den EU-Staaten (je 14%) und aus China (7%).

Umwelt: Die EU-Umweltminister einigten sich Ende 1998 auf eine stufenweise Reduzierung der Grenzwerte für Stickoxid- und Rußpartikelemissionen 2000–2008 um bis zu 80%. Das EU-Parlament forderte strengere Grenzwerte schon für 2005. Durch Einführung verbesserter Motortechnologie, welche die EU-Abgasnorm Euro 3 erfülle, erwartete das Umweltbundesamt (Berlin) bis 2010 eine Verringerung der Emissionen von Stickoxiden (–40%) und von Partikeln (–70%, Basisjahr: 1990). Die Automobilindustrie entwickelte 1998 Prototypen mit effizienteren Motoren. Kombiniert mit leichteren Werkstoffen bei Motoren, Achsen und Getrieben würden sich Kraftstoffverbrauch um etwa 20% und Emissionen sogar um 25% verringern.

Umwelt und Natur → Abgasgrenzwerte → Luftverschmutzung **Auto** → Autoindustrie **http://www.ifo.de**

LKW-Verkehr mit Gesundheitszeugnis

▸ **Nachweis:** Für die 250 000 LKW-Fahrer in Deutschland bringt das neue EU-Führerscheinrecht lt. Auto Club Europa (ACE) erhebliche Änderungen. Ab 1999 bekommen erfolgreiche LKW-Fahrschüler ihren Führerschein erst dann ausgehändigt, wenn sie ein ärztliches Attest vorlegen. Der auf fünf Jahre befristete Nachweis war bislang im deutschen Recht nicht enthalten. Neben dem allgemeinen körperlichen Zustand des Fahrers seien Blutwerte sowie Zustand des Gehörs und des Nervensystems Bestandteil des Gesundheitszeugnisses. Hinzu kommen Angaben über psychische und Sucht-

erkrankungen sowie Stoffwechselstörungen. Die Kosten für den Test müsse der Berufskraftfahrer selbst zahlen.
▸ **Ältere Fahrer:** LKW-Fahrer über 50 Jahren müssen sich einer Gesundheitsüberprüfung unterziehen. Die Umschreibung der bisherigen deutschen Führerscheinklasse 2 in die entsprechende EU-Klasse C und CE (mit Anhänger) sei nur befristet bis zur Vollendung des 50. Lebensjahres möglich. Für eine Verlängerung der Gültigkeitsdauer sei alle fünf Jahre ein außer einem Sehtest die Bestätigung der gesundheitlichen Eignung nötig.

Öffentlicher Nahverkehr

Aufkommen: 1998 sank die Zahl der Fahrten mit Bussen und Bahnen in Deutschland geringfügig um 0,3% auf 9444 Mio. Ursache waren die Aufkommensverluste in den neuen Bundesländern. Hierzu trugen die Zunahme der Erwerbslosigkeit und deutliche Preiserhöhungen der Verkehrsunternehmen bei. Erneut ging die Einwohnerzahl und die Zahl der meist auf den Ö. angewiesenen Auszubildenden in Ostdeutschland leicht zurück. In Westdeutschland nahm dagegen die Fahrtenzahl zu. Bei Straßen- und U-Bahnen sowie Bussen wurde das Vorjahresniveau mit 7760 Mio Fahrgästen gehalten. In den neuen Bundesländern gab es auch hier leichte Verluste. Bundesweit nahm die Zahl der Auszubildenden unter den Fahrgästen um 1% zu. Die Nachfrage nach Zeitfahrausweisen für Schüler und Studenten stieg nach Angaben des Verbandes Deutscher Verkehrsunternehmen (VDV, Köln) um 2%.

Zukunft: Für 1999 rechnete das Ifo-Institut für Wirtschaftsforschung (München) mit einem leichten Anstieg des Ö. von 0,1%. Vor allem von der steigenden Zahl der Auszubildenden würden Impulse ausgehen. Bis 2002 stellt der Bund 53 Mrd DM für den Ausbau des Ö. zur Verfügung. Das Deutsche Institut für Wirtschaftsforschung (Berlin) rechnete bis 2002 auf Grund weiterer Liberalisierung und Deregulierung der europäischen Verkehrsmärkte mit einem stärkeren Wettbewerb im deutschen Ö. 1998 waren im Schienennahverkehr 4,2% des Angebotes öffentlich ausgeschrieben.

■ **Bahn** ■ **Auto**
http://www.vdv.de

Ostseeautobahn

Verbindung in Mecklenburg-Vorpommern von Lübeck über Wismar, Rostock und Vorpommern bis zur A 11 nahe der polnischen Stadt Stettin (Kosten: 4,3 Mrd DM; geplante Fertigstellung: 2005)

Projekt: Die O. (A 20) gilt als wichtigstes der 17 Verkehrsprojekte Deutsche Einheit, mit dem stark befahrene Bundesstraßen entlastet werden und das wirtschaftlich schwache Vorpommern eine bessere Verkehrsanbindung erhalten soll. 1998/99 wurden Teilstrecken von rund 115 km Länge gebaut. Ende 1997 war südlich von Wismar das erste Stück der A 20 freigegeben worden (Kosten: 320 Mio DM, Länge 26 km).

Kritik: Das Bundesverfassungsgericht in Karlsruhe nahm 1998 die Beschwerde von Umweltorganisationen gegen ein Urteil des Bundesverwaltungsgerichtes (BVerwG, Berlin) nicht an. Nach Ansicht der Umweltverbände verstößt der Autobahnbau südlich von Lübeck gegen die verbindliche EU-Richtlinie »Fauna, Flora, Habitat« (FFH) zum Schutz ökologisch bedeutsamer Naturreservate. Das BVerwG bescheinigte den Behörden in Schleswig-Holstein, Umweltschutzbelange ausreichend berücksichtigt zu haben. Um weiteren Konflikten vorzubeugen, hatte das BVerwG in seinem Urteil vorgeschlagen, das umkämpfte Wakenitz-Tal zu untertunneln. Technische Machbarkeit und Mehrkosten der Tunnellösung sollen geprüft werden.

Ostsee-Überbrückung

Verbindungen mit Tunneln und Brücken zwischen Skandinavien und dem westeuropäischen Festland zur Verbesserung des Personen- und Warenverkehrs

Für 2000 war die Fertigstellung von Tunnel und Brücke für Eisenbahn- und Autoverkehr über den Öresund von Schweden nach Seeland geplant.

■■■ Öffentlicher Nahverkehr: Fahrgäste[1]		
Rhein-Ruhr	1069,4[2]	▲ +0,5[3]
Berlin	952,4	▲ +0,5
Rhein-Main	568,4	▼ −1,5
München	536,3	▲ +0,5
Hamburg	481,9	▲ +1,0
Rhein-Sieg	388,5	▲ +1,5
Stuttgart	273,0	0
Rhein-Neckar	214,3	▲ +1,4
Nürnberg	196,6	▲ +5,0
Hannover	177,5	▼ −0,2
Dresden	135,0	▼ −2,9
Bremen/Niedersachsen	114,3	▲ +0,2
Leipzig	79,0	▽ −9,1

1) In Ballungsgebieten: 5186,7 Fahrgäste (Veränderung zu 1997: +0,6), außerhalb der Ballungsgebiete: 4257,3 Fahrgäste (Veränderung zu 1997: −1,3), ÖPNV gesamt: 9444,0 Fahrgäste (Veränderung zu 1997: −0,3%); 2) Fahrgäste 1998 (Mio); 3) Veränderung zu 1997 (%); Quelle: ifo-Institut (München)

Öresund: Eisenbahn- und Autobahnverkehr sollen durch einen 1092 m langen Tunnel auf eine künstliche Insel im Sund vor Kopenhagen und weiter über eine 15 km lange Brücke nach Malmö in Schweden geführt werden. Im oberen Teil des Tunnels sollen Autos fahren, im unteren Eisenbahnzüge. Die Bauwerke sollen durch Benutzergebühren bezahlt werden.

Großer Belt: Im Juni 1998 wurde die Autobahnbrücke über den Großen Belt freigegeben. Sie verläuft parallel zum Eisenbahntunnel und verbindet die dänischen Inseln Seeland und Fünen. Die Autobahnbrücke (Höhe: 65 m, Länge: 6,8 km) ist die zweitlängste Hängebrücke der Welt. Die Spannweite im Mittelteil zwischen den Pfeilern ist 1624 m. Parallel zur Autobahnbrücke verläuft ein Eisenbahntunnel (Länge: 7,7 km), der Seeland mit der kleinen Insel Sprogø verbindet. Die komplette Eisenbahnverbindung über den Großen Belt, zu der noch eine Brücke gehört, war im April 1997 für den Güterverkehr freigegeben worden, im Juni 1998 für den übrigen Bahnbetrieb.

Fehmarn Belt: 1999 plante das Land Schleswig-Holstein eine 19 km lange Eisenbahn- und Straßentrasse von der Insel Fehmarn zur dänischen Insel Lolland, über den Fehmarn Belt. Damit würden sich die Transportwege aus der Öresund-Region nach Deutschland um 160 km verkürzen. Die Brücken-Tunnel-Kombination wird mautpflichtig sein. Der Wirtschaftsminister von Schleswig-Holstein, Horst Günter Bück (parteilos), schätzte die Baukosten 1999 auf 6 Mrd DM, die mit privaten und öffentlichen Mitteln finanziert werden sollen. Mit der Fertigstellung rechnete er 2010–2012.

Promillegrenze

In Tausendstel gemessener Alkoholgehalt im Blut, ab dem das Führen eines Kfz verboten ist

Bilanz: Die Zahl der Unfälle in Deutschland, bei denen mind. ein Beteiligter unter Alkoholeinfluss stand, sank 1998 um 13% auf 71 324. Verletzt wurden 37 328 Personen, davon 12 640 schwer. 1107 starben bei Unfällen mit Alkoholeinfluss. Es waren 23% weniger als 1997 (1441) und entsprach 14,2% aller Verkehrstoten.

Neue Grenzen: Ursache für den Rückgang war die am 28.4.1998 eingeführte P. von 0,5. Wer mit diesem Wert Auto fährt, muss mit

Promillegrenzen in Europa

Land		Wert	Land		Wert
Großbritannien		0,8	Mazedonien		0,5
Irland		0,8	Niederlande		0,5
Italien		0,8	Norwegen		0,5
Schweiz		0,8	Österreich[2]		0,5
Luxemburg		0,8	Portugal		0,5
Belgien		0,5	Slowenien		0,5
Bulgarien		0,5	Spanien		0,5
Dänemark		0,5	Polen		0,2
Deutschland[1]		0,5	Schweden		0,2
Finnland		0,5	Rumänien		0,0
Frankreich		0,5	Slowakei		0,0
Griechenland		0,5	Tschechien		0,0
Jugoslawien		0,5	Ungarn		0,0
Kroatien		0,5			

1) ab 0,8‰ droht Fahrverbot, bei 0,5‰ Geldstrafe; 2) Fahrverbot nur im Wiederholungsfall, sonst Geldstrafe; Stand: Mai 1999

einer Geldstrafe von 200 DM und zwei Punkten in der Flensburger Verkehrssünderkartei rechnen. Ein Fahrverbot wird ab 0,8‰ verhängt. Bundesverkehrsminister Franz Müntefering (SPD) plante, 2000 ein Fahrverbot bereits ab 0,5 ‰ einzuführen. Zusätzlich drohen eine Geldbuße von 500 DM und vier Strafpunkte. Die CSU-Regierung in Bayern und die Automobilclubs kritisierten die Verschärfung und forderten stärkere Alkoholkontrollen. Der Präsident des Verkehrsgerichtstags, Peter Macke, befürwortete ein totales Alkoholverbot während der zweijährigen Probezeit nach Führerscheinerwerb. 75% der tödlichen Unfälle junger Fahrer wurden durch Alkohol verursacht.

Schifffahrt

Bilanz: 1998 fuhren 1729 Handelsschiffe für Deutsche Reeder, rund 7% mehr als im Vorjahr. Davon führten 46% (1997: 47%) die deutsche Flagge. 1998 stellten die deutschen Reeder 170 Schiffe neu in Dienst, von denen 120 auch unter deutscher Flagge fahren. Etwa 50 Schiffe wurden ausgeflaggt (1997: 97 Schiffe). Der Laderaum stieg 1998 um 17% auf 8,1 Mio BRZ (=Bruttoraumzahl), weltweit um 2% auf 531,9 Mio BRZ. Die Einnahmen der deutschen S.

501

(inkl. Linienfahrt, Tramp- und Tankfahrt) gingen 1998 um 2% auf 12,174 Mrd DM zurück. Weltweit sank die Transportleistung um 1% auf 5,070 Mrd t. Ursache war eine rückläufige Nachfrage wegen der Wirtschaftskrise in Asien.

Konzept: Seit 1.10.1998 gilt in Deutschland ein neues Schifffahrtskonzept. Es soll eine Tonnagesteuer (Pauschalsätze je Nettotonne eines Schiffes) eingeführt werden, die als Alternative zur Unternehmenssteuer für jeweils zehn Jahre gewählt werden kann und die Planungssicherheit für Investitionen in Deutschland erhöht. Es sollen 40% der Lohnsteuer von den Reedereien einbehalten werden können, was den Anreiz, deutsche Seeleute zu beschäftigen, erhöhe.

Welthandelsflotte: Nach Angaben des Instituts für Seeverkehrswirtschaft und Logistik (ISL, Bremen) wuchs die Welthandelsflotte 1998 um 2,4%. Öltanker hatten an der Gesamttonnage einen Anteil von 7,8%.

Schiffsbau: 1998 sank der Umsatz im deutschen Schiffsbau um 7% auf 7,6 Mrd DM. 1998 erhielten die deutschen Werften (Jahresproduktionswert: 5 Mrd DM) Aufträge im Wert von 8 Mrd DM. Trotz Asienkrise und Dumpingpreisen in Korea-Süd hielt die deutsche Werftindustrie 1998 unter den Schiffsbauländern ihren dritten Platz mit einem Weltmarktanteil von 6%. Die Belegschaft der deutschen Werften stabilisierte sich 1998 bei 26 000 Beschäftigten, davon 20 000 im Westen. Hinzu kamen ca. 6000 Arbeitnehmer bei Subunternehmen sowie rund 70 000 bei Zulieferern.

BILANZ 2000

Schifffahrt

Werften in Deutschland sind Weltspitze

Deutschland, das neben Großbritannien führende Schifffahrtsland zu Beginn des 20. Jh., behauptet Ende der 90er Jahre wieder eine Weltmarkt-Spitzenposition beim Bau von Containerschiffen, Spezialtankern, Fähr- und Passagierschiffen inkl. Kreuzschiffen: Über 50% der Produktion gehen in den Export, der Rhein-Ruhr-Hafen Duisburg ist mit einem Umschlag von über 43 Mio t die größte Binnenhafenanlage der Erde. Mit 6% der globalen Neubautonnage belegt Deutschland mit international renommierten High-Tech-Produkten trotz Dumpingkonkurrenz aus Südostasien den dritten Platz hinter Japan (37%) und Korea-Süd (24%). Die Subventionen für den Schiffbau betragen in Deutschland 7000 DM pro Jahr und Arbeitsplatz, doch wird die Leistungsfähigkeit des Schiffbaus in allen Nationen durch Staatshilfen verzerrt, insbes. in Südkorea. Ein OECD-Abkommen mit dem staatlich subventionierte Schiffbau-Dumpingpreise auf dem Weltmarkt verhindert werden sollte, trat 1997 nicht in Kraft, weil es von den USA nicht ratifiziert wurde. Auch in den folgenden Jahren wird mit Zuwachsraten beim Seeverkehr gerechnet.

Positive Trends

▶ Mit Spitzentechnologie ist der deutsche Schiffbau subventionsbereinigt weltweit führend.

▶ 1992–97 stieg die Zahl der von deutschen Seeschiffen beförderten Güter von 178 auf 210 Mio t; der Gütertransport der Binnenschifffahrt blieb mit rund 230 Mio t fast konstant.

Negative Trends

▶ Mitte der 70er bis Ende der 90er Jahre sank die Zahl der im deutschen Schiffbau Beschäftigten von ca. 112 000 auf rund 32 000.

▶ Trotz Werftenstilllegungen in Europa und Nordamerika liegen die Überkapazitäten Ende der 90er Jahre weltweit bei rund 25%.

▶ Veraltete Motoren und verunreinigte Dieselkraftstoffe haben die internationale Schifffahrt von einem Ausstoß von 10 Mio t Stickoxiden und 8,5 Mio t Schwefeldioxid Ende der 90er Jahre zu einem Hauptumweltbelaster werden lassen.

TopTen **Schifffahrt: Führende Flaggenstaaten[1]**

		Anteil
1. Pananma		18,5
2. Liberia		11,5
3. Bahamas		5,2
4. Griechenland		4,7
5. Malta		4,5
6. Zypern		4,4
7. Norwegen		4,3
8. Singapur		3,8
9. Japan		3,3
10. China		3,1

1) Anteil (%) an der Welttonnage von insgesamt 531,9 Mio Bruttoraumzahl, Stand: 1998; Quellen: Verband Deutscher Reeder (Hamburg), Lloyds Register, World Fleet Statistics

Schiffsunglück des Jahrhunderts: Untergang der »Titanic« am 15.4.1912 vor Neufundland

Untergang der »Titanic«

Der als unsinkbar geltende Luxusdampfer »Titanic« der White Star Line (GB) kollidierte beim Versuch, das Blaue Band für die schnellste Nordatlantik-Überquerung zu erringen, nahe der Neufundlandbank mit einem Eisberg und sank in weniger als drei Stunden. 1503 Menschen kamen ums Leben, 703 wurden gerettet. Nach der Katastrophe wurden bis 1914 die Schutzmaßnahmen verbessert: Ausstattung mit mehr Rettungsbooten, Fixierung sicherer Dampferrouten, Einrichtung eines Eiswarndienstes u. a.

Meilensteine

Vom kleinen Dampfschiff zum Supertanker

1905: Hermann Anschütz-Kaempfe (D) konstruiert den Kreiselkompass.

1906: Roald Amundsen (N) vollendet mit der »Gjøa« als Erster die Fahrt durch die ökologisch sensible arktische Nordwestpassage.

1906: Die »Kaiser Wilhelm II.« (D) ist mit 43 000 PS der stärkste Personendampfer mit Kolbenantrieb.

1907: In Großbritannien wird der erste Tanker mit Längsspanten, weiten Querspanten und einem Mittellängsschott gebaut.

1907: Die von Dampfturbinen angetriebenen »Lusitania« und »Mauretania« (GB) sind mit 25,5 Knoten schneller als die kolbengetriebene deutsche Konkurrenz, die bislang die Spitzenposition behauptete.

1912: Der Luxusdampfer »Titanic« (GB) sinkt nach Kollision mit einem Eisberg vor der Küste Kanadas.

1914: Der Panamakanal verbindet Atlantik und Pazifik.

1915: Paul Langevin (F) konstruiert das erste brauchbare Echolot.

1936: Die »Normandie« (F) ist das erste Schiff mit Radar.

1940: Die »Queen Elizabeth« (GB), das mit 83 670 BRT größte jemals gebaute Passagierschiff, absolviert ihre Jungfernfahrt.

1952: Als letztes Passagierschiff gewinnt die »United States« (USA) mit 35,95 Knoten das Blaue Band für die schnellste Nordatlantikfahrt.

1955: Christopher Cockerell (GB) entwickelt das Luftkissenboot.

1955/56: Der »Nautilus« (USA), das erste Nuklear-U-Boot, legt rund 100 000 km zurück, ohne seinen Brennstoffvorrat zu ergänzen.

1956: Die Verstaatlichung des Suezkanals zwischen Rotem und Mittelmeer durch Ägypten löst einen Krieg Frankreichs, Großbritanniens und Israels gegen Ägypten aus.

1959: Der Sankt-Lorenz-Seeweg (USA–CND) wird eröffnet; er führt fast 3800 km vom Atlantik bis zum Oberen See in Kanada.

1966: Mit der gasturbinengetriebenen »Admiral William M. Callaghan« (GB) wird die erste Container-Schifffahrtslinie der Welt eröffnet.

1973: Die ersten Supertanker der 500 000 tdw-Klasse stechen in See.

1994: Der Untergang der estnischen Autofähre »Estonia« in der Ostsee fordert rund 900 Todesopfer.

1995: In Kiel wird die »APL Thailand«, das für insgesamt 4830 Container ausgelegte größte Containerschiff der Erde, getauft.

Mit 60 km/h über den Atlantik

Als letztes Passagierschiff gewann die »United States« 1952 das Blaue Band für die schnellste Nordatlantik-Fahrt zwischen Europa und den USA. Mit 35,95 Knoten (60 km/h) legte das erste vollständig aus Aluminium gefertigte Schiff die Strecke zwischen den britischen Scilly-Inseln und New York in drei Tagen, zehn Stunden und 40 Minuten zurück. Damit war die »United States« 16 km/h schneller als die kolbengetriebene »Deutschland«, die 1900 den Nordatlantik mit 23,61 Knoten (44 km/h) überquert hatte.

Eisenkolosse auf hoher See

Die Schließung des Suezkanals vom Sechstagekrieg 1967 bis zur Räumung der Wasserstraße von Minen und Wracks 1975 verlängerte die Fahrt vom Persischen Golf nach Rotterdam um 6 auf 28 Tage. Es wurden »Supertanker« mit einer Tragfähigkeit von mehr als 100 000 tdw [tons deadweight] gebaut. Nach dem Ölpreisschock 1973 gingen erstmals Supertanker der 500 000-tdw-Klasse in Betrieb, die größten hatten eine Tragfähigkeit von 540 000 tdw und eine Länge von über 400 m.

▬ Tankstellen und PKW-Aufkommen

	Tankstellen	PKW[1]
1998	14685	42
1995	16038	40
1990	18217	31
1985	19019	26

1) Mio; Quellen: Kraftfahrt Bundesamt (Flensburg), Zentralverband Deutsches Kraftfahrzeuggewerbe (Bonn), Bundesverband des Deutschen Tankstellen- und Garagengewerbes (Minden)

Tempolimit in Europa[1]

Land		innerorts	außerorts	Autobahn
Belgien	▮▮	50	90	120
Bulgarien	▬	50	90	120
Dänemark	✚	50	80	110
Deutschland	▬	50	100	130[2]
Finnland	✚	50	100	120
Frankreich	▮▮	50	90	130[3]
Griechenland	▦	50	110	120
Großbritannien	▨	45	96	112
Irland	▮	45	96	112
Italien	▮▮	50	90	130
Jugoslawien	▬	60	80	120
Kroatien	▨	50	80	130
Luxemburg	▬	50	90	120
Mazedonien	▨	50	80	120
Niederlande	▬	50	80	120
Norwegen	✚	50	80	90
Österreich	▬	50	100	130[4]
Polen	▬	60	90	110
Portugal	●	50	90	120
Rumänien	▮▮	60	90	5)
Schweden	▦	50	90	110
Schweiz	✚	50	80	120
Slowakei	▨	50	90	110
Slowenien	▨	60	80	120
Spanien	▦	50	90	120
Tschechien	▨	60	90	110
Türkei	☪	50	90	130
Ungarn	▬	50	80	120

1) km/h; 2) Richtgeschwindigkeit; 3) Bei Nässe 110;
4) Nachts Tempolimit auf einigen Autobahnen;
5) je nach Hubraum; Stand: Mitte 1999; Quelle ADAC

Tankstellen

1998 gab es nach Angaben des Bundesverbandes des Deutschen Tankstellen- und Garagengewerbes (BTG, Minden) 14685 T., davon rund 1500 in Ostdeutschland. Bis 2000 werde die Zahl auf 12000 sinken. Ursache seien notwendige hohe Investitionen in Umweltauflagen (kraftstoffundurchlässige Bodenbeläge, Saugrüssel u. a.) von 100000–500000 DM. Marktchancen hätten T. nach Angaben des BTG nur durch Ausweitung der wachstumsstarken Geschäftsfelder Shop und Waschen. Mineralölgesellschaften und T.-Pächter bauten 1999 das sog. Shop-Geschäft, dessen Umsatzanteil 1998 knapp 50% betrug, aus. Tabakwaren machten mit 42% den größten Umsatzanteil in T.-Shop aus, gefolgt von Getränken (21%), Süßwaren (11%), Karten/Zeitungen, Autozubehör (9%), Lebensmittel (3%) und Fast-Food (1%). Je nach Warengruppe waren T. 30–70% teurer als Supermärkte. Insgesamt erzielten die 10000 T.-Shops in Deutschland nach Angaben des Hauptverbandes des Deutschen Einzelhandels (HDE, Köln) 1998 einen Jahresumsatz von rund 12 Mrd DM. Auf den Verkauf von Kraft- und Schmierstoffen sowie Serviceleistungen (Autowäsche und Reparaturen) entfiel je ein Viertel des Gesamtumsatzes an T. Nach Prognosen wird der Absatz von Ottokraftstoffen bis 2010 um 3 Mio t auf 25,5 t/ Jahr sinken. Gründe sind der reduzierte Kraftstoff- verbrauch der PKW sowie die rückläufige Jahreskilometer-Leistung aur 11 900 (1990: 12 860 km). Der ADAC kritisierte das Sterben der T., da es für immer mehr PKW immer weniger Service gebe.

▬ **Auto** → Kraftstoffe

Tempolimit

1999 war Deutschland das einzige europäische Land ohne generelle Geschwindigkeitsbegrenzung auf Autobahnen. Zur Vermeidung von Staus sowie zur Reduzierung von Lärm- und Schadstoffemissionen gab es 1999 andauernde oder zeitweise T. auf 47,4% des deutschen Autobahnnetzes. 52,6% der Autobahnstrecken waren ohne T. Die SPD-Mehrheit der Bundesregierung sprach sich 1998 gegen ein T. auf Autobahnen aus. Koalitionspartner Bündnis 90/Die Grünen forderte ein T. von 120 oder 130 km/h. Die

EU-Kommission hatte sich 1997 für ein europaweites T. von 120 km/h ausgesprochen, um die Zahl der Unfälle zu reduzieren. **Unfälle:** Nach Angaben der EU-Kommission würde bei einer Absenkung der Durchschnittsgeschwindigkeit um 5 km/h auf allen Straßen die Zahl der Verkehrstoten um 25% zurückgehen. 1998 starben in Deutschland 7776 bei Verkehrsunfällen, 9% weniger als im Vorjahr. Die Zahl der Verkehrstoten auf Autobahnen sank 1998 um 16% auf 803.

Auto → Autobahnen

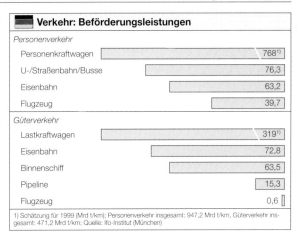

Verkehr: Beförderungsleistungen

Personenverkehr

Personenkraftwagen	768[1]
U-/Straßenbahn/Busse	76,3
Eisenbahn	63,2
Flugzeug	39,7

Güterverkehr

Lastkraftwagen	319[1]
Eisenbahn	72,8
Binnenschiff	63,5
Pipeline	15,3
Flugzeug	0,6

1) Schätzung für 1999 (Mrd t/km); Personenverkehr insgesamt: 947,2 Mrd t/km, Güterverkehr insgesamt: 471,2 Mrd t/km; Quelle: Ifo-Institut (München)

Verkehr

In Deutschland war Ende der 90er Jahre der zunehmende V. Ursache für hohen Energieverbrauch, Luftverschmutzung und die Zerstörung natürlicher Lebensräume. Bis 2001 wird der PKW-Bestand nach Schätzungen von 41,7 Mio auf etwa 50 Mio ansteigen, der Straßengüter-V. wird sich verdoppeln.

Verkehrsaufkommen: Das Ifo-Institut für Wirtschaftsforschung (München) rechnete 1999 mit einem Anstieg des Personenverkehrs um 2,3% auf 947,2 Mrd Personenkilometer, begünstigt durch leicht verbesserte Arbeitsmarkt- und Einkommensperspektiven. Der Güterverkehr dagegen stagnierte 1999 mit einer Leistung von 471,2 Mrd t/km. In beiden Bereichen dominieren Transporte über die Straße: Im Personenverkehr hat der PKW mit 768 Mrd Personenkilometern mehr als 80% Anteil am Gesamtverkehr, im Güterverkehr entfallen auf LKW-Transporte etwa 66% der Verkehrsleistung. Im Eisenbahn-V. erwartete das Institut nach dem Einbruch 1998 infolge der ICE-Katastrophe von Eschede wieder einen Anstieg um 3% auf 146 Mio Personen.

Konzept: Die rot-grüne Bundesregierung setzte sich für leistungsfähige Knotenpunkte ein: Anbindung der Flughäfen ans Schienennetz, Ausbau der Umschlaganlagen im Kombinierten Verkehr und Modernisierung der Binnenhäfen. Bis 2012 will der Bund 4,1 Mio DM in den Kombinierten Verkehr investieren. 52 Standorte mit Terminals sollen aus- und neugebaut werden. 1998 waren 15 Güterverkehrszentren in Betrieb.

Investitionen: Bis 2010 will der Bund 210 Mrd DM für den Ausbau von Schienenwegen, Bundesfern- und Wasserstraßen ausgeben, um das steigende V.-Aufkommen in Deutschland zu bewältigen. 1999 waren im Haushalt des Bundesverkehrsministeriums für Bau und Erhaltung von Fernstraßen 10,2 Mrd DM vorgesehen, für die Bahn 8,1 Mrd DM. Für die Wasserstraßen waren 3 Mrd DM geplant (1998: 2,9 Mrd DM), von denen 1,3 Mrd DM investiert werden sollten. Die sieben Straßenverkehrsprojekte Deutsche Einheit (Volumen: 30,7 Mrd DM, Gesamtlänge: 2000 km) sollen bis 2005 fertig gestellt sein. Bis Ende 1998 waren in den Aufbau Ost 10,5 Mrd DM investiert worden. 1999 waren 241 Fernstraßen-Projekte im Bau (Kosten: 16,3 Mrd DM). In den alten Bundesländern waren es vor allem Lückenschlüsse, Ortsumgehungen und der Ausbau von Autobahnen auf sechs Fahrstreifen.

http://www.ifo.de

Verkehrsleitsysteme

Elektronische Steuerungssysteme vor allem des Autoverkehrs für umweltfreundliches, kosten- und zeitsparendes Fahren. Um Staus und Unfälle zu vermeiden, sollen V. den vorhandenen Straßenraum im innerdeutschen Bereich und auf Autobahnen besser nutzen. Durch V. soll das Straßennetz 15–30% mehr Verkehr aufnehmen können.

Bilanz: 1998 investierte der Bund 80 Mio DM in V. auf Bundesfernstraßen (seit 1993: insgesamt 820 Mio DM). Bis 2001 sind Investitionen von 275 Mio DM geplant und eine weitere Ausrüstung mit V. auf 500 Autobahnkilometer. Auf mehr als 600 Autobahnkilometer wurde in Deutschland die Höchstgeschwindigkeit 1999 bereits durch elektronische Anzeigen geregelt. Mit Induk-

Verkehrsleitung auf Autobahnen

Erst die neu installierten Sensoren an den Autobahnen und das flächendeckende Mobilfunknetz führen die technischen Lösungen der V. zusammen. Als neue Anbieter kamen 1998 die Firmen Tegaron (Bonn) für T-Mobil-Kunden und Autocom (Düsseldorf) für D2- und E-Plus-Nutzer auf den Markt. Autofahrer werden per Handy über aktuelle Staus informiert, wenn sie den Diensten zuvor ihre Autobahnroute gemeldet haben. Der erweiterte Service besteht aus einem ausgklügelten Navigationssystem mit eingebauter Mobilfunk- und Satellitentechnik (GPS). Das Fahrzeug kann metergenau geortet werden. Gegen geringe Gebühr kann der Fahrer aktuelle Stauinfos abrufen. Im dritten Schritt wird eine Alternativroute mitgeteilt.

tionsschleifen im Straßenbelag, Kameras und Sensoren werden Verkehrsdichte und Wetterbedingungen erfasst. Seit der Erstanwendung 1993 ging in diesen Bereichen die Zahl der Unfälle um 30%, die Zahl der Personenschäden um 50% zurück.

Marktchancen: Nach einer Marktstudie der EU wird das Umsatzvolumen für V. in Europa bis 2010 etwa 40 Mrd–60 Mrd Euro (80 Mrd–120 Mrd DM) betragen.

Verkehrssicherheit

Bilanz: 1998 kamen in Deutschland bei Verkehrsunfällen 7776 Menschen ums Leben (–9% gegenüber 1997). Es war der niedrigste Stand seit Beginn der Statistik 1953. Die Zahl der Verletzten ging 1998 um 0,7% auf 497 638 zurück. Als Ursache für den Rückgang nannte das Statistische Bundesamt (Wiesbaden) die schlechte Witterung, die zu weniger Verkehrsteilnehmern führte. Besonders gefährlich waren die Straßen in Mecklenburg-Vorpommern, wo auf 1 Mio Einwohner 202 Verkehrstote kamen. Am geringsten war das Unfallrisiko in Bremen (49), Berlin und Hamburg (je 25).

Unfälle: Insgesamt ereigneten sich 1998 in Deutschland 2,25 Mio Unfälle, 0,9% mehr als 1997. Häufigste Unfallursachen waren überhöhte Geschwindigkeit von Kfz, Missachtung der Vorfahrt und Alkoholmissbrauch von Verkehrsteilnehmern. 1998 verunglückten 46 508 Kinder (–6,6%). Die Zahl der getöteten Kinder sank um 2,3% auf 304. Davon starben 127 im Auto, 94 als Fußgänger und 73 als Fahrradfahrer.

Zweirad-Unfälle: 38 522 Fahrer und Beifahrer von Motorrädern waren 1998 in Verkehrsunfälle verwickelt, 6,3% weniger als im Vorjahr. 858 Motorradfahrer kamen bei Unfällen ums Leben (–11,9%). Seit 1994 stieg der Gesamtbestand von Motorrädern jährlich um etwa 200 000.

Programm: Bundesverkehrsminister Franz Müntefering (SPD) legte 1999 ein Programm für mehr Sicherheit im Verkehr vor:
- Senkung der Promillegrenze von 0,8 auf 0,5‰, ab der ein Fahrverbot von einem Monat verhängt wird
- Handy-Verbot während der Autofahrt
- Freiwillige, regelmäßige Gesundheits-Checks für ältere Autofahrer
- Nachrüstung von Altfahrzeugen mit modernen Bremssystemen und Airbags.

Verkehrstote

1998	7776
1997	8758
1996	8758
1995	9454
1994	9814
1993	9949
1992	10 631
1991	11 300
1990	11 046
1985	10 070
1980	15 050

Quelle: Statistisches Bundesamt (Wiesbaden)

Seit 1980 ist die Zahl der Verkehrstoten in Deutschland um fast die Hälfte zurückgegangen. Dazu trug die Verbesserung von Sicherheitssystemen im und am Auto wesentlich bei (z. B. Knautschzonen, Airbags usw.).

Wasserstraßenkreuz

Mitte 1998 begann der Bund bei Magdeburg mit dem Bau des größten W. Europas. Durch die 918 m lange und über 30 m breite Trogbrücke auf Stelzen soll der Schiffsverkehr in Ost-West-Verbindung zwischen Mittellandkanal und Elbe-Havel-Kanal über die Elbe geführt werden. Bislang müssen Binnenschiffe in Richtung Berlin den unterbrochenen Mittelandkanal über das Hebewerk Rothensee verlassen, 10 km die Elbe befahren sowie über Verbindungskanal und Schleuse bei Niegripp in den Elbe-Havel-Kanal einfahren. Größere Binnenschiffe können die Strecke wegen der zu kleinen Schleuse nicht nutzen. Das neue W. soll ca. 210 Mio DM kosten (Fertigstellung: 2003).

◼ Wahlen

Bundestagswahl

Nach der B. am 27.9.1998 wurde unter Bundeskanzler Gerhard Schröder (SPD) erstmalig eine Koalitionsregierung von SPD und Bündnis 90/Die Grünen gebildet. Nach 16 Jahren endete die Regierungszeit der CDU/CSU/FDP-Koalition unter Bundeskanzler Helmut Kohl (CDU).

Stimmenverteilung: Die SPD wurde nach 1972 zum zweiten Mal in der Geschichte der Bundesrepublik stärkste Fraktion im Deutschen Bundestag. Auf die Sozialdemokraten entfielen 40,9% der Stimmen und 298 Mandate, ein Zuwachs von 4,5 Prozentpunkten und 46 Sitzen. Mit Ausnahme von Bayern, Sachsen und Baden-Württemberg wurde sie in allen Bundesländern bei den Zweitstimmen stärkste Partei. Bündnis 90/Die Grünen erreichten nach Verlusten von 0,6 Punkten 6,7% der Stimmen (47 Abgeordnete; 1994: 49). CDU/CSU erzielten das schlechteste Ergebnis seit 1949 und verloren gegenüber 1994 6,3 Prozentpunkte (Stimmenanteil: 35,1%, Abgeordnete: 245, 1994: 294). Die nur in Bayern wählbare CSU fiel dort erstmals seit 1957 unter die 50-Prozent-Marke (47,7%) und verlor sechs Direktmandate an die SPD. Umgerechnet auf das Bundesgebiet erhielt die CSU 6,7% (1994: 7,3%). Die FDP schaffte den Wiedereinzug in den Bundestag mit 6,2% (1994: 6,9%) und 43 Abgeordneten (1994: 47 Abgeordnete). Die PDS übersprang erstmals die Fünf-Prozent-Hürde mit 5,1% (1994: 4,4%) und erhielt 36 Mandate (1994: 30). 1994 war sie nur durch vier Direktmandate in den Bundestag gekommen und hatte daher keinen Fraktionsstatus erreicht. Alle anderen Parteien erhielten zusammen 6,0%. Die Wahlbeteiligung lag mit 82,2% deutlich über der von 1994 (70,0%).

Ost-West-Vergleich: Die SPD gewann insbes. in Ostdeutschland Stimmen hinzu, blieb dort aber mit 35,6% unter dem West-Ergebnis (42,4%). CDU/CSU erhielten in Westdeutschland 37,2% und in Ostdeutschland 27,6% der Stimmen, bei Bündnis 90/Die Grünen betrug der Abstand zwischen West und Ost 1,9 Prozentpunkte (Ost: 5,2%,

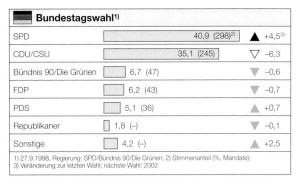

◼ Bundestagswahl[1]

SPD	40,9 (298)[2]	▲ +4,5[3]
CDU/CSU	35,1 (245)	▽ −6,3
Bündnis 90/Die Grünen	6,7 (47)	▼ −0,6
FDP	6,2 (43)	▼ −0,7
PDS	5,1 (36)	▲ +0,7
Republikaner	1,8 (−)	▼ −0,1
Sonstige	4,2 (−)	▲ +2,5

1) 27.9.1998, Regierung: SPD/Bündnis 90/Die Grünen; 2) Stimmenanteil (%, Mandate); 3) Veränderung zur letzten Wahl; nächste Wahl: 2002

West: 7,1%), bei der FDP 3,4 (Ost: 3,6%, West: 7,0%). Am eklatantesten war der Unterschied bei der PDS mit einem Stimmenanteil von 1,1% im Westen und 19,5% im Osten.

◼ Landtagswahl Baden-Württemberg[1]

CDU	41,3[2]	▲ +1,7[3]
SPD	25,1	▽ −4,3
Bündnis 90/Die Grünen	12,1	▲ +2,6
FDP	9,6	▲ +3,7
Republikaner	9,1	▼ −1,8
Sonstige	2,8	▼ −1,9

1) 1996; Regierung: CDU/FDP; nächste Wahl: 2001; 2) Stimmenanteil (%); 3) Veränderung zur letzten Wahl; Die Sitzverteilung kann sich im Lauf einer Wahlperiode durch Fraktionsaustritte verändern

◼ Landtagswahl Bayern[1]

CSU	52,9[2]	▲ +0,1[3]
SPD	28,7	▽ −1,3
Bündnis 90/Die Grünen	5,7	▼ −0,4
Freie Wähler	3,7	▲ +3,7
Republikaner	3,6	▼ −0,3
FDP	1,7	▼ −1,1
Sonstige	3,8	▼ −0,5

1) 13.9.1998, Regierung: CSU; 2) Stimmenanteil (%), 3) Veränderung zur letzten Wahl; Die Sitzverteilung kann sich im Lauf einer Wahlperiode durch Fraktionsaustritte verändern; nächste Wahl: 2002

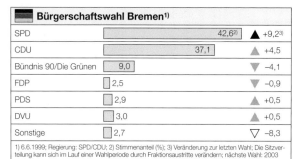

Bürgerschaftswahl Bremen[1]

Partei	Stimmanteil	Veränderung
SPD	42,6[2]	▲ +9,2[3]
CDU	37,1	▲ +4,5
Bündnis 90/Die Grünen	9,0	▽ –4,1
FDP	2,5	▽ –0,9
PDS	2,9	▲ +0,5
DVU	3,0	▲ +0,5
Sonstige	2,7	▽ –8,3

1) 6.6.1999; Regierung: SPD/CDU; 2) Stimmanteil (%); 3) Veränderung zur letzten Wahl; Die Sitzverteilung kann sich im Lauf einer Wahlperiode durch Fraktionsaustritte verändern; nächste Wahl: 2003

Bürgerschaftswahl Hamburg[1]

Partei	Stimmanteil	Veränderung
SPD	36,2[2]	▽ –4,2[3]
CDU	30,7	▲ +5,6
GAL	13,9	▲ +0,4
DVU	4,9	▲ +2,1
STATT Partei	3,8	▽ –1,8
FDP	3,5	▽ –0,7
Sonstige	7,0	▽ –0,5

1) 1997; Regierung: SPD/GAL; 2) Stimmanteil (%); 3) Veränderung zur letzten Wahl; Die Sitzverteilung kann sich im Lauf einer Wahlperiode durch Fraktionsaustritte verändern; nächste Wahl: 2001

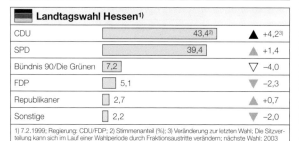

Landtagswahl Hessen[1]

Partei	Stimmanteil	Veränderung
CDU	43,4[2]	▲ +4,2[3]
SPD	39,4	▲ +1,4
Bündnis 90/Die Grünen	7,2	▽ –4,0
FDP	5,1	▽ –2,3
Republikaner	2,7	▲ +0,7
Sonstige	2,2	▽ –2,0

1) 7.2.1999; Regierung: CDU/FDP; 2) Stimmanteil (%); 3) Veränderung zur letzten Wahl; Die Sitzverteilung kann sich im Lauf einer Wahlperiode durch Fraktionsaustritte verändern; nächste Wahl: 2003

Landtagswahl Mecklenburg-Vorpommern[1]

Partei	Stimmanteil	Veränderung
SPD	34,3[2]	▲ +4,8[3]
CDU	30,2	▽ –7,5
PDS	24,4	▲ +1,7
DVU	2,9	▲ +2,9
Bündnis 90/Die Grünen	2,7	▽ –1,0
FDP	1,6	▽ –2,2
Sonstige	3,9	▲ +1,3

1) 27.9.1998, Regierung: SPD/PDS; 2) Stimmanteil (%, Mandate), 3) Veränderung zur letzten Wahl; Die Sitzverteilung kann sich im Lauf einer Wahlperiode durch Fraktionsaustritte verändern; nächste Wahl: 2002

Europawahl

Bei der Wahl zum Europäischen Parlament am 13.6.1999 gab es in Deutschland eine klare Niederlage für die rot-grüne Bundesregierung: Die oppositionelle CDU und ihre Schwesterpartei CSU gewann mit einem Stimmenanteil von 48,7% (53 Sitze; +6) fast 10 Prozentpunkte mehr als bei der E. 1994, während die SPD mit 30,7% (33 Sitze; –7) 1,5 Prozentpunkte verlor. Bündnis 90/Die Grünen konnten mit einem Anteil von 6,4% (7 Sitze; –5) ihr gutes Ergebnis von 1994 (10,1%) nicht wiederholen. Die FDP scheiterte mit 3,0% an der Fünf-Prozent-Hürde; auf die PDS, die 1994 mit 4,7% keine Abgeordneten ins EP entsenden durfte, entfielen 5,8% der Stimmen (6 Sitze). Die Wahlbeteiligung in Deutschland lag mit 45,2% extrem niedrig. Die hohen Stimmenverluste von SPD und Bündnis 90/Die Grünen wurden als Unzufriedenheit der Bundesbürger mit der Politik der Regierungskoalition gedeutet.

Landtagswahlen

Die CSU konnte bei der bayerischen Landtagswahl am 13.9.1998 ihre Position mit 52,9% der Stimmen (+0,1 Prozentpunkte) erneut behaupten. Nach der Landtagswahl in Mecklenburg-Vorpommern am 27.9.1998 wurde erstmals in der Bundesrepublik eine Regierungskoalition aus SPD und PDS gebildet. Die Landtagswahl in Hessen am 7.2.1999 brachte einen überraschenden Sieg für die CDU, die mit der FDP eine Regierungskoalition unter Ministerpräsident Roland Koch (CDU) bildete. Bei den Bürgerschaftswahlen in Bremen am 6.6.1999 wurde die große Koalition aus SPD und CDU bestätigt.

Bremen: Die von Bürgermeister Henning Scherf geführte SPD gewann bei den Bürgerschaftswahlen im Juni 1999 gut 9 Prozentpunkte hinzu (Stimmenanteil: 42,6%), auch die CDU steigerte ihren Stimmenanteil, um 4,5 Punkte auf 37,1%. Der klare Wahlsieg der beiden großen Parteien wurde als Bestätigung der großen Koalition interpretiert. Im Bundesrat wollen SPD und CDU weiterhin im Einzelfall über ihr Votum entscheiden. Scherf hatte sich nach der Wahl gegen die Bildung einer rot-grünen Koalition gewandt. Mit der rechnerischen

Mehrheit hätte die rot-grüne Bundesregierung auch im Bundesrat die bei der Hessenwahl verlorene Majorität zurückgewonnen. **Hessen:** Die CDU mit Spitzenkandidat Roland Koch wurde bei den Landtagswahlen im Februar 1999 überraschend stärkste politische Kraft (43,4%, 1995: 39,2%; 50 Mandate, 1995: 45). Auf die SPD entfielen 39,4% (1995: 38,0%) und 46 Mandate (1995: 44). Die stärksten Verluste gab es für Bündnis 90/Die Grünen, die nur auf 7,2% (1995: 11,2%) und 8 Mandate (1995: 13) kamen. Die FDP schaffte mit 5,1% (1995: 7,4%) und 6 Mandaten (1995: 8) den Wiedereinzug in den Landtag. Mit dem Regierungswechsel in Hessen verlor die Bonner Koalition von SPD und Bündnis 90/Die Grünen ihre Mehrheit im Bundesrat.
Bayern: Die CSU konnte bei der Wahl im September 1998 mit dem Ministerpräsidenten Edmund Stoiber ihre absolute Mehrheit im Parlament ausbauen. Sie erhielt 123 Mandate (1994: 120) im 204-köpfigen Landtag. Die SPD mit der Spitzenkandidatin Renate Schmidt verlor 1,3 Prozentpunkte und kam auf 28,7% und 67 Mandate (1994: 70). Leichte Verluste gab es für Bündnis 90/Die Grünen mit 5,7% (1994: 6,1%) und 14 Abgeordneten (unverändert). Die Freien Wähler, die erstmals bei einer Landtagswahl antraten, schafften mit 3,7% den Sprung ins Parlament nicht; ebenfalls nicht vertreten sind die FDP mit 1,7% (1994: 2,8%) und die Republikaner mit 3,6% (1994: 3,9%) der Wählerstimmen.
Mecklenburg-Vorpommern: Die Sozialdemokraten verbesserten sich bei den Landtagswahlen im September 1998 um 4,8 Prozentpunkte und wurden mit 34,3% stärkste Fraktion im Schweriner Landtag. Die CDU büßte sechs Mandate ein und erhielt 30,2% (1994: 37,7%) und 24 Abgeordnete. Die PDS konnte bei 24,4% (1994: 22,7%) zwei Mandate hinzugewinnen und ist mit 20 Abgeordneten vertreten. Im November 1998 unterzeichneten SPD und PDS einen Koalitionsvertrag und wählten Harald Ringstorff (SPD) zum Ministerpräsidenten. Er löste Berndt Seite (CDU) ab, der an der Spitze einer großen Koalition regiert hatte.
Weitere Wahlen: Im Herbst 1999 finden in fünf Bundesländern Landtagswahlen statt: Brandenburg, Saarland (5.9.1999), Thüringen (12.9.1999), Sachsen (19.9.1999) und Berlin (10.10.1999).

Landtagswahl Niedersachsen[1]

SPD	47,9[2]	▲ +3,6[3]
CDU	35,9	▼ −0,5
Bündnis 90/Die Grünen	7,0	▼ −0,4
FDP	4,9	▲ +0,5
Sonstige	4,3	▼ −3,2

1) 1998; Regierung: SPD; 2) Stimmenanteil (%); 3) Veränderung zur letzten Wahl; Die Sitzverteilung kann sich im Lauf der Wahlperiode durch Fraktionsaustritte verändern; nächste Wahl: 2002

Landtagswahl Nordrhein-Westfalen[1]

SPD	46,0[2]	▽ −4,0[3]
CDU	37,7	▲ +1,0
Bündnis 90/Die Grünen	10,0	▲ +5,0

1) 1995; Regierung: SPD/Bündnis 90/Die Grünen; 2) Stimmenanteil (%); 3) Veränd. zur letzten Wahl; Die Sitzverteil. kann sich im Lauf einer Wahlperiode durch Fraktionsaustritte verändern; nächste Wahl: 2000

Landtagswahl Rheinland-Pfalz[1]

SPD	39,8[2]	▽ −5,0[3]
CDU	38,7	0
FDP	8,9	▲ +2,0
Bündnis 90/Die Grünen	6,9	▲ +0,4
Sonstige	5,7	▲ +2,6

1) 1996; Regierung: SPD/FDP; 2) Stimmenanteil (%); 3) Veränderung zur letzten Wahl; Die Sitzverteilung kann sich im Lauf einer Wahlperiode durch Fraktionsaustritte verändern; nächste Wahl: 2001

Landtagswahl Sachsen-Anhalt[1]

SPD	35,9[2]	▲ + 1,9[3]
CDU	22,0	▽ −12,4
PDS	19,6	▼ − 0,3
DVU	12,9	▲ +12,9
FDP	4,2	▲ + 0,4
Bündnis 90/Die Grünen	3,2	▼ − 1,9
Sonstige	2,2	▼ − 0,9

1) 1998; Regierung: SPD; 2) Stimmenanteil (%); 3) Veränderung zur letzten Wahl; Die Sitzverteilung kann sich im Lauf der Wahlperiode durch Fraktionsaustritte verändern; nächste Wahl: 2002

Landtagswahl Schleswig-Holstein[1]

SPD	39,8[2]	▽ −6,4[3]
CDU	37,2	▲ +3,4
Bündnis 90/Die Grünen	8,1	▲ +3,1
FDP	5,7	▲ +0,1
SSW[4]	2,5	▲ +0,6

1) 1996, Regierung: SPD/Bündnis 90/Die Grünen; 2) Stimmenanteil (%); 3) Veränderung zur letzten Wahl (Prozentpunkte); 4) Südschleswigscher Wählerverband (dänische Minderheit): 1 Sitz; Die Sitzverteilung kann sich im Lauf einer Wahlperiode durch Fraktionsaustritte verändern; nächste Wahl: 27.2.2000

■ Weltwirtschaft

Asienkrise

Die 1997 in asiatischen Staaten, vor allem in Indonesien, Malaysia, Südkorea und Thailand, ausgebrochene schwere Wirtschaftskrise beeinflusste den internationalen Handel, die Finanzmärkte und damit die gesamte Weltwirtschaft negativ.

1998 ging in allen Krisenländern das Bruttoinlandsprodukt (BIP) real zurück, doch deutete sich Anfang 1999 eine leichte Erholung an. Die Organisation für wirtschaftliche Zusammenarbeit und Entwicklung (OECD) rechnete damit, dass 1999 in Indonesien und Hongkong das BIP weiter rückläufig sein wird, von 2000 an aber alle betroffenen Länder wieder Wirtschaftswachstum verzeichnen werden.

Japan: Die Auswirkungen der A. fielen in Japan mit Investitionsrückgang, Verringerung des privaten Verbrauchs und der Strukturkrise des Bankensystems zusammen und lösten 1998 eine Senkung des BIP um 2,8% aus. Für 1999 wurde mit einer weiteren Schrumpfung um 0,5–0,9% gerechnet.

Ursachen: Hauptursache der A. waren Kredite, die von Unternehmen der Krisenländer jahrelang im Ausland für Großprojekte aufgenommen wurden. Als für die Abzahlung verstärkt Devisen nachgefragt wurden, reichten die staatlichen Reserven nicht aus. Bis auf Hongkong mussten alle Staaten ihre feste Währungsbindung an den Dollar beenden und die Wechselkurse freigeben. Dies verschärfte die A. noch; Währungsverfall, massenhafte Aktienentwertung, Firmenzusammenbrüche und Inflation trieben große Teile der Bevölkerung in die Armut.

Folgen: Die A. löste Kettenreaktionen auf den Finanzmärkten und im Welthandel aus: Aktien von Unternehmen der betroffenen Länder verloren an Wert. Wegen des sinkenden BIP wurden Rohstoffe weniger nachgefragt. Exportorientierte Unternehmen, die mit Asien Handel treiben, gerieten in Schwierigkeiten.

■ **Organisationen** →OECD
http://www.oecd.org

Globalisierung

Weltumspannende Verflechtung des Wirtschaftslebens, die zur Herausbildung eines einzigen, den ganzen Erdball umfassenden Marktes führt.

Kapitalumlauf: 1999 war die G. durch ein weiteres Anwachsen der internationalen Kapitalströme gekennzeichnet, die sich nach dem Wegfall staatlicher Regulierungsmaßnahmen vervielfachten (1973–98: Steigerung von 25 Mrd auf über 500 Mrd Dollar). Der tägliche Devisenhandel nahm 1999 um 20% auf über 1500 Mrd Dollar (1998: 1250 Mrd) zu und überstieg täglich die Summe sämtlicher Devisenreserven der Notenbanken. Es entstand ein weltweiter gemeinsamer Finanzmarkt, der sich politisch nicht mehr kontrollieren lässt und durch Spekulationen jederzeit in Turbulenzen geraten kann. Regierungspolitiker aus Deutschland, Großbritannien und Japan forderten 1999 neue internationale Regeln für die Finanzmärkte.

G7-Forum: 1999 wurde auf Vorschlag des scheidenden Bundesbank-Präsidenten Hans Tietmeyer von den sieben führenden Industrienationen (G7) ein Forum für Finanz-

Asienkrise: BIP und Inflation[1]		Veränderung des BIP[2]		Inflationsrate	
		1999	2000	1999	2000
China	★	▲ +7,0	▲ + 7,0	▲ + 1,0	▲ + 2,5
Hongkong		▼ – 2,0	▲ + 2,0	▽ – 1,0	▲ + 1,0
Indonesien		▽ – 5,0	▲ + 1,5	▲ +20,0	▲ +15,0
Japan	●	▼ – 0,5	▲ + 0,5	▼ – 0,3	0
Malaysia		0	▲ + 3,0	▲ + 4,5	▲ + 5,5
Philippinen		▲ + 1,5	▲ + 4,0	▲ + 8,0	▲ + 7,0
Singapur		▲ + 1,0	▲ + 3,0	▲ + 0,5	▲ + 1,5
Südkorea		▲ + 2,0	▲ + 3,5	▲ + 1,5	▲ + 3,0
Taiwan		▲ + 3,5	▲ + 4,5	▲ + 1,5	▲ + 2,0
Thailand		▲ + 1,0	▲ + 3,0	▲ + 3,5	▲ + 5,0

1) Prognosen (%); 2) inflationsbereinigt; Quelle: Frühjahrsgutachten 1999 der führenden deutschen Wirtschaftsinstitute, http://www.diw-berlin.de

stabilität zur Abwehr internationaler Währungs- und Finanzkrisen im Zuge der G. gegründet. Ziel ist eine bessere Aufsicht über Banken, Versicherungen und Wertpapierhandel. Das Gremium besitzt jedoch keine eigenen Befugnisse, sondern wird nur koordinierend tätig.

■ **Organisationen** → Deutsche Bundesbank → IWF
http://www.imf.org; http://www.oecd.org
http://www.wto.org

Gold

Preisverfall: Der G.-Preis fiel 1998 weiter unter 300 Dollar/Feinunze (rund 31 g) und lag im Mai 1999 bei 278 Dollar. 1996 hatte der G.-Preis noch rund 400 Dollar betragen.
Entwicklung: Um ihre Staatsschulden abzubauen, verkauften zahlreiche Länder G.-Reserven, u. a. Belgien (1998: 299 t). Große Mengen neu geförderten G. kamen 1998 aus Russland auf den Markt. Die durchschnittliche Jahresnachfrage nach G. liegt bei 3000 t, die Neuförderung bei ca. 2400 t; durch den Verkauf größerer Bestände an Alt-G. kann es leicht zu einem Überangebot und damit zu sinkenden Preisen auf dem G.-Markt kommen. Für 1999 wurde ein Rückgang des Preises infolge Überangebot auf 265 Dollar pro Feinunze erwartet.
Währungsreserven: Da im Weltwährungssystem die G.-Deckung der Währungen abgeschafft wurde, halten die Zentralbanken nur noch einen Teil ihrer Reserven in G. Das Eurosystem der Europäischen Zentralbank (EZB) verfügte im April 1999 über Bestände von 105 Mrd Euro. Verschiedene Zentralbanken (Großbritannien, Schweiz) sowie der Internationale Währungsfonds (IWF) kündigten für 1999 weitere G.-Verkäufe an.

EU → Europäische Zentralbank
http://www.ecb.int; http://www.imf.org

Handelssanktionen

Tendenz: Ende der 90er Jahre verloren allgemeine Zölle und Kontingentfestlegungen zum Schutz einheimischer Produkte im Zuge der Liberalisierung des Welthandels durch Regeln der Welthandelsorganisation (WTO) an Bedeutung. Statt dessen verhängten zahlreiche Staaten aus politischen oder wirtschaftlichen Gründen H. gegen andere Länder.

Akteure: Die meisten H. wurden 1999 von den USA ausgesprochen. US-Gesetze über H. gegen ausländische Unternehmen, die mit Iran, Kuba oder Libyen Handel treiben, wurden nach Verhandlungen mit der EU zunächst ausgesetzt. Anti-Dumping-Gesetze erlauben es der US-Regierung, preiswerte Produkte aus dem Ausland als unfair einzustufen und Strafzölle zu verhängen. Betroffen waren 1999 u. a. Stahlfirmen aus Italien, Südkorea und Taiwan.
Bananen: Nach einem Schiedsspruch der WTO dürfen die USA seit 1999 Importe aus den Ländern der EU mit Strafzöllen belegen, weil die EU-Bananenmarktordnung mit ihrer Bevorzugung der Länder Afrikas und der Karibik nicht den vereinbarten Regeln des freien Welthandels entspricht. Von den Strafzöllen (u. a. auf Kaffeemaschinen und Kartons) sind 1999 deutsche Exporte im Wert von über 50 Mio DM betroffen.
Hormonfleisch: Entgegen einer Entscheidung der WTO wollte die EU 1999 am Importverbot für hormonbehandeltes Rindfleisch aus den USA festhalten. Die US-Regierung kündigte als Reaktion weitere Strafzölle auf EU-Produkte im Umfang von rund 360 Mio DM an.
Agrarpolitik: Als H. gelten auch Subventionen, durch die eigene Exportprodukte im Ausland preiswerter angeboten werden können. In der Agrarpolitik sind viele Subventionen nur noch in einer Übergangszeit bis 2001 mit den Regeln der WTO vereinbar.

EU → Agrarpolitik → Bananen
Steuern und Finanzen → Subventionen
■ **Organisationen** → WTO
http://www.wto.org

Investitionsabkommen

Angestrebtes internationales Abkommen über den umfassenden Schutz ausländischer Investitionen

Innerhalb der Welthandelsorganisation (WTO) wurde 1999 ein neuer Ansatz für ein I. gesucht. Dabei sollte ein Rahmen für eine wirksame internationale kartellrechtliche Koordinierung abgesteckt werden.
MAI: Die im Rahmen der Organisation für wirtschaftliche Zusammenarbeit und Entwicklung (OECD) geführten Verhandlungen über ein I. (Multilateral Agreement on Investment, MAI) waren 1998 nach internationalen Protesten gescheitert. Der Entwurf sah u. a. vor, dass Staaten den ausländischen Kapitaleignern Schadenersatz zahlen müs-

sen, wenn Streiks oder Unruhen stattfinden, und dass sie in ihrer Gesetzgebung Investitionshindernisse beseitigen müssen, z.B. Auflagen zum Sozial- und Umweltschutz. Die französische Regierung lehnte eine Wiederaufnahme der Verhandlungen Ende 1998 ab.

■ **Konjunktur** → Investitionen
■ **Organisationen** → OECD → WTO
http://www.oecd.org; http://www.wto.org

Lateinamerika-Krise

Anfang 1999 kam es zur Wirtschaftskrise in Lateinamerika, nachdem sich bereits 1998 infolge gesunkener Preise für exportierte Rohstoffe das Wirtschaftswachstum verlangsamt hatte (1998: +2,5%).

Entwicklung: Brasilien, das sich am Rand eines Staatsbankrotts befand, musste nach starken Kapitalabflüssen die feste Bindung der Währung Real an den Dollar aufheben; daraufhin verlor der Real über 50% seines Wertes. Von der Krise wurden auch andere Staaten mit engen Wirtschaftsbeziehungen zu Brasilien, insbes. Argentinien, in Mitleidenschaft gezogen. Insgesamt rechneten Experten für 1999 mit einem Rückgang des Bruttoinlandsprodukts in Lateinamerika um 2,5% (Brasilien: −5,0%). Anders als bei der Asienkrise wurden jedoch eine rasche Erholung der betroffenen Länder und keine schwerwiegenden Auswirkungen auf die Weltwirtschaft erwartet.

■ **Staaten** → Argentinien → Brasilien

Osteuropa

Die mitteleuropäischen Staaten Polen, Slowakei, Slowenien und Ungarn verzeichneten 1998 eine positive Wirtschaftsentwicklung. Demgegenüber dauerte in Rumänien die schwere Wirtschaftskrise seit Zusammenbruch des kommunistischen Regimes (1989/90) unvermindert an (Inflationsrate 1998: 40,6%). In Tschechien verbanden sich die Auswirkungen der Währungsturbulenzen durch Asien- und Russlandkrise mit dem Problem technologisch rückständiger Großunternehmen und führten zum realen Rückgang des Bruttoinlandsprodukts (BIP) um 2,7%; Experten erwarteten für 2000 eine Steigerung der Wirtschaftsleistung.

Russland: Eine schwerwiegende Krise erfasste Russland, das im August 1998 zahlungsunfähig wurde. Die Freigabe des Rubel-Kurses führte zu einem Wertverlust von 75%. Die noch profitablen Wirtschaftszweige waren inzwischen in den Händen von Interessengruppen, die von Mafia-ähnlichen Strukturen, Korruption und Vetternwirtschaft geprägt sind. Arbeiter und Angestellte erhielten seit Monaten keine Löhne. Das Land konnte seine Zinsverpflichtungen gegenüber dem Ausland nicht mehr erfüllen und war auf zusätzliche Kredite des Internationalen Währungsfonds (IWF) oder den Erlass von Schulden angewiesen. Die russische Volkswirtschaft war 1998 zusammengebrochen. Wirtschaftsinstitute rechneten für 1999 mit einem Rückgang des BIP um 4% und einer Inflationsrate rund 90%.

■ **Organisationen** → Europäische Bank für Wiederaufbau und Entwicklung
■ **Staaten** → Rumänien → Russland → Tschechien
http://www.ebrd.com/deutsch/index.htm

Rohstoffe

Der Produktionseinbruch im Zuge der Asienkrise führte 1998 zur Senkung der Nachfrage nach R. aller Art und zu einem starken Preisrückgang, von dem die Entwicklungsländer besonders betroffen waren. Der vom Hamburger Welt-Wirtschafts-Archiv ermittelte Index der R.-Preise sank um 22,9%.

Deflationsgefahr: Wenn die R.-Preise weiter sinken, besteht die Gefahr einer Deflation: Unternehmen könnten sich in der Hoffnung auf noch weiter fallende Preise bei ihren Einkäufen zurückhalten, sodass

Osteuropa: BIP und Inflation[1]

| | Veränderung des BIP[2] | | Inflationsrate | |
	1999	2000	1999	2000
Bulgarien	0	▲ + 1,5	▲ + 5,0	▲ + 5,0
Polen	▲ + 3,5	▲ + 4,0	▲ + 8,0	▲ + 7,0
Tschechien	▼ − 1,0	▲ + 1,5	▲ + 5,0	▲ + 5,0
Ungarn	▲ + 4,0	▲ + 4,5	▲ + 9,0	▲ + 8,0
Rumänien	▽ − 5,0	▼ − 1,0	▲ +30,0	▲ +40,0
Russland	▼ − 4,0	▼ − 2,0	▲ +90,0	▲ +40,0
Slowakei	▲ + 2,0	0	▲ + 8,0	▲ + 7,0
Slowenien	▲ + 3,0	▲ + 4,0	▲ + 8,0	▲ + 6,0
Ukraine	▼ − 2,0	0	▲ +25,0	▲ +20,0
Weißrussl.	▼ − 2,0	▽ − 5,0	▲ +200,0	▲ +50,0

1) Prognosen (%); 2) inflationsbereinigt; Quelle: Frühjahrsgutachten 1999 der führenden deutschen Wirtschaftsinstitute, http://www.diw-berlin.de

Rohstoffe: Preisverfall[1]

Energierohstoffe[2]	▼ −29,0[3]
Industrierohstoffe[2]	▼ −14,4
Nichteisenmetalle[2]	▼ −20,6
Nahrungsmittel[2]	▼ −12,2
Getreide[2]	▼ −12,3
Gesamtindex[2]	▼ −22,9
Gold[4]	▼ −11,2

1) Gegenüber Vorjahr (%), 2) Rohstoffpreisindex auf Dollarbasis nach gewichteten Anteilen der Rohstoffarten; 3) 1998, 4) Goldpreis in Dollar; Quelle: HWWA, http://www.hwwa.de

Top Ten Welthandel: Die größten Exportnationen[1]

1. USA	🇺🇸	683
2. Deutschland	🇩🇪	540
3. Japan	●	388
4. Frankreich	🇫🇷	307
5. Großbritannien	🇬🇧	273
6. Italien	🇮🇹	241
7. Kanada	🇨🇦	214
8. Niederlande		198
9. China[2]		184
10 Hongkong		174

1) Ausfuhren 1998 (Mrd Dollar, jahresdurchschnittlicher Dollarkurs: 1,7592 DM); 2) ohne Hongkong; Quelle: Welthandelsorganisation; http://www.wto.org

Top Ten Welthandel: Die größten Importnationen[1]

1. USA	🇺🇸	945
2. Deutschland	🇩🇪	467
3. Großbritannien	🇬🇧	316
4. Frankreich	🇫🇷	287
5. Japan	●	281
6. Italien	🇮🇹	214
7. Kanada	🇨🇦	205
8. Hongkong		189
9. Niederlande		184
10. Belg./Luxemb.[2]		159

1) Einfuhren 1998 (Mrd Dollar, jahresdurchschnittlicher Dollarkurs: 1,7592 DM); 2) gemeinsames Außenhandelsgebiet; Quelle: Welthandelsorganisation; http://www.wto.org

die Nachfrage weiter sinkt und der Preisverfall wie in der Weltwirtschaftskrise von 1929 katastrophale Ausmaße annimmt. Lt. Analyse von Wirtschaftsforschern kann die Gefahr 1999 gebannt werden. Sie rechneten mit einem geringen Rückgang der R.-Preise um weitere 2–3%, wobei sich der Preis der Energie-R. bereits stabilisieren werde.

Erdöl: Der Rohölpreis pro Barrel (159 l) sank von 24 Dollar Anfang 1997 auf 10,50 Dollar im Februar 1999. Hauptursache war die Asienkrise, da 40% der Weltölförderung in die asiatischen Länder exportiert wird. Für 1999 wurde damit gerechnet, dass sich der Ölpreis bei 14 Dollar/Barrel einpendelt.

Getreide: Gestiegene Produktionsmengen, volle Lager und eine sinkende Nachfrage der von Krisen betroffenen Länder (Asien, Lateinamerika, Russland) führten 1997/98 zum Rückgang der Getreidepreise (1997: −21,3%, 1998: −12,3%). Für 1999 wurde mit einer leichten Erholung gerechnet.

Reserven: In den 70er Jahren wurde angenommen, dass zur Jahrtausendwende ernste R.-Probleme durch Erschöpfung vieler Lagerstätten auftreten könnten. Doch nach Entdeckung neuer Vorkommen (u. a. in Mittelasien), durch den Aufschwung der Chemieindustrie (Rohstoffersatz-Produktion) und durch Erfolge der Recyclingwirtschaft trat das Gegenteil ein: Bei zahlreichen R. bestand 1999 ein Überangebot auf dem Markt, die Reserven reichen noch für Schätzungen noch für Jahrhunderte. Lediglich die Erdölvorräte werden voraussichtlich 2015 zur Hälfte erschöpft sein. Die Recyclingraten für R. lagen 1998 in Deutschland zwischen 35% (Kupfer) und über 50% (Blei).

EU → Agrarpolitik → Landwirtschaft
http://www.hwwa.de

Welthandel

Der W. verzeichnete 1998 infolge der Asienkrise einen deutlich geringeren Zuwachs als in den Vorjahren. Während er 1997 um 10% zunahm, stieg er 1998 nur um 3,5% auf rund 6500 Mrd Dollar. Besonders auffällig war der Rückgang der Wareneinfuhren in den Ländern Asiens (−17,5%) und des Warenexports der afrikanischen Staaten (−16%). Mengenmäßig exportierte Afrika nicht weniger, doch fiel der Wert der Exporte (vor allem bei Rohstoffen).

Länder: Mit Exporten von 949,7 Mrd DM (+ 6,9% gegenüber 1997) und Importen von 821,1 Mrd DM (+6,3%) belegte Deutschland 1998 im internationalen Vergleich der W.-Nationen Rang 2 hinter den USA. Rund

17% aller Exporte der Welt flossen in die USA, sodass der W. stark von deren innerer Wirtschaftsentwicklung abhängt.

Prognose: Die Welthandelsorganisation (WTO) rechnete für 1999 mit einer Zunahme des W. von höchstens 3,5%. Es wurde auch für möglich gehalten, dass der Preisverfall bei den Rohstoffen zu einer Stagnation des Wertes der Handelsströme führt.

■ Konjunktur → Außenwirtschaft
http://www.wto.org

Weltkonjunktur

Das weltweite Wirtschaftswachstum verlangsamte sich 1998 auf 2,5% (1997: 4,1%). Ursachen waren vor allem die Krisen in Asien, Lateinamerika und Russland. Für 1999 und 2000 rechnete der Internationale Währungsfonds (IWF, engl. International Monetary Fund) mit Steigerungen des weltweiten Bruttoinlandsprodukts von 2,3% bzw. 3,4%.

Inflation: In den Industrieländern betrug der Anstieg der Verbraucherpreise 1998 durchschnittlich weniger als 2%, was als Preisstabilität gilt. Ursache waren vor allem die gesunkenen Preise für Rohstoffe und für Importe aus Krisenländern.

USA: Wichtiger Motor der W. ist die Wirtschaft der USA, die sich seit Mitte der 90er Jahre dynamisch entwickelt. 1998 wurde in den USA ein Wirtschaftswachstum von 3,8% bei fast stabilen Preisen (Inflationsrate: 2,2%) und weiter sinkender Arbeitslosigkeit (Anfang 1999: 4,3%) verzeichnet.

■ EU → EU-Konjunktur   Konjunktur
■ Organisationen → IWF
http://www.imf.org; http://www.uni-kiel.de/ifW

Weltkonjunktur: Wirtschaftswachstum[1]

	1998	1999[2]	2000[2]
USA	▲ +3,8	▲ +3,3	▲ +2,2
Japan	▽ –2,6	▼ –0,5	▲ +0,5
Deutschland	▲ +2,8	▲ +1,7	▲ +2,6
Euro-Währungsgebiet	▲ +3,0	▲ +2,0	▲ +2,9
Industrieländer	▲ +2,5	▲ +2,0	▲ +2,2
Schwellenländer Asiens	▼ –1,5	▲ +2,1	▲ +4,5
Osteuropa	▼ –0,2	▽ –0,9	▲ +2,5
Entwicklungsländer	▲ +3,3	▲ +3,1	▲ +4,9

1) Inflationsbereinigte Veränderung des Bruttoinlandsprodukts gegenüber dem Vorjahr (%);
2) Prognose; Quellen: Internationaler Währungsfonds (International Monetary Fund) und Frühjahrsgutachten 1999 der führenden Wirtschaftsinstitute, http://www.imf.org

BILANZ 2000

Handel und Industrie

Wettbewerb im Zeichen der Globalisierung

Die Globalisierung inkl. multinationaler Fusionen und Übernahmen sowie die Standort-Diskussion sind Ende des 20. Jh. herausragende Themen in Handel und Industrie. Wirtschaftsvertreter fordern von der Politik größere Anstrengungen, um durch eine Änderung der Rahmenbedingungen die deutsche Wettbewerbsfähigkeit auf dem Weltmarkt zu sichern, vor allem die Senkung der Lohnnebenkosten und die attraktivere Selbstdarstellung des Standorts. Während die USA in vielen Länderrankings Platz 1 belegen, fällt die Beurteilung der globalen Wettbewerbsfähigkeit Deutschlands kontrovers aus: In den Bereichen chemische Industrie, Maschinen- sowie Automobilbau gilt Deutschland als der beste bzw. einer der besten Standorte der Erde; hinsichtlich der Qualität als Produktionsstandort sieht das BERI-Institut in Genf Deutschland auf Rang 9. World Economic Forum und Wall Street Journal (USA) sehen Deutschland nur auf Platz 24 und kritisieren ein Anwachsen von bürokratischen Hemmnissen und Korruption. Trotz spektakulärer Fälle wie der Fusion von Daimler-Chrysler sowie Deutscher Telekom und Telecom Italia ist Deutschland bis Ende der 90er Jahre von der weltweiten Fusionswelle nur am Rande ergriffen worden.

Positive Trends

▶ Das Weltwirtschaftswachstum beschleunigt sich Ende des 20. Jh. geringfügig auf ca. 4%, am stärksten in den Entwicklungsländern.
▶ Das EU-Kartellrecht versucht Verdrängungsstrategien großer Unternehmen zu verhindern.
▶ Die 1998 von der Bundesregierung beschlossene Aktienrechtsreform schafft mehr Kontrolle und Transparenz im Unternehmensbereich.

Negative Trends

▶ Die Investitionstätigkeit blieb in Deutschland 1995–98 nahezu konstant.
▶ 1993–97 sank der Gesamtumsatz des deutschen Einzelhandels kontinuierlich; Zuwächse gab es nur bei Fotoartikeln und im Buchhandel.

Meilensteine
Vom Freihandel zum internationalen Kartell

1911: Das Oberste Bundesgericht der USA verfügt aufgrund der Antitrustgesetze die Auflösung des Mineralölkonzerns Standard Oil Company (heute Exxon Mobil Corp.).
1914: Der Erste Weltkrieg beendet das liberale Freihandelssystem.
1917: Nach der Oktoberrevolution wird in Russland die sozialistische Planwirtschaft eingeführt.
1925: Als weltgrößter Chemiekonzern entsteht die I. G. Farben (D) durch Zusammenschluss von BASF, Bayer, Hoechst, Agfa u.a.
1926: Mit der Vereinigten Stahlwerke AG (D) entsteht der größte Montankonzern Europas und weltweit zweitgrößte Stahlerzeuger nach der US Steel Corp.
1927: Gustav Schickedanz (D) gründet das Versandhaus Quelle, das heute größte Versandunternehmen Europas.
1929: General Motors (USA) übernimmt die Aktienmehrheit der Adam Opel AG (D).
1929: Der Schwarze Freitag an der New Yorker Börse löst eine Weltwirtschaftskrise aus.
1935: Mit der Ernennung von Hjalmar Schacht zum »Generalbevoll-

L. Erhard 1954 auf der Hannover-Messe

mächtigen für die Wehrwirtschaft« beginnt in Deutschland die Kriegswirtschaft des NS-Regimes.
1945: Internationaler Währungsfonds (IWF) und Weltbank entstehen als Grundsäulen der bis heute gültigen Weltwirtschaftsordnung.
1946–50: Die alliierten Siegermächte lassen in Deutschland Industrieanlagen im Wert von 10,4 Mrd DM demontieren.
1948: Das Allgemeine Zoll- und Handelsabkommen (GATT) soll auf der Basis der Meistbegünstigung Handelshemmnisse abbauen.
1949: Die UdSSR u. a. sozialistische Staaten gründen den COMECON; nach seinem Bankrott löst sich der »Rat für gegenseitige Wirtschaftshilfe« 1991 auf.
1949–63: Ludwig Erhard setzt als Bundeswirtschaftsminister das Konzept der sozialen Marktwirtschaft in der BRD erfolgreich durch.
1957: Die Europäische Wirtschaftsgemeinschaft wird gegründet.
1973: Die Energiekrise löst eine Rezession aus und macht die gegenseitige Abhängigkeit der nationalen Volkswirtschaften deutlich.
1975: Erstmals treffen sich die Staats- und Regierungschefs der G7 zum Weltwirtschaftsgipfel; ab 1977 nimmt auch der Präsident der Europäischen Kommission, ab 1994 der Präsident Russlands teil (G8).
1988: Mit der Basis 1000 wird der DAX als Aktienindex der 30 wichtigsten deutschen Standardwerte eingeführt; 1998 überschreitet er erstmals die 6000-Marke.
1993: Der Europäische Binnenmarkt schafft einen Raum mit freiem Verkehr von Waren, Personen, Dienstleistungen und Kapital.
1996: Die UN-Welthandelsorganisation WTO löst das GATT ab.
1998: Die US-Mineralölkonzerne Exxon und Mobil Oil fusionieren zur Exxon Mobil Corp., dem größten Industrieunternehmen der Erde.

Stichtag: 25. Oktober 1929
Börse mit Schwarzem Freitag
Der Sturz der durch Spekulationsgeschäfte in die Höhe getriebenen Aktienkurse an der New Yorker Börse löste 1929 binnen Stunden Panikverkäufe aus, innerhalb weniger Tage wurden 13 Mio Wertpapiere verkauft, die Kurse fielen um bis zu 90%. Der Schwarze Freitag an der Wall Street markierte den Beginn einer Weltwirtschaftskrise, von der auch Europa betroffen war; Rezession und Massenarbeitslosigkeit begünstigten auf dem alten Kontinent das Aufkommen bzw. die Verfestigung totalitärer Regime. Starke Auswirkungen hatte der Börsenkrach in New York auch auf das deutsche Bankenwesen, das durch Großkredite eng mit der US-Finanzwirtschaft verflochten war.

Zur Person: Ludwig Erhard
Soziale Marktwirtschaft
Ludwig Erhard (1897–1977) setzte als erster Wirtschaftsminister der BRD 1949–63 das nach dem Zweiten Weltkrieg entwickelte Konzept der sozialen Marktwirtschaft durch. Der CDU-Politiker wählte den dritten Weg zwischen kapitalistischem Liberalismus und sozialistischer Planwirtschaft und wurde zum »Vater des deutschen Wirtschaftswunders« der 50er und 60er Jahre. Auf der ethischen Grundlage der christlichen Soziallehre verband Erhard den Gedanken der freien Marktwirtschaft mit staatlichen Maßnahmen, um soziale Negativfolgen der Wettbewerbsökonomie wie Arbeitslosigkeit zu verhindern bzw. abzumildern. Am 20. Juni 1948, dem Tag der Währungsreform, hatte Erhard gegen den Widerstand der Besatzungsmächte das Ende der Zwangswirtschaft in Westdeutschland erklärt und mit dem Ordnungsprinzip des freien Wettbewerbs den wirtschaftlichen Aufschwung eingeläutet.

Sponsoring

Förderung von Personen und/oder Organisationen im sportlichen, kulturellen und sozialen Bereich nach dem Grundsatz von Leistung und Gegenleistung

Die Gesamtaufwendungen deutscher Unternehmen für S. schätzte der Fachverband für S. (Hamburg) 1998 auf rund 4 Mrd DM

▰ Sponsoren der Fußball-Bundesligavereine (Trikot)[1]

Verein	Sponsor	Mio DM	Ausstatter	Zeitraum
FC Bayern München	Adam Opel AG	15	adidas	bis 2003
Borussia Dortmund	S. Oliver	12	Nike	bis 1999
Bayer 04 Leverkusen	Bayer, Aspirin	10	adidas	unbefristet
1. FC Nürnberg	Viag Interkom	7	adidas	bis 2001
VfB Stuttgart	Göttinger Gruppe	6,7	adidas	bis 2000
1. FC Kaiserslautern	Dt. Vermögensberat.	6	adidas	bis 2001
VfL Wolfsburg	Volkswagen AG	6	Puma	unbefristet
Eintracht Frankfurt	Viag Interkom	5,5	Puma	bis 2001
VfL Bochum	Faber Lotto	5	Reebok	bis 2000
SV Werder Bremen	Otelo	4,5	Puma	bis 2000
Bor. Mönchengladb.	Max Data Computer	4,5	Reebok	bis 2001
SC Freiburg	BfG Bank AG	4,5	adidas	bis 2001
FC Schalke 04	Veltins	4	adidas	bis 2000
Hertha BSC	Die Continentale	4	adidas	bis 2000
TSV 1860 München	Löwenbräu	3,5	Nike	k. A.
MSV Duisburg	Thyssengas	3	Diadora	bis 2000
FC Hansa Rostock	Roy Robson	3	adidas	bis 1999
Hamburger SV	Hyundai	2,6	Fila	k. A.

1) Saison 1998/99; Quelle: Horizont, 30.7.1998

Sponsoringvolumen weltweit 1997–2002

	1997	1998	2002[1]
Gesamtvolumen	3,5	4,0	5,1
Sport-Sponsoring	2,3	2,5	3,1
Medien-Sponsoring	0,4	0,5	0,8
Kultur-Sponsoring	0,5	0,5	0,7
Social-Sponsoring	0,2	0,2	0,3
Öko-Sponsoring	0,2	0,3	0,3

1) Prognose (Durchschnittswerte in Mrd DM); Quelle: ISPR Sponsoring-Klima-Studie 1998

(1997: 3,5 Mrd DM). Bis zum Jahr 2002 werden die Sponsoringaufwendungen nach Einschätzungen der Vertreter aus Unternehmen und werbeagenturen auf rund 5,1 Mrd DM ansteigen.

Kultur-S.: Die Aufwendungen im Bereich Kultur-S. blieben 1998 mit ca. 0,5 Mrd DM im Vergleich zum Vorjahr konstant. Neben Klassikkonzerten und Kunstausstellungen sind Rock- und Popkonzerte im Kultur-S. von großer Bedeutung.

Medien-S.: Im Bereich Medien-S. wurde ein Volumen von 0,5 Mrd DM erreicht, vor allem für Presenting- und Gewinnspielmaßnahmen. Die Möglichkeiten, die das Internet und der Hörfunk bieten, wurden nur in geringem Umfang genutzt.

Öko-S.: Auf den Bereich Öko-S. entfielen in den vergangenen beiden Jahren jeweils 0,2 Mrd DM. Für 2002 wird eine Steigerung auf 0,3 Mrd DM erwartet. Wie beim Social-S. finden viele Maßnahmen auf regionaler Ebene statt; die Etats sind deutlich kleiner als z. B. beim Sport-S.

Social-S.: Social-S.-Aktivitäten erreichten 1998 wie im Vorjahr ein Gesamtvolumen von 0,2 Mrd DM. Vom Social-S., der Unterstützung sozialer Einrichtungen und Initiativen, erwarten rund 50% der deutschen Unternehmen, dass es in Zukunft an Bedeutung gewinnen wird.

Sport-S.: Mit ca. 2,5 Mrd DM floss 1998 der größte Teil der S.-Gelder in den Sport, hauptsächlich in sog. Fun- und Trendsportarten wie Radsport, Fußball, Motorsport, Eishockey sowie Golf und Basketball.

S.-Preise: Den Deutschen Sponsoring Award 1997/98 in der Kategorie Sport teilten sich das Team Telekom und das ATP-Sponsoring von Mercedes-Benz. Im Kulturbereich errang die Deutsche Bahn AG mit ihrem Konzept zur documenta X einen Award.

http://www.sponsoring-verband.de

Werbung

Die Hochkonjunktur der deutschen Werbewirtschaft setzte sich 1998 fort. Die Werbeausgaben der Unternehmen in den Segmenten Zeitungen und Zeitschriften, Fernsehen, Radio und Plakat beliefen sich sich nach Angaben der A.C. Nielsen Werbeforschung (Hamburg) auf knapp 30 Mrd DM nach nahezu 27,5 Mrd DM im Vorjahr.

Agenturen: Die im Gesamtverband Werbeagenturen (GWA, Frankfurt am Main) zusammengeschlossenen deutschen Agenturen, die etwa 75% des Branchenumsatzes erwirtschafteten, betreuten 1998 ein Werbevolumen (Equivalent Billings) von rund 19,3 Mrd DM, 8,3% mehr als 1997. Für das Jahr 1999 rechneten die Mitglieder des Dachverbandes mit einem Brachenwachstum von 5,1%.

Preisgekrönte Kampagnen: Das erste »Sieger-Megaphon« ging an die Düsseldorfer Agentur Rempen & Partner für die Werbekampagne der Rheinischen Post. Das zweite »Sieger-Megaphon« bekam die Agentur Publicis Frankfurt für die Werbekampagne »Renault Kangoo«. Das dritte »Sieger-Megaphon« erhielt die Züricher Agentur Bosch & Butz für die TV-Spots des Warenhauses Epa.

Außenwerbung: Die kleinste Mediengattung verbuchte 1998 den größten Zuwachs. Mit einem Plus von 19,4% erreichte die Plakatbranche 832 Mio DM. Dabei verzeichnete die Großflächen-Werbung ein Umsatzplus von 8,7% auf 502,4 Mio DM. Die Citylights legten um 40,3% zu und erreichten 290,3 Mio DM.

Fernsehwerbung: Die Aufwendungen für Fernsehwerbung lagen 1998 bei rund 12,8 Mrd DM (+8,3%). Die öffentlichrechtlichen Anstalten konnten nach Verlusten im Vorjahr wieder zulegen (ARD: +8,3% auf 505 Mio DM; ZDF: +2,5% auf 409,9 Mio DM Bruttowerbeumsatz). Bei den Privatsendern baute RTL seine Spitzenreiterposition aus und nahm mit 3,64 Mrd DM 3,8% mehr ein als 1997. SAT 1 erreichte 3 Mrd DM, Pro 7 kam auf 2,76 Mrd DM.

Hörfunkwerbung: Bei einem Anstieg von 1,7% erreichten die Radiovermarkter 1998 einen Bruttowerbeumsatz von 1,7 Mrd DM. Dabei verzeichneten die Privatsender eine Umsatzsteigerung von 2,1% und erwirtschafteten einen Bruttoumsatz von 1,1 Mrd DM (Marktführer: Radio NRW). In die Kassen der öffentlich-rechtlichen Radiosender flossen 1998 nur 0,6 Mrd DM (Spitzenreiter: WDR 2).

Top Ten Unternehmen mit den größten Werbeinvestitionen

	Mio DM	Veränderung
1. Procter & Gamble (Schwalbach)	691,0[1]	▽ −16,0[2]
2. Ferrero (Frankfurt/M.)	416,6	▲ +12,1
3. Deutsche Telekom AG (Bonn)	317,5	▲ +27,6
4. Adam Opel AG (Rüsselsheim)	307,6	▲ + 9,8
5. Effem (Verden)	292,1	▲ +14,4
6. Henkel Waschmittel GmbH (Düsseldorf)	285,6	▽ − 8,0
7. Springer Verlag (Hamburg)	282,4	▲ + 5,2
8. Kraft Jacobs Suchard (Bremen)	281,7	▲ +16,9
9. Media Markt u. Saturn Verw. (München)	278,9	▲ +11,3
10. Volkswagen AG (Wolfsburg)	272,6	▲ +27,4

1) Investitionen (Mio DM); 2) Veränderung zu 1997 (%); Stand: 1998; Quelle: A.C.Nielsen S+P GmbH, http://www.acnielsen.com

Werbeeinnahmen der Medien[1]

	Mrd DM
Tageszeitungen	11,47
Fernsehwerbung	7,90
Werbung per Post	6,80
Publikumszeitschriften	3,65
Anzeigenblätter	3,44
Adressbücher	2,34
Fachzeitschriften	2,20
Hörfunkwerbung	1,18
Außenwerbung	1,10
Wochen-/Sonntagszeitungen	0,48
Filmtheater	0,32
Zeitungssupplements	0,18

1) Mrd DM, Einnahmen gesamt: 41,11Mrd DM; Stand: 1998; Quelle: business news

Online-Werbung: Für Werbung im Internet u. a. Online-Angeboten gaben die deutschen Unternehmen nach Berechnungen der Electronic Media Service GmbH (EMS) 1998 rund 50 Mio DM aus, doppelt soviel wie 1997. Für 1999 erwartete EMS eine weitere Verdreifachung auf einen Betrag von 150 Mio DM. Bis Ende 1999 soll nach Schätzungen des Verbandes der deutschen Internet-Wirtschaft Electronic Commerce Forum (eco) der Wert aller Waren und Dienstleistungen, die über das internationale Datennetz gehandelt werden, weltweit auf etwa 95 Mrd DM steigen. In Deutschland wurde nach Schätzungen des Deutschen

Multimedia Verbandes (dmmv) 1998 mit dem Online-Handel ein Gesamtumsatz von 2,7 Mrd DM erzielt, dreimal soviel wie im vergangenen Jahr. Für 1999 erwartete der Verband der deutschen Internet-Wirtschaft eine Marktausweitung auf ein Volumen von rund 5 Mrd DM.

Printwerbung: Die Zeitungen in Deutschland erwirtschafteten 1998 in der W. mit einem Umsatz von 6,9 Mrd DM einen Zuwachs von 16,1% im Vergleich zum Vorjahr. Die Publikumszeitschriften steigerten ihren Anzeigenumsatz um 5,1% und erreichten ebenfalls 6,9 Mrd DM. Als kleinste Printmediengattung verbuchten die Fachzeitschriften einen Anstieg von 4,8% auf 877 Mio DM. Großes Interesse fanden Computer- und Online-Titel. Die gedruckten Medien nahmen durch W. 14,6 Mrd DM ein.

http://www.gwa.de
http://www.dmmv.de
http://www.eco.de

Meistbeworbene Produkte/Marken[1]

	Produkt/Marke	Wert
1.	C+A Textil	236
2.	Media Markt	219
3.	McDonald's	160
4.	Aldi	143
5.	Premiere TV	107
6.	Lidl	93
7.	Opel Astra	88
8.	Sparkassen	87
9.	Ikea	85
10.	Deutsche Bank	83
11.	D1 Mobilfunk	81
12.	E-Plus Mobilfunk	80
13.	Deutsche Bahn	79
14.	Telekom-Tarife	77
15.	Coca-Cola	71
16.	Deutsche Post AG[2]	70
17.	Mannesmann D2	69
18.	Lotto, Toto, Rennquintett	68
19.	Dresdner Bank	66
20.	T-Mobil (Tarife)	64

1) Mio DM 1998; 2) Briefe und Pakete; Quelle: A.C.Nielsen Werbeforschung S+P GmbH; http://www.acnielsen.com

BILANZ 2000

Totale Präsenz der »geheimen Verführer«

Der US-Publizist Vance Packard nannte 1957 in einer Studie Werbung und Sponsoring »geheime Verführer«. Als manipulativer Spiegel gesellschaftlicher und zielgruppenspezifischer Werte und Normen sowie als Grundelement der Marktwirtschaft hat die Werbung Ende des 20. Jh. eine Bedeutung wie nie zuvor. Deutschland ist das werbestärkste Land Europas; mit jährlichen Aufwendungen von über 50 Mrd DM liegt es weltweit an dritter Stelle hinter den USA (195 Mrd DM) und Japan (88 Mrd DM). In der deutschen Werbewirtschaft arbeiten ca. 350 000 Personen. Der Wettbewerbsdruck bewirkte, dass sich die Zahl der beworbenen Produkte in Deutschland 1979–98 von 30 000 auf 55 500 fast verdoppelte. Die Werbeinvestitionen der Automobilhersteller und Produzenten rezeptfreier Arzneimittel in den Massenmedien vervierfachten sich. Obwohl die Zahl der Fernsehprogramme in den 90er Jahren von 65 auf 94 gestiegen und die Zahl der Tageszeitungen im selben Zeitraum von 426 auf 402 zurückgegangen ist, haben sich die deutschen Tageszeitungen als umsatzstärkster Werbeträger behauptet (11,5 Mrd DM).

Positive Trends

▸ Produktwerbung in Verbindung mit Kunst kann einen hohen Unterhaltungswert haben.
▸ Die Tabakwerbeverbots-Richtlinie der EU verbietet Werbung und Sponsoring zugunsten von Tabakerzeugnissen inkl. der Benutzung von Tabakmarken für andere Produkte.

Negative Trends

▸ Mit 1,4 Mio gesendeten Werbespots erreichen die öffentlich-rechtlichen und die privaten TV-Sender Ende der 90er Jahre bei den Zuschauern die Grenzen der Akzeptanz.
▸ Durch Anwendung moderner visueller Gestaltungsmöglichkeiten (u. a. schnelle Bildschnitte) sind die Grenzen zwischen Werbung und Manipulation vom Konsumenten kaum erkennbar.
▸ Vor allem Printmedien und private Fernsehanbieter sind von den Werbeeinahmen immer stärker abhängig.

Toulouse-Lautrec: La Goulue, 1891

Peter Stuyvesant, 1968

Meilensteine

Von der Kunstform zur Finanzierungsgrundlage

1900: Die Pariser Weltausstellung bildet den Höhepunkt des Jugendstilpakats, das die Werbung und künstlerische Gestaltung revolutioniert.

1900: Lucian Bernhard entwickelt durch grafisch vereinfachte Produktabbildung das Berliner Sachplakat, das die Wahrnehmung von Werbung im Stadtbild verstärken soll.

1910: Viktor Mataja (A) begründet mit dem Buch »Die Reklame« die moderne Werbewissenschaft.

1917: Mit der Oktoberrevolution in Russland beginnt die künstlerisch gestaltete politische Plakatwerbung, die 1918/19 in den deutschsprachigen Raum gelangt (Agitprop).

1924: Gegen Protest der Zeitungsverlage erlaubt die Reichspost die Schaltung von Radio-Werbespots.

1933: Das Logo des Chemiekonzerns Bayer in Leverkusen ist mit 72 m Durchmesser die größte frei schwebende Leuchtreklame.

1953: Mit Telefonumfragen des NWDR beginnt in der BRD die Zuschauerforschung.

1957: Vance Packard (USA) prägt mit dem Buchtitel »Die geheimen Verführer« ein Schlagwort der Verkaufspsychologie.

1962: Andy Warhols (USA) Siebdrucke von »Campbell's«-Suppendosen, »Green Coca Cola Bottles« u. a. verwischt die Grenzen zwischen Werbung und Kunst.

1973: Bundesligist Eintracht Braunschweig betreibt als erster deutscher Fußballverein Trikotwerbung.

1984: Mit dem Start des Privatfernsehens in der BRD versuchen TV-Sender sich nur oder überwiegend durch Werbespots zu finanzieren.

1984: Die Olympischen Spiele in Los Angeles werden erstmals gänzlich durch Sponsoring finanziert.

1985: Die Gesellschaft für Konsumforschung lässt Einschaltquoten in Hörfunk und TV errechnen; die Quote bestimmt den Preis von Spots.

1986: Die ARD erlässt Richtlinien, die einen Verzicht auf Produktplatzierung in Sendungen vorsehen.

1989: Der Bundesgerichtshof schützt den Verbraucher per Beschluss vor unerwünschter Briefkastenwerbung.

1995: Der Bundesgerichtshof verbietet drei »Schockanzeigen« eines Bekleidungsherstellers mit der Begründung, sie seien sittenwidrig.

1997: City TV (Würzburg) startet das ausschießlich aus Werbeeinnahmen finanzierte »Hotelfernsehen«.

1999: US-Regierung und Tabakkonzerne vereinbaren ein Tabakwerbeverbot in den USA.

Stichwort: Plakatkunst

Werbung als Kunstwerk

Henri de Toulouse-Lautrec (F) erhob um 1900 das Plakat als Werbemittel in den Rang eines Kunstwerks und beeinflusste grundlegend Jugendstil und Gebrauchsgrafik zu Beginn des 20. Jh.: Tiefenwirkung steigerte er durch Arabesken im Vordergrund, breite Flächen wurden mit wenigen Farben hervorgehoben, wichtigstes Kompositionselement wurde die stilisierte, bewegte Umrisslinie. Weitere bedeutende Gebrauchsgrafiker dieser Zeit waren Alfons Mucha (CZ), Eugène Grasset (CH), Emil Cardinaux (CH), Ludwig Sütterlin (D), Joseph Sattler (D) sowie Mitarbeiter der Zeitschriften »Simplicissimus« und »Jugend«. In Österreich wirkten Emil Orlik, Koloman Moser, Gustav Klimt und Alfred Roller bahnbrechend.

Stichtag: 6. April 1909

Erster globaler Werbefeldzug

Als Robert E. Peary (USA) 1909 als erster Mensch das Sternenbanner auf dem Nordpol hisste, begann eine der größten Kampagnen in der Geschichte der Werbung: Kamera, Schießpulver, Kochgeschirr, Tabak, Seife – jeder Teil der Ausrüstung wurde in Industriestaaten, Kolonien und halbkolonialen Gebieten wie China beworben und vermarktet: Eine Waltham-Uhr diente der exakten Zeitmessung, eine Eastman-Kodak-Kamera illustrierte Pearys mit Kahinor-Bleistiften geschriebenen Aufzeichnungen, Unterwäsche der Norfolk & New Brunswick Hosiery Co. bewahrte ihn vor dem Erfrieren. Mit Dupont-Schießpulver und Winchester-Gewehren erlegte Peary wilde Tiere, Sherings Formalin diente der »Bazillenbekämpfung«, Kau-, Schnupf- und Rauchtabak der U.S. Tobacco Co. half den Polstürmern über alle Strapazen hinweg.

Zeitgeschichte

Holocaust-Mahnmal

Der deutsche Bundestag beschloss im Juni 1999, ein zentrales Mahnmal für die während der NS-Herrschaft ermordeten Juden Europas zu errichten. Es entschied sich für den Stelenfeld-Entwurf des US-amerikanischen Architekten Peter Eisenman (Eisenman II), der noch durch einen in unmittelbarer Nähe gelegenen Ort der Information ergänzt werden soll. Das H. soll auf dem rund 20 000 m² großen Freigelände der ehemaligen Ministergärten an der Ebertstraße nahe dem Brandenburger Tor in Berlin stehen. Im Frühjahr 1999 hatten noch drei Vorschläge für ein H. zur Debatte gestanden:

– Ein Feld aus 2700 bis 4 m hohen Betonstelen, das von Lindenbäumen eingefasst wird. Dieser Entwurf von Peter Eisenman ist eine verkleinerte Version seines mit Richard Serra vorgelegten Konzepts (Eisenman II)

– Ein nochmals verkleinertes Stelenfeld, kombiniert mit einer »Haus der Erinnerung«, einer Bücherwand, Ausstellungsräumen und Forschungsstätte (Eisenman III). Dieser Entwurf Eisenmans geht auf das im Dezember 1998 vorgestellte Alternativkonzept des Kulturbeauftragten der rot-grünen Bundesregierung, Staatsminister Michael Naumann, zurück. Das H. sollte mit einem Dokumentationszentrum verbunden werden, um nicht nur zu gedenken, sondern die Erinnerung an den Völkermord an den Juden auch durch Dokumenten wachzuhalten. Die Kosten würden sich nach Naumanns Schätzung auf 180 Mio DM belaufen (für das H. waren 15 Mio DM veranschlagt), der Jahresetat läge bei 18 Mio DM.

– Inschrift des Gebots »Morde nicht« in hebräischer Schrift und in den Sprachen aller Opfer auf einem nicht näher spezifizierten Mahnmal. Dieses Modell schlug Anfang 1999 der SPD-Politiker und Theologe Richard Schröder vor.

Zu allen Vorschlägen erhob sich 1998/99 Kritik. Eisenmans Stelenfeld wurde von Eberhard Diepgen (CDU), dem Regierenden Bürgermeister von Berlin, als zu monumental abgelehnt; Schröders Idee galt als zu allgemein, und die Jüdische Gemeinde Berlin beanstandete an seinem Vorschlag, dass sich die Inschrift »Morde nicht« auf hebräisch an die Opfer und nicht an die Täter wendet. Gegen die Verbindung von Mahnmal und Museum wandten die Leiter bestehender NS-Gedenkstätten ein, dass sie bereits viele Aufgaben eines Dokumentationszentrums erfüllten. Es sei sinnvoller, den in Deutschland existierenden authentischen Stätten wie den Konzentrationslagern an den NS-Terror zu erinnern.

Der erste Spatenstich für das H. ist für den 27.1.2000, den Gedenktag der NS-Opfer, geplant. Die Finanzierung des Informationszentrums war Mitte 1999 noch unklar.

Gedenkstätten für NS-Opfer in und um Berlin

Name/Ort	Aufgabe
Topographie des Terrors Ort früherer Terrorzentralen des NS-Regimes (u. a. Gestapo, SS) in Berlin-Mitte	Dokumentationszentrum mit Ausstellung und Begegnungszentrum
Haus der Wannsee-Konferenz Haus, in dem 1942 die »Endlösung der Judenfrage« beschlossen wurde	Dauerausstellung und Bildungsstätte
Gedenkstätte Deutscher Widerstand Bendlerblock, Zentrale des Umsturzversuchs vom 20. Juli 1944	Dauerausstellung, Bildungsstätte, mit der Freien Universität Berlin betriebene »Forschungsstelle Widerstandsgeschichte«
Deutsch-russisches Museum Berlin-Karlshorst Ort, an dem die deutsche Kapitulation unterzeichnet wurde	Dauerausstellung zu deutsch-sowjetischen Beziehungen im 20. Jh., insbes. zum Krieg gegen die Sowjetunion 1941–45
Gedenkstätte Sachsenhausen Ehemaliges Konzentrationslager	Dauerausstellung
Mahn- und Gedenkstätte Ravensbrück Ehemaliges Frauen-Konzentrationslager bei Fürstenberg	Dauerausstellung und Ausstellungen über die Herkunftsländer verschiedener Häftlingsgruppen
Dokumentationsstätte Brandenburg Ehemals größtes Zuchthaus des NS-Regimes in Brandenburg	Ausstellung

NS-Beutegut

Tagung: Auf der Konferenz über enteignete oder gestohlene Vermögenswerte von Holocaust-Opfern Ende 1998 in Washington/USA befürworteten die 44 Teilnehmerstaaten und 13 Nichtregierungsorganisationen, die Ansprüche von Holocaust-Opfern bis Ende des 20. Jh. zu erfüllen (Gesamtwert der Vermögen: 9 Mrd–14 Mrd Dollar). **Grundsätze:** Die Konferenz, ein Nachfolgetreffen der Londoner Raubgold-Konferenz von 1997, stellte Prinzipien für den Umgang mit Beutekunst, nicht ausgezahlten Versicherungen und dem ehemaligen Besitz meist jüdischer Religionsgemeinschaften auf: Vom NS-Regime enteignetes Gemeindeeigentum, das sich Mitte 1999 vor allem in Osteuropa noch in staatlicher oder kommunaler Hand befand, zurückzugeben, Archive zu öffnen und verstärkt nach den Besitzern geraubter Kunstwerke zu suchen. **Versicherungen:** Bezüglich Ansprüchen an Versicherungsunternehmen verwies die Konferenz auf die International Commission on Holocaust-Era Insurance Claims (ICHEIC). Sie war eingesetzt worden, nachdem sich Versicherungen, jüdische Organisationen und die US-Versicherungsaufsicht 1998 über die Entschädigung von Holocaust-Opfern geeinigt hatten. Überlebende und Nachfahren des Völkermords an den Juden hatten 1997 in den USA Sammelklagen auf Schadenersatz gegen 16 europäische Versicherungskonzerne eingereicht, da Prämienansprüche nicht ausgezahlt worden waren. Die an der Einigung beteiligten Konzerne (Allianz, Axa, Zürcher, Winterthur, Generali) stellten im Herbst 1998 einen mit 150 Mio DM dotierten Fonds bereit, der binnen zwei Jahren von der ICHEIC an die Betroffenen ausgezahlt werden soll. **Beutekunst:** Gesetzgeberische und richterliche Entscheidungen von 1998 erleichterten die Rückgabe von Kunstwerken an ehemalige Besitzer oder deren Erben, die von den Nationalsozialisten beraubt oder enteignet worden waren. Eine im Oktober 1998 in Österreich beschlossene Novelle sah Ausnahmen vom Ausfuhrverbot konfiszierter Kunstgegenstände an ehemalige, jetzt im Ausland lebende Eigentümer vor. Nach Schätzungen befanden sich Mitte 1999 noch 400–500 Beutekunstgegenstände in staatlichen Sammlungen.

Raubgold: Entschädigungsfonds für die Opfer

Als Folge der Untersuchungen über Herkunft und Verbleib des Raubgolds und der ausgebliebenen Nachforschungen nach jüdischen Inhabern nachrichtenloser Konten wurden 1997 Entschädigungsfonds eingerichtet:

▶ **Schweizer Spezialfonds zugunsten bedürftiger Holocaust-Opfer:** Der von Schweizer Banken und der Wirtschaft mit 272 Mio sFr ausgestattete Fonds ist für Menschen bestimmt, die u. a. wegen ihrer Rasse, Religion oder politischen Anschauung verfolgt wurden. Die Mittel gehen zu 88% an jüdische und zu 12% an nicht-jüdische Verfolgte (Sinti, Roma, Jenische, politisch Verfolgte, Homo- sexuelle, Zeugen Jehovas, Christen). Die Auszahlungshöhe an die Bedürftigen liegt je nach lokaler Kaufkraft zwischen 400 und 1200 Dollar. Die Gelder sollten bis Mitte 1999 verteilt sein.

▶ **Internationaler Fonds für bedürftige Holocaust-Opfer:** Der auf der Londoner Raubgold-Konferenz von Großbritannien, den USA und Frankreich gegründete Fonds wurde als Basis mit 5,5 t Gold (rund 60 Mio Dollar) ausgestattet, den der nach dem Zweiten Weltkrieg von den Alliierten in Deutschland beschlagnahmten 378 t Goldreserven. Die Auszahlung erfolgt an Bedürftige in den beteiligten Ländern.

Raubgold

Die Untersuchungen und die Klagen jüdischer Holocaust-Überlebender wegen Handel mit R., das NS-Deutschland von den Zentralbanken der besetzten Länder und aus jüdischem Privatbesitz konfisziert hatte, weiteten sich 1998 auf deutsche Banken aus, während die zuerst beschuldigten Schweizer Banken einen Vergleich schlossen. **Deutschland:** Der Deutschen Bank, der Dresdner Bank, der Commerzbank sowie 100 weiteren namentlich nicht genannten Kreditinstituten wurden im Juni bzw. Oktober 1998 in Sammelklagen von Holocaust-Überlebenden in den USA vorgeworfen, mit R. und gestohlenem Eigentum von Opfern der Judenverfolgung Geschäfte gemacht zu haben. Die von der Deutschen Bank eingesetzte Historikerkommission stellte im Juli 1998 fest, die Bank habe im Zweiten Weltkrieg 4446 kg Gold aufgekauft, das aus den besetzten Gebieten und zu etwa 747 kg von Opfern des Holocaust stammte; das von der Dresdner Bank beauftragte Hannah-Arendt-Institut (Dresden) kam im Januar 1999 zu dem Schluss, das Geldinstitut habe mit 5800 kg R. gehandelt, von denen 325 kg von KZ-Opfern herrühre. **Vergleich:** Außergerichtlich einigten sich am 13.8.1998 die United Bank of Switzerland (UBS) und die Credit Suisse Group mit dem Jüdischen Weltkongress (WJC, New York) und Sammelklägern in den USA; die beiden Schweizer Großbanken stimmten der Zahlung von 1,25 Mrd Dollar an überlebende Opfer der Judenverfolgung und deren Erben zu. Die Geldinstitute hatten jahrelang

Anträge von überlebenden Juden oder Angehörigen, die von (Nummern-)Konten in der Schweiz wussten, auf Auszahlung der Guthaben vielfach wegen fehlender Dokumente (z. B. Totenschein) abgelehnt. Das in die Schweiz gelangte R. hatte einen (damaligen) Wert von 1,7 Mrd sFr. Rund 120 kg Gold stammten nachweislich von Opfern aus Konzentrationslagern.

Schweden: Im März 1999 legte die 1997 von der schwedischen Regierung mit der Untersuchung jüdischer Vermögen während des Zweiten Weltkriegs beauftragte Kommission ihren Schlussbericht vor: Unter den 23 t Gold, welche die Deutsche Reichsbank der Schwedischen Reichsbank 1942–44 lieferte, befand sich nachweislich Gold aus jüdischem Besitz, z. T. aus den Vernichtungslagern. Von der Liste mit 649 Namen von nachrichtenlosen Konten, welche die Kommission veröffentlichte, wurden 40 Personen mit Ansprüchen identifiziert.

Shoah-Stiftung

(eigtl. Survivers of the Shoah Visual History Foundation, engl.; Stiftung für die visuelle Geschichtsschreibung der Überlebenden der Shoah)

Ziel: Die 1994 von Steven Spielberg, dem US-Regisseur jüdischer Abstammung, gegründete Stiftung setzt sich zum Ziel, die Erinnerungen der Überlebenden des Holocaust bzw. der Shoah (hebr.; Katastrophe, Untergang) umfassend zu dokumentieren, für ein Archiv wissenschaftlich zu erschließen und für Schulen in aller Welt didaktisch aufzubereiten.

Dokumente: Bis Anfang 1999 hat die S. über 50 000 Video-Interviews mit Überlebenden in 32 Sprachen und in 52 Ländern aufgezeichnet und das weltgrößte Archiv mit Holocaust-Berichten aufgebaut. Etwa 10 000 Interviews wurden in deutscher Sprache geführt. Im Herbst 1998 stellte die S. an Schulen in Berlin und New York ihre erste Unterrichts-CD-ROM vor: »Survivers: Testimonies of the Holocaust« (engl.; Überlebende – Zeugnisse des Holocaust).

Ausbau: Dependancen des Archivs der S. (Anfang 1999: 13 000 Stichwörter), das in der Zentrale in Los Angeles (Kalifornien) erstellt wird, waren Mitte 1999 in den Städten Washington, New York, Jerusalem und Berlin geplant, wo sich seit November 1998 das deutsche Büro befindet.

Totalitarismus

Herrschaft der Willkür – Macht ohne Grenzen

Mit dem Totalitarismus ist im 20. Jh. eine neue Variante der seit der Antike bekannten Diktatur entstanden. Kennzeichen des Totalitären sind außer uneingeschränktem Herrschaftsanspruch eine straff hierarchisierte Massenpartei oder staatstragende Organisation, das Monopol der Kommunikationsmittel und die gezielte Manipulation von Information (z. B. »Prawda« in der Sowjetunion, »Völkischer Beobachter« während des NS-Regimes). Weitere Merkmale der totalen Macht sind die (zumindest zeitweise) Einbeziehung der Arbeitenden durch propagandistische Lenkung und Berufung auf Volkssouveränität, die Scheinberücksichtigung demokratischer Elemente bei Pseudowahlen mit 99%-Akklamation, die möglichst endzeitgerichtete Ideologie (»1000-jähriges Reich«, »Aufbau des Sozialismus«), die Betonung des Nationalen (Hitler: Nationalsozialismus, Stalin: Vaterländischer Krieg), eine zentral gelenkte Wirtschaft und die Ausnutzung des staatlichen Waffenmonopols zu terroristischen Zwecken (bis hin zur Liquidation von Gegnern). Der liberale Giovanni Amendola (I) prägte den Begriff »Totalitarismus« 1923 mit Negativbezug auf den Faschismus, der faschistische Duce (Führer) Benito Mussolini übernahm ihn als Positivbegriff für seine Bewegung. Neben dem italienischen Faschismus gelten der deutsche Nationalsozialismus und die kommunistischen Systeme als Hauptexponenten des Totalitarismus im 20. Jh.

Positive Trends

▸ Seit Ende des Kommunismus werden dem Aufkommen totalitärer Systeme in rechtsstaatlichen Demokratien nur geringe Chancen eingeräumt.

▸ Extremistische Gruppen mit totalitaristischer Zielsetzung bleiben gesellschaftliche Randgruppen, aber mit erheblicher krimineller Energie.

Negative Trends

▸ Nach Faschismus, Nationalsozialismus und Kommunismus bildet der fundamentalistische Islam eine neue Keimzelle des Totalitarismus.

Prag 1968: Panzer des Warschauer Pakts walzen den »Prager Frühling« nieder.

Meilensteine

Siegeszug der Staatsparteien und Machteliten

1917: Unter Wladimir I. Lenin errichten Räte (Sowjets) nach der russischen Oktoberrevolution die »Diktatur des Proletariats«.

1918: Mit der Russischen Sozialistischen Föderativen Sowjetrepublik (1924: UdSSR) entsteht der für kommunistische Systeme vorbildhafte Einparteien-Staat.

1922: Die Faschisten unter Benito Mussolini übernehmen die Macht in Italien (bis 1944).

1926: Ein Militärputsch stürzt die Republik in Portugal, das zum ständisch-autoritären Estado Novo umgewandelt wird (bis 1974).

1926: Józef Klemens Pilsudski errichtet in Polen eine »moralische Diktatur« (bis 1935).

1933: Bundeskanzler Engelbert Dollfuß (A) schaltet das Parlament aus und errichtet einen autoritär-christlichen Ständestaat (bis zum »Anschluss« an Deutschland 1938).

1933: Mit dem Ermächtigungsgesetz beginnt formell Diktatur der NSDAP in Deutschland (bis 1945).

1938: Carol II. errichtet in Rumänien eine »Königsdiktatur«.

1940: In Japan werden die Parteien zur Selbstauflösung gezwungen.

1945–49: Die Volksrepubliken Albanien, Bulgarien, Jugoslawien, Polen, Rumänien, Tschechoslowakei, Ungarn und Vietnam werden gegründet.

1949: Mao Zedong proklamiert die Volksrepublik China.

1949: Die Deutsche Demokratische Republik (DDR) wird gegründet.

1953: Sowjetische Truppen schlagen in der DDR den Volksaufstand vom 17. Juni blutig nieder.

1959: Fidel Castro Ruz stürzt auf Kuba den Diktator Fulgencio Batista y Zaldívar und errichtet eine kommunistische Diktatur.

1967: Rechtsgerichtete Obristen unter Georgios Papadopulos übernehmen nach einem Putsch die Macht in Griechenland und errichten eine Militärdiktatur (bis 1974); König Konstantin II. geht ins Exil.

1968: Truppen des Warschauer Pakts beenden den »Prager Frühling« in der Tschechoslowakei.

1992: Nach der Proklamation der Bundesrepublik Jugoslawien errichtet der serbische Altkommunist Slobodan Milosevic als Präsident der Teilrepublik Serbien (bis 1997) und als Staatspräsident (ab 1997) eine autoritär-nationalistische Diktatur.

1994: Altkommunist Alexandr Lukaschenka wird zum Präsidenten Weißrusslands gewählt und errichtet eine Präsidialdiktatur.

Wehrmachtsausstellung

(eigtl. »Vernichtungskrieg. Verbrechen der Wehrmacht 1941 bis 1944«, Wanderausstellung des Hamburger Instituts für Sozialforschung)

Anschlag: Die W. zeigt an drei Beispielen – dem Partisanenkrieg in Serbien, dem Weg der 6. Armee nach Stalingrad und der Besetzung Weißrusslands –, dass Angehörige der deutschen Wehrmacht im Zweiten Weltkrieg an NS-Verbrechen beteiligt waren, auch an der Ermordung von Juden. Im März 1999 wurde in Saarbrücken, der 31. Station der W., ein Sprengstoffanschlag verübt, bei dem das Ausstellungsgebäude sowie einige Exponate beschädigt wurden. Im Vorfeld hatte es Konflikte zwischen Gegnern und Befürwortern der W. und eine Demonstration von Neonazis gegeben.

Kontroverse: Die W., die seit ihrer Eröffnung im März 1995 in Hamburg bis März 1999 von insgesamt 800 000 Menschen in Deutschland und Österreich gesehen wurde, löste in den Ausstellungsorten oft kontroverse Diskussionen über die Rolle der Wehrmacht sowie Proteste konservativer und rechtsextremer Kreise aus. Sie zeigt bis dahin meist unveröffentlichtes Fotomaterial über Hinrichtungen und Demütigungen in Gettos, dokumentiert Wehrmachtsbefehle, persönliche Briefe von Soldaten und Aussagen von Wehrmachtsangehörigen bei gerichtlichen Untersuchungen. Ihre zentralen Aussagen über die Rolle der Wehrmacht entsprechen dem Stand der Forschung.

Zwangsarbeiter

In der Frage der Entschädigung ehemaliger Z., die während des Zweiten Weltkriegs im Deutschen Reich und den besetzten Ländern Frondienste leisten mussten und bis auf wenige Ausnahmen keine Wiedergutmachung erhielten, bahnten sich 1999 erste Lösungsansätze an. Die 8 Mio–10 Mio Z., Zwangsverpflichtete aus den besetzten Ländern, Kriegsgefangene und KZ-Häftlinge, die zu etwa zwei Dritteln aus der UdSSR und Osteuropa stammten, mussten unter z.T. unmenschlichen Bedingungen ohne oder gegen geringen Lohn in der Rüstungsindustrie und in der Landwirtschaft arbeiten, wo sie 1944 die Hälfte der Beschäftigten stellten. Schätzungen über die Zahl der 1999 lebenden ehemaligen Z. schwankten zwischen 300 000 und 800 000.

Demokratie

Volksherrschaft zwischen Ideal und Wirklichkeit

Das 20. Jh. stand im Zeichen der Demokratie (»Volksherrschaft«), doch diente der Begriff als Legitimation rechtsstaatlicher ebenso wie diktatorischer und totalitärer Regierungssysteme (Totalitarismus). Das Spektrum der sich demokratisch nennenden Staaten reicht Ende des 20. Jh. von der kommunistischen Demokratischen Volksrepublik (Nord-Korea) bis zum »sozialistischen Staat unter der demokratischen Diktatur des Volkes« (China) und zur Präsidialdiktatur (Irak, Weißrussland). In den westlichen Demokratien ist zu unterscheiden zwischen rechtsstaatlichem Präsidialsystem (Frankreich, USA) und repräsentativer Demokratie (u. a. Deutschland). Seit dem Zusammenbruch des Ostblocks besteht in den modernen Industriestaaten weitgehend Konsens darüber, dass Rechtsstaatlichkeit und Achtung der Menschenrechte zu den Grundpfeilern der Demokratie zählen; 1990 verabschiedeten die Führer von 34 Ländern in Paris die »Charta für ein neues Europa«.

Positive Trends

▸ Mit Bürgerbewegungen haben sich im 20. Jh. informelle basisdemokratische Gruppen gebildet (Bürgerrechtler in den USA, Frauenbewegung in den Industriestaaten, Dissidenten in den ehemaligen Ostblockstaaten).

▸ Antidemokratische Terroraktivitäten von Extremisten sind in den westlichen Demokratien rückläufig (z. B. Auflösung der RAF 1998).

Negative Trends

▸ Lobbys und andere sog. Pressuregroups beeinflussen verstärkt politische Entscheidungen.

▸ Die demokratisch gewählte Exekutive fällt auch in Rechtsstaaten Entscheidungen unabhängig vom Volkswillen (Elitendemokratie).

▸ Medienwirksamkeit beeinflusst Politik; Entscheidungsträger müssen zunehmend als »Verkäufer« von Politik agieren (Mediendemokratie).

▸ Der globale Anstieg der Armut verhindert den Aufbau stabiler demokratischer Strukturen in den Entwicklungsstaaten.

▸ Weltweit werden die Menschenrechte Ende des 20. Jh. in rund 125 Staaten eingeschränkt.

Die »Väter des Grundgesetzes« 1949 im Parlamentarischen Rat, vorn Konrad Adenauer

Meilensteine
Vom Machtmonopol zur Teilung der Gewalten

1910: König Manuel II. von Portugal wird durch Revolution gestürzt, 1911 wird die Republik proklamiert.

1917: Aufstände führen zur Abdankung Zar Nikolaus II. und zur Bildung einer bürgerlichen Regierung in Russland, das faktisch Republik wird (bis zur Oktoberrevolution).

1918: Während der Novemberrevolution beendet die Proklamation der Republik durch Philipp Scheidemann (SPD) das Kaiserreich.

1918: Das Ende der k.u.k. Monarchie führt zur Gründung der Republiken Deutschösterreich, Tschechoslowakei und Ungarn.

1919: Die Weimarer Verfassung macht Deutschland zur Repräsentativdemokratie mit Präsidialsystem und plebiszitären Elementen.

1946: Mit 12,7 Mio:10,7 Mio Stimmen entscheiden sich die Italiener für die Republik; König Umberto II. verlässt das Land.

1946: Japan erhält unter US-Besatzung eine Verfassung als demokratisch-parlamentarische Monarchie.

1949: Das Grundgesetz macht die BRD zum Bundesstaat mit repräsentativer Demokratie.

1958: Die im Auftrag Charles de Gaulles ausgearbeitete, per Plebiszit bestätigte Verfassung der französischen V. Republik stärkt auf Kosten der Gesetzgebungsorgane die Gewalt von Regierung und Präsident.

1974: Die unblutige »Nelkenrevolution« von Offizieren beendet die Diktatur (seit 1926) in Portugal.

1975: Die KSZE-Schlussakte von Helsinki sorgt mit ihren Menschenrechtspassagen für eine Stärkung von Bürgerbewegungen, die eine Demokratisierung der staatssozialistischen Diktaturen fordern.

1985: Mit dem Amtsantritt Michail Gorbatschows als Generalsekretär der KPdSU beginnt in der UdSSR die Demokratisierung.

1989: Mit Gorbatschow erhält die UdSSR zum ersten und letzten Mal ein durch demokratische Wahlen legitimiertes Staatsoberhaupt; 1991 löst sich die UdSSR auf.

1989: Bürgerbewegungen stürzen das SED-Regime in der DDR.

1989: Ungarn wird Republik.

1989: Der Bürgerrechtler Václav Havel wird nach der »samtenen« Revolution zum ersten Staatspräsidenten der postkommunistischen Tschechoslowakei gewählt.

1990: In Warschau beginnt ein OSZE-Büro mit seiner Hilfe für den Aufbau rechtsstaatlicher Strukturen in den ehemaligen Ostblockstaaten.

Erinnerungsfonds: Nach Gesprächen zwischen der im Herbst 1998 gewählten rot-grünen Bundesregierung und Vertretern der Wirtschaft sagten im Februar 1999 zwölf führende deutsche Unternehmen (Allianz AG, BASF AG, Bayer AG, BMW AG, DaimlerChrysler AG, Deutsche Bank AG, Degussa-Hüls AG, Dresdner Bank AG, Friedr. Krupp AG Hoesch-Krupp, Hoechst AG, Siemens AG, Volkswagen AG), denen sich bald weitere anschlossen, die Einrichtung eines Entschädigungsfonds für ehemalige Z. zu. Er soll alle Ansprüche der Geschädigten gegenüber den Firmen abdecken sowie bestehende und weitere Klagen abwenden. Ungeklärt war bis Mitte 1999 die Höhe der Einzahlungssumme in den »Memorial Fund«, der bis zum 1.9.1999 eingerichtet werden soll. Die an der Entschädigung beteiligten Unternehmen wollen die Zahlungen an das Rentenniveau in den Heimatländern der Betroffenen koppeln.

Verhandlungen: Auf der ersten Konferenz aller Beteiligten – Vertreter der deutschen Regierung sowie der Staaten, in denen ehemalige Z. leben, Anwälte der klagenden ehemaligen Z., jüdische Organisationen, deutsche Unternehmen – im Mai 1999 in Washington/USA wurden zwei Arbeitsgruppen gebildet, die binnen 90 Tagen Lösungen zu den Fragen Rechtssicherheit für die Firmen und Anspruchsberechtigung erarbeiten sollen. Zur Debatte stand ferner, dass die Bundesregierung eine öffentliche Stiftung einrichtet, um die Z., die in der Landwirtschaft oder bei Kommunen gearbeitet hatten, zu entschädigen.

Klagen: Hintergrund der Verhandlungen waren seit August 1998 in den USA anhängige Sammelklagen ehemaliger Z. und anderer NS-Opfer gegen deutsche Unternehmen (u.a. BMW, Daimler Benz, Krupp, MAN, Siemens, VW). Im Mai 1999 erhoben auch polnische ehemalige Z. in Deutschland eine Sammelklage. Sie hatten wie Opfer aus der Ukraine schon Anfang 1999 die Befürchtung geäußert, gegenüber Geschädigten aus dem Westen wie bei anderen Wiedergutmachungsleistungen benachteiligt zu werden.

Im Dezember 1998 wies das Kölner Oberlandesgericht die Klage von insgesamt 19 jüdischen, aus Polen und Ungarn stammenden ehemaligen Zwangsarbeiterinnen auf Entschädigung zurück, da das Bundesentschädigungsgesetz von 1953 die Zwangsarbeit ausgeklammert hatte. Das Bundesverfassungsgericht (Karlsruhe) hatte dagegen 1996 Klagen von Z. grundsätzlich für zulässig erklärt; zwei Betroffenen waren Entschädigungen zugesprochen worden. Im Mai 1999 nahm mit der Nürnberger Kammer erstmals ein Arbeitsgericht eine Klage einer ehemaligen Z. an.

Leistungen: 1998 stellten die Volkswagen AG (Wolfsburg) und der Siemens-Konzern (Berlin, München) jeweils 20 Mio DM für einen Entschädigungsfonds zur Verfügung; ehemalige VW-Z. erhalten in der Regel 10 000 DM. Bereits 1997 hatte der Rüstungskonzern Diehl (Nürnberg) als erster einen Fonds in Höhe von 3 Mio DM eingerichtet, aus dem Zwangsarbeiterinnen der ehemaligen Werke im heutigen Polen Leistungen von 5000–15000 DM erhalten.

Zwangsarbeiter im Deutschen Reich

Landwirtschaft	2747[1]	46,4[2]
Metall	1691	30,3
Bau	478	32,3
Bergbau	434	33,7
Verkehr	378	26,0
Chemie	252	28,4
Textil	183	11,1
Handel/Banken	115	6,0
Verwaltung	49	3,3
Druck	9	4,1

1) 1000; 2) Anteil an Beschäftigten (%) August 1944; Quelle: Ulrich Herbert: Fremdarbeiter; Frankf. Rundschau, 20.8.1998

▬ Wiedergutmachungszahlungen[1]

Bundesentschädigungsgesetz (BEG)	78,344
Bundesrückerstattungsgesetz	3,955
Israel-Vertrag	3,450
Leistungen der Länder außerhalb des BEG	2,488
Härteregelungen	1,675
Globalverträge	2,500
Entschädigungsrentengesetz	0,897
Sonstige Leistungen[2]	8,800

1) Mrd DM; 2) u.a. Opfer von Menschenversuchen, rassisch Verfolgte nicht-jüdischen Glaubens, Stand: 1.1.1998; Quellen: Bundesregierung, Frankfurter Allgemeine Zeitung, 8.9.1998

Staaten

Der Teil Staaten der Welt enthält die wichtigsten Daten (letztverfügbarer Stand) für alle 192 selbstständigen Länder der Erde. Die Pilotkarte erleichtert eine geografische Einordnung. Unter »Lage« findet sich der Verweis auf den Kartenteil dieser Ausgabe. Die Standarddaten ermöglichen einen Vergleich sämtlicher Länder der Welt hinsichtlich Fläche, Einwohner, Einwohner/km², Bevölkerungswachstum/Jahr, BSP/Kopf, Inflation, Arbeitslosenrate, Urbanisierung, Alphabetisierung, Kindersterblichkeit und Einwohner pro Arzt. Für Fläche und Einwohnerzahl wird in Klammern der Platz in der Weltrangliste innerhalb aller Staaten angegeben. Die Daten zum Bevölkerungswachstum/Jahr beziehen sich auf das durchschnittliche jährliche Wachstum des jeweils letztverfügbaren Zeitraums oder eines längeren Zeitraums von Anfang bis Ende der 90er Jahre. Einzelne Wirtschaftsdaten (Arbeitslosigkeit, Inflation) können gegenüber den Angaben im EU-Teil wegen unterschiedlicher Berechnungsgrundlagen variieren. Die Daten zum Parlament geben Auskunft über die letzte Wahl sowie über die Sitzverteilung in der Volksvertretung. In Einzelfällen waren keine aktuellen Angaben (Kennzeichnung mit k. A.) erhältlich.

Quellen: Bundesstelle für Außenhandelsinformation (bfai), CIA World Factbook, World Bank Atlas, World Development Report, World Education Report, World Health Report, World Population Prospects u. a.
http://www.agora.stm.it/elections/election/_.htm

Kriege und Krisenherde 1999

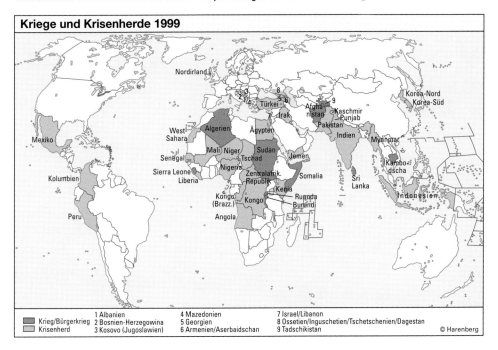

■ Krieg/Bürgerkrieg	1 Albanien	4 Mazedonien	7 Israel/Libanon
□ Krisenherd	2 Bosnien-Herzegowina	5 Georgien	8 Ossetien/Inguschetien/Tschetschenien/Dagestan
	3 Kosovo (Jugoslawien)	6 Armenien/Aserbaidschan	9 Tadschikistan © Harenberg

527

Europäisches Jan Mayen (Norw.) Nordmeer

ISLAND

Reykjavik

● ■ Hauptstadt

■ □ Millionenstadt

○ sonstige Stadt

0   250   750 km

Färöer (Dän.)

Shetland-Inseln

Orkney-Inseln

NORWEGEN

FINNLAND

Bergen

SCHWEDEN Helsinki

ATLANTISCHER   Glasgow   Nord-   Oslo   Stockholm   St. Petersburg

Belfast   Göteborg   Ost-   ESTLAND

IRLAND Dublin   GROSS-   see DÄNEMARK   Riga   LETT-   RUSSLAND

BRITANNIEN   Kopenhagen   LAND

Birmingham   NIEDER-   see   LITAUEN

LANDE   Hamburg   (RUSSL.) Vilnius   Minsk

London Amsterdam   Berlin   WEISS-

RUSSLAND

OZEAN   Brüssel   DEUTSCH-   POLEN   Warschau

BELGIEN   LAND   Łódź   UKRAINE Kiew

Paris   LUX.   Prag   Lwow

München   TSCHECH.   (Lemberg)

FRANKREICH   LIECH.   Wien   SLOWAKEI

Bern   Bratislava   MOLDAU

SCHWEIZ   ÖSTER-   Budapest   Chişinău   Odessa

Lyon   Mailand   REICH   UNGARN   RUMÄNIEN

SLOWENIEN

Turin   Zagreb   Bukarest

PORTU-   ANDORRA   Marseille   SAN.   KROATIEN

MONACO   MARINO   BOSNIEN-   Belgrad

Lissabon   Madrid   Barcelona   HERZEG.   JUGO-   Sofia

VATIKAN-   Sarajevo   SLAWIEN   BULGARIEN

GAL   SPANIEN   STADT   Rom   Skopje   Istanbul

Valencia   Korsika   ITALIEN   Tirana   MAZEDO-

Sevilla   Sardinien   Neapel   NIEN   TÜRKEI

Málaga   Balearen   ALBA-   GRIECHEN-

Gibraltar   Mittel-   Sizilien   NIEN   LAND   Izmir

(GB) Melilla   Palermo   Athen

Rabat   (Sp.)   Algier   Kreta

Tunis

MAROKKO   MALTA   Valletta

Valletta

ALGERIEN   TUNESIEN   meer

Tripolis

LIBYEN

© Harenberg

A   B   C   D   E   F

1
2
3
4
5
6
7
8

529

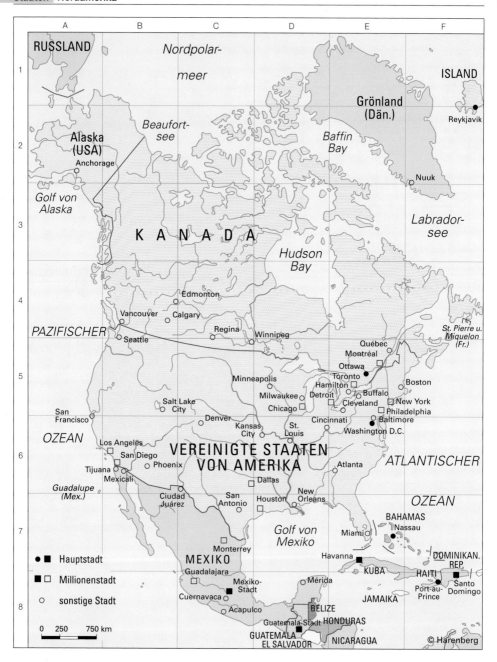

Staaten Nordamerika

A B C D E F

RUSSLAND

Nordpolar-
meer

ISLAND

1

Grönland
(Dän.)

Reykjavik

Beaufort-
see

Baffin
Bay

2

Alaska
(USA)

Anchorage

Nuuk

Golf von
Alaska

Labrador-
see

3

K A N A D A

Hudson
Bay

Edmonton

4

Vancouver   Calgary

PAZIFISCHER

Regina   Winnipeg

Seattle

Québec
Montréal
Ottawa
Toronto
Hamilton   Buffalo
Detroit   Cleveland   New York
Milwaukee   Philadelphia
Chicago
Cincinnati   Baltimore
Washington D.C.

St. Pierre u.
Miquelon
(Fr.)

Boston

5

Minneapolis

San
Francisco

Denver

Salt Lake
City

Kansas
City

St.
Louis

OZEAN

Los Angeles

VEREINIGTE STAATEN
VON AMERIKA

ATLANTISCHER

6

San Diego

Tijuana

Mexicali

Phoenix

Atlanta

Guadalupe
(Mex.)

Ciudad
Juárez

San
Antonio

Dallas

Houston   New
Orleans

OZEAN

BAHAMAS

7

Monterrey

Golf von
Mexiko

Miami   Nassau

DOMINIKAN.
REP.

Hauptstadt

MEXIKO

Guadalajara

Havanna   KUBA   HAITI

Santo
Domingo

Millionenstadt

Cuernavaca

Mexiko-
Stadt

Mérida   JAMAIKA

Port-au-
Prince

sonstige Stadt

Acapulco

BELIZE
Guatemala-Stadt HONDURAS

8

0   250   750 km

GUATEMALA
EL SALVADOR   NICARAGUA

© Harenberg

530

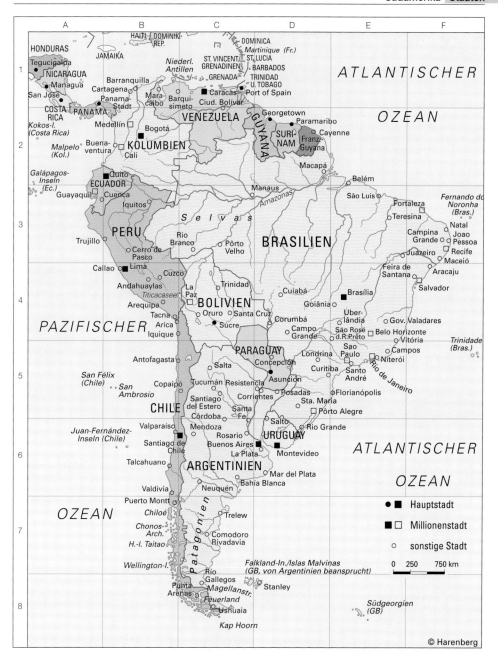

Südamerika – Staaten

| | A | B | C | D | E | F |

1

HONDURAS
Tegucigalpa
NICARAGUA
Managua
San José
COSTA RICA
Kokos-I.
(Costa Rica)
JAMAIKA
HAITI DOMINIK. REP.
DOMINICA
Martinique (Fr.)
ST. VINCENT ST. LUCIA
GRENADINEN BARBADOS
GRENADA TRINIDAD
U. TOBAGO
Niederl. Antillen
Barranquilla
Cartagena
Panama-Stadt
PANAMA
Mara-caibo
Barqui-simeto
Caracas Port of Spain
Ciud. Bolívar
ATLANTISCHER
OZEAN

2

Medellín
Bogotá
Buena-ventura
Cali
KOLUMBIEN
VENEZUELA
GUYANA
Georgetown
Paramaribo
SURI-NAM
Cayenne
Franz.-Guyana
Malpelo (Kol.)

Galápagos-Inseln (Ec.)
Quito
ECUADOR
Guayaquil Cuenca
Iquitos
Macapá
Belém
Manaus
Amazonas
São Luis
Fortaleza
Fernando do Noronha (Bras.)

3

PERU
Trujillo
Rio Branco
Pôrto Velho
Selvas
BRASILIEN
Teresina
Natal
Campina Grande
Joao Pessoa
Recife
Maceió
Cerro de Pasco
Callao Lima
Cuzco
Andahuaylas
Titicacasee
La Paz
Trinidad
Cuiabá
Feira de Santana
Aracaju
Salvador
Juazeiro

4

Arequipa
Tacna
Arica
Iquique
BOLIVIEN
Oruro Santa Cruz
Sucre
Corumbá
Goiânia
Brasília
Über-lândia
Gov. Valadares
Campo Grande
São Rosé d.R.Prêto
Belo Horizonte
Vitória
Trinidade (Bras.)

PAZIFISCHER

5

Antofagasta
San Félix (Chile)
San Ambrosio
Copaipo
PARAGUAY
Concepción
Salta
Tucumán Resistencia
Corrientes
Asunción
Posadas
Sta. Maria
Londrina
Sao Paulo
Curitiba
Santo André
Níterói
Campos
Rio de Janeiro
Florianópolis

6

CHILE
Valparaíso
Santiago de Chile
Talcahuano
Santiago del Estero
Córdoba
Santa Fe
Mendoza
Rosario
Buenos Aires
La Plata
Salto
Pôrto Alegre
Rio Grande
URUGUAY
Montevideo
Juan-Fernández-Inseln (Chile)
ARGENTINIEN
Mar del Plata
ATLANTISCHER
OZEAN

7

OZEAN
Valdivia
Neuquén
Bahía Blanca
Puerto Montt
Chiloé
Chonos-Arch.
H.-I. Taitao
Patagonien
Trelew
Comodoro Rivadavia

Hauptstadt
Millionenstadt
sonstige Stadt

Wellington-I.
Falkland-In./Islas Malvinas (GB, von Argentinien beansprucht)

0   250   750 km

8

Rio Gallegos
Punta Arenas
Magellanstr.
Feuerland
Ushuaia
Stanley
Südgeorgien (GB)
Kap Hoorn

Hauptstadt
Millionenstadt
sonstige Stadt

© Harenberg

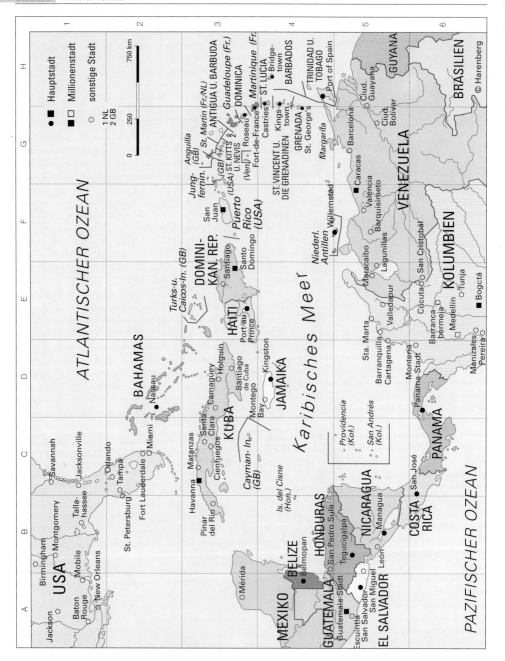

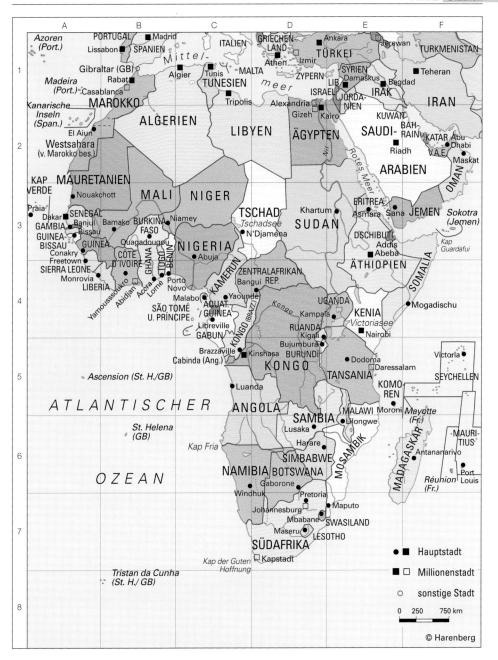

A B C D E F

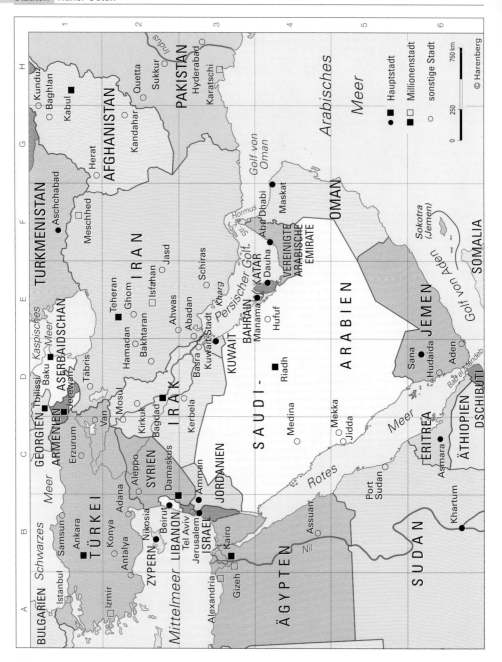

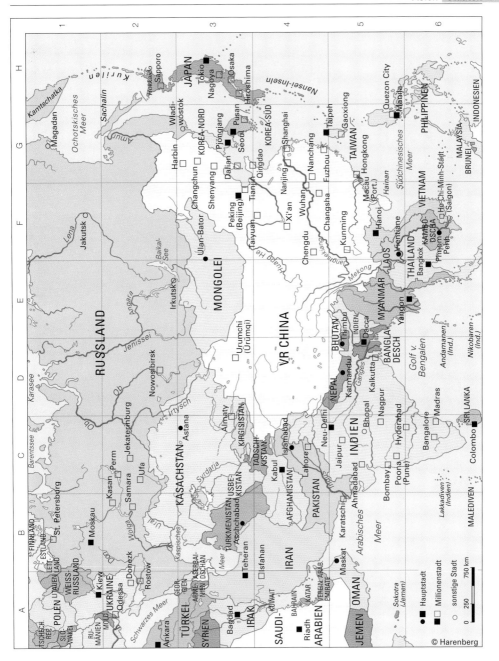

© Harenberg

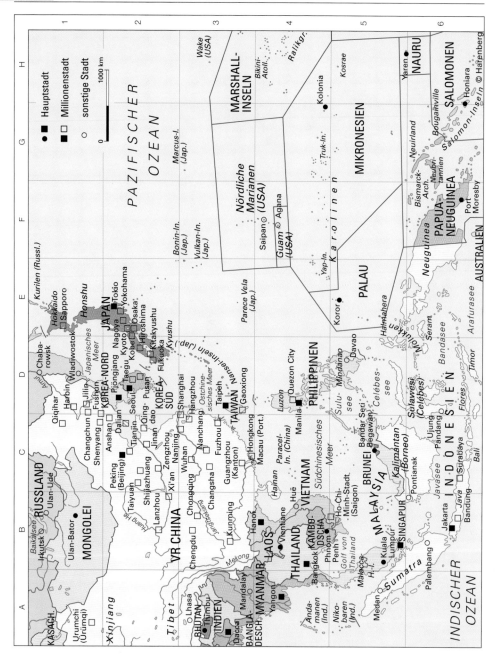

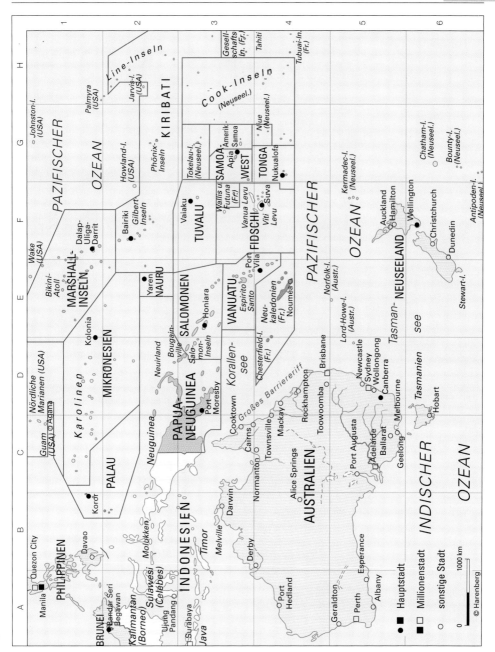

Afghanistan
Asien, Karte S. 535, C 4

Im März 1999 verkündeten die beiden Bürgerkriegsparteien in A. (Taliban-Miliz und Nordallianz), sich auf die Bildung einer gemeinsamen Regierung geeinigt zu haben. Doch schon im April erklärten die Taliban, die Friedensgespräche abzubrechen, weil die Opposition eine gemeinsame Befehlsgewalt für A. abgelehnt habe. Im Mai 1999 brachen nördlich der Hauptstadt Kabul wieder heftige Kämpfe zwischen den Bürgerkriegsparteien aus, bei denen mehrere hundert Menschen ums Leben kamen.

Innenpolitik: Die unter Vermittlung der Vereinten Nationen (UN) zustande gekommene Vereinbarung zwischen den Taliban und der Nordallianz sah die Schaffung einer gemeinsamen Regierung, Volksvertretung und Gerichtsbarkeit vor. In den Staatsorganen sollten alle afghanischen Volksgruppen vertreten sein. Diplomaten der UN vermuteten, dass die Taliban nur scheinbar zur Einigung bereit waren, um Zeit zu gewinnen und neue Kräfte für eine militärische Offensive gegen die Opposition zu sammeln. Im Oktober 1998 hatte die Nordalli-

anz nach schweren Kämpfen die Provinz Tachar erobert, die wegen der Nachschubwege in die benachbarten Staaten der GUS als strategisch wichtig gilt. Die Taliban kontrollierten Mitte 1999 etwa 80% des afghanischen Territoriums.

Außenpolitik: Im September 1998 versetzte Iran seine Streitkräfte in Alarmbereitschaft und zog im Grenzgebiet zu Afghanistan 270 000 Soldaten zusammen. Auslöser des Konflikts war die Ermordung von neun iranischen Diplomaten durch Taliban-Kämpfer in Masar-i-Scharif. Iran sieht sich als Schutzmacht der rund 4 Mio schiitischen Glaubensbrüder im Westen A., die sich von den sunnitischen Taliban bedroht fühlen. Zugleich fürchtete die iranische Regierung, dass die Taliban die sunnitische Minderheit in ihrem Land gegen das schiitische Regime aufwiegeln könnten.

Osama bin Laden: Die Taliban wiesen im März 1999 Osama bin Laden (Saudi-Arabien) aus A. aus. Er wird u. a. von den USA verdächtigt, die Botschaftsanschläge in Kenia und Tansania vom August 1998 organisiert zu haben, bei denen mehrere Hundert Menschen ums Leben kamen. Die Ausweisung bin Ladens wurde als Indiz gewertet, dass die Taliban mutmaßlichen Terroristen keinen Unterschlupf mehr gewähren wollten.

Russland: Im August 1998 erklärte die russische Regierung, dass sie sich das Recht vorbehalte, mit anderen Staaten der GUS Grenzsicherungsmaßnahmen gegenüber A. zu ergreifen. Aus russischer Sicht könnte sich A. nach einem endgültigen Sieg der Taliban zu einem Herd des internationalen Terrorismus entwickeln. Außerdem befürchtete die russische Administration bei einem Sieg der Taliban Benachteiligungen beim geplanten Bau von Öl- und Gaspipelines zur Ausbeutung der Vorkommen im Kaspischen Meer.

Wirtschaft: Der seit 1979 andauernde Krieg in A. hat die wirtschaftliche Infrastruktur des Landes vollständig zerstört. Über die ökonomischen Eckdaten (Wirtschaftswachstum, Inflation, Arbeitslosenquote etc.) gibt es keine gesicherten Informationen, weil die von den Taliban kontrollierten Behörden entsprechende Statistiken nicht führen und internationale Finanzinstitute wie die Weltbank in A. kriegsbedingt keine Studien anfertigen können. Darüber hinaus gab es 1998/99 in A. einen Mangel an Fachkräften, die von den

Afghanistan Islamisches Emirat			
Landesfläche	652 090 km² (WR 40)		
Einwohner	23,4 Mio (WR 40)		
Hauptstadt	Kabul (1,4 Mio Einwohner)		
Sprachen	Paschtu, Dari u. a.		
Währung	1 Afghani (AF) = 100 Puls (PL)		
Zeit	Mitteleuropäische Zeit +3,5 h		
Gliederung	31 Provinzen		
Politik			
Staatsform	Islamisches Emirat		
Regierungschef	M. Mohamed Rabbani (seit 1996), * 1940		
Staatspräsident	M. Mohamed Rabbani (seit 1996), * 1940		
Parlament	–		
Internet	http://www.afghan-government.com		
Bevölkerung			
Religion	Muslime (99%): Sunniten 84%, Schiiten 15%; Sonstige (1%)		
Ethn. Gruppen	Paschtunen (38%); Tadschiken (25%); Hazara (19%); Usbeken (6%); Sonstige (12%)		
Wirtschaft und Soziales			
Dienstleistung	15,9	Urbanisierung	20%
Industrie	35,6%	Einwohner/km²	36
Landwirtschaft	48,5%	Bev.-Wachstum/Jahr	2,8%
BSP/Kopf	k.A.	Kindersterblichkeit	15,2%
Inflation	k.A.	Alphabetisierung	31,5%
Arbeitslosigkeit	k.A.	Einwohner pro Arzt	6690

▣ Afghanistan: Islamische Miliz Taliban

▸ **Ziele:** Zu den Taliban gehören vor allem sunnitische Muslime und Paschtunen. Sie wollen eine auf den Grundsätzen des Koran, der heiligen Schrift des Islam, sich stützende Gesellschaft aufbauen. Die Taliban wenden die Scharia, das islamische Strafrecht, strikt an und schränken insbes. die Rechte von Frauen ein. Weil die nichtstaatlichen Organisationen bei ihrer humanitären Hilfe keinen Unterschied zwischen Männern und Frauen machten, wurden ausländische Helfer 1998 des Landes verwiesen.

▸ **Politik:** Die Taliban-Regierung befahl 1998 allen Bürgern in A., sich von Fernsehern, Videorekordern und Satellitenempfängern zu trennen, weil sie die Moral verletzten und Geisteskrankheiten hervorriefen. Bereits 1996 wurden die Mädchenschulen geschlossen. Frauen ist es mit Ausnahme medizinischer Fachkräfte untersagt zu arbeiten. Sie müssen in der Öffentlichkeit einen Ganzkörperschleier tragen. Der Genuss von Alkohol ist streng verboten.

▸ **Hintergrund:** Die Taliban, die sich unter den afghanischen Flüchtlingen in Pakistan insbes. unter Koranschülern formiert hatten, traten 1994 als militärisch-politische Kraft hervor. Ihre herrschende Stellung erklärt sich aus der großen Zerstrittenheit der Mudschaheddin, die von 1979 bis 1989 gegen die sowjetische Besatzung kämpften und nach dem Sturz des kommunistischen Regimes 1992 nicht in der Lage waren, ein stabiles Staatssystem in A. zu errichten.

Taliban aus dem Land vertrieben wurden. Etwa die Hälfte der ca. 1,4 Mio Einwohner in Kabul war auf Lebensmittel- und Medikamentenlieferungen internationaler Hilfsorganisationen angewiesen. Die EU fror 1998 geplante Zuschüsse in Höhe von 7,2 Mio DM ein, die für humanitäre Hilfsprojekte wegen der Diskriminierung von Frauen unter der Herrschaft der Taliban geplant waren. Einziger funktionierender »Wirtschaftszweig« war 1998/99 der Rauschgifthandel. Nach Schätzungen der UN stammten 1998 rund 80% des auf der Welt gehandelten Heroins aus afghanischem Opium.

Kriegsbilanz: Seit 1979 wurden in A. rund 2 Mio Menschen getötet. 3–4 Mio Kinder starben an Unterernährung. Etwa 80% der Bevölkerung verloren ihre Häuser. 5 Mio Menschen waren auf der Flucht, rund 1,5 Mio Flüchtlinge lebten 1998 noch in Pakistan oder im Iran. Der Wiederaufbau der Wirtschaft wurde 1998 nicht nur durch die anhaltenden Kriegshandlungen, sondern auch durch die etwa 10 Mio vergrabenen Landminen erschwert, die insbes. die Bestellung der Felder verhindern. Über 1 Mio Menschen wurden bis Mitte 1999 bei Minenexplosionen getötet oder verstümmelt.

Ägypten
Naher Osten, Karte S. 534, B 3

Vor dem Militärgericht auf dem Stützpunkt Heikstep nördlich von Kairo begann im Februar 1999 der größte Massenprozess gegen radikale Muslime in der Geschichte Ä. **Innenpolitik:** 107 Extremisten, 60 von ihnen in Abwesenheit, wurde vorgeworfen, die Gruppe Dschihad (Heiliger Krieg) wiederbelebt zu haben, die 1981 den ägyptischen Präsidenten Muhammad Anwar as-Sadat ermordete. Weiter wurde den islamischen Fundamentalisten Planung terroristischer Anschläge und unerlaubter Waffenbesitz vorgeworfen. Menschenrechtsgruppen kritisierten den Massenprozess, weil er keine Einspruchsmöglichkeiten zuließ. 1992–98 wurden ca. 100 Personen in ähnlichen Prozessen gegen islamische Extremisten zum Tode verurteilt. Mehr als 60 von ihnen wurden gehängt, die anderen waren 1999 auf der Flucht.
Freilassung: Im April 1999 ließ die ägyptische Regierung rund 1000 inhaftierte Mitglieder der islamistischen Organisation

Ägypten Arabische Republik			
Landesfläche	1,0 Mio km² (WR 29)		
Einwohner	65,7 Mio (WR 16)		
Hauptstadt	Kairo (16 Mio Einwohner)		
Sprachen	Arabisch, Englisch		
Währung	1 Ägypt. Pfund £ = 100 Piaster		
Zeit	Mitteleuropäische Zeit +1 h		
Gliederung	26 Gouvernate		
Politik			
Staatsform	Präsidiale Republik		
Regierungschef	Kamal el Gansuri (seit 1996), * 1933		
Staatspräsident	Mohamed Hosni Mubarak (seit 1981), * 1928		
Parlament	Nationalversammlung mit 454 Abgeordneten: 415 Sitze für Nationaldemokratische Partei, 6 für Neue Wafd-Partei, 23 für andere (Wahl von 1995); Schura als beratendes Organ (210 Sitze)		
Internet	http://www.sis.gov.eg. http://www.assembly.gov.eg.		
Bevölkerung			
Religion	Sunnitische Muslime (90%); Christen (10%)		
Ethn. Gruppen	Arabisierte Hamiten (99%); Sonstige (1%)		
Wirtschaft und Soziales			
Dienstleistung	51,8%	Urbanisierung	45%
Industrie	31,7%	Einwohner/km²	66
Landwirtschaft	16,5%	Bev.-Wachstum/Jahr	2,0%
BSP/Kopf	1200 $ (1997)	Kindersterblichkeit	5,1%
Inflation	4,3% (1998)	Alphabetisierung	50,5%
Arbeitslosigkeit	11,3% (1998)	Einwohner pro Arzt	1340

539

Jamaa al-islamiya frei. Sie hatte 1997 die Verantwortung für den Anschlag auf ausländische Touristen im Hatschepsut-Tempel in Luxor übernommen, bei dem 68 Menschen starben. Die Freilassung gilt als Reaktion der ägyptischen Regierung auf die Ankündigung der Jamaa al-islamiya, alle bewaffneten Operationen einzustellen.

Kandidatenkür: Im Juni 1999 ernannte das ägyptische Parlament mit 443 Stimmen bei 11 Enthaltungen und ohne Gegenstimme Präsident Hosni Mubarak zum einzigen Kandidaten bei den Präsidentenwahlen im Herbst 1999. Mubarak soll vom Volk in einem Plebiszit für eine vierte Amtszeit von sechs Jahren gewählt werden. Bei den drei vorangegangenen Plebisziten hatte Mubarak jeweils über 95% der Stimmen erhalten.

Vergewaltigungsgesetz: Das ägyptische Parlament beschloss im April 1999 die Abschaffung des § 291 des 1904 verfassten Strafgesetzes, nach dem ein Vergewaltiger straffrei bleibt, wenn er sein Opfer nach der Tat heiratet. Bislang nutzten insbes. konservative ägyptische Familien diesen Passus, weil sie es als Schande betrachteten, eine unverheiratete entjungferte Tochter zu haben. Nach Schätzungen wurden 1998 in Ä. 10 000 Frauen vergewaltigt, von denen nur 200 (2%) die Straftat anzeigten.

Außenpolitik: Die ägyptische Regierung distanzierte sich im Januar 1999 von dem irakischen Präsidenten Saddam Hussein und forderte eine neue Führung für den arabischen Bruderstaat Irak. Der ägyptische Staatschef Hosni Mubarak bemühte sich Anfang 1999, den syrischen Präsidenten Hafis el-Assad in eine arabische Allianz gegen Saddam Hussein einzubinden, der auch Katar, Kuwait, Oman, Saudi-Arabien und die Vereinigten Arabischen Emirate angehören. Die ägyptische Regierung sieht in Hussein einen Tyrannen, der durch seine aggressive Außenpolitik (u. a. 1990 Überfall auf Kuwait) den gesamten Nahen Osten destabilisieren könnte.

Wirtschaft: Ä. schloss 1998 sein Strukturreformprogramm ab, das die Regierung Mubarak 1990 mit dem Internationalen Währungsfonds (IWF) vereinbart hatte. Ä. wurden Auslandsschulden in Höhe von 15 Mrd US-Dollar erlassen; im Gegenzug musste er tief greifende Wirtschaftsreformen des IWF umsetzen. Zu den Auflagen gehörten:

– Privatisierung der hoch verschuldeten Staatsbetriebe,
– sukzessive Streichung der Subventionen für Lebensmittel, Energie und staatliche Dienstleistungen,
– Erhöhung der Steuern und Vereinfachung der Gesetzgebung für Investitionen.

Reformerfolge: Ergebnis des Reformprogramms war ein stetes Wirtschaftswachstum, das 1998 mit 5,7% etwa dreimal so hoch war wie die Durchschnittsrate der Industrieländer. Das Defizit in der Leistungsbilanz sank von 18% (1990) auf 1% (1998). Die Inflationsrate verringerte sich zwischen 1990 und 1998 von 40% auf 4,3%. Die Arbeitslosenquote ging von 20% (1990) auf 11,3% (1998) zurück.

Hoher Personalbestand: Der IWF kritisierte Ä. wegen des mangelnden Erfolgs bei der Reduzierung des hohen Personalbestandes im öffentlichen Sektor und bei der Bekämpfung von Korruption und den zahlreichen Manipulationen im Rahmen der Privatisierung von Staatsbetrieben.

Einnahmeverluste: Die Einnahmen Ä. aus dem Export sanken 1998 im Vergleich zum Vorjahr um rund 20%. Ein wichtiger Grund war der um bis zu 30% gefallene Erdölpreis, durch den Ä. bei seinen Rohölexporten ca. 2,6 Mrd Dollar etwa 1 Mrd Dollar (27%) weniger einnahm als 1997. Die Zahl der Touristen ging als Folge der terroristischen Anschläge gegenüber 1997 um über 60% zurück.

Umwelt: Die Weltbank schätzte 1999, dass Ä. im Jahr 2025 nur über 645 m^3 erneuerbare Wasserreserven pro Jahr und Kopf der Bevölkerung verfügen wird. Um eine weitere Desertifikation (Wüstenbildung) im Land zu vermeiden, will Ä. Lebensraum in der Wüste kultivieren und dort bis 2020 ca. 10 Mio Menschen ansiedeln. In Toschka 50 km nordwestlich von Abu Simbel am Oberlauf des Nils wurde 1999 für 500 Mio US-Dollar eine Wasserpumpstation gebaut. Sie soll das Nilwasser, das der Assuan-Damm rund 500 km bis zur Grenze nach Sudan zurückstaut, täglich 25 Mio m^3 Wasser in einen etwa 50 m höher gelegenen Kanal pumpen. Von dort fließt das Wasser ins 50 km entfernte Projektgebiet. Durch Tröpfchenbewässerung sollen ungefähr 200 000 ha Wüste kultiviert werden können. Der sandige Boden in dieser Region gilt als besonders fruchtbar.

Albanien

Europa, Karte S. 529, E 7

Der Kosovo-Konflikt und die dadurch ausgelöste Flüchtlingswelle bestimmten 1999 die politische und wirtschaftliche Lage von A. Innenpolitische Machtkämpfe traten ab März 1999 in den Hintergrund.

Innenpolitik: Seit Beginn der Vertreibung von Kosovo-Albanern durch das serbische Militär flohen bis Mitte 1999 mehr als 350000 Menschen nach A. Dort wurden sie in zahlreichen, vor allem im Norden gelegenen Flüchtlingslagern untergebracht. Die Vertriebenen stießen in A. auf große Hilfsbereitschaft, obwohl A. als wirtschaftlich bankrott gilt und viele Einwohner am Rande des Existenzminimums leben. Im Mai 1999 erklärte die albanische Regierung, keine weiteren Flüchtlinge mehr aufnehmen zu können. Zwei Wochen zuvor hatte das UN-Flüchtlingshilfswerk UNHCR (United Nations High Commissioner for Refugees) einen »humanitären Korridor« zwischen Mazedonien und A. geschaffen, um die überfüllten Flüchtlingslager in Mazedonien zu entlasten. Im September 1998 wurde der 31-jährige Pandeli Majko von der regierenden Sozialistischen Partei (SP) zum neuen Ministerpräsidenten gewählt. Vorangegangen waren die schwersten Unruhen seit den bürgerkriegsähnlichen Kämpfen im Frühjahr 1997. Nach dem Mord an einem Politiker der oppositionellen Demokratischen Partei (DP) rief ihr Chef, der national-konservative frühere Premier Sali Berisha, seine Anhänger zu Demonstrationen gegen die Regierung auf. Durch massiven Gewalteinsatz stellten Polizei und Armee die Ruhe wieder her. Der als schwach geltende Ministerpräsident Fatos Nanos (SP) wurde von seiner eigenen Partei zum Rücktritt gedrängt. Eine erste Machtprobe mit der Opposition bestand Majko im November 1998, als in einem Referendum die neue Verfassung mit über 90% der Stimmen bei einer Wahlbeteiligung von 55% angenommen wurde. Die oppositionelle DP hatte zum Boykott aufgerufen, um die Wahlbeteiligung unter die erforderlichen 50% zu drücken und Neuwahlen zu erzwingen. In der neuen Verfassung sind Gewaltenteilung und Grundrechte festgeschrieben. Nach Aufhebung der kommunistischen Verfassung 1990 hatte es in A. lediglich Übergangsbestimmungen gegeben.

Albanien	Republik Albanien
Landesfläche	28748 km² (WR 140)
Einwohner	3,4 Mio (WR 126)
Hauptstadt	Tirana (245 000 Einwohner)
Sprachen	Albanisch (Toskisch)
Währung	1 Lek = 100 Quindarka
Zeit	Mitteleuropäische Zeit
Gliederung	35 Bezirke, Hauptstadtdistrikt
Politik	
Staatsform	Parlamentarische Republik
Regierungschef	Pandeli Majko (seit 1998), *17.11.1967
Staatspräsident	Rexhep Mejdani (seit 1997), *17.8.1944
Parlament	Volksversammlung (155 Sitze), für vier Jahre gewählte Abgeordnete; 100 Sitze für Sozialisten (SP), 28 für Demokratische Partei (DP), 27 für Andere (Wahl vom Juni/Juli 1997)
Internet	http://www.albanian.com http://presidenca.gov.al
Bevölkerung	
Religion	Muslime (65%); Christen (33%): Orthodoxe 20%, Katholiken 13%; Sonstige (2%)
Nationalitäten	Albaner (98%); Griechen (1,8%); Mazedonier (0,1%); Sonstige (0,1%)
Wirtschaft und Soziales			

Dienstleistung	19,1%	**Urbanisierung**	47%
Industrie	24,4%	**Einwohner/km²**	118
Landwirtschaft	55,5%	**Bev.-Wachstum/Jahr**	0%
BSP/Kopf	760 $ (1997)	**Kindersterblichkeit**	3,0%
Inflation	8,7% (1997)	**Alphabetisierung**	72%
Arbeitslosigkeit	14% (1997)	**Einwohner pro Arzt**	735

Außenpolitik: Nach Ausbruch des Kosovo-Krieges bemühte sich A. um eine stärkere Anlehnung an den Westen. Bereits im September 1998 gab es in A. NATO-Manöver, an denen auch russische Soldaten teilnahmen. Unklar blieb 1998/99 das Verhältnis der Regierung zu der im Kosovo operierenden »Kosovo-Befreiungsarmee« (UCK). Sie unterstützte zwar die UCK politisch und militärisch, distanzierte sich aber von Äußerungen einiger UCK-Führer, die ein Groß-Albanien unter Einschluss mazedonischer und montenegrinischer Gebiete forderten.

Wirtschaft: Die Belastungen infolge des Kosovo-Konfliktes verhinderten 1999 jede wirtschaftliche Erholung. A. war auf ausländische Hilfe angewiesen. So gewährte die Weltbank im April 1999 einen Kredit von 30 Mio Dollar. Die Wirtschaft blieb auf den Finanztransfer von im Ausland lebenden Albanern angewiesen. Wegen der unsicheren Lage gab es kaum ausländische Direktinvestitionen, die für eine Modernisierung der Wirtschaft benötigt wurden. Negativ wirkte sich die zunehmende Kapitalflucht aus, die A. weitere Investitionsmittel entzog.

541

Algerien

Landesfläche	2,38 Mio km² (WR 11)
Einwohner	30,2 Mio (WR 34)
Hauptstadt	Algier (3,1 Mio Einwohner)
Sprachen	Arabisch, Französisch
Währung	1 Alg. Dinar (DA) = 100 Centimes
Zeit	Mitteleuropäische Zeit
Gliederung	48 Bezirke
Politik	
Staatsform	Präsidiale Republik
Regierungschef	Ismail Hamdani (seit 1998)
Staatspräsident	Abdul Aziz Bouteflika (seit 1999) *2.3.1937
Parlament	Nationalversammlung mit 380 Abgeordneten; 156 Sitze für Nationaldemokratische Sammlungsbewegung (RND), 69 für Bewegung für eine friedliche Gesellschaft (MSP), 62 für Nationale Befreiungsfront (FLN), 93 für Andere (Wahl vom Juni 1997)
Internet	http://www.algeria-un.org http://www.ons.dz
Bevölkerung	
Religion	Sunnitische Muslime (99,5%); Katholiken (0,1%); Sonstige (0,4%)
Ethn. Gruppen	Araber (82,6%); Berber (17%); Sonstige (0,4%)
Wirtschaft und Soziales	

Dienstleistung	44%	Urbanisierung	52%
Industrie	45,1%	Einwohner/km²	13
Landwirtschaft	10,9%	Bev.-Wachstum/Jahr	2,3%
BSP/Kopf	1500 $ (1997)	Kindersterblichkeit	4,4%
Inflation	ca. 7% (1998)	Alphabetisierung	59,4%
Arbeitslosigkeit	ca. 30% (1998)	Einwohner pro Arzt	1064

Algerien

Afrika, Karte S. 533, C 1

Terroranschläge islamistischer Fundamentalisten ließen A., das seit April 1999 mit Abdul Aziz Bouteflika wieder einen zivilen Präsidenten hat, nicht zur Ruhe kommen. Im Juni 1999 kündigte Madani Mezrag, der Chef der algerischen Untergrundarmee Armée Islamique du Salut (frz.; islamische Heilsarmee – AIS), den bewaffneten Kampf in A. aufzugeben. Die Gewaltverzichtserklärung der AIS, des militärischen Arms der verbotenen Islamischen Heilsfront FIS, nährte die Hoffnungen auf eine Befriedung des Landes.

Innenpolitik: Am 15. April 1999 wurde Bouteflika (62) zum neuen Staatsoberhaupt von A. gewählt. Seit Beginn der Militärherrschaft im Januar 1992 steht erstmals wieder ein Zivilist an der Spitze des Staates. Bouteflika, der in den 80er Jahren Außenminister war, wurde vom Militär unterstützt und ist ein Vertrauter seines Amtsvorgängers Liamine Zeroual.

Wahlergebnis: Nach offiziellen Angaben entfielen auf Bouteflika als einzigen verbliebenen Kandidaten 74% der abgegebenen Stimmen. Die Wahlbeteiligung lag bei 60%, rund 15% niedriger als bei den Präsidentschaftswahlen vom November 1995. Die Opposition, darunter radikale Islamisten, sprach von Wahlfälschungen. Die Wahlbeteiligung habe tatsächlich lediglich bei 25% gelegen.

Wahlkampf und künftige Aufgaben: Einen Tag vor dem Urnengang hatte der Wahlkampf durch den Rückzug aller sechs Mitbewerber von Bouteflika eine dramatische Wende genommen. Die Gegenkandidaten, darunter radikale Islamisten wie Ahmed Taleb Ibrahimi und demokratische Reformer wie der frühere Ministerpräsident Mouloud Hamrouche, warfen den regierenden Militärs massive Manipulationen zugunsten Bouteflikas vor. Bouteflika wird von Zerouals Nationaldemokratischer Sammlungsbewegung (RND), der früherern Einheitspartei FLN, den Gewerkschaften und den gemäßigten Islamisten unterstützt. Die Neuwahlen waren nötig geworden, nachdem der bisherige Präsident Zeroual, ein ehemaliger General, im September 1998 überraschend seinen vorzeitigen Rücktritt angekündigt hatte. Hintergrund waren Streitigkeiten mit der Armeeführung über das Vorgehen gegen die radikal-islamischen Terroristen. Der neugewählte Präsident steht vor drei zentralen Aufgaben: Beendigung des Bürgerkriegs, Bekämpfung des islamistischen Terrors und Überwindung der anhaltenden Wirtschaftskrise.

Terror: Mit zahlreichen Anschlägen setzte die radikal-islamische GIA (Bewaffnete Islamische Gruppe) ihren Terror gegen die Zivilbevölkerung fort, wenngleich die Zahl der Anschläge gegenüber dem Vorjahr etwas zurückging. Höhepunkt des Terrors war erneut der Fastenmonat Ramadan. So wurden am 10.12.1998 in einem Dorf 200 km westlich der Hauptstadt Algier 52 Menschen, darunter viele Kinder, getötet. Einem weiteren Massaker fielen am 1.2.1999 in der Provinz Chlef, 160 km westlich von Algier, 34 Dorfbewohner zum Opfer. Für die Überfälle machte die Regierung radikal-islamische Terroristen verantwortlich. Im Juli hatten Regierungstruppen während einer Großoffensive östlich der Hauptstadt, bei der auch die Luftwaffe eingesetzt worden war, rund 100 Islamisten getötet. Seit Beginn des Bürgerkriegs Anfang 1992 sind in A. über 75 000 Menschen ums Leben gekommen. Im Oktober 1998 riefen erstmals 30 islamische Füher aus aller Welt die Islamisten in A. zur Niederlegung der Waffen auf.

Sprachengesetz: Am 5. Juli 1998 trat in A. ein Gesetz in Kraft, das Arabisch zur alleinigen offiziellen Sprache erklärte. Dies gilt als Zugeständnis an die gemäßigten Islamisten. Das Gesetz stößt vor allem bei den Tamazigh sprechenden Berbern (rund 17% der Bevölkerung) auf Widerstand. Neben Arabisch und Tamazigh wird vor allem in den oberen Gesellschaftsschichten und im Bildungsbereich Französisch gesprochen. Für die Umsetzung des Sprachengesetzes ist eine Übergangszeit bis Mitte 2000 vorgesehen.

Wirtschaft: Aufgrund stark gefallener Ölpreise musste A. 1998 hohe Einnahmeverluste hinnehmen. A. erzielt über 90% seiner Exporterlöse mit Öl und Erdgas. Der neue Präsident Bouteflika drängte auf beschleunigten Übergang zur Marktwirtschaft. Vor allem die Privatisierung oder Schließung großer Staatsbetriebe führte zu einem wei-

Algerien: Leistungsbilanz (Saldo)[1]	
1997[2]	+3,46
1996	+1,24
1995	−2,23
1994	−1,83

1) in Mrd US-Dollar; 2) letztverfügbarer Stand; Quelle: bfai

teren Anstieg der Arbeitslosigkeit auf über 30%. Für 1999 ist die Entlassung von insgesamt 100 000 Angestellten aus dem öffentlichen Dienst geplant.

Wirtschaftliche Tendenzen: Ein positiver Aspekt war die leicht gesunkene Inflation (rund 7%). Die rückständige Industrie (außer Erdöl- und Gassektor) verzeichnete Produktionsminderungen bis zu 5,5%, die Landwirtschaft in einigen Regionen bis zu 30%. Ministerpräsident Ismail Hamdani, der seit dem Rücktritt von Ahmde Ouyahia im Dezember 1998 im Amt ist, setzte 1999 auf eine rigorose Sparpolitik zur Erfüllung von Auflagen, die der Internationale Währungsfonds (IWF) A. vor der Gewährung von weiteren Krediten gemacht hat.

Andorra

Europa, Karte S. 529, B 6

A. liegt in den östlichen Pyrenäen zwischen Frankreich und Spanien, etwa 110 km vom Mittelmeer entfernt. Im Jahr 1278 wurde die Souveränität von A. in Form eines sog. Kondominiums (lat.: gemeinsame Gebietsbeherrschung) festgeschrieben: Das französische Oberhaupt und der Bischof des spanischen Urgel teilten sich die Herrschaft. 1993 stimmten 74,2% der Andorraner für die Umgestaltung des Staates in ein souveränes parlamentarisches Fürstentum. Frankreich und der Bischof von Urgel waren bereit, einen Teil ihrer Hoheitsrechte abzugeben.

Der Wohlstand von A. (BSP/Kopf: 17 500 US-Dollar) beruht auf dem Verkauf von steuerfreien Waren (Spirituosen, Tabakerzeugnisse, Schmuck, Parfüm, elektronische Geräte) an überwiegend ausländische Kurzbesucher. Der Dienstleistungssektor trägt zu 80% zum BIP bei. A. hat keine eigene Währung, als Zahlungsmittel gelten der französische Franc und die spanische Peseta.

Andorra Fürstentum Andorra			
Landesfläche	453 km² (WR 178)		
Einwohner	76 000 (WR 181)		
Hauptstadt	Andorra la Vella (20 000 Einw.)		
Sprachen	Katalanisch, Span., Franz.		
Währung	Franz. Francs, span. Peseten		
Zeit	Mitteleuropäische Zeit		
Gliederung	7 Gemeindebezirke		
Politik			
Staatsform	Parlamentarisches Fürstentum (seit 1993)		
Regierungschef	Marc Forné Molne (seit 1994) *1946		
Staatspräsident	Bischof v. Urgel/Spanien, franz. Staatspräsident		
Parlament	Generalrat mit 28 für vier Jahre gewählten Abgeordneten; 18 Sitze für Liberale, 6 für Nationaldemokraten, 4 für Sonstige (Wahl vom Februar 1997)		
Internet	http://www.andorra.ad		
Bevölkerung			
Religion	Katholiken (94,2%); Juden (0,4%); Sonstige (5,4%)		
Nationalitäten	Spanier (46,4%); Andorraner (28,3%); Portugiesen (11,1%); Franzosen (7,6%); Sonstige (6,6%)		
Wirtschaft und Soziales			
Dienstleistung	80%	Urbanisierung	63%
Industrie	17%	Einwohner/km²	168
Landwirtschaft	3%	Bev.-Wachstum/Jahr	4,2%
BSP/Kopf	17 500 $ (1997)	Kindersterblichkeit	k.A.
Inflation	k. A.	Alphabetisierung	100%
Arbeitslosigkeit	k. A.	Einwohner pro Arzt	502

543

Angola Republik Angola

Landesfläche	1,25 Mio km² (WR 22)
Einwohner	11,97 Mio (WR 63)
Hauptstadt	Luanda (2,1 Mio Einwohner)
Sprachen	Portugiesisch, Bantusprachen
Währung	1 Neuer Kwanza (NKz) = 100 Lwei
Zeit	Mitteleuropäische Zeit
Gliederung	18 Provinzen
Politik	
Staatsform	Präsidiale Republik (seit 1992)
Regierungschef	Fernando Franca van Dunem (seit 1996) *1952
Staatspräsident	José Eduardo dos Santos (seit 1979) *1942
Parlament	Volksversammlung mit 223 Abgeordneten; 129 Sitze für Volksbewegung zur Befreiung Angolas, 70 für Nationalunion für die völlige Unabhängigkeit Angolas, 24 für Andere (Wahl von 1992)
Internet	http://www.angola.org
Bevölkerung	
Religion	Katholiken (70%); Protestanten (20%); Sonstige (10,0%)
Ethn. Gruppen	Ovimbundu (37,3%); Mbundu (21,6%); Kongo (13,2%); Luimbe-Nganguela (5,4%); Sonstige (22,6%)

Wirtschaft und Soziales			
Dienstleistung	32%	Urbanisierung	32%
Industrie	56%	Einwohner/km²	10
Landwirtschaft	12%	Bev.-Wachstum/Jahr	3,1%
BSP/Kopf	260 $ (1997)	Kindersterblichkeit	12,5%
Inflation	k.A.	Alphabetisierung	37%
Arbeitslosigkeit	k.A.	Einwohner pro Arzt	25 000

Angola
Afrika, Karte S. 533, C 5

Der im August 1998 wieder aufgeflammte Bürgerkrieg zwischen der linksgerichteten Regierung von Präsident José Eduardo dos Santos und rechten Unita-Rebellen erfasste Anfang 1999 den gesamten Norden von A. Zur Jahreswende 1998/99 wurden zwei UNO-Transportflugzeuge vermutlich von Unita-Kämpfern abgeschossen. Die UNO verfügte den Abzug der letzten 1000 UNO-Beobachter aus A. bis 20.3.1999. Im Januar 1999 hatte UNO-Generalsekretär Kofi Anan den 1994 eingeleiteten Friedensprozess für gescheitert erklärt.
Ab Januar 1999 konzentrierte die Unita (Nationalunion für die völlige Unabhängigkeit Angolas) unter ihrem Anführer Jonas Savimbi ihre Kampfhandlungen auf die öl- und diamantenreichen Gebiete im Norden von A., um die Regierung von den wichtigsten Exportgütern des Landes abzuschneiden. Seit Intensivierung der Kämpfe im Dezember 1998 wurden 600 000 Angolaner aus ihren Häusern vertrieben, 100 000 flohen in die benachbarten Staaten.

Antigua und Barbuda

Landesfläche	442 km² (WR 179)
Einwohner	67 000 (WR 183)
Hauptstadt	St. John's (36 000 Einwohner)
Sprachen	Englisch, kreolisches Englisch
Währung	1 Ostkaribischer Dollar (EC$) = 100 Cents
Zeit	Mitteleuropäische Zeit –5 h
Politik	
Staatsform	Parlamentarische Monarchie (seit 1981)
Regierungschef	Lester Bryant Bird (seit 1994) *21.2.1938
Staatspräsident	Königin Elizabeth II. (seit 1981) *21.4.1926
Parlament	Senat mit 17 ernannten und Repräsentantenhaus mit 17 gewählten Abgeordneten; 12 Sitze für Antigua Labour Party, 4 für Progressive Party, 1 für Barbuda People's Movement (Wahl von 1999)
Internet	http://www.polisci.com/world/nation/AC.htm
Bevölkerung	
Religion	Protestanten (73,7%); Katholiken (10,8 %); Sonstige (15,5%)
Ethn. Gruppen	Schwarze (91,3%); Mischlinge (3,7%); Sonstige (5%)

Wirtschaft und Soziales			
Dienstleistung	81,0%	Urbanisierung	31%
Industrie	13,2%	Einwohner/km²	152
Landwirtschaft	5,8%	Bev.-Wachstum/Jahr	0,4%
BSP/Kopf	7380 $ (1997)	Kindersterblichkeit	k.A.
Inflation	2,5% (1996)	Alphabetisierung	96%
Arbeitslosigkeit	12,2 (1994)	Einwohner pro Arzt	1333

Antigua u. Barbuda
Mittelamerika, Karte S. 532, G 3

Seit Mitte der 90er Jahre verstärkten sich die Unabhängigkeitsbestrebungen von Barbuda. Die Bewohner der Insel fühlen sich von der Zentralregierung auf Antigua politisch und ökonomisch benachteiligt.
Außenpolitisch war das seit 1981 unabhängige A. insbes. um die Festigung der engen Beziehungen zur früheren Kolonialmacht Großbritannien und den USA bemüht.
In der Wirtschaft galt das Hauptaugenmerk dem weiteren Ausbau der Tourismusbranche, die sich seit den 80er Jahren zur wichtigsten Einnahmequelle entwickelte. Der Anteil des Fremdenverkehrs am BIP beträgt rund 85% und sichert den Antilleninseln mit einem jährlichen BSP von rund 7000 Dollar pro Kopf einen relativen Wohlstand. Begünstigt durch einen starken US-Dollar kamen 1998 rund 520 000 Touristen nach A., die meisten aus den USA und Großbritannien. Die ökonomische Bedeutung der Landwirtschaft hingegen ist seit den 50er Jahren kontinuierlich gesunken (BIP-Anteil: 5,8%).

Äquatorialguinea

Afrika, Karte S. 533, C 4

Der autoritäre Herrscher Teodoro Nguema Mbasogo Obiang weigerte sich 1998/99, trotz gegenteiliger Versprechungen den Demokratisierungsprozess in Ä. voranzutreiben. Oppositionspolitiker wurden unterdrückt und teilweise willkürlich verhaftet. Die Presse unterlag der staatlichen Kontrolle. Die Präsidentschaftswahlen von 1996, die Mbasogo mit offiziell 98% der Stimmen gewonnen hatte, waren nach Erkenntnissen ausländischer Beobachter manipuliert. Die Menschenrechtsorganisation Amnesty International (AI) berichtete 1998 von zahlreichen Menschenrechtsverletzungen.

Die Erschließung größerer Ölvorkommen verbesserte ab Mitte der 90er Jahre die wirtschaftliche Lage von Ä., das trotz günstigen Klimas und fruchtbarer Böden zu den ärmsten Staaten Afrikas gehört. Dem hochverschuldeten Land fehlte Kapital zum Ausbau der unterentwickelten Infrastruktur. Die Ölgesellschaften in Ä. befinden sich meist in US-amerikanischem Besitz, sodass Ä. nur teilweise von den Gewinnen profitiert.

Äquatorialguinea Republik Äquatorialguinea

Landesfläche	28 051 km² (WR 141)
Einwohner	430 000 (WR 160)
Hauptstadt	Malabo (40 000 Einwohner)
Sprachen	Spanisch, Bantu, Pidgin-Englisch, Kreolisches Portugiesisch
Währung	CFA-Franc
Zeit	Mitteleuropäische Zeit
Gliederung	7 Provinzen
Politik	
Staatsform	Präsidiale Republik (seit 1982)
Regierungschef	Serafin Seriche Dugan (seit 1996)
Staatspräsident	Teodoro Nguema Mbasogo Obiang (seit 1979) *1942
Parlament	Nationalversammlung mit 80 für fünf Jahre gewählten Abgeordneten; 75 Sitze für Demokratische Partei von Äquatorial-Guinea (PDGE), 5 für Andere (Wahl 1999)
Bevölkerung	
Religion	Christen (88,8%); Volksreligionen (4,6%); Muslime (0,5%); Sonstige (0,2%); Konfessionslose (5,9%)
Ethn. Gruppen	Fang (82,9%); Bubi (9,6%); Ndowe (3,8%); Annabonés (1,5%); Bujeba (1,4%), Sonstige (0,8%)
Wirtschaft und Soziales			
Dienstleistung	35,5%	Urbanisierung	42%
Industrie	14,3%	Einwohner/km²	15
Landwirtschaft	50,2%	Bev.-Wachstum/Jahr	2,6%
BSP/Kopf	1060 $ (1997)	Kindersterblichkeit	10,8%
Inflation	6% (1996)	Alphabetisierung	77,8%
Arbeitslosigkeit	k. A.	Einwohner pro Arzt	3622

Argentinien

Südamerika, Karte S. 531, D 6

Der argentinische Präsident Carlos Saúl Menem plante für die Wahlen im Oktober 1999 die erneute Kandidatur, obwohl die Verfassung eine dritte Amtszeit nicht erlaubt. **Innenpolitik:** Menem griff im März 1999 einen Vorschlag der Opposition auf, das Volk in einem Referendum entscheiden zu lassen, ob der Präsident entgegen der Verfassung zum dritten Mal gewählt werden darf. Anfang 1999 hatte Menem versucht, seine Kandidatur durch eine Verfassungsänderung durchzusetzen. Ein entsprechendes Verfahren beim Obersten Gericht konnte aber bis zu den Wahlen im Oktober nicht abgeschlossen werden. Menem verfügte 1998/99 in der argentinischen Bevölkerung über einen starken Rückhalt, weil er seit seinem Amtsantritt (1989) A. zu wirtschaftlicher Stabilität verhalf, insbes. durch Überwindung der Hyperinflation (1990: 1300%, 1998: 0,8%).

Anklage: Im Januar 1999 wurden ehemalige Diktatoren und Militärangehörige im Ruhe-

Argentinien

Landesfläche	2,78 Mio km² (WR 8)
Einwohner	36,1 Mio (WR 31)
Hauptstadt	Buenos Aires (12,58 Mio Einw.)
Sprache	Spanisch
Währung	1 Peso (P) = 100 Centavos
Zeit	Mitteleuropäische Zeit –4 h
Gliederung	22 Provinzen
Politik	
Staatsform	Bundesrepublik seit 1853
Regierungschef	Carlos Saúl Menem (seit 1989) *2.7.1935
Staatspräsident	Carlos Saúl Menem (seit 1989) *2.7.1935
Parlament	Abgeordnetenhaus mit 257 Abgeordneten und Senat mit 72 Senatoren; im Abgeordnetenhaus 119 Sitze für peronistische Gerechtigkeitspartei, 107 für Bürgerlich-Radikale Union (UCR) und verbündete Parteien, 31 für Andere (Wahl 1995/Oktober 1997)
Bevölkerung	
Religion	Katholiken (90%); Protestanten (2%); Sonstige (8%)
Ethn. Gruppen	Weiße (90%); Mestizen (5%); Indios (0,1%); Sonstige (4,9%)
Wirtschaft und Soziales			
Dienstleistung	63%	Urbanisierung	88%
Industrie	31%	Einwohner/km²	13
Landwirtschaft	6%	Bev.-Wachstum/Jahr	1,2%
BSP/Kopf	8950 $ (1997)	Kindersterblichkeit	2,2%
Inflation	0,8% (1998)	Alphabetisierung	96%
Arbeitslosigkeit	12,4% (1998)	Einwohner pro Arzt	329

stand wegen mutmaßlicher Beteiligung an systematischen Kindesentführungen in A. während der Militärdiktatur von 1976 bis 1983 angeklagt. Ihnen wurde vorgeworfen, in 194 Fällen für das Verschwinden der Kinder von Oppositionellen verantwortlich zu sein. Unter den Angeklagten befand sich der letzte Militärmachthaber von A., Reynaldo Bignone, dem die Verschleppung von schwangeren Frauen während der Diktatur zur Last gelegt wurde. Nach Schätzungen von Menschenrechtsorganisationen wurden 1976 bis 1983 rund 30 000 Menschen von der Militärjunta ermordet. Präsident Menem amnestierte 1990 die Soldaten, die 1985 vor Gericht gestellt worden waren. Da über Kindesraub 1985 nicht verhandelt wurde, gelten die Amnestiegesetze in diesen Fällen nicht.

Außenpolitik: Der chilenische Präsident Eduardo Frei und der argentinische Staatschef Menem unterzeichneten im Dezember 1998 einen Vertrag, der den letzten von einst 24 ungelösten Grenzkonflikten zwischen beiden Staaten beilegte. Das Abkommen setzte den Grenzverlauf auf einer Länge von 160 km innerhalb des patagonischen Gletschergebietes Hielos Continentales fest, das wegen seines großen Süßwasserreservoirs als besonders wertvoll erachtet wird. Nach dem Ende der Grenzstreitigkeiten planten A. und Chile, die Beziehungen auf allen Ebenen zu intensivieren.

Falkland-Inseln: Im November 1998 lud Präsident Menem britische Regierungsvertreter zu Gesprächen über die Souveränität der im Südatlantik gelegenen Falkland-Inseln (»Las Malvinas«) ein. Großbritannien schlug die Offerte aus und betonte, dass die Souveränität der britischen Kronkolonie nicht zur Disposition stehe. Großbritannien hatte die Falkland-Inseln 1833 von A. erobert. Nachdem argentinische Truppen 1982 die Inseln besetzt hatten, gewannen britische Einheiten die Falkland-Inseln in einem zehnwöchigen Krieg zurück.

Brasilien: Die argentinische Regierung beschwerte sich im Oktober 1998 bei Brasilien wegen der Inbetriebnahme des Staudamms Salto de Caixas. Durch den künstlichen See verringerte sich die Wassermenge der Iguazú-Wasserfälle im argentinisch-brasilianischen Grenzgebiet von 7000 m³ pro Sekunde um zwei Drittel bis auf zeitweise 2300 m³. Der Salto de Caixas ist der fünfte brasilianische Stausee am Río Iguazú. Argentinische Naturschützer befürchteten durch die Verringerung der Wassermenge schwere ökologische Schäden für die Pflanzenwelt im Nationalpark Iguazú.

Wirtschaft: 1998 halbierte sich das Wirtschaftswachstum in A. gegenüber 1997 (8,6%) auf 4,3%. Die Preisstabilität blieb mit 0,8% Inflation gewahrt. Die Arbeitslosigkeit sank geringfügig von 13,7% auf 12,4%. Allerdings gelten die Beschäftigungszahlen als unzuverlässig, weil viele Arbeitslose bei der Suche nach Beschäftigung resigniert haben und statistisch nicht mehr erfasst werden.

Steuerreform: Der argentinische Kongress verabschiedete im Dezember 1998 eine Steuerreform, welche die Verteilung von Haushaltmitteln zwischen der Zentralregierung und den Provinzen neu regelt; den Provinzregierungen werden jährlich 920 Mio US-Dollar statt bisher 740 Mio US-Dollar zur Verfügung gestellt. Die Unternehmenssteuern in A. wurden erhöht und die Arbeitnehmersteuern gesenkt. Um größere Flexibilität auf dem Arbeitsmarkt zu erreichen, verabschiedete das argentinische Parlament im September 1998 ein Gesetz zur Verminderung der im Entlassungsfall von den Arbeitgebern zu leistenden Entschädigungen. Nach der Neuregelung können die Abfindungen bis zu 70% geringer ausfallen.

Sparmaßnahmen: Im April 1999 kündigte A. weitere Sparmaßnahmen und Strukturreformen an, um die Staatsausgaben binnen Jahresfrist um 1 Mrd US-Dollar zu kürzen und eine wirtschaftliche Rezession zu vermeiden. Dennoch wird das Staatsdefizit wegen sinkender Einnahmen 1999 voraussichtlich auf 5 Mrd US-Dollar steigen (1998: 3 Mrd US-Dollar). Die Wirtschaft A. litt besonders unter den Folgen der Krise in Brasilien. Nach Abwertung des brasilianischen Real 1998 waren viele argentinische Unternehmen nicht mehr wettbewerbsfähig. Dadurch sank die Industrieproduktion im ersten Quartal 1999 um 7%.

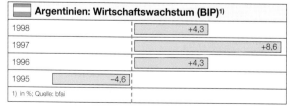

Argentinien: Wirtschaftswachstum (BIP)¹⁾

Jahr	Wert
1998	+4,3
1997	+8,6
1996	+4,3
1995	−4,6

1) in %; Quelle: bfai

Armenien

Asien, Karte S. 535, A 3

Bei den Parlamentswahlen im Mai 1999 siegte der Wahlblock »Einheit« unter dem früheren Kommunistenchef Karen Demirtschjan mit 42% der abgegeben Stimmen. Die orthodoxen Kommunisten erhielten 12%, die nationalistische Partei 8%. Das armenische Parlament ist im Vergleich zur Machtfülle des Präsidenten zwar schwach, hat aber das Recht, die Regierung mithilfe eines Misstrauensvotums zu stürzen.

Im September 1998 reiste der armenische Premierminister Armen Darbinjan zur Traceca-Konferenz nach Baku in Aserbaidschan. Es war der erste Besuch eines hochrangigen Vertreters aus dem christlich dominierten A. im islamisch geprägten Aserbaidschan seit Ausbruch des Konfliktes um die Enklave Nagorni-Karabach (1988), die von beiden Staaten beansprucht wird. Auf der Traceca-Konferenz wurden insbes. Sicherheits- und Zollfragen in Bezug auf den Transportkorridor von Europa nach Zentralasien durch den südlichen Kaukasus erörtert.

Armenien Republik Armenien	
Landesfläche	29 800 km² (WR 138)
Einwohner	3,6 Mio (WR 121)
Hauptstadt	Jerewan (1,3 Mio Einwohner)
Sprachen	Armenisch, Russisch, Kurdisch
Währung	1 Dram = 100 Luma
Zeit	Mitteleuropäische Zeit +2 h
Gliederung	37 Distrikte, 21 Städte
Politik	
Staatsform	Präsidiale Republik (seit 1991)
Regierungschef	Armen Darbinjan (seit April 1998) * 1965
Staatspräsident	Robert Kotscharjan (seit April 1998) *31.8.1954
Parlament	Abgeordnetenversammlung mit 131 für vier Jahre gewählten Abgeordneten; 55 Sitze für den Wahlblock »Einheit«, 11 für orthodoxe Kommunisten, 6 für Nationalistische Partei, 59 für Sonstige (Wahl von 1999)
Internet	http://www.parliament.am http://www.gov.am
Bevölkerung	
Religion	Christen: Armenisch-Orthodoxe, Russisch-Orthodoxe; Muslime
Nationalitäten	Armenier (93%); Aseri (3%); Russen (2%); Kurden (2%)
Wirtschaft und Soziales	

Dienstleistung	21%	Urbanisierung	69%
Industrie	35%	Einwohner/km²	121
Landwirtschaft	44%	Bev.-Wachstum/Jahr	1%
BSP/Kopf	560 $ (1997)	Kindersterblichkeit	2,6%
Inflation	176% (1995)	Alphabetisierung	99%
Arbeitslosigkeit	6,4% (1995)	Einwohner pro Arzt	260

Aserbaidschan

Asien, Karte S. 535, B 3

Bei den Präsidentschaftswahlen im Oktober 1998 in A. wurde Heydar Alijew für weitere fünf Jahre im Amt bestätigt.

Innenpolitik: Alijew erreichte mit 76,1% der abgegebenen Stimmen die im ersten Wahlgang erforderliche Zweidrittelmehrheit. Auf den stärksten Herausforderer Etibar Mamedow entfielen 11,6% der Stimmen. Fünf designierte Kandidaten der Opposition boykottierten die Wahl wegen angeblich mangelnder demokratischer Voraussetzungen. Der unterlegene Mamedow kündigte an, den Wahlsieg von Alijew niemals zu akzeptieren. Von der OSZE waren 150 Beobachter zur Überwachung des Urnengangs nach A. entsandt worden. Sie stellten fest, dass trotz erkennbarer Bemühungen um eine Verbesserung des demokratischen Umfelds der Wahlprozess insgesamt nicht den internationalen Standards entsprochen habe. Die OSZE-Fachleute kritisierten zweifelhafte Wählerverzeichnisse und erhebliche Widersprüche zwischen den

Aserbaidschan Aserbaidschanische Republik	
Landesfläche	86 600 km² (WR 111)
Einwohner	7,71 Mio (WR 88)
Hauptstadt	Baku (1,1 Mio Einwohner)
Sprachen	Aseri-Türkisch, Russisch
Währung	1 Manat = 100 Gepik
Zeit	Mitteleuropäische Zeit +3 h
Gliederung	54 Distrikte
Politik	
Staatsform	Präsidiale Republik (seit 1995)
Regierungschef	Artur Rasizade (seit 1996) *26.2.1935
Staatspräsident	Heydar Alijew (seit 1998) *10.5.1923
Parlament	Nationalrat mit 125 Sitzen; 67 Sitze für Neues Aserbaidschan, 4 für Aserbaidschan, Volksfront, 8 für Andere, 46 für Unabhängige (Wahl v. Nov. 1995/Feb. 1996)
Internet	http://www.president.az/
Bevölkerung	
Religion	Schiiten (62%); Sunniten (26%); Russisch-Armenisch-Orthodoxe (12%)
Nationalitäten	Aseri (85,4%); Russen (4%); Armenier (2%); Sonstige (8,6%)
Wirtschaft und Soziales	

Dienstleistung	41%	Urbanisierung	56%
Industrie	32%	Einwohner/km²	89
Landwirtschaft	27%	Bev.-Wachstum/Jahr	1%
BSP/Kopf	510 $ (1997)	Kindersterblichkeit	3,6%
Inflation	5,5% (1998)	Alphabetisierung	96%
Arbeitslosigkeit	k.A.	Einwohner pro Arzt	260

Wählerlisten und den in den Wahlurnen vorgefundenen Stimmzetteln. Einige Wahlbeobachter wurden bei ihrer Tätigkeit behindert. Die Zentrale Wahlkommission, welche den Urnengang organisiert hatte, war meist von Anhängern Präsident Alijews besetzt worden.

Meuterei: Im Januar 1999 wurden in dem aserbeidschanischen Arbeitslager Gobustan bei einer Meuterei elf Häftlinge getötet. Unter den Opfern befanden sich ehemalige hochrangige Offiziere und der frühere stellv. Verteidigungsminister Fahit Musajew, der wegen oppositioneller Tätigkeiten im Gefängnis saß. Sie sollten unter den Wächtern Geiseln genommen haben, um ihre Freilassung zu erzwingen. Oppositionelle Gruppierungen in A. und internationale Menschenrechtsorganisationen bezweifelten die offizielle Darstellung und kritisierten die menschenunwürdigen Haftbedingungen in Gobustan, das mit dem sowjetischen Gulag der Stalin-Ära verglichen wurde.

Urteil: Das oberste Gericht in A. verurteilte im Februar 1999 den ehemaligen Ministerpräsidenten Suret Guseinow zu lebenslanger Haft; außerdem wurde sein Vermögen eingezogen. Guseinow wurde für schuldig befunden, 1994 und 1995 an einem Putschund an einem Mordversuch gegen Präsident Alijew beteiligt gewesen zu sein sowie Staatseigentum veruntreut zu haben. Der Ex-Premier hatte die Anschuldigungen zurückgewiesen und nur illegalen Waffenbesitz zugegeben.

Außenpolitik: Als erste ehemalige Republik der Sowjetunion bot A. im Januar 1999 der NATO die Einrichtung von Militärbasen auf seinem Territorium an. Als möglicher Standort für NATO-Truppen galt 1999 die ins Kaspische Meer vorgelagerte Halbinsel Apscheron. Grund für den Vorschlag war die starke russische Militärpräsenz in Armenien, mit dem das islamisch geprägte A.

1988–94 um die überwiegend von christlichen Armeniern bewohnte Enklave Nagorni-Karabach Krieg führte (dabei wurden 25 000 Menschen getötet, rund 1,4 Mio Menschen wurden vertrieben). A. warf Russland vor, durch Rüstungslieferungen an Armenien das militärisch-politische Gleichgewicht in der Region zu zerstören. Die russische Regierung kritisierte das aserbeidschanische Angebot an die NATO.

Wirtschaft: Das BIP in A. stieg 1998 um rund 7% (1997: 5,4%). Das starke Wachstum ist auf die sparsame Haushaltspolitik, die Gewährleistung der Konvertibilität der nationalen Währung (Manat), die Liberalisierung des Binnen- und Außenhandels sowie auf die effiziente Ausnutzung der aserbeidschanischen Erdölreserven zurückzuführen. A. gewährte ausländischen Investoren Erdölkonzessionen, für die vorgezogene Steuern von insgesamt 300 Mio US-Dollar entrichtet werden mussten. Die mit den Konzessionen verbundenen Direktinvestitionen brachten A. 1998 Zusatzeinnahmen von ca. 1 Mrd US-Dollar. Insgesamt schloss A. mit US-amerikanischen Ölkonzernen bis Ende 1998 Vorverträge in Höhe von 40 Mrd US-Dollar ab.

Probleme: Die größten wirtschaftlichen Probleme waren 1998 die steigende Inflation von 5,5% (1997: 4%) und die Aufwertung der nationalen Währung (Manat) gegenüber den meisten anderen Währungen in der Region, welche die Wettbewerbsfähigkeit der Industrie in A. schwächte.

Erdöl: Im Jahr 2000 wird A. nach Schätzungen 3,8 Mio t Erdöl exportieren. Das Ausfuhrvolumen soll bis 2020 auf rund 80 Mio t verzwanzigfacht werden. Unter dem Kaspischen Meer werden mit 200 Mrd Barrel Öl und 410 Billionen m^3 Erdgas die weltweit größten Energievorkommen vermutet. Neben der Ölindustrie war 1998 die Landwirtschaft weiterhin ein bedeutender Wirtschaftsfaktor. Sie trug rund 27% zum BIP bei. A. verfügt über fruchtbare Böden. Die wichtigsten landwirtschaftlichen Kulturen sind neben Weizen Baumwolle, Tabak und Wein.

Tourismus: Der Tourismus in A. ist noch von untergeordneter Bedeutung, soll aber in den nächsten Jahren insbes. in der Hauptstadt Baku gefördert werden. In Baku soll vor allem die mittelalterliche Altstadt (u.a. Moscheen aus dem 11. Jh.) zu einem touristischen Anziehungspunkt gestaltet werden.

Aserbaidschan: Erdölindustrie

Jahr	Produktion (Mio t)	Export (Mio t)
1995	9,2[1]	2,2[2]
2000	14,0	3,8
2005	27,0	15,0
2010	58,0	42,0
2020	105,0	80,0

1) Produktion (Mio t); 2) Export (Mio t), ab 2000 Prognosen; Quelle: Handelsblatt, 13.7.1998

Äthiopien

Afrika, Karte S. 533, E 3

Am 28.2.1999 verkündete Ä. im Krieg gegen den Nachbarstaat Eritrea den militärischen Sieg.

Außenpolitik: Eritrea war nach der Niederlage am Badme-Frontabschnitt bereit, dem Friedensplan der Organisation für Afrikanische Einheit (OAU) zuzustimmen. Dieser sah den vollständigen Rückzug Eritreas aus den besetzten Gebieten vor. Das äthiopische Staatsoberhaupt Nagasso Gidada erklärte im Gegenzug, auf einen Vormarsch äthiopischer Truppen nach Eritrea zu verzichten. Ende März 1999 begann Eritrea mit dem vollständigen Truppenrückzug aus allen umstrittenen Gebieten. Damit war der im Mai 1998 ausgebrochene Krieg entlang der gemeinsamen Grenze beendet.

Im Sommer 1998 hatte es mit Beginn der Regenzeit eine mehrmonatige Unterbrechung der Kampfhandlungen gegeben. Beide Staaten rüsteten jedoch weiter auf und schickten Zehntausende Rekruten in die umstrittenen Grenzgebiete. Am 19.1.1999 scheiterte eine erste Verhandlungsrunde zwischen dem äthiopischen Ministerpräsidenten Meles Zenawi und dem eritreischen Präsidenten Issaias Afewerki. Nach achtmonatiger Pause flammten die Kämpfe am 6.2.1999 wieder auf. Die äthiopische Armee setzte Kampfhubschrauber zur Unterstützung ihrer Bodentruppen ein. Umkämpft war die Region Badme, ein rund 400 km² großes Gebiet im westlichen Abschnitt der gemeinsamen Grenze, das von beiden Staaten beansprucht wurde.

Die seit 1995 gespannten Beziehungen zwischen Ä. und dem Sudan – sudanesische Attentäter versuchten den ägyptischen Präsidenten Hosni Mubarak in Addis Abeba zu ermorden – entspannten sich Anfang 1999. Im Februar 1999 besuchte eine sudanesische Regierungsdelegation Ä. Im Interesse friedlicher Beziehungen vereinbarten beide Seiten, künftig jede Einmischung in innenpolitische Kämpfe des jeweils anderen Staates zu unterlassen. Ä. hatte bisher zusammen mit Uganda die sudanesische Opposition unterstützt und in Absprache mit den USA gegen das fundamentalistisch-islamische Regime im Sudan gearbeitet.

Auch in den Bürgerkrieg in Somalia griff Ä. 1998 ein, indem es Waffen an Gegner des

Äthiopien	Demokratische Bundesrepublik
Landesfläche	1,10 Mio km² (WR 26)
Einwohner	62,11 Mio (WR 18)
Hauptstadt	Addis Abeba (3,0 Mio Einw.)
Sprachen	Oromiffa, Amharisch, Englisch; insgesamt etwa 70 Sprachen
Währung	1 Birr (Br) = 100 Cents
Zeit	Mitteleuropäische Zeit +2 h
Gliederung	9 Bundesstaaten
Politik	
Staatsform	Bundesrepublik (seit 1994)
Regierungschef	Meles Zenawi (seit 1995) *9.5.1955
Staatspräsident	Negasso Gidada (seit 1995) *1944
Parlament	Nationalversammlung mit 548 Sitzen; 483 Sitze für Volksrevolutionäre Demokratische Front (EPRDF), 46 für Regionalparteien, 8 für Unabhängige, 11 nicht besetzt (Wahl vom Mai/Juni 1995)
Internet	http://www.ethiospokes.net http://www.ethiopianembassy.org
Bevölkerung	
Religion	Äthiopisch-orthodoxe Christen (35–40%); Muslime (45–50%); Animisten (12%); Sonstige (3–8%)
Ethn. Gruppen	Oromo (40%); Amhara und Tigre (32%); Sidamo (9%); Shankella (6%); Afar (4%); Gurage (2%); Sonstige (7%)

Wirtschaft und Soziales			
Dienstleistung	34,1%	Urbanisierung	15%
Industrie	11,5%	Einwohner/km²	57
Landwirtschaft	54,4%	Bev.-Wachstum/Jahr	2,1%
BSP/Kopf	110 $ (1997)	Kindersterblichkeit	11,6%
Inflation	–3,7% (1997)	Alphabetisierung	34,5%
Arbeitslosigkeit	k.A.	Einwohner pro Arzt	32 650

Clan-Chefs Hussein Mohammed Aidid lieferte. Dieser wiederum unterstützte die Oroma-Freiheitsbewegung, die mehr Rechte für die größte Volksgruppe in Ä. fordert. Die Oroma fühlen sich von den vorherrschenden Amhara zunehmend benachteiligt.

Wirtschaft: Eine Missernte infolge einer schweren Dürre verstärkte für 1999 die Gefahr einer schweren Hungersnot. Die Ernährungssituation wird durch 400 000 Flüchtlinge aus dem zwischen Eritrea und Ä. umkämpften Norden erschwert.

Das stark agrarisch strukturierte Ä. blieb 1998/99 auf massive Hilfen aus dem Ausland angewiesen. Dabei gingen mehrere Staaten dazu über, die Unterstützung teilweise auch mit politischen Forderungen zu verbinden.

So machte Ende 1998 das deutsche Ministerium für wirtschaftliche Zusammenarbeit (Entwicklungshilfe) weitere finanzielle Zuschüsse an Ä. von der Einstellung der Kämpfe und einem Friedensabkommen mit Eritrea abhängig.

Australien Australischer Bund	
Landesfläche	7,74 Mio km² (WR-6)
Einwohner	18,45 Mio (WR 53)
Hauptstadt	Canberra (310 000 Einwohner)
Sprache	Englisch
Währung	1 austr. Dollar (A$) = 100 Cents
Zeit	Mitteleuropäische Zeit +9 h
Gliederung	6 Bundesstaaten, 2 Territorien
Politik	
Staatsform	Parlament.-föderative Monarchie (seit 1901)
Regierungschef	John Howard (seit 1996) * 26.7.1939
Staatspräsident	Königin Elizabeth II. (seit 1952) * 21.4.1926
Parlament	Senat mit 76 für sechs Jahre gewählten und Repräsentantenhaus mit 148 für drei Jahre gewählten Abgeordneten; im Senat 31 (Repräsentantenhaus: 64) für Liberal Party, 29 (66) für Labor Party, 3 (16) für National Party, 13 (2) für Andere (Wahl vom Oktober 1998)
Internet	http://www.fed.gov.au http://www.aph.gov.au
Bevölkerung	
Religion	Christen (74%), u.a. Katholiken (27,3%), Anglikaner (23,8%); Sonstige (13,1%); Konfessionslose (12,9%)
Ethn. Gruppen	Weiße (95,2%); Ureinwohner (1,5%); Asiaten (1,3%); Sonstige (2%)

Wirtschaft und Soziales			
Dienstleistung	72,7%	Urbanisierung	85%
Industrie	24,3%	Einwohner/km²	2
Landwirtschaft	4,0%	Bev.-Wachstum/Jahr	1,2%
BSP/Kopf	20 650 $ (1997)	Kindersterblichkeit	0,6%
Inflation	1,8% (1998)	Alphabetisierung	99%
Arbeitslosigkeit	8,0% (1998)	Einwohner pro Arzt	438

Australien

Ozeanien, Karte S. 537, D 5

Bei den vorgezogenen Parlamentswahlen im Oktober 1998 setzte sich die seit März 1996 regierende Koalition aus Liberal Party und National Party unter Ministerpräsident John Howard durch.

Innenpolitik: Das Regierungsbündnis gewann für die neue Legislaturperiode zusammen 80 von 148 Sitzen im Parlament, die oppositionelle Labour Party erhielt 66 Mandate. Die rechtsextreme One-Nation-Party erhielt zwar 8,45% der Stimmen, bekam aber aufgrund des australischen Mehrheitswahlrechts, das nur dem Sieger eines Wahlkreises den Einzug ins Parlament ermöglicht, keinen Sitz im Repräsentantenhaus. Howard hatte im August 1998 vorgezogenen Wahlen angekündigt, um eine Richtungsentscheidung über die künftige Wirtschafts- und Finanzpolitik in A. zu ermöglichen. Die Koalition plante eine umfassende Steuerreform (u. a. mit der Einführung einer Mehrwertsteuer von

10%), welche die Opposition zu blockieren versuchte.

Northern Territory: Die Bewohner des Northern Territory (NT) lehnten im Oktober 1998 in einem Referendum mit 55% der Stimmen unerwartet den Vorschlag der Regierung ab, dem Territorium den Status eines eigenständigen Gliedstaates zu geben. Die Regierung plante, das Northern Territory am 1.1.2001 als siebten Gliedstaat in den Commonwealth von A. aufzunehmen. Als wesentlicher Grund für die Ablehnung des Angebots galt die Finanzregelung, nach der das Northern Territory als Gliedstaat mind. 50% seiner Ausgaben selbst bestreiten müsste (bis dahin 27%). Die Aborigines (Ureinwohner) in den Nordterritorien wehrten sich gegen den Plan, weil sie glaubten, einen Teil ihrer Rechte unter einer dezentralen Regierung zu verlieren.

Aborigines: Das australische Repräsentantenhaus verabschiedete im Juli 1998 ein Gesetz, das die Forderungen der Aborigines auf Rückgabe von Land begrenzte. Die Ureinwohner kündigten rechtliche Schritte gegen die Novelle und die Anrufung von Gerichten der Vereinten Nationen an. 1992 hatte der Oberste Gerichtshof A. entschieden, dass die Ureinwohner (rund 380 000, 1,5% der Bevölkerung) Zugang zu dem Land haben müssten, das der Staat an Bauern und Minenarbeiter verpachtet hatte. Damit wurde die von den Weißen verbreitete Vorstellung zurückgewiesen, wonach A. zu Beginn der Besiedlung (1788) ein leeres Land gewesen sei. Die konservative Regierung erklärte, diese Entscheidung nicht umsetzen zu können, und erließ einen Zehnpunkteplan, durch den die Bauern Sicherheit hinsichtlich des gepachteten Landes bekommen sollten.

Staatsform: Für November 1999 war eine Volksabstimmung über die zukünftige Staatsform von A. geplant. Im Februar 1998 hatte die Verfassunggebende Versammlung bereits die Umwandlung A. in eine Republik im Jahr 2001 beschlossen. Bislang ist A. eine parlamentarische Monarchie im britischen Commonwealth mit Königin Elizabeth II. als Staatsoberhaupt.

Außenpolitik: Die australische Regierung kündigte im Dezember 1998 eine Initiative für die Erhöhung des wirtschaftlichen Wachstums in den APEC-Staaten an (21 Länder im asiatisch-pazifischen Raum).

1999–2001 will sie rund 60 Mio DM für praktische Maßnahmen zur Stärkung des Wirtschafts- und Finanzmanagements der APEC-Länder bereitstellen. Die Investitionen betreffen u. a. Schulungen für Zentralbankbeamte und technische Hilfe bei der Überwachung im Finanzsektor.

Freihandelszone: A. und Neuseeland planten 1999, in die gemeinsame Freihandelszone, die alle Branchen mit Ausnahme des Dienstleistungssektors umfasst, Argentinien, Chile und die USA einzubeziehen. Zum gemeinsamen australisch-neuseeländischen Markt gehören über 20 Mio Konsumenten. Eine Sonderkommission soll mit den Pazifik-Anrainerstaaten des amerikanischen Kontinents über die Möglichkeit einer Integration in die Freihandelszone verhandeln.

Wirtschaft: Trotz des Nachfrageausfalls aufgrund der Wirtschaftskrise in Asien, das vor Beginn der Rezession 1997 rund 60% der australischen Güter einführte, betrug das Wirtschaftswachstum in A. 1998 ca. 4%. Die Verluste auf dem asiatischen Markt wurden durch eine kräftige Binnennachfrage sowie wachsende Exporte nach Europa und in die USA ausgeglichen. Der Gesamt-

wert der Ausfuhr reduzierte sich 1998 um 0,9%. Die Arbeitslosenquote blieb 1998 unverändert bei 8%. Die Inflation stieg 1998 im Vergleich zum Vorjahr von 1,3% auf 1,8%. Für 1999 rechnete die australische Regierung mit einer Beschleunigung des Wirtschaftswachstums auf 4,7%.

Architektur: Die Regierung des Gliedstaates Victoria und der australische Bauunternehmer Bruno Grollo planten ab 2000 in Melbourne den Bau des höchsten Gebäudes der Welt. Auf einem 11 ha großen Gelände soll bis 2005 ein 560 m hoher Turm mit 120 Stockwerken entstehen (höchstes Gebäude 1999: Petronas Twin Towers in Kuala Lumpur/Malaysia mit 452 m). Im Melbourner Gebäude sollen 450 Wohnungen, ein Hotel mit 329 Räumen, Büros mit einer Grundfläche von insgesamt 60 000 m² und Verkaufsräume mit zusammen 12 000 m² Platz finden. Der Turm soll so gebaut werden, dass er bei heftigen Windböen stark schwanken kann, ohne Stabilität zu verlieren. Meteorologen rechneten damit, dass die oberen Stockwerke im Winter zur Hälfte, im Sommer zu einem Viertel der Zeit in den Wolken liegen.

Bahamas

Mittelamerika, Karte S. 532, D 2

Die konservative Regierung unter Premierminister Hubert Ingraham (Free National Movement, FNM) behielt 1998/99 ihren strikt marktwirtschaftlichen Kurs mit starker Anlehnung an die frühere Kolonialmacht Großbritannien und die USA bei. Mit einem jährlichen BSP pro Kopf von rund 12 800 Dollar blieben die B. mit großem Abstand der wohlhabendste Staat in der Karibik.
Die B. sind aufgrund ihrer günstigen Bank- und Steuergesetze (es gibt weder Vermögens-, Einkomens- noch Kapitalertragssteuer) ein sehr attraktiver Standort für international operierende Geldinstitute und sog. Briefkastenfirmen.
Einer der wichtigsten Wirtschaftszweige der B. ist der Tourismus, in dem über 30% der Erwerbstätigen beschäftigt sind. 1998 kamen mehr als 3,7 Mio Auslandsgäste auf die B., über 80% von ihnen aus den USA. Ein starker US-Dollar soll 1999 für einen weiteren Anstieg der Besucherzahlen aus den USA sorgen.

Bahamas Commonwealth of the Bahamas			
Landesfläche	13 878 km² (WR 154)		
Einwohner	293 000 (WR 166)		
Hauptstadt	Nassau (170 000 Einwohner)		
Sprache	Englisch		
Währung	1 Bahama-Dollar (B.-$) = 100 Cents		
Zeit	Mitteleuropäische Zeit –6 h		
Gliederung	21 Distrikte		
Politik			
Staatsform	Parlamentarische Monarchie		
Regierungschef	Hubert Ingraham (seit 1992) * 4.8.1947		
Staatspräsident	Königin Elizabeth II. (seit 1973) *21.4.1926		
Parlament	Senat mit 16 ernannten und Abgeordnetenhaus mit 40 gewählten Mitgliedern; 34 Sitze für Free National Movement, 6 für Progressive Liberal Party (Wahl v. März 1997)		
Internet	http://www.interknowledge.com/bahamas		
Bevölkerung			
Religion	Christen (94,1%): Protestanten (75,3%); Katholiken (18,8%); Sonstige (5,9%)		
Ethn. Gruppen	Schwarze (85%); Weiße (12%); Asiaten, Hispanier (3%)		
Wirtschaft und Soziales			
Dienstleistung	80,3%	Urbanisierung	87%
Industrie	16,7%	Einwohner/km²	21
Landwirtschaft	2,9%	Bev.-Wachstum/Jahr	1,7%
BSP/Kopf	12 800 $ (1997)	Kindersterblichkeit	1,6%
Inflation	0,4% (1997)	Alphabetisierung	98,2%
Arbeitslosigkeit	k.A.	Einwohner pro Arzt	714

Bahrain Staat Bahrain	
Landesfläche	694 km² (WR 173)
Einwohner	594 000 (WR 157)
Hauptstadt	Manama (140 000 Einwohner)
Sprachen	Arabisch, Englisch
Währung	1 Bahrain-Dinar (BD) = 1000 Fils
Zeit	Mitteleuropäische Zeit +2 h
Gliederung	10 Regionen, 2 Stadtdistrikte
Politik	
Staatsform	Emirat (seit 1971)
Regierungschef	Salman bin al-Chalifa (seit 1970)
Staatspräsident	Hamad bin Isa al-Chalifa (seit 1999)
Parlament	Seit 1975 aufgelöst, keine polit. Parteien, Konsultativorgan mit 30 durch Staatsoberhaupt ernannten Mitgliedern
Internet	http://www.bahrain.com http://www.gna.gov.bh
Bevölkerung	
Religion	Muslime (81,8%): Schiiten (57,3%), Sunniten (24,5%); Christen (8,5%); Sonstige (9,7%)
Ethn. Gruppen	Bahrain-Araber (63,6%); sonstige Araber (3,5%); Iraner, Inder, Pakistani, andere Asiaten (30,3%); Sonstige (2,6%)

Wirtschaft und Soziales			
Dienstleistung	59,1%	Urbanisierung	90%
Industrie	40%	Einwohner/km²	856
Landwirtschaft	0,9%	Bev.-Wachstum/Jahr	2,9%
BSP/Kopf	8200 $ (1997)	Kindersterblichkeit	1,7%
Inflation	−0,2 (1996)	Alphabetisierung	84,4%
Arbeitslosigkeit	k.A.	Einwohner pro Arzt	953

Bahrain
Nahost, Karte S. 534, E 4

Im März 1999 starb der 65-jährige Emir von B., Scheich Isa Ibn Salman al-Chalifa, kurz nach einem Treffen mit US-Verteidigungsminister William Cohen an einem Herzanfall. Cohen hatte mit dem Emir einen Vertrag über den Verkauf von 26 Luftkampfraketen zum Stückpreis von rund 675 000 DM an die bahrainische Luftwaffe vereinbart. In B. liegt der größte US-Flottenstützpunkt am Persischen Golf. Seit dem Golfkrieg von 1991 gegen den Irak steht B. an der Seite der USA und Großbritanniens. Der Nachfolger von Scheich Isa, der vorherige Kronprinz Hamad bin Isa al-Chalifa, betonte, die prowestliche Politik seines Vaters fortsetzen zu wollen.

Im Juli 1998 kündigte die Führung von B. an, die Raffinerien des Landes innerhalb von vier Jahren für 400 Mio US-Dollar umfassend zu modernisieren. Die Umgestaltung soll neue Produktspezialisierungen ermöglichen und die gestiegenen Wartungskosten reduzieren. Der Anteil von Erdölprodukten an der Gesamtausfuhr betrug 1998/99 ca. 75%.

Bangladesch Volksrepublik Bangladesch	
Landesfläche	143 998 km² (WR 92)
Einwohner	124,04 Mio (WR 9)
Hauptstadt	Dacca (6,4 Mio Einwohner)
Sprachen	Bengali, Englisch
Währung	1 Taka (TK) = 100 Poisha
Zeit	Mitteleuropäische Zeit +5 h
Gliederung	5 Provinzen, 64 Bezirke
Politik	
Staatsform	Parlamentarische Republik (seit 1991)
Regierungschef	Sheikh Hasina Wajed (seit 1996)
Staatspräsident	Justice Sahhabuddin Ahmed (seit 1996)
Parlament	Nationalversammlung mit 300 für fünf Jahre gewählten Abgeordneten; 146 für Awami-Liga, 116 Sitze für Bengalische National-Partei, 32 für Jatiya-Partei, 6 für Andere (Wahl vom Juni 1996)
Internet	http://members.aol.com/banglaemb
Bevölkerung	
Religion	Muslime (86,8%); Hindus (11,9%); Sonstige (1,3%)
Ethn. Gruppen	Bengalen (97,7%); Bihari (1,3%); Sonstige (1%)

Wirtschaft und Soziales			
Dienstleistung	42%	Urbanisierung	18%
Industrie	20%	Einwohner/km²	862
Landwirtschaft	38%	Bev.-Wachstum/Jahr	2,9%
BSP/Kopf	360 $ (1997)	Kindersterblichkeit	7,9%
Inflation	ca. 10% (1998)	Alphabetisierung	37,3%
Arbeitslosigkeit	k.A.	Einwohner pro Arzt	12 500

Bangladesch
Asien, Karte S. 535, D 5

Im November 1998 verurteilte ein Gericht in B. 15 Angeklagte wegen Mordes an dem Staatsgründer von B., Sheik Mujibur Rahman (1922–1975), zum Tode.

Innenpolitik: Das Gericht befand die Angeklagten, von denen sich zehn im Ausland versteckt hielten, für schuldig, am 15.8.1975 in die Villa des damaligen Staatschefs Rahman eingedrungen zu sein und ihn mit 20 anderen Menschen ermordet zu haben. Rahman hatte 1973 das damalige »Ostpakistan« aus der Abhängigkeit von Pakistan befreit. Der Prozess 1998 wurde auf Initiative von Premierministerin Sheikh Hasina eingeleitet, einer von zwei Töchtern des Staatsgründers, die sich zur Zeit des Attentates auf ihren Vater 23 Jahre zuvor im Ausland aufgehalten hatten.

Die von islamischen Extremisten verfolgte Schriftstellerin Taslima Nasrin erreichte im November 1998 vor dem Höchsten Gericht in B. gegen eine Kaution die Aufhebung eines gegen sie gerichteten Haftbefehls. Er war 1994 gegen sie wegen angeblicher Blasphemie erlassen worden. Nasrin musste sich 1998/99 weiter versteckt halten, weil muslimische Geistliche ihre Fatwa (Todesurteil) aufrecht erhielten und ein Kopfgeld von 2000 US-Dollar aussetzten. Die Fundamentalisten werfen der Schriftstellerin ähnlich wie ihrem britischen Kollegen Salman Rushdie vor, den Islam verunglimpft zu haben.

Umwelt: Bei der größten Flutkatastrophe in B. seit 1971 kamen im August und September 1998 ca. 1500 Menschen ums Leben. Starke Monsun-Regenfälle überfluteten rund 70% der Landesfläche. Etwa 30 Mio Menschen (rund 24% der Bevölkerung) wurden obdachlos. 55 von insgesamt 64 Regionen standen unter Wasser. Große Teile von B. liegen nur wenige Meter über dem Meeresspiegel und sind im sturmreichen Golf von Bengalen häufig von Überschwemmungen betroffen.

Wirtschaft: Der Schaden der Flutkatastrophe von 1998 wurde auf ca. 5,8 Mrd DM geschätzt, etwa 10% der Wirtschaftskraft des Landes. Aufgrund der Ernte- und Produktionsausfälle mussten Güter importiert werden, sodass die Devisenvorräte sanken

● Bangladesch: Arsen im Wasser

▶ **Verseuchung:** Die Weltgesundheitsorganisation WHO schätzte, dass in B. 1998 etwa 50 Mio Menschen arsenvergiftetes Wasser tranken. Das Arsen hat sich in den Böden angelagert und verseuchte das Wasser in den Brunnen.

▶ **Brunnenbau:** Um Ersatz für mit gefährlichen Bakterien verseuchtes Wasser zu schaffen, durch das 1990 ungefähr 250000 Kinder unter fünf Jahren starben, hatte das UN-Kinderhilfswerk UNICEF in einem groß angelegten Programm etwa 3 Mio Brunnen bohren lassen, die 1998 mehr als 97% der Bevölkerung mit Trinkwasser versorgten. Ende 1998 stellten Wissenschaftler fest, dass das Wasser aus den Brunnen in etwa 48000 der mehr als 68000 Dörfer mit Arsen vergiftet ist. Die Belastung lag teilweise 200-mal über dem von

der WHO empfohlenen Grenzwert von 0,01 mg/l.

▶ **Wirkungen und Opfer:** 1998 starben in B. 2500 Menschen infolge des Genusses von arsenvergiftetem Wasser. Eine chronische Arsenvergiftung beginnt mit Appetitlosigkeit, Pigmentstörungen und Hornhautbildung in den Handinnenflächen und an den Füßen. Spätere Symptome sind Ekzeme, chronische Bronchitis und Lähmungserscheinungen. Langfristig sterben die Menschen an Haut, Bronchien-, Lungen- oder Leberkrebs.

▶ **Gegenmaßnahmen:** Um sauberes Trinkwasser in B. zu bekommen, soll bis Anfang des 21. Jh. das Regenwasser intensiver genutzt und die Bevölkerung dazu gebracht werden, das bakteriell-verseuchte Wasser aus den Flüssen vor dem Konsum durch Abkochen keimfrei zu machen.

und die Inflation 1998 auf über 10% stieg (1997: 6,5%). Vier Fünftel der Bevölkerung leben von der Landwirtschaft. 1998 erhielt B. 3,6 Mrd DM Auslandshilfe. B. ist mit einem BSP/Kopf von 360 US-Dollar eines der ärmsten Länder der Welt.

Barbados

Mittelamerika, Karte S. 532, H 4

Die seit 1994 mit absoluter Mehrheit regierende konservative Barbados Labour Party (BLP) setzte 1998 ihren marktwirtschaftlichen Kurs mit weiteren Privatisierungen staatlicher Betriebe und konsequenten Haushaltseinsparungen fort. Die oppositionelle sozialdemokratische Democratic Labour Party (DLP) kritisierte die sozialen Folgen dieser Politik, insbes. den Anstieg der Arbeitslosigkeit auf rund 23%.

Ein Schwerpunkt der Wirtschaftspolitik war der weitere Ausbau des Tourismusgeschäfts, das 1998 rund ein Drittel zum BIP beitrug. Rund 430000 Auslandsgäste, die meisten aus den USA, brachten mehr als 600 Mio US-Dollar ins Land. Mit einem jährlichen BSP pro Jahr von 6600 US-Dollar zählte B. neben den Bahamas (rund 12800 US-Dollar) und Antigua (rund 7400 US-Dollar) zu den wohlhabendsten Staaten der Karibik. Der Agrarsektor hingegen ist mit einem Beitrag zum BIP von 4,3% von untergeordneter Bedeutung.

Barbados

Barbados			
Landesfläche	430 km² (WR 180)		
Einwohner	263000 (WR 169)		
Hauptstadt	Bridgetown (10000 Einwohner)		
Sprachen	Englisch, Bajan		
Währung	1 Barbados-Dollar (B.–$)		
Zeit	Mitteleuropäische Zeit –5 h		
Gliederung	11 Bezirke		
Politik			
Staatsform	Parlamentarische Monarchie im Commonwealth (seit 1966)		
Regierungschef	Owen Seymour Arthur (seit 1994) *1937		
Staatspräsident	Königin Elizabeth II. (seit 1966) *21.4.1926		
Parlament	Senat mit 21 vom Generalgouverneur ernannten und Volkskammer mit 28 für fünf Jahre gewählten Abgeordneten; 26 Sitze für Labour Party, 2 für Dem. Labour Party (Wahl von 1999)		
Internet	http://www.primeminister.gov.bb		
Bevölkerung			
Religion	Protestanten (65,3%), Katholiken (4,4%); Sonstige (30,3%)		
Ethn. Gruppen	Schwarze (80%); Mulatten (16%); Weiße (4%)		
Wirtschaft und Soziales			
Dienstleistung	85,4%	Urbanisierung	47%
Industrie	10,3%	Einwohner/km²	612
Landwirtschaft	4,3%	Bev.-Wachstum/Jahr	0,4%
BSP/Kopf	6600 $ (1997)	Kindersterblichkeit	1,2%
Inflation	2,4% (1996)	Alphabetisierung	97,3%
Arbeitslosigkeit	16,2% (1996)	Einwohner pro Arzt	1042

Belgien Königreich Belgien	
Landesfläche	30 519 km² (WR 136)
Einwohner	10,21 Mio (WR 76)
Hauptstadt	Brüssel (950 000 Einwohner)
Sprachen	Niederl., Franz., Deutsch
Währung	1 belg. Franc (bfr) = 100 Centimes
Zeit	Mitteleuropäische Zeit
Gliederung	9 Provinzen
Politik	
Staatsform	Parlamentarische Monarchie (seit 1831)
Regierungschef	Guy Verhofstad (Mitte 1999 mit Regierungsbildung beauftragt), *11.4.1953
Staatspräsident	König Albert II. (seit 1993) *6.6.1934
Parlament	Senat mit 71 und Abgeordnetenhaus mit 150 für vier Jahre gewählten Abgeordneten; im Abgeordnetenhaus 23 Sitze für flämische Liberale, 22 für CVP, 19 für Sozialistische Partei (PS), 76 für Andere (Wahl 1999)
Internet	http://www.premier.fgov.be http://www.fed-parl.be
Bevölkerung	
Religion	Katholiken (75%); Freisinnige (12%); Sonstige (13%),
Nationalitäten	Flamen (57,7%); Wallonen (31,8%); Deutsche (0,7%); Zweisprachige (9,8%)

Wirtschaft und Soziales			
Dienstleistung	68%	Urbanisierung	97%
Industrie	30%	Einwohner/km²	335
Landwirtschaft	2%	Bev.-Wachstum/Jahr	1,4%
BSP/Kopf	26 730 $ (1997)	Kindersterblichkeit	0,7%
Inflation	0,8% (1998)	Alphabetisierung	99%
Arbeitslosigkeit	11,8% (1998)	Einwohner pro Arzt	298

Belgien
Europa, Karte S. 529, C 5

Bei den Parlamentswahlen im Juni 1999 verloren die flämischen Christdemokraten (CVP) unter Premierminister Jean-Luc Dehaene als Folge des Dioxinskandals sieben der vorher 29 Sitze in dem 150 Abgeordnete umfassenden Parlament.

Innenpolitik: Erstmals in der belgischen Geschichte wurden die flämischen Liberalen mit 23 Sitzen (+2) stärkste Fraktion. Die Grünen konnten die Anzahl ihrer Sitze von fünf auf neun fast verdoppeln. Die Sozialistische Partei (SP) verlor hingegen sechs Sitze und ist im Parlament nur noch mit 14 Abgeordneten vertreten. Die Liberalen unter Guy Verhofstad wurden mit der Regierungsbildung beauftragt.

Dioxinskandal: Die deutliche Wahlniederlage der CVP und das gute Ergebnis der Grünen wurden auf den Dioxinskandal zurückgeführt. In B. wurden im Juni 1999 alle heimischen Geflügelprodukte vom Markt genommen, weil in einigen Zuchtbetrieben durch dioxinhaltiges Tierfett verseuchtes Futtermittel verwendet worden war. Dioxin (unter dem Namen Sevesogift bekannt geworden) verursacht den Massenzerfall von Leberzellen, erzeugt Missbildungen und gilt als die stärkste Krebs erzeugende Substanz. Rund 14 000 landwirtschaftliche Betriebe in B. wurden unter Quarantäne gestellt, ca. 1500 Geflügelfarmen sowie Schweine und Rinderzüchter mussten ihre Produktion einstellen. Die Europäische Union (EU) erließ zwischenzeitlich ein Ausfuhrverbot für einen großen Teil belgischer Lebensmittel. Der Schaden für die belgische Wirtschaft wurde auf über 1 Mrd DM geschätzt. Die EU-Kommission kritisierte die belgische Regierung wegen ihrer späten und verharmlosenden Informationspolitik und kündigte an, eventuell ein Vertragsverletzungsverfahren gegen B. einzuleiten.

Coca-Cola: Im Juni 1999 rief der Getränkekonzern Coca-Cola in B. 15 Mio Flaschen und Dosen mit Coca-Cola, Fanta und Sprite zurück. Über 100 Personen hatten nach dem Konsum der Getränke über Kopfschmerzen, Übelkeit und Schwindel geklagt.

Dutroux: Die christdemokratisch-sozialistische Koalitionsregierung unter Dehaene geriet 1998/99 auch wegen zahlreicher anderer innenpolitischen Affären unter Druck. Die Flucht des mehrfachen Kindermörders Marc Dutroux aus dem Gerichtsgebäude in Neufchâteau im April 1998 führte zum Rücktritt des Innenministers und des Justizministers. Sie verstärkte in der Öffentlichkeit die Mutmaßung, Dutroux sei Mitglied eines Kinderpornographie-Netzwerks, in das auch Mitglieder der Ermittlungsbehörden und hohe Beamte des Staatsapparats verstrickt sein könnten. Entsprechende Untersuchungen wurden Ende 1998 ergebnislos eingestellt. Als Konsequenz aus der Dutroux-Affäre verabschiedete das Abgeordnetenhaus im Oktober 1998 ein neues Polizeigesetz: Die Polizeidienste der drei Regionen (flämische, wallonische und Brüsseler Region) wurden durch eine landesweite Kriminalpolizei und eine örtliche Polizei ersetzt, die stärker miteinander kooperieren sollen; die Umstrukturierung der Polizei soll bis 2004 abgeschlossen sein.

Asyl: Im September 1998 wurde eine nigerianische Asylbewerberin, die abgeschoben werden sollte, von einem Polizisten getötet, der bereits wegen Gewalttätigkeit gegen Ausländer vom Dienst suspendiert worden war. Er wollte die Nigerianerin am Schreien hindern und erstickte sie dabei mit einem Kissen. Der erst seit April amtierende Innenminister Louis Tobback (Sozialistische Partei) übernahm mit seinem Rücktritt die politische Verantwortung. Sein Nachfolger wurde Luc van den Bossche (Sozialistische Partei). Angesichts der breiten Welle von Solidarität mit Asylsuchenden erweiterte die Regierung den Ermessensspielraum bei der Entscheidung über Abschiebungen.

Korruptionsprozess: Im sog. Agusta-Korruptionsprozess verurteilte das Kassationsgericht im Dezember 1998 den früheren NATO-Generalsekretär Willy Claes zu drei Jahren Haft auf Bewährung und den französischen Industriellen Serge Dassault zu fünf Jahren Haft auf Bewährung. Zwei Jahre Haft auf Bewährung erhielt der ehemalige Verteidigungsminister Guy Coeme. Die Firmen Dassault (Frankreich) und Agusta (Italien) hatten in den 80er Jahren Politiker bestochen, um Regierungsaufträge für Rüstungsprojekte zu erhalten.

Sprachenstreit: Der Sprachenstreit zwischen Niederländisch sprechenden Flamen und Französisch sprechenden Wallonen in flämischen Randgemeinden der Brüsseler Region führte im September 1998 zu einer Entschließung des Europäischen Parlaments, in der das Recht der frankophonen Minderheit auf Wahrung ihrer Sprache betont wurde.

Wirtschaft: B. wurde am 1.1.1999 Mitglied der Europäischen Währungsunion (EWU), obwohl es mit einer Staatsverschuldung von 115% (Maastrichter Grenzwert: 60%) nicht vollständig die Kriterien des Maastrichter Vertrags erfüllte. Mit einer Inflationsrate von 0,8% und einem Haushaltsdefizit von 2,1% blieb B. unter den vom Masstrichter Vertrag festgelegten Grenzwerten von 2,7% bzw. 3%. Die Übernahme des Mineralölkonzerns Petrofina S.A., eines der größten belgischen Unternehmen, durch den französischen Konzern Total im Dezember 1998 verstärkte in B. die Furcht vor der Übernahme belgischer Unternehmen durch das Ausland. 1995 wurde die belgische Flugverkehrsgesellschaft SABENA von der Schweizer Fluggesellschaft Swissair übernommen; der belgische Bankensektor befindet sich in der Hand niederländischer Unternehmen; der Stahlkonzern Cokkeril gehört dem französischen Konzern Usinor Sacilor.

 ## Belize

Mittelamerika, Karte S. 532, A 4

Die traditionell vom Zuckerexport abhängige Wirtschaft von B. litt 1998 unter dem allgemeinen Verfall der Rohstoffpreise auf dem Weltmarkt. Dem hochverschuldeten Land gelang es daher nicht, seine Zahlungsverpflichtungen abzubauen. B. blieb weiterhin stark auf finanzielle Unterstützung aus dem Ausland angewiesen.

Die Regierung von B. setzte in der Wirtschaftspolitik die Förderung kleinbäuerlicher Betriebe fort, um durch modernere Anbau- und Vermarktungsmethoden die wirtschaftliche Ertragskraft des Agrarsektors zu verbessern. Die agrarischen Besitzverhältnisse in B., wo rund 80% der Anbaufläche dem britischen Königshaus bzw. britischen und US-amerikanischen Großgrundbesitzern gehören, will die Regierung aber nicht verändern.

1998/99 investierte die Regierung verstärkt in den Fremdenverkehr, der mittelfristig zur wichtigsten Devisenquelle von B. werden soll.

Belize			
Landesfläche	22 696 km² (WR 147)		
Einwohner	230 000 (WR 170)		
Hauptstadt	Belmopan (4000 Einwohner)		
Sprachen	Englisch, Kreolisch, Spanisch		
Währung	1 Belize-Dollar (Bz–$) = 100 Cents		
Zeit	Mitteleuropäische Zeit –7 h		
Gliederung	6 Distrikte		
Politik			
Staatsform	Parlamentarische Monarchie im Commonwealth (seit 1981)		
Regierungschef	Said Musa (seit 1998)		
Staatspräsident	Königin Elizabeth II. (seit 1981) *21.4.1926		
Parlament	Senat mit 9 ernannten und Repräsentantenhaus mit 29 für 5 Jahre gewählten Abgeordneten; 26 für People's United Party, 3 Sitze für United Democratic Party (Wahl vom August 1998)		
Internet	http://www.belize.gov.bz		
Bevölkerung			
Religion	Katholiken (57,7%); Protestanten (28,5%); Sonstige (13,8%)		
Ethn. Gruppen	Mestizen (43,6%); Kreolen (29,8%); Maya (11%); Garifuna (6,6%); Weiße (3,9%); Sonstige (5,1%)		
Wirtschaft und Soziales			
Dienstleistung	58,2%	Urbanisierung	47%
Industrie	22,0%	Einwohner/km²	10
Landwirtschaft	19,9%	Bev.-Wachstum/Jahr	2,7%
BSP/Kopf	2670 $ (1997)	Kindersterblichkeit	2,9%
Inflation	ca. 1% (1997)	Alphabetisierung	90%
Arbeitslosigkeit	ca. 13% (1997)	Einwohner pro Arzt	1708

Benin Republik Benin	
Landesfläche	112 622 km² (WR 99)
Einwohner	5,88 Mio (WR 101)
Hauptstadt	Porto Novo (194 000 Einw.)
Sprachen	Franz.; ca. 60 Stammessprachen
Währung	CFA-Franc
Zeit	Mitteleuropäische Zeit
Gliederung	6 Provinzen, 84 Distrikte
Politik	
Staatsform	Präsidiale Republik (seit 1991)
Regierungschef	Adrien Houngbédji (seit 1996) *5.3.1942
Staatspräsident	Mathieu Kérékou (seit 1996) *29.9.1933
Parlament	Nationalversammlung mit 82 für vier Jahre gewählten Abgeordneten; 27 Sitze für Renaissance du Benin (RB), 11 für Partei der Demokratischen Erneuerung (PRD), 10 für Fard-Alafia, 9 für Sozialdemokratische Partei (PSD), 25 für Andere (Wahl von 1999)
Bevölkerung	
Religion	Naturreligionen (62%); Christen (23,3%); Sonstige (14,7%)
Ethn. Gruppen	Fon (39,8%); Yoruba (12,2%); Adja (11,1%); Bariba (8,7%); Aizo/Pédah (8,7%); Sonst. (19,5%)

Wirtschaft und Soziales			
Dienstleistung	50,6%	Urbanisierung	31%
Industrie	12,6%	Einwohner/km²	52
Landwirtschaft	36,8%	Bev.-Wachstum/Jahr	2,9%
BSP/Kopf	380 $ (1997)	Kindersterblichkeit	8,8%
Inflation	3,5% (1997)	Alphabetisierung	37%
Arbeitslosigkeit	k.A.	Einwohner pro Arzt	14 216

Benin
Afrika, Karte S. 533, B 4

Aus den Parlamentswahlen im April 1999 gingen die oppositionellen Parteien, darunter die Partei der Demokratischen Erneuerung und die Sozialdemokratische Partei, siegreich hervor. Die Gegner von Staatspräsident Mathieu Kérékou verfügen in der neuen Nationalversammlung über 43 der 82 Mandate. Die Anhänger des Präsidenten sind nur noch mit 40 Abgeordneten vertreten. Da B. eine Präsidialrepublik mit einem starken Staatsoberhaupt ist, brachte das Wahlergebnis keinen völligen politischen Kurswechsel. Es handelte sich um die dritten Wahlen seit dem Beginn des Demokratisierungsprozesses, den der linksorientierte Militärdiktator Kérékou 1991 eingeleitet hatte.

Mit marktwirtschaftlichen Reformen versuchte Präsident Kérékou seit seiner Wiederwahl 1996, die wirtschaftliche Krise in B. zu überwinden. Doch konnte er 1998 bei den beiden größten Problemen, der Arbeitslosigkeit und der hohen Auslandsverschuldung, nur geringe Fortschritte erzielen.

Bhutan	
Landesfläche	47 000 km² (WR 128)
Einwohner	1,92 Mio (WR 141)
Hauptstadt	Thimbu (30 000 Einwohner)
Sprachen	Dzonka, Engl., tibet. Dialekte
Währung	1 Ngultrum (NU) = 100 Chetrum
Zeit	Mitteleuropäische Zeit +5 h
Gliederung	18 Distrikte
Politik	
Staatsform	Konstitutionelle Monarchie (seit 1968)
Regierungschef	König Jigme Wangchuk (seit 1972) *1955
Staatspräsident	König Jigme Wangchuk (seit 1972) *1955
Parlament	Nationalversammlung (Tshogdu) mit 155 Mtgl.; 105 gewählte Abgeordnete, 37 vom König nominierte Beamte, 12 Vertreter buddhist. Klöster, 1 Repräsentant der Wirtschaft (willkürlich festgelegter Wahltermin)
Internet	http://bhutan.org
Bevölkerung	
Religion	Buddhisten (69,6%); Hindus (24,6%); Sonstige (5,8%)
Nationalitäten	Bhotia (63%); Nepalesen (25%); Sonstige (12%)

Wirtschaft und Soziales			
Dienstleistung	38,8%	Urbanisierung	6%
Industrie	23,3%	Einwohner/km²	41
Landwirtschaft	37,9%	Bev.-Wachstum/Jahr	2,9%
BSP/Kopf	430 $ (1997)	Kindersterblichkeit	6,3%
Inflation	ca. 7% (1997)	Alphabetisierung	41,1%
Arbeitslosigkeit	k. A.	Einwohner pro Arzt	5335

Bhutan
Asien, Karte S. 535, D 5

Im August 1998 verfügte König Wangchuk von B. die Einschränkung seiner eigenen und die Erweiterung der parlamentarischen Macht. Die Volksvertretung kann den Monarchen künftig mit einer Zweidrittelmehrheit per Misstrauensvotum absetzen. Außerdem wählt sie selbst die Regierung. Die Abgeordneten sollen über Befugnisse und Ämterverteilung des Kabinetts entscheiden. König Wangchuk begründete sein Beschluss mit der Notwendigkeit, B. angesichts der veränderten Verhältnisse in der Welt überlebensfähig zu machen. Das Parlament protestierte gegen die Zuweisung neuer Kompetenzen und die Einschränkung der Monarchie, beugte sich aber der Entscheidung des Königs. Wangchuk gilt wegen seines Weitblicks, mit dem er das asiatische Land seit 1972 regiert, als allseitig geachteter Herrscher. Die Verfassungsänderungen waren ein weiterer Schritt im Rahmen einer vorsichtigen demokratischen Öffnung, die Wangchuk 1981 begonnen hatte.

Bolivien

Südamerika, Karte S. 531, C 4

Im August 1998 schloss der bolivianische Präsident Hugo Suaréz Bánzer die Indio-Partei Condepa (Conciencia de Patria; span.: Gewissen des Vaterlandes) aus der Regierung aus.

Innenpolitik: Bánzer warf der Condepa politische Inflexibilität vor. Die Partei, die vor allem in der Indio-Bevölkerung großen Rückhalt hat, wurde 1998/99 mit zahlreichen Vorwürfen von Betrügereien und Günstlingswirtschaft konfrontiert. Der Ausschluss der Condepa gefährdete nicht die deutliche Kongressmehrheit des Regierungsbündnisses.

Wirtschaft: Das BIP wuchs in B. 1998 um 4,7% (1997: 4,2%). Die Inflationsrate verringerte sich 1998 gegenüber dem Vorjahr leicht von 6,7 auf 4,4%. Für 1999 wurde mit einem Wirtschaftswachstum von 5,5% gerechnet, was bei einem Bevölkerungswachstum von 2,4% als zu wenig erachtet wurde, um den Entwicklungsrückstand gegenüber anderen südamerikanischen Staaten aufzuholen. Multilaterale Finanzierungsinstitutionen erließen B. im September 1998 Schulden in Höhe von 450 Mio US-Dollar (13% der Gesamtschulden des Landes). Die bolivianische Regierung verpflichtete sich, die durch den Schuldenerlass frei werdenden Mittel zur Armutsbekämpfung einzusetzen. Der Internationale Währungsfonds (IWF) stellte B. im Herbst 1998 im Rahmen eines dreijährigen Kreditabkommens 138 Mio US-Dollar zur Verfügung. Als Gegenleistung versprachen die bolivianischen Behörden, durch eine Verbesserung der Steuerverwaltung und eine effizientere Ausgabenkontrolle das Defizit im Staatshaushalt von 4,1% (1998) bis 2001 auf max. 2% zu reduzieren.

Im März 1999 wurde in Santa Cruz de la Sierra in Ost-B. die mit fast 2000 km längste Gasleitung Lateinamerikas in Betrieb genommen. Sie verbindet die Öl- und Erdgasfelder bei Santa Cruz de la Sierra mit Sao Paulo, dem wichtigsten Industriezentrum und Absatzmarkt in Brasilien. Durch die Pipeline, die in 16 Monaten fertig gestellt wurde, sollen ab 2000 täglich 840 000 m³ Erdgas strömen. Die Einnahmen aus den Lieferungen wurden auf 500 Mio US-Dollar jährlich geschätzt.

Bolivien	Republik Bolivien
Landesfläche	1,1 Mio km² (WR 27)
Einwohner	7,96 Mio (WR 87)
Hauptstadt	Sucre (131 000 Einwohner)
Sprachen	Spanisch, Aymará, Ketschua
Währung	1 Bs = 100 Centavos
Zeit	Mitteleuropäische Zeit −5 h
Gliederung	9 Departements
Politik	
Staatsform	Präsidiale Republik (seit 1967)
Regierungschef	Carlos Iturralde Ballivian (seit 1997)
Staatspräsident	Hugo Suaréz Bánzer (seit 1997) *1926
Parlament	Kongress aus Abgeordnetenhaus mit 130 und Senat mit 27 Sitzen (Senat: 13) für Nationalkons. (ADN), 26 (3) für Nationalrev. Bewegung (MNR), 25 (6) für Sozialdemokr. (MIR), 21 (2) für Bürgerunion (UCS), 25 (3) für Andere (Wahl v. Juni 1997)
Internet	http://www.congreso.gov.bo
Bevölkerung	
Religion	Katholiken (85%); Protestanten (11%); Sonstige (4%)
Ethn. Gruppen	Mestizen (31,2%); Ketschua (25,4%); Aymará (16,9%); Weiße (14,5%); Sonstige (12%)

Wirtschaft und Soziales			
Dienstleistung	54,2%	**Urbanisierung**	58%
Industrie	28,8%	**Einwohner/km²**	7
Landwirtschaft	17%	**Bev.-Wachstum/Jahr**	2,4%
BSP/Kopf	970 $ (1997)	**Kindersterblichkeit**	6,6%
Inflation	4,4% (1998)	**Alphabetisierung**	63%
Arbeitslosigkeit	4,4% (1998)	**Einwohner pro Arzt**	2564

Bolivien: Wirtschaftswachstum[1]

1998	4,7
1997	4,2
1996	4,1
1995	3,1

1) BIP (%); Quelle: bfai

Bolivien: Inflation[1]

1998	4,4
1997	6,7
1996	8,0
1995	12,6

1) in %; Quelle: bfai

Bolivien: Arbeitslosigkeit[1]

1998	4,4
1997	4,3
1996	4,2
1995	5,4

1) in %; Quelle: bfai

Bosnien-Herzegowina
Europa, Karte S. 529, E 6

Bei den Wahlen zum gemeinsamen Bundesparlament und den Parlamenten der Teilrepubliken Moslemisch-Kroatische Föderation und Serbische Republik im September 1998 verschob sich das Kräfteverhältnis leicht zugunsten gemäßigter Parteien, wenngleich die Nationalisten aller drei Volksgruppen (Serben, Kroaten, Muslime) ihre Vormachtstellung behaupten konnten.

Innenpolitk: Im Bundesparlament konnte sich die gemäßigte »Koalition für ein einheitliches Bosnien-Herzegowina« mit 17 der insgesamt 42 Sitze als stärkste Kraft behaupten. Kroatische und serbische Nationalisten erhielten 6 bzw. 4 Sitze. In der bosnischen Serbenrepublik blieb die radikal-nationalistische SDS (Serbische Demokratische Partei) von Radovan Karadzic trotz Verluste stärkste Fraktion. Das gemäßigte Parteienbündnis Sloga gewann 4 Sitze. Bei den gleichzeitig abgehaltenen Präsidentschaftswahlen konnte sich dagegen der extrem nationalistische Nicola Poplasen (Serbische Radikale Partei, SRS) gegen die gemäßigte Amtsinhaberin Biljana Plavsic (Serbischer Volksbund, SNS) durchsetzen. Nach seiner Wahl weigerte sich Poplasen, den amtierenden Ministerpräsidenten Milorad Dodik (Unabhängige Sozialdemokraten) erneut mit der Regierungsbildung zu beauftragen. Dodik wurde von der Europäischen Union (EU) favorisiert, da er sich für eine Verständigung der Volksgruppen einsetzte. Sein gemäßigtes Bündnis Sloga verfügte zusammen mit kroatischen und muslimischen Abgeordneten im Parlament über eine Mehrheit. Dennoch benannte Poplasen in den folgenden Monaten drei nationalistische Ministerpräsidenten-Kandidaten, die aber keine Mehrheit erhielten. Im März 1999 beantragte die gemäßigte Parlamentsmehrheit, dem Präsidenten die Kontrolle über Geheimdienst und Armee zu entziehen. Daraufhin kündigte Poplasen die Entlassung von Dodik an. Am 5.3.1999 verfügte der Hohe Repräsentant der Staatengemeinschaft, Carlos Westendorp (Spanien), die Absetzung Poplasens. Der Hohe Repräsentant ist zu derartigen Maßnahmen befugt, wenn Politiker gegen die Bestimmungen des Dayton-Abkommens vom November 1995 verstoßen.

Anfang 1999 zog die NATO rund 3000 SFOR-Soldaten aus B. ab. Dadurch verringerte sich die Friedenstruppe auf rund 29 000 Mann. Das NATO-Kommando in Brüssel (Belgien) begründete den Schritt damit, dass trotz aller Schwierigkeiten der Friedensprozess in B. insgesamt positiv verlaufen sei.

Im November 1998 wurde der frühere Bremer Bürgermeister und EU-Administrator für Mostar (Herzegowina) von der rot-grünen Bunderegierung zum neuen B.-Beauftragten ernannt. In dieser Position soll er insbes. die Rückkehr der Bürgerkriegsflüchtlinge und ihre Reintegration in der Heimat koordinieren.

Wirtschaft: Im Mai 1999 trat in B. eine Zollunion in Kraft, mit der die Teilrepubliken einen einheitlichen Wirtschaftsraum bildeten. Infolge massiver internationaler Hilfe schritt der Wiederaufbau der Wirtschaft von B. 1998 voran. So nahm u. a. eine im Krieg zerstörte VW-Fabrik in Sarajewo im September 1998 die Produktion wieder auf.

Bosnien-Herzegowina Republik	
Landesfläche	51 129 km² (WR 124)
Einwohner	3,99 Mio (WR 117)
Hauptstadt	Sarajevo (465 000 Einwohner)
Sprachen	Kroatisch, Serbisch
Währung	1 Dinar = 100 Para
Zeit	Mitteleuropäische Zeit
Gliederung	Bosnisch-Kroatische Föderation/Serbische Republik
Politik	
Staatsform	Republik (seit 1992)
Regierungschef	Haris Silajdzic (seit 1997) *1945
Staatspräsident	Alija Izetbegovic (seit 1990/96) *8.8.1925
Parlament	Haus der Völker mit 15 Deputierten; Abgeordnetenhaus mit 42 Mitglieder, davvon 17 für KCD (Koalition für ein einheitliches Bosnien-Herzegowina), 6 für HDZ (Kroaten), 4 für SDS (Serben), 4 für Sloga (Parteienbündnis), 11 für Andere (Wahl von 1998)
Internet	http://www.bosniaembassy.org http://www.suc.org/Republic_of_Srpska
Bevölkerung	
Religion	Muslime (40%); Serbisch-Orthodoxe (31%); Katholiken (15%); Protestanten (4%); Sonstige (10%)
Nationalitäten	Bosniaken (49,2%); Serben (31,1%); Kroaten (17,3%); Sonstige (2,4%)
Wirtschaft und Soziales			
---	---	---	---
Dienstleistung	24,4%	Urbanisierung	49%
Industrie	64,7%	Einwohner/km²	78
Landwirtschaft	10,9%	Bev.-Wachstum/Jahr	0,9%
BSP/Kopf	k. A.	Kindersterblichkeit	k.A.
Inflation	k. A.	Alphabetisierung	85,5%
Arbeitslosigkeit	k. A.	Einwohner pro Arzt	4500

Botswana

Afrika, Karte S. 533, D 6

Ende September 1998 war B. an der von Südafrika geleiteten Militärintervention in Lesotho beteiligt. Truppen aus B. und Südafrika verhinderten dort einen Putsch gegen Ministerpräsident Pakalitha Mosisili. Bei den Kämpfen kamen über 100 Menschen ums Leben. Nach Stabilisierung der Lage zogen sich die von B. und Südafrika entsandten Truppen im Mai 1999 aus Lesotho zurück. Im November 1998 führte die Flucht von etwa 100 Separatisten aus Namibia nach B. zu Spannungen mit dem westlichen Nachbarstaat. Die Flüchtlinge betrieben die Ablösung des wirtschaftlich prosperierenden Caprivi-Zipfels von Namibia, dessen Regierung ihre Auslieferung durch B. verlangte. Doch die Behörden in B. verweigerten die Festnahme und Überstellung der Separatisten. Haupteinnahmequelle von B. ist seit den 70er Jahren der Diamanten-Export. B. hat eines der höchsten Pro-Kopf-Einkommen aller afrikanischen Staaten südlich der Sahara (ca. 3300 Dollar), leidet jedoch unter sehr hoher Arbeitslosigkeit (über 25%).

Botswana Republik Botswana	
Landesfläche	581 730 km² (WR 45)
Einwohner	1,55 Mio (WR 144)
Hauptstadt	Gaborone (182 000 Einwohner)
Sprachen	Setswana, Englisch
Währung	1 Pula (P) = 100 Thebe
Zeit	Mitteleuropäische Zeit +1 h
Gliederung	10 Landdistrikte, 4 Stadtdistrikte
Politik	
Staatsform	Präsidiale Republik (seit 1966)
Regierungschef	Quett K. J. Masire (seit 1980) *3.7.1925
Staatspräsident	Quett K. J. Masire (seit 1980) *3.7.1925
Parlament	Nationalvers. mit 39 für fünf Jahre gewählten Abgeordneten sowie 4 gesondert vom Parlament gewählten Mitgliedern; 26 Sitze für Botswana Democratic Party, 13 für Botswana National Front (Wahl von 1994)
Internet	http://www.gov.bw
Bevölkerung	
Religion	Christen (50,2%): Protestanten (29%), Afrikanische Christen (11,8%), Katholiken (9,4%); Naturreligionen (49,8%)
Ethn. Gruppen	Tswana (75,5%); Shona (12,4%); San (3,4%); Sonstige (8,7%)

Wirtschaft und Soziales			
Dienstleistung	44%	Urbanisierung	45,7%
Industrie	51%	Einwohner/km²	3
Landwirtschaft	5%	Bev.-Wachstum/Jahr	2,5%
BSP/Kopf	3310 $ (1997)	Kindersterblichkeit	5,9%
Inflation	10% (1996)	Alphabetisierung	73,6%
Arbeitslosigkeit	25% (1998)	Einwohner pro Arzt	4395

Brasilien

Südamerika, Karte S. 531, E 4

Im Oktober 1998 wurde Fernando Henrique Cardoso als erster Präsident B. seit der Rückkehr zur Demokratie (1985) wiedergewählt. 1998/99 wurde B. von einer schweren Finanzkrise erschüttert, die eine wirtschaftliche Rezession auslöste.
Innenpolitik: Bei den Wahlen erhielt der Sozialdemokrat Cardoso 53% der Stimmen, während Luiz da Silva von der sozialistischen Partei der Arbeiter (PT) 32% erreichte. Bei den Gouverneurswahlen in den brasilianischen Bundesstaaten gewannen die Kandidaten der Koalition von Cardoso 9 der 13 Staaten. Damit erreichte der Präsident eine bequeme Mehrheit in beiden Kammern des Kongresses.
Rücktritt: Im November 1998 traten ein Minister und drei hochrangige Beamte der brasilianischen Regierung von ihren Ämtern zurück. Ihnen wurde vorgeworfen, bei der Privatisierung des Telekommunikationsunternehmens Telebrás versucht zu haben, die Gebote der Kaufinteressenten durch Mani-

Brasilien Förderative Republik Brasilien	
Landesfläche	8,5 Mio km² (WR 5)
Einwohner	165,2 Mio (WR 5)
Hauptstadt	Brasilia (1,5 Mio Einwohner)
Sprachen	Portugiesisch
Währung	1 Real (R$) = 100 Centavos
Zeit	Mitteleuropäische Zeit –4 h
Gliederung	26 Bundesstaaten
Politik	
Staatsform	Präsidiale Bundesrepublik (seit 1988)
Regierungschef	Fernando Henrique Cardoso (seit 1994) *1931
Staatspräsident	Fernando Henrique Cardoso (seit 1994) *1931
Parlament	Kongress aus Abgeordnetenhaus mit 513 und Senat mit 81 Abgeordneten; im Kongress 106 für Liberale Front, 99 für Sozialdemokratische Partei Brasiliens, 82 Sitze für brasilianische Demokratische Bewegung, 60 für brasilianische Fortschrittspartei,166 für Andere (Wahl vom Oktober 1998)
Bevölkerung	
Religion	Katholiken (87,8%), Protestanten (6,1%); Sonstige (6,1%)
Ethn. Gruppen	Weiße (53%); Mulatten (22%); Mestizen (12%); Sonst. (13%)

Wirtschaft und Soziales			
Dienstleistung	48,3%	Urbanisierung	78%
Industrie	39,3%	Einwohner/km²	19
Landwirtschaft	12,4%	Bev.-Wachstum/Jahr	1,4%
BSP/Kopf	4790 $ (1997)	Kindersterblichkeit	4,2%
Inflation	5% (1997)	Alphabetisierung	82,7%
Arbeitslosigkeit	7,6% (1998)	Einwohner pro Arzt	847

pulationen nach oben zu treiben und ein Konsortium zu begünstigen. Die Manipulationsversuche waren auf Tonbändern aufgezeichnet und von Gegnern der brasilianischen Regierung der Presse zugespielt worden.

Kriminalität: Menschenrechtsorganisationen und Kirchen kritisierten 1998/99 die brasilianische Regierung wegen ihrer Untätigkeit angesichts der wachsenden Zahl von Gewaltverbrechen in den Elendsvierteln brasilianischer Großstädte wie Rio de Janeiro oder Sao Paulo. 1998 kamen in B. rund 15 000 Menschen durch Gewaltverbrechen ums Leben (Deutschland: etwa 1200). Die meisten von ihnen waren Opfer von Banditenmilizen und Todesschwadronen, die über die Slums in den Großstädten herrschen.

Wirtschaft: Das BIP wuchs 1998 in B. um 0,2% (1997: 3,7%), wobei es sich im vierten Quartal infolge der Währungs- und Finanzkrise um 1,9% gegenüber dem Vorjahr verringerte. Die Arbeitslosenquote in B. stieg im Jahresdurchschitt auf 7,59% (1997: 5,66%).

Finanzen: Wegen des starken Anstiegs der Staatsschulden in B. auf 300 Mrd US-Dollar und des Haushaltsdefizits auf 7,5% des BIP zogen internationale Anleger im September 1998 innerhalb von zwei Wochen 15 Mrd US-Dollar aus B. ab. Um die Devisenflucht zu hemmen und Kapital wieder anzuziehen, erhöhte B. ungeachtet konjunktureller Folgen die Zinsen auf zeitweilig 50%. Dennoch sanken die brasilianischen Devisenreserven von Juli bis Dezember 1998 von 75 Mrd auf 35 Mrd US-Dollar.

Zur Bewältigung der Währungs- und Finanzkrise sagten der Internationale Währungsfonds (IWF), die Weltbank, die Interamerikanische Entwicklungsbank und 20 Industrienationen im November 1998 Hilfen in Höhe von 41,5 Mrd US-Dollar zu. Im Gegenzug versprach B., durch Sparmaßnahmen und Steuererhöhungen das Haushaltsdefizit noch 1998 um 23,5 Mrd US-Dollar zu reduzieren.

Die Ankündigung des Sparkurses rief den Widerstand brasilianischer Gliedstaaten hervor. Die Regierung des einflussreichsten Bundesstaates Minas Gerais erklärte im Januar 1999 einseitig ein dreimonatiges Schuldenmoratorium in Bezug auf seine Verbindlichkeiten in Höhe von 13,4 Mrd US-Dollar gegenüber dem Bund. Daraufhin zogen ausländische Investoren innerhalb von zwei Wochen noch einmal 2 Mrd US-Dollar aus B. ab. Die brasilianische Zentralbank erhöhte die Wechselkursbandbreite von 1,12–1,22 Real für den US-Dollar auf 1,20–1,32 Real für den US-Dollar, was einer tatsächlichen Abwertung der nationalen Währung um 8,6% entsprach.

Nach dem Wertverlust des Real bestand der IWF auf einer Revision bzw. Erweiterung der im November 1998 getroffenen Vereinbarungen als Gegenleistung für weitere Finanzhilfen. B. verpflichtete sich im März 1999 zu Korrekturen, damit die Inflation im laufenden Jahr nicht über 17% steigt, das Wirtschaftswachstum um nicht mehr als 4% einbricht und die Zinsen von 45% (Anfang März) auf 28,8% im Jahresmittel sinken. Ab 2000 soll die brasilianische Wirtschaft wieder um 3–4% jährlich wachsen. Der IWF verlangte von der brasilianischen Regierung erneut ein rigides Sparprogramm, mit dem das Haushaltsdefizit verringert werden und der Real sich zum US-Dollar bei 1,70 einpendeln soll.

Soziales: Als ersten Schritt zur Sanierung der Staatsfinanzen verabschiedete das brasilianische Abgeordnetenhaus im Januar 1999 ein Rentengesetz für Angestellte des öffentlichen Dienstes: Ab Mai 1999 wurden pensionierte Beamte besteuert und die Rentenbeiträge der berufstätigen Staatsdiener erhöht. Die zusätzlichen Einnahmen bzw. Einsparungen aus dem neuen Rentengesetz belaufen sich nach Schätzungen auf 3 Mrd US-Dollar jährlich. 26 der 27 brasilianischen Bundesstaaten erklärten, in Zukunft nicht mehr als 60% ihrer Haushalte für Personalkosten auszugeben.

1998 kamen 41 brasilianische Bauern bei Streitigkeiten um Landbesitz ums Leben (1997: 30). Die Auftraggeber der Morde und die Mörder selbst bleiben meist straffrei. 1988–98 wurde in lediglich 86 der 1158 Mordfälle ein Verfahren eröffnet. Von den Auftraggebern, meist Großgrundbesitzern, wurden sieben verurteilt, 56 Mörder erhielten Gefängnisstrafen. Die katholische Pastoral-Kommission warf der Regierung vor, die zunehmende Gewalt im Land nicht energisch zu bekämpfen. Außerdem klagte sie über die teilweise sklavenähnlichen Verhältnisse, unter denen die Bauern für Großgrundbesitzer arbeiten müssen.

Brunei

Ostasien, Karte S. 536, C 5

Im August 1998 setzte der Sultan von B., Muda Hassanal Bolkiah, seinen ältesten Sohn Prinz al-Muhtadi Billah als Thronfolger ein. Der Sultan von B., der das Land als absoluter Monarch seit 1967 regiert und die Ämter des Premierministers, Verteidigungsministers und Chefs der Streitkräfte innehat, gilt mit einem geschätzten Privatvermögen von 35 Mrd US-Dollar als einer der reichsten Männer der Welt.

Im August 1998 brach das größte Erdöl-Unternehmen von B., die Amedo Corporation, finanziell zusammen, wodurch ein geschätzter Schaden von umgerechnet rund 8 Mrd US-Dollar entstand. Das Unternehmens-Komglomerat wurde vom jüngeren Bruder des Sultans, Prinz Jefri, geführt, dem mangelnde Kompetenz und Verschwendungssucht vorgeworfen wurden. Kritiker des Sultans bemängelten 1998/99 die fehlende Transparenz seiner Finanzen und die Vermischung von Staats- und Privatvermögen in dem südostasiatischen Land.

Brunei Brunei Darussalam			
Landesfläche	5765 km² (WR 161)		
Einwohner	313 000 (WR 165)		
Hauptstadt	Bandar Seri Begawan (46 000 Einwohner)		
Sprachen	Malaiisch, Chinesisch, Englisch		
Währung	1 Brunei-Dollar (Br-$) = 100 Cents		
Zeit	Mitteleuropäische Zeit +7 h		
Gliederung	4 Distrikte		
Politik			
Staatsform	Sultanat (seit 1984)		
Regierungschef	Sultan M. Hassanal Bolkiah (seit 1967) *1946		
Staatspräsident	Sultan M. Hassanal Bolkiah (seit 1967) *1946		
Parlament	Legislativrat mit 21 vom Sultan ernannten Mitgl.; nur beratende Funktion; keine politischen Parteien, Parlament ist seit Verhängung des Ausnahmezustandes 1962 aufgelöst		
Internet	http://www.brunei.gov.bn http://www.pmo.gov.bn		
Bevölkerung			
Religion	Muslime (66,5%); Buddhisten (11,8%); Sonstige (21,7%)		
Nationalitäten	Malaien (66,9%); Chinesen (15,6%); Sonstige (17,5%)		
Wirtschaft und Soziales			
Dienstleistung	45%	Urbanisierung	90%
Industrie	52%	Einwohner/km²	54
Landwirtschaft	3%	Bev.-Wachstum/Jahr	3%
BSP/Kopf	k.A.	Kindersterblichkeit	1%
Inflation	1,7% (1997)	Alphabetisierung	87,9%
Arbeitslosigkeit	4,7% (1998)	Einwohner pro Arzt	1473

Bulgarien

Europa, Karte S. 529, E 6

Das Bemühen um baldigen Beitritt zur NATO und EU bildeten 1998/99 die Leitlinien der Außen- und Wirtschaftspolitik von B.

Außenpolitik: Im Kosovo-Konflikt stellte sich B. im Frühjahr 1999 hinter die NATO. So öffnete sie im Februar 1999, noch vor Beginn der NATO-Luftangriffe auf Jugoslawien, den bulgarischen Luftraum in einer Breite von 150 km für NATO-Flugzeuge. B. unterstrich sein Interesse an einem baldigen NATO-Beitritt. In B. wuchsen jedoch Vorbehalte gegen die NATO-Strategie im Kosovo-Konflikt; das Parlament verzögerte seine Zustimmung zur generellen Freigabe des Luftraums.

Im Februar 1999 führte B. die Visumpflicht für 17 Länder ein, die von der EU als »Risiko-Staaten für illegale Einwanderung« bezeichnet werden, darunter Armenien, Aserbaidschan und Bosnien-Herzegowina. Damit soll verhindert werden, dass Bürger dieser Staaten B. als Durchgangsland zur Einreise in die EU-Länder benutzen.

Bulgarien Republik Bulgarien			
Landesfläche	110 912 km² (WR 102)		
Einwohner	8,39 Mio (WR 84)		
Hauptstadt	Sofia (1,1 Mio Einwohner)		
Sprache	Bulgarisch		
Währung	1 Lew (Lw) = 100 Stotinki		
Zeit	Mitteleuropäische Zeit +1 h		
Gliederung	9 Regionen		
Politik			
Staatsform	Parlamentarische Republik (seit 1991)		
Regierungschef	Ivan Kostov (seit 1997) *1949		
Staatspräsident	Petar Stoyanov (seit 1997) *25.5.1952		
Parlament	Volksversammlung mit 240 Abgeordneten; 137 Sitze für Vereinigte Demokratische Kräfte (ODS), 58 für Sozialistische Partei Bulgariens, 45 für Andere (Wahlen von 1997)		
Internet	http://www.bulgaria.govrn.bg http://www.parliament.bg		
Bevölkerung			
Religion	Bulgarisch-Orthodoxe (85,7%); sunnitische Muslime (12,1%); schiitische Muslime (1%); Sonstige (1,2%)		
Nationalitäten	Bulgaren (85,8%); Türken (9,7%); Sonstige (4,5%)		
Wirtschaft und Soziales			
Dienstleistung	51,1%	Urbanisierung	71%
Industrie	34,8%	Einwohner/km²	76
Landwirtschaft	14,1%	Bev.-Wachstum/Jahr	−0,6%
BSP/Kopf	1170 $ (1997)	Kindersterblichkeit	1,7%
Inflation	1,0% (1998)	Alphabetisierung	95,5%
Arbeitslosigkeit	12,2% (1998)	Einwohner pro Arzt	300

Das Verhältnis zum Nachbarstaat Rumänien wurde im Frühjahr 1999 durch den Streit über den gemeinsamen Bau einer Donau-Brücke belastet. An der rund 500 km langen Donau-Grenze gab es 1999 nur eine Brückenverbindung. Hauptstreitpunkt war der Standort der Brücke. Während Rumänien eine bessere Anbindung der Hafenstadt Konstanta anstrebt und einen östlichen Standort wünscht, besteht B. auf einer Brücke im Westen mit Anschluss an die Straßenverbindung zwischen Westeuropa und dem Nahen Osten.

Innenpolitik: Die seit April 1997 regierende konservative Regierung unter Ivan Kostow (ODS, Vereinigte Demokratische Kräfte) arbeitete vor allem an der eigenen Machtsicherung. Kritische Medien wurden teilweise in ihrer Arbeit behindert, politische und wirtschaftliche Reformen vernachlässigt. Vor dem Hintergrund der ethnischen Kämpfe auf dem Balkan wuchs in B. die Sorge vor Konflikten mit der türkischen Minderheit.

Wirtschaft: Die Wirtschaft B.s verzeichnete 1998 einige positive Entwicklungen. Das BIP wuchs um 1,5% (1997: –7,4%). Für 1999 wird sogar ein Wachstum von rund 3,5% erwartet. Auch Inflation (1998 nur noch 1%) und Arbeitslosigkeit (rund 12,2%) gingen spürbar zurück. Allerdings verliefen die Wirtschaftsreformen, insbes. Privatisierungen, nur schleppend. Bis 1998 waren rund 50% der einst 3800 Staatsbetriebe privatisiert. Auch nahm die Konkurrenzfähigkeit bulgarischer Produkte auf den Weltmärkten vor allem wegen mangelnder Qualitätssicherung und Innovationsschwäche ab. B. wurden 1999 wenig Chancen eingeräumt, mittelfristig in den Kreis der engeren EU-Beitrittskandidaten aufgenommen zu werden.

Durch aktive Wirtschaftspolitik versuchte die Regierung der Wirtschaft zusätzliche Wachtumsimpulse zu geben: Im Oktober 1998 beschloss sie die freie Konvertierbarkeit der Landeswährung Lew. Zugleich verpflichtete sich B., bei Finanztransaktionen keine staatlichen Eingriffe vorzunehmen. Im Frühjahr 1999 senkte die Regierung den Mehrwertsteuersatz von 22 auf 20% und die Steuer auf Unternehmensgewinne von 30 auf 27%. Am 1. Juli 1999 verlor der Lew drei Stellen (sog. Denominierung), was aber keine Abwertung der Währung ist.

Burkina Faso	
Landesfläche	274 000 km² (WR 72)
Einwohner	11,4 Mio (WR 67)
Hauptstadt	Ouagadougou (1 Mio Einwohner)
Sprachen	Französisch, More, Diula, Fulbe
Währung	CFA-Franc (FCFA)
Zeit	Mitteleuropäische Zeit –1 h
Gliederung	45 Provinzen
Politik	
Staatsform	Präsidiale Republik (seit 1960)
Regierungschef	Kadre Désiré Ouedraogo (seit 1996)
Staatspräsident	Blaise Compaoré (seit 1987) *3.2.1951
Parlament	Volksdeputiertenversammlung mit 111 und Repräsentantenhaus mit 178 Abgeordneten; in Volksdeputiertenversammlung 101 Sitze für Kongress für Demokratie und Fortschritt, 6 für Sozialdemokraten, 4 für Andere (Wahl 1997)
Bevölkerung	
Religion	Naturreligionen (44,8%); Muslime (43%); Christen (12,2%)
Ethn. Gruppen	Mossi (47,9%); Mandé (8,8%); Fulani (8,3%); Lobi (6,9%); Bobo (6,8%); Sonstige (21,3%)
Wirtschaft und Soziales	

Dienstleistung	40,6%	Urbanisierung	20%
Industrie	26,4%	Einwohner/km²	42
Landwirtschaft	33%	Bev.-Wachstum/Jahr	2,72%
BSP/Kopf	250 $ (1997)	Kindersterblichkeit	9,9%
Inflation	3% (1996)	Alphabetisierung	18,7%
Arbeitslosigkeit	k.A.	Einwohner pro Arzt	27 158

Burkina Faso

Afrika, Karte S. 533, B 3

Obwohl B. mit einem jährlichen Pro-Kopf-Einkommen von rund 250 Dollar eines der ärmsten Länder der Welt ist, gab es 1998/99 in der Wirtschaft positive Entwicklungen. Im Rahmen eines Programms zum Ausbau der Tourismus-Infrastruktur wurden die drei Nationalparks mit ihrer reichen Tierwelt (Löwen, Leoparden, Antilopen, Zebras) für den Fremdenverkehr besser erschlossen. Der Internationale Währungsfonds (IWF) machte weitere Finanzhilfen von verstärkten Privatisierungen abhängig.

Hauptgeberländer für B. blieben 1998/99 Deutschland und die frühere Kolonialmacht Frankreich. In den 80er Jahren hatte ein linksorientiertes Militärregime unter Thomas Sankara auf staatssozialistische Planwirtschaft gesetzt. Neben dem Ausbau des Tourismus ist zentrales ökonomisches Vorhaben von B., die Abhängigkeit der Wirtschaft vom Baumwollanbau durch Produktion und Ausfuhr weiterer Agrarerzeugnisse zu verringern.

Burundi
Afrika, Karte S. 533, D 5

Im April 1999 kamen bei Überfällen von Hutu-Rebellen auf Siedlungen der Tutsi mehr als 40 Menschen ums Leben, der schwelende Bürgerkrieg in B. flammte wieder auf. In B. herrscht eine Tutsi-Minderheit (rund 15% der Einwohner) über die Hutu (ca. 83% der Bevölkerung). Seit dem Militärputsch von 1996 wird das Land von dem Tutsi Pierre Buyoya autoritär regiert. Vertreter der verfeindeten Volksgruppen nahmen im Juni 1998 in Arusha (Tansania) Gespräche über eine Beilegung des ethnischen Konflikts auf. Auf Druck der Europäischen Union, die vor der Zahlung weiterer Hilfsgelder an B. eine Demokratisierung verlangt hatte, ließ Staatschef Buyoya Ende 1998 Parteien wieder zu. B. besitzt im Osten des Landes große Nickel-Vorkommen, die zum wirtschaftlichen Aufschwung in B. beitragen sollen. Verhandlungen mit einem kanadisch-australischen Konsortium über die Schürfrechte wurden bis Mitte 1999 nicht abgeschlossen. Geplant ist u. a. die Verlängerung der Eisenbahnstrecke ins nördliche Nachbarland Ruanda.

Burundi Republik Burundi			
Landesfläche	27 834 km² (WR 142)		
Einwohner	6,59 Mio (WR 93)		
Hauptstadt	Bujumbura (278 000 Einwohner)		
Sprachen	Kirundi, Französisch, Suaheli		
Währung	1 Burundi-Franc (FBu) = 100 Centimes		
Zeit	Mitteleuropäische Zeit +1 h		
Gliederung	15 Provinzen		
Politik			
Staatsform	Präsidiale Republik (seit 1966)		
Regierungschef	Pascal Firmin Ndimira (seit 1996)		
Staatspräsident	Pierre Buyoya (seit 1996) *24.11.1949		
Parlament	Nationalversammlung mit 81 Sitzen; 65 Sitze für Front für die Demokratie, 16 für Partei des Nationalen Fortschritts (Wahl von 1993)		
Internet	http://www.burundi.gov.bi		
Bevölkerung			
Religion	Christen (78,9%): Katholiken (65,1%), Protestanten (13,8%); Naturreligionen (19,5%); Muslime (1,6%)		
Ethn. Gruppen	Hutu (82,9%); Tutsi (14,5); Sonstige (2,6%)		
Wirtschaft und Soziales			
Dienstleistung	29,1%	Urbanisierung	8%
Industrie	16,8%	Einwohner/km²	237
Landwirtschaft	54,1%	Bev.-Wachstum/Jahr	3,51%
BSP/Kopf	180 $ (1997)	Kindersterblichkeit	11,9%
Inflation	26% (1996)	Alphabetisierung	35,3%
Arbeitslosigkeit	k.A.	Einwohner pro Arzt	k.A.

Chile
Südam., Karte S. 531, C 6

Im Oktober 1998 wurde Augusto Pinochet, der 1973–90 in C. als Diktator geherrscht hatte, aufgrund eines spanischen Haftbefehls in London festgenommen.
Außenpolitik: Dem 83-jährigen Pinochet wurde 1998 vorgeworfen, für die Ermordung von ca. 4000 Menschen, darunter 100 Spaniern und spanischstämmigen Chilenen, verantwortlich sein. Pinochet soll lt. spanischem Haftbefehl Agenten nach Spanien geschickt haben, um dort chilenische Oppositionelle zu töten. Der High Court in London erklärte Ende Oktober 1998 die Festnahme Pinochets zwar für illegal, weil er diplomatische Immunität genieße, entschied aber, den Ex-Diktator nicht auf freien Fuß zu setzen, um über eine etwaige Berufung gegen die Entscheidung befinden zu können. Im November 1998 sprach ein fünfköpfiges Gremium aus Lordrichtern des britischen Oberhauses Pinochet das Recht auf diplomatische Immunität mit der Begründung ab, dass Folter nicht als Funktion eines Staatsoberhauptes

Chile Republik Chile			
Landesfläche	756 626 km² (WR 37)		
Einwohner	14,82 Mio (WR 59)		
Hauptstadt	Santiago de Chile (4,6 Mio Einw.)		
Sprache	Spanisch		
Währung	1 Chilen. Peso = 100 Centavos		
Zeit	Mitteleuropäische Zeit −5 h		
Gliederung	13 Regionen		
Politik			
Staatsform	Präsidiale Republik (seit 1925)		
Regierungschef	Eduardo Frei Ruiz-Tagle (seit 1994) *1942		
Staatspräsident	Eduardo Frei Ruiz-Tagle (seit 1994) *1942		
Parlament	Kongress aus Senat mit 46 und Deputiertenkammer mit 120 Abgeordneten; in der Deputiertenkammer 39 Sitze für Christdemokraten (PDC), 23 für Konservative (RN), 16 für Demokraten (PPD), 42 für Andere (Wahl 11.12.1997)		
Internet	http://www.segegob.cl http://www.congreso.cl		
Bevölkerung			
Religion	Katholiken (76,7%), Protestanten (13,2%); Sonstige (10,1%)		
Ethn. Gruppen	Mestizen (91,6%); Indios (6,8%); Sonstige (1,6%)		
Wirtschaft und Soziales			
Dienstleistung	58,1%	Urbanisierung	84%
Industrie	33,9%	Einwohner/km²	20
Landwirtschaft	8%	Bev.-Wachstum/Jahr	1,4%
BSP/Kopf	4820 $ (1997)	Kindersterblichkeit	1,3%
Inflation	5,2% (1998)	Alphabetisierung	95%
Arbeitslosigkeit	7,1% (1998)	Einwohner pro Arzt	943

betrachtet werden könne. Es hob das Urteil des High Court auf und ermöglichte den Beginn eines von Spanien angestrebten Auslieferungsverfahrens. Der Beschluss der Lordrichter wurde im Dezember aufgehoben, da ein Mitglied des Gremiums Verbindungen zur Menschenrechtsorganisation Amnesty International verschwiegen hatte. Ein neues Gremium bestätigte im März 1999 das Urteil, stellte aber fest, dass Pinochet nur für Vergehen belangt werden könne, die nach Dezember 1988 begangen wurden. 1988 war Großbritannien der internationalen Anti-Folter-Konvention beigetreten und hatte sich verpflichtet, vor seinen Gerichten bei entsprechenden Vorwürfen auch früher hoheitliche Personen zu verfolgen. Das weitere Verfahren hinsichtlich der Auslieferung Pinochets an Spanien wird voraussichtlich bis 2001 dauern. Die chilenischen Behörden forderten wiederholt die Freilassung Pinochets und stellten in Aussicht, ihn vor ein chilenisches Gericht zu stellen. Menschenrechtsorganisationen bezweifelten, dass Pinochet in C. verurteilt werden kann, weil er dort als Senator auf Lebenszeit Immunität genießt.

Innenpolitik: Bei den Präsidentschaftsvorwahlen im Juni 1999 siegte mit 72% der Stimmen der Sozialist Ricardo Lagos. Der Kandidat der Regierungskoalition »Concertación«, Andres Zaldívar von der Christdemokratischen Partei (PDC), erhielt lediglich 28%. Lagos gilt damit als klarer Favorit für die Präsidentschaftswahlen, die für Dezember 1999 vorgesehen sind.

Colonia Dignidad: Im April 1999 wurden sieben führende Mitglieder der deutschen Sekte »Colonia Dignidad«, darunter der kommissarische Kolonieleiter Hartmut Hopp, in C. inhaftiert. Ihnen wird Kindesentführung und Verstoß gegen die ärztliche Sorgfaltspflicht vorgeworfen. Die 1962 vom Laienprediger Paul Schäfer gegründete Kolonie lebt in den Voranden 400 km südlich von Santiago auf einem 20 000 ha großen Areal. Internationale Menschenrechtsorganisationen beschuldigen die Sekte, Chiles Geheimpolizei während der Pinochet-Diktatur Einrichtungen für ein Folterlager zur Verfügung gestellt zu haben. Trotz zahlreicher Hinweise auf Misshandlungen von Sektenmitgliedern und sexuellem Kindesmissbrauch in der Colonia gingen chilenische Behörden bis April 1999 nicht gegen die Sekte vor. Als Grund wurde die Erpressbarkeit von Persönlichkeiten aus der Politik vermutet, denen die Colonia Dignidad je nach Neigung Partner zugeführt haben soll.

Wirtschaft: Das BIP in C. stieg 1998 um 3,4% (1997: 7,6%). Die Abschwächung der Konjunktur ist auf den Einbruch der Nachfrage aus dem krisengeschüttelten Asien, das mit rund 30% der Ausfuhren wichtigster Absatzmarkt C. war, und auf fallende Preise für Kupfer zurückzuführen, auf den 36,6% aller Exporte entfielen. Als Reaktion auf die Rezessionssignale senkte die chilenische Zentralbank im März 1999 den Leitzins von 7,25 auf 7% – es war die sechste Leitzinssensenkung seit September 1998.

Mit mehreren Sparpaketen versuchte C. 1998/99, die nationale Währung (Peso) zu stabilisieren und die starke Binnennachfrage einzudämmen, die zunehmende die Handelsbilanz belastete. Die Inflationsrate lag 1998 bei 5,2% (1997: 6%) und soll 1999 auf unter 5% fallen. Ende 1998 betrugen die Devisenreserven rund 22% des BIP. Die Auslandsverschuldung lag bei 40% des BIP (zum Vergleich Deutschland: 61%); das Leistungsbilanzdefizit belief sich auf 6% des BIP.

Chile: Justiz und Diktatoren in Lateinamerika

▶ **Argentinien:** Im Januar 1999 wurden ehemalige Diktatoren und Militärangehörige im Ruhestand, darunter der letzte Militärmachthaber Reynaldo Bignone, wegen mutmaßlicher Beteiligung an systematischer Kindesentführungen während der Militärdiktatur von 1976 bis 1983 angeklagt. Bereits 1985 wurden die ehemaligen Diktatoren Jorge Videla und Eduardo Massera zu lebenslanger, General Leopoldo Galtieri zu zwölf Jahren Haft verurteilt. Präsident Carlos Menem ließ die Junta-Chefs 1990 frei.

▶ **Bolivien:** General Luis García Meza, der 1980/81 als Diktator für zahlreiche Menschenrechtsverletzungen verantwortlich war, wurde 1995 zu 30 Jahren Haft verurteilt. General Hugo Banzer, der 1971–78 eine Diktatur in Bolivien errichtete, wurde 1997 demokratisch zum Staatschef gewählt, nachdem er sich von seiner Militärherrschaft öffentlich distanziert hatte.

▶ **Brasilien:** 1979 wurde beim Übergang von der Militärdiktatur zur Demokratie den Führern der ab 1964 herrschenden Militärjunta Amnestie gewährt. Von den Juntachefs wurde bis 1999 niemand für Menschenrechtsverletzungen zur Verantwortung gezogen.

▶ **Nicaragua:** Der 1979 von linksgerichteten Sandinisten gestürzte Anastasio Somoza floh nach Paraguay, wo er 1980 ermordet wurde. Somoza unterdrückte während seiner Herrschaft (1967–79) mit brutalen Mitteln die Opposition und beutete das Land wirtschaftlich vollständig aus.

▶ **Panama:** 1989 wurde General Manuel Noriega bei der Invasion der USA festgenommen und von einem US-amerikanischen Gericht wegen Drogenhandels zu 40 Jahren Haft verurteilt. Noriega wurde auch die Ermordung Oppositioneller vorgeworfen.

▶ **Paraguay:** General Alfredo Stroessner, der 1954–89 Paraguay diktatorisch regierte, lebte 1999 unbehelligt in Brasilien. Sein Nachfolger General Andrés Rodriguez, der die Demokratisierung Paraguays einleitete, verhinderte 1990 die Einsetzung einer Kommission, die politische Morde, Folter und willkürliche Verhaftungen während des Stroessner-Regimes aufarbeiten sollte.

▶ **Uruguay:** Die Generäle der Militärjunta (1973–85) erhielten trotz der Verbrechen gegen linksgerichtete Guerillas Amnestie, die 1989 in einem Referndum mit 52,6% der Stimmen gebilligt wurde.

China

Asien, Karte S. 535, F 3

Innenpolitik: Die chinesische Regierung versuchte 1998/99 durch Massenverhaftungen und Verhängung hoher Haftstrafen oppositionelle Parteien und Regimegegner zu unterdrücken.

Prozesse: Im Dezember 1998 wurden die führenden Bürgerrechtler und Mitbegründer der in C. verbotenen Demokratischen Partei, Qin Yongmin, Xu Wenli, Wang Youcai und Zhang Shanguang, zu zwölf, 13, elf und zehn Jahren Haft verurteilt. Ihnen wurden Umsturzversuch und Gefährdung der Staatssicherheit vorgeworfen. Die Kritik der USA, Deutschlands und Frankreichs an den Urteilen wies die chinesische Regierung als Einmischung in innere Angelegenheiten zurück.

Im Februar 1999 wurde der chinesische Bürgerrechtler Wang Ce von einem Gericht in Hangzhou zu vier Jahren Haft verurteilt. Wang Ce, der 14 Jahre in den USA und in Spanien im Exil lebte, war im November 1998 heimlich von Macao nach C. eingereist, um sich mit chinesischen Bürgerrechtlern zu treffen. In der Anklage wurden ihm die Unterstützung krimineller Aktivitäten, die Gefährdung der Staatsmacht und illegale Einreise vorgeworfen. Außerdem soll er 1000 US-Dollar an den Dissidenten Wang Youcai weitergegeben haben. Wang Ce musste sich im Prozess selbst verteidigen, weil kein unabhängiger Anwalt sich traute, den Fall zu übernehmen.

Im April 1999 wurde vor einem Gericht in Peking der Prozess gegen den chinesischen Dissidenten und früheren Provinzfunktionär Fang Jue eröffnet. Fang hatte einen Aufsatz veröffentlicht, in dem er sich für einschneidende demokratische Reformen in C. aussprach. Der Prozesstermin wurde so kurzfristig anberaumt, dass Fang keine Gelegenheit hatte, vor Beginn des Verfahrens mit seinem Anwalt zu sprechen. Die USA forderten von C. die sofortige Freilassung Fangs.

Verhaftungen: Im Mai 1999 versuchte die chinesische Polizei, Gedenken an die blutig niedergeschlagene Demokratiebewegung vom 4.6.1989 zu unterbinden. Sie nahm 20 Bürgerrechtler fest und löste in Acheng in der nordchinesischen Provinz Heilongjiang ein Treffen von Dissidenten auf.

China	Volksrepublik China		
Landesfläche	9,56 Mio km² (WR 3)		
Einwohner	1,255 Mrd (WR 1)		
Hauptstadt	Peking (Beijing, 13 Mio Einwohner)		
Sprache	Chinesisch		
Währung	1 Yuan (RMB) = 10 Jiao = 100 Fen		
Zeit	Mitteleuropäische Zeit +7 h		
Gliederung	23 Provinzen		
Politik			
Staatsform	Sozialistische Volksrepublik (seit 1949)		
Regierungschef	Zhu Rongji (seit 1998) *20.10.1928		
Staatspräsident	Jiang Zemin (seit 1993) *17.8.1926		
Parlament	Nationaler Volkskongress mit rund 2921 für fünf Jahre von den Provinzparlamenten gewählten Abgeordneten; sämtliche Sitze für die von der Kommunistischen Partei beherrschte Nationale Front (Wahl von 1993)		
Internet	http://www.stats.gov.cn		
Bevölkerung			
Religion	Volksreligionen (20,1%); Buddhisten (6%); Muslime (2,4%); Christen (0,2%); Sonstige (0,1%); Konfessionslose (71,2%)		
Ethn. Gruppen	Han-Chinesen (92,0%); Zhuang (1,4%); Hui (0,8%); Mandschuren (0,8%); Miao (0,7%); Sonstige (4,3%)		
Wirtschaft und Soziales			
Dienstleistung	28%	**Urbanisierung**	30%
Industrie	48%	**Einwohner/km²**	131
Landwirtschaft	24%	**Bev.-Wachstum/Jahr**	1,0%
BSP/Kopf	860 $ (1997)	**Kindersterblichkeit**	4,1%
Inflation	0,8% (1998)	**Alphabetisierung**	78,7%
Arbeitslosigkeit	8,0% (1998)	**Einwohner pro Arzt**	3446

Demokratische Partei: Trotz der Massenverhaftungen und hohen Gefängnisstrafen gründete die verbotene Demokratische Partei im Februar 1999 fünf neue Regionalvertretungen. Die Büros wurden in den Provinzen Henan und Liaoning sowie in den Städten Xi'an und Huanggang eröffnet. Damit stieg die Zahl der Parteiniederlassungen in C. auf 16.

Mitglieder der verbotenen Demokratischen Partei forderten im März 1999 in einem Brief an den Volkskongress einen radikalen Umbau des politischen Systems:
– Ende des Einparteienstaates
– Legalisierung von Oppositionsparteien
– Freilassung politischer Gefangener
– Schutz des Privateigentums
– Einhaltung der Menschenrechte.

Sekte: Im April 1999 kamen 15 000 Anhänger der parareligiösen Sekte Falun Gong in Peking zur größten Demonstration seit der gewaltsam beendeten Demokratiebewegung von 1989 zusammen. Sie protestierten schweigend gegen die Verfolgung und Verleumdung ihrer Bewegung. Die Mitglieder von Falun Gong hängen der Lehre eines

China: Wirtschaftswachstum[1]	
1998	+7,8
1997	+8,8
1996	+9,6
1995	+10,5
1) BIP (%); Quelle: bfai	

Heilsverkünders namens Li Hongzhi an, der Ende der 80er Jahre angab, ein von Gott abgesandter Retter der durch Einflüsse von Technik und Moderne zugrunde gehenden Welt zu sein.

Wanderarbeiter: In Peking begann im November 1998 ein umfangreiches Programm gegen den Zustrom von Wanderarbeitern und Obdachlosen. Auf den Straßen der Wohnbezirke, insbes. in den Elendsvierteln der Vororte, wurden die Polizeikontrollen intensiviert, um etwa 1,5 Mio Menschen festzunehmen und in ihre Heimatgebiete zurückzubringen. Das Programm soll dazu beitragen, die steigende Zahl der Straftaten in Peking zu verringern, an denen 1998 Wanderarbeiter und Obdachlose zu etwa 57% beteiligt gewesen sein sollen.

Macao: Eine chinesische Kommission wählte im Mai 1999 den Bankier Edmund Ho zum ersten postkolonialen Verwaltungschef von Macao. Die bislang portugiesisch verwaltete Halbinsel – die letzte Kolonie Europas in Asien – soll am 20.12.1999 an C. übergeben werden. Ho kündigte an, das Prinzip »Ein Land – Zwei Systeme« zu respektieren, das Macao nach dem Vorbild Hongkongs zu einem Sonderverwaltungsgebiet von C. mit autonomen Rechten machen soll.

Umwelt: Im März 1999 begann in C. die Umsiedlung von 2 Mio Menschen, die dem geplanten Drei-Schluchten-Staudamm am Jangtse-Fluss weichen müssen. Für den zusätzlichen Hochwasserschutz entlang des Flusses soll eine weitere Million Menschen ihre Orte verlassen. Das ökologisch umstrittene Staudammprojekt soll den Planungen zufolge ab 2009 Wasser für das weltgrößte Wasserkraftwerk bereit halten.

Naturkatastrophe: Im August 1998 wurde der Norden von C. von der größten Hochwasserkatastrophe seit 1954 heimgesucht. Die Überschwemmungen und Deichbrüche am Jangtse forderten nach offiziellen Angaben ca. 3000 Menschenleben und verursachten einen wirtschaftlichen Schaden von 20 Mrd US-Dollar. Insgesamt wurden 21 Mio ha Land überflutet und rund 5 Mio Häuser zerstört. 20% der Bevölkerung waren von der Katastrophe betroffen. Das Welt-Ernährungs-Programm (WFP) kündigte Nahrungsmittellieferungen im Wert von 87,7 Mio US-Dollar zur Vermeidung einer Hungersnot unter den Hochwasseropfern an. Das unter starker Kontrolle der KP stehende Parlament forderte die chinesische Regierung auf, mehr Geld in Präventivmaßnahmen gegen Hochwasser zu investieren und dem Umweltschutz größere Beachtung beizumessen.

Außenpolitik: Bei Luftangriffen auf Jugoslawien zerstörte die NATO im Mai 1999 die chinesische Botschaft in Belgrad. Drei Menschen wurden getötet, 20 verletzt.

Proteste: In Peking kam es zu teilweise gewaltsamen Demonstrationen vor den Vertretungen von NATO-Mitgliedstaaten. Die NATO entschuldigte sich für den Angriff und sprach von einem Versehen. Die Mitgliedstaaten des UNO-Sicherheitsrates einigten sich auf eine Erklärung, in der sie ihre tiefe Besorgnis über die Attacke der NATO ausdrückten. US-Präsident Bill Clinton versprach eine Untersuchung des Vorfalls.

Britische Investitionen: Beim Besuch des britischen Premierministers Tony Blair in Peking vereinbarten britische und chinesische Unternehmen im Oktober 1998 neue Investitionsprojekte in Höhe von rund 1,3 Mrd DM. Weitere britische Investitionen und Geschäftsabschlüsse im Umfang von 7,8 Mrd DM wurden beraten. Großbritannien war 1998 der größte europäische Investor in C. Ende 1998 gab es rund 2000 britisch-chinesische Gemeinschaftsunternehmen.

Grenzkonflikt: C. und Russland legten im November 1998 die letzten Streitigkeiten entlang ihrer 4300 km langen gemeinsamen Grenze bei. In einem Abkommen wurde u.a. die Demarkation des letzten, zwischen der Mongolei und Kasachstan eingeklemmten Stücks russisch-chinesischer Grenze festgelegt. Darüber hinaus vereinbarten C. und Russland den Ausbau der 1996 proklamierten strategischen Partnerschaft.

Journalist ausgewiesen: Im November 1998 wurde der Pekinger Korrespondent des deutschen Nachrichtenmagazins »Der Spiegel«, Jürgen Kremb, des Landes verwiesen. Zuvor war sein Büro von Angehörigen der Staatssicherheit durchsucht worden. Kremb wurde vorgeworfen, gegen die Regeln für ausländische Journalisten verstoßen und durch den Besitz geheimer Dokumente chinesische Sicherheitsinteressen gefährdet zu haben.

Wirtschaft: 1998 schwächte sich die Konjunktur in C. leicht ab; das BIP stieg nur noch um 7,8% (1997: +8,8%). Als Ursache wurden die schweren Überschwemmungen vom August 1998 und die Asienkrise angesehen, die eine Stagnation der Ausfuhrerlöse auf 182 Mrd US-Dollar verursachte.

Staatswirtschaft: Stabilisiert wurde die chinesische Wirtschaftsleistung durch höhere Staatsausgaben, mit denen Investitionen in die Infrastruktur finanziert wurden. Trotz hoher Ausgaben, durch die das Haushaltsdefizit 1999 voraussichtlich um 56% auf rund 17 Mrd US-Dollar steigen wird (1,7% des BIP; zum Vergleich Deutschland: 2,1%), blieb die Arbeitslosenrate mit 8% auf Vorjahresniveau. Für 1999 rechnete die chinesische Regierung mit einem Anstieg der Arbeitslosenquote, weil rund 6 Mio Menschen aus dem öffentlichen Dienst und 170000 Menschen aus der Armee entlassen werden.

Marktwirtschaft: Im Januar 1999 kündigte C. an, die Steuerprivilegien abzubauen, die internationale Unternehmen in den über 100 Sonderwirtschaftszonen genießen. Zum 1.1.1999 wurden die Importzölle für 1014 Warenkategorien, darunter Textilien, Spielzeug und Forstprodukte, um 8–78% reduziert. Im März 1999 ebnete der chinesische Volkskongress mit Verfassungsänderungen den Weg für weitere marktwirtschaftliche Reformen; der Privatwirtschaft wird nicht mehr eine ergänzende, sondern eine »wichtige« Rolle zugeschrieben. Sie soll sich erstmals seit Ausrufung der Volksrepublik (1949) unter gesetzlichem Schutz frei entwickeln dürfen. Die marktwirtschaftlichen Theorien des 1997 verstorbenen Deng Xiaoping wurden in die Präambel aufgenommen.

Energie: Im April 1999 kündigte die chinesische Regierung an, für drei Jahre auf den Bau neuer Atomkraftwerke zu verzichten. 1999 sollen ca. 26000 Zechen geschlossen und 1 Mio Arbeiter in der Kohleindustrie entlassen werden. Hintergrund der Entscheidung war der Nachfragerückgang in der Energieversorgung als Folge der Wirtschaftskrise in Asien.

Costa Rica

Mittelam. Karte S. 532, C 6

Costa Rica festigte 1998/99 seinen Ruf als High-Tech-Produktionsstandort der Computerbranche. Gleichzeitig versuchte es, den ökologischen Tourismus als zweiten großen dynamischen Wirtzschaftszweig weiter auszubauen.

Innenpolitik: Die Wahl von Miguel Angel Rodríguez von der christlichsozialen PUSC (Partido Unidad Social Cristiana) zum Staatspräsidenten am 1.2.1998 markierte den Beginn eines gesamtgesellschaftlichen Aufbruchs, nachdem die Amtszeit von José Figueres Olsen von der sozialdemokratischen PLN (Partido de Liberación Nacional) 1994-98 von steigender Kriminalität, Korruption, zunehmender Armut und tiefen Einschnitten in das Gesundheits- und Bildungswesen geprägt war. Angel Rodríguez band trotz deutlicher Mehrheit im Parlament die oppositionelle PLN im Rahmen einer »concertación« genannten konzertierten Aktion in die Entscheidungsfindungsprozesse mit ein.

Costa Rica	Republik Costa Rica	
Landesfläche	51 100 km² (WR 125)	
Einwohner	3,65 Mio (WR 120)	
Hauptstadt	San José (325000 Einwohner)	
Sprache	Spanisch	
Währung	1 Costa Rica-Colón (C)	
Zeit	Mitteleuropäische Zeit −7 h	
Gliederung	7 Provinzen	
Politik		
Staatsform	Präsidiale Republik (seit 1949)	
Regierungschef	Miguel A. Rodríguez Echeverria (seit 1998)	
Staatspräsident	Miguel A. Rodríguez Echeverria (seit 1998)	
Parlament	Kongress mit 57 für vier Jahre gewählten Abgeordneten; 27 Sitze für Christlich Soziale Einheitspartei (PUSC), 23 Sitze für Partei der nationalen Befreiung (PLN), 7 für Andere (Wahl vom Februar 1998)	
Internet	http://www.casapres.go.cr http://www.icr.co.cr/asamblea	
Bevölkerung		
Religion	Katholiken (80%); Protestanten (15%); Sonstige (5%)	
Ethn. Gruppen	Weiße (87%); Mestizen (7%); Sonstige (6%)	
Wirtschaft und Soziales		
Dienstleistung	61,7%	Urbanisierung	50%
Industrie	22,5%	Einwohner/km²	71
Landwirtschaft	15,8%	Bev.-Wachstum/Jahr	2,1%
BSP/Kopf	2680 $ (1997)	Kindersterblichkeit	1,2%
Inflation	11% (1998)	Alphabetisierung	94,7%
Arbeitslosigkeit	5,4% (1998)	Einwohner pro Arzt	800

Costa Rica: Wirtschaftswachstum (BIP)¹⁾

Jahr	Wachstum
1998	+5,5
1997	+3,7
1996	−0,6
1995	+2,4

1) in %; Quelle: bfai

Wirtschaft: Im März 1998 nahm in San José die erste von vier geplanten Fabriken des Chip-Produzenten Intel den Betrieb auf. Die Standortentscheidung des weltgrößten Herstellers von Mikroprozessoren, der bis 2002 ein Drittel seiner weltweiten Produktion in C. konzentrieren will, folgte dem Vorbild renommierter High-Tech-Firmen wie Microsoft, Acer und Hewlett Packard, die in den vergangenen Jahren Produktionsstätten zum Zusammenbau vorgefertigter Komponenten in San José errichten ließen. Insgesamt sind mehr als 30 Firmen aus dem Informatik- und Elektroniksektor in C. vertreten. Damit hat C. seit den 80er Jahren seine Exportproduktion erfolgreich von der Rohstoffgewinnung (95% im Jahr 1950, 35% 1998) auf industrielle und service-orientierte Aktivitäten umgestellt. Ausschlag für den nicht abreißende Zuzug von High-Tech-Firmen gab u.a. das im Vergleich zu anderen lateinamerikanischen Staaten hoch stehende Bildungssystem. Das Wirtschaftswachstum beschleunigte sich von 3,2% (1997) auf 5,5% (1998) bei einer unverändert hohen Teuerungsrate (11%).

Um den umweltfreundlichen Tourismus (die Zahl der Touristen belief sich 1998 auf ca. 800 000) in C., wo Naturschutzparks 27% der Gesamtfläche einnehmen, zu fördern, verabschiedete die Regierung ein Forstgesetz, das wirtschaftliche Anreize zur nachhaltigen Nutzung der Regenwälder schafft. Mit diesem Ziel wurden eine Treibstoffsteuer eingeführt und neue Strafen für Umweltkriminalität festgelegt. Verkehrserschließung und touristische Nutzung waren neben dem Holzeinschlag dafür verantwortlich, dass sich der Waldbestand in C. zwischen 1982 und 1987 von 50% auf ca. 32% verringerte, ehe durch Aufforstung das gegenwärtige Niveau von 40% erreicht wurde; die primären Tropenwaldbestände wurden Mitte 1999 auf etwa 9% der Landesfläche geschätzt.

Côte d'Ivoire	Republik Côte d'Ivoire	
Landesfläche	322 463 km² (WR 68)	
Einwohner	14,57 Mio (WR 60)	
Hauptstadt	Yamoussoukro (150 000 Einw.)	
Sprachen	Französisch, Dialekte	
Währung	1 CFA-Franc (FCFA)	
Zeit	Mitteleuropäische Zeit −1 h	
Gliederung	16 Regionen, 50 Departements	
Politik		
Staatsform	Präsidiale Republik (seit 1960)	
Regierungschef	Daniel Kablan Duncan (seit 1993) *30.6.1943	
Staatspräsident	Henri Konan Bédié (seit 1993) *5.5.1934	
Parlament	Nationalversammlung mit 175 für fünf Jahre gewählten Abgeordneten; 147 Sitze für Demokratische Partei der Elfenbeinküste, 14 für Sammlung der Republikaner, 10 für Ivorische Volksfront, 4 Sitze nicht besetzt (Wahl von 1995)	
Bevölkerung		
Religion	Muslime (38,7%); Christen (26,1%); Sonstige (35,2%)	
Ethn. Gruppen	Akan (41,8%); Volta (16,3%); Malinké (15,9%); Kru (14,6%); Mandé (10,7%); Sonstige (0,7%)	
Wirtschaft und Soziales		
Dienstleistung	47,8%	**Urbanisierung**	44%
Industrie	21,5%	**Einwohner/km²**	45
Landwirtschaft	30,7%	**Bev.-Wachstum/Jahr**	2,41%
BSP/Kopf	710 $ (1997)	**Kindersterblichkeit**	8,7%
Inflation	ca. 4% (1998)	**Alphabetisierung**	44,1%
Arbeitslosigkeit	k.A.	**Einwohner pro Arzt**	k.A.

Côte d'Ivoire

Afrika, Karte S. 533, B 4

Das westafrikanische Land war auch 1998/99 ein Hort der Stabilität in einer politischen und wirtschaftlichen Krisenregion. Seit seiner Unabhängigkeit 1960 hat es in C. keinen Putsch gegeben. Unter Präsident Henri Konan Bédié, der seit 1993 nach dem Tod des Gründer-Präsidenten Félix Houphouët-Boigny an der Staatsspitze steht, setzte sich auch der wirtschaftliche Erfolgskurs fort. Bis Mitte 1999 wurden in C. 50 frühere Staatsbetriebe privatisiert, was der Internationale Währungsfonds (IWF) und die Weltbank mit großzügigen Krediten honorierten. Für 1999/2000 ist die Privatisierung weiterer 20 Staatsbetriebe geplant.

Das BIP-Wachstum betrug 1998 rund 7% bei einer Inflation von rund 4%. Im Herbst 1998 schaffte C. auf Druck des IWF beim Kaffe-Handel staatliche Kontrollen ab. Von reichen Erdöl-Funden erhoffte sich die Regierung weitere Wachstumsimpulse. Doch gehörte C. 1998/99 weiter zu den Staaten mit der höchsten Pro-Kopf-Verschuldung.

Dänemark

Europa, Karte S. 529, D 4

Neben Grönland verstärkten 1998 auch die zu D. gehörenden Färöer-Inseln ihre Autonomie- bzw. Unabhängigkeitsbestrebungen. Nach mehreren Jahren kontinuierlicher Aufwärtsentwicklung verzeichnete die dänische Wirtschaft ein gebremstes Wachstum bei steigendem Handelsdefizit.

Innenpolitik: Im September 1998 fanden Verhandlungen über die Unabhängigkeit der im Nordatlantik gelegenen Färöer-Inseln von D. statt. Seit den Regional-Wahlen auf den Inseln im Mai 1998 verfolgte der sozialdemokratische Inselpremier Anfinn Kallsberg eine Abgrenzungspolitik gegenüber D. Für das Jahr 2000 ist auf den Färöer-Inseln ein Referendum geplant, in dem die Bevölkerung über das Ausscheiden aus der dänischen Reichsgemeinschaft entscheiden soll.

Im Februar 1999 wählten die Bewohner Grönlands eine neue Regierung. Grönland, ehemals dänische Kolonie und seit 1953 Teil des dänischen Königreiches, ist seit 1979 weitgehend autonom. Nach der Wahl bildeten die Sozialdemokraten unter dem seit 14 Jahren amtierenden Regierungschef Jonathan Motzfeld eine Koalition mit der marxistisch orientierten Inuit-Ataqatigitt-Partei. Während Motzfeld für den Verbleib Grönlands bei Dänemark plädierte, verfolgte die Inuit-Partei die staatliche Unabhängigkeit.

Wirtschaft: Das BIP stieg 1998 um 2,6%, nachdem es 1997 noch um 3,1% gestiegen war. Die wichtigsten Gründe für die Verlangsamung des Wachstums waren überproportional steigende Löhne (durchschnittlich um 5%), der Verlust dänischer Marktanteile im europäischen Exportmarkt infolge der Verteuerung dänischer Produkte und der starke Preiseinbruch bei Schweinefleisch, einem der wichtigsten dänischen Exportartikel. Die dänische Regierung bemühte sich, durch die gezielte Exportförderung etwa von landwirtschaftlichen Produkten das Defizit von 15,9 Mrd dKr (1,4% des BIP) 1998 auf 12,5 Mrd dKr 1999 zu reduzieren.

Eine der Hauptbelastungen der dänischen Wirtschaft war 1998 die hohe Staatsverschuldung. Zwar gelang es zwischen 1993 und 1998, die Staatsverschuldung insgesamt von 80% des BIP auf 60% zu verringern. Aber bis Mitte 1999 stiegen allein die Auslandsschulden weiter auf über 285 Mrd dKr

Dänemark Königreich Dänemark	
Landesfläche	43 094 km² (WR 130)
Einwohner	5,26 Mio (WR 105)
Hauptstadt	Kopenhagen (1,4 Mio Einwohner)
Sprache	Dänisch
Währung	1 Dänische Krone (dkr) = 100 Øre
Zeit	Mitteleuropäische Zeit
Gliederung	14 Kreisgemeinden
Politik	
Staatsform	Parlamentarische Monarchie
Regierungchef	Poul Nyrup Rasmussen (seit 1993) *1943
Staatspräsident	Königin Margrethe II. (seit 1972) *16.4.1940
Parlament	Folketing mit 179 für vier Jahre gewählten Abgeordneten; 63 Sitze für Sozialdemokr., 42 für Liberale Venstre, 16 für Konservative Volkspartei, 13 für Sozialistische Volkspartei, 13 für Dänische Volkspartei, 8 für Zentrum für Demokratie, 24 für Andere (Wahl vom 10.3.1998)
Internet	http://www.folketinget.dk http://www.stm.dk
Bevölkerung	
Religion	Christen (89,3%): Lutheraner (87,7%), Andere (1,6%); Muslime (1,4%); Sonstige und Konfessionslose (9,3%)
Nationalitäten	Dänen (96,5%); Asiaten (1,5%); Skandinavier (0,5%); Briten (0,2%); Deutsche (0,2%); Sonstige (1,1%)

Wirtschaft und Soziales			
Dienstleistung	71,4%	Urbanisierung	85%
Industrie	24,9%	Einwohner/km²	122
Landwirtschaft	3,7%	Bev.-Wachstum/Jahr	0,34%
BSP/Kopf	34 890 $ (1997)	Kindersterblichkeit	0,7%
Inflation	1,6% (1998)	Alphabetisierung	99%
Arbeitslosigkeit	6,5% (1998)	Einwohner pro Arzt	360

(Ende 1998: 280 Mrd dKr). Für 2000 wurde ein weiterer Anstieg prognostiziert.

Die Arbeitslosigkeit wurde 1998 auf 6,5% bzw. Anfang 1999 auf 5,7% reduziert (1997: 7,9%). Dennoch wollte die sozialdemokratisch geführte Regierung unter Poul Nyrup Rasmussen die aktive Arbeitsmarktpolitik fortsetzen. Sie umfasste u. a. bezahlten Kinderbetreuungsurlaub, aufwändige Weiterbildungsprogramme und staatlich geförderte Teilzeitregelungen. Gleichzeitig wurden Lohnsteigerungen von 4,5% für 1999 prognostiziert. Die Inflationsrate lag in der ersten Jahreshälfte 1999 mit 2,5% deutlich über dem EU-Durchschnitt von 1,7%.

Eine starke Belastung für die öffentlichen Haushalte waren 1998/99 die großzügigen Ruhestandsregelungen. In D. ist die Frühverrentung ab 55 (Frauen) bzw. ab 62 Jahren (Männer) möglich.

Im Februar 1999 beschloss das dänische Parlament, die Verteidigungsausgaben für 2000 um 900 Mio dKr zu reduzieren. Bereits in den letzten Jahren waren die Verteidigungsausgaben um 20% gekürzt worden.

569

Deutschland

Europa, Karte S. 528

Mit einem von der EU, den USA und Russland ausgearbeiteten Friedensplan für den Kosovo, der u.a. den Rückzug der militärischen, polizeilichen und paramilitärischen Kräfte aus dem K. und die Stationierung von internationalen Sicherheitskräften (Kfor) unter UNO-Aufsicht vorsah, endeten im Juni 1999 die Luftangriffe der NATO auf Jugoslawien. D. hatte sich zum ersten Mal seit dem Zweiten Weltkrieg (1939–45) an Kampfeinsätzen beteiligt. In der Innenpolitik vollzog sich 1998 der politische Machtwechsel nach 16 Jahren einer CDU/CSU/FDP Regierung zu einer rot-grünen Koalition.

Innenpolitik: Im September 1998 wurde bei den Bundestagswahlen die SPD mit ihrem Kanzlerkandidaten Gerhard Schröder mit 40,9% der abgegebenen Stimmen zur stärksten Partei gewählt. Die CDU unter Bundeskanzler Helmut Kohl verlor im Ver-

gleich zu den Wahlen von 1994 6,2 Prozentpunkte und erhielt mit 35,9% ihr schlechtestes Ergebnis seit 1949. Drittstärkste Kraft wurden Bündnis 90/Die Grünen (6,7%) vor der FDP (6,2%).

Rot-grüne Koalition: Zum neuen Bundeskanzler wählten die Abgeordneten der SPD und Bündnis 90/Die Grünen im Oktober 1998 Gerhard Schröder. Der Koalitionsvertrag für die gemeinsame Regierungspolitik in der 14. Legislaturperiode des Deutschen Bundestags sieht u.a. den Ausstieg aus der Atomenergie vor, legte jedoch entgegen der Forderung von Bündnis 90/Die Grünen keinen Zeitplan fest. Bei der ebenfalls geplanten ökologischen Steuerreform in drei Stufen wurden entgegen der Absicht von Bündnis 90/Die Grünen nur für die erste Stufe konkrete Zahlen festgeschrieben (Erhöhung der Mineralölsteuer um 6 Pf/l, Heizöl um 4 Pf, Gas um 0,32 Pf und Strom um 2 Pf/kWh). Zum höchsten Ziel erklärten die beiden Parteien den Abbau der Arbeitslosigkeit. Mit den Mehreinnahmen aus der Anhebung der Energiesteuern wurden zum 1.4.1999 die Lohnnebenkosten reduziert (u.a. Senkung des Rentenbeitrags der Arbeitgeber und Arbeitnehmer von 20,3% auf 19,5%). Mit einem Sofortprogramm in Höhe von 2 Mrd DM soll 100 000 Jugendlichen Ausbildung und Beschäftigung ermöglicht werden.

Lafontaine-Rücktritt: Im März trat Oskar Lafontaine, Finanzminister und Parteivorsitzender der SPD, unerwartet von seinen Ämtern zurück. Als Begründung nannte er schlechte Zusammenarbeit innerhalb der Regierungskoalition und seine Absicht, sich ins Privatleben zurückzuziehen. Die Demission wurde als Zeichen für den heftigen Richtungsstreit innerhalb der Regierung zwischen den Verteidigern des traditionellen Sozialstaates und den Anhängern tiefgreifender Reformen gewertet, die mit einer Verringerung der staatlichen Transferleistungen an die Bevölkerung verbunden sind. Nachfolger Lafontaines als Finanzminister wurde Hans Eichel, der im März 1999 bei den Landtagswahlen das Amt des hessischen Ministerpräsidenten verlor. Zum Vorsitzenden der SPD wurde im April 1999 Bundeskanzler Schröder gewählt.

Doppelte Staatsbürgerschaft: Im Mai 1999 verabschiedete der Bundesrat ein neues Gesetz zum Staatsbürgerschaftsrecht: In

Deutschland Bundesrepublik Deutschland	
Landesfläche	357 022 km² (WR 61)
Einwohner	82,401 Mio (WR 12)
Hauptstadt	Berlin (3,47 Mio Einwohner)
Sprache	Deutsch
Währung	1 Deutsche Mark (DM) = 100 Pfennig
Zeit	Mitteleuropäische Zeit
Gliederung	16 Bundesländer
Politik	
Staatsform	Parlamentarische Bundesrepublik (seit 1949)
Regierungschef	Gerhard Schröder (seit 1998, SPD) *7.4.1944
Staatspräsident	Johannes Rau (seit 1999, SPD) *16.1.1931
Parlament	Bundestag mit 669 für vier Jahre gewählten und Bundesrat mit 69 von den Länderregierungen gestellten Mitgliedern; im Bundestag 298 Sitze für SPD, 198 für CDU, 47 für CSU, 47 für Bündnis 90/Die Grünen, 43 für FDP, 36 für PDS (Wahl vom Sept. 1998)
Internet	http://www.bundesregierung.de http://www.bundestag.de
Bevölkerung	
Religion	Christen (66,8%): Katholiken (33,4%), Protestanten (33,4%); Muslime (3,1%); Juden (0,1%); Sonstige (30%)
Nationalitäten	Deutsche (91,1%); Türken (2,5%); Ex-Jugoslawen (1%); Italiener (0,7%); Griechen (0,4%); Sonstige (4,3%)
Wirtschaft und Soziales			

Dienstleistung	63,8%	Urbanisierung	87%
Industrie	35,3%	Einwohner/km²	231
Landwirtschaft	0,9%	Bev.-Wachstum/Jahr	0,0%
BSP/Kopf	28 280 $ (1997)	Kindersterblichkeit	0,5%
Inflation	0,7% (1998)	Alphabetisierung	99%
Arbeitslosigkeit	11,2% (1998)	Einwohner pro Arzt	298

Deutschland geborene Kinder ausländischer Eltern erhalten die deutsche Staatsbürgerschaft, wenn sich mind. ein Elternteil seit zehn Jahren rechtmäßig im Inland aufhält. Im Alter von 23 Jahren müssen sie sich entweder für die deutsche Staatsbürgerschaft oder für die ihrer Eltern entscheiden. Das Gesetz war Ergebnis eines Kompromisses zwischen rot-grüner Regierungskoalition und FDP, nachdem die Regierung die für die Verabschiedung des Gesetzes notwendige Mehrheit im Bundesrat nach der Niederlage bei den Landtagswahlen in Hessen verloren hatte. In einer umstrittenen Unterschriftenaktion hatten CDU und CSU zuvor rund 5 Mio Unterschriften gegen die doppelte Staatsbürgerschaft gesammelt.

Bundespräsident: Im Mai 1999 wurde Johannes Rau von der SPD zum achten deutschen Bundespräsidenten gewählt. In der Bundesversammlung erhielt er im zweiten Wahlgang die notwendige absolute Mehrheit der Stimmen (690 von 1333). Die von der CDU vorgeschlagene Kandidatin Dagmar Schipanski kam auf 572, die von der PDS aufgestellte Kandidatin Uta Ranke-Heinemann auf 62 Stimmen.

Außenpolitik: An dem im März 1999 begonnenen Luftkrieg der NATO gegen Jugoslawien beteiligten sich auch deutsche Flugzeuge. Es war der erste deutsche Kampfeinsatz seit Ende des Zweiten Weltkrieges 1945.

Kosovo: Die Bundestagsfraktionen von SPD, CDU, CSU, FDP und die Mehrheit von Bündnis 90/Die Grünen unterstützten die Entscheidung der Bundesregierung, sich am Einsatz der NATO militärisch zu beteiligen, um die Vertreibungspolitik des jugoslawischen Präsidenten Slobodan Milosevic im Kosovo zu beenden. Lediglich die PDS und eine Minderheit von Bündnis 90/Die Grünen verurteilten den NATO-Einsatz als völkerrechtswidrig, da ihm kein offizielles Mandat der Vereinten Nationen vorausgegangen war. Die Bundesregierung war am Zustandekommen des im Juni 1999 von der Belgrader Führung akzeptierten Friedensplans für den Kosovo entscheidend beteiligt. Zuvor hatten Bundeskanzler Schröder und Außenminister Joschka Fischer die Einbindung Russlands in den Friedensprozess maßgeblich gefördert. Deutschland beteiligte sich auch mit 8500 Soldaten an der rund 50 000 Mann umfassenden Friedenstruppe

(Kfor), der auch ein russisches Kontingent angehört. Sie soll weitere Feindseligkeiten von Albanern und Serben unterbinden und ein sicheres Umfeld für die Rückkehr der Flüchtlinge schaffen.

Im Mai 1999 entschuldigte sich Bundeskanzler Schröder in Peking (China) im Namen der NATO für die Zerstörung der chinesischen Botschaft in Belgrad (Jugoslawien). NATO-Bomber hatten bei einem Luftangriff auf Belgrad versehentlich die chinesische Vertretung getroffen, wodurch drei Menschen starben.

Europa: Die rot-grüne Bundesregierung bekannte sich seit ihrem Amtsantritt im Oktober 1998 zur Intensivierung des europäischen Einigungsprozesses. Nach Einführung des Euro am 1.1.1999 sollen die Institutionen der EU gestärkt und eine politische Union insbes. in der Außen- und Sicherheitspolitik vorangetrieben werden. Unter dem Ratsvorsitz D. wurde im März 1999 auf dem EU-Gipfel in Berlin die Agenda 2000 beschlossen. Sie legt die Finanzplanung der EU für 2000–2006 fest und soll die Aufnahme neuer Staaten aus Mittel- und Osteuropa in die EU ermöglichen.

Wirtschaft: Die Wirtschaftskrisen in Russland, Ostasien und Südamerika sowie mangelnder Reformwillen führten 1998 im vierten Quartal zur Abschwächung der Konjunktur. Das BIP wuchs 1998 insgesamt um 2,8% (1997: +2,2%). Der Anstieg bei den Ausfuhren verringerte sich 1998 um 5,7 Prozentpunkte auf einen Wert von 950,1 Mrd DM (1997: 888,6 Mrd DM). Bedingt durch das mäßige Wachstum verringerte sich die Arbeitslosigkeit 1998 im Vergleich zum Vorjahr nur geringfügig von 11,4% auf 11,2%. Mit einer Inflationsrate von 0,7% blieben die Preise in D. 1998 nahezu stabil.

Wirtschafts- und Finanzinstitute prognostizierten für 1999 eine weitere Abschwächung der Wirtschaft. Danach wird das BIP um le-

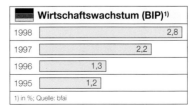

Wirtschaftswachstum (BIP)[1]

1998	2,8
1997	2,2
1996	1,3
1995	1,2

1) in %; Quelle: bfai

571

▬ Deutschland: Arbeitslosenquote[1)]

Jahr	Wert
1998	11,2
1997	11,4
1996	10,4
1995	8,3

1) in %; Quelle: bfai

▬ Deutschland: Handelsbilanz (Saldo)[1)]

Jahr	Wert
1998	+136,1
1997	+116,5
1996	+98,5
1995	+93,3

1) in Mrd DM; Quelle: bfai

▬ Deutschland: Inflation[1)]

Jahr	Wert
1998	0,7
1997	1,9
1996	1,5
1995	1,8

1) in %; Quelle: bfai

diglich 1,5% ansteigen und die Arbeitslosigkeit auf einem ähnlich hohen Niveau wie 1998 bleiben. Erst für 2000 wurde mit einem stärkeren Wachstum gerechnet. Die Sachverständigen forderten eine stärkere Senkung der Lohn- und Einkommen- sowie der Unternehmenssteuern als von der Bundesregierung beschlossen. Die Sozialversicherungssysteme sollten reformiert und der Arbeitsmarkt dereguliert werden. Arbeitgeberverbände kritisierten die Belastung der geringfügigen Beschäftigungsverhältnisse (630-Mark-Jobs) mit Sozialabgaben.

Im Januar 1999 entschied das Bundesverfassungsgericht in Karlsruhe, dass Familien mit Kindern finanziell entlastet werden müssen. Das Urteil enthielt konkrete Vorgaben, die ab 2000 zu einer Mehrbelastung des Haushaltes von rund 15 Mrd DM/Jahr führen können. 1998 betrug das Defizit im Haushalt 2,1% des BIP. Um einen Anstieg des Haushaltsminus nach 2000 zu vermeiden, wurden Mitte 1999 innerhalb der Bundesregierung Einschnitte bei den Leistungen der Sozialversicherungen, der Abbau von Subventionen sowie die Erhöhung von Mehrwert- und Mineralölsteuer diskutiert.

Dominica Commonwealth of Domenica	
Landesfläche	751 km² (WR 169)
Einwohner	71 000 (WR 182)
Hauptstadt	Roseau (16 000 Einwohner)
Sprachen	Englisch, Patois
Währung	1 Ostkaribischer Dollar EC-$
Zeit	Mitteleuropäische Zeit –5 h
Gliederung	10 Bezirke
Politik	
Staatsform	Parlamentarische Republik im Commonwealth (seit 1978)
Regierungschef	Edison James (seit 1995) *1944
Staatspräsident	Crispin Anselm Sorhaindo (seit 1993) *1931
Parlament	Abgeordnetenhaus mit 9 ernannten und 21 für fünf Jahre gewählten Mitgliedern; 11 Sitze für Vereinigte Arbeiterpartei, 5 für Freiheitspartei, 5 für Arbeitspartei (Wahl von 1995)
Internet	http://www.dominica.dm
Bevölkerung	
Religion	Katholiken (70,1)%; Protestanten (17,2%); Sonstige (12,7%)
Ethn. Gruppen	Schwarze (89,1%); Mischlinge (7,2%); Indianer (2,4%); Weiße (0,4%); Sonstige (0,9%)
Wirtschaft und Soziales	

Wirtschaft und Soziales			
Dienstleistung	68,8%	**Urbanisierung**	25%
Industrie	13,7%	**Einwohner/km²**	95
Landwirtschaft	17,5%	**Bev.-Wachstum/Jahr**	–1,3%
BSP/Kopf	3040 $ (1997)	**Kindersterblichkeit**	k.A.
Inflation	1,7% (1996)	**Alphabetisierung**	94%
Arbeitslosigkeit	k. A.	**Einwohner pro Arzt**	1947

Dominica

Mittelamerika, Karte S. 532, G 3

Die seit 1995 regierende linksorientierte Dominica United Workers Party (DUWP) unter Premierminister Edison C. James versuchte 1998/99, die kleineren und mittleren Bananenproduzenten auf der Karibikinsel zu stärken. D. war wegen seiner Abhängigkeit vom Bananen-Export (rund 60% der Ausfuhrerlöse) vom sog. Bananenstreit zwischen den USA und der Europäischen Union direkt betroffen. Aus einer von den USA geforderten völligen Öffnung des europäischen Marktes würden sich für D. große Wettbewerbsnachteile ergeben, da die Kleinbauern im Preiskampf mit den mittelamerikanischen Großplantagen nicht mithalten könnten. Rund 33% der Erwerbstätigen auf D. leben direkt oder indirekt vom Bananenanbau, der 1998 zum BIP von insgesamt 200 Mio Dollar rund 15% beitrug. Mitte 1999 hatte die EU die Einfuhrmengen von Bananen auf 2,5 Mio t aus Mittelamerika und 650 000 t aus Afrika und der Karibik festgelegt. Die Bananenernte auf D. betrug 1998 rund 38 000 t.

Dominikanische Republik

Mittelamerika, Karte S. 532, E 3

Größere Verluste musste die Sozialistische Partei des seit 1996 amtierenden Staatspräsidenten Leonel Fernández Reyna bei den Parlamentswahlen Mitte 1998 hinnehmen. Fernández regierte weiterhin ohne parlamentarische Mehrheit und konnte große Teile seines ehrgeizigen Regierungsprogramms, darunter hohe Staatsinvestitionen zur Schaffung von Arbeitsplätzen, nicht realisieren. Aus den Parlamentswahlen ging die oppositionelle Sozialdemokratische Partei (PRD) mit 100 von insgesamt 149 Parlamentssitzen und 25 von 30 Mandaten im Senat als klare Siegerin hervor. Die gemäßigte PRD behielt auch bei den Gemeindewahlen mit 89 von 115 Bürgermeister-Ämtern die Oberhand.

Trotz des kontinuierlichen Ausbaus des Fremdenverkehrs hatte die D. 1998 mit großen wirtschaftlichen und sozialen Problemen zu kämpfen. 1998/99 lebten nach offiziellen Schätzungen 70% der Bevölkerung an der Armutsgrenze.

Dominikanische Republik			
Landesfläche	48 734 km² (WR 127)		
Einwohner	8,23 Mio (WR 85)		
Hauptstadt	Santo Domingo (2,2 Mio Einw.)		
Sprache	Spanisch		
Währung	1 Dominikanischer Peso (dom$) = 100 Centavos		
Zeit	Mitteleuropäische Zeit −6 h		
Gliederung	26 Provinzen, 1 Hauptstadtdistrikt		
Politik			
Staatsform	Präsidiale Republik (seit 1966)		
Regierungschef	Leonel Fernández Reyna (seit 1996) *1953		
Staatspräsident	Leonel Fernández Reyna (seit 1996) *1953		
Parlament	Abgeordnetenhaus mit 149 und Senat mit 30 für vier Jahre gewählte Abgeordneten; im Abgeordnetenhaus 100 Sitze für Sozialdemokraten (PRD), 49 für Sozialisten (PLD), 17 für Christlichsoziale (PRSC) (Wahl von 1998)		
Internet	http://www.presidencia.gov.do http://www.congreso.do		
Bevölkerung			
Religion	Katholiken (92,2%), Protestanten (0,3%); Sonstige (7,5%)		
Ethn. Gruppen	Mulatten (70%); Weiße (15%); Schwarze (15%)		
Wirtschaft und Soziales			
Dienstleistung	56%	Urbanisierung	65%
Industrie	26%	Einwohner/km²	169
Landwirtschaft	18%	Bev.-Wachstum/Jahr	2,0%
BSP/Kopf	1750 $ (1997)	Kindersterblichkeit	3,4%
Inflation	5,0% (1998)	Alphabetisierung	81,5%
Arbeitslosigkeit	ca. 30% (1998)	Einwohner pro Arzt	935

Dschibuti

Afrika, Karte S. 533, E 3

Aus der Präsidentschaftswahl im April 1999 ging Ismael Omar Guelleh mit 73% der Stimmen als klarer Sieger hervor. Guelleh löste den 83jährigen Hassan Gouled Aptidon ab, der nach 22 Jahren aus Altersgründen abtrat. Beide gehören der Regierungspartei Rassemblement populaire pour le Progrés an. Präsident Guelleh versprach, die territoriale Unversehrtheit von D. zu bewahren. Seit Wiederaufflammen des Krieges zwischen den Nachbarstaaten Äthiopien und Eritrea Ende 1998 war das strategisch wichtige D. am Golf von Aden zunehmend bedroht. Das seit 1977 unabhängige D. ist mit der einstigen Kolonialmacht Frankreich durch ein Verteidigungsabkommen verbunden.

D. gilt als einer der ärmsten Staaten der Welt. Beeinträchtigt wird seine wirtschaftliche Entwicklung durch den Krieg zwischen Äthiopien und Eritrea. Wegen eines fehlenden Meerzugangs wickelt der wichtigste Wirtschaftspartner Äthiopien seinen Handel meist über den Hafen von Dschibuti-Stadt ab.

Dschibuti Republik Dschibuti			
Landesfläche	23 200 km² (WR 146)		
Einwohner	652 000 (WR 156)		
Hauptstadt	Dschibuti-Stadt (450 000 Einw.)		
Sprachen	Franz., Arab., kuschit. Dialekte		
Währung	1 Franc de Djibouti (FD) = 100 Centimes		
Zeit	Mitteleuropäische Zeit +2 h		
Gliederung	5 Distrikte		
Politik			
Staatsform	Präsidiale Republik (seit 1977)		
Regierungschef	Barkat Gourad Hamadou (seit 1978) *1930		
Staatspräsident	Ismael Omar Guelleh (seit 1999)		
Parlament	Nationalversammlung mit 65 für fünf Jahre gewählten Abgeordneten; 54 Sitze für Volkspartei für den Fortschritt (RPP), 11 für FRUD (Wahl von 1997)		
Bevölkerung			
Religion	Sunnitische Muslime (96%); Christen (4%)		
Ethn. Gruppen	Somali (61,7%): Issa (33,4%), Gadaboursi (15%), Issaq (13,3%); Afar (20%); Sonstige (18,3%)		
Wirtschaft und Soziales			
Dienstleistung	79,2%	Urbanisierung	83%
Industrie	17,8%	Einwohner/km²	28
Landwirtschaft	3%	Bev.-Wachstum/Jahr	1,5%
BSP/Kopf	k. A.	Kindersterblichkeit	10,6%
Inflation	3% (1997)	Alphabetisierung	46,2%
Arbeitslosigkeit	40–50% (1996)	Einwohner pro Arzt	5258

Ecuador
Südamerika, Karte S. 531, B 2

Angesichts einer schweren Finanzkrise, sozialer Unruhen und eines beginnenden Generalstreiks verhängte der ecuadorianische Präsident Jamil Mahuad Witt im März 1999 für 60 Tage den Notstand.

Innenpolitik: Freizügigkeit und Versammlungsfreiheit in E. wurden eingeschränkt, Streikende aufgefordert, zur Arbeit zurückzukehren. 15 000 Soldaten und Polizisten sollten verhindern, dass die Unzufriedenheit der Bevölkerung infolge rigider Sparmaßnahmen und steigender Preise für Benzin (+165%) in einen offenen Aufstand mündeten.

Der Oberste Gerichtshof von E. erließ im März 1999 einen Haftbefehl gegen den ehemaligen Staatschef Fabián Alarcón Rivera. Ihm wurde vorgeworfen, während seiner Amtszeit als Parlamentspräsident von Februar 1997 bis August 1998 1200 Anhänger seiner Partei »Frente Alfarista« im Staatsapparat eingestellt zu haben, die dort keinerlei Arbeit nachgegangen waren. Alarcón wurde bereits unmittelbar nach seiner Amtszeit verdächtigt, durch Misswirtschaft und Korruption einen Schaden von 1,4 Mrd US-Dollar verursacht zu haben.

Außenpolitik: E. und Peru legten im Oktober 1998 mit der Unterzeichnung eines Friedensvertrags in der brasilianischen Hauptstadt Brasília einen Grenzkonflikt bei, der bereits im 19. Jh. begonnen hatte. In dem Abkommen wurde der Grenzverlauf in der rund 78 km langen Urwaldzone in der Cordillera del Cóndor festgelegt; E. verzichtete weitgehend auf das Gebiet. Zuletzt hatte der Grenzkonflikt 1995 zu einem Krieg zwischen E. und Peru geführt.

Wirtschaft: Die Volkswirtschaft von E. litt 1998/99 unter den sinkenden Ölpreisen und den Folgen des mit heftigen Unwettern verbundenen Klimaphänomens El Niño. E., mit einer Tagesproduktion von 250 000 Barrel sechstgrößter Erdölförderer Lateinamerikas, erhielt 1998 auf dem Weltmarkt im Durchschnitt 8 US-Dollar je Fass statt der kalkulierten 16 US-Dollar. Der durch El Niño verursachte Schaden (u. a. Zerstörung von Straßen und Brücken, Ernteverluste, Exportausfälle) wurde in E. auf ca. 3,5 Mrd US-Dollar geschätzt.

Das BIP sank 1998 um 1%, das Haushaltsdefizit stieg auf 7,5% des BIP an, der Fehlbetrag in der Leistungsbilanz entsprach 10% des BIP, die Auslandsschulden stiegen auf 16 Mrd US-Dollar. Als Folge der Finanzkrise gab die Regierung im Februar 1999 die Stabilität der nationalen Währung (Sucre) auf, die innerhalb eines Monats 40% an Wert verlor. Die Regierung fror im März 1999 die Hälfte der Bankguthaben ein und schloss alle Geldinstitute, um die Bürger daran zu hindern, ihre Ersparnisse abzuheben. Zugleich kündigte sie an, die Mehrwertsteuer von 10 auf 15% und die Benzinpreise um 165% zu erhöhen, die Privatisierung von Staatsbetrieben zu beschleunigen und die Steuerhinterziehung stärker zu bekämpfen. Ziel der Maßnahmen ist, das Vertrauen internationaler Investoren und des Internationalen Währungsfonds (IWF) zurückzugewinnen, von dem sich die Regierung E. 1999 neue Kredite erhoffte. Als Reaktion auf die Unruhen im Land nahm Präsident Mahuad im März 1999 die Erhöhung der Treibstoffpreise z.T. zurück. Dafür beschloss das Parlament im April 1999 die Schaffung neuer Abgaben auf Luxusfahrzeuge und Unternehmensaktiva.

Ecuador Republik Ecuador	
Landesfläche	283 561 km² (WR 71)
Einwohner	12,18 Mio (WR 62)
Hauptstadt	Quito (1,5 Mio Einwohner)
Sprachen	Spanisch, Ketschua
Währung	1 Sucre (S/.) = 100 Centavos
Zeit	Mitteleuropäische Zeit –6 h
Gliederung	20 Provinzen
Politik	
Staatsform	Präsidiale Republik (seit 1979)
Regierungschef	Jamil Mahuad Witt (seit Aug. 1998), *29.7.1949
Staatspräsident	Jamil Mahuad Witt (seit Aug. 1998), *29.7.1949
Parlament	Nationalkongress mit 125 für fünf Jahre gewählten Abgeordneten; 35 für Christlich Demokratische Volkspartei, 26 Sitze für Christlich-Soziale (PSC), 25 für Roldos/Zentrum (PRE), 17 für Sozialdemokraten (ID), 6 für Pachakutik, 16 für Andere (Wahl von 1998)
Internet	http://www.inec.gov.ec
Bevölkerung	
Religion	Katholiken (85%); Protestanten (15%)
Ethn. Gruppen	Mestizen (40%); Indios (40%); Weiße (15%); Schwarze (5%)

Wirtschaft und Soziales			
Dienstleistung	51%	**Urbanisierung**	58%
Industrie	35%	**Einwohner/km²**	43
Landwirtschaft	14%	**Bev.-Wachstum/Jahr**	2,3%
BSP/Kopf	1570 $ (1997)	**Kindersterblichkeit**	4,6%
Inflation	36,9% (1998)	**Alphabetisierung**	89,6%
Arbeitslosigkeit	9% (1997)	**Einwohner pro Arzt**	671

El Salvador

Mittelamerika, Karte S. 532, A 5

Stabiles Wirtschaftswachstum, das durch den Hurrikan »Mitch« unwesentlich beeinträchtigt wurde, aber weiterhin hohe Armut, Massenarbeitslosigkeit und Kriminalität prägten 1998/99 die Entwicklung in E.
Innenpolitik: Die Bekämpfung von Arbeitslosigkeit, Armut und Kriminalität waren bei beiden Parteien in ähnlich lautenden Programmen die Hauptthemen des Präsidentschaftswahlkampfs, den im März 1999 Francisco Flores von der rechts gerichteten, dem Militär nahe stehenden Alianza Republicana Nacionalista (ARENA) mit 51,9% der Stimmen gewann. Facundo Guardado als Kandidat der in Flügelkämpfe zwischen altkommunistischen Doktrinären und sozialdemokratischen Reformern zerrissenen ehemaligen Guerillaorganisation FMLN (Frente Farabundo Martí para la Liberación Nacional) kam auf 28,8% und legte den Parteivorsitz nieder. Mit Flores, der im Juni 1999 das Amt des Staatspräsidenten von Armando Calderón Sol (ARENA) übernahm, erhielt E. zum zweiten Mal in Folge nach Beendigung des Bürgerkriegs einen Präsidenten der ARENA, die 1981 im Umkreis rechts gerichteter Todesschwadrone als Interessenvertretung der Großgrundbesitzer gegründet worden war. Dass die Wahlbeteiligung mit unter 35% einen historischen Tiefstand erreichte, wurde u. a. darauf zurückgeführt, dass die Wahlregister während des Bürgerkriegs, in dem 75 000 Menschen getötet wurden und Hunderttausende ausgewandert waren, nicht ordnungsgemäß weitergeführt worden waren. Die Wahl des politisch als moderat geltenden Flores wurde allgemein positiv aufgenommen; der Harvard-Absolvent Flores kommt nicht aus dem alten Parteiapparat.
Außenpolitik: Während das Flüchtlingsproblem seit Ende des Bürgerkriegs (1992) behoben ist, bildete die illegale Einwanderung von Salvadorianern in die USA 1998/99 das Hauptproblem der bilateralen Beziehungen. Mit seiner überdurchschnittlich hohen Geburtenrate ist E. auch nach dem Bürgerkrieg das am dichtesten besiedelte Land Zentralamerikas; Wanderungsziele sind die Nachbarländer und vor allem die USA. Der US-amerikanische Präsident Bill Clinton verfügte nach dem Wirbelsturm »Mitch«, der im

El Salvador	Republik El Salvador		
Landesfläche	21 041 km² (WR 149)		
Einwohner	6,06 Mio (WR 97)		
Hauptstadt	San Salvador (480 000 Einw.)		
Sprachen	Spanisch, indianische Dialekte		
Währung	1 El-Salvador-Colon (C) = 100 Centavos		
Zeit	Mitteleuropäische Zeit –7 h		
Gliederung	14 Departamentos		
Politik			
Staatsform	Präsidiale Republik (seit 1983)		
Regierungschef	Francisco Flores (seit Juni 1999)		
Staatspräsident	Armando Calderón Sol (seit 1994), *1948		
Parlament	Nationalversammlung mit 84 für 3 Jahre gewählten Abgeordneten; 28 Sitze für Nationalist. Republikanische Allianz (ARENA), 27 für Nationale Befreiungsfront (FMLN), 11 für Nationale Versöhnungspartei (PCN), 7 für Christdemokraten (PDC), 11 für And. (Wahl von 1997)		
Internet	http://www.casapres.gob.sv		
Bevölkerung			
Religion	Katholiken (93,6%); Sonstige (6,4%)		
Ethn. Gruppen	Mestizen (89%); Indianer (10%); Weiße (1%)		
Wirtschaft und Soziales			
Dienstleistung	66%	Urbanisierung	45%
Industrie	24%	Einwohner/km²	288
Landwirtschaft	10%	Bev.-Wachstum/Jahr	2,1%
BSP/Kopf	1810 $ (1996)	Kindersterblichkeit	3,2%
Inflation	4,2% (1998)	Alphabetisierung	70,9%
Arbeitslosigkeit	7,2% (1998)	Einwohner pro Arzt	1563

Oktober 1998 in E. mehrere hundert Menschenleben forderte, einen bis zum 15.3.1999 befristeten Abschiebestopp für illegal eingewanderte Salvadorianer.
Wirtschaft: Die Privatisierungspolitik von Präsident Calderón Sol führte zu einem stabilen Wirtschaftswachstum von ca. 4% und einer Inflationsrate von ca. 4,2%. Größtes Problem blieb die Arbeitslosigkeit. Fast 50% der arbeitsfähigen Bevölkerung sind arbeitslos oder unterbeschäftigt. Der neu gewählte Präsident Flores kündigte an, die Öffnung des Landes für ausländische Investoren vor allem im Finanzdienstleistungsbereich zu verstärken. Unter den 0,5 Mio Menschen, die das Land während des Bürgerkriegs verlassen hatten, forderte er insbes. die Unternehmer zur Rückkehr bzw. zu Investitionen in ihrem Heimatland auf. Zugleich kündigte er an, die Integration der wirtschaftlichen und politischen Organisation SICA (Zentralamerikanisches Integrationssystem) voranzutreiben; bis 1999 war der Plan einer zentralamerikanischen Freihandelszone am Widerstand von Costa Rica und Panama gescheitert.

Eritrea	Republik Eritrea
Landesfläche	121 144 km² (WR 96)
Einwohner	3,55 Mio (WR 123)
Hauptstadt	Asmara (400 000 Einwohner)
Sprachen	Arabisch, Tigrinja, Englisch, verschiedene Dialekte
Währung	Nakfa
Zeit	Mitteleuropäische Zeit +2 h
Gliederung	6 Verwaltungsregionen
Politik	
Staatsform	Präsidiale Republik (seit 1993)
Regierungschef	Isaias Afwerki (seit 1993) *1946
Staatspräsident	Isaias Afwerki (seit 1993) *1946
Parlament	Seit 1991 Provisorischer Nationalrat mit 150 Sitzen; alle Sitze für die Sozialisten (EPLF)
Internet	http://www.netafrica.org/eritrea
Bevölkerung	
Religion	Muslime (50%); Christen (50%)
Ethn. Gruppen	Tigrinja (49%); Tigre (31,7%); Afar (4,3%); Sonstige (15%)

Wirtschaft und Soziales			
Dienstleistung	61%	Urbanisierung	17%
Industrie	19%	Einwohner/km²	29
Landwirtschaft	20%	Bev.-Wachstum/Jahr	3,4%
BSP/Kopf	230 $ (1997)	Kindersterblichkeit	9,1%
Inflation	4% (1997)	Alphabetisierung	20%
Arbeitslosigkeit	k. A.	Einwohner pro Arzt	36 000

Eritrea
Afrika, Karte S. 533, E 3

Im Februar 1999 brachen nach monatelanger Waffenruhe erneut Kämpfe zwischen E. und Äthiopien um ein umstrittenes Grenzgebiet aus. E. warf Äthiopien vor, bewusst auch zivile Ziele unter Beschuss zu nehmen. Nach militärischen Rückschlägen erklärte sich E. am 28.2. bereit, einen Friedensplan der Organisation für Afrikanische Einheit (OAU) anzunehmen, der den vollständigen Rückzug aller Truppen und den gegenseitigen Verzicht von Gebietsansprüchen beinhaltete. 1993 hatte E. seine Unabhängigkeit von Äthiopien erhalten, der Grenzverlauf blieb aber umstritten. Im Mai 98 marschierten eritreische Truppen in ein rund 400 km² großes Gebiet um die äthiopische Stadt Badme ein, in dem reiche Bodenschätze vermutet werden. E. lehnte einen OAU-Friedensplan zunächst ab und ließ Gespräche mit dem US-Sonderbeauftragten Anthony Lake im August 1998 und Januar 1999 scheitern. Erst schwere Niederlagen in der umkämpften Region bewogen E. zum Einlenken.

Estland	Republik Estland
Landesfläche	45 100 km² (WR 129)
Einwohner	1,44 Mio (WR 145)
Hauptstadt	Tallinn (Reval, 499 000 Einw.)
Sprache	Estnisch, Russisch
Währung	1 Estnische Krone (ekr) = 100 Senti
Zeit	Mitteleuropäische Zeit +1 h
Gliederung	15 Bezirke
Politik	
Staatsform	Parlamentarische Republik (seit 1991)
Regierungschef	Mart Laar (seit 1999)
Staatspräsident	Lennart Meri (seit 1992) *29.3.1929
Parlament	Staatsversammlung mit 101 auf 3 Jahre gewählten Abgeordneten; 41 Sitze für Koalitionspartei/Bauernunion, 18 für Reformpartei, 28 für Zentrumspartei, 18 für Vaterlands- und Unabhängigkeitspartei, 17 für Andere (Wahl von 1999)
Bevölkerung	
Religion	Protestanten, Russisch-Orthodoxe
Nationalitäten	Esten (63,2%); Russen (29,4%); Ukrainer (3,1%); Weißrussen (1,8%); Finnen (1,1%); Sonstige (1,4%)

Wirtschaft und Soziales			
Dienstleistung	64%	Urbanisierung	73%
Industrie	28%	Einwohner/km²	32
Landwirtschaft	8%	Bev.-Wachstum/Jahr	-1,2%
BSP/Kopf	3360 $ (1997)	Kindersterblichkeit	1,9%
Inflation	7,5% (1998)	Alphabetisierung	99%
Arbeitslosigkeit	8% (1998)	Einwohner pro Arzt	260

Estland
Europa, Karte S. 529, E 3

Die Parlamentswahlen vom März 1999 führten in E. zu einem Rechtsruck. Neuer Ministerpräsident einer Mitte-Rechts-Koalition wurde Mart Laar.
Innenpolitik: Wahlsieger waren drei in einem Wahlbündnis zusammengeschlossene Mitte-Rechts-Parteien, von denen die rechtskonservative »Pro Patria Union« und die rechtsliberale »Reformpartei« jeweils 16% und die liberalen »Moderaten« 15,2% der Stimmen erhielten. Mart Laar (Pro Patria Union) bildete zusammen mit der Reformpartei und den Moderaten eine Mitte-Rechts-Koalition, die über 53 von 101 Sitzen verfügte. Stärkste Einzelpartei wurde die linksorientierte Zentrumspartei mit ihrem Spitzenkandidaten Edgar Savisaar. Auf sie entfielen 23,4%. Ihren Wahlkampf hatte sie unter der Parole »Diktatur des Kapitals beenden« und u. a. die Einführung einer progressiven Einkommensteuer gefordert. Starke Verluste musste die konservative »Koalitionspartei« des bisherigen Ministerpräsi-

denten Mart Siimann hinnehmen. Sie erreichte nur noch 7,5% der Stimmen. Auch die Parteien der russischen Minderheit in E. verloren. Lediglich die russische »Vereinigte Volkspartei« übersprang mit 6,1% die 5%-Hürde und ist mit 6 Sitzen im Parlament vertreten. Ca. 32% der Bevölkerung in E. sind Russen. Ihre rechtliche Stellung wurde seit 1997 verbessert (Sprachenregelung, liberale Einbürgerungspraxis), sodass die politischen Spannungen zwischen den Volksgruppen zurückgegangen sind.

Wirtschaft: Die Konjunktur in E. schwächte sich 1998 deutlich ab. Das BIP-Wachstum betrug nur noch 6,0% (1997: 10,6%) bei sinkender Tendenz. Für 1999 wird ein BIP-Wachstum um 3% erwartet. Gleichzeitig stieg die Arbeitslosigkeit auf über 8% (1997: knapp 3%). Die tatsächliche Quote lag nach Expertenmeinung noch höher, da sich in E. wegen des sehr geringen Arbeitslosengeldes viele Erwerbslose nicht registrieren lassen. Ungeachtet dieser Rückschläge galt E. weiterhin unter den Nachfolgestaaten der Sowjetunion als »marktwirtschaftliches Musterland« mit vergleichsweise hohem Lebensstandard und relativer Stabilität. Die

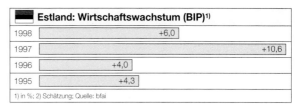

Estland: Wirtschaftswachstum (BIP)[1)]

1998	+6,0
1997	+10,6
1996	+4,0
1995	+4,3

1) in %; 2) Schätzung; Quelle: bfai

Inflation sank 1998 gegenüber dem Vorjahr um mehr als 3 Prozentpunkte auf rund 7,5%. E. zählt zum engeren Bewerberkreis für einen EU-Beitritt, den die Regierung für das Jahr 2003 anstrebt.

Einer der Hauptgründe für die ökonomischen Rückschläge war die Wirtschafts- und Finanzkrise in Russland (zweitwichtigster Handelspartner nach Finnland), die ab August 1998 zu Einbrüchen beim Export führte. 1998 entfielen 13,4% des Exports und 10,8% der Einfuhren von E. auf Russland.

1999 war eines der umfassendsten Privatisierungsprojekte in E. der Verkauf der staatlichen Telefongesellschaft Eesti Telekom. Innerhalb weniger Monate soll ein Anteil von 49% an dem bislang vollständig staatlichen Unternehmen privatisiert werden.

 ## Fidschi

Ozeanien, Karte S. 537, F 4

Im Mai 1999 errang die Labour-Partei unter Gewerkschaftsführer Mahendra Chaudhry bei den Parlamentswahlen 38 von 71 Sitzen. Chaudhry wurde Nachfolger von Sitiveni Rabuka im Amt des Premierministers. Er lud die unterlegenen Parteien zur politischen Mitarbeit ein und forderte die Einwohner zur kulturellen Toleranz auf. Nach dem Sieg des indischstämmigen Chaudhry wurden Unruhen befürchtet, weil in breiten Teilen der Bevölkerung eine Abneigung gegen eine indisch dominierte Regierung besteht. Etwa die Hälfte der Bevölkerung sind eingeborene Fidschianer (Melanesier), etwa gleich viele Inder kamen während der britischen Kolonialzeit als Gastarbeiter. Um die Spannungen unter den verschiedenen Ethnien abzubauen, wurde am 10.7.1997 eine neue Verfassung verabschiedet. Sie sieht die Gleichberechtigung der Rassen im Parlament vor. Die Inder sind auf F. erfolgreiche Geschäftsleute, so dass sie dort das Wirtschaftsleben wesentlich beeinflussen.

Fidschi Republik Fidschi	
Landesfläche	18 274 km² (WR 151)
Einwohner	808 000 (WR 153)
Hauptstadt	Suva (166 000 Einwohner)
Sprachen	Englisch, Fidschianisch, Hindi
Währung	1 Fidschi-Dollar (F$) = 100 Cents
Zeit	Mitteleuropäische Zeit +12 h
Gliederung	4 Regionen
Politik	
Staatsform	Republik (seit 1987)
Regierungschef	Mahendra Chaudhry (seit 1999)
Staatspräsident	Ratu Sir Kamisese Mara (seit 1994), *1920
Parlament	Repräsentantenhaus mit 71 für fünf Jahre gewählten Abgeordneten und Senat mit 34 Mitgliedern; 38 für Labour-Partei, 20 für nationale Föderationspartei, 8 Sitze für Politische Partei von Fidschi, 5 für Andere (Wahl von 1999)
Internet	http://www.fiji.gov.fj
Bevölkerung	
Religion	Christen (52,9%); Hindus (38,1%); Sonstige (9,0%)
Nationalitäten	Fidschianer (50,7%); Inder (43,5%); Sonstige (5,8%)

Wirtschaft und Soziales			
Dienstleistung	62,1%	Urbanisierung	41%
Industrie	15,9%	Einwohner/km²	44
Landwirtschaft	22%	Bev.-Wachstum/Jahr	1,3%
BSP/Kopf	2460 $ (1997)	Kindersterblichkeit	2%
Inflation	3% (1997)	Alphabetisierung	91,3%
Arbeitslosigkeit	6% (1997)	Einwohner pro Arzt	2161

Finnland

Europa, Karte S. 529, E 3

Innenpolitik: Die Sozialdemokratie (SDP) unter Ministerpräsident Paavo Lipponen verlor bei den Reichstagswahlen im März 1999 13 Sitze, blieb jedoch stärkste politische Kraft. Die EU-kritische bäuerlich-liberale Zentrumspartei verfehlte ihr Wahlziel, stärkste Partei zu werden, und bleibt weiter in der Opposition. Das schwache Wahlergebnis der SDP wurde im Zusammenhang mit verschiedenen Korruptionsvorwürfen betrachtet, hatte aber keinen Einfluss auf die Regierungsbildung: Mit 139 von 200 Sitzen verfügte die von Lipponen geführte »Regenbogenkoalition« aus SDP, konservativer Nationaler Sammlungspartei, postkommunistischem Linksverband, Grünen und Schwedischer Volkspartei weiterhin über eine klare Mehrheit in dem traditionellen Vielparteienstaat.

Im April 1999 ernannte Präsident Ahtisaari das zweite Kabinett Lipponen, das durch Kontinuität in den wichtigsten Ministerien gekennzeichnet ist. Außer Lipponen behiel-ten Finanzminister Sauli Niinistö (Nationale Sammlungspartei), Außenministerin Tarja Halonen (SDP) und der parteilose Landwirtschaftsminister Kalevi Hemilä ihre Ressorts.

Verfassungsänderung: Im Februar 1999 verabschiedete der Reichstag eine neue Verfassung, die mit dem Amtsantritt des elften Staatsoberhaupts am 1.3.2000 in Kraft treten soll. Mit der neuen Verfassung werden die weit reichenden Machtbefugnisse des Präsidenten, die bereits 1991 eingeschränkt worden waren, weiter beschnitten: Die außenpolitische Richtlinienkompetenz liegt nicht mehr beim Präsidenten allein, sondern auch bei der Regierung. Den Oberbefehl über die Streitkräfte teilen sich künftig Parlament und Präsident.

Außenpolitik: Außen- und sicherheitspolitisch hielt die Regierung Lipponen an dem Grundsatz fest, dass sich F. am besten als militärisch bündnisfreier Staat entwickelt. F. bewirbt sich nicht um Aufnahme in die NATO, behält sich aber die Möglichkeit dazu vor (NATO-Option). Als Partner bei Krisenmanagement- und Friedenssicherungsaktivitäten werden UNO, OSZE, EU und die NATO genannt. Lipponen führte als neuen Begriff in die Außenpolitik die »nördliche Dimension« ein, eine Intensivierung der Beziehungen zwischen den skandinavischen und den baltischen Staaten unter Einbeziehung Russlands.

Wirtschaft: Mit einer Inflationsrate von rund 3,2%, einem Budgetdefizit von unter 1% und einer Staatsverschuldung von unter 60% wurde Finnland am 1.1.1999 Mitglied der Europäischen Währungsunion (EWU). Der Anstieg des BIP, das seit 1993 jährlich um 5% gewachsen war, verlangsamte sich 1998 auf 4%. Wichtigste Wirtschaftsbereiche waren die exportorientierte Holz- und Papierindustrie sowie der Kommunikations- und Elektronikkonzern Nokia; auch die vom Zusammenbruch der UdSSR zu Beginn der 90er Jahre hart getroffene Werftindustrie befand sich im Aufschwung. Die Arbeitslosenquote lag mit ca. 12% relativ hoch, sank aber seit 1994 um 5,4 Prozentpunkte. Bis 2000 soll sie unter die 10%-Marke fallen. Für die neue Legislaturperiode setzte sich die Regierung das Ziel, 200 000 neue Arbeitsplätze zu schaffen und die Beschäftigungsquote unter den erwerbsfähigen Finnen von derzeit 66% auf 70% zu steigern.

Finnland Republik Finnland			
Landesfläche	338 145 km² (WR 63)		
Einwohner	5,16 Mio (WR 107)		
Hauptstadt	Helsinki (525 000 Einwohner)		
Sprachen	Finnisch, Schwedisch		
Währung	1 Finnmark (FMk) = 100 Penniä		
Zeit	Mitteleuropäische Zeit +1 h		
Gliederung	12 Provinzen		
Politik			
Staatsform	Parlamentarische Republik		
Regierungschef	Paavo Lipponen (seit 1995) *23.4.1941		
Staatspräsident	Martti Ahtisaari (seit 1994) *23.6.1937		
Parlament	Reichstag mit 200 für vier Jahre gewählten Abgeordneten; 51 Sitze für Sozialdemokraten, 48 für Zentrumspartei, 46 für Konservative, 20 für Linksbund (Volksdemokratische Union und Demokratische Alternative), 35 für Andere (Wahl von 1999)		
Internet	http://www.vn.fi http://www.eduskunta.fi		
Bevölkerung			
Religion	Christen (87%): Lutheraner (85,9%); Griechisch-Orthodoxe (1,1%); Sonstige (1%); Konfessionslose (12%)		
Nationalitäten	Finnen (93%); Schweden (5,8%); Sonstige (1,2%)		
Wirtschaft und Soziales			
Dienstleistung	60,7%	**Urbanisierung**	65%
Industrie	34,2%	**Einwohner/km²**	15
Landwirtschaft	5,1%	**Bev.-Wachstum/Jahr**	0,29%
BSP/Kopf	24790 $ (1997)	**Kindersterblichkeit**	0,6%
Inflation	3,2% (1998)	**Alphabetisierung**	99%
Arbeitslosigkeit	11,8% (1998)	**Einwohner pro Arzt**	405

Frankreich

Europa, Karte S. 529, C 5

Im Mai 1999 wurde der Präfekt von Korsika, Bernard Bonnet, wegen des Verdachts der Beihilfe zur Brandstiftung verhaftet. **Innenpolitik:** Durch ein Untersuchungsverfahren soll geklärt werden, inwieweit Bonnet an der Zerstörung eines Strandrestaurants auf Korsika beteiligt war, das fünf Gendarmen im April 1999 niedergebrannt hatten. Der französische Präfekt wurde verdächtigt, zur Durchsetzung staatlicher Autorität die Zerstörung des illegal errichteten Strandrestaurants eventuell sogar angeordnet zu haben. Die liberal-konservative Opposition stellte im Mai 1999 in der Nationalversammlung einen Misstrauensantrag gegen die sozialistische französische Regierung, da nicht zweifelsfrei geklärt werden konnte, dass kein Mitglied der Regierung von den Handlungen Bonnets gewusst habe. Die Opposition warf der Regierung vor, ihre Kontrollfunktion nicht wahrgenommen zu haben und so indirekt für die Geschehnisse auf Korsika verantwortlich zu sein. Bonnet verfügte über gute Kontakte zum Mitarbeiterstab von Premierminister Lionel Jospin. Seit den 70er Jahren intensivierten sich die Unabhängigkeitsbestrebungen auf Korsika, die von den französischen Regierungen durch Stärkung der staatlichen Autorität bekämpft werden. Zum Nachfolger von Bonnet ernannte die französische Regierung im Mai 1999 Jean-Pierre Lacroix.

Front National: Auf einem Parteitag der rechtsextremen Partei Front National (FN) wählten im Januar 1999 in Marignane bei Marseille 1756 von 1825 Delegierten Bruno Mégret zum neuen Vorsitzenden. Sein Vorgänger Jean-Marie Le Pen, der die Partei 1972 gegründet hatte, blieb dem Parteitag fern und erkannte die Wahl Mégrets nicht an. Da juristisch strittig war, ob Mégret mit seiner Anhängerschaft Namen und Logo der Front National für sich beanspruchen darf, benannte er seine Partei in Front-National-Mouvement National (FN-MN) um. Im Mai 1999 entschied ein Pariser Gericht, dass der Gründungsparteitag der FN-MN ungültig gewesen sei, und verbot Mégret, den Namen Front National oder das Parteilogo (eine blau-weiß-rote Flamme) zu verwenden. Die FN, die sich für ein autoritäres Staatssystem sowie für die Eindämmung der Zuwan-

Frankreich	Französische Republik
Landesfläche	543 965 km² (WR 47)
Einwohner	58,73 Mio (WR 20)
Hauptstadt	Paris (9,3 Mio Einwohner)
Sprachen	Französisch
Währung	1 Franz. Franc (FF) = 100 Centimes
Zeit	Mitteleuropäische Zeit
Gliederung	22 Regionen
Politik	
Staatsform	Parlamentarische Republik (seit 1875)
Regierungschef	Lionel Jospin (seit Juni 1997) *12.7.1937
Staatspräsident	Jacques Chirac (seit 1995) *29.11.1932
Parlament	Senat mit 321 für neun Jahre und Nationalversammlung mit 577 für fünf Jahre gewählten Abgeordneten; in der Nationalversammlung 241 Sitze für Sozialisten, 134 für Neogaullisten, 108 für Rechtsliberale, 38 für Kommunisten, 21 für Linksliberale, 35 für Andere (Wahl von 1997)
Internet	http://www.premier-ministre.gouv.fr http://www.senat.fr, http://www.assemblee-nat.fr
Bevölkerung	
Religion	Christen (77,7%): Katholiken 76,3%, Protestanten 1,4%; Muslime (4,5%); Juden (1,3%); Sonstige (16,5%)
Nationalitäten	Franzosen (93,6); Algerier (1,1%); Portugiesen (1,1%); Marokkaner (1,0%); Sonstige (3,2%)

Wirtschaft und Soziales			
Dienstleistung	64,1%	Urbanisierung	73%
Industrie	31,3%	Einwohner/km²	108
Landwirtschaft	4,6%	Bev.-Wachstum/Jahr	0,4%
BSP/Kopf	26300 $ (1997)	Kindersterblichkeit	0,6%
Inflation	1,3% (1998)	Alphabetisierung	99%
Arbeitslosigkeit	11,8% (1998)	Einwohner pro Arzt	333

rung aus dem Ausland einsetzte und bei den Parlamentswahlen 1997 rund 15% der Stimmen erhielt, galt 1999 als gespalten. Der Streit zwischen Mégret und Le Pen ist u. a. auf ihre Meinungsunterschiede über die zukünftige Strategie der FN zurückzuführen. Während Le Pen jegliche Zusammenarbeit mit den bürgerlichen Parteien ablehnte, befürwortete Mégret die Beteiligung der FN an möglichen Regierungskoalitionen.

UDF: Im November 1998 konstituierte sich das liberal-konservative Parteienbündnis Union für die französische Demokratie (UDF) als vereinte Partei. Die vier UDF-Bündnisparteien (Force démocrate, Adhérents directs, Pril und PPDF) wollen durch ihre Verschmelzung neue bürgerliche Wählerschichten erschließen, nachdem sie bei den Parlamentswahlen 1997 aus der Regierungsverantwortung entlassen worden waren. Die UDF kooperierte mit Neogaullisten und Liberaldemokraten in der konservativen Sammelbewegung Allianz für Frankreich.

579

Islam: Im August 1998 begann in Paris der bislang größte Prozess in der französischen Geschichte gegen mutmaßliche islamistische Fanatiker. 138 Algeriern und Franzosen, die zwischen November 1994 und Juni 1995 festgenommen worden waren, wurde vorgeworfen, algerischen Terroristen der »Groupe Islamique Armé« (GIA) Zuflucht gewährt und Waffen geliefert zu haben. Einige Angeklagte sollen Kontakte zu einer Terrorgruppe unterhalten haben, die 1995 bei Bombenattentaten in F. sieben Menschen getötet hatte. Menschenrechtsorganisationen kritisierten die große Zahl der Angeklagten, die nach ihrer Ansicht eine individuelle Aufarbeitung der Schuld nicht ermöglicht. Die Anklageschrift umfasst 74 Bände und über 30 000 Seiten. Die Prozessdauer wurde auf mehrere Jahre geschätzt.

Im Januar 1999 traten 67 von 70 Lehrern eines Gymnasiums in Flers (Normandie) in einen unbefristeten Streik, weil zwei muslimische Schülerinnen sich weigerten, ihr Kopftuch abzulegen. Ein Kompromissvorschlag der obersten französischen Schulbehörde sah vor, dass die Schülerinnen ihr Kopftuch nur beim Sport- und beim naturwissenschaftlichen Unterricht ablegen müssen. Im Februar 1999 wurden die Schülerinnen vom Unterricht ausgeschlossen, weil sie den Vorschlag nicht akzeptierten.

Hintergrund des Streits ist das in F. geltende laizistische Prinzip, das die strikte Trennung zwischen Religion und Staat bzw. dessen Institutionen vorschreibt. 1989 hatte der Staatsrat als höchstes französisches Verwaltungsgericht entschieden, dass das Tragen des Kopftuchs nur dann unvereinbar mit dem laizistischen Charakter der öffentlichen Schulen sei, wenn sie in herausfordernder Weise, diskriminatorisch oder missionarisch zur Schau gestellt werden. 1994 wurde das Tragen von Kopftüchern an den Schulen verboten, um das laizistische Prinzip gegen die Fundamentalisten unter den Anhängern des Islam zu verteidigen. 1998 lebten in F. 4 Mio–5 Mio Muslime.

Bildung: Rund 300 000 Schüler demonstrierten im Oktober 1998 landesweit für eine stärkere finanzielle und personelle Ausstattung der Gymnasien sowie für größere Mitspracherechte. Sie forderten die Renovierung baufälliger Schulen, kleinere Klassen und eine Lockerung der überfrachteten Schulpläne. Als Reaktion auf die teilweise gewalttätigen Proteste stellte die französische Regierung ca. 1,3 Mrd DM zur Renovierung der Gymnasien zur Verfügung. Die Ausgaben für das Unterrichtswesen stiegen 1988–98 von 68 Mrd DM auf 110 Mrd DM. Schüler-, Lehrer- und Elternorganisationen kritisierten 1998/99 die ungleiche Verteilung der Mittel zwischen Eliteschulen und Unterrichtsstätten in ärmeren Regionen sowie das Missmanagement in den Schulbehörden.

Neukaledonien: Die Bevölkerung des französischen Überseegebietes stimmte im November 1998 in einem Referendum mit 71,8% der Stimmen für die Übernahme der Verantwortung für die Bereiche Gesundheit und Erziehung. Das Parlament von Neukaledonien soll eine eigene Regierung wählen und eine neukaledonische Staatsbürgerschaft einführen. Innerhalb von 15–20 Jahren soll ein weiteres Referendum über die endgültige Unabhängigkeit des pazifischen Territoriums stattfinden. Das französische Parlament muss ihr allerdings zustimmen.

Außenpolitik: Mit einer Mehrheit von 758 gegen 111 Stimmen änderten die beiden französischen Parlamentskammern im Januar 1999 Art. 88 der Verfassung. Dadurch wurde die Übertragung nationaler Kompetenzen wie die Einwanderungs- und Asylpolitik auf Institutionen der EU ermöglicht, wie im Vertrag von Amsterdam (1997) vorgesehen. Im Gegenzug wurden dem französischen Parlament erweiterte Mitentscheidungs- und Kontrollbefugnisse hinsichtlich der Beschlüsse der EU eingeräumt. Mit der Verfassungsänderung ebneten die Parlamentskammern den Weg für die Ratifizierung des Amsterdamer Vertrages.

Atomenergie: Die französische Regierung bestand 1999 gegenüber Deutschland auf Einhaltung der vertraglichen Verpflichtungen deutscher Kernkraftwerksbetreiber hinsichtlich der Wiederaufarbeitung von radioaktivem Brennmaterial aus Atomkraftwerken in La Hague (Bretagne). Beim geplanten Ausstieg Deutschlands aus der Atomenergie und einem damit verbundenen Verbot für die deutschen Kraftwerksbetreiber, abgenutzte Brennelemente weiter im Ausland aufarbeiten zu lassen, entstünde dem französischen Staatsunternehmen »Compagnie Générale des Matières Nucléaires« (Cogéma) in La Hague ein Einnahmeausfall von rund 9 Mrd DM. Durch eine Serie von Verträgen hatten sich deutsche Energieunternehmen verpflichtet, 2000–2010 etwa 2000 t Wiederaufarbeitungskapazität in La Hague in Anspruch zu nehmen. Der deutsche Umweltminister Jürgen Trittin (Bündnis 90/Die Grünen) berief sich beim Beschluss der Bundesregierung, aus der Atomenergie auszusteigen, auf höhere Gewalt, wodurch eine Rechtsgrundlage für Schadensersatz nicht gegeben sei. Dagegen verwies die französische Regierung auf einen Briefwechsel zwischen beiden Regierungen, der 1990 als Dekret im amtlichen Gesetzblatt veröffentlicht wurde und der Vereinbarung nach französischer Überzeugung den Charakter eines völkerrechtlich bindenen Vertrages verlieh. Die französische Regierung drohte, von Deutschland die Rückholung von etwa 3000 t atomarer Abfälle zu verlangen, die im Gegenzug für die langfristigen französischen Wiederaufarbeitungsgarantien in La Hague gelagert wurden.

Wirtschaft: Trotz Wirtschafts- und Finanzkrisen in Asien und Russland stieg 1998 das BIP in F. um 3,1% (1997: 2,3%). Ein wesentlicher Grund war der Export, der 1998 einen deutlichen Überschuss aufwies. Die französische Industrie führte ihre Waren zu 64% in die Länder der EU aus. Wichtigster Handelspartner war Deutschland, das für 282,8 Mrd Francs Waren aus F. einführte und Waren im Wert von 290,6 Mrd Francs nach F. exportierte. Die Inflationsrate lag 1998 in F. bei 1,3% (1997: 1,4%).

Die OECD kritisierte im Februar 1999 die Wirtschafts- und Finanzpolitik der sozialistischen Regierung in F., insbes. den hohen Staatsanteil am BIP, die Einführung der 35-Stunden-Woche als gesetzliche Arbeitszeit und den mangelnden Willen zur Sanierung der öffentlichen Haushalte (die Staatsverschuldung in F. stieg 1993–98 von 45,4% auf 58,3% des BIP). Sie forderte die Regierung Jospin auf, für 2000 die Neuverschuldung deutlich zurückzuführen und die Ausgaben für Beschäftigungsprogramme zu reduzieren, welche die Arbeitslosenquote 1998 nur geringfügig von 12,4% auf 11,8% senkten.

Tourismus: Die Zahl der ausländischen Gäste in F. stieg 1998 auf 70 Mio (1997: 67 Mio). Die Einnahmen aus dem Fremdenverkehrsgeschäft erhöhten sich im gleichen Zeitraum von 158 Mrd Francs auf 175 Mrd Francs. Grund für die Zunahme der Besucherzahlen war vor allem die Fußballweltmeisterschaft 1998 in F.

Luftfahrt: Mit der im Februar 1999 angekündigten Teilprivatisierung des staatlichen französischen Flugzeugherstellers Aérospatiale ebnete die französische Regierung den Weg für eine Fusion mit dem Raumfahrtkonzern Matra Hautes Technologies (MHT). Der französische Rüstungskonzern Lagadère wollte durch seine Tochtergesellschaft MHT (Umsatz 1997: ca. 6,2 Mrd DM) 33% des Kapitals von Aerospatiale erwerben. Durch die angekündigte Fusion soll die größte Luft- und Raumfahrtgruppe in Europa mit einem Jahresumsatz von 24 Mrd DM und ca. 55 000 Mitarbeitern entstehen.

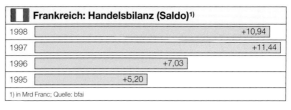

Frankreich: Handelsbilanz (Saldo)[1]

Jahr	Saldo
1998	+10,94
1997	+11,44
1996	+7,03
1995	+5,20

1) in Mrd Franc; Quelle: bfai

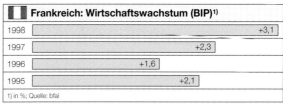

Frankreich: Wirtschaftswachstum (BIP)[1]

Jahr	BIP
1998	+3,1
1997	+2,3
1996	+1,6
1995	+2,1

1) in %; Quelle: bfai

Frankreich: Inflationsrate[1]

Jahr	Inflationsrate
1998	1,3
1997	2,0
1996	1,2
1995	1,6

1) in %; Quelle: bfai

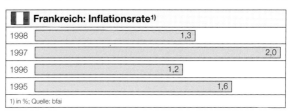

Frankreich: Arbeitslosenquote[1]

Jahr	Arbeitslosenquote
1998	11,8
1997	12,2
1996	12,7
1995	11,4

1) in %; Quelle: bfai

Gabun Gabunische Republik	
Landesfläche	267 668 km² (WR 74)
Einwohner	1,17 Mio (WR 148)
Hauptstadt	Libreville (419 000 Einwohner)
Sprachen	Französisch, Bantu-Sprachen
Währung	CFA-Franc (FCFA)
Zeit	Mitteleuropäische Zeit
Gliederung	9 Provinzen
Politik	
Staatsform	Präsidiale Republik (seit 1961)
Regierungschef	Jean-François Ntoutoume (seit 1999)
Staatspräsident	Omar Bongo (seit 1967) * 30.12.1935
Parlament	Nationalvers. mit 120 (111 für fünf Jahre gewählt, 9 ernannt) u. Senat mit 91 für sechs Jahre gewählten Mitgliedern; 85 (54) Sitze für PDG, 10 (4) für PGP, 7 (20) für RNB, 18 (13) für Andere (Wahl von 1996/97)
Internet	http://www.presidence-gabon.com http://194.206.43.70
Bevölkerung	
Religion	Katholiken (65,2%), Protestanten (18,8%), Sonstige (16%)
Ethn. Gruppen	Fang (35,5%); Mpongwe (15,1%); Mbete (14,2%); Punu (11,5%); Sonstige (23,7%)

Wirtschaft und Soziales			
Dienstleistung	40,4%	Urbanisierung	50%
Industrie	50,3%	Einwohner/km²	4
Landwirtschaft	9,3%	Bev.-Wachstum/Jahr	1,5%
BSP/Kopf	4120 $ (1997)	Kindersterblichkeit	8,7%
Inflation	6,2% (1996)	Alphabetisierung	63,2%
Arbeitslosigkeit	ca. 20% (1996)	Einwohner pro Arzt	2337

Gabun
Afrika, Karte S. 533, C 4

Aus den Präsidentschaftswahlen im Dezember 1998 ging der bisherige Amtsinhaber Omar Bongo von der Demokratischen Partei Gabuns (PDG) mit 66,6% der Stimmen als klarer Sieger hervor. Bongo regiert das zentralafrikanische Land seit 1967 (bis 1991 mit diktatorischer Gewalt). Sein Gegenkandidat Pierre Mamboundou (Volksunion Gabuns, UPG) kam auf 16,5%. Anfang der 90er Jahre hatte Bongo unter Druck der erstarkten Opposition demokratische Reformen eingeleitet und 1996 relativ freie Parlamentswahlen zugelassen, bei denen seine frühere Einheitspartei die absolute Mehrheit gewann.

Aufgrund reicher Erdölvorkommen und der weitgehend friedlichen Entwicklung des Landes zählt G. zu den ökonomisch stärksten Ölexportländern in Schwarzafrika. Allerdings führten der Ölpreis-Verfall sowie Misswirtschaft und Korruption 1998/99 zu einem Anstieg der Auslandsverschuldung auf über 4,5 Mrd DM. G. blieb weiter auf wirtschaftliche Hilfe, vor allem durch die frühere Kolonialmacht Frankreich, angewiesen.

Gambia Republik Gambia	
Landesfläche	11 295 km² (WR 156)
Einwohner	1,19 Mio (WR 147)
Hauptstadt	Banjul (271 000 Einwohner)
Sprachen	Englisch, Mandingo, Wolof
Währung	1 Dalasi (D) = 100 Butut
Zeit	Mitteleuropäische Zeit –1 h
Gliederung	6 Bezirke
Politik	
Staatsform	Präsidiale Republik (seit 1970)
Regierungschef	Yahya A. J. J. Jammeh (seit 1994) *1965
Staatspräsident	Yahya A. J. J. Jammeh (seit 1994) *1965
Parlament	Repräsentantenhaus mit 45 Abgeordneten; 33 für Patriotische Allianz, 7 für Demokratische Partei, 1 für Sozialistische Unabhängigkeitspartei, 4 für Sonstige (Wahl: 1997)
Internet	http://www.gambia.com
Bevölkerung	
Religion	Muslime (95%); Christen (4%); Sonstige (1%)
Ethn. Gruppen	Malinké (34%); Fulbe/Fulani (16%); Wolof (13%); Diola (9%); Soninke (8%); Sonstige (20%)

Wirtschaft und Soziales			
Dienstleistung	58%	Urbanisierung	37%
Industrie	15%	Einwohner/km²	105
Landwirtschaft	27	Bev.-Wachstum/Jahr	3,4%
BSP/Kopf	340 $ (1997)	Kindersterblichkeit	12,2%
Inflation	2,2% (1997)	Alphabetisierung	38,6%
Arbeitslosigkeit	ca. 20% (1996)	Einwohner pro Arzt	14 536

Gambia
Afrika, Karte S. 533, A 3

Die Wiederherstellung demokratischer Verhältnisse nach dem Militärputsch von 1994 kam 1998/99 in G. kaum voran. Es häuften sich Fälle von Pressezensur und Verfolgung oppositioneller Politiker. Präsident Yayah Jammeh stützte sich auf eine absolute Mehrheit seiner Patriotischen Partei für Neuordnung und Aufbau (PARC), die er zur Sicherung seiner Macht nutzte.

Das agrarisch geprägte G. litt 1998 unter dem Verfall der Rohstoffpreise, insbes. bei seinen wichtigsten Exportprodukten (Erdnüsse und Fisch). Um die Abhängigkeit vom Nahrungsmittelexport zu verringern, wurde im Rahmen eines Entwicklungsprogramms »Vision 2020« der Ausbau der touristischen Infrastruktur vorangetrieben. Internationale Finanzhilfen, u.a aus Frankreich und von der Weltbank, flossen in den Ausbau der Transportwege und Telekommunikation, da Präsident Jammeh die Entwicklung von G. zu einem Dienstleistungszentrum in Westafrika vorantreiben will.

Georgien

Asien, Karte S. 535, A 3

Präsident Eduard Schewardnadse wehrte 1998/99 mehrere Rebellionsversuche innenpolitischer Rivalen ab. Die Öffnung nach Europa und ein gespanntes Verhältnis zu Russland bestimmten die Außenpolitik von G.

Innenpolitik: Das georgische Parlament wählte im August 1998 den engen Vertrauten von Schewardnadse, Wascha Lordkipanidse, zum Staatsminister, der faktisch die Kompetenzen eines Regierungschefs erhielt. Formal gibt es in G. ein solches Amt nicht.

Im Oktober 1998 rebellierte eine Gruppe von etwa 200 Soldaten, die über mehrere Panzer verfügte, im Westen von G. gegen die Regierung. Nach offiziellen Angaben stellten sie keine politischen Forderungen, sondern verlangten lediglich Treibstoff. Bei Schusswechseln mit regierungstreuen Truppen wurden mehrere Menschen getötet und verwundet. Die Meuterer brachten zeitweilig Geiseln, darunter den georgischen Sicherheitsminister, in ihre Gewalt. Später zogen sie sich in die Kasernen zurück. Der Anführer der Revolte, ein bekannter Nationalist, flüchtete.

Außenpolitik: Als erste Kaukasusrepublik wurde G. im April 1999 als 41. Mitglied in den Europarat aufgenommen. Mit der Beitrittsurkunde unterzeichnete Außenminister Irakli Menagharischwili auch die Europäische Menschenrechtskonvention und eine Vereinbarung zur gegenseitigen Hilfe bei der Verbrechensbekämpfung. G. verpflichtete sich, u. a. den noch immer schwelenden Abchasien-Konflikt friedlich zu beenden. Im Februar 1999 erklärte G. seinen Austritt aus dem GUS-Vertrag über kollektive Sicherheit. Die Regierung begründete diesen Schritt damit, dass der Vertrag zwischen den neun Mitgliedern der Gemeinschaft Unabhängiger Staaten (GUS) faktisch nicht mehr gültig sei und G. keinen Vorteil bringe.

Wirtschaft: Laut Internationalem Währungsfonds (IWF) hat G. deutliche Fortschritte bei der Stabilisierung der Wirtschaft und bei den Strukturreformen gemacht. Das BIP wuchs 1998 erneut um rund 10%. Seit 1996 verzeichnet die Wirtschaft von G. hohe Zuwachsraten. Die Inflation sank 1998 im Jahresdurchschnitt auf unter

Georgien Republik Georgien		
Landesfläche	69 700 km² (WR 118)	
Einwohner	5,43 Mio (WR 102)	
Hauptstadt	Tblissi (1,25 Mio Einwohner)	
Sprache	Georgisch, Russisch, Armen.	
Währung	1 Lari = 100 Tetri	
Zeit	Mitteleuropäische Zeit +2 h	
Gliederung	79 Bezirke	
Politik		
Staatsform	Präsidialrepublik (seit 1995)	
Regierungschef	Wascha Lordkipanidse (seit Juli 1998)	
Staatspräsident	Eduard Schewardnadse (seit 1992)	
Parlament	mit 235 für vier Jahre gewählten Abgeordneten; 107 Sitze für Bürgerunion, 34 für Nationaldemokraten, 31 für Union für Wiedergeburt, 30 für Andere, 29 Unabhängige, 4 nicht besetzt (Wahl von 1995)	
Internet	http://www.parliament.ge http://www.presidpress.gov.ge	
Bevölkerung		
Religion	Christen (83%): Georg.-Orth. (65%), Russ.-Orth. (10%), Armen.-Orth. (8%); Muslime (11%); Sonstige (6%)	
Nationalitäten	Georgier (72%); Armenier (8%); Aseri (5,6%); Russen (5,5%); Osseten (3%); Sonstige (5,9%)	
Wirtschaft und Soziales		
Dienstleistung	11%	Urbanisierung	58%
Industrie	22%	Einwohner/km²	78
Landwirtschaft	67%	Bev.-Wachstum/Jahr	–0,9%
BSP/Kopf	860 $ (1997)	Kindersterblichkeit	2%
Inflation	10,7% (1998)	Alphabetisierung	96%
Arbeitslosigkeit	4,2% (1998)	Einwohner pro Arzt	180

11%. Im Dezember 1998 wurde der Wechselkurs der Landeswährung (Lari) begrenzt freigegeben. Allerdings war die Regierung 1998/99 bei der Auszahlung von Löhnen im öffentlichen Bereich und von Renten häufig im Rückstand, was mehrfach zu Protestkundgebungen führte. Wegen fehlender Kraftwerke und aufgrund von Devisenmangel geriet G. 1998 in eine Energiekrise, so dass häufig der Strom abgeschaltet werden musste und große Teile der Industrie über mehrere Wochen nicht arbeiten konnten. Künftig will G. aserbaidschanisches Erdöl aus dem Kaspischen Meer kaufen. 1999 soll eine erste Pipeline von Baku in den georgischen Schwarzmeerhafen Supsa in Betrieb genommen werden. Vor allem an der Schwarzmeerküste von G. hat die Umweltverschmutzung ein bedrohliches Ausmaß angenommen. Große Teile der Küstengewässer sind mit Öl verschmutzt, 345 000 t Schadstoffe gelangen jährlich in die Luft. Nur jede zweite Ortschaft verfügte über ein funktionierendes Abwasserreinigungssystem, so dass ein Großteil der Abwässer ungereinigt in Flüsse und Meer geleitet wurde.

583

Ghana Republik Ghana	
Landesfläche	238 533 km² (WR 78)
Einwohner	18,86 Mio (WR 50)
Hauptstadt	Accra (1,9 Mio Einwohner)
Sprachen	Englisch, 75 Sprachen u. Dialekte
Währung	1 Cedi (c) = 100 Pesewas
Zeit	Mitteleuropäische Zeit −1 h
Gliederung	10 Regionen, 58 Distrikte
Politik	
Staatsform	Präsidiale Republik (seit 1979)
Regierungschef	Jerry John Rawlings (seit 1981) *22.6.1947
Staatspräsident	Jerry John Rawlings (seit 1981) *22.6.1947
Parlament	Nationalversammlung mit 200 Abgeordneten; 132 für Nationaldemokratischer Kongress, 60 für Patriotische Partei, 5 für Volkspartei, 1 für Sonstige, 2 nicht besetzt (Wahl von 1996)
Bevölkerung	
Religion	Christen (62%): Protestanten (28%), Katholiken (18%), Unabhängige (16%); Naturreligionen (23%); Muslime (15%)
Ethn. Gruppen	Akan (52,4%); Mossi (15,8%); Ewe (11,9%); Ga-Adangme (7,8%); Gurma (3,3%); Sonstige (8,8%)

Wirtschaft und Soziales			
Dienstleistung	37%	Urbanisierung	36%
Industrie	16%	Einwohner/km²	79
Landwirtschaft	47%	Bev.-Wachstum/Jahr	2,7%
BSP/Kopf	390 $ (1997)	Kindersterblichkeit	6,6%
Inflation	27,9% (1997)	Alphabetisierung	64%
Arbeitslosigkeit	35% (1996)	Einwohner pro Arzt	22 970

Grenada State of Grenada	
Landesfläche	344 km² (WR 182)
Einwohner	93 000 (WR 178)
Hauptstadt	St. George's (10 000 Einwohner)
Sprachen	Englisch, Patois
Währung	1 Ostkaribischer Dollar (EC-$) = 100 Cents
Zeit	Mitteleuropäische Zeit −5 h
Politik	
Staatsform	Parlamentarische Monarchie im Commonwealth (seit 1974)
Regierungschef	Keith Mitchell (seit 1995)
Staatspräsident	Königin Elizabeth II. (seit 1974) *21.4.1926
Parlament	Senat mit 13 ernannten und Repräsentantenhaus mit 15 für fünf Jahre gewählten Abgeordneten; 15 für New National Party (Wahl von 1999)
Internet	http://www.grenada.org
Bevölkerung	
Religion	Katholiken (53%), Protestanten (22,5%), Sonstige (24,5%)
Ethn. Gruppen	Schwarze (84,9%); Mischlinge (11%); Sonstige (4,1%)

Wirtschaft und Soziales			
Dienstleistung	70,1%	Urbanisierung	65%
Industrie	18,3%	Einwohner/km²	270
Landwirtschaft	11,6%	Bev.-Wachstum/Jahr	0,77%
BSP/Kopf	3140 $ (1997)	Kindersterblichkeit	k.A.
Inflation	3,2% (1996)	Alphabetisierung	98%
Arbeitslosigkeit	ca. 20% (1996)	Einwohner pro Arzt	1617

Ghana
Afrika, Karte S. 533, B 4

1998/99 zeichnete sich G. im Vergleich zu anderen westafrikanischen Staaten durch politische und soziale Stabilität sowie weitgehende Achtung der Menschenrechte aus. Der 1996 bei freien Wahlen im Amt bestätigte Präsident Jerry John Rawlings bemühte sich vordringlich um eine Stabilisierung der Wirtschaft, die sich seit 1995 in einer Krise befindet. Nachdem Rawlings weitere Strukturreformen (Privatisierungen, Einsparungen bei den öffentlichen Ausgaben) verschoben hatte, setzte der Internationale Währungsfonds (IWF) die Kreditzahlungen an G. Mitte 1998 zunächst aus. Gegen die Zusage der Regierung, weitere Reformschritte einzuleiten (u. a. Abbau der Bürokratie), nahmen IWF und westliche Geberstaaten Ende 1998 ihre Zahlungen wieder auf.
Intensiv warb G. 1998 um ausländische Investoren. Vor allem in der Goldförderung engagierten sich ausländische Unternehmen. Ihre Gewinnerwartungen wurden jedoch 1998/99 durch den Verfall des Goldpreises reduziert.

Grenada
Mittelamerika, Karte S. 532, G 4

Bei den vorgezogenen Parlamentswahlen in G. am 18.1.1999 errang die konservative, seit 1995 regierende New National Party (NNP) von Premierminister Keith Mitchell einen Erdrutsch-Sieg. Sie erhielt 62% der abgegebenen Stimmen und aufgrund des Mehrheitswahlrechts, nach dem nur der Sieger eines Wahlkreises ins Parlament einzieht, alle 15 Sitze im Repräsentantenhaus. Vor allem in diesem Ausmaß wurde der Sieg der NNP als überraschend eingestuft, zumal gegen Premier Mitchell Korruptionsvorwürfe erhoben worden waren. Mitchells unterlegene Herausforderin, die frühere Ministerin Joan Purcell, war Ende 1998 aus Protest gegen dessen Günstlingswirtschaft zurückgetreten und hatte sich mit Außenminister Raphael Fletcher der Opposition angeschlossen. Dadurch waren Neuwahlen nötig geworden. Trotz des totalen Siegs der NNP, durch den faktisch die Opposition aus dem Parlament eliminiert wurde, versprach Premierminister Mitchell eine demokratische Politik in G.

Griechenland

Europa, Karte S. 529, E 7

Im Februar 1999 traten Außenminister Theodoros Pangalos, Innenminister Alexandros Papadopoulos und der Minister für öffentliche Ordnung, Philippos Petsalnikos, von ihren Ämtern zurück und lösten eine schwere Krise in der sozialdemokratischen Regierung von Ministerpräsident Kostas Simitis aus.

Innenpolitik: Die drei Minister demissionierten nach der Festnahme des Chefs der linksextremistischen Arbeiterpartei Kurdistans PKK, Abdullah Öcalan, in der griechischen Botschaft in Kenia. Sie hatten gewusst, dass der wegen terroristischer Aktivitäten gesuchte Öcalan bei seiner Flucht vor türkischen Sondereinheiten im Januar 1999 zweimal griechischen Boden betreten hatte. Alle Oppositionsparteien und ein Viertel der Abgeordneten der sozialistischen Regierungspartei PASOK hatten zuvor für Öcalan eine sichere Zuflucht in G. gefordert. Sie solidarisierten sich mit dem kurdischen Freiheitskampf gegen die Türkei, die in G. wegen territorialer Streitigkeiten in der Ägäis und der Besetzung Zyperns durch türkische Streitkräfte als Feind betrachtet wird. Regierungschef Simitis wurde vorgeworfen, ebenfalls von Öcalans Aufenthaltsort gewusst und ihn auf Druck der USA an die Türkei verraten zu haben. Bei den Kommunalwahlen im Oktober 1998 verlor die regierende PASOK ihre führende Stellung in fast allen größeren Städten und Regionen. Die rechtsliberale Nea Dimokratia konnte die Zahl der Präfekturen, die unter ihrer Kontrolle stehen, verdoppeln. Die Wahlniederlage der PASOK wurde u. a. auf die rigide Sparpolitik der Regierung zurückgeführt.

1999 protestierten Lehrer, Eltern und Schüler fast täglich teilweise gewalttätig gegen eine geplante Bildungsreform der PASOK-Regierung, durch die das Bildungsniveau in G. dem europäischen Standard angepasst werden soll. Vorgesehen ist außer der Einführung eines die Eltern entlastenden Ganztagsunterrichts im Vor- und Pflichtschulalter die Schaffung von Berufs- und höheren Fachschulen sowie der Reifeprüfung. Freie Lehrstellen im öffentlichen Dienst sollen nicht mehr über Wartelisten, sondern nach Eignung vergeben werden.

Griechenland	Griechische Republik	
Landesfläche	131 990 km² (WR 94)	
Einwohner	10,55 Mio (WR 71)	
Hauptstadt	Athen (800 000 Einwohner)	
Sprache	Neugriechisch	
Währung	1 Drachme (Dr) = 100 Lepta	
Zeit	Mitteleuropäische Zeit +1 h	
Gliederung	10 Regionen	
Politik		
Staatsform	Parlamentarische Republik (seit 1975)	
Regierungschef	Kostas Simitis (seit 1996) *23.6.1936	
Staatspräsident	Kostis Stephanopoulos (seit 1995) *1926	
Parlament	Ein-Kammer-Parlament mit 300 für 4 Jahre gewählten Abgeordneten; 162 Sitze für Panhellenische Sozialistische Bewegung (PASOK), 108 für Nea Demokratia (ND), 30 für Andere (Wahlen von 1996)	
Internet	http://www.primeminister.gr http://www.parliament.gr	
Bevölkerung		
Religion	Christen (98,1%): Griech.-Orth. (97,6%), Katholiken (0,4%), Protestanten (0,1%); Muslime (1,5%); Sonstige (0,4%)	
Nationalitäten	Griechen (95,5%); Makedonier (1,5%); Türken (0,9%); Albaner (0,6%); Sonstige (1,5%)	
Wirtschaft und Soziales		
Dienstleistung	59,4%	Urbanisierung	65%
Industrie	28,2%	Einwohner/km²	80
Landwirtschaft	12,4%	Bev.-Wachstum/Jahr	0,5%
BSP/Kopf	11 640 $ (1997)	Kindersterblichkeit	0,8%
Inflation	4,8% (1998)	Alphabetisierung	96,7%
Arbeitslosigkeit	10,0% (1998)	Einwohner pro Arzt	313

Die Bildungsreform wurde in enger Zusammenarbeit mit EU-Institutionen und der OECD ausgearbeitet.

Außenpolitik: Im April und Mai 1999 wurde G. von zahlreichen Terroranschlägen gegen Einrichtungen von UNO, NATO und Unternehmen aus Mitgliedstaaten der NATO erschüttert, bei denen überwiegend Sachschaden entstand. Verschiedene Terrororganisationen begründeten die Anschläge mit dem Luftangriff der NATO auf Jugoslawien. Fehlende Fahndungserfolge verstärkten den Verdacht, dass die Terrororganisationen von linken Regierungskreisen gedeckt werden, die eine kritische Haltung gegen die Intervention der NATO im Kosovo einnahmen.

Im April 1999 beschloss die griechische Regierung, zur Aufrüstung der Luftstreitkräfte 50 amerikanische Kampfflugzeuge des Typs F-16 und 15 französische Mirage 2000 anzuschaffen. Sie betonte, sich mit Deutschland, Großbritannien, Italien und Spanien an der von 2005 an geplanten Produktion des Eurofighters zu beteiligen und 60–90 Flugzeuge des Typs zu erwerben. Die geplanten

▤ Griechenland: Inflationsrate[1]	
1998	4,8
1997	5,6
1996	8,3
1995	8,9

1) in %; Quelle: bfai

Neuanschaffungen sind Teil eines Rüstungsprogramms für die griechische Armee, für das bis 2010 ca. 25 Mrd DM einkalkuliert wurden. G. fühlt sich insbes. von der Türkei bedroht, wo 1998 ein Modernisierungsprogramm für alle Teilstreitkräfte begann. G. und die Türkei sind wegen territorialer Differenzen in der Ägäis und der Besetzung eines Teils der Insel Zypern durch türkische Soldaten (1974) verfeindet.
Wirtschaft: Die griechische Regierung bemühte sich 1998/99 mit ihrer Wirtschafts- und Finanzpolitik, die sog. EU-Konvergenzkriterien zu erfüllen und die Voraussetzungen für einen Beitritt G. zur Europäischen Wirtschafts- und Währungsunion zu schaffen. Das Haushaltsdefizit wurde 1998 auf

2,2% des BIP verringert (1997: 4,0%; Konvergenzkriterium: max. 3%). Die Staatsverschuldung sank von 108,7% auf 105,5% (Konvergenzkriterium: 60%). Die Inflation ging zwar im Vergleich zu 1997 von 5,6% auf 4,8% zurück, lag aber noch deutlich über dem Konvergenzkriterium von 2%. Der griechischen Regierung wurde vorgeworfen, die inflatorische Tendenz durch Senkung der Mehrwertsteuern für Treib- und Brennstoffe sowie für Motorfahrzeuge künstlich abgeschwächt zu haben.
Im Januar 1999 kündigte die griechische Regierung an, die Inflationsrate insbes. durch eine restriktive Einkommenspolitik weiter zu senken. Um die Einnahmen für den Haushalt zu erhöhen, wollte sie härtere Maßnahmen gegen Steuerhinterziehung ergreifen. Das Ausmaß der Schattenwirtschaft wurde 1998 auf 30–40% des BIP geschätzt. Die griechische Regierung hoffte 1999, durch ihre Wirtschafts- und Finanzpolitik mittelfristig die im Vergleich zu den anderen EU-Staaten höheren Leitzinsen senken und die nationale Währung (Drachme) stabilisieren zu können, die im März 1998 um ca. 14% abgewertet worden war.

Großbritannien Vereinigtes Königreich	
Landesfläche	244 100 km² (WR 76)
Einwohner	58,25 Mio (WR 21)
Hauptstadt	London (7 Mio Einwohner)
Sprachen	Englisch, Walisisch, Gälisch
Währung	1 Pfund Sterling (£)
Zeit	Mitteleuropäische Zeit –1 h
Gliederung	54 Counties, 26 Distr., 12 Reg.
Politik	
Staatsform	Parlamentarische Monarchie (seit 1921)
Regierungschef	Tony Blair (seit 1997) *6.5.1953
Staatspräsident	Königin Elizabeth II. (seit 1952) *21.4.1926
Parlament	Oberhaus mit 1198 Lords und Unterhaus mit 659 für fünf Jahre gewählten Abgeordneten; 419 Sitze für Labour, 165 für Konservative, 46 für Liberale, 30 für Andere (Wahl: 1997)
Internet	www.open.gov.uk
Bevölkerung	
Religion	Anglikaner (30%), Katholiken (21%), Presbyterianer (14%), Andere (15%); Muslime (11%); Sonstige (9%)
Nationalitäten	Engl. 80%, Schotten 10%, Iren 4%, Waliser 2%, Sonst. 4%
Wirtschaft und Soziales			
Dienstleistung	64%	**Urbanisierung**	90%
Industrie	34%	**Einwohner/km²**	239
Landwirtschaft	2%	**Bev.-Wachstum/Jahr**	0,2%
BSP/Kopf	20870 $ (1997)	**Kindersterblichkeit**	0,7%
Inflation	2,0% (1998)	**Alphabetisierung**	99%
Arbeitslosigkeit	6,5% (1998)	**Einwohner pro Arzt**	611

Großbritannien
Europa, Karte S. 529, B 4

Mit den Parlamentswahlen in Schottland und Wales im Mai 1999 und der daran anschließenden Bildung von Regionalregierungen wurden in G. Ansätze für einen föderalen Staat geschaffen.
Innenpolitik: Der Friedensprozess in Nordirland gestaltete sich 1998/99 schwierig. Die Einsetzung einer nordirischen Exekutive wurde mehrfach verschoben. Dagegen gelang es der britischen Regierung Anfang 1999, die von ihr angekündigte Reform des Oberhauses voranzutreiben. Der Erbadel soll Sitz und Stimme im House of Lords verlieren.
Nordirland: Bei der konstituierenden Sitzung der nordirischen Parlamentarischen Versammlung trafen sich Anfang Juli 1998 in Belfast 108 Abgeordnete. Die Demokratischen Unionisten des protestantischen Pfarrers Ian Paisley stellten 28 Abgeordnete, die der Irisch-Republikanischen Armee (IRA) nahe stehende Sinn Féin unter Gerry Adams 18 Abgeordnete. Die gemäßigten Parteien – auf protestantischer Seite David

Trimbles Ulster-Unionisten (UUP), auf katholischer Seite John Humes Sozialdemokratische Arbeiterpartei (SDLP) – haben 27 bzw. 24 Mandate. Erster Minister (Regierungschef) wurde Trimble. Im August 1998 erlitt der Friedensprozess einen schweren Rückschlag, als eine Autobombe in der Innenstadt von Omagh (etwa 80 km westlich von Belfast entfernt) 30 Menschen tötete und mehr als 200 z.T. schwer verletzte. Den Terroranschlag verübte die sog. Wahre IRA, die sich aus Protest gegen den Friedensprozess von der IRA abgespalten hatte. In Gesprächen mit nordirischen Politikern in Belfast versuchten der britische Premierminister Tony Blair und der US-amerikanische Präsident Bill Clinton, der im September 1998 nach Nordirland reiste, den Friedensprozess in Gang zu halten. Sinn-Féin-Führer Gerry Adams verurteilte das Attentat und rief zur Beendigung der Gewalt auf.

Im Dezember 1998 einigten sich die Konfliktparteien unter Vermittlung von Blair darauf, in der nordirischen Provinzregierung zehn Ministerien zu bilden, von denen Sinn Féin zwei Ressorts erhält. Außerdem verständigten sie sich auf die Zusammensetzung der Regionalexekutive und auf die Zuständigkeitsbereiche von sechs Nord-Süd-Behörden, welche die Arbeit zwischen der nordirischen Autonomieregierung und der Republik Irland koordinieren sollen. Strittig blieb die Frage der vollständigen Entwaffnung von Untergrundgruppen. Die IRA lehnte es ab, sich entwaffnen zu lassen. UUP-Chef Trimble wurde zusammen mit dem Katholiken John Hume im Dezember 1998 mit dem Friedensnobelpreis ausgezeichnet.

Im Januar 1999 wurde der 10. März als Termin für die formelle Übertragung der teilautonomen Kompetenzen an die nordirische Regierung in Ulster festgelegt. Die nordirische Versammlung stimmte dem Entwurf über eine Regierung aus zehn Ministerien mit klarer Mehrheit zu. Der Versuch, die Exekutive im März zu installieren, scheiterte jedoch an der Forderung der protestantischen Unionisten an die IRA, die Waffen abzugeben, bevor sich die Sinn Féin als ihr politischer Arm an der Regionalregierung beteiligen dürfe.

Schottland und Wales: Im Mai 1999 wurden in Schottland und Wales Regionalparlamente gewählt. In beiden Landesteilen verfehlte

Großbritannien: Wirtschaftswachstum (BIP)[1]

1998	+2,7
1997	+3,5
1996	+2,6
1995	+2,8

1) in %; Quelle: bfai

Labour die absolute Mehrheit, wurde aber stärkste Partei. Bei den ersten Parlamentswahlen in Schottland seit fast 300 Jahren errang Labour 56 der 129 Sitze, die Liberaldemokraten kamen auf 17 Mandate. Die beiden Parteien einigten sich auf ein Regierungsbündnis, die erste Koalitionsregierung in G. seit dem Zweiten Weltkrieg. Die schottischen Nationalisten (SNP), welche die Abspaltung von G. anstrebten, bildeten mit 35 Abgeordneten die stärkste Oppositionsgruppe. Die Konservativen errangen 18 Sitze. Erster Minister und damit Regierungschef in Edinburgh wurde der Labour-Politiker Donald Dewar, sein Stellvertreter der Liberaldemokrat Jim Wallace. Das schottische Parlament hat die Gesetzesgewalt in den Bereichen Bildungspolitik, Gesundheit, Umwelt, Landwirtschaft und Kunst. Es hat nur begrenzte Befugnisse in der Steuerpolitik. Außen-, Verteidigungs- und Wirtschaftspolitik bleiben in der Verantwortung der Zentralregierung in London. In Wales verhinderte die Nationalistenpartei Plaid Cymru eine absolute Mehrheit der Labour Party. Labour kam auf 28, die Nationalisten erhielten 17 der 60 Sitze in der Parlamentarischen Versammlung. Zum Regierungschef wurde Labour-Politiker Alun Michael gewählt, der ein Minderheitskabinett bildete.

Kommunalwahlen: Bei den englischen Kommunalwahlen im Mai 1999 konnten die Konservativen mehr als 1300 Gemeinderatssitze zurückerobern, die sie bei den Wahlen 1995 verloren hatten. Die Beteiligung an der Kommunalwahl war ebenso wie bei den Abstimmungen in Schottland und Wales sehr gering.

Reform des Oberhauses: Im Januar 1999 brachte die Labour-Regierung im Unterhaus einen Gesetzentwurf ein, nach dem der Erbadel im Oberhaus, der zweiten Kammer im britischen Parlament, Sitz und Stimme verlieren soll. Die Reform, nach der nur noch die auf Lebenszeit ernannten Adeligen, Lord-Richter und 26 anglikanische Bischöfe im Oberhaus vertreten sein werden, würde eine 800-jährige Tradition beenden. Langfristig soll eine neue Kammer aufgebaut werden, für die eine Kommission unter dem Vorsitz des konservativen Lord Wakeham bis Ende 1999 Vorschläge erarbeiten soll.

Rücktritte: Im Dezember 1998 trat Industrie- und Handelsminister Peter Mandelson wegen eines Skandals um ein privates Immobiliendarlehen von seinem Amt zurück. Mandelson, der ein enger Vertrauter von Premierminister Blair war und als Architekt der Neuen Labour-Politik galt, hatte sich 1996 vom späteren Finanzstaatssekretär Geoffrey Robinson umgerechnet 1 Mio DM geliehen, um ein Haus in einem Londoner Stadtteil bauen zu können. Dies hatte er bei seiner Ernennung zum Minister verschwiegen.

Im Oktober 1998 war der Minister für Wales, Ron Davies, zurückgetreten. Davies hatte an einem Treffpunkt für Homosexuelle Kontakt zu einer Person aufgenommen, von der er später beraubt wurde.

Außenpolitik: Im Kosovo-Konflikt vertrat die britische Regierung ein kompromiss-loses Vorgehen gegen Jugoslawien und stärkte dadurch die traditionelle Allianz mit den USA. Seit Beginn der NATO-Luftangriffe auf Rest-Jugoslawien im März 1999 waren britische Piloten und Maschinen im Einsatz auf dem Balkan. Mitglieder der britischen Regierung sprachen sich auch für die Entsendung von Bodentruppen aus.

Wirtschaft: 1998 wuchs das BIP in G. um 2,5% (1997: 3,5), für 1999 wurde ein Wachstum zwischen 0,5 und 1,5% prognostiziert. Die Arbeitslosigkeit sank 1998 mit 4,6 % auf den niedrigsten Stand seit 1980. Bis zur Jahresmitte 1999 stieg sie jedoch wieder leicht an. Die Inflationsrate bewegte sich 1998 und im ersten Halbjahr 1999 um die von der Regierung gesetzte Zielmarke von 2,5%. Von Oktober 1998 bis April 1999 senkte die Bank of England den wichtigsten Leitzins schrittweise von 7,5 auf 5,25%, um der Wirtschaft zusätzliche Impulse zu geben. Schatzkanzler Gordon Brown, der als Verfechter eines strikten Sparkurses galt, setzte im April 1999 einen dreijährigen Haushaltsplan in Kraft, in dem zusätzlich 110 Mrd DM für das Gesundheits- und Bildungswesen vorgesehen sind.

Guatemala	Republik Guatemala
Landesfläche	108 889 km² (WR 104)
Einwohner	11,56 Mio (WR 66)
Hauptstadt	Guatemala-Stadt (1,2 Mio Einw.)
Sprachen	Spanisch, Maya-Quiché-Dialekte
Währung	1 Quetzal (Q) = 100 Centavos
Zeit	Mitteleuropäische Zeit −7 h
Gliederung	22 Departamentos
Politik	
Staatsform	Präsidiale Republik (seit 1986)
Regierungschef	Alvaro Arzú Irigoyen (seit 1996) *14.3.1946
Staatspräsident	Alvaro Arzú Irigoyen (seit 1996) *14.3.1946
Parlament	Kongress mit 80 für vier Jahre gewählten Abgeordneten; 43 Sitze für Partei des Nationalen Fortschritts, 21 für Republikanische Front, 6 für Demokratische Kraft, 3 für Christdemokraten, 7 für Andere (Wahl von 1995)
Internet	http://www.congreso.gob.gt
Bevölkerung	
Religion	Katholiken (ca. 75%); Protestanten (ca. 25%)
Ethn. Gruppen	Indianer (45%); Mestizen (45%); Weiße (5%); Sonstige (5%)
Wirtschaft und Soziales	

Dienstleistung	59%	Urbanisierung	42%
Industrie	16,7%	Einwohner/km²	106
Landwirtschaft	24,3%	Bev.-Wachstum/Jahr	2,4%
BSP/Kopf	1580 $ (1997)	Kindersterblichkeit	4,6%
Inflation	7,5% (1998)	Alphabetisierung	55,7%
Arbeitslosigkeit	4,7% (1997)	Einwohner pro Arzt	7143

Guatemala
Mittelamerika, Karte S. 532, A 5

Im Mai 1999 stimmten die Einwohner von G. in einem Referendum mit über 70% der Voten gegen die Gleichberechtigung der Maya-Bevölkerung. Die Wahlbeteiligung lag bei weniger als 20%.

Innenpolitik: Gegen die Gleichstellung der Mayas hatten sich inbes. ultrakonservative Kreise der politischen Elite von G. ausgesprochen. Sie vertraten die Auffassung, dass die Anerkennung von Sprachen, Gewohnheitsrechten und religiösen Gebräuchen der indigenen Bevölkerung die Mayas gegenüber den herrschenden Mestizen privilegiere. Dabei schürten sie die Angst vor einem Aufstand der Ureinwohner.

Mit dem Ergebnis des Referendums erlitt der Friedensprozess in G., der mit dem Friedensvertrag vom 29.12.1996 zwischen der staatstragenden Armee bzw. ihren paramilitärischen Gruppen und den Guerillabewegungen der Indianer eingeleitet worden war, einen weiteren Rückschlag. Die Beilegung des Konfliktes zwischen Maya und

Mestizen wurde 1998/99 auch dadurch erschwert erschwert, dass die UNO-Wahrheitskommission und Menschenrechtsorganisationen immer neue Dokumente über Gräueltaten der Militärs und Polizeigruppen während des Bürgerkriegs vorlegten. Am 26.4.1998 wurde Weihbischof Juan Gerardi Conedera, der Leiter des Büros für Menschenrechte von G., von Unbekannten ermordet. Er hatte eine Dokumentation der katholischen Kirche über 476 von Armee und Polizei verübte Massaker veröffentlicht. Im Februar 1999 legte die nationale Wahrheitskommission ihren Bericht vor: Sie bezifferte die Gesamtzahl der Toten auf mehr als 200 000 und dokumentierte 42 000 Fälle von schweren Menschenrechtsverletzungen und 29 000 Fälle von Exekutionen oder spurlosem Verschwinden von Menschen. Militär und Paramilitärs wurden für 93% der während des Krieges verübten Massaker verantwortlich gemacht, die Guerilla für 3%, sonstige Täter für 4%. Der Bericht wies auch auf die Einmischung der USA auf Seiten von Regierung und Armee sowie auf die Unterstützung der Guerilla durch die kubanische Regierung hin. Große Bedeutung bei

⚙ Guatemala: Wirtschaftswachstum (BIP)[1]	
1998	+4,7
1997	+4,3
1996	+3,1
1995	+5,0
1) in %; Quelle: bfai	

der Befriedung hatten die katholische Kirche und die Friedensnobelpreisträgerin Rigoberta Menchú, die sich für die Beteiligung der Indianer am politischen Leben einsetzte. **Wirtschaft:** Die im Friedensvertrag von 1996 festgeschriebene Reduzierung der traditionell starken Armee und Polizei wirkte sich negativ auf den Arbeitsmarkt aus und verschärfte die sozialen Spannungen. Wirtschaftlich zurückgeworfen wurde G., das bis dahin ein Wirtschaftswachstum von knapp 5% verzeichnete, durch den Hurrikan »Mitch«, der im Herbst 1998 Teile des Landes verwüstete. Bei der Stockholmer Konferenz über Hilfen an die vom Hurrikan betroffenen Staaten meldete Guatemala 1999 einen Bedarf von 600 Mio US-Dollar an.

Guinea

Afrika, Karte S. 533, A 3

Aus den Präsidentschaftswahlen im Dezember 1998 ging das bisherige Staatsoberhaupt General Lansana Conté bereits im ersten Wahlgang mit 56% der Stimmen als Sieger hervor. Von den vier Gegenkandidaten erzielte Mamadou Bah, Führer des gemäßigten Parteienbündnisses Union pour le progrès et le renouveau (UPR), mit rund 24% das beste Ergebnis. Die Opposition warf der Regierung Wahlbetrug vor. Einer der Gegenkandidaten, Maliné Alpha Condé, wurde nach der Wahl unter dem Vorwurf regierungsfeindlicher Aktivitäten verhaftet. Er war erst kurz zuvor aus dem Exil zurückgekehrt.

G. verfügt zwar über größere Bodenschätze, vor allem Bauxit, Gold und Diamanten, fehlende Infrastruktur verhinderte jedoch bislang mit Ausnahme des Bauxit-Abbaus eine umfassende Erschließung. Mit dem Internationalen Währungsfonds (IWF) koordinierte Projekte waren 1998/99 vor allem auf den Ausbau des Verkehrs-Telekommunikationsnetzes ausgerichtet.

Guinea Republik Guinea			
Landesfläche	245 857 km² (WR 75)		
Einwohner	7,67 Mio (WR 89)		
Hauptstadt	Conakry (1,5 Mio Einwohner)		
Sprachen	Franz., Stammessprachen		
Währung	1 Guinea-Franc (FG) = 100 Cauris		
Zeit	Mitteleuropäische Zeit –1 h		
Gliederung	4 Supraregionen		
Politik			
Staatsform	Präsidiale Republik (seit 1991)		
Regierungschef	Laimine Sidime (seit 1999)		
Staatspräsident	Lansana Conté (seit 1999)		
Parlament	Nationalversammlung mit 114 Abgeordneten; 71 Sitze für Partei der Einheit und des Fortschritts (PUP), 37 für Demokratische Opposition, 6 für Andere (Wahlen von 1995)		
Bevölkerung			
Religion	Sunnitische Muslime (86,9%); Naturreligionen (4,6%); Christen (4,3%); Sonstige (4,2%)		
Ethn. Gruppen	Fulani (40,3%); Maliné (25,8%); Soussou (11%); Kissi (6,5%); Kpelle (4,8%); Sonstige (11,6%)		
Wirtschaft und Soziales			
Dienstleistung	45%	**Urbanisierung**	30%
Industrie	31%	**Einwohner/km²**	31
Landwirtschaft	24%	**Bev.-Wachstum/Jahr**	0,8%
BSP/Kopf	550 $ (1997)	**Kindersterblichkeit**	12,4%
Inflation	3,5% (1996)	**Alphabetisierung**	35,9%
Arbeitslosigkeit	k. A.	**Einwohner pro Arzt**	7445

Guinea-Bissau	Republik Guinea–Bissau
Landesfläche	36 125 km² (WR 133)
Einwohner	1,13 Mio (WR 150)
Hauptstadt	Bissau (223 000 Einwohner)
Sprachen	Portug., Kreol., Stammesdialekte
Währung	CFA-Franc
Zeit	Mitteleuropäische Zeit –2 h
Gliederung	8 Regionen, 36 Sektoren
Politik	
Staatsform	Präsidiale Republik (seit 1984)
Regierungschef	Putsch vom Mai 1999
Staatspräsident	Putsch vom Mai 1999
Parlament	Nationalversammlung mit 100 für fünf Jahre gewählten Abgeordneten; 62 Sitze für Partei der Unabhängigkeit von Guinea und Kap Verde, 19 für Marktwirtschaftler, 12 für Sozialisten, 6 für Oppositionsbündnis, 1 für FLING (Wahl 1994)
Bevölkerung	
Religion	Naturreligionen (54%); Muslime (38%); Christen (8%)
Ethn. Gruppen	Balanté (27,2%); Fulani (22,9%); Malinké (12,2%); Mandyako (10,6%); Pepel (10%); Sonstige (17,1%)
Wirtschaft und Soziales	

Dienstleistung	38,4%	Urbanisierung	22%
Industrie	16,9%	Einwohner/km²	31
Landwirtschaft	44,7%	Bev.-Wachstum/Jahr	2,3%
BSP/Kopf	230 $ (1997)	Kindersterblichkeit	13%
Inflation	65% (1996)	Alphabetisierung	54,9%
Arbeitslosigkeit	k. A.	Einwohner pro Arzt	3245

Guinea-Bissau
Afrika, Karte S. 533, A 3

Am 7.5.1999 wurde Präsident Joao Bernardo Vieira durch einen Militärputsch unter Führung von Ansumane Mané gestürzt. Vieira flüchtete in die Botschaft der früheren Kolonialmacht Portugal. Die Putschisten erklärten, mit dem Umsturz die für 1999 vorgesehenen freien Wahlen sicherstellen zu wollen. Die erst im Februar 1999 gebildete Interimsregierung blieb vorerst im Amt. Einen ersten Putschversuch von General Mané gab es im Juni 1998. Damals unterstützten Interventionstruppen aus dem Senegal und Äquatorialguinea den Präsidenten. Im Oktober 1998 vereinbarten Vieira und Mané in Banjul (Gambia) den Abzug ausländischer Truppen, die Verlängerung des Waffenstillstandes und die Bildung einer Regierung der nationalen Einheit unter Führung von Vieira. An die Stelle der abziehenden senegalesischen Truppen traten westafrikanische Friedenseinheiten, die überwiegend aus Nigeria stammten. Im Februar 1999 wurde nach Abschluss eines Waffenstillstands die Interimsregierung gebildet.

Guyana	Kooperative Republik Guyana
Landesfläche	214 969 km² (WR 81)
Einwohner	856 000 (WR 152)
Hauptstadt	Georgetown (200 000 Einwohner)
Sprachen	Englisch, Hindi, Urdu
Währung	1 Guyana-$ (G$) = 100 Cents
Zeit	Mitteleuropäische Zeit –7 h
Gliederung	10 Regionen
Politik	
Staatsform	Präsidiale Republik im Commonwealth (seit 1980)
Regierungschef	Janet Jagan (seit 1997) *20.10.1920
Staatspräsident	Samuel Hinds (seit 1997) *27.12.1943
Parlament	Nationalversammlung mit 53 Abgeordneten; 29 Sitze für PPP (Sozialisten), 22 für PNC (Sozialisten), 1 für Vereinigte Kräfte, 1 für Allianz (Wahl von 1997)
Internet	http://guyana.org
Bevölkerung	
Religion	Christen (52%): Protestanten (34%), Katholiken (18%); Hindus (34%); Muslime (9%); Sonstige (5%)
Ethn. Gruppen	Inder (49,4%); Schwarze (35,6%); Sonstige (15,0%)
Wirtschaft und Soziales	

Dienstleistung	38%	Urbanisierung	36%
Industrie	30%	Einwohner/km²	4
Landwirtschaft	32%	Bev.-Wachstum/Jahr	–0,5%
BSP/Kopf	800 $ (1997)	Kindersterblichkeit	5,8%
Inflation	4,5% (1997)	Alphabetisierung	97%
Arbeitslosigkeit	k.A.	Einwohner pro Arzt	2552

Guyana
Südamerika, Karte S. 531, D 2

G. ist nach der Verfassung von 1980 eine präsidiale Republik, deren Regierung eine sozialistische Gesellschaft anstrebt. Die Legislative liegt in den Händen der Nationalversammlung mit 65 Abgeordneten. 53 Parlamentarier werden in allgemeinen Wahlen nach dem Verhältniswahlrecht bestimmt, zwölf Abgeordnete durch die Regionalräte oder den Nationalkongress der lokalen Organe gewählt. Die zehn Verwaltungsdistrikte von G. werden von einem für fünf Jahre gewählten Regionalrat geleitet. Ökonomisch ist G. stark von der Landwirtschaft abhängig, die ca. 32% zum BIP beiträgt. Sie wird auf 2% der Gesamtfläche betrieben, im Wesentlichen in der eingedeichten 70 km breiten Küstenzone. Die wichtigsten Anbauprodukte und Exportgüter sind Zuckerrohr und Reis. Der verstaatlichte großindustrielle Bereich konzentriert sich auf den Abbau von Bodenschätzen wie Bauxit und Mangan, auf die Förderung von Mineralien und auf die Zuckerherstellung.

Haiti

Mittelamerika, Karte S. 532, E 3

Per Dekret ernannte Staatspräsident René Préval im Januar 1999 Jacques Edouard Alexis zum neuen Ministerpräsidenten, um die seit 1996 schwelende Regierungskrise zu beenden. Zuvor hatte er das Parlament aufgelöst, das die Einsetzung eines neuen Regierungschefs mehrfach verhindert hatte. Ein Termin für Neuwahlen stand Mitte 1999 noch aus. 1998 setzte sich der Machtkampf zwischen dem von der Oppositionellen Partei Politique Lavalas (OPL) dominierten Parlament und Staatspräsident Préval fort. Seit dem Rücktritt von Regierungschef Rosny Smarth im Juni 1997 verfügte H. über keine arbeitsfähige Regierung. Im Januar 1999 kam es in der Hauptstadt Port-au-Prince zu gewalttätigen Aktionen von Anhängern des früheren Präsidenten Jean-Bertrand Aristide. Aristide war 1991 demokratisch gewählt, doch vom Militär gestürzt und 1994 mit Militärhilfe der USA wieder eingesetzt worden. Nach seinem verfassungsmäßigen Rücktritt 1996 spielte er weiterhin eine zentrale politische Rolle im Land.

Haiti	Republik Haiti
Landesfläche	27 750 km² (WR 143)
Einwohner	7,53 Mio (WR 90)
Hauptstadt	Port-au-Prince (800 000 Einw.)
Sprachen	Französisch, Kreolisch
Währung	1 Gourde (Gde) = 100 Centimes
Zeit	Mitteleuropäische Zeit −6 h
Gliederung	9 Départem., 27 Arrondissements
Politik	
Staatsform	Präsidiale Republik (seit 1987)
Regierungschef	Jacques Edouard Alexis (seit 1999)
Staatspräsident	René Préval (seit 1996) *17.1.1943
Parlament	Senat 27 Sitze, Abgeordnetenhaus mit 83 gewählten Mitgliedern; 68 Sitze (Senat 19) für Lavalas, 13 (7) für FNCD, 2 (1) nicht besetzt (Wahl von Juni/Aug. 1995)
Internet	http://www.haiti.org/embassy http://www.palaishaiti.net
Bevölkerung	
Religion	Katholiken (80,3%), Protestanten (15,8%); Sonstige (3,9%). 70% der Bev. zugleich Anhänger afrikan. Voodoo-Kulte
Ethn. Gruppen	Schwarze (95%); Mulatten (4,9%) Weiße (0,1%)
Wirtschaft und Soziales				

Dienstleistung	41,9%	Urbanisierung	32%
Industrie	19,5%	Einwohner/km²	271
Landwirtschaft	38,6%	Bev.-Wachstum/Jahr	1,5%
BSP/Kopf	380 $ (1997)	Kindersterblichkeit	6,8%
Inflation	17% (1997)	Alphabetisierung	44,1%
Arbeitslosigkeit	60% (1996)	Einwohner pro Arzt	7143

 Honduras

Mittelamerika, Karte S. 532, B 5

Im Oktober 1998 vernichtete der tropische Wirbelsturm »Mitch« 70% der Infrastruktur von H. Ca. 7000 Honduraner starben während des Hurrikans und der nachfolgenden Überschwemmungen. Der Wiederaufbau der Wirtschaft wird Schätzungen zufolge 5 Mrd US-Dollar kosten und zwei Jahrzehnte dauern. Der informelle Pariser Klub stundete H. im Dezember 1998 die Schulden für drei Jahre. Auf der internationalen Stockholmer »Mitch«-Konferenz forderte Präsident Flores Facussé im Mai 1999 den Erlass aller Auslandsschulden und eine Soforthilfe in Höhe von 3,7 Mrd US-Dollar. Mitte 1999 waren ausländische Staaten und internationale Finanzinstitute bereit, etwa 1,6 Mrd US-Dollar zur Verfügung zu stellen.

Um die Macht des Militärs zu beschneiden, verabschiedete das Parlament im Januar 1999 eine Verfassungsänderung, die das Amt des allein verantwortlichen Armeechefs durch ein ziviles, dem Präsidenten unterstelltes Verteidigungsministerium ersetzt.

Honduras	Republik Honduras
Landesfläche	112 088 km² (WR 100)
Einwohner	6,15 Mio (WR 96)
Hauptstadt	Tegucigalpa (738 500 Einwohner)
Sprachen	Span., Englisch, indian. Dialekte
Währung	1 Lempira (L) = 100 Centavos
Zeit	Mitteleuropäische Zeit −7 h
Gliederung	18 Departamentos
Politik	
Staatsform	Präsidiale Republik (seit 1982)
Regierungschef	Carlos Roberto Flores (seit 1998) *17.101959
Staatspräsident	Carlos Roberto Flores (seit 1998) *17.101959
Parlament	Nationalversammlung mit 126 für vier Jahre gewählten Abgeordneten; 67 für Liberale Partei, 54 Sitze für Nationalpartei, 5 für Partei für Nationale Erneuerung und Einheit (Wahl von 1997)
Internet	http://www.undp.org/missions/honduras
Bevölkerung	
Religion	Katholiken (85%), Protestanten (10%); Sonstige (5%)
Nationalitäten	Mestizen (89,9%); Indianer (6,7%); Sonstige (3,4%)
Wirtschaft und Soziales				

Dienstleistung	49,9%	Urbanisierung	44%
Industrie	30,4%	Einwohner/km²	55
Landwirtschaft	19,7%	Bev.-Wachstum/Jahr	2,3%
BSP/Kopf	740 $ (1997)	Kindersterblichkeit	3,5%
Inflation	15% (1997)	Alphabetisierung	73%
Arbeitslosigkeit	3,2% (1997)	Einwohner pro Arzt	1266

Indien
Asien, Karte S. 535, C 5

Innenpolitik: Im April 1999 brach in I. die aus 13 Parteien bestehende Regierungskoalition auseinander. Jayalalitha Jayaram, Vorsitzende der südindischen Partei AIADMK, kündigte die Zusammenarbeit mit Premierminister Atal Bikari Vajpayee von der hindu-nationalistischen Bharatiya Janata Partei (BJP) auf, sodass die verbliebenen zwölf Regierungsparteien nur noch über 258 der 543 Parlamentssitze verfügten. Jayaram warf Vajpayee vor, die Sicherheitsinteressen des Landes vernachlässigt zu haben. Eigentlicher Grund für den Rückzug waren anhängige Gerichtsverfahren gegen Jayaram wegen Korruption. Vajpayee hatte sich geweigert, ihr bei der Niederschlagung der Anklagen zu helfen. Vajpayee trat von seinem Amt zurück, nachdem er im Parlament eine Vertrauensabstimmung mit 269:270 Stimmen knapp verloren hatte.

Regierungsbildung gescheitert: Nach dem Sturz der Koalitionsregierung scheiterte Oppositionsführerin Sonia Gandhi von der Kongresspartei beim Versuch, eine neue Regierung zu formieren. Die Bildung von Koalitionen gilt in I. als besonders schwierig, weil in den letzten Jahrzehnten im Parlament durchschnittlich 40 Parteien vertreten waren, die ihre Entscheidungen meist nicht nach nationalen, sondern nach regionalen Gesichtspunkten fällten. Da sich die Parteien nicht auf eine neue Regierung verständigen konnten, löste der indische Präsident Kocheril Raman Narayanan im April 1999 das Abgeordnetenhaus auf und setzte für den Herbst 1999 Neuwahlen an (die dritten Wahlen innerhalb von drei Jahren). Bis dahin soll Vajpayee kommissarisch Ministerpräsident bleiben.

Machtkampf: Im Mai 1999 forderte der Fraktionschef der Kongresspartei, Sharad Pawar, von der gebürtigen Italienerin Gandhi, bei den Wahlen nicht für das Amt der Premierministerin zu kandidieren. Er verlangte eine Verfassungsänderung, wonach nur zum Premierminister oder Präsidenten gewählt werden darf, wer in I. geboren wurde. Daraufhin bot Gandhi, die erst seit 1983 indische Staatsbürgerin ist, ihren Rücktritt als Parteivorsitzende an. Die Führung der Kongresspartei lehnte dies ab und sprach ihr das Vertrauen aus.

Regionalwahlen: Bei den Regionalwahlen im November 1998 erlitt die BJP von Ministerpräsident Vajpayee in den wichtigsten Gebieten deutliche Niederlagen, während die oppositionelle Kongresspartei von Sonia Gandhi zulegte. In Rajasthan verdoppelte sie ihre Mandatszahl und erreichte mit 149 von 200 Sitzen eine knappe Dreiviertelmehrheit. In Delhi gewann die Kongresspartei mit 50 von 69 Parlamentssitzen dreimal mehr Stimmen als bei den Regionalwahlen von 1993. Im größten Bundesstaat Madhya Pradesh erreichte sie mit 173 von 320 Mandaten die absolute Mehrheit. Das Ergebnis wurde als Zeichen für die Unpopularität von Vajpayee gewertet, dem die Opposition im Wahlkampf u. a. vorwarf, für die Verzehnfachung der Zwiebelpreise innerhalb eines Jahres verantwortlich zu sein. Zwiebeln sind wesentlicher Bestandteil jeder indischen Mahlzeit.

Gewalt: 1998 verübten fanatische Hindus mehr als 100 Überfälle auf Mitglieder christlicher Gemeinden. Ca. 50% der Gewaltakte (Morde, Vergewaltigungen, Brand-

Indien Republik Indien			
Landesfläche	3,29 Mio km² (WR 7)		
Einwohner	975,77 Mio (WR 2)		
Hauptstadt	Neu-Delhi (11 Mio Einwohner)		
Sprachen	Hindi, Englisch, über 1500 Sprachen und Dialekte		
Währung	1 Indische Rupie (iR) = 100 Paise		
Zeit	Mitteleuropäische Zeit +4,5 h		
Gliederung	25 Bundesstaaten, 7 Territorien		
Politik			
Staatsform	Parlamentarische Bundesrepublik (seit 1950)		
Regierungschef	Atal B. Vajpayee (seit 1998, kommis.) *25.12.1924		
Staatspräsident	Kocheril Raman Narayanan (seit 1997) *1920		
Parlament	Oberhaus mit 232 sechs Jahre und Unterhaus mit 543 für fünf Jahre gewählten Abgeordneten; im Unterhaus, 180 Sitze für Bharatiya Janata Partei, 141 für Kongress-Partei, 32 für Kommunisten; 190 für Andere (Wahl von Februar/März 1998)		
Internet	http://alfa.nic.in		
Bevölkerung			
Religion	Hindus (80,3%); Muslime (11%); Christen (2,4%); Sikhs (1,1%); Buddhisten (0,7%); Sonstige (4,5%)		
Nationalitäten	Inder (97%), Mongolen (3%)		
Wirtschaft und Soziales			
Dienstleistung	45,4%	Urbanisierung	27%
Industrie	25,3%	Einwohner/km²	297
Landwirtschaft	30,3%	Bev.-Wachstum/Jahr	1,7%
BSP/Kopf	370 $ (1997)	Kindersterblichkeit	7,2%
Inflation	10,0% (1998)	Alphabetisierung	51,2%
Arbeitslosigkeit	10,4% (1998)	Einwohner pro Arzt	2439

🅤 Indien: Gewalt gegen Frauen

▶ **Gewalt:** Nach einer Studie der Weltbank wurden 75% der indischen Frauen und Mädchen schon einmal Opfer von physischer Gewalt.

▶ **Gesellschaftsbild:** Frauen und Mädchen gelten in der indischen Gesellschaft meist als wertlos und werden als Eigentum des Mannes betrachtet. Im Bundesstaat Bihar waren nach einer UNICEF-Studie 65% der Männer und 8% der Frauen der Ansicht, dass Mädchen schon bei der Geburt getötet werden sollten, da sie eine Last für die Gesellschaft seien.

▶ **Tötung nach der Geburt:** Geburtshelferinnen lassen sich in einigen Regionen von I. dafür bezahlen, weibliche Säuglinge umzubringen. Sie brechen ihnen das Genick, füllen den Hals des Säuglings mit Salz oder stecken ihn in einen bedeckten Tonkopf, sodass er erstickt.

▶ **Verheiratung:** Damit Mädchen nicht mehr versorgt werden müssen, werden sie oft schon vor Einsetzen der Menstruation verheiratet. Bei einer frühen Eheschließung müssen die Eltern weniger Mitgift zahlen, weil die Wahrscheinlichkeit höher ist, dass das Mädchen noch Jungfrau ist. Schätzungen der UNICEF zufolge werden in I. jährlich 5000 Ehefrauen umgebracht, weil ihre Männer nur an ihrer Mitgift interessiert waren.

▶ **Müttersterblichkeit:** Während in Deutschland Ende der 90er Jahre bei 100 000 Lebendgeburten jährlich im Durchschnitt 22 Frauen ums Leben kamen, waren es in I. 25mal so viele (570). Nichtregierungsorganisationen berichteten 1998/99 von Fällen, in denen sich Ehemänner geweigert hatten, ihre schwangeren Frauen ins Krankenhaus zu bringen, nachdem sich Komplikationen bei der Geburt abzeichneten. Ehemänner forderten Ärzte auf, ihre kranken Frauen nach der Geburt sterben zu lassen, um sie nicht zu Hause pflegen zu müssen.

▶ **Frauenmangel:** Nach Schätzungen von UNICEF beträgt in I. als Folge der Gewalt gegen Frauen das Zahlenverhältnis von Männern zu Frauen 1000:931. In einigen nordindischen Bundesstaaten liegt es sogar bei 1000:840, sodass von einem Frauenmangel gesprochen werden kann. In Westeuropa kamen Ende der 90er Jahre auf 1000 Männer 1064 Frauen.

▶ **Maßnahmen:** Nichtregierungsorganisationen und die christlichen Kirchen bemühten sich in den 90er Jahren intensiv um eine Veränderung des Frauenbildes in der indischen Gesellschaft. Sie erstreben ein Verbot der Mitgiftzahlung und die Einrichtung von Frauenhäusern, in denen von Gewalt bedrohte Frauen Zuflucht finden können. In Programmen werden Frauen und Mädchen darüber informiert, wie sie sich gegen Gewalt wehren können. Filmemacher drehten Kinostreifen, in denen alternative Geschlechterrollen positiv dargestellt wurden.

---

schatzungen) geschahen im westindischen Unionsstaat Gujarat, der von der hindunationalen BJP regiert wurde. In I. lebten 1998 rund 700 Mio Hindus (etwa 80% der Gesamtbevölkerung) und 19 Mio Christen (etwa 2,4%). Fanatische Hindus warfen christlichen Institutionen vor, Zwang zur Glaubenskonvertierung auszuüben. Sie hielten ihnen vor, nicht in indischer Erde verwurzelt zu sein und die angestrebte Bildung eines Hindureiches zu behindern. Die Gewalt soll die katholische Oppositionsführerin Sonia Gandhi schwächen, deren Kongresspartei 1998 an Einfluss auf die indische Politik gewann. Christliche Institutionen sahen als wahren Grund für die Verfolgung ihr soziales Engagement, mit dem sie u. a. die Stellung der rechtlosen Frauen in I. stärken und archaische Produktionsverhältnisse wie Leibeigenschaft, Zwangs- und Kinderarbeit in den Hindu-Kasten beseitigen will. Anfang der 90er Jahre schürten Hindu-Extremisten den Hass gegen die Muslime in I., die 1998 ca. 11% der Bevölkerung stellten. 1998 wurde keine Gewalt mehr gegen muslimische Einrichtungen ausgeübt. Als Grund wurde vermutet, dass die hindu-nationale Partei BJP auf Stimmen von den ca. 120 Mio Muslimen angewiesen war.

Urteil: Acht Jahre nach dem Attentat auf den ehemaligen Ministerpräsidenten Rajiv Gandhi hob im Mai 1999 das oberste Gericht von I. in einem Revisionsverfahren die Todesurteile gegen 22 Angeklagte auf und ordnete bei 17 von ihnen die Freilassung an. Die Todesurteile gegen vier weitere Tamilen wurden hingegen bestätigt. Gandhi war zusammen mit 15 anderen Menschen 1991 durch ein Bombenattentat bei einer Wahlkampfveranstaltung in Poonamalle im Unionsstaat Tamil Nadu getötet worden. Die Täter begründeten den Anschlag mit der Unterstützung Gandhis für die Regierung von Sri Lanka im Kampf gegen tamilische Separatisten.

Bevölkerungswachstum: Im Mai 2000 wird nach Berechnungen des indischen Amtes für Volkszählung die Einwohnerzahl von I. die Milliardengrenze erreichen. Auf dem Subkontinent wird alle 2 sec ein Kind geboren, die Bevölkerung steigt im Schnitt um 15,6 Mio Menschen jährlich. Erst 2050 soll sich die Bevölkerungszahl bei 1,62 Mrd Menschen stabilisieren. I. ist nach China das zweitbevölkerungsreichste Land der Welt.

Außenpolitik: Im Dezember 1998 erläuterte Premier Vajpayee die indische Verteidigungsdoktrin, die ein weiterhin kleines Arsenal mit nuklearen Sprengköpfen zur Abschreckung vorsieht.

Atomwaffen: Er garantierte den Verzicht auf einen Erstschlag und versprach, darauf zu achten, dass das indische Nuklearpotenzial keine provokativen Züge annehmen wird. Im April 1999 testete I. eine verstärkte Version seiner Mittelstreckenrakte »Agni«.

Indien: Wirtschaftswachstum (BIP)[1]

1998	+5,8
1997	+4,5
1996	+7,5
1995	+7,2

1) in %; Quelle: bfai

Indien: Inflation[1]

1998	10,0
1997	6,8
1996	9,4
1995	10,4

1) in %; Quelle: bfai

»Agni II« hat eine Reichweite von 2000 km, kann Atomsprengköpfe von 1 t Gewicht tragen und wegen des festen Treibstoffs auch in schwierigem Gelände stationiert werden. »Agni I«, die 1994 zum ersten Mal getestet worden war, hatte eine Reichweite von 1500 km und konnte Sprengköpfe mit einem Gewicht von 700 kg transportieren. Die indische Regierung betonte, mit den Raketen ganz Pakistan und Teile von China erreichen zu können, von denen es sich bedroht fühlt. Bereits im Mai 1998 hatte I. auf einem Versuchsgelände im Nordwesten des Landes drei Atomsprengköpfe, darunter eine Wasserstoffbombe, unterirdisch gezündet und damit die politischen Spannungen in Südasien verschärft. Seit der Unabhängigkeit von Großbritannien (1947) führte I. gegen Pakistan drei Kriege, zwei davon um Kaschmir, und 1962 einen Grenzkrieg gegen China.

Transitvertrag: Im Januar 1999 erneuerten I. und Nepal ein Verkehrsabkommen für weitere sieben Jahre. Der Vertrag regelt den Güter- und Personenverkehr an der rund 1500 km langen Grenze zwischen beiden Ländern. Über besondere Transitstrecken gewährt er Nepal über indische Häfen Zugang zum Weltmarkt. Da Nepal fast alle Gebrauchsgüter und Rohstoffe sowie seinen gesamten Treibstoffbedarf über I. einführen muss, ist es in hohem Maße auf die Transitstrecken angewiesen.

Wirtschaft: 1998 stieg das BIP in I. um 5,8% (1997: 4,5%), was bei einem Bevölkerungswachstum von ca. 1,7% von interna-

tionalen Wirtschafts- und Finanzinstituten als zu wenig erachtet wurde, um die Stellung I. als eine der 15 führenden Industrienationen zu stabilisieren.

Investitionsrückgang: Negativ wirkte sich neben der Rezession in Ostasien insbes. die politische Krise um die Atomtests vom Mai 1998 aus, die ausländische Anleger dazu veranlasste, Investitionen in I. zurückzunehmen. Die Direktinvestitionen gingen 1998 im Vergleich zum Vorjahr um 1 Mrd US-Dollar auf 1,5 Mrd US-Dollar zurück. Während der Wirtschaftsleistung im industriellen Sektor nur um 3,5% zunahm, stieg sie in der Landwirtschaft, die ca. 30% zum indischen BIP beiträgt, um 5,3%. Das indische Handelsbilanzdefizit erreichte trotz weltweit gesunkener Erdölpreise fast 4% des Sozialprodukts, das Haushaltsdefizit 4,5% des BIP (zum Vergleich Deutschland: 2,1%). Die Verschuldung gegenüber dem Ausland blieb 1998 mit 95 Mrd US-Dollar konstant. Die Zinszahlungen für die Schulden beliefen sich 1998 bereits auf rund ein Drittel der Budgetausgaben. Dadurch fehlten 1998 die Mittel für notwendige Investitionen in das Verkehrswesen (Straße, Bahn) und in die Telekommunikation, die lediglich um 1,9% stiegen (1997: 4,2%).

Fiskalpolitik: Anfang 1999 beschloss die indische Regierung, die Einfuhrzölle von 7% auf 5% und die Verbrauchssteuern von 11% auf 3% zu reduzieren. Um das Haushaltsdefizit dennoch Anfang des 21. Jh. auf unter 4% des BIP zu senken, sollen die Körperschaftssteuern für ausländische Unternehmen von 50% auf 55% erhöht werden. Die direkten Steuern wurden erstmals seit 1991 leicht angehoben. Ausländische Investoren kritisierten die Entscheidung und forderten statt dessen, das Steuernetz in I. auszuweiten. Im Jahr 1998 zahlten in I. lediglich 12 Mio Inder (1,2% der Bevölkerung) direkte Steuern.

Armut: 1998 lebten nach Schätzungen internationaler Hilfsorganisationen mehr als 50% der indischen Bevölkerung unter der Armutsgrenze und mussten mit weniger als 1,70 DM pro Tag auskommen. Um die Effizienz der Armutsbekämpfung zu steigern, beschloss die Regierung im März 1999, entsprechende Kampagnen zu dezentralisieren. Sie sollen zukünftig weniger vom Staat und mehr von Dorfräten durchgeführt werden.

Staaten → Pakistan

Indonesien

Ostasien, Karte S. 536, B 6

Im Juni 1999 siegte bei den ersten Parlamentswahlen nach dem Sturz von Präsident Kemusu Suharto (21.5.1998) die demokratisch-nationalistische Oppositionspartei PDI-P unter Megawati Sukarnoputri mit ca. 38% der abgegebenen Stimmen.

Innenpolitik: Zweitstärkste Partei wurde die islamische PKB unter Abdurrahman Wahid mit etwa 19%. Die bislang regierende Golkar-Partei kam auf lediglich 16%. Indonesische Wahlbeobachter kritisierten zahlreiche Fälle von Manipulationen, so dass mind. 1 Mio Wahlberechtigte noch einmal abstimmen müssen. Das genaue Wahlergebnis und die Sitzverteilung im Parlament können daher voraussichtlich erst im Herbst 1999 ermittelt werden. Lediglich 48 der rund 200 Parteien, die seit dem Rücktritt Suhartos gegründet worden waren, erfüllten die für die Zulassung zur Wahl festgelegten Kriterien. Sie mussten u. a. in mind. neun der 27 indonesischen Provinzen und dort in mind. der Hälfte der Regionen vertreten sein. Um der Gefahr von Unruhen vorzubeugen, war es den Parteien während des offiziellen Wahlkampfes von Mitte Mai bis Anfang Juni 1999 verboten, Massenkundgebungen zu veranstalten oder Werbegespräche auf den Straßen zu führen.

Demokratisierung: Die 500 Abgeordneten des indonesischen Parlamentes beschlossen im Januar 1999 einstimmig weit reichende politische Reformen zur Demokratisierung des Landes und schufen damit die Grundlage für die Wahlen vom Juni: Der Pflichtanteil der Streitkräfte im Parlament wurde um ca. die Hälfte von 75 auf 38 Sitze reduziert, die Gründung neuer Parteien erleichtert (bis Ende 1998 waren offiziell nur die Regierungspartei Golkar, die Vereinte Entwicklungspartei und die Demokratische Partei erlaubt) und das repräsentative Wahlsystem eingeführt. Den 4,1 Mio Beamten in I. wurde die Mitgliedschaft in Parteien untersagt, um den politischen Einfluss der Staatsbediensteten zu begrenzen. Im Oktober 1998 hatte das Parlament ein Gesetz verabschiedet, das die Meinungs- und Versammlungsfreiheit garantieren soll. Demonstrationen in I. müssen nicht mehr polizeilich erlaubt, sondern nur noch angemeldet werden.

Unruhen: Im Herbst 1998 brachen in mehreren Provinzen von I. Unruhen aus, die regelmäßig wieder aufflammten und bis Mitte 1999 über 2000 Todesopfer forderten:
– In Jakarta demonstrierten Studenten z.T. gewaltsam gegen Präsident Bacharuddin Habibie und forderten eine Beschleunigung des Demokratieprozesses.
– In Ambon auf den Molukken kämpften Muslime und Christen bewaffnet gegeneinander. Bei den Auseinandersetzungen starben mehrere hundert Menschen. Kirchen und Moscheen wurden zerstört.
– In Aceh strebten Muslime gewaltsam nach Autonomie.
– Auf Nordsumatra forderten Kleinbauern und Arbeitslose von der Zentralverwaltung enteignetes Land zurück.
– In West-Kalimantan kam es zu Spannungen zwischen den Dayak-Stammesleuten, Chinesen und zugewanderten Muslimen.
– In Surabaya (Ostjava) traten Industriearbeiter wegen Versorgungsengpässen in den Streik.

Indonesien Republik Indonesien	
Landesfläche	1,91 Mio km² (WR 15)
Einwohner	206,52 Mio (WR 4)
Hauptstadt	Jakarta (ca. 12 Mio Einwohner)
Sprachen	Indones., Engl., lokale Sprachen
Währung	1 Rupiah (Rp) = 100 Sen
Zeit	Mitteleuropäische Zeit +6 h
Gliederung	27 Provinzen
Politik	
Staatsform	Präsidiale Republik (seit 1945)
Regierungschef	Bacharuddin J. Habibie (seit 1998) *25.6.1936
Staatspräsident	Bacharuddin J. Habibie (seit 1998) *25.6.1936
Parlament	Repräsentantenhaus mit 425 für fünf Jahre gewählten und 75 vom Präsidenten aus Reihen des Militärs ernannten Abgeordneten (Sitzverteilung im indonesischen Repräsentantenhaus stand Mitte 1999 noch nicht fest; mind. 1 Mio Wahlberechtigte müssen wegen Unregelmäßigkeiten bei der Wahl vom Juni 1999 voraussichtlich noch einmal abstimmen)
Internet	http://www.dpr.go.id
Bevölkerung	
Religion	Muslime (87,2%); Christen (9,6%): Katholiken (3,6%); Hindus (1,8%); Buddhisten (1%); Sonstige (0,4%)
Nationalitäten	Javanesen (39,4%); Sundanesen (15,8%); Malaien (12,1%); Maduresen (4,3%); Chinesen (3%); Sonstige (25,4%)

Wirtschaft und Soziales			
Dienstleistung	43,1%	**Urbanisierung**	35%
Industrie	41,7%	**Einwohner/km²**	108
Landwirtschaft	15,2%	**Bev.-Wachstum/Jahr**	1,6%
BSP/Kopf	1110 $ (1997)	**Kindersterblichkeit**	4,8%
Inflation	57,6% (1998)	**Alphabetisierung**	83,2%
Arbeitslosigkeit	15% (1998)	**Einwohner pro Arzt**	7143

In I. gab es 1999 etwa 400 ethnische Gruppen. Infolge der Rezession richteten sich die Ausschreitungen insbes. gegen wirtschaftlich einflussreiche Minderheiten wie die Chinesen, die 1998 ca. 3,5% der indonesischen Bevölkerung stellten, aber rund 70% aller bedeutenden Positionen in der Wirtschaft einnahmen. Während der Suharto-Diktatur (1966–98) waren die vorhandenen Spannungen durch das Militär und die Verbreitung einer staatlichen Einheitsdoktrin unterdrückt worden.

Dezentralisierung: Die indonesische Regierung legte im Februar 1999 ein neues Gesetz vor, das den 27 Provinzen zusätzliche politische und fiskalische Kompetenzen einräumt. Den Provinzen soll die Möglichkeit eröffnet werden, ihre Entwicklung selbst zu planen. Die Regierung hoffte, mit der Dezentralisierung der Macht den Auflösungserscheinungen des aus 17 000 Inseln bestehenden Landes entgegenzuwirken. In den wohlhabenderen und ressourcenreicheren Provinzen verstärkten sich 1998/99 Bestrebungen nach Unabhängigkeit.

Außenpolitik: I. und Portugal, das als ehemalige Kolonialmacht völkerrechtlich für die östlich von Jakarta gelegene indonesische Inselprovinz Osttimor zuständig war, einigten sich im April 1999 darauf, auf Osttimor im August 1999 eine Volksabstimmung über die politische Zukunft durchzuführen. In dem Referendum soll entschieden werden, ob Osttimor als autonome Provinz bei I. bleibt oder unabhängig wird. Die Vereinbarung zwischen I. und Portugal war unter Vermittlung der Vereinten Nationen zustande gekommen. 1975 besetzten indonesische Truppen Osttimor und unterdrückten seitdem die Freiheitsbestrebungen der Bevölkerung. Bei den Kämpfen zwischen den Konfliktparteien kamen etwa 200 000 Timoreser ums Leben, rund ein Drittel der Bevölkerung von 1975.

Um weitere Gewalttaten zwischen Befürwortern und Gegnern der Unabhängigkeit zu verhindern, unterzeichneten Vertreter proindonesischer Milizen und der osttimoresischen Freiheitsbewegung im April 1999 ein Abkommen zur Beendigung der Kämpfe. Menschenrechtsorganisationen kritisierten den Vertrag, da er keine Entwaffnung der Streitkräfte und der paramilitärischen Gruppen vorsah. Die Auseinandersetzungen hatten sich im Januar 1999 verschärft, nachdem die indonesische Regierung erstmals die Unabhängigkeit Osttimors in Aussicht gestellt hatte.

Wirtschaft: I. litt 1998/99 unter den Folgen der schweren wirtschaftlichen Krise, die im Herbst 1997 infolge der Überschuldung des Landes und des damit verbundenen Verfalls der Landeswährung (Rupie) ausgebrochen war.

Krisenbilanz: Das BIP sank 1998 um 13,1% (1997: + 4,6%). Das Defizit im Staatshaushalt betrug 4,8% des BIP (1997: 0,5%). Die Inflationsrate verachtfachte sich auf 57,6% (1997: 6,7%). Der Wert aller Investitionen aus dem Ausland sank 1998 auf 21,9 Mrd US-Dollar (1997: 33,8 Mrd US-Dollar). Die gewalttätigen Unruhen, die unsichere politische Lage und Waldbrände auf der Insel Borneo führten 1998 zu einem Rückgang der Touristenzahlen um 25% auf 3,8 Mio. Die Einnahmen sanken im Tourismusgewerbe um ca. 60% auf 2,48 Mrd US-Dollar. 1998 verloren etwa 5,4 Mio Menschen ihren Arbeitsplatz (ca. 15 000 am Tag). Die Arbeitslosenquote verdreifachte sich von 4,7% auf 15%. Nach Schätzungen der Internationalen Arbeitsorganisation (ILO) lebten Ende 1998 in I. rund 135 Mio Menschen unterhalb der Armutsgrenze (Einkommen: weniger als 1 US-Dollar/Tag in der Stadt und unter 0,8 US-Dollar auf dem Land).

Gegenmaßnahmen: Die indonesische Regierung beschloss 1998/99 zahlreiche Schritte, um die Konjunktur zu beleben und das Vertrauen ausländischer Investoren wiederzugewinnen. Unternehmen sollen bis zu acht Jahre von der Einkommensteuer befreit werden, wenn sie in zukunftsträchtige Branchen (z. B. Elektronik, Chemie, Werkzeugmaschinen) investieren. Die indonesische Zentralbank soll ihre geldpolitischen Entscheidungen unabhängig treffen. Mit Unterstützung der Weltbank wurde die Jakarta-Initiative zur Umschuldung der privaten Wirtschaft gegründet. Bis Anfang 1999 beteiligten sich ca. 125 indonesische Firmen (220 000 Mitarbeiter) mit insgesamt 17,5 Mrd US-Dollar Auslandsschulden an dem Programm. Im März 1999 schloss die Regierung 38 der 128 Privatbanken, die infolge der Wirtschaftskrise zahlungsunfähig geworden waren. Mit der Schließung erfüllte die indonesische Regierung eine Bedingung des Internationalen Währungsfonds (IWF) für ein Kreditpaket von ca. 40 Mrd US-Dollar.

Irak

Nahost, Karte S. 534, D 2

Die schiitische Opposition verübte im November 1998 ein Attentat auf Izzat Ibrahim, den Stellvertreter des Diktators Saddam Hussein als Vorsitzender des Revolutionären Kommandorates; Ibrahim blieb jedoch unverletzt.

Innenpolitik: Im Februar 1999 brachen in irakischen Schiitensiedlungen Proteste gegen das Regime von Saddam Hussein aus, die durch irakische Sicherheitskräfte gewaltsam niedergeschlagen wurden. Der Führer der Schiitenopposition, Ayatollah Mohammad Bagher, forderte in Teheran (Iran) internationalen Schutz für das irakische Volk und machte Saddam Hussein für die Ermordung des Schiitenklerikers Ayatollah Sadr im Februar 1999 in Najaf verantwortlich. Die Schiiten im I. (61,5% der Bevölkerung) gelten als einzige Gruppe, welche die Machtposition Saddam Husseins gefährden könnten. Im Herbst 1998 spaltete sich die Dawa-Partei, die den schiitischen Widerstand im I. zu organisieren versucht. Ein Teil der Gruppierung orientierte sich am Iran und seinem spirituellen Führer Ayatollah Khamenei, ein anderer Teil sprach sich gegen diese Ausrichtung aus.

Außenpolitik: Die irakische Führung kündigte im Oktober 1998 an, die Zusammenarbeit mit der UN-Sonderkommission Unscom zur Überwachung der Entwaffnung des I. auszusetzen und warf ihr Spionage für die USA vor; die irakischen Stellen reagierten auf die Weigerung der UNO, die nach der irakischen Invasion in Kuwait (1990) beschlossenen Handelssanktionen aufzuheben. Daraufhin verließen die Waffeninspekteure den I. Im November 1998 durften sie zurückkehren, nachdem die USA mit massiven militärischen Angriffen gedroht hatten, falls sich der I. weigere, mit der Unscom zusammenzuarbeiten.

Im Dezember berichtete der Leiter der Unscom, Richard Butler (Australien), dass der I. nicht mit den Waffeninspekteuren kooperiere und der Unscom Unterlagen über irakische Rüstungsprogramme vorenthalte. Die USA ordneten im Dezember 1998 viertägige Luftangriffe gegen militärische Ziele im I. an, bei denen mind. 35 Menschen starben. Bei den Angriffen wurden 100 Ziele bombardiert, durch deren Zerstörung irakische Rüstungs-

Irak Irakische Republik	
Landesfläche	438 317 km² (WR 57)
Einwohner	21,8 Mio (WR 45)
Hauptstadt	Bagdad (4,89 Mio Einwohner)
Sprachen	Arabisch, Kurdisch, Türkisch, Kaukasisch, Persisch
Währung	1 Irak-Dinar (ID) = 1000 Fils
Zeit	Mitteleuropäische Zeit +2 h
Gliederung	18 Gouvernate
Politik	
Staatsform	Präsidiale Republik (seit 1968)
Regierungschef	Saddam Hussein (seit 1994) *28.4.1937
Staatspräsident	Saddam Hussein (seit 1979) *28.4.1937
Parlament	Nationalrat mit 250 für vier Jahre gewählten Abgeordneten; sämtliche Sitze für die Baath-Partei und Unabhängige sowie der Baath-Partei nahe stehende Kandidaten; oppositionelle Gruppierungen und Parteien sind nicht zugelassen (Wahl von 1996)
Bevölkerung	
Religion	Muslime (95,5%): Schiiten (61,5%), Sunniten (34%); Christen (3,7%); Sonstige (0,8%)
Ethn. Gruppen	Araber (77,1%); Kurden (19%); Turkmenen (1,4%); Perser (0,8%); Assyrer (0,8%); Sonstige (0,9%)

Wirtschaft und Soziales			
Dienstleistung	47%	Urbanisierung	75%
Industrie	23%	Einwohner/km²	50
Landwirtschaft	30%	Bev.-Wachstum/Jahr	3,2%
BSP/Kopf	540 $ (1996)	Kindersterblichkeit	9,5%
Inflation	k.A.	Alphabetisierung	56,8%
Arbeitslosigkeit	k.A.	Einwohner pro Arzt	1667

bestrebungen nach US-Angaben um mehr als ein Jahr zurückgeworfen wurden. Vertreter der Republikanischen Partei in den USA warfen Präsident Bill Clinton vor, die Angriffe auf den I. befohlen zu haben, um die Einleitung eines Amtsenthebungsverfahrens gegen ihn wegen seines Verhaltens in der Liebesaffäre um die Praktikantin Monika Lewinsky zu verhindern.

Der I. verkündete im Dezember 1998, die Flugverbotszonen nicht mehr anzuerkennen. Sie waren 1991 nach dem Golfkrieg zum Schutz der Kurden im Norden und der Schiiten im Süden eingerichtet worden. Im Januar 1999 schoss die irakische Flugabwehr auf US-amerikanische und britische Flugzeuge, welche die Zone überwachten.

Wirtschaft: Auch 1998/99 konnte sich die irakische Volkswirtschaft von den Folgen der Golfkriege und der Wirtschaftssanktionen nicht erholen. Die Ölexporte des I. wurden vom UN-Sicherheitsrat 1998 auf einen Wert von 10,4 Mrd US-Dollar begrenzt. Aus den Einnahmen durfte der I. Nahrung, Arzneien und Ersatzteile für teilweise zerstörte

Chronik des Irak-Konflikts

▶ **2.8.1990:** Irakische Truppen besetzen Kuwait. Die UNO verhängt Wirtschaftssanktionen und stellt ein Ultimatum: Rückzug bis zum 15.1.1991.

▶ **17.1.1991:** Nach Ablauf des Ultimatums beginnt die militärische Operation »Wüstensturm«. Die Alliierten bombardieren Ziele im I. und in Kuwait.

▶ **18.1.1991:** Der I. feuert Scud-Mittelstreckenraketen auf Israel.

▶ **24.2.1991:** Mit Beginn des Bodenkrieges dringen alliierte Truppen auf irakisches Gebiet vor.

▶ **27./28.2.1991:** Befreiung Kuwaits und Einstellung aller Kampfhandlungen.

▶ **11.4.1991:** Waffenstillstandsabkommen: I. akzeptiert Abrüstungskontrollen und verpflichtet sich zur Zerstörung aller nuklearen, biologischen und chemischen Waffen.

▶ **24.10.1992:** Der I. verweigert zum ersten Mal UN-Inspekteuren den Zutritt zu Gebäuden. Die Alliierten drohen mit Luftangriffen.

▶ **Januar 1997:** UN-Inspekteure finden Belege für die irakische Produktion von Langstreckenraketen.

▶ **November 1997:** Der I. verweigert die Zusammenarbeit mit den UN-Kontrolleuren und weist sie aus. Die Alliierten drohen mit erneuten Angriffen.

▶ **23.2.1998:** UN-Generalsekretär Kofi Annan (Ghana) und der irakische Außenminister Tarik Asis unterzeichnen eine Vereinbarung, welche die Kontrolle der Präsidentenpaläste ohne zeitliche Begrenzung erlaubt.

▶ **28.4.1998:** Der I. widerruft die Vereinbarung mit UN-Generalsekrtär Annan.

▶ **31.10.1998:** Der I. stellt die Zusammenarbeit mit den UN-Inspekteuren ein.

▶ **14.11.1998:** Die Alliierten stoppen eine geplante Angriffswelle in letzter Minute, als der I. ankündigt, Rüstungskontollen wieder uneingeschränkt zu erlauben.

▶ **16.12.1998:** Beginn der Militäroperation »Wüstenfuchs«, nachdem die UN-Kontrolleure weiterhin bei ihrer Arbeit behindert wurden.

▶ **20.12.1998:** Einstellung der Angriffe auf den I. Die Alliierten verkünden, die irakischen Rüstungsanlagen zerstört zu haben.

▶ **27.12.1998:** Der I. weigert sich, UN-Kontrolleure wieder ins Land zu lassen und die Flugverbotszonen im Norden und Süden des Landes weiter anzuerkennen.

▶ **Seit Dezember 1998:** Gelegentliche begrenzte Gefechte zwischen der irakischen Flugabwehr und Flugzeugen der Alliierten in den Flugverbotszonen.

oder veraltete Förderanlagen kaufen. Ein Drittel der Einnahmen musste der I. für die Finanzierung der Aufsichtsorgane der UN und die Begleichung der Schäden in Kuwait aufwenden. Über die ökonomischen Eckdaten (Wirtschaftswachstum, Inflation, Arbeitslosenquote etc.) im I. gab es 1998/99 keine zuverlässigen Daten.

Soziales: 1998 waren im I. nach Schätzungen 200 000 Kinder unterernährt. Das Welternährungsprogramm der UNO (WFP) stellte im Februar 1999 ein Hilfsprogramm in Höhe von 21 Mio US-Dollar auf. Mit dem Geld soll eine hochwertige Nahrungsmischung aus Weizen, Soja und Milch hergestellt und an irakische Kinder verteilt werden.

Iran	Islamische Republik Iran		
Landesfläche	1,63 Mio km² (WR 17)		
Einwohner	73,06 Mio (WR 14)		
Hauptstadt	Teheran (6,75 Mio Einwohner)		
Sprachen	Persisch, Kurdisch, Turksprachen		
Währung	1 Rial (RI) = 100 Dinar		
Zeit	Mitteleuropäische Zeit +2,5 h		
Gliederung	25 Provinzen		
Politik			
Staatsform	Islamisch-präsidiale Republik (seit 1979)		
Regierungschef	S. Mohamed Khatami (seit Mai 1997) *1943		
Staatspräsident	S. Mohamed Khatami (seit Mai 1997) *1943		
Parlament	Islamischer Rat mit 270 gewählten Abgeordneten; Parteien sind nicht zugelassen (Wahl von 1996)		
Internet	http://www.iranmajlis.org http://www.president.ir		
Bevölkerung			
Religion	Muslime (99%); Christen (0,5%); Sonstige (0,5%)		
Ethn. Gruppen	Perser (45,6%); Aseri (16,8%); Kurden (9,1%); Gilaki (5,3%); Luri (4,3%); Sonstige (18,9%)		
Wirtschaft und Soziales			
Dienstleistung	42,9%	Urbanisierung	59%
Industrie	36,3%	Einwohner/km²	45
Landwirtschaft	20,8%	Bev.-Wachstum/Jahr	2,0%
BSP/Kopf	1780 $ (1997)	Kindersterblichkeit	3,5%
Inflation	ca. 20% (1998)	Alphabetisierung	68,6%
Arbeitslosigkeit	9,1% (1996/97)	Einwohner pro Arzt	2685

Iran
Nahost, Karte S. 534, E 2

Staatspräsident Sayyed Mohamed Khatami setzte sich 1998/99 für die Institutionalisierung von Recht und Gesetz, für gesellschaftliche Toleranz gegenüber anderen Ansichten sowie für den Schutz der Freiheit des einzelnen im I. ein. Islamistische Traditionalisten hingegen versuchten eine Abkehr vom reinen Gottesstaat zu verhindern.
Innenpolitik: Im Oktober 1998 errangen die Traditionalisten bei den Wahlen zum iranischen Expertenrat, dem einflussreichsten politisch-religiösen Gremium des Landes, mit 70 von 86 Sitzen die klare Mehrheit. Die moderaten Vertreter erhielten insgesamt 12, linksradikale Kandidaten 4 Sitze. Die Wahlbeteiligung lag bei nur 51%.
Bei den ersten Kommunalwahlen seit der Revolution von 1979 erhielten gemäßigte Reformkräfte im März 1999 etwa 70% der Stimmen. Das Wahlergebnis wurde als Absage der Bevölkerung an die reformfeindlichen islamistischen Traditionalisten und als Sieg des gemäßigten Präsidenten Khatami gewer-

tet. Anhänger Khatamis gründeten im Dezember 1998 eine neue Partei. Die sog. Front zur Beteiligung an einem islamischen Iran setzte sich zum Ziel, die bürgerlichen Freiheiten im I. zu verteidigen und Khatamis Reformkurs zu unterstützen.

Im März 1999 wiederbelebten 75 Autoren mit Erlaubnis des Kulturministeriums den iranischen Schriftstellerverband. Ihnen war im Herbst 1998 von einem iranischen Revolutionsgericht verboten worden, die 1982 aufgelöste Interessenvertretung wieder ins Leben zu rufen. Einige Autoren, die sich für den Verband eingesetzt hatten, wurden wenige Wochen nach dem Urteil ermordet.

Im Januar 1999 bestätigte der iranische Geheimdienst, dass einige seiner Mitarbeiter an der Ermordung der Intellektuellen beteiligt waren. Geheimdienstchef Dori Najafabadi erklärte seinen Rücktritt. Zum Nachfolger benannte Staatschef Khatami den obersten Militärrichter Ali Junesi. Er leitete vorher im Auftrag Khatamis eine Kommission zur Aufklärung der Gewaltverbrechen.

Als Reaktion auf die Neugründung des Schriftstellerverbandes leiteten im April 1999 konservative Abgeordnete im Parlament ein Amtsenthebungsverfahren gegen den Minister für islamische Führung und Kultur, Ayatollah Mohajerani, ein. Sie warfen ihm vor, die Presse nicht kontrolliert, die Entweihung von Sakralem geduldet, die Erfolge der islamischen Revolution in Frage gestellt und gegen Interessen der islamischen Republik verstoßen zu haben. Ziel der konservativen Abgeordneten ist es, die Anhänger Khatamis aus wichtigen Ämtern zu verdrängen.

Außenpolitik: Das Oberste Gericht im I. hob im Februar 1999 die Todesstrafe gegen den Hamburger Geschäftsmann Helmut Hofer auf. Er war im Januar 1998 von einem iranischen Gericht wegen angeblicher sexueller Beziehungen zu einer iranischen Studentin zum Tode durch Steinigung verurteilt worden. Das Urteil hatte die Beziehungen zwischen Deutschland und dem I. stark belastet. Nach dem im I. geltenden islamischen Recht kann gegen einen nicht-moslemischen Mann die Todesstrafe verhängt werden, wenn er außereheliche sexuelle Beziehungen zu einer moslemischen Frau hatte.

Trotz des Todesurteils, mit dem Ayatollah Khomeini 1989 den britisch-indischen Autor Salman Rushdie wegen angeblich gotteslästernder Passagen in seinem Roman »Die Satanischen Verse« belegt hatte, nahmen I. und Großbritannien im September 1998 wieder volle diplomatische Beziehungen auf. Khatami distanzierte sich vom Todesurteil gegen Rushdie, für dessen Vollstreckung die Khordad-Stiftung in Teheran eine Belohnung von umgerechnet 3,7 Mio DM ausgesetzt hatte. Doch betonte der iranische Präsident, die sog. Fatwa nicht annulieren zu können. Im Oktober 1998 bestätigte die Khordad-Stiftung das Todesurteil gegen Rushdie und erhöhte das Kopfgeld auf 4,2 Mio DM.

Im Mai 1999 besuchte Präsident Khatami die saudi-arabische Hauptstadt Riad. Es war der erste Besuch eines iranischen Präsidenten in Saudi-Arabien seit der iranischen Revolution von 1979. Die bilateralen Beziehungen litten insbes. unter dem Tod von 400 iranischen Pilgern, die 1987 bei antiwestlichen Demonstrationen von saudi-arabischen Sicherheitskräften in Mekka niedergeschossen worden waren. Khatami strebt eine engere militärische Kooperation mit Saudi-Arabien an, um die US-amerikanischen Truppen aus der Golfregion zu vertreiben. Saudi-Arabien hoffte, in einem Konflikt zwischen dem I. und den Vereinigten Arabischen Emiraten über drei einst vom Schah besetzte Inseln vermitteln zu können.

Wirtschaft: Die iranische Volkswirtschaft litt 1998 unter fallenden Ölpreisen. Die Einnahmen aus dem Ölexport, die ca. 80% der iranischen Devisenerlöse ausmachen, sanken 1998 um fast 40% auf rund 5 Mrd US-Dollar. Das Haushaltsdefizit stieg 1998 auf ca. 6 Mrd US-Dollar. Zur Bewältigung der Finanzkrise verabschiedete das iranische Parlament im Oktober 1998 ein Aktionsprogramm, das der Regierung u. a. die Aufnahme von Krediten bei lokalen Banken in Höhe von 2 Mrd US-Dollar erlaubt. Vorauszahlungen für Öllieferungen und Darlehen ausländischer Banken sollen weitere 1,8 Mrd US-Dollar einbringen. Außerdem beschloss das Parlament, die staatlichen Ausgaben um 20% zu reduzieren. Da der Schuldendienst (Zinszahlungen und Tilgungen) 1998 etwa 4,5 Mrd US-Dollar betrug, verhandelte I. 1998/99 mit den wichtigsten Gläubigern (Deutschland, Frankreich, Italien, Japan) über den Abschluss von Abkommen zur Stundung der Zahlungsverpflichtungen. Wegen der starken Abhängigkeit der iranischen Volkswirtschaft vom Erdöl sank das BIP 1998 um 2,2% (1997: +2,2%). Die Inflationsrate betrug ca. 20%.

Irland
Europa, Karte S. 529, B 4

I. zählte 1998/99 zu den wirtschaftlich dynamischsten Ländern der EU. Die seit 1997 amtierende Minderheitsregierung unter Bertie Ahern (Fianna Fáil) wurde von unabhängigen Abgeordneten in ihrer Handlungsfähigkeit gestärkt.

Innenpolitik: Die katholische »True IRA«, eine Splittergruppe der IRA, verübte im August 1998 aus Protest gegen den nordirischen Friedensprozess in Omagh einen Bombenanschlag, bei dem 29 Menschen starben. Als Reaktion verschärfte die irische Regierung die Gesetze zur Bekämpfung des Terrorismus. Daraufhin kündigte die »True IRA« im September 1998 einen vollständigen Waffenstillstand an.

Im Oktober 1998 hielt Tony Blair als erster britischer Premierminister seit der Unabhängigkeit Irlands und der Teilung der Insel (1921) eine Rede vor dem irischen Repräsentantenhaus und Senat. Darin sprach er sich für eine stärkere Rolle von I. im nordirischen Friedensprozess aus. Die am 18.12.1998 unterzeichnete Vereinbarung für das Nordirland-Parlament sah auch die Bildung von sechs gesamtirischen Körperschaften vor. Im Mai 1999 begann die IRA, Leichen von Menschen zurückzugeben, die sie ermordet hatte.

Die Diskussion um eine weitere Reform der irischen Justiz – 1995 war in I. die Ehescheidung eingeführt worden – verstärkte sich im April 1999 nach dem Rücktritt eines Richters des Obersten Gerichtshofs und eines hohen Justizbeamten. Dem Richter wurde vorgeworfen, mithilfe des Justizbeamten einen Architekten, der im betrunkenen Zustand eine Fußgängerin überfahren hatte, vor Strafverfolgung geschützt zu haben. Der Vorfall führte zu Überlegungen, das Prinzip der Unabhängigkeit der Richter mit dem Grundsatz der Verantwortlichkeit zu verknüpfen.

Außenpolitik: Die irische Regierung kündigte im Januar 1999 an, Ende 1999 dem NATO-Programm Partnerschaft für den Frieden (PfP, Partnership for Peace) beizutreten, das 1994 den Mitgliedern der OSZE militärische Zusammenarbeit anbietet. In I. war die Annäherung an die NATO umstritten, weil das nordatlantische Militärbündnis häufig als ein Machtinstrument der ehemaligen Kolonialmächte betrachtet und eine Kooperation als Gefährdung der traditionellen irischen Neutralitätspolitik bewertet wurde. Daher soll ein auf I. zugeschnittener Vertrag ausgearbeitet werden, der die Teilnahme irischer Truppen an Friedensmissionen regelt und ihre Beteiligung an Kampfmaßnahmen ausschließt.

Wirtschaft: I. verzeichnete 1998/99 mit knapp 9% eine der höchsten wirtschaftlichen Wachstumsraten in der EU. Gründe für die starke Konjunktur waren die Mitgliedschaft in der EU, umfassende Steuervergünstigungen für ausländische Investoren (besonders für Unternehmen aus dem Hightechbereich und dem Finanzdienstleistungssektor), hoch qualifizierte Arbeitskräfte sowie eine (bis zum Jahr 2000 befristete) Sozialpartnerschaft zwischen Arbeitgebern, Gewerkschaften und Bauernverbänden. Internationale Wirtschafts- und Finanzinstitute warnten allerdings vor einer eventuellen Überhitzung der Konjunktur und der starken Abhängigkeit der irischen Wirtschaft vom Export, welche die Anfälligkeit für internationale ökonomische Krisen erhöht.

Irland Republik Irland			
Landesfläche	70 282 km² (WR 117)		
Einwohner	3,56 Mio (WR 122)		
Hauptstadt	Dublin (478 000 Einwohner)		
Sprachen	Englisch, Gälisch (Irisch)		
Währung	1 Irisches Pfund (Ir £) =100 New Pence		
Zeit	Mitteleuropäische Zeit –1 h		
Gliederung	4 Provinzen		
Politik			
Staatsform	Parlamentarische Republik (seit 1937)		
Regierungschef	Bertie Ahern (seit Juni 1997) *12.9.1951		
Staatspräsident	Mary McAleese (seit Okt. 1997) *27.6.1951		
Parlament	Repräsentantenhaus mit 166 für fünf Jahre gewählten und Senat mit 60 Abgeordneten; im Repräsentantenhaus 77 Sitze für Fianna Fáil, 54 für Fine Gael, 17 für Labour Party, 4 für Progressive Democrats, 4 für Democratic Left, 2 für Grüne, 1 für Sinn Féin, 7 für Unabhängige (Wahl von1997)		
Internet	http://www.irlgov.ie		
Bevölkerung			
Religion	Christen (96,3%): Katholiken 93,1%, Anglikaner 2,8%, Presbyterianer 0,4%; Sonstige (3,7%)		
Nationalitäten	Iren (93,7%); Sonstige (6,3%)		
Wirtschaft und Soziales			
Dienstleistung	65,1%	**Urbanisierung**	59%
Industrie	25,0%	**Einwohner/km²**	51
Landwirtschaft	10,2%	**Bev.-Wachstum/Jahr**	0,6%
BSP/Kopf	17790 $ (1997)	**Kindersterblichkeit**	0,7%
Inflation	2,7% (1998)	**Alphabetisierung**	99%
Arbeitslosigkeit	9,1% (1998)	**Einwohner pro Arzt**	633

Island

Europa, Karte S. 529, B 1

Der Wahlsieg der bürgerlichen Koalition unter Ministerpräsident Oddsson, die erfolgreiche wirtschaftliche Neuorientierung hin zur Ansiedlung energieintensiver Industriebetriebe mit ausländischer Beteiligung und das Wachstum im Tourismus als dem dynamischsten Wirtschaftszweig kennzeichneten 1998/99 die Entwicklung in I.

Innenpolitik: Die Wahlen zum isländischen Parlament (Althing) im Mai 1999 stärkten die seit 1991 amtierende bürgerliche Koalition aus Sozialdemokratischer Partei (AF) und agrarisch-liberaler Fortschrittspartei (FF) unter Ministerpräsident Oddson (AF). Klarer Sieger war die AF mit 40,7% der Stimmen (+3,6 Prozentpunkte), während der von Außenminister Halldór Ásgrímsson geführte Koalitionspartner auf 18,4% (–4,5 Prozentpunkte) abrutschte; stärkste Oppositionskraft wurden die als Volksallianz (AL) angetretenen Linkssozialisten und kommunistischen Gruppierungen (26,8%). Obwohl die Sozialdemokraten mit 26 der 63 Parlamentssitze mehr als doppelt so viele Mandate als die FF (12) erhielten, einigten sich die Koalitionspartner auf eine paritätische Teilung der zwölf Ministerposten.

Im Dezember 1998 verabschiedete das isländische Parlament das sog. Gen-Gesetz, das die Sammlung und kommerzielle Nutzung genetischer Daten von den Einwohnern auf I. regelt. Durch das Gesetz erhielt die Firma De-Code Genetics das Recht, Daten über den homogenen Genpool der isländischen Bevölkerung zu erheben und für die Erbkrankheitenforschung zu verwenden. Kritiker des Gesetzes sahen darin eine Verletzung ethischer Grundwerte und bemängelten die Monopolstellung eines kommerziellen Nutzers.

Außenpolitik: I., das der NATO angehört, schloss sich im Mai 1999 den von der EU verabschiedeten Sanktionen gegen Jugoslawien an. Es fror daher alle Auslandsguthaben von Regierungsmitgliedern, regimenahen Personen und staatlich kontrollierten Firmen ein.

Wirtschaft: Die Fischwirtschaft war 1998/99 weiterhin der wichtigste Industriezweig in I. Der Rückgang ihres Anteils an allen Ausfuhrgütern von 85% (1980) auf 71,9% (1998) ist auf die Bemühungen zurückzuführen, die Wirtschaft stärker zu

Island	Republik Island
Landesfläche	103 000 km² (WR 105)
Einwohner	277 000 (WR 168)
Hauptstadt	Reykjavik (156 000 Einwohner)
Sprache	Isländisch
Währung	1 isländische Krone (ikr) = 100 Aurar
Zeit	Mitteleuropäische Zeit –1 h
Gliederung	8 Bezirke
Politik	
Staatsform	Parlamentarische Republik (seit 1944)
Regierungschef	David Oddsson (seit 1991) *17.1.1948
Staatspräsident	Olafur Ragnar Grimsson (seit 1996) *1943
Parlament	Althing mit 63 für vier Jahre gewählten Abgeordneten; 26 Sitze für Unabhängigkeitspartei, 17 für Volksallianz, 12 für Fortschrittspartei, 6 für Linke Grüne, 2 für Liberale (Wahl von 1999)
Internet	http://www.stjr.is http://www.althingi.is
Bevölkerung	
Religion	Christen (96,7%): Protestanten 95,7%, Katholiken 1%; Sonstige (1,9%); Konfessionslose (1,4%)
Nationalitäten	Isländer (96,1%); Dänen (0,8%); Schweden (0,5%); US-Amerikaner (0,5%); Deutsche (0,3%); Sonstige (1,8%)

Wirtschaft und Soziales			
Dienstleistung	62,4%	Urbanisierung	92%
Industrie	24,3%	Einwohner/km²	3
Landwirtschaft	13,3%	Bev.-Wachstum/Jahr	1,2%
BSP/Kopf	27580 $ (1997)	Kindersterblichkeit	0,5%
Inflation	3,9% (1998)	Alphabetisierung	99%
Arbeitslosigkeit	2,8% (1998)	Einwohner pro Arzt	355

diversifizieren. So wurden z. B. energieintensive Betriebe mit ausländischer Beteiligung in I. angesiedelt (1992 aufgenommene Aluminiumproduktion auf der Grundlage von aus Australien angeliefertem Bauxit, Neuansiedlungen aus den Bereichen Kommunikation und Gentechnologie, Pläne zur Verhüttung von Magnesium). Mit seinen Kapazitäten an Wasserkraft und geothermischer Energie (84% aller Haushalte werden mit geothermischer Energie versorgt) konnte I. Elektrizität bis zu 30% preiswerter als andere Staaten anbieten. Geplant war, durch stärkere Ausschöpfung der Kapazitäten I. zum Energie-Exportland zu machen. Hauptabnehmer der isländischen Exportindustrie waren 1998 die EU (69,6%), die USA (9,6%), Osteuropa (7,1%) und Japan (4,9%). Dass die Außenhandelsbilanz ein Defizit aufwies, war eine Folge der starken Investitionstätigkeit des privaten Sektors. Parallel zur wirtschaftlichen Diversifikation wurden staatliche Unternehmen (Post, Telekommunikation, Kapitalmarkt) privatisiert und Subventionen abgebaut.

Israel

Nahost, Karte S. 534, B 3

Bei den Wahlen im Mai 1999 wurde Ehud Barak von der sozialdemokratischen Arbeitspartei mit 56% der abgegebenen Stimmen zum neuen Ministerpräsidenten von I. gewählt. Anfang Juli 1999 bildete Barak eine Mehrparteien-Koalition, die über rund 75 der 120 Parlamentssitze verfügte.

Innenpolitik: Sein Vorgänger Benjamin Netanjahu vom rechtsgerichteten Likud-Block erhielt 43,9%. Von den ursprünglich fünf Bewerbern um das Amt des Premiers hatten vor den Wahlen der frühere Verteidigungsminister Jizchak Mordechai von der Zentrumspartei, der arabische Kandidat Asmi Bischara und der Vertreter der äußersten Rechten, Benjamin Begin, wegen schlechter Umfrageresultate ihren Verzicht erklärt. Die um ein Jahr vorgezogenen Wahlen waren notwendig geworden, weil Netanjahu keine funktionsfähige Mehrheit in der Knesset mehr besaß und mit der Likud-Partei im Januar 1999 der Auflösung des Parlamentes zugestimmt hatte.

Nahostpolitik: Barak versprach nach seinem Wahlsieg die Fortsetzung der Nahost-Friedenspolitik seines Parteikollegen Jizchak Rabin, der 1995 in Tel Aviv von einem jüdischen Extremisten ermordet wurde. Die US-Regierung und Vertreter der israelischen Nachbarstaaten äußerten die Hoffnung, nach der Wahl von Barak den Friedensprozess im Nahen Osten wieder beleben zu können, der u. a. durch Netanjahus Siedlungspolitik in dem von Arabern bewohnten Westjordanland zum Erliegen gekommen war.

Parlament: In das 120 Abgeordnete umfassende Parlament (Knesset) wurden 15 Parteien gewählt. Die auf Seiten Baraks stehenden Gruppierungen stellten 51, die Parteien des rechten Lagers um Netanjahu 53 Abgeordnete. Die übrigen Mandate erhielten Parteien der Mitte. In I. wird der Ministerpräsident direkt gewählt, während über die Zusammensetzung der Knesset mit einer Zweitstimme für Kandidatenlisten entschieden wird. Das seit 1995 geltende Wahlrecht führte zur Zersplitterung des Parteiensystems, welche die Regierungsbildung erschwerte.

Sicherheitsrat: Im Januar 1999 gründete Netanjahu nach dem Vorbild der USA einen Nationalen Sicherheitsrat. Er soll die Arbeit von Verteidigungs- und Außenministerium sowie des Geheimdienstes Mossad koordinieren. Zum Vorsitzenden des Gremiums berief Netanjahu den ehemaligen Luftwaffenchef David Ivri. Der Premier hatte die Bildung des Sicherheitsrates bereits 1996 vorgeschlagen, war aber am Widerstand des Militärs gescheitert, das eine Beschneidung seiner Kompetenzen befürchtet hatte.

Militärdienst: Im Dezember 1998 entschied das höchste Gericht in I., dass die Befreiung der Talmudschüler vom Dienst in der Armee dem Gleichheitsgrundsatz widerspreche und illegal sei. Die elf Richter beauftragten das Parlament, innerhalb eines Jahres eine Neuregelung zu verabschieden. Von dem Urteil sind pro Jahrgang ca. 3000 orthodoxe Juden betroffen. Der Militärdienst in I. dauert für Männer drei Jahre, für Frauen 19 Monate.

Außenpolitik: Im November 1998 verabschiedete das israelische Parlament mit 75:26 Stimmen das Wye-Abkommen, das im Oktober 1998 mit den Palästinensern auf Druck der US-Administration geschlossen

Israel Staat Israel	
Landesfläche	21 056 km² (WR 148)
Einwohner	5,88 Mio (WR 100)
Hauptstadt	Jerusalem (602 000 Einwohner)
Sprachen	Iwrith, Arabisch, Englisch
Währung	1 Neuer Israel Schekel (NIS) = 100 Agorot
Zeit	Mitteleuropäische Zeit +1 h
Gliederung	6 Distrikte, 17 Unterdistrikte
Politik	
Staatsform	Parlamentarische Republik (seit 1948)
Regierungschef	Ehud Barak (seit 1999)
Staatspräsident	Ezer Weizman (seit 1993) *15.6.1924
Parlament	Knesset mit 120 für vier Jahre gewählten Abgeordneten; 26 Sitze für Arbeitspartei, 19 für Likud-Block, 10 für linkes Parteienbündnis Meretz, 17 für Shas, 5 für Nationalreligiöse, 43 für Andere (Wahl von 1999)
Internet	http://www.info.gov.il http://www.knesset.gov.il
Bevölkerung	
Religion	Juden (81,9%); Muslime (14,1%); Christen (2,3%); Sonstige (1,7%)
Nationalitäten	Israelis (81,9%); Sonstige (18,1%)
Wirtschaft und Soziales	

Dienstleistung	58%	Urbanisierung	92%
Industrie	38%	Einwohner/km²	279
Landwirtschaft	4%	Bev.-Wachstum/Jahr	2,4%
BSP/Kopf	16180 $ (1997)	Kindersterblichkeit	0,8%
Inflation	6,0% (1998)	Alphabetisierung	95%
Arbeitslosigkeit	9,4% (1998)	Einwohner pro Arzt	345

worden war. 19 Abgeordnete enthielten sich der Stimme. Obwohl Premier Netanjahu die Abstimmung zur Vertrauensfrage erklärt hatte, votierten zwei Minister gegen die Vorlage; sieben weitere Regierungsmitglieder enthielten sich. Der Vertrag sieht den Rückzug israelischer Truppen aus 13% des Westjordanlandes und die Freilassung von 750 palästinensischen Häftlingen aus israelischen Gefängnissen vor.

Palästinenserpolitik: Im November 1998 begann I. mit der Übergabe von 2% der besetzten Gebiete an die Palästinenser, die Verpflichtungen aus dem Wye-Abkommen umzusetzen. Im Dezember 1998 traten palästinensische Häftlinge in israelischen Gefängnissen in einen Hungerstreik, weil die israelischen Behörden sich weigerten, mehr als 100 politische Häftlinge freizulassen. Die anderen aus der Haft entlassenen Gefangenen waren gewöhnliche Kriminelle. Die israelische Regierung beharrte darauf, keine Häftlinge zu entlassen, die für den Tod von israelischen Staatsbürgern verantwortlich gemacht werden oder der extremistischen Islamistenbewegung Hamas angehören. Im März 1999 kündigten die USA an, eine 1,2 Mrd US-Dollar umfassende Sonderhilfe für I. solange zurückzuhalten, bis das Wye-Abkommen vollständig umgesetzt sei. I. wollte mit den Mitteln die Kosten des weiteren Abzugs der Armee bestreiten und den Bau neuer Straßen zu den im Westjordanland errichteten jüdischen Siedlungen finanzieren.

Siedlungspolitik: Die israelische Regierung kündigte im Februar 1999 an, den Bau jüdischer Siedlungen im Westjordanland zu verstärken. Damit wollte sie u. a. Fakten für den Fall schaffen, dass aus Wahlen eine neue, kompromissbereitere Regierung hervorgeht. Kurz nach den Wahlen vom Mai 1999 annektierte die abgewählte israelische Regierung einen Gebietsstreifen im Westjordanland, der Jerusalem mit der größten jüdischen Siedlung Maale Adumim (25 000 Einwohner) verbindet. Die abgewählte Regierung begründete ihre Entscheidung mit der Notwendigkeit, den Siedlern einen sicheren Weg zur Arbeit in Jerusalem zu ermöglichen. Vertreter der Palästinenser und der bei den Wahlen siegreichen Arbeitspartei kritisierten den Beschluss als eine Verletzung bestehender Abkommen. Die Palästinenser erhofften sich von der neuen

⬛ **Israel: Parteien in der Knesset[1]**			
Arbeitspartei (Ein Israel)	links[2]	26	▽ –8[3]
Likud[4]	rechts	19	▽ –13
Shas	religiös	17	▲ +7
Meretz	linksliberal	10	▲ +1
Israel B'Alia[5]	sekulär, konservativ	6	▼ –1
Zentrumspartei	Gegner Netanjahus	6	▲ +6
Shinui	antireligiös	6	▲ +6
Nationalreligiöse Partei	Siedler-Lobby	5	▼ –4
Vereinigte Arabische Liste	links-islamistisch	5	▲ +5
Verein. Thora-Judentum	ultra-orthodox	5	▲ +1
Israel Beiteinu	konserv. Immigrantenpartei	4	▲ +4
Nationale Union	ultra-rechts	4	▲ +4
Hadash	kommunistisch	3	▼ –2
Balad	arabische Partei, linksdemo.	2	▲ +2
Eine Nation	Gewerkschaftspartei	2	▲ +2
Dritter Weg	Abspaltung d. Arbeitspartei	–	▼ –4
Demokr. Arabische Partei	Vertretung arab. Interessen	–	▼ –4
Moledet	rechtsgerichtet	–	▼ –2

1) Sitze 1999, 2) politische Richtung, 3) Veränderung gegenüber 1996 (%), 4) Bündnis mit Gescher und Tsomet, 5) russische Einwanderer; Sitze gesamt: 120 (Veränderung gegenüber 1996: 0%)

Regierung Barak eine Rücknahme der Entscheidung. 1998 entstanden im Westjordanland insgesamt zehn neue jüdische Orte. In den großen bereits bestehenden jüdischen Siedlungen wuchs die Bevölkerung um fast 6%. Die Palästinenser betrachteten die jüdische Siedlungspolitik als das größte Hindernis bei der Fortsetzung des Friedensprozesses.

Golan und Jerusalem: Im Januar 1999 verabschiedete das israelische Parlament mit 53:30 Stimmen ein Gesetz, das die Rückgabe der von I. annektierten Golanhöhen und des arabischen Ostteils von Jerusalem wesentlich erschwert. Eine eventuelle Rückgabe der Gebiete muss mit absoluter Parlamentsmehrheit bewilligt und durch eine Volksabstimmung bestätigt werden. Während die israelische Regierung 1998/99 wiederholt den Anspruch auf Jerusalem als ungeteilte Hauptstadt bekräftigte, forderten die Palästinenser den arabischen Ostteil Jerusalems als Hauptstadt eines künftigen Palästinenserstaates. Die syrische Führung verlangte die Rückgabe des Golan als Be-

Israel: Haushaltsplan 1999[1]

Schuldendienst	20,12
Landesverteidigung	16,3
Verwaltung, Gehälter	15,7
Erziehung, Hochschulen	11,9
Zinszahlungen	11,2
Renten	8,2
Gesundheitswesen	5,9
Infrastruktur	2,2
Sonstige	8,5

1) Anteil in % des Gesamthaushaltes; Gesamtausgaben: 54,5 Mrd US-Dollar

dingung für ein Friedensabkommen. In I. werden die strategisch wichtigen Golanhöhen aber als Sicherheitszone betrachtet.
Südlibanon: Im März 1999 deutete das israelische Kabinett einen möglichen Truppenabzug aus dem Südlibanon an. Es reagierte auf eine Äußerung des libanesischen Regierungschefs Selim el Hoss, der Ruhe und Sicherheit an der Nordgrenze von I. für den Fall eines Truppenabzuges versprach. I. be-

ansprucht seit 1985 eine rund 15 km breite Sicherheitszone im Südlibanon und fordert die Entwaffnung der radikal-islamischen Hisbollah, die den jüdischen Staat zerstören will. Im Februar 1999 kam es zu schweren Kämpfen zwischen Hisbollah und der israelischen Armee.
Wirtschaft: Seit Anfang der 90er Jahre hatten die israelischen Regierungen Bestrebungen der Industrie gefördert, die Ausfuhren nach Asien zu erhöhen, um die Abhängigkeit von den Absatzmärkten in Europa und den USA zu verringern. Daher litt die israelische Konjunktur 1998 unter den Folgen der Wirtschaftskrise in Asien.
Exporteinbruch: Die Ausfuhren israelischer Waren sanken um 11,1%, insbes. bei Rüstungsgütern, elektronischen Systemen, Softwareprogrammen und anderen Erzeugnissen der Hochtechnologie. Allein die Einnahmen aus dem Rüstungsexport sanken um 40% auf 1,5 Mrd US-Dollar, weil südostasiatische Länder infolge Finanznot ihre Rüstungsprogramme zurückstellen mussten. Wegen der Krise der Exportwirtschaft wuchs das BIP in I. um lediglich 1,5%, Die Arbeitslosenquote stieg von 7,8% auf 9,4%.
Sparkurs: Zur Belebung der Konjunktur und zum Abbau der Arbeitslosigkeit beschloss das israelische Parlament im September 1999 einen Sparhaushalt, durch den die Staatsschulden begrenzt und die Zinsen niedrig gehalten werden sollen. Das Defizit soll 1999 nur 2% des BIP betragen (zum Vergleich Deutschland 1998: 2,1%). Als einziger Bereich wurde der Wehretat erhöht, der sich 1999 auf 16,3% des Haushalts von 54,5 Mrd US-Dollar belaufen wird. Die israelische Regierung beschloss für 1999 die Fortsetzung der Privatisierung von Staatsbetrieben und den Abbau von Subventionen. Die Gewerkschaften protestierten gegen Pläne, beim Kindergeld Einsparungen vorzunehmen, Vergünstigungen für Senioren zu streichen und die Beiträge im defizitären Gesundheitswesen anzuheben. Sie forderten die Rücknahme eines Gesetzes, welches das Streikrecht im öffentlichen Dienst beschneiden soll. Der Internationale Währungsfonds (IWF) verlangte von I. die Beschleunigung der Umstrukturierung der Wirtschaft, die Zerschlagung der Monopole und Kartelle sowie eine gezielte Förderung des privaten Sektors, um die israelische Wirtschaftsleistung wieder zu steigern.

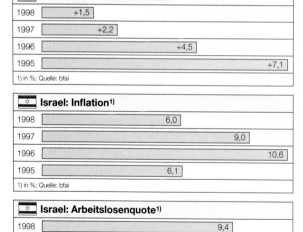

Israel: Wirtschaftswachstum[1]

1998	+1,5
1997	+2,2
1996	+4,5
1995	+7,1

1) in %; Quelle: bfai

Israel: Inflation[1]

1998	6,0
1997	9,0
1996	10,6
1995	6,1

1) in %; Quelle: bfai

Israel: Arbeitslosenquote[1]

1998	9,4
1997	7,8
1996	6,4
1995	6,5

1) in %; Quelle: bfai

Italien

Europa, Karte S. 529, D 6

Im Oktober 1998 trat Romano Prodi von seinem Amt als italienischer Ministerpräsident (seit 1996) zurück, nachdem ihm das Parlament mit 313 gegen 312 Stimmen das Vertrauen entzogen hatte. Sein Nachfolger wurde Massimo D'Alema von der Demokratischen Linken (DS). Im Mai 1999 wurde der parteilose Carlo Azeglio Ciampi vom Parlament zum neuen Staatspräsidenten gewählt.

Innenpolitik: Die Mitte-Links-Regierung von Prodi (Ulivo-Koalition) bestand u. a. aus den Linksdemokraten (DS), der mit 170 von 630 Sitzen stärksten politischen Kraft im Parlament, der Italienischen Volkspartei (PPI) und den Grünen. Sie stürzte, weil die Neokommunisten (RC), welche die Ulivo-Koalition geduldet hatten, ihr wegen geplanter Kürzungen von Sozialleistungen im Haushalt 1999 die parlamentarische Unterstützung versagten. Prodi führte die 55. Nachkriegsregierung in I. 876 Tage. Es war die zweitlängste Dienstzeit eines italienischen Kabinetts seit dem Zweiten Weltkrieg (durchschnittliche Regierungsdauer: elf Monate).

Kabinett D'Alema: In die neue Regierung unter Ministerpräsident D'Alema wurden 27 Mitglieder aus sieben Parteien berufen, darunter sieben Minister, die schon der alten Regierung angehörten. Erstmals seit 1947 wurden zwei Kommunisten zu Ministern ernannt. Getragen wurde die Regierung im Parlament von neun Parteien. Wegen der starken Zersplitterung des politischen Systems und der insgesamt 15 im Parlament vertretenen Parteien und Bündnisse gilt die Regierungsbildung in I. als besonders schwierig. Die Koalitionen setzen sich meist aus vielen Gruppierungen unterschiedlicher politischer Grundrichtungen zusammen. D'Alema versprach in seiner Regierungserklärung, insbes. in der Wirtschafts- und Finanzpolitik den Konsolidierungskurs fortzusetzen. Im Juni 1999 kündigte die Regierung an, das Kabinett von 18 auf elf Ministerien zu reduzieren.

Wahlrecht: Im April 1999 scheiterte ein Referendum zur Reform des Wahlrechts, weil nur 49,6% der ca. 49 Mio Wahlberechtigten ihre Stimme abgaben und die erforderliche Mindestbeteiligung von 50% knapp verfehlt wurde. Im Referendum wurde darüber abgestimmt, ob das italienische Wahlsystem auf ein reines Mehrheitswahlrecht umgestellt werden sollte; danach wären Parteien, die in einem Wahlkreis nicht die Mehrheit erringen, trotz eventuell hoher Stimmenzahlen nicht im Parlament vertreten. Durch die bisherige Regelung, nach der ein Viertel der Abgeordneten nach dem Verhältniswahlrecht gewählt werden (jede Partei erhält Parlamentssitze im Verhältnis zu den für sie abgegebenen Stimmen), wurden insbes. die kleinen Parteien begünstigt. Regierungen konnten häufig gestürzt werden und die Bildung neuer Kabinette wurde wesentlich erschwert.

Staatspräsident: Der im Mai 1999 gewählte parteilose Präsident Carlo Azeglio Ciampi war vorher Schatzminister in der Regierung D'Alema. Er erhielt bereits im ersten Wahlgang mit 707 Stimmen die notwendige Mehrheit. Ciampi löste Oscar Luigi Scalfaro ab, dem vorgeworfen wurde, in seiner siebenjährigen Amtszeit die geplante Wahlrechts- und Verfassungsreform nicht vorangetrieben zu haben.

Italien Italienische Republik	
Landesfläche	301 268 km² (WR 69)
Einwohner	57,26 Mio (WR 22)
Hauptstadt	Rom (2,72 Mio Einwohner)
Sprache	Italienisch
Währung	1 italienische Lira (Lit) = 100 Centesimi
Zeit	Mitteleuropäische Zeit
Gliederung	20 Regionen, 95 Provinzen
Politik	
Staatsform	Parlamentarische Republik (seit 1948)
Regierungschef	Massimo D'Alema (seit 1998) *20.4.1949
Staatspräsident	Carlo Azeglio Ciampi (seit 1999) *9.12.1920
Parlament	Abgeordnetenkammer mit 630 und Senat mit 322 Abgeordneten; in der Abgeordnetenkammer 170 Sitze für Linksdemokraten (DS), 111 für Forza Italia, 91 für Nationale Allianz (AN), 67 für Italienische Volkspartei (PPI), 191 für Andere (Wahl vom April 1996)
Internet	http://www.parlamento.it http://www.palazzochigi.it
Bevölkerung	
Religion	Katholiken (83,2%); Konfessionslose (16,2%); Sonstige (0,6%)
Nation. Gruppen	Italiener (94,1%); Sarden (2,7%); Rätoromanen (1,3%); Sonstige (1,9%)

Wirtschaft und Soziales			
Dienstleistung	58,1%	Urbanisierung	67%
Industrie	38,0%	Einwohner/km²	190
Landwirtschaft	3,9%	Bev.-Wachstum/Jahr	0,2%
BSP/Kopf	20170 $ (1997)	Kindersterblichkeit	0,7%
Inflation	1,7% (1998)	Alphabetisierung	98,1%
Arbeitslosigkeit	12,3% (1998)	Einwohner pro Arzt	211

Einwanderer: Die italienische Regierung verabschiedete im Februar 1999 ein Dekret, durch das rund 250 000 illegale Einwanderer, die vor dem 28.3.1998 nach I. gekommen sind, bleiben und ihren Aufenthalt legalisieren können. Die meisten illegalen Einwanderer (40 000) sind Albaner. Der Beschluss wird darauf zurückgeführt, dass der Ausländeranteil in der italienischen Bevölkerung 1998 mit ca. 3% im Vergleich zu anderen westeuropäischen Staaten (z. B. Deutschland: 9%) gering war. Illegale Einwanderer verrichten in I. oft Arbeiten, welche die Einheimischen nur selten übernehmen wollen.

Anschlag: Im Mai 1999 wurde Massimo D'Antona, der Berater des italienischen Arbeitsministers Antonio Bassolino, in Rom auf offener Straße erschossen. Bei der Suche nach den Tätern und Motiven wurde ein Zusammenhang mit den Angriffen der NATO auf Jugoslawien, welche die italienische Regierung aus Solidarität mit dem Bündnispartner mittrug, nicht ausgeschlossen.

Mafia: Ein Gericht auf Sizilien verurteilte im Februar 1999 sieben Mafia-Bosse zu lebenslanger Haft. Sie wurden für schuldig befunden, den tödlichen Sprengstoffanschlag auf den Untersuchungsrichter Paolo Borsellino im Juli 1992 geplant und ausgeführt zu haben. Zehn weitere Angeklagte erhielten hohe Haftstrafen, einer wurde freigesprochen. Borsellino war es Anfang der 90er Jahre gelungen, Kronzeugen zur Aussage gegen die Mafia zu bewegen und die Struktur der Verbrecherorganisation aufzubrechen.

Außenpolitik: Der Militärschlag der NATO gegen jugoslawische Ziele löste im März 1999 eine Regierungskrise aus. Die kommunistischen Minister in der Regierung drohten mit Rücktritt, falls die Angriffe der NATO länger dauerten. Ministerpräsident D'Alema versuchte, durch Verhandlungen auf ein rasches Ende der Bombardierung zu wirken. I. drängte auf einen Friedensschluss, weil es eine Destabilisierung der gesamten Adria-Region befürchtete und vom Flüchtlingsstrom aus Albanien und dem Kosovo besonders stark betroffen war. Der italienische Stützpunkt Aviano war einer der wichtigsten strategischen Militärbasen der NATO.

Audienz beim Papst: Im Januar 1999 empfing Papst Johannes Paul II. den italienischen Ministerpräsidenten und ehemaligen Kommunisten D'Alema. Der von italienischen Medien als historisch bewertete Besuch wurde als Beleg für die Annäherung zwischen ehemaligen Kommunisten und katholischer Kirche angesehen. Die italienische Regierung und der Vatikan verkündeten, in einer bilateralen Kommission über die Umsetzung des zuletzt in den 80er Jahren modifizierten Konkordatvertrages zu beraten. Es sollen u. a. die künftige Finanzierung der meist katholischen Privatschulen in I. sowie die Verantwortlichkeit für Erhalt und Restaurierung der Kulturgüter in Kirchenbesitz geregelt werden.

Wirtschaft: Die Konjunktur in I. schwächte sich 1998 weiter ab. Das BIP stieg mit 1,4% (1997: 1,5%) deutlich geringer als von der italienischen Regierung prognostiziert

Italien: Parteien im Abgeordnetenhaus

Regierungsparteien

Partei	Sitze
Partei der Kommunisten Italiens (Partito dei Comunisti Italiani, PdCI)	21
Linksdemokraten (Democratici di Sinistra, DS)	170
Italienische Volkspartei (Partito Popo-lare Italiano, PPI)	67
Erneuerung Italiens (Rinovamento Italiano, RI)	24
Bündnis der Grünen (VERDI)	14
Italienische Sozialdemokraten (Socialisti Democratici Italiani, SDI)	9
Südtiroler Volkspartei/ Unione dei Valdostani (SVP-UdV)	5
Netz (RETE)	3
Demokratische Union für die Republik (Unione Democartica per la Repubblica, UDR)	31

Oppositionsparteien

Partei	Sitze
Partei der Wiedergründung d. Kommunismus (Partito della Rifondazione Comunista, PRC)	14
Nord und Liga Veneta (LEGA)	55
Christlich-Demokratisches Zentrum (Centro Cristiano Democratico, CCD)	8
Italienische Kraft (Forza Italia, FI)	111
Nationale Allianz (Alleanza Nazionale, AN)	91
Sonstige	7

Gesamt: 630 Sitze; Stand: 1998/99; Quelle: Frankfurter Allgemeine Zeitung, 31.10.1998

(2,5%). Wesentlicher Grund für die Abschwächung waren die ökonomischen Krisen in Asien, Russland und Lateinamerika, durch die sich die italienischen Ausfuhren 1998 nur um 1,3% erhöhten (1997: +5%). Während der private Verbrauch 1998 um 1,9% stieg (1997: +2,6%), wuchsen der Staatsverbrauch und die Nachfrage in der Privatwirtschaft um 1,4% (1997: –0,8%). Die Investitionen erhöhten sich um 3,5% (1997: +0,8%). Die öffentlichen Haushalte schlossen 1998 wie 1997 mit einem Defizit von 2,7% des BIP. Die öffentlichen Schulden erreichten Ende 1998 den Wert von 2402 Mrd DM, was 118,7% des BIP entsprach (1997: 121,6%). Die Inflationsrate betrug 1,7% (1997: 2,9%), die Arbeitslosenquote blieb mit 12% auf dem Niveau von 1997.

Bündnis für Arbeit: Um die Arbeitslosigkeit abzubauen und die Konjunktur zu beleben, schloss die italienische Regierung im Dezember 1998 mit den Sozialpartnern ein Bündnis für Arbeit. Die Regierung versprach, die Sozialabgaben der Unternehmen innerhalb von vier Jahren um 3 Prozentpunkte zu verringern. Die Arbeitnehmer werden durch eine Verringerung des mittle-

██ Italien: Alte und neue Kulturdenkmäler in Pisa

▶ **Schiefer Turm von Pisa:** Im Dezember 1998 begann ein umfangreiches Bauprogramm, durch das die Schräglage des schiefen Turms von Pisa um 10% verringert werden soll. Um das im 12. Jh. errichtete Gebäude wurden vier Stahlkabel gelegt, die in einer Entfernung von etwa 100 m im Boden verankert wurden. Danach wurde eine ca. 830 t schwere Eisen- und Bleiverankerung in die Erde eingelassen, um dem Turm ein stabiles Gegengewicht zu geben. Durch umfangreiche Grabungen an einer Seite des Gebäudes soll der Boden so stark abgesenkt werden, dass sich der 58 m hohe Turm teilweise wieder aufrichtet.

▶ **Antike Wasserfahrzeuge:** Unter dem Bahnhof von Pisa wurden im April 1999 zehn antike Schiffe entdeckt. Die Wasserfahrzeuge aus der Zeit zwischen dem 3. Jh. v.Chr. und dem 5. Jh. n.Chr. sind Handelsschiffe und Fähren verschiedener Größe. Im Inneren der Schiffe befanden sich rund 400 tönerne Amphoren, die u.a. Kirschen, Oliven, Nüsse und Trockenfrüchte enthielten. Die Schiffe waren wahrscheinlich im Wasser versunken und in der Folgezeit von einer Tonschicht zugeschwemmt worden, welche die Schiffe konservierte. Aufgrund ihres guten Zustandes erhofften sich Archäologen neue Informationen über Handelsströme und den Alltag in der Römerzeit.

ren Einkommensteuersatzes von 27% auf 26% entlastet (durchschnittliche Steuerersparnis je Haushalt: ca. 400 DM jährlich). Die Steuersenkung soll durch die Energiesteuer und die stärkere Bekämpfung der Steuerhinterziehung refinanziert werden. Die Wirtschaft sagte eine Steigerung der Beschäftigtenzahlen zu, die Gewerkschaften versprachen eine moderate Lohnpolitik.

Jamaika

Mittelamerika, Karte S. 532, D 4

Im April 1999 brachen auf J. schwere Unruhen aus, in deren Verlauf bei Straßenschlachten mehrere Menschen ums Leben kamen. Auslöser der Unruhen war die von der Regierung verfügte Erhöhung der Benzinpreise um 30%. Dadurch sollten noch 1999 rund 75 Mio US-Dollar in die leeren Staatskassen fließen. Aufgebrachte Einwohner errichteten auf den Zufahrtstraßen nach Kingston Barrikaden und steckten Autos in Brand. Polizei und Armee gingen mit Waffengewalt gegen die Protestierenden vor. Der linksorientierte Regierungschef James Patterson erklärte sich nach Ende der Unruhen zur Rücknahme der Steuerbeschlüsse bereit. Ein von ihm eingesetzter Parlamentsausschuss sprach sich Ende April 1999 gegen Steuererhöhungen und für eine deutliche Senkung der Staatsausgaben aus. Die Steuererhöhungen waren beschlossen worden, um Mehrbelastungen des Haushaltes infolge des Zusammenbruchs mehrerer Banken und Versicherungsgesellschaften auszugleichen.

Jamaika			
Landesfläche	10990 km² (WR158)		
Einwohner	2,54 Mio (WR 133)		
Hauptstadt	Kingston (588000 Einwohner)		
Sprache	Englisch, Patois		
Währung	1 Jamaika-Dollar (J$) = 100 Cents		
Zeit	Mitteleuropäische Zeit –6 h		
Gliederung	14 Bezirke		
Politik			
Staatsform	Parlamentarische Monarchie im Commonwealth (seit 1962)		
Regierungschef	Percival James Patterson (seit 1992) *10.4.1935		
Staatspräsident	Königin Elizabeth II. (seit 1962) *21.4.1926		
Parlament	Senat mit 21 ernannten und Repräsentantenhaus mit 60 für fünf Jahre gewählten Abgeordneten; 51 Sitze für Peoples National Party, 9 für Jamaica Labour Party (Wahl von 1997)		
Internet	http://www.jis.gov.jm		
Bevölkerung			
Religion	Protestanten (55,9%); Katholiken (5,0%); Rastafari (5%); Sonst. (16,4%); Konfessionslose (17,7%)		
Ethn. Gruppen	Schwarze (74,7%); Mischlinge (12,8%); Sonstige (12,5%)		
Wirtschaft und Soziales			
Dienstleistung	50,3%	**Urbanisierung**	54%
Industrie	40,0%	**Einwohner/km²**	231
Landwirtschaft	9,7%	**Bev.-Wachstum/Jahr**	1%
BSP/Kopf	1550 $ (1997)	**Kindersterblichkeit**	2,2%
Inflation	7,9% (1998)	**Alphabetisierung**	84,4%
Arbeitslosigkeit	16,5% (1997)	**Einwohner pro Arzt**	7143

Japan
Asien, Karte S. 535, H 3

J. befand sich 1998 in der längsten Rezession seit dem Zweiten Weltkrieg. Seit Ausbruch der schweren Wirtschaftskrise im November 1997, als zahlreiche Banken ihre Zahlungsunfähigkeit erklärten und ausländische Investoren ihr Geld aus J. abzogen, sank die gesamtwirtschaftliche Leistung erstmals fünf Quartale in Folge. Der Rückgang des BIP um 2,9% war der stärkste Einbruch der japanischen Wirtschaftsleistung seit Erstellung der Statistik 1955.

Wirtschaft: Der Wachstumseinbruch war auf die schwache Binnennachfrage und auf die enge Verzahnung der japanischen Wirtschaft mit denen der Nachbarländer (Indonesien, Korea-Süd, Malaysia und Thailand) zurückzuführen, die 1998 ebenfalls unter den Folgen der Asienkrise litten.
Bilanz: Die Ausfuhren verringerten sich um 0,6% im Vergleich zu 1997. Der Anteil des Exportes in die ostasiatischen Länder sank 1998 im Vergleich zum Vorjahr von 41,8% auf 34,7%. Der private Verbrauch lag real um 1,1% unter dem Vorjahresniveau. Die Unternehmen drosselten ihre Investitionen um 11,4%. Aufgrund schwacher Inlandskonjunktur und niedriger Zinsen flossen 1998 rund 220 Mrd DM aus J. ab. Die Neuverschuldung im Haushalt betrug 1998 etwa 9,8% des BIP (zum Vergleich Deutschland: 2,1%), die Gesamtverschuldung belief sich auf 111,4% (Deutschland: 61%).
Arbeitslosigkeit: Wegen des starken Anstiegs der Firmenkonkurse um 17,1% (insgesamt 19 171 Insolvenzen) verfestigte sich 1998 in J. das Problem der Arbeitslosigkeit. Im Jahresdurchschnitt waren 2,79 Mio Menschen erwerbslos, was einer Quote von 4,4% (1997: 3,4%) entsprach. Es war der höchste Wert seit Einführung der Arbeitslosenstatistik (1953). Da Wirtschaftsinstitute für 1999 von einem weiterhin sinkenden BIP ausgingen, wird die Arbeitslosenquote im Jahresdurchschnitt nach Schätzungen auf 4,8–5,4% ansteigen. Die japanische Regierung kündigte Anfang 1999 zur Senkung der Erwerbslosigkeit eine Arbeitsplatzoffensive an, um binnen zwei Jahren 770 000 neue Stellen zu schaffen: Durch gezielte Förderung von Internet-Firmen sollen 180 000 Stellen, durch Deregulierung der Touristik- und Transportindustrie 90 000, durch finanzielle Anreize beim Bau von Eigenheimen 400 000 und durch Erhöhung der Zahl von Pflegern im Gesundheitswesen 100 000 Arbeitsplätze entstehen.
Haushalt: Um die Konjunktur zu beleben, verabschiedete das japanische Unterhaus im Februar 1999 einen Rekordhaushalt für das Fiskaljahr 1999/2000 in Höhe von 1,2 Billionen DM. Die Gesamtausgaben sollen um 5,4% steigen, das Volumen für öffentliche Aufträge um 10,5% zunehmen. Der Haushalt sah Steuersenkungen im Umfang von umgerechnet 140 Mrd DM vor, um die Inlandsnachfrage zu verstärken. Zur Gegenfinanzierung plante die japanische Regierung eine höhere Neuverschuldung. Voraussichtlich nur 62% des Haushalts 1999/2000 können durch Steuern und andere Einnahmen abgedeckt werden. Internationale Wirtschaftsinstitute kritisierten den Etat, weil die hohe Neuverschuldung zu steigenden Zinsen, wachsender Inflation und so zur weiteren Abschwächung der Konjunktur führen könnte.

Japan	
Landesfläche	377 801 km² (WR 60)
Einwohner	125,92 Mio (WR 8)
Hauptstadt	Tokio (11,8 Mio Einwohner)
Sprache	Japanisch
Währung	1 Yen = 100 Sen
Zeit	Mitteleuropäische Zeit +8 h
Gliederung	9 Regionen (47 Präfekturen)
Politik	
Staatsform	Parlamentarische Monarchie (seit 1947)
Regierungschef	Keizo Obuchi (seit 1998)
Staatspräsident	Kaiser Akihito Tsuyu No Mija (seit 1989) *1933
Parlament	Oberhaus mit 252 und Unterhaus mit 500 Abgeordneten; 239 Sitze für die Liberaldemokraten (LDP), 156 für die Neue Fortschrittspartei (Auflösung im Dezember 1997), 52 für Demokratische Partei, 26 für Kommunisten, 15 für Sozialdemokraten (SDP), 12 für Sonstige (Wahl von 1996)
Internet	http://www.kantei.go.jp http://www.shugiin.go.jp http://www.sangiin.go.jp
Bevölkerung	
Religion	Shintoisten (39,5%); Buddhisten (38,3%); Christen (3,9%); Sonstige (18,3%)
Nationalitäten	Japaner (98,5%); Koreaner (0,5%); Chinesen (0,2%); Brasilianer (0,1%); Sonstige (0,7%)

Wirtschaft und Soziales			
Dienstleistung	56,4%	Urbanisierung	78%
Industrie	40,1%	Einwohner/km²	333
Landwirtschaft	3,5%	Bev.-Wachstum/Jahr	0,2%
BSP/Kopf	38160 $ (1997)	Kindersterblichkeit	0,4%
Inflation	0,7% (1998)	Alphabetisierung	99%
Arbeitslosigkeit	4,4% (1998)	Einwohner pro Arzt	610

Banken: Zur Stützung des verschuldeten Bankensektors sagte die Regierung im März 1999 japanischen Geldhäusern finanzielle Hilfen von insgesamt 108 Mrd DM zu. Das aus Steuermitteln stammende Geld soll die Kapitalbasis der Banken erhöhen. Die Mittel sind Teil eines Maßnahmenpaketes, das die Regierung bereits im Oktober 1998 zur Rettung konkursreifer Finanzinstitute beschlossen hatte. Als Gegenleistung kündigten die Banken harsche Umstrukturierungen an, durch die bis 2003 etwa 20 000 Arbeitsplätze wegfallen.

Innenpolitik: Bei der Wahl zum 252 Abgeordnete umfassenden japanischen Oberhaus im Juli 1998 verlor die Liberaldemokratische Partei (LDP) von Premierminister Ryutaro Hashimoto 13 ihrer 118 Sitze. Die linksliberalen Demokraten hingegen steigerten die Zahl ihrer Mandate von 38 auf 47.

Neuer Regierungschef: Das Ergebnis der Wahl wurde als Zeichen für die wachsende Unzufriedenheit der Bevölkerung mit der Politik Hashimotos gewertet, dem Versäumnisse bei der Bewältigung der Wirtschaftskrise vorgeworfen wurden. Als Konsequenz aus der Wahlniederlage trat Hashimoto zurück. Zum neuen Premierminister wählte das japanische Unterhaus, wo die LDP über die absolute Mehrheit verfügt, den vorherigen Außenminister Keizo Obuchi.

Koalition: Im Januar 1999 vereinbarte Obuchi mit der Liberalen Partei eine Koalition, um die Position der LDP im Oberhaus zu stärken, das Gesetzesvorlagen zumindest verzögern kann. Die Parteien verfügten nach den Wahlen im Oberhaus zusammen über 117 der 252 Sitze. Durch Zweckbündnisse mit weiteren Oppositionspolitikern sollen Gesetzesvorlagen künftig schneller durch das Oberhaus gebracht werden. Die neue Koalition galt Mitte 1999 als brüchig, weil LDP und Liberale in wesentlichen Fragen wie z. B. der Beteiligung von japanischen Streitkräften an Blauhelm-Missionen der UNO unterschiedliche Positionen vertraten.

Behördenreform: Im Mai 1999 verabschiedete das japanische Parlament ein Gesetz, das die staatlichen Behörden verpflichtet, auf Antrag grundsätzlich alle amtlichen Unterlagen in ihrem Besitz offenzulegen. Ausnahmen gelten für persönliche Daten sowie für bestimmte Informationen über Außenpolitik, Landesverteidigung und Strafverfolgung. Mit dem Gesetz, das voraussicht-

● **Japan: Wirtschaftswachstum (BIP)**[1]	
1998	−2,6
1997	+0,8
1996	+3,9
1995	+1,5

1) in %; Quelle; bfai

lich 2001 in Kraft tritt, soll der Willkür von Behörden entgegengewirkt werden. Bürgerrechtler und Verbrauchergruppen kritisierten seit den 60er Jahren kaum nachprüfbare Ermessensentscheidungen öffentlicher Ämter, die wegen der mangelhaften Offenlegung von Informationen schwer angefochten werden konnten.

Nationalismus: Im April 1999 wurde der wegen nationalistischer Äußerungen bekannt gewordene Autor Shintaro Ishihara mit 30,5% der abgegebenen Stimmen zum neuen Gouverneur von Tokio gewählt. Japanische Pazifisten und Vertreter asiatischer Nachbarstaaten bedauerten den Wahlausgang, weil Ishihara wiederholt die massive Aufrüstung des japanischen Militärs gefordert hatte.

Staatssymbole: Die japanische Regierung einigte sich mit fast allen im Parlament vertretenen Parteien im März 1999 darauf, den innenpolitischen Streit um die Staatssymbole zu beenden und per Gesetz die Kaiserhymne »Kimigayo« zur Nationalhymne sowie das Sonnenbanner »Hinomaru« zur Nationalflagge zu erklären. Das zumeist von konservativen Regierungen geleitete Kultusministerium hatte 1989 verfügt, dass an allen öffentlichen Schulen in J. bei Einschulungs- und Abschlussfeiern die Hinomaru-Flagge gezeigt und die Kimigayo-Hymne gesungen werden müssen. Kommunisten, Sozialisten und Friedensaktivisten weigerten sich, die durch die japanische Angriffspolitik im Zweiten Weltkrieg diskreditierten Staatssymbole amtlich zu verwenden. Auslöser für die Einigung unter den Parteien war der Selbstmord eines Schulleiters in der Provinz Hiroshima. Er nahm sich Ende Februar 1999 das Leben, weil das Lehrerkollegium sich geweigert hatte, der Anordnung des Schulamtes zu folgen und bei einer Schulabschlussfeier die umstrittene Hymne zu singen. Mit der gesetzlichen Regelung wird der bestehende Zustand festgeschrieben, da z. B.

● Japan: Inflation[1]

Jahr	Wert
1998	0,7
1997	1,8
1996	0,1
1995	0

1) in %; Quelle: bfai

bei Siegerehrungen auf internationalen Sportveranstaltungen Kimigayo-Hymne und Hinomaru-Flagge seit langem wie die Staatssymbole von J. behandelt werden.

Außenpolitik: Im April 1999 einigte sich die japanische Regierung mit Teilen der Opposition auf die Verabschiedung von Gesetzen zur gemeinsamen Sicherheitspolitik mit den USA. Sie sollen die Richtlinien umsetzen, auf die sich die USA und J. 1997 geeinigt hatten. Vorgesehen ist eine verstärkte logistische Unterstützung für US-Truppen bei Kriseneinsätzen in der asiatisch-pazifischen Region. Pazifisten und Nationalisten in J. lehnten das Abkommen mit den Vereinigten Staaten ab.

Annäherung an China: Im November 1998 trafen sich der chinesische Staatschef Jiang Zemin und der japanische Ministerpräsident Obuchi in Tokio. Beim ersten Besuch eines chinesischen Staatsoberhauptes in J. seit dem Zweiten Weltkrieg kam es nicht zu der von China gewünschten schriftlichen Entschuldigung für die japanischen Kriegsverbrechen in China 1937–45. J. drückte lediglich sein Bedauern für die Geschehnisse während der Kolonialherrschaft aus, unter der ca. 20 Mio Menschen ums Leben gekommen waren.

Kurilenkonflikt: J. und Russland konnten sich 1998/99 nicht auf einen Freundschaftsvertrag einigen, den beide Staaten bis spätestens Ende 2000 abschließen wollen. Größtes Hindernis war die von J. geforderte Rückgabe mehrerer Kurileninseln (Etorofu, Habomai, Kunashiri, Shikotan), die Russland kurz vor der japanischen Kapitulation 1945 besetzt hatte. J. und Russland vereinbarten nur gemeinsame Anstrengungen zum Wirtschaftsaufbau auf den Inseln (z.B. Installation von Dieselanlagen zur Elektrizitätsproduktion). Das Angebot von Russland, in dem geplanten Freundschaftsvertrag einzig die Bereitschaft für eine Beilegung des Kurilenstreit festzuschreiben, lehnte J. ab.

Jemen

Nahost Karte S. 534, D 6

Zahlreiche Entführungen von Touristen belasteten 1998/99 das Verhältnis zwischen dem J. und europäischen Staaten.

Außenpolitik: Im Januar 1999 kritisierten britische Regierungsvertreter die mangelnde Bereitschaft der jemenitischen Regierung, eine umstrittene Geiselbefreiungsaktion aufzuklären. Ende Dezember 1998 waren 16 Touristen von der Fundamentalistengruppe Islamischer Dschihad (arab.; Heiliger Krieg) verschleppt worden. Beim Versuch jemenitischer Sicherheitskräfte, die Geiseln 120 km nördlich von Aden zu befreien, starben drei britische und ein australischer Staatsbürger sowie eine Entführer. Überlebende britische Geiseln führten den Tod der Gefangenen auf das ungeschickte Vorgehen der Sicherheitskräfte zurück. Die jemenitischen Behörden entgegneten, dass die Geiselnehmer bereits vor der Befreiung mit der Hinrichtung der Gefangenen begonnen hätten. Die islamischen Fundamentalisten wollten die Beendigung der Sanktionen gegen den Irak und die

Jemen Republik Jemen	
Landesfläche	527 968 km² (WR 48)
Einwohner	16,89 Mio (WR 54)
Hauptstadt	Sana (427 000 Einwohner)
Sprache	Arabisch
Währung	1 Rial (YRI) = 100 Fils
Zeit	Mitteleuropäische Zeit +2 h
Gliederung	17 Prov. (11 Nord-, 6 Südjemen)
Politik	
Staatsform	Republik (seit 1990)
Regierungschef	Abd Al-Karim Al-Iryani (seit 1998)
Staatspräsident	Ali Abdullah Salih (seit 1978) *1942
Parlament	301 Abgeordnete; 187 Sitze für Allgemeinen Volkskongress, 54 für Jemenitische Vereinigung für Reform (Islah), 5 für Andere, 55 für Unabhängige (Wahl von 1997)
Internet	http://www.yemeninfo.gov.ye
Bevölkerung	
Religion	Sunniten (53,0%), Schiiten (46,9%); Sonstige (0,1%)
Ethn. Gruppen	Araber (100%)
Wirtschaft und Soziales	

Dienstleistung	59,9%	Urbanisierung	34%
Industrie	20,2%	Einwohner/km²	32
Landwirtschaft	19,9%	Bev.-Wachstum/Jahr	3,3%
BSP/Kopf	270 $ (1997)	Kindersterblichkeit	8%
Inflation	5% (1997)	Alphabetisierung	41,1%
Arbeitslosigkeit	40% (1996)	Einwohner pro Arzt	4348

Freilassung ihres Anführers Saleh al-Atwani erpressen, der von der jemenitischen Polizei festgenommen worden war. Im Dezember 1998 verschleppten Mitglieder des Stammes Bani Dabjan vier deutsche Touristen. Die Entführer forderten den Bau von Schulen, Staudämmen und Straßen sowie die Aufnahme von 200 Jugendlichen ihres Stammes in den Staatsdienst. Daraufhin wurden neun Mitglieder des Stammes festgenommen. Die deutschen Touristen kamen nach dreiwöchiger Geiselhaft wieder frei. Zum ersten Mal wurden im Mai 1999 im J. drei Männer wegen Entführung von Ausländern zum Tode verurteilt. Mitte 1999 schien eine Begnadigung der Verurteilten durch Staatspräsident Ali Abdullah Salih möglich, um Vergeltungsaktionen zu verhindern.

Ein internationales Schiedsgericht in Den Haag legte im Oktober 1998 den Streit zwischen Eritrea und dem J. um einige im Roten Meer gelegene Inselgruppen bei, der 1995 zu kriegerischen Auseinandersetzungen geführt hatte. Das Gericht sprach Eritrea drei, dem J. vier Inselgruppen zu, darunter die Hanisch-Inseln, in deren Nähe Ölvorkommen vermutet werden. Die Fischer aus Eritrea behielten aber ihre Fangrechte nahe den dem J. zugeschriebenen Inseln.

Innenpolitik: Stammesfehden bedrohten 1998/99 die innere Sicherheit des J. und stellten die Autorität des Staates in Frage. Stämme im Nord-J. verübten Attentate auf Minister, behinderten Öltransporte und sprengten Pipelines, nachdem die Preise für Benzin und Nahrungsmittel gestiegen waren. Bei einem Bombenanschlag auf einen Stammesführer kamen gegenüber der deutschen Botschaft in Sana im November 1998 zwei Menschen ums Leben. Im J. stehen rund 30 000 Polizisten zur Bekämpfung der Fehden unter den stark bewaffneten Stämmen zur Verfügung.

Wirtschaft: Wegen des deutlichen Verfalls der Erdölpreise um bis zu 50% ging das Wirtschaftswachstum 1998 stark zurück. Während das BIP 1997 noch um 5,2% gestiegen war, betrug das Wirtschaftswachstum 1998 lediglich ca. 4%. Der Anteil des Öls, des wichtigsten Exportgutes, an der Wirtschaftsleistung sank 1998 von 27% auf 16%. Größtes Problem blieb 1998/99 die Armut. Der Anteil der Armen in der Bevölkerung betrug je nach Statistik zwischen 21% (Weltbank) und 47% (UNO).

Jordanien

Nahost, Karte S. 534, B 3

Der jordanische König Hussein II. aus dem Herrscherhaus der Haschemiten starb im Februar 1999 im Alter von 63 Jahren an einem Krebsleiden. Sein Nachfolger wurde Kronprinz Abdullah.

Innenpolitik: Im Januar 1999 enthob König Hussein seinen Bruder Prinz Hassan ibn Talal von seinem Rang als offizieller Thronfolger und ernannte seinen ältesten Sohn Abdullah zum Nachfolger. Der König warf seinem Bruder Inkompetenz und Machtgier vor. Hussein galt als ausgleichender Vermittler und als Garant für Stabilität im Nahen Osten. Der neue König Abdullah kündigte an, die Politik seines Vaters fortzusetzen, der J. jahrzehntelang als Pufferstaat zwischen den verfeindeten Regionalmächten Israel, Syrien und Irak geführt hatte.

Im März 1999 bildete König Abdullah die jordanische Regierung um; er entließ Ministerpräsident Fajes el Taraunah aus seinem Amt und benannte Abdel Rauf Rawabdeh zum Nachfolger. Zahlreiche Minister und Ar-

Jordanien	Haschemitisches Königreich Jordanien	
Landesfläche	97 740 km² (WR 108)	
Einwohner	5,96 Mio (WR 99)	
Hauptstadt	Amman (963 000 Einwohner)	
Sprachen	Arabisch, Englisch	
Währung	1 Jordan-Dinar = 1000 Fils	
Zeit	Mitteleuropäische Zeit +1 h	
Gliederung	12 Bezirke	
Politik		
Staatsform	Konstitutionelle Monarchie (seit 1952)	
Regierungschef	Abdel Rauf Rawabdeh (seit 1999) *18.2.1939	
Staatspräsident	König Abdullah (seit 1999) *30.1.1962	
Parlament	Senat mit 40 vom König ernannten und Abgeordnetenhaus mit 80 für vier Jahre gewählten Abgeordneten; 68 Sitze für Nationalisten und Staatstreue (meist Unabhängige), 12 für Sonstige (Wahl von 1997)	
Bevölkerung		
Religion	Muslime (93%); Christen (4,9%); Sonstige (2,1%)	
Ethn. Gruppen	Araber (99,2%), davon 50% Palästinenser; Tscherkessen (0,5%); Armenier (0,1%); Türken (0,1%); Kurden (0,1%)	
Wirtschaft und Soziales		
Dienstleistung	67,1%	Urbanisierung	88%
Industrie	25,0%	Einwohner/km²	61
Landwirtschaft	7,9%	Bev.-Wachstum/Jahr	3,7%
BSP/Kopf	1520 $ (1997)	Kindersterblichkeit	2,6%
Inflation	4,5% (1998)	Alphabetisierung	85,5%
Arbeitslosigkeit	ca. 25% (1997)	Einwohner pro Arzt	649

▶ Jordanien: Dynastie der Haschemiten

▶ **Ursprung:** Das arabische Geschlecht der Haschemiten geht nach eigener Ansicht auf Haschim († um 540) zurück, der als Urgroßvater des Propheten Mohammed gilt.

▶ **Religiöse Führer:** Die Haschemiten bekleideten im Laufe ihrer langen Familiengeschichte hohe religiöse Ehrenämter. Als Sharife und Emire von Mekka nahmen sie zentrale Stellungen in der islamischen Glaubensgemeinschaft ein.

▶ **Politische Herrscher:** 1917 erklärte sich Husain, der ab 1907 Sherif von Mekka war, zum König von Arabien. Von seinen Söhnen wurde Feisal 1921 König von Irak und Abdullah 1921 Emir von Transjordanien. Das haschemitische Herrschergeschlecht wurde 1926 von den Saudis aus Mekka und Medina vertrieben. Im Irak stürzte es nach Ausrufung der Republik 1958.

▶ **Hussein II.:** Der 1999 verstorbene König Hussein II. lebte seit der Thronbesteigung 1952 ca. 30 Mordanschläge und verteidigte die haschemitische Herrschaft jahrzehntelang gegen Machtansprüche panarabischer Nationalisten, palästinensischer Revolutionäre und islamischer Fundamentalisten.

meegeneräle wurden ihres Amtes enthoben, weil sie als Verbündete des ehemaligen Kronprinzen Hassan galten. Mit der Zusammenstellung des neuen Kabinetts wollte König Abdullah Gerüchten entgegentreten, nach denen er eine Annäherung an Syrien und engere Beziehungen zum Irak suche.

Außenpolitik: Der palästinensische Präsident Jassir Arafat erneuerte im Februar 1999 sein Angebot, einen künftigen palästi-

nensischen Staat mit J. zu einer Konföderation zusammenzuschließen. Die Idee hatte Arafat bereits 1985 vorgestellt, u. a. weil die Hälfte der jordanischen Bevölkerung palästinensischer Abstammung ist. König Hussein hatte den Vorschlag stets zurückgewiesen, um seine Rolle als Vermittler im Nahost-Konflikt nicht zu verlieren.

Wirtschaft: Wegen der mangelnden Bereitschaft zur Durchführung von Reformen befand sich J. 1998 in einer schweren Wirtschaftskrise. Das BIP wuchs 1998 bei einer Bevölkerungszunahme von ca. 4% um 0,6%. Der Fehlbetrag im Staatshaushalt verdreifachte sich von geplanten 3,2% auf 9,6% des BIP. Die Leistungsbilanz wies 1998 einen Fehlbetrag von 451 Mio US-Dollar auf (Anstieg gegenüber 1997: 17%). Die Weltbank kritisierte J. wegen der mangelnden Bereitschaft, das Krankenversicherungssytem zu reformieren, die hohen Subventionen abzubauen und Staatsbetriebe zu privatisieren. Die Weltbank stellte für 1999 J. Kredite in Höhe von 265 Mio US-Dollar zur Verfügung. Die USA sagten für 1999 Wirtschaftshilfen in Höhe von 150 Mio US-Dollar und 75 Mio US-Dollar Verteidigungshilfen zu.

Jugoslawien
Europa Karte S. 529, E 6

Jugoslawien Bundesrepublik Jugoslawien	
Landesfläche	102 173 km² (WR 106)
Einwohner	10,41 Mio (WR 72)
Hauptstadt	Belgrad (1,17 Mio Einwohner)
Sprachen	Serbisch, Albanisch, Ungarisch
Währung	1 Dinar = 100 Para
Zeit	Mitteleuropäische Zeit
Gliederung	Serbien, Montenegro
Politik	
Staatsform	Bundesrepublik (seit 1992)
Regierungschef	Momir Bulatovic (seit Mai 1998) *21.9.1956
Staatspräsident	Slobodan Milosevic (seit Juli 1997) *29.8.1941
Parlament	Kammer der Republiken (40 Mitglieder); Kammer der Bürger (138 Abgeordnete; 108 für Serbien, 30 für Montenegro): 64 Sitze für serbischen Linksblock, 22 für Zajedno, 20 für montenegrinische Sozialisten, 16 für Serbische Radikale Partei, 16 für Andere (Wahl von 1996)
Bevölkerung	
Religion	Serbisch-Orthodoxe (65%); Muslime (19%); Sonstige (16%)
Nationalitäten	Serb. 62,3%; Alban. 16,6%; Monteneg. 5%; Sonst. 16,1%

Wirtschaft und Soziales			
Dienstleistung	29,2%	Urbanisierung	57%
Industrie	47,9%	Einwohner/km²	102
Landwirtschaft	22,9%	Bev.-Wachstum/Jahr	0,6%
BSP/Kopf	1471 $ (1996)	Kindersterblichkeit	1,8%
Inflation	100% (1997)	Alphabetisierung	93%
Arbeitslosigkeit	26% (1998)	Einwohner pro Arzt	502

Durch den im Juni 1999 nach mehrwöchigen NATO-Luftangriffen beendeten Kosovo-Krieg wurde die Provinz Kosovo zerstört und J. militärisch und wirtschaftlich schwer getroffen. Im Laufe des Konflikts waren über 850 000 Albaner geflohen, die ab Mitte Juni 1999 unter dem Schutz von 50 000 Kfor-Soldaten nur zögernd in ihre Heimat zurückkehrten. Der Westen machte Hilfe beim wirtschaftliche Wiederaufbau von J. von der Entmachtung von Präsident Milosevic und demokratischen Reformen abhängig.

Waffenstillstand: Am 13.6.1999 begann vertragsgemäß der Einmarsch der ersten Kfor-Truppen in das Kosovo. Die mit UNO-Mandat ausgestattete Kfor-Truppe umfasst insgesamt 50 000 Mann, davon 8500 Bundeswehr-Soldaten. Russland stellt 10 000. Insgesamt ist die Einrichtung von fünf Sektoren vorgesehen, jeweils unter Aufsicht der USA, Großbritanniens, Frankreichs, Deutschlands und Italiens. Aus Angst vor Racheakten von Albanern, insbesondere der

Untergrundorganisation UCK, flohen nach dem Einmarsch der Kfor-Truppen rund 15 000 Serben aus dem Kosovo nach Serbien. Britische und deutsche Soldaten entdeckten bei Prizren und Kacanik Massengräber mit vermutlich 170 Leichen. *Kriegsbilanz:* Am 24.3.1999 begann die NATO mit Luftangriffen auf J. und das Kosovo. Zum Einsatz kamen Marschflugkörper und Kampfflugzeuge, darunter auch mehrere »Tornados« der Bundeswehr. Zuvor war der US-Vermittler Richard Holbrooke mit einem letzten Versuch gescheitert, Präsident Slobodan Milosevic zum Einlenken zu bewegen. Nach offiziellen Angaben flog die NATO bis zum 10.6. rund 31 800 Einsätze. Es sollen 100 Flugzeuge, 314 Artilleriegeschütze, 203 Schützenpanzer, 120 Panzer, 289 andere Militärfahrzeuge, 14 Befehlsstellungen und 29 Munitionslager zerstört worden sein. Darüber hinaus wurden 34 Straßenbrücken, 11 Eisenbahnbrücken und 57% der Ölvorräte vernichtet. Bei den Luftangriffen sollen rund 10 000 serbische Soldaten und Sicherheitskräfte getötet oder verwundet worden sein. Nach Schätzungen der EU-Kommission wird der Wiederaufbau von J. rund 35 Mrd DM kosten. An den Hilfsprogrammen für die Balkan-Region sollen EU, die USA, Weltbank und der Internationale Währungsfonds (IWF) mitwirken. Insgesamt sind seit Anfang 1999 rund 850 000 Albaner aus dem Kosovo geflohen, die meisten nach Albanien und Mazedonien. 84 400 wurden bis Mitte Juni ausgeflogen; davon rund 14 300 nach Deutschland.

Innenpolitik: Mit Verschärfung des Kosovo-Konflikts im Herbst 1998 verstärkte Milosevic die Repressionen gegen die Opposition. Die wenigen unabhängigen Zeitungen wurden im Oktober 1998 einer strengeren Zensur unterworfen. Regierunskritische Berichte wurden mit hohen Geldbußen belegt. Nach Ausbruch des Kosovo-Krieges wurde eine unabhängige Berichterstattung in Serbien unterbunden. Als letztes oppositionelles Medium musste Anfang April 1999 der unabhängige Sender »B 92« seinen Betrieb einstellen.

Opposition: Als Sprecher der Milosevic-Gegner in J. traten der Präsident der Teilrepublik Montenegro, Milo Djukanovic, und der Vorsitzende der Demokratischen Partei Serbiens, Zoran Djindjic, hervor. Letzterer war

während der Bombenangriffe nach massiven Drohungen von serbischen Nationalisten nach Montenegro geflohen. Dort richtete Djindjic zusammen mit Djukanovic am 10.5. einen gemeinsamen Appell an den Westen. Darin forderten sie von den NATO-Staaten, nach einem Friedensvertrag sowohl für den wirtschaftlichen Wiederaufbau als auch eine Demokratisierung von J. zu sorgen.

Djukanovic war im Januar 1998 zum Präsidenten der Teilrepublik Montenegro gewählt worden und betrieb seither die Annäherung an den Westen. Von der Forderung nach Unabhängigkeit sah er jedoch aus Furcht vor einem Bürgerkrieg zunächst ab. Nach Beginn des serbischen Rückzug aus dem Kosovo erklärte Djukanovic am 14.6. bei einem Besuch in Bulgarien, dass beim Ausbleiben demokratischer Reformen in J. er die Loslösung Montenegros von Serbien betreiben werde.

Zu einer direkten Konfrontation mit der Belgrader Führung kam es, als Djukanovic im Mai 1999 das Kommando über alle in Montenegro stationierten Militär- und Polizeieinheiten beanspruchte. Daraufhin drohten ihm serbische Staatsmedien mit einem Prozess wegen »Hochverrats«.

Proteste: Während der NATO-Luftangriffe kam es erstmals seit Jahren zu offenen Protesten gegen Milosevic. So demonstrierten am 17. und 18.5. in den serbischen Städten Cacak, Alexandrovac und Krusevac insgesamt mehr als 8000 Menschen gegen die weitere Entsendung serbischer Soldaten in das Kosovo und für die Beendigung des Krieges. Die Kundgebungen wurden von der Polizei aufgelöst.

Draskovic: Auch in den Reihen von Milosevics Gefolgsleuten mehrten sich im Verlauf des Krieges die Konflikte. Am 29.4. wurde der jugoslawische Vizepremierminister Vuk Draskovic, ein früherer Oppositionspolitiker, von Milosevic entlassen. Draskovic hatte die Staatsführung der Lüge bezichtigt und verlangt, dass dem jugoslawischen Volk die Wahrheit über den Kriegsverlauf gesagt werde. Der Nationalist Draskovic hatte bis Mitte der 90er Jahre in Opposition zu Milosevic gestanden und war mehrfach verhaftet worden. Milosevic war es jedoch 1998 gelungen, den von westlichen Beobachtern oft als »Wirrkopf« bezeichneten Politiker und dessen Serbische Erneuerungsbewegung (SPO) auf seine Seite zu ziehen. Er hatte ihn im Januar 1999 zu einem der Vize-Ministerpräsidenten ernannt. Bei der Abstimmung des Belgrader Parlaments über den G-8-Friedensplan am 2.6. saß Draskovic jedoch wieder in der ersten Reihe, was auf dessen Rückkehr ins erweiterte Machtzentrum schließen ließ.

SRS: Nach Einmarsch der ersten Kfor-Truppen erklärte die ultranationalistische Serbische Radikale Partei (SRS) unter Vojislav Seselj ihren Austritt aus der Regierung. SRS war seit März 1998 an der Regierung beteiligt. Mit ihrem Rückzug protestierte sie gegen die »Preisgabe der heiligen serbischen Erde« im Kosovo. Die SRS hatte als einzige Gruppierung im Parlament gegen Annahme des Friedensplans der G-8 Staaten gestimmt.

Außenpolitik: Im Verlauf des Kosovo-Konfliktes hat sich Belgrad außenpolitisch weitgehend isoliert. Die Einbindung Russlands in die Friedensplanung von NATO und UNO führte dazu, dass auch Russland als Verbündeter von Milosevic faktisch ausschied. Noch Anfang 1999 hatte die jugoslawische Führung sich von der »slawischen Gemeinschaft« mit Russland außenpolitische Rückendeckung erhofft. So beschloss das Belgrader Parlament Mitte April 1999 den Beitritt von J. zur russisch-weißrussischen Union. Die russische Regierung nahm diesen Beschluss zurückhaltend auf.

Wirtschaft: Die Misswirtschaft der sozialistischen Partei sowie die systematische Ausplünderung des Landes durch den herrschenden Milosevic-Clan und seine Gefolgsleute hatten die Wirtschaft von J. bereits schwer geschädigt, bevor sie durch die NATO-Luftangriffe im Frühjahr 1999 ruiniert wurde. Zur Schwächung trugen die 1991 von der EU verhängten Wirtschaftssanktionen und das Öl-Embargo vom April 1999 bei. Schon vor dem Krieg war die jugoslawische Wirtschaftsleistung auf den Stand von 1968 zurückgefallen. Während des Krieges stieg die Arbeitslosigkeit, die nach offiziellen Angaben Ende 1998 bei 26% lag, auf über 60%. Unabhängige Experten vermuteten Mitte 1999, dass die Wirtschaft von J. u. a. durch die Zerstörungen von Industrieanlagen und Infrastruktur (Straßen, Brücken, Bahnlinien) um mehrere Jahrzehnte zurückgeworfen wurde und dass sich dadurch das jugoslawische BIP 1999 halbieren wird.

▪ **Krisen und Konflikte** → Kosovo

Kambodscha	Königreich Kambodscha
Landesfläche	181 035 km² (WR 87)
Einwohner	10,75 Mio (WR 69)
Hauptstadt	Phnom Penh (920 000 Einw.)
Sprachen	Khmer, Franz., Vietnamesisch
Währung	1 Riel = 100 Sen
Zeit	Mitteleuropäische Zeit +6 h
Gliederung	19 Prov. und zwei Stadtregionen
Politik	
Staatsform	Konstitutionelle Monarchie (seit 1993)
Regierungschef	Hun Sen (seit 1993) *1951, Ung Huot (seit 1997) als Co-Ministerpräsident
Staatspräsident	König Norodom Sihanouk (seit 1993) *31.10.1922
Parlament	Nationalversammlung mit 122 Abgeordneten; 64 Sitze für Sozialistische Volkspartei, 43 für Funcipec, 15 für Pak Sam Rainsy (Wahl von 1998)
Internet	http://www.embassy.org/cambodia
Bevölkerung	
Religion	Buddhisten (95%); Muslime (2%); Sonstige (3%)
Nationalitäten	Khmer (88,6%); Vietnamesen (5,5%); Sonstige (5,9%)
Wirtschaft und Soziales			
Dienstleistung	35,6%	Urbanisierung	21%
Industrie	13,2%	Einwohner/km²	59
Landwirtschaft	51,2%	Bev.-Wachstum/Jahr	2,5%
BSP/Kopf	300 $ (1998)	Kindersterblichkeit	10,3%
Inflation	9,1% (1997)	Alphabetisierung	35%
Arbeitslosigkeit	k.A.	Einwohner pro Arzt	16 365

Kambodscha

Asien, Karte S. 535, F 6

Im August 1998 wurde die sozialistische Volkspartei (CCP) unter Ministerpräsident Hun Sen offiziell zum Sieger der Parlamentswahlen erklärt.

Innenpolitik: Die CCP erhielt 41,2% der 4,9 Mio gültigen Stimmen und gewann 64 der 122 Sitze im Parlament. Die royalistische Funcinpec-Partei von Prinz Norodom Ranariddh errang mit 31,5% der abgegebenen Stimmen 43 Sitze. Drittstärkste Kraft wurde die Partei des ehemaligen Finanzministers Sam Rainsy, der für die Durchsetzung marktwirtschaftlicher Reformen in K. eintrat. Die Opposition warf Hun Sen Wahlbetrug vor und forderte die erneute Auszählung der Stimmzettel. Menschenrechtsorganisationen kritisierten den Wahlkampf Hun Sens, der die Polizei gewaltsam gegen demonstrierende Oppositionsanhänger und Mönche vorgehen ließ.

Koalition: Da die CCP die zur Regierungsbildung notwendige Zweidrittelmehrheit verfehlte, schloss sie im November 1998 unter dem Einfluss der UNO und der Regierung des ehemaligen Kolonialstaates Frankreich ein Bündnis mit der Funcipec-Partei. Die Koalition galt 1999 wegen der Feindschaft zwischen Hun Sen und Ranariddh als äußerst brüchig. Sie hatten nach den von der UNO überwachten Wahlen von 1993 gemeinsam in K. regiert. Nach dem Ausbruch von heftigen Kämpfen zwischen den Anhängern beider Parteien im Juli 1997 war Ranariddh von Hun Sen aus K. vertrieben worden. Auf internationalen Druck hatte Hun Sen die Rückkehr Oppositioneller erlaubt und für 1998 Parlamentswahlen einberaumt.

Rote Khmer: Im März 1999 wurde an der Grenze zu Thailand Ta Mok, Mitglied der ehemaligen Führungsgarde der Roten Khmer, festgenommen. Die kommunistischen Roten Khmer eroberten 1975 K. und errichteten unter ihrem Führer Pol Pot (1928–1998) bis zum vietnamesischen Einmarsch 1978/79 eine Schreckensherrschaft, unter der schätzungsweise 2 Mio Kambodschaner ermordet wurden. Ministerpräsident Hun Sen wies 1999 die Forderung der USA und internationaler Menschenrechts-

organisationen zurück, die noch lebenden Verantwortlichen der Roten Khmer vor einem internationalen Tribunal zur Rechenschaft zu ziehen. Er behauptete, dass dadurch in K. erneut ein Bürgerkrieg ausbrechen könnte.

Außenpolitik und Wirtschaft: Im Mai 1999 trat K. als zehntes Mitglied dem südostasiatischen Staatenbund ASEAN bei und beendete dadurch eine zweijährige außenpolitische Isolation. K. sollte bereits 1997 in die Assoziation aufgenommen werden. Die Mitgliedschaft scheiterte wegen Hun Sens gewaltsamen Putsch gegen seinen damaligen stellvertretenden Regierungschef Ranariddh. Von der Aufnahme in die ASEAN erhoffte sich K. mittelfristig eine Förderung seiner wirtschaftlichen Entwicklung, die insbes. durch den Bürgerkrieg und die weit verbreitete Korruption behindert wurde. K. gehörte 1998 mit einem BSP/Einwohner von 300 US-Dollar zu den ärmsten Staaten der Welt. Über 30% der Bevölkerung waren unterernährt. Rund 70% der staatlichen Einkünfte erzielte K. im Jahr 1998 durch die Einnahmen aus Zöllen und Gebühren auf importierte Güter und Waren.

Kamerun

Afrika, Karte S. 533, C 4

Mitte 1998 versuchte Staatspräsident Paul Biya durch Beteiligung von Oppositionspolitikern an der Regierung seine politische Basis in K. zu verbreitern. Biya herrscht seit 1982 über K. und war im Oktober 1997 bei Wahlen im Amt bestätigt worden. Allerdings warfen politische Gegner ihm massive Manipulationen bei der Stimmauszählung vor. Die oppositionelle Nationale Union für Demokratie und Fortschritt nahm das Angebot an, Minister ins Kabinett zu entsenden. Biyas schärfster Rivale, John Fru Ndi von der Sozialdemokratischen Front, der die englischsprachige Bevölkerungsmehrheit im Westen von K. vertritt, lehnte jedoch die Zusamenarbeit ab. Der bis 1992 diktatorisch regierende Biya erklärte, durch die Verständigung mit der Opposition K. befrieden und demokratisieren zu wollen. Teile der Opposition hingegen bewerteten diesen Schritt als Versuch, seine Macht zu festigen. Sie warfen ihm u. a. vor, Presseorgane zu unterdrücken, die kritisch über den Präsidenten berichten.

Kamerun Republik Kamerun		
Landesfläche	475 442 km² (WR 52)	
Einwohner	14,32 Mio (WR 61)	
Hauptstadt	Yaoundé (1,12 Mio Einwohner)	
Sprachen	Franz., Englisch, Bantusprachen	
Währung	CFA-Franc	
Zeit	Mitteleuropäische Zeit	
Gliederung	10 Provinzen, 58 Départements	
Politik		
Staatsform	Präsidiale Republik (seit 1972)	
Regierungschef	Peter Mafany Musonge (seit 1996) *3.12.1942	
Staatspräsident	Paul Biya (seit 1982) *13.2.1933	
Parlament	Nationalversammlung mit 180 für fünf Jahre gewählten Abgeordneten; 116 Sitze für Demokratische Sammlung, 43 für Sozialdemokraten, 13 für Nationalunion für Demokratie und Fortschritt, 5 für Demokratische Union (Wahl von 1997)	
Bevölkerung		
Religion	Christen (52,2%); Animisten (26%); Muslime (21,8%)	
Nationalitäten	Fang (19,6%); Bamiléké, Bamum (18,5%); Duala, Luanda, Basa (14,7%); Fulani (9,6%); Tikar (7,4%); Sonstige (30,2%)	
Wirtschaft und Soziales		
Dienstleistung	38,1%	Urbanisierung	45%
Industrie	21,7%	Einwohner/km²	30
Landwirtschaft	40,2%	Bev.-Wachstum/Jahr	2,8%
BSP/Kopf	620 $ (1997)	Kindersterblichkeit	7,4%
Inflation	3% (1997)	Alphabetisierung	63,4%
Arbeitslosigkeit	k.A.	Einwohner pro Arzt	11 996

Kanada

Nordamerika, Karte S. 530, E 5

Die Wahlniederlage der Separatisten bei den Regionalwahlen in Quebec vom November 1998 verringerte ihre Hoffnungen auf Unabhängigkeit.

Innenpolitik: Bei den Parlamentswahlen in der französischsprachigen Provinz Quebec musste die separatistische Parti Québécois (PQ) im November 1998 leichte Stimmenverluste hinnehmen. Sie erreichte 42,7%. Die Liberalen unter Jean Charest, ein Verfechter des föderalen Einheitsstaates, kamen auf 43,7% der Stimmen. Aufgrund des Mehrheitswahlrechts behauptete die regierende PQ von Premier Lucien Bouchard mit 75 (−2) von 125 Mandaten ihre absolute Mehrheit im Parlament. Auf die Liberalen entfielen 48 (+1) Mandate.

Die regierende PQ bemühte sich bei der kanadischen Zentralregierung um mehr politische Kompetenzen für die Provinz Quebec, vor allem auf dem Gebiet der Sozialpolitik.

Nach der Wahlniederlage der PQ wurde die Loslösung Quebecs von K., das aus 10 Provinzen besteht, für unwahrscheinlich gehalten. Eine größere Gruppe innerhalb der PQ forderte allerdings für 2001 ein neues Referendum über die Unabhängigkeit.

Im August 1998 verweigerte der Oberste Gerichtshof Quebec das Recht, einseitig einen eventuellen Austritt aus der kanadischen Föderation zu erklären. Die Richter forderten von Quebec, vor einer Loslösung mit den anderen Privinzen verhandeln zu müssen. Voraussetzung für eine Abspaltung sei darüber hinaus eine klare Mehrheit der Bevölkerung, wobei das Gericht offen ließ, was darunter zu verstehen ist. Während die Separatisten eine Mehrheit von 50% plus eine Stimme für ausreichend hielten, forderte die Zentralregierung eine deutlich höhere Zustimmung der Bevölkerung zu einer Abspaltung.

Im Januar 1999 wurden den einzelnen Provinzen im Rahmen einer sog. Sozialunion von der Zentralregierung größere Kompetenzen in der Finanz-, Sozial- und eutigen Bereichen der Bildungspolitik übertragen. Quebec verweigerte die Unterschrift unter die Vereinbarung. Damit scheiterte die Absicht der Zentralregierung, durch Zugeständnisse an die Provinzen den föderalen Staat K. insgesamt zu stärken.

Im Februar 1999 wählte die Bevölkerung des neu gebildeten Territoriums Nunavut in der östlichen Arktisregion erstmals ein Regionalparlament. Das Gebiet wird überwiegend von Inuit (Eskimos), den kanadischen Ureinwohnern, bewohnt. Im April 1999 trat der Inuit Paul Okalik sein Amt als erster Minister-präsident der Inuit-Provinz an.

Wirtschaft: Die Konjunktur in K. schwächte sich 1998/99 leicht ab. Das BIP-Wachstum lag bei 3% (1997: 4%). K. profitierte dabei von der anhaltenden Stärke der US-amerikanischen Wirtschaft. In die USA gingen rund 80% der kanadischen Exporte; mehr als 65% der Importe stammten aus dem südlichen Nachbarstaat. Positive Impulse für die kanadische Wirtschaft kamen Ende 1998 durch die deutliche Steigerung der Exporte von Automobilen und Zulieferteilen an die US-amerikanische Automobilindustrie. Für 1999 wurde ein BIP-Wachstum von 2,4% erwartet. Die Inflation lag 1998 bei 1%, für 1999 wurde mit einem Anstieg auf 1,7% gerechnet. Die Arbeitslosenquote sank im Vergleich zum Vorjahr um 0,8 Prozentpunkte auf 8,4%.

Kanada	
Landesfläche	9,97 Mio km² (WR 2)
Einwohner	30,19 Mio (WR 33)
Hauptstadt	Ottawa (1,03 Mio Einwohner)
Sprachen	Englisch, Französisch
Währung	1 kanadischer Dollar (kan.$) = 100 Cents
Zeit	Mitteleuropäische Zeit −6
Gliederung	10 Provinzen/Bundesländer; 2 Territorien
Politik	
Staatsform	Parlamentarische Monarchie im Commonwealth (seit 1931)
Regierungschef	Jean Chrétien (seit 1993) *11.1.1934
Staatspräsident	Königin Elizabeth II. (seit 1952) *21.4.1926
Parlament	Senat mit 104 auf Vorschlag des Premierministers ernannten und Unterhaus mit 301 für fünf Jahre gewählten Abgeordneten; 155 Sitze für Liberale (LP), 60 für Konservative Reformpartei (RPC), 44 für Bloc Québécois (BQ), 42 für Andere (Wahl von 1997)
Internet	http://www.gc.ca http://www.parl.gc.ca
Bevölkerung	
Religion	Katholiken (45,7%), Protestanten (36,3%), Orthodoxe (1,5%); Juden (1,2%); Muslime (1%); Sonstige (14,3%)
Nationalitäten	Franzosen (22,8%); Briten (20,8%); Deutsche (3,4%); Italiener (2,8%); Chinesen (2,2%); Sonstige (48%)
Wirtschaft und Soziales	

Dienstleistung	68,9%	**Urbanisierung**	76,7%
Industrie	28,3%	**Einwohner/km²**	3
Landwirtschaft	2,8%	**Bev.-Wachstum/Jahr**	1,3%
BSP/Kopf	19 640 $ (1997)	**Kindersterblichkeit**	0,6%
Inflation	1% (1998)	**Alphabetisierung**	96,6%
Arbeitslosigkeit	8,4% (1998)	**Einwohner pro Arzt**	446

Kap Verde

Afrika, Karte S. 533, A 3

Mitte 1998 wurde die nationale Währung von K. (Cabo Verde Escudo, CVE) an den portugiesischen Escudo gekoppelt. Ab 1999 ist der CVE damit indirekt auch mit dem Euro verbunden, da Portugal Mitglied der Europäischen Wirtschafts- und Währungsunion ist. Mit diesem Schritt wollte die frühere Kolonialmacht Portugal der Wirtschaft von K. zusätzliche Impulse geben. K. war die erste frühere Kolonie, gegenüber der Portugal derartige Verpflichtungen übernahm. Durch die Verbesserung der wirtschaftlichen Verhältnisse soll der anhaltende Auswandererstrom, insbes. nach Portugal, eingedämmt werden. 1998/99 war das Land in hohem Maß noch auf ausländische Hilfsgelder angewiesen. Unter dem 1996 wiedergewählten Präsidenten António M. Monteiro von der Bewegung für die Demokratie (MpD) setzte sich 1998 der Demokratiserungsprozess fort. K., das 1991 das Mehrparteiensystem einführte, zeichnete sich 1998/99 im Vergleich zu zahlreichen anderen Staaten Westafrikas durch politische und soziale Stabilität aus.

Kap Verde Republik Kap Verde	
Landesfläche	4033 km² (WR 163)
Einwohner	417 000 (WR 163)
Hauptstadt	Praia (68 000 Einwohner)
Sprachen	Portugiesisch, Kreolisch
Währung	1 Kap Verde Escudo
Zeit	Mitteleuropäische Zeit –2
Gliederung	9 Inseln, 14 Distrikte
Politik	
Staatsform	Republik (seit 1975)
Regierungschef	Carlos de Carvalho Veiga (seit 1991) *21.10.1949
Staatspräsident	António M. Monteiro (seit 1991) *16.2.1944
Parlament	Nationale Volksversammlung mit 72 für fünf Jahre gewählten Abgeordneten; 50 Sitze für Bewegung für die Demokratie, 21 für Afrikanische Partei für die Unabhängigkeit von Kap Verde, 1 für Demokratische Partei (Wahl von 1995)
Internet	http://www.capeverdeusembassy.org
Bevölkerung	
Religion	Katholiken (93,2%); Sonstige (6,8%)
Ethn. Gruppen	Mulatten (71%); Schwarze (28%); Weiße (1%)
Wirtschaft und Soziales	
Dienstleistung	70%	**Urbanisierung**	52%
Industrie	17%	**Einwohner/km²**	103
Landwirtschaft	13%	**Bev.-Wachstum/Jahr**	1,5%
BSP/Kopf	1090 $ (1997)	**Kindersterblichkeit**	5,6%
Inflation	6,2% (1996)	**Alphabetisierung**	69,9%
Arbeitslosigkeit	ca. 25% (1996)	**Einwohner pro Arzt**	4208

Kasachstan

Asien, Karte S. 535, C 3

Im Januar 1999 wurde Nursultan Nasarbajew bei den Präsidentschaftswahlen im Amt bestätigt. Die OSZE kritisierte den Wahlprozess wegen demokratischer Mängel. **Innenpolitik:** Nasarbajew erhielt 78,3% der Stimmen. Der Kandidat der Kommunistischen Partei, Serikbolsin Abdilin, bekam 13,5%. Die Wahlbeteiligung lag bei 80%. Die OSZE bemängelte, dass Nasarbajew den aussichtsreichsten Gegenkandidaten, den ehemaligen Premierminister Akeschan Kaschegeldin, nicht zu den Wahlen zugelassen hatte. Die von Nasarbajews Tochter Dariga kontrollierten staatlichen Fernsehkanäle hatten den amtierenden Präsidenten begünstigt und ihm 76% der Wahlkampfberichterstattung gewidmet. Äußerungen der Gegenkandidaten waren teilweise nicht veröffentlicht, oppositionelle Zeitungen eingeschüchtert worden. Weil das Parlament im Herbst 1998 die verfassungsmäßige Amtszeit des Präsidenten von fünf auf sieben Jahre erhöhte, kann Nasarbajew bis 2006 regieren.

Kasachstan Republik Kasachstan	
Landesfläche	2,717 Mio km² (WR 9)
Einwohner	16,85 Mio (WR 55)
Hauptstadt	Astana/Akmola (286 000 Einw.)
Sprachen	Kasachisch, Russisch
Währung	1 Tenge = 100 Tiin
Zeit	Mitteleuropäische Zeit +4/5 h
Gliederung	21 Regionen
Politik	
Staatsform	Präsidiale Republik (seit 1991)
Regierungschef	Nurlan Balgimbajew (seit 1997)
Staatspräsident	Nursultan A. Nasarbajew (seit 1991) *6.7.1940
Parlament	Abgeordnetenkammer mit 67 für vier Jahre gewählten Mitgliedern und Senat (47 Sitze); im Abgeordnetenhaus 11 Sitze für Volksunion, 7 für Demokratische Partei, 7 für Andere, 15 Unabhängige (Wahl von 1995/96)
Bevölkerung	
Religion	Muslime (47%); Russisch-Orthodoxe (44%); Ukrainische Katholiken (2%); Protestanten (2%); Sonstige (5%)
Nationalitäten	Kasach. (42%); Russen (37%); Ukrain. (5,2%); Sonst. (15,8%)
Wirtschaft und Soziales	
Dienstleistung	48,5%	**Urbanisierung**	60%
Industrie	38,7%	**Einwohner/km²**	6
Landwirtschaft	12,8%	**Bev.-Wachstum/Jahr**	–0,2%
BSP/Kopf	1350 $ (1997)	**Kindersterblichkeit**	3,5%
Inflation	2,0% (1998)	**Alphabetisierung**	97,5%
Arbeitslosigkeit	4% (1997)	**Einwohner pro Arzt**	250

Kasachstan: Wirtschaftswachstum (BIP)[1]

1998	−2,5
1997	+2,2
1996	+0,6
1995	−8,2

1) in %; Quelle: bfai

Kasachstan: Inflation[1]

1998	2,0
1997	11,2
1996	28,7
1995	60,3

1) in %; Quelle: bfai

Außenpolitik: Die Menschenrechtsorganisation Amnesty International kritisierte K. im März 1999 wegen der Abschiebung von turkstämmigen Uiguren nach China, wo sie wegen angeblicher separatistischer Aktivitäten in der Provinz Xinjiang 1998/99 systematisch verfolgt wurden. Amnesty verwies darauf, dass K. die UN-Konvention unterzeichnet hat, welche die Auslieferung von Personen in ein Land verbietet, in dem ihnen die Todesstrafe droht. Die Abschiebung der Uiguren galt als Zeichen für die wachsende Abhängigkeit K. von China, das sich 1998/99 an der Erschließung der Erdöl- und Erdgasvorkommen in West-K. sowie am Bau einer 3000 km langen Pipeline beteiligte.

Wirtschaft: Die Volkswirtschaft von K. litt 1998 unter der Finanzkrise in Russland, wohin es ca. 30% seiner Waren exportierte. Durch die weltweit fallenden Preise für Öl, neben Getreide und Metalle das wichtigste Ausfuhrgut, entstanden Einnahmeverluste in Höhe von ca. 200 Mio US-Dollar. Um die Ende 1998 auf ca. 8,5 Mrd US-Dollar angestiegene Außenverschuldung und das Haushaltsdefizit in Höhe von 8% des BIP zu reduzieren, plante die Regierung von K. die Einführung einer 20%-igen Mehrwertsteuer auf Waren, die von sog. Shuttle traders importiert werden. Diese Händler fliegen regelmäßig in die Türkei oder nach Indien, um dort preiswert Waren einzukaufen und sie später auf den Märkten in K. zu veräußern. Der jährliche Umsatz des unregulierten Handels wurde 1998 auf 4 Mrd US-Dollar geschätzt.

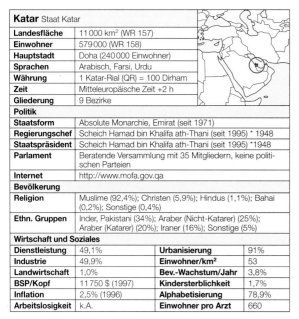

Katar Staat Katar	
Landesfläche	11 000 km² (WR 157)
Einwohner	579 000 (WR 158)
Hauptstadt	Doha (240 000 Einwohner)
Sprachen	Arabisch, Farsi, Urdu
Währung	1 Katar-Rial (QR) = 100 Dirham
Zeit	Mitteleuropäische Zeit +2 h
Gliederung	9 Bezirke
Politik	
Staatsform	Absolute Monarchie, Emirat (seit 1971)
Regierungschef	Scheich Hamad bin Khalifa ath-Thani (seit 1995) * 1948
Staatspräsident	Scheich Hamad bin Khalifa ath-Thani (seit 1995) *1948
Parlament	Beratende Versammlung mit 35 Mitgliedern, keine politischen Parteien
Internet	http://www.mofa.gov.qa
Bevölkerung	
Religion	Muslime (92,4%); Christen (5,9%); Hindus (1,1%); Bahai (0,2%); Sonstige (0,4%)
Ethn. Gruppen	Inder, Pakistani (34%); Araber (Nicht-Katarer) (25%); Araber (Katarer) (20%); Iraner (16%); Sonstige (5%)

Wirtschaft und Soziales			
Dienstleistung	49,1%	**Urbanisierung**	91%
Industrie	49,9%	**Einwohner/km²**	53
Landwirtschaft	1,0%	**Bev.-Wachstum/Jahr**	3,8%
BSP/Kopf	11 750 $ (1997)	**Kindersterblichkeit**	1,7%
Inflation	2,5% (1996)	**Alphabetisierung**	78,9%
Arbeitslosigkeit	k.A.	**Einwohner pro Arzt**	660

Katar
Nahost, Karte S. 534, E 4

Im November 1998 wurde in Amman (Jordanien) das Büro des katarischen Nachrichtensenders Al Gezirah geschlossen. Das Programm hatte eine Diskussion gesendet, in der ein syrischer Teilnehmer die Haltung Jordaniens im arabisch-israelischen Konflikt bemängelte. Die Entscheidung der jordanischen Regierung wurde als Zeichen für den wachsenden Unmut unter den arabischen Ländern über den katarischen Rundfunk gewertet, der seit 1997 kritische Berichte über die Situation in den islamischen Staaten sendet. Al Gezirah (benannt nach dem Namen der Halbinsel, auf der K. liegt) wird mit einem Kredit in Höhe von 250 Mio DM vom Staatsoberhaupt Scheich Hamad bin Khalifa ath-Thani unterstützt, der damit die Demokratisierung von K. vorantreiben will. 1997 schaffte er die staatliche Zensurbehörde ab. Die Verfassung von K. garantiert eine unabhängige Rechtsprechung. Familien- und Sozialangelegenheiten wurden 1998/99 meist noch nach islamischem Recht geregelt.

Kenia

Afrika, Karte S. 533, E 4

Im August 1998 wurden bei einem Bombenanschlag auf die US-amerikanische Botschaft in Nairobi (Kenia) 213 Menschen, darunter mehr als 20 US-Bürger, getötet. Mehrere hundert Menschen erlitten z.T. schwere Verletzungen. Fast zeitgleich explodierte in Daressalam (Tansania) eine zweite Autobombe vor der dortigen US-Botschaft, die acht Menschenleben forderte.
Innenpolitik: Die USA entsandten Spezialisten zur Untersuchung der Hintergründe. Nach Auffassung der USA war der saudiarabische Staatsbürger Osama bin Laden Urheber der Anschläge. Kurz nach dem Attentat wurde ein mutmaßliches Mitglied seiner Terrororganisation (Islamischer Heiliger Krieg), der Palästinenser Mohammad Sadik Odeh, in Pakistan verhaftet und nach Kenia ausgeliefert. Die US-amerikanischen Streitkräfte flogen wenige Tage nach den Attentaten Luftangriffe auf ein vermutetes Quartier bin Ladens in Afghanistan.
Im Februar 1999 bildete Präsident Daniel Arap Moi die Regierung auf insgesamt sieben Ministerposten um. Oppositionspolitiker und ausländische Beobachter sahen in der Kabinettsumbildung einen Versuch des autoritär regierenden Präsidenten, von seiner Konzeptionslosigkeit angesichts der sozialen und wirtschaftlichen Probleme abzulenken. Nach seinem Sieg bei den teilweise manipulierten Parlamentswahlen vom Dezember 1997 hatte er sein Kabinett ausschließlich mit Gefolgsleuten seiner KANU-Partei besetzt.
Ende Juli 1998 entließ Arap Moi den Chef der Antikorruptionsbehörde, John Harun Mwau, einen Verfechter demokratischer und marktwirtschaftlicher Reformen. Damit sanken die Aussichten von K., einen Kredit des Internationalen Währungsfonds (IWF) in Höhe von 200 Mio US-Dollar zu erhalten. Der IWF hatte die Auszahlung des Kredits von der Erfüllung mehrerer Bedingungen abhängig gemacht (u.a. Einrichtung einer Antikorruptionsbehörde zur energischeren Bekämpfung der Korruption). Mwau war erst nach den Wahlen Ende 1997 berufen worden. Als er jedoch die Verhaftung von vier hohen Regierungsbeamten wegen Verdachts der Korruption anordnete, wurde er seines Postens enthoben.

Kenia Republik Kenia			
Landesfläche	580367 km² (WR 46)		
Einwohner	29,02 Mio (WR 35)		
Hauptstadt	Nairobi (1,5 Mio Einwohner)		
Sprachen	Swahili, Englisch, Stammessprachen, Arabisch		
Währung	1 Kenya-Shilling (KSh) = 100 Cents		
Zeit	Mitteleuropäische Zeit +2 h		
Gliederung	7 Provinzen und Hauptstadtbezirk		
Politik			
Staatsform	Präsidiale Republik (seit 1963)		
Regierungschef	Daniel Arap Moi (seit 1978) *Sept. 1924		
Staatspräsident	Daniel Arap Moi (seit 1978) *Sept. 1924		
Parlament	Nationalversammlung (224 Sitze) mit 210 für fünf Jahre gewählten Abgeordneten (12 vom Präsidenten ernannt, 2 zusätzlich); 114 Sitze für Kenian. Afrikan. Nationalunion (KANU), 41 für Demokratische Partei (DP), 22 für Nationale Entwicklungspartei (NDP), 18 für Forum für die Wiederherstellung der Demokratie (Ford-Kenya), 27 für Sonstige (Wahl von 1997)		
Internet	http://www.kenyaweb.com/kenyagov		
Bevölkerung			
Religion	Christen (73%): Katholiken (27%), Protestanten (19%), Andere (27%); Animisten (19%); Sonstige (8%)		
Ethn. Gruppen	Kikuyu (20,9%); Luhya (13,8%); Luo (12,8%); Kamba (11,3%); Kalenjin (10,8%); Sonstige (30,4%)		
Wirtschaft und Soziales			
Dienstleistung	54%	**Urbanisierung**	27,7%
Industrie	19%	**Einwohner/km²**	50
Landwirtschaft	27%	**Bev.-Wachstum/Jahr**	2,6%
BSP/Kopf	340 $ (1997)	**Kindersterblichkeit**	6,6%
Inflation	5,8% (1998)	**Alphabetisierung**	78,1%
Arbeitslosigkeit	ca. 34% (1996)	**Einwohner pro Arzt**	5999

Außenpolitik: 1998/99 führten blutige Stammesfehden und Clankämpfe mehrfach zu gewaltsamen Auseinandersetzungen im Grenzgebiet zu Äthiopien. Äthiopische Rebellen überfielen im Oktober 1998 die Nordostregion von K., töteten über 130 Personen und verschleppten 53 Menschen (überwiegend junge Mädchen und Frauen). Die Opfer gehörten zu den somalistämmigen Nomaden vom Clan der Degodia. Ca. 17000 Stück Vieh wurden gestohlen, wodurch die Nomaden ihre Lebensgrundlage verloren. Die kenianische Regierung entsandte Truppen in die betroffenen Gebiete zwischen Wajir und der Grenzstadt Moyale.
Wirtschaft: Günstige Witterungsbedingungen brachten 1998 eine gute Ernte, die zur Entspannung der Lebensmittelversorgung und zur Entlastung des Staatshaushalts führte. Das Überangebot an Mais hatte zur Folge, dass der Preis für das Getreide Ende 1998 um rund 60% fiel. Dadurch sanken die Erlöse zahlreicher Klein- und Mittelbauern.

Kirgisistan Kirgisische Republik	
Landesfläche	198500 km² (WR 84)
Einwohner	4,5 Mio (WR 110)
Hauptstadt	Bischkek (634000 Einwohner)
Sprachen	Kirgisisch, Russisch
Währung	1 Kirgisistan-Som (K.S.) = 100 Tyin
Zeit	Mitteleuropäische Zeit +4 h
Gliederung	6 Provinzen, 1 Hauptstadtbezirk
Politik	
Staatsform	Präsidiale Republik (seit 1991)
Regierungschef	Kubanitschbek Jumalijew (seit März 1998)
Staatspräsident	Askar Akajew (seit 1990) *10.11.1944
Parlament	Oberster Rat mit 105 für fünf Jahre gewählten Abgeordneten; Abgeordnetenversammlung mit 70 Sitzen, Oberhaus mit 35 Sitzen; 90 Sitze für Unabhängige, 15 für Andere (Wahl von 1995)
Bevölkerung	
Religion	Sunnitische Muslime; Baptisten, Adventisten, Orthodoxe
Nationalitäten	Kirgisen (60,3%); Russen (15,7%); Usbeken (14,2%); Ukrainer (3,1%); Deutsche (0,5%); Sonstige (6,2%)
Wirtschaft und Soziales	

Dienstleistung	25,2%	Urbanisierung	39%
Industrie	37,6%	Einwohner/km²	23
Landwirtschaft	37,2%	Bev.-Wachstum/Jahr	0,4%
BSP/Kopf	400 $ (1997)	Kindersterblichkeit	4%
Inflation	15% (1997)	Alphabetisierung	97%
Arbeitslosigkeit	8% (1996)	Einwohner pro Arzt	310

Kirgisistan
Asien, Karte S. 535, C 3

Im Oktober 1998 stimmten in einem Referendum 90% der teilnehmenden Wähler für die Zulassung von privatem Landbesitz in K. Die Bevölkerung folgte einer Initiative von Präsident Askar Akajew. K. ist das erste Land Zentralasiens, das die Privatisierung des landwirtschaftlich nutzbaren Bodens legalisiert. Per Erlass wurde allerdings zunächst ein fünfjähriges Moratorium auf den Kauf und Verkauf von Agrarflächen verhängt. Diese Frist kann durch das Parlament auf 20–30 Jahre ausgedehnt werden. Ausländer und nicht in K. ansässige Personen und Unternehmen sind grundsätzlich vom Landerwerb ausgeschlossen.

94% der Fläche in K. ist gebirgig; die landwirtschaftlich nutzbaren Böden liegen überwiegend im nördlichen Tschu-Tal um die Hauptstadt Bischkek und im südlichen Fergana-Tal, wo außer Kirgisen auch Usbeken leben. Gegner der Privatisierung befürchteten 1998/99, dass die Neuverteilung von Land zu Streitereien zwischen diesen Volksgruppen führen könnte.

Kiribati Republik Kiribati	
Landesfläche	726 km² (WR 171)
Einwohner	83000 (WR 179)
Hauptstadt	Bairiki (29000 Einw.)
Sprachen	Englisch, Gilbertesisch
Währung	1 Australischer Dollar = 100 Cents
Zeit	Mitteleuropäische Zeit +11 h
Gliederung	33 Inseln, in 3 Gruppen aufgeteilt
Politik	
Staatsform	Präsidiale Republik (seit 1979)
Regierungschef	Teburoro Tito (seit 1994) *25.8.1953
Staatspräsident	Teburoro Tito (seit 1994) *25.8.1953
Parlament	Abgeordnetenhaus mit 39 für vier Jahre gewählten Abgeordneten; 39 Sitze für Unabhängige, 1 Sitz ist reserviert für einen Vertreter der Insel Banaba (Wahl von 1998)
Bevölkerung	
Religion	Katholiken (53,3%), Protestanten (39,2%), Baha'i (2,4%), Adventisten (1,9%), Mormonen (1,6%), Sonstige (1,6%)
Ethn. Gruppen	Kiribatier (97,4%); Tuvaluer (0,5%); Sonstige (2,1%)
Wirtschaft und Soziales	

Dienstleistung	69,2%	Urbanisierung	35%
Industrie	7%	Einwohner/km²	114
Landwirtschaft	23,8%	Bev.-Wachstum/Jahr	1,8%
BSP/Kopf	910 $ (1997)	Kindersterblichkeit	k.A.
Inflation	−0,6% (1996)	Alphabetisierung	90%
Arbeitslosigkeit	k.A.	Einwohner pro Arzt	4483

Kiribati
Ozeanien, Karte S. 537, G 2

Zu K. gehören 33 Inseln, die zu drei großen Gruppen zusammengefasst werden: die westlichen Gilbertinseln mit Tarawa, die Phönixinseln in der Mitte sowie die östlichen Lineinseln. Dazu kommt isoliert im Westen die Insel Banaba, die als Folge des Phosphatabbaus einer Mondlandschaft gleicht und nur schwer rekultivierbar ist. Die gesellschaftliche Ordnung in K. basiert auf einer patriarchalisch strukturierten Großfamilie (Utu). Die Sippe (Kainga) bearbeitet den Boden und garantiert eine marktunabhängige Selbstversorgung. Wichtigstes Exportgut ist mit 77% Anteil an den Ausfuhren das Kokosnuss-Produkt Kopra. Die Abhängigkeit des Landes vom Import wesentlicher Gebrauchsartikel führte zu einem permanenten Außenhandelsdefizit. Wegen des Rückgangs der Fangmengen geriet das staatliche Fischereiwesen Mitte der 90er Jahre in eine Krise. Durch Ausbau des Fremdenverkehrs sollen die Einnahmen von K. in den kommenden Jahrzehnten erhöht werden.

Kolumbien

Südamerika, Karte S. 531, B 2

Im Januar 1999 nahmen Vertreter der kolumbianischen Regierung und der größten Guerillaorganisation, der Revolutionären Streitkräfte Kolumbiens (Fuerzas Armadas Revolucionarias de Colombia, FARC), Friedensgespräche auf. Sie sollen zu einem Ende des seit 1948 dauernden Bürgerkrieges führen. Aus Protest über den Verlauf der Verhandlungen trat der kolumbianische Verteidigungsminister Rodrigo Lloreda im Mai 1999 zurück. In dem Krieg starben allein 1989–98 rund 35 000 .Menschen. Die Kosten des Krieges wurden von der kolumbianischen Regierung auf ca. 6,6 Mrd DM pro Jahr geschätzt.

Innenpolitik: Die Delegierten der beiden Kriegsparteien wollen über die Reform von Staat, Streitkräften und Justiz, über eine gerechte Einkommensverteilung, eine Agrarreform, die Bekämpfung der Korruption und Möglichkeiten zum Schutz der Menschenrechte verhandeln.

FARC: Als vertrauensbildende Maßnahme räumte die kolumbianische Regierung ein Gebiet von ca. 40 000 km² (etwa so groß wie die Schweiz) im Umland des Konfe-renzortes San Vicente del Caguán. Die FARC war mit 15 000 Mitgliedern die größte Guerillaorganisation Lateinamerikas und beherrschte ca. 40% des kolumbianischen Territoriums. Zu den zentralen Forderungen der Guerilla gehörten eine weit reichende Agrarreform, eine radikale Umverteilung des gesellschaftlichen Reichtums und ein Ende der uneingeschränkten Marktwirtschaft. Die US-Regierung kritisierte 1998/99 die Annäherung der kolumbianischen Regierung an die FARC. Sie beschuldigte die Guerilla, eng mit den kolumbianischen Drogenkartellen zusammenzuarbeiten.

Rücktritt: Der kolumbianische Verteidigungsminister Lloreda protestierte mit seinem Rücktritt im Mai 1999 gegen den Beschluss des kolumbianischen Präsidenten Andrés Pastrana, die ursprünglich nur für drei Monate entmilitarisierte Zone auf unbestimmte Zeit der FARC zu überlassen. Außer Lloreda traten zwölf Armeegenerale und 350 weitere Offiziere von ihren Ämtern zurück. Sie vermuteten, dass die FARC die Gespräche lediglich dazu nutzen wolle, ihre

Kolumbien	Republik Kolumbien
Landesfläche	1,14 Mio km² (WR 25)
Einwohner	37,69 Mio (WR 30)
Hauptstadt	Santafé de Bogotá (5,2 Mio Einw.)
Sprachen	Spanisch, indianische Sprachen
Währung	1 Kolumbianischer Peso (kol$) = 100 Centavos
Zeit	Mitteleuropäische Zeit –6 h
Gliederung	24 Gebiete, 4 Intendanturen, 5 Kommissariate
Politik	
Staatsform	Präsidiale Republik (seit 1886)
Regierungschef	Andrés Pastrana Arango (seit August 1998)
Staatspräsident	Andrés Pastrana Arango (seit August 1998)
Parlament	Abgeordnetenhaus mit 161 und Senat mit 102 Abgeordneten; im Abgeordnetenhaus 82 Sitze (im Senat: 57) für Liberale, 45 (25) für Konservative, 34 (20) für Andere (Wahl von 1998)
Internet	http://www.presidencia.gov.co http://www.camara-de-representantes.gov.co http://www.senado.gov.co
Bevölkerung	
Religion	Katholiken (93,1%); Sonstige (6,9%)
Ethn. Gruppen	Mestizen (58%); Weiße (20%); Mulatten (14%); Schwarze (4%); Zambos (3%); Sonstige (1%)

Wirtschaft und Soziales			
Dienstleistung	57,2%	Urbanisierung	70%
Industrie	29,5%	Einwohner/km²	33
Landwirtschaft	13,3%	Bev.-Wachstum/Jahr	1,8%
BSP/Kopf	2180 $ (1997)	Kindersterblichkeit	3,0%
Inflation	16,7% (1998)	Alphabetisierung	91,1%
Arbeitslosigkeit	15,5% (1998)	Einwohner pro Arzt	1064

Machtposition in K. auszubauen. Durch den Rücktritt wurde K. Mitte 1999 in eine schwere Krise gestürzt, die den weiteren Verlauf der Gespräche behinderte.

ELN: Die prokubanische Nationale Befreiungsarmee (Ejército de Liberación Nacional, ELN), mit 5000 Mitgliedern zweitstärkste Guerillaorganisation in K., brach im Februar 1999 in Caracas (Venezuela) Friedensgespräche mit der kolumbianischen Regierung ab. Die ELN hatte die Demilitarisierung von vier Zonen in der umkämpften Provinz Bolívar als territoriale Basis für die Verhandlungen gefordert. Die Regierung wollte nur eine Zone räumen lassen.

Regierungskrise: Im Mai 1999 löste Parménio Cuellar mit seinem Rücktritt als Justizminister eine Regierungskrise aus. Cuellar protestierte gegen die geplante Verlängerung eines Gesetzes zum Schutz von Strafrichtern vor der Drogenmafia und den rechtsgerichteten Paramilitärs. Das sog. Sinrostro-Gesetz erlaubte es den Richtern, ihr Gesicht in Prozessen zu schwärzen und anonyme Zeugen zum Verfahren zuzulas-

Kolumbien: Chronik des Bürgerkriegs

▶ **1948:** Die Ermordung des Militärführers der Liberalen Partei, Jorge Eliecer Gaitan, löst einen zehnjährigen Konflikt zwischen Liberaler und Konservativer Partei aus.

▶ **1958–74:** Liberale und Konservative gehören gemeinsam der Regierung der Nationalen Front an.

▶ **1964:** Die Revolutionären Streitkräfte Kolumbiens (Farc) formieren sich als Guerillaorganisation aus Protest gegen die sozialen Verhältnisse im Land. Die langjährigen militärischen Auseinandersetzungen beginnen.

▶ **1965:** Gründung der prokubanischen linksorientierten Nationalen Befreiungsarmee (ELN).

▶ **1984:** Die größte Guerillaorganisation FARC verkündet einen vorläufigen Waffenstillstand, um erstmals Friedensgespräche mit der kolumbianischen Regierung aufzunehmen.

▶ **1989:** Die Regierung verbietet paramilitärische rechte Gruppen, die sich in den 60er Jahren als Gegenbewegung zu den revolutionären Guerillaorganisationen formiert hatten.

▶ **1991/92:** Friedensgespräche zwischen Regierung, ELN und FARC scheitern wegen Gewalttaten auf beiden Seiten.

▶ **1997:** Todesschwadronen schließen sich zu den rechtsextremen Vereinigten Selbstverteidigungskräften (AUC) zusammen.

▶ **1999:** Wiederaufnahme der Friedensgespräche zwischen der Regierung und FARC.

sen. Cuellar hielt das Gesetz für unvereinbar mit den demokratischen und rechtsstaatlichen Prinzipien.

Wirtschaft: Das kolumbianische BIP wuchs 1998 infolge des Krieges mit den Guerillaorganisationen, fallender Preise für kolumbianische Exportwaren (Erdöl, Kaffee) und der Wirtschaftskrise in Brasilien

um nur 0,2% (1997: +3,1%). Für 1999 wurde mit einem Nullwachstum gerechnet. Angesichts hoher Zinsen, die zur Stabilisierung der nationalen Währung (Peso) 1998 angehoben werden mussten, verzeichneten zinsempfindliche Wirtschaftssektoren wie die Bauwirtschaft oder das Bankenwesen Rückgänge von 13,2% bzw. 13%. Die Auslandsschulden stiegen 1998 um fast 11% von 31,3 Mrd US-Dollar auf 34,7 Mrd US-Dollar. Die Inflation blieb 1998 mit 16,7% auf hohem Niveau (1997: 17,7%). Eine der wichtigsten Einnahmequellen war für K. der Drogenhandel, der 1998 einen Umfang von rund 5 Mrd US-Dollar erreichte.

Umwelt: Bei einem Erdbeben der Stärke 5,9 in den westlichen Andenausläufern westlich von Bogotá starben im Januar 1999 ca. 2000 Menschen, 250 000 Bewohner wurden obdachlos. Der finanzielle Schaden wurde auf 5 Mrd US-Dollar geschätzt. Das Erdbeben ereignete sich in einem der seismisch aktivsten Gebiete der Erde. Es liegt auf der Südamerikanischen Platte, die sich im Nordwesten von K. wie ein Keil zwischen die Südamerikanische Platte und die ozeanische Nazca-Platte schiebt.

Komoren Islamische Republik Komoren	
Landesfläche	2235 km² (WR 166)
Einwohner	672 000 (WR 155)
Hauptstadt	Moroni (36 000 Einwohner)
Sprachen	Französisch, Komorisch
Währung	1 Komoren-Franc = 100 Centimes
Zeit	Mitteleuropäische Zeit +2 h
Gliederung	3 Inseldistrikte
Politik	
Staatsform	Islamische Bundesrepublik (seit 1982)
Regierungschef	Achmed Abu (seit März 1997)
Staatspräsident	Mohamed Taki Abdoul Karim (durch Putsch 1999 gestürzt)
Parlament	Nationalversammlung mit 42 für 5 Jahre gewählten Abgeordneten; 39 Sitze für das Parteibündnis (RND); 2 für islamische Front National pour la Justice (FNJ), 1 Unabhängiger, oppositionelles Bündnis (14 Parteien, Wahlboykott, Wahl von 1996)
Bevölkerung	
Religion	Sunnitische Muslime (98,9%); Christen (1%); Bahai (0,1%)
Nationalitäten	Komoraner (96,9%), Makua (1,6%), Sonstige (1,5%)

Wirtschaft und Soziales			
Dienstleistung	49,3%	Urbanisierung	30,8%
Industrie	10,5%	Einwohner/km²	301
Landwirtschaft	39,2%	Bev.-Wachstum/Jahr	3,1%
BSP/Kopf	400 $ (1997)	Kindersterblichkeit	7,6%
Inflation	3,5% (1996)	Alphabetisierung	57,3%
Arbeitslosigkeit	20% (1996)	Einwohner pro Arzt	6600

Komoren
Afrika, Karte S. 533, E 5

Im Mai 1999 wurde Präsident Tadijdinne Ben Said Massonde durch einen Militärputsch gestürzt; es war der 19. Staatsstreich auf den K. seit Erlangung der Unabhängigkeit von Frankreich 1975. Putschistenführer Oberst Asaly Assoumani erklärte, das Militär wolle nur ein Jahr an der Macht bleiben, ließ jedoch offen, ob danach freie Wahlen abgehalten werden. Dem Staatsstreich waren gewalttätige Unruhen auf der Hauptinsel Grand Comore vorausgegangen. Ursache bildeten Rivalitäten zwischen den einzelnen Inseln der K. 1996 hatten sich die beiden Inseln Aniouan und Moheli von der Hauptinsel losgesagt, weil sich die Einwohner von der Zentralregierung benachteiligt und politisch unterdrückt fühlten. Anfang April 1999 vereinbarten Vertreter der drei Inseln eine weitgehende Autonomie unter dem gemeinsamen Staatsdach. Es folgten auf der Hauptinsel Grand Comore Ausschreitungen gegen Personen der »Rebellen-Insel« Anlouan. Das Militär schlug die Unruhen nieder.

Kongo

Afrika, Karte S. 533, C 5

Kongo Demokratische Republik Kongo	
Landesfläche	2 344 858 km² (WR 12)
Einwohner	48,09 Mio (WR 25)
Hauptstadt	Kinshasa (4,66 Mio Einwohner)
Sprachen	Französisch, Swahili, Luba, Kikongo, Lingala
Währung	1 Kongolesischer Franc
Zeit	Mitteleuropäische Zeit
Gliederung	10 Regionen und Hauptstadtbezirk
Politik	
Staatsform	Präsidiale Republik (seit 1964)
Regierungschef	Laurent-Désiré Kabila (seit Mai 1997) *1.1.1938
Staatspräsident	Laurent-Désiré Kabila (seit Mai 1997) *1.1.1938
Parlament	Übergangsregierung und Auflösung des Parlaments nach der Machtübernahme durch Kabila, freie und demokratische Wahlen sind für 1999 vorgesehen
Internet	http://www.rdcongo.org
Bevölkerung	
Religion	Christen (94,5%): Katholiken 48,4%, Protestanten 29%, Kimbanguisten 17,1%; Animisten (3,4%); Sonstige (2,1%)
Ethn. Gruppen	Bantu-Gruppen (80%): u.a. Luba 18,0%, Kongo 16,2%, Mongo 13,5%; Sudan-Gruppen (15,0%); Sonstige (5%)

Wirtschaft und Soziales			
Dienstleistung	24,5%	Urbanisierung	29,1%
Industrie	17,5%	Einwohner/km²	21
Landwirtschaft	58%	Bev.-Wachstum/Jahr	3%
BSP/Kopf	110 $ (1997)	Kindersterblichkeit	9,0%
Inflation	ca. 400% (1998)	Alphabetisierung	77,3%
Arbeitslosigkeit	k.A.	Einwohner pro Arzt	15 584

Im August 1998 brach im K. eine offene Rebellion gegen Staatschef Laurent-Désiré Kabila aus.

Innenpolitik: Rebellengruppen erzielten in den folgenden Wochen vor allem im Osten und Norden des K. militärische Erfolge gegen die Regierungstruppen. Ihnen gelang die Eroberung der Städte Goma und Uvira. Ende August 1998 erreichten die Rebellen sogar die Hauptstadt Kinshasa, wurden aber in verlustreichen Kämpfen zurückgeschlagen. Anfang September 1998 griffen mehrere Nachbarstaaten des K. in die Kämpfe ein. Während Kabila von Angola, Namibia, Simbabwe und dem Tschad mit insgesamt rund 4000 Soldaten unterstützt wurde, kämpften auf Seiten der Rebellen Truppenkontingente aus Ruanda und Uganda.

Kabila hatte im Mai 1997 den langjährigen Dikator Mobuto Sésé-Séko gestürzt und die Macht übernommen. Trotz seines Versprechens, Demokratie und Marktwirtschaft einzuführen, regierte Kabila stark autoritär. Die UNO beschuldigte sein Regime zahlreicher Menschenrechtsverletzungen.

Der Bürgerkrieg wurde von beiden Seiten mit großer Grausamkeit geführt. Im Nordosten verübten Rebelleneinheiten im Dezember 1998 ein Massaker, bei dem etwa 500 Menschen, darunter Frauen, Kinder und Greise, getötet wurden. Bei Bombenangriffen auf Rebellenstellungen durch angolanische Flugzeuge wurden im August 1998 mehrere hundert Menschen getötet. Im Mai 1999 starteten Regierungstruppen eine weitere Offensive, in deren Verlauf mehrere Rebellenhochburgen im Osten des K., insbes. die Stadt Goma, bombardiert wurden. Zwischenzeitlich hatten die Rebellen, die sich überwiegend aus Angehörigen des Tutsi-Volkes rekrutierten, die Diamantenstadt Mbuji-Mayi erobert.

Bei der größten Rebellenorganisation, der Sammlungsbewegung der Kongolesen für Demokratie (RCD), brach im Mai 1999 ein Führungsstreit aus. Neuer Rebellenchef wurde der Arzt Emile Ilunga, der im Kampf gegen Mobuto noch mit Kabila zusammengearbeitet, nach dessen Machtergreifung mit diesem jedoch gebrochen hatte. Ilunga war in den 60er Jahren Anhänger des linksorientierten Nationalhelden des K., Patrice Lumum-

ba. Infolge des Führungswechsels verringerte sich auch der Einfluss von Uganda auf die RCD. Uganda verstärkte daher die militärische Unterstützung für die kleinere Rebellenorganisation Bewegung zur Befreiung der Kongolesen, die vom Sohn eines reichen Ministers im Kabinett Kabila geleitet wird. Im April 1999 scheiterten Bemühungen um ein Friedensabkommen.

Wirtschaft: Der Bürgerkrieg verhinderte eine Erholung der weitgehend zerrütteten Wirtschaft des K., den Mobuto jahrzehntelang ausgeplündert hatte. Inflation (rund 400%) und Arbeitslosigkeit blieben auf hohem Niveau. K. ist reich an Diamanten, Kohle und Kupfer, die als Basis für den wirtschaftlichen Wiederaufbau dienen könnten.

Epedemie: Ende April 1999 brach im Nordosten des K. eine Krankheit aus, der innerhalb kurzer Zeit mehrere Dutzend Menschen zum Opfer fielen. Virologen befürchteten, dass es sich bei dem Erreger um den gefährlichen Ebola-Virus handeln könnte, an dem 1995 während einer Epidemie mehrere hundert Menschen gestorben waren. Der Virus war erstmals in den 70er Jahre aufgetreten.

Kongo (Brazzaville) Republik Kongo	
Landesfläche	342 000 km² (WR 62)
Einwohner	2,82 Mio (WR 129)
Hauptstadt	Brazzaville (1 Mio Einwohner)
Sprachen	Französisch, Lingala, Kikongo u.a.
Währung	CFA-Franc (FCFA)
Zeit	Mitteleuropäische Zeit
Gliederung	9 Regionen und 6 Kommunen
Politik	
Staatsform	Demokratische Republik (seit 1992)
Regierungschef	Denis Sassou-Nguesso (seit Okt. 1998)
Staatspräsident	Denis Sassou-Nguesso (seit Okt. 1998)
Parlament	Volksvertretung mit 125 für fünf Jahre gewählten Abgeordneten (Senat, 60 Sitze); 64 Sitze für Sozialdemokraten, 58 für Sozialisten), 3 für Andere (Wahl von 1993)
Bevölkerung	
Religion	Katholiken (53,9%); Protestanten (24,9%); Afrikanische Christen (14,2%); Animisten (4,8%); Sonstige (2,2%)
Ethn. Gruppen	Kongo (51,5%); Téké (17,3%); Mboshi (11,5%); Mbete (4,8%); Punu (3%); Sonstige (11,9%)
Wirtschaft und Soziales	

Dienstleistung	47%	Urbanisierung	59%
Industrie	42,3%	Einwohner/km²	8
Landwirtschaft	10,7%	Bev.-Wachstum/Jahr	2,2%
BSP/Kopf	670 $ (1997)	Kindersterblichkeit	9,0%
Inflation	3% (1996)	Alphabetisierung	74,9%
Arbeitslosigkeit	k.A.	Einwohner pro Arzt	3873

Kongo (Brazzaville)
Afrika, Karte S. 533, C 5

Im Januar 1999 wurden in K. mehrere Europäer, darunter fünf Franzosen, von der Rebellenorganisation Nationale Bewegung für die Befreiung des Kongo entführt und nach einiger Zeit wieder freigelassen. Ein Sprecher der Rebellen bezeichnete die Entführung als Protestaktion gegen die Unterstützung Frankreichs für Präsident Denis Sassou-Nguesso. Dieser hatte Ende 1997 mit angolanischer Hilfe den frei gewählten Präsidenten Pascal Lissouba gestürzt. In die Machtkämpfe sind auch US-amerikanische und französische Öl-Konzerne verwickelt, die jeweils einen der beiden Rivalen, meist verdeckt, unterstützten.

K. war auch 1998/99 ökonomisch vom Erdöl-Export abhängig, auf den rund 80% der Exporterlöse entfielen. Der Verfall des Ölpreises Anfang 1999 ließ die Einnahmen deutlich sinken, was zu einem weiteren Anstieg der Staatsverschuldung auf rund 6 Mrd US-Dollar führte. Damit zählte K. zu den Ländern mit der weltweit höchsten Pro-Kopf-Verschuldung (ca. 2200 US-Dollar).

Korea-Nord Demokratische Volksrepublik Korea	
Landesfläche	120 538 km² (WR 97)
Einwohner	24,76 Mio (WR 38)
Hauptstadt	Pjöngjang (2,4 Mio Einwohner)
Sprache	Koreanisch
Währung	1 Won (W) = 100 Chon
Zeit	Mitteleuropäische Zeit +8 h
Gliederung	9 Provinzen, 4 Städte
Politik	
Staatsform	Kommunistische Volksrepublik (seit 1948)
Regierungschef	Hong Song Nam (seit Febr. 1997)
Staatspräsident	Kim Jong-Il (seit 1994) *16.2.1942
Parlament	Oberste Volksversammlung mit 687 für fünf Jahre gewählten Abgeordneten; sämtliche Sitze für die Kandidaten der von der kommunistischen Partei der Arbeit beherrschten Einheitsliste des Nationalen Blocks (Wahl von 1998)
Bevölkerung	
Religion	Volksreligionen (15,6%); Chondogyo (13,9%); Buddhisten (1,7%); Christen (0,9%); Konfessionslose (67,9%)
Nationalitäten	Koreaner (99,8%); Chinesen (0,2%)
Wirtschaft und Soziales	

Dienstleistung	40%	Urbanisierung	61%
Industrie	35%	Einwohner/km²	206
Landwirtschaft	25%	Bev.-Wachstum/Jahr	- 0,1%
BSP/Kopf	900 $ (1996)	Kindersterblichkeit	2,2%
Inflation	4,2% (1997)	Alphabetisierung	99%
Arbeitslosigkeit	2,6% (1997)	Einwohner pro Arzt	k.A.

Korea-Nord
Ostasien, Karte S. 536, D 2

Im Juni 1999 wurden im Zusammenhang mit dem Streit um die fischreichen Fanggründe im Gelben Meer zwei nordkoreanische Kriegsschiffe von südkoreanischen Kriegsschiffen versenkt.

Außenpolitik: Es war der erste bewaffnete Zusammenstoß zwischen den beiden Staaten im Gelben Meer seit dem Ende des Koreakrieges (1950–53). Im Januar 1999 wurden noch im Rahmen der Vier-Parteien-Gespräche in Genf (Schweiz) zwischen K., Korea-Süd, China und den USA erstmals konkrete Maßnahmen zum Abbau der Spannungen auf der koreanischen Halbinsel erörtert. Die Teilnehmer erwogen u.a. die Schaffung neuer Kommunikationskanäle und einen Informationsaustausch im militärischen Bereich. Die Vier-Parteien-Gespräche begannen im Dezember 1997 und wurden wegen der Weigerung K., über ein Friedensabkommen zu verhandeln, mehrfach vertagt. Die USA warnten im November 1998 K. vor der Herstellung von Atomwaffen. Sie forderten die nordkoreanische Regierung auf, die Verpflichtungen aus dem 1994 unterzeichneten Abkommen einzuhalten, in dem K. sich bereit erklärt hatte, sein Atomprogramm einzufrieren. US-Behörden erhielten 1998 Hinweise, dass in einer Anlage in Kumchang-Ri nördlich von Pjöngjang atomwaffenfähiges Material hergestellt wurde. Im März 1999 erklärte sich das Regime in K. gegenüber den USA bereit, die mutmaßliche Atomanlage inspizieren zu lassen. Im Gegenzug versprach die US-Regierung Lebensmittelhilfen von rund 700 000 t und stellte auch die Lockerung der Wirtschaftssanktionen gegen K. in Aussicht.

Im August 1998 feuerte K. eine ballistische Rakete ab, die im Meer zwischen der russischen Hafenstadt Wladiwostok und Nordjapan niederging. Japan stoppte danach seine Lebensmittelhilfe an K. und fror seine finanzielle Beteiligung am Kedo-Projekt ein, der Lieferung westlicher Leichtwasserreaktoren an K. Zugleich brach die japanische Regierung Verhandlungen mit K. über die Wiederaufnahme diplomatischer Beziehungen ab; im März 1999 kündigte sie an, die Gespräche wieder aufnehmen zu wollen.

Innenpolitik: Das nordkoreanische Parlament bestätigte im September 1998 Kim Jong Il als Vorsitzenden der Verteidigungskommission. Das seit 1994 vakante Amt des Staatspräsidenten wurde abgeschafft und der Vorsitz der Verteidigungskommission zum höchsten Staatsamt erklärt. Hintergrund der Verfassungsänderung war der Versuch des diktatorisch regierenden Kim, seinen 1994 verstorbenen Vater Kim Il Sung, der zu Lebzeiten von der Propaganda als »Großer Führer« verherrlicht worden war, als »Ewigen Präsidenten« darzustellen und seine eigene Herrschaft dauerhaft zu legitimieren.

Wirtschaft: An der 1995 in K. ausgebrochenen Hungersnot starben bis Ende 1998 ca. 2 Mio Menschen. Nach einer von der EU, Unicef und WFP (Welternährungsprogramm der UNO) durchgeführten Studie waren Ende 1998 über 60% aller Kinder im Alter von sechs Monaten bis sieben Jahren chronisch unterernährt. Dürreperioden, Überschwemmungen und der Mangel an technischen Geräten führten zu zahlreichen Missernten, sodass K. 1998/99 auf ausländische Nahrungsmittellieferungen angewiesen war.

 ## Korea-Süd
Ostasien, Karte S. 536, D 2

Die fünf größten Unternehmenskonglomerate von K. (Hyundai, Samsung, LG, Daewoo und SK) verpflichteten sich im Dezember 1998 in einer Übereinkunft mit der Regierung zu drastischen Strukturmaßnahmen. Das Abkommen wurde als wesentlicher Schritt zur Überwindung der Wirtschaftskrise in K. betrachtet, die im Herbst 1997 u. a. wegen Überschuldung zahlreicher Großunternehmen in Südostasien ausgebrochen war.

Wirtschaft: Die Vereinbarung sah die Halbierung der Zahl der Gruppenunternehmen auf 130, die Konzentration der Geschäftstätigkeit auf wenige Kernbereiche, die Beseitigung konzerninterner Kreditgarantien bis zum 31.3.2000 und die Vorlage von Plänen zur Stärkung der Eigenkapitalbasis vor. Die Regierung versprach als Gegenleistung, die Verbindlichkeiten der Konglomerate in Eigenkapital umzuwandeln. Ziel der Übereinkunft war es, ein Verschuldungsniveau zu erreichen, das den Unternehmen wieder

Korea-Süd	Republik Korea	
Landesfläche	99 274 km² (WR 107)	
Einwohner	46,12 Mio (WR 26)	
Hauptstadt	Seoul (11,6 Mio Einwohner)	
Sprache	Koreanisch	
Währung	1 Won (W) = 100 Chon	
Zeit	Mitteleuropäische Zeit +8 h	
Gliederung	9 Provinzen, 6 Stadtregionen	
Politik		
Staatsform	Präsidiale Republik (seit 1948/88)	
Regierungschef	Kim Jong-Pil (seit März 1998) *7.1.1926	
Staatspräsident	Kim Dae-Jung (seit Feb. 1998) *3.12.1925	
Parlament	Nationalversammlung mit 299 für vier Jahre gewählten Mitgliedern; 139 Sitze für Neue Korea Partei, 79 für Nationalkongress für neue Politik, 50 für Vereinte Liberal-Demokraten, 31 für Andere (Wahl von 1996)	
Bevölkerung		
Religion	Buddhisten (27,6%); Christen (24,3%); Konfuzianer (1%); Wonbulgyo (0,3%); Konfessionslose (46%); Sonstige (0,8%)	
Nationalitäten	Koreaner (99,9%), Chinesen (0,1%)	
Wirtschaft und Soziales		
Dienstleistung	65%	Urbanisierung	83%
Industrie	31%	Einwohner/km²	465
Landwirtschaft	4%	Bev.-Wachstum/Jahr	0,95%
BSP/Kopf	10550 $ (1997)	Kindersterblichkeit	1,0%
Inflation	7,5% (1998)	Alphabetisierung	97,9%
Arbeitslosigkeit	7,3% (1998)	Einwohner pro Arzt	817

eine Mittelaufnahme auf dem internationalen Kapitalmarkt zu gemäßigten Zinssätzen ermöglicht. Eine Folge der geplanten Konzentration auf die Kerngeschäfte war die Ankündigung der Samsung-Gruppe, die Produktion von Pkw einzustellen und diesen hoch verschuldeten Geschäftsbereich der Daewoo-Gruppe zu übertragen. Im Gegenzug soll Samsung das Gruppenunternehmen Daewoo Electronics übernehmen, das 1998 an weltweit 27 Standorten Audio- und Videotechnik sowie elektrische Haushaltsgeräte produzierte. Die Strukturanpassungen der Unternehmenskonglomerate werden voraussichtlich zu einem Abbau von etwa 20% der rund 580 000 Arbeitsplätze führen. Die durchschnittliche Arbeitslosenquote stieg in K. bereits 1998 von 2% (1997) auf 7,3%.

Gewerkschaftsproteste: Im Mai 1999 protestierten etwa 500 000 Menschen in mehreren Großstädten von K. gegen die Massenentlassungen. Initiator der Kundgebungen war die Gewerkschaftsorganisation Korean Confederation of Trade Unions (KCTU), welche u.a. die Sicherung der Arbeitsplätze und die Schaffung sozialer Netze forderte. Die KCTU war Anfang 1999 aus dem sog. Dreier-Gremium (Vertreter von Regierung, Arbeitgeber und Arbeitnehmer) ausgeschieden, das die südkoreanische Führung nach Ausbruch der Krise im Herbst 1997 zur Beratung notwendiger Wirtschaftsreformen ins Leben gerufen hatte.

Finanzhilfen: Im Oktober 1998 gab die Weltbank einen Kredit in Höhe von 2 Mrd US-Dollar an K. frei. Mit dem Geld sollen insbes. die sozialen Auswirkungen der Wirtschaftsreformen gemildert werden. Der Internationale Währungsfonds (IWF) bewilligte im Dezember 1998 eine neue Kredittranche in Höhe von 1 Mrd US-Dollar. Internationale Finanzinstitute stellten seit Beginn der Wirtschaftskrise Kredite von insgesamt 60 Mrd US-Dollar zur Verfügung, von denen bis Anfang 1999 27 Mrd US-Dollar an K. ausgezahlt wurden.

Bilanz: Das BIP in K. ging 1998 um 6,1% zurück (1997 +5,5%). Hauptgrund für den wirtschaftlichen Einbruch war der starke Rückgang der Nachfrage im In- und Ausland. Erstmals seit Beginn der statistischen Aufzeichnungen (1958) gingen die Einnahmen aus den Exporten zurück, um 2,2% auf 133,2 Mrd US-Dollar. Die Importe reduzierten sich wegen der schwachen Inlandsnachfrage um 35,4% auf 93,3 Mrd US-Dollar. Infolge des steigenden Außenwertes der nationalen Währung (Won), der im 4. Quartal 1998 um 37,8% zunahm, verringerte sich die Wettbewerbsfähigkeit der südkoreanischen Produkte.

Innenpolitik: Im Mai 1999 bildete Präsident Kim Dae-Jung die Regierung um. Er tauschte elf der 17 Minister seines Kabinetts aus, um die Umstrukturierung der Wirtschaft zu beschleunigen. Schlüsselpositionen wie die des Finanzministers wurden mit ausgewiesenen Reformern besetzt.

Radikale Mönche: Mehrere tausend Polizisten räumten im Dezember 1998 das von radikalen Mönchen besetzte Hauptquartier des buddhistischen Chogye-Ordens. Dabei wurden 18 Menschen verletzt. Die Mönche gehörten einem Minderheitenflügel des Chogye-Ordens an und wollten durch die Besetzung die Wiederwahl des Oberpriesters Song Wol Ju verhindern. Der Chogye-Orden war 1998/99 die größte buddhistische Sekte in K. und unterhielt ca. 9000 Tempel und Klöster. Rund 80% der mehr als 11 Mio südkoreanischen Buddhisten waren Chogye-Anhänger.

Außenpolitik: Bei einem Staatsbesuch in Japan vereinbarten Präsident Kim Dae-Jung und der japanische Ministerpräsident Keizo Obuchi, die jahrzehntelangen Auseinandersetzungen um die japanische Kolonialzeit in Korea (1910–45) zu beenden und freundschaftliche Beziehungen aufzubauen. In einer gemeinsamen Erklärung entschuldigte sich Japan erstmals offiziell für das den Koreanern während der Kolonialzeit zugefügte Leid. Japanische Stellen hatten sich vorher aus Angst vor Schadensersatzansprüchen stets geweigert, sich in deutlicher Form für die Unterdrückung der Koreaner zu entschuldigen.

Rücktritt des Außenministers: Nach einem diplomatischen Konflikt mit Russland trat im August 1998 der südkoreanische Außenminister Park Chung-Soo von seinem Amt zurück. Er übernahm damit die volle Verantwortung dafür, dass im Sommer 1998 ein südkoreanischer Botschaftsrat und Geheimdienstbeamter unter dem Vorwurf der Spionage aus Russland ausgewiesen wurde. Zum Nachfolger von Park wurde Hong Soon-Yung ernannt.

■ **Staaten** → Korea-Nord

Kroatien

Europa, Karte S. 529, D 6

Präsident Franjo Tudjman verschleppte 1998/99 den zugesagten Demokratisierungsprozess und stellte Justiz und Medien stärker unter seine Kontrolle. Zu einem Konflikt mit der OSZE führte im Frühjahr 1999 die unkooperative Haltung von K. bei der Rückkehr von 200 000 serbischen Flüchtlingen. Im Kosovo-Krieg gestand K. der NATO das Recht zu, kroatisches Territorium zu überfliegen.

Innenpolitik: Im Mai 1999 kritisierte die Organisation für Sicherheit und Zusammenarbeit in Europa (OSZE) in einem offiziellen Bericht die innenpolitische Entwicklung in K. Sie bemängelte insbes. die fehlenden Fortschritte beim Demokratisierungsprozess und den zunehmend autoritären Führungsstil von Staatspräsident Franjo Tudjman. Im November 1998 protestierten die Abgeordneten aller sechs Oppositionsparteien im Parlament in einer gemeinsamen Erklärung gegen die mangelhafte Bereitschaft Tudjmans, die Volksvertretung in politische Entscheidungsprozesse einzubinden. OSZE-Beobachter stellten fest, dass Tudjmans nationalistisch-konservative Partei Demokratische Gemeinschaft (HZD) 1998/99 den Staatsapparat weitgehend kontrollierte. Presse und Fernsehen standen unter dem Einfluss der Regierung. Die Unabhängigkeit der Justiz wurde 1998/99 weiter eingeschränkt. Darüber hinaus wurde der kroatischen Regierung vorgeworfen, Minderheiten zu verfolgen. Entscheidungen von Behörden und auch Gerichten ergingen in wachsendem Maß nach ethnischen Gesichtspunkten. Unter diesen Bedingungen bezweifelte die OSZE, dass die spätestens im Januar 2000 anstehenden Parlamentswahlen nach demokratischen Prinzipien verlaufen werden.

Im Dezember 1998 besuchte Papst Johannes Paul II. K. Dabei sprach er im Beisein von rund 500 000 Gläubigen den 1960 in kommunistischer Haft gestorbenen Kardinal Aloizije Spepinac selig. Die Zeremonie wurde als Stärkung der katholischen Kirche in K. an der Schnittstelle von Katholizismus, Orthodoxie und Islam bewertet.

Außenpolitik: Im Kosovo-Konflikt stellte sich K. auf die Seite der NATO. Die kroatische Regierung räumte der NATO u.a. Überflugrechte für den Einsatz von Kampfflugzeugen ein. K. hoffte, durch seine Un-

terstützung den Beitritt zur Europäischen Union (EU) beschleunigen zu können. Die Europäische Kommission verwies 1999 auf die rechtsstaatlichen Defizite, die einer baldigen Mitgliedschaft von K. in der EU noch entgegenstanden.

Wirtschaft: Ein wachsendes Handelsdefizit und eine auf rund 18% angestiegene Arbeitslosigkeit kennzeichneten 1998 die wirtschaftliche Entwicklung von K. Das BIP-Wachstum betrug 2,5%, nachdem es 1997 um 6,5% angestiegen war. Fortschritte wurden bei der Privatisierungspolitik erreicht, während die Auslandsverschuldung 1998 auf 38% des BIP anstieg.

Kroatien	Republik Kroatien	
Landesfläche	56 538 km² (WR 123)	
Einwohner	4,49 Mio (WR 111)	
Hauptstadt	Zagreb (981 000 Einwohner)	
Sprache	Kroatisch	
Währung	1 Kuna (K) = 100 Lipa	
Zeit	Mitteleuropäische Zeit	
Gliederung	20 Provinzen, Hauptstadtregion	
Politik		
Staatsform	Republik (seit 1991)	
Regierungschef	Zlatko Matesa (seit 1995) *17.6.1949	
Staatspräsident	Franjo Tudjman (seit 1990) *14.5.1922	
Parlament	Sabor mit 127 für vier Jahre gewählten Abgeordneten (Distriktkammer mit 68 Sitzen); im Abgeordnetenhaus 75 Sitze für Konserv. (HDZ), 12 für Sozialliberale (HSLS), 10 für Kroat. Unabhängige Demokraten, 10 für Sozialdemokraten, 20 für Andere (Wahl von 1995)	
Internet	http://www.vlada.hr http://www.sabor.hr	
Bevölkerung		
Religion	Katholiken (76,5%); Serbisch-Orthodoxe (11,1%); Protestanten (1,4%); Muslime (1,2%); Sonstige (9,8%)	
Nationalitäten	Kroaten (78,1%); Serben (12,2%); Bosnier (0,9%); Slowenen (0,5%); Ungarn (0,5%); Sonstige (7,8%)	
Wirtschaft und Soziales		
Dienstleistung	58,5%	Urbanisierung	64%
Industrie	30,1%	Einwohner/km²	79
Landwirtschaft	11,4%	Bev.-Wachstum/Jahr	0,1%
BSP/Kopf	4060 $ (1997)	Kindersterblichkeit	1,0%
Inflation	3,6% (1997)	Alphabetisierung	97%
Arbeitslosigkeit	17,6% (1998)	Einwohner pro Arzt	356

Kroatien: Wirtschaftswachstum[1]

1998	+2,5
1997	+6,5
1996	+6,0
1995	+6,8

1) BIP (%); Quelle: bfai

627

Kuba

Mittelamerika, Karte S. 532, C 3

Aufgrund klimatischer Einflüsse erlebte K. 1998 eine schwere Dürre.

Innenpolitik: Die atheistische KP hatte das Weihnachtsfest aus ideologischen Gründen als Feiertag abgeschafft. Die Wiedereinführung nach 30 Jahren, welche die Bevölkerung begrüßte, war ein Zugeständnis an Papst Johannes Paul II., der im Januar 1998 K. besucht hatte.

Im Mai 1999 wurde der kubanische Außenminister Roberto Robaina von Felipe Perez Roque abgelöst. Robaina galt lange Zeit als möglicher Nachfolger von Staatschef Fidel Castro. Das offizielle kubanische Parteiorgan Granma begründete den Wechsel im Außenministerium mit der Notwendigkeit einer rigoroseren außenpolitischen Arbeit.

Mitte Februar 1999 billigte das Parlament eine Gesetzesvorlage zur Verschärfung des Strafrechts. Danach kann zum Tode verurteilt werden, wer Drogen besitzt, herstellt oder mit ihnen handelt. Gegen den Staat gerichtete Aktivitäten können mit 30 Jahren Haft, die Kontaktaufnahme mit ausländischen Medien bei Verdacht des Geheimnisverrats mit 2–5 Jahren geahndet werden.

Im April 1999 wurde ungeachtet internationaler Proteste der Prozess gegen vier Oppositionspolitiker eröffnet. Die Beschuldigten, Mitglieder der »Arbeitsgruppe der inneren Opposition«, waren 1997 unter dem Vorwurf der Vorbereitung eines Umsturzes verhaftet worden.

Wirtschaft: Die Wirtschaftsleistung von K. ging seit dem Zerfall der Sowjetunion (1991), einst wichtigster Handelspartner und Kreditgeber, um rund 35% zurück. 1998 erlebte K. die schlimmste Dürreperiode seit 40 Jahren. Infolge des Klimaphänomens »El Niño« verringerte sich die landwirtschaftliche Produktion um 42%. Der wirtschaftliche Schaden belief sich nach offiziellen Angaben auf mehr als 60 Mio US-Dollar. Nach US-Schätzungen waren 1998 eine halbe Million Menschen unmittelbar von einer Hungerkatastrophe bedroht. Mitte August 1998 musste K. offiziell um internationale Hilfe nachsuchen. Die Ernährungslage verschlechterte sich infolge von Überflutungen, die der Hurrikan »George« verursachte. K. verzeichnete 1998 die schlechteste Zuckerernte seit 1959. 160 000 Hektar Anbaufläche wurden zerstört, gegenüber 1997 gab es Ernteeinbußen von über 1 Mio t.

Ende Juni 1998 verstärkte die Regierung den Druck auf private Handwerker und Kleinunternehmer durch die Erhöhung der Steuersätze und Verschärfung bürokratischer Vorschriften. Bis dahin waren lediglich 5% der 4,2 Mio Erwerbstätigen steuerpflichtig, da unabhängige Arbeitnehmer von Steuerzahlungen befreit sind. Lediglich 230 000 natürliche Personen reichten eine Steuererklärung ein. Privaten Handwerkern wurde es untersagt, sich mit anderen zu Produktions- und Verkaufsgemeinschaften zusammenzuschließen.

Obwohl sich Castro wiederholt gegen die Einführung kapitalistischer Produktionsformen in K. aussprach, gab es 1998/99 einige ökonomische Reformansätze. So stellte die Staatsführung im August 1998 ein Programm vor, nach dem 98 Staatsbetriebe eigenverantwortlich wirtschaften sollten. Ihnen wurde u. a. erlaubt, eine Staffelung der Löhne als Leistungsanreiz einzuführen. Ausländische Großkonzerne erhielten wieder Zugang zum kubanischen Markt.

Kuba Republik Kuba			
Landesfläche	110 861 km² (WR 103)		
Einwohner	11,2 Mio (WR 68)		
Hauptstadt	Havanna (2,2 Mio Einwohner)		
Sprache	Spanisch		
Währung	1 Kubanischer Peso (Kub$) = 100 Centavos		
Zeit	Mitteleuropäische Zeit –6 h		
Gliederung	14 Provinzen		
Politik			
Staatsform	Sozialistische Republik (seit 1959)		
Regierungschef	Fidel Castro Ruz (seit 1959) *13.8.1927		
Staatspräsident	Fidel Castro Ruz (seit 1959) *13.8.1927		
Parlament	Nationalversammlung mit 589 für fünf Jahre gewählten Abgeordneten; sämtliche Sitze für die Einheitspartei PSCC (Kommunistische Partei Kubas; Wahl von 1998)		
Internet	http://www.ain.cubaweb.cu		
Bevölkerung			
Religion	Christen (42,9%): Katholiken 39,6%, Protestanten 3,3%; Sonstige (2%); Konfessionslose (55,1%)		
Ethn. Gruppen	Weiße (70%); Schwarze (12,5%); Mulatten (17,5%)		
Wirtschaft und Soziales			
Dienstleistung	31,5%	Urbanisierung	76%
Industrie	52,6%	Einwohner/km²	100
Landwirtschaft	15,9%	Bev.-Wachstum/Jahr	0,1%
BSP/Kopf	k.A.	Kindersterblichkeit	0,9%
Inflation	2,9% (1997)	Alphabetisierung	95,4%
Arbeitslosigkeit	8% (1996)	Einwohner pro Arzt	231

Kuwait

Nahost, Karte S. 534, D 3

Im Mai 1999 löste der Emir von K., Scheich Jabir al-Ahmad as-Sabah, das Parlament auf und kündigte Neuwahlen an. Er warf den Abgeordneten vor, ihre verfassungsmäßigen Rechte missbraucht zu haben. Einige Parlamentarier hatten die Regierung beschuldigt, eine mit Druckfehlern behaftete Version des Korans in Umlauf gebracht zu haben. Das streng islamisch regierte K. führte im Mai 1999 das Frauenwahlrecht ein. Ab 2003 dürfen Frauen bei Parlamentswahlen selbst für einen Abgeordnetensitz kandidieren. K. war eines der letzten Länder, das Frauen bis dahin von der politischen Beteiligung ausgeschlossen hatte.

90% aller Einwohner von K. leben nach Schätzungen internationaler Finanzinstitute auf Kredit. 1998 verfügten kuwaitische Gerichte 9660 Reiseverbote für säumige Schuldner. Rund 1000 Kuwaitis wurden 1998 wegen Schulden zu Haftstrafen verurteilt (1991: 14). Die Wirtschaft von K. befindet sich wegen fallender Preise für Rohöl in einer schweren Krise.

Kuwait Staat Kuwait			
Landesfläche	17818 km² (WR 152)		
Einwohner	1,57 Mio (WR 144)		
Hauptstadt	Kuwait-Stadt (193000 Einw.)		
Sprachen	Arabisch, Englisch		
Währung	1 Kuwait-Dinar (KD) = 1000 Fils		
Zeit	Mitteleuropäische Zeit +2 h		
Gliederung	5 Provinzen, 10 Verwaltungsbezirke		
Politik			
Staatsform	Emirat		
Regierungschef	Saad al-Abdallah as-Sabah (seit 1978) *1930		
Staatspräsident	Jabir al-Ahmad al-Jabir as-Sabah (seit 1978) *25.6.1926		
Parlament	Nationalversammlung mit 50 für vier Jahre gewählten Abgeordneten; 30 Sitze für Anhänger des Emirs, 16 für Islamisten, 4 für Liberale; keine Parteien (Wahl von 1996)		
Internet	http://www.moc.kw		
Bevölkerung			
Religion	Sunniten (45%); Schiiten (30%); Sonstige (25%)		
Nationalitäten	Kuwaitis (41,1%); Ausländer (58,9%)		
Wirtschaft und Soziales			
Dienstleistung	46,4%	Urbanisierung	97%
Industrie	53,2%	Einwohner/km²	88
Landwirtschaft	0,4%	Bev.-Wachstum/Jahr	−2,3%
BSP/Kopf	17200 $ (1996)	Kindersterblichkeit	1,2%
Inflation	3,2% (1996)	Alphabetisierung	77,8%
Arbeitslosigkeit	1,8% (1996)	Einwohner pro Arzt	515

Laos

Ostasien, Karte S. 536, B 4

L. auf der Halbinsel Indochina ist das einzige Binnenland in Südostasien. Der größte Teil des Gebietes ist gebirgig oder besteht aus Hochebenen. An natürlichen Ressourcen verfügt L. insbes. über Blei, Zinn, Zink, Nickel, Kohle und Gips. L. zählte trotz Wachstumsraten von ca. 8% in den 90er Jahren mit einem BSP pro Kopf von 400 US-Dollar zu den ärmsten Ländern der Welt. 75% der öffentlichen Ausgaben stammen aus der Entwicklungshilfe, die der Internationale Währungsfonds (IWF), die Weltbank, die UNO-Organisationen sowie ausländische Staaten gewähren. Bedeutendster Wirtschaftssektor ist die Landwirtschaft, die ca. 80% aller Arbeitskräfte beschäftigt. Lediglich 5% der Erntemenge kommen auf den Markt, der übrige Teil dient der Selbstversorgung. Wichtigstes Agrarerzeugnis ist mit etwa 70% der Anbaufläche der Reis. Bedeutende Einnahmequelle in L. ist der illegale Opiumanbau im sog. Goldenen Dreieck an der Grenze zu Thailand und Myanmar.

Laos Laotische Demokratische Volksrepublik			
Landesfläche	236800 km² (WR 80)		
Einwohner	5,36 Mio (WR 104)		
Hauptstadt	Vientiane (534000 Einwohner)		
Sprachen	Lao, Franz., Engl., Chinesisch		
Währung	1 Kip (K) = 100 AT		
Zeit	Mitteleuropäische Zeit +6 h		
Gliederung	16 Provinzen		
Politik			
Staatsform	Volksrepublik (seit 1975/91)		
Regierungschef	Sisavat Keobounphan (seit 1998) *1.5.1928		
Staatspräsident	Khamtay Siphandone (seit Feb. 1998)		
Parlament	Nationalversammlung mit 99 für fünf Jahre gewählten Abgeordneten; 98 Sitze für die kommunistische PPPL, 1 Sitz für einen Unabhängigen (Wahl von 1997)		
Internet	http://www.laoembassy.com		
Bevölkerung			
Religion	Buddhisten (58%); Naturreligionen (34%); Sonstige (8%)		
Ethn. Gruppen	Laoten (67%); Mon-Khmer (16,5%); Thai (7,8%); Miao und Man (5,2%); Sonstige (3,5%)		
Wirtschaft und Soziales			
Dienstleistung	27%	Urbanisierung	22%
Industrie	18%	Einwohner/km²	23
Landwirtschaft	55%	Bev.-Wachstum/Jahr	2,6%
BSP/Kopf	400 $ (1997)	Kindersterblichkeit	9,3%
Inflation	94,6% (1998)	Alphabetisierung	55,8%
Arbeitslosigkeit	ca. 20% (1996)	Einwohner pro Arzt	k.A.

Lesotho	Königreich Lesotho
Landesfläche	30 355 km² (WR 137)
Einwohner	2,18 Mio (WR 139)
Hauptstadt	Maseru (150 000 Einwohner)
Sprachen	Englisch, Sotho
Währung	1 Loti (M) = 100 Lisente
Zeit	Mitteleuropäische Zeit +1 h
Gliederung	10 Distrikte
Politik	
Staatsform	Konstitutionelle Monarchie (seit 1966)
Regierungschef	Pakalitha Mosisili (seit 1998)
Staatspräsident	König Letsie III (seit März 1996)
Parlament	Nationalversammlung mit 80 für fünf Jahre gewählten Abgeordneten; 78 Sitze für Lesotho Congress for Democracy (LCD), 2 für Andere (Wahl vom Mai 1998, nächste Wahl für Frühjahr 2000 angekündigt)
Bevölkerung	
Religion	Christen (93%): Katholiken 42,8%, Protestanten 29,1%, Andere 21,1%; Traditionelle Religionen (7%)
Nationalitäten	Basotho (85%); Zulu (15%)
Wirtschaft und Soziales	

Dienstleistung	53%	Urbanisierung	22%
Industrie	35,7%	Einwohner/km²	72
Landwirtschaft	11,3%	Bev.-Wachstum/Jahr	1,9%
BSP/Kopf	680 $ (1997)	Kindersterblichkeit	9,3%
Inflation	8,7% (1996)	Alphabetisierung	80%
Arbeitslosigkeit	k. A.	Einwohner pro Arzt	14 306

Lesotho
Afrika, Karte S. 533, D 7

Im September 1998 marschierten Truppen aus Südafrika und Botswana in L. ein, um Premierminister Pakalitha Mosisili und seine Partei Lesotho Kongress für Demokratie (LCD) zu stützen. Bei Kämpfen in der Hauptstadt Maseru kamen mehr als 100 Menschen ums Leben. Die Regierung gab den Schaden (u. a. durch Plünderungen) mit 570 Mio DM an, weit mehr als der Jahresetat von L. Vorausgegangen waren z. T. gewalttätige Proteste oppositioneller Gruppen gegen Mosisili, dem Wahlfälschung und Machtmissbrauch vorgeworfen wurde. Als sich viele Militärs den Demonstrationen anschlossen, kamen die ausländischen Invasoren einem möglichen Putsch zuvor. Anlass des Konflikts waren die Parlamentswahlen vom Mai 1998, bei denen die regierende LCD aufgrund des Mehrheitswahlsystems 79 der 80 Sitze erhielt. Im Februar 1999 kündigte der von Südafrika gestürzte Premier Mosisili den Rückzug der Truppen und Neuwahlen für Frühjahr 2000 an. Bis dahin soll ein neues Wahlrecht erlassen werden.

Lettland	Republik Lettland
Landesfläche	64 600 km² (WR 121)
Einwohner	2,45 Mio (WR 136)
Hauptstadt	Riga (921 000 Einwohner)
Sprachen	Lettisch, Russisch
Währung	1 Lats = 100 Santims
Zeit	Mitteleuropäische Zeit +1 h
Gliederung	7 Stadtbezirke, 26 Landbezirke
Politik	
Staatsform	Parlamentarische Republik (seit 1918)
Regierungschef	Vilis Kristopans (seit 1998) *13.6.1954
Staatspräsident	Vaira Vike-Freiberga (seit 1999) *1.12.1937
Parlament	Seimas mit 100 für drei Jahre gewählten Abgeordneten; 24 Sitze für Konservative, 21 für Lettlands Weg, 17 für Nationalkonservative, 16 für Fortschrittspartei, 14 für Sozialdemokraten, 8 für JP (Wahl vom Oktober 1998)
Internet	http://www.saeima.lanet.lv www.mfa.gov.lv
Bevölkerung	
Religion	Luth. (38%); Kath. (35%); Russ.-Orth. (15%); Sonst. (12%)
Nationalitäten	Lett. (54,8%); Russ. (32,8%); Weißruss. (4%); Sonst. (8,4%)
Wirtschaft und Soziales	

Dienstleistung	58,2%	Urbanisierung	73%
Industrie	32,7%	Einwohner/km²	38
Landwirtschaft	9,1%	Bev.-Wachstum/Jahr	−1,4%
BSP/Kopf	2430 $ (1997)	Kindersterblichkeit	1,8%
Inflation	4,7% (1998)	Alphabetisierung	99%
Arbeitslosigkeit	9,2% (1998)	Einwohner pro Arzt	280

Lettland
Europa, Karte S. 529, E 4

Die Parlamentswahl vom 3.10.1998 führte nach starken Verlusten der national-konservative Partei Für Vaterland und Freiheit zur Ablösung von Premier Guntars Krasts. Sein Amt übernahm der Liberale Vilis Kristopans. **Innenpolitik:** Stärkste Kraft wurde die gemäßigte Volkspartei mit 20,9% der Stimmen, gefolgt von der liberalen Gruppierung Lettischer Weg (18,3%). An dritter Stelle plazierte sich mit größeren Stimmengewinnen die postkommunistische Partei der nationalen Einheit (»Harmonie«).
Nach schwierigen Koalitionsverhandlungen wurde Ende November 1998 Kristopans von der liberalen Partei Lettischer Weg vom Parlament zum neuen Ministerpräsidenten gewählt. Er führt eine gemäßigt konservative Minderheitskoalition aus dem Lettischen Weg, der nationalkonservativen Partei Für Vaterland und Freiheit des bisherigen Regierungschefs Krasts sowie der konservativen Neuen Partei. Die moderat konservative Volkspartei wurde trotz Stimmenzuwachses

nicht an der Regierung beteiligt. Im Parlament ist das Kabinett auf Stimmen der Sozialdemokraten oder der postkommunistischen Partei Harmonie angewiesen. Ministerpräsident Kristopans plante, L. weiter an die EU heranzuführen und die marktwirtschaftlichen Reformen fortzusetzen.

Russische Minderheit: Zugleich mit der Parlamentswahl stimmte die Bevölkerung 1998 über die erleichterte Einbürgerung von in L. lebenden Russen ab. Das Verhältnis zur russischen Minderheit (rund 33% der Bevölkerung) hatte weitgehend den Wahlkampf bestimmt. 52% der Wähler votierten für die Annahme des Regierungsvorschlags. Damit werden die Einbürgerungsbestimmungen liberalisiert: Alle nach dem 21.8.1991 (der Unabhängigkeit L.) geborenen Kinder erhalten auf Antrag der Eltern automatisch, auch ohne Sprachprüfung, die lettische Staatsbürgerschaft. Die diskriminierende »Fensterregelung« wurde abgeschafft, nach der nur bestimmte Jahrgänge sich um die lettische Staatsbürgerschaft bewerben durften. Ebenso wie Staatspräsident Guntis Ulmanis hatten sich die meisten Parteien für eine Abschaffung der diskriminierenden Bestimmungen gegenüber der russischen Minderheit ausgesprochen. Die EU machte die Aufhebung jeglicher Diskriminierung zur Vorbedingung für die Annäherung L. an die Gemeinschaft. Die Regierung Russlands hatte u.a. mit Handelsbeschränkungen bei der Ablehnung der Liberalisierung gedroht. Im April 1999 beschloss das lettische Parlament die Abschaffung der Todesstrafe; es folgte einer Verpflichtung gegenüber dem Europäischen Rat.

Wirtschaft: Die positive Wirtschaftsentwicklung in L. wurde Mitte 1998 durch die Währungs- und Finanzkrise in Russland stark gedämpft. Das BIP-Wachstum blieb 1998 mit 5% hinter den Erwartungen (1997: 6,5%). Ende 1998 mussten über 40 Betriebe schließen, rund 100 andere ihre Produktion wegen Exporteinbrüchen drosseln. Deutschland nahm 1998/99 mit einem Anteil von 15% erstmals vor Russland (12%) den ersten Platz bei den Handelspartnern L. ein. Die Inflation wurde 1998 auf 4,7% reduziert (1997: 6,5%). Als Erfolg der Reformen war zu verbuchen, dass L. im Januar 1999 als erster baltischer Staat in die Welthandelsorganisation (WTO) aufgenommen wurde.

Libanon
Nahost, Karte S. 534, B 2

Das libanesische Parlament wählte im Oktober 1998 mit den Stimmen aller 118 anwesenden Abgeordneten den bisherigen Oberkommandierenden der Armee, General Emile Lahhud, zum Staatspräsidenten. Er löste Elias Hrawi ab, der 1998 nach neunjähriger Amtszeit zurücktrat.

Innenpolitik: Der Wahl war eine Verfassungsänderung vorausgegangen, welche die Kandidatur Lahhuds erst ermöglichte. Durch sie wurde es Staatsdienern wie Lahhud erlaubt, bei Präsidentenwahlen anzutreten, ohne zwei Jahre vorher ihr bisheriges Amt aufgegeben zu haben. Mit der Wahl Lahhuds folgte das Parlament einer seit 1943 bestehenden Tradition, nach der das Staatsoberhaupt im L. stets ein maronitischer Christ, der Ministerpräsident ein sunnitischer Muslim und der Präsident des Abgeordnetenhauses ein schiitischer Muslim ist. So soll das jahrzehntelange Prinzip bewahrt werden, dass alle Staatsämter im L. nach einem streng festgelegten Schlüssel

Libanon Republik Libanon			
Landesfläche	10 400 km² (WR 159)		
Einwohner	3,19 Mio (WR 128)		
Hauptstadt	Beirut (1,1 Mio Einw.)		
Sprachen	Arabisch, Französisch		
Währung	1 Liban. Pfund (L£) = 100 Piastres		
Zeit	Mitteleuropäische Zeit +1 h		
Gliederung	5 Provinzen		
Politik			
Staatsform	Parlamentarische Republik (seit 1926)		
Regierungschef	Salim al-Hoss (seit 1998), *20.12.1929		
Staatspräsident	Emile Lahhud (seit 1998), *10.1.1936		
Parlament	Nationalversammlung mit 128 für vier Jahre gewählten Abgeordneten: 34 Sitze für Maroniten, 27 für Sunniten, 27 für Schiiten, 14 für Griech.-Orth., 8 für Drusen, 8 für Griech.-Kath., 5 für Armenisch-Orth., 5 für Andere (Wahl von 1996)		
Internet	http://www.lp.gov.lb		
Bevölkerung			
Religion	Muslime (53%); Christen 40%; Drusen (7%)		
Nationalitäten	Libanesen (80%); Palästinenser (16%); Sonstige (4%)		
Wirtschaft und Soziales			
Dienstleistung	75,3%	**Urbanisierung**	87%
Industrie	15,9%	**Einwohner/km²**	307
Landwirtschaft	8,8%	**Bev.-Wachstum/Jahr**	1,8%
BSP/Kopf	3350 $ (1997)	**Kindersterblichkeit**	2,9%
Inflation	5% (1998)	**Alphabetisierung**	80%
Arbeitslosigkeit	10–20% (1997)	**Einwohner pro Arzt**	2174

entsprechend der zahlenmäßigen Stärke der größten Religionsgemeinschaften des Landes verteilt werden.

Lahhud ernannte im Dezember 1998 Salim al-Hoss zum Ministerpräsidenten, der sich im Parlament auf eine deutliche Mehrheit von 95 der 128 Abgeordneten stützen konnte. Die Zusammensetzung des neuen Kabinetts deutete auf eine radikale Abkehr von der Politik des vorherigen Regierungschefs Rafik al-Hairi hin, dem während seiner Amtszeit insbes. Korruption und Vetternwirtschaft vorgeworfen wurden.

Außenpolitik: Präsident Lahhud und Premierminister Hoss bekräftigten im Dezember 1998 die strategische Zusammenarbeit mit dem Nachbarland Syrien. Seit 1991 besteht ein syrisch-libanesischer Kooperationsvertrag, der Syrien die Rolle einer Ordnungsmacht im L. einräumt. In allen wichtigen Fragen der libanesischen Politik nimmt Syrien, das 1998/99 ca. 35 000 Soldaten im L. stationiert hielt, am Entscheidungsprozess teil. Gemeinsames außenpolitisches Ziel ist die Vertreibung Israels aus dem Süden des L., den Israel als Sicherheitszone seit 1982 besetzt hält.

Wirtschaft: 1998 schwächte sich das Wirtschaftswachstum im L. im Vergleich zum Vorjahr von 4,4% auf 2% um mehr als die Hälfte ab. Der Rückgang wurde auf die strenge Finanzpolitik der Regierung zurückgeführt, die zur Verringerung der staatlichen Ausgaben um 11% führte. Für 1998 wurde eine Inflationsrate von etwa 5% prognostiziert (1997: rund 7%).

Die libanesische Regierung kündigte im Dezember 1998 an, ihre Sparpolitik fortzuführen. Das Haushaltsdefizit im Verhältnis zum BIP, das 1998 rund 14% betrug, soll bis 2001 auf 5–7% gesenkt werden. Um die staatlichen Einnahmen zu erhöhen, sollen die Benzinpreise angehoben, eine Verkaufs- und eine Dienstleistungssteuer eingeführt sowie die Erträge aus der Touristikbranche höher besteuert werden. Die Korruption und die weit verbreitete Veruntreuung staatlicher Mittel sollen stärker bekämpft werden. Ein neu eingerichteter Ausschuss hat die Aufgabe, Pläne zur Privatisierung des Energiesektors, der Telekommunikation, des Tabakmonopols und der staatlichen Fluggesellschaft Middle East Airlines auszuarbeiten und umzusetzen.

Liberia Republik Liberia	
Landesfläche	111 369 km² (WR 101)
Einwohner	2,75 Mio (WR 131)
Hauptstadt	Monrovia (1 Mio Einwohner)
Sprachen	Englisch, Kpelle, Bassa, 9 andere Stammessprachen
Währung	1 Liber. Dollar (Lib$) = 100 Cents
Zeit	Mitteleuropäische Zeit −1 h
Gliederung	13 Bezirke
Politik	
Staatsform	Präsidiale Republik (seit 1847)
Regierungschef	Charles Taylor (seit 1997) *27.1.1948
Staatspräsident	Charles Taylor (seit 1997) *27.1.1948
Parlament	Repräsentantenhaus mit 64 Sitzen; 49 für Nation. Patriotische Front, 7 für Einheitspartei, 8 für And. (Wahl von 1997)
Internet	http://www.liberiaemb.org
Bevölkerung	
Religion	Christen (67,7%); Muslime (13,8%); Tradition. Rel. (18,5%)
Ethn. Gruppen	Kpelle (19,4%); Bassa (13,8%); Grebo (9%); Gio (7,8%); Kru (7,3%); Sonstige (42,7%)

Wirtschaft und Soziales			
Dienstleistung	56,4%	Urbanisierung	45%
Industrie	9,2%	Einwohner/km²	25
Landwirtschaft	34,4%	Bev.-Wachstum/Jahr	2,4%
BSP/Kopf	k. A.	Kindersterblichkeit	11,6%
Inflation	100% (1996)	Alphabetisierung	38,3%
Arbeitslosigkeit	30–40% (1998)	Einwohner pro Arzt	9687

Liberia

Afrika, Karte S. 533, A 4

Nach seinem Wahlsieg vom Juli 1997 festigte Präsident Charles Taylor 1998/99 seine Macht. Die von ihm angekündigten demokratischen Reformen vernachlässigte er. Er unterdrückte Aktivitäten oppositioneller Politiker, von denen einige spurlos verschwanden. Taylor schaltete seinen Rivalen Johnson Roosevelt politisch aus; er flüchtete im Oktober 1998 in die US-Botschaft. L. musste 500 000 nach Ende des Bürgerkriegs heimgekehrte Flüchtlinge (u.a. ehemalige »Kindersoldaten«), in die Gesellschaft integrieren. Da es an Arbeitsplätzen fehlte, war L. zur Versorgung der Rückkehrer auf internationale Hilfen angewiesen. Die Wirtschaft von L. war 1998 durch stagnierende Produktionszahlen und hohe Arbeitslosigkeit (ca. 30-40%)gekennzeichnet. Mit Finanzmitteln des IWF und der Weltbank begann L. Projekte zur Erschließung seiner Bodenschätze. Allein aus der Diamantenförderung erhofft sich das Land Einnahmen von 400 Mio US-Dollar pro Jahr.

Libyen

Afrika, Karte S. 533, C 1

Mit der Auslieferung von zwei mutmaßlichen terroristischen Attentätern erreichte L. im April 1999 die teilweise Aufhebung von Sanktionen der UNO und der EU. L. erhoffte sich von der Lockerung der Sanktionen eine Belebung der stark angeschlagenen Wirtschaft.

Außenpolitik: Nach jahrelangem Streit gab die libysche Staatsführung unter Muammar al-Gaddhafi im März 1999 ihr Einverständnis zu einem Prozess über das Attentat von Lockerbie (Schottland), bei dem 270 Insassen einer US-amerikanischen Verkehrsmaschine im Dezember 1988 getötet worden waren. Zwei frühere Mitarbeiter des lybischen Geheimdienstes wurden Anfang April 1999 von Tripolis nach Den Haag (Niederlande) überstellt. Sie werden beschuldigt, den Bombenanschlag organisiert zu haben. In Den Haag müssen sie sich vor einem schottischen Gericht verantworten.

Als Gegenleistung für die Auslieferung entschied UNO-Generalsekretär Kofi Annan, die 1992 gegen L. verhängten Sanktionen schrittweise aufzuheben. Im April 1999 beschloss die EU die vorläufige Aussetzung der Sanktionen. Diese umfassten u. a. Handelsverbote, etwa für Ausrüstungsgüter der Erdölindustrie und für Elektronik, sowie ein Waffen- und Flugverkehrsembargo. Ausgenommen waren Erdöllieferungen in die EU. US-Außenministerin Madeleine Albright erklärte aber, dass die USA zur Beendigung des Embargos noch nicht bereit sein. Sie forderte von L., sich vom Terrorismus loszusagen. Die libysche Regierung bezifferte die jährlichen Verluste durch die Sanktionen auf 24 Mrd US-Dollar.

Wirtschaft: Von der teilweisen Aufhebung der Sanktionen erwartete L. einen raschen Aufschwung seiner Wirtschaft. Seit Verhängung der Wirtschaftsbeschränkungen 1992 ist das BIP jährlich um rund 4% gesunken. Die Arbeitslosigkeit lag 1998 über 20%. Als erstes Anzeichen einer Konjunkturbelebung wurde die Zunahme der Hotelbuchungen in L. nach Wiederaufnahme des internationalen Flugverkehrs gewertet. Im April 1999 gab das libysche Verkehrsministerium Pläne zum Ausbau der zivilen Luftflotte bekannt. Innerhalb von fünf Jahren sollen für 2 Mrd US-Dollar 20 Passagiermaschinen ange-

Libyen Libysch-Arabische Volksrepublik			
Landesfläche	1 759 540 km² (WR 16)		
Einwohner	5,98 Mio (WR 98)		
Hauptstadt	Tripolis (600 000 Einwohner)		
Sprachen	Arabisch, Berberdialekte		
Währung	1 Libyscher Dinar (LD) = 1000 Dirham		
Zeit	Mitteleuropäische Zeit +1 h		
Gliederung	3 Provinzen, 10 Gouvernate		
Politik			
Staatsform	Volksrepublik auf islamischer Grundlage (seit 1977)		
Regierungschef	Mohammed Ahmed al-Manku (seit Dez. 1997)		
Staatspräsident	Z. M. Zentani (seit 1994), de facto Muammar al-Gaddhafi (seit 1969) *1942		
Parlament	Allgemeiner Volkskongress mit 750 von sog. arabisch-sozialistischen Volkskomitees und Volkskongressen ernannten und delegierten Mitgliedern		
Internet	http://www.columbia.edu/cu/libraries/ indiv/area/MiddleEast/Libya.html		
Bevölkerung			
Religion	Sunnitische Muslime (97%); Sonstige (3%)		
Ethn. Gruppen	Libysche Araber, Berber (89%); Sonstige (11%)		
Wirtschaft und Soziales			
Dienstleistung	50,1%	Urbanisierung	86%
Industrie	42,4%	Einwohner/km²	3
Landwirtschaft	7,5%	Bev.-Wachstum/Jahr	2,5%
BSP/Kopf	6600 $ (1996)	Kindersterblichkeit	2,8%
Inflation	25% (1997)	Alphabetisierung	75%
Arbeitslosigkeit	über 20% (1998)	Einwohner pro Arzt	957

schafft werden. In der Erdöl- und Erdgasindustrie sollen Modernisierungen eingeleitet werden. Mit Erdöl und Erdgas (90% aller libyschen Exporte) erhielt L. 1998 ca. 50% seiner Staatseinnahmen. Weitere Investitionsschwerpunkte sind die Bereiche Telekommunikation und Tourismus.

Notwendige ausländische Investitionen wurden nach Aufhebung der Sanktionen durch die Überbewertung der Landeswährung (Dinar) erschwert. Zwar wurde der Dinar im Dezember 1998 um 18% gegenüber dem US-Dollar abgewertet, doch entsprach auch der neue Kurs nicht der tatsächlichen Kaufkraft.

Libyen: Wirtschaftswachstum (BIP)[1]

Jahr	Wert
1999[2]	−1
1998	−3
1997	+1
1996	+2
1995	−1

1) in %; 2) Prognose; Quelle: bfai

Liechtenstein	Fürstentum Liechtenstein
Landesfläche	160 km² (WR 187)
Einwohner	32 000 (WR 187)
Hauptstadt	Vaduz (5100 Einwohner)
Sprachen	Deutsch, alemannische Dialekte
Währung	1 Schw. Franken = 100 Rappen
Zeit	Mitteleuropäische Zeit
Gliederung	11 Gemeinden
Politik	
Staatsform	Parlamentarische Monarchie (seit 1921)
Regierungschef	Mario Frick (seit 1993) *8.5.1965
Staatspräsident	Fürst Hans-Adam II. (seit 1989) *14.2.1945
Parlament	Landtag mit 25 für vier Jahre gewählten Abgeordneten; 13 Sitze für Vaterländische Union, 10 für Fortschrittliche Bürgerpartei, 2 für Freie Liste/Grüne (Wahl von 1997)
Internet	http://www.firstlink.li
Bevölkerung	
Religion	Katholiken (80,3%); Protestanten (7,1%); Sonstige (12,6%)
Nationalitäten	Liechtensteiner (61,6%); Schweizer (15,6%); Österreicher (7,2%); Deutsche (3,6%); Sonstige (12,0%)

Wirtschaft und Soziales			
Dienstleistung	50%	Urbanisierung	46%
Industrie	48%	Einwohner/km²	200
Landwirtschaft	2%	Bev.-Wachstum/Jahr	190
BSP/Kopf	33 500 $ (1996)	Kindersterblichkeit	k. A.
Inflation	0,5% (1997)	Alphabetisierung	100%
Arbeitslosigkeit	ca. 2% (1998)	Einwohner pro Arzt	957

Liechtenstein
Europa, Karte S. 529, C 5

Fürst Hans-Adam II. reichte Ende Juli 1998 bei der Europäischen Kommission für Menschenrechte in Straßburg Beschwerde gegen Deutschland ein. Er wollte die Herausgabe eines von ihm beanspruchten wertvollen Gemäldes erzwingen, das als Leihgabe Tschechiens in Köln ausgestellt worden war. In Deutschland war er zuvor in allen Instanzen gescheitert. Hintergrund ist der Streit des Fürstenhauses mit der tschechischen Regierung, von der es die Rückgabe von rund 160 000 ha Land, Schlössern und Kunstwerken verlangt. Die Besitztümer des mit den Habsburgern verwandten Fürstentums in Böhmen waren bei Enteignungen 1918/45 in tschechischen Besitz übergegangen. Tschechien verweigert die Rückgabe. Im April 1999 schloss L. mit Österreich und der Schweiz einen Vertrag zur Bekämpfung grenzüberschreitender Kriminalität und illegaler Zuwanderung. L. beabsichtigte 1999, die Bestimmungen des Schengener Abkommens (Abschaffung von Kontrollen an den Binnengrenzen) zu übernehmen.

Litauen	Republik Litauen
Landesfläche	65 200 km² (WR 120)
Einwohner	3,71 Mio (WR 118)
Hauptstadt	Vilnius (Wilna; 584 000 Einw.)
Sprachen	Litauisch, Polnisch, Russisch
Währung	1 Litas (LTL) = 100 Centas
Zeit	Mitteleuropäische Zeit +1 h
Gliederung	44 Landbezirke, 11 Stadtbezirke
Politik	
Staatsform	Parlamentarische Republik (seit 1991)
Regierungschef	Rolandas Paksas (seit 1999), *10.6.1956
Staatspräsident	Valdas Adamkus (seit 1998), *3.11.1926
Parlament	Seimas mit 141 für vier Jahre gewählten Abgeordneten; 70 Sitze für Kons. Vaterlandsunion, 16 für Christdemokr., 13 für Zentrumspartei LCS, 12 für Arbeiterpartei LDDP, 12 für Sozialdemokraten, 18 für Andere (Wahl von 1996)
Internet	http://www.lrvk.lt http://www.lrs.lt
Bevölkerung	
Religion	Katholiken (80%); Sonstige (20%)
Nationalitäten	Litauer (81,3%); Russen (8,4%); Polen (7%); Sonst. (3,3%)

Wirtschaft und Soziales			
Dienstleistung	53,4%	Urbanisierung	72%
Industrie	35,2%	Einwohner/km²	57
Landwirtschaft	11,4%	Bev.-Wachstum/Jahr	0,4%
BSP/Kopf	2260 $ (1997)	Kindersterblichkeit	2,1%
Inflation	5,1% (1998)	Alphabetisierung	98,4%
Arbeitslosigkeit	6,4% (1998)	Einwohner pro Arzt	230

Litauen
Europa, Karte S. 529, E 4

Durch Verdrängung von Ministerpräsident Gediminas Vagnorius versuchte Präsident Valdas Adamkus im April 1999, dem schleppenden Reformprozess in L. neue Impulse zu geben. Mitte Juni 1999 wurde das Kabinett des neuen Regierungschefs Rolandas Paksas vom Parlament bestätigt.

Innenpolitik: Am 30.4.1999 trat der seit Ende 1996 regierende konservative Premier Vagnorius zurück. Der national-liberale Staatspräsident Adamkus behielt im wochenlangen Machtkampf zwischen beiden Spitzenpolitikern die Oberhand. Zum neuen Regierungschef ernannte Adamkus den Oberbürgermeister von Vilnius, Paksas. Er gehört wie sein Vorgänger der Konservativen Vaterlandsunion an.

In einer in L. bislang beispiellosen Aktion hatte Adamkus Anfang April 1999 in einer Fernsehansprache Vagnorius das Vertrauen entzogen. Der Präsident kritisierte den schleppenden Fortgang der Reformpolitik, warf dem Regierungschef Versagen bei der

Modernisierung der Verwaltung und im Kampf gegen die Korruption sowic cin zu langsames Tempo bei den Privatisierungen vor. Zugleich bezichtigte er den Regierungschef eines autoritären Führungsstils. Am 21.4.1999 hatte das Parlament Vagnorius mit der Koalitionsmehrheit von Vaterlandsunion und Christdemokraten noch das Vertrauen ausgesprochen.

Die ersten in L. geführten Prozesse wegen NS-Verbrechen im Zweiten Weltkrieg wurden im Februar 1999 wegen Verhandlungsunfähigkeit der beiden 90jährigen Angeklagten vorläufig eingestellt. Die gebürtigen Litauer werden beschuldigt, an der Ermordung von Juden während der deutschen Besatzung (1941–44) beteiligt gewesen zu sein. Kritiker vor allem in den USA vermuteten eine bewusste Verschleppung des Verfahrens durch die litauische Justiz.

Außenpolitik: Regierung und Staatsführung in L. verfolgten 1998/99 weiter ihre beiden Hauptziele, den baldigen Beitritt zu Nato und EU. Unterstützung erhoffte sich die Regierung insbes. von Deutschland. Der Intensivierung der bilateralen Beziehungen diente die Aufhebung der Visumpflicht für Deutsche zum 1.3.1999. Im Mai 1999 führte Roman Herzog seine letzte Auslandsreise als deutscher Bundespräsident nach L. Dort sagte er deutsche Fürsprache in Brüssel zu. Im Unterschied zum Nachbarland Estland gehörte L. 1999 nicht zum engeren Bewerberkreis. Doch hatte der Berliner EU-Gipfel im April 1999 auch L. konkrete Perspektiven für die Aufnahme von Beitrittsverhandlungen mit Nato und EU noch für das Jahr 1999 aufgezeigt.

Wirtschaft: Die politische Führung in L. setzte 1998/99 ihren marktwirtschaftlichen Kurs fort. Weitere 14 Großunternehmen standen zur Privatisierung an. Negativ wirkte sich die Währungs- und Finanzkrise vom Sommer 1998 im Nachbarland Russland aus. Das BIP wuchs 1998 zwar um 5,7%, doch wurde für 1999 eine Abschwächung auf 4% erwartet. Nach der Europäischen Union (42%) sind die Staaten der GUS, insbes. Russland, mit einem Anteil von 38% wichtigste Handelspartner. Aus L. werden vor allem Textilien, Holz und Holzprodukte exportiert. Problematisch blieb die wachsende Staatsverschuldung, die Anfang 1999 auf 9,4 Mrd Litas stieg (20% des BIP).

Luxemburg

Europa, Karte S. 529, C 5

Nachdem im Oktober 1998 das »Letzeburger Journal« über eine angebliche Steueraffäre eines christdemokratischen Ministers geschrieben hatte, durchsuchte die Polizei auf Antrag des Betroffenen die Redaktionsräume. Dies führte zu Protesten bei Journalisten und Teilen der Bevölkerung, die eine Änderung des veralteten Pressegesetzes von 1869 forderten. L. ist einer der wenigen demokratischen Staaten, in denen es für Zeitungen keinen Informantenschutz gibt.

Auch nach Bildung der Europäischen Wirtschafts- und Währungsunion (EWWU), der es seit Januar 1999 als Gründungsmitglied angehört, behauptete sich L. als einer der wichtigsten Bankenplätze in Europa. L. blieb ein bedeutendes Finanzzentrum, weil es keine Steuern auf Kapitalerträge erhebt. Allerdings vestärkte sich 1998/99 der Druck von Seiten der EU, im Rahmen einer einheitlichen Regelung für die EU dieses Steuerprivileg abzuschaffen, da es größere Mengen von Kapital nach L. zog.

Luxemburg	Großherzogtum Luxemburg		
Landesfläche	2586 km² (WR 165)		
Einwohner	422 000 (WR 161)		
Hauptstadt	Luxemburg (77 000 Einwohner)		
Sprachen	Lëtzebuergesch, Franz., Deutsch		
Währung	1 Lux. Franc (lfr) = 100 Centimes		
Zeit	Mitteleuropäische Zeit		
Gliederung	3 Distrikte		
Politik			
Staatsform	Konstitutionelle Monarchie (seit 1866)		
Regierungschef	Jean-Claude Juncker (seit 1995) *9.12.1954		
Staatspräsident	Großherzog Jean (seit 1964) *5.1.1921		
Parlament	Abgeordnetenkammer mit 60 für fünf Jahre gewählten Mitgl.; 21 Sitze für Christl.-Soz. Volkspartei, 17 für Sozialist. Arbeiterpartei, 12 für Demokr. Partei, 10 für Andere (Wahl: 1994)		
Internet	http://www.gouvernement.lu http://www.chd.lu		
Bevölkerung			
Religion	Christen (96%): Kath. 94,9%, Protest. 1,1%; Sonstige (4%)		
Nationalitäten	Luxemburger (69,7%); Portugiesen (10,8%); Italiener (5%); Franzosen (3,4%); Sonstige (11,1%)		
Wirtschaft und Soziales			
Dienstleistung	64,9%	Urbanisierung	89%
Industrie	33,7%	Einwohner/km²	163
Landwirtschaft	1,4%	Bev.-Wachstum/Jahr	1,1%
BSP/Kopf	45 700 $ (1997)	Kindersterblichkeit	0,7%
Inflation	1,1% (1998)	Alphabetisierung	99%
Arbeitslosigkeit	3,1% (1998)	Einwohner pro Arzt	469

Madagaskar Demokratische Republik	
Landesfläche	587 041 km² (WR 44)
Einwohner	16,35 Mio (WR 56)
Hauptstadt	Antananarivo (1,05 Mio Einw.)
Sprachen	Französisch, einheimische Idiome
Währung	1 Madag.-Franc = 100 Centimes
Zeit	Mitteleuropäische Zeit +2 h
Gliederung	6 Provinzen
Politik	
Staatsform	Republik (seit 1992)
Regierungschef	Tantely Andrianarivo (seit 1998)
Staatspräsident	Didier Ratsiraka (seit 1996) *4.11.1936
Parlament	Nationale Volksversammlung mit 150 für vier Jahre ge-wählten Abgeordneten; 61 Sitze für Arema, 32 für Non-partisans, 16 für Leader Fanilo, 14 für Avi, 11 für Sozial-dem. (RPSD), 6 für Affa, 8 für Sonstige (Wahl von 1998)
Internet	http://www.botschaft-madagaskar.de
Bevölkerung	
Religion	Christen (51%); Trad. Religionen (46%); Sonst. 3%
Nationalitäten	Madagassen (98,9%); Sonst. (1,1%)

Wirtschaft und Soziales			
Dienstleistung	47,5%	**Urbanisierung**	27%
Industrie	13,3%	**Einwohner/km²**	28
Landwirtschaft	39,1%	**Bev.-Wachstum/Jahr**	2,8%
BSP/Kopf	250 $ (1997)	**Kindersterblichkeit**	8,5%
Inflation	19,8% /1996)	**Alphabetisierung**	81,4%
Arbeitslosigkeit	ca. 7% (1996)	**Einwohner pro Arzt**	8333

Madagaskar
Afrika, Karte S. 533, F 6

Die Parlamentswahlen vom Mai 1998 brachten in M. eine Kräfteverschiebung. Die frühere Einheitspartei Avant-Garde de la Révolution Malgache (Arema) wurde nach Jahren politischer Bedeutungslosigkeit mit 61 von 150 Sitzen stärkste Kraft. Zum neuen Ministerpräsidenten wurde der Parteilose Tantely Andrianarivo ernannt. Seit der Verfassungsänderung von Mitte 1998 ist die Stellung von Parlament und Regierung jedoch geschwächt. Präsident Didier Ratsiraka (Arema) kann Ministerpräsident und Regierung unabhängig vom Parlament ernennen und entlassen. Die Arema hatte als Regierungspartei bis Anfang der 80er Jahre einen sozialistischen Kurs verfolgt. Sie bekannte sich 1998/99 hingegen zu Parteienpluralismus und Marktwirtschaft.

1998/99 verzeichnete der Tourismus auf der klimatisch begünstigten Insel Zuwachsraten von über 15%. Nach Regierungsplänen soll der Fremdenverkehr mittelfristig zu einer tragenden Säule der agarisch geprägten Wirtschaft ausgebaut werden.

Malawi Republik Malawi	
Landesfläche	118 484 km² (WR 98)
Einwohner	10,38 Mio (WR 73)
Hauptstadt	Lilongwe (437 000 Einwohner)
Sprachen	Englisch, Chichewa, Lomwe u.a.
Währung	1 Malawi-Kwacha = 100 Tambala
Zeit	Mitteleuropäische Zeit +1 h
Gliederung	3 Regionen, 24 Distrikte
Politik	
Staatsform	Präsidiale Republik (seit 1966)
Regierungschef	Bakali Muluzi (seit 1994) *17.3.1943
Staatspräsident	Bakali Muluzi (seit 1994) *17.3.1943
Parlament	Nationalvers. mit 192 für fünf Jahre gewählten Abgeordn.; 93 Sitze für Verein. Demokr. Front, 66 für Malawi Kongress-partei, 29 für Allianz der Demokr., 4 für Sonst. (Wahl: 1999)
Internet	http://www.columbia.edu/cu/libraries/indiv/area/Africa/Malawi.html
Bevölkerung	
Religion	Christen (64%); Anim. (19%); Muslime (16,2); Sonst. (0,3%)
Ethn. Gruppen	Maravi (58%); Lomwe (18%); Yao (13%), Sonst. (11%)

Wirtschaft und Soziales			
Dienstleistung	47,0%	**Urbanisierung**	14%
Industrie	16,5%	**Einwohner/km²**	88
Landwirtschaft	36,5%	**Bev.-Wachstum/Jahr**	1,7%
BSP/Kopf	210 $ (1997)	**Kindersterblichkeit**	13,8%
Inflation	33,8% (1990–97)	**Alphabetisierung**	56,4%
Arbeitslosigkeit	k. A.	**Einwohner pro Arzt**	50 000

Malawi
Afrika, Karte S. 533, E 6

Die Regierung von Bakali Muluzi (United Democratic Front, UDF) setzte 1998 den Demokratisierungsprozess fort. Jedoch beklagten Oppositionspolitiker der Alliance for Democracy (AFORD) und der MCP (Malawi Congress Party) häufige Behinderungen ihrer politischen Arbeit. Bei den Präsidentschaftswahlen am 15.6.1999 erhielt Muluzi 52% der Stimmen; bei den gleichzeitig stattfindenden Parlamentswahlen siegte die UDF mit 93 von 192 Sitzen. 1994 war mit der Ablösung von Präsident Hastings Banda eine der grausamsten Diktaturen in Afrika beseitigt worden. Mit einem Pro-Kopf-Einkommen von rund 200 Dollar ist M. einer der ärmsten Staaten der Welt. Versuche, mit IWF- und Weltbank- Krediten Bodenschätze (Kohle, Uran, Kupfer) zu erschließen, hatten wegen fehlender Infrastruktur wenig Erfolg. M. ist abhängig von Agrarexporten (1998 rund 90% der Erlöse). Ausländische Finanzhilfen wurden wegen Korruption oft nicht für den eigentlichen Zweck verwandt.

 **Malaysia**
Ostasien, Karte S. 536, B 5

In Kuala Lumpur wurde im April 1999 der ehemalige Finanzminister und stellv. Regierungschef Anwar Ibrahim wegen Amtsmissbrauchs zu sechs Jahren Zuchthaus verurteilt. Der Spruch löste unter seinen Anhängern gewaltsame Proteste aus, die von der Militärpolizei niedergeschlagen wurden.

Innenpolitik: Das Gericht befand Anwar für schuldig, sein Amt missbraucht zu haben, um Vorwürfe wegen angeblicher homosexueller Beziehungen zu unterdrücken und Polizeiermittlungen zu beeinflussen.

Machtkampf: Die Menschenrechtsorganisation Amnesty International und Oppositionspolitiker bezeichneten das Verfahren als politischen Schauprozess und warfen dem malaysischen Premierminister Mahathir Mohamad Missbrauch des Rechtssystems vor. Anwar galt im Kabinett als möglicher Nachfolger Mahathirs. Im Sommer 1998 organisierte er aus Protest gegen den autokratischen Führungsstil des Premierministers Demonstrationen, auf denen bis zu 30 000 Menschen den Rücktritt Mahathirs forderten. Im September 1998 wurde er verhaftet und im Gefängnis schwer misshandelt. Anwar wurde zunächst wegen homosexuellen Geschlechtsverkehrs angeklagt, der im islamisch dominierten M. strafbar ist. Als angebliche Sexualpartner öffentlich erklärten, unter Zwang gegen Anwar ausgesagt zu haben, beschränkte sich die Anklage auf Amtsmissbrauch. Durch die Verurteilung ist Anwar über seine Gefängnisstrafe hinaus fünf Jahre für politische Ämter unwählbar.

Opposition: Im April 1999 gründete Anwars Frau, Wan Azizah Wan Ismail, eine neue Oppositionsgruppierung, die Nationale Gerechtigkeitspartei (PKN). Sie setzte sich zum Ziel, Mahathir zu stürzen sowie Korruption und Vetternwirtschaft in M. zu beseitigen. Wan Azizah verkündete, die gesamte Opposition in M. vereinigen zu wollen und mit dem Bündnis bei den nächsten Wahlen, die vor Mitte 2000 stattfinden müssen, gegen die Regierung anzutreten.

König: Der Sultan von Selangor, Salahuddin Abdul Aziz Shah Alhaj, wurde im Februar 1999 zum neuen König von M. gewählt. Er trat die Nachfolge von König Tuanku Ja'afar an, dessen fünfjährige Amtszeit am 25.4.1999 endete. Der sog. Rat der Rajahs – eine Versammlung der Oberhäupter der 13 Bundesstaaten – wählt in M. den König. Gemäß der Verfassung ist der Monarch das formale Oberhaupt des Islam, des Militärs und der Regierungsgewalten. Er unterzeichnet Gesetze und ernennt Minister, Richter und Botschafter.

Wirtschaft: Nachdem das BIP in M. infolge der Asienkrise 1998 gegenüber dem Vorjahr um 6,7% zurückgegangen war, gab es Anfang 1999 erste Anzeichen für eine leichte Erholung der Konjunktur. Der private Konsum stieg in den ersten Monaten 1999 um mehr als 8%, während er 1998 um 12,4% eingebrochen war. Der Exportüberschuss nahm Anfang 1999 im Vergleich zum gleichen Zeitpunkt des Vorjahres um ca. 80% zu. Größtes Problem von M. blieb der hohe Kapitalbedarf zur Restrukturierung der verschuldeten Unternehmen und Banken, den die malaysische Regierung für 1999 und 2000 auf insgesamt 28 Mrd DM bezifferte. M. verfügte Mitte 1999 über Kreditzusagen internationaler Finanzinstitute in Höhe von rund 7 Mrd DM.

Malaysia			
Landesfläche	329 758 km² (WR 65)		
Einwohner	21,45 Mio (WR 47)		
Hauptstadt	Kuala Lumpur (1,15 Mio Einw.)		
Sprachen	Bahasa Malaysia, Chinesisch u. a.		
Währung	1 Ringgit (R) = 100 Sen		
Zeit	Mitteleuropäische Zeit +7 h		
Gliederung	13 Bundesländer		
Politik			
Staatsform	Parlamentarische Wahlmonarchie (seit 1963)		
Regierungschef	D. S. Mahathir bin Mohamad (seit 1981) *1925		
Staatspräsident	Salahuddin Abdul Aziz Shah Alhaj (seit 1999)		
Parlament	Abgeordnetenhaus mit 192 für fünf Jahre gewählten Mitgliedern; 162 Sitze für die aus 13 Parteien bestehende Regierungskoalition Nationale Front, 30 für Oppositionsallianz (Wahl von 1995)		
Internet	http://www.smpke.jpm.my http://www.parlimen.gov.my		
Bevölkerung			
Religion	Muslime (52,9%); Buddhisten (17,3%); Chinesische Volksreligionen (11,6%); Hindus (7%); Christen (6,4%); Sonstige (4,8%)		
Nationalitäten	Malaien (61,7%); Chinesen (29,7%); Inder (8,1%); Sonstige (0,5%)		
Wirtschaft und Soziales			
Dienstleistung	42%	**Urbanisierung**	54%
Industrie	43%	**Einwohner/km²**	65
Landwirtschaft	15%	**Bev.-Wachstum/Jahr**	2,3%
BSP/Kopf	4530 $ (1997)	**Kindersterblichkeit**	1,1%
Inflation	5,2% (1998)	**Alphabetisierung**	83%
Arbeitslosigkeit	5,2% (1998)	**Einwohner pro Arzt**	2564

Malediven Republik der Malediven	
Landesfläche	298 km² (WR 184)
Einwohner	282 000 (WR 167)
Hauptstadt	Malé (63 000 Einwohner)
Sprachen	Divehi, Englisch
Währung	1 Rufiyaa (RF) = 100 Laari
Zeit	Mitteleuropäische Zeit +4 h
Gliederung	20 Distrikte
Politik	
Staatsform	Präsidale Republik im Commonwealth (seit 1968)
Regierungschef	Maumoon Abdul Gayoom (seit 1978) *1937
Staatspräsident	Maumoon Abdul Gayoom (seit 1978) *1937
Parlament	Versammlung mit 42 für fünf Jahre gewählten und 8 vom Präsidenten ernannten Abgeordneten, keine politischen Parteien (Wahl von 1993)
Internet	http://www.maldives-info.com
Bevölkerung	
Religion	Sunnitische Muslime
Nationalitäten	Mischvolk arabischer, singalesischer und malaiischer Abstammung

Wirtschaft und Soziales			
Dienstleistung	51%	Urbanisierung	27%
Industrie	18%	Einwohner/km²	946
Landwirtschaft	31%	Bev.-Wachstum/Jahr	3,4%
BSP/Kopf	900 $ (1998)	Kindersterblichkeit	5,0%
Inflation	6,3% (1996)	Alphabetisierung	93%
Arbeitslosigkeit	k. A.	Einwohner pro Arzt	5377

Malediven
Asien, Karte S. 535, C 6

Bei den Präsidentschaftswahlen im Oktober 1998 wurde Maumoon Abdul Gayoom mit 91% der abgegebenen Stimmen in seinem Amt bestätigt. Gayoom war der einzige Kandidat. Seit 1978 regiert er auf den M. und gilt als Diktator, der alle konstitutionellen Organe kontrolliert. Zwar kann sich gemäß der neuen Verfassung vom 1.1.1998 jeder maledivische Bürger als Gegenkandidat beim Parlament anmelden, sofern er mind. 35 Jahre alt und Muslim ist; da aber die meisten Abgeordneten ihren Sitz dem Präsidenten verdanken, werden die Gegenkandidaten im Parlament unter Ausschluss der Öffentlichkeit stets abgelehnt.

Während seiner Amtszeit förderte Gayoom erfolgreich einen Umwelt schonenden Tourismus auf den M. Jährlich kommen etwa 400 000 Besucher aus aller Welt ins Land, die durchschnittlich 200 US-Dollar täglich ausgeben. Dadurch stieg 1998 das Pro-Kopf-Einkommen mit 900 US-Dollar auf ein Niveau, das weit über dem der südasiatischen Nachbarstaaten der M. lag.

Mali Republik Mali	
Landesfläche	1 240 192 km² (WR 23)
Einwohner	11,83 Mio (WR 65)
Hauptstadt	Bamako (913 000 Einwohner)
Sprachen	Französisch, Bambara, Arabisch
Währung	CFA-Franc (FCFA)
Zeit	Mitteleuropäische Zeit −1 h
Gliederung	8 Regionen
Politik	
Staatsform	Präsidiale Republik (seit 1960)
Regierungschef	Ibrahim Boubacar Keita (seit 1994) *1945
Staatspräsident	Alpha Oumar Konaré (seit 1992) *2.2.1946
Parlament	Nationalversammlung mit 147 Abgeordneten; 128 Sitze für Adéma, 8 für Nation. Erneuerungsp., 4 für Sozialdemokr., 2 für Fortschrittli. Demokr.; 5 für Sonstige (Wahl von 1997)
Internet	http://www.maliembassy-usa.org
Bevölkerung	
Religion	Muslime (90%); Animisten (9%); Christen (1%)
Ethn. Gruppen	Bambara (31,9%); Fulani (13,9%); Senufo (12%); Soninké (8,8%); Tuareg (7%); Sonstige (26,4%)

Wirtschaft und Soziales			
Dienstleistung	40%	Urbanisierung	27%
Industrie	16%	Einwohner/km²	10
Landwirtschaft	44%	Bev.-Wachstum/Jahr	3,2%
BSP/Kopf	250 $ (1998)	Kindersterblichkeit	11,8%
Inflation	3,0% (1997)	Alphabetisierung	31%
Arbeitslosigkeit	ca. 20% (1996)	Einwohner pro Arzt	18 046

Mali
Afrika, Karte S. 533, B 3

Der 1997 in freien Wahlen im Amt bestätigte Staatspräsident Alpha Oumar Konaré von der reformorientierten Allianz für Demokratie (Adéma) setzte den Demokratisierungsprozess fort. Die politische Stabilität wurde jedoch 1998/99 durch den Konflikt mit Tuareg-Gruppen im Norden von M. beeinträchtigt, die der Regierung politische und wirtschaftliche Benachteiligung vorwarfen und für Unabhängigkeit kämpften.

Sinkende Preise auf den Rohstoffmärkten verschlechterten 1998 die wirtschftliche Lage in M., das 80% seiner Deviseneinnahmen durch Agrarexporte (Erdnüsse, Baumwolle) erzielt. Der Ausbau des industriellen Sektors mit Hilfe ausländischer Geldgeber (Frankreich, IWF) machte wenig Fortschritte. Mit einem Pro-Kopf-Einkommen von 250 US-Dollar ist M. eines der ärmsten Staaten. Obwohl M. über Zeugnisse altafrikanischer Kultur verfügt (u. a. in Timbuktu), gibt es nur geringe Ansätze zum Aufbau einer touristischen Infrastruktur.

Malta

Europa, Karte S. 529, D 8

Bei den Parlamentswahlen im September 1998 erreichte die Nationalistische Partei mit 51,8% der abgegebenen Stimmen die absolute Mehrheit. Die Maltesische Arbeiterpartei von Ministerpräsident Alfred Sant erreichte 46,9%. In dem sog. Staat der drei Inseln (M., Gozo, Comino) beteiligten sich 96% der 280 000 Wahlberechtigten.

Als Konsequenz aus dem Ergebnis trat Sant von seinem Amt zurück. Sein Nachfolger wurde Eddie Fenech Adami von der Nationalistischen Partei. Er kündigte unmittelbar nach den Wahlen an, die Bewerbung von M. um eine Mitgliedschaft in der Europäischen Union (EU) zu erneuern. Sant hatte sie im November 1996 zurückgezogen, weil er M. wirtschaftlich noch nicht als reif für einen Beitritt zur EU betrachtete. Haupteinnahmequellen von M. sind Leichtindustrie (Textilien, Leder), Werftindustrie und Tourismus. Die Regierung M. plante 1998/99, das Land zu einem wichtigen Finanz- und Dienstleistungszentrum im gesamten Mittelmeerraum auszubauen.

Malta Republik Malta			
Landesfläche	316 km² (WR 183)		
Einwohner	374 000 (WR 164)		
Hauptstadt	Valletta (9000 Einwohner)		
Sprachen	Maltesisch, Englisch		
Währung	1 Lira (Lm) = 100 Cents		
Zeit	Mitteleuropäische Zeir		
Gliederung	6 Bezirke		
Politik			
Staatsform	Parlamentarische Republik (seit 1974)		
Regierungschef	Eddie Fenech Adami (seit September 1998)		
Staatspräsident	Guido de Marco (seit 1999)		
Parlament	Repräsentantenhaus mit mindestens 65 für fünf Jahre vom Volk direkt gewählten Abgeordneten; 35 für Nationalist Party (PN), 30 Sitze für Malta Labour Party (Wahl vom September 1998)		
Internet	http://www.magnet.mt		
Bevölkerung			
Religion	Katholiken (98,9%); Sonstige (1,1%)		
Nationalitäten	Malteser (95,7%); Briten (2,1%); Sonstige (2,2%)		
Wirtschaft und Soziales			
Dienstleistung	65%	Urbanisierung	89%
Industrie	32%	Einwohner/km²	1184
Landwirtschaft	3%	Bev.-Wachstum/Jahr	0,8%
BSP/Kopf	9330 $ (1997)	Kindersterblichkeit	0,8%
Inflation	3,0% (1998)	Alphabetisierung	86%
Arbeitslosigkeit	5,1% (1998)	Einwohner pro Arzt	890

Marokko

Afrika, Karte S. 533, B 1

Spannungen innerhalb der Regierungskoalition verhinderten 1998 größere Reformschritte. Der Konflikt um die Volksabstimmung in der von M. annektierten Westsahara konnte nicht beigelegt werden.

Innenpolitik: Die seit März 1998 amtierende Regierung unter Ministerpräsident Abderrahmane Youssoufi (Sozialistische Partei, USFP) startete im Herbst 1998 eine Anti-Korruptions-Kampagne. Die Erfolge waren jedoch gering, da die Eliten in Wirtschaft und Verwaltung eng mit dem Königshaus unter Hassan II. verbunden sind und sich gegen eine Beschneidung ihrer Privilegien wehrten. Dies betraf vor allem die Vergabe von Ämtern und öffentlichen Aufträgen an Verwandte oder gegen Bezahlung. Der Versuch, die ineffektive Verwaltung zu reformieren, kam bis Mitte 1999 kaum voran. Behindert wurde die Reformpolitik von Ministerpräsident Youssoufi zunehmend durch die innere Zerstrittenheit seiner Sieben-Parteien-Koalition, deren Spektrum

Marokko Königreich Marokko			
Landesfläche	446 550 km² (WR 56)		
Einwohner	28,01 Mio (WR 37)		
Hauptstadt	Rabat (1,38 Mio Einwohner)		
Sprachen	Arab., Franz., Span.,		
Währung	1 Dirham (DH) = 100 Centimes		
Zeit	Mitteleuropäische Zeit –1 h		
Gliederung	16 Regionen, 65 Provinzen		
Politik			
Staatsform	Konstitutionelle Monarchie (seit 1972)		
Regierungschef	Abderrahmane Youssoufi (seit 1998) *8.3.1924		
Staatspräsident	König Hassan II. (seit 1961) * 9.7.1929		
Parlament	Nationalversamml. aus 325 für fünf Jahre gewählten Abgeordneten und Beratende Versamml. mit 270 Mitgliedern; Nationalversamml.: 102 für Koutla-Bündnis; 100 für Wifaq-Bündnis; 70 für Centrum; 53 für Andere (Wahl von 1997)		
Internet	http://www.mincom.gov.ma		
Bevölkerung			
Religion	Sunnit. Muslime (98,7%); Christen (1,1%); Juden (0,2%)		
Nationalitäten	Araber (70%); Berber (30%)		
Wirtschaft und Soziales			
Dienstleistung	49,7%	Urbanisierung	51,4%
Industrie	30,8%	Einwohner/km²	63
Landwirtschaft	19,5%	Bev.-Wachstum/Jahr	1,9%
BSP/Kopf	1260 $ (1997)	Kindersterblichkeit	5,1%
Inflation	2,8% (1998)	Alphabetisierung	43,7%
Arbeitslosigkeit	17–30% (1998)	Einwohner pro Arzt	4415

von der sozialistischen USFP bis zu konservativ-nationalistischen Parteien reicht. Fortschritte gab es im Bereich der Presse- und Meinungsfreiheit. Seit Herbst 1998 sind vor allem Zeitungen und Zeitschriften unabhängiger in der Berichterstattung, während das Fernsehen noch von Gefolgsleuten des Königshauses kontrolliert wurde. Der 1996 von König Hassan II. eingeleitete Demokratisierungprozess (u. a. Einführung eines Zwei-Kammer-Parlaments) wurde in M. fortgesetzt, obgleich der Monarch das politische Machtzentrum blieb.

1998/99 gelang es in M., die Islamisten weiterhin unter Kontrolle zu halten und eine Radikalisierung wie in Algerien zu verhindern. König Hassan II. und die Regierung bemühten sich erfolgreich, durch Zugeständnisse etwa im Bildungsbereich die von der sog. Demokratischen und Verfassungsgebenden Volksbewegung repräsentierten Islamisten in den Staat einzubinden.

Außenpolitik: Im Konflikt um die von M. beanspruchte Westsahara brachte der Besuch von UN-Generalsekretär Kofi Annan in M. im November 1998 keinen Durchbruch. Anschließend besuchte er in Algerien

ein Flüchtlingslager der Befreiungsorganisation POLISARIO, um die Verfechter eines eigenen Staats Westsahara für eine Kompromisslösung zu gewinnen. Umstritten war die Registrierung der Wahlberechtigten für die geplante Volksabstimmung über die Zugehörigkeit des rohstoffreichen Gebiets. Die POLISARIO wehrte sich gegen die Registrierung von 65 000 Bewohnern des Gebiets. M. behauptete, dass es sich um stimmberechtigte Saharouis handele, während die POLISARIO sie als nicht abstimmungsberechtigte Marokkaner bezeichnete. Die mehrfach verschobene Abstimmung über den Verbleib der von M. 1975 annektierten Westsahara soll im Dezember 1999 unter Aufsicht der UNO stattfinden.

Wirtschaft: Nach einem wirtschaftlichen Einbruch 1997 (Missernte wegen Trockenheit) verzeichnete M. 1998 ein BIP-Wachstum von 6,3%. Die Inflation stieg leicht von 1% (1997) auf 2,8%. Keine Verbesserung gab es bei der Arbeitslosigkeit, dem größten Problem in M. Nach offiziellen Angaben betrug sie 1998 16,9%, doch liegt sie nach Schätzungen bei 30%. Die Regierung setzte die Privatisierungspolitik fort.

Marshall-Inseln	Republik der Marshall-Inseln
Landesfläche	181 km² (WR 186)
Einwohner	61 000 (WR 184)
Hauptstadt	Dalap-Uliga-Darrit (Majuro-Atoll, 15 000 Einwohner)
Sprachen	Kajin-Majol, Englisch
Währung	1 US-Dollar ($) = 100 Cents
Zeit	Mitteleuropäische Zeit +11 h
Gliederung	25 Gemeindebezirke
Politik	
Staatsform	Republik (seit 1990)
Regierungschef	Imata Kabua (seit 1996)
Staatspräsident	Imata Kabua (seit 1996)
Parlament	Nityela mit 33 Abgeordneten und beratende Versammlung mit Stammesführern, keine Parteien (Wahl von 1995)
Internet	http://www.rmiembassyus.org
Bevölkerung	
Religion	Christen (98,6%): Protestanten (90,1%), Katholiken (8,5%); Sonstige (1,4%)
Nationalitäten	Mikronesier (96,9%); Sonstige (3,1%)
Wirtschaft und Soziales	

Dienstleistung	82,2%	**Urbanisierung**	65%
Industrie	2,9%	**Einwohner/km²**	337
Landwirtschaft	14,9%	**Bev.-Wachstum/Jahr**	3,8%
BSP/Kopf	1610 $ (1997)	**Kindersterblichkeit**	k. A.
Inflation	4% (1996)	**Alphabetisierung**	91%
Arbeitslosigkeit	k. A.	**Einwohner pro Arzt**	2217

Marshall-Inseln
Ozeanien, Karte S. 537, F 1

Zu den M. im zentralen Pazifik nördlich des Äquators gehören rund 1200 Inseln. Sie werden in die parallel zueinander liegenden Inseln der Ralikgruppe mit Jaluit und Kwajalein im Südwesten und der Ratakgruppe mit Majuro im Nordosten gegliedert. Die Inseln bestehen alle aus Korallenkalk, den einzigen Bodenschatz der M. Die Böden sind wenig ergiebig und meist nicht sehr tiefgründig, sodass darin vor allem Kokospalmen und Pandanus wachsen. Die M. sind stark von den Finanzhilfen der USA abhängig, die ca. 60% der Einnahmen ausmachen. Die USA unterhalten auf Kwajalein, mit einer Landfläche von 10,2 km² die größte der M., einen Stützpunkt. Die Landwirtschaft, die ca. 15% zum BIP beiträgt, wird überwiegend zur Selbstversorgung betrieben. Haupterzeugnisse sind Kokosnüsse, Maniok, Süßkartoffeln, Brotfrüchte und Bananen. Die Industrie beschränkte sich 1998 auf wenige kleine Betriebe zur Verarbeitung von Kopra, Kokosnussöl und Tunfisch.

Mauretanien

Afrika, Karte S. 533, A 3

Nach seinem Sieg bei den Präsidentschaftswahlen 1997 setzte Mouaiya Sid Ahmed Ould Taya, Vertreter der in Staat und Wirtschaft dominierenden Mauren, 1998 seine vorsichtige Demokratisierungspolitik fort. Die Presse erhielt größere Freiräume. Allerdings klagten Oppositionsparteien über Behinderungen ihrer politischen Arbeit. Auch die Gleichstellung der schwarzen Volksgruppen machte 1998 Fortschritte. Zwar beherrschten die Mauren weiterhin Wirtschaft und Politik, doch übernahmen Schwarze zunehmend mittlere und vereinzelt auch leitende Positionen in Verwaltung und Militär. Internationale Menschenrechtsorganisationen beklagten 1998/99 wiederholt die Sklaverei, die in einigen Regionen von M. trotz offiziellen Verbots betrieben wird.

Die mauretanische Regierung erhoffte sich 1998/99 vor allem von den USA stärkere Finanzhilfen für den Aufbau der sehr schwach entwickelten Infrastruktur und für Maßnahmen gegen die Desertifikation des Landes (Entstehung und Ausbreitung von Wüsten).

Mauretanien	Islamische Republik Mauretanien
Landesfläche	1 025 520 km² (WR 28)
Einwohner	2,45 Mio (WR 135)
Hauptstadt	Nouakchott (735 000 Einwohner)
Sprachen	Arabisch, Französisch, afrik. Stammessprachen
Währung	1 Ouguiya (UM) = 5 Khoums
Zeit	Mitteleuropäische Zeit −1 h
Gliederung	12 Regionen
Politik	
Staatsform	Präsidialrepublik (seit 1960)
Regierungschef	Afia Ould Mohawed Khouna (seit 1996)
Staatspräsident	Mouamiya Sid Ahmed Ould Taya (seit 1984) *1943
Parlament	Nationalversammlung mit 79 für fünf Jahre gewählten Abgeordneten; 70 Sitze für Republikanisch-Soziale Partei (PRDS), 9 für Andere (Wahl vom Oktober 1996)
Internet	http://www.embassy.org/mauritania
Bevölkerung	
Religion	Muslime (99,5%); Christen (0,2%); Sonstige (0,3%)
Ethn. Gruppen	Mauren (30%); Haratin (40%); Schwarzafrikaner (30%)
Wirtschaft und Soziales			

Wirtschaft und Soziales			
Dienstleistung	43,4%	**Urbanisierung**	54%
Industrie	29,5%	**Einwohner/km²**	2
Landwirtschaft	27,1%	**Bev.-Wachstum/Jahr**	2,5%
BSP/Kopf	440 $ (1997)	**Kindersterblichkeit**	9,2%
Inflation	4,7% (1996)	**Alphabetisierung**	37,7%
Arbeitslosigkeit	ca. 20% (1996)	**Einwohner pro Arzt**	11 085

Mauritius

Afrika, Karte S. 533, F 6

Die seit ihrem Wahlsieg im Dezember 1995 regierende Linkskoalition aus Arbeiterpartei (MLP) und der Militanten Bewegung von Mauritius (MMM) unter Navin Ramgoolam (MLP) setzte 1998/99 die Umstrukturierung der Wirtschaft fort. Schwerpunkt war die Förderung der Industrie, insbes. die Verbreiterung der Produktpalette, um die einseitige Ausrichtung auf die Textil- und Lederherstellung zu überwinden.

Weiter ausgebaut wurde der Tourismus, der sich seit Anfang der 90er Jahre neben dem Zucker- und Textilexport zur wichtigsten Devisenquelle von M. entwickelte. Nach einer Stagnation bei den Gästezahlen Mitte der 90er Jahre stiegen sie 1997 (letztverfügbarer Stand) wieder auf rund 480 000.

Mehrere Textilfirmen verließen 1998 wegen hoher Kosten M. und ließen sich auf der Nachbarinsel Madagaskar nieder. Die Regierung von M. plante, durch gezielte Investitionen ausländische Unternehmen aus der Hochtechnologie ins Land zu holen.

Mauritius	Republik Mauritius
Landesfläche	2040 km² (WR 167)
Einwohner	1,15 Mio (WR 149)
Hauptstadt	Port Louis (165 000 Einwohner)
Sprachen	Englisch, Kreolisch, Hindi, Urdu, Chinesisch, Französisch
Währung	1 Mauritius-Rupie = 100 Cents
Zeit	Mitteleuropäische Zeit +3 h
Gliederung	9 Distrikte, 3 Inselgruppen
Politik	
Staatsform	Republik (seit 1992)
Regierungschef	Navin Ramgoolam (seit 1995) *1947
Staatspräsident	Cassam Uteem (seit 1992) *22.3.1941
Parlament	Nationalversamml. mit 62 für fünf Jahre gewählten Mitgl.; 35 Sitze für Sozialdem., 25 für MMM, 2 Sonst. (Wahl: 1995)
Internet	http://ncb.intnet.mu/govt/house.htm
Bevölkerung	
Religion	Hindus (53%); Christen (30%); Muslime (13%); Sonst. (4%)
Ethn. Gruppen	Indo-Pakistani (68%); Kreolen (23%); Chinesen (3%); Weiße (3%); Sonstige (3%)

Wirtschaft und Soziales			
Dienstleistung	61%	**Urbanisierung**	43,6%
Industrie	30%	**Einwohner/km²**	564
Landwirtschaft	9%	**Bev.-Wachstum/Jahr**	1,2%
BSP/Kopf	3870 $ (1997)	**Kindersterblichkeit**	1,6%
Inflation	6,8% (1998)	**Alphabetisierung**	82,9%
Arbeitslosigkeit	5,8% (1998)	**Einwohner pro Arzt**	1182

Mazedonien
Europa, Karte S. 529, E 7

Innenpolitik: Bis Mitte 1999 kamen rund 300 000 von serbischen Truppen vertriebene Kosovo-Albaner nach M., das vor Ausbruch des Kosovo-Kriegs rund 2,2 Mio. Einwohner zählte. Ende Mai 1999 hinderten serbische Soldaten an der Grenze bei Kumanovo rund 15 000 Kosovo-Albaner an der Flucht nach M. Die NATO stationierte im Dezember 1998 eine Schutztruppe von 1700 Soldaten in M. für die unbewaffneten Beobachter der Organisaton für Sicherheit und Zusammenarbeit in Europa (OSZE). An den im Frühjahr 1999 verstärkten Schutztruppen beteiligten sich auch Bundeswehr-Soldaten. Bis 1999 bildete M. einen politischen Stabilitätsfaktor auf dem Balkan. 1991 erklärte es die Unabhängigkeit von Jugoslawien. Als einzige der früheren jugoslawischen Teilrepubliken war es seither in keinen Krieg verwickelt.

Die 1993 stationierte, 1050 Soldaten umfassende UNO-Blauhelmtruppe wurde Anfang März 1999 abgezogen. China hatte zuvor im UNO-Sicherheitsrat die Zustimmung zur Mandatsverlängerung verweigert. Damit reagierte Peking auf die Aufnahme diplomatischer Beziehungen zwischen M. und dem von China beanspruchten Taiwan.

Für M. ist die Aufnahme von Flüchtlingen auch deshalb ein Problem, weil es im Land selbst Spannungen zwischen Mazedoniern und Albanern gibt. Während nach offiziellen Zahlen der Regierung die Albaner einen Bevölkerungsanteil von 23% ausmachen, behaupten deren Vertreter einen albanischen Anteil von etwa 33%.

Die Parlamentswahlen im Oktober/November 1998 gewann die national-konservative Innermakedonische Revolutionäre Organisaton – Demokratische Partei der Makedonischen Einheit (VMRO-DPMNE), die im Bündnis mit der liberalen Demokratischen Alternative 63 der 120 Parlamentssitze erreichte. Im Dezember 1998 bildete Ljupco Georgievski (VMRO-DPMNE) mit der liberal-populistischen Demokratischen Alternative und der Demokratischen Partei der Albaner eine Mitte-Rechts-Regierung.

Außenpolitik: Im Februar 1999 legten M. und Bulgarien ihren Spannungen im bilateralen Verhältnis bei. Bulgarien erkannte erstmals die mazedonische Nation an. Im Gegenzug verzichtete M. auf Einmischung zugunsten der rund 200 000 in Bulgarien lebenden Mazedonier. 1998/99 dauerten die Spannungen zwischen M. und Griechenland an, das seinen Wirtschaftsboykott gegen M. aufrechterhielt. Die griechische Regierung befürchtete Ansprüche M. auf die gleichnamige Provinz im Norden von Griechenland.

Wirtschaft: Der Kosovo-Konflikt stürzte M. 1999 in eine tiefe Wirtschaftskrise. Vor dem Krieg war Jugoslawien der mit Abstand wichtigste Handelspartner. 90% des gesamten Warenaustauschs mit den Staaten der EU erfolgte über Jugoslawien. Hinzu kamen die Belastungen durch die Aufnahme von rund 300 000 Kosovo-Flüchtlingen. Der Internationale Währungsfonds (IWF) berief im Mai 1999 eine Konferenz von Geberländern ein, die Kredite von 50 Mio–100 Mio US-Dollar zur Verfügung stellten. Die Industrieproduktion ging nach Kriegsausbruch um 20% zurück, die Arbeitslosigkeit stieg im Frühjahr 1999 auf über 35%.

Mazedonien Republik Mazedonien	
Landesfläche	26 713 km² (WR 144)
Einwohner	2,21 Mio (WR 138)
Hauptstadt	Skopje (466 000 Einwohner)
Sprachen	Mazedonisch, Albanisch, Türkisch, Serbisch
Währung	Mazedonischer Denar
Zeit	Mitteleuropäische Zeit
Gliederung	34 Gemeindebezirke
Politik	
Staatsform	Republik (seit 1991)
Regierungschef	Ljupco Georgievski (seit 1998)
Staatspräsident	Kiro Gligorov (seit 1990) *3.5.1917
Parlament	120 für vier Jahre gewählte Abgeordneten; 59 Sitze für demokr. altern. Sozialisten (VMRO und DA), 29 für sozialdemokr. Liga Mazedoniens (SDSM), 25 für Albaner (PDP/PDPA/NDP), 4 für Liberale (LDP/DPM), 2 für Sozialdemokraten, 1 für romanische Minderheit (Wahl vom Oktober und November 1998)
Internet	http://www.gov.mk
Bevölkerung	
Religion	Unabhängige Mazedonisch-, Serbisch-, Bulgarisch- und Griechisch-Orthodoxe (59%); Muslime (26%); Sonstige (15%)
Nationalitäten	Mazedonier (66,5%); Albaner (22,9%); Türken (3,9%); Roma (2,3%); Serben (1,9%); Sonstige (2,5%)
Wirtschaft und Soziales			

Dienstleistung	59,1%	**Urbanisierung**	60%
Industrie	30,9%	**Einwohner/km²**	83
Landwirtschaft	10,0%	**Bev.-Wachstum/Jahr**	0,7%
BSP/Kopf	1100 $ (1997)	**Kindersterblichkeit**	2,5%
Inflation	2% (1998)	**Alphabetisierung**	94%
Arbeitslosigkeit	ca. 35% (1998)	**Einwohner pro Arzt**	430

Mexiko
Mittelamerika, Karte S. 532, C 8

Innenpolitik: 1998/99 machte der Demokratisierungsprozess, der 1997 mit dem Verlust der absoluten Mehrheit der seit 1917 allein regierenden Partei der Institutionalisierten Revolution (PRI) eingesetzt hatte, Fortschritte. Die Oppositionsparteien PAN (Partei der Nationalen Aktion, rechtsgerichtet) und PRD (Partei der Demokratischen Revolution, linksgerichtet) erzielten Ende 1998 bei mehreren Regionalwahlen Erfolge. Sie stellten in neun Bundesstaaten die Gouverneure. Auch die meisten Großstädte in M. wurden 1998 von Oppositionspolitikern regiert, darunter die Hauptstadt Mexiko-City.

Mit den ersten Kandidatenaufstellungen eröffneten die großen Parteien im Frühjahr 1999 den Wahlkampf zu den Präsidentschaftswahlen im Jahr 2000. Für die linksorientierte PRD tritt Cuauhtemoc Cardenas, Bürgermeister von Mexiko-Stadt, an. Für die PRI stellte sich Miguel Aleman, Gouverneur von Veracruz, zur Wahl. Allerdings beschloss die regierende PRI Anfang März 1999, erstmals in ihrer 70-jährigen Geschichte Vorwahlen abzuhalten. Damit verzichtete der amtierende Präsident Ernesto Zedillo Ponce León auf sein Gewohnheitsrecht, einen Nachfolger vorzuschlagen, was er als einen Schritt zu mehr innerparteilicher Demokratie verstanden wissen wollte.

Im Konflikt um die Unruheprovinz Chiapas konnte 1998/99 keine Einigung erzielt werden. Subcommandante Marcos, Chef der Zapatisten-Rebellen im Chiapas, schlug im Oktober 1998 die Wiederaufnahme von Verhandlungen mit der parlamentarischen Vermittlungskommission (Cocopa) vor. Die Gespräche waren Anfang 1998 abgebrochen worden, da die Regierung auf die Forderung nach größerer Autonomie nicht eingehen wollte. Die vom 20.–23.11.1998 geführten Verhandlungen brachten erneut keine Fortschritte im Friedensprozess. Die Zapatistische Befreiungsbewegung (EZLN) hatte 1994 ihren bewaffneten Kampf begonnen, um mehr Rechte für die indianischen Ureinwohner durchzusetzen. Bis Mitte 1999 kamen in Chiapas, einem der ärmsten Bundesstaaten von M., mehr als 1500 Menschen bei Überfällen, Massakern und Gefechten ums Leben. Im Dezember 1998 er-

Mexiko Vereinigte Mexikanische Staaten	
Landesfläche	1,96 Mio km² (WR 14)
Einwohner	99,1 Mio (WR 11)
Hauptstadt	Mexiko-Stadt (19,4 Mio Einw.)
Sprachen	Spanisch, indianische Umgangssprachen
Währung	1 Peso (mex$) = 100 Centavos
Zeit	Mitteleuropäische Zeit –7 h
Gliederung	31 Bundesstaaten, 1 Bundesdistrikt
Politik	
Staatsform	Präsidiale Bundesrepublik (seit 1917)
Regierungschef	E. Zedillo P. de León (seit 1994) *27.4.1951
Staatspräsident	E. Zedillo P. de León (seit 1994) *27.4.1951
Parlament	Kongress aus Abgeordnetenhaus mit 500 für drei Jahre gewählten Abgeordneten und Senat mit 128 Mitgliedern; im Abgeordnetenhaus 239 Sitze für Partei der Institutionalisierten Revolution (PRI), 125 für Linke (PRD), 121 für Konservative (PAN), 15 für Andere (Wahl von 1997)
Internet	http://www.presidencia.gob.mx http://www.senado.gob.mx http://www.cddhcu.gob.mx
Bevölkerung	
Religion	Christen (94,6%): Katholiken 89,7%, Protestanten 4,9%; Juden (0,1%); Sonstige (2,1%); Konfessionslose (3,2%)
Ethn. Gruppen	Mestizen (60%); Indios (30%); Weiße (9%); Sonstige (1%)
Wirtschaft und Soziales			
Dienstleistung	61,2%	**Urbanisierung**	75%
Industrie	31,4%	**Einwohner/km²**	49
Landwirtschaft	7,4%	**Bev.-Wachstum/Jahr**	2,1%
BSP/Kopf	3700 $ (1997)	**Kindersterblichkeit**	3,1%
Inflation	19% (1998)	**Alphabetisierung**	89,2%
Arbeitslosigkeit	3,7% (1997)	**Einwohner pro Arzt**	621

klärten sich 32 Gemeinden in Chiapas für autonom. Die Regierung sah von militärischen Gegenmaßnahmen ab, um den Waffenstillstand nicht zu gefährden. In der südlichen Provinz waren Anfang 1999 rund 20% der mexikanischen Streitkräfte stationiert. Größere Teile von Chiapas sind mittlerweile fast entvölkert, da aus Angst vor Übergriffen seit Ausbruch der Kämpfe über 16 000 Bauernfamilien aus ihren Heimatgemeinden geflohen sind.

Mitte September 1998 starben bei schweren Überschwemmungen und Erdrutschen in Süd-M. über 1000 Menschen, mehr als 400 000 Personen wurden obdachlos. Im Vergleich zu den südlichen Nachbarstaaten Honduras, Nicaragua und El Salvador waren die Schäden, die der Wirbelsturm »Mitch« im Herbst 1998 in M. anrichtete, gering. M. leistete den schwer getroffenen Nachbarstaaten materielle Hilfe.

Im September 1998 trat der Polizeichef von Mexiko-Stadt, Rodolfo Debernardi, von seinem Amt zurück, da die Ordnungskräfte dem Kriminalitätsproblem nicht mehr gewachsen waren. 20% der Einwohner wurden 1998 entweder als Täter oder Opfer eines Verbrechens von der Statistik erfasst. Präsident Ernesto Zedillo gestand das Versagen der Regierung bei der Verbrechensbekämpfung ein. Ende August 1998 wurde ein neuer Plan zur Kriminalitätsbekämpfung vorgestellt, in dessen Rahmen die Finanzmittel für Polizei und Justiz auf rund 370 Mio US-Dollar erhöht wurden. Im April 1999 wurde eine Bundespolizei gegründet. Im Januar 1999 wurde Rául Salinas, der Bruder des mexikanischen Ex-Präsidenten Carlos Salins de Gortari, wegen Anstiftung zum Mord an dem Politiker José Francisco Ruiz Massieu zu 50 Jahren Gefängnis verurteilt. Salinas soll nach Überzeugung des Gerichts in Ruiz Massieu, dem damaligen Generalsekretär der PRI, eine Gefahr für die politische Macht seiner Familie gesehen haben. Massieu war im September 1994 in Mexiko-Stadt auf offener Straße erschossen worden. Die Verurteilung von Salinas erregte großes Aufsehen, da die gerichtliche Verfolgung von Mitgliedern des Regierungslagers in M. bislang unüblich war.

Außenpolitik: US-Präsident Bill Clinton kam Mitte Februar 1999 zum offiziellen Besuch nach M., bei dem er u. a. einen 5,7 Mrd US-Dollar-Kredit in Aussicht stellte. Clinton machte die Zuteilung des Kredites von den Fortschritten M.s bei der Bekämpfung des Drogenanbaus und -schmuggels abhängig. M. wurde seit Einführung der nordamerikanischen Freihandelszone 1994 zum zweitgrößten Markt für die USA. **Wirtschaft:** 1998 verzeichnete M. ein stabiles Wirtschaftswachstum von 4,8% (1997: 7%). Für 1999 wurde ein Wachstum von weniger als 4% erwartet. In fast allen Wirtschaftszweigen waren gegenüber dem Vorjahr nominale Umsatzverbesserungen zu verzeichnen. Bei den Gewinnen gab es jedoch zumeist enttäuschende Ergebnisse, insbes. infolge der Peso-Abwertung. Die Importe aus den USA, dem wichtigsten Handelspartnerland, hatten 1998 ein Volumen von 72,5 Mrd US-Dollar, die Exporte in die USA beliefen sich auf 86,9 Mrd US-Dollar. Große Finanzprobleme bereitete der Ölpreisverfall, da rund ein Drittel des Staatshaushaltes durch den Ölexport gedeckt werden sollten.

Mikronesien	Förderative Staaten Mikronesien
Landesfläche	702 km² (WR 172)
Einwohner	134 000 (WR 175)
Hauptstadt	Kolonia (Pohnpei; 33 100 Einw.)
Sprachen	Englisch, mikronesische Dialekte
Währung	1 US-Dollar (US-$) = 100 Cents
Zeit	Mitteleuropäische Zeit +8/9 h
Gliederung	4 Teilstaaten
Politik	
Staatsform	Bundesrepublik (seit 1991)
Regierungschef	Leo Falcam (seit 1999)
Staatspräsident	Leo Falcam (seit 1999)
Parlament	Kongress mit 14 Sitzen; 4 Abgeordnete für vier Jahre und 10 Abgeordnete für 2 Jahre gewählt, die vier Bundesstaaten wählen eigene Parlamente; keine politischen Parteien
Internet	http://www.fsmgov.org
Bevölkerung	
Religion	Christen (100%): Katholiken (42,5%), Sonstige (57,5%)
Ethn. Gruppen	Trukese (41,4%); Pohnpeian (25,9%); Mortlockese (8,3%); Kosraean (7,4%); Yapese (6%); Sonstige (11%)

Wirtschaft und Soziales			
Dienstleistung	57,8%	Urbanisierung	43%
Industrie	–	Einwohner/km²	191
Landwirtschaft	42,2%	Bev.-Wachstum/Jahr	3,3%
BSP/Kopf	1920 $ (1997)	Kindersterblichkeit	k.A.
Inflation	4,0% (1996)	Alphabetisierung	77%
Arbeitslosigkeit	k. A.	Einwohner pro Arzt	2069

Mikronesien

Ozeanien, Karte S. 537, D 1

M. liegt mit seinen rund 900 kleinen Inseln und Atollen zwischen Palau und den Marschall-Inseln. Die vier Bundesstaaten von M. sind nach ihren größten Inseln benannt: Yap, Chuuk, Pohnpei und Kosrae. Viele Inseln erheben sich nur wenige Meter über dem Meeresspiegel, sodass die Bewohner seit Anfang der 90er Jahre befürchten, infolge des weltweiten Treibhauseffektes und damit verbundener Stürme überflutet zu werden. Wegen der geringen Zahl von Flüssen hat M. große Probleme bei der Süßwasserversorgung. Mit Hilfe der USA wurde in den 80er und 90er Jahren das Sozialwesen ausgebaut, sodass die Analphabetenqote 1998 auf fast 20% gesenkt wurde. Insges. werden 70% des Haushaltes von M. mit Hilfsgeldern aus den USA finanziert. Ende der 90er Jahre begann M., die Fischfangflotte und die Fisch verarbeitende Industrie zu erweitern, um die Tunfischbestände in seinen Gewässern besser zu nutzen. Jährlich kommen ca. 36 000 Touristen nach M.

Moldawien

Europa, Karte S. 529, F 5

Angesichts einer schweren Wirtschaftskrise trat Anfang Februar 1999 der erst im März 1998 als marktwirtschaftlicher Reformer an die Macht gelangte Ministerpräsident Ion Ciubuc zurück. Mit einer Stimme Mehrheit wählte das moldauische Parlament den als Wirtschaftsfachmann geltenden Ion Sturza zum neuen Ministerpräsidenten. Wie sein Vorgänger kam auch er aus der liberalen, dem Präsidenten Lucinschi nahe stehenden Bewegung PMDP, ein Bündnis, das nach den Parlamentswahlen 1998 eine Koalition mit reformorientierten Kräften in dem Balkanstaat eingegangen war.
Im Herbst 1998 brach der für M. wichtige Absatzmarkt in Russland wegen der dortigen Wirtschafts- und Finanzkrise fast völlig zusammen. Das BIP ging in M. 1998 um knapp 10% zurück. Die Inflation stieg auf über 18%. Die Produktions- und Exportkrise führte zu einem weiteren Anstieg der ohnehin hohen Staatsverschuldung. Wegen ausstehender Renten und Löhne kam es ab Anfang 1999 wiederholt zu Protesten.

Moldawien	Republik Moldau
Landesfläche	33 700 km² (WR 135)
Einwohner	4,45 Mio (WR 113)
Hauptstadt	Chisinau 765 000 Einwohner)
Sprachen	Rumänisch, Russ., Ukrainisch
Währung	1 Moldau-Leu = 100 Bani
Zeit	Mitteleuropäische Zeit +1 h
Gliederung	38 Distrikte, 10 Städte
Politik	
Staatsform	Republik (seit 1991)
Regierungschef	Ion Sturza (seit 1999) *1943
Staatspräsident	Petru Lucinschi (seit Januar 1997) *27.1.1940
Parlament	101 für fünf Jahre gewählte Abgeordnete; 40 Sitze für Kommunisten; 26 für Demokr. Konvention; 24 für Bündnis BDPM; 11 für Demokr. Kräfte, 3 für Andere (Wahl: 1998)
Internet	http://www.moldova.org
Bevölkerung	
Religion	Orthodoxe Christen (60%); Juden (10%); Sonstige (30%)
Nationalitäten	Moldauer (Rumänen 64,5%); Ukrainer (13,8%); Russen (13%); Gagausen (3,5%); Bulgaren (1,5%); Sonstige (3,7%)
Wirtschaft und Soziales			
Dienstleistung	30%	Urbanisierung	52%
Industrie	32%	Einwohner/km²	132
Landwirtschaft	38%	Bev.-Wachstum/Jahr	–0,1%
BSP/Kopf	460 $ (1997)	Kindersterblichkeit	2,9%
Inflation	18,3% (1998)	Alphabetisierung	98,9%
Arbeitslosigkeit	2,1% (1998)	Einwohner pro Arzt	250

Monaco

Europa, Karte S. 529, C 6

Im Januar 1999 heiratete Prinzessin Caroline von Monaco, älteste Tochter von Staatsoberhaupt Fürst Rainier III., in M. Prinz Ernst August von Hannover, einen Urenkel des letzten deutschen Kaisers Wilhelm II. Nach der Verfassung von 1962 ist M. eine konstitutionelle Monarchie, in der die Gesetzgebung gemeinsam vom Fürsten und von den für fünf Jahre direkt vom Volk gewählten Parlament ausgeübt wird. Faktisch liegt die Machtausübung zum größten Teil beim Fürsten, der auch der Gerichtsbarkeit vorsteht. Die vom Fürsten ernannte Regierung kann vom Parlament nicht durch ein Misstrauensvotum abgesetzt werden. Sie setzt sich aus einem Staatsminister (einem Franzosen, den der Fürst auf Vorschlag der französischen Regierung ernennt) und drei weiteren Ministern zusammen. Daneben gibt es einen Gemeinderat, aus dessen Mitte der Bürgermeister gewählt wird. M. wird ein Teil Frankreichs, falls der Fürst ohne einen männlichen Nachkommen stirbt.

Monaco	Fürstentum Monaco
Landesfläche	1,95 km² (WR 191)
Einwohner	33 000 (WR 186)
Hauptstadt	Monaco-Ville
Sprachen	Franz., Mone-gassisch, Italienisch
Währung	1 Französischer Franc (FF) = 100 Centimes
Zeit	Mitteleuropäische Zeit
Gliederung	Fürstentum
Politik	
Staatsform	Konstitutionelle Monarchie (seit 1962)
Regierungschef	Michel Lévêque (seit 1997)
Staatspräsident	Fürst Rainier III. (seit 1949) * 31.5.1923
Parlament	Nationalrat mit 18 für fünf Jahre direkt vom Volk gewählten Abgeordneten; 18 Sitze für Union Nationale et Démocratique (Wahl: 1998)
Bevölkerung	
Religion	Katholiken (87%); Protestanten; Juden; Antoniter; Muslime
Nationalitäten	Franzosen (47%); Italiener (17%); Monegassen (17%); Sonstige (19%)
Wirtschaft und Soziales			
Dienstleistung	73%	Urbanisierung	100%
Industrie	27%	Einwohner/km²	17
Landwirtschaft	0%	Bev.-Wachstum/Jahr	0,4%
BSP/Kopf	ca. 40 000 $ (1997)	Kindersterblichkeit	k. A.
Inflation	k. A.	Alphabetisierung	100%
Arbeitslosigkeit	k. A.	Einwohner pro Arzt	490

Mongolei

Mongolei	
Landesfläche	1,57 Mio. km² (WR 18)
Einwohner	2,62 Mio (WR 132)
Hauptstadt	Ulan-Bator (666 000 Einwohner)
Sprachen	Mongolisch, Kasachisch, Russ.
Währung	1 Tugrik (Tug) = 100 Mongo
Zeit	Mitteleuropäische Zeit +7/8 h
Gliederung	18 Provinzen
Politik	
Staatsform	Republik (seit 1992)
Regierungschef	Janlavin Narantsatsralt (seit 1998), *1957
Staatspräsident	Natsagiin Bagabandi (seit 1997) *22.4.1950
Parlament	Großer Staatschural mit 76 für vier Jahre gewählten Abgeordneten; 50 Sitze für Demokratische Union, 25 für Mongolische Revolutionäre Volkspartei, 1 für Partei des gemeinsamen Erbes (Wahl von 1996)
Internet	http://www.pmis.gov.mn http://www.parl.gov.mn
Bevölkerung	
Religion	Buddhistische Lamaisten; Schamanisten; Muslime
Ethn. Gruppen	Mongolen (88,5%); Turkvölker (6,9%); Sonstige (4,6%)
Wirtschaft und Soziales	

Dienstleistung	55,8%	Urbanisierung	61%
Industrie	29,5%	Einwohner/km²	2
Landwirtschaft	14,7%	Bev.-Wachstum/Jahr	1,5%
BSP/Kopf	390 $ (1997)	Kindersterblichkeit	5,1%
Inflation	17,5% (1997)	Alphabetisierung	82,2%
Arbeitslosigkeit	15% (1997)	Einwohner pro Arzt	389

Mongolei
Asien, Karte S. 535, F 3

Im Dezember 1998 ernannte Präsident Natsagin Bagabandi den Bürgermeister von Ulan Bator, Janlavin Narantsatsralt, zum Premier der M. Narantsatsralt trat die Nachfolge von Tsakhiagin Elbegdorj an, der im Juli 1998 nach Kontroversen um die Privatisierung des Bankwesens die Amtsgeschäfte nur provisorisch weitergeführt hatte.

Im Oktober 1998 wurde Sandschaassuregijin Sorig, der als aussichtsreicher Kandidat für das Amt des Ministerpräsidenten galt, von zwei Unbekannten getötet. Sorig war als Mitglied der Nationaldemokratischen Partei (PND) bis Juli 1998 Minister in einer Koalition demokratischer Parteien.

1998 lebten in der M. ca. 600 000 Menschen (rund 25% der Bevölkerung) als Folge der Umstellung von der sozialistischen Planwirtschaft auf die Marktordnung unterhalb des Existenzminimums. Nachdem das BIP 1985–95 durchschnittlich um 3,3% pro Jahr gesunken war, stieg es mithilfe ausländischer Kapitalgeber (Japan und USA) 1997 wieder um 3,3% und 1998 um 5%.

Mosambik Republik Mosambik	
Landesfläche	801 590 km² (WR 34)
Einwohner	18,69 Mio (WR 51)
Hauptstadt	Maputo (2,2 Mio Einwohner)
Sprachen	Portugiesisch, Bantu, Suaheli
Währung	1 Metical (MT) = 100 Centavos
Zeit	Mitteleuropäische Zeit +1 h
Gliederung	10 Provinzen
Politik	
Staatsform	Präsidiale Republik (seit 1990)
Regierungschef	Pascoal Manuel Mocumbi (seit 1994) *1941
Staatspräsident	Joaquim Alberto Chissano (seit 1986) *1939
Parlament	Volksversammlung mit 250 für fünf Jahre gewählten Abgeordneten; 129 Sitze für FRELIMO, 112 für RENAMO, 9 für Demokratische Union (Wahl von 1994)
Internet	http://www.mozambique.mz
Bevölkerung	
Religion	Volksreligionen (48%); Christen (39%); Muslime (13%)
Ethn. Gruppen	Makua (47,3%); Tsonga (23,3%); Malawi (12%); Shona (11,3%); Yao (3,8%); Sonstige (2,3%)
Wirtschaft und Soziales	

Dienstleistung	55%	Urbanisierung	34%
Industrie	12%	Einwohner/km²	23
Landwirtschaft	33%	Bev.-Wachstum/Jahr	2,6%
BSP/Kopf	90 $ (1997)	Kindersterblichkeit	11,4%
Inflation	5% (1998)	Alphabetisierung	40,1%
Arbeitslosigkeit	5% (1998)	Einwohner pro Arzt	143 351

Mosambik
Afrika, Karte S. 533, E 7

Nach 16jährigem verlustreichen Bürgerkrieg wurde der Friedensprozess in M. sieben Jahre nach dem Waffenstillstand weiter gefestigt. Die Wirtschaft wies auch 1998/99 ein leichtes Wachstum auf.

Innenpolitik: Im Mai 1999 wurde in M. eine neue Verfassung verabschiedet, die Regierung und Parlament gegenüber dem Staatspräsidenten und den Parteien stärkt. Das Parlament kann der Regierung nicht mehr das Vertrauen entziehen und sie zum Rücktritt zwingen. Dies wurde als weiterer Schritt zur politischen Stabilisierung des ostafrikanischen Landes gedeutet, das seit Beendigung des Bürgerkriegs 1991 als afrikanischer Musterfall für friedliche Konfliktlösung gilt. M. verfügte auch 1998/99 über eine stabile Regierung. Besonderes Ansehen bei der Bevölkerung genoss der seit 1986 amtierende Präsident Joaquim Alberto Chissano. Seine Partei, die linksgerichtete frühere Rebellengruppe FRELIMO (Frente de Libertacão de Mocambique), verfügt im

Parlament mit 129 von 250 Sitzen über eine knappe absolute Mehrheit. Bei wichtigen Entscheidungen, etwa der Verfassungsreform und dem Ende 1998 verabschiedeten neuen Wahlgesetz, wurde die größte Oppositionspartei, die aus einer rechtsgerichteten Guerilla hervorgegangene RENAMO (Resistencia Nacional Mosambicana), integriert. Anfang Mai 1999 tagte in der Hauptstadt Maputo die erste Vertragsstaaten-Konferenz der Konvention zur Ächtung von Anti-Personen-Minen. Es wurden Maßnahmen zur beschleunigten Minenräumung unter Federführung der UNO beschlossen. Maputo war als Tagungsort gewählt worden, weil M. neben Afghanistan und Angola das Land mit den meisten ausgelegten Landminen ist (rund 3 Mio). Die Anti-Minen-Konvention war am 1.3.1999 nach jahrelangen Verhandlungen in Kraft getreten und bis Mitte 1999 von rund 135 Staaten unterschrieben worden. Die Regierungen der USA und Chinas verweigerten jedoch die Unterschrift.

Wirtschaft: Die Wirtschaft von M. befand sich 1998/99 weiter auf Wachstumskurs. Das BIP stieg um rund 12%, die Inflation lag bei rund 5% (1995: 14%). Positiv wurde

der komtinuierliche Anstieg der Landeswährung gegenüber dem Dollar verbucht. Allerdings wurden dadurch die Exporte von Cashew-Nüssen, dem einst wichtigsten Exportgut von M., verteuert. Positive Impulse für den Außenhandel bewirkte im Januar 1999 die Aufhebung des Einfuhrverbots von Fisch und Fischprodukten aus M. in die EU. Zuvor hatte M. durch verschärfte Vorschriften hygienische Bedenken der EU ausräumen können. Auch 1998/99 blieb M. auf Kredite des Internationalen Währungsfonds (IWF) angewiesen. Weitere Zahlungen machte der IWF von beschleunigten Privatisierungen und einer Marktliberalisierung abhängig. Auch auf diesem Sektor spielt M. seit Jahren eine Vorreiterrolle in Afrika. Seit 1989 wurden von einst 1250 Staatsbetrieben 900 in private Hände überführt.

M. hatte 1998/99 mit zunehmenden sozialen Problemen zu kämpfen, da die ökonomischen Erfolge vor allem den mittleren und oberen Bevölkerungsgruppen zugute kamen. Der öffentliche Bereich (Gesundheitswesen, Schulen, Universitäten u. a.) wurde durch die wachsende Staatsverschuldung belastet.

Myanmar (Birma)

Asien, Karte S. 535, E 6

Die UN-Vollversammlung kritisierte im November 1998 die Menschenrechtsverletzungen in M. Sie forderte die Militärjunta auf, Gespräche mit der Opposition aufzunehmen, die von Friedensnobelpreisträgerin Aung San Suu Kyi angeführt wird.

Die UNO beklagte außergerichtliche Hinrichtungen, Vergewaltigungen, Folter, Massenverhaftungen und die Unterdrückung der Meinungs- und Versammlungsfreiheit. Seit 1988 regiert in M. eine Militärjunta. Internationale Wirtschafts- und Kreditinstitute wie der IWF und die Weltbank reduzierten die Entwicklungshilfe auf 20 Mio US-Dollar im Jahr 1998 (zum Vergleich Kambodscha: 400 Mio US-Dollar). Wichtigste Geldquelle war 1998 der Drogenhandel, durch den M. rund 44 Mrd US-Dollar einnahm. Weltbank und UNO-Finanzprogramme erwogen Anfang 1999 eine Intensivierung der Entwicklungshilfe unter der Voraussetzung, dass sich M. stärker in der Drogenbekämpfung engagiert.

Myanmar (Birma) Union Myanmar			
Landesfläche	676 578 km² (WR 39)		
Einwohner	47,63 Mio (WR 25)		
Hauptstadt	Yangon/Rangun (3,87 Mio Einw.)		
Sprachen	Birmanisch, regionale Sprachen		
Währung	1 Kyat (K) = 100 Pyas		
Zeit	Mitteleuropäische Zeit +5,5 h		
Gliederung	7 Staaten, 7 Provinzen		
Politik			
Staatsform	Sozialistische Republik, Militärregime (seit 1974, Putsch 1988)		
Regierungschef	Than Shwe (seit 1992) *1933		
Staatspräsident	Than Shwe (seit 1992) *1933		
Parlament	Volksversammlung mit 485 für vier Jahre gewählten Abgeordneten; 392 Sitze für Nation. Liga für Demokratie, 93 für And. (Wahl von 1990, vom Militärregime nicht anerkannt)		
Internet	http://www.itu.int/missions/Myanmar		
Bevölkerung			
Religion	Buddh. (89%); Christen (5%); Muslime (5%); Sonst. (1%)		
Ethn. Gruppen	Birmanen (69%); Shan (8,5%); Kayin (Karen, 6,2%); Rakhine (Arakan, 4,5%); Mon (2,4%); Sonstige (9,4%)		
Wirtschaft und Soziales			
Dienstleistung	28%	Urbanisierung	26%
Industrie	10%	Einwohner/km²	70
Landwirtschaft	62%	Bev.-Wachstum/Jahr	1,7%
BSP/Kopf	770 $ (1997)	Kindersterblichkeit	7,9%
Inflation	33,9% (1998)	Alphabetisierung	82,7%
Arbeitslosigkeit	k. A.	Einwohner pro Arzt	12 500

Namibia Republik Namibia	
Landesfläche	824 292 km² (WR 33)
Einwohner	1,65 Mio (WR 143)
Hauptstadt	Windhuk (190 000 Einwohner)
Sprachen	Englisch, Afrikaans, Dt., Bantu
Währung	1 Namib. Dollar (ND) = 100 Cents
Zeit	Mitteleuropäische Zeit +1 h
Gliederung	13 Regionen
Politik	
Staatsform	Präsidiale Republik (seit 1990)
Regierungschef	Hage Geingob (seit 1990) *3.8.1941
Staatspräsident	Sam Nujoma (seit 1990) *12.5.1929
Parlament	Nationalversammlung mit 72 für fünf Jahre gewählten Mitgliedern; 53 Sitze für gemäßigte Sozialisten (SWAPO), 15 für Liberale (DTA), 4 für Sonstige (Wahl von 1994)
Internet	http://www.republicofnamibia.com
Bevölkerung	
Religion	Christen (82%); Sonstige (18%)
Ethn. Gruppen	Ovambo (47,4%); Kavango (8,8%); Herero (7,1%); Damara (7,1%); Weiße (6,1%); Sonstige (23,5%)

Wirtschaft und Soziales			
Dienstleistung	59%	Urbanisierung	37%
Industrie	25,6%	Einwohner/km²	2
Landwirtschaft	15,4%	Bev.-Wachstum/Jahr	1,6%
BSP/Kopf	2110 $ (1997)	Kindersterblichkeit	6,5%
Inflation	ca. 10% (1998)	Alphabetisierung	75,8%
Arbeitslosigkeit	ca. 40% (1996)	Einwohner pro Arzt	4328

Nauru Republik Nauru	
Landesfläche	21 km² (WR 190)
Einwohner	11 000 (WR 190)
Hauptstadt	–
Sprachen	Englisch, Nauruisch
Währung	1 Australischer Dollar (A$) = 100 Cents
Zeit	Mitteleuropäische Zeit +10,5 h
Gliederung	14 Gemeindedistrikte
Politik	
Staatsform	Parlamentarische Republik im Commonwealth (seit 1968)
Regierungschef	Kinza Clodumar (seit 1997)
Staatspräsident	Kinza Clodumar (seit 1997)
Parlament	Gesetzgebender Rat mit 18 für drei Jahre gewählten unabhängigen Abgeordneten, keine politischen Parteien (Wahl von 1997)
Bevölkerung	
Religion	Christen (90%); Sonstige (10%)
Ethn. Gruppen	Nauruer (58%); sonstige Südseeinsulaner (26%); Europäer (8%); Chinesen (8%)

Wirtschaft und Soziales			
Dienstleistung	k. A.	Urbanisierung	48%
Industrie	k. A.	Einwohner/km²	524
Landwirtschaft	k. A.	Bev.-Wachstum/Jahr	1,3%
BSP/Kopf	10 500 $ (1998)	Kindersterblichkeit	k. A.
Inflation	k. A.	Alphabetisierung	99%
Arbeitslosigkeit	k. A.	Einwohner pro Arzt	700

Namibia
Afrika, Karte S. 533, C 6

Im Oktober 1998 ging die Regierung von N. gegen Separatisten im Caprivi-Zipfel im Nordosten vor. Anfang November flohen mehr als 100 Aktivisten ins Nachbarland Botswana. Die Weigerung Botswanas, die Flüchtlinge auszuliefern, wo sie wegen Hochverrat angeklagt werden sollten, führte zur Verschlechterung der angespannten Beziehungen zwischen beiden Staaten. Im Gebietskonflikt zwischen N. und Botswana um die Situngu-Inseln in einem Grenzfluss drohten beide Länder 1998/99 mit Waffengewalt. Botswana ging es um den Zugang zum Flusswasser, das für die Wasserversorgung des Landes wichtig ist. Der Streit wurde durch Pläne N. verschärft, eine Wasserleitung aus dem Nordosten in die Hauptstadt Windhuk zu bauen.

Das BIP in N. wuchs um 6% (1997: 4,5%), die Inflationsrate fiel auf ca. 10%. Mit deutscher Hilfe wurden u. a. grenzüberschreitende Straßenprojekte gefördert. Großprojekt der SWAPO-Regierung war 1998/99 der Bau des Epupa-Staudamms.

Nauru
Ozeanien, Karte S. 537, E 2

N. ist mit einem BSP pro Kopf von ca. 10 500 US-Dollar einer der reichsten selbstständigen Inselstaaten im Pazifik. Sein Wohlstand beruht auf großen Vorkommen an hochwertigem Phosphat, das als Düngemittel nach Australien und Neuseeland sowie Japan und Korea-Süd exportiert wird. Das Phosphat entstand als Anhäufung von Exkrementen, die Vögel bei ihren Zügen auf N. hinterließen. Durch den Bergbau wurde N. in eine Mondlandschaft verwandelt, die schwer rekultiviert werden kann, da der gesamte Boden abgetragen wurde. Für die Landwirtschaft steht lediglich ein 100–300 m breiter Küstenstreifen zur Verfügung. Fast alle Lebensunterhalt dienenden Güter müssen importiert werden, einschließlich Süßwasser. Da die Phosphatvorkommen voraussichtlich bis 2010 erschöpft sein werden, plant N., Teile der Insel zu renaturieren, um dem Tourismus ausbauen zu können. Rund 40% der arbeitsfähigen Bevölkerung lebte 1998 bereits im Ausland.

Nepal

Asien, Karte S. 535, D 5

Bei den Parlamentswahlen (Unterhaus) im Mai 1999 siegte die regierende Kongress-partei mit 110 von 205 Sitzen. Im Juni wurde der neue Premier Krishna Prasad Bhattarani vereidigt. Rund 2200 Kandidaten aus 41 Parteien hatten sich um die Unterhaussitze beworben. Die Wahl wurde an zwei Wochenenden durchgeführt, weil es im N. nicht genügend Personal gab, um die Stimmabgabe der 13,5 Mio Wahlberechtigten überwachen zu können. Der Urnengang war notwendig geworden, weil die Koalition unter Premierminister Girija Prasad Koirala von der Kongresspartei wegen persönlicher Rivalitäten innerhalb der Regierung im Dezember 1998 auseinandergebrochen war.

N. war 1997 mit einem BSP/Kopf von rund 210 US-Dollar eines der ärmsten Länder der Welt. Mehr als die Hälfte der Einwohner lebten unterhalb der Armutsgrenze. Die Lebenserwartung lag bei 55 Jahren, die Kindersterblichkeit betrug 8,3‰. Rund 80% der Menschen lebten auf dem Land, meist ohne Strom und ärztliche Versorgung.

Nepal	Königreich Nepal		
Landesfläche	147 181 km² (WR 91)		
Einwohner	23,17 Mio (WR 43)		
Hauptstadt	Katmandu (420 000 Einwohner)		
Sprachen	Nepali, Newari, Maithili u. a.		
Währung	1 Nepal. Rupie (NR) = 100 Paisa		
Zeit	Mitteleuropäische Zeit +4,75 h		
Gliederung	14 Zonen		
Politik			
Staatsform	Konstitutionelle Monarchie (seit 1990)		
Regierungschef	Krishna Prasad Bhattarani (seit Juni 1999)		
Staatspräsident	König Birendra Bir Bikram Schah Dev (seit 1972) *1945		
Parlament	Oberhaus mit 60 Sitzen, Unterhaus mit 205 für fünf Jahre gewählten Mitgl.; 110 Sitze für Kongressp., 68 für Kommunist., 11 für Nationaldemokr., 16 für And. (Wahl: 1999)		
Internet	http://www.catmando.com/gov/industry/fipd/fipd.htm		
Bevölkerung			
Religion	Hindus (86%); Buddhisten (7%); Muslime (4%); Sonst. (3%)		
Ethn. Gruppen	Nepalesen (Gurkha, 53%); Bihan (18%); Tharu (5%); Niwar (3%); Tamang (5%); Sonst. (16%)		
Wirtschaft und Soziales			
Dienstleistung	30%	Urbanisierung	14%
Industrie	18%	Einwohner/km²	157
Landwirtschaft	52%	Bev.-Wachstum/Jahr	2,5%
BSP/Kopf	210 $ (1997)	Kindersterblichkeit	8,3%
Inflation	7,5% (1997)	Alphabetisierung	27%
Arbeitslosigkeit	k. A.	Einwohner pro Arzt	k.A.

Neuseeland

Ozeanien, Karte S. 537, F 6

Die Regierungskoalition zwischen Nationaler Partei (NP) unter Premierministerin Jenny Shipley und der New Zealand First Party (NZFP) zerbrach im August 1998. **Innenpolitik:** Das Bündnis scheiterte wegen Uneinigkeit über den Verkauf des 64%-igen Staatsanteils am internationalen Flughafen in Wellington an ein ausländisches Konsortium. Der Vorsitzende des NZFP, Winston Peters, lehnte das Geschäft als unvereinbar mit den Prinzipien seiner Partei ab. Er warf der NP vor, sich nicht an die in den Koalitionsverhandlungen getroffenen Absprachen gehalten zu haben. Obwohl die NP im 120 Sitze umfassenden Parlament nur 44 Abgeordnete stellte, regierte sie 1998/99 allein weiter. Sie stützte sich auf acht Abgeordnete der NFZP, die Peters die Gefolgschaft verweigert hatten, und auf zehn Abgeordnete anderer Parteien. Im September 1998 sprach das Parlament der NP-Minderheitsregierung mit 62:58 Stimmen das Vertrauen aus.

Neuseeland			
Landesfläche	270 534 km² (WR 73)		
Einwohner	3,68 Mio (WR 119)		
Hauptstadt	Wellington (158 300 Einwohner)		
Sprachen	Englisch, Maori		
Währung	1 Neuseel-Dollar = 100 Cents		
Zeit	Mitteleuropäische Zeit +11 h		
Gliederung	16 Regionen		
Politik			
Staatsform	Parlamentarische Monarchie im Commonwealth (seit 1907)		
Regierungschef	Jenny Shipley (seit 1997) *4.2.1952		
Staatspräsident	Königin Elizabeth II. (seit 1952) * 21.4.1926		
Parlament	Repräsentantenhaus mit 120 für drei Jahre gewählten Mitgl.; 44 Sitze für National Party, 37 für Labour, 17 für New Zealand First, 13 für Alliance, 9 für Sonst. (Wahl von 1996)		
Internet	http://www.govt.nz http://www.parliament.govt.nz		
Bevölkerung			
Religion	Anglikaner (21,4%); Presbyterianer (16%); Katholiken (14,8%); Sonstige (28,1%); Konfessionslose (19,7%)		
Ethn. Gruppen	Weiße (74%); Maori (10%); Polynesier (4%); Sonst. (12%)		
Wirtschaft und Soziales			
Dienstleistung	70%	Urbanisierung	86%
Industrie	21%	Einwohner/km²	14
Landwirtschaft	9%	Bev.-Wachstum/Jahr	1%
BSP/Kopf	15 830 $ (1997)	Kindersterblichkeit	0,7%
Inflation	1,3 (1997/98)	Alphabetisierung	99%
Arbeitslosigkeit	7,5% (1997/98)	Einwohner pro Arzt	301

Neuseeland: Wirtschaftswachstum (BIP)[1]

1999/2000[2]	+2,5
1998/99	0
1997/98	+2,3
1996/97	+2,7

1) in %; 2) Prognose; Quelle: bfai

Im Februar 1999 kündigte Shipley die Durchführung eines Referendums an, in dem die Bevölkerung über die Änderung des Wahlrechts in N. entscheiden soll. Bei den Parlamentswahlen 1996 galt zum ersten Mal ein teilweise von Deutschland übernommenes System, das Personen- und Verhältniswahl verband. Es begünstigte kleine Parteien, die ins Parlament gewählt wurden und die Regierungsbildung wesentlich erschwerten. Die NP sprach sich für die Rückkehr zum traditionellen Mehrheitswahlsystem aus, bei dem nur Parteienvertreter ins Parlament kommen, die in einem Wahlkreis die Mehrheit erringen.
Außenpolitik: Die Regierung von N. lehnte im August 1998 den Wunsch der USA ab,

ein Gesetz aufzuheben, das die Einfahrt von atomar betriebenen oder mit Atomwaffen bestückten Kriegsschiffen in neuseeländische Gewässer verbietet. Premierministerin Shipley begründete ihre Entscheidung mit dem Willen des Volkes, das eine Änderung dieses Gesetzes nicht dulde.
Wirtschaft: Die neuseeländische Volkswirtschaft erlitt 1998 nach mehreren Jahren soliden Wachstums einen Rückschlag. Infolge der Asienkrise und einer ausgeprägten Dürreperiode sank das BIP um 0,2% (1997/98: +2,3%). Die Arbeitslosenquote stieg wegen der schwachen Konjunktur und zunehmender Erwerbsneigung von 6,6% auf 7,5%. Das Leistungsbilanzdefizit wuchs von 2% des BIP Anfang der 90er Jahre auf 7% 1998. Die Auslandsverschuldung von N. betrug 1998 75,4 Mrd NZ-Dollar (77% des BIP). Anfang 1999 erholte sich die Wirtschaft, sodass die OECD für 1999 und 2000 wieder deutliche Wachstumsraten von 2,5–3% prognostizierte. Mitentscheidend für die Wiederbelebung des neuseeländischen Konjunktur waren die niedrigen Zinssätze (Durchschnitt: 4,5%), welche die Bautätigkeit und den Immobilienmarkt des Landes anregten.

Nicaragua Republik Nicaragua

Landesfläche	130 000 km² (WR 95)
Einwohner	4,46 Mio (WR 112)
Hauptstadt	Managua (820 000 Einwohner)
Sprachen	Spanisch, Chibcha
Währung	1 Córdoba (C$) = 100 Centavos
Zeit	Mitteleuropäische Zeit –7 h
Gliederung	9 Regionen, 17 Departamentos
Politik	
Staatsform	Präsidiale Republik (seit 1987)
Regierungschef	Arnoldo Alemán Lacayo (seit Jan. 1997) *1946
Staatspräsident	Arnoldo Alemán Lacayo (seit Jan. 1997) *1946
Parlament	Nationalversamml. mit 93 für sechs Jahre gewählten Mitgl.; 42 Sitze für Liberale Allianz, 36 für Sandinisten, 4 für Christdemokraten, 11 für Andere (Wahl von 1996)
Internet	http://www.asamblea.gob.ni
Bevölkerung	
Religion	Kath. (89,3%); Methodisten, Baptisten, Sonstige (10,7%)
Ethn. Gruppen	Mestizen (69%); Weiße (17%); Schwarze, Mulatten, Zambos (9%); Indianer (5%)

Wirtschaft und Soziales

Dienstleistung	47,3%	**Urbanisierung**	51,7%
Industrie	19,9%	**Einwohner/km²**	34
Landwirtschaft	32,8%	**Bev.-Wachstum/Jahr**	2,9%
BSP/Kopf	410 $ (1997)	**Kindersterblichkeit**	4,3%
Inflation	11,6% (1996)	**Alphabetisierung**	65,7%
Arbeitslosigkeit	13,3% (1997)	**Einwohner pro Arzt**	1566

Nicaragua
Mittelamerika, Karte S. 530, B 5

Der tropische Wirbelsturm »Mitch« warf N., wo 75% der Gesamtbevölkerung unterhalb der Armutsgrenze lebten, in seiner Entwicklung zurück.
Innenpolitik: Präsident Alemán Lacayo von der Allianza Liberal (AL) setzte 1998/99 die Bemühungen fort, die linksgerichteten Sandinisten und rechtsgerichteten »Recontras« in N. miteinander zu versöhnen. 1998 legten die letzten linksgerichteten Guerillagruppen die Waffen nieder. Bei den Kommunalwahlen in den beiden autonomen Atlantikküstenregionen erhielt die AL im Norden 24 und im Süden 19 der jeweils 45 Sitze, während die linksgerichtete sandinistische FSLN, die in den 80er Jahren dort eine Monopolstellung hatte, lediglich jeweils 13 Mandate erhielt. Die Vorwürfe, der frühere sandinistische Juntavorsitzende und FSLN-Führer Daniel Ortega Saavedra habe seine Stieftochter sexuell missbraucht, und die Zerstrittenheit der FSLN schadeten erheblich dem Ansehen der Sandinisten.

Besonders schwer wurde N. im Oktober 1998 von dem Wirbelsturm »Mitch« und den nachfolgenden Überschwemmungen betroffen. Mind. 6000 Menschen kamen ums Leben. Während der Regenfälle löste sich am Vulkan Casitas im Nordwesten des Landes eine Schlammlawine und begrub fünf Ortschaften, wodurch 2000 Menschen starben. Die Zerstörung der Infrastruktur durch den Wirbelsturm erschwerte die Rettungsarbeiten derart, dass sich Seuchen ausbreiteten. Gesundheitsministerin Marta McCoy rief im November den Notstand aus, nachdem mind. sieben Menschen an Leptospirose gestorben waren. Bei dieser von verunreinigtem Trinkwasser verursachten Krankheit werden Leber und Nieren geschädigt. Die Panamerikanische Gesundheitsorganisation zählte 554 Erkrankungen an Denguefieber, 459 Fälle von Malaria und mind. 190 Cholerafälle.

Außenpolitik: Im August 1998 verschärften sich Grenzstreitigkeiten mit Costa Rica, als costaricanische Einheiten nicaraguanische Soldaten an der Überquerung des Flusses Río San Juan hinderten und damit die Hoheit über das Gewässer beanspruchten.

Der Konflikt entfachte in N. eine nationalistische Stimmung. Der Grenzfluss Río San Juan liegt auf nicaraguanischem Territorium, wird aber seit Jahrhunderten gewohnheitsrechtlich von costaricanischen Händlern als Transportweg genutzt und diente in den 80er Jahren als Schmuggelroute (Drogen, Waffen, illegale Einwanderung).

Wirtschaft: Noch bevor im Oktober 1998 Hurrikan »Mitch« erhebliche Schäden anrichtete, erreichte Präsident Alemán Lacayo beim Internationalen Währungsfonds (IWF) die Gewährung eines Strukturanpassungsdarlehens sowie beim Pariser Klub einen teilweisen Verzicht auf Zinszahlungen. Auf der sog. Mitch-Konferenz in Stockholm (Schweden) forderte Alemán Lacayo im Mai 1999 weitere Direkthilfen von 1,3 Mrd US-Dollar und den Erlass aller Schulden. Wichtigster Wirtschaftszweig in N. ist die Landwirtschaft mit einem Anteil von fast 33% am BIP. Es werden vor allem Grundnahrungsmittel (Mais, Hirse, Reis und Bohnen) sowie Kaffee, Zuckerrohr, Baumwolle und Bananen angebaut. Der Anteil der Agrarausfuhren am gesamten Export des Landes betrug 1998/99 rund 70%.

Niederlande

Europa, Karte S. 529, B 3

Innenpolitik: Anfang Juni 1999 wurde eine Regierungskrise beigelegt, die im Mai zum zwischenzeitlichen Rücktritt von Ministerpräsident Wim Kok (PvdA) geführt hatte. Es wurde eine Fortsetzung der Regierungskoalition aus sozialdemokratischer PvdA, rechtsliberaler Volkspartei und linksliberalen Demokraten 66 erwartet.

Auslöser der Krise war ein staatsrechtlicher Konflikt: Obwohl die Erste Kammer (Senat) die von der Zweiten Kammer vorgelegten Gesetze nicht inhaltlich, sondern nur auf ihre Rechtsqualität hin prüfen darf, verhinderte der rechtsliberale Senator Hans Wiegel (VVD) mit seiner Stimme in der Ersten Kammer die erforderliche Zweidrittelmehrheit für die Einführung des korrektiven Referendums in die niederländische Verfassung. Der kleinste Regierungspartner, D 66, nahm dies zum Anlass, die Koalition aufzukündigen. Die Regierung warf Wiegel vor, die Einführung der Volksbefragung aus persönlichen Gründen verhindert zu haben.

Niederlande	Königreich der Niederlande		
Landesfläche	41 500 km² (WR 131)		
Einwohner	15,74 Mio (WR 57)		
Hauptstadt	Amsterdam (724 000 Einwohner)		
Sprachen	Niederländisch, Friesisch		
Währung	1 Gulden (hfl) = 100 Cent		
Zeit	Mitteleuropäische Zeit		
Gliederung	12 Provinzen		
Politik			
Staatsform	Parlamentarische Monarchie (seit 1848)		
Regierungschef	Wim Kok (seit 1994) *29.9.1938		
Staatspräsident	Königin Beatrix (seit 1980) *31.1.1938		
Parlament	1. Kammer mit 75 von Provinzparl. entsandten, 2. Kammer mit 150 gewählten Abgeordneten; 45 Sitze für Sozialdemokr., 38 für Volkspartei; 29 für Christdemokr.; 14 für Demokr. 66; 11 für Grün Links; 13 für And. (Wahl: 1998)		
Internet	http://www.postbus51.nl http://www.parlement.nl		
Bevölkerung			
Religion	Christen (59%); Sonstige (4%); Konfessionslose (37%)		
Nationalitäten	Niederländer (95,3%); Türken (1,4%); Sonstige (3,3%)		
Wirtschaft und Soziales			
Dienstleistung	66,0%	**Urbanisierung**	89%
Industrie	29,8%	**Einwohner/km²**	379
Landwirtschaft	4,2%	**Bev.-Wachstum/Jahr**	0,5%
BSP/Kopf	25 830 $ (1997)	**Kindersterblichkeit**	0,6%
Inflation	2,1% (1998)	**Alphabetisierung**	99%
Arbeitslosigkeit	4,1% (1998)	**Einwohner pro Arzt**	398

Aus den Parlamentswahlen vom Mai 1998 gingen PvdA mit 45 (+8) und VVD mit 38 (+7) Sitzen als Gewinner hervor, während D 66 10 ihrer 24 Sitze verlor. Mit 83 von 150 Mandaten verfügten PvdA und VVD über eine solide Mehrheit, doch bewegte die PvdA in monatelangen Verhandlungen die D 66 zu Beteiligung an der Regierung: Durch die Einbindung der Linksliberalen wollte die Sozialdemokratie dem linken Wählerspektrum zeigen, dass sie nicht allein im Bündnis mit der VVD für Einschnitte im sozialen Netz verantwortlich zu machen ist. Nach fast drei Monaten Verhandlung wurde im August 1998 die Regierung gebildet, die im Mai 1999 zurücktrat.

Außenpolitik: 1998/99 trieben die N. die Modernisierung, Verjüngung und Verkleinerung der niederländischen Streitkräfte voran. Zukünftig sollen sie sich auf ihre Aufgaben im Rahmen der NATO konzentrieren sowie die Verbreitung von Massenvernichtungswaffen und terroristische Anschläge verhindern. Die Umstrukturierung soll das internationale Ansehen der Streitkräfte wiederherstellen, das durch Vorgänge beim Massaker von Srebrenica beschädigt

worden war. Ein im August 1998 eingesetzter Untersuchungsausschuss soll die mögliche Verstrickung von niederländischen UN-Soldaten in Massenmorde bosnischer Serben an Muslimen 1995 aufklären.

Wirtschaft: Mit einer Inflationsrate von 2,1% (statt der im Maastrichter Vertrag geforderten 2,7%) und einem Haushaltsdefizit von 1,4% (Referenzwert: 3%), aber einer hohen Verschuldung von 72,1% (Referenzwert: 60%) wurden die N. am 1.1.1999 Mitglied der Europäischen Währungsunion. Sozialdemokrat Wim Duisenberg wurde erster Präsident der Europäischen Zentralbank (EZB). Der private Konsum (+4,4%) ist der Hauptgrund für den Anstieg des BIP (1998: +3,8%). Der Export erhöhte sich um 5,9%. Gute Investitionsbedingungen (niedrige Unternehmenssteuern, Begünstigung ausländischer Investoren), tarifpolitische Zurückhaltung, niedrige Einkommensteuern und Stärkung der privaten Kaufkraft durch auf hohem Stand eingefrorene Löhne trugen dazu bei, dass 1998 ca. 193 000 neue Arbeitsplätze in den N. geschaffen wurden und die Arbeitslosenquote auf 4,1% gesenkt werden konnte.

Niger Republik Niger	
Landesfläche	1,27 Mio km² (WR 21)
Einwohner	10,12 Mio (WR 77)
Hauptstadt	Niamey (587 000 Einwohner)
Sprachen	Französisch, Haussa u. a.
Währung	CFA-Franc (FCFA)
Zeit	Mitteleuropäische Zeit
Gliederung	7 Dep., 38 Arrondissements
Politik	
Staatsform	Präsidiale Republik (seit 1960)
Regierungschef	Ibrahim Hassane Mayaki
Staatspräsident	Daouda Mallam Wanke (Putsch von 1999)
Parlament	Nationalversamml. mit 83 für fünf Jahre gewählten Mitgl.; 56 Sitze für Nationale Unabhängige Union zur Erneuerung der Demokratie (UNIRD), 13 für Parteien der UNIRD, 8 für Progressive Allianz Nigers, 6 für Andere (1999 aufgelöst)
Internet	http://www.unesco.org/delegates/niger
Bevölkerung	
Religion	Sunnitische Muslime (98,6%); Sonstige (1,4%)
Ethn. Gruppen	Haussa (53%); Songhai (21%); Tuareg (11%); Sonst. (15%)
Wirtschaft und Soziales			
---	---	---	---
Dienstleistung	43,6%	Urbanisierung	17%
Industrie	17,9%	Einwohner/km²	8
Landwirtschaft	38,5%	Bev.-Wachstum/Jahr	3,0%
BSP/Kopf	200 $ (1997)	Kindersterblichkeit	11,5%
Inflation	5,3% (1996)	Alphabetisierung	13,6%
Arbeitslosigkeit	ca. 30% (1997)	Einwohner pro Arzt	40 000

Niger
Afrika, Karte S. 533, B 3

In dem von einer Wirtschaftskrise heimgesuchten N. putschte im April 1999 das Militär gegen Präsident Ibrahim Barré Mainassara. Neuer starker Mann des N. wurde Major Daouda Mallam Wanke.

Innenpolitik: Der bisherige Präsident Mainassara wurde auf dem Flughafen der Hauptstadt Niamey von Angehörigen seiner Leibgarde erschossen; Kommandant der Leibgarde war Wanke. Der getötete Staatschef hatte im Januar 1996 selbst durch einen Putsch die Macht übernommen und das Land autoritär regiert.

Regierung: Am 10.4.1999 wurde Wanke, der bis dahin als integer und bescheiden galt, zum neuen Präsidenten ernannt. Die Regierungsgewalt erhielt ein sog. Versöhnungsrat aus 14 Offizieren, zu dessen ersten Maßnahmen die Auflösung des Parlaments gehörte. Am 15.4.1999 berief der Versöhnungsrat eine neue Regierung, der zwei Offiziere und 17 Zivilisten, darunter zwei Frauen, angehören. Die Uno, mehrere afri-

kanische Länder und die frühere Kolonialmacht Frankreich verurteilten den Staatsstreich; die französische Regierung sperrte
sämtliche Militärhilfen. Bereits Ende April
1999 wurde den Parteien wieder die politische Betätigung erlaubt. Junta-Chef Wanke
erklärte, dass die Militärs nur neun Monate
an der Macht bleiben und dann die Regierungsgeschäfte wieder an gewählte Politiker
übergeben wollten. Bis dahin soll u. a. eine
Verfassungsreform realisiert werden.

Als Auslöser für den Staatsstreich gelten die
Annullierung der Komunalwahlen im Februar 1999 durch die damalige Regierung,
als sich ein Erfolg der Opposition abzeich-
nete, sowie die wachsende Unzufriedenheit
bei den Militärs. Sie hatten wegen der
schlechten Wirtschaftslage in den vergangenen Monaten wiederholt auf die Auszahlung
ihres Soldes warten müssen.

Feuerpause der Rebellen: Zur Entspannung
ethnischer Konflikte innerhalb des Vielvölkerstaats N. führte im August 1998 ein Waffenstillstandsabkommen mit der Rebellenorganisation Demokratische Revolutionäre
Front. Sie kämpfte für mehr Rechte für das
Toubou-Volk, die kleinste ethnische Gruppe

im N. Mit dem auf diplomatische Vermitt-
lung des Tschad zustande gekommenen
Vertrag legte die letzte Rebellengruppe in
N. die Waffen nieder.

Wirtschaft: N., mit einem jährlichen Pro-
Kopf-Einkommen von ca. 200 Dollar eines
der ärmsten Länder der Welt, hatte 1998/99
mit einer sich verschärfenden Wirtschaftskrise zu kämpfen. 1997/98 war die Volkswirtschaft nach Schätzungen noch um etwa
4% gewachsen. Hauptursache war der
Preisverfall bei Uran, dem mit Abstand
wichtigsten Exportgut des N. (70% aller
Deviseneinnahmen). Das häufig von Dürre
heimgesuchte Land in der Sahel-Wüsten-
zone muss regelmäßig fast 20% seiner Lebensmittel importieren. N. war in den 90er
Jahren dauerhaft auf direkte Finanzhilfen
aus dem Ausland angewiesen, wobei ein
Großteil der Unterstützung von der früheren
Kolonialmacht Frankreich stammte. Sinkende Staatseinnahmen und wachsende Verschuldung waren der Grund, dass 1998/99
zahlreiche Berufsgruppen im öffentlichen
Sektor wie Lehrer, Polizisten und Armee-
angehörige wiederholt auf ihre Gehälter
warten mussten.

Nigeria

Afrika, Karte S. 533, C 4

Mit den ersten freien Präsidentenwahlen im
März 1999 nach 15 Jahren Militärherrschaft
verbanden sich in N. große Hoffnungen auf
eine demokratische Erneuerung, Bekämpfung der Kooruption und Überwindung der
tiefen Wirtschaftskrise.

Innenpolitik: Im Mai 1999 wurde Olusegun Obasanjo als neuer Präsident von N.
vereidigt. Damit vollzog sich in dem bevölkerungsreichsten Land Afrikas der Übergang von der Militärherrschaft zur parlamentarischen Demokratie. Der frühere
General, der in den 70er Jahren schon einmal das Land regiert hatte, war im März
1999 als Sieger aus den ersten freien Präsidentschaftswahlen nach 15 Jahren Militärherrschaft hervorgegangen. Bis zuletzt hatte
es in großen Teilen der Bevölkerung Zweifel gegeben, ob die Militärs die Herrschaft
in zivile Hände übergeben würden. In den
Wochen vor seiner Vereidigung hatte es
mehrfach Verwirrung um den Verbleib des
designierten Präsidenten gegeben. Als Mitte

Nigeria Bundesrepublik Nigeria	
Landesfläche	923 768 km² (WR 30)
Einwohner	121,77 Mio (WR 10)
Hauptstadt	Abuja (310 000 Einwohner)
Sprachen	Englisch, Arabisch u. a.
Währung	1 Naira (N)= 100 Kobo
Zeit	Mitteleuropäische Zeit
Gliederung	36 Bundesstaaten
Politik	
Staatsform	Präsidiale Republik (seit 1979), Militärregime (ab 1983)
Regierungschef	Olusegun Obasanjo (seit 1999)
Staatspräsident	Olusegun Obasanjo (seit 1999)
Parlament	An den Wahlen vom April 1998 nahmen wegen offen- kundiger Manipulationen nur 10% der Wahlberechtigten teil. Zugelassen waren nur drei regimetreue Parteien. Die Mandatsverteilung stand Mitte 1999 noch nicht fest.
Bevölkerung	
Religion	Muslime (50%); Christen (40%); Sonstige (10%)
Ethn. Gruppen	Hausa (21,3%); Yoruba (21,3%); Igbo (Ibo, 18%); Fulani (11,2%); Sonstige (28,2%)

Wirtschaft und Soziales			
Dienstleistung	40%	**Urbanisierung**	39,3%
Industrie	22%	**Einwohner/km²**	132
Landwirtschaft	38%	**Bev.-Wachstum/Jahr**	2,9%
BSP/Kopf	280 $ (1997)	**Kindersterblichkeit**	8,1%
Inflation	8,2% (1997)	**Alphabetisierung**	57,1%
Arbeitslosigkeit	30% (1997)	**Einwohner pro Arzt**	3701

Mai 1999 Gerüchte über den Tod von Obasanjo aufkamen und es daraufhin gewalttätige Unruhen in der Hauptstadt Abuja gab, zeigte sich Obasanjo im Fernsehen. Der neue Präsident stand vor großen innenpolitischen Aufgaben, da N. unter der Herrschaft der Militärs in eine tiefe politische, soziale und wirtschaftliche Krise geraten war. Die Lage war Mitte 1999 gekennzeichnet durch hohe Kriminalitätsraten, Korruption, massiven Drogenhandel und politische Instabilität. Zu den größten ökonomischen Problemen zählte die hohe Auslandsverschuldung von mehr als 30 Mrd US-Dollar. Unter den Militärs war Obasanjo mehrfach inhaftiert worden.

Nach dem plötzlichen Tod von Militärdiktator Sani Abacha im Mai 1998 hatte zunächst Generalstabschef Abdusalam Abubakar die Macht übernommen. Mitte August 1998 bildete er eine neue Regierung, der keine Parteigänger des verstorbenen Militärdiktators Sani Abacha mehr angehörten. Abubakar versprach, in N. den Übergang zur Demokratie vorzubereiten, und bekräftigte die Ankündigung mit der Freilassung von politischen Gefangenen sowie der Aufhebung von Todesurteilen. Er erklärte, dass er lediglich zehn Monate im Amt bleiben und anschließend die Macht an einen Zivilisten übergeben wolle. Auch der im Jahr 1994 wegen Hochverrats verhaftete frühere General Olusegun Obasanjo wurde aus der Haft entlassen, aber zunächst auf seiner Farm unter Hausarrest gestellt. Als Häuptling Moshood Abiola, der nach seinem Sieg bei der Präsidentenwahl von 1993 durch das Militär an der Amtsüber-

nahme gehindert worden war und als Repräsentant der Demokratiebewegung galt, im Juni 1998 starb, kam es in Lagos zu schweren Ausschreitungen. Große Teile der nigerianischen Bevölkerung vermuteten, Abiola sei vergiftet worden. Ein internationales Ärzteteam konnte diesen Verdacht allerdings entkräften.

Bei den Kommunalwahlen im Dezember 1998 siegte mit landesweit 60% der abgegebenen Stimmen die Peoples Democratic Party (PDP), eine Sammelbewegung gemäßigter Politiker aus der Zeit vor der Militärherrschaft. 25% entfielen auf die APP aus dem muslimischen Norden des Landes. APP und AD, eine vornehmlich vom Yoruba-Stamm beherrschte Partei mit Schwerpunkt im Südwesten, schlossen sich zu einem Wahlbündnis zusammen.

Außenpolitik: Durch die Fortschritte bei der Demokratisierung löste sich N. 1998/99 ein wenig aus der außenpolitischen Isolation, in die es sich insbes. durch die Hinrichtung des Regimekritikers Ken-Saro Wiwa im November 1995 hineinmanövriert hatte (u. a. Ausschluss aus dem Commonwealth). Die Minister des Commonwealth wollten im Oktober 1999 in London über die Wiederaufnahme N. beraten. Südafrika, das in den 90er Jahren von der Organisation für Afrikanische Einheit (OAU) und der UNO wiederholt ein härteres Vorgehen gegen die brutale Militärdiktatur in N. gefordert hatte, kündigte nach dem Wahlsieg Obasanjos die Wiederaufnahme des politischen Dialogs mit N. an.

Wirtschaft: N. erzielte 1998 über 90% seiner Deviseneinnahmen aus dem Ölexport. Ziel der nigerianischen Regierung ist es deshalb, die Erdölindustrie zu modernisieren. Aufgrund von Sabotage und kriminellen Übergriffen wie Entführung ausländischer Mitarbeiter lagen 1998 ein Drittel der Förderkapazitäten still. Zahlreiche internationale Öl-Konzerne riefen ihre Mitarbeiter aus N. zurück. Im Oktober 1998 wurde durch einen Anschlag eine Hauptpipeline im Nigerdelta zerstört. Infolge fehlender Investitionen in die Erdölindustrie lag die Arbeitslosenquote in N. 1998 bei etwa 30%. Internationaler Währungsfonds (IWF) und Weltbank machten die Gewährung von weiteren Krediten an N. von einer energischen Bekämpfung der weit verbreiteten Korruption in N. abhängig.

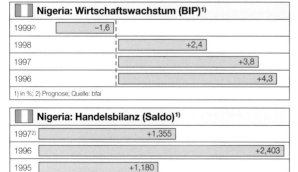

Nigeria: Wirtschaftswachstum (BIP)[1]

Jahr	Wert
1999[2]	−1,6
1998	+2,4
1997	+3,8
1996	+4,3

1) in %; 2) Prognose; Quelle: bfai

Nigeria: Handelsbilanz (Saldo)[1]

Jahr	Wert
1997[2]	+1,355
1996	+2,403
1995	+1,180

1) in Mrd US-Dollar; 2) letztverfügbarer Stand; Quelle: bfai

 **Norwegen**

Europa, Karte S. 529, D 3

Innenpolitik: Die seit Oktober 1997 regierende Minderheitskoalition aus Christdemokraten, Liberalen und bäuerlicher Zentrumspartei unter der Führung von Ministerpräsident Kjell Magne Bondevik hatte 1998/99 wiederholt Probleme, für ihre Politik eine parlamentarische Mehrheit zu finden. Im Parlament (Storting) verfügten die Regierungsparteien zusammen nur über ein Viertel der Mandate.

Erhebliche Schwierigkeiten bereitete im Oktober 1998 die Verabschiedung des Haushalts für 1999. Die oppositionellen Sozialdemokraten kritisierten die geplanten Einschnitte bei den staatlichen Sozialleistungen. Die Konservativen lehnten vor allem die Steuererhöhungen ab. Nach schwierigen Verhandlungen und einigen Korrekturen konnte der Haushalt im November 1998 verabschiedet und eine Regierungskrise abgewendet werden.

Wirtschaft: 1998 schwächte sich die Konjunktur in N. deutlich ab. Wesentliche Gründe dafür waren sinkende Ölpreise, eine schwache Währung und hohe Leitzinsen, die das Investitionsklima verschlechterten. Die ohnehin schwache konjunkturelle Entwicklung wurde durch lang anhaltende Arbeitsniederlegungen und Lohnsteigerungen von bis zu 8% behindert.

Das BIP-Wachstum ging 1998 auf 2,5% zurück (1997: 3,9%) und blieb damit weit hinter den Erwartungen zurück. Der Handelsbilanzüberschuss, der 1997 noch 6% des BIP betrug, tendierte 1998 gegen Null. Eine schwache Finanzpolitik und umfangreiche Spekulationsgeschäfte brachten die norwegische Krone im August 1998 auf den niedrigsten Stand seit Anfang der 90er Jahre. Für 1999 wurde mit einer weiteren Abschwächung des Wirtschaftswachstums auf 1,4% gerechnet, obwohl der Erdölpreis bis April 1999 auf 16 US-Dollar (Ende 1998: 11 US-Dollar) angestiegen war.

Die norwegische Regierung setzte für 1999 ein Sparprogramm durch, das umfangreiche Ausgabenkürzungen in Höhe von etwa 2,2 Mrd DM vorsieht. So soll u. a. ein Baustopp für alle öffentlichen Gebäude erlassen und die Einkommenssteuer um 1% auf 29% erhöht werden. Die Tabak, Energie- und Kfz-Steuer sollen nach den Finanzplänen der

Norwegen	Königreich Norwegen		
Landesfläche	323877 km² (WR 66)		
Einwohner	4,38 Mio (WR 115)		
Hauptstadt	Oslo (488000 Einwohner)		
Sprachen	Norwegisch		
Währung	1 norw. Krone (nkr) = 100 Øre		
Zeit	Mitteleuropäische Zeit		
Gliederung	19 Provinzen		
Politik			
Staatsform	Parlamentarische Monarchie (seit 1905)		
Regierungschef	Kjell Magne Bondevik (seit 1997) *3.9.1947		
Staatspräsident	König Harald V. (seit 1991) *21.2.1937		
Parlament	Storting mit 165 für vier Jahre gewählten Abgeordneten; 65 Sitze für Arbeiterpartei, 25 für Christl. Volkspartei, 25 für Fortschrittspartei, 23 für kons.Høyre, 11 für Zentrumspartei, 9 für Sozialist. Linkspartei, 6 für liberale Venstre, 1 für Sonst. (Wahl von 1997)		
Internet	http://odin.dep.no http://www.stortinget.no		
Bevölkerung			
Religion	Lutheraner (87,9%); Konfessionslose (3,2%); Sonstige (8,9%)		
Nationalitäten	Norw. (96,5%); Dänen (0,4%); Briten (0,3%); Schweden (0,3%); Pakist. (0,3%); Sonst.(2,2%)		
Wirtschaft und Soziales			
Dienstleistung	62%	Urbanisierung	73%
Industrie	35%	Einwohner/km²	14
Landwirtschaft	3%	Bev.-Wachstum/Jahr	0,6%
BSP/Kopf	36100 $ (1997)	Kindersterblichkeit	0,5%
Inflation	−1,3% (1998)	Alphabetisierung	99%
Arbeitslosigkeit	3,6% (1998)	Einwohner pro Arzt	309

Regierung ebenso steigen wie der Arbeitgeberanteil an den Sozialbeiträgen.

Ende Februar 1999 kündigten norwegische Erdölunternehmen einen drastischen Stellenabbau an. 5000 der 30000 Arbeitsplätze sollen eingespart werden, dazu könnten noch weitere 15000 Stellen in der Zuliefer-industrie der Erdölindustrie kommen. Die Arbeitslosenrate, die 1998 bei 3,6% lag, wird deshalb bis Ende 2000 steigen. N. ist nach Saudi-Arabien der zweitgrößte Ölexporteur der Welt. Rund die Hälfte der Ausfuhrerlöse stammt aus dem Geschäft. Ende der 60er Jahre wurden vor der Küste N. riesige Öl- und Erdgasvorkommen entdeckt.

Außenpolitik: 1972 und 1994 hatte die Bevölkerung von N. gegen den Beitritt ihres Landes zur Europäischen Union (EU) gestimmt. Umfragen im Februar 1999 zeigten eine deutlich positivere Einstellung der Bevölkerung zu einer EU-Mitgliedschaft. Der Stimmungswandel wurde auf die Verschlechterung der wirtschaftlichen Verhältnisse in N. zurückgeführt. Ein baldiger EU-Beitritt wurde Mitte 1999 ausgeschlossen.

655

Oman Sultanat Oman	
Landesfläche	212457 km² (WR 82)
Einwohner	2,50 Mio (WR 134)
Hauptstadt	Maskat (52000 Einwohner)
Sprachen	Arabisch, Persisch, Urdu
Währung	1 Rial Omani (RO) = 1000 Baizas
Zeit	Mitteleuropäische Zeit +2,5 h
Gliederung	59 Distrikte
Politik	
Staatsform	Sultanat (absolute Monarchie seit 1744)
Regierungschef	Sultan Kabus bin Said (seit 1970) *18.11.1940
Staatspräsident	Sultan Kabus bin Said (seit 1970) *18.11.1940
Parlament	Kein Parlament, keine politischen Parteien; beratende Versammlung mit 82 Mitgliedern (ernannt im Dez. 1997) und Staatsrat mit 41 ernannten Mitgliedern
Internet	http://www.omanet.com
Bevölkerung	
Religion	Muslime (86%); Hindus (13%); Sonstige (1%)
Nationalitäten	Omaner (73,5%); Pakistani (21%); Sonstige (5,5%)
Wirtschaft und Soziales	

Dienstleistung	50%	**Urbanisierung**	13%
Industrie	46%	**Einwohner/km²**	12
Landwirtschaft	4%	**Bev.-Wachstum/Jahr**	3,4%
BSP/Kopf	4900 $ (1996)	**Kindersterblichkeit**	2,5%
Inflation	ca. 1% (1996)	**Alphabetisierung**	35%
Arbeitslosigkeit	k. A.	**Einwohner pro Arzt**	1078

Oman
Nahost, Karte S. 534, F 4

Im November 1998 unterzeichneten Regierungsvertreter des O. und Iran in Teheran ein Abkommen über militärische Zusammenarbeit. Der Vertrag sieht die gegenseitige Teilnahme von Offizieren an Manövern und die Bildung einer gemischten Kommission zur Vertiefung der Beziehungen vor. O. gilt mit seinen gut ausgebildeten Streitkräften (rund 34000 Soldaten) als respektable, selbstständige Militärmacht am Golf.
Die Konjunktur des O. litt 1998 unter der starken Abhängigkeit vom Erdöl. Die fallenden Erdölpreise verursachten im Haushalt einen Fehlbetrag von 766 Mio US-Dollar. Die Auslandsschulden beliefen sich Ende 1998 auf ca. 4 Mrd US-Dollar. Um die Verbindlichkeiten zu verringern, beschloss das Finanzministerium die Erhöhung der Körperschaftssteuer und eine Ausgabenkürzung um 5%. Nur das Gesundheits- und das Erziehungswesen blieben von den Sparmaßnahmen ausgeschlossen. Der O. plante, durch den Aufbau neuer Industrien seine Abhängigkeit vom Ölsektor zu reduzieren.

Österreich Republik Österreich	
Landesfläche	83853 km² (WR 112)
Einwohner	8,21 Mio (WR 86)
Hauptstadt	Wien (1,6 Mio Einwohner)
Sprachen	Dt., Slowen., Kroat., Ungar.
Währung	1 Schilling (öS) = 100 Groschen
Zeit	Mitteleuropäische Zeit
Gliederung	9 Bundesländer
Politik	
Staatsform	Parlamentarische Bundesrepublik (seit 1955)
Regierungschef	Viktor Klima (seit Januar 1997) *4.6.1947
Staatspräsident	Thomas Klestil (seit 1992) *4.11.1932
Parlament	Nationalrat mit 183 für vier Jahre gewählten und Bundesrat mit 64 von den Landtagen entsandten Mitgliedern; im Nationalrat 71 Sitze für SPÖ, 53 für ÖVP, 40 für Freiheitliche, 9 für Grüne, 10 für Liberales Forum (Wahl von 1995)
Internet	http://www.austria.gv.at http://www.parlament.gv.at
Bevölkerung	
Religion	Katholiken 84,8%, Protestanten 5,7%; Sonstige (9,5%)
Nationalitäten	Österreicher (91,1%); Sonstige (8,9%)
Wirtschaft und Soziales	

Dienstleistung	66,2%	**Urbanisierung**	56%
Industrie	31,6%	**Einwohner/km²**	98
Landwirtschaft	2,2%	**Bev.-Wachstum/Jahr**	0,2%
BSP/Kopf	27920 $ (1997)	**Kindersterblichkeit**	0,6%
Inflation	1% (1998)	**Alphabetisierung**	99%
Arbeitslosigkeit	4,5% (1998)	**Einwohner pro Arzt**	230

Österreich
Europa, Karte S. 529, D 5

Die rechtsgerichtete FPÖ unter Jörg Haider konnte 1999 bei mehreren Landtagswahlen ihren Aufwärtstrend auf Kosten von SPÖ und ÖVP fortsetzen. In der Wirtschaft profitierte Ö. u. a. von Zuwächsen im Tourismus-Geschäft, das in den Jahren zuvor in eine Krise geraten war.
Innenpolitik: Bei der Europawahl am 13.6. 1999 erreichte die SPÖ 31,7% (+2,6 Prozentpunkte), die ÖVP 30,6% (+1,0) und die FPÖ 23,5% (–4,0). Die Grünen erzielten 9,3% (+2,3) und das Liberale Forum 2,6% (+1,6). Aus den Wahlen zum Landesparlament in Kärnten ging im März 1999 die rechtspopulistische Freiheitliche Partei Österreichs (FPÖ) unter Jörg Haider mit 42,1% (+8,8 Prozentpunkte) als klare Siegerin hervor. Damit wurde die FPÖ erstmals in einem Bundesland stärkste Partei. Die sozialdemokratische SPÖ erreichte nur noch 32,9% (–4,5 Prozentpunkte), die konservative ÖVP 20,7% (–3,1 Prozentpunkte). Beide Parteien gehören seit 1986 einer großen Ko-

alition an, die seit 1997 von Bundeskanzler Viktor Klima (SPÖ) angeführt wird.

Trotz erheblicher Bedenken wegen der fremdenfeindlichen Programmatik der FPÖ wurde Haider im April 1999 auch mit Stimmen aus den anderen Parteien zum neuen Landeshauptmann von Kärnten (Ministerpräsident) gewählt. Es ist politische Praxis in Ö., dass der Landeshauptmann von der jeweils stärksten Fraktion gestellt wird. Nach seinem Wahlsieg bekräftigte Haider seine Absicht, durch einen Erfolg bei den Parlamentswahlen im Herbst 1999 das Kanzleramt zu übernehmen.

Haider hatte bereits von 1989 bis 1991 in Kärnten als Landeshauptmann amtiert. Nachdem er die Beschäftigungspolitik des Dritten Reiches unter Adolf Hitler gelobt hatte, wurde er damals zum Rücktritt gezwungen.

In Tirol und Salzburg fanden im März 1999 Landtagswahlen statt, bei denen die SPÖ jeweils leichte Stimmengewinne verzeichnete. Stärkste Partei blieb in beiden Ländern die ÖVP, während die Zuwächse der FPÖ gering ausfielen.

Im März 1999 wurde Franz Fuchs in Graz wegen mehrerer Morde und Mordversuche zu einer lebenslangen Freiheitsstrafe verurteilt. Er wurde für schuldig befunden, u. a. im Februar 1995 im Burgenland vier Roma durch eine Sprengfalle getötet zu haben. Darüber hinaus hielt es das Gericht für bewiesen, dass Fuchs im Dezember 1993 mehrere Briefbomben verschickt hat, durch die zahlreiche Personen, darunter der frühere Wiener Bürgermeister Helmut Zilk, schwer verletzt wurden. Das Gericht war von der Einzeltäterschaft des Angeklagten überzeugt, obwohl dieser bei seinen Vernehmungen erklärt hatte, lediglich Handlanger einer »Bajuwarischen Befreiungsarmee« gewesen zu sein.

Im Mai 1999 erstickte ein Nigerianer bei der Abschiebung im Flugzeug durch Einwirkung eines Polizisten. Bei der Untersuchung stellte sich heraus, dass es gängige Praxis der österreichischen Behörden ist, Häftlinge, die sich bei der Abschiebung wehren, zu fesseln und zu knebeln. Innenminister Karl Schlögl (SPÖ) wies eine persönliche Verantwortung für den Tod des Nigerianers zurück, kündigte aber eine gründliche Überprüfung der Abschiebepraxis an.

Im November 1998 begann eine von der Regierung bestellte Historiker-Kommission damit, den Verbleib von jüdischem Eigentum nach dem Anschluss an Nazi-Deutschland (1938) zu klären. Nach der Schweiz und Deutschland sollen sich auch in Ö. Industriekonzerne, Banken und staatliche Institutionen der Frage nach ihrem Umgang mit jüdischem Eigentum während des Zweiten Weltkrieges (1939-45) stellen.

Im November 1998 spitzte sich in der katholischen Kirche in Ö. der Streit um den ultrakonservativen Bischof von St. Pölten, Kurt Krenn, zu. Dieser bezichtigte den Wiener Kardinal Christoph Schönborn öffentlich, die Unwahrheit gesagt zu haben, da er entgegen dessen Behauptung nicht an der Vorbereitung eines Besuchs von 15 Oberhirten aus Ö. bei Papst Johannes Paul II. in Rom beteiligt gewesen sei. Gegenüber dem Papst hatte sich die Mehrheit der katholischen Würdenträger in Ö. für innerkirchliche Reformen (u. a. eine stärkere Einbeziehung von Laien, die Möglichkeit der Priesterweihe für Frauen, eine liberalere Sexualmoral) eingesetzt. Krenn führt einen Feldzug gegen jegliche Reformbestrebungen in der Kirche.

Außenpolitik: Vor dem Hintergrund des Kosovo-Krieges entbrannte in Ö. eine Diskussion über die traditionelle Neutralität des Landes. Im Mai 1999 forderte Außenminister Wolfgang Schüssel (ÖVP) mittelfristig den Beitritt von Ö. zur NATO. Der Koalitionspartner SPÖ wollte mehrheitlich an der 1955 erklärten immerwährenden Neutralität von Ö. festhalten.

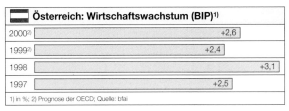

Österreich: Wirtschaftswachstum (BIP)[1]	
2000[2]	+2,6
1999[2]	+2,4
1998	+3,1
1997	+2,5
1) in %; 2) Prognose der OECD; Quelle: bfai	

Österreich: Inflation[1]	
2000[2]	1,2
1999[2]	1,0
1998	1,0
1997	2,0
1) in %; 2) Prognose der OECD; Quelle: bfai	

▬ Österreich: Arbeitslosigkeit[1]

2000[2]	5,6
1999[2]	5,9
1998	4,5
1997	6,2

1) in %; 2) Prognose der OECD; Quelle: bfai

Wirtschaft: 1998 setzte sich die positive Wirtschaftsentwicklung in Ö. fort. Das BIP stieg um 3,1% (1997: plus 2,5%), wobei der private Verbrauch mit einer Steigerung um 2% die Konjunktur stützte. Für 1999 wurde ein BIP-Wachstum von 2,3% erwartet. Die Inflation fiel 1998 mit 0,9% auf den niedrigsten Wert seit 43 Jahren. Die Arbeitslosenrate stieg auf 4,5% (1997: 4,3%). Nach Jahren der Stagnation verzeichnete die Tourismusbranche 1998 einen Zuwachs. Die Einnahmen, die zur Wirtschaftsleitung in Ö. rund 8% beitrugen, stiegen 1998 um 4% auf 139,5 Mrd öS. Die Zahl der Übernachtungen nahm um 1,9% zu. Anfang der 90er Jahre war der Tourismus in eine Krise geraten, weil die Preise in Ö. relativ hoch sind.

Gruben-Unglück: Im 17. Juli 1998 kamen beim Einsturz eines Stollens in Lassing (Steiermark) zehn Bergleute ums Leben. Nach einem Wassereinbruch war zunächst der Bergarbeiter Georg Hainzl verschüttet worden. Zehn weitere Bergleute wurden bei einem Rettungsversuch ebenfalls verschüttet. Während Hainzl in einem Hohlraum ohne Lebensmittel und Wasser überlebte und nach neun Tagen geborgen werden konnte, blieb die Suche nach den zehn Bergleuten erfolglos. Unmittelbar nach der Katastrophe wurden massive Vorwürfe gegen die Aufsichtsbehörden erhoben. Ein Untersuchungsbericht kam zu dem Ergebnis, dass die Grube in Lassing teilweise ohne Genehmigung betrieben worden war.

Lawinen-Katastrophe: Im Februar 1999 wurde das Paznauntal in Tirol von einer Schneekatastrophe heimgesucht. Beim Abgang einer Lawine kamen im Wintersportort Galtür über 30 Menschen ums Leben. Das Paznauntal war tagelang durch gewaltige Schneemassen blockiert. Hilfsmannschaften und Lebensmittel mussten per Hubschrauber zu den Eingeschlossenen in den Dörfern und Skiorten gebracht werden.

Pakistan Islamische Republik Pakistan	
Landesfläche	796 095 km² (WR 35)
Einwohner	147,81 Mio (WR 6)
Hauptstadt	Islamabad (400 000 Einwohner)
Sprachen	Urdu, Englisch
Währung	1 Pakist. Rupie (pR) = 100 Paisa
Zeit	Mitteleuropäische Zeit +4 h
Gliederung	4 Provinzen, 2 administr. Bezirke
Politik	
Staatsform	Föderative Republik (seit 1973)
Regierungschef	Nawaz Sharif (seit Februar 1997) *25.12.1949
Staatspräsident	Rafiq Mohammad Tarar (seit 1997) *2.11.1929
Parlament	Senat mit 87 für sechs Jahre und Nationalversamml. mit 217 für fünf Jahre gewählten Abgeordneten; Nationalversamml.: 134 Sitze für Muslimliga, 17 für Pakist. Volksp., 59 für Sonstige, 7 nicht besetzt (Wahl von 1997)
Internet	http://www.pak.gov.pk http://www.na.gov.pk
Bevölkerung	
Religion	Muslime (97%); Christen (2%); Hindus (1,5%); Sonst. (0,2%)
Nationalitäten	Pakistani (85%); Iraner (2,5%); Sonstige (12,5%)
Wirtschaft und Soziales			

Dienstleistung	49%	Urbanisierung	35%
Industrie	27%	Einwohner/km²	186
Landwirtschaft	24%	Bev.-Wachstum/Jahr	2,7%
BSP/Kopf	500 $ (1997)	Kindersterblichkeit	7,4%
Inflation	7,8% (1997/98)	Alphabetisierung	37,1%
Arbeitslosigkeit	5,4% (1997/98)	Einwohner pro Arzt	2000

☾ Pakistan

Asien, Karte S. 535, C 4

Innenpolitik: Ministerpräsident Nawaz Sharif setzte im Oktober 1998 in der pakistanischen Nationalversammlung ein Gesetz zur Islamisierung des Rechts durch. Der Verfassungszusatz räumte der Regierung in P. ein, Gesetze auf Grundlage des Korans zu erlassen oder auszulegen. Der Zusatz bedurfte Mitte 1999 noch der Zustimmung im Senat, wo die Regierung von Sharif nicht über die notwendige Zweidrittelmehrheit verfügte. Oppositionelle und Menschenrechtsorganisationen warfen Sharif vor, durch die Islamisierung des Rechts seine Macht erweitern und die demokratischen Grundsätze abschaffen zu wollen. Im Januar 1999 entging Ministerpräsident Sharif nur knapp einem Attentat, bei dem vier Polizisten starben. Eine Bombe explodierte auf einer Brücke bei Lahore, wenige Minuten bevor Sharif und seine Familie darüber fahren sollten. Für den Anschlag wurden militante Mitglieder der Muttahida-Qami-Bewegung (MQM) verantwortlich gemacht, die aus Indien eingewanderte Muslime vertritt. Die MQM wies die Vorwürfe jedoch zurück.

Prozess: Die pakistanische Oppositionsführerin und frühere Regierungschefin Benazir Bhutto und ihr Mann Asif Ali Zardari wurden im April 1999 wegen Korruption zu fünf Jahren Haft und einer Geldstrafe in Höhe von 8,6 Mio US-Dollar verurteilt. Zugleich wurde ihnen untersagt, öffentliche Ämter zu übernehmen. Ein pakistanisches Gericht befand sie für schuldig, von Schweizer Firmen Bestechungsgelder angenommen zu haben. Bhutto hielt sich während der Urteilsverkündung im Ausland auf und konnte daher nicht verhaftet werden. Sie war 1996 vom damaligen Präsidenten Farooq Leghari unter dem Vorwurf der Korruption und des Machtmissbrauchs aus dem Amt als Regierungschefin entlassen worden. 1999 war sie Vorsitzende der Volkspartei PPP. Nach dem Urteil warf Bhutto Ministerpräsident Sharif vor, als unumschränkter Herrscher von P. zu regieren.

Außenpolitik: Auf einem Gipfeltreffen in Lahore im Februar 1999 vereinbarten der pakistanische Ministerpräsident Sharif und der indische Premierminister Atal Vajpayee Gespräche über alle bilateralen Probleme inkl. der Kaschmir-Frage. Das von ihnen unterzeichnete Abkommen über vertrauensbildende Maßnahmen sieht u. a. vor, sich gegenseitig über eventuelle Raketentests rechtzeitig zu informieren. Darüber hinaus wurde die erste Busverbindung zwischen Indien und P. eröffnet, die von Delhi nach Lahore führt. Das von Hindus dominierte Indien und das muslimische P. gelten seit Jahrzehnten als verfeindet. Seit 1947, dem Jahr der Unabhängigkeit beider Staaten, führten sie drei Kriege gegeneinander, insbes. wegen Kaschmir, das 1947 zwischen P. und Indien aufgeteilt worden war.

Rüstung: Im April 1999 testete P. trotz weltweiter Proteste zwei Mittelstreckenraketen, die Atomsprengköpfe tragen können. Die pakistanische Regierung begründete die Testreihe mit der Notwendigkeit, die nationale Sicherheit zu stärken und das strategische Gleichgewicht in Südasien aufrechtzuerhalten. P. reagierte auf den Start einer Mittelstreckenrakete in Indien wenige Wochen zuvor, die ebenfalls Atomsprengköpfe tragen kann. China, Japan, Russland und die USA kritisierten Indien und P. wegen der

Pakistan: Chronik des Kaschmir-Konflikts

▶ **Juni 1947:** Der britische Vizekönig Lord Louis Mountbatten gibt einen Plan zur Teilung Indiens bekannt.

▶ **August 1947:** P. wird von Indien abgetrennt, Kaschmir zwischen beiden Ländern aufgeteilt. P. und Indien erhalten Unabhängigkeit.

▶ **Oktober 1947:** Beginn des ersten Krieges zwischen P. und Indien um Kaschmir, das beide Staaten beanspruchen.

▶ **Dezember 1948:** Waffenstillstand.

▶ **April 1950:** Ein Abkommen sichert die Rechte der muslimischen Minderheit in Indien und die der Hindu-Minderheit in P.

▶ **September 1965:** Beginn des zweiten Krieges zwischen Indien und P. um Kaschmir.

▶ **Januar 1966:** Waffenstillstand.

▶ **Dezember 1971:** Der dritte indisch-pakistanische Krieg endet mit einer Niederlage von P.

▶ **Juli 1972:** Indien und P. vereinbaren auf einer Friedenskonferenz, den Konflikt beizulegen.

▶ **1989:** Beginn des bewaffneten Kampfes von Separatistenbewegungen im indischen Teil von Kaschmir.

▶ **Oktober 1992:** Pakistanische Demonstrationen an der Grenze zu Indien gegen die Teilung von Kaschmir.

▶ **August 1994:** Indien fordert P. auf, sich aus Kaschmir zurückzuziehen; Kämpfe zwischen militanten Muslimen und indischen Sicherheitskräften.

▶ **Juli 1998:** Erneuter Ausbruch von bewaffneten Auseinandersetzungen zwischen Muslimen und indischen Milizen in Kaschmir.

▶ **Februar 1999:** Beim ersten Besuch eines indischen Premierministers in P. seit 1989 vereinbaren der indische Regierungschef Vajpayee und der pakistanische Ministerpräsident Sharif Gespräche über die Kaschmir-Frage.

Pakistan: Wirtschaftswachstum (BIP)[1]

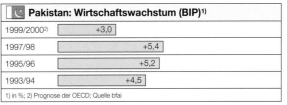

1999/2000[2]	+3,0
1997/98	+5,4
1995/96	+5,2
1993/94	+4,5

1) in %; 2) Prognose der OECD; Quelle bfai

Pakistan: Inflation[1]

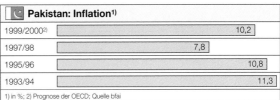

1999/2000[2]	10,2
1997/98	7,8
1995/96	10,8
1993/94	11,3

1) in %; 2) Prognose der OECD; Quelle bfai

Versuche und befürchteten ein Ende des Dialogs zwischen den verfeindeten Staaten sowie einen neuen Rüstungswettlauf.

Wirtschaft: Im Januar 1999 verabschiedete der Internationale Währungsfonds (IWF) ein neues Hilfsprogramm für P., das die staatlichen Finanzen entlasten und wirtschaftliche Reformen in P. unterstützen soll. Es umfasste Finanzhilfen im Umfang von 5,5 Mrd US-Dollar, davon 1,3 Mrd US-Dollar an Barkrediten von IWF, Weltbank und Asiatischer Entwicklungsbank. Der Rest wurde in Form von Umschuldungen innerhalb des sog. Pariser Clubs verrechnet.

Palau	Republik Palau
Landesfläche	487 km² (WR 176)
Einwohner	17 000 (WR 189)
Hauptstadt	Koror (10 500 Einwohner)
Sprachen	Englisch, zahlreiche mikronesische Dialekte
Währung	1 US-Dollar (US-$) = 100 Cents
Zeit	Mitteleuropäische Zeit +9 h
Gliederung	241 Inseln
Politik	
Staatsform	Präsidiale Republik (seit 1994)
Regierungschef	Kuniwo Nakamura (seit 1993)
Staatspräsident	Kuniwo Nakamura (seit 1993)
Parlament	Delegiertenhaus 16 Sitze (Legislaturperiode vier Jahre) und Senat 14 Sitze, keine Parteien (Wahl vom November 1996)
Internet	http://www.visit-palau.com
Bevölkerung	
Religion	Christen (65,4%): Katholiken 40,7%, Protestanten 24,7%; Traditionelle Religionen (27,1%); Sonstige (7,5%)
Ethn. Gruppen	Palauer (83,2%); Filipinos (9,8%); Sonstige (7%)

Wirtschaft und Soziales			
Dienstleistung	50,4%	Urbanisierung	65%
Industrie	20,8%	Einwohner/km²	35
Landwirtschaft	28,8%	Bev.-Wachstum/Jahr	1,96%
BSP/Kopf	k. A.	Kindersterblichkeit	k. A.
Inflation	k. A.	Alphabetisierung	97,6%
Arbeitslosigkeit	k. A.	Einwohner pro Arzt	1518

Palau
Ozeanien, Karte S. 537, B1

P. umfasst 241 Inseln, von denen nur elf bewohnt sind. Größte Inseln sind Babeldaob, Koror, Mecherchar, Ngeruktabel, Eil Malk und Ngeaur. Die meisten Eilande sind Atolle aus Korallenkalk, die nur wenige Meter über den Meeresspiegel herausragen.
Ca. zwei Drittel der Bevölkerung arbeiten im Dienstleistungsbereich. Die Landwirtschaft, in der etwa 6,4% der Einwohner beschäftigt sind, dient überwiegend der Selbstversorgung. Die wichtigsten Anbauprodukte sind Kokosnüsse, Maniok, Taro und Bananen. In den 90er Jahren verkaufte P. verstärkt Fanglizenzen u. a. an Unternehmen aus Taiwan, den USA, Japan und den Philippinen. 90% der Einnahmen im Staatshaushalt sind Hilfsgelder der USA. Mit 80 000 Besuchern jährlich gewann der Fremdenverkehr auf P. gegen Ende des 20. Jh. an Bedeutung. Die Infrastruktur soll für eine Kapazität von 200 000 Besuchern jährlich ausgebaut werden. Geplant ist allerdings ein Tourismus, der die Umwelt, insbes. die Korallenriffe, schont.

Panama	Republik Panama
Landesfläche	75 517 km² (WR 115)
Einwohner	2,77 Mio (WR 130)
Hauptstadt	Panama-Stadt (967 000 Einw.)
Sprachen	Spanisch, Englisch
Währung	1 Balboa (B/.) = 100 Centésimos
Zeit	Mitteleuropäische Zeit –6 h
Gliederung	9 Provinzen
Politik	
Staatsform	Präsidiale Republik (seit 1972)
Regierungschef	Mireya Moscoso (seit 1999)
Staatspräsident	Mireya Moscoso (seit 1999)
Parlament	Nationalversammlung mit 72 für fünf Jahre gewählten Abgeordneten; 11 für Arnulfisten, 6 für Umweltbewegung, 6 Sitze für Konservative, 5 für Nationalliberale, 4 für Liberale, 12 für Andere (Wahl von 1999)
Internet	http://www.presidencia.gob.pa
Bevölkerung	
Religion	Katholiken (80%), Protestanten (10%); Sonstige (10%)
Ethn. Gruppen	Mestizen (64%); Mulatten (14%); Weiße (10%); Sonst. (12%)

Wirtschaft und Soziales			
Dienstleistung	73,9%	Urbanisierung	53,3%
Industrie	15,9%	Einwohner/km²	37
Landwirtschaft	10,2%	Bev.-Wachstum/Jahr	1,7%
BSP/Kopf	3080 $ (1997)	Kindersterblichkeit	2,1%
Inflation	1,4% (1998)	Alphabetisierung	90,8%
Arbeitslosigkeit	11,8% (1997)	Einwohner pro Arzt	808

Panama
Mittelamerika, Karte S. 532, D 6

Bei den Präsidentschaftswahlen im Mai 1999 setzte sich Mireya Moscoso als Kandidatin der rechtspopulistischen Partei Partido Arnulfista (PA), die 1990 nach dem Sturz des Diktators Antonio Noriega gegründet worden war, gegen Martin Torrijos (PRD) durch.
Innenpolitik: Moscoso und ihre Partei gingen vor den Wahlen das Wahlbündnis »Union für Panama« ein, dem verschiedene kleine bürgerliche Parteien angehörten. Ihr Rivale Torrijos hatte sich u.a. mit der Partei Papa Egoro verbündet, die von dem in P. bekannten Sänger und Schauspieler Ruben Blades angeführt wurde. Im Wahlkampf bemühten sich beide Kandidaten, die Wähler mit Versprechen wie Armuts- und Korruptionsbekämpfung auf ihre Seite zu ziehen. Moscoso kündigte nach ihrem Sieg an, die Privatisierungspolitik ihres Vorgängers deutlich zu verlangsamen, Korruption und Armut zu bekämpfen sowie neue Arbeitsplätze zu schaffen.

63% der Bevölkerung sprachen sich in einem Referendum im August 1998 gegen eine Verfassungsänderung aus, die dem vorherigen Präsidenten Ernesto Pérez Balladares von der dem Militär nahe stehenden Partido Revolucionario Democrático (PRD) das Recht auf Wiederwahl sichern sollte.

Außenpolitik und Wirtschaft: Balladares hatte eine Politik der wirtschaftlichen Öffnung betrieben, die viele Bürger für die schwierige Wirtschaftslage verantwortlich machten. Das Wirtschaftswachstum verlangsamte sich 1998 im Vergleich zum Vorjahr auf 3,5% (1997: 4,7%), was bei einem Bevölkerungswachstum von 1,7% jährlich und einem BSP/Kopf von 3080 US-Dollar als zu wenig erachtet wird, um die verbreitete Armut in der Bevölkerung zu verringern. Eine zentrale Aufgabe der neuen Präsidentin Moscoso ist die für den 31.12.1999 geplante Übernahme der Panamakanalzone von den USA. Als 1977 die Übernahme im sog. Carter-Torrijos-Vertrag vereinbart wurde, galt dies in P. als Sieg über die USA. 1998/99 sprach sich der Großteil der Bevölkerung für den Verbleib von US-amerikanischen Truppen in der Kanalzone aus, da ein Abzug vor-

⬛ Panama: Wirtschaftswachstum[1]	
1998	+3,5
1997	+4,7
1996	+2,4
1995	+1,8

1) BIP (%); Quelle: bfai

aussichtlich viele Arbeitsplätze vernichten wird und den Drogenhandel stärken könnte. Verhandlungen mit den USA über den Bau eines multinationalen Drogenabwehr-Zentrums auf der Militärbasis Howard Air Base traten ebenso auf der Stelle wie die Frage der vertraglich vereinbarten Säuberung der Kanalzone von Blindgängern durch die USA. Die USA hatten ab 1914 in den Buschwäldern entlang des Kanals bei militärischen Übungen u. a. Bomben, chemische Kampfstoffe und Granaten zur Explosion gebracht. Bis Mai 1999 galten 14000 Hektar Buschwald als saniert. 7000 Hektar standen noch zur Säuberung an. Die USA behaupteten, diese Fläche nur unter Zerstörung der Vegetation vollständig reinigen zu können.

Papua-Neuguinea
Ozeanien, Karte S. 537, D 3

Bei drei gewaltigen Flutwellen an der Küste von P. kamen im Sommer 1998 mehr als 5000 Menschen ums Leben. Die bis zu zehn Meter hohen Fluten zerstörten die meisten Fischerdörfer an der Nordküste des Landes. P. unterstand bis zum Ersten Weltkrieg unter dem Namen Kaiser-Wilhelm-Land der deutschen Kolonialverwaltung. Danach wurde es bis zur Unabhängigkeit 1975 von Australien als Treuhandgebiet verwaltet. In P. werden in großem Umfang Kupfer, Gold, Zink, Blei und Silber abgebaut. In der Landwirtschaft, die ca. zwei Drittel der Bevölkerung beschäftigt, dient der Wanderfeldbau vor allem der eigenen Versorgung, während Anbau und Erzeugung von Kaffee, Tee, Kakao, Kopra, Ölpalmen und Kautschuk hauptsächlich für den Export bestimmt sind. In der Forstwirtschaft sorgte massiver Holzeinschlag seit den 80er Jahren für eine Dezimierung der Regenwälder. Die Industrie war 1998/99 noch unterentwickelt und beschränkte sich auf die Verarbeitung von Holz und Fisch.

Papua-Neuguinea Unabhängiger Staat			
Landesfläche	462840 km² (WR 53)		
Einwohner	4,6 Mio (WR 108)		
Hauptstadt	Port Moresby (247000 Einw.)		
Sprachen	Englisch, Pidgin, Papua-Sprachen		
Währung	1 Kina (K) = 100 Toea		
Zeit	Mitteleuropäische Zeit +9 h		
Gliederung	19 Provinzen		
Politik			
Staatsform	Parlamentarische Monarchie im Commonwealth (seit 1975)		
Regierungschef	Bill Skate (seit 1997) *1953		
Staatspräsident	Königin Elizabeth II. (seit 1975) *21.4.1926		
Parlament	Abgeordnetenhaus mit 109 für fünf Jahre gewählten Abgeordneten; 16 Sitze für Konservative (PPP), 13 für Pangu Pati, 10 für Volksdemokratische Bewegung (konservativ), 30 für Sonstige, 40 für Unabhängige (Wahl vom Juni 1997)		
Internet	http://www.presidencia.gov.py		
Bevölkerung			
Religion	Protestanten (58,4%); Katholiken (32,8%); Sonstige (8,8%)		
Ethn. Gruppen	Papua-Neuguineer (84%); Melanesier (15%); Sonstige (1%)		
Wirtschaft und Soziales			
Dienstleistung	32,7%	Urbanisierung	16%
Industrie	41,3%	Einwohner/km²	10
Landwirtschaft	26%	Bev.-Wachstum/Jahr	2,27%
BSP/Kopf	930 $ (1997)	Kindersterblichkeit	6,1%
Inflation	11,6% (1996)	Alphabetisierung	52%
Arbeitslosigkeit	k. A.	Einwohner pro Arzt	12750

Paraguay

Südamerika, Karte S. 531, D 5

Im März 1999 trat der Präsident von P., Raúl Cubas, von seinem Amt zurück. Er kam einem Amtsenthebungsverfahren zuvor, welches das Abgeordnetenhaus und der Senat gegen ihn anstrebten.

Innenpolitik: Hintergrund war die im August 1998 von Cubas angeordnete Freilassung des Ex-Generals Lino Oviedo, einem engen Freund des Präsidenten. Oviedo war wegen eines angeblichen Putschversuchs gegen den ehemaligen Präsidenten Juan Carlos Wasmosy im März 1997 zu zehn Jahren Haft verurteilt worden. Bei der Freilassung berief sich Cubas auf einen Verfassungsartikel, der den Präsidenten erlaubt, eine Strafe gegen eine andere zu tauschen. Cubas verhängte über Oviedo anstatt der zehn Jahre Haft drei Monate Militärgefängnis, die Oviedo bereits 1997 abgesessen hatte. Der Oberste Gerichtshof von P. hob Cubas' Entscheidung im September 1998 auf. Oviedo konnte nicht mehr in Haft genommen werden, weil er nach seiner Freilassung geflohen war. Demonstrationen oppositioneller Parteien und

Gruppierungen gegen Cubas verstärkten sich, als im März 1999 Vizepräsident Luis Argaña auf offener Straße erschossen wurde; er hatte das Amtsenthebungsverfahren gegen den Präsidenten vorangetrieben. Die Demonstranten warfen Cubas vor, mit Oviedo den Mord an Argaña angestiftet zu haben.

Als Nachfolger von Cubas wählte das paraguayische Parlament im März 1999 den Senatspräsidenten González Macchi. Er bildete ein Kabinett, an dem erstmals seit 1947 die bisherigen Oppositionsparteien beteiligt wurden. Macchi versprach, bis Ende 1999 Neuwahlen abhalten zu lassen.

Wirtschaft: Chronische Steuerhinterziehung und Inkompetenz in der Verwaltung führten 1998 zum Anstieg des Haushaltsdefizites auf 2% des BIP (1997: 1,3%). Das Minus in der Leistungsbilanz wuchs im gleichen Zeitraum von 6,7% auf 8,6% des BIP. Die Inflationsrate erreichte nach 6,2% im Vorjahr 1998 mit 14,6% wieder einen zweistelligen Wert. Mit einer Steigerung von 2% blieb das Wirtschaftswachstum unter dem Zuwachs der Bevölkerung von 2,6%. Ein wesentlicher Grund für die schwache Konjunktur war das Klimaphänomen »El Niño«. Es führte zu Missernten bei Soja und Baumwolle, die etwa 50% der vom Zoll registrierten Exporteinnahmen ausmachen. Rund 10% des paraguayischen Exportvolumens stammen aus der Holzwirtschaft. Jährlich werden etwa 5900 km² Waldflächen abgeholzt. Unter dem Druck des Internationalen Währungsfonds (IWF) wurden Maßnahmen zur Wiederaufforstung und zur Eindämmung des Raubbaus beschlossen. Der industrielle Sektor ist schwach entwickelt und konzentriert sich auf die Weiterentwicklung von Agrarprodukten.

Im August 1998 geriet der Bankensektor in P. in eine schwere Krise. Auslöser war die Erwägung der Regierung, die bei einer Reihe finanziell angeschlagener Geschäftsbanken gehaltenen Konten der Sozialversicherung aufzulösen. Die Überlegung löste die Befürchtung aus, dass der Abzug der Gelder die Aufrechterhaltung des betriebsnotwendigen Umlaufvermögens der Banken gefährden könnte. Ausländische Investoren und inländische Bankkunden zogen ihr Geld ab. Die Sanierung des überschuldeten Bankensektors könnte Kosten von etwa 15% des auf rund 10 Mrd US-Dollar geschätzten BIP nach sich ziehen.

Paraguay Republik Paraguay	
Landesfläche	406 752 km² (WR 58)
Einwohner	5,22 Mio (WR 106)
Hauptstadt	Asunción (608 000 Einwohner)
Sprachen	Spanisch, Guarani
Währung	1 Guarani (G) = 100 Céntimos
Zeit	Mitteleuropäische Zeit −5 h
Gliederung	17 Departamentos
Politik	
Staatsform	Präsidiale Republik (seit 1967)
Regierungschef	González Macchi (seit März 1999)
Staatspräsident	González Macchi (seit März 1999)
Parlament	Senat mit 45 und Abgeordnetenhaus mit 80 für fünf Jahre gewählten Mitgliedern; 44 Sitze (Senat 24) für Colorado-Partei (ANR), 36 (21) für Liberale (PLRA) und Sozialdemokraten (EN, Wahl vom Mai 1998)
Internet	http://www.camdip.gov.py
Bevölkerung	
Religion	Christen (98,1%): Katholiken 96%, Protestanten 2,1%; Sonstige (1,9%)
Ethn. Gruppen	Mestizen (95%); Indianer (2%); Weiße (2%); Asiaten (1%)
Wirtschaft und Soziales	

Dienstleistung	53,4%	Urbanisierung	50,5%
Industrie	20,2%	Einwohner/km²	13
Landwirtschaft	26,4%	Bev.-Wachstum/Jahr	2,6%
BSP/Kopf	2000 $ (1997)	Kindersterblichkeit	3,9%
Inflation	14,6% (1998)	Alphabetisierung	92,1%
Arbeitslosigkeit	37% (1997)	Einwohner pro Arzt	1406

Peru

Südamerika, Karte S. 531, B 4

Im August 1998 sprach sich der peruanische Kongress mit 67 gegen 45 Stimmen gegen eine von der Opposition geforderte Volksabstimmung über eine dritte Präsidentschaftskandidatur von Alberto Fujimori aus. 48 Stimmen hätten der Opposition genügt, um das Plebiszit durchzusetzen.

Innenpolitik: Fujimori, der 1990 an die Macht kam und 1995 wiedergewählt wurde, löste 1992 Parlament und politische Parteien auf und ließ eine neue Verfassung ausarbeiten, welche die Amtszeit des Staatschefs auf zwei aufeinanderfolgende Perioden beschränkte. Fujimori plante 1998/99, bei den Präsidentschaftswahlen 2000 für eine dritte Amtszeit zu kandidieren. Er vertrat die Auffassung, dass die erste Amtszeit nicht gelte, weil sie vor Verabschiedung des neuen Grundgesetzes begann.

Oppositionsgruppen sammelten 1997/98 1,5 Mio Unterschriften gegen eine erneute Wiederwahl Fujimoris, das Nationale Wahlgericht betrachtete die Voraussetzungen für ein Plebiszit als erfüllt. Fujimori ließ einige Mitglieder des Wahlgerichtes auswechseln und über die Frage noch einmal entscheiden. Das Gremium widerrief sein erstes Urteil und bestimmte, dass eine qualifizierte Minderheit von 48 der 120 Kongressabgeordneten eine Volksabstimmung billigen müsse. Nach der Entscheidung des Kongresses, die eine dritte Amtsperiode Fujimoris ermöglichte, demonstrierten in Lima mehrere tausend Menschen gegen den Präsidenten. Im Januar 1999 veränderte Fujimori sein Kabinett auf zehn von 15 Positionen. Mit der Regierungsumbildung versuchte er der zunehmenden Unbeliebtheit beim Volk entgegenzuwirken. Im Mai 1999 richtete der peruanische Kongress einen Untersuchungsausschuss ein, der Vorwürfe des Machtmissbrauchs gegen Fujimori untersuchen soll.

Internationale Menschenrechtsorganisationen warfen der peruanischen Regierung im Dezember 1998 vor, Frauen insbes. in den ärmeren Regionen von P. massenweise sterilisieren zu lassen. 1996–98 sollen 250000 Frauen ohne ihr Wissen oder Einverständnis unfruchtbar gemacht worden sein. Ziel der Zwangssterilisierung war es angeblich, die Armut in P. zu verringern.

Peru Republik Peru				
Landesfläche	1,29 Mio km² (WR 19)			
Einwohner	24,8 Mio (WR 38)			
Hauptstadt	Lima (6,02 Mio Einwohner)			
Sprachen	Spanisch, Ketschua, Aymará			
Währung	1 Nuevo Sol (S/.) = 100 Céntimos			
Zeit	Mitteleuropäische Zeit–6 h			
Gliederung	25 Departamentos			
Politik				
Staatsform	Präsidiale Republik (seit 1980)			
Regierungschef	Javier Valle Riestra (seit 1998)			
Staatspräsident	Alberto K. Fujimori (seit 1990) *28.7.1938			
Parlament	Kongress aus Abgeordnetenhaus mit 120 und Senat mit 60 für fünf Jahre gewählten Mitgliedern; im Abgeordnetenhaus 69 Sitze für Neue Mehrheit/Cambio 90, 17 für Union für Peru, 34 für Sonstige (Wahl vom April 1995)			
Internet	http://www.congreso.gob.pe http://www.pcm.gob.pe			
Bevölkerung				
Religion	Christen (98%): Katholiken 92,5, Protestanten 5,5%; Sonstige (2%)			
Ethn. Gruppen	Ketschua (47,1%); Mestizen (32,0%); Weiße (12,0%); Aymará (5,4%); Mulatten, Schwarze, Asiaten (3,5%)			
Wirtschaft und Soziales				
Dienstleistung	47,0%	Urbanisierung	71,2%
Industrie	38,9%	Einwohner/km²	19
Landwirtschaft	14,1%	Bev.-Wachstum/Jahr	1,7%
BSP/Kopf	2610 $ (1997)	Kindersterblichkeit	4,5%
Inflation	6% (1998)	Alphabetisierung	87,2%
Arbeitslosigkeit	8,5% (1998)	Einwohner pro Arzt	1116

Außenpolitik: Die peruanische Regierung kündigte im Oktober 1998 an, die Rechtssprechung des Interamerikanischen Menschenrechtsgerichtshofes nicht mehr anzuerkennen. Sie warf dem Gericht und der Interamerikanischen Menschenrechtskommission vor, bei der Beurteilung der Verhältnisse in P. voreingenommen zu sein. Die beiden Institutionen prüften 1998/99 mehrere Beschwerden gegen die peruanische Regierung wegen Verletzung rechtsstaatlicher Prinzipien und der Menschenrechte.

Wirtschaft: Als Folge der Finanzmarktturbulenzen in Südamerika, fallender Preise für peruanische Rohstoffe und der negativen Auswirkungen des Klimaphänomens El Niño auf Landwirtschaft und Fischerei wuchs die peruanische Wirtschaft 1998 lediglich um 0,7%; 1997 war das BIP um 7,4% angestiegen. Die Inflation fiel mit 6,0% im Vergleich zum Vorjahr sehr leicht ab. Aufgrund einer strengen Fiskalpolitik, die Peru seit 1991 in Abstimmung mit dem Internationalen Währungsfonds (IWF) durchführen musste, blieb der Haushalt 1998 ausgeglichen.

Philippinen
Ostasien, Karte S. 536, D 4

Im Januar 1999 erklärte die Moro Islamic Liberation Front (MILF), eine militante Splittergruppe der Moro National Liberation Front (MNLF), auf Mindanao im muslimischen Süden der P. der Regierung den Krieg.

Innenpolitik: Die MILF forderte die uneingeschränkte Unabhängigkeit der muslimischen Provinzen, die zu einem eigenen Staat zusammengefasst werden sollen. Sie verfügte Mitte 1999 über ca. 12 000 bewaffnete Guerillakämpfer und war damit so stark wie die MNLF Anfang der 70er Jahre, als sie einen Bürgerkrieg mit den Regierungstruppen begann. 1996 unterzeichneten der damalige philippinische Präsident Fidel Ramos und der muslimische Rebellenführer Nur Misuari einen Friedensvertrag, der den Muslimen auf Mindanao begrenzte Autonomie zugestand. Das Versprechen, Wirtschaft und Infrastruktur auf Mindanao zu fördern, hielt die Regierung nicht ein.

Das philippinische Abgeordnetenhaus verwarf im Januar 1999 einen Antrag auf Abschaffung der Todesstrafe. Daraufhin beschloss der Oberste Gerichtshof, dass ein Anfang Januar verkündeter Aufschub für die Exekution eines Strafgefangenen hinfällig sei. Die Entscheidung ebnete den Weg für die erste Exekution auf den P. seit 1977. Ende 1998 mussten ca. 800 Todeskandidaten auf den P. mit der Vollstreckung der Urteile rechnen.

Außenpolitik: Der philippinische Präsident Joseph Estrada ordnete im November 1998 verstärkte Luft- und Seestreitkräfte im Gebiet der Spratly-Inseln an, um die Zufahrt von chinesischen Schiffen zu blockieren. Die Regierung der P. warf China vor, die von beiden Ländern beanspruchten Inseln besetzen zu wollen. Zuvor waren chinesische Schiffe und etwa 100 Arbeiter auf eine der Inseln gesichtet worden. Die Spratly-Eilande gelten als reich an Rohstoffen (u. a. Erdöl) und liegen an einer der bedeutendsten Schifffahrtswege von Südostasien nach Japan.

Wirtschaft: Die 1998 ausgebrochene Wirtschaftskrise in Südostasien hatte für die P. nicht so gravierende Auswirkungen wie für andere Staaten der Region. Das BIP wuchs 1998 um 0,2% (1997: 5,8%). Getragen wurde die philippinische Konjunktur insbes. vom Export, der im Vergleich zum Vorjahr um 16,9% anstieg. Die Zunahme der Ausfuhren war darauf zurückzuführen, dass der Hauptabnehmer für philippinische Güter nicht andere ostasiatische Staaten, sondern die USA waren (Exportanteil: ca. 35%). Wegen der schwachen Binnennachfrage, die um 15,5% sank, verringerten sich 1998 die Importe um 12,5%. Deshalb verbuchte die Leistungsbilanz erstmals seit den 80er Jahren wieder einen Überschuss von 786 Mio US-Dollar. Der Arbeitsmarkt auf den P. litt 1998 unter dem Rückgang der Agrarproduktion um 5,8%. In der arbeitsintensiven Landwirtschaft, die 21% zum BIP beitrug und in der etwa 40% der Arbeitskräfte beschäftigt waren, gingen zahlreiche Stellen verloren, sodass die Arbeitslosenquote von 8,7% auf 8,9% leicht anstieg. Die Inflation war 1998 mit 10% fast doppelt so hoch wie 1997 (5,1%).

Philippinen Republik der Philippinen	
Landesfläche	300 000 km² (WR 70)
Einwohner	72,16 Mio (WR 15)
Hauptstadt	Manila (9,23 Mio Einwohner)
Sprachen	Filipino, Spanisch, Englisch
Währung	1 Philippinischer Peso (P) = 100 Centavos
Zeit	Mitteleuropäische Zeit +7 h
Gliederung	76 Provinzen
Politik	
Staatsform	Präsidiale Republik (seit 1987)
Regierungschef	Joseph Estrada (seit Juni 1998) *19.4.1937
Staatspräsident	Joseph Estrada (seit Juni 1998) *19.4.1937
Parlament	Repräsentantenhaus mit 221 für drei Jahre gewählten Abgeordneten und Senat mit 24 für sechs Jahre gewählte Senatoren, 110 (Senat: 10) Sitze für LMP, 50 (7) für Christdemokraten (LE-NUCD-UMDP), 15 (0) für Konservative (NPC), 14 (0) für Liberale (PL), 28 (6) für Sonstige und Unabhängige, 4 (1) vakant (Wahl vom Mai 1998)
Internet	http://www.philippines.gov.ph http://www.portalinc.com/edp_hr
Bevölkerung	
Religion	Christen (93,8%): Katholiken 82,9%, Protestanten 8,3%, Andere (2,6%); Muslime (4,6%); Sonstige (1,6%)
Ethn. Gruppen	Jungmalaiische Filipinos (40%); Indonesier, Polynesier (30%); Altmalaien, Negritos (10%); Sonstige (20%)

Wirtschaft und Soziales			
Dienstleistung	47,9%	**Urbanisierung**	54%
Industrie	31,1%	**Einwohner/km²**	241
Landwirtschaft	21,0%	**Bev.-Wachstum/Jahr**	2,4%
BSP/Kopf	1200 $ (1997)	**Kindersterblichkeit**	3,6%
Inflation	10% (1998)	**Alphabetisierung**	93,6%
Arbeitslosigkeit	8,9% (1998)	**Einwohner pro Arzt**	849

Polen

Europa, Karte S. 529, E 5

Am 1.1.1999 trat in P. eine Gebiets- und Verwaltungsreform in Kraft, welche die politische und administrative Struktur des bislang stark zentralistisch regierten Landes grundlegend veränderte.

Innenpolitik: Aus den bislang 49 wurden durch Zusammenlegung 16 neue Wojewodschaften gebildet. Darüber hinaus entstanden 308 Kreise und 65 kreisfreien Städte. Ihre Rechte gegenüber der zentralen Administration in Warschau wurden gestärkt, insbes. im Finanz-, Sozial- und Gesundheitswesen sowie bei der Raum- und Bebauungsplanung. Durch die Reform soll die Verwaltung effektiver gestaltet und das Subsidiaritätsprinzip (Übernahme von mehr Eigenverantwortung) im Staatsaufbau verankert werden.

Regionalparlamentswahlen: Im Oktober 1998 ging aus den ersten Wahlen zu den neuen Regionalparlamenten die konservative Wahlaktion Solidarnosc (AWS) von Ministerpräsident Jerzy Buzek mit 33% der abgegebenen Stimmen als Siegerin hervor. Landesweit zweitstärkste Kraft wurde die oppositionelle Demokratische Linksallianz (SLD) mit 31,8%.

Vergangenheitsbewältigung: Im Dezember 1998 erzwang das Parlament (Sejm) mit großer Mehrheit gegen den Willen des linksorientierten Staatspräsidenten Aleksander Kwasniewski die Öffnung der Geheimdienstarchive zur Aufarbeitung der kommunistischen Vergangenheit. Beschlossen wurde auch die Einrichtung eines Instituts des nationalen Gedenkens, in dem u. a. die Akten der kommunistischen Geheimdienste und der bis 1989 herrschenden Vereinigten Arbeiterpartei ausgewertet werden sollen. Das ähnlich der deutschen Gauck-Behörde (Bundesbeauftragter für die Stasi-Unterlagen) aufgebaute Amt soll die Akten betroffenen Bürgern zugänglich machen.

Parteigründung: Mit der Gründung einer eigenen Partei kehrte der frühere Staatspräsident Lech Walesa im September 1998 auf die politische Bühne zurück. Seine Christdemokratie der Dritten Polnischen Republik vertritt ein national-konservatives Programm.

Außenpolitik: Am 12.3.1999 trat P. zusammen mit Ungarn und Tschechien der NATO bei. Polen war bis zu dessen Auflösung 1991

Polen Republik Polen			
Landesfläche	323250 km² (WR 67)		
Einwohner	38,66 Mio (WR 29)		
Hauptstadt	Warschau (1,64 Mio Einwohner)		
Sprachen	Polnisch		
Währung	1 Zloty (Zl) = 100 Groszy		
Zeit	Mitteleuropäische Zeit		
Gliederung	49 Provinzen		
Politik			
Staatsform	Republik (seit 1989)		
Regierungschef	Jerzy Buzek (seit Oktober 1997) *3.7.1940		
Staatspräsident	Aleksander Kwasniewski (seit 1995) *15.11.1954		
Parlament	Sejm mit 460 und Senat mit 100 für vier Jahre gewählten Mitgliedern; 201 Sitze (Senat: 51) für Wahlallianz Solidarität (AWS); 164 (28) für Linksallianz (SLD), 60 (8) für Freiheitsunion (UW), 27 (3) für Bauernp.(PSL), 6 (5) für Nationalkonservative (ROP), 2 für Andere (Wahl vom September 1997)		
Internet	http://www.poland.pl		
Bevölkerung			
Religion	Katholiken (90,7%); Orthodoxe (1,4%); Sonstige (7,9%)		
Nationalitäten	Polen (98,7%); Ukrainer (0,6%); Sonstige (0,7%)		
Wirtschaft und Soziales			
Dienstleistung	55,6%	Urbanisierung	62%
Industrie	38,1%	Einwohner/km²	120
Landwirtschaft	6,3%	Bev.-Wachstum/Jahr	−0,04%
BSP/Kopf	3590 $ (1997)	Kindersterblichkeit	1,5%
Inflation	11,8% (1998)	Alphabetisierung	99%
Arbeitslosigkeit	10,4% (1998)	Einwohner pro Arzt	436

Mitglied des von der Sowjetunion dominierten Warschauer Pakts. Im Februar 1999 hatte das Parlament mit einer Mehrheit von 409 gegen 9 Stimmen dem Beitritt zugestimmt. Nach Umfragen befürworteten rund 90% der polnischen Bevölkerung den NATO-Beitritt. P. bringt in das Verteidigungsbündnis eine Armee von 215000 Mann, 1727 Panzer und 325 Kampfflugzeuge ein, darunter mehrere Maschinen vom modernen Typ Mig 29. P. verfügte 1999 über einen relativ geringen Verteidigungsetat. Die Verteidigungsausgaben pro Kopf der Bevölkerung liegen bei rund 90 US-Dollar im Jahr. Im NATO-Durchschnitt betrugen sie 400 US-Dollar pro Kopf und Jahr. Als einer der ersten Maßnahmen nach dem Beitritt wurde das Luftverteidigungssystem von P. dem Nato angepasst (u. a. Ausstattung der Flugzeuge mit einer elektronischen Freund-Feind-Kennung).

EU und Deutschland: Die Beziehungen zu den Staaten der Europäischen Union (EU) und vor allem zu Deutschland wurden gefestigt. Bereits kurz nach Amtsantritt reisten der im Oktober 1998 zum deutschen Bun-

665

deskanzler gewählte Gerhard Schröder und sein Außenminister Joschka Fischer nach Warschau. Sie versprachen, P. bei den Bemühungen um einen Beitritt zur EU stark zu unterstützen. Im Oktober 1998 fand in Budapest (Ungarn) ein Treffen der Regierungschefs von Ungarn, P. und Tschechien, Viktor Orban, Jerzy Buzek und Milos Zeman, statt. Dabei vereinbarten sie, die Zusammenarbeit zu intensivieren, um dadurch die gemeinsamen Interessen u. a. im Hinblick auf den angestrebten EU-Beitritt besser vertreten zu können.

Weißrussland: 1998/99 verschlechterte sich das Verhältnis zu Weißrussland, nachdem P. Visumzwang und strenge Zollbestimmungen eingeführt hatte, um die Zuwanderung billiger Arbeitskräfte und die Einfuhr von Waren aus Weißrussland zu erschweren. Weißrusslands Präsident Alexander Lukaschenko drohte mit Gegenmaßnahmen, u. a. in Form von Einfuhrbeschränkungen.

Wirtschaft: P. setzte 1998/99 seine insgesamt positive Wirtschaftsentwicklung fort, obwohl seine Konjunktur ab Sommer 1998 u. a. von der Russland-Krise beeinträchtigt wurde. Große Probleme bereiteten der Bergbau und die Landwirtschaft. Das Wachstum des BIP verlangsamte sich 1998 auf 4,8% (1997: 6,9%). Für 1999 wird ein Wachstum von annähernd 5% erwartet. Die Inflation ging auf 11,8% zurück (1997: 13,2%), während die Arbeitslosenquote 1998 bei rund 11% blieb. Sorgen bereitete der polnischen Regierung der deutliche Anstieg des Leistungsbilanzdefizits von 3,2% auf 4,2% des BIP. Während sich das Export-Volumen 1998 von 27,23 Mrd (1997) auf 30,25 Mrd US-Dollar erhöhte, stieg der Import weit stärker von 38,55 Mrd auf 43,91 Mrd US-Dollar. Hauptursache war die Währungs- und Finanzkrise in Russland, durch die sich die polnischen Ausfuhren verringerten.

Direktinvestitionen: P. verzeichnete 1998 ein Rekordergebnis bei ausländischen Di-

rektinvestitionen. Größte Einzelinvestoren waren das russische Energieunternehmen RAO Gasprom, die deutsche HypoVereinsbank und die Metro, die für 450 Mio US-Dollar ein Handelszentrum errichtete. Die meisten Auslandsinvestitionen stammten von Firmen aus Deutschland (5,1 Mrd US-Dollar), gefolgt von US-amerikanischen (4,9 Mrd US-Dollar) und französischen Unternehmen (2,4 Mrd US-Dollar).

Bauernproteste: Im Januar und Februar 1999 kam es in P. zu Bauernprotesten. Landesweit blockierten mehrere tausend Landwirte mit Traktoren wichtige Straßenverbindungen. Wiederholt kam es dabei zu Zusammenstößen mit der Polizei. Mit den Aktionen wollten die Landwirte vor allem höhere Subventionen und staatlichen Schutz vor Billig-Importen aus EU-Staaten erreichen. In den vorangegangenen Monaten waren insbes. die Preise für Schweinefleisch drastisch gefallen. Insgesamt beliefen sich die Einnahmeverluste der polnischen Landwirtschaft 1999 auf rund 600 Mio DM. Anfang Februar 1999 lehnte die Bauernorganisation »Samoobrana« einen von der Regierung angebotenen Kompromiss ab, der u. a. Kredit- und Entschuldungserleichterungen vorsah. Die Landwirtschaft hat in P. mit gewaltigen Strukturproblemen zu kämpfen. Sie ist traditionell sehr kleinteilig (durchschnittliche Betriebsgröße 7 ha) und hat veraltete Anbaumethoden. Der Mechanisierungsgrad ist sehr gering. Im Agrarsektor sind noch rund 28% aller Erwerbstätigen beschäftigt. Im europäischen Vergleich ist der Großteil der Höfe nicht konkurrenzfähig.

Bergbau: Für den Bergbau plante die Regierung 1999 einen radikalen Stellenabbau und die Schließung besonders unrentabler Zechen, von denen einige 1998 beim Verkauf von 1 t Kohle 30 Zloty Verlust machten. Bis 2002 sollen im Bergbau von 220 000 Beschäftigten (1998) nur noch 138 000 arbeiten. Die polnische Regierung hoffte, dass die verbleibenden Gruben ab 2001 wieder Gewinne erzielen.

Privatisierung: Die Privatisierungspolitik wurde 1998 fortgeführt. Für 1999 ist die Veräußerung bzw. Teilprivatisierung von 70 weiterer ehemaliger Staatsbetriebe geplant, darunter die Fluggesellschaft LOT und die Versicherung PZU. Die Regierung erhofft sich davon Einnahmen in Höhe von rund 7,7 Mrd DM.

Polen: Wirtschaftswachstum (BIP)[1]	
1998	+4,8
1997	+6,9
1996	+6,1
1995	+7,0

1) in %; Quelle: bfai

Portugal

Europa, Karte S. 529, A 6

Im November 1998 scheiterte in P. ein Referendum über einen Entwurf, der die Aufteilung des Landes in acht Regionen anstatt der bisherigen 18 Verwaltungsdistrikte vorsah. **Innenpolitik:** An dem Volksentscheid nahmen nur 48% der Stimmberechtigten teil (erforderlich waren 50%); von ihnen stimmten 63,6% gegen die Vorlage. Nach dem Dezentralisierungsentwurf sollten die neuen Regionen zwar eigene Parlamente erhalten und deren Mitglieder zu zwei Dritteln direkt gewählt werden sowie zu einem Drittel aus Gemeindevertretungen kommen. Doch die Abgeordneten sollten nicht das Recht haben, Gesetze zu beschließen, sondern einzig beratende Funktionen bekommen.

Der ehemalige portugiesische Außenminister José Manuel Durão Barroso wurde im Mai 1999 zum Vorsitzenden der bürgerlichen Partido Social Democrata (PSD) und zum Spitzenkandidaten der größten Oppositionspartei für die Parlamentswahl im Herbst 1999 gewählt. Sein Vorgänger Rebelo de Sousa war im März 1999 zurückgetreten, weil eine Allianz mit der rechtsgerichteten Partido Popular (PP) geschmiedet hatte, die wegen schlechter Meinungsumfragen wieder auseinanderbrach.

Im Mai 1999 trat der portugiesische Verteidigungsminister José Veiga Simao von seinem Amt zurück, nachdem vertrauliche Informationen über den militärischen Abschirmdienst in einer portugiesischen Tageszeitung veröffentlicht worden waren. Das veröffentlichte Material enthielt u.a. Informationen über Agenten befreundeter Staaten. Das Verteidigungsministerium übernahm Außenminister Jaime Gama.

Mitte 1999 plante die sozialistische Minderheitsregierung von Ministerpräsident António Guterres, durch eine Quotenregelung den Anteil der Frauen im portugiesischen Parlament zu erhöhen. 1999 waren lediglich 31 der 230 Abgeordneten (13%) Frauen. Die geplante Quotenregelung sieht vor, dass Männer nicht mehr als zwei Drittel der Abgeordneten stellen dürfen.

Außenpolitik: P. und Spanien legten im November 1998 einen mehrjährigen Streit über spanische Pläne für die Nutzung von Flüssen bei, die in Spanien entspringen und durch portugiesisches Gebiet in den Atlantik

Portugal	Portugiesische Republik	
Landesfläche	91 982 km² (WR 110)	
Einwohner	9,789 Mio (WR 78)	
Hauptstadt	Lissabon (830 000 Einwohner)	
Sprachen	Portugiesisch	
Währung	1 Escudo (ESC) = 100 Centavos	
Zeit	Mitteleuropäische Zeit +1 h	
Gliederung	18 Distrikte	
Politik		
Staatsform	Parlamentarische Republik (seit 1976)	
Regierungschef	António Guterres (seit 1995) *30.4.1949	
Staatspräsident	Jorge Sampaio (seit März 1996) *18.9.1939	
Parlament	Nationalversammlung mit 230 für vier Jahre gewählten Abgeordneten; 112 Sitze für Sozialisten (PS), 88 für Sozialdemokraten (PSD), 15 für Linksbündnis (CDU), 15 für Demokratisch-Soziales Zentrum (CDS; Wahl von 1995)	
Internet	http://www.pcm.gov.pt http://www.parlamento.pt	
Bevölkerung		
Religion	Katholiken (94,5%); Protestanten (0,6%); Juden (0,1%); Muslime (0,1%); Sonst. (0,9%); Konfessionslose (3,8%)	
Nationalitäten	Portugiesen (99,5%); Kapverder (0,2%); Brasilianer (0,1%); Briten, Spanier, US-Amerikaner (0,1%); Sonstige (0,1%)	
Wirtschaft und Soziales		
Dienstleistung	62%	Urbanisierung	36%
Industrie	32%	Einwohner/km²	106
Landwirtschaft	6%	Bev.-Wachstum/Jahr	0,01%
BSP/Kopf	11 010 $ (1997)	Kindersterblichkeit	0,9%
Inflation	2,7% (1998)	Alphabetisierung	89,6%
Arbeitslosigkeit	5,1% (1998)	Einwohner pro Arzt	352

fließen. Spanien verpflichtete sich, P. nicht mehr übermäßig das Wasser vorzuenthalten. Ursprünglich hatten spanische Stellen geplant, den von Nordspanien nach P. fließenden Río Duero in das Becken des südiberischen Guadiana-Flusses umzuleiten, um den chronischen Wassermangel im Süden Spaniens zu beheben. Dadurch wäre das ökologische Gleichgewicht im Douro-Tal beeinträchtigt worden, an dessen terrassierten Steilhängen die Trauben für den Portwein wachsen.

Wirtschaft: Ein starkes Wirtschaftswachstum von 4,2% und eine effizientere Finanzverwaltung trugen 1998 zur Konsolidierung des portugiesischen Haushalts bei. Das Haushaltsdefizit betrug 2,3% des BIP (1997: 2,5%) und soll 1999 nach Prognosen auf 2% sinken. Die Staatsverschuldung verringerte sich 1998 von 62% auf 59% des BIP. Um das Wirtschaftswachstum auf hohem Niveau zu stabilisieren, sah der Haushalt 1999 eine starke Senkung der Körperschaftssteuer für kleinere Unternehmen vor. Bezieher niedriger Jahreseinkommen (unter 7000 DM) wurden durch Schaffung einer neuen Progressionsstufe steuerlich entlastet.

Ruanda

Afrika, Karte S. 533, D 4

Die Militärregierung von R. baute 1998/99 trotz einiger Demokratisierungsansätze ihre Machtposition aus.
Innenpolitik: Ende März 1999 fanden in R. erstmals seit dem Bürgerkrieg und dem Völkermord (1994) Kommunalwahlen statt. Landesweit wurden 10000 Ratsmitglieder gewählt, die keiner Partei angehören durften, um heftige politische Auseinandersetzungen zu vermeiden. Die von Tutsi dominierte Militärregierung stellte die Gemeindewahlen als Ansatz zur nationalen Versöhnung und Demokratisierung dar. Dennoch blieb R. 1998/99 ein undemokratisch regiertes Land. Die Pressefreiheit wurde stark eingeschränkt, Oppositionspolitiker wurden unterdrückt. Die Mitglieder der Militärregierung bauten ihre politischen und wirtschaftlichen Privilegien aus. In R. waren im Frühjahr 1994 mehrere hunderttausend Menschen, vor allem Angehörige der Tutsi-Volksgruppe, von Hutu-Milizen ermordet worden. Vor dem Internationalen Strafgericht für R. in Arusha (Tansania) mussten sich mehrere ehemals führende Mitglieder der Hutu-Regierung wegen Beteiligung an den Massakern verantworten. Bislang wurden von dem von der UNO eingesetzten Tribunal zwei lebenslange und eine 15-jährige Haftstrafe verhängt. In den Gefängnissen von R. saßen Mitte 1999 rund 120000 Personen, die der Mitwirkung an dem Völkermord beschuldigt wurden. Bislang wurden rund 7500 Urteile gefällt, darunter auch Todesurteile. Um Gefängnisse und Gerichte zu entlasten, beschloss die Regierung von R. im Februar 1999, rund 20000 Häftlinge zu amnestieren. Ein Teil von ihnen soll allerdings umgehend wieder verhaftet worden sein. Im Nordwesten von R. setzten Reste der ehemaligen Hutu-Milizen 1999 ihren Guerilla-Krieg gegen die Tutsi-Regierung fort. Sie wurden dabei von Uganda unterstützt.
Wirtschaft: Der wirtschaftliche Wiederaufbau des stark agrarisch geprägten R. machte 1998/99 wenig Fortschritte. Der andauernde Konflikt zwischen Hutu und Tutsi sowie der Guerilla-Krieg im Nordwesten des Landes hemmten die ökonomische Entwicklung. Ein großer Anteil des Staatshaushalts wurde für militärische Zwecke verwendet. Zur Modernisierung der überwiegend kleinbäuerlichen Landwirtschaft oder zum Ausbau der unterentwickelten Industrie fehlten die nötigen Finanzmittel. Mit einem BSP/Kopf von etwa 210 US-Dollar zählt R. zu den am wenigsten entwickelten Ländern der Welt. Es ist in erheblichem Maße auf internationale Hilfe angewiesen. Neben der innenpolitischen Situation erwiesen sich auch die hohe Siedlungsdichte und das Fehlen von wirtschaftlich bedeutenden Rohstoffvorkommen als strukturelle Entwicklungshemmnisse. 1998 arbeiteten über 90% der Bevölkerung in der Landwirtschaft, die 45,8% zum BIP beitrug. Dabei wird die Landwirtschaft durch die Bodenübernutzung, den Kampf zwischen den Bevölkerungsgruppen um Acker- und Weideflächen sowie durch vergrabene Landminen erheblich beeinträchtigt. Für die Eigenversorgung werden insbes. Kochbananen, Süßkartoffeln, Cassava, Bohnen, Sorghum und Mais angebaut. Wichtigste Exportgüter von R. sind Kaffee und Tee, die über 80% der Deviseneinnahmen erbringen.

Ruanda Republik Ruanda	
Landesfläche	26338 km² (WR 145)
Einwohner	6,53 Mio (WR 94)
Hauptstadt	Kigali (300000 Einwohner)
Sprachen	Französisch, Kinyarwanda, Kisuaheli, Englisch
Währung	1 Ruanda-Franc (RFr)
Zeit	Mitteleuropäische Zeit +1 h
Gliederung	10 Präfekturen
Politik	
Staatsform	Präsidiale Republik (seit 1962)
Regierungschef	Pierre-Celestin Rwigemar (seit 1995) *1953
Staatspräsident	Pasteur Bizimungu (seit 1994) *4.3.1951
Parlament	Nationalversammlung mit 70 für fünf Jahre gewählten Abgeordneten; Tutsi-Befreiungsfront FPR und acht kleinere Parteien (Wahl von 1994)
Internet	http://www.rwandemb.org
Bevölkerung	
Religion	Katholiken (50%); Muslime (9%); Sekten und Animisten (41%)
Ethn. Gruppen	Hutu (85–90%); Tutsi (10–14%); Twa (Pygmäen, ca. 1%)
Wirtschaft und Soziales	

Dienstleistung	45,8%	Urbanisierung	6%
Industrie	5,2%	Einwohner/km²	248
Landwirtschaft	49,0%	Bev.-Wachstum/Jahr	2,5%
BSP/Kopf	210 $ (1997)	Kindersterblichkeit	12,4%
Inflation	7,4% (1996)	Alphabetisierung	60,5%
Arbeitslosigkeit	k. A.	Einwohner pro Arzt	24697

Rumänien

Europa, Karte S. 529, F 6

Im Januar 1999 führten gewalttätige Bergarbeiter-Proteste zu einer schweren innenpolitischen Krise. Zugleich beschleunigte sich die Talfahrt der rumänischen Wirtschaft.

Innenpolitik: Aus Protest gegen geplante Grubenstilllegungen und Streichung der Subventionen machten sich Mitte Januar 1999 rund 10 000 Bergleute auf einen Marsch in die Hauptstadt Bukarest. Bei gewalttätigen Zusammenstößen mit den Ordnungskräften wurden rund 200 Polizisten und mehrere hundert Bergleute verletzt. Zentrum der Streikbewegung war die Stadt Petrosani in der Bergbauregion Schiltal, 350 km nordwestlich von Bukarest.

Regierungskonzessionen: Um eine Wiederholung der Ereignisse von 1991 zu verhindern, als protestierende Bergleute ins Zentrum von Bukarest vorgedrungen waren und zeitweise den Regierungssitz besetzten, ließ die christdemokratisch geführte Regierung von Ministerpräsident Radu Vasile im Februar 1999 sogar Panzer auffahren. Nach Zugeständnissen der Regierung und entschlossener Präsenz der Polizei beendeten die Bergleute ihre Aktionen. Die Regierung sicherte Lohnerhöhungen von 35% zu und versprach, vorerst keine Gruben zu schließen. Zuvor war Streikführer Miron Cozma verhaftet und in einem Schnellverfahren wegen Rädelsführerschaft bei den Unruhen von 1991 zu 18 Jahren Haft verurteilt worden.

Umstrukturierung: Die Streikenden wandten sich vor allem gegen Regierungspläne, die Subventionen von jährlich rund 500 Mio Dollar drastisch zu reduzieren sowie besonders unrentable Kohlegruben zu schließen. Den Bergleuten ging es auch um die Wahrung von Privilegien; mit rund 400 DM ist der Monatslohn eines Bergarbeiters etwa doppelt so hoch wie der Durchschnittslohn in R. 1998 war ein erstes Umstrukturierungsprogramm für die Bergbauindustrie weitgehend gescheitert. Zwar nutzten überraschend viele Kumpel die Möglichkeit einer Abfindung von mehreren Monatslöhnen, wodurch 80 000 Arbeitsplätze abgebaut wurden. Es kam jedoch kaum zur angestrebten Gründung von Kleinfirmen; nur 12 000 neue Stellen wurden geschaffen. Die Abfindungen wurden meist in Konsumgüter (Fernsehgeräte, Videorecorder) umgesetzt.

Rumänien Republik Rumänien	
Landesfläche	238 391 km² (WR 79)
Einwohner	22,57 Mio (WR 44)
Hauptstadt	Bukarest (2,1 Mio Einwohner)
Sprachen	Rumänisch, Ungarisch, Deutsch, Serbisch
Währung	1 Leu (Pl.: Lei) = 100 Bani
Zeit	Mitteleuropäische Zeit +1 h
Gliederung	40 Bezirke
Politik	
Staatsform	Republik (seit 1991)
Regierungschef	Radu Vasile (seit April 1998) *10.10.1942
Staatspräsident	Emil Constantinescu (seit Nov. 1996) *19.11.1939
Parlament	Abgeordnetenkammer mit 343 und Senat mit 143 für vier Jahre gewählten Mitgliedern; 122 Sitze (Senat: 51) für Demokratische Konvention, 91 (41) für Partei der Sozialen Demokratie, 53 (23) für Sozialdem. Union, 25 (11) für Demokratische Union der Ungarn in Rumänien, 52 (15) für Sonstige (Wahl vom Nov. 1996)
Internet	http://domino.kappa.ro/guvern/home.nsf http://diasan.vsat.ro
Bevölkerung	
Religion	Rumänisch-Orth. (86,8%); Katholiken (5,0%); Griechisch-Kath. (3,5%); Pfingstler (1,0%); Sonst. (3,7%)
Nationalitäten	Rumänen (89,4%); Ungarn (7,1%); Roma (1,8%); Deutsche (0,5%); Sonstige (1,2%)

Wirtschaft und Soziales			
Dienstleistung	38,3%	Urbanisierung	55%
Industrie	42,6%	Einwohner/km²	95
Landwirtschaft	19,1%	Bev.-Wachstum/Jahr	-0,32%
BSP/Kopf	1410 $ (1997)	Kindersterblichkeit	2,3%
Inflation	40,6% (1998)	Alphabetisierung	97,1%
Arbeitslosigkeit	10,3% (1998)	Einwohner pro Arzt	552

Opposition: Von der ökonomischen Krise profitierten insbes. extremistische Gruppen wie die nationalistische Partei Großrumänien von Vadim Tudor. Der frühere Gefolgsmann des 1989 gestürzten kommunistischen Diktators Nikolae Ceausescu forderte Anfang 1999 Neuwahlen, bei denen seine rechtsextreme Partei lt. Umfragen starke Stimmengewinne verzeichnen dürfte. In Bedrängnis könnte die konservative Koalition in R. durch die im April 1999 erfolgte Partei-Neugründung des früheren Premierministers Victor Ciorbea kommen. Seine rechtskonservative Nationale Christlich-Demokratische Allianz ist eine Abspaltung der regierenden Christlich-Demokratischen Bauernpartei.

Ungarische Minderheit: Im April 1998 lehnte das Parlament die Aufstellung zweisprachiger Ortsschilder ab, wie sie von Vertretern der ungarischen Minderheit (rund 7% der Bevölkerung) gefordert wurden. Dies führte zu Spannungen zwischen der Zentralregierung und den in R. lebenden Ungarn.

669

Außenpolitik: Innenpolitische Unruhen und Krisen sowie der wirtschaftliche Niedergang führten dazu, dass das außenpolitische Hauptziel der rumänischen Regierung, der baldige Beitritt zu Nato und EU, von den Entscheidungsgremien in Brüssel weiter zurückgestellt wurde.
Papstvisite: Anfang Mai 1999 besuchte Papst Johannes Paul II. R., in dem die orthodoxe Kirche dominiert (ca. 87% der Gläubigen). Zusammen mit dem orthodoxen Patriarchen von R. richtete der Heilige Vater von R. aus einen eindringlichen Appell, die Kampfhandlungen im Kosovo einzustellen.
Wirtschaft: 1998/99 beschleunigte sich der Niedergang der Wirtschaft in R. Das BIP sank 1998 um 7,3%; für 1999 wurde ein weiterer Rückgang der Wirtschaftsleistung um 2% erwartet. Gleichzeitig stieg das Handelsdefizit 1998 auf 3,52 Mrd Dollar (1997: 2,85 Mrd Dollar). Die Exporte sanken um 1,6% auf 8,3 Mrd Dollar. Die Inflationsrate betrug rund 40%; sie soll 1999 auf etwa 32% gesenkt werden. Negative Auswirkungen hatte ab Herbst 1998 u. a. die Wirtschafts- und Finanzkrise in Russland. Als Hauptgrund für die anhaltende Wirtschafts-

misere wurde aber die Politik der Regierung eingestuft, die vor konsequenten Wirtschaftsreformen nicht zuletzt wegen der befürchteten sozialen Folgen zurückschreckte.
Privatisierung: Mit Blick auf Forderungen des Internationalen Währungsfonds legte die Regierung Vasile im Januar 1999 ein durchgreifendes Privatisierungsprogramm vor. Es beinhaltet die Schließung mehrerer Staatsbetriebe, wobei rund 70 000 Stellen abgebaut werden sollen. Soziale Härten sollen durch Zahlung hoher Abfindungen (bis zu zwölf Monatsgehälter) vermieden werden. Energisch vorangetrieben wurde ab April 1999 die Reform des Bankensektors. Die staatlich dominierte Banc Post SA wurde zu 45% an ein US-amerikanisch-portugiesisches Konsortium veräußert. Bereits Ende 1998 hatte die französische Bank Société Générale die Entwicklungsbank, eines der größten Finanzhäuser in R., übernommen. Der IWF honorierte die Privatisierungsschritte, indem er im April 1999 nach langwierigen Verhandlungen R. einen dringend benötigten Kredit von 500 Mio Dollar gewährte. R. muss 1999 insgesamt 2,2 Mrd Dollar Staatsschulden bedienen.

Russland	Russische Föderation	
Landesfläche	17 Mio km² (WR 1)	
Einwohner	147,23 Mio (WR 7)	
Hauptstadt	Moskau (8,53 Mio Einwohner)	
Sprachen	Russisch, Nationalsprachen	
Währung	1 Rubel (Rbl) = 100 Kopeken	
Zeit	Mitteleuropäische Zeit +2–12 h	
Gliederung	89 Föderationssubjekte	
Politik		
Staatsform	Bundesrepublik (seit 1991)	
Regierungschef	Sergej Stepaschin (seit Mai 1999) *1952	
Staatspräsident	Boris Jelzin (seit 1991) *1.2.1931	
Parlament	Föderationsrat mit 267 Mitgliedern, Staatsduma mit 450 Abgeordneten; in der Staatsduma 158 Sitze für Kommunistische Partei, 54 für Unser Haus Russland, 51 für Liberaldemokratische Partei, 45 für Jawlinski-Block, 20 für Agrarpartei, 122 für Sonst. (Wahl von1995)	
Bevölkerung		
Religion	Christen (82%; Muslime und Sonstige (18%)	
Nationalitäten	Russen 81,5%; Tataren 3,8%; Ukrainer 3%; Sonstige 11,7%	
Wirtschaft und Soziales		
Dienstleistung	49,5%	Urbanisierung	76%
Industrie	44,3%	Einwohner/km²	7
Landwirtschaft	6,2%	Bev.-Wachstum/Jahr	–0,31%
BSP/Kopf	2680 $ (1997)	Kindersterblichkeit	1,8%
Inflation	84,4% (1998)	Alphabetisierung	98,7%
Arbeitslosigkeit	11,5% (1998)	Einwohner pro Arzt	220

Russland
Europa/Asien, Karte S. 535

Die Absetzung zweier Regierungschefs und der Machtkampf zwischen Präsident Boris Jelzin und Parlament kennzeichneten die anhaltende politische Krise in R. Im August 1998 brach eine schwere Wirtschafts- und Finanzkrise aus, auf die Regierungschef Primakow zunächst mit der Erweiterung des Staatseinflusses auf die Wirtschaft reagierte. Im Kosovo-Konflikt kritisierte R. die NATO-Luftangriffe auf Jugoslawien, bemühte sich aber zugleich intensiv um eine diplomatische Lösung des Konflikts.
Innenpolitik: Anfang Mai 1999 entließ Präsident Jelzin überraschend Regierungschef Jewgenij Primakow. Er begründete dies vor allem mit Primakows Versagen in der Wirtschaftspolitik. Primakow war erst im September 1998 zum Ministerpräsidenten ernannt worden. Damals trat er die Nachfolge von Sergej Kirijenko an, den Jelzin im August 1998 kurz nach Ausbruch der Finanzkrise entlassen hatte. Der als Wirtschaftsfachmann geltende Kirijenko hatte

kein Mittel gefunden, den starken Verfall der nationalen Währung (Rubel) aufzuhalten. Primakow, ehemals Chef des Geheimdienstes KGB, besaß u. a. das Vertrauen der Kommunistischen Partei, die zusammen mit den Nationalisten in der Duma die Mehrheit bilden. Seinem Kabinett gehörten auch zwei Kommunisten an (Ministerien für Industrie und für Rüstungswirtschaft).

Regierung Stepaschin: Zum Nachfolger von Primakow ernannte Jelzin im Mai 1999 den vorherigen Innenminister Sergej Stepaschin. Dieser wurde von der Duma bereits im ersten Wahlgang bestätigt. Der neuen Regierung unter Stepaschin gehörten keine kommunistischen Minister mehr an. Zu einem von mehreren stellvertretenden Ministerpräsidenten wurde ein enger Vertrauer von Boris Bereswskij ernannt, der als einer der wohlhabendsten und einflussreichsten Geschäftsleute in R. gilt und enge Verbindungen zur russischen Mafia unterhalten soll. Die indirekte Präsenz Beresowskijs in der russischen Regierung rief im Westen Besorgnis über die künftige Politik der russischen Regierung gegenüber der organisierten Kriminalität in R. hervor.

Zahlungsaufschub: Die neue russische Regierung erreichte im Mai 1999 von den Gläubigerbanken einen sechsmonatigen Zahlungsaufschub. Im Juni 1999 wären Schuldenzahlungen in Höhe von 900 Mio US-Dollar fällig gewesen. Dabei handelte es sich überwiegend um Schulden der ehemaligen Sowjetunion.

Amtsenthebungsverfahren: Im Mai 1999 scheiterte im russischen Parlament ein von Kommunisten und Nationalisten eingeleitetes Amtsenthebungsverfahren gegen Präsident Jelzin, da bei keinem der fünf Anklagepunkte (Verantwortung für den Tschetschenienkrieg, Schwächung der russischen Verteidigungskraft, Verantwortung für die Auflösung der UdSSR, Erstürmung des russischen Parlaments 1993, Verantwortung für Verarmung der Bevölkerung) die notwendige Zweidrittelmehrheit zustande kam. 1998/99 wurden wegen Jelzins schlechtem Gesundheitszustand wiederholt Zweifel an seiner Handlungsfähigkeit geäußert.

Parteien und Wahlbündnisse: Im Hinblick auf die 1999 und 2000 stattfindenden Parlaments- bzw. Präsidentschaftswahlen gründete der gemäßigt nationalistische Bürgermeister von Moskau, Juri Luschkow, im Dezember 1998 eine eigene Partei namens Vaterland. Zugleich bildeten führende Reformpolitiker, darunter die Ex-Premiers Kirijenko und Jegor Gaidar sowie die Radikal-Reformer Anatoli Tschubais und Boris Nemzow, ein wirtschaftsliberales Wahlbündnis. Im November 1998 wurde die Politikerin Galina Starowoitowa ermordet. Die entschiedene Verfechterin demokratischer Reformen wurde in St. Petersburg auf offener Straße erschossen. Der Mord wurde auf Starowoitowas energischen Kampf gegen die Korruption zurückgeführt.

Separatismus: 1998/99 verstärkten sich separatistische Bestrebungen in verschiedenen Regionen von R. Im September 1998 wurden in der Hauptstadt der Teilrepublik Nordossetien bei einem Bombenanschlag mehr als 60 Menschen getötet. Als Attentäter vermutete die Polizei Separatisten aus dem angrenzenden Tschetschenien. Dort verschärften sich nach mehren Monaten relativer Ruhe Ende Mai 1999 die Spannungen mit Russland. Russische Armee-Einheiten griffen u. a. mit Hubschraubern einen Stützpunkt tschetschenischer Guerilla-Kämpfer an. Zuvor waren bei einem Separatisten-Überfall auf einen russischen Grenzposten mehrere Soldaten getötet worden. In der nach völliger Unabhängigkeit strebenden Republik Tschetschenien kündigte Präsident Aslan Maschadow im Frühjahr 1999 die Bildung eines islamistischen Staates mit der Scharia als Grundlage der Rechtsprechung an. Ein im Februar 1999 in Inguschetien geplantes Referendum über mehr Eigenständigkeit wurde von Präsident Jelzin verboten.

Außenpolitik: Im Kosovo-Konflikt stellte sich R. auf die Seite Jugoslawiens. Die russische Regierung betonte die traditionelle slawische Verbundenheit mit Serbien. Die NATO-Luftangriffe wurden von der russischen Führung scharf verurteilt. Präsident Jelzin sprach im März 1999 von der Gefahr eines dritten Weltkriegs, der sich am Kosovo-Krieg entzünden könnte. R. bemühte sich intensiv um eine diplomatische Lösung des Konflikts. Jelzins Balkan-Vermittler Viktor Tschernomyrdin reiste mehrfach zu Gesprächen mit dem jugoslawischen Präsidenten Slobodan Milosevic nach Belgrad. Im Mai 1999 erreichte der frühere russische Ministerpräsident, dass Milosevic den Forderungskatalog der G-8-Staaten akzeptierte. Dieser sah ein sofortiges Ende der Kämpfe im Kosovo, den Abzug des serbischen Militärs und die Stationierung einer internationalen Schutztruppe unter NATO-Führung vor, um die Rückkehr der Flüchtlinge sicherzustellen.

Ukraine: Im Februar 1999 legte R. einen jahrelangen Streit mit der Ukraine bei. Mit der Ratifizierung durch den russischen Föderationsrat trat der sog. Vertrag über Freundschaft und Partnerschaft in Kraft, mit dem R. endgültig auf die mehrheitlich von Russen bewohnte Halbinsel Krim und den Schwarzmeerhafen Sewastopol verzichtete.

Weißrussland: Im Dezember 1998 unterzeichneten Präsident Jelzin und sein weißrussischer Amtskollege Alexander Lukaschenko eine Deklaration über die weitere Vereinigung R.s und Weißrusslands. Insbes. Weißrussland strebte einen Zusammenschluss beider Staaten in Form einer Föderation an. Die russische Regierung betonte jedoch, dass in absehbarer Zeit weder eine gemeinsame Währung noch eine gemeinsame Armee geplant seien.

Wirtschaft: Im August 1998 stürzte R. in eine tiefe Wirtschafts- und Finanzkrise, welche die soziale Lage erheblich verschlechterte. Am 17.8.1998 beschloss die russische Regierung, den Kurs des Rubel freizugeben. Innerhalb weniger Tage verlor die russische Währung gegenüber dem US-Dollar rund die Hälfte ihres Wertes. Die Gold- und Devisenreserven R.s schrumpften infolge der Finanzkrise um 20% auf 12,2 Mrd US-Dollar. Unmittelbare Ursachen für den Ausbruch der Krise waren der Verfall der Weltmarktpreise für Öl und Gas, den wichtigsten Exportgütern von R., die Nachwirkungen der Asienkrise, die Fälligkeit großer Schuldenbeträge, der Zusammenbruch spekulativer Finanz-Geschäfte und ökonomische Fehler der Regierung.

Sinkende Wirtschaftsleistung: Das BIP sank 1998 um 4,6%, nachdem es 1997 erstmals seit dem Zerfall der Sowjetunion leicht um 0,4% gestiegen war. Für 1999 wurde ein weiterer Rückgang der Wirtschaftsleistung um 7% prognostiziert. Bei der Arbeitslosigkeit wurde 1998 mit durchschnittlich 11,5% ein Anstieg um 2,5 Prozentpunkte im Vergleich zu 1997 verzeichnet. Das Defizit im Haushaltsentwurf für 1999 wurde auf 100 Mrd Rubel (2,3% des BIP) veranschlagt. 1997 hatte das Etatdefizit noch 86,5 Mrd Rubel betragen. Die Inflation stieg 1998 auf 84,4% (1997: 11%).

Soziale Folgen: Das verfügbare Realeinkommen der Bevölkerung ging infolge der Finanzkrise 1998 durchschnittlich um 18,2% zurück. Besonders hart betroffen waren die Rentner. Nach einem leichten Anstieg auf durchschnittlich 127% des Existenzminimums fielen die Renten nach dem Wertverfall des Rubels und dem rapiden Preisanstieg auf 80% des Existenzminimums. Staatsbedienstete wie Lehrer, Ärzte oder Soldaten erhielten über mehrere Monate keinen Lohn. Im Winter 1998/99 gab es in einigen Regionen von R., insbes. im Norden, akute Probleme bei der Lebensmittelversorgung.

Finanzhilfen: Westliche Kreditländer und internationale Finanzorganisationen wie Weltbank und Internationaler Währungsfonds (IWF) hielten sich mit neuen Finanzhilfen zurück. Im April 1999 gewährte der IWF nach monatelangen Verhandlungen einen Kredit von 1,3 Mrd US-Dollar unter der Bedingung, dass die Privatisierung in R., insbes. im Bergbau, vorangetrieben wird. Im Januar 1999 benannte die russische Regierung elf Staatsunternehmen, die im Laufe des Jahres veräußert werden sollen.

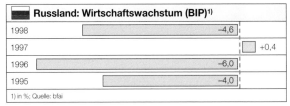

Russland: Wirtschaftswachstum (BIP)[1]

Jahr	Wert
1998	−4,6
1997	+0,4
1996	−6,0
1995	−4,0

1) in %; Quelle: bfai

Russland: Inflation[1]

Jahr	Wert
1998	84,4
1997	11,0
1996	21,8
1995	131,0

1) in %; Quelle: bfai

Russland: Arbeitslosenquote[1]

Jahr	Wert
1998	11,5
1997	9,0
1996	9,3
1995	8,8

1) in %; Quelle: bfai

Saint Kitts und Nevis

Mittelamerika, Karte S. 532, G 3

Die seit 1995 regierende linksorientierte Labour Party/Worker's League unter Premierminister Denzil Douglas bemühte sich 1998/99 durch staatliche Investitionsprogramme insbes. um die Förderung des industriellen Sektors. Auf S. werden in Kleinbetrieben vor allem Textilien und elektronische Bauteile für den britischen und den US-amerikanischen Markt produziert. Die traditionelle Abhängigkeit von Agrarexporten, vor allem Zucker, Bananen und Kokosnüsse, soll dadurch überwunden werden.

Außenpolitisch orientierten sich die zu den kleinen Antillen gehörenden Inseln weiter eng an der früheren Kolonialmacht Großbritannien und den USA.

Zunehmende Bedeutung für die Wirtschaft von S. hat der Tourismus. 1998 kamen rund 100 000 Auslandsgäste, die meisten aus den USA und Großbritannien. Durch Verbesserung der touristischen Infrastruktur (Hotelanlagen, Strandpflege) versucht die Regierung, die Touristenzahlen weiter zu steigern.

Saint Kitts und Nevis			
Landesfläche	261 km² (WR 185)		
Einwohner	41 000 (WR 185)		
Hauptstadt	Basseterre (18 000 Einwohner)		
Sprachen	Englisch, kreolische Dialekte		
Währung	1 Ostkaribischer Dollar (EC$) = 100 Cents		
Zeit	Mitteleuropäische Zeit −5 h		
Gliederung	14 Gemeinden		
Politik			
Staatsform	Parlamentarische Monarchie im Commonwealth (seit 1983)		
Regierungschef	Denzil Douglas		
Staatspräsident	Königin Elizabeth II. (seit 1983) *21.4.1926		
Parlament	Nationalversammlung mit 11 für fünf Jahre gewählten Abgeordneten; 7 Sitze für Labour Party, 2 für Concerned Citizens Movement, 1 für People's Action Movement, 1 für Nevis Reformation Party (Wahl von 1995)		
Bevölkerung			
Religion	Protestanten (76,4%); Katholiken (10,7%); Sonstige (12,9%)		
Ethn. Gruppen	Schwarze (86%); Mischlinge (11%); Sonstige (3%)		
Wirtschaft und Soziales			
Dienstleistung	64,6%	Urbanisierung	49%
Industrie	28,3%	Einwohner/km²	157
Landwirtschaft	7,1%	Bev.-Wachstum/Jahr	1,23%
BSP/Kopf	6260 $ (1997)	Kindersterblichkeit	k. A.
Inflation	3,1% (1996)	Alphabetisierung	90%
Arbeitslosigkeit	k. A.	Einwohner pro Arzt	1498

 Saint Lucia

Mittelamerika, Karte S. 532, H 4

Die seit Mai 1997 mit absoluter Mehrheit regierende Saint Lucia Labour Party (SLP) bemühte sich 1998/99 um eine Belebung der nachlassenden Konjunktur. Ein großes Problem war der Bananenstreit zwischen der Europäischen Union (EU) und den USA. Bananen sind neben Zitrusfrüchten und Kokosnüssen das wichtigste Exportgut der seit 1979 unabhängigen Karibikinsel. Vor allem deutsche Importeure traten für ein Ende der Bevorzugung von Bananen aus Afrika und der Karibik sowie für eine Änderung der EU-Bananenmarktordnung ein, die den Import von Bananen aus zentralamerikanischen Staaten in die Mitgliedstaaten der EU erschwerte. Durch die Förderung des Tourismusgeschäfts versuchte die linksorientierte Regierung unter Kenny Anthony, die Abhängigkeit S. vom Bananenexport zu verringern. 1998 übertraf der Tourismus den Agrarexport als wichtigste Einnahmequelle. Überwiegend mit US-amerikanischem Kapital wurden neue Hotels gebaut.

Saint Lucia			
Landesfläche	622 km² (WR 174)		
Einwohner	148 000 (WR 173)		
Hauptstadt	Castries (54 000 Einwohner)		
Sprachen	Engl., Patois (kreolisches Franz.)		
Währung	1 Ostkaribischer Dollar (EC$)		
Zeit	Mitteleuropäische Zeit −5 h		
Gliederung	11 Gemeinden		
Politik			
Staatsform	Parlamentarische Monarchie im Commonwealth (seit 1979)		
Regierungschef	Kenny Anthony (seit 1997)		
Staatspräsident	Königin Elizabeth II. (seit 1979) *21.4.1926		
Parlament	Senat mit 11 ernannten und Abgeordnetenhaus mit 17 für fünf Jahre gewählten Mitgliedern; im Abgeordnetenhaus 16 Sitze für St. Lucia Labour Party, 1 für konservative United Workers Party (Wahl vom Mai 1997)		
Internet	http://www.stats.gov.lc		
Bevölkerung			
Religion	Katholiken (79,0%); Protestanten (15,5%); Sonstige (5,5%)		
Ethn. Gruppen	Schwarze (90,5%); Mulatten (5,5%); Sonstige (4,0%)		
Wirtschaft und Soziales			
Dienstleistung	70,3%	Urbanisierung	48,1%
Industrie	17,4%	Einwohner/km²	238
Landwirtschaft	12,3%	Bev.-Wachstum/Jahr	1,11%
BSP/Kopf	3510 $ (1997)	Kindersterblichkeit	k. A.
Inflation	−2,3% (1996)	Alphabetisierung	80%
Arbeitslosigkeit	15% (1996)	Einwohner pro Arzt	2234

Saint Vincent/Grenadinen

Saint Vincent/Grenadinen	
Landesfläche	388 km² (WR 181)
Einwohner	115 000 (WR 176)
Hauptstadt	Kingstown (27 000 Einwohner)
Sprachen	Englisch, kreolisches Englisch
Währung	1 Oskaribischer Dollar (EC$)
Zeit	Mitteleuropäische Zeit –5 h
Gliederung	St. Vincent und Inselketten
Politik	
Staatsform	Parlamentarische Monarchie im Commonwealth (seit 1979)
Regierungschef	James Mitchell (seit 1984) *15.3.1931
Staatspräsident	Königin Elizabeth II. (seit 1979) *21.4.1926
Parlament	Senat mit 6 ernannten und Abgeordnetenhaus mit 15 für fünf Jahre gewählten Abgeordneten; im Abgeordnetenhaus 8 Sitze für konservative neue demokratische Partei (NDP), 7 für Vereinigte Arbeiterpartei (ULP) (Wahl vom Juni 1998)
Bevölkerung	
Religion	Protestanten (80,5%); Katholiken (11,6%); Sonstige (7,9%)
Ethn. Gruppen	Schwarze (65,5%); Mulatten (19,0%); Inder (5,5%); Weiße (3,5%); Sonstige (6,5%)
Wirtschaft und Soziales	

Dienstleistung	66,3%	Urbanisierung	24,7%
Industrie	22,0%	Einwohner/km²	296
Landwirtschaft	11,7%	Bev.-Wachstum/Jahr	0,6%
BSP/Kopf	2420 $ (1997)	Kindersterblichkeit	k.A.
Inflation	3,6% (1996)	Alphabetisierung	82%
Arbeitslosigkeit	k. A.	Einwohner pro Arzt	2708

Saint Vincent/ Grenadinen

Mittelamerika, Karte S. 532, H 4

Bei den Parlamentswahlen vom Juni 1998 konnte die konservative New Democratic Party (NDP) ihre absolute Mehrheit knapp behaupten. Der seit 1984 regierende Premierminister James Fitzallen Mitchell (NDP) setzte 1998/99 auf einen strikt marktwirtschaftlichen Kurs und lehnte sich außenpolitisch eng an die USA und die frühere Kolonialmacht Großbritannien an.

Die agrarisch geprägte Wirtschaft des Inselstaates in der Karibik (»Inseln über dem Winde«) profitierte 1998 insbes. von der Bananen-Marktordnung der EU, welche die Bananen karibischer und afrikanischer Staaten bei der Einfuhr in die EU-Mitgliedstaaten gegenüber den Bananen mittelamerikanischer Staaten bevorzugt.

Die konservative Regierung von S. bemühte sich mithilfe staatlicher Investitionsprogramme um den weiteren Ausbau des Tourismus, der mittelfristig die Abhängigkeit der nationalen Wirtschaft von den Agrarexporten verringern soll.

Salomonen	
Landesfläche	28 896 km² (WR 139)
Einwohner	417 000 (WR 162)
Hauptstadt	Honiara (43 600 Einwohner)
Sprachen	Englisch, Pidgin-Englisch
Währung	1 Salomonen-Dollar (SI$)
Zeit	Mitteleuropäische Zeit +10 h
Gliederung	7 Provinzen, 990 Inseln
Politik	
Staatsform	Parlamentarische Monarchie im Commonwealth (seit 1978)
Regierungschef	Barholomew Ulufa'alu (seit 1997) *1945
Staatspräsident	Königin Elizabeth II. (seit 1978) *21.4.1926
Parlament	Nationalparlament mit 50 für vier Jahre gewählten Abgeordneten; 26 Sitze für Wahlbündnis Alliance for Change, 24 für Group for National Unity and Reconciliation (Wahl vom August 1997)
Internet	http://www.commerce.gov.sb
Bevölkerung	
Religion	Protestanten (77,5%); Katholiken (19,2%); Sonstige (3,3%)
Ethn. Gruppen	Melanesier (94,2%); Polynesier (3,7%); Sonstige (2,1%)
Wirtschaft und Soziales	

Dienstleistung	43,9%	Urbanisierung	23,3%
Industrie	7,7%	Einwohner/km²	14
Landwirtschaft	48,4%	Bev.-Wachstum/Jahr	3,24%
BSP/Kopf	870 $ (1997)	Kindersterblichkeit	2,3%
Inflation	11,8% (1996)	Alphabetisierung	62%
Arbeitslosigkeit	k. A.	Einwohner pro Arzt	6154

Salomonen

Ozeanien, Karte S. 537, E 3

Die S. umfassen eine doppelte, von Nordwesten nach Südosten verlaufende Reihe von Inseln mit gebirgigem Inneren sowie eine Gruppe von Atollen und gehobenen Koralleninseln. Die S. erheben Anspruch auf das nördlich vor der Inselgruppe liegende Eiland Bougainville (Papua-Neuguinea). Auf den Inseln gibt es zahlreiche Rohstoffe (Bauxit, Phosphat, Gold, Silber und Kupfererz), die 1998/99 teilweise noch nicht abgebaut wurden. Landwirtschaft wird überwiegend auf den fruchtbaren Böden an der Nordküste von Guadalcanal betrieben. Grundlage der landwirtschaftlichen Selbstversorgung ist der enge Familienbesitz. 55% des Exportes bestehen aus Bau- und Nutzholz, 25% aus Fisch und 10% aus Palmöl. Die S. sind stark von Entwicklungshilfe abhängig. Jährlich kommen rund 16 000 Touristen auf die Inselgruppe, die meisten aus Australien, Neuseeland und Papua-Neuguinea. Der Fremdenverkehr soll bis Anfang des 21. Jh. ausgebaut werden.

Sambia

Afrika, Karte S. 533, D 6

Die Auswirkungen des 1995 erlassenen neuen Landgesetzes (Lands Act) bildeten auch 1998 eine der zentralen innenpolitischen Streitpunkte in S. Das Gesetz erleichtert den Abschluss langfristiger Pachtverträge mit ausländischen Investoren, insbes. aus Südafrika. Gegen die Aufhebung traditioneller Bodenrechte erhoben mehrere Stammesfürsten Protest. Sie befürchteten den Einfluss südafrikanischer Farmer und einen Machtzuwachs der Zentralregierung in Lusaka durch erweiterte Entscheidungsrechte der Landwirtschaftsbehörden.
Präsident Frederik Chiluba setzte 1998 weiter auf marktwirtschaftliche Reformen. Mit dem Verkauf der letzten beiden großen Kupferminen trieb die Regierung Ende 1998 die Privatisierung voran. Vom Verkauf an ein britisch-kanadisch-südafrikanisches Konsortium erhoffte sich die Regierung einen Erlös von 500 Mio US-Dollar. Die Rücknahme der Verstaatlichungen durch den Gründer-Präsidenten Kenneth Kaunda in den 60er und 70er Jahren wurde konsequent weitergeführt.

Sambia Republik Sambia	
Landesfläche	752 618 km² (WR 38)
Einwohner	8,69 Mio (WR 83)
Hauptstadt	Lusaka (1,32 Mio Einwohner)
Sprachen	Englisch, Bantusprachen
Währung	1 Kwacha (K) = 100 Ngwee
Zeit	Mitteleuropäische Zeit +1 h
Gliederung	9 Provinzen
Politik	
Staatsform	Präsidiale Republik
Regierungschef	Frederik Chiluba (seit 1991) *30.4.1943
Staatspräsident	Frederik Chiluba (seit 1991) *30.4.1943
Parlament	Nationalvers. mit 150 für fünf Jahre gewählten Abgeord.; 131 Sitze für Bew. f. eine Mehrparteiendemokratie, 5 für Nationalp., 4 für Sonstige, 10 Unabh. (Wahl v. Nov. 1996)
Internet	http://www.zamnet.zm
Bevölkerung	
Religion	Christen (72%): Protestanten 35,3%, Katholiken 27,3%, Afrikanische Christen 9,4%; Animisten (27%); Sonstige (1%)
Ethn. Gruppen	Bemba (36,2%); Nyanja (17,6%); Tonga (15,1%); Nordwest-Gruppe (10,1%); Sonstige (21%)

Wirtschaft und Soziales			
Dienstleistung	38,0%	**Urbanisierung**	43,1%
Industrie	45,5%	**Einwohner/km²**	12
Landwirtschaft	16,5%	**Bev.-Wachstum/Jahr**	2,13%
BSP/Kopf	370 $ (1997)	**Kindersterblichkeit**	8,2%
Inflation	43,9% (1996)	**Alphabetisierung**	77,8%
Arbeitslosigkeit	k. A.	**Einwohner pro Arzt**	6959

Samoa-West

Ozeanien, Karte S. 537, G 3

S. ist eine parlamentarische Monarchie im britischen Commowealth, der seit 1962 König Malietoa Tanumafili II. vorsteht. Die Bevölkerung lebte 1998/99 überwiegend von Landwirtschaft und Fischerei, die etwa 43% zum BIP beitrugen. Wichtigste Anbauprodukte waren Kokosnüsse, Kakao und Taro-Stauden. Seit Anfang der 90er Jahre versuchen die Westsamoaner, ausländische Investoren für die Ansiedlung von Betrieben der Leichtindustrie zu gewinnen. Sie sollen durch großzügige Steuerprivilegien, die Gewährung von Zollfreiheit für die Einfuhr von Rohmaterialien innerhalb der ersten zehn Jahre, ein niedriges Lohnniveau und einen günstigen Zugang zu den australischen und neuseeländischen Märkten über die Wirtschaftsgemeinschaft Sparteca nach S. gelockt werden. Eine der wichtigsten Einnahmequellen sind die Geldsendungen von Samoanern, die im Ausland, insbes. in Australien, Neuseeland und den USA, arbeiten.

Samoa-West Unabhängiger Staat Westsamoa	
Landesfläche	2831 km² (WR 164)
Einwohner	170 000 (WR 172)
Hauptstadt	Apia (Upolu; 34 000 Einwohner)
Sprachen	Samoanisch, Englisch
Währung	1 Tala (WS$) = 100 Sene
Zeit	Mitteleuropäische Zeit –12 h
Gliederung	11 Distrikte
Politik	
Staatsform	Parlamentarische Monarchie (seit 1962)
Regierungschef	Tause P. Sunia
Staatspräsident	Malietoa Tanumafili II. (seit 1962) *4.1.1913
Parlament	Gesetzgebende Versammlung mit 49 für fünf Jahre gewählten Mitgliedern; 26 Sitze für Human Rights Protection, 13 für Samoa National Development, 10 für Unabhängige (Wahl vom April 1996)
Internet	http://www.interwebinc.com/samoa/index2.html
Bevölkerung	
Religion	Protestanten (70,9%); Katholiken (22,3%); Sonstige (6,8%)
Ethn. Gruppen	Polynesier (88%); Euronesier (10%); Sonstige (2%)

Wirtschaft und Soziales			
Dienstleistung	35,6%	**Urbanisierung**	21%
Industrie	21,5%	**Einwohner/km²**	60
Landwirtschaft	42,9%	**Bev.-Wachstum/Jahr**	2,33%
BSP/Kopf	1140 $ (1997)	**Kindersterblichkeit**	2,3%
Inflation	7,5% (1996)	**Alphabetisierung**	99%
Arbeitslosigkeit	k. A.	**Einwohner pro Arzt**	2682

San Marino	Republik San Marino
Landesfläche	61,2 km² (WR 188)
Einwohner	26 000 (WR 188)
Hauptstadt	San Marino (4178 Einwohner)
Sprache	Italienisch
Währung	1 Ital. Lira (Lit) = 100 Centesimi
Zeit	Mitteleuropäische Zeit
Gliederung	10 Castelli (Gemeindebezirke)
Politik	
Staatsform	Parlamentarische Republik (seit 1600)
Regierung	Staatsrat (10 Mitglieder)
Staatspräsident	Zwei regierende Kapitäne (Wechsel alle 6 Mon.)
Regierungschef	Gabriele Gatti (seit 1998)
Parlament	Großer und Generalrat mit 60 für fünf Jahre gewählten Mitgliedern; 25 Sitze für Christdemokraten, 14 für Sozialisten, 11 für Linksdemokraten, 6 für Demokrat. Volksallianz, 4 für Sonstige (Wahl vom Mai 1998)
Bevölkerung	
Religion	Katholiken (95,2%); Sonstige (1,8%); Konfessionslose (3%)
Nationalitäten	Sanmarinesi (76,8%); Italiener (22%); Sonstige (1,2%)
Wirtschaft und Soziales	

Dienstleistung	52,4%	Urbanisierung	90%
Industrie	41,7%	Einwohner/km²	425
Landwirtschaft	2,2%	Bev.-Wachstum/Jahr	0,7%
BSP/Kopf	k. A.	Kindersterblichkeit	k.A.
Inflation	2,5% (1998)	Alphabetisierung	98%
Arbeitslosigkeit	k. A.	Einwohner pro Arzt	375

San Marino
Europa, Karte S. 529, D6

Die Parlamentswahlen vom Mai 1998 bestätigten die bestehenden Mehrheitsverhältnisse. Stärkste Partei blieben bei leichten Stimmenverlusten mit 40,8% (25 Sitze) die Christdemokraten, gefolgt von den Sozialisten mit 23,2% (14 Sitze) und den Linksdemokraten, auf die 18,6% (11 Sitze) entfielen. Die Demokratische Volksallianz erhielt sechs Sitze. Christdemokraten und Sozialisten erneuerten ihre seit 1993 bestehende große Koalition. Regierungschef wurde der Christdemokrat Gabriele Gatti. Das Einkammerparlament besteht aus 60 Abgeordneten.

In der Wirtschaft war der Tourismus 1998 die mit Abstand wichtigste Einnahmequelle (rund 60% der Staatseinnahmen) für S. 1998 besuchten rund 3 Mio Auslandsgäste S., davon 2,5 Mio Italiener. Der Verkauf von Briefmarken und Münzen erbrachte rund 10% der Staatseinnahmen. S. ist mit Italien durch eine Zoll-, Wirtschafts- und Währungsunion verbunden und erhielt 1998 rund 9 Mrd Lire für den Verzicht auf Zölle für italienische Waren.

São Tomé und Príncipe	
Landesfläche	964 km² (WR 168)
Einwohner	141 000 (WR 174)
Hauptstadt	São Tomé (57 000 Einwohner)
Sprachen	Portugiesisch, Crioulo
Währung	1 Dobra (Db) = 100 Céntimos
Zeit	Mitteleuropäische Zeit –1 h
Gliederung	2 Provinzen, 7 Distrikte
Politik	
Staatsform	Präsidiale Republik (seit 1975)
Regierungschef	Raul Bragança Neto (seit 1996) *1946
Staatspräsident	Miguel Trovoada (seit 1991) *27.12.1936
Parlament	Nationalversammlung mit 55 für vier Jahre gewählten Abgeordneten; 31Sitze für Bewegung für die Befreiung von São Tomé und Príncipe (MLSTP),16 für Demokratische Unabhängige Tat (ADI), 8 für Demokratische Annäherungspartei (PCD) (Wahl vom November 1998)
Bevölkerung	
Religion	Katholiken (81%); Sonstige (19%)
Ethn. Gruppen	Schwarze, Mulatten, Portugiesen
Wirtschaft und Soziales	

Dienstleistung	58,7%	Urbanisierung	44,1%
Industrie	13,6%	Einwohner/km²	146
Landwirtschaft	27,7%	Bev.-Wachstum/Jahr	3,1%
BSP/Kopf	290 $ (1997)	Kindersterblichkeit	k. A.
Inflation	60% (1996)	Alphabetisierung	60%
Arbeitslosigkeit	28% (1996)	Einwohner pro Arzt	1881

São Tomé und Príncipe
Afrika, Karte S. 533, C 4

Aus den Parlamentswahlen vom 8.11.1998 ging die sozialdemokratische Partei MLSTP des seit 1996 amtierenden Regierungschefs Raul Bragança mit 31 der insgesamt 55 Parlamentssitze als eindeutige Siegerin hervor. Damit bestätigte die große Mehrheit der 50 Wahlberechtigten den auf Festigung der Demokratie und Marktwirtschaft gerichteten Kurs der Regierung. Es war die dritte Parlamentswahl in dem Inselstaat seit Einführung der Demokratie (1990). Die siegreiche MLSTP ist aus der früheren Einheitspartei hervorgegangen, die nach der Uabhängigkeit des Landes von Portugal 1975 zunächst ein staatssozialistisches System eingeführt hatte.

Da die Wirtschaft fast ausschließlich auf den Export von Kakao ausgerichtet ist, litt S. stark unter sinkenden Weltmarktpreisen. Die 1993 eingeleitete Privatisierung großer Plantagen wurde 1998 entsprechend der Bedingung des Internationalen Währungsfonds (IWF) für Finanzhilfen fortgesetzt.

Saudi-Arabien

Nahost, Karte S. 534, D 4

Fallende Erdölpreise (−29% im Vergleich zum Vorjahr) zwangen S. zur Einschränkung der Staatsausgaben und zur Förderung des privaten Sektors der Wirtschaft. Kronprinz Abdullah, der für den kranken König Fahd die Staatsgeschäfte führte, rief das Volk dazu auf, sich auf bescheidenere Lebensverhältnisse einzustellen. Trotz eines umfassenden Industrialisierungs- und Diversifizierungsprogramms mit einem Umfang von 50 Mrd US-Dollar (u. a. für den Aufbau von 2600 Industriebetrieben) kamen 1998/99 rund 70% der Staatseinnahmen aus dem Ölexport. Infolge sinkender Einnahmen aus dem Verkauf von Erdöl wies der Staatshaushalt 1998 erstmals ein Defizit von 12 Mrd US-Dollar auf. Das BIP wuchs 1998 um 1,7%. Im Entwurf für den Hauhalt 1999 war eine Verringerung der Ausgaben um 12,6% gegenüber dem Vorjahr vorgesehen. Gespart werden sollte vor allem bei den Militärausgaben, die um rund drei Mrd US-Dollar gekürzt wurden, beim Ausbau der Infrastruktur und bei den Subventionen für die Landwirtschaft.

Saudi-Arabien	Königreich Saudi–Arabien		
Landesfläche	2,15 Mio km² (WR 13)		
Einwohner	20,21 Mio (WR 49)		
Hauptstadt	Riadh (2,1 Mio Einw.)		
Sprachen	Arabisch, Englisch		
Währung	1 Saudi-Riyal (SRI) = 20 Qirshes		
Zeit	Mitteleuropäische Zeit +2 h		
Gliederung	5 Provinzen		
Politik			
Staatsform	Absolute Monarchie (seit 1932)		
Regierungschef	König Fahd ibn Abd al-Asis (seit 1982) *1920		
Staatspräsident	König Fahd ibn Abd al-Asis (seit 1982) *1920		
Parlament	Konsultativrat mit 90 vom König ernannten Mitgliedern (seit 1997), Parteien verboten		
Internet	http://www.samofa.gov.sa		
Bevölkerung			
Religion	Sunnitische Muslime (98,8%); Christen (0,8%); Sonstige (0,4%)		
Ethn. Gruppen	Saudis (82%); Jemeniten (9,6%); andere Araber (3,4%); Sonstige (5%)		
Wirtschaft und Soziales			
Dienstleistung	41%	Urbanisierung	80%
Industrie	52%	Einwohner/km²	9
Landwirtschaft	7%	Bev.-Wachstum/Jahr	3,5–4%
BSP/Kopf	7150 $ (1997)	Kindersterblichkeit	2,3%
Inflation	3% (1998)	Alphabetisierung	62%
Arbeitslosigkeit	k. A.	Einwohner pro Arzt	523

Schweden

Europa, Karte S. 529, E 3

Bei den Reichstagswahlen im September 1998 verzeichneten die regierenden Sozialdemokraten von Ministerpräsident Göran Persson starke Verluste.
Innenpolitik: Sie verloren 8,7 Prozentpunkte und erreichten mit 35,4% der Stimmen das schlechteste Ergebnis seit der Parteigründung 1922. Einbußen erlitten auch die bürgerlichen Oppositionsparteien, die zusammen auf 44,3% der Stimmen kamen. Auf die konservativen Moderaten von Carl Bildt entfielen 22,7%. Im Wahlkampf war der frühere Ministerpäsident Bildt für Steuersenkungen und einen raschen Beitritt von S. zu Europäischen Wirtschafts- und Währungsunion eingetreten. Die Christdemokraten erhielten 11,8% der Stimmen. Sie hatten im Wahlkampf u. a. den Ausbau der sozialen Fürsorgeeinrichtungen gefordert. Die Linkspartei (ehemals Kommunisten) verdoppelte ihren Stimmenanteil auf 12%. Die Grünen blieben mit 4,5% nur knapp oberhalb der 4%-Hürde. Die Wahlbeteili-

Schweden	Königreich Schweden		
Landesfläche	449964 km² (WR 54)		
Einwohner	8,86 Mio (WR 82)		
Hauptstadt	Stockholm (693000 Einwohner)		
Sprachen	Schwedisch		
Währung	1 Schwed. Krone (skr) = 100 Öre		
Zeit	Mitteleuropäische Zeit		
Gliederung	24 Provinzen, 284 Kommunen		
Politik			
Staatsform	Parlamentarische Monarchie (seit 1909)		
Regierungschef	Göran Persson (seit 1996) *20.1.1949		
Staatspräsident	König Carl XVI. Gustav (seit 1973) *30.4.1946		
Parlament	Reichstag mit 349 für vier Jahre gewählten Mitgliedern; 131 Sitze für Sozialdemokraten, 82 für Konservative, 18 für Zentrumspartei, 17 für Liberale Volkspartei, 43 für Linkspartei, 16 für Grüne, 42 für Christdemokraten (Wahl von 1998)		
Internet	http://www.regeringen.se http://www.riksdagen.se		
Bevölkerung			
Religion	Lutheraner (88,2%); Katholiken (1,7%); Sonstige (10,1%)		
Nationalitäten	Schweden (90,4%); Finnen (2,4%); Sonstige (7,2%)		
Wirtschaft und Soziales			
Dienstleistung	63,4%	Urbanisierung	85%
Industrie	33,4%	Einwohner/km²	20
Landwirtschaft	3,2%	Bev.-Wachstum/Jahr	0,1%
BSP/Kopf	26210 $ (1997)	Kindersterblichkeit	0,5%
Inflation	1,2% (1998)	Alphabetisierung	99%
Arbeitslosigkeit	6,5% (1998)	Einwohner pro Arzt	395

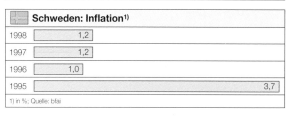

Schweden: Wirtschaftswachstum (BIP)[1]

Jahr	Wert
2000[2]	+2,4
1998	+2,8
1996	+1,3
1993	−2,2

1) in %; 2) Prognose der OECD; Quelle: bfai

Schweden: Inflation[1]

Jahr	Wert
1998	1,2
1997	1,2
1996	1,0
1995	3,7

1) in %; Quelle: bfai

gung lag mit 76,6% um 10,4 Prozentpunkte niedriger als bei der Wahl von 1994.

Regierungsbildung: Die konservativen Parteien brachten keine regierungsfähige Mehrheit zustande. Auch Persson gelang es nicht, eine Koalitionsregierung zu bilden. Wichtigster Streitpunkt unter den Parteien war ein eventueller Beitritt von S. zur Europäischen Währungsunion, den die exkommunistische Linkspartei und die Grünen ablehnten. Da die Sozialdemokraten selbst in dieser Frage gespalten waren, hatte die Regierung den Maastrichter Vertrag zwar unterschrieben, aber einen Beitritt schon zum Januar 1999 abgelehnt. Persson bildete im Oktober 1998 ein Minderheitskabinett, das auf die parlamentarische Unterstützung durch Kommunisten und Grüne angewiesen ist.

Regierungsprogramm: Kernpunkte seines Regierungsprogramms waren Steuersenkungen für Bezieher kleiner und mittlerer Einkommen, Abbau der Staatsverschuldung, Schaffung einer breiten politischen Basis für den Beitritt zur Europäischen Währungsunion und die Bekämpfung der Arbeitslosigkeit.

Verkleinerung der Streitkräfte: Die schwedische Armeeführung legte im Mai 1999 Pläne für eine drastische Reduzierung der Streitkräfte vor. Die Zahl der Brigaden soll von 13 auf 4, das Offizierkorps von 14 000 auf 10 000 Mann verringert werden. Der schwedische Militäretat, der 1998 etwa 44 Mrd Kronen umfasste, soll dadurch um 10% entlastet werden. Neben einer Truppenreduzierung ist auch die Umwandlung der Armee in eine Vielzahl flexibler Einheiten geplant. S. will im 21. Jh. über eine Armee verfügen, die nicht mehr primär der Abwehr eines feindlichen Einfalls aus dem Osten dient, sondern als schnelle Einsatztruppe auf unvorhergesehene Gefahren reagieren kann,

Rücktritt: Im April 1999 führte der unerwartete Rücktritt von Finanzminister Erik Asbrink zu einer Regierungskrise. Grund für den Rücktritt war der Streit über mögliche Steuersenkungen. Während der dem rechten Parteiflügel zugehörige Asbrink Steuererleichterungen im Interesse einer Haushaltskonsolidierung frühestens 2001 für möglich hielt, stellte Regierungschef Persson Steuersenkungen schon im Jahr 2000 in Aussicht. Der linke Flügel der Partei forderte auch aus Rücksicht auf die Grünen und die Linkspartei, auf deren Unterstützung die Regierung im Parlament angewiesen ist, höhere Staatsinvestitionen im öffentlichen Bereich, um zusätzliche Arbeitsplätze zu schaffen. Zum neuen Finanzminister wurde Bosse Ringholm, bisher Leiter des staatlichen Amtes für Arbeitsmarktangelegenheiten, ernannt.

Wirtschaft: 1998 erholte sich die Konjuktur in S. Das BIP wuchs um 2,9% (1997: 1,8%), der Staatshaushalt schloss mit einem positiven Saldo von 2% des BIP. Parallel zu der Wachstumsentwicklung sank die Arbeitslosenquote auf 6,5% (1997: 8%); die Inflationsrate blieb 1998 bei 1,2%. Die Regierung Persson bewertete die insgesamt positive wirtschaftliche Entwicklung als Ergebnis ihrer Spar- und Konsolidierungspolitik.

Zentralbank: Im November 1998 beschloss das Parlament per Gesetzesänderung die Unabhängigkeit der Zentralbank. Dem sechsköpfigen Direktorium wurde die Verantwortung für die Geldpolitik übertragen. Dadurch signalisierte die schwedische Regierung ihre Bereitschaft, mittelfristig der Europäischen Währungsunion beizutreten. Im Januar 1999 sprach sich bei Umfragen erstmals eine Mehrheit von 51% der Bevölkerung für die Einführung des Euros aus.

Wirtschaftsstandort Schweden: Anfang 1999 belebte die fusionsbedingte Verlagerung mehrerer schwedischer Konzern-Zentralen ins Ausland die Debatte über den Wirtschaftsstandort S. So verlegte das Telekommunikationsunternehmen Ericsson seinen Sitz nach London, der Papierhersteller Stora teilweise nach Helsinki. Anfang 1999 verkaufte Volvo den Bereich Personenwagen an Ford.

Schweiz

Europa, Karte S. 529, C 5

Durch die Einrichtung eines Entschädigungsfonds für Holocaust-Opfer wurde die Auseinandersetzung um »Raubgold« und das Verhalten von Schweizer Banken im Zweiten Weltkrieg entschärft. Weiter umstritten war die liberale Drogenpolitik. Durch die Neubesetzung von hohen Staats- bzw. Regierungsämtern wuchs der Einfluss der Frauen auf die Politik. Auf dem Arbeitsmarkt der S. zeigte sich 1998 eine spürbare Verbesserung, während die konjunkturelle Erholung verhalten blieb.

Innenpolitik: Im Dezember 1998 wurde die Bundesrätin Ruth Dreifuss (Sozialdemokratische Partei) als Nachfolgerin von Flavio Cotti zur Bundespräsidentin gewählt. Damit bekleidete erstmals in der Geschichte der S. eine Frau das höchste Amt. Die Position des Bundespräsidenten wird gemäß den Prinzipien der Schweizer Konsensdemokratie im jährlichen Wechsel von den verschiedenen Regierungsparteien besetzt. 27 Jahre nach Durchsetzung des Frauenwahlrechts auf Bundesebene wurde dies als ein weiterer Schritt zur politischen Gleichstellung der Frau gewertet. Im März 1999 wurde Ruth Metzler-Arnold von der Christlich-Demokratischen Volkspartei (CVP) neben Ruth Dreifuss zur zweiten weiblichen Bundesrätin (Regierungsmitglied) gewählt. Mit der Wahl von Trix Heberlein zur neuen Nationalratspräsidentin (Parlament) wurde im Dezember 1998 ein weiteres hohes Amt mit einer Frau besetzt.

Neue Bundesverfassung: Im April 1999 stimmten 59% der Wahlbürger in einem Referendum für die Annahme einer neuen Bundesverfassung. Die Wahlbeteiligung lag bei rund 33%. Es handelte sich im Wesentlichen um eine sprachliche Überarbeitung und Straffung des Verfassungstextes von 1874. Erweitert wurden die Garantien für Meinungs- und Versammlungsfreiheit sowie das Streikrecht.

Raubgold: Im Streit um Vermögenswerte von Holocaust-Opfern und nachrichtenlose Konten kam es im August 1998 zu einer außergerichtlichen Einigung zwischen Schweizer Banken und Vertretern von Nazi-Opfern. Insgesamt sollen innerhalb von drei Jahren an Überlebende des Holocaust oder deren Erben 1,25 Mrd US-Dollar gezahlt

Schweiz	Schweizerische Eidgenossenschaft
Landesfläche	41 293 km² (WR 132)
Einwohner	7,33 Mio (WR 91)
Hauptstadt	Bern (127 000 Einwohner)
Sprachen	Deutsch, Französisch, Italienisch, Rätoromanisch
Währung	1 Schweizer Franken (sfr) = 100 Rappen
Zeit	Mitteleuropäische Zeit
Gliederung	26 Kantone
Politik	
Staatsform	Parlamentarische Bundesrepublik (seit 1848)
Regierungschef	Bundesrat aus 7 gleichberechtigten Mitgliedern
Staatspräsident	Flavio Cotti (für 1998) *18.10.1939
Parlament	Nationalrat mit 200 und Ständerat mit 46 für vier Jahre gewählte Abgeordneten; im Nationalrat 54 Sitze (Ständerat: 5) für Sozialdemokratische Partei, 45 (17) für Freisinnig-Demokrat. Partei, 34 (16) für Christlich-Demokrat. Volkspartei, 67 (8) für Andere (Wahl von 1995)
Internet	http://www.admin.ch http://www.parlament.ch
Bevölkerung	
Religion	Katholiken (46,2%), Protestanten (40%); Orthodoxe (1,0%), Muslime (2,2%); Juden (0,3%); Sonstige (10,3%)
Nationalitäten	Schweizer (83,7%); Italiener (5,6%); Spanier (2,1%); Deutsche (1,7%); Türken (1,3%); Sonstige (5,6%)

Wirtschaft und Soziales			
Dienstleistung	64,9%	**Urbanisierung**	61%
Industrie	32,2%	**Einwohner/km²**	178
Landwirtschaft	2,9%	**Bev.-Wachstum/Jahr**	0,8%
BSP/Kopf	43 060 $ (1997)	**Kindersterblichkeit**	0,6%
Inflation	0% (1998)	**Alphabetisierung**	99%
Arbeitslosigkeit	4% (1998)	**Einwohner pro Arzt**	585

werden. An dem Fonds sind neben den Schweizer Großbanken auch die Schweizerische Nationalbank und die Regierung beteiligt. Die 1996 begonnene Auseinandersetzung um das sog. Nazi-Raubgold, das Schweizer Banken im Zweiten Weltkrieg gekauft haben, wurde damit beigelegt. Mehrere US-amerikanische Unternehmen und Bundesstaaten hatten im Juli 1998 die S. mit konkreten Sanktionsdrohungen unter Druck gesetzt. Während die Wirtschaft der S. die Einigung begrüßte, sprachen rechtskonservative Politiker wie der Populist Christoph Blacher (CVP) von Erpressung durch jüdische Organisationen.

Drogenpolitik: Im Oktober 1998 billigte der Nationalrat (Parlament) die seit 1994 praktizierte Drogenpolitik, die neben repressiven Maßnahmen, Therapie- und Substitutionsangeboten (Methadon) sowie Einrichtung von Fixer-Stuben auch die ärztliche Verschreibung von Heroin an Abhängige vorsieht. In einem Referendum sprachen sich im Juni 1999 ca. 55% der Bevölkerung für die Weiterführung der ärztlich kontrollierten Heroinabgabe aus.

Außenpolitik: Im April 1999 schloss die S. mit Österreich, Deutschland und Liechtenstein Verträge zur intensiveren Zusammenarbeit im Kampf gegen grenzüberschreitende Kriminalität und illegale Einwanderung. *Armee:* Auf Vorschlag von Bundesrat Adolf Ogi plante die S. 1999, die Zahl der Soldaten für internationale Friedensmissionen zu erhöhen. Sie sollen zur Selbstverteidigung auch bewaffnet werden. Bislang stellte die S. nur 90 Soldaten für derartige Einsätze unter UNO-Mandat. Im Herbst 1999 soll eine Neufassung des Militärgesetzes vorgelegt werden. Die traditionelle Neutralität der S. stand dabei nicht zur Debatte.

Wirtschaft: 1998 erholte sich die Konjunktur leicht. Das BIP stieg um 2,1% (1997: 1,7%). Für 1999 wurde ein Zuwachs von lediglich 1,5% erwartet. Besonders ausgeprägt war der Rückgang der Exporte, da die S. als Land mit traditionell hoher Ausfuhrquote von den Krisen in Asien und in Russland stark betroffen war. Einbußen erlitten vor allem die Maschinen- und Elektro-

industrie sowie der Uhren-Export, während die pharmazeutische Industrie Exportsteigerungen bis zu 9% verzeichnete. Gestützt wurde die Wirtschaft von der privaten Inlandsnachfrage, die um 1,8% stieg. Für 1999 wird allerdings mit einem Rückgang des privaten Verbrauchs gerechnet. Die Arbeitslosigkeit ging nach einem Höchstand von 5,2% (1997) 1998 auf 4% zurück. Für 1999 wurde eine Arbeitslosenrate von unter 3% erwartet. Die Inflation sank 1998 im Jahresdurchschnitt weiter auf einen Wert von 0% (1997: 0,5%).

Jahrhundert-Hochwasser: Mitte Mai 1999 führten anhaltende Regenfälle in Verbindung mit der Schneeschmelze in den Hochalpen zu schweren Überschwemmungen in der S. Besonders betroffen waren der Kanton Zürich, die Hauptstadt Bern und der Oberrhein nördlich von Schaffhausen. Mehrere Ortschaften waren zeitweise von der Außenwelt abgeschnitten. Straßen und Bahngleise wurden überflutet, Brücken weggerissen. Der durch das Hochwasser entstandene Schaden wurde auf mehr als 100 Mio Franken geschätzt.

Zeitgeschichte → Raubgold

Senegal Republik Senegal	
Landesfläche	196 722 km² (WR 85)
Einwohner	9,0 Mio (WR 81)
Hauptstadt	Dakar (1,8 Mio Einwohner)
Sprachen	Franz., Wolof, Stammesdialekte
Währung	CFA-Franc (FCFA)
Zeit	Mitteleuropäische Zeit –1 h
Gliederung	10 Regionen
Politik	
Staatsform	Präsidiale Republik (seit 1963)
Regierungschef	Mamadou Lamine Loum (seit Juli 1998)
Staatspräsident	Abdou Diouf (seit 1981) *7.9.1935
Parlament	Nationalversammlung mit 140 für fünf Jahre gewählten Abgeordneten; 93 Sitze für Sozialisten (PS), 23 für Demokratische Partei (PDS), 11 für Dem. Erneuerung (JEF-FEL/USD), 13 für Sonstige (Wahl vom Mai 1998)
Bevölkerung	
Religion	Muslime (94,0%); Christen (4,9%); Sonstige (1,1%)
Ethn. Gruppen	Wolof (42,7%); Serer (14,9%); Fulani (14,4%); Tukulor (9,3%); Diola (5,3%); Malinke (3,6%); Sonstige (9,8%)

Wirtschaft und Soziales			
Dienstleistung	65,5%	Urbanisierung	42,3%
Industrie	13,5%	Einwohner/km²	46
Landwirtschaft	21%	Bev.-Wachstum/Jahr	3,33%
BSP/Kopf	540 $ (1997)	Kindersterblichkeit	6,3%
Inflation	2,5% (1998)	Alphabetisierung	33,1%
Arbeitslosigkeit	ca. 30% (1998)	Einwohner pro Arzt	14 825

Senegal
Afrika, Karte S. 533, A 3

Anfang 1999 verbesserten sich die Aussichten auf Beendigung der Rebellion von Separatistengruppen in der südlichen Casamance-Provinz. Als Durchbruch zu einer Beilegung des seit 1979 schwelenden Bürgerkrieges galt das Treffen von Staatspräsident Abdou Diouf mit Separatistenführern am im Januar 1999 im Süden des S. In einer Erklärung sprachen sich beide Seiten für Verhandlungen aus. Zuvor hatte der Präsident bei der Eröffnung seiner Wahlkampagne die Aufständischen nicht mehr als Banditen, sondern als Brüder und Schwestern einer Nation bezeichnet. Trotz des Bürgerkrieges zählte S. 1998/99 zu den ökonomisch stärksten Staaten Westafrikas. Das BIP wuchs 1998 mehr als 5%. Die Inflation sank im Jahresdurchschnitt auf 2,5%. Die Arbeitslosigkeit, wirtschaftliches Hauptproblem des S., blieb 1998/99 auf einem Stand von mehr als 30%. Die Regierung setzte verstärkt auf die Privatisierung von Staatsunternehmen und die Anwerbung von ausländischen Investoren.

 **Seychellen**

Afrika, Karte S. 533, F 5

Bei den Wahlen vom März 1998 konnte die Sozialistische Partei ihre absolute Mehrheit behaupten. Der demokratische Wandel der Inselrepublik wurde von Regierungs- und Staatschef France-Albert René 1998/99 fortgeführt. Die seit 1991 zugelassenen Oppositionsparteien wurden in ihren Aktionen nicht behindert, wenngleich die meisten Schlüsselpositionen in Staat und Militär weiterhin von Gefolgsleuten des Präsidenten besetzt wurden.

Der Badetourismus war auch 1998 die mit Abstand wichtigste Devisenquelle der S. Die Regierung der S. lehnte es ab, durch den Ausbau der Bettenkapazitäten (rund 4000) die Einnahmen kurzfristig zu erhöhen. Der Ausbau des Fremdenverkehrs könnte der Natur der Inseln schaden. Die Regierung hielt 1998 an ihrem marktwirtschaftlichen Kurs mit umfassenden Privatisierungen fest. Ausländische Firmen sollten durch Steuervergünstigungen und niedrige Zinsen zu Investitionen u.a. in den Ausbau der Infrastruktur angeregt werden.

Seychellen Republik Seychellen	
Landesfläche	455 km² (WR 177)
Einwohner	76 000 (WR 180)
Hauptstadt	Victoria (24 000 Einwohner)
Sprachen	Kreolisch, Englisch, Französisch
Währung	1 Seychellen-Rupie = 100 Cents
Zeit	Mitteleuropäische Zeit +3 h
Gliederung	23 Verwaltungsbezirke
Politik	
Staatsform	Präsidiale Republik (seit 1976)
Regierungschef	France-Albert René (seit 1976) *16.11.1935
Staatspräsident	France-Albert René (seit 1977) *16.11.1935
Parlament	Nationalversammlung mit 34 für fünf Jahre gewählten Abgeordneten; 30 Sitze für Sozialisten (FPPS), 3 für Vereinte Opposition, 1 für Demokratische Partei (Wahl vom März 1998)
Internet	http://www.seychelles.net/siba
Bevölkerung	
Religion	Christen (97,1%): Katholiken 88,6%; Anglikaner 8,5%; Hindus (0,4%); Sonstige (2,5%)
Ethn. Gruppen	Kreolen (89,1%); Inder (4,7%); Madagassen (3,1%); Chinesen (1,6%); Europäer (1,5%)

Wirtschaft und Soziales			
Dienstleistung	74,4%	Urbanisierung	59,3%
Industrie	20,5%	Einwohner/km²	167
Landwirtschaft	5,1%	Bev.-Wachstum/Jahr	0,67%
BSP/Kopf	6910 $ (1997)	Kindersterblichkeit	k. A.
Inflation	1,4% (1997)	Alphabetisierung	85%
Arbeitslosigkeit	k. A.	Einwohner pro Arzt	974

Sierra Leone

Afrika, Karte S. 533, A 4

Der Abschluss des Waffenstillstandsvertrags zwischen Rebellenführern und Regierung in S. im Mai 1999 verstärkte die Hoffnung auf Beilegung des seit 1991 andauernden blutigen Bürgerkriegs.

Innenpolitik: Im Januar 1999 flammte der Krieg nach mehrmonatiger Pause wieder auf. Rebellengruppen drangen bei einer Großoffensive gegen Regierungstruppen bis in Randgebiete der Hauptstadt Freetown vor. Bei ihrem Vormarsch von Norden und Westen eroberten die Rebellen mit ungeheurer Grausamkeit mehrere Provinzstädte. Hunderte Menschen wurden ermordet oder brutal verstümmelt. Es kam zu Massenvergewaltigungen und Plünderungen. Die Rebellen entführten Kinder und Jugendliche und zwangen sie zum Kampf in ihren Reihen. Nach mehreren Tagen konnten Soldaten der von Nigeria geführten westafrikanischen Friedenstruppe (ECOMOG) den Rebellen zurückschlagen. Bei den Kämpfen kamen über 4000 Menschen ums Leben.

Sierra Leone Republik Sierra Leone	
Landesfläche	71 740 km² (WR 116)
Einwohner	4,58 Mio (WR 109)
Hauptstadt	Freetown (700 000 Einwohner)
Sprachen	Englisch, sudanesische Sprachen
Währung	1 Leone (LE) = 100 Cents
Zeit	Mitteleuropäische Zeit −1
Gliederung	Hauptstadtdistrikt u. 3 Provinzen
Politik	
Staatsform	Präsidiale Republik (seit 1971)
Regierungschef	Ahmad Tejan Kabbah (seit 1996) *16.2.1932
Staatspräsident	Ahmad Tejan Kabbah (seit 1996) *16.2.1932
Parlament	Abgeordnetenhaus mit 12 Provinzvertretern (paramount chiefs) und 68 für vier Jahre gewählten Mitgliedern; 27 Sitze für Sierra Leone People's Party, United National People's Party, 24 Sonstige (Wahl von 1996)
Bevölkerung	
Religion	Naturreligionen (51,5%); Muslime (39,4%); Sonstige (9,1%)
Ethn. Gruppen	Mande (34,6%); Temne (31,7%); Limba (8,4%); Kono (5,2%); Fulani (3,7%); Sonst. (16,4%)

Wirtschaft und Soziales			
Dienstleistung	33,2%	Urbanisierung	36,2%
Industrie	28,0%	Einwohner/km²	64
Landwirtschaft	38,8%	Bev.-Wachstum/Jahr	4,01%
BSP/Kopf	200 $ (1998)	Kindersterblichkeit	17,0%
Inflation	ca. 40% (1997)	Alphabetisierung	31,4%
Arbeitslosigkeit	k. A.	Einwohner pro Arzt	10832

Mitte Mai 1999 unterzeichneten Rebellenchef Foday Sankoh und Präsident Ahmad Tejan Kabbah in der togolesischen Hauptstadt Lomé einen Waffenstillstand. Er trat während der anschließend aufgenommenen Friedengespräche in Kraft. Seit Ausbruch des Bürgerkriegs in S. (1991) sind über 500 000 Menschen in die benachbarten Staaten, insbes. nach Guinea, geflüchtet. In dem Konflikt gibt es keine klaren politischen Fronten; vielmehr handelt es sich um einen archaischen Kampf aller gegen alle. Deshalb gab es bis 1999 weder klare Forderungen der Beteiligten noch einen Verhandlungspartner für die von Nigeria und der ECOMOG gestützte Regierung Tejan Kabbah. Er war 1996 demokratisch gewählt, wenig später vom Militär gestürzt und im Februar 1998 von ECOMOG-Truppen wieder eingesetzt worden. Voraussetzung für ein tragfähiges Friedensabkommen ist, dass sich die zersplitterten Rebellengruppen auf gemeinsame Forderungen einigen. Zu diesem Zweck trafen sich Ende April 1999 mehrere Führer in Lomé. Mitte Mai 1999 verständigten sie sich auf eine gemeinsame Linie; sie fordern u. a. die Kontrolle über einige rohstoffreiche Provinzen und wollen an der Regierungsmacht im Rahmen eines Übergangskabinetts beteiligt werden.

Für die Verhandlungen war Rebellenführer Foday Sankoh aus der Haft entlassen worden. Ein Gericht in S. hatte ihn 1998 wegen Kriegsverbrechen und Hochverrat zum Tode verurteilt. In dem Bürgerkrieg steht die persönliche Macht einzelner Rebellenführer und deren Kontrolle über die einträglichen Diamantenminen im Mittelpunkt.

Wirtschaft: Trotz reicher Bodenschätze, insbes. Diamanten, Gold und Bauxit, gehörte S. 1998/99 mit rund 200 US-Dollar BSP/Kopf zu den ärmsten Staaten der Welt. Von den Bodenschätzen profitieren vor allem ausländische Unternehmen und verschiedene Rebellenchefs. Durch den Bürgerkrieg gingen 1998 die Erträge in der Landwirtschaft zurück, sodass die Eigenversorgung mit Grundnahrungsmitteln wie Reis, Hirse und Maniok nicht mehr gewährleistet war. Der Agrarsektor ist mit einem Anteil von rund 39% vor dem Dienstleistungssektor (ca. 33%) der wichtigste Faktor der Volkswirtschaft in S.

Simbabwe	Republik Simbabwe
Landesfläche	390 757 km² (WR 59)
Einwohner	11,92 Mio (WR 64)
Hauptstadt	Harare (1,18 Mio Einwohner)
Sprachen	Englisch, Bantu-Sprachen
Währung	1 Simbabwe-Dollar (Z$) = 100 Cents
Zeit	Mitteleuropäische Zeit +1
Gliederung	8 Provinzen
Politik	
Staatsform	Präsidiale Republik (seit 1980)
Regierungschef	Robert Gabriel Mugabe (seit 1980) *21.2.1925
Staatspräsident	Robert Gabriel Mugabe (seit 1980) *21.2.1925
Parlament	Abgeordnetenhaus mit 30 ernannten und 120 für sechs Jahre gewählten Abgeordneten; unter den gewählten Mitgliedern 118 Sitze für Zimbabwe African Union-Ndonga Movement (Wahl von 1995)
Bevölkerung	
Religion	Protestanten (17,5%); Afrikanische Christen (13,6%); Katholiken (11,7%); Animisten (40,4%); Sonstige (16,8%)
Ethn. Gruppen	Shona (70,8%), Ndebele (15,8%); Sonstige (13,4%)
Wirtschaft und Soziales	

Dienstleistung	42,0%	**Urbanisierung**	32,1%
Industrie	47,9%	**Einwohner/km²**	30
Landwirtschaft	10,1%	**Bev.-Wachstum/Jahr**	2,3%
BSP/Kopf	610 $ (1996)	**Kindersterblichkeit**	6,9%
Inflation	31,7% (1998)	**Alphabetisierung**	85,1%
Arbeitslosigkeit	40–45% (1996)	**Einwohner pro Arzt**	6909

Simbabwe

Afrika, Karte S. 533, D 6

Trotz internationaler Kritik blieb der seit 1980 amtierende Präsident Robert Mugabe 1998/99 bei seinem autoritären Führungsstil. Mit der großen Mehrheit seiner ZANU-PF-Partei (147 von 150 Sitzen) regierte der mit umfassenden Vollmachten ausgestattete Präsident ohne Rücksicht auf die Opposition.

Innenpolitik: Im September 1998 präsentierte Mugabe das Projekt einer umfassenden Landreform in S., die innerhalb von fünf Jahren realisiert und mit insgesamt 1,5 Mrd US-Dollar finanziert werden soll. Durch die Reform, die u. a. die Teilenteignung von mehreren Großfarmen vorsieht, soll insbes. die Lage der Kleinbauern verbessert werden. In S. besitzen 5000 meist weiße Großfarmer ein Drittel des Landes, während 10 Mio Schwarze kleine Landstücke bearbeiten, die kaum für den Lebensunterhalt ausreichten. Bei der EU stieß er insbes. wegen der geplanten Eingriffe in Eigentumsrechte auf Skepsis. Mugabe versprach daraufhin, Umsiedlungen auf 1 Mio ha Regierungsland und 100 zum Verkauf stehende Farmen zu beschränken und die verfassungsmäßgen Eigentumsrechte zu respektieren. Allerdings wurden bis Anfang 1999 bereits über 100 Farmen enteignet. Im November 1998 wurde S. von sozialen Unruhen erschüttert. Aus Protest gegen fortschreitenden Lohnabbau riefen die Gewerkschaften einen eintägigen Generalstreik aus, der in vielen Landesteilen befolgt wurde. In einige Städten kam es zu Zusammenstößen mit der Polizei.

Außenpolitik: Im Oktober 1998 entsandte S. 2000 Soldaten in die Demokratische Republik Kongo, wo sie im Bürgerkrieg den Militär-Herrscher Laurent-Désiré Kabila gegen die Hutu-Rebellen unterstützten. Ende November 1998 starteten Truppen aus S. eine Offensive gegen Rebellen-Stützpunkte im Osten des Kongo, bei der sie auch Panzer und Flugzeuge einsetzten. Während S., Angola, Namibia und der Tschad auf Seiten der Regierung kämpften, unterstützten Ruanda und Uganda die Rebellen. S. wollte durch sein Eingreifen eine Destabilisierung der Region verhindern und den wachsenden Einfluss von Uganda auf Zentralafrika zurückdrängen.

Wirtschaft: 1998/99 war ein Ende der Wirtschaftskrise in S. nicht in Sicht. Die nationale Währung (simbabwischer Dollar) verlor 1998 rund 70% ihres Wertes. Das BIP-Wachstum betrug lediglich 1,5%. Die Inflationsrate stieg auf ca. 32%. Drastische Preiserhöhungen bei Lebensmitteln rief soziale Spannungen hervor. Das Haushaltsdefizit stieg auf 1,2 Mrd US-Dollar (etwa 30% des BIP). Verschärft wurde die angespannte Wirtschaftslage durch die hohen Militärausgaben, die nach dem Haushaltsentwurf für 1999 um 50% zunehmen sollen.

Im Dezember 1998 erklärten Weltbank und Internationaler Währungsfonds (IWF) ihre Bereitschaft, S. einen Kredit über 300 Mio US-Dollar zu gewähren, der vor allem der Umschuldung dienen sollte. Die Rückzahlung wurde auf 20 Jahre bei einem Zinssatz von 0,75% festgesetzt; die ersten zehn Jahre sollten zinsfrei bleiben. Weltbank und IWF verbanden den Kredit mit der Auflage, dass S. marktwirtschaftliche Reformen durchführt. Daraufhin brach Präsident Mugabe die Gespräche mit der Weltbank und dem IWF ab. Er erklärte, keine Eingriffe in seine Politik zu dulden.

Singapur

Ostasien, Karte S. 536, B 5

Der Stadtstaat S. wurde 1998 nur teilweise von der Wirtschaftskrise in Asien erfasst. Das BIP wuchs noch um 1,5% (1997: +7,8%). Große Wachstumseinbrüche verhinderte die Regierung von S., indem sie die Zwangsabgaben für die staatliche Rentenkasse von 20% auf 10% halbierte. Dadurch wurden die Kosten für die Unternehmen erheblich gesenkt und Investitionsanreize geschaffen. Die staatlichen Einnahmeausfälle glich S. durch Kürzung der Gehälter für die öffentlichen Bediensteten um 5% teilweise aus. Durch die sinkenden Einkommen fielen die Immobilienpreise und Mieten, wodurch S. als Standort preiswerter wurde. Die Regierung von Premierminister Goh Chok Tong trieb die Umstrukturierung der Industrie von traditionellen Branchen wie Schiffsbau zur Hochtechnologie voran. Dafür wurde u. a. eine »Schule für lebenslanges Lernen« mit Programmen aufgebaut, die Arbeitern Kenntnisse über moderne Technologien vermitteln soll.

Singapur	Republik Singapur	
Landesfläche	618 km² (WR 175)	
Einwohner	3,49 Mio (WR 124)	
Hauptstadt	Singapur (2,9 Mio Einwohner)	
Sprachen	Engl., Malaiisch, Chinesisch, Tamil	
Währung	1 Singapur-Dollar (S$) = 100 Cents	
Zeit	Mitteleuropäische Zeit +7	
Gliederung	Stadtstaat	
Politik		
Staatsform	Parlamentarische Republik (seit 1959)	
Regierungschef	Goh Chok Tong (seit 1990) *1941	
Staatspräsident	Ong Teng Cheong (seit 1993) *22.1.1936	
Parlament	Abgeordnetenhaus mit 83 für fünf Jahre gewählten Abgeordneten; 81 Sitze für People's Action Party, 1 für Singapore Democratic Party, 1 für Workers' Party (Wahl v. Jan. 1997)	
Internet	http://www.gov.sg	
Bevölkerung		
Religion	Buddhisten (33,9%); Taoisten (20%); Muslime (15,4%); Christen (12,6%); Hindus (3,6%); Konfessionslose (14,5%)	
Nationalitäten	Chinesen (77,6%); Malaien (14,2%); Sonstige (8,2%)	
Wirtschaft und Soziales		
Dienstleistung	62%	Urbanisierung	ca. 100%
Industrie	38%	Einwohner/km²	4880
Landwirtschaft	0%	Bev.-Wachstum/Jahr	1,9%
BSP/Kopf	30 550 $ (1996)	Kindersterblichkeit	0,5%
Inflation	−0,2% (1998)	Alphabetisierung	91%
Arbeitslosigkeit	2,5% (1998)	Einwohner pro Arzt	693

Slowakei Slowakische Republik	
Landesfläche	49 012 km² (WR 126)
Einwohner	5,36 Mio (WR 103)
Hauptstadt	Bratislava (460 000 Einwohner)
Sprachen	Slowakisch, Ungarisch
Währung	1 slowakische Krone (SK) = 100 Haleru
Zeit	Mitteleuropäische Zeit
Gliederung	4 Regionen
Politik	
Staatsform	Republik (seit 1993)
Regierungschef	Mikulas Dzurinda (seit 1998)
Staatspräsident	Rudolf Schuster (seit Mai 1999) *1934
Parlament	Nationalrat mit 150 Abgeordneten; 43 Sitze für Nationalisten (HZDS), 23 für Linke Demokraten, 15 für Ungarische Koalition, 69 für Andere (Wahl von 1998)
Internet	http://government.gov.sk http://www.nrsr.sk
Bevölkerung	
Religion	Katholiken (60,3%); Protestanten (7,9%); Sonstige (31,8%)
Nationalitäten	Slowaken (85,6%); Ungarn (10,6%); Tschechen (1,1%); Ukrainer/Russen (0,7%); Deutsche (0,1%); Sonstige (1,9%)

Wirtschaft und Soziales			
Dienstleistung	40%	Urbanisierung	59%
Industrie	54%	Einwohner/km²	109,9
Landwirtschaft	6%	Dev.-Wachstum/Jahr	0,08%
BSP/Kopf	3680 $ (1997)	Kindersterblichkeit	1,1%
Inflation	6,7% (1998)	Alphabetisierung	99%
Arbeitslosigkeit	13,7% (1998)	Einwohner pro Arzt	290

Slowakei
Europa, Karte S. 529, E 5

Die Übernahme der Regierung durch eine christdemokratisch geführte Koalition unter Führung von Mikulas Dzurinda leitete im Herbst 1998 die Erneuerung demokratischrechtsstaatlicher Strukturen in der S. ein. Dem autokratischen Ex-Premier Vladimir Meciar erteilten die Slowaken bei der Parlaments- ebenso wie bei der Präsidentschaftswahl eine Abfuhr.

Innenpolitik: Im Mai 1999 wurde der gemäßigte Politiker Rudolf Schuster, bisher Bürgermeister der Industriestadt Kosice, als Nachfolger Meciars zum Staatsoberhaupt gewählt. Damit hatte die S. seit mehr als einem Jahr wieder einen Präsidenten. Die Position war nach dem Ende der Amtszeit von Michal Kovac im März 1998 unbesetzt, da Meciar im Parlament die Wahl eines Nachfolgers verhindert und die Befugnisse des Staatsoberhauptes selbst übernommen hatte. Erstmals wurde 1999 der Präsident in der S. direkt vom Volk gewählt. Eine entsprechende Verfassungsänderung hatte das Parlament im Januar 1999 verabschiedet.

Nationalratswahlen: Aus der Wahl zum Nationalrat vom 26.9.1998 ging die Slowakische Demokratische Koalition (SDK), ein im Juli 1997 gebildetes Bündnis aus fünf bürgerlichen Parteien, mit 26,3% der Stimmen als klare Siegerin hervor. Große Verliererin war die populistische Bewegung für eine demokratische Slowakei (HZDS) des langjährigen Regierungschefs Meciar, die nur noch 27% der Stimmen erhielt (–8 Prozentpunkte). Die sozialdemokratische Partei der demokratischen Linken (SDL) kam auf 14,6%.

Regierung: Im Oktober 1998 bildete der Christdemokrat Dzurinda eine Mitte-Links-Koalition, deren politisches Spektrum von konservativen Christdemokraten bis zu den Sozialdemokraten reicht. Damit war die Ära des national-populistischen HZDS-Chefs Meciar, der die S. seit 1992 zunehmend autoritär regiert hatte, vorläufig beendet. In einem theatralen Fernsehauftritt gestand Meciar im Oktober 1998 seine Niederlage ein und kündigte seinen Rückzug aus der Politik an. Allerdings revidierte er im März 1999 seine Entscheidung und bewarb sich im Mai 1999 vergeblich um das Präsidentenamt.

Regierungsziele: Als wichtigste Aufgaben nannte der neue Premier Dzurinda die Wiederherstellung einer glaubwürdigen Demokratie, einschneidende Wirtschaftsreformen und die Überwindung der von Meciar verschuldeten internationalen Isolierung der S. Eine der ersten Maßnahmen war die Aufhebung der staatlichen Kontrolle über die Medien, die Meciar im Interesse seiner Partei schrittweise eingeführt hatte.

Rechtsstaat: Zu den vordringlichen Aufgaben der Regierung Dzurinda gehört die Festigung rechtsstaatlicher Verhältnisse. Mitte April 1999 wurde der frühere Geheimdienstchef Ivan Lexa, ein Vertrauter von Meciar, verhaftet. Lexa, der für die HZDS im Parlament saß, wurden Amtsmissbrauch und Beteiligung an der Entführung des Sohns von Präsident Kovac, eines Gegenspielers von Meciar, im Jahr 1995 vorgeworfen. Der Geheimdienst SDS soll unter Lexas Leitung Mafiastrukturen in der S. aufgebaut haben.

Außenpolitik: Mit Nachdruck betrieb die Mitte-Links-Koalition unter Dzurinda die Öffnung der S. nach Europa. Im Gegensatz zu Meciar strebt die neue Regierung den baldigen Beitritt zu Nato und EU an. Die Chancen hatten sich nach der Einleitung politischer und wirtschaftlicher Reformen deutlich verbessert, wie Dzurinda beim Deutschland-Besuch Anfang März 1999 vom Bundeskanzler und EU-Ratsvorsitzenden Gerhard Schröder (SPD) bestätigt wurde.

Ungarn: Das Verhältnis der S. zum Nachbarland Ungarn blieb durch den Streit um das Donau-Kraftwerk Gabcikovo belastet. Im September 1998 rief die S. erneut den Internationalen Gerichtshof in Den Haag an, der Ungarn zu einer weiteren Kooperation bei dem wegen Umweltbedenken umstrittenen Projekt zwingen soll. Budapest hatte 1989 die Verträge einseitig gekündigt. Doch war die S. um eine Verbesserung der Beziehungen zu Ungarn bemüht. Anfang 1999 erließ die Regierung eine liberale Sprachenregelung für die ungarische Minderheit (ca. 11% der Bevölkerung) in der S.

Wirtschaft: 1998 verzeichnete die S. eine deutliche Konjunkturabschwächung; das BIP wuchs nur noch um 5,2% (1997: 6,5%). Für 1999 wurde mit einem BIP-Wachstum von lediglich 3% gerechnet; ausländische Experten prognostizierten sogar eine Stagnation der Wirtschaftsleistung. Von den Auswirkungen der Russlandkrise war die S. nur gering betroffen, da rund 50% der Exporte in die EU und weitere 20% nach Tschechien gingen. Die Inflation lag 1998 bei 5,6%, die Arbeitslosigkeit stieg auf über 15% (1997: 13%).

Privatisierung: Die Regierung Dzurinda kündigte als zentrale Maßnahme die Verstärkung der Privatisierungen an. 1999 sollen staatliche Unternehmen und Beteiligungen im Wert von 500 Mio Dollar in private Hände überführt werden. Größtes Einzelprojekt ist der Verkauf der staatlichen Telekommunikationsgesellschaft. Premier Dzurinda beendete die vom Vorgänger Meciar betriebene Günstlingswirtschaft bei der Privatisierung von Staatsunternehmen und die Benachteiligung ausländischer Interessenten.

Energie: Zum 1.1.1999 wurden in der S. die bislang subventionierten Preise für Strom, Heizung und Mieten freigegeben, was zu starken Preiserhöhungen von teilweise über 30% führte. Nach Einschätzung der neuen Regierung gebe es jedoch keine Alternative zur rigorosen Sparpolitik der öffentlichen Hand, um den Staatsverschuldung einzudämmen. Das Haushaltdefizit soll nach dem Etatentwurf für 1999 von 2,6% auf 2% des BIP gesenkt werden.

Slowenien

Europa, Karte S. 529, D 6

1998/99 ließ das Tempo der politischen und wirtschaftlichen Reformen in S. nach. In den Vorjahren war die Entwicklung in dem postkommunistischen Land so erfolgreich verlaufen, dass die EU Anfang 1998 beschloss, S. in den engen Anwärterkreis für einen Beitritt aufzunehmen.

Innenpolitik: Im Dezember 1998 gab es Kommunalwahlen, bei denen in 191 Kommunen Gemeinderäte und Bürgermeister gewählt wurden. Als stärkste Kraft behauptete sich die Liberaldemokratische Partei (LDS) des Ministerpräsidenten Janez Drnovsek. Sie erreichte landesweit 22,9% der Stimmen, fast 6% mehr als bei den letzten Kommunalwahlen. Ihr wichtigster Koalitionspartner, die Slowenische Volkspartei (SLS), kam auf lediglich 9,7%. Die Sozialdemokratische Partei (SDS), größte Oppositionspartei im Parlament von Ljubljana, behauptete sich mit 16% der Stimmen als landesweit zweitstärkste Partei. Während die Sozialdemokraten 12,3% erreichten, bekamen die

Slowenien	Republik Slowenien		
Landesfläche	20 256 km² (WR 150)		
Einwohner	1,92 Mio (WR 140)		
Hauptstadt	Ljubljana (323 000 Einwohner)		
Sprachen	Slowenisch		
Währung	1 Tolar (SLT) = 100 Stotin		
Zeit	Mitteleuropäische Zeit		
Gliederung	148 Gemeinden		
Politik			
Staatsform	Republik (seit 1991)		
Regierungschef	Janez Drnovsek (seit 1992) *17.5.1950		
Staatspräsident	Milan Kucan (seit 1990) *14.1.1941		
Parlament	Nationalrat mit 90 für vier Jahre Abgeordneten; 25 Sitze für Liberaldemokraten, 19 für Volkspartei, 16 für Sozialdemokraten, 10 für Christdemokraten, 18 für Andere, 2 für Minoritäten (Wahl vom Nov. 1996)		
Internet	http://www.sigov.si		
Bevölkerung			
Religion	Katholiken (90%); Muslime (0,7%); Sonstige (9,3%)		
Nationalitäten	Slowen. (87,8%); Kroat. (2,8%); Serb. (2,4%); Sonst. (7,0%)		
Wirtschaft und Soziales			
Dienstleistung	60,2%	**Urbanisierung**	59%
Industrie	35,4%	**Einwohner/km²**	99
Landwirtschaft	4,4%	**Bev.-Wachstum/Jahr**	−0,2%
BSP/Kopf	9840 $ (1997)	**Kindersterblichkeit**	0,7%
Inflation	8% (1998)	**Alphabetisierung**	99%
Arbeitslosigkeit	14,9% (1998)	**Einwohner pro Arzt**	496

Slowenien: Wirtschaftswachstum (BIP)[1]

1998	+4,0
1997	+3,8
1996	+3,1
1995	+3,9

1) in %; Quelle: bfai

Christlichen Demokraten (SKD) 11,1% der Stimmen, gut 7 Prozentpunkte weniger als bei den Kommunalwahlen 1994.

Der Demokratisierungs- und Reformprozess in S. verlangsamte sich 1998/99. Insbes. die von der EU geforderten Fortschritte bei der Angleichung der slowenischen Rechtsordnung an den EU-Standard blieben aus.

Außenpolitik: Im November 1998 fand in S. ein Manöver im Rahmen des NATO-Programms »Partnerschaft für den Frieden« statt, an dem 5500 Soldaten aus acht Ländern beteiligt waren. In S. wurde dies als ersten Schritt zur angestrebten NATO-Mitgliedschaft gewertet.

Im Dezember 1998 verständigten sich S. und Kroatien auf die genaue Festlegung ihrer 670 km langen Landesgrenze an zunächst 17 von 18 umstrittenen Stellen. Darüber hinaus legten sie im September 1998 den Konflikt um das auf slowenischem Territorium gemeinsam betriebene Atomkraftwerk Krsko bei. Kroatien hatte Stromrechnungen nicht bezahlt, worauf S. die Lieferungen zeitweise einstellte. Die beiden Staaten vereinbarten zur Beilegung des Streites, die hohen Kosten für die Modernisierung des Kraftwerks und dessen für 2010 geplante Schließung zu teilen.

Wirtschaft: S. konnte die wirtschaftliche Aufwärtsentwicklung 1998 nur verlangsamt fortsetzen. Vor allem in der Landwirtschaft führten ausbleibende Reformen (Rationalisierung, Abbau von Subventionen) zu Produktivitätseinbußen. Insgesamt wuchs das BIP 1998 um 4,0% (1997: 3,8%). Die Inflationsrate sank mit 8,0% im Vergleich zum Vorjahr (9,1%) nur leicht. Die Arbeitslosigkeit blieb mit 14,9% auf einem fast unverändert hohen Niveau (1997: 14,4%). Wichtigste Ausfuhrgüter von S. waren 1998 Straßenfahrzeuge (15,1% des Gesamtexports), Maschinen und Ausrüstungen (14,0%) sowie Maschinen (12,3%).

Somalia Demokratische Republik Somalia	
Landesfläche	637 657 km² (WR 41)
Einwohner	10,65 Mio (WR 70)
Hauptstadt	Mogadischu (1 Mio Einwohner)
Sprachen	Somali, Arabisch, Englisch
Währung	1 Somalia-Shilling (SoSh) = 100 Cents
Zeit	Mitteleuropäische Zeit +2
Gliederung	–
Politik	
Staatsform	Präsidiale Republik (seit 1979)
Regierungschef	z.Z. keine Regierung, Kämpfe zw. rivalisierenden Clans
Staatspräsident	z.Z. keine Regierung, Kämpfe zw. rivalisierenden Clans
Parlament	Volksversammlung Ende 1991 aufgelöst
Internet	http://www.columbia.edu/cu/libraries/indiv/area/Africa/Somalia.html
Bevölkerung	
Religion	Muslime (99,8%); Christen (0,1%); Sonstige (0,1%)
Nationalitäten	Somalier (98,3%); Araber (1,2%); Bantu (0,4%); Sonstige (0,1%)
Wirtschaft und Soziales			
Dienstleistung	26,4%	**Urbanisierung**	26%
Industrie	9,1%	**Einwohner/km²**	17
Landwirtschaft	64,5%	**Bev.-Wachstum/Jahr**	4,43%
BSP/Kopf	k. A.	**Kindersterblichkeit**	12,2%
Inflation	k. A.	**Alphabetisierung**	24,1%
Arbeitslosigkeit	k. A.	**Einwohner pro Arzt**	19071

Somalia
Afrika, Karte S. 533, F 4

1998 verließen Tausende Somalier ihre Heimatorte und versuchten die Küste oder die kenianische Grenze zu erreichen. Nach Angaben des Welternährungsprogramms der UNO (WFP) vom November 1998 drohten 700 000 Menschen nach drei Missernten in Folge zu verhungern. Schwere Unwetter hatten nicht nur große Teile der Ernte, sondern auch Vorräte und Saatgut vernichtet. Anfang Mai 1999 brachen heftige Kämpfe zwischen Anhängern des Aidid-Clans und der Rahanwein-Widerstandsarmee (RRA) um die 250 km westlich von Mogadischu gelegene Stadt Baidoa aus. Die Hauptstadt Mogadischu, die von Banden und Milizen beherrscht wird, liegt weitgehend in Trümmern. Die Aidid-Miliz wies im Mai 1999 Berichte zurück, wonach der saudi-arabische Terrorstenführer Osama bin Laden in dem ostafrikanischen Staat Zuflucht gefunden haben soll. Die USA machen bin Laden für Bombenanschläge auf ihre Botschaften in Kenia und Tansania im August 1998 verantwortlich.

Spanien

Europa, Karte S. 529, A 6

Auf dem Parteitag der regierenden Partido Popular (PP) im Januar 1999 wurde Ministerpräsident José María Aznar in seinem Amt als Parteivorsitzender mit 99% der Stimmen bestätigt.

Innenpolitik: Neuer Generalsekretär der PP wurde der vorherige Arbeitsminister Javier Arenas, der dem liberalen Flügel der Partei zugerechnet wird. Der bisherige Amtsinhaber Francisco Alvarez Cascos, der dem rechten Parteiflügel angehörte, stellte sich nicht mehr zur Wahl. Der personelle Wechsel im Amt des Generalsekretärs wurde als Versuch Aznars gewertet, die PP von einer konservativen Partei der traditionellen spanischen Rechten in eine Reformpartei der politischen Mitte umzuwandeln. Aznar erhoffte sich mit dieser Strategie für die PP die Erschließung neuer Wählerschichten.

Rücktritt: Der spanische Oppositionsführer José Borell gab im Mai 1999 seinen Rücktritt als Spitzenkandidat und Vorsitzender der wichtigsten spanischen Oppositionspartei Partido Socialista Obrero Español (PSOE) bekannt. Er zog die Konsequenz aus einem Korruptionsskandal, in den zwei seiner ehemaligen Mitarbeiter verwickelt sein sollen. Vor Gericht gaben sie zu, in den 80er Jahren Einkünfte von umgerechnet ca. 5,5 Mio DM am Finanzamt vorbei auf Konten in der Schweiz überwiesen zu haben. Darüber hinaus sollen sie für Geld bewusst oberflächliche Steuerprüfungen vorgenommen haben. Borell betonte, von den Vergehen seiner Mitarbeiter nichts gewusst zu haben, gestand aber Fehleinschätzungen ein. Er hatte sie als Finanzstaatssekretär (1984–91) während der sozialistischen Regierung von Felipe González eingestellt. Die PSOE galt Mitte 1999 als innerlich zerstritten und richtungslos.

Linksbündnis: Die Partido Comunista de España (PCE) ernannte im Dezember 1998 Francisco Frutos zum neuen Generalsekretär der Partei. Er trat die Nachfolge von Julio Anguita an, der seinen Rücktritt erklärt hatte. Anguita blieb allerdings Vorsitzender des von der PCE dominierten Linksbündnisses Izquierda Unida (IU), welche 1999 die drittstärkste politische Kraft in S. war und u. a. das Selbstbestimmungsrecht aller Regionen, ein einheitliches föderales

Spanien	Königreich Spanien	
Landesfläche	505 992 km² (WR 50)	
Einwohner	39,75 Mio (WR 28)	
Hauptstadt	Madrid (3,03 Mio Einwohner)	
Sprachen	Spanisch, Katalanisch, Baskisch, Galicisch	
Währung	Peseta (Pta)	
Zeit	Mitteleuropäische Zeit	
Gliederung	17 autonome Regionen, 50 Provinzen	
Politik		
Staatsform	Parlamentarische Monarchie (seit 1978)	
Regierungschef	José María Aznar (seit 1996) *25.2.1953	
Staatspräsident	König Juan Carlos I. (seit 1975) *5.1.1938	
Parlament	Cortes aus Abgeordnetenhaus mit 350 und Senat mit 208 für vier Jahre gewählten Mitgliedern; im Abgeordnetenhaus 156 Sitze für Volkspartei, 141 für Sozialisten, 21 für Vereinigte Linke, 16 für Katalanische Nationalpartei, 16 für Andere (Wahl von 1996)	
Internet	http://www.la-moncloa.es http://www.congreso.es http://www.senado.es	
Bevölkerung		
Religion	Christen (97,4%): Katholiken 97,0%, Protestanten 0,4%; Sonstige (2,6%)	
Ethn. Gruppen	Spanier (72,3%); Katalanen (16,3%); Galicier (8,1%); Basken (2,3%); Sonstige (1%)	
Wirtschaft und Soziales		
Dienstleistung	60,6%	**Urbanisierung**	76%
Industrie	34,6%	**Einwohner/km²**	78
Landwirtschaft	4,8%	**Bev.-Wachstum/Jahr**	0,13%
BSP/Kopf	14 490 $ (1997)	**Kindersterblichkeit**	0,7%
Inflation	2,6% (1998)	**Alphabetisierung**	97,1%
Arbeitslosigkeit	18,8% (1998)	**Einwohner pro Arzt**	262

System sowie die Abschaffung der Monarchie in S. forderte.

ETA: Die für ein unabhängiges Baskenland kämpfende Terrororganisation ETA (Euzkadi ta Azkatasuna, baskisch: das Baskenland und seine Freiheit) rief im September 1998 eine Waffenruhe aus. Als Gegenleistung forderte sie von der spanischen Zentralregierung die Verlegung von 500 ETA-Häftlingen ins oder nahe zum Baskenland. Weitere Bedingung für den Stopp des Terrors ist, dass die bestehenden spanischen und französischen Institutionen in den Baskenprovinzen durch eine eigenständige baskisch-nationalistische Organisation ersetzt werden. Seit ihrer Gründung 1959 ermordete die ETA über 800 Menschen, insbes. spanische Regierungspolitiker, Polizisten und Gefängnisbeamte. Die spanische Regierung begrüßte die Ankündigung der ETA und erklärte ihre Verhandlungsbereitschaft, weigerte sich aber, die Häftlinge der Terrorgruppe in die Nähe des Baskenlandes zu verlegen.

Spanien: Wirtschaftswachstum (BIP)[1]	
1998	+3,2
1997	+3,5
1996	+2,4
1995	+2,7

1) in %; Quelle: bfai

Wahlen im Baskenland: Bei den Regional-wahlen in der nach größerer Autonomie strebenden Nordprovinz im Oktober 1998 siegte die gemäßigte Baskisch-Nationalisti-sche Partei PNV mit 28% der abgegebenen Stimmen (21 Mandate). Die Regierungspar-tei PP wurde mit 16 Sitzen zweitstärkste Kraft. 14 Mandate errang die Euskal Herri-tarok (EH), ein von dem politischen Arm der ETA, Herri Batasuna, kontrolliertes Wahlbündnis, das sich für einen souveränen baskischen Staat einsetzt. Im Dezember 1998 erklärte der Chef der PNV, Juan José Ibarrexte, zum ersten Mal für das Basken-land eine Regierung zu bilden, die auf die parlamentarische Unterstützung der EH an-gewiesen ist. Die Zentralregierung in Madrid kritisierte die Entscheidung, weil die ETA die Möglichkeit erhalte, die Politik des Baskenlandes mitzubestimmen.

Im Januar 1999 kündigte die PNV an, 2003 oder 2004 für das spanische Baskenland als selbstständigen Staat die Mitgliedschaft in der EU zu beantragen. Im Februar 1999 gründeten rund 800 Gesandte aus dem fran-zösischen und spanischen Teil des Bas-kenlandes u. a. auf Initiative der PNV und der EA in Pamplona eine Versammlung der bas-kischen Gemeinden. Sie setzte sich zum Ziel, die territoriale Einheit des Baskenlandes als Nation zu verteidigen. Herri Batasuna erklär-te die Versammlung zur ersten nationalen In-stitution der Basken auf dem Weg zu einem unabhängigen Staat.

Urteil: José Barrinuevo, ehemaliger Innen-minister unter dem sozialistischen Premier Felipe González, wurde im Juli 1998 vom Obersten Spanischen Gerichtshof zu zehn Jahren Haft verurteilt. Er wurde für schuldig befunden, 1983 an illegalen Aktionen gegen ETA-Terroristen beteiligt gewesen zu sein. Hintergrund des Prozesses waren die Verbre-chen der Antiterroristischen Befreiungsgrup-pen (Grupos Antiterroristas de Liberación, GAL), denen überwiegend Polizeibeamte an-

gehörten und die 28 mutmaßliche ETA-Ter-roristen ermordet haben sollen. Barrinuevo legte beim spanischen Verfassungsgericht Beschwerde ein, musste aber im September 1998 seine Strafe antreten, obwohl das Ver-fahren noch nicht abgeschlossen war.

Katalonien: Die Regierung der ostspanischen Region Katalonien setzte 1998/99 ihre um-strittene Politik zur Bewahrung der katalani-schen Sprache fort. Ein neu erlassenes Dekret sieht eine Geldstrafe von bis zu 12000 DM für Filmverleiher vor, die weniger als die Hälfte ihrer umsatzstärksten Filme mit Unter-titeln oder einer synchronisierten Tonspur in der Regionalsprache anbieten. Kinos müssen ab 1999 mind. 25% ihrer übersetzten Filme auf Katalanisch zeigen. Den Bürgern soll es erleichtert werden, ihre Nachnamen zu ka-talanisieren und notarielle Dokumente auf Katalanisch zu erhalten. Bereits seit 1997 schreibt ein Gesetz Radio- und Fernsehsen-dern vor, einen Mindestanteil an Programmen in der Regionalsprache auszustrahlen. An den Schulen wurde 1999 fast ausschließlich in Katalanisch unterrichtet, obwohl das Recht auf spanischsprachigen Unterricht formell weiter bestand. Diese Sprachenpolitik war für die Regionalführung ein Mittel, ihre Autono-mie von S. zu betonen. Ministerpräsident Aznar duldete sie, weil er im spanischen Par-lament auf die Stimmen der katalanischen CiU angewiesen war.

Wehrgesetz: Das spanische Parlament verab-schiedete im Februar 1999 ein Gesetz zur Abschaffung der Wehrpflicht zum 1.1.2003. Dieses Datum soll eventuell um zwei Jahre vorgezogen werden, falls die spanische Armee bis dahin eine Stärke von ca. 100000 Berufssoldaten erreicht hat. Das Verteidi-gungsministerium beklagte sich über die feh-lende Eignung der Bewerber und stellte Mitte 1999 in Frage, bis Ende des Jahres die zum Aufbau einer Berufsarmee notwendigen 17500 Soldaten rekrutieren zu können. Die allgemeine Wehrpflicht war in S. 1812 im Rahmen des Befreiungskrieges gegen die französische Besatzung eingeführt worden.

Abtreibungsrecht: Im September 1998 scheiterte im spanischen Parlament ein Vor-stoß der Sozialistischen Arbeiterpartei (PSOE), das seit 1985 geltende Abtrei-bungsrecht zu liberalisieren. Im katholisch dominierten S. sind Abtreibungen nur in Ausnahmefällen bei Vergewaltigung und nach ärztlicher Indikation möglich, bei der die Gefährdung der Gesundheit der Mutter oder die Missbildung des Fötus festgestellt werden muss. Gemäß Vorlage der PSOE, die mit 173:172 Stimmen denkbar knapp abgelehnt wurde, sollten Schwangerschaftsabbrüche nach einer Fristenlösung auch bei schweren persönlichen, familiären oder finanziellen Konflikten max. bis zur 16. Woche straffrei bleiben. Der Gesetzentwurf war der dritte Versuch der PSOE seit 1985, das Abtreibungsrecht zu liberalisieren. Die Zahl der 1998 in S. vorgenommenen Abtreibungen wurde auf 50 000 geschätzt. Wegen rechtlicher Schwierigkeiten unterziehen sich viele Frauen im Ausland dem Eingriff.

Wirtschaft: Deutlich gestiegene Gewinne der Bank von S., hohe Privatisierungserlöse und zusätzliche Steuereinnahmen infolge des Wirtschaftswachstums von 3,8% führten 1998 zu einer Senkung des spanischen Haushaltsdefizites auf 1,5% (1997: 2,6%). Hauptgrund für die gute Konjunktur war außer der Binnennachfrage der Tourismus; 47,7 Mio Menschen (1997: 43,3 Mio, +10%) reisten 1998 nach S. Die Einnahmen aus dem Tourismus stiegen um 12,7% auf 45 Mrd DM (Anteil des Tourismus am BIP: 11%).

Arbeitsmarkt: Konjunkturbedingt wurden 1998 in S. 450 000 neue Stellen geschaffen. Dennoch blieb S. mit einer Erwerbslosenquote von 18,6% (1997: 20,8%) innerhalb der EU das Land mit der höchsten Arbeitslosigkeit. 90% der neu geschlossenen Arbeitsverträge waren befristet.

Inflation: Trotz des deutlichen Anstiegs des BIP fiel 1998 die Inflationsrate auf 1,4%, den niedrigsten Wert seit 1958. S. profitierte von gesunkenen Rohstoffpreisen und moderaten Tarifabschlüssen. Um die Inflation weiter zu begrenzen, beschloss die spanische Regierung im April 1999, diverse staatlich regulierte Preise zu senken. Die Stromtarife verminderten sich um 1,5%, die Autobahngebühren um 7% und die Telefonkosten für Fern- und Auslandsgespräche um 10–20%.

Bankenfusion: Im Januar 1999 kündigten die Banco Santander (BS) und der Banco Central Hispanoamericano (BCH) ihren Zusammenschluss an. Die BS ist die größte, die BCH die drittgrößte Bank in S. Ihre Aktiva summierten sich 1998 auf 480 Mrd DM. Sie hatten zusammen 10 Mio Kunden und 50 000 Mitarbeiter.

Staaten → Chile

Sri Lanka
Asien, Karte S. 535, C 6

Innenpolitik: Bei den Wahlen für die Provinzräte in fünf der sieben Regionen von S. siegte im April 1999 die regierende »People's Alliance« unter Staatspräsidentin Chandrika Kumaratunga. Sie erhielt 43% der abgegebenen Stimmen, auf die oppositionelle Nationalpartei UNP entfielen 42,5%. Angesichts des knappen Ergebnisses kündigte die UNP an, das Resultat in einigen Wahlbezirken anzufechten. Unabhängige Beobachter registrierten Fälle von Bedrohung der Wahlbeamten und gestohlenen Urnen. Im Vorfeld war es zu über 1000 Zwischenfällen gekommen, die von physischer Bedrohung bis zu politischen Morden reichten.

Die Wahlen galten als wichtiger Stimmungstest für die Regierung, die den langjährigen ethnischen Konflikt zwischen Singhalesen und Tamilen mit einem umstrittenen Plan zur Föderalisierung des Landes beenden wollte. Präsidentin Kumaratunga plante, durch eine Verfassungsänderung

Sri Lanka Demokratische Sozialistische Republik	
Landesfläche	65 610 km² (WR 119)
Einwohner	18,45 Mio (WR 52)
Hauptstadt	Colombo (610 000 Einwohner)
Sprachen	Singhalesisch, Tamilisch, Englisch
Währung	1 Sri-Lanka-Rupie (SLRe) = 100 Cents
Zeit	Mitteleuropäische Zeit +5
Gliederung	9 Provinzen, 24 Distrikte
Politik	
Staatsform	Republik (seit 1978)
Regierungschef	Sirimavo Bandaranaike (seit 1994) *1916
Staatspräsident	Chandrika B. Kumaratunga (seit 1994) *1945
Parlament	Nationalvers. mit 225 für sechs Jahre gewählten Abgeord.; 105 Sitze für People's Alliance, 94 für United National Party, 7 für Sri Lanka Muslim Congr., 19 für Andere (Wahl v. 1994)
Internet	http://www.embassy.srilanka.at
Bevölkerung	
Religion	Buddhisten (68%); Hindus (22%); Muslime (7%); Christen (3%)
Ethn. Gruppen	Singhalesen (72%); Tamilen (20%); Moor (6%); Sonstige (2%)

Wirtschaft und Soziales			
Dienstleistung	49%	Urbanisierung	22%
Industrie	26%	Einwohner/km²	285
Landwirtschaft	25%	Bev.-Wachstum/Jahr	1,3%
BSP/Kopf	800 $ (1997)	Kindersterblichkeit	1,8%
Inflation	9,9% (1998)	Alphabetisierung	86,9%
Arbeitslosigkeit	9,5% (1998)	Einwohner pro Arzt	5203

🏳 Sri Lanka: Wirtschaftswachstum (BIP)[1]

1998	+5,0
1997	+6,4
1996	+3,8
1995	+5,5

1) in %; Quelle: bfai

🏳 Sri Lanka: Inflation[1]

1998	+9,9
1997	+9,6
1996	+15,9
1995	+7,7

1) in %; Quelle: bfai

den Provinzen weitgehende Autonomie zu verschaffen. Dadurch könnte die vorwiegend hinduistische Bevölkerungsminderheit der Tamilen, die seit 1983 gewaltsam für einen eigenen Staat im Nordosten von S. kämpfen, in den von ihnen beherrschten Provinzen eine beträchtliche Selbstverwaltung ausüben. Da für eine Verfassungsände-

rung eine Zweidrittelmehrheit erforderlich ist, benötigt die Regierung für den Plan die Zustimmung der Opposition. Die UNP verweigerte 1998/99 ihr Einverständnis aus Animosität gegenüber der Präsidentin. In dem Bürgerkrieg zwischen Tamilen und singhalesischen Regierungstruppen starben bis Mitte 1999 rund 55 000 Menschen.
Wirtschaft: Das Wirtschaftswachstum in S. betrug 1998 5,0%, nachdem das BIP 1997 noch um 6,4% gewachsen war. Die Arbeitslosigkeit sank infolge des soliden Wirtschaftswachstums auf 9,5% (1997: 10,2%). Die Inflationsrate blieb 1998 mit 9,9% fast unverändert hoch (1997: 9,6%). Obwohl die Landwirtschaft etwa ein Viertel zum BIP beiträgt, führt S. in hohem Maße Nahrungsmittel ein (1997: 11,7% des Gesamtimports). Wichtigste Exportgüter sind Tee (15,5% des Gesamtexports), Kokosnüsse und Kautschuk (siebtgrößter Produzent). Obwohl S. eine Insel ist, wird kaum Fischfang betrieben. Der industrielle Sektor von S. besteht überwiegend aus Stahlwerken und Erdöl verarbeitenden Betrieben (Raffinerien, Kunststoffproduktion). 1998 trug er insgesamt 26% zum BIP bei.

Südafrika Republik Südafrika		
Landesfläche	1,22 Mio km² (WR 24)	
Einwohner	44,3 Mio (WR 27)	
Hauptstadt	Pretoria (1,31 Mio Einwohner)	
Sprachen	Zulu, Xhosa, Afrikaans, Englisch	
Währung	1 Rand (R) = 100 Cents	
Zeit	Mitteleuropäische Zeit +1	
Gliederung	9 Provinzen	
Politik		
Staatsform	Präsidiale Republik (seit 1961)	
Regierungschef	Thabo Mbeki (seit 1999) *18.6.1942	
Staatspräsident	Thabo Mbeki (seit 1999) *18.6.1942	
Parlament	Abgeordnetenhaus mit 400 Mitgliedern; 266 Sitze für Afrikanischer Nationalkongress, 38 für Demokratische Partei, 34 für Inkatha-Freiheitspartei, 62 für Sonstige; (Wahl von 1999)	
Internet	http://www.polity.org.za http://www.parliament.gov.za	
Bevölkerung		
Religion	Christen (67,8%); Hindus (1,3%); Muslime (1,1%); Juden (0,4%); Sonstige (29,4%)	
Ethn. Gruppen	Schwarze (76,3%); Weiße (12,7%); Sonstige (11,0%)	
Wirtschaft und Soziales		
Dienstleistung	63,2%	Urbanisierung	48,3%
Industrie	32,3%	Einwohner/km²	31
Landwirtschaft	4,5%	Bev.-Wachstum/Jahr	1,4%
BSP/Kopf	3210 $ (1997)	Kindersterblichkeit	5,9%
Inflation	6,9% (1998)	Alphabetisierung	82,2%
Arbeitslosigkeit	32,6% (1997)	Einwohner pro Arzt	1523

Südafrika
Afrika, Karte S. 533, D 7

Im Juni 1999 erzielte der Afrikanische Nationalkongress (ANC) bei den Parlamentswahlen 67% der abgegebenen Stimmen.
Innenpolitik: Zweitstärkste Kraft wurde die liberale Demokratische Partei von Tony Leon mit einem Stimmenanteil von 9,7%. Die Inkhata-Freiheitspartei erhielt 8,2%.
Neuer Präsident: Das Parlament wählte im Juni 1999 Thabo Mbeki (ANC) zum neuen Präsidenten von S. Er ist Nachfolger des 81jährigen Nelson Mandela, der nach fünf Jahren als Präsident sein Amt aus Altersgründen zur Verfügung stellte. Mandela hatte als erster schwarzer Präsident von S. den Übergang von der Apartheid zur parlamentarischen Demokratie maßgeblich gestaltet.
Wahrheitskommission: Im Dezember 1998 übergab Bischof Desmond Tutu Präsident Mandela den 3500 Seiten starken Abschlussbericht der Wahrheitskommssion, die wenige Tage zuvor ihre öffentlichen Anhörungen beendet hatte. Die Wahrheitskommission ist ein zentrales Element bei dem

Versuch, die Verbrechen unter dem Apartheidregime rückhaltlos aufzuklären und so zur Versöhnung in der Gesellschaft beizutragen. Die Kommission verhörte über 20 000 Opfer und mehrere Tausend Täter. Insgesamt stellten Beschuldigte rund 7100 Amnestie-Anträge, von denen bis Anfang 1999 rund 80% entschieden waren. Bedingung für eine Amnestie war, dass die Täter die volle Wahrheit sagten und aus politischen Motiven gehandelt hatten. Keine Strafverschonung erhielten u. a. die weißen Polizisten, die 1977 an der Ermordung des Studentenführers Steve Biko beteiligt waren. Auch zahlreiche Aktivisten des ANC mussten sich vor der Kommission verantworten, weil ihnen im Kampf gegen das weiße Apartheidregime Menschenrechtsverletzungen vorgeworfen wurden, etwa gegen abtrünnige Mitkämpfer oder vermeintliche Kollaborateure. Unter den Beschuldigten befand sich auch die geschiedene Frau von Nelson Mandela, Winnie Mandela.

Entschädigungen: Im Oktober 1998 beschloss die südafrikanische Regierung erstmals individuelle Entschädigungen für Opfer der Apartheidspolitik. Im Februar 1999 wurde diese Entscheidung wieder zurückgenommen, was u. a. mit den knappen Finanzmitteln des Staates begründet wurde. Statt individueller Entschädigungen waren nunmehr symbolische Zahlungen an bestimmte Gruppen geplant.

Kriminalität: Als eines der größten Probleme von S. betrachtete die Regierung die Gewaltkriminalität. Nach offiziellen Statistiken wurde 1998 im Durchschnitt alle 30 Minuten ein Mord, alle 7 Minuten eine Vergewaltigung und alle 9 Minuten ein Raubüberfall begangen. In den besonders stark betroffenen schwarzen Townships häuften sich die Fälle von Selbstjustiz, während wohlhabende Weiße ihre Wohnviertel zunehmend befestigten. Die wachsende Kriminalität führte zu einer Aufschiebung von Investitionsvorhaben durch ausländische Investoren und zu einer Abwanderung von hoch qualifizierten Universitätsabsolventen ins Ausland.

Illegale Einwanderer: 1998/99 verschärfte die südafrikanische Regierung ihre Politik gegen illegale Einwanderer. Innenminister Mangosuthu Buthelezi ordnete an, alle Personen ohne Aufenthalts- und Arbeitserlaubnis aufzuspüren, um sie in ihre Herkunftsländer, vor allem Mosambik, Simbabwe und Somalia, abschieben zu können. Dabei kam es zu Übergriffen der Ordnungskräfte.

Pressefreiheit: Die südafrikanische Presse kritisierte 1998/99 Eingriffe der Regierung in die Pressefreiheit. Zwar ist in S. die Pressefreiheit in der Verfassung garantiert, doch wurden kritische Journalisten unabhängig von ihrer Hautfarbe häufig von Regierungsstellen oder füherenden ANC-Mitgliedern zu größerer Loyalität ermahnt.

Außenpolitik: Im September 1998 marschierten Truppen aus S. und Botswana in das Nachbarland Lesotho ein, um einen Putsch gegen die Regierung von Pakalitha Mosisili zu verhindern. Bei Kämpfen in der Hauptstadt Maseru kamen über 100 Menschen ums Leben. Nach Stabilisierung der Lage zogen die Interventionstruppen im April 1999 wieder ab.

Lockerbie-Vermittlung: Präsident Mandela war im März 1999 wesentlich an der Einigung zwischen der UNO und Libyen im Streit um die mutmaßlichen Lockerbie-Attentäter beteiligt. Unter seiner Vermittlung gab der libysche Staatschef Muammar al-Gaddafi sein Einverständnis zu einem Prozess gegen zwei frühere Geheimdienstleute in Den Haag (Niederlande). Sie wurden beschuldigt, 1988 ein Attentat auf eine US-amerikanische Passagiermaschine verübt zu haben, bei dem 270 Menschen starben.

Wirtschaft: 1998/99 setzte sich die schwere Wirtschaftskrise in S. fort. Das BIP stagnierte, die Arbeitslosigkeit stieg offiziell auf 23%. Inoffizielle Schätzungen kamen unter Einbeziehung nicht registrierter Langzeitarbeitsloser auf eine Arbeitslosenrate von über 35%. Die Inflation lag 1998 im Jahresdurchschnitt bei 7%. Infolge der anhaltenden Wirtschaftskrise verlor die nationale Währung (Rand) 1998 gegenüber dem US-Dollar 17% seines Wertes. Sorge bereitete auch das gewachsene Leistungsbilanzdefizit von 13,5 Mrd Rand.

Steuersenkungen: Die Regierung versuchte durch die Senkung der Körperschaftssteuer auf 30% und durch Steuererleichterungen für Menschen mit kleinem oder mittlerem Einkommen der Wirtschaft neue Impulse zu geben. Die Effekte blieben 1998/99 allerdings gering. Trotz großer volkswirtschaftlicher Probleme blieb S. auf marktwirtschaftlichem Kurs und verzichtete auf dirigistische Eingriffe in die Wirtschaft, etwa in Form von Subventionen.

Sudan

Afrika, Karte S. 533, E 3

Bei einer Hungerkatastrophe im vom Bürgerkrieg zerrütteten S. starben 1998 mehrere zehntausend Menschen.

Innenpolitik: Ab Juli 1998 verschlechterte sich die Versorgungslage im umkämpften Süden des S. Nach UNO-Angaben benötigten dort 2,6 Mio Menschen Soforthilfe, etwa die Hälfte war unmittelbar vom Hungertod bedroht. Neben den Bürgerkriegskämpfen wurde die schwere Dürre im Sommer 1998 für die ungenügende Lebensmittelversorgung verantwortlich gemacht. Die Operation Lifeline Sudan (OLS), ein humanitärer Zusammenschluss aus Internationalem Kinderhilfswerk der Vereinten Nationen (UNICEF), Welternährungsprogramm (WFP) und 38 weiteren Hilfsorganisationen, begann im August 1998 mit der bislang umfassendsten UNO-Hilfsoperation für den S., in deren Rahmen monatlich 17 000 t Lebensmittel verteilt wurden.

Zwischen der fundamentalistisch-islamistischen Militärregierung des S. und den christlichen Rebellen der Sudanesischen Volksbefreiungsfront (SPLA), die für eine Autonomie der rohstoffreichen Südprovinzen kämpft, fanden Anfang August 1998 Friedensgespräche in Addis Abeba (Äthiopien) statt. Sie blieben jedoch ohne konkretes Ergebnis. Weitere bis Mitte 1999 geplante Treffen wurden abgesagt. Beide Seiten hatten sich im Juli 1998 auf einen begrenzten Waffenstillstand für drei Monate verständigt. Dieser wurde im Oktober um weitere drei Monate verlängert, jedoch mehrfach gebrochen. Seit Beginn des Krieges sind knapp 2 Mio Menschen bei Kämpfen oder infolge von Hungersnöten ums Leben gekommen. Im Mai 1999 erklärte die sudanesische Regierung, zukünftig energisch gegen die Versklavung entführter Frauen und Kinder vorzugehen. Trotz offiziellen Verbots gibt es im S. Fälle von Sklaverei. Eine mit weit reichenden Vollmachten ausgestattete Kommission soll die Rückkehr der Betroffenen in ihre Heimatdörfer garantieren und die Entführer gerichtlich verfolgen. Eine Schweizer Hilfsaktion hat seit 1995 mehr als 5000 Sklaven in S. freigekauft.

Außenpolitik: Während sich das Verhältnis des S. zu Ägypten verbesserte, verschärfte sich 1998 der Konflikt mit den USA. Ägypten unterstützte die Verständigungsversuche zwischen der sudanesischen Regierung und der Opposition, um eine Teilung des S. zu verhindern. Im August 1998 bombardierte die US-amerikanische Luftwaffe eine Fabrik bei Khartum, weil in ihr angeblich Chemiewaffen hergestellt wurden.

Wirtschaft: Im März 1999 wurde eine von chinesischen Arbeitern gebaute, 1600 km lange Pipeline fertig gestellt, die von den Ölfeldern im Süden über die neue Raffinerie al-Jaily bei Khartum bis zum Hafen Port Sudan am Roten Meer verläuft. Kreditgeber waren China, der größte Abnehmer sudanesischen Erdöls, Malaysia und Kanada. Die Pipeline kann täglich bis zu 150 000 Fass Erdöl transportieren. Seit ihrer Inbetriebnahme wurde sie mehrfach von Rebellen der für die Autonomie der Südprovinzen kämpfenden SPLA angegriffen. Die Ölreserven des rohstoffreichen Landes werden auf 800 Mio Fass geschätzt. Der S. ist dennoch wegen des Bürgerkriegs und fehlender Infrastruktur eines der ärmsten Länder Afrikas.

Sudan Republik Sudan	
Landesfläche	2 505 813 km² (WR 10)
Einwohner	28,53 Mio (WR 36)
Hauptstadt	Khartum (2,25 Mio Einwohner)
Sprachen	Arabisch, Englisch, hamitische und nilotische Dialekte
Währung	1 Sudanesisches Pfund (sud.£) = 100 Piastres
Zeit	Mitteleuropäische Zeit +1
Gliederung	9 Bundesstaaten, 66 Provinzen und 218 Bezirke
Politik	
Staatsform	Islamische Republik (seit 1973)
Regierungschef	U. Hassan Ahmad al-Baschir (seit 1989) *1944
Staatspräsident	U. Hassan Ahmad al-Baschir (seit 1989) *1944
Parlament	Das 1989 installierte Übergangsparlament wurde 1996 durch eine Nationalversammlung mit 400 Mitgliedern abgelöst. 125 Abgeordnete wurden auf einem »Nationalkongress« bestimmt, 275 in den einzelnen Wahlkreisen in direkter Wahl ermittelt.
Internet	http://www.sudan-embassy.de
Bevölkerung	
Religion	Sunnitische Muslime (74,7%); Animisten (17,1%); Christen (8,2%); Katholiken (7%), Anglikaner (1,2%)
Ethn. Gruppen	Araber (49,1%); Dinka (11,5%); Nuba (8,1%); Beja (6,4%); Nuer (4,9%); Sonstige (20%)
Wirtschaft und Soziales			

Wirtschaft und Soziales			
Dienstleistung	47,9%	**Urbanisierung**	24,6%
Industrie	15,0%	**Einwohner/km²**	11
Landwirtschaft	37,1%	**Bev.-Wachstum/Jahr**	2,73%
BSP/Kopf	290 $ (1997)	**Kindersterblichkeit**	7,1%
Inflation	ca. 27% (1997)	**Alphabetisierung**	46,1%
Arbeitslosigkeit	k. A.	**Einwohner pro Arzt**	9369

Suriname

Südamerika, Karte S. 531, D 2

S., neben Guyana und Französisch-Guyana einer der drei Guyana-Staaten, erstreckt sich von der Küste etwa 400 km ins Landesinnere. Die Verfassung von 1987 bezeichnet S. als parlamentarische Demokratie mit einem Staatspräsidenten, den die Nationalversammlung für fünf Jahre wählt. Er verfügt über weit reichende Kompetenzen (u. a. Ernennung und Entlassung der Regierung). Der für fünf Jahre gewählten Nationalversammlung steht ein Staatsrat zur Seite, der Kontroll- und Beratungsfunktionen übernimmt.

In S. werden nur 0,5% der Gesamtfläche (am Küstenbereich) landwirtschaftlich genutzt. Wichtigste Anbauprodukte des Agrarsektors, in dem etwa 15% der Erwerbspersonen arbeiten, sind Reis, Bananen, Mais, Zuckerrohr und Gemüse. Überwiegend für den Export werden Rohstoffe wie Bauxit und in geringeren Mengen Gold abgebaut. Bauxitveredelung und die Verarbeitung von Agrarprodukten sind die größten Industriebereiche von S.

Suriname Republik Suriname	
Landesfläche	163 265 km² (WR 90)
Einwohner	442 000 (WR 159)
Hauptstadt	Paramaribo (201 000 Einwohner)
Sprachen	Niederl., Hindustani, Javan., Engl.
Währung	1 Suriname-Gulden = 100 Cents
Zeit	Mitteleuropäische Zeit –4,5
Gliederung	9 Bezirke und Hauptstadtdistrikt
Politik	
Staatsform	Präsidiale Republik (seit 1987)
Regierungchef	Pretraap Radhakishun (seit 1996)
Staatspräsident	Jules Albert Wijdenbosch (seit 1996) *2.5.1941
Parlament	Nationalversammlung mit 51 für fünf Jahre gewählten Abgeordneten; 24 Sitze für die Front für Demokratie und Entwicklung, 16 für Nationaldemokratische Partei, 11 für Andere (Wahl vom Mai 1996)
Bevölkerung	
Religion	Christen (39,6%): Katholiken 21,6%, Protestanten 18,0%; Hindus (26,0%); Muslime (18,6%); Animisten (15,8%)
Ethn. Gruppen	Kreolen (37%); Inder (35%); Indonesier (14%); Marons (9%); Indios (3%); Chinesen (2%)
Wirtschaft und Soziales			
Dienstleistung	58,9%	Urbanisierung	49,6%
Industrie	27,4%	Einwohner/km²	3
Landwirtschaft	13,7%	Bev.-Wachstum/Jahr	0,77%
BSP/Kopf	1320 $ (1997)	Kindersterblichkeit	2,9%
Inflation	ca. 8% (1997)	Alphabetisierung	93%
Arbeitslosigkeit	20% (1997)	Einwohner pro Arzt	1348

Swasiland

Afrika, Karte S. 533, D 7

Im Oktober 1998 fanden in S. Wahlen statt, bei denen jedoch nur dem König Mswati III. genehme Kandidaten gewählt werden durften. Die Opposition rief deshalb zum Boykott der Wahlen auf. In S. herrscht seit 1973 der Ausnahmezustand; sämtliche Parteien sind verboten. Wenige Tage vor der Wahl wurden bei führenden Oppositionspolitikern Hausdurchsuchungen vorgenommen. S. ist die einzige Monarchie in Afrika, in der die Königsfamilie über nahezu uneingeschränkte Macht verfügt. Das Parlament ist eine weitgehend einflusslose Alibi-Institution. Es gibt keine Versammlungs- und Meinungsfreiheit. Die Medien sind staatlich kontrolliert.

Der ökonomische Wandlungsprozess zu einem stärker industrialisierten Staat setzte sich 1998 fort. Der Anteil des Industriesektors am BIP betrug mehr als 40%. Allerdings nahmen die Arbeitslosigkeit (nach inoffiziellen Schätzungen mehr als 30% der Erwerbsfähigen) und die Verarmung breiter Bevölkerungsschichten zu.

Swasiland Königreich Swasiland	
Landesfläche	17 364 km² (WR 153)
Einwohner	931 000 (WR 151)
Hauptstadt	Mbabane (75 000 Einwohner)
Sprachen	Englisch, Si-Swati
Währung	1 Lilangeni (E) = 100 Cents
Zeit	Mitteleuropäische Zeit +1
Gliederung	4 Bezirke
Politik	
Staatsform	Absolute Monarchie (seit 1973)
Regierungchef	Barnabas Sibusiso Dlamini (seit 1996) *1942
Staatspräsident	König Mswati III. (seit 1986) *1968
Parlament	Nationalversammlung mit 55 gewählten und 10 vom König ernannten, Senat mit 10 gewählten und 20 vom König ernannten Mitgliedern; politische Parteien verboten
Internet	http://www.swazi.com/government
Bevölkerung	
Religion	Protestanten (37,3%), Afrikanische Christen (28,9%), Katholiken (10,8%); Animisten (20,9%); Sonstige (2,1%)
Ethn. Gruppen	Swasi (84,3%); Zulu (9,9%); Tsonga (2,5%); Sonstige (3,3%)
Wirtschaft und Soziales			
Dienstleistung	44,9%	Urbanisierung	31%
Industrie	43,0%	Einwohner/km²	54
Landwirtschaft	12,1%	Bev.-Wachstum/Jahr	1,96%
BSP/Kopf	1520 $ (1997)	Kindersterblichkeit	6,5%
Inflation	9,5% (1997)	Alphabetisierung	76,7%
Arbeitslosigkeit	k. A.	Einwohner pro Arzt	9061

Syrien Arabische Republik Syrien	
Landesfläche	185 180 km² (WR 86)
Einwohner	15,35 Mio (WR 58)
Hauptstadt	Damaskus (1,55 Mio Einwohner)
Sprachen	Arabisch, Kurdisch, Armenisch
Währung	1 syrisches Pfund (syr.£) = 100 Piastres
Zeit	Mitteleuropäische Zeit +1
Gliederung	13 Provinzen und Hauptstadt
Politik	
Staatsform	Präsidiale Republik (seit 1973)
Regierungschef	Mahmud Zubi (seit 1987) *1938
Staatspräsident	Hafiz al-Assad (seit 1971) *6.10.1930
Parlament	Volksversammlung mit 250 für vier Jahre gewählten Abgeordneten; 167 Sitze für die von der regierenden Baath-Partei dominierte Nationale Front, 83 für unabhängige Kandidaten (Wahl von 1998)
Internet	http://www.columbia.edu/cu/libraries/indiv/area/MiddleEast/Syria.html
Bevölkerung	
Religion	Muslime (89,6%): Sunniten 70%, Alawiten 12%, Andere 7,6%; Christen (8,9%); Sonstige (1,5%)
Ethn. Gruppen	Araber (88,8%); Kurden (6,3%); Sonstige (4,9%)

Wirtschaft und Soziales			
Dienstleistung	47%	Urbanisierung	52%
Industrie	23%	Einwohner/km²	83
Landwirtschaft	30%	Bev.-Wachstum/Jahr	2,9%
BSP/Kopf	1120 $ (1997)	Kindersterblichkeit	3,3%
Inflation	-1,2% (1998)	Alphabetisierung	71%
Arbeitslosigkeit	9,7% (1998)	Einwohner pro Arzt	966

★ ★ **Syrien**

Nahost, Karte S. 534, C 2

Außenpolitik: Im September 1998 verschärften sich die Spannungen zwischen S. und der Türkei zu einem gravierenden diplomatischen Konflikt, in dessen Verlauf die Türkei mit militärischer Gewalt drohte. Die Regierung in Ankara warf der syrischen Führung unter Präsident Hafis al-Assad vor, die Arbeiterpartei Kurdistans (PKK) zu unterstützen und ihrem gesuchten Anführer Abdullah Öcalan Zuflucht zu gewähren. S. bestritt dies und betonte, dass die Türkei 1998/99 wiederholt die irakische Grenze überschritten hatte, um auf fremdem Territorium völkerrechtswidrig die Kurden zu bekämpfen. Die Regierung S. beklagte ferner das türkische Südostanatolien-Projekt, das den Bau von 22 Dämmen an den Flüssen Euphrat und Tigris vorsieht. Mit dem gestauten Wasser soll Elektrizität gewonnen, trockenes Land bewässert und die Industrialisierung des Südostens der Türkei vorangetrieben werden. Die syrische Regierung befürchtete als Folge des Projektes Wasserknappheit und die Verödung weiter Regionen im eigenen Land. Im Oktober 1998 unterzeichneten S. und die Türkei ein Abkommen, in dem sich S. verpflichtete, die PKK weder finanziell noch logistisch zu unterstützen. Die Türkei behielt sich das Recht vor, militärisch gegen Syrien vorzugehen, wenn der Vertrag nicht eingehalten wird. Die Furcht vor türkischen Angriffen führte 1998/99 zu einer Annäherung zwischen S. und dem Irak, der 1980 die diplomatischen Beziehungen zu S. abgebrochen hatte, weil S. im ersten Golfkrieg (1980–88) den irakischen Gegner Iran unterstützte.

Innenpolitik: Der syrische Präsident Assad wurde im Februar 1999 von der Bevölkerung in seinem Amt bestätigt. 99,987% der rund 8,9 Mio Wähler gaben ihm bei der Volksabstimmung ihre Stimme. Die regierende Baath-Partei im Parlament hatte Assad im Januar einmütig als einzigen Kandidaten für eine fünfte Amtszeit von sieben Jahren bestimmt. Nachdem Assad 1970 in S. an die Macht gekommen war, errichtete er ein autoritäres Regime, das sich vor allem auf Militär und den allgegenwärtigen Geheimdienst stützt und jegliche Opposition systematisch unterdrückt.

Wirtschaft: Der starke Fall der Rohölpreise (bis zu 50% gegenüber dem Vorjahr) führte 1998 zum Rückgang des BIP um 1,3%. Rohöl war mit etwa 50% der Exporterlöse der wichtigste Bestandteil des syrischen Außenhandels. Die Exportwirtschaft sank 1998 um 20% auf 3,24 Mrd US-Dollar. Dadurch stieg das Außenhandelsdefizit auf 165 Mio US-Dollar. 1998/99 scheute die syrische Regierung aus Furcht vor innenpolitischer Destabilisierung einschneidende Wirtschaftsreformen. Sie wies die Forderung führender internationaler Wirtschafts- und Finanzinstitute nach Privatisierung der seit Jahren ineffizienten Staatsunternehmen zurück, weil dies zu Massenentlassungen führen und die Arbeitslosenquote (1998: 9,7%) steigern könnte.

★★ **Syrien: Handelsbilanzsaldo[1]**	
1997	+577
1996	+388
1995	+642
1) mit den Staaten der EU (Mio US-Dollar); Quelle: bfai	

Tadschikistan
Asien, Karte S. 535, C 4

Im November 1999 versuchte ein Rebellenkommando des früheren Armeeoffiziers Machmud Chudoberdijew, die Stadt Chodschent im Norden von T. unter seine Gewalt zu bringen. Chudoberdijew forderte die Freilassung politischer Gefangener und die Beteiligung an der Regierung. Bei der Niederschlagung der Rebellion durch Regierungstruppen kamen über 200 Menschen ums Leben. 1997 hatte ein Friedensabkommen den fünfjährigen Bürgerkrieg beendet, in dem 60000 Menschen starben. Ursache der Gewalt war der Machtkampf zwischen Clans in T., in den auch Streitkräfte der GUS und afghanische Gruppen eingriffen. Im März 1999 ermordeten Unbekannte in der Hauptstadt Duschanbe den Vorsitzenden der Sozialistischen Partei, Kendschajew. Da der Politiker im wirtschaftlich bedeutsamen Norden von T. Einfluss zu gewinnen versuchte und nicht ausgeschlossen wurde, dass er in illegale Geschäfte verwickelt war, wurde der Mord im Zusammenhang mit dem organisierten Verbrechen gesehen.

Tadschikistan Republik Tadschikistan	
Landesfläche	143100 km² (WR 93)
Einwohner	6,16 Mio (WR 95)
Hauptstadt	Duschanbe (582000 Einwohner)
Sprachen	Tadschikisch, Russ., Usbekisch
Währung	1 Tadsch. Rubel = 100 Kopeken
Zeit	Mitteleuropäische Zeit +5
Gliederung	3 Gebiete
Politik	
Staatsform	Republik (seit 1991)
Regierungschef	Jachjo Asimow (seit 1996) *1947
Staatspräsident	Emomali Rachmonow (seit 1994) *1952
Parlament	Nationalversammlung mit 181 für fünf Jahre gewählten Abgeordneten; 60 Sitze für Kommunisten, 60 für die Vorsitzenden der sog. Kolchosen und Regionalverwaltungen (Wahl von 1995)
Bevölkerung	
Religion	Sunnitische und schiitisch-ismailitische Muslime
Ethn. Gruppen	Tadschiken (63,8%); Usbeken (24%); Russen (6,5%); Tataren (1,4%); Kirgisen (1,3%); Sonstige (3%)

Wirtschaft und Soziales			
Dienstleistung	32%	Urbanisierung	32%
Industrie	35%	Einwohner/km²	45
Landwirtschaft	33%	Bev.-Wachstum/Jahr	1,3%
BSP/Kopf	330 $ (1997)	Kindersterblichkeit	5,7%
Inflation	ca. 40% (1996)	Alphabetisierung	96,7%
Arbeitslosigkeit	k. A.	Einwohner pro Arzt	447

Taiwan
Ostasien, Karte S. 536, D 3

Innenpolitik: Bei den Parlamentswahlen in T. im Dezember 1998 erhielt die regierende Kuomintang (KMT) mit 124 von 225 Sitzen die absolute Mehrheit. Die oppositionelle Demokratische Fortschrittspartei (DDP) gewann 70 Mandate. Die rechtsgerichtete Neue Partei errang elf Sitze. Das Ergebnis wurde als Absage der Bevölkerung an die Bestrebungen der DDP gewertet, offiziell die Unabhängigkeit T. von China auszurufen. Im Wahlkampf hatte die chinesische Führung, das in T. eine abtrünnige Provinz sieht, für diesen Fall mit einer Invasion gedroht. Der KMT, die unter dem Militärrecht von 1949–87 alle Macht kontrollierte und eine der reichsten Parteien der Welt ist, hatte viermal so viel Geld für den Wahlkampf zur Verfügung als die Opposition.
Außenpolitik: US-amerikanische Militärexperten stellten im Februar 1999 fest, dass China 1998 die Zahl der auf T. gerichteten Marschflugkörper von 30–50 auf 150–200 erhöht hat. In den nächsten Jahren soll die

Taiwan Republik China	
Landesfläche	36000 km² (WR 134)
Einwohner	21,73 Mio (WR 46)
Hauptstadt	Taipeh (2,7 Mio Einwohner)
Sprachen	Chinesisch, Fukien-Dialekte
Währung	1 Neuer Taiwan-Dollar = 100 Cent
Zeit	Mitteleuropäische Zeit +7
Gliederung	7 Stadtkreise, 16 Landkreise
Politik	
Staatsform	Republik (seit 1947)
Regierungschef	Vincent Siew (seit 1997) *1939
Staatspräsident	Lee Teng-hui (seit 1988) *15.1.1923
Parlament	Nationalversamml. mit 334 für sechs Jahre gewählten und Legislativ-Yüan mit 168 für drei Jahre gewählten Mitgl.; 183 (123) Sitze für Guomindang, 99 (70) für Demokraten, 46 (11) für Neue Partei , 4 für Sonstige (Wahl von 1996/98)
Internet	http:www.gio.gov.tw
Bevölkerung	
Religion	Chin. Rel. (49%); Buddh. (43%); Chr. (7%); Sonstige (1%)
Ethn. Gruppen	Taiwaner (84%); Festland-Chinesen (14%); Ureinwohner (2%)

Wirtschaft und Soziales			
Dienstleistung	62,8%	Urbanisierung	92%
Industrie	33,7%	Einwohner/km²	608
Landwirtschaft	3,5%	Bev.-Wachstum/Jahr	0,7%
BSP/Kopf	13200 $ (1997)	Kindersterblichkeit	k. A.
Inflation	1,7% (1998)	Alphabetisierung	93,7%
Arbeitslosigkeit	2,7% (1998)	Einwohner pro Arzt	864

⬛ Taiwan: Beziehungen zur Volksrepublik China

▶ **1949:** Flucht von rund 1,5 Mio Chinesen vor der revolutionären Volksarmee Mao Zedongs nach T.

▶ **März 1950:** General Chiang-Kaishek ruft die Republik China auf T. aus.

▶ **Oktober 1971:** Aufnahme der Volksrepublik China in die UNO; Ausschluss von T.

▶ **Mai 1972:** Besuch des US-Präsidenten Nixon in China; Beginn der außenpolitischen Isolation von T.

▶ **Dezember 1978:** Die USA nehmen diplomatische Beziehungen zu China auf; gleichzeitiger Abbruch der offiziellen Kontakte zu T.

▶ **April 1993:** Erste Gespräche zwischen China und T. seit 1949 auf inoffizieller Ebene.

▶ **Oktober 1993:** China gestattet direkte Handelsbeziehungen mit T.

▶ **Juli 1994:** Wiederaufnahme des Kulturaustausches zwischen China und T.

▶ **November 1994:** Taiwanesische Soldaten beschießen ein chinesisches Dorf.

▶ **Januar 1995:** T. erlaubt direkte Schiffsverbindungen nach China.

▶ **Juli 1997:** China übernimmt Hongkong; T., das über Hongkong 25 Mrd US-Dollar in Firmen auf dem Festland investiert hatte, gerät wirtschaftlich unter Druck.

▶ **Februar 1999:** Die Atommacht China stellt neue Mittelstreckenraketen gegen T. auf.

Zahl der Raketen angeblich auf 650 steigen. Als Reaktion verkauften die USA ein Frühwarnsystem an T., mit dem chinesische ballistische Raketen und Bombenflugzeuge beobachtet werden sollen. Im sog. Taiwan-Gesetz von 1979, das den Abbruch der diplomatischen Beziehungen und die formelle Aufnahme solcher Beziehungen mit China einschloss, hatten sich die USA verpflichtet, T. weiter mit Waffen und Ausrüstung zur Selbstverteidigung zu versorgen. Die Regierung der Volksrepublik China warnte die USA davor, weitere Raketentechnologie an T. zu verkaufen und dadurch den Frieden in der gesamten asiatisch-pazifischen Region zu gefährden.

Wirtschaft: Wegen der Wirtschaftskrise, die im Sommer 1997 in Südostasien ausbrach, wuchs das BIP in T. 1998 nur um 4,8%. Im Jahr 1997 war es noch um 6,8% gestiegen; die taiwanesische Wirtschaft verzeichnete die schwächste Zuwachsrate seit 1982. Die Exporte verringerten sich 1998 um 9,4% auf 110,6 Mrd US-Dollar (der stärkste Rückgang seit 1955). Die Importe gingen um 8,5% auf 104,7 Mrd US-Dollar zurück, sodass sich der Außenhandelsüberschuss auf 5,9 Mrd US-Dollar belief, der geringste Wert seit 1984. Im Vergleich zu anderen Staaten Südostasiens blieb T. von einer schweren Rezession verschont, weil 95% der 930 000 registrierten Unternehmen klein oder mittelständisch waren. Sie konnten auf die Wirtschaftskrise in der Region flexibler reagieren als Großunternehmen.

Tansania	Vereinigte Republik Tansania
Landesfläche	883 749 km² (WR 32)
Einwohner	32,19 Mio (WR 32)
Hauptstadt	Dodoma (204 000 Einwohner)
Sprachen	Suaheli, Engl., Stammessprachen
Währung	1 Tansania Shilling = 100 Cents
Zeit	Mitteleuropäische Zeit +2
Gliederung	25 Prov. in Tanganjika, 5 Sansibar
Politik	
Staatsform	Präsidiale föderative Republik (seit 1964)
Regierungschef	Frederick Sumaye (seit 1995)
Staatspräsident	Benjamin W. Mkapa (seit 1995) *12.1.1938
Parlament	Nationalversamml. mit 275 Mitgl., davon 232 für fünf Jahre gewählt; 214 Sitze für Rev. Staatsp., 28 für Bürg. Union, 16 für Nationale Konvention, 8 für Sonstige (Wahl: 1995)
Internet	http://193.220.80.10
Bevölkerung	
Religion	Muslime (35%); Animisten (35%); Christen (30%)
Ethn. Gruppen	Niamwezi, Sukuma (26,3%); Swahili (8,8%); Haya (5,3%); Hehet, Bena (5%); Makonde (3,7%); Sonstige (50,9%)

Wirtschaft und Soziales			
Dienstleistung	32,8%	**Urbanisierung**	24,4%
Industrie	15,2%	**Einwohner/km²**	35
Landwirtschaft	52,0%	**Bev.-Wachstum/Jahr**	2,14%
BSP/Kopf	210 $ (1997)	**Kindersterblichkeit**	8,2%
Inflation	ca. 15% (1997)	**Alphabetisierung**	67,8%
Arbeitslosigkeit	k. A.	**Einwohner pro Arzt**	22 900

Tansania
Afrika, Karte S. 533, E 5

Innenpolitik: T. wurde im Sommer 1998 zum Schauplatz des internationalen Terrorismus: Bei einem Bombenanschlag auf die Botschaft der USA in Daressalam am 7.8.1998 kamen drei Menschen ums Leben. Fast gleichzeitig tötete eine gegen die US-amerikanische Botschaft in der kenianischen Hauptstadt Nairobi gerichtete Bombe über 80 Personen, darunter mehrere US-Bürger. Als Urheber der Attentate ermittelten die Behörden islamistische Terroristen. Auf der zu T. gehörenden Insel Sansibar konnten innenpolitische Spannungen 1998/99 beigelegt werden. Die Regierungspartei CCM (Partei der Revolution) und die oppositionelle CUP (Vereinigte Bürger-Front), die seit 1995 die Parlamentsarbeit blockierte, einigten sich Anfang Mai 1999 auf einen Kompromiss: Für die Wahlen im Jahr 2000 wird eine unabhängige Wahlkommission gebildet und die Oppositionspartei CUP erhält zwei zusätzliche Parlamentssitze. Die islamistische CUP hatte die Parlamentswahl 1995 nur knapp verloren und der siegreichen CCM Wahlbetrug vorgeworfen. Nach der 1977 verabschiedeten Verfassung ist T. eine föderative Präsidialrepublik. Staatsoberhaupt, Regierungschef und Oberbefehlshaber der Streitkräfte ist der für fünf Jahre gewählte Präsident, der Premierminister und Regierung ernennt. Seine starke verfassungsrechtliche Position zeigt sich auch im Vetorecht bei der Gesetzgebung und in der Möglichkeit zur Auflösung des Parlaments. Außer den 232 gewählten Abgeordneten werden für die Volksversammlung 43 Personen als Mitglieder ernannt. Das Gebiet Sansibar verfügt gemäß Regionalverfassung von 1985 über eine Exekutive mit eingeschränkten Vollmachten sowie über ein 75-köpfiges Repräsentantenhaus. Der Präsident von Sansibar ist zugleich Mitglied der Zentralregierung.

Wirtschaft: 1998/99 verschlechterte sich die wirtschaftliche Lage von T. Hauptursache waren die verheerenden Regenfälle Anfang 1998, die den Großteil der Ernte vernichteten sowie zahlreiche Straßen und Brücken zerstörten. Das BIP-Wachstum schwächte sich 1998 auf rund 3% ab. die

Regierung des im Ausland hoch verschuldete T. ergriff Ende 1998 rigide Sparmaßnahmen. Zur Entlastung des Haushalts wurden rund 90 000 von zuvor 360 000 Beschäftigten aus dem Staatsdienst entlassen. Im Juli 1998 wurde eine 20%ige Mehrwertsteuer eingeführt, wodurch die Staatseinnahmen gesteigert und die Abhängigkeit des Landes von ausländischer Finanzhilfe gemildert werden sollten.

Fortgeführt wurde die vom Internationalen Währungsfonds (IWF) geforderte Privatisierungspolitik. Bis Ende der 80er Jahre hatte T. das planwirtschaftlich geprägte Konzept eines »afrikanischen Sozialismus« verfolgt. Von den ehemals 425 unrentablen Staatsbetrieben waren Ende 1998 rund 50% privatisiert. Für 1999 war der Verkauf des staatlichen Seehafens von Daressalam an private Investoren geplant. Von dem Anfang 1999 erfolgten Börsengang der größten tansanischen Brauerei, an der eine südafrikanische Brauereigruppe 50,5% und die Dresdner Bank 1,5% halten, wurde eine Belebung des noch schleppenden Aktienhandels an der 1997 eröffneten Daressalamer Börse erwartet.

Thailand

Asien, Karte S. 535, E 6

1998/99 verstärkte sich in T. die Kritik an der Wirtschaftspolitik der Regierung von Premierminister Chuan Leekpai. Die parlamentarische Opposition wandte sich gegen die konsequente Umsetzung eines mit dem Internationalen Währungsfonds (IWF) vereinbarten Sanierungspakets, das mit der Gewährung von Krediten von 17,2 Mrd US-Dollar verbunden ist und u. a. die Privatisierung vieler Staatsunternehmen vorsieht. Anfang 1999 trieb die thailändische Führung die Veräußerung traditionsreicher Staatsbetriebe wie der Fluglinie Thai Airways, des Stromerzeugers Egat und des Ölmonopols PTT an ausländische Investoren voran. Die Opposition kritisierte die Transaktionen als Ausverkauf nationaler Interessen. Im September 1998 liberalisierte die Regierung das Auslandsinvestitionsgesetz; bis Mitte 1999 konnten ausländische Kapitalgeber in 200 von der Investitionsbehörde geförderten Joint Ventures ihre Beteiligung zu einer Mehrheit ausbauen.

Thailand Königreich Thailand			
Landesfläche	513 115 km² (WR 49)		
Einwohner	59,61 Mio (WR 19)		
Hauptstadt	Bangkok (5,62 Mio Einwohner)		
Sprachen	Thai, Englisch, Chinesisch		
Währung	1 Baht (B) = 100 Stangs		
Zeit	Mitteleuropäische Zeit +6		
Gliederung	6 Regionen, 76 Provinzen		
Politik			
Staatsform	Konstitutionelle Monarchie (seit 1932)		
Regierungschef	Chuan Leekpai (seit Nov. 1997) *28.7.1938		
Staatspräsident	König Rama IX. Bhumibol Adulayedej (s. 1946), *5.12.1927		
Parlament	Abgeordnetenhaus mit 393 für vier Jahre gewählten und Senat mit 270 ernannten Mitgliedern; im Abgeordnetenhaus 125 Sitze für Konservative, 52 für Liberale, 39 für Chart Pattana, 39 für Chart Thai, 44 für And. (Wahl: 1996)		
Internet	http://www.thaigov.go.th http://www.parliament.go.th		
Bevölkerung			
Religion	Buddhisten (93%); Muslime (4%); Sonstige (3%)		
Ethn. Gruppen	Thai (85%); Chinesen (10%); Malaien (2,5%); Sonst. (2,5%)		
Wirtschaft und Soziales			
Dienstleistung	54%	Urbanisierung	20%
Industrie	35%	Einwohner/km²	120
Landwirtschaft	11%	Bev.-Wachstum/Jahr	1,3%
BSP/Kopf	2740 $ (1997)	Kindersterblichkeit	2,9%
Inflation	8% (1998)	Alphabetisierung	93,5%
Arbeitslosigkeit	5% (1998)	Einwohner pro Arzt	4245

Togo Republik Togo

Landesfläche	56 785 km² (WR 122)
Einwohner	4,43 Mio (WR 114)
Hauptstadt	Lomé (662 000 Einwohner)
Sprachen	Französisch, Ewe, Kabyé
Währung	CFA-Franc (FCFA)
Zeit	Mitteleuropäische Zeit -1
Gliederung	5 Regionen, 23 Präfekturen
Politik	
Staatsform	Präsidiale Republik (seit 1960)
Regierungschef	Kwassi Klutsé (seit 1996) *29.7.1945
Staatspräsident	Etienne G. Eyadéma (seit 1967) *26.12.1935
Parlament	Nationalversammlung mit 81 für fünf Jahre gewählte Mitgl.; 79 Sitze für Rassembl. du Peuple Togolais, 2 für Sonstige
Internet	http://www.republicoftogo.com
Bevölkerung	
Religion	Animisten (58,9%); Katholiken (21,5%); Muslime (12,1%); Protestanten (6,8%); Sonstige (0,7%)
Ethn. Gruppen	Adja-Ewe (43,1%); Kabyé-Tem (26,7%); Gurma (16,1%); Kebu-Akposo (3,8%); Ana-Ife (3,2%); Sonstige (7,1%)
Wirtschaft und Soziales	

Dienstleistung	42,3%	**Urbanisierung**	30,8%
Industrie	23,8%	**Einwohner/km²**	78
Landwirtschaft	33,9%	**Bev.-Wachstum/Jahr**	3,52%
BSP/Kopf	340 $ (1997)	**Kindersterblichkeit**	8,4%
Inflation	k. A.	**Alphabetisierung**	51,7%
Arbeitslosigkeit	k. A.	**Einwohner pro Arzt**	12 299

Togo
Afrika, Karte S. 533, B 4

Seit 1967 regiert Etienne G. Eyadéma das westafrikanische Land; zuletzt wurde er bei den Präsidentschaftswahlen vom Juni 1998 mit 52,1% der Stimmen bestätigt. Doch warfen Oppositionspolitiker und EU-Beobachter Eyadéma massiven Wahlbetrug vor. Erstmals hatte General Eyadéma, der 1967 durch einen Militärputsch an die Macht kam und seither autoritär regierte, bei der Wahl Gegenkandidaten. Von ihnen erzielte Gilchrist Olympio mit 34,1% das beste Ergebnis. Trotz Bedenken hinsichtlich der Korrektheit der Urnengangs gewährte die EU 4 Mio DM Finanzhilfe und stellte bei Fortschritten in der Demokratisierung die Freigabe von seit Jahren zurückgehaltenen Hilfsgeldern von 100 Mio DM in Aussicht. **Wirtschaft:** T. zählt zu den wirtschaftlich am schwächsten entwickelten Staaten der Welt. In Absprache mit dem Internationalen Währungsfonds (IWF) verpflichtete sich T. zur weiteren Deregulierung, in deren Rahmen u. a. 25 der maroden Staatsbetriebe privatisiert werden sollen.

Tonga Königreich Tonga

Landesfläche	747 km² (WR 170)
Einwohner	99 000 (WR 177)
Hauptstadt	Nuku'alofa (40 000 Einwohner)
Sprachen	Tonga, Englisch
Währung	1 Pa'anga (T$) = 100 Jenti
Zeit	Mitteleuropäische Zeit +12
Gliederung	3 Insel-Distrikte; 172 Inseln
Politik	
Staatsform	Konstitutionelle Monarchie im Commonwealth (seit 1875)
Regierungschef	Baron Vaea von Houma (seit 1991) *1921
Staatspräsident	König Taufa'ahau Tupou IV. (seit 1965) *1918
Parlament	Gesetzgebende Versammlung mit 30, darunter 9 vom Volk und 9 von Adelsfamilien für drei Jahre gewählten Mitgliedern sowie Kronrat (12 Personen), 9 für Demokratische Volkspartei, 3 für Unabhängige (Wahl vom Januar 1999)
Internet	http://www.vacations.tvb.gov.to
Bevölkerung	
Religion	Protest. 76%, Kath. 16%; Baha'i (4%); Sonstige (4%)
Ethn. Gruppen	Tongaer (98,3%); Sonstige (1,7%)
Wirtschaft und Soziales	

Dienstleistung	48,9%	**Urbanisierung**	42%
Industrie	12,5%	**Einwohner/km²**	133
Landwirtschaft	38,6%	**Bev.-Wachstum/Jahr**	0,81%
BSP/Kopf	1810 $ (1997)	**Kindersterblichkeit**	k. A.
Inflation	ca. 2% (1997)	**Alphabetisierung**	93%
Arbeitslosigkeit	k. A.	**Einwohner pro Arzt**	2201

Tonga
Ozeanien, Karte S. 537, G 4

Im November 1998 nahm T. offizielle Beziehungen zu China auf. Als Reaktion brach Taiwan, das von der chinesischen Regierung als integraler Bestandteil Chinas betrachtet wird, die diplomatischen Beziehungen zu T. ab. Gleichzeitig kündigte es alle wirtschaftlichen Hilfsprogramme für T. Seit Anfang der 90er Jahre siedelten wegen der Übernahme von Hongkong durch China Hongkonger Firmen nach T. um. Die Regierung förderte die wirtschaftliche Entwicklung in einigen Bereichen wie z. B. dem kommerziellen Fischfang mit zeitlich begrenzten Steuererleichterungen. Rund 50% der Einwohner auf T. leben von der landwirtschaftlichen Selbstversorgung. Die wichtigsten Agrarerzeugnisse waren 1998 Yam, Taro (Blattwurz), Maniok, Brotfrucht, Kokosnüsse, Bananen und Gemüse. Zahlreiche Tonganer leben als Arbeitskräfte in Neuseeland und in den USA. Ihre Unterhaltszahlungen an die Familien tragen wesentlich zur Wirtschaftskraft von T. bei.

Trinidad und Tobago

Mittelamerika, Karte S. 532, H 4

Der starke Ölpreis-Verfall (bis zu 50%) verschärfte in T. 1998/99 die seit Mitte der 90er Jahre anhaltende Wirtschaftskrise. Der Export von Erdöl blieb mit einem Anteil von 70% wichtigste Devisenquelle.
Die Regierung des gemäßigten Premiers Basdeo Panday (United National Congress) intensivierte angesichts sinkender Einnahmen ihre Sparpolitik. Dies führte u. a. zum Anstieg der Arbeitslosigkeit auf rund 16% und verstärkte die sozialen Spannungen, insbes. den ethnischen Konflikt zwischen den afrokaribischen und indokaribischen Bevölkerungsgruppen.
Vorangetrieben wurde in T. der Ausbau des Tourismusgeschäfts, wobei in großem Umfang staatliche Geldmittel in die Verbesserung der touristischen Infrastruktur investiert wurden. Der Tourismus soll mittelfristig die Abhängigkeit vom internationalen Ölmarkt verringern. Angestrebt ist die Erhöhung der Zahl der Auslandsgäste von rund 270 000 (letztverfügbarer Stand: 1996) auf 300 000 pro Jahr.

Trinidad und Tobago Republik	
Landesfläche	5130 km² (WR 162)
Einwohner	1,32 Mio (WR 146)
Hauptstadt	Port of Spain (52 000 Einwohner)
Sprachen	Englisch, Patois, Spanisch, Franz.
Währung	1 Tr.-u.-Tob.-Dollar = 100 Cents
Zeit	Mitteleuropäische Zeit –5 h
Gliederung	8 Counties und Tobago
Politik	
Staatsform	Präsidiale Republik im Commonwealth (seit 1976)
Regierungschef	Basdeo Panday (seit 1995) *1932
Staatspräsident	Arthur N. Robinson (seit 1997) *16.12.1926
Parlament	Senat mit 31 vom Präs. ernannten und Repräsentantenhaus mit 36 für fünf Jahre gewählten Mitgl.; 17 Sitze für Nat. Bewegung des Volkes, 17 für Vereinigter Nat.-Kongr., 2 für Allianz für den Nat. Wiederaufbau (Wahl von 1995)
Internet	http://www.tidco.co.tt
Bevölkerung	
Religion	Christen (59%); Hindus (24%); Muslime (6%); Sonst. (11%)
Ethn. Gruppen	Inder (40%); Schwarze (40%); Mischl. (18%); Sonst. (2%)
Wirtschaft und Soziales	

Dienstleistung	53,0%	Urbanisierung	71,8%
Industrie	44,9%	Einwohner/km²	261
Landwirtschaft	2,1%	Bev.-Wachstum/Jahr	1,2%
BSP/Kopf	4250 $ (1997)	Kindersterblichkeit	1,5%
Inflation	5,6% (1998)	Alphabetisierung	97,9%
Arbeitslosigkeit	15,8% (1997)	Einwohner pro Arzt	1191

Tschad

Afrika, Karte S. 533, C 3

Im September 1998 griff der T. auf Seiten der Regierung im Bürgerkrieg der Demokratischen Republik Kongo ein. Mehrere hundert Soldaten unterstützten Regierungschef Laurent-Desiré Kabila gegen die Hutu-Rebellen. die Führung im T. wollte eine Destabilisierung der Region verhindern.
Die Demokratisierung des Vielvölkerstaats T. machte 1998/99 kaum Fortschritte. Seit 1996 sind Mehrparteiensystem, Gewaltenteilung und bürgerliche Grundrechte zwar in der Verfassung verankert, doch gab es zahlreiche Fälle von Pressezensur.
Von der Ausbeutung seiner Ölvorkommen, mit der im Jahr 2000 im großen Stil begonnen werden soll, erhofft sich der T., einer der ärmsten Staaten der Welt, einen wirtschaftlichen Aufschwung. Die meisten Bohrrechte wurden an Auslandsfirmen vergeben. Mit einigen lag die Regierung im Streit über zu erwartende Umweltbelastungen durch die Ölförderung, da das Fördergebiet im Süden zugleich das fruchtbarste Land des T. ist.

Tschad Republik Tschad	
Landesfläche	1,28 Mio km² (WR 20)
Einwohner	6,89 Mio (WR 92)
Hauptstadt	N'Djaména (531 000 Einwohner)
Sprachen	Französisch, Arabisch
Währung	CFA-Franc (FCFA)
Zeit	Mitteleuropäische Zeit
Gliederung	14 Präfekturen, 53 Unterpräf.
Politik	
Staatsform	Präsidiale Republik (seit 1962)
Regierungschef	Nassour Guelengdoussia Ouaido (seit 1997)
Staatspräsident	Idriss Déby (seit 1990) *1952
Parlament	Nationalversamml. mit 125 für vier Jahre gewählten Mitgl.; 55 Sitze für Patriot. Rettungsbewegung, 31 für Union für Erneuerung u. Demokratie, 15 für Nationalunion für Demokratie u. Erneuerung (UNDR), 24 für Sonst. Wahl: 1997
Bevölkerung	
Religion	Muslime (53,9%); Christen (34,7%); Animisten (11,4%)
Ethn. Gruppen	Sara (27,7%); Sudan-Araber (12,3%); Mayo-Kebbi (11,5%); Kanem-Bornu (9%); Ouaddai (8,7%); Sonstige (30,8%)
Wirtschaft und Soziales	

Dienstleistung	33,5%	Urbanisierung	21%
Industrie	17,7%	Einwohner/km²	5
Landwirtschaft	48,8%	Bev.-Wachstum/Jahr	2,66%
BSP/Kopf	230 $ (1997)	Kindersterblichkeit	11,2%
Inflation	ca. 15% (1997)	Alphabetisierung	47%
Arbeitslosigkeit	k. A.	Einwohner pro Arzt	27 765

Tschechien

Europa, Karte S. 529, D 5

Nach dem Wahlsieg der Sozialdemokraten (CSSD) im Juni 1998 gestaltete sich in T. die Bildung einer mehrheitsfähigen Regierung schwierig. Trotz intensiver Bemühungen fand Parteichef Milos Zeman keinen Koalitionspartner und bildete ein Minderheitskabinett. Als bedeutender Schritt nach Europa wurde in T. der Beitritt zur Nato im März 1999 empfunden.

Innenpolitik: Seit Ende Juli 1998 ist Zeman Chef der sozialdemokratischen Minderheitsregierung. Bei den Wahlen war seine Partei CSSD mit 32,2% zwar stärkste Kraft geworden, doch verfügte sie nicht über eine regierungsfähige Mehrheit im Parlament. Christdemokraten (KDU-CSL) und rechtsliberale Freiheitsunion (US) sperrten sich gegen die Koalitionsangebote. Ein Zusammengehen mit den Kommunisten lehnte Zeman ab. Schließlich erklärte sich

die konservative Demokratische Bürgerpartei (ODS) des früheren Ministerpräsidenten Vaclav Klaus zur Tolerierung einer sozialdemokratischen Regierung bereit. Als Gegenleistung unterstützte die CSSD die Kandidatur von Klaus für das einflussreiche Amt des Parlamentspräsidenten. Neuer Außenminister wurde Jan Kavan, ein angesehener Wissenschaftler und Diplomat sowie ehemals aktives Mitglied der Bürgerrechtsbewegung Charta 77.

Senatswahlen: Einen Dämpfer mussten die regierenden Sozialdemokraten bei den Teilwahlen zum Senat im November 1998 hinnehmen. Sie gewannen nur drei der 27 zur Wahl stehenden Sitze und verfügen seitdem im Senat über 23 von 81 Mandaten. Die ODS gewann 9 Sitze (insgesamt 26) in dem Gremium hinzu, das kaum über politischen Einfluss verfügt. Die extrem niedrige Wahlbeteiligung von rund 20% ließ nur geringe Rückschlüsse vom Ergebnis auf die politische Stimmung in T. zu.

Kulturkampf: Im Januar 1999 verschärften sich die Spannungen zwischen katholischer Kirche und Regierung. Kardinal Miloslav Vlk sperrte sich u. a. gegen die Aufnahme von Kommunisten in eine Kommission zur Klärung von Streitfragen. Auf der anderen Seite warfen Regierungsmitglieder den katholischen Würdenträgern mangelnde Loyalität gegenüber dem Staat vor. Bei der seit Jahren andauernden Auseinandersetzung geht es vor allem um die Rückgabe von Kirchengütern und den gesellschaftlichen Einfluss der katholischen Kirche u. a. auf das Bildungswesen.

Präsident: Anfang 1999 erlitt der gesundheitlich stark angeschlagene Staatspräsident Vaclav Havel einen weiteren Popularitätsverlust in der Bevölkerung. Gründe waren u. a. seine oft scharfe Kritik an gesellschaftlichen Entwicklungen in T., die seinen Vorstellungen von einer zivilen Bürgergesellschaft entgegenlaufen sowie Polemik gegen die Kompetenz der Parteien.

Außenpolitik: Am 12.3.1999 trat T. zusammen mit Polen und Ungarn der Nato bei. Dieser Schritt wurde von der überwiegenden Mehrheit der Bevölkerung und den meisten Politikern als wichtige Etappe zur europäischen Integration begrüßt. T. bringt in das Verteidigungsbündnis eine Armee von 64000 Mann, 938 Panzer und 114 Kampfflugzeugen ein.

Tschechien Tschechische Republik	
Landesfläche	78 884 km² (WR 114)
Einwohner	10,22 Mio (WR 75)
Hauptstadt	Prag (1,22 Mio Einwohner)
Sprachen	Tschechisch, Slowakisch
Währung	1 Tschechische Krone = 100 Haleru
Zeit	Mitteleuropäische Zeit
Gliederung	Gemeinden
Politik	
Staatsform	Parlamentarische Republik (seit 1993)
Regierungschef	Milos Zeman (seit Juli 1998) *28.9.1944
Staatspräsident	Václav Havel (seit 1993) *5.10.1936
Parlament	Kammer mit 200 für vier Jahre gewählten und Senat mit 81 für sechs Jahre gewählten Mitgliedern; 74 Sitze (Senat: 23) für Sozialdemokraten (CSSD), 63 (26) für konservative ODS, 24 (4) für Kommunisten, 20 (17) für Christdemokraten (KDU-CSL), 19 für Freiheitsunion (US), 0 (9) für Sonstige (Wahl vom Juni 1998/November 1996)
Internet	http://www.vlada.cz; http://www.psp.cz
Bevölkerung	
Religion	Katholiken (39,0%); Protestanten (4,3%); Griechisch-Orth. (0,1%); Sonst. (16,7%); Konfessionslose (39,9%)
Nationalitäten	Tschechen (94,4%); Slowaken (3,1%); Polen (0,6%); Deutsche (0,5%); Ungarn (0,2%); Sonst. (1,2%)
Wirtschaft und Soziales			

Wirtschaft und Soziales			
Dienstleistung	33%	Urbanisierung	65%
Industrie	61%	Einwohner/km²	131
Landwirtschaft	6%	Bev.-Wachstum/Jahr	-0,11%
BSP/Kopf	5240 $ (1997)	Kindersterblichkeit	0,6%
Inflation	10,7% (1998)	Alphabetisierung	99%
Arbeitslosigkeit	7,5% (1998)	Einwohner pro Arzt	270

Sudetendeutsche: Wenige Tage zuvor hatte Ministerpräsident Zeman Deutschland besucht. Bundeskanzler Gerhard Schröder (SPD) erklärte, dass Deutschland keine Ansprüche auf Eigentum von nach dem Zweiten Weltkrieg vertriebenen Sudetendeutschen in T. erheben werde. Davon unberührt seien allerdings Bemühungen von Privatpersonen um Rückerstattung enteigneter Besitztümer. Solche Forderungen lehnte die tschechische Führung jedoch strikt ab. Hinsichtlich der Benesch-Dekrete von 1945, welche die Enteignung der Sudetendeutschen politisch sanktioniert hatten, erklärte Zeman, dass die Gültigkeit einer Reihe nach 1945 erlassener Gesetze erloschen sei.

Dreierpakt: Ende Oktober 1998 vereinbarten die Außenminister von T., Polen und Ungarn in Budapest, den Visegrad-Prozess, d. h. die politische Zusammenarbeit der drei Staaten, wieder zu intensivieren. Die Kooperation der drei Reformstaaten war 1991 vereinbart, wegen Differenzen hinsichtlich der politischen Akzentsetzung ab Mitte der 90er Jahre aber vernachlässigt worden. Gemeinsam wollen sich die drei Länder verstärkt um Integration in die EU bemühen.

Wirtschaft: 1998/99 steckte die Wirtschaft in T. weiterhin in einer tiefen Rezession. Das BIP sank 1998 um 2,6%; für 1999 wurde mit einem weiteren Rückgang von etwa 1% gerechnet. Damit hat sich der Abstand T., einst Spitzenreiter der postkommunistischen Reformstaaten, zu Polen und Ungarn weiter verringert. Arbeitslosigkeit und Inflation stiegen 1998 auf Werte von 7,5% bzw. rund 10%. Zur Ankurbelung der Konjunktur senkte die Nationalbank im Januar 1999 die Leitzinsen, den Diskontsatz um 1,5 auf 6% und den Lombardsatz um 2,5 auf 10%. Der im Januar 1999 mit den Stimmen der Sozialdemokraten sowie der oppositionellen Christdemokraten und Kommunisten verabschiedete Haushalt enthält erstmals seit Gründung T. (1993) ein Defizit, das auf etwa 1,7 Mrd DM angesetzt wurde.

Angesichts der wirtschftlichen Krise sanken die Aussichten T. auf einen baldigen EU-Beitritt. EU-Experten bemängelten u. a. den weiterhin hohen Staatsanteil an Unternehmen sowie Grund und Boden und das laxe Vorgehen gegen die Korruption. Von den 20 größten Unternehmen wurden 1998 lediglich drei nicht mehr vom Staat kontrolliert.

Tunesien

Afrika, Karte S. 533, C 1

Im Hinblick auf die für Ende 1999 geplanten Parlaments- und Präsidentschaftswahlen in T. forderten die Oppositionsparteien Sozialistische Demokraten und Kommunisten Reformen. 1998/99 protestierten sie gegen Repressionen und Behinderung ihrer Arbeit durch die von der RCD (Rassemblement Constitutionnel Démocratique) kontrollierten Behörden und die Polizei.

Wirtschaft: Am 1.3.1999 trat ein Assoziierungsabkommen zwischen T. und der EU in Kraft, das u. a. die Senkung der Zollsätze für die Ein- und Ausfuhr von Waren und Dienstleistungen zwischen T. und den EU-Mitgliedstaaten vorsieht. Kritiker des Abkommens befürchteten einen Anstieg des Handelsbilanzdefizites und der Arbeitslosigkeit in T., da aufgrund der geringen tunesischen Produktivität nach Senkung der Zollschranken die Importe aus der EU die Exporte weit übersteigen könnten. Die Inflation in T. lag bei gut 3%, die Arbeitslosigkeit sank geringfügig auf 15,6%.

Tunesien	Tunesische Republik	
Landesfläche	Fläche 163 610 km² (WR 89)	
Einwohner	9,5 Mio (WR 79)	
Hauptstadt	Tunis (1,8 Mio Einwohner)	
Sprachen	Arabisch, Französisch u. a.	
Währung	1 Tunes. Dinar = 1000 Millimes	
Zeit	Mitteleuropäische Zeit	
Gliederung	23 Gouvernorate	
Politik		
Staatsform	Präsidiale Republik (seit 1959)	
Regierungschef	Hamed Karoui (seit 1989) *30.12.1927	
Staatspräsident	Zain al-Abidin Ben Ali (seit 1987) *3.9.1936	
Parlament	Nationalversammlung mit 163 für fünf Jahre gewählten Abgeordneten; 144 Sitze für Sozialisten, 10 für Sozialistische Demokraten, 4 für Kommunisten, 3 für Panarabische Unionisten, 2 für Radikale Reformer (Wahl von 1994)	
Internet	http://www.ministeres.tn	
Bevölkerung		
Religion	Sunnitische Muslime (99,4%); Sonstige (0,6%)	
Ethn. Gruppen	Araber (98,2%); Berber (1,2%); Sonstige (0,6%)	
Wirtschaft und Soziales		
Dienstleistung	62,7%	**Urbanisierung**	57%
Industrie	25,6%	**Einwohner/km²**	57
Landwirtschaft	11,7%	**Bev.-Wachstum/Jahr**	1,8%
BSP/Kopf	2110 $ (1997)	**Kindersterblichkeit**	3,0%
Inflation	3,1% (1998)	**Alphabetisierung**	66,7%
Arbeitslosigkeit	15,6% (1997)	**Einwohner pro Arzt**	1640

Türkei

Nahost, Karte S. 534, B 1

Innenpolitik: Am 29.6.1999 wurde PKK-Chef Abdullah Öcalan im Prozess auf der Gefängnisinsel Imrali wegen Hochverrat zum Tode verurteilt. Im Juni 1999 bildete Bülent Ecevit eine Koalitionsregierung aus seiner Demokratischen Linkspartei (DSP), der rechtsextremen Partei der Nationalistischen Bewegung (MHP) und der konservativen Mutterlandspartei (Anap) des früheren Regierungschefs Mesut Yilmaz. Bei der Parlamentswahl im April 1999 erhielt die DSP mit 22,2% die meisten Stimmen. Auf die Nationalistische Aktionspartei (MHP) entfielen 18,1%. Große Verliererin war die Republikanische Volkspartei (CHP) unter ihrem Vorsitzenden Deniz Baykal, die mit 8,7% der Stimmen an der 10%-Hürde scheiterte. Die CHP schaffte erstmals nicht den Sprung in die Nationalversammlung. Deutliche Verluste mussten auch die rechtskonservative Mutterlandspartei (Anap; 13,6%, –6 Prozentpunkte) und die Partei des Rechten Weges (DYP, 12,1%, –7) der ehemaligen Premierministerin (1993–96) Tansu Ciller hinnehmen. Die islamistische Tugendpartei erreichte nur 15,3%, was in laizistischen Kreisen (z. B. dem Militär), die eine zunehmende Islamisierung der T. befürchteten, für Erleichterung sorgte. Das Ergebnis der Wahlen wurde als Beweis für die Unzufriedenheit der Bevölkerung mit jenen drei Parteien gewertet, die seit dem Militärputsch von 1980 die türkische Politik bestimmt hatten (Anap, DYP, CHP).

Parlamentskrise: Die Neuwahlen vom April 1999 waren ein Jahr vor dem regulären Ende der Legislaturperiode notwendig geworden, weil 314 der 528 Abgeordneten im türkischen Parlament im November 1998 dem konservativen Ministerpräsidenten Mesut Yilmaz das Vertrauen entzogen hatten. Die Opposition beantragte das Misstrauensvotum wegen angeblicher Unregelmäßigkeiten bei der Privatisierung der staatseigenen Türkbank. Yilmaz wurde vorgeworfen, bei der Veräußerung des Geldinstitutes den Bauunternehmer und Medienmogul Korkmaz Yigit begünstigt zu haben. Die von Yilmaz 1997 gebildete Minderheitsregierung aus Anap, Demokratischer Türkei-Partei (DTP) und DSP war auf Stimmen der CHP angewiesen, die wegen der Korruptionsvorwürfe ihre Unterstützung für Yilmaz aufkündigte.

Kopftuchstreit: Bei der konstituierenden Sitzung des neuen Parlamentes forderten Abgeordnete der DSP Merve Kavakci von der Tugendpartei auf, das Parlament zu verlassen, weil sie mit einem Kopftuch erschienen war. Zugleich wurde gegen sie ein Verfahren wegen Volksverhetzung eingeleitet. Die Generalstaatsanwaltschaft der T. beantragte im Mai 1999 das Verbot der Tugendpartei mit der Begründung, dass sie eine Neugründung der 1998 für illegal erklärten islamischen Wohlfahrtspartei sei. Für das einflussreiche Militär und die weltliche Elite der T. gilt das Kopftuch als Symbol des politischen Islam, dessen Ausbreitung in Staat und Gesellschaft sie bekämpfen.

Kurdenpolitik: Im März 1999 veröffentlichte die türkische Regierung einen Plan zur Entwicklung der Kurdengebiete im Osten und Südosten Anatoliens sowie anderer rückständiger Regionen. Danach werden 1999 und 2000 insgesamt 200 Mio DM für Investitionen bereitgestellt, durch die 100 000 neue Arbeitsplätze entstehen sollen.

Türkei Republik Türkei	
Landesfläche	774 815 km² (WR 36)
Einwohner	63,76 Mio (WR 17)
Hauptstadt	Ankara (2,7 Mio Einwohner)
Sprachen	Türkisch, Kurdisch
Währung	1 Türkische Lira (TL) = 100 Kurus
Zeit	Mitteleuropäische Zeit +1
Gliederung	76 Provinzen
Politik	
Staatsform	Parlamentarische Republik (seit 1982)
Regierungschef	Bülent Ecevit (seit 1999) *28.5.1925
Staatspräsident	Süleyman Demirel (seit 1993) *6.10.1924
Parlament	Große Nationalversammlung mit 550 für fünf Jahre gewählten Abgeordneten; 158 Sitze für Wohlfahrtspartei (Refah), 85 für Partei des Rechten Weges, 86 für Mutterlandspartei (Anap), 136 für Demokratische Linkspartei, 49 für Republikanische Volkspartei, 7 für Große Unionspartei (Wahl von 1999)
Internet	http://www.basbakanlik.gov.tr http://www.tbmm.gov.tr
Bevölkerung	
Religion	Sunnitische Muslime (80%); Aleviten (19,8%); Christen (0,2%)
Ethn. Gruppen	Türken (92%); Kurden (6,2%); Araber (1,4%); Sonst. (0,4%)

Wirtschaft und Soziales			
Dienstleistung	49,7%	**Urbanisierung**	70%
Industrie	35,2%	**Einwohner/km²**	82,1
Landwirtschaft	15,1%	**Bev.-Wachstum/Jahr**	1,45%
BSP/Kopf	3130 $ (1997)	**Kindersterblichkeit**	4,5%
Inflation	83,9% (1998)	**Alphabetisierung**	81,6%
Arbeitslosigkeit	6,8% (1998)	**Einwohner pro Arzt**	1176

☪ Türkei: Parlamentswahlen seit 1991

	1991 % (Sitze)	1995 % (Sitze)	1999 % (Sitze)
Rechtskonservativ			
Mutterlandspartei (Anap)	24,0 (115)	19,6 (133)	13,6 (86)
Partei des Rechten Weges (DYP)	27,0 (178)	19,1 (135)	12,1 (85)
Sozialdemokratisch			
Demokratische Linkspartei (DSP)	10,8 (7)	14,6 (75)	22,2 (136)
Republikanische Volkspartei (CHP)	20,8[1] (88)	10,7 (49)	8,7 (–)
Nationalistisch			
Nationalistische Aktionspartei (MHP)	–	8,1 (–)	18,1 (129)
Islamistisch			
Wohlfahrtspartei/Tugendpartei	16,8 (62)	21,3 (158)	15,3 (111)
Prokurdisch			
Demokr. Partei des Volkes (HADEP)	–	4,1 (–)	4,6 (–)

1) SHP (Sozialdemokratische Volkspartei) schloss sich am 18.2.1999 der CHP an

Die Versorgung mit Wasser und Strom soll verbessert, das Schul- und Gesundheitswesen ausgebaut, der Mittelstand unterstützt, die Handwerksausbildung gefördert und der Straßenbau vorangetrieben werden. Die türkische Regierung betonte, dass der Plan in keinem Zusammenhang mit der Festnahme des PKK-Führers Abdullah Öcalan im Februar 1999 in Nairobi (Kenia) stehe.

Menschenrechte: Im Januar 1999 verbot der türkische Justizminister Hasan Denizkurdu in einem Runderlass den Jungfäulichkeitstest und bezeichnete ihn als unvereinbar mit der Menschenwürde. Der Jungfräulichkeitstest, für den es in der T. ohnehin keine gesetzliche Grundlage gab, wurde häufig von Schuldirektoren und Heimleitern angeordnet. Mit dem entsprechenden Testergebnis konnten sie Disziplinarmaßnahmen wie den Ausschluss aus der Schule rechtfertigen. Dies führte 1998/99 zu zahlreichen Selbstmorden, insbes. in den anatolischen Kleinstädten.

Außenpolitik: Im November kündigte die T. an, ihre Beziehungen zur EU wieder aufzunehmen. Hintergrund war eine Empfehlung der EU-Kommission, in der die T. als Kandidat für einen Beitritt zur EU erwähnt wurde. Die T. hatte im Dezember 1997 den politischen Dialog mit der EU abgebrochen, weil ihr Beitrittswunsch abgelehnt worden war. Dadurch hatten sich auch die deutsch-türkischen Beziehungen verschlechtert, weil die türkische Regierung Deutschland die Schuld für die Weigerung gab.

Wirtschaft: Die türkische Volkswirtschaft wurde 1998/99 durch die Finanzkrise in dem wichtigen Handelspartnerstaat Russland belastet. Wegen des ökonomischen Vertrauensverlustes in die gesamte Region musste die türkische Zentralbank die Zinsen erhöhen, um ausländisches Kapital im Land zu halten. Das hohe Zinsniveau führte im vierten Quartal 1998 zu einem Konjunktureinbruch, insbes. in der Industrieproduktion und im Bausektor, sodass das BIP 1998 lediglich um 2,8% stieg (1997: 7,3%). Die Inflationsrate blieb 1998 mit 84,6% fast auf dem gleichen Niveau wie im Vorjahr (85,8%), obwohl die Rohstoffpreise sanken und die türkische Regierung sich bei der Erhöhung staatlich festgelegter Preise zurückhielt.

Subventionen: Zur Reduzierung der Staatsausgaben forderte der Internationale Währungsfonds (IWF) von der türkischen Regierung, die Subventionen im Agrarbereich zu reduzieren. Allein für die Stützung der Einkaufspreise für Zuckerrüben und Getreide wurden 1998 2,8 Mrd US-Dollar ausgegeben. Darüber hinaus verlangte der IWF eine Fortsetzung des umfangreichen Privatisierungsprogramms, das Gewerkschaften 1998 vor Gericht zu verhindern suchten. Ein Verwaltungsgericht setzte im Oktober 1998 den Verkauf von 51% der Petrol Ofisi an ein privates Konsortium aus, weil durch die Privatisierung Arbeitsplätze gefährdet seien.

Turkmenistan	Republik Turkmenistan
Landesfläche	488100 km² (WR 51)
Einwohner	4,32 Mio (WR 116)
Hauptstadt	Aschgabad (517000 Einwohner)
Sprachen	Turkmenisch
Währung	1 Manat = 100 Tenge
Zeit	Mitteleuropäische Zeit +4
Gliederung	4 Provinzen u. Hauptstadtbezirk
Politik	
Staatsform	Präsidiale Republik (seit 1991)
Regierungschef	Separmurad Nijasow (seit 1990) *19.2.1940
Staatspräsident	Separmurad Nijasow (seit 1990) *19.2.1940
Parlament	Versammlung mit 50 für fünf Jahre gewählten Abgeordneten; 50 Sitze für Demokratische Partei (DPT, Wahl von 1994)
Internet	http://www.turkmenistan.org
Bevölkerung	
Religion	Sunnitische Muslime
Ethn. Gruppen	Turkmenen (73,3%); Russen (9,8%); Usbeken (9%); Kasachen (2%); Aseri (0,8%); Sonst.(5,1%)

Wirtschaft und Soziales			
Dienstleistung	20%	Urbanisierung	45%
Industrie	38%	Einwohner/km²	9
Landwirtschaft	42%	Bev.-Wachstum/Jahr	1,6%
BSP/Kopf	640 $ (1997)	Kindersterblichkeit	5,5%
Inflation	ca. 992 % (1996)	Alphabetisierung	97,7%
Arbeitslosigkeit	k. A.	Einwohner pro Arzt	274

Turkmenistan
Asien, Karte S. 535, B 3

Im Dezember 1998 verließ die US-amerikanische Unocal, ein 2 Mrd US-Dollar-Konsortium, das eine Gaspipeline von T. über Afghanistan nach Pakistan bauen wollte. Von der Verbindung erhoffte sich die Führung in T., seine Gasvorkommen, die Anfang 1999 auf ca. 3 Trillionen m³ geschätzt wurden (die global viertgrößten Reserven), auf dem Weltmarkt besser verkaufen zu können. Die turkmenische Regierung konzentrierte ihre Anstrengungen danach auf die geplante transkaspische Pipeline, die quer durch das Binnenmeer Gas über Aserbaidschan bis in die Türkei und nach Europa liefern soll. Der turkmenische Präsident Separmurad Nijasow unterzeichnete im Februar 1999 mit US-Unternehmen ein Memorandum, in dem der Bau einer rund 2000 km langen Pipeline nach Erzerum in die Türkei festgelegt wurde. Die Bauzeit soll 28 Monate, die Investitionssumme rund 3,1 Mrd US-Dollar betragen. Bis 1999 musste T. seine jährlich rund 23 Mrd m³ Gas durch das russische Gasprom-Netz transportieren.

Tuvalu	
Landesfläche	26 km² (WR 189)
Einwohner	10000 (WR 191)
Hauptstadt	Vaiaku (4000 Einwohner)
Sprachen	Tuvalu, Englisch
Währung	1 Australischer Dollar (A$) = 100 Cents
Zeit	Mitteleuropäische Zeit +11
Gliederung	9 Atolle
Politik	
Staatsform	Konstitutionelle Monarchie im Commonwealth (seit 1978)
Regierungschef	Bikenibeu Paeniu (seit 1996) *1956
Staatspräsident	Königin Elizabeth II. (seit 1978) *21.4.1926
Parlament	mit 13 Mitgliedern, 12 für vier Jahre gewählt; keine politischen Parteien, traditionelle Familien- und Sippenverbände (Wahl vom März 1998)
Bevölkerung	
Religion	Christen (98,5%): Protestanten 96,9%, Adventisten 1,4%, Katholiken 0,2%; Bahai (1%); Sonstige (0,5%)
Nationalitäten	Polynesier (91,2%); Europäer (1%); Sonstige (7,8%)

Wirtschaft und Soziales			
Dienstleistung	58,5%	Urbanisierung	46%
Industrie	19,3%	Einwohner/km²	385
Landwirtschaft	22,2%	Bev.-Wachstum/Jahr	1,4%
BSP/Kopf	k. A.	Kindersterblichkeit	k. A.
Inflation	k. A.	Alphabetisierung	95%
Arbeitslosigkeit	k. A.	Einwohner pro Arzt	1152

Tuvalu
Ozeanien, Karte S. 537, F 3

Im August 1998 verkaufte T. für etwa 80 Mio DM jährlich an die kanadische Marketing-Firma Information.ca die Rechte an dem Adressen-Code, der T. im weltumspannenden Datennetz Internet zugewiesen wurde. Mit der sog. Domain, einem Länderkürzel, kann jedes Land Internet-Adressen zur Verfügung stellen (Deutschland: ».de«). Die auf T. herrschenden Familien und Sippen wollen mit dem Verkauf der Domain von der Knappheit an Internet-Adressen profitieren. Während es 1999 unter dem Dach großer Domains wie der von Deutschland nur noch wenig Platz für neue Internet-Adressen gab, hatte T. als winziges Entwicklungsland kaum Bedarf an eigenen Internet-Adressen. Die Einnahmen aus dem Verkauf sollen zum Ausbau des Bildungs- und Gesundheitswesens verwendet werden. Darüber hinaus sollen Maßnahmen ergriffen werden, welche die Existenz von T. für den Fall sichern, dass der Meeresspiegel weiter ansteigt, wodurch die T.-Inseln überschwemmt werden könnten.

Uganda

Afrika, Karte S. 533, E 4

Aus Ruanda stammende Hutu-Extremisten überfielen im März 1999 eine Hotelanlage im Touristenzentrum Bwindi und entführten 31 ausländische Touristen. Acht Geiseln wurden später von den Rebellen mit Buschmessern ermordet.

Innenpolitik: Bei den Opfern handelte es sich um vier Frauen und vier Männer aus Großbritannien, Neuseeland und den USA. Die übrigen Geiseln wurden nach zwei Tagen von der ugandischen Armee befreit. Dabei wurden zahlreiche Entführer getötet. Angeblich wollten sich die Rebellen mit dieser Aktion an Großbritannien und den USA rächen, weil diese Staaten die Tutsi-Regierung in Ruanda unterstützten.

Anfang April 1999 drohte die Rebellenorganisation Nationale Union/Armee zur Befreiung Ugandas (NALU) in Briefen an ausländische Botschaften mit weiteren Anschlägen auf westliche Ausländer. Mehrere Hilfsorganisationen zogen daraufhin ihr Personal aus den betroffenen Gebieten im Westen von U. zurück.

Für die Tourismus-Branche, die zu einem wichtigen Wirtschaftsfaktor ausgebaut werden soll, bedeuteten die Geiselnahme und die Drohung mit weiteren Attentaten einen Rückschlag.

Ab Herbst 1998 häuften sich in U. Fälle von Pressezensur und Repressionen gegen Oppositionspolitiker. Der autoritär regierende Präsident Yoweri Museveni bildete Anfang April 1999 die Regierung um. Mit der Entlassung von Ministerpräsident Kintu Musoke und acht seiner Minister reagierte er auf vom Parlament erhobene Korruptionsvorwürfe gegen die Regierung. Damit entspannte sich das Verhältnis zwischen Präsident und Parlament. Zahlreiche Abgeordnete forderten eine Reform des von Museveni kontrollierten politischen Systems, in dem Parteien zwar nicht verboten sind, aber in ihrer Arbeit stark behindert werden.

Außenpolitik: Truppenverbände von U. griffen im September 1998 in den Bürgerkrieg im Kongo (Zaire) auf Seiten von Staatschef Laurent-Desiré Kabila ein, der sich gegen Hutu-Rebellen zur Wehr setzen muss. Daraufhin gab es in der ugandischen Hauptstadt Kampala mehrere Bombenanschläge von Hutu-Rebellen.

Uganda Republik Uganda	
Landesfläche	241 038 km² (WR 77)
Einwohner	21,32 Mio (WR 48)
Hauptstadt	Kampala (954 000 Einwohner)
Sprachen	Englisch, Swahili, Luganda
Währung	1 Uganda-Shilling (USh) = 100 Cents
Zeit	Mitteleuropäische Zeit +2
Gliederung	4 Regionen, 38 Distrikte
Politik	
Staatsform	Präsidiale Republik (seit 1967)
Regierungschef	Kintu Musoke (seit 1994) *8.5.1938
Staatspräsident	Yoweri K. Museveni (seit 1986) *1943
Parlament	Nationalversammmlung mit 276 Mitgliedern; 156 Sitze für Nationale Widerstandsbewegung (NRM), 62 für best. Bevölkerungsgruppen und Organisationen, 52 für Sonst.; Parteien nicht zugelassen (Wahl vom Juni 1996)
Internet	http://www.ugandaweb.com/ugaembassy
Bevölkerung	
Religion	Christen (78,3%): Katholiken 49,6%, Protestanten 28,7%; Muslime (6,6%); Sonstige (15,1%)
Ethn. Gruppen	Ganda (17,8%); Teso (8,9%); Nkole (8,2%); Soga (8,2%); Gisu (7,2%); Sonstige (49,7%)

Wirtschaft und Soziales			
Dienstleistung	36,9%	Urbanisierung	12,5%
Industrie	13,5%	Einwohner/km²	89
Landwirtschaft	49,6%	Bev.-Wachstum/Jahr	2,85%
BSP/Kopf	330 $ (1997)	Kindersterblichkeit	10,7%
Inflation	6% (1997)	Alphabetisierung	61,8%
Arbeitslosigkeit	k. A.	Einwohner pro Arzt	20720

Wirtschaft: Die marktwirtschaftlichen Reformen kamen 1998/99 ins Stocken. Bei der Privatisierung größerer Staatsbetriebe gab es zahlreiche Fälle von Korruption, wodurch die Schaffung eines leistungsfähigen Privatsektors mit Investoren aus dem Ausland erschwert wurde. 80% der ugandischen Bevölkerung leben von der Landwirtschaft. Die drei wichtigsten landwirtschaftlichen Ausfuhrgüter (Kaffee, Tee und Baumwolle) stellten fast 80% des Gesamtexports.

Im August 1998 wurde am Viktoriasee, dem zweitgrößten Süßwassersee der Erde, eine Anlage zur Verarbeitung von Wasserhyazinthen in Betrieb genommen. Das aufwändige Projekt verfolgt das Ziel, durch maschinelle Kompostierung aus den Pflanzen Methangas als Ersatz für Holzkohle und Diesel zu gewinnen. Darüber hinaus soll die Hyazinthenplage bekämpft werden, die seit Jahren den Fischfang behindert, durch Verstopfung der Wasserkraftwerke die Stromversorgung beeinträchtigt und das Trinkwasser für rund 25 Mio. Seeanwohner verunreinigt.

Ukraine
Europa, Karte S. 529, F 5

Im Vorfeld der im Oktober 1999 anstehenden Präsidentschaftswahlen veränderte sich die Parteienlandschaft in der U.

Innenpolitik: Im Februar 1999 spaltete sich die national-konservative Oppositionspartei Ruch, die seit den Wahlen vom März 1998 die größte Oppositionspartei ist. Eine Mehrheit ihrer Abgeordneten sprach dem Parteichef Tschernowil wegen seiner autoritären Führung das Misstrauen aus. Zum neuen Parteivorsitzenden wurde der gemäßigte Juri Kostenko gewählt. Die Ruch forderte eine stärkere Anlehnung an Westeuropa und marktwirtschaftliche Reformen.

Nominierung: Trotz schwerer Korruptionsvorwürfe wurde im Januar 1999 der frühere Regierungschef Pawlo Lasarenko von der Mitte-Links-Partei Hromada als Präsidentschaftskandidat nominiert. Lasarenko war im Juli 1997 nach Korruptionsvorwürfen als Premier von Walerij Pustowoijtenko abgelöst worden. Im November 1998 wurde Lasarenko in der Schweiz unter dem Vorwurf der Geldwäsche festgenommen. Obwohl er verdächtigt wurde, während seiner Amtszeit mehr als 20 Mio US-Dollar ins Ausland verschoben zu haben, kam er nach wenigen Wochen wieder frei und kehrte in die U. zurück. Als ihm dort im Februar 1999 die parlamentarische Immunität entzogen wurde, setzte er sich vorübergehend nach Griechenland ab.

Außenpolitik: Fehlende Fortschritte im Demokratisierungsprozess führten 1998/99 zu verstärkten Spannungen der U. mit den Staaten der EU. Im Mai 1999 drohte der Kontroll-Ausschuss des Europarats mit dem Ausschluss der U. aus dem Gremium, in das die U. erst 1995 aufgenommen worden war. Der Europarat kritisierte, dass die U. die Todesstrafe noch nicht abgeschafft und das Strafrecht nicht reformiert hat. Daneben bemängelte er die fehlende Gewaltenteilung in der U. und die Defizite im Minderheitenschutz. Der Europarat räumte dem Parlament in Kiew eine Frist bis Ende Juni 1999 ein, um die geforderten Verfassungs- und Gesetzesänderungen vorzunehmen. Eine Mitgliedschaft im Europarat ist trotz geringer Machtbefugnisse insbes. bei vielen Nachfolgestaaten der Sowjetunion begehrt, weil sie einen ersten Schritt zur Integration in die EU bedeuten kann.

Russland: Das Verhältnis der U. zu Russland entspannte sich durch einen Freundschafts- und Kooperationsvertrag, der im Februar 1999 in Kraft trat. Mit der Ratifizierung durch den russischen Föderationsrat verzichtete Moskau endgültig auf die Krim und den Schwarzmeerhafen Sewastopol.

Wirtschaft: 1998/99 hielt die schwere Wirtschaftskrise in der U. an. Verschärft wurde sie ab September 1998 durch die Auswirkungen der Währungs- und Finanzkrise in Russland, dem wichtigsten Handelspartner der U. 1998 gingen rund 25% des Exports nach Russland, der russische Anteil an den ukrainischen Einfuhren (vor allem Öl und Gas) betrug rund 60%. Im September 1998 verlor die nationale Währung (Hrywna) rund 35% ihres Wertes gegenüber dem US-Dollar. Im Februar 1999 beschloss die ukrainische Regierung eine weitere Abwertung von 25%. Das BIP schrumpfte 1998 um 1,7%. Für 1999 wurde mit einem weiteren Rückgang der Wirtschaftsleistung um rund 1% gerechnet. Die Inflation lag bei rund 20%, während die

Ukraine Republik Ukraine	
Landesfläche	603 700 km² (WR 43)
Einwohner	51,22 Mio (WR 23)
Hauptstadt	Kiew (2,64 Mio Einwohner)
Sprachen	Ukrainisch, Russisch
Währung	1 Hrywna = 100 Kopeken
Zeit	Mitteleuropäische Zeit +1
Gliederung	24 Regionen, Hauptstadtbezirk und autonome Krimrepublik
Politik	
Staatsform	Präsidialrepublik (seit 1991)
Regierungschef	Walerij Pustowojtenko (seit 1997)
Staatspräsident	Leonid Kutschma (seit 1994) *1938
Parlament	Oberster Rat mit 450 für vier Jahre gewählten Abgeordneten; 113 Sitze für Kommunisten, 46 für Ruch, 44 für Sozialisten, 28 für Nationaldemokraten, 26 für Sozialdemokraten, 23 für Hromada, 19 für Grüne, 151 für Sonstige (Wahl vom März 1998)
Internet	http://www.rada.gov.ua
Bevölkerung	
Religion	Ukrainisch-Orthodoxe; Griechisch-Katholische; Russisch-Orthodoxe; Römisch-Katholische
Nationalitäten	Ukrainer (72,7%); Russen (22,1%); Weißrussen (0,9%); Rumänen (0,6%); Polen (0,4%); Sonstige (3,3%)

Wirtschaft und Soziales			
Dienstleistung	40,7%	**Urbanisierung**	70%
Industrie	37,8%	**Einwohner/km²**	83
Landwirtschaft	21,5%	**Bev.-Wachstum/Jahr**	
BSP/Kopf	1040 $ (1997)	**Kindersterblichkeit**	1,9%
Inflation	20,0% (1998)	**Alphabetisierung**	98,8%
Arbeitslosigkeit	3,7% (1998)	**Einwohner pro Arzt**	224

Arbeitslosigkeit nach offiziellen Angaben Anfang 1999 bei nur 3,7% lag.

Staatsverschuldung: Ein zentrales Problem ist die hohe Staatsverschuldung von rund 12 Mrd US-Dollar. Um die Schulden bedienen zu können, ist die U. auf ausländische Hilfe angewiesen. Der Internationale Währungsfonds (IWF) weigerte sich im November 1998, der U. wegen Missachtung von Absprachen weitere Kredite zu gewähren. So unterzeichnete Präsident Leonid Kutschma entgegen einer Vereinbarung mit dem IWF ein Gesetz, das landwirtschaftliche Betriebe für zwei Jahre von der Land- und Umsatzsteuer befreit.

Mangelnde Steuerdisziplin: Der ukrainische Staatshaushalt litt 1998/99 stark unter mangelnder Steuerdisziplin der Unternehmen. Die ukrainische Regierung kündigte an, die Steuerbasis zu erweitern. Im Herbst 1998 griffen die Behörden zu rigiden Mitteln der Steuereintreibung und beschlagnahmten u. a. Luxuskarossen von Firmenchefs.

Tschernobyl: Trotz internationaler Proteste ging im März 1999 nach längeren Reparaturarbeiten Block 3 des Atomkraftwerks Tschernobyl wieder ans Netz. Die U. be-

Ukraine: Wirtschaftswachstum[1]

Jahr	BIP (%)
1998	−1,7
1997	−3,2
1996	−10,0
1995	−11,8

1) BIP (%); Quelle: bfai

gründete diese Entscheidung mit dem Energiemangel, unter dem das Land seit den 90er Jahren leidet.

Privatisierung: Im Februar 1999 unterzeichnete Präsident Kutschma ein erweitertes Privatisierungsprogramm, das die marktwirtschaftliche Umstrukturierung der Wirtschaft beschleunigen soll. Für 1999 war die Privatisierung von 455 Groß- und Mittelunternehmen sowie von 5500 Kleinbetrieben geplant. Die Regierung erhoffte sich davon Erlöse in Höhe von rund 225 Mio US-Dollar.

Bodenerwerb: Im Februar 1999 trat ein Gesetz zur Förderung unternehmerischer Initiative in Kraft, das es Unternehmern erlaubt, den Grund und Boden zu kaufen, auf dem ihr Betrieb steht.

Ungarn

Europa, Karte S. 529, E 6

Der neugewählte rechtsliberale Ministerpräsident Viktor Orbán (Bund der Jungdemokraten-Ungarische Bürgerpartei, Fidesz-MPP) begann im Sommer 1998 seine Amtszeit mit energischen Maßnahmen gegen die organisierte Kriminalität, die Korruption und die Verschwendung öffentlicher Mittel.

Innenpolitik: So legten Innenminister Sandor Pinter und Justizministerin Ibolya David einen Maßnahmenkatalog zur Verbrechensbekämpfung vor, der neben Umbesetzungen in der Polizeiführung auch schärfere Einreisekontrollen an den Grenzen zu den osteuropäischen Nachbarstaaten vorsah. 170 Bombenanschläge von 1989–98 in U. werden auf den Kampf ungarischer, albanischer, arabischer und russischer Gruppen um die Macht in den Bereichen Prostitution, Glücksspiel, Drogenhandel sowie Zigaretten- und Waffenschmuggel zurückgeführt.

Der frühere Regierungschef Gyula Horn trat ab Anfang 1999 wieder verstärkt in die

Ungarn Republik Ungarn		
Landesfläche	93 032 km² (WR 109)	
Einwohner	93,3 Mio (WR 80)	
Hauptstadt	Budapest (1,91 Mio Einwohner)	
Sprachen	Ungarisch	
Währung	1 Forint (Ft) = 100 Filler	
Zeit	Mitteleuropäische Zeit	
Gliederung	19 Komitate, 5 Stadtbezirke, 1 Hauptstadtdistrikt	
Politik		
Staatsform	Parlamentarische Republik (seit 1989)	
Regierungschef	Viktor Orbán (seit Juni 1998) *31.5.1963	
Staatspräsident	Árpád Göncz (seit 1990) *10.2.1922	
Parlament	Nationalversammlung mit 386 für vier Jahre gewählten Abgeordneten; 148 Sitze für Jungdemokraten-Bürgerpartei, 134 für Sozialisten, 48 für Kleinlandwirte-Partei, 24 für Freidemokraten, 32 für Sonstige (Wahl vom Mai 1998)	
Bevölkerung		
Religion	Katholiken(64,1%), Protestanten (23,3%), Sonstige (12,6%)	
Ethn. Gruppen	Ungarn (97,8%); Roma (1,4%); Sonstige (0,8%)	
Wirtschaft und Soziales		
Dienstleistung	63%	Urbanisierung	65%
Industrie	30%	Einwohner/km²	109,6
Landwirtschaft	7%	Bev.-Wachstum/Jahr	0,56%
BSP/Kopf	4510 $ (1997)	Kindersterblichkeit	1,0%
Inflation	14,3% (1998)	Alphabetisierung	99%
Arbeitslosigkeit	7,8% (1998)	Einwohner pro Arzt	344

Öffentlichkeit auf. Er kritisierte die ungarische Regierung wegen ihres angeblich aggressiven Führungsstils. Zugleich bemühte sich Horn innerhalb seiner Sozialistischen Partei (MSZP) um die Durchsetzung eines gemäßigten Kurses. Mehrfach sprach er sich für eine Annäherung der Sozialisten an die konservative Partei der Kleinlandwirte aus, die derzeit mit der Fidesz eine Regierungskoalition bildet.

Außenpolitik: Im März 1999 unterzeichnete der ungarische Außenminister Janos Martonyi in Washington (USA) die Dokumente für den Beitritt von U. zur NATO. Das ungarische Parlament hatte im Februar 1999 mit 330 Ja- bei 13 Nein-Stimmen und einer Enthaltung seine Zustimmung gegeben. Wenige Tage nach dem Beitritt begann die NATO ihre Luftschläge gegen Jugoslawien, wobei U. seinen Luftraum für NATO-Flugzeuge öffnete und mehrere Flughäfen zur Verfügung stellte. Der Krieg im Nachbarland Jugoslawien war für U. insofern von großer Bedeutung, als 1998 in der serbischen Provinz Vojvodina ca. 300 000 Ungarn lebten. U. hielt sich mit der Unterstützung dieser Minderheit, etwa in Hinblick auf größere

Autonomie, zurück, um die Spannungen auf dem Balkan nicht zusätzlich zu verschärfen. Im Oktober 1998 verabredeten U., Polen und Tschechien, zukünftig halbjährliche Konsultationen abzuhalten und die Zusammenarbeit zu intensivieren. Die Staaten, die einen Beitritt zur EU anstreben, vereinbarten, sich bei ihrer Annäherung an den Westen gegenseitig zu unterstützen und ihre Interessen gegenüber der EU gemeinsam zu vertreten.

Wirtschaft: 1998 verzeichnete die ungarische Wirtschaft trotz negativer Auswirkungen der Finanzkrise in Russland ein BIP-Wachstum von 5,1% (1997: 4,6%). Der private Konsum stieg um 3,8 %, die Exporte nahmen um 16%, die Importe um 22% zu. Mit einem Haushaltsdefizit von 6,8 % des BIP wurde der offizielle Zielwert von 4,9 % allerdings deutlich verfehlt. 1999 soll das Defizit bei 4% liegen. Die Inflation sank 1998 von 18,3% (1997) auf 14,3% und erreichte in den ersten Monaten 1999 erstmals einstellige Werte. Die Arbeitslosigkeit lag 1998 bei 9,1% (1997: 10,4%). 1999 will U. wieder das Wirtschaftsvolumen von 1989 erreichen. Für 1999 wird ein BIP-Wachstum von knapp 4%, für 2000 von 4,5% erwartet.

Uruguay Republik östlich des Uruguay	
Landesfläche	177 414 km² (WR 88)
Einwohner	3,24 Mio (WR 127)
Hauptstadt	Montevideo (1,31 Mio Einwohner)
Sprachen	Spanisch
Währung	1 Peso Uruguayo
Zeit	Mitteleuropäische Zeit −4
Gliederung	19 Departamentos
Politik	
Staatsform	Präsidiale Republik (seit 1967)
Regierungschef	Julio María Sanguinetti (seit 1995) *6.1.1936
Staatspräsident	Julio María Sanguinetti (seit 1995) *6.1.1936
Parlament	Senat mit 31 und Abgeordnetenhaus mit 99 für fünf Jahre gewählten Mitgliedern; 31 Sitze (Senat: 11) für Colorados, 31 (10) für Blancos, 17 (4) für Asamblea Uruguay, 7 (2) für Sozialisten, 13 (4) für Sonstige (Wahl vom November 1994)
Bevölkerung	
Religion	Katholiken (66%), Protestanten (2%); Sonstige (32%)
Ethn. Gruppen	Europäische Abstammung (86%); Mestizen (8%); Mulatten/Schwarze (6%)

Wirtschaft und Soziales			
Dienstleistung	68,5%	**Urbanisierung**	90%
Industrie	22,6%	**Einwohner/km²**	18,2
Landwirtschaft	8,9%	**Bev.-Wachstum/Jahr**	0,6%
BSP/Kopf	6130 $ (1997)	**Kindersterblichkeit**	1,8%
Inflation	9% (1998)	**Alphabetisierung**	97,1%
Arbeitslosigkeit	12% (1998)	**Einwohner pro Arzt**	282

Uruguay

Südamerika, Karte S. 531, D 6

Die Volkswirtschaft von U. wurde 1998 von den Krisen in den Nachbarstaaten Argentinien und Brasilien in Mitleidenschaft gezogen. Das BIP, das 1997 um 5% gestiegen war, wuchs 1998 nur noch um 2,4%. Überdurchschnittlich stieg die Wirtschaftsleistung dagegen im Dienstleistungsbereich (+21%) und im Baugewerbe (+13,6%). Seit den 90er Jahren versuchen die Regierungen in U., trotz teilweise massiver Proteste der Bevölkerung die Staatsverschuldung zu reduzieren, die Verwaltung zu verschlanken und die Sozialsysteme zu reformieren. 1998 führten die Umgestaltungen zu einer Reduzierung des Haushaltsdefizites auf 1,5% des BIP (zum Vergleich Deutschland: 2,1%). Durch die Sparmaßnahmen verringerte sich seit den 90er Jahren kontinuierlich die Inflationsrate. Nach 128% im Jahr 1990 betrug sie 1998 nach Schätzungen nur noch 8,6%; es war die geringste Teuerungsrate seit 1954. Die uruguayische Regierung will die Inflation 1999 weiter auf ca. 5% drücken.

USA

Nordamerika, Karte S. 530

US-Präsident Bill Clinton wurde im Februar 1999 nach monatelangen Ermittlungen wegen Justizbehinderung im Amtsenthebungsprozess freigesprochen. Die Wirtschaft der USA setzte 1998/99 ihren Aufschwung fort.

Innenpolitik: Im Februar 1999 endete im Senat ein Amtsenthebungsprozess gegen US-Präsident Bill Clinton mit Freispruch. Von den 100 Senatoren hielten 45 Clinton für schuldig, im Zusammenhang mit seiner sexuellen Affäre mit der Praktikantin Monica Lewinsky Meineid begangen zu haben; 50 Senatoren stimmten der Anklage im Vorwurf zu, dass Clinton die Justiz bei ihren Ermittlungen behindert habe. Für eine Amtsenthebung wäre jedoch jeweils eine Zweidrittelmehrheit erforderlich gewesen.

Kongresswahlen: Im November 1998 erzielte die Demokratische Partei bei den Zwischenwahlen zum US-Kongress leichte Zugewinne. Die Republikaner verloren im Repräsentantenhaus fünf ihrer 228 Sitze an die Demokraten (von 206 auf 211 Sitze). Erstmals seit der Regierungszeit des Demokraten Franklin D. Roosevelt (1933–45) gewann die Partei des Präsidenten bei den Zwischenwahlen Sitze. Im Senat mit zwei Vertretern je Bundesstaat blieb die Mandatsverteilung unverändert (Republikaner: 55, Demokraten: 45). Das Ergebnis der Wahlen wurde als Absage der Bevölkerung an den Versuch der Republikaner gewertet, Clinton durch eine Amtsenthebung zu stürzen.

Massaker an Schule: Im April 1999 erschossen zwei Schüler im Alter von 18 Jahren in der Columbine High School in Littleton bei Denver (Colorado) 13 Menschen, zündeten zahlreiche Sprengkörper und legten Zeitbomben. 20 Menschen wurden bei dem Amoklauf teilweise schwer verletzt. Danach nahmen sich die Schüler, die beide der gut situierten Mittelschicht entstammten, das Leben. Die Tat belebte in den USA die Diskussion über die liberalen Waffengesetze und die Verherrlichung von Gewalt in den US-Medien. Lehrerverbände und wissenschaftliche Institutionen kritisierten den Waffenkult und betonten, dass Gewalt in den Medien häufig als bestes Mittel zur Konfliktlösung dargestellt werde. Anhänger der Waffenlobby entgegneten, dass Gewalt an

USA	Vereinigte Staaten von Amerika
Landesfläche	9 363 520 km² (WR 4)
Einwohner	273,75 Mio (WR 3)
Hauptstadt	Washington D.C. (567 000 Einw.)
Sprache	Englisch
Währung	1 US-Dollar (US-$) = 100 Cents
Zeit	Mitteleuropäische Zeit -6
Gliederung	50 Bundesstaaten und Hauptstadtdistrikt
Politik	
Staatsform	Präsidiale Bundesrepublik (seit 1787)
Regierungschef	Bill Clinton (seit 1993) *19.8.1946
Staatspräsident	Bill Clinton (seit 1993) *19.8.1946
Parlament	Kongress aus Senat mit 100 für sechs Jahre u. Repräsentantenhaus mit 435 für zwei Jahre gewählten Mitgliedern; 223 Sitze (Senat: 55) für Republikaner, 211 (45) für Demokraten, 1 Unabh. (Wahl vom Nov. 1998)
Internet	http://www.whitehouse.gov; http://www.house.gov http://www.senate.gov
Bevölkerung	
Religion	Christen (85,3%): Protestanten 57,9%, Katholiken 21%, Sonstige 6,4%; Juden (2,1%); Muslime (1,9%); Sonstige (10,7%)
Ethn. Gruppen	Weiße (73,7%); Schwarze (12,0%); Hispano-Amerikaner (10,3%); Asiaten (3,3%); Indianer, Inuit, sonstige Ureinwohner (0,7%)

Wirtschaft und Soziales			
Dienstleistung	75,4%	Urbanisierung	76,2%
Industrie	22,7%	Einwohner/km²	27
Landwirtschaft	1,9%	Bev.-Wachstum/Jahr	1%
BSP/Kopf	29 080 $ (1997)	Kindersterblichkeit	0,7%
Inflation	2,2% (1998)	Alphabetisierung	85%
Arbeitslosigkeit	4,5% (1998)	Einwohner pro Arzt	381

Amtsenthebung (Impeachment)

▶ **Rechtsausschuss:** Ein Rechtsausschuss des Parlamentes aus 37 Mitgliedern prüft, ob die gegen einen Präsidenten erhobenen Vorwürfe für ein Amtsenthebungsverfahren ausreichen. Dabei führt der Ausschuss Anhörungen (Hearings) und Zeugenbefragungen durch. Danach kann er Anklagepunkte für ein Impeachment aufstellen.

▶ **Repräsentantenhaus:** Das Repräsentantenhaus berät als Art Untersuchungsgericht die Anklagepunkte, die der Rechtsausschuss ihm vorgelegt hat. Die 435 Abgeordneten stimmen am Ende der Beratungen über die Einleitung des Amtsenthebungsverfahrens ab, wobei eine einfache Mehrheit genügt.

▶ **Senat:** Wenn das Repräsentantenhaus einem Amtsenthebungsverfahren zustimmt, führt der Senat unter Vorsitz des obersten Bundesrichters den Prozess durch. Die 100 Senatoren gelten als Geschworene. Für eine Amtsenthebung des Präsidenten bedarf es einer Zweidrittelmehrheit unter den Senatoren.

▶ **Geschichte:** Außer Bill Clinton gab es unter den 42 Präsidenten der Vereinigten Staaten zwei weitere, denen eine Absetzung durch den Kongress drohte: 1868 fehlte im Senat eine Stimme zur notwendigen Zweidrittelmehrheit für die Absetzung des Demokraten Andrew Johnson. Ihm wurde vorgeworfen, seinen Kriegsminister ohne vorherige Erlaubnis des Senates entlassen und damit ein Gesetz gebrochen zu haben. 1974 kam der Republikaner Richard Nixon einem Amtsenthebungsverfahren durch Rücktritt zuvor. Nixon wurde nachgewiesen, vom Einbruch ins Wahlkampfquartier der Demokraten im Washintoner »Watergate Hotel« gewusst und Ermittlungen gegen seine engsten Mitarbeiter behindert zu haben.

🏳️ USA: Mehrheitsverhältnisse im Kongress

	Repräsentantenhaus Demokr.	Republ.	Senat Demokr.	Republ.	Präsident (Partei)
1961–63	262	175	64	36	John F. Kennedy (Demokrat)
1963–65	258	176	67	33	Lyndon B. Johnson (Demokrat)
1965–67	295	140	68	32	Lyndon B. Johnson (Demokrat)
1967–69	248	187	64	36	Lyndon B. Johnson (Demokrat)
1969–71	243	192	58	42	Richard Nixon (Republikaner)
1971–73	255	180	54	44	Richard Nixon (Republikaner)
1973–75	242	192	56	42	Richard Nixon (Republikaner) bis 1974
1975–77	291	144	61	37	Henry Ford (Republikaner) ab 1974
1977–79	292	143	61	38	Jimmy Carter (Demokrat)
1979–81	277	158	58	41	Jimmy Carter (Demokrat)
1981–83	242	192	46	53	Ronald Reagan (Republikaner)
1983–85	269	166	46	54	Ronald Reagan (Republikaner)
1985–87	253	182	47	53	Ronald Reagan (Republikaner)
1987–89	258	177	55	45	Ronald Reagan (Republikaner)
1989–91	260	175	55	45	George Bush (Republikaner)
1991–93	267	167	56	44	George Bush (Republikaner)
1993–95	258	176	57	43	Bill Clinton (Demokrat)
1995–97	204	230	48	52	Bill Clinton (Demokrat)
1997–99	206	228	45	55	Bill Clinton (Demokrat)
1999–2001	211	223	45	55	Bill Clinton (Demokrat)

US-Schulen nicht im Zusammenhang mit der Verbreitung von Handfeuerwaffen stehe. Nach amtlichen Schätzungen besaßen 1998 rund 25% der US-Amerikaner eine Waffe. Insgesamt waren 223 Mio Schusswaffen in Privatbesitz; das entsprach statistisch fast einer Waffe pro Einwohner. Nach dem seit 1993 geltenden Waffengesetz muss zwar ein lizensierter Händler, der eine Schusswaffe verkauft, den Namen des Kunden der örtlichen Polizei melden, welche die Daten innerhalb von fünf Tagen kontrollieren soll; diese Vorschrift gilt aber nicht für sog. Gun Shows, Waffenausstellungen, bei denen sich Händler und Käufer der staatlichen Kontrolle entziehen können. Nur in sieben der 50 Bundesstaaten ist das Tragen versteckter Waffen verboten. Bereits 1997/98 waren durch Gewalttaten von Schülern an Lehreinrichtungen in den USA insgesamt 19 Menschen getötet worden. Täter waren meist Schüler, die sich als Außenseiter empfanden und Gewaltphantasien hegten.

Kriminalität: Zum siebten Mal in Folge ging 1998 die Kriminalität in den USA im Vergleich zum Vorjahr zurück: Die Zahl der Morde verringerte sich um 8% auf 6,8 pro 100000 Einwohner. Vergewaltigungsfälle nahmen um 5%, Raubüberfälle um 11%, Autodiebstähle um 10%, Hauseinbrüche und Brandstiftungen um 7% ab. Der Rückgang der Straftaten wurde auf die geringe Arbeitslosigkeit, harte Strafgesetze, stärkere Polizeipräsenz auf den Straßen und bessere Kontrolle des Drogenmarktes zurückgeführt.

Außenpolitik: Im August 1998 griff die US-Luftwaffe Stützpunkte islamistischer Extremisten in Afghanistan und im Sudan an. Es waren Vergeltungsschläge der USA für die Bombenattentate auf die US-amerikanischen Botschaften in Nairobi (Kenia) und Daressalam (Tansania), bei denen im August 1998 insgesamt 257 Menschen getötet worden waren. Die US-Justiz vermutete, dass der saudi-arabische Multimillionär Osama bin Laden, der sich in Afghanistan und im Sudan aufgehalten haben soll, die Anschläge auf die Botschaften geplant und durchgeführt habe. Präsident Clinton ordnete an, alle Guthaben bin Ladens in den USA einzufrieren, und verbot jegliche geschäftlichen Kontakte zu ihm. Der Sudan brach als Konsequenz aus dem Angriff die diplomatischen Beziehungen zu den USA ab. Islamistische Gruppen kündigten Vergeltung an.

Sanktionsgesetz: Im Oktober 1998 verabschiedete der Kongress ein Gesetz, das den Präsidenten ermächtigt, Sanktionen gegen ausländische Staaten zu erlassen, die Religionen verfolgen oder diskriminieren. Die Novelle war vorher vom Weißen Haus erheblich überarbeitet worden, weil sie dem Präsidenten bei der Verhängung von Sanktionen keinen Spielraum ließ. Das verabschiedete Gesetz gesteht dem Staatsoberhaupt zu, auf Strafmaßnahmen zu verzichten, wenn es im nationalen Interesse liegt.

Seilbahn-Prozess: Im März 1999 wurde der US-amerikanische Militärpilot Richard Ashby von der Jury eines Militärgerichtes in North Carolina vom Vorwurf der fahrlässigen Tötung freigesprochen. Ashby war im Februar 1998 in Cavalese (Italien) bei einem Übungsflug unter eine Seilbahn geflogen und hatte mit seiner Maschine das Seil durchtrennt. Beim Absturz einer Gondel starben 20 Menschen. Die italienische Regierung warf den USA vor, den italienischen Justizbehörden das Verfahren mit Bedacht aus den Händen genommen zu haben, um dem Piloten einen Freispruch zu sichern. Im Mai 1999 wurde Ashby von einem Militärgericht für schuldig befunden, ein Privatvideo über das Seilbahnunglück vernichtet und dadurch die Justiz behindert zu haben. Er wurde zu einer Gefängnisstrafe von sechs Monaten verurteilt und unehrenhaft aus der Armee entlassen.

Todesurteile: Im Februar und März 1999 wurden in Florence (Arizona) die beiden deutschen Staatsbürger Karl und Walter LaGrand in der Gaskammer bzw. mit einer Giftspritze hingerichtet. Die Brüder waren wegen Mordes an einem Filialleiter bei einem Banküberfall zum Tode verurteilt worden. Die rot-grüne deutsche Bundesregierung verurteilte die Hinrichtung als völkerrechtswidrig, da die Brüder LaGrand nach Art. 36 des Wiener Konsularabkommens ab ihrer Verhaftung 1982 Anspruch auf juristische Unterstützung durch die

Bundesrepublik Deutschland gehabt hätten. Erst ab 1992 wurden sie durch das deutsche Generalkonsulat beraten. Menschenrechtsorganisationen forderten 1998/99 die Abschaffung der Todesstrafe und kritisierten Rassendiskriminierung, gewaltsame Übergriffe durch die Polizei und menschenunwürdige Zustände in den US-Gefängnissen.

Wirtschaft: Die Volkswirtschaft der USA wuchs trotz ökonomischer Krisen in Südamerika und Ostasien 1998 um 3,8%.

Boom: Der Aufschwung wurde darauf zurückgeführt, dass die US-Wirtschaft nicht vom Außenhandel abhängt (Handelsbilanzsaldo 1998: –231,1 Mrd Dollar). Wichtigste Stütze der Volkswirtschaft war 1998 der private Konsum: Der Umsatz im Einzelhandel stieg um ca. 5% auf 224,7 Mrd Dollar. Im Bausektor nahm die Zahl der 1998 fertig gestellten Ein- und Mehrfamilienhäuser um über 9% auf ca. 1,6 Mio zu. Das günstige Konsumentenklima wurde von der geringen Arbeitslosenquote getragen, die 1998 auf 4,5% sank (1997: 4,9%). Trotz starker Binnennachfrage blieb die Inflationsrate mit 1,6% niedrig (1997: 2,3%).

Haushaltsüberschuss: Als Folge der robusten Konjunktur endete das Fiskaljahr 1998 (1.10.1997–30.9.1998) zum ersten Mal seit 1969 mit einem Haushaltsüberschuss (70 Mrd Dollar). Im Oktober 1998 stritten Präsident Clinton und der von der republikanischen Opposition beherrschte Kongress über die Verwendung des Überschusses. Die Republikaner, die unter ihren Präsidenten Ronald Reagan und George Bush in den 80er Jahren für Rekorddefizite beim Haushalt verantwortlich waren, verlangten weitere Steuersenkungen. Clinton sprach sich dagegen für Investitionen in die Sozialversicherungen, das Bildungswesen und die Umweltpolitik aus. Präsident und Opposition einigten sich auf ein Gesetzespaket, das die Verlängerung von Steuererleichterungen für Selbstständige und Landwirte im Umfang von 9,2 Mrd Dollar vorsieht. Im Gegenzug billigten die Republikaner 1,1 Mrd Dollar für 100 000 neue Lehrstellen, 6 Mrd Dollar für die Farmer in den USA als Ausgleichszahlungen für Ernteeinbußen infolge von Dürren und 1,9 Mrd Dollar für das nationale Institut für Gesundheit. Darüber hinaus beglichen die USA eine ausstehende Zahlung in Höhe von 18 Mrd Dollar an den Internationalen Währungsfonds (IWF).

Usbekistan Republik Usbekistan	
Landesfläche	447 400 km² (WR 55)
Einwohner	24,11 Mio (WR 39)
Hauptstadt	Taschkent (2,2 Mio Einwohner)
Sprachen	Usbekisch, Russisch
Währung	Usbekistan-Sum (U.S.)
Zeit	Mitteleuropäische Zeit +4
Gliederung	12 Provinz., 1 autonome Republik
Politik	
Staatsform	Republik (seit 1991)
Regierungschef	Utkur Sultanow (seit 1995) *1939
Staatspräsident	Islam Karimow (seit 1991) *30.1.1938
Parlament	Nationalversammlung mit 250 für fünf Jahre gewählten Abgeordneten; 69 für Ex-Kommunisten, 14 für Fortschrittspartei, 167 für Unabhängige, islamische Parteien verboten (Wahl vom Dezember 1994/Januar 1995)
Internet	http://www.gov.zu
Bevölkerung	
Religion	Muslime (88%); Russisch-Orthodoxe (9%); Sonstige (3%)
Ethn. Gruppen	Usbeken (73,7%); Russen (5,5); Tadschiken (5,1%); Kasachen (4,2%); Tataren (2%); Sonstige (9,5%)

Wirtschaft und Soziales			
Dienstleistung	34%	Urbanisierung	41%
Industrie	34%	Einwohner/km²	53,5
Landwirtschaft	32%	Bev.-Wachstum/Jahr	1,33%
BSP/Kopf	1020 $ (1997)	Kindersterblichkeit	4,4%
Inflation	30% (1998)	Alphabetisierung	97,2%
Arbeitslosigkeit	0,5% (1998)	Einwohner pro Arzt	280

Vanuatu Republik Vanuatu	
Landesfläche	12 189 km² (WR 155)
Einwohner	182 000 (WR 171)
Hauptstadt	Port Vila (23 000 Einwohner)
Sprachen	Englisch, Französisch, Bislama
Währung	1 Vatu (VT) = 100 Centimes
Zeit	Mitteleuropäische Zeit +10
Gliederung	6 Provinzen
Politik	
Staatsform	Parlamentarische Republik im Commonwealth (seit 1980)
Regierungschef	Donald Kalpokas (seit 1998) *23.8.1943
Staatspräsident	Jean-Marie Leyé (seit 1994) *1942
Parlament	mit 52 für vier Jahre gewählten Abgeordneten; 18 Sitze für Sozialisten (VP), 12 für Konservative (UMP), 11 für Sozialdemokraten (NUP), 11 für Unabhängige (Wahl vom März 1998)
Internet	http://www.vanuatu.net.vu
Bevölkerung	
Religion	Christen (77,2%): Protestanten 62,8%, Katholiken 14,4%; Animisten (4,6%); Sonstige (18,2%)
Ethn. Gruppen	Melanesier (97,9%); Europäer (1%); Sonstige (1,1%)

Wirtschaft und Soziales			
Dienstleistung	66%	Urbanisierung	20%
Industrie	14%	Einwohner/km²	15
Landwirtschaft	20%	Bev.-Wachstum/Jahr	2,07%
BSP/Kopf	1340 $ (1997)	Kindersterblichkeit	3,9%
Inflation	ca. 2,2% (1997)	Alphabetisierung	52,9%
Arbeitslosigkeit	k. A.	Einwohner pro Arzt	14 025

Usbekistan

Asien, Karte S. 535, C 3

Im Februar 1999 wurde auf den usbekischen Präsidenten Islam Karimow ein Bombenanschlag verübt, bei dem neun Menschen getötet und mehr als 130 verletzt wurden. Karimow überlebte das Attentat schadlos, die Täter und ihre Motive blieben unbekannt. Als Urheber wurden islamistische Extremisten vermutet, gegen die usbekische Behörden 1998/99 verstärkt vorgegangen waren (u. a. Gleichschaltung aller Moscheen und Koranschulen). Die Regierung befürchtete, dass extremistische Ideologien aus den Nachbarländern Afghanistan und Tadschikistan auf U. übergreifen könnten. Präsident Karimow verfolgt seit seinem Amtsantritt 1991 eine in der Verfassung von 1992 verankerte sekuläre Staatsidee nach dem Vorbild des türkischen Republikgründers Kemal Atatürk. Eine russische Beteiligung am Mordanschlag auf den Präsidenten wurde nicht vollkommen ausgeschlossen, da U. im Februar 1999 die Absicht erklärt hatte, gegen den Willen der russischen Führung aus dem Sicherheitsabkommen der GUS auszutreten.

Vanuatu

Ozeanien, Karte S. 537, E 4

Zu V. gehören zwölf große und 70 kleinere Inseln. Alle Eilande bis auf Aniwa (eine flache Koralleninsel) sind gebirgige, von Korallenriffen umgebene Vulkanlandschaften. V. hat ein parlamentarisches Regierungssystem, in dem die 50 Abgeordneten den Premierminister wählen. Ein Nationalrat der Häuptlinge (Malvatumari) berät in Fragen der Sitten und Gebräuche. Der Staatspräsident erfüllt vor allem repräsentative Aufgaben.

80% der Einwohner von V. leben von der landwirtschaftlichen Selbstversorgung. Als einziger Staat des Südpazifiks führt V. größere Mengen von Rindfleisch aus. Lediglich mit Kopra erzielt V. jährlich einen höheren Exportwert (5 Mio US-Dollar). Australien, Japan und Neuseeland sind die wichtigsten Handelspartner der Inselgruppe. Da Einkommen und Kapital auf V. steuerfrei sind, entwickelte sich in den 90er Jahren das Bankgeschäft mit mehr als 100 Instituten zu einer wichtigen Einnahmequelle. Viele ausländische Firmen verlegten ihren Sitz nach V.

Vatikanstadt

Europa, Karte S. 529, D 6

Im Juli 1998 wurde der Kommandeur der Schweizergarde, die Leibgarde des Papstes, zusammen mit seiner Frau von einem anderen Schweizergardisten erschossen. Darauf beging der Schütze Selbstmord. Als Gründe für die Tat wurden Missgunst und persönliche Probleme des Täters vermutet. V., der kleinste Staat der Erde, liegt auf dem Hügel Vaticano inmitten von Rom. Sie umfasst als geschlossenes Gebiet den Petersplatz, die Peterskirche, den Apostolischen Palast, die Vatikanischen Museen sowie Versorgungseinrichtungen und Gärten. Weiterhin besitzt der Vatikan in Rom und außerhalb exterritoriale Gebäude und Grundstücke, die aber nicht zum Staatsgebiet gehören (z. B. die Basiliken St. Maria Maggiore und St. Giovanni in Laterano und die päpstliche Sommerresidenz in Castel Gandolfo). Wichtigste Einnahmequelle von V. sind die Erträge aus dem Vermögen, das der Vatikan 1929 als Entschädigung für die Einziehung des Kirchenstaates von Italien erhalten hatte.

Vatikanstadt

Landesfläche	0,44 km² (WR 192)
Einwohner	464 (WR 192)
Hauptstadt	Vatikanstadt
Sprachen	Lateinisch, Italienisch
Währung	Italienische Lira (Lit) = 100 Centesimi
Zeit	Mitteleuropäische Zeit
Gliederung	Gebiet um die Peterskirche, Sommersitz Castel Gandolfo, weitere exterritoriale Gebäude und Grundstücke
Politik	
Staatsform	Souveränes Erzbistum, Wahlmonarchie (seit 1929)
Regierungschef	Kardinalstaatssekretär Angelo Sodano (seit 1991)
Staatspräsident	Papst Johannes Paul II. (seit 1978) * 18.5.1920
Parlament	Papst und Kardinalskollegium
Internet	http://www.vatican.va
Bevölkerung	
Religion	Katholisch (100%)
Ethn. Gruppen	Kirchenbedienstete aus aller Welt
Wirtschaft und Soziales	

Dienstleistung	–	Urbanisierung	100%
Industrie	–	Einwohner/km²	1055
Landwirtschaft	–	Bev.-Wachstum/Jahr	k.A.
BSP/Kopf	k.A.	Kindersterblichkeit	k. A.
Inflation	k.A.	Alphabetisierung	100%
Arbeitslosigkeit	k.A.	Einwohner pro Arzt	k.A.

Venezuela

Südamerika, Karte S. 531, C 1

Im Dezember 1998 wurde der linksnationalistische unabhängige Hugo Chávez mit rund 56% der abgegebenen Stimmen zum neuen Präsidenten von V. gewählt. Auf seinen Herausforderer Salas Römer entfielen ca. 40% der Voten.
Innenpolitik: Chávez fand vor allem bei den Armen von V. Unterstützung, nachdem er im Wahlkampf versprochen hatte, die weit verbreitete Korruption im Land zu bekämpfen. Chávez war bis 1992 Berufsmilitär. Nach einem Putschversuch im Februar 1992, bei dem ca. 40 Menschen ums Leben kamen, wurde er inhaftiert und von dem bisherigen Präsidenten Rafael Caldera begnadigt. In einem Referendum im April 1999 erhielt Chávez 90% der abgegebenen Stimmen für sein Projekt, eine verfassunggebende Versammlung einzuberufen. Die Wahlbeteiligung lag bei 40%.
Chávez plante Mitte 1999, die politischen und rechtlichen Grundlagen von V. vollständig zu erneuern, um wirkungsvoller gegen

Venezuela Republik von Venezuela

Landesfläche	912 050 km² (WR 31)
Einwohner	23,24 Mio (WR 41)
Hauptstadt	Caracas (1,82 Mio Einwohner)
Sprachen	Spanisch, indianische Sprachen
Währung	1 Bolivar (vB) = 100 Céntimos
Zeit	Mitteleuropäische Zeit –5
Gliederung	22 Bundesst., 1 Distrikt, 72 Inseln
Politik	
Staatsform	Präsidiale Bundesrepublik (seit 1961)
Regierungschef	Hugo Chavez (seit 1998) *28.7.1954
Staatspräsident	Hugo Chavez (seit 1998) *28.7.1954
Parlament	Senat mit 48 und Abgeordnetenkammer mit 189 für fünf Jahre gewählten Mitgliedern; 55 (Senat: 17) für Demokratische Aktion, 27 (7) für Christdemokraten, 6 (-) für Radikale Sache, 3 (2) für Nationale Konvergenz, 98 (22) für Sonstige (Wahl vom November 1998)
Bevölkerung	
Religion	Katholiken (90%); Protestanten (8%); Sonstige (2%)
Ethn. Gruppen	Mestizen (67%); Weiße (21%); Schwarze (10%); Indianer (2%)
Wirtschaft und Soziales	

Dienstleistung	49,5%	Urbanisierung	93%
Industrie	45,9%	Einwohner/km²	24,9
Landwirtschaft	4,6%	Bev.-Wachstum/Jahr	2%
BSP/Kopf	3480 $ (1997)	Kindersterblichkeit	2,1%
Inflation	29,6% (1998)	Alphabetisierung	92,2%
Arbeitslosigkeit	10,6% (1997)	Einwohner pro Arzt	576

713

die Korruption vorgehen zu können. Die Opposition warf ihm vor, eine verfassunggebende Versammlung zur Erweiterung seiner Macht nutzen zu wollen. Die neue Verfassung soll dem Präsidenten im Gegensatz zur bisherigen Regelung eine zweite Regierungsperiode ermöglichen. Seine Amtszeit soll von fünf auf sieben Jahre verlängert werden. Chávez hatte vor dem Referendum gedroht, das Parlament aufzulösen und den Ausnahmezustand über das Land zu verhängen, falls seine Kompetenzen nicht erweitert würden.

Im Februar 1999 begann in V. der von Chávez initiierte Plan »Bolívar 2000«. 70 000 Soldaten und 80 000 Beamte wurden beauftragt, im Straßenbau, in der Sozial- und Krankenpflege sowie in der Landwirtschaft auszuhelfen, um die Entwicklung von V. voranzutreiben. Sie sollen in abgelegenen Regionen Straßen reparieren, Feldhospitäler aufbauen, Erntedienste leisten und Straßenkinder unterrichten. Zur Unterstützung des Plans stellte die venezolanische Regierung zunächst rund 350 Mio DM zur Verfügung.

Wirtschaft: Die sinkenden Preise für Erdöl, mit dem V. als drittgrößter Petroleumprodu-zent der Welt rund die Hälfte seines Staatsbudgets deckt, ließen das Haushaltsdefizit 1998 auf 9 Mrd US-Dollar bzw. 9% des BIP ansteigen. Die Wirtschaftsleistung sank 1998 um 0,7%, nachdem sie 1997 um 5,1% gestiegen war.

Um rasche Wirtschaftsreformen einleiten zu können, erhielt Präsident Chávez im Februar 1999 vom Parlament eine Sondervollmacht, die es ihm erlaubt, Maßnahmen mit einer verkürzten Gesetzgebung durchzusetzen. Per Dekret beschloss Chávas die Einführung einer Mehrwertsteuer von 16,5% und einer Kreditsteuer von 0,5%. Die von Chávas ebenfalls beantragten Sondervollmachten zur Refinanzierung der Staatsschulden (23 Mrd US-Dollar) und zur Umstrukturierung des Erdölsektors bewilligte das Parlament nicht. Um die Kaufkraft der Bevölkerung zu erhöhen, ordnete Chávas an, die Löhne der Staatsangestellten um 20% anzuheben, und forderte von den Privatunternehmen, dem Beispiel zu folgen. Die Unternehmer in V. wiesen die Forderung zurück und betonten die Gefahr von Massenentlassungen sowie weiter steigender Inflation (1998: 29,9%).

Vereinigte Arabische Emirate	
Landesfläche	83 600 km² (WR 113)
Einwohner	2,35 Mio (WR 137)
Hauptstadt	Abu Dhabi (363 000 Einwohner)
Sprachen	Arabisch, Engl., Hindi, Urdu, Farsi
Währung	1 Dirham (DH) = 100 Fils
Zeit	Mitteleuropäische Zeit +3
Gliederung	7 Emirate
Politik	
Staatsform	Föderation von sieben Emiraten (seit 1971)
Regierungschef	Scheich Maktum ibn Raschid al-Maktum (seit 1979) *1943
Staatspräsident	Scheich Said ibn Sultan An-Nuhajan (seit 1971) *1918
Parlament	Föderale Nationalversammlung mit 40 Mitgliedern, die von den Oberhäuptern der Emirate für zwei Jahre ernannt werden, beratende Funktion, keine Parteien
Bevölkerung	
Religion	Muslime (94,9%): Sunniten 81,0%, Schiiten 13,9%; Christen (3,8%); Sonstige (1,3%)
Ethn. Gruppen	Araber (87,1); Pakistani, Inder (9,1%); Iraner (1,7%); Belutschen (0,8%); Afrikaner (0,8%); Sonstige (0,5%)

Wirtschaft und Soziales			
Dienstleistung	43%	Urbanisierung	86%
Industrie	55%	Einwohner/km²	31
Landwirtschaft	2%	Bev.-Wachstum/Jahr	4,9%
BSP/Kopf	ca. 17 800 $ (1997)	Kindersterblichkeit	1,6%
Inflation	ca. 4,5% (1998)	Alphabetisierung	83,2%
Arbeitslosigkeit	2,6% (1997)	Einwohner pro Arzt	1042

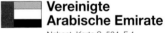

Vereinigte Arabische Emirate

Nahost, Karte S. 534, F 4

Im November 1998 kritisierten die V. die US-amerikanische Rüstungsindustrie, die ihre Waffensysteme mit einer Software ausstatten, welche die Empfänger dauerhaft von Wartung aus den USA abhängig macht. Daher verschoben die Emirate den geplanten Kauf von 80 Kampfflugzeugen des Typs Lockheed-Martin F-16 im Wert von 6,8 Mrd US-Dollar. 1991–98 verkauften die USA an die Golfstaaten Waffen im Wert von rund 40 Mrd US-Dollar (ca. ein Drittel des gesamten US-amerikanischen Waffenexportes).

Im Mai 1999 begann in den V. das Projekt »Delphin«, das mit einem Umfang von 9 Mrd US-Dollar als größte Infrastrukturvorhaben in der Geschichte des Mittleren Ostens gilt. Durch den Bau von Pipelines sollen Voraussetzungen geschaffen werden, dass Katar täglich 3 Mrd Kubikfuß Gas an die V. und an Oman liefern kann. Mit dem Erdgas wollen die V. ihre Industrie diversifizieren, die 1998 stark vom Ölsektor abhing.

Vietnam

Ostasien, Karte S. 536, B 4

Ein schwerer Taifun tötete im November 1998 rund 100 Menschen und machte mehr als zwei Mio Menschen in V. obdachlos. Besonders betroffen waren die Großstädte Danang und Hue, wo 400 000 Häuser zerstört wurden. Der Schaden der Umweltkatastrophe wurde auf 22 Mio US-Dollar geschätzt. Als Folge des Wirbelsturms und einer starken Dürre litten Anfang 1999 etwa 1,5 Mio Menschen insbes. in den nördlichen und zentralen Regionen V. an Hunger.

Die Weltbank erklärte sich im Dezember 1998 bereit, dem Land zur Förderung der wirtschaftlichen Entwicklung und zur Belebung der vietnamesischen Konjunktur ca. 2,7 Mrd US-Dollar zur Verfügung zu stellen. 1998 halbierte sich das Wirtschaftswachstum im Vergleich zum Vorjahr auf 4%. Ausländische Wirtschafts- und Finanzinstitute forderten von der sozialistischen vietnamesischen Regierung eine Beschleunigung der Privatisierung. Über 50% der rund 6000 volkseigenen Betriebe arbeiteten 1998 mit Verlust.

Vietnam	Republik Vietnam		
Landesfläche	331 689 km² (WR 64)		
Einwohner	77,9 Mio (WR 13)		
Hauptstadt	Hanoi (2,16 Mio Einwohner)		
Sprachen	Vietnamesisch		
Währung	1 Dong (D) = 10 Hào = 100 Xu		
Zeit	Mitteleuropäische Zeit +7		
Gliederung	50 Provinzen, 3 Stadtbezirke		
Politik			
Staatsform	Volksrepublik		
Regierungschef	Phan Van Khai (seit Oktober 1997)		
Staatspräsident	Tran Duc Luong (seit Oktober 1997)		
Parlament	Nationalversammlung mit 450 für fünf Jahre gewählten Abgeordneten; 447 Sitze für die von den Kommunistischen Partei und Massenorganisationen dominierten Einheitsliste, 3 für Unabhängige (Wahl vom Juli 1997)		
Bevölkerung			
Religion	Buddhisten (67%); Katholiken (8%); Sonstige (25%)		
Ethn. Gruppen	Vietnamesen (87,1%); Tho (1,8%); Chinesen (1,5%); Thai (1,5%); Khmer (1,4%), Sonst.(6,7%)		
Wirtschaft und Soziales			
Dienstleistung	41,7%	Urbanisierung	21%
Industrie	29,6%	Einwohner/km²	235
Landwirtschaft	28,7%	Bev.-Wachstum/Jahr	1,9%
BSP/Kopf	310 $ (1997)	Kindersterblichkeit	3,8%
Inflation	9,2% (1998)	Alphabetisierung	93%
Arbeitslosigkeit	ca. 6–9% (1997)	Einwohner pro Arzt	2502

Weißrussland

Europa, Karte S. 529, F 4

Staatspräsident Alexander Lukaschenko baute 1998/99 seine autoritäre Herrschaft aus. Die Repressionen gegen oppositionelle Kräfte nahmen zu. Außenpolitisch betrieb W. die Annäherung an Russland, die nach den Vorstellungen der weißrussischen Regierung mittelfristig auf einen Zusammenschluss beider Staaten hinauslaufen soll. Die Wirtschaft von W. entwickelte sich 1998/99 aufgrund hoher staatlicher Subventionen positiv.

Innenpolitik: Im März 1999 wurde 15 Oppositionspolitikern in Minsk der Prozess gemacht, weil sie ohne Genehmigung der Behörden Vorbereitungen für eine Präsidentenwahl getroffen hatten. Ursprünglich sollten die Wahlen im Mai 1999 stattfinden, doch hatte Präsident Lukaschenko 1996 mit undemokratischen Mitteln eine neue Verfassung durchgesetzt und den Wahltermin auf das Jahr 2001 verschoben. Allerdings zeigten Umfragen, dass Lukaschenko auch bei einem früheren Wahltermin klar gewinnen

Weißrussland	Republik Weißrussland (Belarus)		
Landesfläche	207 600 km² (WR 83)		
Einwohner	10,32 Mio (WR 74)		
Hauptstadt	Minsk (1,671 Mio Einwohner)		
Sprachen	Weißrussisch, Russisch		
Währung	1 Weißruss.Rubel = 100 Kopeken		
Zeit	Mitteleuropäische Zeit +1		
Gliederung	6 Regionen und Hauptstadt Minsk		
Politik			
Staatsform	Präsidiale Republik		
Regierungschef	Sergej Ling (seit Februar 1997) *1937		
Staatspräsident	Alexander Lukaschenko (seit 1994) * 30.8.1954		
Parlament	Oberster Sowjet mit 198 Abgeordneten vom Präsidenten im November 1996 nach einem Verfassungsreferendum aufgelöst; stattdessen Abgeordnetenhaus mit 110 Abgeordneten und Oberhaus		
Internet	http://www.president.gov.by		
Bevölkerung			
Religion	Russisch-Orthodoxe (60%); Katholiken (8%); Sonst. (32%)		
Nationalitäten	Weißrussen (77,9%); Russen (13,2%); Sonstige (8,9%)		
Wirtschaft und Soziales			
Dienstleistung	50%	Urbanisierung	71%
Industrie	26%	Einwohner/km²	50
Landwirtschaft	24%	Bev.-Wachstum/Jahr	-0,05%
BSP/Kopf	2150 $ (1997)	Kindersterblichkeit	k. A.
Inflation	70% (1998)	Alphabetisierung	97,9%
Arbeitslosigkeit	2,3% (1998)	Einwohner pro Arzt	282

könnte. Starken Rückhalt hatte der weitgehend diktatorisch regierende Präsident vor allem auf dem Land und bei älteren Menschen, die sich nach den geordneten Verhältnissen in den Zeiten der ehemaligen Sowjetunion zurücksehnten. Die Opposition hatte ihre Anhänger in der jüngeren Stadtbevölkerung.

Medienzensur: Presse und Fernsehen unterlagen 1998/99 in W. einer starken Kontrolle. Oppositionelle Parteien wurden in ihrer Tätigkeit stark behindert. Unter diesen Umständen lehnten es mehrere Parteien, darunter die Sozialdemokraten, ab, im April 1999 an den Kommunalwahlen teilzunehmen. Diese brachten erwartungsgemäß einen Sieg von Gefolgsleuten des Präsidenten. Auch im Parlament saßen nach der verfassungswidrigen Auflösung von 1996 fast ausschließlich Parteigänger von Lukaschenko.

Polnische Minderheit: Gegenüber der rund 180 000 Menschen umfassenden polnischen Minderheit verschärfte Lukaschenko 1999 die Repressionen. Ende April 1999 wurden einige Polen verhaftet, weil sie in Grodno eine Demonstration gegen die Behinderung des polnischen Schulunterrichts und die Schließung mehrerer polnischer Schulen organisiert hatten. Die zunehmende Benachteiligung der polnischen Minderheit führte zu einer Verschlechterung des Verhältnisses zwischen W. und Polen. W. protestierte offiziell bei der polnischen Regierung gegen die Einrichtung eines nach W. ausstrahlenden Oppositionssenders in der ostpolnischen Stadt Bialystok.

Außenpolitik: Ende Dezember 1998 unterzeichneten Lukaschenko und der russische Präsident Boris Jelzin in Moskau eine gemeinsame Deklaration über die weitere Vereinigung Russlands und Weißrusslands. Beide Seiten betonten jedoch, vorerst nicht auf Souveränitätsrechte verzichten zu wollen. Bis Mitte 1999 planten die Staaten weder eine gemeinsame Armee noch eine gemeinsame Währung. Allerdings sprach sich Lukaschenko wiederholt für einen mittelfristigen Beitritt von W. zur Russischen Föderation aus.

Botschaftsstreit: Im sog. Botschaftsstreit mit mehreren westlichen Staaten lenkte Lukaschenko im Dezember 1998 ein. Die weißrussische Regierung sagte zu, rasch neue Botschaftsresidenzen zur Verfügung zu stellen. Die meisten der betroffenen 22 Staaten hatten im Juni 1998 auf die Beschlagnahmung ihrer Residenzen (angeblich aus bauplanerischen Gründen) mit dem Abzug ihrer Botschafter reagiert. Nach der Zusage von Lukaschenko kehrten die westlichen Diplomaten nach W. zurück.

Wirtschaft: W. verzeichnete 1998 eine hohe Wachstumsrate von 8% (1997: 10%). Getragen wurde die BIP-Steigerung vor allem vom Baugewerbe und Transportwesen. Für 1999 rechneten internationale Wirtschafts- und Finanzinstitute mit einem BIP-Wachstum von lediglich 5%. Die Arbeitslosigkeit sank nach offiziellen Angaben auf 2,3% (1997: 2,8%). Allerdings lag die Inflation bei rund 70%.

Rückschlag: Ab September 1998 führte die Wirtschafts- und Finanzkrise in Russland in W. zu einem wirtschaftlichen Rückschlag. Es kam zu Panikkäufen aus Furcht vor einer Abwertung des weißrussischen Rubels, sodass die Regierung Mengenbeschränkungen beim Kauf von Lebensmitteln und Massenkonsumgütern erließ. Dadurch sollte auch die massenhafte Ausfuhr von subventionierten Waren nach Russland verhindert werden.

Staatliche Intervention: Die relativ positiven Zahlen bei Wachstum und Arbeitslosigkeit wurden durch massive Eingriffe und finanzielle Hilfen der Regierung für die Unternehmen erzielt. Dies führte u. a. zu einem Anstieg der Staatsverschuldung und der hohen Inflation. Die Wirtschaft in W. wies stark planwirtschaftliche Strukturen auf. Die Währung wurde durch gesteuerte Wechselkurse überbewertet, wodurch eine permanente Währungskrise verdeckt wurde.

Privatisierung: Die ohnehin schleppende Privatisierungspolitik verlangsamte sich 1998 weiter. Nachdem 1997 rund 570 Unternehmen privatisiert worden waren, waren es 1998 ca. 240. Parallel dazu ging auch das Volumen der ausländischen Direktinvestitionen in W. zurück.

Weißrussland: Wirtschaftswachstum (BIP)[1]	
1998	+8,0
1997	+10,0
1996	+2,6
1995	−10,4

1) in %; Quelle: bfai

Zentralafrikanische Republik

Afrika, Karte S. 533, D 4

Nach dem Abzug der französischen Truppen im April 1998 konnte Präsident Ange-Félix Patassé den Wiederausbruch der Bürgerkriegskämpfe nicht verhindern. Die frühere Kolonialmacht Frankreich hatte 1996 militärisch interveniert, um Stammeskämpfe und Rebellionsversuche von Teilen der Armee zu unterdrücken. Der 1995 eingeleitete Demokratisierungsprozess mit Mehrparteiensystem und Gewaltenteilung machte 1998/99 geringe Fortschritte. Präsident Patassé nutzte seine Stellung (Recht, den Regierungschef abzusetzen und das Parlament aufzulösen, militärischer Oberbefehl), um oppositionelle Kräfte zu unterdrücken.
Der wirtschaftliche Niedergang der Z., mit einem jährlichen Pro-Kopf-Einkommen von rund 320 US-Dollar einer der ärmsten Staaten der Welt, setzte sich 1998 fort. Die Regierung bemühte sich um Kapitalhilfe vom Internationalen Währungsfonds (IWF), um größere Rofstoffvorkomen, vor allem Uran und Erdöl, zu erschließen.

Zentralafrikanische Republik			
Landesfläche	622 984 km² (WR 42)		
Einwohner	3,49 Mio (WR 125)		
Hauptstadt	Bangui (597 000 Einwohner)		
Sprachen	Französisch, Sangho, Bantu		
Währung	CFA-Franc (FCFA)		
Zeit	Mitteleuropäische Zeit		
Gliederung	16 Präfekturen, Hauptstadtbezirk		
Politik			
Staatsform	Präsidiale Republik		
Regierungschef	Anicet Georges Dologuele (seit 1999)		
Staatspräsident	Ange-Félix Patassé (seit 1993) *25.1.1937		
Parlament	Nationalversammlung mit 109 für fünf Jahre gewählten Abgeordneten; 47 Sitze für MLPC, 20 für RDC, 7 für FPP, 2 für PLD, 5 für ADP, 28 für Andere (Wahl vom November/Dezember 1998)		
Bevölkerung			
Religion	Christen (50%): Protestanten 25%, Katholiken 25%; Animisten (24%); Muslime (15%); Sonstige (11%)		
Ethn. Gruppen	Baja (23,7%); Banda (23,4%); Mandija (14,7%); Mbaka (7,6%); Sara (6,9%); Mbum (6,3%); Sonstige (17,4%)		
Wirtschaft und Soziales			
Dienstleistung	29,7%	Urbanisierung	39%
Industrie	16,9%	Einwohner/km²	6
Landwirtschaft	53,4%	Bev.-Wachstum/Jahr	2,02%
BSP/Kopf	320 $ (1997)	Kindersterblichkeit	k. A.
Inflation	0,1% (1997)	Alphabetisierung	60%
Arbeitslosigkeit	k. A.	Einwohner pro Arzt	18660

Zypern

Nahost, Karte S. 534, B 2

Im Juli 1998 spitzte sich der Streit um die geplante Aufstellung von Flugabwehrraketen im Süden der Republik Z. zu. Die türkische Regierung drohte mit einem Militärschlag für den Fall, dass Z. an dem Vorhaben festhalten sollte. Die Türkei fühlte sich durch die von Russland gelieferten Raketen bedroht, die eine Reichweite von 150 km haben. Im Dezember 1998 lenkte Z. auf diplomatischen Druck der EU und der USA ein. Staatspräsident Klerides erklärte den Verzicht auf die Stationierung der Flugabwehrraketen. Z. übergab die Raketen an Griechenland, das sie Anfang 1999 auf Kreta stationierte.
Im türkischen Teil von Z. (Nord-Z.) fanden im Dezember 1998 Parlamentswahlen statt, aus denen die regierende Nationale Einheitspartei mit 40,3% als Siegerin hervorging. Auf die Demokratische Partei entfielen 22,6%. Beide Gruppierungen traten für die Aufrechterhaltung der seit 1974 bestehenden Teilung der Insel ein.

Zypern Republik Zypern			
Landesfläche	9251 km² (WR 160)		
Einwohner	776 000 (WR 154)		
Hauptstadt	Nikosia (177 000 Einwohner)		
Sprachen	Griechisch, Türkisch, Englisch		
Währung	1 Zypern-Pfund (Z£) = 100 Cents		
Zeit	Mitteleuropäische Zeit +1		
Gliederung	Insel de facto geteilt in Zypern u. Türkische Republik Nordzypern		
Politik			
Staatsform	Präsidiale Republik (seit 1960)		
Regierungschef	Glafkos Klerides (seit 1993) * 24.4.1919		
Staatspräsident	Glafkos Klerides (seit 1993) * 24.4.1919		
Parlament	Repräsentantenhaus mit 80 für 5 J. gewählten Abg.; 20 Sitze für Demokr. Samml., 19 für Kommun., 10 für Demokr. Part., 7 für Sonst., 24 für türk. Zyprioten (Wahl v. 1996)		
Bevölkerung			
Religion	Orthodoxe Christen (82%); Sonstige (18%)		
Nationalitäten	Griechische Zyprioten (78%); Türkische Zyprioten (12,3%); Briten (0,8%); Sonstige (8,9%)		
Wirtschaft und Soziales			
Dienstleistung	72,8%	Urbanisierung	67,7%
Industrie	22%	Einwohner/km²	112
Landwirtschaft	5,2%	Bev.-Wachstum/Jahr	0,8%
BSP/Kopf	k. A.	Kindersterblichkeit	0,9%
Inflation	2,5% (1998)	Alphabetisierung	95,2%
Arbeitslosigkeit	3% (1998)	Einwohner pro Arzt	428

■ Bundesländer Deutschland

Der Teil Bundesländer Deutschland enthält Informationen zu den 16 deutschen Ländern. Die Angaben konzentrieren sich auf politische und wirtschaftliche Entwicklungen im Berichtszeitraum August 1998 bis Juli 1999. Jeder Artikel beginnt mit einer Zusammenstellung von Strukturdaten auf dem letztverfügbaren Stand, in Klammern ist die Rangstelle für Fläche und Einwohner innerhalb der Bundesrepublik Deutschland angegeben. Die Nennung von Arbeitslosenquote und Bruttoinlandsprodukt pro Erwerbstätige ermöglicht einen direkten wirtschaftlichen Vergleich aller Bundesländer. Regierungstabellen nennen für jedes Bundesland die Kabinettsmitglieder mit Parteizugehörigkeit, Jahr des Amtsantritts und Geburtsjahr.

Baden-Württemberg

Seit 1996 steht der CDU-Ministerpräsident Erwin Teufel unangefochten an der Spitze einer Koalitionsregierung mit der FDP, die mit zwei Ministern im Kabinett vertreten ist. Getragen von erfolgreicher Landes- und Wirtschaftspolitik in B. fordert Teufel eine Stärkung der Länderkompetenzen, größere Finanzautonomie der Bundesländer und die Änderung des Länderfinanzausgleichs.

Bundespolitik: Nach Angaben von Finanzminister Gerhard Stratthaus (CDU) zahlte B. 1998 für den Länderfinanzausgleich rund 5,7 Mrd DM. Hinzu kamen knapp 1 Mrd DM für den Fonds Deutsche Einheit. Insgesamt erhöhten sich die Zahlungen B. an die ärmeren Bundesländer im Vergleich zum Vorjahr um 1,2 Mrd DM. B. hat, wie auch Bayern und Hessen, Klage vor dem Bundesverfassungsgericht gegen die geltenden Regelungen beim Länderfinanzausgleich erhoben. Die Länder kritisieren, dass der Finanzausgleich u. U. dazu führt, dass die unterstützten einnahmeschwachen Bundesländer, ohne wirtschaftliche Anstrengungen unternommen zu haben, letztlich besser abschneiden als die Geberländer.

Landespolitik: Im Oktober 1998 berief Ministerpräsident Teufel (CDU) vier neue Minister in die Landesregierung. Ausgelöst wurde die ursprünglich für 1999 vorgesehene Kabinettsumbildung durch den Rücktritt des Verkehrs- und Umweltministers Hermann Schaufler (CDU) wegen einer Spendenaffäre. In das neu geschaffene Amt eines Ministers im Staatsministerium berief Teufel Christoph Palmer (CDU), bisher Staatssekretär im Wissenschaftsministerium.

Die Landesregierung kündigte im Mai 1999 an, in den nächsten Jahren 680 Mio DM für die Modernisierung der Polizei aufwenden zu wollen. Außer der Neuanschaffung von Ausrüstung und Fahrzeugen sollen jährlich 450 Stellen des mittleren Polizeidienstes in den höheren Dienst aufgenommen werden.

Finanzen: 1998 blieb die Kreditaufnahme für den Haushalt um 660 Mio DM unter den veranschlagten 2,3 Mrd DM. Die Neuverschuldung lag um fast 40% unter der von 1997. Ihr Anteil an den Gesamtausgaben sank von 5,2% auf 3,1%. Der Anteil der Personalkosten am Haushalt verringerte sich 1998 gegenüber 1997 von 42% auf 41,1%.

Baden-Württemberg

Landesfläche	35 752 km² (Rang 3/D)
Einwohner	10,40 Mio (Rang 3/D)
Hauptstadt	Stuttgart (554 634 Einwohner)
Arbeitslosigkeit	7,1% (1998)
BIP/Erwerbstät.	103 642 (1998)
Regierungschef	Erwin Teufel (CDU)

Parlament Landtag mit 155 für fünf Jahre gewählten Abgeordneten; 69 Sitze für CDU, 39 für SPD, 19 für Bündnis 90/Die Grünen, 14 für FDP, 14 für Republikaner (nächste Wahl: 2001); **http://www.baden-wuerttemberg.de**

Der Etat 1998 wies einen Überschuss von 3 Mio DM aus (1997: −267 Mio DM).
Wirtschaft: Mit einem Zuwachs des BIP von 4,1% stand B. 1998 beim Wirtschaftswachstum vor Niedersachsen und Bayern an der Spitze aller Bundesländer. Umsatzstärkste Industriebranche war der Fahrzeugbau mit knapp 85 Mrd DM vor dem Maschinen- und Anlagenbau mit 80 Mrd DM. Die Arbeitslosenquote betrug 7,1% (1997: 7,8%).
Bildung: Kultusministerin Annette Schavan kündigte im Mai 1999 an, dass Schüler in B. künftig bereits nach zwölf statt nach 13 Jahren das Abitur absolvieren können. Für den verkürzten Durchgang werden an den Schulen spezielle Züge eingerichtet. Die letzten beiden Klassen vor dem Abitur werden von den Schülern des herkömmlichen neunjährigen und des neuen achtjährigen Zuges gemeinsam besucht.

Erwin Teufel
Ministerpräsident von Baden-Württemberg (CDU), * 4.9.1939 in Rottweil. Das Amt des Ministerpräsidenten und den CDU-Landesvorsitz hatte T. 1991 von Lothar Späth übernommen. Seitdem – 1996 trat er seine dritte Amtszeit an – bestimmt der Diplom-Verwaltungsfachwirt die Politik Baden-Württembergs in einer Koalition mit der FDP.

Baden-Württemberg: Regierung

Ressort	Name (Partei, Amtsantritt), Geburtsjahr
Ministerpräsident	Erwin Teufel (CDU,1991), * 1939
Wirtschaft und stellv. Ministerpräs.	Walter Döring (FDP, 1996), * 1954
Inneres	Thomas Schäuble (CDU, 1996), * 1948
Finanzen	Gerhard Stratthaus (CDU,1998), * 1942
Soziales	Friedhelm Repnik (CDU, 1998), * 1949
Justiz	Ulrich Groll (FDP, 1996), * 1950
Kultus, Jugend, Sport	Annette Schavan (CDU, 1995), * 1955
Wissenschaft, Forschung, Kunst	Klaus von Trotha (CDU, 1991), * 1938
Umwelt, Verkehr	Ulrich Müller (CDU, 1998), * 1944
Ländlicher Raum	Gerdi Staiblin (CDU, 1996), * 1942
Staatsministerium	Christoph Palmer (CDU, 1998), * 1962

719

Bayern

Bayern	
Landesfläche	70 552 km² (Rang 1/D)
Einwohner	12,07 Mio (Rang 2/D)
Hauptstadt	München (1,298 Mio Einwohner)
Arbeitslosigkeit	7,0% (1998)
BIP/Erwerbstät.	103 130 DM (1998)
Regierungschef	Edmund Stoiber (CSU)

Parlament Landtag mit 204 für vier Jahre gewählten Abgeordneten; 123 Sitze für CSU, 67 für SPD, 14 für Bündnis 90/Die Grünen (nächste Wahl: 2002); **http://www.bayern.de**

Bayern

Nach dem Sieg der CSU bei der Landtagswahl im September 1998 wurde Edmund Stoiber als bayerischer Ministerpräsident zum zweiten Mal in seinem Amt bestätigt. Bei einer umfangreichen Kabinettsumbildung änderte Stoiber im Oktober 1998 Zuschnitt und Kompetenzen von Ressorts und verringerte die Zahl der Staatssekretäre auf vier. Wichtige Bereiche wie Medienförderung und Telekommunikation wurden dem neuen Minister in der Staatskanzlei, Erwin Huber, unterstellt. Die Aufgaben des Kultusministeriums teilen sich seitdem zwei Ministerien. Der bisherige Kultusminister Hans Zehetmair blieb an der Spitze des Ministeriums für Wissenschaft, Forschung und Kunst; Monika Hohlmeier, die Tochter des früheren bayerischen Ministerpräsidenten Franz Josef Strauß, übernahm das Ministerium für Unterricht und Kultus.

Bundespolitik: Im Mai 1999 brachte B. im Bundesrat eine Gesetzesinitiative mit dem Ziel ein, die umstrittene Neuregelung des 630-DM-Gesetzes rückgängig zu machen. Das neue Bundesgesetz zur Bekämpfung der Scheinselbstständigkeit soll in B. de facto nicht angewandt werden. In einem Brief forderte das bayerische Sozialministerium im Mai 1999 die Krankenkassen und die Landesrentenversicherungsanstalten auf, die Prüfungen von Selbstständigen weiter auf der Basis der alten Regelungen vorzunehmen.

Landespolitik: Die CSU erhielt bei der Landtagswahl am 13.9.1998 52,9% (1994: 52,8%) der Stimmen und konnte die Zahl ihrer Mandate auf 123 (1994: 120) erhöhen. Die SPD erlitt leichte Verluste. Für sie entschieden sich 28,7% (1994: 30,0%) der Wähler. Sie ist im Landtag mit 67 Abgeordneten (1994: 70) vertreten. Bündnis 90/Die

Grünen schafften mit 5,7% (1994: 6,1%) wieder den Einzug ins Parlament, wo sie wie zuvor 14 Abgeordnete stellen. Die erstmals bei einer Landtagswahl angetretenen Freien Wähler scheiterten mit 3,7% ebenso an der Fünf-Prozent-Hürde wie die FDP mit 1,7% (1994: 2,8%) und die Republikaner mit 3,6% (1994: 3,9%).

Finanzen: Der Doppelhaushalt, der im Januar 1999 in den bayerischen Landtag eingebracht wurde, sieht für die Jahre 1999 und 2000 Ausgaben in Höhe von 61,8 Mrd DM und 62,9 Mrd DM vor. Die Nettokreditaufnahme wurde gegenüber 1997 um ein Drittel reduziert. Nach den Plänen der CSU soll der Verzicht auf die jährliche Neuverschuldung als Norm in der bayerischen Verfassung festgeschrieben werden.

Wirtschaft: Mit einem realen Anstieg des BIP um 3,4% (1997: 2,7%) lag B. 1998 an dritter Stelle aller Länder hinter Baden-Württemberg (4,1%) und Niedersachsen (4,0%). Die Arbeitslosenquote sank 1998 auf 7,0% (1997: 7,5%). Die ausländischen Direktinvestitionen in B. erreichten 1998 einen Umfang von 17 Mrd DM. Damit entfielen mehr als die Hälfte aller ausländischen Investitionen in Deutschland auf B.

Edmund Stoiber
Ministerpräsident von Bayern (CSU), * 28.9.1941 Oberaudorf. Der Jurist und Politologe zog mit 33 Jahren in den Bayerischen Landtag ein. 1978 bis 1983 war er CSU-Generalsekretär, die Bayerische Staatskanzlei leitete er 1982 bis 1986. 1988 wurde er Innenminister im Kabinett von Max Streibl, den er 1993 als Regierungschef Bayerns ablöste.

Bayern: Regierung	
Ressort	Name (Partei, Amtsantritt), Geburtsjahr
Ministerpräsident	Edmund Stoiber (CSU, 1993), *1941
Leiter der bayerischen Staatskanzlei	Erwin Huber (CSU, 1998), *1946
Inneres	Günther Beckstein (CSU, 1993), *1943
Justiz	Alfred Sauter (CSU, 1998), *1950
Unterricht, Kultus	Monika Hohlmeier (CSU, 1998), *1962
Wissenschaft, Forschung, Kunst	Hans Zehetmair (CSU, 1986), *1936
Finanzen	Kurt Faltlhauser (CSU, 1998), *1940
Wirtschaft, Verkehr, Technologie	Otto Wiesheu (CSU, 1993), *1944
Ernährung, Landwirtschaft, Forsten	Josef Müller (CSU, 1998), *1947
Arbeit u. Sozialordnung, Familie, Frauen, Gesundheit	Barbara Stamm (CSU, 1994), *1944
Landesentwicklung und Umweltfragen	Werner Schnappauf (CSU, 1998), *1953
Bundes- und Europaangelegenheiten	Reinhold Bocklet (CSU, 1998), *1943

Justiz: Das Bundesverfassungsgericht (BVerfG, Karlsruhe) erklärte im Oktober 1998 Hauptbestimmungen des bayerischen Schwangerschaftshilfe-Ergänzungsgesetzes für verfassungswidrig. So wurde der Passus, nach dem Ärzte nur bis zu einem Viertel ihres Verdienstes aus der Durchführung von Schwangerschaftsabbrüchen erzielen dürfen, für nicht zulässig erklärt. Ferner darf ein Arzt nicht gezwungen werden, einen Abbruch zu verweigern, wenn die Frau ihre Gründe für den Eingriff nicht darlegt.

Kruzifixe sind in den Klassenzimmern staatlicher Schulen in B. nach einem Urteil des Bundesverwaltungsgerichts (Berlin) vom April 1999 erlaubt. Das Gericht bestätigte damit eine Neuregelung im bayerischen Schulgesetz, die B. nach einem BVerfG-Urteil von 1995 vorgenommen hatte.

Bildung: Der Bayerische Landtag beschloss im Februar 1999 mit der absoluten Mehrheit der CSU die schrittweise Einführung der sechsstufigen Realschule bis 2006. Der Wechsel zur Realschule kann, wie bisher der zum Gymnasium, künftig bei entsprechendem Notendurchschnitt schon nach vier (bisher: sechs) Grundschuljahren erfolgen.

Naturkatastrophe: Starke Regenfälle führten im Mai 1999 in Südbayern zu einer Hochwasserkatastrophe, von der 100 000 Menschen betroffen waren. Flüsse traten über die Ufer und überschwemmten rund 12 000 ha Land. Fünf Menschen verloren in den Fluten ihr Leben, der Sachschaden wurde vom Umweltministerium auf über 2 Mrd DM geschätzt.

Berlin

Der von Eberhard Diepgen (CDU) geführte Senat steht angesichts massiver Haushaltsprobleme und einer angespannten Wirtschaftssituation vor erheblichen Problemen. Das vorrangige Ziel der Konsolidierung der öffentlichen Finanzen ist ohne höhere Steuereinnahmen und weitere Hilfen des Bundes nicht zu realisieren. Seit 1995 wird B. von einer großen Koalition aus CDU und SPD regiert. Bei den Wahlen zum Abgeordnetenhaus am 10.10.1999 stehen sich Diepgen (CDU) und der frühere Regierende Bürgermeister Walter Momper (SPD) als Spitzenkandidaten der beiden großen Parteien gegenüber.

Berlin

Landesfläche	892 km² (Rang 14/D)
Einwohner	3,46 Mio (Rang 8/D)
Arbeitslosigkeit	16,1% (1998)
BIP/Erwerbstät.	105 523 DM (1998)
Regierungschef	Eberhard Diepgen (CDU)

Parlament Abgeordnetenhaus mit 206 für vier Jahre gewählten Mitgliedern; 87 Sitze für CDU, 55 für SPD, 34 für PDS, 30 für Bündnis 90/Die Grünen (nächste Wahl: 10.10.1999); **http://www.berlin.de**

Landespolitik: Das Abgeordnetenhaus wählte im November 1998 Finanzsenatorin Annette Fugmann-Heesing (SPD) zur Bürgermeisterin als Nachfolgerin von Arbeitssenatorin Christine Bergmann (SPD), die als Familienministerin in die Bundesregierung wechselte. Zugleich wurden drei Senatorenposten neu besetzt. Wirtschaftssenator für den nach 16 Amtsjahren zurückgetretenen Elmar Pieroth (CDU) wurde dessen bisheriger Staatssekretär Wolfgang Branoner (CDU); Eckart Werthebach (CDU) folgte Jörg Schönbohm, der als Spitzenkandidat der CDU nach Brandenburg wechselte, im Amt des Innensenators. Neue Arbeitssenatorin wurde Gabriele Schöttler (SPD).

Finanzen: Der vom Abgeordnetenhaus im Dezember 1998 verabschiedete Haushaltsentwurf für 1999 sieht Ausgaben in Höhe

Eberhard Diepgen
Regierender Bürgermeister Berlins (CDU),
* 13.11.1941 Berlin.
D. wurde 1991 nach der ersten Gesamtberliner Wahl der Nachkriegszeit Regierungschef. Er führt die große Koalition aus CDU und SPD (1996 erneuert). Bereits 1984–89 war Diepgen als Nachfolger Richard von Weizsäckers (CDU) Regierender Bürgermeister von Berlin/West.

Berlin: Regierung

Ressort	Name (Partei, Amtsantritt), Geburtsjahr
Regierender Bürgermeister	Eberhard Diepgen (CDU, 1991), *1941
Arbeit, Berufl. Bildung und Frauen	Gabriele Schöttler (SPD, 1998), *1953
Bauen, Wohnen, Verkehr	Jürgen Klemann (CDU, 1996), *1944
Finanzen	Annette Fugmann-Heesing (SPD, 1996), *1955
Gesundheit und Soziales	Beate Hübner (CDU, 1996), *1955
Inneres	Eckart Werthebach (CDU, 1998), *1940
Justiz	Ehrhart Körting (SPD, 1997), *1942
Schule, Jugend, Sport	Ingrid Stahmer (SPD, 1996), *1942
Stadtentwicklung, Umweltschutz, Technologie	Peter Strieder (SPD, 1996), *1952
Wirtschaft und Betriebe	Wolfgang Branoner (CDU, 1998), *1956
Wissenschaft, Forschung, Kultur	Peter Radunski (CDU, 1996), *1939

von 42,2 Mrd DM vor, 5,8% weniger als 1997. Die Einnahmen wurden mit 37,6 Mrd DM veranschlagt. 16,5 Mrd DM entfallen auf Steuereinnahmen, hinzu kommen Mittel aus dem Länderfinanzausgleich u. a. Sonderzuweisungen. Der Fehlbetrag im Haushalt soll durch eine Nettokreditaufnahme von 4,1 Mrd DM und durch den Verkauf städtischer Vermögenswerte gedeckt werden.

Wirtschaft: Das Bruttoinlandsprodukt (BIP) sank 1998 gegenüber dem Vorjahr um 0,2%. B. stand damit an letzter Stelle aller Bundesländer. 1997 war noch ein geringer Zuwachs von 0,4% verzeichnet worden. Als Ursache der schlechten Wirtschaftsentwicklung nannte das Statistische Landesamt den Rückgang im produzierenden Gewerbe und in der Bauwirtschaft. Einsparungen im öffentlichen Haushalt dämpften die Nachfrage im staatlichen Sektor. Die Zahl aller Erwerbstätigen sank um 3,3%. Die durchschnittliche Arbeitslosenquote stieg 1998 auf 16,1% (1997: 15,6%).

Verkehr: Im April 1999 einigten sich B. und Brandenburg mit dem Bund über den Bau des neuen Berliner Großflughafens in Schönefeld. Die Gesamtkosten für den Flughafen, der auf Berliner und Brandenburger Gebiet am südöstlichen Rand der Hauptstadt entstehen soll, werden auf 6 Mrd–7 Mrd DM veranschlagt. Der Bau soll überwiegend privat finanziert werden. Die Fertigstellung ist für das Jahr 2007 geplant. Auf dem Flughafen sollen zunächst bis zu 16 Mio Passagiere abgefertigt werden können; diese Kapazitäten sollen später auf 25 Mio Reisende erweitert werden.

Gesellschaft: Im April 1999 eröffnete der Zentralrat der Juden in Deutschland im Leo-Baeck-Haus seinen neuen Sitz in Berlin. Nach 54 Jahren kehrte die Dachorganisation der jüdischen Gemeinden damit wieder nach B. zurück. Der Berliner Senat beschloss im Februar 1999 die Er-

richtung eines Denkmals für den Aufstand vom 17.6.1953 in der DDR. Das Mahnmal soll nach Plänen des Künstlers Wolfgang Rüppel vor dem einstigen Haus der DDR-Ministerien, dem künftigen Bundesfinanzministerium, im Bezirk Mitte entstehen. Das 25 m lange und 4 m breite Denkmal besteht aus einer in den Boden eingelassenen Glasplatte mit einem eingeätzten Foto vom Arbeiteraufstand.

Brandenburg

Die CDU in B. wählte im Januar 1999 den früheren Berliner Innensenator Jörg Schönbohm zum Spitzenkandidaten und Herausforderer von Ministerpräsident Manfred Stolpe (SPD) für die Landtagswahl am 5.9.1999. Stolpe wurde im Juni 1999 von der Landesvertreterversammlung mit 140 von 141 Stimmen zum Spitzenkandidaten seiner Partei nominiert.

Landespolitik: Aus den Kommunalwahlen im September 1998 ging die SPD als stärkste Partei hervor. In allen 14 Landkreisen und den vier kreisfreien Städten wurde sie die stärkste Kraft. In der Landeshauptstadt Potsdam gewann der bisherige Umwelt-

Manfred Stolpe
Ministerpräsident von Brandenburg (SPD), * 16.5.1936 in Stettin. Die Diskussionen über die Kontakte des ehemaligen Kirchenjuristen zur DDR-Staatssicherheit führten am 22.3.1994 zum Bruch der seit 1990 bestehenden Ampelkoalition (SPD, Bündnis 90/Die Grünen, FDP). Seit den Landtagswahlen vom 11.9.1994 regiert S. mit einer absoluten SPD-Mehrheit.

Brandenburg: Regierung	
Ressort	*Name (Partei, Amtsantritt), Geburtsjahr*
Ministerpräsident	Manfred Stolpe (SPD, 1990), *1936
Staatskanzlei, besondere Angelegenheiten	Jürgen Linde (SPD, 1994), *1935
Inneres	Alwin Ziel (SPD, 1990), *1941
Justiz, Bundes- und Europaangelegenheiten	Hans Otto Bräutigam (parteilos, 1990), *1931
Finanzen	Wilma Simon (SPD, 1995), *1945
Wirtschaft, Mittelstand, Technologie	Burkhard Dreher (SPD, 1994), *1944
Arbeit, Soziales, Gesundheit, Frauen	Regine Hildebrandt (SPD, 1990), *1941
Ernährung, Landwirtschaft, Forsten	Gunter Fritsch (parteilos, 1997), *1942
Bildung, Jugend, Sport	Angelika Peter (SPD, 1994), *1945
Wissenschaft, Forschung, Kultur	Steffen Reiche (SPD, 1994), *1960
Umwelt, Naturschutz, Raumordnung	Eberhard Henne (SPD, 1998), *1943
Stadtentwicklung, Wohnen, Verkehr	Hartmut Meyer (SPD, 1993), *1943

Brandenburg	
Landesfläche	29 479 km² (Rang 5/D)
Einwohner	2,59 Mio (Rang 11/D)
Hauptstadt	Potsdam (134 773 Einwohner)
Arbeitslosigkeit	17,6% (1998)
BIP/Erwerbstät.	56 099 DM (1998)
Regierungschef	Manfred Stolpe (SPD)

Parlament Landtag mit 88 für fünf Jahre gewählten Abgeordneten; 51 Sitze für SPD, 18 für CDU, 18 für PDS, 1 Fraktionsloser (nächste Wahl: 5.9.1999); **http://www.brandenburg.de**

minister Matthias Platzeck (SPD) mit 63,5% der Stimmen die Wahl zum Oberbürgermeister. Sein Vorgänger Gramlich (SPD) war im Mai 1998 durch Bürgerentscheid abgewählt worden. Umweltminister wurde Eberhard Henne, der bislang das Biosphärenreservat Schorfheide-Chorin leitete. Im Dezember 1998 scheiterte im Landtag die Wahl der PDS-Kandidatin Daniela Dahn zur brandenburgischen Verfassungsrichterin. Sie erhielt nur 37 der 83 abgegebenen Stimmen und verfehlte damit deutlich die notwendige Zweidrittelmehrheit. Die SPD hatte im November 1998 der Kandidatin ihre Unterstützung entzogen und der Autorin vorgeworfen, sie stelle sich mit der in ihren Büchern vertretenen Auffassung zur DDR-Vergangenheit außerhalb rechtsstaatlicher Grundprinzipien.

Wirtschaft: Das Bruttoinlandsprodukt (BIP) erhöhte sich 1998 um 3,2% (1997: 2,9%) auf insgesamt 55,8 Mrd DM. B. lag damit wie in den beiden vorangegangenen Jahren an der Spitze Ostdeutschlands und übertraf auch den bundesdeutschen Durchschnitt von 2,8%. Steigende Umsätze verbuchten vor allem die Industrie und der Dienstleistungssektor. Darüber hinaus profitierte B. von der Abwanderung von Unternehmen aus Berlin in das Umland. Trotz des Wirtschaftswachstums verringerte sich die Zahl der Erwerbstätigen um 1,5% gegenüber dem Vorjahr auf rund 995000. Die durchschnittliche Arbeitslosenquote blieb 1998 mit im Vorjahr bei 17,6%.

Bildung: Im Februar 1999 bestätigte der Landtag ein Maßnahmenpaket der SPD-Fraktion zur Schulpolitik. Danach ist u. a. vorgesehen, vom kommenden Schuljahr an die Pflichtstundenzahl der Grundschullehrer von 27 auf 28 Wochenstunden ohne Gehaltsausgleich zu erhöhen. Ab 1999 sollen die Landeszuschüsse an Privatschulen um 2,5 Mio DM gekürzt werden.

Justiz: 1998 nahm die Zahl der registrierten rechtsextremistischen, fremdenfeindlichen und antisemitischen Straftaten im Vergleich zum Vorjahr ab. Die Zahl rechtsextremistischer Delikte sank von 385 auf 184, die fremdenfeindlicher Angriffe von 152 auf 93. Wie im Vorjahr registrierte die Polizei 1998 31 antisemitische Straftaten. Nach Angaben des brandenburgischen Verfassungsschutzes umfasst die rechtsextreme Jugendszene in B. ca. 500 Personen.

Bremen

Bremen	
Landesfläche	404 km² (Rang 16/D)
Einwohner	0,68 Mio (Rang 16/D)
Arbeitslosigkeit	15,2% (1998)
BIP/Erwerbstät.	107 064 DM (1998)
Regierungschef	Henning Scherf (SPD)

Parlament Bürgerschaft mit 100 für vier Jahre gewählten Abgeordneten; 47 Sitze für SPD, 42 für CDU, 10 für Bündnis 90/Die Grünen, 1 für DVU (nächste Wahl: 2003); **http://www.bremen.de**

Bremen

Bei den Bürgerschaftswahlen am 6.6.1999 wurden die seit 1995 regierenden Parteien SPD und CDU klar bestätigt. Die von Bürgermeister Henning Scherf geführte SPD legte 9,2 Prozentpunkte zu und kam auf 42,6%, die CDU erzielte mit 37,1% (+4,5) ihr bestes Ergebnis. Bündnis 90/Die Grünen kamen auf 9,0% (–4,1). In der Bürgerschaft verfügt die SPD über 47 (+10), die CDU über 42 (+5), Bündnis 90/Die Grünen über 10 (–4) Sitze. Hinzu kommt ein Mandat der rechtsextremistischen DVU, die zwar landesweit nur auf 3,0% kam, im Landesteil Bremerhaven jedoch mit 6,0% die Fünf-Prozent-Hürde nahm. Alle übrigen Parteien, darunter die Liste »Arbeit für Bremen«, die 1995 noch 10,7% auf sich vereinigen konnte, scheiterten an der Sperrklausel. SPD und CDU schlossen am 28.6.1999 eine Vereinbarung zur Fortsetzung der großen Koalition.

Bremen: Regierung	
Ressort	Name (Partei, Amtsantritt), Geburtsjahr
Bürgermeister, Präs. des Senats, Kirchen, Justiz, Verfassung	Henning Scherf (SPD, 1995), *1938
Finanzen, Personal, Zweiter Bürgermeister	Hartmut Perschau (CDU, 1995), *1942
Inneres, Kultur und Sport	Bernt Schulte (CDU), *1942
Wirtschaft, Häfen, überregionaler Verkehr, Mittelstand, Technolog.	Josef Hattig (CDU), *1931
Bildung und Wissenschaft	Willi Lemke (SPD), *1946
Frauen, Jugend, Gesundheit, Soziales, Arbeit	Hilde Adolf (SPD), *1953
Bau, örtlicher Verkehr, Umwelt, Energie	Christine Wischer (SPD), *1944

Henning Scherf Präsident des Bremer Senats (SPD), *31.10.1938 in Bremen. Nach der Wahlniederlage der Sozialdemokraten bei den Bürgerschaftswahlen 1995 bildete der studierte Jurist S. zusammen mit der CDU einen Senat der großen Koalition. Sie wurde bei den Landtagswahlen im Juni 1999 eindrucksvoll bestätigt. Seit 1978 ist S. Mitglied des Bremer Senats. 1984 wurde er in den Bundesvorstand der SPD gewählt.

Bundespolitik: Nach dem Koalitionsvertrag vom Juni 1999 will sich Bremen bei Abstimmung über zustimmungspflichtige Gesetze im Bundesrat nicht mehr automatisch enthalten, sondern die Entscheidung in besonderen Einzelfällen einem Koalitionsausschuss überlassen. B. will alle Möglichkeiten »eines praktizierten bundestreuen Verhaltens« ausschöpfen, »insbesondere bei Gesetzen zur finanzwirtschaftlichen Stabilität«, heißt es in der Vereinbarung. Der Bundestag bewilligte im April 1999 die Zahlung von weiteren Finanzhilfen. B. wird 1999–2004 Mittel aus dem Bundeshaushalt in Höhe von 7,7 Mrd DM erhalten. Die Sonderergänzungszuweisungen sind für die Sanierung des Haushalts bestimmt und dürfen nur zur Schuldentilgung verwandt werden. Die Gesamtverschuldung betrug Anfang 1999 rund 17 Mrd DM. Ab 2004 sollen keine weiteren Finanzhilfen mehr erfolgen. 1994–98 hatte B. bereits 9 Mrd DM erhalten.

Landespolitik: SPD und CDU einigten sich auf eine Reduzierung der Ressorts von acht auf sieben in dem neuen, Anfang Juli 1999 vereidigten Senat. Die CDU behielt die Schlüsselressorts Finanzen, Inneres und Wirtschaft, trat aber die Verantwortung für den Bereich Bauen an Umweltministerin Christine Wischer (SPD) ab. Spektakulärer Neuzugang war der bisherige Manager des Fußball-Bundesligavereins Werder Bremen, Willi Lemke (SPD), der Senator für Bildung und Wissenschaft wurde.

Der parlamentarische Untersuchungsausschuss zur Aufklärung des Konkurses des Bremer Vulkan-Verbundes legte im September 1998 einen vorläufigen Bericht vor: B. zahlte von Januar 1984 bis zum Konkurs im Mai 1996 an den Werftenverbund Subventionen von 1,664 Mrd DM. Das Geld wurde insbes. über Kredite finanziert, sodass für B. hohe Zinsbelastungen entstanden. Für den Konkurs machte der Ausschuss Versäumnisse in der Geschäftsleitung und mangelhafte Kontrolle der Subventionspolitik durch Bürgerschaft und Senat verantwortlich.

Wirtschaft: Das Bruttoinlandsprodukt (BIP) stieg 1998 in B. um 3,4% (1997: 2,7%). Das Wirtschaftswachstum der Hansestadt lag damit deutlich über dem bundesdeutschen Durchschnitt von 2,8%. Die Arbeitslosenquote sank im Jahresdurchschnitt geringfügig auf 15,2% (1997: 15,4%).

Hamburg

Seit der Bürgerschaftswahl 1997 wird H. durch eine Koalition von SPD und Grün-Alternativer Liste (GAL) unter Führung von Bürgermeister Ortwin Runde (SPD) regiert. Die Abspaltung von fünf Abgeordneten der GAL im Mai 1999 wegen der Haltung von Bündnis 90/Die Grünen zum Nato-Einsatz im Kosovo stellt die rot-grüne Mehrheit (70 von 121 Sitzen) in Frage.

Landespolitik: Im September 1998 erreichte die Initiative »Mehr Demokratie« bei der Abstimmung über die Erleichterung

Ortwin Runde
Erster Bürgermeister von Hamburg (SPD), * 12.4.1944 in Elbing (Ostpreußen). Nach der Niederlage der SPD bei den Bürgerschaftswahlen am 19.9.1997 und dem Rücktritt Henning Voscheraus wurde der bisherige Finanzminister R. dessen Nachfolger. Der Volkswirt und Soziologe regiert in einer Koalition mit der Grün-Alternativen Liste.

Hamburg

Landesfläche	755 km² (Rang 15/D)
Einwohner	1,70 Mio (Rang 14/D)
Arbeitslosigkeit	11,3% (1998)
BIP/Erwerbstät.	138 244 DM (1998)
Regierungschef	Ortwin Runde (SPD)

Parlament Bürgerschaft mit 121 für vier Jahre gewählten Abgeordneten; 54 Sitze für SPD, 46 für CDU, 16 für Grün-Alternative Liste (GAL), 5 für Regenbogen – für eine neue Linke (nächste Wahl: 2001); **http://www.hamburg.de**

Hamburg: Regierung

Ressort	Name (Partei, Amtsantritt), Geburtsjahr
Erster Bürgermeister	Ortwin Runde (SPD, 1997), *1944
Wissenschaft und Forschung, Gleichstellung, Zweite Bürgermeisterin	Krista Sager (GAL, 1997), *1953
Inneres	Hartmuth Wrocklage (SPD, 1994), *1939
Finanzen	Ingrid Nümann-Seidewinkel (SPD, 1997), *1943
Arbeit, Gesundheit und Soziales	Karin Roth (SPD, 1998), *1949
Justiz, Bezirksangelegenheiten	Lore Maria Peschel-Gutzeit (SPD, 1997), *1932
Wirtschaft	Thomas Mirow (SPD, 1997), *1953
Kultur	Christina Weiss (parteilos, 1991), *1953
Schule, Jugend und Berufsbildung	Rosemarie Raab (SPD, 1987), *1946
Umwelt	Alexander Porschke (GAL, 1997), *1954
Bau	Eugen Wagner (SPD, 1983); *1942
Stadtentwicklung	Willfried Maier (GAL, 1997), *1942

von Volksentscheiden auf Landesebene nicht die notwendige Mehrheit von 50% aller Wahlberechtigten. Erfolgreich war der Vorschlag der Initiative zur Einführung von Bürgerentscheiden und Bürgerbegehren in den Bezirken. Auf kommunaler Ebene können nun Bürgerentscheide in den Bereichen stattfinden, in denen die Bezirksversammlungen entscheiden. Einem Bürgerentscheid muss ein Bürgerbegehren vorausgehen, das von 2 bzw. 3% der wahlberechtigten Einwohner (je nach Bezirksgröße) unterschrieben sein muss. Bei dem Bürgerentscheid ist dann die einfache Mehrheit der abgegebenen Stimmen maßgeblich.

Finanzen: 1998 betrugen die Steuereinnahmen in H. 12,5 Mrd DM und lagen damit um 579,7 Mio DM über der im Haushaltsplan angesetzten Summe. Trotz dieser Mehreinnahmen blieb ein Defizit in Höhe von 1 Mrd DM, das durch Vermögensveräußerungen gedeckt werden muss. Durch Einsparungen ist der Haushalt seit 1994 um 1,8 Mrd DM entlastet worden. Der Haushalt für 1999 sieht Ausgaben von 18,1 Mrd DM vor. Die gesamte Verschuldung beträgt 1999 rund 32,7 Mrd DM. Nach der Steuerschätzung vom Mai 1999 werden die Steuereinnahmen in H. in den Jahren 2000, 2001 und 2002 wahrscheinlich geringer ausfallen als bislang angenommen. Experten rechnen damit, dass 2000 die Einnahmen um rund 40 Mio DM und 2001 um 225 Mio DM hinter den ursprünglichen Erwartungen zurückbleiben werden. Ursache sind Änderungen im Steuerrecht und steigende Zahlungen für den Länderfinanzausgleich.

Wirtschaft: Das Bruttoinlandsprodukt (BIP) erhöhte sich 1998 in H. um 2,8% (1997: 2,6%). Insgesamt wurden in H. Güter und Dienstleistungen im Wert von 146,3 Mrd DM hergestellt. Die durchschnittliche Arbeitslosenquote ging 1998 leicht zurück auf 11,3% (1997:11,6%). Im Mai 1999 begannen die Bauarbeiten für einen neuen Container-Terminal. Auf dem Gelände des ehemaligen Dorfes Altenwerder werden bis 2001 neue Hafenanlagen für Container und Stückgut entstehen. Die Baukosten betragen ca. 1,5 Mrd DM.

Justiz: Die Zahl der registrierten Straftaten in H. ging 1998 um 13 992 auf 283 842 zurück. Dabei sank die Anzahl der gewaltkriminellen Delikte um 5,9% auf 9675 und von Straßenraub um 11,4% auf 3233 Fälle.

Hessen	
Landesfläche	21 114 km² (Rang 7/D)
Einwohner	6,01 Mio (Rang 5/D)
Hauptstadt	Wiesbaden (266 726 Einwohner)
Arbeitslosigkeit	9,0% (1998)
BIP/Erwerbstät.	121 063 DM (1998)
Regierungschef	Roland Koch (CDU)

Parlament Landtag mit 110 für vier Jahre gewählten Abgeordneten; 50 Sitze für CDU, 46 für SPD, 8 für Bündnis 90/Die Grünen, 6 für FDP (nächste Wahl: 2003); **http://www.hessen.de**

Hessen

Der hessische Landtag wählte am 7.4.1999 mit den Stimmen von CDU und FDP Roland Koch (CDU) zum neuen Ministerpräsidenten. Bei der Landtagswahl im März 1999 war die bisherige Regierungskoalition von SPD und Bündnis 90/Die Grünen nach achtjähriger Amtszeit überraschend abgelöst worden. Die neue CDU/FDP-Regierung kann sich im Parlament auf eine Mehrheit von zwei Stimmen stützen.

Landespolitik: Bei den Landtagswahlen am 7.2.1999 wurde die CDU mit 43,4% der Stimmen (1995: 39,2%) stärkste Partei. Die SPD erzielte mit 39,4% einen leichten Zuwachs (1995: 38,0%). Bündnis 90/Die Grünen verloren gegenüber der letzten Wahl 4,0 Prozentpunkte (7,2%). Die FDP kam

Roland Koch
Ministerpräsident von Hessen (CDU), * 24.3.1958 Frankfurt/M. Der Jurist ist seit 1987 Mitglied des hessischen Landtags, seit 1989 umweltpolitischer Sprecher seiner Fraktion. 1993 wurde er Fraktionsvorsitzender, nachdem er 1990/91 das Amt schon einmal inne hatte. 1998 trat er die Nachfolge von Manfred Kanther als CDU-Landesvorsitzender an.

Hessen: Regierung	
Ressort	*Name (Partei, Amtsantritt), Geburtsjahr*
Ministerpräsident	Roland Koch (CDU, 1999), *1958
Bundes- und Europaangelegenheiten, Chef der Staatskanzlei	Franz Josef Jung (CDU, 1999), *1949
Justiz	Christian Wagner (CDU, 1999), *1943
Inneres	Volker Bouffier (CDU, 1999), *1951
Finanzen	Karlheinz Weimar (CDU, 1999), *1950
Kultus	Karin Wolff (CDU, 1999), *1959
Wissenschaft und Kunst	Ruth Wagner (FDP, 1999), *1940
Wirtschaft, Verkehr, Landesentwicklung	Dieter Posch (FDP, 1999), *1944
Umwelt, Landwirtschaft und Forsten	Wilhelm Dietzel (CDU, 1999), *1948
Soziales	Marlies Mosiek-Urbahn (CDU, 1999), *1946

auf 5,1% (1994: 7,4%). Die Sitzverteilung im Landtag ergab für die CDU 50 (1995: 45), für die SPD 46 (1995: 44), für Bündnis 90/Die Grünen 8 (1995: 13) und die FDP 6 Sitze (1995: 8). Die Wahlbeteiligung betrug 66,4% (1995: 66,3%).

Die Bildungs-, Verkehrs- und Sicherheitspolitik bilden die Schwerpunkte des von CDU und FDP im März 1999 unterzeichneten Koalitionsvertrags. So sollen der Frankfurter Flughafen ausgebaut, die Arbeitsbedingungen der Polizei verbessert und mehr Lehrer eingestellt werden.

Bundespolitik: Ministerpräsident Koch (CDU) und der bayerische Ministerpräsident Edmund Stoiber (CSU) vereinbarten im April 1999 eine verstärkte Kooperation beider Länder bei der Reform des Länderfinanzausgleichs. Hessen hatte im Januar 1999, wie zuvor bereits Bayern und Baden-Württemberg, Klage beim Bundesverfassungsgericht (Karlsruhe) gegen die bestehenden Regelungen erhoben. Nach dem Länderfinanzausgleich müssen die reicheren Bundesländer die ärmeren unterstützen.

Wirtschaft: Das Bruttoinlandsprodukt (BIP) stieg 1998 um 3,3% (1997: 2,9%). H. lag damit beim Wirtschaftswachstum über dem bundesdeutschen Durchschnitt von 2,8%. Die Zahl der Betriebe in H. wuchs um 7700 (1997: 7120). Insgesamt wurden 1998 in H. 68 500 Unternehmen neu angemeldet (+1,4%) und 60 800 abgemeldet (+2,6%). Die durchschnittliche Arbeitslosenquote sank auf 9,0% (1997: 9,3%).

Bildung: Im Mai 1999 verabschiedete der Landtag mit den Stimmen von CDU und FDP in erster Lesung das neue Schulgesetz. Es soll mit dem Schuljahr 1999/2000 in Kraft treten und sieht u. a. eine Schulzeitverkürzung für Hochbegabte und die zentrale Vergabe von Prüfungsthemen vor. Vom Herbst 1999 an sollen 1400 Lehrer zusätzlich eingestellt werden.

Harald Ringsdorff
Ministerpräsident von Mecklenburg-Vorpommern (SPD) * 25.9.1939 Wittenburg (Mecklenburg). Der Chemiker gehörte vor der Wende in der DDR 1989 zu den Gründern der damals illegalen SPD in Rostock. In der Großen Koalition von CDU und SPD 1994–98 wurde er Stellvertreter des damals regierenden Berndt Seite (CDU) und übernahm das Wirtschaftsressort. Seit 1998 führt er in Mecklenburg-Vorpommern die erste Koalition von SPD und PDS auf Landesebene an.

 # Mecklenburg-Vorpommern

Der Landtag von Mecklenburg-Vorpommern wählte im November 1998 Harald Ringsdorff (SPD) zum neuen Ministerpräsidenten. Er steht an der Spitze der bundesweit ersten Koalition von SPD und PDS. Die Sozialdemokraten stellen in der Regierung fünf Minister, die PDS übernahm drei Ressorts. Stellvertretender Ministerpräsident wurde der Minister für Arbeit, Bau und Landesplanung, Helmut Holter (PDS).

Landespolitik: Aus den Landtagswahlen im September 1998 gingen die Sozialdemokraten als Sieger hervor. Auf die SPD entfielen 34,3% (1994: 29,5%) und 27 Mandate (1994: 23). Die CDU verlor 7,5 Prozentpunkte und kam auf 30,2% (1994: 37,7%) und 24 Mandate (1994: 30). Die PDS konnte einen leichten Zugewinn verbuchen und erreichte 24,4% (1994: 22,7%). Sie wurde mit 20 Mandaten (1994: 18) drittstärkste Fraktion.

Mit den Stimmen von SPD und PDS beschloss der Landtag im Februar 1999 die Herabsetzung des aktiven Wahlalters bei Kommunalwahlen auf 16 Jahre. Das passive Wahlrecht blieb dagegen unverändert; Kandidaten müssen auch künftig mind. 18 Jahre alt sein, um in kommunale Ämter gewählt werden zu können.

Mecklenburg-Vorpommern: Regierung	
Ressort	Name (Partei, Amtsantritt), Geburtsjahr
Ministerpräsident, Justiz	Harald Ringsdorff (SPD, 1998), *1939
Arbeit, Bau, Landesentwicklung, stellv. Ministerpräsident.	Helmut Holter (PDS, 1998), *1953
Inneres	Gottfried Timm (SPD, 1998), *1956
Finanzen	Sigrid Keler (SPD, 1996), *1942
Ernährung, Landwirtschaft, Forsten, Fischerei	Till Backhaus (SPD, 1998), *19
Umwelt	Wolfgang Methling (PDS, 1998), *1947
Wirtschaft	Rolf Eggert (SPD, 1998), *1944
Bildung und Wissenschaft	Peter Kauffold (SPD, 1998), *1937
Soziales	Martina Bunge (PDS, 1998), *1951

Mecklenburg-Vorpommern	
Landesfläche	23 170 km² (Rang 6/D)
Einwohner	1,79 Mio (Rang 13/D)
Hauptstadt	Schwerin (111 029 Einwohner)
Arbeitslosigkeit	19,2% (1998)
BIP/Erwerbstät.	46 006 DM (1998)
Regierungschef	Harald Ringsdorff (SPD)
Parlament Landtag mit 71 für vier Jahre gewählten Abgeordneten; 27 Sitze für SPD, 24 für CDU, 20 für PDS (nächste Wahl: 2002); **http://www.mecklenburg-vorpommern.de**	

Finanzen: Mit den Stimmen der Regierungskoalition verabschiedete der Schweriner Landtag Ende Juni 1999 den ersten rotroten Landeshaushalt. Mit einem Volumen von 14 Mrd DM ist er um 93 Mio DM niedriger als der Etat von 1998. Die Neuverschuldung ist mit 924 Mio DM angesetzt. Insgesamt beliefen sich die Schulden Ende 1998 auf 13,67 Mrd DM.

Wirtschaft: Das BIP nahm 1998 um 0,8% gegenüber 1997 zu. M. lag damit an vorletzter Stelle aller Bundesländer. Als wichtigste Ursache für das schwache Wirtschaftswachstum galt die schlechte Entwicklung in der Bauwirtschaft. Europaweit gehört M. zu den wirtschaftsschwachen Regionen, deren BIP weniger als 75% des EU-Durchschnitts beträgt. Die Zahl der Konkurse erhöhte sich 1998 gegenüber dem Vorjahr um 8,2% auf 802. Auch die Arbeitslosigkeit nahm in M. weiter zu. Die Quote kletterte 1998 im Jahresdurchschnitt auf 19,2% (1997: 18,9%), die zweithöchste der Bundesländer. Die Zahl der Erwerbstätigen verringerte sich um 1,1% auf 714 367.

Justiz: Nach einem Beschluss der Landesregierung vom Februar 1999 entfällt die Stasi-Regelanfrage für Beschäftigte im öffentlichen Dienst. Nur wenn Anhaltspunkte für eine Zusammenarbeit mit dem Staatssicherheitsdienst der DDR vorliegen oder wenn es um die Besetzung von Posten im höheren Dienst oder in sicherheitsempfindlichen Bereichen geht, wird auch künftig der Bundesbeauftragte für die Stasi-Unterlagen eingeschaltet. Die Abschaffung der Regelanfrage war Teil der Koalitionsvereinbarung zwischen SPD und PDS.

Die Zahl der registrierten Straftaten verringerte sich 1998 in M. um 7600 auf 203 466 Fälle. Die Aufklärungsquote der Polizei betrug 43,1% (1997: 43,8%). Der Anteil der jugendlichen Täter zwischen 14 und 21 Jahren lag mit 40% unverändert hoch. Im Bundesdurchschnitt war diese Altersgruppe mit 29,2% unter den Tätern vertreten.

Die Anzahl der erfassten rechtsextremistischen Delikte ging 1998 auf 303 zurück (1997: 334). Nach den Erkenntnissen des Verfassungsschutzes verstärkte sich 1998 jedoch im Vorfeld der Landtagswahl der Zulauf zu rechtsextremen Gruppierungen. Ihnen sind in M. rund 1700 Personen (1997: 1350) zuzurechnen, von denen ca. 800 als gewaltbereit gelten.

Niedersachsen

Niedersachsen	
Landesfläche	47 612 km^2 (Rang 2/D)
Einwohner	7,86 Mio (Rang 4/D)
Hauptstadt	Hannover (507 505 Einwohner)
Arbeitslosigkeit	11,1% (1998)
BIP/Erwerbstät.	94 357 DM (1998)
Regierungschef	Gerhard Glogowski (SPD)

Parlament Landtag mit 157 für fünf Jahre gewählten Abgeordneten; 83 Sitze für SPD, 62 für CDU, 12 für Bündnis 90/Die Grünen (nächste Wahl: 2003); **http://www.niedersachsen.de**

Niedersachsen

Der Landtag wählte am 27.10.1998 Innenminister Gerhard Glogowski (SPD) zum Ministerpräsidenten; er steht an der Spitze einer SPD-Regierung. Amtsvorgänger Gerhard Schröder wurde am selben Tag in Bonn zum Bundeskanzler gewählt. Arbeitsschwerpunkte der Landesregierung waren die Verwaltungsreform und der Abbau der Verschuldung (1998: 70 Mrd DM).

Landespolitik: Im Januar 1999 trat der umweltpolitische Sprecher von Bündnis 90/Die Grünen, Christian Schwarzenholz, zur PDS über, die erstmals in einem westdeutschen Landesparlament einen Abgeordneten hat.

Finanzen: Im Januar 1999 beschloss der Landtag mit der Mehrheit der SPD ein Haushaltsbegleitgesetz, das Einsparungen von 173 Mio DM für 1999 und 226 Mio DM im folgenden Jahr einbringen soll. Das

Gerhard Glogowski
Ministerpräsident von Niedersachsen (SPD), * 11.2.1943 in Hannover. Nach Werkzeugmacherlehre und Volkswirtschaftsstudium machte G. rasch Karriere innerhalb der SPD. Nach den Landtagswahlen 1990 wurde der vorherige Oberbürgermeister von Braunschweig als stellv. Ministerpräsident und Innenminister vereidigt. Als Gerhard Schröder 1998 ins Bundeskanzleramt überwechselte, trat G. seine Nachfolge als Regierungschef von Niedersachsen an.

Niedersachsen: Regierung	
Ressort	Name (Partei, Amtsantritt), Geburtsjahr
Ministerpräsident	Gerhard Glogowski (SPD, 1998), *1943
Inneres, stellv. Ministerpräsident	Heiner Bartling (SPD, 1998), *1946
Finanzen	Heinrich Aller (SPD, 1998), *1947
Frauen, Arbeit, Soziales	Heidi Merk (SPD, 1998), *1945
Wirtschaft, Technologie, Verkehr	Peter Fischer (SPD, 1990), *1941
Justiz, Europa	Wolf Weber (SPD, 1998), *1946
Wissenschaft, Kultur	Thomas Oppermann (SPD, 1998), *1954
Kultus	Renate Jürgens-Pieper (SPD, 1998), *1951
Ernährung, Landwirtschaft, Forsten	Uwe Bartels (SPD, 1998), *1946
Umwelt	Wolfgang Jüttner (SPD, 1998), *1948

Gesetz ermöglicht u. a. die umstrittene Einführung von Semestergebühren an den Hochschulen, Kürzungen bei der Krankenfürsorge für Beamte und Polizisten sowie eine stärkere Beteiligung von Patienten in Pflegeheimen an den Kosten.

Wirtschaft: Das Bruttoinlandsprodukt (BIP) stieg 1998 gegenüber dem Vorjahr um 4%. Damit lag Niedersachsen hinter Baden-Württemberg (4,1%) an zweiter Stelle aller Bundesländer. Als Ursache des verstärkten Wirtschaftswachstums gelten steigende Umsätze in der Automobilindustrie, im Maschinenbau und in der Ernährungswirtschaft. Die Arbeitslosigkeit verringerte sich 1998 um 0,5 Prozentpunkte und betrug im Jahresdurchschnitt 11,1%.

Soziales: Nach einer im Januar 1999 vom Landtag beschlossenen Gesetzesänderung werden die 3600 Kindertagesstätten (Kitas) in N. künftig nicht mehr vom Land, sondern von den Städten und Landkreisen betrieben. Diese müssen in Absprache mit den Trägern den personellen und pädagogischen Standard der Kitas festlegen. Die Neuregelung stieß auf die Kritik von Gewerkschaften und Elternverbänden, die eine Verschlechterung der personellen Ausstattung befürchteten. Eine ursprünglich geplante Kürzung der Landeszuschüsse zu den Personalkosten der Kommunen von jährlich 20 Mio DM wurde unter dem Druck der öffentlichen Proteste im März 1999 wieder zurückgenommen.

Justiz: Die Zahl der registrierten Straftaten war 1998 leicht rückläufig. Sie verringerte sich um 9000 gegenüber dem Vorjahr auf insgesamt 567 871 Delikte. Rund 56% aller verübten Straftaten waren Diebstähle. Der Anteil von Kindern und Jugendlichen unter den Tätern blieb annähernd konstant. 1998 wurden in N. insgesamt 14 800 Kinder und 27 100 Jugendliche straffällig. Die Aufklärungsquote der Polizei stieg 1998 zum ersten Mal auf über 50%.

Bildung: Zum Schuljahr 1999/2000 konnten die Schulen in N. erstmals ihre Lehrer selbst auswählen. Betroffen sind zunächst 10% der einzustellenden Lehrkräfte. In den kommenden Jahren soll der Anteil stufenweise gesteigert werden.

Nordrhein-Westfalen

Anfang Juli 1999 erklärte der Landesverfassungsgerichtshof in Münster die Fünfprozentklausel bei Kommunalwahlen in N. für unzulässig. Ein gemeinsamer Gesetzentwurf der Landtagsfraktionen vom 7.7.1999 sah die Streichung der Sperrklausel bereits für die Kommunalwahl am 12.9.1999 vor.

Seit Mai 1998 führt Ministerpräsident Wolfgang Clement (SPD) eine rot-grüne Koalitionsregierung. Mit seinem zentralen Ziel einer Verwaltungsreform im Land stieß Clement auf Hindernisse bei Kommunen, Gewerkschaften, Verbänden und beim Koalitionspartner Bündnis 90/Die Grünen.

Landespolitik: Der schleswig-holsteinische Landeswirtschaftsminister Peer Steinbrück (SPD) übernahm im Oktober 1998 das Wirtschaftsministerium in der Nachfolge von Bodo Hombach (SPD), der als Kanzleramtsminister nach Bonn wechselte.

Jochen Dieckmann (SPD) wurde im März 1999 neuer Justizminister von N. Sein Vorgänger Reinhard Rauball (SPD) war erst im Februar 1999 in dieses Amt berufen worden und nach nur zehntägiger Amtszeit wegen eines drohenden Disziplinarverfahrens zurückgetreten. Zuvor war die Zusammenlegung des Innen- und Justizministeriums, die 1998 ohne Parlamentsbeschluss erfolgt war, vom Verfassungsgerichtshof in Münster als Verstoß gegen die Gewaltenteilung für rechtswidrig erklärt worden. Innenminister Fritz Behrens (SPD) hatte geschäftsführend weiterhin das Justizministerium leiten sollen. Dagegen hatten jedoch Bündnis 90/Die Grünen und CDU protestiert, weil sie darin eine Umgehung der richterlichen Entscheidung sahen. Ministerpräsident Clement legte Ende April 1999 eine revidierte Fassung seiner Pläne für eine Verwaltungsreform in N. vor. Die anhaltende Kritik von Verbänden und Kommunen hatte zu Abstrichen am ursprünglichen Vorhaben geführt. Es soll jedoch bei der Aufhebung von neun der bisher 14 Lan-

Nordrhein-Westfalen	
Landesfläche	34 079 km² (Rang 4/D)
Einwohner	17,86 Mio (Rang 1/D)
Hauptstadt	Düsseldorf (568 400 Einwohner)
Arbeitslosigkeit	10,7% (1998)
BIP/Erwerbstät.	100 128 DM (1998)
Regierungschef	Wolfgang Clement (SPD)
Parlament Landtag mit 221 für fünf Jahre gewählten Abgeordneten; 108 Sitze für SPD, 89 für CDU, 24 für Bündnis 90/Die Grünen (nächste Wahl: 2000); http://www.nrw.de	

Nordrhein-Westfalen: Regierung	
Ressort	*Name (Partei, Amtsantritt), Geburtsjahr*
Ministerpräsident	Wolfgang Clement (SPD, 1998), *1940
Wohnen und Bauen, stellv. Ministerpräsident	Michael Vesper (Bündnis 90/Die Grünen, 1995), *1952
Inneres	Fritz Behrens (SPD, 1995), *1948
Wirtschaft, Verkehr	Peer Steinbrück (SPD, 1998), *1947
Finanzen	Heinz Schleußer (SPD, 1988), *1936
Justiz	Jochen Dieckmann (SPD, 1999), *1948
Frauen, Jugend, Familie, Gesundheit	Birgit Fischer (SPD, 1998), *1953
Umwelt, Raumordnung, Landwirtschaft	Bärbel Höhn (Bündnis 90/Die Grünen, 1995), *1952
Schule, Wissenschaft, Weiterbildung	Gabriele Behler (SPD, 1985), *1951
Arbeit, Soziales, Stadtentwicklung, Kultur, Sport	Ilse Brusis (SPD, 1995), *1937

desoberbehörden und der fünf Regierungspräsidien bleiben. Deren Funktion sollen sog. Dienstleistungszentren übernehmen. Umstritten blieben die geplante Aufhebung der beiden Landschaftsverbände Rheinland und Westfalen-Lippe sowie die Schaffung eines eigenen Verwaltungsbezirks für das Ruhrgebiet.

Finanzen: Die Neuverschuldung blieb 1998 mit knapp 6,3 Mrd DM um rund 1,2 Mrd DM unter dem ursprünglichen Ansatz. Insgesamt betrugen 1998 die Ausgaben 88 Mrd DM, 0,2% weniger als 1997. Damit waren die Ausgaben erstmals seit 20 Jahren wieder rückläufig. Der im Dezember 1998 gegen die Stimmen der CDU verabschiedete Haushalt für 1999 hat ein Volumen von 91,3 Mrd DM. Die Neuverschuldung soll 7,5 Mrd DM betragen. Die Gesamtverschuldung des Landes stieg seit 1990 um 26% auf insgesamt 137 Mrd DM.

Wirtschaft: Der Anstieg des Bruttoinlandsprodukts (BIP) blieb 1998 in N. mit 2,0% (1997: 1,8%) unter dem Bundesdurchschnitt von 2,8%. Insgesamt erreichte das BIP einen Wert von rund 827 Mrd DM. Die Zahl der sozialversicherungspflichtigen Beschäftigten nahm erstmals seit 1993 wieder zu. Im September 1998 betrug sie

5,85 Mio und lag damit um 0,5% höher als im Vergleichszeitraum des Vorjahres. Die durchschnittliche Arbeitslosenquote verringerte sich 1998 auf 10,7% (1997: 11,1%).

Bildung: Bei einer Überprüfung von 3000 der 150 000 Abiturarbeiten des Schuljahres 1997/98 durch die Bezirksregierungen wurde in der Mehrheit Stimmigkeit in der Beurteilung und Vergleichbarkeit innerhalb der Schulformen festgestellt. In ca. 10% der Fälle kam man zu dem Ergebnis, dass die Arbeiten zu gut bewertet worden seien. Bildungsministerin Gabriele Behler (SPD) kündigte an, dass die vorgeschriebene Zweitkorrektur der Abiturarbeiten künftig von Lehrern anderer Schulen ausgeführt werden soll.
Im Rahmen eines »Qualitätspakts« sagte die Regierung den Hochschulen in N. 1999 mittelfristig stabile Budgets zu, wenn diese sich zum Abbau von 2000 Stellen innerhalb von zehn Jahren verpflichteten. Zum Ausgleich erhalten sie jährlich 100 Mio DM aus einem Innovationsfonds, dessen Geld unter Wettbewerbsbedingungen verteilt wird.

Justiz: In N. sank 1998 die Zahl der registrierten Straftaten um 1,6% auf rund 1,3 Mio. Die Zahl der Diebstähle verringerte sich um 40 000 auf 744 000. Insgesamt wurden 440 000 Tatverdächtige ermittelt. Die Zahl der tatverdächtigen Kinder stieg um 4,6% auf 33 172. Häufigste Delikte von Kindern waren Ladendiebstähle und Sachbeschädigungen. Bei Mord und Totschlag lag die polizeiliche Aufklärungsquote bei 96,5%, bei Fällen von Körperverletzung bei 87,4%. Insgesamt betrug die polizeiliche Aufklärungsquote 49,8% (1997: 46,8%).

Umwelt: Mit der Erteilung der ersten wasserrechtlichen Erlaubnis gab Umweltministerin Bärbel Höhn (Bündnis 90/Die Grünen) im Oktober 1998 ihren Widerstand gegen den geplanten Braunkohletagebau Garzweiler II auf. Damit endete ein jahrelanger Streit zwischen SPD und Bündnis 90/Die Grünen über die Genehmigung. Die Auseinandersetzungen um das neue Abbaugebiet, in dem 2006 mit der Braunkohleförderung begonnen werden soll, hatten mehrfach zu Koalitionskrisen in N. geführt. Kritiker befürchten schwere Beeinträchtigungen der Umwelt durch den jahrelangen Tagebau.

Wolfgang Clement
Ministerpräsident von Nordrhein-Westfalen (SPD), * 7.7.1940 in Bochum. Im Mai 1998 übernahm der bisherige Minister für Wirtschaft und Mittelstand, Technologie und Verkehr (1995–98) das Amt des Ministerpräsidenten von Johannes Rau, der von 1978–98 an der Spitze des Landes Nordrhein-Westfalen gestanden hatte. C. arbeitete als Journalist 1969–81 für die Westfälische Rundschau und 1987/88 als Chefredakteur der Hamburger Morgenpost. Ab 1989 leitete er die Staatskanzlei in NRW.

Rheinland-Pfalz

Landesfläche	19852 km² (Rang 9/D)
Einwohner	4 Mio (Rang 7/D)
Hauptstadt	Mainz (200934 Einwohner)
Arbeitslosigkeit	8,8% (1998)
BIP/Erwerbstät.	95854 DM (1998)
Regierungschef	Kurt Beck (SPD)

Parlament Landtag mit 101 für fünf Jahre gewählten Abgeordneten; 43 Sitze für SPD, 41 für CDU, 10 für FDP, 7 für Bündnis 90/Die Grünen (nächste Wahl: 2001); **http://www.rlp.de**

Kurt Beck
Ministerpräsident von Rheinland-Pfalz (SPD), * 5.2.1949 in Bad Bergzabern. Bei den Landtagswahlen vom 24.3.1996 wurde die seit 1994 unter B. als Ministerpräsident amtierende Regierungskoalition mit der FDP bestätigt. Ein Mandat für den Landtag erhielt B. erstmals 1979. 1994 löste er Rudolf Scharping als Regierungschef ab.

 Rheinland-Pfalz

Seit 1996 regiert in Rheinland-Pfalz eine Koalition aus SPD und FDP unter Ministerpräsident Kurt Beck (SPD). Der einzigen sozialliberalen Regierung in einem Bundesland gehören sechs SPD- und zwei FDP-Minister an. Nachfolger von Wirtschaftsminister Rainer Brüderle (FDP), der nach der Bundestagswahl als Abgeordneter und stellvertretender Vorsitzender der FDP-Bundestagsfraktion nach Bonn wechselte, wurde Hans-Artur Bauckhage.

Landespolitik: Im März 1999 beschloss die rheinland-pfälzische Regierung eine Reform der Landesverwaltung. Die drei Bezirksregierungen in Trier, Koblenz und Neustadt werden aufgelöst und durch sog. Direktionen ersetzt. Die Neuordnung soll die Effizienz der Verwaltung steigern und mittelfristig einen Abbau von 650 der derzeit 1640 Stellen ermöglichen.

Zum 1.1.2000 wird in R. die Bauverwaltung privatisiert. Eine Liegenschafts- und Baubetreuungsgesellschaft Rheinland-Pfalz wird künftig den Bau und die Unterhaltung von Landesimmobilien und Bauaufgaben des Bundes übernehmen.

Finanzen: In seinem Jahresbericht für 1998 beschrieb der Rechnungshof eine Verschlechterung der Haushaltslage in R. und forderte energische Schritte für eine Konsolidierung. Die Investitionsquote sank von 15% im Jahr 1996 über 13,9% (1997) auf 13,1% im Jahr 1998. Die Gesamtverschuldung von R. erreichte Ende 1998 einen Betrag von 35 Mrd DM, 1997 wurden die laufenden Ausgaben erstmals nicht mehr durch die laufenden Einnahmen gedeckt.

Wirtschaft: Das Bruttoinlandsprodukt (BIP) wuchs 1998 um 2,2% (1997: 2,7%). Die Zuwachsrate lag damit unter dem Bundesdurchschnitt von 2,8%. Die durchschnittliche Arbeitslosenquote sank 1998 auf 8,8% (1997: 9,2%).

Mit einer vereinfachten und verbesserten Förderung setzte sich R. für die Gründung neuer Unternehmen ein. Eine von der landeseigenen Investitions- und Strukturbank (ISB) geführte Gesellschaft, die von Technologiezentren, Sparkassen und Volksbanken getragen wird, beteiligt sich finanziell an jungen Unternehmen. 1998 wurden in R. insgesamt 33000 neue Firmen gegründet, 26000 gaben im selben Zeitraum auf.

Bildung: Zum Schuljahresbeginn 1998/99 wurde die volle Halbtags-Grundschule mit garantierten Unterrichtszeiten zwischen 8 und 12 bzw. 13 Uhr eingeführt. Außerdem wurde die gymnasiale Oberstufe dahingehend reformiert, dass auch die während der zweiten Schuljahreshälfte des 11. Jahrgangs erzielten Noten zusammen mit denen des 12. und 13. Jahrgangs in die Abiturnoten einbezogen werden. Ab dem Jahr 2001 legen die Schüler ihr Abitur schon am 31.3. und damit drei Monate früher als bisher ab. Ab 1999 erhalten Sitzenbleiber in R. die Chance, sich mit einer freiwilligen Nachprüfung doch noch für die Versetzung zu qualifizieren.

Seit dem Wintersemester 1998/99 gilt an den Hochschulen in R. ein neues Personalbemessungskonzept. Danach werden auch die Personalmittel, wie seit 1994 schon die Sachmittel, stärker nach leistungs- und bedarfsorientierten Kriterien ausgezahlt.

Rheinland-Pfalz: Regierung

Ressort	Name (Partei, Amtsantritt), Geburtsjahr
Ministerpräsident	Kurt Beck (SPD, 1994), *1949
Justiz, stellv. Ministerpräsident	Peter Caesar (FDP, 1991), *1939
Wirtschaft, Verkehr, Landwirtsch., Weinbau	Hans-Artur Bauckhage (FDP, 1998), *1943
Inneres und Sport	Walter Zuber (SPD, 1991), *1943
Finanzen	Gernot Mittler (SPD, 1993), *1940
Arbeit, Soziales, Gesundheit	Florian Gerster (SPD, 1994), *1949
Kultur, Jugend, Familie und Frauen	Rose Götte (SPD, 1991), *1938
Umwelt und Forsten	Klaudia Martini (SPD, 1991), *1950
Bildung, Wissenschaft, Weiterbildung	Jürgen Zöllner (SPD, 1991), *1945

Saarland

Ministerpräsident Reinhard Klimmt (SPD) stellt sich am 5.9.1999 erstmals nach seiner Amtsübernahme einer Landtagswahl. Er wurde am 10.11.1998 Nachfolger von Oskar Lafontaine (SPD), der nach der Bundestagswahl als Finanzminister nach Bonn gewechselt war. Die Sozialdemokraten regieren im S. seit 1985 mit absoluter Mehrheit.

Landespolitik: In seiner Regierungserklärung im November 1998 betonte Klimmt die Absicht, die Politik seines Vorgängers Lafontaine fortzusetzen. Das Land erlebt um 2000 einen tiefgreifenden Strukturwandel, der für das S. zunächst einen massiven Abbau von Arbeitsplätzen im Kohle- und Stahlbereich bedeutet. Folgen der schwierigen Wirtschaftslage sind die hohe Verschuldung und ein defizitärer Landeshaushalt.

Der bisherige Staatssekretär im Umweltministerium Heiko Maas ist im November 1998 die Nachfolge des zurückgetretenen Umweltministers Willy Leonhardt (SPD) an. Mit 32 Jahren wurde Maas damit bundesweit der jüngste Minister.

Finanzen: Im Zeitraum 1999–2004 wird das S. Beihilfen aus dem Bundeshaushalt in Höhe von 5 Mrd DM erhalten. Der Bundestag stimmte im April 1999 einem entsprechenden Gesetz einstimmig zu. Weitere Finanzhilfen soll es nach dem Jahr 2004 nicht mehr geben. Die Zuweisungen sind für die Sanierung des Haushalts bestimmt und müssen zur Schuldentilgung verwendet werden. 1994–98 hatte das S. 8 Mrd DM erhalten. Das Bundesverfassungsgericht hatte 1992 entschieden, dass Bundesländer einen Anspruch auf Unterstützung haben, sofern eine extreme Haushaltsnotlage – wie derzeit in Bremen und im S. – vorliegt.

Wirtschaft: 1998 betrug der reale Anstieg des Bruttoinlandsprodukts (BIP) 2,5%. Er lag damit etwas unterhalb des durchschnittlichen Wachstums aller Bundesländer von 2,8%. Die Arbeitslosenquote sank auf 11,5% (1997: 12,4%). Die Zahl der sozialversicherungspflichtigen Erwerbstätigen stieg 1998 bis zum Herbst gegenüber dem Vorjahreszeitraum um rund 1,7%. Das S. lag mit dieser Zunahme erheblich über der Rate der anderen Bundesländer, die nur eine durchschnittliche Zunahme der Erwerbstätigenzahl um 0,2% erreichten.

Bildung: Im Dezember 1998 billigte das saarländische Kabinett Gesetzentwürfe für ein neues Hochschulgesetz und ein neues Lehrerausbildungsgesetz. Die geplante Hochschulreform zielt auf eine größere Eigenverantwortlichkeit und Unabhängigkeit der Universitäten. Verwaltungsstrukturen sollen verbessert und die Personalhoheit der Hochschulen ausgeweitet werden. Bei der Berufung von Professoren soll die Habilitation als Voraussetzung entfallen.

Soziales: Im Juli stellte Sozialministerin Barbara Wackernagel-Jacobs (SPD) ein Programm für junge Arbeitslose im S. vor. Mitte 1998 waren rund 6000 Jugendliche unter 25 ohne Arbeit. Um staatliche Hilfen besser zu koordinieren, sollen die Angebote und Leistungen von Arbeitsämtern, Sozialämtern und Jugendämtern miteinander vernetzt werden. Finanzielle Leistungen werden nicht mehr an die Jugendlichen direkt gezahlt, sondern gehen in Form von Lohnzuschüssen an die Arbeitgeber. Mit solchen subventionierten Arbeitsplätzen soll den Jugendlichen der Eintritt in den Arbeitsmarkt erleichtert werden.

Saarland	
Landesfläche	2570 km² (Rang 13/D)
Einwohner	1,08 Mio (Rang 15/D)
Hauptstadt	Saarbrücken (185 891 Einwohner)
Arbeitslosigkeit	11,5% (1998)
BIP/Erwerbstät.	92 695 DM (1998)
Regierungschef	Reinhard Klimmt (SPD)

Parlament Landtag mit 51 für fünf Jahre gewählten Abgeordneten: 27 Sitze für SPD, 21 für CDU, 3 für Bündnis 90/Die Grünen (nächste Wahl: 5.9.1999); http://www.saarland.de

Reinhard Klimmt
Ministerpräsident des Saarlandes (SPD), * 16.8.1942 in Berlin. Der studierte Historiker K. machte als politischer Mitstreiter von Oskar Lafontaine im Saarland rasch Karriere. 1979–82 war er stellv. Fraktionschef der SPD im saarländischen Landtag, nach dem Sieg Lafontaines bei der Landtagswahl 1985 Fraktionsvorsitzender. Er profilierte sich u. a. als SPD-Medienexperte. Nach dem Wechsel Lafontaines nach Bonn als Bundesfinanzminister wurde K. im September 1998 Regierungschef des Saarlandes.

Saarland: Regierung	
Ressort	Name (Partei, Amtsantritt), Geburtsjahr
Ministerpräsident	Reinhard Klimmt (SPD, 1998), *1942
Inneres und Sport	Friedel Läpple (SPD, 1985), *1938
Wirtschaft und Finanzen	Christiane Krajewski (SPD, 1990), *1949
Justiz	Arno Walter (SPD, 1985), *1934
Bildung, Kultur, Wissenschaft	Henner Wittling (SPD, 1996), *1946
Frauen, Arbeit, Gesundheit, Soziales	Barbara Wackernagel-Jacobs (SPD, 1996), *1950
Umwelt, Energie, Verkehr	Heiko Maas (SPD, 1998), *1966

731

Kurt Biedenkopf
Ministerpräsident
von Sachsen (CDU),
* 28.1.1930 in Ludwigs-
hafen. Nach den Wahlen
1994 wurde B. als Chef
einer CDU-Regierung
bestätigt. 1964–70 war er
Rektor der Ruhr-Univer-
sität Bochum. 1973–77
bekleidete B. das Amt des
CDU-Generalsekretärs.
1986/87 war er CDU-Vor-
sitzender in NRW. 1990
wurde er sächsischer
Ministerpräsident.

Sachsen

Ministerpräsident Kurt Biedenkopf (CDU)
stellt sich am 19.9.1999 zum dritten Mal
nach 1990 und 1994 als Spitzenkandidat
seiner Partei den Landtagswahlen.

Landespolitik: Nach dem Wechsel des bisherigen Umweltministers Arnold Vaats
(CDU) im Oktober 1998 als Bundestagsabgeordneter nach Bonn wurde das Umweltministerium nicht wieder besetzt, sondern
mit dem Landwirtschaftsressort zusammen-
gelegt. Die Leitung übernahm Landwirtschaftsminister Rolf Jähnichen (CDU).

Mit den Stimmen der CDU beschloss der
sächsische Landtag im Oktober 1998 die
letzte Stufe der Gebietsreform. Das Gesetz
regelt die Zusammenlegung von ländlichen
Gemeinden. Mit Inkrafttreten der Reform
1999 reduzierte sich die Zahl der selbstständigen Gemeinden von 1626 auf 540. Der
Landesverfassungsgerichtshof erklärte die
Gebietsreform am 18.6.1999 in einem Fall –
der Eingemeindung der Stadt Markkleeberg
nach Leipzig – für verfassungswidrig, wies
aber die Normenkontrollklagen von neun
anderen Gemeinden gegen ihre Angliede-
rung an große Städte ab.

Finanzen: Der Landtag verabschiedete
im Dezember 1998 mit den Stimmen der
CDU den Doppelhaushalt für 1999 und
2000. Er sieht für 1999 Ausgaben von
30,9 Mrd DM vor; im folgenden Jahr sollen
sie auf 31,1 Mrd DM steigen. 1999 liegt der
Anteil für Investitionen bei 28,9% des Etats.
1998 blieben die Ausgaben mit 30,3 Mrd
DM um 1% unter der im Haushaltsplan vorgesehenen Summe. Zugleich fielen die Einnahmen um 1% höher aus als erwartet.

Wirtschaft: Der Anstieg des Bruttoinlandsprodukts (BIP) lag 1998 bei nur 1,7%
(1997: 1,8%). S. belegte damit den viert-
letzten Platz aller Bundesländer und blieb

Sachsen: Regierung

Ressort	Name (Partei, Amts-antritt), Geburtsjahr
Ministerpräsident	Kurt Biedenkopf (CDU, 1990), *1930
Inneres	Klaus Hardraht (CDU, 1995), *1941
Justiz	Steffen Heitmann (CDU, 1990), *1944
Finanzen	Georg Milbradt (CDU, 1990), *1945
Soziales, Gesundheit, Familie	Hans Geisler (CDU, 1990), *1940
Wirtschaft, Arbeit	Kajo Schommer (CDU, 1990), *1940
Wissenschaft, Kunst	Hans Joachim Meyer (CDU, 1990), *1936
Umwelt, Landwirtschaft	Rolf Jähnichen (CDU, 1990), *1939
Kultus	Matthias Rößler (CDU, 1994), *1955
Gleichstellung	Friederike de Haas (CDU, 1994), *1944
Bundes- und Europa-angelegenheiten	Günter Meyer (CDU, 1997), *1935

unter dem ostdeutschen Durchschnitt von
2,1%. Die Arbeitslosenquote stieg im Jahresdurchschnitt auf 17,5% (1998: 17,1%).

Bildung: Nach dem Willen der Landesregierung sollen ab dem Schuljahr 2000/2001
in S. in den Zeugnissen wieder Kopfnoten
für Betragen, Fleiß, Mitarbeit und Ordnung
eingeführt werden. Voraussetzung ist eine
breite Zustimmung der Lerer und Eltern.

Justiz: Die Zahl rechtsextremer Straftaten
verringerte sich 1998 leicht auf 1422 registrierte Delikte. Dabei handelte es sich zu
82% um sog. Propagandadelikte. Es gab 89
Gewalttaten mit rechtsextremem Hintergrund (1997: 90). Die Zahl der organisierten Rechtsextremisten erhöhte sich 1998 um
18% auf rund 3000 (1997: 2550). Diese
Entwicklung wurde vor allem auf den Anstieg der Mitgliederzahlen bei der NPD von
500 auf 1400 (Mitte 1999) zurückgeführt.

Soziales: Das Landessozialgericht (LSG)
bestätigte im Juni 1998 die Sonderregelung
zur Finanzierung der Pflegeversicherung.
Anders als in Bundesländern, die 1995 Buß-
und Bettag bzw. Pfingstmontag als Feiertage abgeschafft haben, um die Arbeitgeber
für ihren Versicherungsbeitrag zu entschädigen, zahlen Arbeitnehmer in S. den vollen
Beitrag. Der Feiertag blieb so bestehen.
Nach Auffassung des Gerichts verstößt die
Regelung nicht gegen das Gleichheitsgebot.

Sachsen

Landesfläche	18 413 km² (Rang 10/D)
Einwohner	4,53 Mio (Rang 6/D)
Hauptstadt	Dresden (472 036 Einwohner)
Arbeitslosigkeit	17,5% (1998)
BIP/Erwerbstät.	47 289 DM (1998)
Regierungschef	Kurt Biedenkopf (CDU)

Parlament Landtag mit 120 für fünf Jahre gewählten Abgeordneten;
77 Sitze für CDU, 22 für SPD, 21 für PDS (nächste Wahl: 19.9.1999);
http://www.sachsen.de

Sachsen-Anhalt

In Sachsen-Anhalt regiert nach den Landtagswahlen vom April 1998 eine SPD-Minderheitsregierung unter Führung von Ministerpräsident Reinhard Höppner. Sie ist auf die Unterstützung der PDS angewiesen. Die Zusammenarbeit der beiden Parteien wurde bislang durch die angespannte Haushaltslage belastet, die drastische Einsparungen erforderte.

Landespolitik: Nach Ausscheiden von Wirtschaftsminister Klaus Schucht und Kultusminister Karl-Heinz Reck ernannte Höppner im Dezember 1998 zwei neue Ressortchefs. Nachfolger im Wirtschaftsministerium wurde Staatssekretär Matthias Gabriel. Das Amt des Kultusministers erhielt Gerd Harms. Harms, Mitglied von Bündnis 90/Die Grünen, lässt seine Parteiarbeit jedoch ruhen.

Die Landesregierung kündigte Ende Mai 1999 die Einrichtung eines Sonderfonds von 20 Mio DM an. Damit sollen ca. 3500 Erzieherinnen unterstützt werden, deren Stellen nach Inkrafttreten des neuen Kinderbetreuungsgesetzes eventuell abgebaut werden. Über das Gesetz, das kostensparende Einschnitte in der Kindergarten- und Krippenbetreuung vorsieht, war es zu Differenzen zwischen SPD und PDS gekommen. Nach einer zweimonatigen Prüfung von Rechtsgutachten entschied Landtagspräsident Wolfgang Schaefer (SPD) im April 1999, dass der PDS-Fraktion im Landtag auch weiterhin der Status einer Oppositionspartei zukommt. Im Februar 1999 hatten sich SPD und PDS in einer gemeinsamen Entschließung erstmalig auf Leitlinien zur Landespolitik geeinigt. Die oppositionelle CDU kritisierte diese enge Zusammenarbeit als Vorstufe zu einem Koalitionsvertrag.

Wirtschaft: Das BIP erhöhte sich in S. 1998 gegenüber 1997 um 3,0%. Damit lag S. leicht über dem Bundesdurchschnitt von 2,8% und belegte unter den ostdeutschen Ländern hinter Brandenburg den zweiten Platz. Die Zahl der Erwerbstätigen blieb gegenüber dem Vorjahr mit ca. 1 Mio konstant. Die Arbeitslosenquote nahm jedoch geringfügig um 0,1 Prozentpunkte zu (20,4%). S. verzeichnete damit den höchsten Wert aller Bundesländer. Die Industrie bestimmt noch immer die Wirtschaftsstruktur in S. Im produzierenden Gewerbe waren 1998 34% aller Beschäftigten tätig. Bei Dienstleistungen und beim Staat waren jeweils 22%, im Handel und Verkehr 19% und in der Landwirtschaft 4% der Arbeitnehmer beschäftigt.

Justiz: Innenminister Manfred Püchel (SPD) erklärte im Februar 1999, die Landesregierung plane die Auflösung des Landesamts für Verfassungsschutz. Nach dem Vorbild anderer Bundesländer sollen die Aufgaben künftig von entsprechenden Abteilungen des Innenministeriums übernommen werden. Die Häufigkeit rechtsextremistischer Straftaten nahm 1998 in S. zu. Mit 1668 Ermittlungen wurden anderthalbmal so viele Verfahren eingeleitet wie 1997. Mehr als 78% davon betrafen Propagandadelikte. Die Zahl rechtsextremer Gewalttaten stieg von 166 (1997) auf rund 290 (1998).

Sachsen-Anhalt	
Landesfläche	20 446 km^2 (Rang 8/D)
Einwohner	2,73 Mio (Rang 10/D)
Hauptstadt	Magdeburg (329 481 Einwohner)
Arbeitslosigkeit	20,4% (1998)
BIP/Erwerbstät.	47 724 DM (1998)
Regierungschef	Reinhard Höppner (SPD)

Parlament Landtag mit 116 für vier Jahre gewählten Abgeordneten: 47 für SPD, 28 für CDU, 25 für PDS, 16 für DVU(nächste Wahl: 2002); **http://www.sachsen-anhalt.de**

Reinhard Höppner
Ministerpräsident von Sachsen-Anhalt (SPD), * 2.12.1948 in Haldensleben. Seit 1994 steht H. an der Spitze von Sachsen-Anhalt. Mit Bündnis 90/Die Grünen bildete er die einzige Minderheitsregierung, die von der PDS toleriert wurde. Nach den Wahlen von 1998 regiert die SPD ohne Koalitionspartner und ist auf Unterstützung durch PDS und CDU angewiesen.

Sachsen-Anhalt: Regierung	
Ressort	Name (Partei, Amtsantritt), Geburtsjahr
Ministerpräsident	Reinhard Höppner (SPD, 1994), *1948
Inneres	Manfred Püchel (SPD, 1994), *1951
Finanzen	Wolfgang Gerhards (SPD, 1998), *1949
Arbeit, Frauen, Soziales, Gesundheit	Gerlinde Kuppe (SPD, 1994), *1945
Wirtschaft, Technologie, Europaangelegenheiten	Matthias Gabriel (SPD, 1999), *1953
Kultus	Gerd Harms (1998), *1953[1]
Wohnungswesen, Städtebau, Verkehr	Jürgen Heyer (SPD, 1994), *1944
Justiz	Karin Schubert (SPD, 1994), *1944
Umwelt, Raumordnung	Ingrid Häußler (SPD, 1994), *1944
Landwirtschaft	Johann K. Keller (SPD, 1998), *1944

1) Mitglied von Bündnis 90/Die Grünen, lässt Parteiarbeit ruhen

733

Schleswig-Holstein

Landesfläche	15 770 km² (Rang 12/D)
Einwohner	2,77 Mio (Rang 9/D)
Hauptstadt	Kiel (233 987 Einwohner)
Arbeitslosigkeit	10,0% (1998)
BIP/Erwerbstät.	94 879 DM (1998)
Regierungschef	Heide Simonis (SPD)

Parlament Landtag mit 75 für vier Jahre gewählten Abgeordneten; 33 Sitze für SPD, 30 für CDU, 6 für Bündnis 90/Die Grünen, 4 für FDP, 2 für SSW (nächste Wahl: 27.2.2000); **http://www.schleswig-holstein.de**

Heide Simonis
Ministerpräsidentin von Schleswig-Holstein (SPD), * 4.7.1943 in Bonn. 1993 wurde S. als erste Frau Regierungschefin eines deutschen Bundeslandes. Seit den Wahlen von 1996 regiert sie in Schleswig-Holstein mit einer Koalition aus SPD und Bündnis 90/Die Grünen. Ab 1988 war die Volkswirtin Finanzministerin des nördlichsten Bundeslandes.

 Schleswig-Holstein

Die amtierende Ministerpräsidentin Heide Simonis (SPD) wird bei den nächsten Landtagswahlen am 27.2.2000 erneut als Spitzenkandidatin ihrer Partei antreten. Die einzige Ministerpräsidentin eines Bundeslandes führt seit den letzten Landtagswahlen 1996 eine Koalitionsregierung von SPD und Bündnis 90/Die Grünen. Im Mai 1999 nominierte die CDU den ehemaligen Verteidigungsminister Volker Rühe als Spitzenkandidaten für die Landtagswahlen. Rühe kündigte an, im Falle eines Wahlsiegs für die gesamte fünfjährige Legislaturperiode als Ministerpräsident in Kiel zu bleiben. Er trat damit Spekulationen entgegen, er würde nach einem CDU-Wahlsieg 2002 nach der Kanzlerkandidatur streben.

Landespolitik: Im Oktober 1998 wurden zwei Ministerien in S. neu besetzt. Nachfolger des bisherigen Wirtschaftsministers Peer Steinbrück (SPD), der in gleicher Funktion nach Nordrhein-Westfalen wechselte, wurde der parteilose Manager Horst Günter Bülck. An die Stelle der Bildungsministerin Gisela Böhrk (SPD) trat die bisherige SPD-Fraktionsvorsitzende im Landtag Ute Erdsiek-Rave.

Finanzen: Der Haushalt 1999 sieht Ausgaben von 14,6 Mrd DM vor. Die geplante Neuverschuldung beträgt 1,3 Mrd DM. Die Personalausgaben steigen 1999 auf 5,8 Mrd DM und erreichen damit einen Anteil von 40% an den gesamten Ausgaben. Für Investitionen stehen 1,6 Mrd DM zur Verfügung, für Zinszahlungen müssen 1,8 Mrd DM aufgewendet werden. Insgesamt beträgt die Gesamtverschuldung mehr als 30 Mrd DM.

Das Bundesverfassungsgericht (BVerfG, Karlsruhe) untersagte im September 1998 durch eine einstweilige Verfügung den Verkauf von Landesimmobilien an die schleswig-holsteinische Investitionsbank. Die Gebäude sollten vom Land gemietet werden. Der Erlös für den Verkauf von 750 Mio DM sollte in den Haushalt fließen. CDU und FDP sahen darin eine unzulässige Erhöhung des Kreditvolumens und klagten.

Wirtschaft: Das BIP wuchs 1998 in S. nur um 1,3% (1997: 2,2%) und betrug insgesamt rund 117 Mrd DM. Das nördlichste Bundesland erzielte damit die geringste Wachstumsrate aller westdeutschen Bundesländer und wurde nur von Berlin mit einem Minuswachstum unterboten. Die Arbeitslosenquote betrug 10,0% (1997: 9,9%). Die Zahl der Erwerbstätigen blieb mit 1,23 Mio konstant.

Bildung: Bei einem Volksentscheid im September 1998 sprachen sich 56,4 % der Abstimmungsberechtigten gegen die Einführung der neuen Rechtschreibregeln in den Schulen aus. S. ist damit das einzige Bundesland, in dem weiter nach den alten Rechtschreibregeln unterrichtet wird.

Justiz: Die Zahl der erfassten Straftaten erhöhte sich 1998 in S. um 1,4% auf rund 250 500. Die Jugendkriminalität stieg weiter an: Fast jeder dritte der 79 491 Tatverdächtigen war 1998 jünger als 21 Jahre. Die Aufklärungsquote der Polizei erreichte mit 47% den höchsten Wert seit 25 Jahren.

Schleswig-Holstein: Regierung	
Ressort	*Name (Partei, Amtsantritt), Geburtsjahr*
Ministerpräsidentin	Heide Simonis (SPD, 1993), *1943
Umwelt, Natur und Forsten, stellv. Ministerpräsident	Rainder Steenblock (Bündnis 90/Die Grünen, 1996), *1948
Justiz, Bundes- und Europaangelegenheiten	Gerd Walter (SPD, 1992), *1949
Inneres	Ekkehard Wienholtz (SPD, 1995), *1938
Finanzen, Energie	Claus Möller (SPD, 1993), *1942
Wirtschaft, Technologie, Verkehr	Horst Günter Bülck (parteilos, 1998), *1953
Ländliche Räume, Landwirtschaft, Ernährung, Tourismus	Klaus Buß (SPD, 1998), *1942
Arbeit, Gesundheit, Soziales	Heide Moser (SPD, 1993), *1943
Bildung, Wissenschaft, Forschung, Kultur	Ute Erdsiek-Rave (SPD, 1998), *1947
Frauen, Jugend, Wohnungs- und Städtebau	Angelika Birk (Bündnis 90/Die Grünen, 1996), *1955

Umwelt: Im Mai 1999 verabschiedete das Kabinett die umstrittene Novelle des Nationalparkgesetzes. Der Gesetzentwurf sieht die Erweiterung des 1985 gegründeten Nationalparks Schleswig-Holsteinisches Wattenmeer um 160 000 ha auf 439 000 ha vor. In der Nähe von Sylt und Amrum wird ein besonderes Schutzgebiet für Schweinswale ausgewiesen, in dem bestimmte Formen der Fischerei verboten sind. Gegen die Neufassung des Nationalparkgesetzes gab es Proteste an den Landkreisen an der schleswig-holsteinischen Westküste.

Im Dezember 1998 wurde auf Antrag der CDU ein parlamentarischer Untersuchungsausschuss im Kieler Landtag eingesetzt, der die Hintergründe des »Pallas«-Unfalls klären soll. Am 25.10.1998 war der Holzfrachter »Pallas« vor der dänischen Küste in Brand geraten und später vor Amrum gestrandet. Durch austretendes Öl verendeten ca. 16 000 Seevögel.

Thüringen

Bei den Landtagswahlen am 12.9.1999 tritt Ministerpräsident Bernhard Vogel (CDU), bisher Chef einer großen Koalition, erneut als Spitzenkandidat seiner Partei an. Die SPD wird von Innenminister Richard Dewes in die Wahl geführt.

Landespolitik: Im April 1999 schloss der Thüringer Landtag mit der notwendigen Zweidrittelmehrheit die PDS-Abgeordnete Almuth Beck wegen ihrer früheren Kontakte zur Staatssicherheit der DDR aus dem Parlament aus. Gegen die Aberkennung des Mandats stimmte die PDS. Sie beantragte vor dem Landesverfassungsgericht ein Normenkontrollverfahren gegen den Ausschluss. Basis für die Parlamentsentscheidung war das Abgeordneten-Überprüfungsgesetz, das im Dezember 1998 nach langer Kontroverse verabschiedet wurde.

CDU und SPD stellten im Februar 1999 einen Gesetzentwurf zur Altersversorgung der Abgeordneten vor. Er korrigiert die vom Landesverfassungsgericht im Dezember 1998 als verfassungswidrig eingestuften Regelungen. Künftig erhalten Abgeordnete nach Vollendung des 60. Lebensjahres und nach einer mind. sechsjährigen Zugehörigkeit zum Landtag Altersbezüge. Bis dahin galt eine Altersgrenze von 55 Jahren.

Thüringen

Landesfläche	16 171 km² (Rang 11/D)
Einwohner	2,50 Mio (Rang 12/D)
Hauptstadt	Erfurt (201 069 Einwohner)
Arbeitslosigkeit	17,1% (1998)
BIP/Erwerbstät.	46 930 DM (1998)
Regierungschef	Bernhard Vogel (CDU

Parlament Landtag mit 88 für fünf Jahre gewählten Abgeordneten; 42 Sitze für CDU, 29 für SPD, 17 für PDS (nächste Wahl: 12.9.1999); http://www.thueringen.de

Finanzen: Mit den Stimmen von SPD und CDU verabschiedete der Landtag im Dezember 1998 den Haushalt für 1999. Er sieht Ausgaben in Höhe von 18,9 Mrd DM vor, eine Steigerung von 1,5% gegenüber 1998. Mit 4,8 Mrd DM entfällt ein Viertel des Etats auf die Personalkosten. Von den geplanten Ausgaben sind 45,8% durch Steuereinnahmen gedeckt. 9,8 Mrd DM kommen aus dem Umsatzsteuerausgleich, dem Länderfinanzausgleich, aus Ergänzungszuweisungen des Bundes und aus verschiedenen Förderprogrammen. Die Nettoneuverschuldung lag bei 1,8 Mrd DM.

Wirtschaft: Das BIP stieg 1998 um 2,6% gegenüber dem Vorjahr. Die Arbeitslosenquote sank auf 17,1% (1997: 17,8%). T. erreichte den niedrigsten Wert aller ostdeutschen Bundesländer. Der Industrieumsatz lag im ersten Halbjahr 1998 13,7% über dem Vergleichszeitraum 1997.

Bernhard Vogel
Ministerpräsident von Thüringen (CDU), * 19.12.1932 in Göttingen. Seit 1992 ist V. Regierungschef von Thüringen. Nachdem der Koalitionspartner FDP nach der Landtagswahl 1994 ausgeschieden war, regiert er in einer großen Koalition mit der SPD. Der Ministerpräsident war von 1976 bis 1988 rheinland-pfälzischer Regierungschef.

Thüringen: Regierung

Ressort	Name (Partei, Amtsantritt), Geburtsjahr
Ministerpräsident	Bernhard Vogel (CDU, 1992), *1932
Wissenschaft, Forschung, Kultur, stellv. Ministerpräs.	Gerd Schuchardt (SPD, 1994), *1942
Wirtschaft, Infrastruktur	Franz Schuster (CDU, 1994), *1943
Inneres	Richard Dewes (SPD, 1994), *1948
Finanzen	Andreas Trautvetter (CDU, 1994), *1955
Justiz, Europa	Otto Kretschmer (SPD, 1994), *1940
Kultus	Dieter Althaus (CDU, 1992), *1958
Landwirtschaft, Umwelt	Volker Sklenar (CDU, 1990), *1944
Soziales, Gesundheit	Irene Ellenberger (SPD, 1994), *1946
Bundesangelegenh. (Staatskanzlei)	Christine Lieberknecht (CDU, 1994), *1958

Bundesländer Österreich

Der Teil österreichische Bundesländer enthält Informationen zu den neun österreichischen Ländern, vor allem Angaben über politische und wirtschaftliche Entwicklungen im Berichtszeitraum August 1998 bis Juli 1999. Jeder Artikel beginnt mit einer Zusammenstellung der Strukturdaten auf dem letztverfügbaren Stand. In Klammern ist die Rangstelle für Fläche und Einwohner innerhalb Österreichs angegeben. Für jedes Bundesland nennt eine Tabelle alle Regierungsmitglieder mit Parteizugehörigkeit, Amtsantritt und Geburtsjahr.

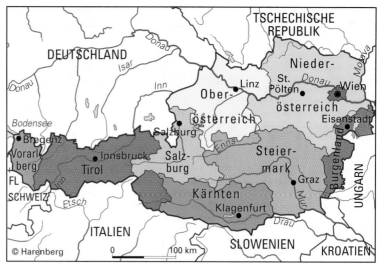

Karl Stix
Landeshauptmann des Burgenlandes (SPÖ), *24.10.1939 in Wiener Neustadt. S. ist seit 1991 Regierungschef und wurde 1996 nach den für die SPÖ erfolgreichen Landtagswahlen wieder gewählt.

Burgenland

Noch vor den nächsten Landtagswahlen 2001 soll im B. die Landesverfassung geändert werden. Statt Proporz- oder Konzentrationsregierungen soll es nur noch Mehrheitskabinette geben. Die drei großen Parteien ÖVP, SPÖ und Freiheitliche waren sich in dieser Frage einig.

Wahlen: Bei der Europawahl am 13.6.1999 erreichte die SPÖ im B. 41,6% (+3,5 Prozentpunkte), die ÖVP 34,1% (+1), die FPÖ 17,7% (−4,1). Die Grünen erhielten 4,1% (+1,1%), das Liberale Forum 1,3% (−1,2%).

Landespolitik: B. wird nach 2000 Ziel-1-Gebiet für EU-Förderungen bleiben. 1995 bis 1999 erhielt es 2,5 Mrd öS aus EU-Mitteln, die von Österreich verdoppelt wurden. Mit Investitionen in die Infrastruktur wurden 5000 Arbeitsplätze, die nach Osteuropa ausgelagert worden waren, kompensiert.

Burgenland: Regierung

Ressort	Name (Partei, Amtsantritt), Geburtsjahr
Landeshauptmann und Finanzen	Karl Stix (SPÖ, 1991), *1939
Stellv. Landeshaupt., Gemeinden, Jugend,	Gerhard Jellasitz (ÖVP, 1993), *1949
Wirtschaft, Verkehr	Karl Kaplan (ÖVP, 1996), *1942
Land- und Forstwirtschaft	Paul Rittsteuer (ÖVP, 1987), *1947
Krankenanstalten, Gesundheit, Soziales	Peter Rezar (SPÖ, 1999), *1956
Wohnbau, Raumord., Kultur	Helmut Bieler (SPÖ, 1952), *1952
Bauwesen	Gabriel Wagner (FPÖ, 1997), *1940

Burgenland

Landesfläche	3965 km² (Rang 7/A)
Einwohner	277 560 (Rang 9/A)
Hauptstadt	Eisenstadt (10 012 Einw.)
Arbeitslosigkeit	9,0% (1998)
Landeshauptmann	Karl Stix (SPÖ) *24.10.1939

Parlament Landtag mit 36 für fünf Jahre gewählten Abgeordneten; 17 Sitze für SPÖ, 14 für ÖVP, 5 für FPÖ (nächste Wahl: 2001); **http://burgenland.at**

Die bisherige Landesrätin für Kultur, Christa Prets, kandidierte bei der Europawahl für die SPÖ, sodass ihr Ressort mit Peter Rezar neu besetzt wurde. Er übernahm auch das Frauenressort, da in der Landesregierung kein weibliches Mitglied mehr vertreten ist. **Wirtschaft:** Eine wichtige Wirtschaftsförderung stellt der Ausbau des Straßennetzes dar. Im Frühjahr 1999 einigten sich die Landeshauptleute von Niederösterreich und B. über die Trassenführung einer Spange von der Ostautobahn an den Grenzübergang Kittsee. Das im Juni 1998 fertig gestellte Windkraftwerk Zurndorf erwies sich als Erfolg: 7,5 Mio kWh wurden ins Netz gespeist, was einer Reduktion von 7000 t Kohlendioxid durch herkömmliche Kraftwerke entspricht.

Kärnten

Landespolitik: Die Landtagswahlen in Kärnten vom 7.3.1999 veränderten die politische Landschaft: Durch den Erdrutschsieg der FPÖ – 42,1% der Stimmen und damit 16 von 36 Mandaten (+3 Mandate) – besetzte die FPÖ wieder den Posten des Landeshauptmannes. Unter Duldung der ÖVP-Abgeordneten im Landtag wurde FPÖ-Führer Jörg Haider im ersten Wahlgang gewählt. Die SPÖ verlor zwei Mandate, die ÖVP einen Sitz. Grüne und Liberales Forum blieben unter der Mandatsgrenze. Bei der Regierungsbildung erhielten FPÖ und SPÖ je drei Landesministerien, die ÖVP einen. Die schweren Verluste der SPÖ führten zur parteiinternen Krise, Landesparteiobmann Michael Ausserwinkler legte infolge starken

Kärnten: Regierung	
Ressort	*Name (Partei, Amtsantritt), Geburtsjahr*
Landeshauptmann, Kultur, Personal, EU u. a.	Jörg Haider (FPÖ, 1999), *1950
Wohnungswesen, stellv. Landeshauptmann u. a.	Mathias Reichhold (FPÖ, 1999), *1957
Umweltschutz/Technik, stellv. Landeshaupt. u. a.	Herbert Schiller (SPÖ, 1999), *1946
Gemeinden, Landwirt., Naturschutz u. a.	Georg Wurmitzer (ÖVP, 1999), *1943
Gesundheitswesen, Landeshochbau u. a.	Adam Unterrieder (SPÖ, 1999), *1948
Natur, Umwelt	Karl Pfeifenberger (FPÖ, 1999), *1955
Soziales, Jugend, Familie, Frau	G. Schaunig-Kandut (SPÖ, 1999), *1965

Kärnten	
Landesfläche	9533 km² (Rang 5/A)
Einwohner	564 091 (Rang 6/A)
Hauptstadt	Klagenfurt (90 765 Einw.)
Arbeitslosigkeit	8,8% (1998)
Landeshauptmann	Jörg Haider (FPÖ) * 26.1.1950

Parlament Landtag mit 36 für fünf Jahre gewählten Abgeordneten; 16 Sitze für FPÖ, 12 für SPÖ, 8 für ÖVP (nächste Wahl: 2003); **http://ktn.gv.at**

Drucks der Bundespartei sein Amt nieder. Nachfolger wurde der Villacher Bürgermeister Helmut Manzenreiter. **Wirtschaft:** Wegen des Niedergangs des Sommertourismus setzt K. 1999 auf Elektronik und touristische Angebote im Winter. 1991–97 ging die Zahl der Übernachtungen um ein Drittel von 15 Mio auf 10 Mio zurück. Erst 1998 gab es eine leichte Besserung durch neue Marketinginstrumente wie ein All-inclusive-Ticket für 91 Ausflugsziele und Verkehrsmittel, sowie einen landesweiten Buchungskatalog. Auf dem Arbeitsmarkt entspannte sich die Lage 1998 leicht: Die Erwerbslosigkeit sank im Jahresdurchschnitt auf 8,8% (1997: 9,4%, Durchschnitt in Österreich: 7,2%). Der von Haider im Wahlkampf versprochene Kindercheck von 5700 öS (810 DM) im Monat wird nur als Pilotprojekt in Griffen eingeführt.

Niederösterreich

Trotz Wirtschaftswachstum durch die Ostöffnung und Standortverlagerungen Wiener Firmen in das niederösterreichische Umland bestanden in N. 1998/99 weiterhin starke regionale Strukturunterschiede. **Landespolitik:** Bei der Europawahl am 13.6.1999 erreichte die ÖVP 36,1% der Stimmen (+0,5 Prozentpunkte), die SPÖ 32,2% (+3,1) und die FPÖ 20% (–3,1%). Die Grünen kamen auf 7,3% (+2), das Liberale Forum erzielte 2,2% (–2).

Niederösterreich	
Landesfläche	19 173 km² (Rang 1/A)
Einwohner	1,536 Mio (Rang 2/A)
Hauptstadt	St. Pölten (50 026 Einw.)
Arbeitslosigkeit	6,9% (1998)
Landeshauptmann	Erwin Pröll (ÖVP) * 24.12.1946

Parlament Landtag mit 56 für fünf Jahre gewählten Abgeordneten; 27 Sitze für ÖVP, 18 für SPÖ, 9 für FPÖ, 2 für Grüne (nächste Wahl: 2003); **http://www.noe.gv.at**

Jörg Haider
Landeshauptmann von Kärnten (FPÖ), * 26.1.1950 in Bad Goisern/Oberösterreich. 1989–91 war H. schon einmal Landesregierungschef, musste aber wegen seines Lobes über die Beschäftigungspolitik des NS-Regimes abtreten. Seit 1979 vertritt der Jurist die FPÖ als Abgeordneter im Nationalrat, seit 1986 ist er Vorsitzender der Partei.

Erwin Pröll
Landeshauptmann von
Niederösterreich (ÖVP),
*24.12.1946 in Radlbrunn
bei Ziersdorf. 1992 wurde
P. zum Landeshauptmann
gewählt und 1998 von
den Niederösterreichern
im Amt bestätigt.

Die Arbeit im Landtag blieb von der Affäre Rosenstingl beeinträchtigt, der Landes-FPÖ drohte mit fast 44 Mio öS (6,2 Mio DM) Schulden der Konkurs. Er konnte in letzter Minute durch Abtretung von Eigentumswohnungen an die Banken abgewendet werden. Im April 1999 wurde der durch die Affäre kompromittierte FPÖ-Landesrat und -parteiobmann Hans-Jörg Schimanek durch Ewald Stadler abgelöst.

Wirtschaft: Für das geplante Kugel-Projekt, eine riesige Erlebniswelt des Austrokanadiers Frank Stronach (Magna-Konzern) bei Ebreichsdorf, verweigerte das Land die Genehmigung. Der einstige Krisenbetrieb Semperit, 1985 vom deutschen Conti-Konzern von der Credit Anstalt erworben, erzielte 1998 den höchsten Bilanzgewinn seit Bestehen mit 617 Mio öS (88,1 Mio DM). Die Amstettner Umdasch-Gruppe, Spezialist für Ladenbau, erreichte 1998 mit 1,25 Mrd öS (178 Mio DM) ein Umsatzplus von 8%. Im ersten Halbjahr 1999 wurden 100 zusätzliche Mitarbeiter eingestellt.

Niederösterreich: Regierung

Ressort	Name (Partei, Amts-antritt), Geburtsjahr
Landeshauptmann Verkehr, Personal, Kultur	Erwin Pröll (ÖVP, 1992), *1946
Familie, Wohnbau, Sport, stellv. Landes-hauptmann	Lise Prokop (ÖVP, 1981), *1941
Gemeinden, Berufs-schulwesen, stellv. Landeshauptmann	Ernst Höger (SPÖ, 1980), *1945
Finanzen, Raum-ordnung, Umwelt	Wolfgang Sobotka (ÖVP, 1992), *1958
Agrarwesen, National-parks, Landschaftsfonds	Franz Blochberger (ÖVP, 1981), *1942
Wirtschaft, Fremdenverkehr	Ernest Gabmann (ÖVP, 1992), *1949
Kindergärten, Soziales	Traude Votruba (SPÖ, 1981), *1942
Gesundheit, Naturschutz, Jugend	Hannes Bauer (SPÖ, 1998), *1941
Wasserrecht, Baurecht	Ewald Stadler (FPÖ, 1999), *1961

Oberösterreich

O. blieb 1998/99 Österreichs Musterland hinsichtlich erfolgreicher Budgetsanierung und niedriger Arbeitslosenrate. Bei den Wahlen zum Europäischen Parlament am 13.6.1999 lag O. im Landestrend: Die ÖVP erreichte 32% (+ 1,1 Prozentpunkte), die SPÖ 30,7% (+2,2), die FPÖ 25% (−3,2%), die Grünen 8,6% (+2,1%) und das Liberale Forum 1,9% (−1,5%). Die erstmalig kandidierenden CSA und KPÖ erhielten nicht die für ein Grundmandat nötige Mindeststimmenzahl.

Landespolitik: Ende Mai 1999 startete Landeshauptmann Josef Pühringer mit seinem niederösterreichischen Amtskollegen Erwin Pröll eine weitere Initiative gegen Atomkraftwerke, speziell gegen den tsche-

Josef Pühringer
Landeshauptmann von
Oberösterreich (ÖVP),
* 30.10.1949 in Linz.
Der Jurist P. führt seit 1995
die Landesregierung.

chischen Meiler Temelin. Beide Landeshauptleute forderten die Wiener Bundesregierung auf, gegen Tschechiens Beitritt zur EU zu votieren, wenn es in absehbarer Zeit nicht aus der Atomkraft aussteige. Eine Verodnung des Landes, dass aktive Mitglieder der Scientology-Sekte nicht Landesbedienstete werden können, löste Diskussionen aus und wurde seither gerichtlich angefochten.

Finanzen: Der Haushalt für 1999 wurde wieder ohne Neuverschuldung des Landes erstellt. Prognostizierten Einnahmen von 50,7 Mrd öS (7,24 Mrd DM) stehen Ausgaben von 52 Mrd öS (7,43 Mrd DM) gegenüber. Der geringe Abgang kann durch Tilgungen gedeckt werden. Damit hat O. zum dritten Mal ein ausgeglichenes Budget. Schwerpunkte sind Investitionen von 450 öS (64,3 Mio DM) für Krankenhausprojekte, Forschung und Technologie sowie Bildung und Arbeitsmarkt.

Wirtschaft: Im September 1998 wurde die vorläufig letzte Ausbaustufe des Automobil-Clusters O. abgeschlossen. Mehr als 100 Hersteller und Zulieferer für die Autoindustrie wurden vernetzt. Die Grünen forcierten einen Öko-Cluster, für den sich Wirtschafts-Landesrat Leitl im Rahmen des Technologiekonzepts O. 2000 einsetzte. Der Öko-Cluster erhält Mittel aus dem Zukunftsfonds des Landes und vernetzt

Oberösterreich

Landesfläche	11 979 km² (Rang 4/A)
Einwohner	1,375 Mio (Rang 3/A)
Hauptstadt	Linz (189 000 Einw.)
Arbeitslosigkeit	5,1 % (1998)
Landeshauptmann	Josef Pühringer (ÖVP) * 30.10.1949

Parlament Landtag mit 56 für sechs Jahre gewählten Abgeordneten;
25 Sitze für ÖVP, 16 für SPÖ, 12 für FPÖ, 3 für Grüne (nächste Wahl: 2003);
http://www.ooe.gv.at

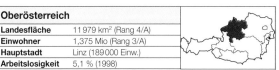

Oberösterreich: Regierung

Ressort	Name (Partei, Amtsantritt), Geburtsjahr
Landeshauptmann, Kultur, Presse, Bildung, Sport, Land- und Forstwirtschaft	Josef Pühringer (ÖVP, 1995), *1949
Finanzen, Gewerbe, Wirtschaft, Energie, stellv. Landeshauptmann	Christoph Leitl (ÖVP, 1990), *1949
Gemeinden, Arbeitnehmerförderung, stellv. Landeshauptmann	Fritz Hochmair (SPÖ,1982), *1941
Veterinärwesen, Wasserbau, -recht, Sparkassen	Hans Achatz (FPÖ, 1991), *1943
Jugendwohlfahrt, Sanitätsdienst, Sozialhilfe, Sozialversicherung	Josef Ackerl (SPÖ, 1995), *1946
Umwelt, Frauenangelegenheiten, Preisüberwachung, Lebensmittelpolizei	Ursula Haubner (FPÖ, 1997), *1945
Wohnungswesen, Naturschutz, Tierschutz, Verkehr	Erich Haider (SPÖ, 1997), *1957
Jugendförderung, Feuerpolizei, Katastrophenhilfsdienst, Zivildienst	Walter Aichinger (ÖVP, 1995), *1953
Personalangelegenheiten, Baurecht, Bauangelegenheiten, Familie	Franz Hiesl (ÖVP, 1995), *1952

Forschungstätigkeit und Umweltindustrie. Die Arbeitslosenzahl verringerte sich 1998 auf 5,1% (1997: 5,3%). Gleichzeitig stieg die Zahl der Beschäftigten um 0,8% auf 518 802 (1997: 514 862). Im Oktober 1998 fiel die Arbeitslosenrate sogar auf 4,3%. Die Jugend-Langzeitarbeitslosigkeit sank 1998/99 um 68%.

Salzburg

Die Landespolitik war von den Landtagswahlen im März 1999 dominiert. Wirtschaftlich ging es dem Land S. sehr gut: Mit 4,9% wies es die niedrigste Arbeitslosenrate in Österreich auf.
Landespolitik: Bei den Landtagswahlen vom 7.3.1999 behauptete die ÖVP ihre Mehrheit mit 38,75% der Stimmen und gewann ein Mandat hinzu (15 von 36). Die SPÖ legte bei den Stimmen um mehr als 5% zu und erreichte ebenfalls ein zusätzliches Landtagsmandat (1999: 12 statt bisher 11). Die Stimmengewinne gingen auf Kosten von FPÖ und Grünen. Die Regierungsbil-

Salzburg: Regierung

Ressort	Name (Partei, Amtsantritt), Geburtsjahr
Landeshauptmann, Personal, Rechtsfragen, Bildung u. a.	Franz Schausberger (ÖVP, 1996), *1950
Jugend, Sozial- und Wohlfahrtswesen u. a.	Gerhard Buchleitner (SPÖ, 1989), *1942
Landesplanung und Raumordnung, Finanzen, Wirtschaft/Tourismus u. a.	Arno Gasteiger (ÖVP, 1984), *1947
Frauenfragen u. Gleichbehandlung, Gewerbe- und Verkehrsrecht u. a.	Gabi Burgstaller (SPÖ, 1999), *1963
Wohnungswesen, Umweltschutz, Kultur und Sport	Othmar Raus (SPÖ, 1984), *1945
Land- und Forstwirtschaft, Volkskultur, Naturschutz, Energiewirtschaft	Josef Eisl (ÖVP, 1997), *1964
Familien, Kindergärten, Landeskrankenanstalten, Tierschutz u. a.	Maria Haidinger (ÖVP, 1999), *1950

Franz Schausberger
Landeshauptmann von Salzburg (ÖVP), *5.2.1950 in Steyr (Oberösterreich). In der von ihm seit 1996 geführten Regierung sind neben der ÖVP auch SPÖ und Freiheitliche vertreten.

dung in S. erfolgte wegen Abschaffung des Proporzsystems über ein Arbeitsübereinkommen zwischen ÖVP und SPÖ. Die beiden bisher von den Freiheitlichen besetzten Landesregierungsposten wurden an zwei Frauen aus den Regierungsparteien vergeben. Das Arbeitsübereinkommen schließt einen koalitionsfreien Raum ausdrücklich aus. Kontroverse Themen wie etwa Schwangerschaftsabbruch an öffentlichen Spitälern – eine Forderung der SPÖ – oder Abschaffung des Proporzsystems in der Landeshauptstadt (ÖVP-Wunsch) wurden ausgeklammert. Großprojekte der am 27.4.1999 gewählten Landesregierung sind ein Stadionneubau, die Sanierung des Kleinen Festspielhauses und der Bau der zweiten Röhre beim Tauerntunnel, in dem sich im Juni 1999 eine Brandkatastrophe ereignete. Bei den Wahlen in der Stadt S. siegte bei der Stichwahl im März 1999 Vizebürgermeister Heinz Schaden (SPÖ); Amtsinhaber Josef Dechant (ÖVP) war nicht erneut angetreten.

Salzburg	
Landesfläche	7154 km² (Rang 6/A)
Einwohner	514 002 (Rang 7/A)
Hauptstadt	Salzburg (142 878 Einw.)
Arbeitslosigkeit	4,9% (1998)
Landeshauptmann	Franz Schausberger (ÖVP) *5.2.1950
Parlament Landtag mit 36 für fünf Jahre gewählten Abgeordneten; 15 Sitze für ÖVP, 12 für SPÖ, 7 für FPÖ, 2 für Grüne (nächste Wahl: 2004); **http://www.land-sbg.gv.at**	

Steiermark

Landesfläche	16387 km² (Rang 2/A)
Einwohner	1203649 (Rang 4/A)
Hauptstadt	Graz (237810 Einw.)
Arbeitslosigkeit	8,1% (1997)
Landeshauptmann	Waltraud Klasnic (ÖVP) * 27.10.1945

Parlament Landtag mit 56 für fünf Jahre gewählten Abgeordneten: 21 Sitze für ÖVP, 21 für SPÖ, 10 für FPÖ, 2 für Liberales Forum, 2 für Grüne (nächste Wahl: 2000); **http://www.land.steiermark.at/**

Waltraud Klasnic
Landeshauptfrau der Steiermark (ÖVP), *27.10.1945 in Graz. Seit 1996 führt mit K. erstmals eine Frau eine österreichische Landesregierung (ab 1993 stellv. Regierungschefin). Seit 1988 hatte K. das Amt der Landrätin für Wirtschaft, Tourismus und Soziales inne.

Steiermark

Dank der EU-Regionalförderung verzeichnete die St. beachtliche wirtschaftliche Fortschritte: In einem Ranking von 243 Förderregionen rückte das Bundesland 1995–99 von Platz 119 auf 53 vor. Für die nächste Fünfjahres-Förderperiode hofft die Regierung der St., weiter zum Ziel-2-Gebiet erklärt zu werden (nach der neueren Definition zu fördernde Regionen mit Strukturproblemen bei wirtschaftlicher und sozialer Umstellung).

Landespolitik: Bei der Europawahl erreichte die SPÖ in der St. 32,4% der Stimmen (+3,2 Prozentpunkte), die ÖVP 30% (−0,3%) und die FPÖ 25,1% (−3,8%). Die Grünen erhielten 7,8% (+2,1) der Stimmen, das Liberale Forum 2,1% (−1,1%).

In der St. herrscht bei der Regierungsbildung weiter das Proporzsystem. Die Landes-ÖVP plant seit Jahren die Abschaffung

Steiermark: Regierung

Ressort	Name (Partei, Amtsantritt), Geburtsjahr
Landeshauptfrau, Gemeinden, Katastrophenschutz, Europa	Waltraud Klasnic (ÖVP, 1996), *1945
Stellv. Landeshaupt., Forschung, Wissenschaft, Kultur, Europa	Peter Schachner-Blazizek (SPÖ, 1990), *1942
Wirtschaft, Telekommunikation	Herbert Paierl (ÖVP, 1996), *1952
Personal, Sport, Naturschutz, Tourismus	Gerhard Hirschmann (ÖVP, 1993), *1951
Land- und Forstwirtschaft, Umweltschutz	Erich Pöltl (ÖVP, 1993), *1942
Finanzen, Verkehr, Landesforste u. a.	Hans-Joachim Ressel (SPÖ, 1991), *1943
Wohnbau, Baurecht, Raumplanung	Michael Schmid (FPÖ, 1991), *1945
Gesundheit, Spitäler, Jugend	Günter Dörflinger (SPÖ, 1996), *1957
Soziales, Kindergärten, Schulen	Anna Rieder (SPÖ, 1994), *1943

dieser Rgelung, scheiterte jedoch am Widerstand von SPÖ und FPÖ. Vor den nächsten Landtagswahlen 2000 machte der ÖVP-Landtagsklubobmann Hermann Schützenhofer einen neuerlichen Versuch. Im April 1999 führte das Land in Gemeinden mit mehr als 1000 Einwohnern verpflichtend Ausländerbeiräte ein. Alle Parteien außer der FPÖ stimmten dieser Regelung zu.

Wirtschaft: Erfolgreich entwickelte sich der ab 1996 aufgebaute Auto-Cluster im Bereich Graz-Umgebung. Um Leitbetriebe wie Steyr Fahrzeugtechnik und Eurostar hatten sich bis Mitte 1999 166 Zulieferfirmen mit insgesamt 12000 Beschäftigten gesammelt. Alle Betriebe werden vom Land beraten und durch gebündeltes Marketing unterstützt.

Am 11.5.1999 erfolgte der Spatenstich für ein Telekommunikationszentrum südlich von Graz in Unterpremstätten. Geplant war der Bau eines Holz-Clusters.

Der Leiterplattenhersteller AT&S erreichte 1998 mit 1900 Mitarbeitern einen Umsatz von 2,3 Mrd öS (328,5 Mio DM). Noch 1999 wollte das Unternehmen ein neues Werk in Leoben-Hinterberg errichten, wodurch 450 Arbeitsplätze geschaffen wurden. 60% der Stellen waren für Frauen vorgesehen, da das Unternehmen die neuen Nachtarbeitszeitregelungen für weibliche Arbeitskräfte nutzen konnte. Die Investition von 1,1 Mrd öS (157 Mio DM) wollte das Unternehmen durch einen Börsengang in Frankfurt/M. erzielen. Hauptkunden von AT&S sind die Handy-Erzeuger Siemens, Nokia und Motorola. Hinsichtlich der Beschäftigtenzahl liegt die St. mit 1,2% Zuwachs über dem österreichischen Durchschnitt von 1%.

Am 17.7.1998 kam es im Naintscher Mineralwerk in Lassing zu einem schweren Grubenunglück. Beim Stolleneinbruch wurde ein Bergmann eingeschlossen, ein riesiger Krater entstand an der Oberfläche. Zehn Bergleute, die zur Rettung ihres Kameraden einfuhren, wurden ebenfalls verschüttet. Nach neun Tagen konnte der einzelne Knappe lebend gerettet werden, die zehn Helfer blieben eingeschlossen. Da der Verdacht eines unerlaubten Abbaus bestand, stellte die Staatsanwaltschaft Ermittlungen an. Ende Juni 1999 sollte gegen zehn Personen Anklage erhoben werden.

Tirol: Regierung

Ressort	Name (Partei, Amts- antritt), Geburtsjahr
Landeshauptmann, Außenbeziehungen, Tourismus, Personal u. a.	Wendelin Weingartner (ÖVP, 1993), *1937
Finanzen, Wirtschaft stellv. Landeshaupt.	Ferdinand Eberle (ÖVP, 1994), *1949
Soziales, Fachhoch- schulen, stellv. Landes- hauptmann	Herbert Prock (SPÖ, 1994), *1955
Raumordnung, Grund- verkehr, Gemeinden u. a.	Konrad Streiter (ÖVP, 1994), *1947
Gesundheit, Familie, Frauen, Wohnbau	Elisabeth Zanon (ÖVP, 1994), *1955
Umwelt, Naturschutz, Baurecht	Christa Gangl (SPÖ, 1999), *1948
Kultur, Arbeitsmarktförd., Schulen, Sport	Fritz Astl (ÖVP, 1989), *1944

Tirol

Das bisher die Landespolitik in T. beherr-schende Thema des Transitverkehrs war 1998/99 wegen der Abgabe der Kompeten-zen an die Brüsseler EU-Behörden nicht mehr von Bedeutung.

Landespolitik: Die Landtagswahlen vom 7.3.1999 führten eine Änderung der politi-schen Landschaft herbei, da die ÖVP nach 54 Jahren ihre absolute Mehrheit verlor und die Bildung der Landesregierung nicht mehr nach dem Proporzsystem erfolgte. Bei den Wahlen erreichte die ÖVP zunächst 19 der 36 Mandate (SPÖ 8). Da das ÖVP-Mandat aber nur mit 19 Stimmen abgesichert war, verlangten SPÖ, FPÖ und Grüne eine Neu-auszählung der Stimmzettel, weil in 20 von 25 Innsbrucker Wahlsprengeln Mängel fest-gestellt worden waren. Tatsächlich wander-te nach der zweiten Auszählung ein Mandat von der ÖVP zu den Grünen. Damit verlo-ren die Konservativen die seit 1945 vertei-digte absolute Mehrheit.

Erste Koalitionsgespräche mit der SPÖ scheiterten an der zu hohen Forderung des Partners (drei Regierungssitze). Daraufhin verhandelte die ÖVP mit den Freiheitlichen, was schnell zum Einlenken bei der SPÖ führte. Die beiden großen Parteien verein-barten einen Koalitionspakt: In der Landes-regierung, die einvernehmlich von acht auf sieben Regierungssitze verkleinert wurde, gilt ab sofort Einstimmigkeit der Beschlüs-se. Im Koalitonsvertrag vereinbarten SPÖ

Tirol

Landesfläche	12 648 km² (Rang 3/A)
Einwohner	685 391 (Rang 5/A)
Hauptstadt	Innsbruck (130 000 Einw.)
Arbeitslosigkeit	6,3% (1997)
Landeshauptmann	W. Weingartner (ÖVP) * 7.2.1937

Parlament Landtag mit 36 für fünf Jahre gewählten Abgeordneten; 19 Sitze für ÖVP, 7 für SPÖ, 6 für FPÖ, 4 für die Grüne Alternative (nächste Wahl: 1999); http://www.tirol.gv.at

und ÖVP ferner die Einführung einer Maut auf der Unterinntal-Autobahn, den »be-darfsgerechten Ausbau« von Kinderbetreu-ungseinrichtungen und eine Vereinfachung der Landtagswahlordnung.

Wirtschaft: Das Winterfremdenverkehrs-land Tirol wurde im Februar 1999 von einer schweren Lawinenkatastrophe im Paznaun-tal heimgesucht. Die Orte Galtür und Valzur wurden teilweise bzw. völlig zerstört. Die finanziellen Einbußen der Saison beliefen sich auf 20–25%. In Galtür werden die betroffenen Häuser wieder aufgebaut. Der zerstörte Weiler Valzur soll einen halben Kilometer weiter neu errichtet werden.

Vorarlberg

V. erlitt im Frühjahr 1999 durch Hochwasser schwere Schäden in Millionenhöhe. Mehre-re Wochen standen die am Bodensee liegen-den Landesteile unter Wasser.

Landespolitik: Bei den Wahlen zum Euro-päischen Parlament erreichte die in V. regie-rende ÖVP 35,7% der Stimmen (–0,4 Pro-zentpunkte), die FPÖ verzeichnete mit 28,4% stärkere Stimmeneinbußen (–4,9%), die SPÖ 19,8% (+6%), die Grünen 11,3% (+2,4%) und das Liberale Forum 2,9% (–2%). Die nächsten Landtagswahlen sind in V. im Herbst 1999 fällig. Hinsichtlich einer Verfassungsreform nimmt das Land eine Sonderstellung ein, da es eine Mehr-heitsregierung vorsieht und nicht wie die

Wendelin Weingartner
Landeshauptmann von Tirol (ÖVP), *7.2.1937 in Innsbruck. Der ehemalige Direktor der Hypobank (seit 1984) wurde 1991 Parteiobmann (Vorsitzen-der) der Tiroler ÖVP, 1993 zum Landeshauptmann gewählt und nach der Landtagswahl 1994 be-stätigt.

Vorarlberg

Landesfläche	2601 km² (Rang 8/A)
Einwohner	346 891 (Rang 8/A)
Hauptstadt	Bregenz (27 887 Einw.)
Arbeitslosigkeit	5,8% (1998)
Landeshauptmann	Herbert Sausgruber (ÖVP) * 24.7.1946

Parlament Landtag mit 36 für fünf Jahre gewählten Abgeordneten; 20 Sitze für ÖVP, 7 für FPÖ, 6 für SPÖ, 3 für Grüne (nächste Wahl: 1999); http://www.vorarlberg.at

Herbert Sausgruber
Landeshauptmann
von Vorarlberg (ÖVP),
*24.7.1946 in Bregenz.
Der promovierte Jurist ist
als Landeshauptmann (ab
1997) u. a. für Finanzen,
Personal und Europaan-
gelegenheiten zuständig.

Michael Häupl
Landeshauptmann und
Bürgermeister von Wien
(SPÖ), *14.9.1949 in
Altlengbach (Niederöster-
reich). Nachdem die SPÖ
bei der Wahl zum Wiener
Gemeinderat 1996 unter
die 40%-Marke gerutscht
war, bildete sie unter H.
eine Koalition mit der ÖVP.
1994 löste H. Helmut Zilk
als Landeshauptmann ab.

Vorarlberg: Regierung

Ressort	Name (Partei, Amts-antritt), Geburtsjahr
Landeshauptmann, Finanzen, Personal, Europa, Außenbezieh.	Herbert Sausgruber (ÖVP, 1997), *1946
Landesstatthalter, Kultur, Soziales	Hans-Peter Bischof (ÖVP, 1997), *1947
Wirtschaft, Raumplanung, Verkehr	Manfred Rein (ÖVP, 1984), *1948
Abfallwirtschaft, Gewässerschutz	Hubert Gorbach (FPÖ, 1993), *1956
Gesetzgebung, Sport	Siegmund Stemer (ÖVP, 1997), *1951
Landwirtschaft, Umwelt	Erich Schwärzler (ÖVP, 1993), *1953
Schule, Wissenschaft, Jugend, Familie	Eva Maria Waibel (ÖVP, 1995), *1953

übrigen Bundesländer Österreichs nach
dem traditionellen Proporzsystem regiert
wird. Trotz absoluter Mehrheit regiert die
ÖVP in V. allerdings seit Jahren gemeinsam
mit der FPÖ.

⛊ Wien

Landespolitik: Die Große Koalition aus
SPÖ und ÖVP reduzierte bei der Budget-
Erstellung für das Jahr 1999 das Defizit von
9,7 Mrd öS (1,37 Mrd DM) auf 9,5 Mrd öS
(1,35 Mrd DM), wobei Einnahmen von
130,8 Mrd öS (18,59 Mrd DM) und Ausgaben von 140,3 Mrd öS (19,94 Mrd DM)
veranschlagt wurde.
Der Schuldenstand der österreichischen
Hauptstadt sank 1998 von 55,2 Mrd öS
(7,84 Mrd DM) auf 53,6 Mrd öS (7,61 Mrd
DM). Bei den Budgetschwerpunkten wurde
die Wirtschaftsförderung um 100 Mio öS
(14,21 Mio DM) erhöht. Die Kultur erzielte
– auch wegen des Johann-Strauß-Jahres –
ein Rekordbudget von 2,43 Mrd öS
(345 Mio DM) gegen über 2,09 Mrd öS
(297 Mio DM) im Vorjahr. Ein großer Teil

Wien: Regierung

Ressort	Name (Partei, Amts-antritt), Geburtsjahr
Landeshauptmann und Bürgermeister	Michael Häupl (SPÖ, 1994), *1949
Vizebürgermeister und stellv. Landeshaupt. Planung und Zukunft	Bernhard Görg (ÖVP, 1996), *1942
Finanzen, Wirtschaftspolitik, Wiener Stadtwerke	Brigitte Ederer (SPÖ, 1997), *1956
Jugend, Soziales, Information und Sport, Vizebürgermeisterin	Grete Laska (SPÖ, 1994), *1951
Wohnen, Wohnbau und Stadterneuerung	Werner Faymann (SPÖ, 1994), *1960
Umwelt und Verkehrskoordination	Fritz Svihalek (SPÖ, 1994), *1958
Integration, Frauen-fragen, Konsumenten-schutz und Personal	Renate Brauner (SPÖ, 1996), *1956
Gesundheits- und Spitalwesen	Sepp Rieder (SPÖ, 1990), *1939
Kultur	Peter Marboe (ÖVP, 1996), *1942

des Kulturbudgets geht allerdings in bauliche Maßnahmen, wie die Errichtung eines
neuen Stadtarchivs im ehemaligen Gasome-
ter. Die Finanzmittel für die Auslands-Kul-
turaktivitäten W. wurden vervierfacht.
Wirtschaft: Um der Stadt einen Techno-
logieschub zu versetzen, wurde auf dem
Bauplatz vor der UNO-City am linken
Donauufer mit einem Kostenaufwand von
1,1 Mrd öS (156 Mio DM) mit der Errichtung eines Technologieparks begonnnen.
Das technologiepolitische Leitprojekt für
die Jahrtausendwende, »Tech Gate Vienna«,
wird nach Plänen der Architekten Holzbau-
er und Frank in zwei Ausbaustufen bis 2001
bzw. 2003 fertig gestellt. Der Spatenstich
erfolgte am 5.5.1999. Arbeitsschwerpunkte
von »Tech Gate Vienna« sind Kommunikation und Kooperation zwischen Forschungseinrichtungen und Unternehmen der Telekommunikation, Informationstechnik und
Softwareentwicklung.
EU-Förderung: Ende November 1998
tagte in Wien das erste »Urban Forum« der
Europäischen Union. Die Teilnehmer beschlossen, dass auch Städte sog. Ziel-2-
Gebiete (industrielle Problementwicklung)
für EU-Förderungen sein können. Das Prinzip wurde in die Reformvorschläge zur
Agenda 2000 aufgenommen.
http://www.magwien.gv.at

Wien

Landesfläche	415 km² (Rang 9/A)
Einwohner	1,599 546 Mio (Rang 1/A)
Hauptstadt	Wien
Arbeitslosigkeit	8,5% (1998)
Landeshauptmann	Michael Häupl (SPÖ) * 14.9.1949

Parlament Landtag mit 100 für Jahre gewählten Abgeordneten; 43 Sitze
für SPÖ, 29 für FPÖ, 15 für ÖVP, 7 für Grüne, 6 für Liberales Forum (nächste
Wahl: 2001); **http://www.magwien.gv.at**

■ Kantone Schweiz

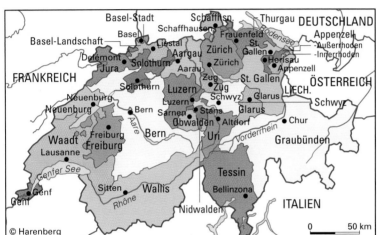

Der Teil Schweizer Kantone enthält Informationen zu den 26 Schweizer Kantonen und Halbkantonen, vor allem Angaben über politische und wirtschaftliche Entwicklungen im Berichtszeitraum August 1998 bis Juli 1999. Jeder Artikel beginnt mit einer Zusammenstellung der Strukturdaten auf dem letztverfügbaren Stand. In Klammern ist die Rangstelle für Fläche und Einwohner innerhalb der Schweiz angegeben.

Aargau

Wahlen: Der bei der SPS wegen seines Rechtskurses in Ungnade gefallene Kurt Wernli (künftig parteilos) wurde am 29.11.1999 als Nachfolger von Silvio Bircher (SPS) zum Regierungsrat gewählt. Die offizielle SPS-Kandidatin Ursula Padrutt unterlag deutlich, womit die SP ihren einzigen Regierungssitz verlor. Am 13.6.1999 wurde SVP-Nationalrat und Bauunternehmer Ernst Hasler in den Regierungsrat delegiert. Er tritt im Oktober 1999 die Nachfolge von Finanzdirektor Ulrich Siegrist (SVP) an.

Asylpolitik: Der Aargauer Große Rat forderte im Juni 1999 in Form einer Standesinitiative zentrale Sammellager für straffällige Asylbewerber. Die Forderung war Ausdruck einer zunehmend fremdenfeindlichen Politik in der Schweiz, die nach Aussage gemäßigter Politiker der Regierungsparteien CVP, FDP und SPS von der SVP geschürt werde. Am 13.6.1999 stimmte das Schweizer Volk in allen Kantonen einem verschärften Asylgesetz zu. Die vom Aargauer Kantonsparlament geforderten Internierungslager, welche die SVP auch vor dem Bundesparlament für Kosovo-Flüchtlinge forderte, verstoßen gegen die Europäische Menschenrechtskonvention.

Aargau		
Landesfläche	1404 km² (Rang 10/CH)	
Einwohner	507 508 (Rang 4/CH)	
Hauptstadt	Aarau (15 467 Einwohner)	
Arbeitslosigkeit	2,2% (Mai 1999)	
Amtssprache	Deutsch	
Regierungschef	Thomas Pfisterer (FDP), *1941	

Parlament Großer Rat mit 200 für vier Jahre gewählten Abgeordneten, 48 Sitze für SPS, 48 für SVP, 40 für FDP, 37 für CVP, 8 für EVP, 7 für Schweizer Demokraten (SD), 6 für Grüne, 3 für Freiheitspartei (FPS, früher Autopartei), 2 für LdU (Landesring der Unabhängigen), 1 für Eidg. Demokratische Union (EDU; nächste Wahl: 2001); **http://www.ag.ch**

743

Appenzell-Außerrhoden

Wahlen: Am 7.2.1999 wurde die bisherige Regierung vom Volk im Amt bestätigt. Bei den Kantonsratswahlen am 18.4.1999 gelang es der rechtsbürgerlichen SVP auf einen Schlag, ihre Mandate beinahe zu verdoppeln (von vier auf sieben Sitze).

 Appenzell-Innerrhoden

Wahlen: Im Landsgemeindekanton Appenzell-Innerrhoden wurde am 2.5.1999 in einem Urnengang erstmals ein auf vier Jahre gewähltes Parlament bestellt. Im Gegensatz zu ihren Wahlerfolgen in anderen Kantonen im Vormonat konnte die rechtsbürgerliche SVP ihren Erfolg nicht wiederholen. Alle 46 Gewählten sind Mitglieder

Appenzell-Außerrhoden	
Landesfläche	243 km² (Rang 23/CH)
Einwohner	94 068 (Rang 19/CH)
Hauptstadt	Herisau (16 112 Einwohner)
Arbeitslosigkeit	0,6% (Mai 1999)
Amtssprache	Deutsch
Regierungschef	Marianne Kleiner (FDP) * 29.5.1947

Parlament Kantonsrat mit 65 erstmals für vier Jahre gewählten Abgeordneten: 29 für FDP, 21 ohne erklärte Parteibindung, 7 für SVP, 4 für SPS, 3 für CVP, 1 für Forum Herisau

Appenzell-Innerrhoden	
Landesfläche	172 km² (Rang 25/CH)
Einwohner	15 045 (Rang 26/CH)
Hauptstadt	Appenzell (5590 Einwohner)
Arbeitslosigkeit	0,5% (Mai 1999)
Amtssprache	Deutsch
Regierungschef	Arthur Loepfe (CVP) *1942

Parlament Großer Rat mit 46 für vier Jahre gewählten Abgeordneten; alle Mitglieder des Kantonsrats sind der Christlichdemokratischen Volkspartei (CVP) zuzurechnen (nächste Wahl: 2003); **http://www.ktai.ch**

Basel-Landschaft	
Landesfläche	518 km² (Rang 18/CH)
Einwohner	256 535 (Rang 17/CH)
Hauptstadt	Liestal (12 295 Einwohner)
Arbeitslosigkeit	1,9% (Mai 1999)
Amtssprache	Deutsch
Regierungschef	Hans Fünfschilling (FDP), *1940

Parlament Landrat mit 90 für vier Jahre gewählten Abgeordneten; 25 Sitze für die SPS, 22 für FDP, 14 für SVP, 12 für CVP, 9 für SD, 5 für GPS, 3 für EVP (nächste Wahl: 2003); **http://www.baselland.ch**

der CVP. Als Nachfolger von Ruth Metzler wurde am 25.4.1999 Bruno Koster zum neuen Säckelmeister (Finanzdirektor) des kleinen Kantons bestimmt.

Bundesratswahl: Am 11.3.1999 wurde die 34-jährige Ruth Metzler als zweite Frau und jüngstes Regierungsmitglied im 20. Jh. in den Schweizer Bundesrat (Bundesregierung) gewählt. Im Mai übernahm sie das Justiz- und Polizeidepartement.

 Basel-Landschaft

Wahlen: Gewinner der Wahlen zum Landrat (Kantonsparlament) am 21.3.1999 waren die am rechten Rand des politischen Spektrums operierenden, eher populistischen Schweizer Demokraten (SD, +2) und die SVP (+3). Sozialdemokrat Eduard Belser verlor seinen Sitz in der Regierung an den gemäßigten, nicht dem radikalen Zürcher-Flügel angehörenden SVP-Politiker und Landwirt Erich Straumann. Belser hatte als Sanitätsdirektor im Vorfeld der Wahlen in dem bis 1994 bernischen Laufental einen Konflikt unter Ärzten am Bezirksspital mit der Entlassung eines Chefmediziners beendet, was in der Talschaft zu vorübergehenden Unruhen führte.

Abstimmungen: Am 13.6.1999 hießen die Stimmberechtigten von Basel-Landschaft und -Stadt je 35 Mio DM für den Ausbau des Flughafens Basel-Mülhausen gut. Damit sicherten sich die zwei Kantonsregierungen Mitspracherecht bei Umweltauflagen für den Flughafenausbau (Kosten: 400 Mio DM). Das bisherige Terminal ist für 1,8 Mio Passagiere ausgelegt. 1998 wurden über 3 Mio Passagiere abgefertigt.

 Basel-Stadt

Abstimmungen: Am 18.4.1999 nahmen die Basler einen Vorschlag für die Ausarbeitung einer neuen Kantonsverfassung an, die u. a. die Wiedervereinigung von Basel-Stadt und -Landschaft ermöglichen soll.

Wirtschaft: Am 10.12.1998 machte die Deutsche Post dem Basler Logistik- und Transportunternehmen Danzas, einem der größten der Welt, für 1,6 Mrd DM ein Übernahmeangebot. Am 20.5.1999 verhängte die US-Kartellbehörde dem Basler Pharmakon-

Basel-Stadt: Regierung

Ressort	Name (Partei, Amts-antritt), Geburtsjahr
Regierungspräsident, Polizei und Militär	Jörg Schild (FDP, 1992), *1946
Wirtschaft und Soziales	Ralph Lewin (SPS, 1997), *1953
Bauwesen	Barbara Schneider (SPS, 1997), *1953
Erziehung	Stefan Cornaz (FDP, 1995), *1944
Finanzen	Ueli Vischer (LPS, 1992), *1951
Gesundheit	Veronica Schaller (SPS, 1992), *1955
Justiz	Hans Martin Tschudi (DSP, 1994), *1951

Basel-Stadt

Landesfläche	37 km² (Rang 26/CH)
Einwohner	191 489 (Rang 14/CH)
Hauptstadt	Basel (170 033 Einwohner)
Arbeitslosigkeit	2,5% (Mai 1999)
Amtssprache	Deutsch
Regierungschef	1999: Hans Martin Tschudi (DSP), *1951; 2000: Stefan Cornaz (FDP), *1944

Parlament Großer Rat mit 130 für vier Jahre gewählten Abgeordneten: 39 Sitze für SPS, 16 für FDP, 14 für LPS, 13 für CVP, 13 für Grüne, 11 für DSP, 7 für FraB (Frauenliste Basel), 6 für VEW (Ver. Evangelischer Wähler, EVP), 5 für FPS/SD, 5 für SB (Starkes Basel, gemäßigte Schweizer Demokraten), 1 für SVP (nächste Wahl 2001; **http://bs.ch**

Bern

Landesfläche	5964 km² (Rang 2/CH)
Einwohner	945 500 (Rang 2/CH)
Hauptstadt	Bern (126 886 Einwohner)
Arbeitslosigkeit	1,8% (Mai 1999)
Amtssprache	Deutsch, Französisch
Regierungschef	Samuel Bhend (SPS), *1943

Parlament Großer Rat mit 200 für vier Jahre gewählten Abgeordneten: 66 für SVP, 58 für SPS, 38 für FDP, 19 für Grüne (Freie Liste, FL), 8 für EVP, 5 für Grünes Bündnis (GB), 4 für FPS (Freiheitspartei, früher Autopartei), 4 für EDU (Eidg. Demokratische Union), 3 für SD (Schweizer Demokraten), 2 für CVP, 2 für PSA (Parti socialiste autonome im Berner Jura), 1 für CVP/LPS im Berner Jura (nächste Wahl 2002; **http://www.be.ch**

zern Hoffmann-La Roche und dem deutschen Chemieriesen BASF Strafen in Höhe von 1 Mrd DM bzw. 450 Mio DM wegen verbotener Preisabsprachen auf dem Vitaminmarkt in den USA auf. Der verantwortliche Topmanager Kuno Sommer musste für vier Monate ins Gefängnis. Schweizer Manager gerieten wegen ihrer Praktiken auf den internationalen Märkten ins Zwielicht. Auch die Großbank Crédit Suisse wurde illegaler Machenschaften verdächtigt.

 Bern

Politik: Zum zehnten Mal legte die Regierung am 7.9.1998 ein stark defizitäres Budget mit einem Verlust von umgerechnet 215 Mio DM für 1999 vor. Kürzungen im Sozialbereich waren die Konsequenz. Anfang Juni 1999 entschied der Regierungsrat die Schließung von fünf Spitälern, wodurch 200 Arbeitsplätze abgebaut wurden. Auch die Stadt Bern musste mit einem Fehlbetrag von rund 80 Mio DM rechnen. Im Frühjahr 1999 genehmigte der Große Rat ein Steuergesetz, das die Bürger und Unternehmen entlastet.
Verkehr: Die BLS (Bern-Löschberg-Simplon-Bahn) vereinbarte im Güterverkehr eine Kooperation mit der DB. Nach Annahme der Leistungsabhängigen Schwerverkehrsabgabe am 27.9.1998 und der Neuen Eisenbahn-Alpentransversalen (NEAT) am 29.11.1998 kann der geplante Lötschberg-Basistunnel gebaut werden. Für die stark verschuldete Privatbahn bedeutet es fürs erste die Existenzsicherung. Doch den Schweizer Privatbahnen steht die Entschuldung und Umwandlung in Aktiengesellschaften noch bevor.
Universitäten: Der vom Bernervolk 1996 beschlossene Numerus Clausus für das Medizinstudium wurde 1998 erstmals in der Schweiz angewandt. 169 Maturanden bewarben sich für 125 Studienplätze.
Umwelt: Am 28.8.1998 erkrankte ein Drittel der Bielerseegemeinde La Neuveville an Vergiftung des Trinkwassers. Die Mitschuld

Bern: Regierung

Ressort	Name (Partei, Amts-antritt), Geburtsjahr
Polizei und Militär	Dora Andres (FDP, 1998), *1957
Erziehung und Bildung	Mario Annoni (FDP, 1990), *1954
Regierungspräsident, Gesundheit, Fürsorge	Samuel Bhend (SPS, 1997), *1943
Finanzen	Hans Lauri (SVP, 1994), *1944
Justiz, Gemeinden und Kirchen	Werner Luginbühl (SVP, 1998), *1958
Bau, Verkehr und Energie	Dori Schaer-Born (SPS, 1992), *1942
Volkswirtschaft	Elisabeth Zölch-Balmer (SVP, 1994), *1951

des Gemeinderates an der Verseuchung führte im Juni 1999 zu einem Disziplinarverfahren durch den Kanton. Der Gemeinderat von La Neuveville wollte jedoch nicht zurücktreten. Hochwasser und Lawinen in der ersten Jahreshälfte 1999 richteten besonders im Kanton Bern schwere Schäden an. Die Gesamtschäden in der Schweiz wurden von Versicherungen auf umgerechnet 400 Mio DM geschätzt. Durch Lawinen im Berner Oberland wurden die Ferienorte Adelboden und Grindelwald von der Umwelt abgeschnitten. Der Hotellerie entstanden Einnahmeausfälle von 100 Mio DM.

Freiburg

Abstimmungen: Am 13.6.1999 gab die Bevölkerung der Kantonsregierung den Auftrag, eine moderne Verfassung auszuarbeiten. Die über 140 Jahre alte Konstitution war mehr als 40-mal revidiert worden und trug noch den klerikalen Charakter aus der Gründerzeit des Bundesstaates, als Freiburg die antiklerikale Kantonsverfassung durch ein katholisches Grundgesetz ersetzt hatte.
Kirche: Am 24.5.1999 wurde Bernard Genoud in der Freiburger Stadtkathedrale St-Nicolas zum Bischof der Diözese Lausanne, Genf und Freiburg geweiht. Der

57-jährige Genoud trat die Nachfolge von Bischof Amédée Grab an.
Justiz: Der vor Jahresfrist inhaftierte kantonale Drogenfahnder Paul Grossrieder beschuldigte im Frühjahr 1999 die gegen ihn eingesetzten Untersuchungsrichter der Parteilichkeit. Die Anklage stützte sich vor allem auf die Aussage einer Prostituierten. Mitte 1999 wurden zwei Untersuchungsrichter von der Regierung mit einem Disziplinarverfahren belegt und der Prozess gegen Grossrieder sistiert. Die Affäre könnte auch den sozialdemokratischen Justizdirektor Claude Grandjean belasten.
Umwelt: Infolge Unwetter und Überschwemmungen im Frühjahr 1999 rechneten die Bauern im Grossen Moos – einem Hauptanbaugebiet von Gemüse – mit der schlechtesten Ernte seit 37 Jahren. Auch im benachbarten Berner Seeland machten sich die Gemüsebauern auf die schlimmsten Ernteausfälle seit 1962 gefasst.

Genf

Kommunalwahlen: Bei den Wahlen zum Genfer Stadtparlament am 2.5.1999 verteidigten Linksgruppierungen (Partei der Arbeit, Sozialisten und Sozialdemokraten) und Grüne ihre Mehrheit. Einen überwältigenden Sieg errangen sie im Stadtrat, der Exekutive (vier von fünf Sitzen). Einziger Bürgerlicher ist Pierre Muller (LPS).
Arbeitslosigkeit: Genf leidet besonders unter den hohen Sozialkosten und der Arbeitslosigkeit, die mit 5,2% beinahe doppelt so hoch ist wie das gesamtschweizeri-

Freiburg

Landesfläche	1671 km² (Rang 8/CH)
Einwohner	234 861 (Rang 12/CH)
Hauptstadt	Freiburg (32 054 Einwohner)
Arbeitslosigkeit	2,4% (Mai 1999)
Amtssprache	Französisch, Deutsch
Regierungschef	1999: Michel Pittet (CVP), *1941; 2000: Ruth Lüthi (SPS), *1947

Parlament Großer Rat/Grand Conseil mit 130 auf fünf Jahre gewählten Abgeordneten; 45 für CVP, 34 für SPS, 25 für FDP, 10 für CSP, 8 für SVP, 5 für DSP, 2 für Grüne, 1 sonstige (nächste Wahl: 2001); **http://www.fr.ch**

Genf

Landesfläche	282 km² (Rang 21/CH)
Einwohner	403 022 (Rang 6/CH)
Hauptstadt	Genf (175 210 Einwohner)
Arbeitslosigkeit	5,2% (Mai 1999)
Amtssprache	Französisch
Regierungschef	Martine Brunschwig-Graf (LPS), *1950; 2000: Guy-Olivier Segond (FDP), *1945

Parlament Großer Rat/Grand Conseil mit 100 auf vier Jahre gewählten Abgeordneten: 23 Sitze für LPS, 22 für SPS, 19 für AG (Alliance de Gauche, Linksalliianz), 14 für FDP, 12 für CVP, 10 für Grüne); **http://www.geneve.ch**

Genf: Regierung

Ressort	Name (Partei, Amtsantritt), Geburtsjahr
Bauwesen	Laurent Moutinot (SPS, 1997), *1953
Erziehung, Militär	Martine Brunschwig-Graf (LPS, 1993), *1950
Finanzen	Micheline Calmy-Rey (SPS, 1997), *1945
Gesundheit, Soziales	Guy-Olivier Segond (FDP, 1989), *1945
Inneres, Umwelt, Energie	Robert Cramer (Grüne, 1997), *1954
Justiz, Polizei	Gérard Ramseyer (FDP, 1993), *1941
Wirtschaft und Arbeit	Carlo Lamprecht (CVP, 1997), *1935

sche Mittel von 2,7% (Stand: Mai 1999). Von allen Kantonen hat Genf die größte Zahl der Ausgesteuerten (Arbeitslose, die in der Statistik nicht mehr erscheinen und von der kantonalen Sozialhilfe unterstützt werden müssen).

Glarus

Umwelt: Auch der Kanton Glarus wurde von Lawinen Anfang 1999 stark in Mitleidenschaft gezogen. Elm im Sernftal, der Wohnort der Schweizer Ski-Olympiasiegerin Vreni Schneider, wurde von der Umwelt abgeschnitten. Der Kanton sowie angrenzende Gebiete um Walensee und Oberen Zürichsee entgingen nur deshalb einer Überschwemmungskatastrophe, da die Dämme des 200 Jahre alten Linthkanals den Wassermassen standhielten. Im Mai 1999 gab die Linth-Kommission bekannt, dass der Kanal saniert wird.

Graubünden

Umwelt: Der Bergkanton wurde im Februar 1999 besonders hart von der Lawinenkatastrophe getroffen. Während längerer Perioden blieben das Landwassertal mit dem Kurort Davos, Teile des Unterengadins und der oberen Surselva von der Umwelt und allen Verkehrsverbindungen abgeschnitten. Die Ausfälle in der Hotellbranche belaufen sich umgerechnet auf mehr als 100 Mio DM.

Jura

Wahlen: Gewinnerin der Wahlen ins Kantonsparlament am 18.10.1998 war die SPS (+3 Sitze). Die CVP verlor 3 Mandate, die SVP ihren einzigen Sitz. Doch konnte die CVP bei der Abstimmung um den Regierungsrat ihre Dominanz weiter ausspielen.
Wiedervereinigung: Am 29.11.1998 verwarfen die Stimmberechtigten in Moutier (BE) den Anschluss der Gemeinde an den Kanton Jura. Das paritätisch zusammengesetzte Komitee aus Politikern des Berner Juras und des Kantons Jura suchte friedliche Lösungen für eine Wiedervereinigung der beiden Kantone.

Glarus	
Landesfläche	685 km² (Rang 17/CH)
Einwohner	38 535 (Rang 22/CH)
Hauptstadt	Glarus (5445 Einwohner)
Arbeitslosigkeit	1,3% (Mai 1999)
Amtssprache	Deutsch
Regierungschef	Rudolf Gisler (CVP) * 5.3.1942

Parlament Landrat mit 80 für vier Jahre gewählten Abgeordneten: 25 für FDP, 21 für SVP, 15 für SPS, 13 für CVP, 6 für Grüne (nächste Wahl: 2002); **http://www.glarusnet.ch**

Graubünden	
Landesfläche	7106 km² (Rang 1/CH)
Einwohner	185 532 (Rang 15/CH)
Hauptstadt	Chur (30 219 Einwohner)
Arbeitslosigkeit	1,8% (Mai 99)
Amtssprache	Deutsch, Rätoro., Italienisch
Regierungschef	1999: Klaus Huber (SVP), *1938; 2000: Peter Aliesch (FDP), *1946

Parlament Großer Rat mit 120 für drei Jahre gewählten Abgeordneten: 40 Sitze für SVP, 38 für CVP, 27 für FDP, 10 für SPS, 3 für CSP, 1 für DSP, 1 parteilos (nächste Wahl 2000); **http://www.gr.ch**

Jura	
Landesfläche	839 km² (Rang 14/CH)
Einwohner	68 964 (Rang 21/CH)
Hauptstadt	Delémont (11 563 Einwohner)
Arbeitslosigkeit	2,5% (Mai 1999)
Amtssprache	Französisch
Regierungschef	1999: Jean-François Roth (CVP), *1952; 2000: Pierre Kohler (CVP), *1964

Parlament Parlament mit 60 für vier Jahre gewählten Abgeordneten: 19 Sitze für CVP, 15 für FDP, 15 für SPS, 8 für CSP, 3 für Sozialisten und PdA (nächste Wahl: 2002); **http://www.jura.ch**

Luzern

Wahlen: Am 18.4.1999 musste die CVP bei den Großratswahlen als führende politische Kraft in der Zentralschweiz schwere Verluste hinnehmen. Dagegen konnte die SVP ihre Sitzzahl trotz des um 50 Mandate verklei-

Luzern	
Landesfläche	1492 km² (Rang 9/CH)
Einwohner	343 314 (Rang 7/CH)
Hauptstadt	Luzern (56 874 Einwohner)
Arbeitslosigkeit	1,9% (Mai 1999)
Amtssprache	Deutsch
Regierungschef	1999: Kurt Meyer (CVP), *1944; 2000: Max Pfister (FDP), *1951

Parlament Grosser Rat mit erstmals 120 Abgeordneten, auf vier Jahre gewählt: 48 Sitze für CVP, 31 für FDP, 22 für SVP, 12 für SPS, 7 für Grüne (nächste Wahl: 2003); **http://www.lu.ch**

nerten Kantonsparlaments verdoppeln (+11 Sitze). Ihre fremdenfeindlichen Parolen verfingen vor allem bei der Landbevölkerung. Verluste gab es auch für Grüne und FDP. Auch im zweiten Wahlgang am 30.5.1999 gelang es der SVP nicht, ihren Kandidaten in die Regierung zu bringen. Die seit 40 Jahren bestehende Machtverteilung im Kanton L. gilt weiter: 4 CVP, 2 FDP, 1 SP.

Neuenburg	
Landesfläche	796 km² (Rang 15/CH)
Einwohner	166651 (Rang 16/CH)
Hauptstadt	Neuenburg (31583 Einwohner)
Arbeitslosigkeit	4,0% (Mai 1999)
Amtssprache	Französisch
Regierungschef	Pierre Hirschy (LPS), *1947
Parlament Großer Rat/Grand Conseil mit 115 auf vier Jahre gewählten Abgeordneten: 41 Sitze für SPS, 38 für LPS, 24 für FDP, 6 für POP (PdA), 5 für Grüne, 1 für sonstige (nächste Wahl: 2001); **http://www.etatne.ch**	

Nidwalden	
Landesfläche	276 km² (Rang 22/CH)
Einwohner	37579 (Rang 23/CH)
Hauptstadt	Stans (6697 Einwohner)
Arbeitslosigkeit	0,6% (Mai 1999)
Amtssprache	Deutsch
Regierungschef	Viktor Furrer (CVP) *1947
Parlament Landrat mit 60 für vier Jahre gewählten Abgeordneten: 30 Sitze für die CVP, 21 für FDP, 8 für DN (Demokratisches Nidwalden, grün, linksorientiert), 1 für SPS (nächste Wahl: 2002)	

Obwalden	
Landesfläche	492 km² (Rang 19/CH)
Einwohner	31852 (Rang 25/CH)
Hauptstadt	Sarnen (9035 Einwohner)
Arbeitslosigkeit	0,5% (Mai 1999)
Amtssprache	Deutsch
Regierungschef	Hans Hofer (CSP) *1.7.1944
Parlament Landrat mit 55 auf vier Jahre gewählten Abgeordneten: 25 Sitze für CVP, 13 für FDP, 10 für CSP, 7 für SPS/DE (DE, Demokratisches Engelberg; nächste Wahl: 2002)	

St. Gallen	
Landesfläche	2012 km² (Rang 6/CH)
Einwohner	442350 (Rang 5/CH)
Hauptstadt	Sankt Gallen (69747 Einwohner)
Arbeitslosigkeit	2,2% (Mai 1999)
Amtssprache	Deutsch
Regierungschef	Walter Kägi (FDP), *1935
Parlament Großer Rat mit 180 für vier Jahre gewählten Abgeordneten: 66 Sitze für CVP, 44 für FDP, 34 für SPS, 14 für SVP, 10 für FPS (in SG Autopartei), 5 für LdU, 4 für Grüne, 2 für EVP, 1 Parteiloser (nächste Wahl: 2000); **http://ktsg.ch**	

Neuenburg

Verkehr: Am 28.5.1999 musste der 1994 fertig gestellte Straßentunnel an der Vuedes-Alpes, die N. mit La-Chaux-de-Fonds verbindet, aus Sicherheitsgründen geschlossen werden. Die nach den Unglücken im Tauern- (A) und im Montblanc-Tunnel (F) auch in der Schweiz durchgeführten Kontrollen förderten auch in Schweizer Straßentunnels erhebliche Mängel zutage (Ausnahme: Gotthard-Strassentunnel).

Nidwalden

Gedenktag: Am 9.9.1998 jährte sich zum 200-sten Mal der Tag des Einfalls der Franzosen in Nidwalden. Volk und Regierung des Kantons begingen den Tag mit einer traditionellen Gedenkfeier.

Obwalden

Wahlen: Am 13.6.1999 wählten die Stimmberechtigten erstmals nach Abschaffung der Landsgemeinde einen Regierungsrat an der Urne. Im zweiten Wahlgang schlug der unabhängige Kandidat und Landwirtschaftsvertreter der CVP, Hans Wallimann, den offiziellen Kandidaten Viktor Bucher, Präsident der kantonalen CVP.

St. Gallen

Ausländerpoitik: Am 13.10.1998 wurde auf die für Kosovo-Flüchtlinge neu geöffnete Truppenunterkunft in Bronschhofen von Unbekannten ein Anschlag verübt. Am 11.1.1999 wurde ein 36-jähriger Lehrer im Schulhaus Engelwies in St. Gallen vom Vater einer seiner Schülerinnen erschossen. Das albanisch-stämmige Mädchen hatte sich an den Lehrer gewandt, weil sie zu Hause misshandelt worden war und sich der Vater gegen die Assimilierung seiner Tochter gewehrt hatte. Ende Februar 1999 wurde er in Djakovica (Kosovo) von der serbischen Polizei festgenommen, aber nicht an die Schweiz ausgeliefert. Die St.Galler Regierung bildete darauf eine Arbeitsgruppe für »interkulturelles Zusammenleben«.

Schaffhausen

Abstimmungen: Am 18.4.1999 entschieden sich die Stimmberechtigten im zweiten Anlauf für die Modernisierung und den Ausbau des kantonalen Psychiatriezentrums Breitenau. Am 13.6.1999 stimmte die Bevölkerung dem umstrittenen Ladenschlussgesetz zu (Öffnungszeiten bis 22.00 Uhr).

 Schwyz

Finanzen: Im Dezember 1998 präsentierte der Schwyzer Finanzdirektor Franz Marty dem Kantonsrat die dritte Steuersenkung binnen vier Jahren. Das neue Steuergesetz, das 2001 in Kraft treten soll, entlastet vor allem Familien mit Kindern und niedrigem Einkommen. Noch 1993 war der Kanton Nutzniesser des eidgenössischen Finanzausgleichs und ein »armer Bauernkanton«. Ende der 90er Jahre leistete das Steuerparadies Schwyz pro Jahr Abgeltungen von umgerechnet über 70 Mio DM für finanzschwache Kantone in die Bundeskasse. Dies wurde möglich durch den Umzug von BZ-Bankier und Multimillionär Martin Ebner nach Wilen im Kantonsteil am Zürichsee.
Umwelt: Schwyz wurde im Frühjahr 1999 besonders hart von Lawinen, sintflutartigen Regengüssen und Überschwemmungen getroffen. Das Bisisthal, der hintere Teil des Muotathales, blieb mehrere Wochen von der Umwelt abgeschnitten. Der Bahn- und Straßenverkehr am Gotthard musste zwischen Zug, Arth-Goldau und Brunnen sowie auf der Axenstraße vorübergehend eingestellt werden.

 Solothurn

Abstimmungen: Das von der Kantonsregierung vorgelegte Sparpaket wurde vom Volk am 27.9.1998 nur z. T. gebilligt. Am 29.11.1998 stimmte das Volk einem Gesetz zu, mit dem das obligatorische Referendum abgeschafft wird; es müssen nur noch die wichtigsten Sachfragen dem Volk zum Urnenentscheid vorgelegt werden. Am 18.4.1999 lehnten die Bürger die Erhöhung der Personalsteuern ab, am 13.6.1999 die

Schaffhausen	
Landesfläche	298 km² (Rang 20/CH)
Einwohner	73 664 (Rang 20/CH)
Hauptstadt	Schaffhausen (33 695 Einwohner)
Arbeitslosigkeit	2,7% (Mai 1999)
Amtssprache	Deutsch
Regierungschef	Ernst Neukomm (SPS), *1935

Parlament Großer Rat mit 80 für vier Jahre gewählten Abgeordneten: 23 Sitze für SPS, 23 für SVP, 17 für FDP, 4 für CVP, 3 für ÖBS (Ökoliberale Bewegung Schaffhausen), 2 für FPS, 2 für EVP, 2 für ALS (Alternative Liste SH), 2 für JS (Jugendparlamentsliste SH), 1 für GB (Grüne), 1 parteilos (nächste Wahl: 2000); **http://www.sh.ch**

Schwyz	
Landesfläche	907 km² (Rang 13/CH)
Einwohner	122 779 (Rang 17/CH)
Hauptstadt	Schwyz (13 620 Einwohner)
Arbeitslosigkeit	1,4% (Mai 1999)
Amtssprache	Deutsch
Regierungschef	Richard Camenzind (FDP) *2.3.1939

Parlament Kantonsrat mit 100 für vier Jahre gewählten Mitgl.: 46 Sitze für CVP, 29 für LVP (FDP), 12 für SVP, 11 für SPS, 2 Parteil. (nächste Wahl: 2000)

Solothurn	
Landesfläche	791 km² (Rang 16/CH)
Einwohner	244 294 (Rang 11/CH)
Hauptstadt	Solothurn (15 208 Einwohner)
Arbeitslosigkeit	2,5% (Mai 1999)
Amtssprache	Deutsch
Regierungschef	1999: Thomas Wallner (CVP), *1938; 2000: Ruth Gisi (FDP), *1951

Parlament Kantonsrat mit 144 für vier Jahre gewählten Abgeordneten: 54 Sitze für FDP, 37 für SPS, 35 für CVP, 7 für SVP, 6 für Grüne, 4 FPS, 1 für Sonstige (nächste Wahl: 2001); **http://www.ktso.ch**

Initiative der Linksparteien für verbilligte Krankenkassenprämien. Der Kanton wäre verpflichtet gewesen, die Bundessubventionen für billigere Prämien an einkommensschwache Familien weiterzugeben.
Wirtschaft: Am 22.9.1999 verkündete die traditionsreiche Schweizer Schuhfirma Bally AG den Abbau weiterer 140 Stellen bis Ende 1999. Aufgrund des Geschäftsergebnisses der Oerlikon-Bührle Holding, Besitzerin des Unternehmens in Schönenwerd, musste die Holding im ersten Halbjahr 1999 umgerechnet 40 Mio DM in den Schuhproduzenten investieren. Das Unternehmen soll verkauft werden. Seit 1995 hat der Industriekanton Wirtschaftskraft verloren, so auch die eigene Kantonalbank durch einen Zusammenbruch. Die Stahlschmiede Von Roll in Gerlafingen beschäftigte Mitte 1999 nur ein Sechstel der einst 3300 Arbeiter.

749

Tessin

Wahlen: Bei den Kantonswahlen am 18.4.1999 etablierte sich die SVP (+2 Sitze) neben der Lega als zweite rechtsbürgerliche Kraft im Gran Consiglio. Auch im Tessin verschoben sich die politischen Kräfteverhältnisse leicht nach rechts. Dagegen kam es nicht zur Machtverschiebung in der Regierung (2 Freisinnige, 1 Lega, 1 CVP und 1 SPS). Neben Marina Masoni (FDP) kam mit Patrizia Pesenti (SPS) eine zweite Frau in den Consiglio di Stato.

Der Kanton kämpfte 1998/99 weiter gegen Verschuldung und überbordende Sozialausgaben. Die Regierung musste ein Drittel der rund 2500 Spitalbetten abbauen.

Asylpolitik: Im Herbst 1998 und Frühsommer 1999 wurde das Auffanglager Chiasso wie die anderen Aufnahmestellen in Kreuzlingen, Basel und Genf von Kosovo-Flüchtlingen überfüllt (bis 1200 täglich). Im Juni

1999 hatte die Schweiz über 80000 Flüchtlinge vom Balkan aufgenommen, mehr als jedes andere Land in Westeuropa. Die SVP wollte die Flüchtlinge, gegen die Regeln der Menschenrechtskonvention, internieren.

Thurgau

Abstimmungen: Am 29.11.1998 nahm der Thurgauer Souverän ein neues Ruhetagsgesetz an. Künftig dürfen am Palmsonntag z. B. Sportveranstaltungen durchgeführt werden. Aus den Gemeindewahlen im Mai 1999 ging die SVP insgesamt als Siegerin hervor. Sie musste aber in den Gemeinden an Boden- und Untersee (Arbon und Kreuzlingen) Rückschläge hinnehmen.

Wirtschaft: Der in Arbon beheimatete Saurer-Konzern schrieb infolge der Asienkrise 1998 Verluste im Textilmaschinenbau.

Uri

Abstimmungen: Am 29.11.1998 entschieden die Stimmberechtigten zugunsten eines Kantonsbeitrags zur Sanierung der traditionellen Tellspiele. Am 18.4.1999 befürworteten sie das Energiegesetz, dass die Förderung alternativer Energieträger (Solarstrom) vorsieht. Auf eidgenössischer Ebene konnten sich National- und Ständerat bis Mitte 1999 nicht auf einen einheitlichen energiepolitischen Kurs einigen. Die Initiative zur Förderung von Sonnenstrom lehnten beide Vertretungen ab. Am 13.6.1999 sprach sich das Volk gegen die Einführung von Frauenquoten in Behörden und Parlament aus. Der Vorstoß war auch in der Bundesversammlung im Frühjahr 1999 verworfen worden.

Verkehr: Nach der Annahme von Landverkehrsabkommen (LSVA) und Neuer Eisenbahn-Alpentransversalen (Neat, siehe Bern) hofften die Urner auf eine Entlastung der Straße vom Schwerverkehr durch Verlagerung der 40-t-LKW auf die Schiene. Die durch Luftverschmutzung und Lärm schwer geprüfte Talschaft am Gotthard reagierte empört auf die zwischen der Schweiz und der EU ausgehandelten Übergangsbestimmungen, die vorerst den Schwerverkehr im Reusstal weiter ansteigen lassen. Die Urner Regierung forderte vom Bundesrat höhere Subventionen für die Gotthard-Straße.

Tessin	
Landesfläche	2812 km² (Rang 5/CH)
Einwohner	306625 (Rang 8/CH)
Hauptstadt	Bellinzona (16996 Einwohner)
Arbeitslosigkeit	3,7% (Mai 1999)
Amtssprache	Italienisch
Regierungschef	Marco Borradori (Lega), *1959

Parlament Großer Rat (Gran Consiglio) mit 90 für vier Jahre gewählten Abgeordneten: 29 Sitze für FDP, 23 für CVP, 16 für Lega dei Ticinesi, 15 für SPS, 3 für SVP, 2 für Grüne, 2 für LSP (nächste Wahl: 2003); **http://www.ti.ch**

Thurgau	
Landesfläche	990 km² (Rang 12/CH)
Einwohner	227126 (Rang 13/CH)
Hauptstadt	Frauenfeld (20266 Einwohner)
Arbeitslosigkeit	2,1% (Mai 99)
Amtssprache	Deutsch
Regierungschef	Hans Peter Ruprecht (SVP), *1943

Parlament Großer Rat mit 130 auf vier Jahre gewählten Abgeordneten: 38 Sitze für SVP, 25 für CVP, 25 für FDP, 20 für SPS, 11 für Grüne, 7 für FPS, 4 für EVP (nächste Wahl: 2000); **http://www.kttg.ch**

Uri	
Landesfläche	1077 km2 (Rang 11/CH)
Einwohner	35769 (Rang 24/CH)
Hauptstadt	Altdorf (8613 Einwohner)
Arbeitslosigkeit	1,0% (Mai 1999)
Amtssprache	Deutsch
Regierungschef	Peter Mattli (FDP) *31.5.1944

Parlament Landrat mit 64 für vier Jahre gewählten Abgeordneten: 37 Sitze für CVP, 19 für FDP, 8 für SPS (nächste Wahl: 2000); **http://www.uri.ch**

Waadt: Regierung	
Ressort	*Name (Partei, Amtsantritt), Geburtsjahr*
Bildung und Jugend	Francine Jeanprêtre (SPS, 1998), *1946
Finanzen	Charles Favre (FDP, 1994), *1957
Gesundheit und Fürsorge	Charles-Louis Rochat (LPS, 1998), *1946
Institutionen, Äusseres	Claude Ruey (LPS, 1990), *1949
Öffentliche Bauten	Philippe Biéler (Grüne, 1994), *1954
Polizei, Sicherheit	Jean-Claude Mermoud (SVP, 1998), *1952
Wirtschaft	Jacqueline Maurer (FDP, 1997), *1947

Waadt

Abstimmungen und Finanzen: Am 6.10.1998 beteiligten sich Tausende von Staatsangestellten an einem Streik aus Protest gegen den Sparkurs der Regierung. Am 29.11.1998 nahmen die Stimmberechtigten des Kantons das Gesetz über das neue Finanzreferendum an, das eine bessere Kontrolle der Kantonsregierung in ihrer Ausgabenpolitik erlaubt, doch lehnten sie es ab, die Regierung zum Schuldenabbau zu zwingen. Am 3.6.1999 einigte sich der von der Regierung eingesetzte »Runde Tisch« auf ein Sparprogramm, das die Ausgaben im laufenden Budgetjahr 1999 um umgerechnet 230 Mio DM senkt. Mit Ausnahme des Parti ouvrier populaire (POP, Partei der Arbeit) standen alle politischen Parteien hinter dem Sparpaket. Der Kanton Waadt ist der höchstverschuldete in der Schweiz und praktisch zahlungsunfähig. Die meisten welschen Kantone wiesen 1998/99 einen niedrigen Selbstfinanzierungsgrad aus. In der Deutschschweiz dagegen konnten die Kantone ihre Schulden wieder bedienen.
IOC: Am 12.10.1998 warf das Schweizer Mitglied des Internationalen Olympischen Komitees, Marc Hodler, in Lausanne am Sitz des IOC den Funktionären bei der Vergabe der Olympischen Winterspiele 2002 an Salt Lake City (USA) Korruption vor. Auch die Kandidatur von »Sion 2006« geriet damit in den Strudel von Verdächtigungen. Am 19.6. bestimmte das IOC Turin statt Sion zum Ort der Winterspiele 2006.

Waadt	
Landesfläche	3219 km² (Rang 4/CH)
Einwohner	607 879 (Rang 3/CH)
Hauptstadt	Lausanne (124 205 Einwohner)
Arbeitslosigkeit	4,2% (Mai 1999)
Amtssprache	Französisch
Regierungschef	1999: Claude Ruey (LPS), *1949; 2000: Jacqueline Maurer (FDP), *1947

Parlament Großer Rat/Grand Conseil mit 180 für vier Jahre gewählten Abgeordneten: 53 Sitze für FDP, 46 für SPS, 36 für LPS, 16 für Grüne, 14 für SVP, 12 für POP (PdA), 3 für CVP (nächste Wahl: 2002); **http://www.vd.ch**

Wallis	
Landesfläche	5254 km² (Rang 3/CH)
Einwohner	272 291 (Rang 9/CH)
Hauptstadt	Sion (26 573 Einwohner)
Arbeitslosigkeit	3,4% (Mai 1999)
Amtssprache	Französisch, Deutsch
Regierungschef	Jean-Jacques Rey-Bellet (CVP), *1950

Parlament Großer Rat/Grand Conseil mit 130 für vier Jahre gewählten Abgeordneten: 57 Sitze für CVP, 34 für FDP, 21 für SPS, 14 für CSP, 4 für LPS (nächste Wahl 2001); **http://www.vs.ch**

Wallis

Wahlen und Politik: Im zweiten Wahlgang am 23.5.1999 gewann Sozialdemokrat Thomas Burgener mit 46,9% der Stimmen die Nachwahl in den Staatsrat (Regierung). Seine Konkurrentin Viola Amherd (CVP) erhielt 35,7%. Die früher politisch den Kanton beherrschende CVP musste eine weitere Niederlage hinnehmen. 1997 war der frühere SPS-Präsident Peter Bodenmann als erster Sozialdemokrat in Wallis in die Regierung eingezogen. Am 9.3.1999 war er aus dem Staatsrat nach Vorwürfen wegen Engagements in einem millionenschweren Bauprojekt zurückgetreten. Einen Finanzskandal verzeichnet die Kurort Leukerbad. Die mit 380 Mio DM verschuldete Gemeinde soll auf Antrag der Walliser Regierung zwangsverwaltet und dem 1947 eingeführten Schuld- und Betreibungsrecht für Gemeinden unterstellt werden, ein Novum in der Rechtsgeschichte der Schweiz.
Wirtschaft: Am 27.11.1998 kündigte der deutsche Mischkonzern Viag die Übernahme der Alusuisse an. Weltweit würde ein Großkonzern mit über 127000 Beschäftigten entstehen. Nach Protesten im Wallis, wo die Alusuisse mehr als 5000 Arbeitsplätze unterhält, platzte die Fusion.

Zug

Landesfläche	240 km² (Rang 24/CH)
Einwohner	96 026 (Rang 18/CH)
Hauptstadt	Zug (22 869 Einwohner)
Arbeitslosigkeit	2,4% (Mai 1999)
Amtssprache	Deutsch
Regierungschef	Walter Suter (CVP), *1951

Parlament Kantonsrat mit 80 für vier Jahre gewählten Abgeordneten: 27 Sitze für FDP, 26 für CVP, 9 für SVP, 8 für SPS, 6 für alternative Gruppierungen, teils den Grünen nahestehend, 3 für SGA (Soz.-Grüne Alternative), 1 leer (nächste Wahl: 2002); **http://www.zug.ch**

Zug

Wahlen: Am 25.10.1998 bestätigten die Wahlen zur Exekutive und Legislative den steten Niedergang der früher politisch dominierenden CVP in Zug. Die SVP brachte erstmals mit dem rechtslastigen Gewerbevertreter Jean-Paul Flachmann einen ihrer Kandidaten in die Regierung. Auch in den Wahlen um das Kantonsparlament büßte die CVP massiv Stimmen ein (–7 Sitze). Die Linke konnte sich bei der Wahl knapp behaupten, große Gewinnerin (+5 Sitze) war die SVP.

Zürich

Wahlen: Während die Regierungsratswahlen vom 18.4.1999 keine Veränderung des Kräfteverhältnisses innerhalb der Kantonsregierung brachten (wie bisher 5 Bürgerliche, eine Grüne und ein Sozialdemokrat), kam es für helvetische Verhältnisse zum Erdrutsch im Kantonsparlament. Die rechtslastige Zürcher SVP gewann 20 Sitze dazu. Verlierer waren FDP (–10 Sitze) und Grüne (–5 Sitze). Die SVP hatte mit populistischen Parolen gegen Überfremdung, Asylantenflut und den angeblich ausufernden Sozialstaat Erfolg.

Zürich

Landesfläche	1728 km² (Rang 7/CH)
Einwohner	1,284 Mio (Rang 1/CH)
Hauptstadt	Zürich (359 073 Einwohner)
Arbeitslosigkeit	3,0% (Mai 1999)
Amtssprache	Deutsch
Regierungschef	Verena Diener (Grüne), *1949

Parlament Kantonsrat mit 180 für vier Jahre gewählten Abgeordneten: 60 Sitze für SVP, 43 für SPS, 36 für FDP, 12 für CVP, 11 für Grüne, 9 für EVP, 2 für LdU, 2 für SD, 5 für sonstige (nächste Wahl: 2003); **http://www.zueri.ch**

Abstimmungen: Am 27.9.1998 nahm das Zürcher Volk ein neues Referendumsrecht an, das die Volksrechte beschneidet. Gesetzes- und Finanzvorlagen sollen nur noch vom Volk entschieden werden, falls es mind. 45 Kantonsräte oder 5000 Stimmberechtigte fordern. Am 29.11.1998 lehnte das Volk die Schaffung von Therapiegefängnissen für Sexualmörder ab. Die SVP hatte dagegen erfolgreich das Referendum ergriffen. Am 13.6.1999 schafften die Zürcher an der Urne den Beamtenstatus ab: Staatsangestellten kann normal gekündigt werden.

Politik: Erstmals seit sieben Jahren schrieb der Kanton Zürich 1998 wieder schwarze Zahlen. Die SVP gab wenige Tage nach ihrem Wahlsieg im April 1999 weitere Kürzungen des Kantonshaushalts von umgerechnet 1,5 Mio DM und Steuersenkungen um 20% bekannt. Im Gegenzug sollen die Sozialausgaben beschnitten werden. In der Stadt Zürich kündigten FDP und SVP eine schärfere Ausländerpolitik an, die sich vor allem gegen Asylsuchende richtet.

Kriminalität: Am 16.9.1998 verurteilte das Zürcher Obergericht im bisher größten Bestechungsfall der Schweiz den Hauptangeklagten Raphael Huber zu viereinhalb Jahren Zuchthaus und einer Geldbuße von rund 250 000 DM. Der Fall berührt eine Besonderheit des Schweizer Finanzsystems: Bürger, die einen ausländischen Beamten bestechen, können das Geld in der Schweiz von der Steuer absetzen. Im bis dahin größten Geldwäschefall kam es am 14.6.1999 zu einem Freispruch wegen Verjährung für den früheren Vizedirektor der Schweizerischen Bankgesellschaft, Josef Oberholzer.

Zürich: Regierung

Ressort	Name (Partei, Amtsantritt), Geburtsjahr
Bildung und Erziehung	Ernst Buschor (CVP, 1993), *1943
Finanzen	Christian Huber (SVP, 1999), *1944
Gesundheit, Fürsorge Regierungspräsidentin	Verena Diener (Grüne, 1995), *1949
Inneres und Justiz	Markus Notter (SPS, 1996), *1960
Öffentliche Bauten	Dorothée Fierz (FDP, 1999), *1947
Polizei und Militär	Rita Fuhrer (SVP, 1995), *1953
Volkswirtschaft	Rudolf Jeker (FDP, 1999), *1944

▪ Größte Städte

▬ Deutschland

▬ Österreich

✚ Schweiz

Der alphabetisch geordnete Städteteil enthält Informationen zu den 50 größten Städten in Deutschland sowie zu den jeweils acht größten Städten in Österreich und in der Schweiz. Die Daten aller Städte sind direkt miteinander vergleichbar. Die Rangzahlen hinter den wichtigsten Daten (Einwohner, Fläche, Einwohnerdichte pro km^2) sind mit * markiert und erlauben eine sofortige Einordnung. Alle Angaben wurden bei den jeweiligen Stadtverwaltungen ermittelt und sind auf dem aktuellsten Stand.

Jede Städtetabelle gliedert sich in vier Teile:
– Im Tabellenkopf stehen Name der Stadt, Bundesland, Höhe (über Normalnull, NN) und Internet-Adresse.
– Zu den Grundinformationen gehören Telefonvorwahl, Postleitzahlbereich, Kfz-Kennzeichen und eine Kontaktadresse, über die Interessenten zusätzliche Informationen anfordern können. Außerdem wird die nächstgelegene Flughafenanbindung genannt. Darunter folgen die Kerndaten (Einwohner, Veränderung der Einwohnerzahl, Fläche, Einwohnerdichte) und aktuelle Angaben zur Kulturlandschaft (Anzahl der Theater, Opern und Museen sowie Hochschulen).

– Die Rubrik Soziales/Wirtschaft enthält Informationen zur Altersstruktur sowie zum Anteil der Ausländer und Erwerbstätigen an der Bevölkerung sowie die Arbeitslosenquote. Sie liefert außerdem Daten zum Angebot offener Stellen, zum Haushaltsvolumen und zum Schuldenstand der Städte.
– Die Rubrik Politik nennt Regierungspartei(en) und (Ober-)Bürgermeister sowie die Ergebnisse der letzten beiden Kommunalwahlen. So werden politische Entwicklungen und Verschiebungen in der Parteienlandschaft deutlich.

http://www.staedtetag.de; http://www.dstgb.de

Symbole für die Grunddaten der größten Städte

📞 Telefonvorwahl
✉ Postleitzahlbereich(e)
🚗 Kfz-Kennzeichen
ℹ Informationsadresse
📞 Durchwahl der Informationsadresse
✈ Nächster Flughafen (mit Verkehrsverbindung vom Hauptbahnhof: Linie und Entfernung in Minuten)
👫 Einwohner

↔ Veränderung der Einwohnerzahl +/– in absoluten Zahlen und Veränderung (%) zum Vorjahr
◻ Fläche
📊 Einwohnerdichte pro km^2
🏛 Theater
🎭 Opernhäuser
🏛 Museen
Uni Universitäten/Gesamthochschulen (ohne Fachhochschulen) mit Studentenzahlen

Aachen

Nordrhein-Westfalen, 141–358 m über NN
http://www.aachen.de

☏ 0241	✉ Bereich 52…	🚗 AC
ℹ Atrium Elisenbrunnen, 52062 A.		☏ 1802961
✈ Maastricht-Aachen (vom Hbf: ca. 60 min)		
⛪ 251391 (30*) ↔ −1319 (−0,5%)		
▭ 160,8 km² (30*)		🔲 1563 (34*)
🏛 3	🎭 1	🎬 5
🎓 1/Stud.: 30960 Hochschulen: 3/7703		

Soziales/Wirtschaft

Altersstruktur: 0–17 J.: 16%, 18–60 J.: 64,3%, über 60 J.: 19,7%

Ausländer: 34206 (13,6%), davon aus der Türkei: 9128 (26,7%)

Arbeitslose: 13316 (13,9%, 1997: 15,2%)   Offene Stellen: 1060

Haushaltsvolumen: 1,564 Mrd DM   Schuldenstand: 1,187 Mrd DM (1997)

Politik SPD/B.90/Grüne (seit 1989); 30 von 59 Sitzen

Stärkste Parteien	CDU/CSU	SPD	B.90/Gr.	FDP	REP
1994: %/Sitze	45,5/29	36,4/23	11,9/7	3,5/–	–/–
1989: %/Sitze	40,7/26	38,5/24	10,9/6	5,4/3	4,4/–

Oberbürgermeister: Jürgen Linden (SPD, seit 1989; *1947)

Augsburg

Bayern, 490 m über NN
http://www.augsburg.de

☏ 0821	✉ Bereich 86…	🚗 A
ℹ Bahnhofstr. 7, 86150 A.		☏ 502070
✈ Augsburg (vom Hbf: 30 min)		
⛪ 254781 (29*) ↔ −2560 (−0,99%)		
▭ 147 km² (33*)		🔲 1733 (31*)
🏛 7	🎭 0	🎬 9
🎓 1/Stud.: 13569 Hochschulen: 1/3444		

Soziales/Wirtschaft

Altersstruktur: 0–17 J.: 16,2%, 18–60 J.: 59,6%, über 60 J.: 24,2%

Ausländer: 43570 (16,3%), davon: aus der Türkei: 17288 (39,7%)

Arbeitslose: 19823 (9,5%, 1997: 10,1%)   Offene Stellen: 2959

Haushaltsvolumen: 1,195 Mrd DM   Schuldenstand: 0,549 Mrd DM

Politik CSU (seit 1990); 28 von 60 Sitzen

Stärkste Parteien	CSU	SPD	B.90/Gr.	FDP	Sonstige
1996: %/Sitze	44,1/28	29,4/19	10,5/6	1,7/1	12,9/6
1990: %/Sitze	43,0/27	28,4/17	10,8/6	2,5/1	15,3/9

Oberbürgermeister: Peter Menacher (CSU, seit 1990; *1939)

Berlin

Berlin, 30–40 m über NN
http://www.berlin.de

☏ 030	✉ Bereich 10/12	🚗 B
ℹ Martin-Luther-Str. 105, 10825 B.		☏ 2123-4
✈ Schönefeld, Tegel, Tempelhof (vom Hbf: 60 min)		
⛪ 3398822 (1*) ↔ −26937 (−0,8%)		
▭ 890,1 km² (1*)		🔲 3846 (2*)
🏛 47	🎭 4	🎬 208
🎓 3/Stud.: 104283 Hochschulen: 13/29573		

Soziales/Wirtschaft

Altersstruktur: 0–17 J.: 17,3%, 18–60 J.: 63,8%, über 60 J.: 18,9%

Ausländer: 437936 (13%), davon aus der Türkei: 135159 (30,9%)

Arbeitslose: 273098 (17,9%, 1997: 17,3%)   Offene Stellen: 8140

Haushaltsvol. (1999): 42,2 Mrd DM   Schuldenstand (1998): 61 Mrd DM

Politik CDU/SPD (seit 1990); 142 von 206 Sitzen

Stärkste Parteien	CDU	SPD	PDS	B.90/Gr.	FDP
1995: %/Sitze	37,4/87	23,6/55	14,6/34	13,2/30	2,5/–
1990: %/Sitze	40,4/101	30,4/76	9,2/23	9,3/23	7,1/18

Regierender Bürgermeister: Eberhard Diepgen (CDU, seit 1991; *1941)

Bielefeld

Nordrhein-Westfalen, 73–320 m über NN
http://www.bielefeld.de

☏ 0521	✉ Bereich 33…	🚗 BI
ℹ Niederwall 23, 33602 B.		☏ 178899
✈ Paderborn (45 km), Hannover (110 km)		
⛪ 323140 (18*) ↔ −1326 (−0,4%)		
▭ 257,71 km² (9*)		🔲 1254 (43*)
🏛 3	🎭 1	🎬 13
🎓 1/Stud.: 20173 Hochschulen: 3/7016		

Soziales/Wirtschaft

Altersstruktur: 0–17 J.: 18,2%, 18–60 J.: 58,4%, über 60 J.: 23,4%

Ausländer: 40181 (12,4%), davon aus der Türkei: 18275 (45,5%)

Arbeitslose (3/99): 18823 (13,6%, 1998: 13,7%)   Offene Stellen: 1979

Haushaltsvolumen: 1,7 Mrd DM   Schuldenstand: 1,5 Mrd DM

Politik SPD/Bündnis 90/Die Grünen (seit 1994); 36 von 65 Sitzen

Stärkste Parteien	SPD	CDU	B.90/Gr.	FDP	Sonstige
1994: %/Sitze	41,3/28	36,2/24	12,5/8	2,5/–	7,4/5
1989: %/Sitze	39,0/27	34,6/24	10,1/6	6,5/4	9,6/6

Oberbürgermeisterin: Angelika Dopheide (SPD, seit 1994; *1946)

Bochum

Nordrhein-Westfalen, 45–196 m über NN
http://www.bochum.de

☎ 0234   ✉ Bereich 44…   🚗 BO

ℹ Kurt-Schumacher-Platz, 44787 B.   ☎ 9 63 02-0

✈ DO-Wickede (25 km), Düsseldorf (50 km)

👥 401 699 (16*)   ↔ –3147 (–0,8%)

▭ 145,4 km² (34*)   🚌 2763 (6*)

🏛 5   🎭 –   🎬 6

🎓 1/Stud.: 35 845   Hochschulen: 4/8341

Soziales/Wirtschaft

Altersstruktur: 0–17 J.: 14,3%, 18–60 J.: 60,0%, über 60 J.: 25,7%

Ausländer: 35 182 (8,8%), davon aus der Türkei: 13 670 (38,9%)

Arbeitslose 22 151 (14,1%, 1996: 13,3%)   *Offene Stellen:* 939

Haushaltsvolumen: 4,06 Mrd DM   *Schuldenstand:* 1,3 Mrd DM

Politik SPD (seit 1946); 38 von 69 Sitzen

Stärkste Parteien	SPD	CDU	B.90/Gr.	FDP
1994: %/Sitze	50,5/38	29,4/22	12,6/9	1,7/–
1989: %/Sitze	54,1/40	26,5/19	11,3/8	3,6/–

Oberbürgermeister: Ernst Otto Stüber (SPD, seit 1994; *1940)

Bonn

Nordrhein-Westfalen, 50–165 m über NN
http://www.bonn.de

☎ 0228   ✉ Bereich 53…   🚗 BN

ℹ Münsterstr. 20, 53103 B.   ☎ 77 34 66/7

✈ Köln/Bonn (vom Hbf: 30 min)

👥 310 302 (21*)   ↔ –416 (–0,1%)

▭ 141,23 km² (36*)   🚌 2197 (19*)

🏛 11   🎭 1   🎬 29

🎓 1/Stud.: 38 209   Hochschulen: 2/400

Soziales/Wirtschaft

Altersstruktur: 0–17 J.: 16,6%, 18–60 J.: 62,1%, über 60 J.: 21,3%

Ausländer: 42 160 (13,6%), davon aus der Türkei: 7056 (16,7%)

Arbeitslose: 9828 (8,0%, 1996: 8,5%)   *Offene Stellen:* 3236

Haushaltsvolumen: 2,14 Mrd DM   *Schuldenstand:* 1,7 Mrd DM

Politik SPD/Bündnis 90/Die Grünen (seit 1994); 36 von 67 Sitzen

Stärkste Parteien	CDU	SPD	B.90/Gr.	FDP	REP
1994: %/Sitze	41,1/31	35,3/26	13,6/10	4,6/–	0,3/–
1989: %/Sitze	40,5/32	30,5/24	11,1/9	10,1/8	4,9/–

Oberbürgermeisterin: Bärbel Dieckmann (SPD, seit 1994; *1949)

Braunschweig

Niedersachsen, 70 m über NN
http://www.braunschweig.de

☎ 0531   ✉ Bereich 38…   🚗 BS

ℹ Bohlweg (Pavillon), 38100 B.   ☎ 2 73 55-30

✈ BS-Waggum (vom Hbf: Bus 13, 30 min)

👥 242 223 (31*)   ↔ –2600 (–1,1%)

▭ 192 km² (22*)   🚌 1261 (42*)

🏛 3   🎭 1   🎬 12

🎓 TU/Stud.: 14 517   Hochschulen: 3/2086

Soziales/Wirtschaft

Altersstruktur: 0–17 J.: 15,4%, 18–60 J.: 60,7%, über 60 J.: 23,9%

Ausländer: 17 211 (7,1%), davon aus der Türkei: 6805 (39,5%)

Arbeitslose: 17 850 (13,7%, 1997: 14,1%)   *Offene Stellen:* 1402

Haushaltsvolumen: 1,1 Mrd DM   *Schuldenstand:* 0,7 Mrd DM

Politik SPD/Bündnis 90/Die Grünen (seit 1991); 29 von 57 Sitzen

Stärkste Parteien	CDU	SPD	B.90/Gr.	FDP	Sonstige
1996: %/Sitze	39,8/24	37,6/22	11,7/7	4,4/2	6,5/2
1991: %/Sitze	43,7/25	40,5/23	8,8/5	5,7/3	1,3/1

Oberbürgermeister: Werner Steffens (SPD, seit 1991; *1937)

Bremen

Bremen, 5 m über NN
http://www.bremen.de

☎ 0421   ✉ Bereich 28   🚗 HB

ℹ Hillmannplatz 6, 28195 B.   ☎ 3 08 00-0

✈ Bremen (vom Hbf: S 5, 20 min)

👥 546 968 (10*)   ↔ –1917 (–0,3%)

▭ 326,55 km² (4*)   🚌 1681 (32*)

🏛 6   🎭 1   🎬 10

🎓 1/Stud.: 17 169   Hochschulen: 3/7324

Soziales/Wirtschaft

Altersstruktur: 0–17 J.: 15,5%, 18–60 J.: 60,5%, über 60 J.: 24%

Ausländer: 68 937 (12,6%), davon aus der Türkei: 26 893 (39%)

Arbeitslose: 35 945 (15,7%, 1997: 15,8%)   *Offene Stellen:* 2035

Haushaltsvol. (Stadt): 5,5 Mrd DM   *Schuldenstand (Land):* 17,3 Mio

Politik SPD/CDU (seit 1995); 72 von 80 Sitzen

Stärkste Parteien	SPD	CDU	B.90/Gr.	FDP	AFB
1999: %/Sitze	42,7/38	37,7/34	9,2/8	2,1/–	2,1/–
1995: %/Sitze	33,0/29	32,3/29	13,4/12	3,3/0	k. A

Erster Bürgermeister: Henning Scherf (SPD, seit 1995; *1938)

Chemnitz

Sachsen, 309 m über NN
http://www.chemnitz.de

Soziales/Wirtschaft

☎ 0371 ✉ Bereich 09... 🚗 C	*Altersstruktur:* 0–17 J.: 15,4%, 18–60 J.: 60,2%, über 60 J.: 24,5%

Ausländer: 5051 (2%), davon aus Vietnam: 686 (13,6%)

🛈 Bahnhofstr. 6, 09111 C.	*Arbeitslose:* 22 335 (18,9%, 1997: 20,1%) *Offene Stellen:* 979

☎ 1 94 33   *Haushaltsvolumen:* 1,1 Mrd DM   *Schuldenstand:* 0,627 Mrd DM

✈ Dresden-Klotzsche (80 km), Leipzig-Halle (90 km)

Politik SPD (seit 1994); 18 von 60 Sitzen

Stärkste Parteien	CDU	SPD	PDS	B.90/Gr.	Sonstige
1999: %/Sitze	32,6/21	29,3/18	26,1/16	4,4/2	7,6/3
1994: %/Sitze	24,6/15	33,3/21	21,8/13	9,5/6	9,5/5

👥 265 468 (27*) ↔ +8905 (+3,5%)

☐ 220,85 km² (14*)   🏠 1202 (37*)

🏛 2   📋 1   🚑 10

Uni 1/Stud.: 4969 (WS 97/98) *Hochschulen:* –/–	*Oberbürgermeister:* Peter Seifert (SPD, seit 1993; *1941)

Dortmund

Nordrhein-Westfalen, 60–254 m über NN
http://www.dortmund.de

Soziales/Wirtschaft

Altersstruktur: 0–17 J.: 17%, 18–60 J.: 58%, über 60 J.: 25%

☎ 0231   ✉ Bereich 44..   🚗 DO   *Ausländer:* 77 239 (13%), davon aus der Türkei: 30 701 (39,7%)

🛈 Königswall 20, 44137 D.   ☎ 14 03 41   *Arbeitslose:* 39 791 (16,6%, 1997: 17,5%)   *Offene Stellen:* 2444

Haushaltsvolumen: 3,4 Mrd DM   *Schuldenstand:* 1,712 Mrd DM

✈ Dortmund-Wickede (vom Hbf: SB 47, 30 min)

Politik SPD (seit 1952); 46 von 83 Sitzen

Stärkste Parteien	SPD	CDU	B.90/Gr.	FDP	REP
1994: %/Sitze	51,4/46	30,4/27	12,2/10	2,1/–	1,9/–
1989: %/Sitze	52,9/47	25,7/23	9,8/8	3,9/–	6,3/5

👥 592 817 (7*) ↔ –2395 (–0,4%)

☐ 280,3 km² (7*)   🏠 2114,9 (21*)

🏛 2   📋 1   🚑 7

Uni 1/Stud.: 24 576 *Hochschulen:* 1/7917	*Oberbürgermeister:* Günter Samtlebe (SPD, seit 1973; *1926)

Dresden

Sachsen, 113–315 m über NN
http://www.dresden.de

Soziales/Wirtschaft

Altersstruktur: 0–17 J.: 17%, 18–60 J.: 61%, über 60 J.: 23%

☎ 0351   ✉ Bereich 01...   🚗 DD   *Ausländer:* 11 938 (2,5%), davon aus Vietnam: 1365 (11,43%)

🛈 Ostra-Allee 11, 01067 D.   ☎ 4 91 92-0   *Arbeitslose:* 33 220 (15%, 1997: 16%)   *Offene Stellen:* 1790

Haushaltsvolumen: 2,2 Mrd DM   *Schuldenstand:* 1,48 Mrd DM

✈ Dresden-Klotzsche (vom Hbf: Bus City L., 40 min)

Politik CDU (seit 1990); 32 von 70 Sitzen

Stärkste Parteien	CDU	PDS	SPD	B.90/Gr.	Sonstige
1999:%/Sitze	42,8/32	24,2/18	13,3/9	5,8/4	14,1/7
1994: %/Sitze	34,2/25	22,2/16	14,7/11	8,3/6	20,6/12

👥 472 036 (14*) ↔ +18 326 (+4%)

☐ 328,6 km² (12*)   🏠 1437 (27*)

🏛 17   📋 1   🚑 25

Uni 1/Stud.: 22 003 *Hochschulen:* 6/5741	*Oberbürgermeister:* Herbert Wagner (CDU, seit 1990; *1948)

Duisburg

Nordrhein-Westfalen, 33 m über NN
http://www.duisburg.de

Soziales/Wirtschaft

Altersstruktur: 0–17 J.: 18,5%, 18–60 J.: 57,9%, über 60 J.: 23,6%

☎ 0203   ✉ Bereich 47...   🚗 DU   *Ausländer:* 84 623 (16,2%), davon aus der Türkei: 51 526 (60,9%)

🛈 Am Buchenbaum 40, 47051 D.   ☎ 2 85 44 11   *Arbeitslose:* 35 357 (16,6%, 1997: 17,7%)   *Offene Stellen:* 1503

Haushaltsvolumen: 3,199 Mrd DM   *Schuldenstand:* 2,21 Mrd DM

✈ Düsseldorf (vom Hbf: S 1/S 21, 20 min)

Politik SPD (seit 1948); 46 von 75 Sitzen

Stärkste Parteien	SPD	CDU	B.90/Gr.	FDP
1994: %/Sitze	58,5/46	28,7/22	8,7/7	1,7/–
1989: %/Sitze	61,9/49	26,4/20	7,7/6	3,4/–

👥 522 449 (11*) ↔ –5835 (–1,1%)

☐ 232,8 km² (11*)   🏠 2243 (16*)

🏛 1   📋 1   🚑 5

Uni 1/Stud.: 14.988 *Hochschulen:* 2/475	*Oberbürgermeisterin:* Bärbel Zieling (SPD, seit 1997; *1949)

Düsseldorf

Nordrhein-Westfalen, 36 m über NN
http://www.duesseldorf.de

☎ 02 11   ✉ Bereich 40…   📠 D

ℹ Konrad-Adenauer-Platz, 40210 D.   ☎ 1 72 02-0

🚆 Düsseldorf (vom Hbf: S 7, 11 min)

👥 568 400 (8*)   ↔ –2104 (–0,37%)

⬜ 217 km² (15*)   🚗 2619 (9*)

🏭 11   📺 1   📞 15

Uni 1/Stud.: 22 385   Hochschulen: 5/10 444

Soziales/Wirtschaft				
Altersstruktur: 0–17 J.: 15,1%, 18–60 J.: 60,5%, über 60 J.: 24,4%				
Ausländer: 92 523 (16,3%), davon aus der Türkei: 16 969 (18,3%)				
Arbeitslose: 32 325 (12,5%, 1997: 13,5%)			*Offene Stellen:* 5098	
Haushaltsvol. (Entwurf 1999): 5,573 Mrd DM *Schuldenstand:* 3,220 Mrd DM				
Politik SPD/Bündnis 90/Die Grünen (seit 1984); 48 von 83 Sitzen				
Stärkste Parteien	*SPD*	*CDU*	*B.90/Gr.*	*FDP*	*REP*
1994: %/Sitze	41,5/37	39,7/35	12,7/11	3,8/–	1,8/0
1989: %/Sitze	39,7/33	37,5/32	9,9/8	6,0/5	6,2/5
Oberbürgermeisterin: Marie-Luise Smeets (SPD, seit 1994; *1936)				

Erfurt

Thüringen, 158–430 m über NN
http://www.erfurt.de

☎ 03 61   ✉ Bereich 99…   📠 EF

ℹ Fischmarkt 27, 99084 E.   ☎ 6 64 00

🚆 E.-Bindersleben (vom Hbf: L 91/92- 20 min)

👥 201 069 (38*)   ↔ –2985 (–1,5%)

⬜ 269 km² (8*)   🚗 747 (50*)

🏭 4   📺 —   📞 24

Uni 1 (im Aufbau)   Hochschulen: 3/5789

Soziales/Wirtschaft				
Altersstruktur: 0–17 J.: 17,5%, 18–60 J.: 60,9%, über 60 J.: 21,5%				
Ausländer: 3614 (1,8%), davon aus Vietnam: 763 (0,4%)				
Arbeitslose: 18 371 (17,1%, 1997: 19,1%)			*Offene Stellen:* 1400	
Haushaltsvolumen: 980 Mio DM		*Schuldenstand:* 420 Mio DM		
Politik CDU (seit 1990); 25 von 50 Sitzen, wechselnde Mehrheiten				
Stärkste Parteien	*CDU*	*PDS*	*SPD*	*B.90/Gr.*	*Sonstige*
1999: %/Sitze	46,2/25	24,3/13	22,3/12	4,1/–	3,1/–
1994: %/Sitze	32,2/17	23,2/13	26,6/14	10,7/6	7,3/–
Oberbürgermeister: Manfred Ruge (CDU, seit 1990; *1945)				

Essen

Nordrhein-Westfalen, 30–202 m über NN
http://www.essen.de

☎ 02 01   ✉ Bereich 45…   📠 E

ℹ Norbertstr. 2, 45127 E.   ☎ 72 44-401

🚆 Düsseldorf, Dortmund (vom Hbf: 38 min)

👥 603 335 (6*)   ↔ –6038 (–1,0%)

⬜ 210,36 km² (17*)   🚗 2868 (5)

🏭 4   📺 1   📞 4

Uni 1/Stud.: 22 941   Hochschulen: –/–

Soziales/Wirtschaft				
Altersstruktur: 0–17 J.: 16,7%, 18–60 J.: 57,0%, über 60 J.: 26,3%				
Ausländer: 57 429 (9,5%) davon aus der Türkei: 18 015 (31,4%)				
Arbeitslose: 35 035 (13,3%, 1997: 14,1%)			*Offene Stellen:* 3015	
Haushaltsvolumen: 3,2 Mrd DM		*Schuldenstand:* 2,1 Mrd DM		
Politik SPD (seit 1956); 44 von 83 Sitzen				
Stärkste Parteien	*SPD*	*CDU*	*B.90/Gr.*	*FDP*	*REP*
1994: %/Sitze	49,3/44	33,6/30	10,9/9	2,8/–	1,4/–
1989: %/Sitze	50,5/43	32,4/28	9,8/8	5,1/4	–/–
Oberbürgermeisterin: Annette Jäger (SPD, seit 1989; *1937)				

Frankfurt/M.

Hessen, 98 m über NN
http://www.frankfurt.de

☎ 0 69   ✉ Bereich 60/63/65 📠 F

ℹ Kaiserstr. 56, 60329 F.   ☎ 212-38800

🚆 Rhein-Main-F. (vom Hbf: 12 min)

👥 649 246 (5*)   ↔ –3078 (–0,5%)

⬜ 248,4 km² (10*)   🚗 2614 (10*)

🏭 7   📺 1   📞 35

Uni 1/Stud.: 34 510   Hochschulen: 4/10 201

Soziales/Wirtschaft				
Altersstruktur: 0–17 J.: 15,5%, 18–60 J.: 62,6%, über 60 J.: 21,9%				
Ausländer: 184 751 (28,5%), davon aus Ex-Jugoslawien: 44 340 (24%)				
Arbeitslose: 47 873 (8,6%, 1997: 9,5%)			*Offene Stellen:* 8130	
Haushaltsvolumen: 6,4 Mrd DM		*Schuldenstand:* 5,5 Mrd DM		
Politik wechselnde Mehrheiten				
Stärkste Parteien	*CDU*	*SPD*	*B.90/Gr.*	*FDP*	*REP*
1997: %/Sitze	36,3/36	29,2/29	16,9/17	5,6/5	6,2/6
1993: %/Sitze	33,4/35	32,0/33	14,0/15	–/–	9,3/10
Oberbürgermeisterin: Petra Roth (CDU, seit 1995; *1944)				

Freiburg/Br.

Baden-Württemberg, 278 m über NN
http://www.freiburg.de

☎ 07 61 ✉ Bereich 79… ⊞ FR	
ℹ Rotteckring 14, 79098 F. ☎ 36890-0	
⚑ Basel-Mulhouse-Freiburg/B. (vom Hbf: 55 min)	
⚑ 200316 (40*) ↔ −20 (−0,009%)	
◻ 153 km² (32*) ⚗ 1309 (39*)	
🏛 5 ⑂ − ⚐ 5	
Uni 1/Stud.: 21178 Hochschulen: 4/5254	

Soziales/Wirtschaft

Altersstruktur: 0–17 J.: 17%, 18–60 J.: 62%, über 60 J.: 21%

Ausländer: 26241 (13,1%), davon aus Italien: 2916 (13%)

Arbeitslose: 7997 (10,7%, 1997: 12%)   *Offene Stellen:* 0

Haushaltsvolumen: 1098 Mio DM   *Schuldenstand:* 651 Mio DM

Politik SPD (seit 1984); 11 von 48 Sitzen, wechselnde Mehrheiten

Stärkste Parteien	CDU	B.90/Gr.	SPD	FDP	REP
1994: %/Sitze	24,8/13	23,1/12	21,8/11	5,1/2	4,5/1
1989: %/Sitze	26,8/14	20,0/10	25,6/13	6,9/3	6,2/3

Oberbürgermeister: Rolf Böhme (SPD, seit 1982; *1934)

Gelsenkirchen

Nordrhein-Westfalen, 28–96 m über NN
http://www.gelsenkirchen.de

☎ 02 09 ✉ Bereich 45… ⊞ GE	
ℹ Ebertstr. 19, 45879 G. ☎ 23376	
⚑ Dortmund, Düsseldorf (vom Hbf: 50 min)	
⚑ 285258 (22*) ↔ −2355 (−0,8%)	
◻ 104,8 km² (42*) ⚗ 2721 (7*)	
🏛 4 ⑂ 1 ⚐ 1	
Uni −/Stud.: − Hochschulen: 2/6755	

Soziales/Wirtschaft

Altersstruktur: 0–17 J.: 18,4%, 18–64 J.: 62,8%, über 64 J.: 18,8%

Ausländer: 39542 (13,8%), davon aus der Türkei: 24083 (60,9%)

Arbeitslose: 20131 (18,2%, 1997: 18,5%)   *Offene Stellen:* 616

Haushaltsvolumen: 1,48 Mrd DM   *Schuldenstand:* 0,623 Mrd DM

Politik SPD (seit 1946); 40 von 67 Sitzen

Stärkste Parteien	SPD	CDU	B.90/Gr.	FDP	Sonstige
1994: %/Sitze	55,7/40	28,9/20	9,8/7	1,4/−	3,9/−
1989: %/Sitze	53,0/38	25,9/18	9,5/6	2,5/−	7,4/5

Oberbürgermeister: Dieter Rauer (SPD, seit 1996; *1950)

Hagen

Nordrhein-Westfalen, 106 m über NN
http://www.hagen.de

☎ 02331 ✉ Bereich 58… ⊞ HA	
ℹ Rathaus, 58042 H. ☎ 207-3382	
⚑ Düsseldorf (vom Hbf: 44 min)	
⚑ 209681 (36*) ↔ −1781 (−0,8%)	
◻ 160,4 km² (31*) ⚗ 1307 (41*)	
🏛 1 ⑂ 1 ⚐ 4	
Uni 1/Stud.: 55926 Hochschulen: 2/1675	

Soziales/Wirtschaft

Altersstruktur: 0–17 J.: 18,5%, 18–60 J.: 56,2%, über 60 J.: 25,3%

Ausländer: 30188 (14,4%), davon aus der Türkei: 11312 (37%)

Arbeitslose: 12169 (13,2%, 1997: 13,9%)   *Offene Stellen:* 1421

Haushaltsvolumen: 1,426 Mrd DM   *Schuldenstand:* 0,506 Mrd DM

Politik SPD (seit 1994); 31 von 59 Sitzen

Stärkste Parteien	SPD	CDU	B.90/Gr.	FDP	REP
1994: %/Sitze	48,7/31	35,5/23	8,2/5	3,2/−	2,5/−
1989: %/Sitze	47,6/29	32,1/19	7,7/4	5,2/3	7,2/4

Oberbürgermeister: Dietmar Thieser (SPD, seit 1989; *1952)

Halle

Sachsen-Anhalt, 100 m über NN
http://www.halle.de

☎ 0345 ✉ Bereich 06… ⊞ HAL	
ℹ Steinweg 7, 06110 H. ☎ 2024700	
⚑ Leipzig-Halle (vom Hbf: Bus, 30 min)	
⚑ 259925 (24*) ↔ −7851 (−2,9%)	
◻ 135 km² (38*) ⚗ 1925 (25*)	
🏛 3 ⑂ 1 ⚐ 6	
Uni 1/Stud.: 13047 Hochschulen: 2/905	

Soziales/Wirtschaft

Altersstruktur: 0–17 J.: 17,4%, 18–60 J.: 60,5%, über 60 J.: 22,1%

Ausländer: 7739 (2,9%), davon aus Vietnam: 1012 (13,1%)

Arbeitslose: 32258 (19,6%, 1997: 20%)   *Offene Stellen:* 1179

Haushaltsvolumen: 1,271 Mrd DM   *Schuldenstand:* 0,420 Mrd DM

Politik CDU (seit 1990); 16 von 56 Sitzen, wechselnde Mehrheiten

Stärkste Parteien	CDU	PDS	SPD	FDP	B.90/Gr.	Sonstige
1999: %/Sitze	29,0/16	24,4/14	22,6/13	4,4/2	3,0/2	15,7/9
1994: %/Sitze	23,3/13	26,0/15	24,7/14	9,0/5	6,3/3	10,7/6

Oberbürgermeister: Klaus Peter Rauen (CDU, seit 1991; *1935)

Hamburg

Hamburg, 14 m über NN
http://www.hamburg.de

☎ 040   ✉ Bereich 20-22   🚗 HH

ℹ️ Burchardstr. 14, 20095 H.   ☎ 300 51-0

🚄 HH-Fuhlsbüttel (vom Hbf: Bus, 30 min)

👥 1 700 605 (2*)   ↔ –4126 (–0,2%)

⬜ 755,3 km² (2*)   📊 2252 (15*)

🏛 42   🎭 1   🎬 49

🎓 4/Stud.: 49 420   Hochschulen: 5/16 842

Soziales/Wirtschaft

Altersstruktur: 0–17 J.: 16%, 18–60 J.: 61%, über 60 J.: 23%

Ausländer: 272 738 (16%), davon aus der Türkei: 71 426 (26%)

Arbeitslose: 90 480 (12,7%, 1997: 13%)   *Offene Stellen:* 6389

Haushaltsvolumen (Stadt+Land): 18,7 Mrd DM   *Schuldenstand:* k.A.

Politik SPD/GAL (seit 1997); 75 von 121 Sitzen

Stärkste Parteien	SPD	CDU	GAL	STATT	DVU
1997: %/Sitze	36,2/54	30,7/46	13,9/21	3,8/–	4,9/–
1993: %/Sitze	40,4/58	25,1/36	13,5/19	5,6/8	2,8/–

Erster Bürgermeister: Ortwin Runde (SPD, seit 1997; *1944)

Hamm

Nordrhein-Westfalen, 50–102 m über NN
http://www.hamm.de

☎ 02381   ✉ Bereich 59...   🚗 HAM

ℹ️ Willy-Brandt-Platz 3, 59065 H.   ☎ 285 25

🚄 Münster, Dortmund (vom Hbf: 50 min)

👥 188 726 (42*)   ↔ –780 (–0,04%)

⬜ 226,26 km² (13*)   📊 834 (49*)

🏛   🎭   🎬 1

🎓 –/Stud.: –   Hochschulen: –/–

Soziales/Wirtschaft

Altersstruktur: 0–17 J.: 19,9%, 18–60 J.: 59,4%, über 60 J.: 20,7%

Ausländer: 20 058 (10,6%), davon aus der Türkei: 12 161 (60,6%)

Arbeitslose: 10 152 (14,1%, 1997: 14,8%)   *Offene Stellen:* 613

Haushaltsvolumen: 0,9 Mrd DM   *Schuldenstand:* 0,5 Mrd DM

Politik SPD/Bündnis 90/Die Grünen (seit 1994); 30 von 59 Sitzen

Stärkste Parteien	SPD	CDU	B.90/Gr.	FWG	REP
1994: %/Sitze	41,5/26	42,1/26	6,6/4	5,2/3	1,9/–
1989: %/Sitze	45,2/29	35,8/22	7,1/4	–/–	7,1/4

Oberbürgermeister: Jürgen Wieland (SPD, seit 1994; *1936)

Hannover

Niedersachsen, 55 m über NN
http://www.hannover.de

☎ 05 11   ✉ Bereich 30...   🚗 H

ℹ️ Ernst-August-Platz 2, 30159 H.   ☎ 301 40

🚄 H-Langenhagen (vom Hbf: 30 min)

👥 507 505 (12*)   ↔ –3702 (–0,7%)

⬜ 204,1 km² (19*)   📊 2487 (12*)

🏛 9   🎭 1   🎬 7

🎓 1/Stud.: 31 272   Hochschulen: 5/12 952

Soziales/Wirtschaft

Altersstruktur: 0–17 J.: 15,4%, 18–60 J.: 60,2%, über 60 J.: 24,4%

Ausländer: 75 081 (14,8%), davon aus der Türkei: 22 541 (30,02%)

Arbeitslose: 34 249 (15%, 1997: 16,1%)   *Offene Stellen:* 2482

Haushaltsvolumen: 2,7 Mrd DM   *Schuldenstand:* 1,7 Mrd DM

Politik SPD/Bündnis 90/Die Grünen (seit 1996); 34 von 64 Sitzen

Stärkste Pareien	SPD	CDU	B.90/Gr.	FDP	REP	Sonstige
1996: %/Sitze	36,9/25	34,9/24	14,3/9	4,3/2	2,7/1	5,1/3
1991: %/Sitze	41,6/27	34,5/23	9,6/6	6,1/4	3,4/2	3,6/2

Oberbürgermeister: Herbert Schmalstieg (SPD, seit 1972; *1943)

Herne

Nordrhein-Westfalen, 61 m über NN
http://www.herne.de

☎ 02323   ✉ Bereich 44...   🚗 HER

ℹ️ Friedrich-Ebert-Platz 1, 44623 H.   ☎ 16-0

🚄 Dortmund-Wickede (vom Bhf Wanne-E.)

👥 171 994 (45*)   ↔ –1161 (–0,7%)

⬜ 51,4 km² (50*)   📊 3346 (3*)

🏛 –   🎭 –   🎬 2

🎓 –/Stud.: –   Hochschulen: –/–

Soziales/Wirtschaft

Altersstruktur: 0–17 J.: 17,8%, 18–60 J.: 56,8%, über 60 J.: 25,3%

Ausländer: 21 665 (12,6%), davon aus der Türkei: 13 252 (61,2%)

Arbeitslose: 11 049 (16,3%, 1997: 17,2%)   *Offene Stellen:* 539

Haushaltsvolumen: 0,951 Mrd DM   *Schuldenstand:* 0,482 Mrd DM

Politik SPD (seit 1948); 36 von 59 Sitzen

Stärkste Parteien	SPD	CDU	B.90/Gr.	REP	FDP
1994: %/Sitze	58,/36	28,8/18	9,3/5	2,6/–	1,3/–
1989: %/Sitze	56,6/37	26,7/17	8,7/5	–/–	2,2/–

Oberbürgermeister: Wolfgang Becker (SPD, seit 1994; *1938)

Karlsruhe

Baden-Württemberg, 115 m über NN
http://www.karlsruhe.de

🕾 0721   ✉ Bereich 76…   🚗 KA

ℹ️ Bahnhofplatz 6, 76137 K.   🕾 3553-0

🚉 Stuttgart (vom Hbf: 90 min)

👪 267598 (25*)   ↔ −79 (−0,03%)

▭ 173,5 km² (26*)   📊 1542 (35*)

🏛 4   📶 1   📱 15

Uni 1/Stud.: 14753   Hochschulen: 5/7471

Soziales/Wirtschaft

Altersstruktur: 0–17 J.: 16,1%, 18–60 J.: 61,2%, über 60 J.: 22,7%

Ausländer: 34190 (12,8%), davon aus der Türkei: 6840 (20%)

Arbeitslose: 12348 (10,3%, 1997: 6,7%)   *Offene Stellen: 2086*

Haushaltsvolumen (1999): 1,686 Mrd DM   *Schuldenstand: 0,583 Mrd DM*

Politik CDU (seit 1975); 22 von 54 Sitzen

Stärkste Parteien	CDU	SPD	B.90/Gr.	FDP	REP
1994: %/Sitze	37,8/22	28,4/16	13,6/8	6,3/3	2,6/1
1989: %/Sitze	37,3/27	30,9/22	10,8/7	8,4/6	5,2/3

*Oberbürgermeister: Heinz Fenrich (CDU, seit 1998; *1945)*

Kassel

Hessen, 169 m über NN
http://www.kassel.de

🕾 0561   ✉ Bereich 34…   🚗 KS

ℹ️ Königsplatz 53, 34117 K.   🕾 707707

🚉 Kassel-Calden (vom Hbf: 32 min)

👪 198000 (41*)   ↔ −1500 (−0,8%)

▭ 106,77 km² (41*)   📊 1854 (28*)

🏛 2   📶 1   📱 10

Uni 1/Stud.: 16900   Hochschulen: –/–

Soziales/Wirtschaft

Altersstruktur: 0–17 J.: 17%, 18–60 J.: 58%, über 60 J.: 25%

Ausländer: 28250 (14,3%), davon aus der Türkei: 10700 (37,9%)

Arbeitslose: 15077 (19,3%, 1997: 16,9%)   *Offene Stellen: 764*

Haushaltsvolumen: 1,8 Mrd DM   *Schuldenstand: 0,590 Mrd DM*

Politik SPD/Bündnis 90/Die Grünen (seit 1997); 43 von 71 Sitzen

Stärkste Parteien	CDU	SPD	B.90/Gr.	FDP	REP
1997: %/Sitze	33,0/28	36,0/30	15,6/13	3,3/–	4,6/–
1993: %/Sitze	36,9/28	29,8/22	14,0/11	7,7/6	5,4/4

*Oberbürgermeister: Georg Lewandowski (CDU, seit 1993; *1944)*

Kiel

Schleswig-Holstein, 7 m über NN
http://www.kiel.de

🕾 0431   ✉ Bereich 24…   🚗 KI

ℹ️ Andreas-Gayk-Str.31, 24103 K.   🕾 679100

🚉 Kiel-Holtenau (vom Hbf: Bus 501/502, 25 min)

👪 233987 (33*)   ↔ −3043 (−1,2%)

▭ 112 km² (40*)   📊 2080 (22*)

🏛 6   📶 1   📱 5

Uni 1/Stud.: 22407   Hochschulen: 2/5495

Soziales/Wirtschaft

Altersstruktur: 0–17 J.: 16%, 18–60 J.: 63%, über 60 J.: 21%

Ausländer: 20901 (8,9%), davon aus der Türkei: 8239 (39,4%)

Arbeitslose: 19004 (12%, 1997: 12,2%)   *Offene Stellen: 981*

Haushaltsvolumen: 1,35 Mrd DM   *Schuldenstand: 0,9 Mrd DM*

Politik SPD (seit 1998); 25 von 49 Sitzen

Stärkste Parteien	SPD	CDU	B.90/Gr.	FDP	S-U-K
1998: %/Sitze	47,8/25	31,4/16	9,6/5	3,1/–	6,9/3
1994: %/Sitze	39,3/20	31,1/16	16,1/8	3,9/–	9,5/5

*Oberbürgermeister: Norbert Gansel (SPD, seit Juni 1997; *1941)*

Köln

Nordrhein-Westfalen, 36 m über NN
http://www.koeln.de

🕾 0221   ✉ Bereich 50…   🚗 K

ℹ️ Unter Fettenhennen 19, 50667 K.   🕾 221-3340

🚉 Köln-Bonn (vom Hbf: Bus 170, 30 min)

👪 1011912 (4*)   ↔ +2998 (+0,3%)

▭ 405,1 km² (3*)   📊 2498 (14*)

🏛 31   📶 1   📱 28

Uni 1/Stud.: 57007   Hochschulen: 7/27830

Soziales/Wirtschaft

Altersstruktur: 0–17 J.: 16,1%, 18–60 J: 62,8%, über 60 J.: 21,1%

Ausländer: 190494 (18,8%), davon aus der Türkei: 79327 (41,6%)

Arbeitslose: 58579 (14,1%, 1997: 14,4%)   *Offene Stellen: 5434*

Haushaltsvolumen: 6,2 Mrd DM   *Schuldenstand: 5,4 Mrd DM*

Politik SPD (seit 1956); 42 von 91 Sitzen, wechselnde Mehrheiten

Stärkste Parteien	SPD	CDU	B.90/Gr.	REP	FDP
1994: %/Sitze	42,5/42	33,9/33	16,2/16	–/–	–/–
1989: %/Sitze	42,1/41	30,5/30	11,7/11	7,4/7	7,0/6

*Oberbürgermeister: Norbert Burger (SPD, seit 1980; *1956)*

Krefeld

Nordrhein-Westfalen, 38 m über NN
http://www.krefeld.de

☎ 02151   ✉ Bereich 47…   🚗 KR

ℹ Theaterplatz 1, 47798 K.   ☎ 801018

🚄 Düsseldorf (vom Hbf: 45 min)

👥 240922 (32*)   ↔ −1767 (−0,7%)

⬜ 137,6 km² (37*)   🚈 1751 (30*)

🏛 5   🏚 –   🛏 5

Uni –/Stud.: –   Hochschulen: 1/2720

Soziales/Wirtschaft
Altersstruktur: 0–17 J.: 18,3%, 18–60 J.: 58%, über 60 J.: 23,7%

Ausländer: 35619 (14,8%), davon aus der Türkei: 13370 (37,5%)

Arbeitslose: 16254 (13,8%, 1997: 14,7%)   *Offene Stellen:* 1052

Haushaltsvolumen: 1,453 Mrd DM   *Schuldenstand:* 0,831 Mrd DM

Politik CDU (seit 1994); 30 von 59 Sitzen

Stärkste Parteien	CDU	SPD	B.90/Gr.	FDP
1994: %/Sitze	46,8/30	36,2/23	9,4/6	3,0/–
1989: %/Sitze	42,6/26	39,6/25	8,2/5	5,8/3

Oberbürgermeister: Dieter Pützhofen (CDU, seit 1994; *1942)

Leipzig

Sachsen, 118 m über NN
http://www.leipzig.de

☎ 0341   ✉ Bereich 041–044 🚗 L

ℹ R.-Wagner-Str. 1, 04109 L.   ☎ 7104260

🚄 Leipzig-Halle (vom Hbf/Innenstadt: Bus, 30 min)

👥 437103 (15*)   ↔ −9379 (−2,1%)

⬜ 179,7 km² (25*)   🚈 2432 (13*)

🏛 5   🏚 1   🛏 18

Uni 1/Stud.: 21563   Hochschulen: 6/6461

Soziales/Wirtschaft
Altersstruktur: 0–17 J.: 16,3%, 18–60 J.: 60,2%, über 60 J.: 23,5%

Ausländer: 21852 (5%), davon aus Polen: 3519 (16,1%)

Arbeitslose: 31559 (15,9%, 1997: 17,5%)   *Offene Stellen:* 3293

Haushaltsvolumen: 2,73 Mrd DM   *Schuldenstand:* 1,5 Mrd DM

Politik SPD/Bündnis 90/Die Grünen/CDU (seit 1990); 47 von 71 Sitzen

Stärkste Part.	CDU	SPD	PDS	B.90/Gr.	FDP	Sonstige
1999: %/Sitze	32,0/23	26,2/19	25,7/19	7,5/5	2,6/1	6,1/4
1994: %/Sitze	23,4/17	29,9/20	22,9/16	13,8/10	3,4/2	6,6/5

Oberbürgermeister: Wolfgang Tiefensee (SPD, seit Juli 1998; *1955)

Leverkusen

Nordrhein-Westfalen, 35–199 m über NN
http://www.leverkusen.de

☎ 0214   ✉ Bereich 51…   🚗 LEV

ℹ im Rathaus   ☎ 406-1020

🚄 Köln-Bonn, Düsseldorf (vom Hbf: 30–40 min)

👥 161063 (48*)   ↔ −466 (−0,3%)

⬜ 78,85 km² (47*)   🚈 2043 (24*)

🏛 –   🏚 –   🛏 1

Uni –/Stud.: –   Hochschulen: –/–

Soziales/Wirtschaft
Altersstruktur: 0–17 J.: 18,0%, 18–60 J.: 57,5%, über 60 J.: 24,5%

Ausländer: 19496 (12,1%), davon aus der Türkei: 4887 (25,1%)

Arbeitslose: 8490 (12%, 1997: 12,4%)   *Offene Stellen:* 560

Haushaltsvolumen: 82 Mrd DM   *Schuldenstand:* 21 Mrd DM

Politik wechselnde Mehrheiten

Stärkste Part.	SPD	CDU	B.90/Gr.	Bürgerl.	FDP	REP
1994: %/Sitze	37,4/24	37,1/24	10,0/6	8,8/5	3,9/–	2,0/–
1989: %/Sitze	41,4/25	37,2/23	7,9/4	–/–	7,2/4	6,4/3

Oberbürgermeister: Walter Mende (SPD, seit 1994; *1944)

Lübeck

Schleswig-Holstein, 0–37 m über NN
http://www.luebeck.de

☎ 0451   ✉ Bereich 235…   🚗 HL

ℹ Beckergrube 95, 23552 L.   ☎ 122-1909

🚄 HH-Fuhlsbüttel (vom Hbf: 70 min)

👥 215954 (35*)   ↔ +1247 (+0,6%)

⬜ 214 km² (16*)   🚈 1009 (47*)

🏛 6   🏚 2   🛏 10

Uni 1/Stud.: 1880   Hochschulen: 2/5345

Soziales/Wirtschaft
Altersstruktur: 0–17 J.: 16,4%, 18–60 J.: 57,7%, über 60 J.: 25,9%

Ausländer: 20947 (9,7%), davon aus der Türkei: 7541 (36%)

Arbeitslose: 14936 (13,8%, 1997: 14%)   *Offene Stellen:* 869

Haushaltsvolumen: 1,1 Mrd DM   *Schuldenstand:* 0,884 Mrd DM

Politik SPD (seit 1990); 23 von 49 Sitzen, wechselnde Mehrheiten

Stärkste Parteien	SPD	CDU	B.90/Gr.	WIR	Sonstige
1998: %/Sitze	41,2/23	38,1/22	7,9/4	–/–	–/–
1994: %/Sitze	41,3/23	31,7/18	10,5/5	6,1/2	–/1

Bürgermeister: Michael Bouteiller (SPD, seit 1988; *1943)

Ludwigshafen

Rheinland-Pfalz, 96 m über NN
http://www.ludwigshafen.de

☎ 0621　　☒ Bereich 67...　　🖃 LU

ℹ Pavillon am Hbf., 67059 L.　　☎ 512036

🚆 Rhein-Main-F. Frankfurt/M. (vom Hbf: 65 min)

⌷ 167822 (46*)　↔ –1308 (–0,8%)

⌗ 77,6 km² (48*)　　　　☒ 2163 (20*)

🏛 –　　　　Ⅵ –　　　　🎏 5

Uni –/Stud.: –　　Hochschulen: 2/3085

Soziales/Wirtschaft

Altersstruktur: 0–17 J.: 17,9%, 18–60 J.: 59,2%, über 60 J.: 22,9%

Ausländer: 33402 (19,9%), **davon aus der Türkei:** 11311 (33,9%)

Arbeitslose: 9552 (9,6%, 1997: 10,1%)　　　　Offene Stellen: 1794

Haushaltsvolumen: 1,029 Mrd DM　　*Schuldenstand:* 0,589 Mrd DM

Politik SPD (seit 1994);29 von 60 Sitzen (1994–98 mit B. 90/Grüne)

Stärkste Parteien	*SPD*	*CDU*	*B.90/Gr.*	*REP*	*FDP*
1994: %/Sitze	45,0/29	33,9/22	7,0/5	5,6/4	2,5/–
1989: %/Sitze	53,2/33	28,3/18	7,1/4	3,1/2	3,5/2

Oberbürgermeister: Wolfgang Schulte (SPD, seit 1993; *1947)

Magdeburg

Sachsen-Anhalt, 50 m über NN
http://www.magdeburg.de

☎ 0391　　☒ Bereich 39...　　🖃 MD

ℹ Alter Markt, 39104 M.　　☎ 5404904

🚆 nur Kleinflugzeuge (vom Hbf: 15 min)

⌷ 329481 (19*)　↔ –6028 (–2,5%)

⌗ 192,9 km² (21*)　　　　☒ 1241 (44*)

🏛 5　　　　Ⅵ –　　　　🎏 7

Uni 1/Stud.: 6199　　Hochschulen: 1/3581

Soziales/Wirtschaft

Altersstruktur: 0–17 J.: 16,7%, 18–60 J.: 59,5%, über 60 J.: 23,4%

Ausländer: 6339 (2,6%), davon aus Ex-Jugoslawien: 631 (9,9%)

Arbeitslose: 25233 (20,9%, 1997: 21%)　　　　Offene Stellen: 1391

Haushaltsvolumen: 1,3 Mrd DM　　*Schuldenstand:* 0,4 Mrd DM

Politik SPD/B.90/Gr. (seit 1990); 20 v. 56 Sitzen, wechselnde Mehrheiten

Stärkste Parteien	*CDU*	*SPD*	*PDS*	*B.90/Gr.*	*FDP*
1999: %/Sitze	30,91/17	30,25/17	23,86/13	4,35/3	2,74/2
1994: %/Sitze	21,4/12	32,4/18	27,1/15	10,5/6	3,9/2

Oberbürgermeister: Willi Polte (SPD, seit 1990; *1938)

Mainz

Rheinland-Pfalz, 82 m über NN
http://www.mainz.de

☎ 06131　　☒ Bereich 55...　　🖃 MZ

ℹ Brückenturm Rheinstr., 55116 M.　　☎ 286210

🚆 Rhein-Main-F. Frankfurt/M. (vom Hbf: S 8, 20 min)

⌷ 200934 (39*)　↔ +542 (+0,27%)

⌗ 97,7 km² (44*)　　　　☒ 2056 (23*)

🏛 5　　　　Ⅵ –　　　　🎏 7

Uni 1/Stud.: 28860　　Hochschulen: 3/4872

Soziales/Wirtschaft

Altersstruktur: 0–17 J.: 15%, 18–60 J.: 64,3%, über 60 J.: 20,3%

Ausländer: 35329 (18%), davon aus der Türkei: 7520 (21,3%)

Arbeitslose: 9065 (6,9%, 1997: 8%)　　　　Offene Stellen: 2285

Haushaltsvolumen: 982 Mio DM　　*Schuldenstand:* 179 Mio DM

Politik SPD (seit 1948); 21 von 60 Sitzen, wechselnde Mehrheiten

Stärkste Parteien	*CDU*	*SPD*	*B.90/Gr.*	*FDP*	*REP*
1999: %/Sitze	41,9/26	34,4/22	9,2/6	5,5/4	3,8/2
1994: %/Sitze	39,0/25	33,8/21	11,6/7	7,3/5	3,8/2

Oberbürgermeister: Jens Beutel (SPD, seit 1997; *1946)

Mannheim

Baden-Württemberg, 97 m über NN
http://www.mannheim.de

☎ 0621　　☒ Bereich 68...　　🖃 MA

ℹ Kaiserring 10–16, 68161 M.　　☎ 24141

🚆 Stuttgart, Frankfurt/M. (vom Hbf: jeweils 60 min)

⌷ 319886 (20*)　↔ –812 (–0,25%)

⌗ 144,97 km² (35*)　　　　☒ 2207 (18*)

🏛 2　　　　Ⅵ 1　　　　🎏 3

Uni 1/Stud.: 10412　　Hochschulen: 7/8500

Soziales/Wirtschaft

Altersstruktur: 0–17 J.: 16,0%, 18–65 J.: 68,9%, über 65 J.: 15,1%

Ausländer: 64838 (20,3%), davon aus der Türkei: 22781 (35%)

Arbeitslose: 18200 (12,5%, 1997: 13,3%)　　　　Offene Stellen: 2563

Haushaltsvolumen: 1,797 Mrd DM　　*Schuldenstand:* 0,775 Mrd DM

Politik SPD (seit 1966); 18 von 47 Sitzen, wechselnde Mehrheiten

Stärkste Part.	*SPD*	*CDU*	*B.90/Gr.*	*ML*	*REP*	*FDP*
1994: %/Sitze	35,3/18	32,4/17	12,9/6	6,3/3	5,4/2	3,1/1
1989: %/Sitze	33,2/17	26,7/14	10,9/5	11,9/5	8,8/4	4,7/2

Oberbürgermeister: Gerhard Widder (SPD, seit 1983; *1940)

Mönchengladbach

Nordrhein-Westfalen, 60 m über NN
http://www.mgladbach.com

☎ 02161/66   ✉ Bereich 41...   🖃 MG

ℹ Bismarckstr. 23, 41061 M.   ☎ 22001

🚆 Mönchengladbach (vom Hbf: Bus 10, 16 min)

👥 268389 (23*) ↔ −1369 (−0,5%)

⬜ 170,43 km² (27*)   📈 1575 (33*)

🏛 1   🎭 1   📷 1

🎓 −/Stud.:   Hochschulen: 1/5477

Soziales/Wirtschaft

Altersstruktur: 0–17 J.: 18,8%, 18–60 J.: 59,5%, über 60 J.: 21,7%

Ausländer: 28063 (10,5%), davon aus der Türkei: 9505 (33,9%)

Arbeitslose: 16313 (13,1%, 1997: 13,6%)   *Offene Stellen:* 1284

Haushaltsvolumen: 1,153 Mrd DM   *Schuldenstand:* 0,816 Mrd DM

Politik CDU/SPD (seit 1989); 57 von 67 Sitzen

Stärkste Parteien	CDU	SPD	B.90/Gr.	FDP	REP
1994: %/Sitze	43,5/31	37,3/21	10,3/7	5,1/3	−/−
1989: %/Sitze	42,6/31	36,5/26	8,0/5	7,1/5	4,4/−

Oberbürgermeister: Heinz Feldhege (CDU, seit 1984; *1929)

Mülheim/Ruhr

Nordrhein-Westfalen, 40 m über NN
http://www.muelheim-ruhr.de

☎ 0208   ✉ Bereich 45...   🖃 MH

ℹ Viktoriaplatz 17–19, 45468 M.   ☎ 4559902

🚆 Essen/Mülheim (vom Hbf: 10 min)

👥 174890 (44*) ↔ −1046 (−0,6%)

⬜ 91,3 km² (45*)   📈 1916 (26*)

🏛 1   🎭 −   📷 3

🎓 −/Stud.: −   Hochschulen: −/−

Soziales/Wirtschaft

Altersstruktur: 0–17 J.: 16,6%, 18–60 J.: 58%, über 60 J.: 25,4%

Ausländer: 16462 (9,4%), davon aus der Türkei: 5914 (36%)

Arbeitslose: 7629 (10,8%, 1997: 11,2%)   *Offene Stellen:* 821

Haushaltsvolumen: 1,065 Mrd DM   *Schuldenstand:* 0,485 Mrd DM

Politik CDU/Bündnis 90/Die Grünen (seit 1994); 34 von 59 Sitzen

Stärkste Parteien	SPD	CDU	B.90/Gr.	FDP	REP
1994: %/Sitze	40,7/26	37,4/25	14,7/9	3,7/−	1,2/−
1989: %/Sitze	50,0/31	28,8/17	12,3/7	6,6/4	−/−

Oberbürgermeister: Hans-Georg Specht (CDU, seit 1994; *1940)

München

Bayern, 530 m über NN
http://www.muenchen.de

☎ 089   ✉ Bereich 8...   🖃 M

ℹ Sendlinger Str. 1   ☎ 233-0300

🚆 München (vom Hbf: S 8, 40 min)

👥 1298537 (3*) ↔ −9072 (−0,7%)

⬜ 310,5 km² (5*)A   📈 4254,6 (1*)

🏛 58   🎭 3   📷 46

🎓 3/Stud.: 78685   Hochschulen: 5/2703

Soziales/Wirtschaft

Altersstruktur: 0–17 J.: 14%, 18–60 J: 66%, über 60 J.: 20%

Ausländer: 261550 (20,1%), davon aus der Türkei: 47824 (18,3%)

Arbeitslose: 60707 (5,7%, 1997: 7,4%)   *Offene Stellen:* 14866

Haushaltsvolumen: 9,08 Mrd DM   *Schuldenstand:* 4,4 Mrd DM

Politik SPD/Bündnis 90/Grüne (seit 1996); 39 von 80 Sitzen

Stärkste Parteien	CSU	SPD	FDP	B.90/Gr.	REP
1996: %/Sitze	37,9/32	37,4/31	9,6/8	3,3/2	2,1/1
1994: %/Sitze	35,5/30-	34,4/29	4,2/3	10/1/9	−/−

Oberbürgermeister: Christian Ude (SPD, seit 1993; *1947)

Münster

Nordrhein-Westfalen, 60 m über NN
http://www.muenster.de

☎ 0251   ✉ Bereich 48...   🖃 MS

ℹ Klemensstr. 10, 48127 M.   ☎ 492-2701

🚆 Münster/Osnabrück (vom Hbf: Bus, 30 min)

👥 263895 (28*) ↔ −1243 (−0,5%)

⬜ 302,20 km² (6*)   📈 873 (48*)

🏛 4   🎭 1   📷 19

🎓 1/Stud.: 45379   Hochschulen: 6/8680

Soziales/Wirtschaft

Altersstruktur: 0–17 J.: 14,3%, 18–60 J.: 67,8%, über 60 J.: 18,7%

Ausländer: 22718 (8,1%), davon aus der Türkei: 2487 (10,9%)

Arbeitslose: 10749 (9,8%, 1997: 9,9%)   *Offene Stellen:* 798

Haushaltsvolumen: 1,4 Mrd DM   *Schuldenstand:* 0,743 Mrd DM

Politik SPD/Bündnis 90/Die Grünen (seit 1994); 35 von 67 Sitzen

Stärkste Parteien	CDU	SPD	B.90/Gr.	FDP
1994: %/Sitze	44,1/32	32,7/23	16,7/12	−/−
1989: %/Sitze	43,4/30	35,1/24	12,2/8	8,3/5

Oberbürgermeisterin: Marion Tüns (SPD, seit 1994; *1946)

Nürnberg

Bayern, 290–407 m über NN
http://www.nuernberg.de

☎ 09 11　　　☒ Bereich 90...　　🚗 N

ℹ Hauptmarkt 18, 90403 N.　　☎ 23 36-35

✈ Nürnberg (vom Hbf: U-Bahn/Bus 20, 20 min)

👥 487 145 (13*)　↔ −2613 (−0,5%)

▢ 186,4 km² (23*)　　　　📧 2613 (11*)

🏛 13　　　🎭 1　　　🎬 26

🎓 1/Stud.: 5627　　Hochschulen: 3/8178

Soziales/Wirtschaft

Altersstruktur: 0–17 J.: 16%, 18–60 J.: 59,6%, über 60 J.: 23%

Ausländer: 86 666 (18,6%), davon aus der Türkei: 24 135 (27%)

Arbeitslose: 31 276 (10,7%, 1997: 11,4%)　　*Offene Stellen:* 2433

Haushaltsvolumen: 2,98 Mrd DM　　*Schuldenstand:* 1,65 Mrd DM

Politik CSU (seit 1996); 33 von 70 Sitzen

Stärkste Part.	CSU	SPD	B.90/Gr.	REP	FDP	Sonstige
1996: %/Sitze	43,7/33	34,3/25	8,1/6	3,0/2	2,4/1	8,4/3
1990: %/Sitze	36,3/26	43,1/32	8,3/6	6,7/4	3,4/2	2,1/–

Oberbürgermeister: Ludwig Scholz (CSU, seit 1996; *1937)

Oberhausen

Nordrhein-Westfalen, 30 m über NN
http://www.oberhausen.de

☎ 02 08　　　☒ Bereich 46...　　🚗 OB

ℹ Willy-Brandt-Platz 2, 46045 O.　　☎ 824-570

✈ Düsseldorf (vom Hbf: 30 min)

👥 222 206 (34*)　↔ −966 (−0,4%)

▢ 77,3 km² (19*)　　　　📧 2875 (4*)

🏛 1　　　🎭 –　　　🎬 3

🎓 –/Stud.: –　　Hochschulen: –/–

Soziales/Wirtschaft

Altersstruktur: 0–17 J.: 18,3%, 18–60 J.: 57,4%, über 60 J.: 24,3%

Ausländer: 25 465 (11,5%), davon aus der Türkei: 10 894 (42,8%)

Arbeitslose: 13 042 (14,3%, 1997: 15,4%)　　*Offene Stellen:* 1398

Haushaltsvolumen: 1,384 Mrd DM　　*Schuldenstand:* 0,72 Mrd DM

Politik SPD (seit 1952); 37 von 59 Sitzen

Stärkste Parteien	SPD	CDU	B.90/Gr./Bunte Liste	FDP
1994: %/Sitze	57,7/37	29,4/18	7,0/4	2,8/–
1989: %/Sitze	57,8/35	29,0/17	8,0/4	5,2/3

Oberbürgermeister: Burkhard Drescher (SPD, seit 1997; *1951)

Oldenburg

Niedersachsen, 5 m über NN
http://www.oldenburg.de

☎ 04 41　　　☒ Bereich 26...　　🚗 OL

ℹ Bürgeramt/Osterstr. 15　　☎ 235-35

✈ Bremen (Anfahrt mit PKW: 30 min)

👥 154 387 (50*)　↔ +874 (+0,57%)

▢ 102,96 km² (43*)　　　　📧 1499 (36*)

🏛 5　　　🎭 –　　　🎬 3

🎓 1/Stud.: 12 195　　Hochschulen: 1/1854

Soziales/Wirtschaft

Altersstruktur: 0–17 J.: 17,2%, 18–60 J.: 62,6%, über 60 J.: 20,2%

Ausländer: 8783 (5,7%), davon aus der Türkei: 2766 (31,5%)

Arbeitslose: 9217 (14%, 1997: 14,6%)　　*Offene Stellen:* 1200

Haushaltsvolumen: 791,5 Mio DM　　*Schuldenstand:* 615,7 Mio DM

Politik SPD/Bündnis 90/Die Grünen (seit 1996); 27 von 50 Sitzen

Stärkste Parteien	SPD	CDU	FDP	B.90/Gr.	Sonstige
1996: %/Sitze	34,9/18	32,8/18	5,3/2	18,3/9	6,0/3
1991: %/Sitze	41,4/20	36,5/18	7,2/4	13,0/6	2,0/–

Oberbürgermeister: Jürgen Poeschel (CDU, seit 1996; *1942)

Osnabrück

Niedersachsen, 64 m über NN
http://www.osnabrueck.de

☎ 05 41　　　☒ Bereich 49...　　🚗 OS

ℹ Krahnstr. 58, 49074 O.　　☎ 3 23-41 03

✈ Münster/Osnabrück (vom Hbf: 35 min)

👥 157 848 (49*)　↔ −2061 (−1,3%)

▢ 119,8 km² (39*)　　　　📧 1318 (38*)

🏛 2　　　🎭 1　　　🎬 4

🎓 1/Stud.: 12 013　　Hochschulen: 3/5658

Soziales/Wirtschaft

Altersstruktur: 0–17 J.: 16,3%, 18–60 J.: 61,1%, über 60 J.: 22,6%

Ausländer: 16 005 (10,1%), davon aus der Türkei: 4197 (25,7%)

Arbeitslose: 8172 (12,3%, 1997: 13,4%)　　*Offene Stellen:* 1463

Haushaltsvolumen: 736 Mio DM　　*Schuldenstand:* 422 Mio DM

Politik SPD/Bündnis 90/Die Grünen (seit 1991); 27 von 51 Sitzen

Stärkste Parteien	CDU	SPD	B.90/Gr.	FDP	Sonstige
1996: %/Sitze	41,6/22	38,8/21	12,5/6	5,2/2	2,0/–
1991: %/Sitze	41,0/21	40,7/21	11,7/6	6,6/3	–/–

Oberbürgermeister: Hans-Jürgen Fip (SPD, seit 1991; *1940)

Rostock

Mecklenburg-Vorpommern, 5–10 m ü. NN
http://www.rostock.de

☎ 0381   ☒ Bereich 18...   ✆ HRO

ℹ️ Schnickmannstr. 13/14, 18055 R.   ☎ 497990

🚐 Rostock-Laage (vom Hbf: 25 min)

👥 208988 (37*) ↔ –6002 (–2,8%)

⬜ 180,6 km² (24*)   🚗 1157 (45*)

🏛 1   📋 –   🛏 5

Uni 1/Stud.: 10335   Hochschulen: 1/461

Soziales/Wirtschaft

Altersstruktur: 0–17 J.: 17,6%, 18–60 J.: 60,7%, über 60 J.: 21,7%

Ausländer: 4256 (2,1%), davon aus Vietnam: 798 (18,8%)

Arbeitslose: 19980 (19,1%, 1997: 20,4%)   *Offene Stellen:* 1225

Haushaltsvolumen: 960,4 Mio DM   *Schuldenstand:* 243,6 Mio DM

Politik Koalitionsverhandlungen PDS/SPD (Mitte 1999)

Stärkste Parteien	PDS	SPD	CDU	Bündnis90	Sonstige
1999: %/Sitze	31,9/18	27,6/16	28,0/16	5,9/3	–/–
1994: %/Sitze	33,2/20	27,3/16	18,3/11	10,7/6	10,5/–

Oberbürgermeister: Arno Pöker (SPD, seit 1995; *1959)

Saarbrücken

Saarland, 230 m über NN
http://www.saarbruecken.de

☎ 0681   ☒ Bereich 66...   ✆ SB

ℹ️ Am Hauptbahnhof 4, 66111 S.   ☎ 36515

🚐 Saarbrücken-Ensheim (vom Hbf: 20 min)

👥 185891 (43*) ↔ –1435 (–0,8%)

⬜ 167,1 km² (29*)   🚗 1113 (46*)

🏛 1   📋 1   🛏 4

Uni 1/Stud.: 18169   Hochschulen: 5/3294

Soziales/Wirtschaft

Altersstruktur: 0–17 J.: 15,8%, 18–60 J.: 60,9%, über 60 J.: 23,3%

Ausländer: 22825 (12,3%), davon aus Italien: 4893 (21,4%)

Arbeitslose: 13783 (k. A. %, 1996: 16,5%)   *Offene Stellen:* k. A.

Haushaltsvolumen: 1,18 Mrd DM   *Schuldenstand:* 0,47 Mrd DM

Politik SPD/FDP (seit 1994); 33 von 63 Sitzen

Stärkste Parteien	SPD	CDU	B.90/Gr.	FDP	REP
1994: %/Sitze	44,2/30	32,1/21	11,7/8	5,3/3	4,2/–
1989: %/Sitze	47,3/32	28,4/19	7,5/4	9,0/6	5,7/2

Oberbürgermeister: Hajo Hoffmann (SPD, seit 1991; *1945)

Solingen

Nordrhein-Westfalen, 225 m über NN
http://www.solingen.de

☎ 0212   ☒ Bereich 42...   ✆ SG

ℹ️ Cronenberger Str., 42651 S.   ☎ 290-2333

🚐 Düsseldorf (vom Hbf: 35 min)

👥 164583 (47*) ↔ –140 (–0,09%)

⬜ 89,45 km² (46*)   🚗 1840 (29*)

🏛 1   📋 –   🛏 6

Uni –/Stud.: –   Hochschulen: –/–

Soziales/Wirtschaft

Altersstruktur: 0–17 J.: 18,7%, 18–60 J.: 58,2%, über 60 J.: 23,1%

Ausländer: 24196 (14,7%), davon aus der Türkei: 8852 (36,6%)

Arbeitslose: 7077 (10,1%, 1997: 10,5%)   *Offene Stellen:* 872

Haushaltsvolumen: 599 Mio DM   *Schuldenstand:* –

Politik SPD/Bündnis 90/Die Grünen (seit 1989); 30 von 59 Sitzen

Stärkste Parteien	SPD	CDU	B.90/Gr.	FDP
1994: %/Sitze	41,3/25	40,0/25	8,3/5	6,8/4
1989: %/Sitze	41,7/25	34,6/24	7,4/5	12,0/5

Oberbürgermeister: Ulrich Vibel (SPD, seit 1997, *1954)

Stuttgart

Baden-Württemberg, 245 m über NN
http://www.stuttgart.de

☎ 0711   ☒ Bereich 70...   ✆ S

ℹ️ Königstr. 1 A, 70173 S.   ☎ 2228-240

🚐 Stuttgart (vom Hbf: S 2/S 3, 27 min)

👥 554634 (9*) ↔ –3788 (–0,7%)

⬜ 207,3 km² (18*)   🚗 2675 (8*)

🏛 ca. 30   📋 1   🛏 33

Uni 2/Stud.: 22337   Hochschulen: 6/5977

Soziales/Wirtschaft

Altersstruktur: 0–17 J.: 16,2%, 18–59 J.: 67,2%, ab 60 J.: 16,6%

Ausländer: 131444 (23,7%), davon: Ex-Jugoslawen: 37808

Arbeitslose: 23073 (9,2%, 1997: 10,2%)   *Offene Stellen:* 6000

Haushaltsvolumen: 4,190 Mrd DM   *Schuldenstand:* 1,415 Mrd DM

Politik CDU (seit 1971); 20 (u. mehr) von 60 Sitzen, wechselnde Mehrh.

Stärkste Parteien	CDU	SPD	B.90/Gr.	FDP	REP
1994: %/Sitze	31,4/20	26,2/16	17,3/11	7,5/4	7,2/4
1989: %/Sitze	31,2/20	28,3/18	12,4/7	10,2/6	9,5/6

Oberbürgermeister: Wolfgang Schuster (CDU, seit 1997; *1949)

Wiesbaden

Hessen, 115 m über NN
http://www.wiesbaden.de

☎ 06 11   ✉ Bereich 65…   🚗 WI

ℹ Marktstr. 6, 65183 W.   ☎ 1 72 97 80

✈ Frankfurt (vom Hbf: S 8, 27 min)

👫 266 726 (26*)   ↔ –587 (–0,2%)

▢ 203,9 km² (20*)   📞 1308 (40*)

🏛 4   📺 1   📰 3

Uni –/Stud.: –   Hochschulen: 1/7526

Soziales/Wirtschaft

Altersstruktur: 0–17 J.: 16,8%, 18–60 J.: 60,7%, über 60 J.: 22,5%

Ausländer: 47 277 (17,7%), davon aus der Türkei: 12 199 (25,8%)

Arbeitslose: 12 040 (10%, 1997: 10,1%)   *Offene Stellen:* 1298

Haushaltsvolumen: 1584 Mrd DM   *Schuldenstand:* 0,749 Mrd DM

Politik SPD/Bündnis 90/Die Grünen (seit 1997); 43 von 81 Sitzen

Stärkste Parteien	SPD	CDU	B.90/Gr.	REP	FDP	Sonstige
1997: %/Sitze	36,5/31	34,2/29	13,5/12	9,9/9	4,3/–	1,6/–
1993: %/Sitze	33,7/29	28,9/25	11,9/10	13,1/10	7,0/6	5,4/1

Oberbürgermeister: Hildebrand Diehl (CDU, ab 19.9.1997; *1939)

Wuppertal

Nordrhein-Westfalen, 100–135 m über NN
http://www.wuppertal.de

☎ 02 02   ✉ Bereich 42…   🚗 W

ℹ Infozentr. Döppersberg, 42103 W. ☎ 5 63 22 70

✈ Düsseldorf (vom Hbf: 50 min)

👫 375 378 (17*)   ↔ –4666 (–1,2%)

▢ 168,37 km² (28*)   📞 2229,5 (17*)

🏛 2   📺 1   📰 14

Uni 1/Stud.: 17 236   Hochschulen: 3/768

Soziales/Wirtschaft

Altersstruktur: 0–17 J.: 16,8%, 18–60 J.: 59%, über 60 J.: 24,2%

Ausländer: 53040 (14,1%), davon aus der Türkei: 16 021 (30,2%)

Arbeitslose: 18 965 (12%, 1997: 12,4%)   *Offene Stellen:* 1342

Haushaltsvolumen: 1,969 Mrd DM   *Schuldenstand:* 0,753 Mrd DM

Politik SPD/Bündnis 90/Die Grünen (seit 1994); 38 von 67 Sitzen

Stärkste Parteien	SPD	CDU	B.90/Gr.	FDP	Sonstige
1994: %/Sitze	40,5/30	39,1/29	11,6/8	1,6/–	1,2/–
1989: %/Sitze	44,3/32	32,8/23	9,4/6	9,5/6	4,0/–

Oberbürgermeister: Hans Kremendahl (SPD, seit 1996; *1948)

Graz

Steiermark, Reg.-Bez. G., 353 m über NN
http://www.graz.at

☎ 03 16   ✉ Bereich 80…   🖪 G

ℹ Herrengasse 16, 8010 G.   ☎ 80 75/0

🚆 Graz-Thalerhof (vom Hbf: Bus, 20 min)

👪 240 513 (2*)   ↔ +523 (+0,2%)

⬜ 127,6 km² (3*)   🚗 1885 (4*)

🏛 4   📺 1   🎭 18

🎓 2/Stud.: 59 093   Hochschulen: 1/1307

Soziales/Wirtschaft

Altersstruktur: 0–17 J.: 16,7%, 18–60 J.: 62,1%, über 60 J.: 21,2%

Ausländer: 27 499 (11,4%), davon aus Europa: 19 567 (71,2%)

Arbeitslose: 7324 (3,1%, 1997: 3,5%)   *Offene Stellen:* 379

Haushaltsvolumen: 969 Mio DM   *Schuldenstand:* 567 Mio DM

Politik SPÖ/ÖVP (seit 1993); 31 von 56 Sitzen

Stärkste Parteien	SPÖ	ÖVP	FPÖ	KPÖ	Sonstige
1998: %/Sitze	30,9/18	23,2/13	26,8/16	7,9/4	11,2/5
1993: %/Sitze	34,7/21	26,1/15	20,1/12	4,2/2	14,9/5

Bürgermeister: Alfred Stingl (SPÖ, seit 1986; *1939)

Innsbruck

Tirol, Reg.-Bez. I.-Stadt, 574 m über NN
http://www.austria.eu.net/innsbruck

☎ 05 12   ✉ Bereich 6020..   🖪 I

ℹ Burggraben 3, 6020 I.   ☎ 59 850-0

🚆 Innsbruck-Kranebitten (vom Hbf: Bus, 15 min)

👪 129 819 (5*)   ↔ +519 (+0,4%)

⬜ 105 km² (5*)   🚗 1136 (6*)

🏛 10   📺 1   🎭 6

🎓 1/Stud.: 28 439   Hochschulen: 2/124

Soziales/Wirtschaft

Altersstruktur: 0–17 J.: 15,4%, 18–60 J.: 66,3%, über 60 J.: 18,3%

Ausländer: 17 172 (13,2%), davon aus Rest-Jugoslawien: 3628

Arbeitslose: 2665 (5,3%, 1997: 5,9%)   *Offene Stellen:* 460

Haushaltsvolumen: 262 Mio Euro   *Schuldenstand:* 58 Mio Euro

Politik Für Innsbruck (seit 1994); 10 von 40 Sitzen, wechselnde Mehrh.

Stärkste Parteien	Für Innsbr.	ÖVP	SPÖ	FPÖ	Grüne
1994: %/Sitze	22,8/10	18,9/8	26,6/11	12,2/5	10,4/4
1989: %/Sitze	–/–	31,0/14	26,8/12	13,1/5	14,8/5

Oberbürgermeister: Herwig von Staa (Für Innsbr., seit 1994; *1942)

Klagenfurt

Kärnten, Reg.-Bez. K.-Stadt, 446 m ü. NN
http://www.klagenfurt.at

☎ 04 63   ✉ Bereich 9020…   🖪 K

ℹ Rathaus, Neuer Platz 1   ☎ 537/223

🚆 Klagenfurt-Wörthersee (5 km vom Zentrum)

👪 90 765 (6*)   ↔ +170 (+0,2%)

⬜ 120,1 km² (4*)   🚗 756 (7*)

🏛 1   📺 –   🎭 8

🎓 1/Stud.: 6293   Hochschulen: –/–

Soziales/Wirtschaft

Altersstruktur: 0–17 J.: 18,7%, 18–60 J: 61,5%, über 60 J.: 19,9%

Ausländer: 7104 (7,8%), davon aus Ex-Jugoslawien: 4739 (5,2%)

Arbeitslose: 3759 (8,1%, 1996: 8,4%)   *Offene Stellen:* 150

Haushaltsvol. (1997): 351,5 Mio DM *Schuldenstand (1997):* 192,1 Mio DM

Politik SPÖ/ÖVP/FPÖ (seit 1997); 42 von 45 Sitzen

Stärkste Parteien	SPÖ	ÖVP	FPÖ	VGÖ	Grüne	Sonstige
1997: %/Sitze	30,3/14	28,7/14	29,3/14	5,6/2	2,6/1	3,4/–
1991: %/Sitze	40,2/19	31,3/14	21,2/10	4,2/2	–/–	3,2/–

Bürgermeister: Harald Scheucher (ÖVP, seit 1997; *1940)

Linz

Oberösterreich, Reg.-Bez. L., 266 m ü. NN
http://www.linz.at

☎ 07 32   ✉ Bereich 40…   🖪 L

ℹ Hauptplatz 1, 4020 L.   ☎ 7070/1777

🚆 Linz-Hörsching (vom Hbf: Shuttle, 20 min)

👪 208 193 (3*)   ↔ −1061 (−0,5%)

⬜ 96,1 km² (6*)   🚗 2166 (3*)

🏛 7   📺 –   🎭 4

🎓 1/Stud.: 25 000   Hochschulen: 2/1000

Soziales/Wirtschaft

Altersstruktur: 0–17 J.: 15,5%, 18–60 J.: 64,2%, über 60 J.: 20,3%

Ausländer: 23 993 (11,5%)

Arbeitslose: 9661 (5,2%, 1997: 5,2%)   *Offene Stellen:* 1305

Haushaltsvol. (1999): 8,81063 Mrd ATS *Schuldenstand:* 3,980 Mrd ATS

Politik SPÖ/ÖVP/FPÖ (seit 1991); 54 von 60 Sitzen

Stärkste Parteien	SPÖ	ÖVP	FPÖ	GRÜNE	LIF
1997: %/Sitze	40,7/26	22,5/14	22.9/14	7,6/4	3,3/2
1991: %/Sitze	44,8/29	24,7/15	19,4/12	4,4/2	–/–

Oberbürgermeister: Franz Dobusch (SPÖ, seit 1988; *1951)

Salzburg

Salzburg, Reg.-Bez. S.-Stadt, 425 m ü. NN
http://www.salzburg.at

☏ 0662   ✉ Bereich 50…   🚗 S

ℹ Auerspergstr. 7, 5020 S.   ☏ 88987-0

🚆 Salzburg (vom Hbf: 30 min)

🏃 142828 (4*)   ↔ −642 (−0,5%)

◻ 65,64 km² (7*)   🏚 2172 (2*)

🏛 34   🎭 4   🎬 7

🎓 1/Stud.: 12563   Hochschulen: 3/1962

Soziales/Wirtschaft

Altersstruktur: 0–17 J.: 17%, 18–60 J.: 62%, über 60 J.: 21%

Ausländer: 26108 (18,3%), davon aus Ex-Jugoslawien: 13944 (53,4%)

Arbeitslose: 2698 (% k.A., 1997: 2,8%)   Offene Stellen: 643

Haushaltsvolumen: 5,392 Mrd S   Schuldenstand: 2,939 Mrd S

Politik SPÖ (seit 1999); 12 von 40 Sitzen, wechselnde Mehrheiten

Stärkste Parteien	SPÖ	ÖVP	FPÖ	Bürgerliste	Sonstige
1999: %/Sitze	31,3/13	25,3/11	19,6/8	13,7/6	10,1/2
1992: %/Sitze	28,0/12	24,8/11	14,5/6	16,5/7	16,2/4

Bürgermeister: Heinz Schaden (SPÖ, seit 1999; *1954)

Villach

Kärnten, Reg.-Bez. V.-Stadt, 501 m ü. NN
http://www.villach.at

☏ 04242   ✉ Bereich 95…   🚗 VI

ℹ Rathausplatz 1, 9500 V.   ☏ 24444

🚆 Klagenfurt (vom Hbf: IC, 25 min)

🏃 57301 (8*)   ↔ +238 (+0,4%)

◻ 134,85 km² (2*)   🏚 425 (8*)

🏛 2   🎭 −   🎬 1

🎓 −/Stud.: −   Hochschulen: 1/k.A.

Soziales/Wirtschaft

Altersstruktur: 0–17 J.: 18,7%, 18–60 J.: 60,4%, über 60 J.: 20,9%

Ausländer: 5328 (9,3%), davon aus Ex-Jugoslawien: 3686 (69,2%)

Arbeitslose (1997): 4001 (8,4%, 1996: 8,2%)   Offene Stellen: 265

Haushaltsvolumen: 271 Mio DM   Schuldenstand: 238 Mio DM

Politik SPÖ (seit 1949); 25 von 45 Sitzen

Stärkste Parteien	SPÖ	FPÖ	ÖVP	VIG
1997: %/Sitze	50,9/25	29,7/14	12,0/5	3,8/1
1991: %/Sitze	49,9/24	22,0/10	16,7/8	4,6/2

Bürgermeister: Helmut Manzenreiter (SPÖ, seit 1987; *1946)

Wels

Oberösterr., Reg.-Bez. W.-Stadt, 317 m ü. NN
http://www.wels.at

☏ 07242   ✉ Bereich 4600   🚗 WE

ℹ Stadtplatz 55, 4600 W.   ☏ 43495

🚆 Linz-Hörsching (vom Hbf: 30 min)

🏃 60192 (7*)   ↔ −220 (+0,37%)

◻ 46 km² (8*)   🏚 1309 (5*)

🏛 1   🎭 −   🎬 1

🎓 −/Stud.: −   Hochschulen: 1/324

Soziales/Wirtschaft

Altersstruktur: 0–17 J.: 23%, 18–60 J.: 58%, über 60 J.: 19%

Ausländer: 8727 (15%), davon aus Ex-Jugoslawien: 5564 (63,8%)

Arbeitslose: 2908 (5,6%, 1997: 5,4%)   Offene Stellen: 576

Haushaltsvolumen: k.A.   Schuldenstand: k.A.

Politik SPÖ (seit 1985); 15 von 36 Sitzen

Stärkste Parteien	SPÖ	ÖVP	FPÖ	GAL	LIF
1997: %/Sitze	40,4/15	21/8	26,8/10	6,9/2	2,9/1
1991: %/Sitze	49,2/18	21,4/8	21,1/8	5,8/2	−/−

Bürgermeister: Karl Bregartner (SPÖ, seit 1982; *1933)

Wien

Wien, Reg.-Bez. W.-Stadt, 171 m über NN
http://www.wien.at

☏ 01   ✉ Bereich1…   🚗 W

ℹ Obere Augartenstraße 40   ☏ 21114-0

🚆 Wien-Schwechat (vom Hbf: 35 min)

🏃 1606843 (1*)   ↔ -2788 (-0,2%)

◻ 415 km² (1*)   🏚 3872 (1*)

🏛 13   🎭 3   🎬 150

🎓 5/Stud.: 123539   Hochschulen: 3/3799

Soziales/Wirtschaft

Altersstruktur: 0–18 J.: 18,5%, 19–60 J.: 61%, über 60 J.: 20,4%

Ausländer: 283470 (17,6%) davon aus Jugoslawien: 123000 (43,4%)

Arbeitslose: 73328 (8,7%, 1997: 8,3%)   Offene Stellen: 4701

Haushaltsvol.(1999): 20,04 Mrd DM   Schuldenstand (1999): 7,64 Mrd DM

Politik SPÖ/ÖVP (seit 1996); 58 von 100 Sitzen

Stärkste Parteien	SPÖ	FPÖ	ÖVP	Grüne	LIF	Sonstige
1996: %/Sitze	39,2/43	27,9/29	15,3/15	7,9/7	8,0/6	1,7/−
1991: %/Sitze	47,8/52	22,5/23	18,1/18	9,1/7	−/−	2,5/−

Bürgermeister: Michael Häupl (SPÖ, seit 1994; *1949)

Basel

Kanton Basel-Stadt, 245–300 m über NN
http://www.bsonline.ch

☎ 061   ☒ Bereich 40…   🚗 BS

ℹ️ Schifflände 5, 4001 B.   ☎ 261 50 50

✈ Basel-Mulhouse (vom Hbf: 15 min)

🚹 170 033 (3*)   ↔ –2202 (–1,3%)

◻ 23,9 km² (7*)   📈 7132 (2*)

🏛 7   📺 1   ☎ 24

🎓 1/Stud.: 7916   *Hochschulen:* –/–

Soziales/Wirtschaft

Altersstruktur: 0–17 J.: 15,1%, 18–60 J.: 60,3%, über 60 J.: 24,6%

Ausländer: 49 032 (28,8%), davon aus Italien: 10 531 (21,5%)

Arbeitslose: 3231 (3,1%, 1997: 4,7%)   *Offene Stellen:* 148

Haushaltsvolumen: 3,539 Mrd CHF   *Schuldenstand:* 5,194 Mrd CHF

Politik SP (seit 1984); 39 von 130 Sitzen, wechselnde Mehrheiten

Stärkste Parteien	*SP*	*FDP*	*LDP*	*CVP*	*GP/BastA!*
1996: %/Sitze	27,0/39	12,4/17	10,7/14	9,5/13	9,4/13
1992: %/Sitze	22,2/32	15,1/21	12,1/17	10,2/15	–/–

Regierungspräsident: Hans Martin Tschudi (DPS, seit 1999; *1951)

Bern

Bern, Amtsbezirk B., 540 m über NN
http://www.bernonline.ch

☎ 031   ☒ Bereich 30…   🚗 BE

ℹ️ Hauptbahnhof, 3001 B.   ☎ 311 66 11

✈ Zürich-Kloten (vom Hbf: 90 min) u./Bern-Belpmoos

🚹 126 886 (4*)   ↔ –1543 (–1,2%)

◻ 51,6 km² (4*)   📈 2459 (5*)

🏛 3   📺 1   ☎ 8

🎓 1/Stud.: 10 100   *Hochschulen:* 1/900

Soziales/Wirtschaft

Altersstruktur: 0–19 J.: 14,8%, 20–60 J.: 59,9%, über 60 J.: 25,3%

Ausländer: 24 804 (19,5%), davon aus Italien: 5765 (23,2%)

Arbeitslose: 3054 (4,1%, 1997: 5,7%)   *Offene Stellen:* 174

Haushaltsvolumen: 1,3 Mrd DM   *Schuldenstand:* k.A.

Politik Liste Rot-Grüne-Mitte (seit 1992); 4 von 7 Sitzen

Stärkste Parteien	*Liste Rot-Grün-Mitte*	*Bürgerliche*
1996: %/Sitze	55,5/4	37,6/3
1992: %/Sitze	44,3/4	35,7/3

Stadtpräsident: Klaus Baumgartner (SP, seit 1993; *1937)

Genf

Genf, Reg.-Bez. G., 375 m über NN
http://www.geneva.ch

☎ 022   ☒ Bereich 12…   🚗 GE

ℹ️ Pont de la Machine 1, 1204 G.   ☎ 311 99 70

✈ Genf (vom Hbf: 10 min)

🚹 175 210 (2*)   ↔ +557 (+0,3%)

◻ 15,86 km² (8*)   📈 11 047 (1*)

🏛 40   📺 1   ☎ 19

🎓 1/Stud.: 12 624   *Hochschulen:* –/–

Soziales/Wirtschaft

Altersstruktur: 0–17 J.: 16,5%, 18–60 J.: 63,7%, über 60 J.: 19,8%

Ausländer: 75 540 (43,1%)

Arbeitslose: 6557 (6,9%, 1997: 8,8%)   *Offene Stellen:* 1038

Haushaltsvolumen: k.A.   *Schuldenstand:* k.A.

Politik SPS/Linke Allianz/Grüne (seit 1995); 44 von 80 Sitzen

Stärkste Parteien	*Linke Allianz*	*Liberale*	*SPS*	*FDP*	*Sonstige*
1999: Sitze	22	19	12	8	19
1995: Sitze	18	19	18	9	16

Oberbürgermeister: André Hediger (Linke Allianz, seit 1998; *1941)

Lausanne

Waadt, Reg.-Bez. Waadt, 374–930 m ü. NN
http://www.lausanne.ch

☎ 021   ☒ Bereich 10…   🚗 VD

ℹ️ Avenue de Rhodanie 2, 1000 L.   ☎ 617 73 73

✈ Cointrin, Genf (vom Hbf: 45 min)

🚹 124 205 (5*)   ↔ +910 (–0,7%)

◻ 54,8 km² (3*)   📈 2267 (6*)

🏛 1   📺 –   ☎ 21

🎓 1/Stud.: 9416   *Hochschulen:* 1/4598

Soziales/Wirtschaft

Altersstruktur: 0–19 J.: 19%, 20–60 J.: 59%, über 60 J.: 22%

Ausländer: 42 887 (34,5%)

Arbeitslose: 6943 (10,6%)   *Offene Stellen:* k.A.

Haushaltsvolumen: 1280,9 Mio Fr.   *Schuldenstand:* 1509,5 Mio Fr.

Politik Sozialisten/Grüne/POP/Part. d. Arbeit (seit 1994); 60 v. 100 Sitzen

Stärkste Parteien	*Sozialisten*	*Radikale*	*Liberale*	*Grüne*	*Sonstige*
1997: Sitze	35	26	14	12	13
1993: Sitze	32	27	15	11	15

Bürgermeister: Jean-Jacques Schilt (Sozialisten, seit 1998; *1943)

Luzern

Luzern, Reg.-Bez. L., 436 m über NN
http://www.staedte.ch/lu

☎ 041　　　　✉ Bereich 60...　　🚗 LU

ℹ️ Frankenstr. 1, 6002 L.　　　　☎ 410 71 71

✈️ Zürich-Kloten (vom Hbf: 60 min)

👥 56 874 (8*)　　↔ –3735 (–6,6%)

▢ 24,14 km² (6*)　　　　📊 2511 (4*)

🏛 2　　　　　🎓 1　　　　🏢 10

🎓 –/Stud.: –　　　Hochschulen: 2/k.A.

Soziales/Wirtschaft

Altersstruktur: 0–19 J.: 16%, 20–59 J.: 57%, über 60 J.: 27,6%

Ausländer: 12 437 (ca. 21,9%)

Arbeitslose: 1145 (2%, 1997: 2,5%)　　　　*Offene Stellen:* k.A.

Haushaltsvolumen: 684,7 Mio DM　　*Schuldenstand:* 234,8 Mio DM

Politik LPL/SP/CVP/Grüne (seit 1996); 35 von 40 Sitzen

Stärkste Parteien	*LPL*	*SP*	*CVP*	*Grüne*	*Sonstige*
1996: %/Sitze	30,4/12	26,0/11	15,2/6	13,4/6	14,9/5
1991: %/Sitze	35,6	20,5	22,0	12,5	9,4

Stadtpräsident: Urs W. Studer (seit 1996)

St. Gallen

St. Gallen, Reg.-Bez. St. G., 670 m ü. NN
http://www.stgallen.ch

☎ 071　　　　✉ Bereich 9000　　🚗 SG

ℹ️ Bahnhofplatz 1a, 9001 St. G.　　☎ 227 37 37

✈️ Zürich-Kloten (vom Hbf: 70 min)

👥 69 747 (7*)　　↔ –461 (–0,66%)

▢ 39,38 km² (5*)　　　　📊 1771 (7*)

🏛 3　　　　　🎓　　　　🏢 7

🎓 2/Stud.: ca. 4440　　Hochschulen: 2/–

Soziales/Wirtschaft

Altersstruktur: 0–17 J.: 18%, 18–60 J.: 60%, über 60 J.: 22%

Ausländer: 18 423 (26,41%), davon aus Italien: 3916 (21,25%)

Arbeitslose: 1418 (3,65%, 1997: 5,22%)　　　*Offene Stellen:* 226

Haushaltsvolumen: 433,9 Mio Sfr.　　*Schuldenstand:* 177,5 Mio Sfr.

Politik k.A.

Stärkste Parteien	*FDP*	*CVP*	*SP*	*LdU*	*Sonstige*
1996: Sitze	13	13	11	6	18
1992: Sitze	14	14	11	7	17

Stadtammann: Heinz Christen (SP, seit 1981; *1941)

Winterthur

Zürich, Reg.-Bez. W., 459 m über NN
http://www.zhol.ch/tmh/winterthur

☎ 052　　　　✉ Bereich 84...　　🚗 ZH

ℹ️ Tourist Service W., Hbf, 8401 W.　　☎ 267 67 00

✈️ Zürich-Kloten (vom Hbf: 12 min)

👥 90 209 (6*)　　↔ +26 (+0,03%)

▢ 68 km² (2*)　　　📊 1321 (8*)

🏛 15　　　　　🎓 –　　　　🏢 14

🎓 –/Stud.: –　　　Hochschulen: 2/1623

Soziales/Wirtschaft

Altersstruktur: 0–19 J.: 21%, 20–64 J.: 62%, über 64 J.: 17%

Ausländer: 21 244 (23%), davon aus Italien: 6069 (29%)

Arbeitslose: 2853 (6,2%, 1996: 6,0%)　　　*Offene Stellen:* 133

Haushaltsvolumen: 1,035 Mrd DM　　*Schuldenstand:* 1,214 Mrd DM

Politik k.A.

Stärkste Parteien	*SP*	*FDP*	*SVP*	*CVP*	*Sonstige*
1998: %/Sitze	35/21	18/11	18/10	6/4	23/14
1994: %/Sitze	20/18	20/12	13/8	8/5	29/17

Oberbürgermeister: Martin Haas (FDP, seit 1981; *1935)

Zürich

Zürich, Reg.-Bez. Z., 411 m über NN
http://www.zhol.ch

☎ 01　　　　✉ Bereich 80...　　🚗 ZH

ℹ️ Bahnhofbrücke 1, 8001 Z.　　☎ 211 40 00

✈️ Zürich-Kloten (vom Hbf: 10-15 min)

👥 359 073 (1*)　　↔ +479 (–0,1%)

▢ 91,9 km² (1*)　　📊 3914 (3*)

🏛 12　　　　　🎓 1　　　　🏢 45

🎓 1/Stud.: 19 900　　Hochschulen: 1/11 733

Soziales/Wirtschaft

Altersstruktur: 0–17 J.: 14,4%, 18–60 J.: 62,2%, über 60 J.: 23,4%

Ausländer: 103 550 (28,8%), davon aus Ex-Jugoslawien: 25 689 (24,8%)

Arbeitslose: 10 117 (5%, 1997:6,8%)　　　*Offene Stellen:* k.A.

Haushaltsvol. (1997): 5,9 Mrd Sfr.　　*Schuldenstand (1997):* 264 Mio Sfr.

Politik SP (seit 1986); 49 von 125 Sitzen, wechselnde Mehrheiten

Stärkste Parteien	*SP*	*FDP*	*SVP*	*CVP*	*Sonstige*
1998: %/Sitze	39,2/49	20,8/26	20,8/26	6,4/8	12,8/16
1994: %/Sitze	34,4/43	22,4/28	15,2/19	8,0/10	20,0/25

Stadtpräsident: Josef Estermann (SP, seit 1990; *1947)

Organisationen

Der Teil Organisationen enthält Informationen zu 86 Organisationen und Institutionen in der Welt. Ihre Auswahl erfolgte unter dem Gesichtspunkt ihrer Bedeutung für das nationale und internationale Geschehen während des Berichtszeitraumes von Mitte 1998 bis Mitte 1999. Die Zusammenstellung von Strukturdaten vermittelt ein Bild von der Größe, Struktur und Funktion der jeweiligen Organisation oder Institution. Sofern bei den Organisationen oder Institutionen während des Berichtszeitraumes wichtige Veränderungen stattfanden (z. B. Aufnahme neuer Mitglieder), werden sie in Artikeln zusammengefasst. Aktuelle Karten, Grafiken und Tabellen verschaffen einen schnellen Überblick über den geographischen Wirkungsbereich sowie über den Aufbau von einzelnen Organisationen und ermöglichen das rasche Verständnis komplizierter Entwicklungen.

Amnesty International

▶ **Abkürzung:** ai ▶ **Sitz:** London ▶ **Gründung:** 1961 ▶ **Mitglieder:** Über 1 Mio in mehr als 140 Ländern und Territorien ▶ **Internationaler Generalsekretär:** Pierre Sané/Senegal (seit 1992) ▶ **Dt. Generalsekretär:** Barbara Lochbihler (seit August 1999) ▶ **Funktion:** ai setzt sich weltweit für Menschen ein, die in ihren grundlegenden Rechten unterdrückt werden. Für ai ist die Allgemeine Erklärung der Menschenrechte der Vereinten Nationen Maßstab, an der das Handeln von Regierungen zu messen ist. 1977 erhielt ai den Friedensnobelpreis
▶ http://www.amnesty.org (international); http://www.amnesty.de (Deutschland)

APEC

▶ **Name:** Asia-Pacific Economic Cooperation (engl.: Asiatisch-pazifische wirtschaftliche Zusammenarbeit) ▶ **Sitz:** Singapur ▶ **Gründung:** 1989 ▶ **Mitglieder:** 21 Staaten in Asien und im pazifischen Raum ▶ **Exekutivdirektor:** Timothy J. Hannah/Neuseeland (seit 1999) ▶ **Funktion:** Errichtung einer Freihandelszone in der Region
▶ http://www.apecsec.org.sg

Auf ihrer Jahreskonferenz im November 1998 in Kuala Lumpur (Malaysia) sahen sich die Regierungschefs der APEC-Länder der schwersten Wirtschaftskrise der asiatisch-pazifischen Region seit Jahrzehnten gegenüber. Sie erschwert es den APEC-Staaten (Anteil am Welthandel: ca. 40%), ihr 1994 in der Erklärung von Bogor (Indonesien) festgelegtes Ziel der Schaffung einer Freihandelszone zu erreichen. Auf freiwilliger Basis sollten sich die entwickelten Mitgliedsländer bis 2010, die sog. Entwicklungsländer bis 2020 dem freien Handel und Kapitalmarkt öffnen. U. a. auf Druck der USA, die eine weitere Liberalisierung forcierten, einigten sich die Regierungschefs auf Richtlinien zur Stärkung der Wirtschaftsregion.

Arabische Liga

▶ **Name:** engl.: Arab League, Liga der arabischen Staaten ▶ **Sitz:** Kairo/Ägypten ▶ **Gründung:** 1945 ▶ **Mitglieder:** 21 arabische und afrikanische Staaten ▶ **Generalsekretär:** Esmat Abdol Moguid/ Ägypten (seit 1991) ▶ **Funktion:** Ziel der Liga ist es, in Wirtschaft, Finanzwesen, Transport, Kultur und Gesundheit zusammenzuarbeiten, die Unabhängigkeit und Souveränität der Mitgliedsländer zu wahren sowie deren gemeinsame Interessen zu fördern.

Arktischer Rat

▶ **Name:** engl.: Arctic Council ▶ **Gründung:** 1996 ▶ **Mitglieder:** Dänemark, Finnland, Island, Kanada, Norwegen, Russland, Schweden, USA ▶ **Vorsitz:** alle 2 Jahre wechselnd, 1997/98: Kana-

da, 1999/2000: USA ▶ **Funktion:** Schutz der Umwelt und der Ureinwohner sowie Koordination von Forschungs- und Verkehrsprojekten in der Arktis ▶ **http://arctic-council.usgs.gov/**

ASEAN

▶ **Name:** Association of Southeast Asian Nations (engl.: Vereinigung südostasiatischer Nationen) ▶ **Sitz:** Jakarta/Indonesien ▶ **Gründung:** 1967 ▶ **Mitglieder:** Brunei, Indonesien, Kambodscha, Laos, Malaysia, Myanmar, Philippinen, Singapur, Thailand, Vietnam ▶ **Generalsekretär:** Rodolfo Certeza Severino/Philippinen (seit 1997) ▶ **Funktion:** Beschleunigung des Wirtschaftswachstums, Förderung des sozialen und kulturellen Fortschritts sowie Sicherung von Frieden und Stabilität in der Region ▶ **http://www.asean.or.id**

Politik: Mit der Wirtschaftskrise in Asien verstärkten sich die politischen Unstimmigkeiten zwischen den Mitgliedsländern. Galt bis 1998 der Grundsatz, jegliche Einmischung in die Innenpolitik der Mitglieder zu unterlassen, so wurde die Diktatur im erst 1997 aufgenommenen Myanmar z.B. von Vertretern Thailands und der Philippinen als belastend für den Dialog der ASEAN mit europäischen Partnern wie der EU kritisiert. Bangkok und Manila setzten sich für mehr Transparenz und Demokratie innerhalb der ASEAN-Staaten ein. Der Streit um eine Fortentwicklung des Prinzips strikter Nichteinmischung zugunsten von mehr Offenheit und Dialog wurde beim Außenministertreffen im Juli 1998 in Manila nicht beigelegt.

Kambodscha: Politische Gegensätze bestimmten die Frage der endgültigen Aufnahme Kambodschas, das seit 1995 einen Beobachterstatus besaß. Nachdem der Beitritt des Landes 1997 wegen des Putsches von Hun Sen ausgesetzt worden war, fanden die Mitglieder auf ihrem Gipfel in Hanoi im Dezember 1998 eine Kompromissformel: Kambodscha wird in die ASEAN aufgenommen, der genaue Zeitpunkt aber von einer politischen Stabilisierung des Landes abhängig gemacht.

Wirtschaft: Hauptthema der Konferenz der Regierungschefs in Hanoi im Dezember 1998 war die Wirtschaftskrise. Die ASEAN-Exporte gingen 1997 um 6,3% gegenüber 1996 zurück (vorher Wachstumsraten bis zu 15%), der Außenhandel sank im ersten Halbjahr 1998 um fast 20%. Als Gegenmaßnahmen beschlossen die Regierungschefs, durch Steuervorteile sowie Öffnung des Einzelhandels und des Bankensystems für ausländisches Kapital Investoren anzulocken.

ASEAN: Mitgliedstaaten

MYANMAR (BIRMA)
CHINA
LAOS
Bangkok
VIETNAM
Manila
KAMBO-DSCHA
THAILAND
PHILIPPINEN
Bandar Seri Begawan
Kuala Lumpur
BRUNEI
PALAU
MALAYSIA
SINGAPUR
Sumatra
Kalimantan
Sulawesi
INDISCHER OZEAN
Jakarta
INDONESIEN
Neuguinea
Java
Timor
0   1000 km
© Harenberg

AFTA: Die Regierungschefs vereinbarten in Hanoi einen beschleunigten Zeitplan für die Schaffung der Freihandelszone AFTA (ASEAN Free Trade Area). Die weitgehende Zollfreiheit zwischen Brunei, Indonesien, Malaysia, den Philippinen, Singapur und Thailand soll bereits 2002 statt 2003 verwirklicht werden. Bis dahin dürfen Zölle auf Produkte, die unter diese Regel fallen, 5% nicht überschreiten. Für 80% der Waren soll die Bestimmung bereits 2000 gelten. Ausnahmen wurden für Laos, Myanmar und Vietnam vereinbart.

AIA: Bis 2010 soll eine ASEAN-Investitionsfreizone (AIA) eingerichtet werden, in der sich die Mitgliedsländer gegenseitig eine Meistbegünstigungsklausel einräumen. Bis 2020 soll diese völlige Liberalisierung für ASEAN-Investoren auch für Kapitalgeber aus Drittländern gelten.

> **Weltwirtschaft** → Asienkrise → Globalisierung

Asiatische Entwicklungsbank

▶ **Abkürzung:** ADB (engl.: Asian Development Bank) ▶ **Sitz:** Manila/Philippinen ▶ **Gründung:** 1966 ▶ **Mitglieder:** 57, davon 41 aus der Region, 16 von außerhalb ▶ **Präsident:** Tadao Chino/Japan (seit Januar 1999) ▶ **Funktion:** Entwicklungshilfe in Asien ▶ **http://www.adb.org**

Bank für internationalen Zahlungsausgleich

▶ **Abkürzung:** BIZ ▶ **Sitz:** Basel/Schweiz ▶ **Gründung:** 1930 ▶ **Mitglieder:** 45 Zentralbanken ▶ **Präsident:** Urban Bäckström/Schweden ▶ **Funktion:** Förderung der Zusammenarbeit der Mitgliedsbanken ▶ **http://www.bis.org**

BDA

▶ **Name:** Bundesvereinigung der Deutschen Arbeitgeberverbände ▶ **Sitz:** Köln ▶ **Gründung:** 1949 ▶ **Aufbau:** 15 Landesvereinigungen und 53 auf Bundesebene organisierte Branchenverbände ▶ **Präsident:** Dieter Hundt (seit 1996) ▶ **Funktion:** Vertretung der sozialpolitischen Interessen der Privatwirtschaft in Deutschland
▶ **http://www.bda-online.de**

Blockfreie Staaten

▶ **Name:** engl.: Non Aligned Movement (NAM) ▶ **Sitz:** New York/USA ▶ **Gründung:** 1961 ▶ **Mitglieder:** 113 Staaten ▶ **Vorsitz:** Ernesto Samper Pizana/Kolumbien seit 199XX ▶ **Funktion:** Interessenvertretung der Entwicklungsländer
▶ **http://www.nonaligned.org**

Bundesanstalt für Arbeit: Bundeszuschüsse

Jahr	Arbeitslose (Mio)[1]	Bundeszuschuss (Mrd DM)[2]
1991	2,600[1]	1,025[2]
1992	2,980	8,940
1993	3,420	24,419
1994	3,700	10,142
1995	3,610	6,888
1996	3,970	13,800
1997	4,384	9,570
1998	4,300	14,100
1999	4,100[3]	11,000[4]

1) Arbeitslose (Mio); 2) Bundeszuschuss (Mrd DM); 3) Schätzung der Bundesregierung; 4) Etatansatz

Bundesanstalt für Arbeit

▶ **Abkürzung:** BA ▶ **Sitz:** Nürnberg ▶ **Gründung:** 1952 (Vorgängerorganisation 1927) ▶ **Präsident:** Bernhard Jagoda (seit 1993) ▶ **Funktion:** Zentrale Bundesbehörde für Arbeitsvermittlung, Abwicklung der Arbeitslosenversicherung, Berufsberatung und Fortbildung ▶ **http://www.arbeitsamt.de**

Mit neuem Organisationskonzept für die BA (Arbeitsämter, Landesarbeitsämter und Hauptstelle in Nürnberg) soll in den Arbeitsämtern der Übergang von der arbeitsteilig orientierten Spartenorganisation zur kundenorientierten Teamstruktur geschaffen werden: Beratung, Vermittlung und Leistungsgewährung werden aus einer Hand erledigt und eine abgeflachte Leitungsstruktur mit ergebnisorientierter Führung erprobt. Das Konzept wurde in den vier Modellarbeitsämtern Dortmund, Halberstadt, Heilbronn und Saarbrücken erfolgreich getestet. Bis Anfang 2002 sollen alle Arbeitsämter auf die neue Organisationsweise umgestellt werden.

Bundesarbeitsgericht

▶ **Abkürzung:** BAG ▶ **Sitz:** Erfurt (bis Oktober 1999 in Kassel) ▶ **Gründung:** 1953 ▶ **Präsident:** Thomas Dieterich (seit 1993 bis 30.6.1999) danach Hellmut Wißmann ▶ **Funktion:** Oberstes Bundesgericht in Deutschland auf dem Gebiet des Arbeitsrechts
▶ **http://www.bundesarbeitsgericht.de**

Neuer Sitz: Durch Gesetz vom 11.3.1996 wurde Erfurt als Sitz des BAG festgelegt. Die Verlegung eines der obersten Bundesgerichte in ein neues Bundesland hat über die Region Erfurt hinaus bundes- und landespolitische Bedeutung. Dem BAG kam unter den von den Beschlüssen der unabhängigen

Föderalismuskommission betroffenen Institutionen eine Pilotfunktion zu. Im September 1999 soll das Gebäude fertig gestellt sein (Umzug: Oktober 1999).

Bundesbank, Deutsche

▸ **Sitz:** Frankfurt/M. ▸ **Gründung:** 1957 ▸ **Organisation:** Dezentrale Struktur mit neun Hauptverwaltungen in den Bundesländern (Landeszentralbanken) ▸ **Präsident:** Hans Tietmeyer (seit 1993), Ernst Welteke (designiert, ab September 1999) ▸ **Funktion:** Als Zentralbank der Bundesrepublik Deutschland integraler Bestandteil des Europäischen Systems der Zentralbanken (ESZB). Außer der Mitwirkung an der Erfüllung der Aufgaben des ESZB ist sie für die Abwicklung des Zahlungsverkehrs im Inland und mit dem Ausland zuständig ▸ **http://www.bundesbank.de**

Kompetenzen: Seit Einführung des Europäischen Systems der Zentralbanken (ESZB) und des Euro zum 1.1.1999 wird die Geld- und Währungspolitik nicht mehr vom Zentralbankrat der B. bestimmt, sondern vom Rat der Europäischen Zentralbank (EZB-Rat), in dem der Präsident der B. Mitglied ist. Doch ist der Zentralbankrat nach wie vor oberstes Beschlussorgan für die Geschäftspolitik der B. Er muss aber die Auswirkungen der Beschlüsse des EZB-Rats berücksichtigen.
Erstes Euro-Jahr: In dem im April 1999 vorgelegten Jahresbericht 1998 sagte die Bundesbank wegen der erwarteten Wachstumsabschwächung in den USA und Europa ein schwieriges Wirtschaftsjahr 1999 voraus. Die Preisstabilität sei trotz der von ihr kritisierten zu hohen Tarifabschlüsse 1999 nicht in Gefahr. Die Kursschwäche des Euro gegenüber dem US-Dollar wurde auf die starke US-Wirtschaft und auf den Kosovo-Krieg zurückgeführt. Nach den Anfang 1999 vorliegenden Daten sei ein eventuell längeres schwächeres Wachstum zu erwarten.

Bundesfinanzhof

▸ **Abkürzung:** BFH ▸ **Sitz:** München ▸ **Gründung:** 1950 ▸ **Präsident:** Klaus Offerhaus (seit 1996) ▸ **Funktion:** Oberstes Bundesgericht in Deutschland im Finanzrecht

Bundesgerichtshof

▸ **Abkürzung:** BGH ▸ **Sitz:** Karlsruhe/Leipzig ▸ **Gründung:** 1950 ▸ **Präsident:** Karlmann Geiß (seit 1996) ▸ **Funktion:** Oberstes deutsches Bundesgericht für Zivil- und Strafrecht ▸ **http://www.uni-karlsruhe.de/~bgh**

Bundeskartellamt

▸ **Sitz:** Berlin ▸ **Gründung:** 1957 ▸ **Präsident:** Dieter Wolf (seit 1992) ▸ **Funktion:** Verfolgung aller Wettbewerbsbeschränkungen mit Auswirkungen in Deutschland; Durchsetzung des Kartellverbotes und Fusionskontrolle; Wahrnehmung aller Aufgaben, die den Mitgliedstaaten durch die Wettbewerbsregeln des EG-Vertrages übertragen sind ▸ **http://www.bundeskartellamt.de**

Bundeskriminalamt

▸ **Abkürzung:** BKA ▸ **Sitz:** Wiesbaden ▸ **Gründung:** 1951 ▸ **Präsident:** Ulrich Kersten (seit 1997) ▸ **Funktion:** Zentralstelle für polizeiliches Auskunft- und Nachrichtenwesen ▸ **http://www.bundeskriminalamt.de**

Bundesnachrichtendienst

▸ **Abkürzung:** BND ▸ **Sitz:** Pullach bei München ▸ **Gründung:** 1958 ▸ **Präsident:** August Hanning (seit 1998) ▸ **Funktion:** Beschaffung und Auswertung geheimer politischer, militärischer, wirtschaftlicher und wissenschaftlich-technischer Informationen aus dem Ausland.

Bundespatentgericht

▸ **Abkürzung:** BPatG ▸ **Sitz:** München ▸ **Gründung:** 1961 ▸ **Präsidentin:** Antje Sedemund-Treiber ▸ **Funktion:** Oberstes Bundesgericht in Deutschland für Schutzrecht (Patent, Marke, Gebrauchsmuster, Topographie, Geschmacksmuster, Sortenschutzrecht) ▸ **http://www.deutsches-patentamt.de/bpatg**

Bundesrechnungshof

▸ **Abkürzung:** BRH ▸ **Sitz:** Frankfurt/M., Außenstellen in Potsdam und Bonn, nach dem Umzug der Bundesregierung nach Berlin Sitz in Bonn ▸ **Gründung:** 1950 ▸ **Präsidentin:** Hedda von Wedel (seit 1993) ▸ **Funktion:** Prüfung des Haushalts- und Wirtschaftsführung des Bundes inkl. seiner Sondervermögen und Betriebe, der Sozialversicherungsträger sowie der Aktionen des Bundes bei Privatunternehmen, an denen er beteiligt ist ▸ **http://www.bundesrechnungshof.de**

Bundessozialgericht

▸ **Abkürzung:** BSG ▸ **Sitz:** Kassel ▸ **Gründung:** 1953 ▸ **Präsident:** Mathias von Wulffen (seit 1995) ▸ **Funktion:** Oberstes Bundesgericht in Deutschland für Sozialrecht ▸ **http://www.bundessozialgericht.de**

Bundesverfassungsgericht

▸ **Abkürzung:** BVG, BVerfG ▸ **Sitz:** Karlsruhe ▸ **Gründung:** 1951 ▸ **Präsidentin:** Jutta Limbach (seit 1994) ▸ **Funktion:** gegenüber anderen Verfassungsorganen selbstständiger und unabhängiger Gerichtshof der Bundesrepublik Deutschland

Bundesverwaltungsgericht

▶ **Abkürzung:** BVerwG ▶ **Sitz:** Berlin (ab 2003 Leipzig) ▶ **Gründung:** 1952 ▶ **Präsident:** Everhardt Franßen (seit 1991) ▶ **Funktion:** Oberstes Bundesgericht in Deutschland für Verwaltungsrecht
▶ **http://www.bverwg.de**

CEFTA

▶ **Name:** Central European Free Trade Association (engl.: mitteleuropäische Freihandelszone) ▶ **Sitz:** ohne festen Sitz ▶ **Gründung:** 1993 ▶ **Mitglieder:** Bulgarien, Polen, Rumänien, Slowakei, Slowenien, Tschechien, Ungarn ▶ **Funktion:** Errichtung einer Freihandelszone der Mitglieder und Aufnahme in die Europäische Union

CERN

▶ **Name:** Conseil Européenne pour la Recherche Nucléaire (frz.: Europäischer Rat für Kernforschung) ▶ **Sitz:** Genf/Schweiz ▶ **Gründung:** 1952 ▶ **Mitglieder:** 19 europäische Staaten ▶ **Generaldirektor:** Luciano Maiani/Italien (seit 1999) ▶ **Funktion:** Internationale Organisation für Kern-, Hochenergie- und Elementarteilchenphysik sowie Grundlagenforschung ▶ **http://www.cern.ch**

CGB

▶ **Name:** Christlicher Gewerkschaftsbund Deutschlands ▶ **Sitz:** Bonn ▶ **Gründung:** 1959 ▶ **Mitglieder:** 15 selbstständige Einzelgewerkschaften ▶ **Vorsitzender:** Peter Konstroffer (seit 1991) ▶ **Funktion:** Zusammenschluss eigenständiger Gewerkschaften und Berufsverbände von Arbeitern, Angestellten und Beamten mit dem Ziel, christliche Wert- und Ordnungsvorstellungen in Wirtschaft, Staat und Gesellschaft zu verwirklichen
▶ **http://www.dhv-cgb.de/cgb**

CIA

▶ **Name:** Central Intelligence Agency (engl.: Zentrale Nachrichtenbehörde) ▶ **Sitz:** Washington/USA ▶ **Gründung:** 1947 ▶ **Direktor:** George J. Tenet (seit 1997) ▶ **Funktion:** Auslandsgeheimdienst der USA ▶ **http://www.odci.gov/cia**

Commonwealth

▶ **Name:** Commonwealth of Nations (engl.: Gemeinschaft der Staaten des ehemaligen britischen Weltreichs) ▶ **Sitz:** London/Großbritannien ▶ **Gründung:** 1931/1949 ▶ **Mitglieder:** 54 Staaten, darunter 17 konstitutionelle Monarchien mit der britischen Königin Elizabeth II. als Staatsoberhaupt ▶ **Generalsekretär:** Eleazar Ch. Anyaoku/Nigeria (seit 1990) ▶ **Funktion:** Vereinigung Großbritanniens, Australiens, Neuseelands und ihrer früheren Kolonien zur Förderung der politischen, wirtschaftlichen und kulturellen Kooperation
▶ **http://www.thecommonwealth.org**

Mitglieder des Commonwealth

Republiken		Monarchien unter der britischen Königin	Selbstständige Monarchien
Bangladesch	Nauru	Antigua und Barbuda	Brunei
Botswana	Nigeria (ausgesetzt)	Australien	Lesotho
Dominica	Pakistan	Bahamas	Malaysia
Fidschi	Sambia	Barbados	Swasiland
Gambia	Samoa	Belize	Tonga
Ghana	Seychellen	Grenada	
Guyana	Sierra Leone	Großbritannien	
Indien	Simbabwe	Jamaika	
Kamerun	Singapur	Kanada	
Kenia	Sri Lanka	Neuseeland	
Kiribati	Südafrika	Papua-Neuguinea	
Malawi	Tansania	Saint Kitts und Nevis	
Malediven	Trinidad und Tobago	Saint Lucia	
Malta	Uganda	Saint Vincent/Grenadinen	
Mauritius	Vanuatu	Salomonen	
Mosambik	Zypern	Tuvalu	
Namibia			

DAG

▶ **Name:** Deutsche Angestellten-Gewerkschaft ▶ **Sitz:** Hamburg ▶ **Gründung:** 1949 ▶ **Mitglieder:** 489266 (Stand: 31.12.1997) ▶ **Vorsitzender:** Roland Issen (seit 1987) ▶ **Funktion:** Zusammenschluss aller Angestellten in Deutschland zur demokratischen Interessenvertretung

Die DAG und die DGB-Gewerkschaften Öffentliche Dienste, Transport und Verkehr (ÖTV), Handel, Banken und Versicherungen (HBV), Deutsche Postgewerkschaft (DPG) und IG Medien planen für 2001 die Gründung einer gemeinsamen Dienstleistungsgewerkschaft mit mehr als 3 Mio Mitgliedern. Zweck der Fusion ist die Stärkung der Interessenvertretung im Dienstleistungssektor.

Gewerkschaften → Dienstleistungsgewerkschaft

DBB

▶ **Name:** Deutscher Beamtenbund ▶ **Sitz:** Bonn ▶ **Gründung:** 1949 ▶ **Mitglieder:** 37 Fachgewerkschaften mit ca. 1,1 Mio Einzelmitgliedern ▶ **Vorsitzender:** Erhard Geyer (seit 1995) ▶ **Funktion:** Organisation zur Vertretung und Förderung berufsbedingter politischer, rechtlicher und sozialer Belange der Mitglieder der einzelnen Verbände
▶ **http://www.dbb.de**

DGB

▶ **Name:** Deutscher Gewerkschaftsbund ▶ **Sitz:** Düsseldorf ▶ **Gründung:** 1949 ▶ **Mitglieder:** 12 Einzelgewerkschaften ▶ **Vorsitzender:** Dieter Schulte (seit 1994) ▶ **Funktion:** Dachverband der 12 Einzelgewerkschaften ▶ **http://www.dgb.de**

Mitgliederschwund: Nachdem die zwölf DGB-Gewerkschaften 1997 rund 350000 Mitglieder verloren hatten, setzte sich der Trend 1998 fort. Ende 1998 hatten die Gewerkschaften nur noch 8,3 Mio Mitglieder, 3,6% (ca. 320000) weniger als im Vorjahr. Besonders hoch war der Rückgang in den neuen Bundesländern (70% der Verluste) und bei der IG BAU, die auf 6,2 % ihrer Beitragszahler verzichten musste. Angesichts der Verminderung der Mitgliederzahl und der Einnahmen bemühte sich der DGB um eine Straffung seiner Organisation. Anfang März 1999 schlossen sich die Landesbezirke Nordmark (Hamburg und Schleswig-Holstein) und Mecklenburg-Vorpommern zum neuen Landesbezirk Nord zusammen. In Sachsen-Anhalt und Thüringen sowie Rheinland-Pfalz und Saar wurden Fusionen vorbereitet.

Bündnis für Arbeit und Umwelt: Der DGB setzte beim Bündnis für Arbeit verstärkt auf den ökologischen Umbau. Dabei sollten nicht nur Umweltinvestitionen gefördert, sondern auch der Export von Umwelttechnologien auf hohem internationalem Niveau gestärkt werden. In einem Positionspapier vom April 1999 macht der DGB Vorschläge zum Bereich Umwelt von Abfallvermeidung bis zum verschärften Umwelthaftungsrecht.

▪ Gewerkschaften

DIHT

▶ **Name:** Deutscher Industrie- und Handelstag ▶ **Sitz:** Bonn ▶ **Gründung:** 1949 ▶ **Mitglieder:** 83 Industrie- und Handelskammern (IHK) ▶ **Vorsitzender:** Hans Peter Stihl (seit 1988) ▶ **Funktion:** Repräsentant der gesamten gewerblichen Wirtschaft in Deutschland ▶ **http://www.diht.de**

EBWE

▶ **Name:** Europäische Bank für Wiederaufbau und Entwicklung (engl.: European Bank for Reconstruction and Development, EBRD, auch Osteuropabank) ▶ **Gründung:** 1991 ▶ **Mitglieder:** 58 Staaten sowie Europäische Investitionsbank und EU ▶ **Präsident:** Horst Köhler/Deutschland (seit 1998) ▶ **Funktion:** Förderung des Übergangs zur offenen Marktwirt-

schaft sowie des privaten und unternehmerischen Handelns in den Ländern Mittel- und Osteuropas und der Gemeinschaft Unabhängiger Staaten (GUS). Als Voraussetzung müssen die Länder sich den Prinzipien von Mehrparteiendemokratie, Pluralismus und Marktwirtschaft verpflichten ▶ **http://www.ebrd.com**

1998 wies die EBWE, deren Auszahlungen für Projekte in Russland ca. 27 % des Gesamtvolumens ausmachten, wegen der russischen Finanzkrise erstmals einen Verlust aus. Um den wirtschaftlichen Reformprozess zu unterstützen, bemühte sich die Osteuropabank um die Förderung kleiner und mittelgroßer Privatunternehmen, da sie nach Ansicht des EBWE-Vorsitzenden Köhler für die Schaffung von Arbeitsplätzen, Flexibilität und sozialer Stabilität bedeutsam seien. Mit dem Wiederaufbau des im Krieg 1999 zerstörten Kosovo erhält die Osteuropabank auf dem Balkan eine zentrale Aufgabe.

ECOSOC

▶ **Name:** Economic and Social Council (engl.: Wirtschafts- und Sozialrat) ▶ **Sitz:** New York/USA ▶ **Gründung:** 1945 ▶ **Mitglieder:** 54 Staaten ▶ **Präsident:** F. Paolo Fulci/Italien (seit 1999) ▶ **Funktion:** Unterorganisation der UNO zur Koordination im wirtschaftlichen und sozialen Bereich

EFTA

▶ **Name:** European Free Trade Association (engl.: Europäische Freihandelsvereinigung) ▶ **Sitz:** Genf/Schweiz ▶ **Gründung:** 1960 ▶ **Mitglieder:** Island, Liechtenstein, Norwegen, Schweiz ▶ **Generalsekretär:** Kjartan Johannson/Island (seit 1994) ▶ **Funktion:** Förderung d. Freihandels zwischen den Mitgliedsländern und Freihandelsabkommen mit 23 anderen Staaten ▶ **http://www.efta.int**

EUREKA

▶ **Name:** European Research Coordination Agency (engl.: Europäische Agentur für Forschungskoordination) ▶ **Sitz:** Brüssel/Belgien ▶ **Gründung:** 1985 ▶ **Mitglieder:** 25 europäische Staaten und die Europäische Union, 7 mittel- und osteuropäische Staaten sind assoziiert ▶ **Vorsitz:** Türkei (1998/1999), Deutschland (1999/2000) ▶ **Funktion:** Internationale Organisation zur Forschungsförderung ▶ **http://eureka.belspo.be**

Europarat

▶ **Sitz:** Straßburg/Frankreich ▶ **Gründung:** 1949 ▶ **Mitglieder:** 41 europäische Staaten ▶ **Generalsekretär:** Daniel Tarschys/Schweden (seit 1994) ▶ **Funktion:** Förderung der wirtschaftlichen, sozialen, kulturellen und wissenschaftlichen Kooperation; Stärkung der Demokratien in Osteuropa, Durch-

setzung der Menschenrechte. Der Europarat ist kein Organ der Europäischen Union
▶ **http://www.coe.fr; http://www.europarat.de**

Organisation: Mit dem Beitritt Georgiens 1999 – trotz Bedenken bezüglich der Einhaltung der Menschenrechte – erhöhte sich die Zahl der Mitglieder im E. auf 41. Die Georgier sind mit fünf Abgeordneten in der Parlamentarischen Versammlung des E. vertreten. Beitrittsgesuche von Armenien, Aserbaidschan, Bosnien-Herzegowina, Jugoslawien und Monaco wurden 1999 geprüft.
Entscheidungsgremium des Europarats, der nur beratende Funktion hat, ist das Ministerkomitee der Außenressortchefs der Mitgliedsländer. Die Parlamentarische Versammlung wird durch 286 Mitglieder (und ebenso viele Stellvertreter) der nationalen Parlamente gebildet. Der Kongress der Gemeinden und Regionen (zwei Kammern) vertritt 200 000 lokale und regionale Gebietskörperschaften.

Menschenrechte: Im Januar 1999 wurden die Aufgaben und Kompetenzen des zukünftigen europäischen Menschenrechtskommissars festgelegt, der neben dem Europäischen Gerichtshof für Menschenrechte tätig werden soll. Diese 1959 eingerichtete Institution nahm nach Reformen am 1.11.1998 als ständiger Gerichtshof mit erweiterten Kompetenzen in Straßburg seine Arbeit auf (Präsident: Luzius Wildhaber/ Schweiz). 1997 hatte der E. in Straßburg einen Aktionsplan verabschiedet, mit dem die Einhaltung der Rechtsverpflichtungen jedes Mitgliedslandes stärker kontrolliert werden soll.

Türkei: Im Januar 1999 wurde in der Parlamentarischen Versammlung ein Zwischenbericht über die Menschenrechtslage in der Türkei beraten. Darin wurden Folter von Polizei und Militär, Einschränkung der Presse- und Meinungsfreiheit, der seit zwölf Jahren bestehende Ausnahmezustand in zahlreichen Provinzen mit kurdischer Bevölkerung und die Rolle der de-facto ohne parlamentarische Kontrolle operierenden Armee kritisiert.

FAO

▶ **Name:** Food and Agricultural Organization (engl.: Ernährungs- und Landwirtschaftsorganisation) ▶ **Sitz:** Rom/Italien ▶ **Gründung:** 1945 ▶ **Mitglieder:** 175 Staaten und die Europäische Union ▶ **Generalsekretär:** Jacques Diouf/Senegal (seit 1994) ▶ **Funktion:** Verbesserung der Ernährungslage und Förderung der Landwirtschaft weltweit

Mitglieder im Europarat

Mitglieder[1]	Sitze	Weitere Mitglieder (Beitritt)	Sitze		Sitze
Belgien	7	Griechenland (1949)	7	Estland (1993)	3
Dänemark	5	Türkei (1949)	12	Litauen (1993)	4
Frankreich	18	Island (1950)	3	Slowenien (1993)	3
Großbritannien	18	Deutschland (1950)	18	Tschech. Rep. (1993)	7
Irland	4	Österreich (1956)	6	Slowakei (1993)	5
Italien	18	Zypern (1961)	3	Rumänien (1993)	10
Luxemburg	3	Schweiz (1963)	6	Andorra (1994)	2
Niederlande	7	Malta (1965)	6	Lettland (1995)	3
Norwegen	5	Portugal (1976)	7	Albanien (1995)	4
Schweden	6	Spanien (1977)	12	Moldawien (1995)	5
		Liechtenstein (1978)	2	Mazedonien (1995)	3
		San Marino (1988)	2	Ukraine (1995)	12
		Finnland (1989)	5	Russland (1996)	18
		Ungarn (1990)	7	Kroatien (1996)	5
		Polen (1991)	12	Georgien (1999)	5
		Bulgarien (1992)	5		

1) Gründungsmitglieder 1949

Golf-Kooperationsrat

▶ **Abkürzung:** GCC (engl.: Gulf Cooperation Council) ▶ **Sitz:** Riad/Saudi-Arabien ▶ **Gründung:** 1981 ▶ **Mitglieder:** Bahrain, Katar, Kuwait, Oman, Saudi-Arabien, Vereinigte Arabische Emirate ▶ **Generalsekretär:** Jamil Al-Hejailan/Saudi-Arabien (seit 1996) ▶ **Funktion:** Bündnis arabischer Staaten für politische, wirtschaftliche und militärische Kooperation sowie Friedenssicherung in der Golfregion

Greenpeace

▶ **Sitz:** Amsterdam/Niederlande ▶ **Gründung:** 1971 ▶ **Mitglieder:** 2,9 Mio (Stand 1997) ▶ **Vorstandsvorsitzende:** Cornelia Durrant/Großbritannien (seit 1996) ▶ **Geschäftsführer (international):** Thilo Bode/Deutschland (seit 1995) ▶ **Geschäftsführerin (national):** Brigitte Behrens seit (1999) ▶ **Funktion:** Internationaler Verein für den aktiven Schutz von Natur und Umwelt sowie für Beendigung aller Atomwaffentests ▶ **http://www.greenpeace.org; http://www.greenpeace.de**

Neue Führungsstruktur: Nach der Trennung von Geschäftsführer Walter Homolka, dem zuwenig Interesse an Umweltthemen und der Arbeit der Organisation vorgeworfen wurde, beschloss der Aufsichtsrat eine Umstrukturierung der Führungsspitze in Deutschland. Die bisherige Troika wurde zugunsten einer Geschäftsführerin aufgegeben, um die Organisation zu straffen. **Wirtschaftliche Situation:** Nach eigenen Angaben gewann Greenpeace in Deutschland 1998 ca. 11 000 Förderer hinzu und wurde zum Jahresende von 531 000 Sympathisanten unterstützt. Die Einnahmen aus Spenden, Erbschaften und Bußgeldern wuchsen um 1,3 Mio DM auf 66,48 Mio DM.

GUS

▶ **Name:** Gemeinschaft Unabhängiger Staaten (engl.: Commonwealth of Independent States, CIS) ▶ **Sitz:** ohne festen Sitz ▶ **Gründung:** 1991 ▶ **Mitglieder:** 12 ehemalige Sowjetrepubliken: Armenien, Aserbaidschan, Kasachstan, Kirgistan, Georgien, Moldawien, Russland, Tadschikistan, Turkmenistan, Ukraine, Usbekistan und Weißrussland ▶ **Höchstes Gremium:** Rat der Staatsoberhäupter ▶ **Funktion:** Lockeres Bündnis für politische, wirtschaftliche, militärische und kulturelle Zusammenarbeit

Seit seiner Gründung verlor das Bündnis an Bedeutung für die Mitgliedsländer. Der im April 1999 auslaufende, 1992 geschlossene Vertrag von Taschkent (Usbekistan) über kollektive Sicherheit wurde nicht verlängert. Auf der Gipfelkonferenz der GUS-Staaten im April 1999 wandten sich die Präsidenten Usbekistans, Georgiens und Aserbaidschans gegen eine Paktverlängerung, weil sie eine von Russland unabhängigere Politik verfolgten. Moskau setzte zunehmend auf bilaterale Vereinbarungen u. a. mit Armenien, Georgien und Tadschikistan. Die Kooperation mit Weißrussland sieht auch eine weitgehende Integration im Verteidigungsbereich vor.

IAEA

▶ **Name:** International Atomic Energy Agency (engl.: Internationale Atomenergie-Agentur) ▶ **Sitz:** Wien ▶ **Gründung:** 1957 ▶ **Mitglieder:** 128 Staaten ▶ **Generalsekretär:** Mohamed El Baradei/Ägypten (seit 1997) ▶ **Funktion:** Sonderorganisation der UNO zur weltweiten Kontrolle kerntechnischer Anlagen und des Atomwaffensperrvertrags von 1968 ▶ **http://www.iaea.org**

ICAO

▶ **Name:** International Civil Aviation Organization (engl.: Internationale Zivilluftfahrtorganisation) ▶ **Sitz:** Montreal/Kanada ▶ **Gründung:** 1944 ▶ **Mitglieder:** 185 Staaten ▶ **Generalsekretär:** Renato Cláudio Costa Pereira/Brasilien (seit 1997) ▶ **Funktion:** Sonderorganisation der UNO zur Förderung der zivilen Luftfahrt ▶ **http://www.icao.org**

IDA

▶ **Name:** International Development Association (engl.: Internationale Entwicklungsorganisation) ▶ **Sitz:** Washington/USA ▶ **Gründung:** 1959 ▶ **Mitglieder:** 160 Staaten ▶ **Präsident:** James D. Wolfensohn/USA, Präsident der Weltbank (seit 1995) ▶ **Funktion:** Sonderorganisation der UNO zur Förderung der wirtschaftlichen Entwicklung der ärmeren Länder (Weltbanktochter) ▶ **http://www.worldbank.org/ida**

IEA

▶ **Name:** Internationale Energie-Agentur ▶ **Sitz:** Paris/Frankreich ▶ **Gründung:** 1974 ▶ **Mitglieder:** 24 Staaten ▶ **Exekutivdirektor:** Robert Priddle/Großbritannien (seit 1994) ▶ **Funktion:** Mit der OECD vernetzte Organisation, die als Reaktion auf die Erdölkrise zur Sicherung der Energieversorgung in den Mitgliedsstaaten gegründet wurde

IFAD

▶ **Name:** International Fund for Agricultural Development (engl.: Internationaler Agrarentwicklungsfonds) ▶ **Sitz:** Rom/Italien ▶ **Gründung:** 1977 ▶ **Mitglieder:** 161 Staaten ▶ **Präsident:** Fawzi H. Al-Sultan/Kuwait (sei 1993) ▶ **Funktion:** Sonderorganisation der UNO zur Förderung der landwirtschaftlichen Entwicklung und zur Verbesserung des Ernährungsstands der Landbevölkerung ▶ **http://www.ifad.org**

IFC

▶ **Name:** International Finance Corporation (engl.: Internationale Finanzgesellschaft) ▶ **Sitz:** Washington/USA ▶ **Gründung:** 1955 ▶ **Mitglieder:** 174 Staaten ▶ **Präsident:** James D. Wolfensohn/USA, Präsident der Weltbank (seit 1995) ▶ **Funktion:** Sonderorganisation der UNO zur Förderung des Wirtschaftswachstums der Entwicklungsländer durch Unterstützung produktiver privater Unternehmen (Tochterorganisation der Weltbank)

ILO

▶ **Name:** International Labour Organization (engl.: Internationale Arbeitsorganisation) ▶ **Sitz:** Genf/Schweiz ▶ **Gründung:** 1919 (Neugründung 1946) ▶ **Mitglieder:** 174 Staaten ▶ **Generaldirektor:** Juan Somavía/Chile (seit 1999) ▶ **Funktion:** Sonderorganisation der UNO zur Verbesserung der Lebens- und Arbeitsbedingungen in der Welt und zur Erschließung neuer Beschäftigungsfelder ▶ **http://www.ilo.org**

IMO

▶ **Name:** International Maritime Organization (engl.: Internationale Seeschifffahrtsorganisation) ▶ **Sitz:** London/Großbritannien ▶ **Gründung:** 1948 ▶ **Mitglieder:** 156 Staaten ▶ **Generalsekretär:** William A. O'Neill/Kanada (seit 1990) ▶ **Funktion:** Sonderorganisation der UNO zur Beratung von Fragen der internationalen Seeschifffahrt ▶ **http://www.imo.org**

INCB

▸ **Name:** International Narcotics Control Board
(engl.: Internationaler Drogenkontrollrat) ▸ **Sitz:**
Wien/Österreich ▸ **Gründung:** 1961 ▸ **Mitglieder:**
13 Einzelpersonen, ausgewählt durch ECOSOC
▸ **Generalsekretär:** António Lourenço Martins/
Portugal (seit 1999) ▸ **Funktion:** Unterorganisation
der UNO zur Überwachung von Drogenkontroll-
maßnahmen ▸ **http://www.incb.org**

Interamerikanische Entwicklungsbank

▸ **Name:** engl.: Interamerican Development Bank
(IDB) ▸ **Sitz:** Washington/USA ▸ **Gründung:** 1963
▸ **Mitglieder:** 46 Staaten ▸ **Generalsekretär:**
Enrique V. Iglesias/Uruguay (seit 1988) ▸ **Funktion:**
Förderung der wirtschaftlichen und sozialen Ent-
wicklung der weniger entwickelten Länder Latein-
amerikas und der Karibik ▸ **http://www.iadb.org**

Internationaler Gerichtshof

▸ **Name:** engl.: International Court of Justice (ICJ)
▸ **Sitz:** Den Haag/Niederlande ▸ **Gründung:** 1945
▸ **Mitglieder:** 15 Richter ▸ **Präsident:** Stephen M.
Schwebel/USA (seit 1997) ▸ **Funktion:** Haupt-
rechtsprechungsorgan der UNO
▸ **http://www.icj-cij.org**

Internationaler Seegerichtshof

▸ **Sitz:** Hamburg ▸ **Gründung:** 1996 ▸ **Mitglieder:**
21 Richter ▸ **Präsident:** Thomas A. Mensah/Ghana
(seit 1996) ▸ **Funktion:** Rechtsprechungsorgan der
UNO auf dem Gebiet der Seefahrt und der Hoch-
seefischerei ▸ **http://www.un.org/depts/los**

Internationaler Währungsfonds

▸ **Abkürzung:** IWF ▸ **Name:** engl.: International
Monetary Fund (IMF) ▸ **Sitz:** Washington/USA
▸ **Gründung:** 1944 ▸ **Mitglieder:** 182 Staaten
▸ **Geschäftsführender Direktor:** Michel Camdes-
sus/Frankreich (seit 1987) ▸ **Funktion:** Überwachung des internationalen Währungssystems
und Förderung der Entwicklungshilfe
▸ **http://www.imf.org**

Krise: Auf seiner 53. Jahrestagung im Oktober 1998 in Washington beriet der IWF über
die Konsequenzen aus den Finanz- und
Währungskrisen in Russland, Südostasien
und Lateinamerika, die den IWF an den
Rand seiner finanziellen Möglichkeiten
brachten. Dem sollte die 1997 beschlossene
Erhöhung der Quoten, d.h. des von den Mitgliedsländern aufgebrachten Kapitals, um
45% entgegensteuern. Die USA, die 17% des
IWF-Kapitals aufbringen, stellten jedoch erst
im Oktober 1998 ihren Beitrag für die Quo-
tenerhöhung von 17,9 Mrd US-Dollar bereit.

Kritik: Durch drastische Haushaltskürzungen und Zinsanhebungen hat der IWF nach
Ansicht betroffener Regierungen Volkswirtschaften wie Thailand, Südkorea und Indonesien noch weiter in Bedrängnis gebracht.
Die enge Zusammenarbeit zwischen dem
Geschäftsführenden Direktor Camdessus
und dem US-Schatzamt und der dahinter
stehenden Finanzwirtschaft der USA wurde
als bedenklich eingestuft. Bei der Vergabe
der Kredite und der allgemeinen Geschäftsführung des IWF herrsche zuwenig Transparenz.

Reformvorschläge: Bereits auf der Früh-
jahrstagung des IWF im April 1998 wurde
eine stärkere Überwachung der Volkswirtschaften der Mitgliedsländer verabschiedet,
um auf Krisensignale rechtzeitig reagieren
zu können. Liberale Kritiker wie der US-
Ökonom Milton Friedman oder der frühere
US-Außenminister George Shultz verfoch-
ten gegen ein solches Konzept der stärkeren
Transparenz und ggf. Kapitalverkehrskon-
trolle die Freigabe der Märkte bis hin zur
Abschaffung des IWF.

Russland-Kredit: Nach langwierigen Verhandlungen einigten sich Vertreter des IWF
und Russlands im Frühjahr 1999 auf eine
Freigabe von Finanzmitteln, die nach der
schweren russischen Finanzkrise im Sommer 1998 blockiert worden waren. Der IWF
hatte Russland im Juli 1998 ein Hilfspaket
in Höhe von 22,6 Mrd US-Dollar bis 1999
zugesagt, das jedoch an die Umsetzung des
Antikrisenprogramms von Ministerpräsident Sergej Kirijenko gebunden war. Am
17.8.1998 war der Kredit eingefroren worden, als Kirijenko mit dem Eingeständnis
der eigenen Zahlungsunfähigkeit, einer
Rubelabwertung und einem Moratorium auf
die Auslandsschulden von Privatbanken
eine Wirtschaftskrise auslöste.
Nach dem Abkommen vom Frühjahr 1999
erhält Russland für die folgenden Monate
rund 4,6 Mrd US-Dollar. Die Einigung ermöglichte auch die Freigabe von Finanzmitteln der Weltbank sowie die Aufnahme von
Umschuldungsverhandlungen über alte Verbindlichkeiten in Höhe von 100 Mrd US-
Dollar.

Weltwirtschaft →Osteuropa
▨ **Staaten** →Russland

IPI

▶ **Name:** Internationales Presse Institut ▶ **Sitz:** Zürich/Schweiz ▶ **Gründung:** 1950 ▶ **Mitglieder:** rund 2000 Mitglieder weltweit ▶ **Generalsekretär:** Moegsin Williams/Südafrika (seit 1998) ▶ **Funktion:** Schutz der Pressefreiheit gegen staatliche Eingriffe ▶ **http://www.freemedia.at**

ITU

▶ **Name:** International Telecommunication Union (engl.: Internationale Fernmeldeunion) ▶ **Sitz:** Genf/Schweiz ▶ **Gründung:** 1865 (Neugründung 1947) ▶ **Mitglieder:** 188 Staaten ▶ **Generalsekretär:** Pekka Johannes Tarjanne/Finnland (seit 1989) ▶ **Funktion:** Seit 1967 Sonderorganisation der UNO zur Förderung der Telekommunikation ▶ **http://www.itu.ch**

Maghreb-Union

▶ **Name:** Gemeinschaft des Vereinigten Arabischen Maghreb (arab.: Westen; engl.: Arab Magreb Union, AMU) ▶ **Sitz:** Rabat/Marokko ▶ **Gründung:** 1989 ▶ **Mitglieder:** Algerien, Libyen, Marokko, Mauretanien ▶ **Generalsekretär:** Mohammed Amanou/Tunesien (seit 1991) ▶ **Funktion:** Zusammenarbeit in Handel, Industrie, Tourismus und Wissenschaft, Errichtung einer Freihandelszone ▶ **http://www.imf.org/external/np/sec/decdo/amu.htm**

Mercosur

▶ **Name:** Mercado Común del Cono Sur, span.; Gemeinsamer Markt des südlichen Teils Amerikas ▶ **Sitz:** Montevideo/Uruguay ▶ **Gründung:** 1990 ▶ **Mitglieder:** Argentinien, Brasilien, Paraguay, Uruguay; assoziierte Mitglieder: Bolivien, Chile ▶ **Vorsitz:** Präsidentenkonferenz ▶ **Funktion:** Freihandel unter den Mitgliedstaaten; Festlegung gemeinsamer Außenzölle ▶ **http://www.mercosur.com**

Protektionistische Tendenzen in der Wirtschaftspolitik von Brasilien und Argentinien angesichts der ökonomischen Probleme infolge der Asienkrise (u. a. mehrfache Abwertung des brasilianischen Real seit Anfang 1999) führten zur schweren Krise im Mercosur. Brasilien und Argentinien versuchten eine Sanierung ihrer Wirtschaft auf Kosten des Nachbarn. Wichtigstes Ergebnis des 15. Gipfeltreffens im Dezember 1998 in Rio de Janeiro blieb eine »Deklaration über Arbeit und Soziales«, in der Gleichberechtigung der Frauen, Verbot von Kinderarbeit, Einhaltung gewerkschaftlicher Grundrechte und gegenseitige Anerkennung beruflicher Qualifikationen gefordert wurden.

MIGA

▶ **Name:** Multilateral Investment Guarantee Agency (engl.: Multilaterale Investitionsgarantieagentur) ▶ **Sitz:** Washington/USA ▶ **Gründung:** 1988 ▶ **Mitglieder:** 149 Staaten ▶ **Präsident:** James D. Wolfensohn/USA, Präsident der Weltbank (seit 1995) ▶ **Funktion:** Sonderorganisation der UNO zur Sicherung privater Investitionen in den Entwicklungsländern, Mitglied der Weltbankgruppe ▶ **http://www.miga.org**

NAFTA

▶ **Name:** North American Free Trade Agreement (engl.: Nordamerikanisches Freihandelsabkommen) ▶ **Sitz:** ohne festen Sitz ▶ **Gründung:** 1994 ▶ **Mitglieder:** Kanada, Mexiko, USA ▶ **Vorsitz:** ohne festen Vorsitz ▶ **Funktion:** Förderung des Handels zwischen den Mitgliedstaaten ▶ **http://www.nafta.org**

Mercosur: Mitgliedstaaten

HONDURAS
DOMINICA
ST. VINCENT/G. — ST. LUCIA
NICARAGUA — BARBADOS
COSTA RICA — GRENADA
VENEZUELA — TRINIDAD U. TOBAGO
PANAMA
Bogotá
KOLUMBIEN
GUYANA
SURINAM
Franz.-Guyana
ATLANTISCHER OZEAN
Quito
ECUADOR
Manaus
Belém
Amazonas
PERU
Recife
Lima
Cuzco
BRASILIEN
Salvador
BOLIVIEN
La Paz
Brasília
Sucre
PAZIFISCHER
Antofagasta
PARAGUAY
Río de Janeiro
São Paulo
San Félix (Chile)
Asunción
CHILE
Córdoba
Pôrto Alegre
OZEAN
URUGUAY
Santiago
Buenos Aires
Montevideo
ARGENTINIEN
ATLANTISCHER OZEAN
Feuerland
Ushuaia
Kap Hoorn © Harenberg

0   1000   2000 km

Mitgliedstaaten des Mercosur
Assoziierte Mitglieder

NATO: Mitglieder und Osterweiterung

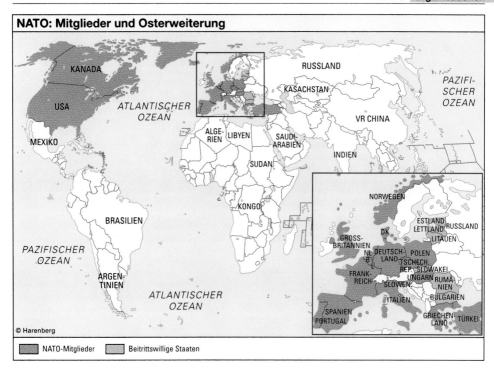

KANADA
USA
MEXIKO
ATLANTISCHER OZEAN
BRASILIEN
PAZIFISCHER OZEAN
ARGEN-TINIEN
ATLANTISCHER OZEAN
© Harenberg

RUSSLAND
KASACHSTAN
PAZIFI-SCHER OZEAN
VR CHINA
ALGE-RIEN LIBYEN SAUDI-ARABIEN
INDIEN
SUDAN
KONGO

NORWEGEN
ESTLAND
LETTLAND RUSSLAND
DK LITAUEN
GROSS-BRITANNIEN
NL DEUTSCH-LAND POLEN
B TSCHECH.
REP. SLOWAKEI
FRANK-REICH UNGARN RUMÄ-NIEN
SLOWEN.
ITALIEN BULGARIEN
SPANIEN GRIECHEN-LAND TÜRKEI
PORTUGAL

	NATO-Mitglieder		Beitrittswillige Staaten

NATO

▶ **Name:** North Atlantic Treaty Organisation (engl.: Organisation des Nordatlantik-Vertrags) ▶ **Sitz:** Brüssel/Belgien ▶ **Gründung:** 1949 ▶ **Mitglieder:** 19 Staaten ▶ **Generalsekretär:** Javier Solana/ Spanien (seit 1995) ▶ **Funktion:** Militärbündnis zur gemeinsamen Verteidigung, Sicherung von Frieden und Freiheit ▶ **http://www.nato.int**

Osterweiterung: Mit Hinterlegung der Ratifikationsurkunden in Washington wurde im März 1999 der Beitritt von Polen, Ungarn und Tschechien offiziell vollzogen. Erstmals traten Länder des ehemaligen Warschauer Pakts in die NATO ein. Mit dem Tag des Beitritts unterstehen ihre Streitkräfte dem NATO-Oberbefehl, wodurch sich die Truppenstärke der Allianz um ca. 340 000 Mann auf 4,2 Mio Soldaten erhöhte.

Die russische Führung warnte vor einer Missachtung des eigenen Sicherheitsbedürfnisses und vor einer nach Osten verschobenen Grenzziehung in Europa. Zugleich bekräftigte sie, im Rahmen des 1997 geschlossenen Abkommens mit der NATO

zusammenzuarbeiten. Diese Vereinbarung wurde wegen des NATO-Kriegseinsatzes im Kosovo im Frühjahr 1999 zurückgezogen.

Neue Rolle nach Krieg im Kosovo: Die NATO, als Bündnis auf Gegenseitigkeit zum Schutz vor Angriffen 1949 gegründet, setzte sich mit dem Angriff auf Serbien im Frühjahr 1999 dem Vorwurf der Missachtung des Völkerrrechts und der Charta der Vereinten Nationen aus. Der Militäreinsatz im Kosovo ohne Mandat der UNO hatte tiefgreifende Differenzen zwischen NATO und Russland zur Folge, dessen Führung die Kooperation in der »Partnerschaft für den Frieden« vorerst aufkündigte.

Neues Konzept: Auf der Gipfelkonferenz am 23./24.4.1999 in Washington anlässlich des 50. Jahrestags der NATO-Gründung beschlossen die Staats- und Regierungschefs mit der Washingtoner Erklärung einen neuen Aufgabenkatalog für das Bündnis:
– Über die Kernfunktion eines Verteidigungspaktes hinaus will die NATO bei der Krisenbewältigung außerhalb des Bünd-

nisgebiets tätig werden (Out-of-area-Einsätze), in engem Rahmen auch ohne UNO-Mandat.

– Die NATO soll sich zum maßgeblichen Ordnungsfaktor in Europa entwickeln.

– Innerhalb der NATO wollen die europäischen Mitglieder eine selbstständigere Sicherheitspolitik verfolgen.

Die Entscheidung über einen von Bundesaußenminister Joschka Fischer (Bündnis 90/Die Grünen) angeregten Verzicht auf den atomaren Erstschlag wurde vertagt.

Kritik: Gegner des Konzepts fürchten durch eine weitere Schwächung der UNO, die beim gemeinsamen Militäreinsatz von USA und Großbritannien im Irak und beim NATO-Angriff auf Jugoslawien eine geringe Rolle gespielt hatte. Durch Selbstmandatierung der NATO hätten die USA ein schlagkräftigeres Instrument zur Durchsetzung ihrer Interessen als in der UNO.

■ **Krisen und Konflikte** → Kosovo

OAS

▶ **Name:** Organization of American States (engl.: Organisation amerikanischer Staaten) ▶ **Sitz:** Washington/USA ▶ **Gründung:** 1948 ▶ **Mitglieder:** alle 35 amerikanischen Staaten, seit 1962 ist die kubanische Regierung von der Teilnahme ausgeschlossen ▶ **Generalsekretär:** César Gaviria/Kolumbien (seit 1994) ▶ **Funktion:** Bündnis amerikanischer Staaten für gemeinsame militärische Sicherung

OAU

▶ **Name:** Organization for African Unity, engl.; Organisation für afrikanische Einheit ▶ **Sitz:** Addis Abeba/Äthiopien ▶ **Gründung:** 1963 ▶ **Mitglieder:** 53 afrikanische Staaten ▶ **Generalsekretär:** Salim Ahmed Salim/Tansania (seit 1989) ▶ **Funktion:** Bündnis afrikanischer Staaten für Kooperation in Politik, Kultur, Wirtschaft und Wissenschaft

OECD

▶ **Name:** Organization for Economic Cooperation and Development (engl.: Organisation für wirtschaftliche Zusammenarbeit und Entwicklung)

NATO-Staaten in Zahlen

Land	Einwohner[1]	Wehrform	Truppenstärke	Kampfpanzer	Kampfflug-zeuge	Kampf-schiffe	Verteidigungs-ausgaben[2]
Belgien	10,1	Berufsarmee	43 700	155	100	3	1,15
Dänemark	5,2	Wehrpflicht	32 000	337	69	3	1,6
Deutschland	81,0	Wehrpflicht	333 000	2716	451	15	1,6
Frankreich	59,0	Berufsarmee	358 000	1210	505	41	2,3
Griechenland	10,6	Wehrpflicht	168 500	1735	402	16	4,5
Großbritannien	59,0	Berufsarmee	211 000	545	483	38	2,7
Island	0,3	keine	keine	keine	keine	keine	1,1
Italien	58,0	Wehrpflicht	298 000	1299	253	30	1,9
Kanada	29,0	Berufsarmee	60 000	114	140	16	1,16
Luxemburg	0,4	Berufsarmee	811	keine	keine	keine	0,8
Niederlande	15,6	Berufsarmee	57 000	600	170	16	1,9
Norwegen	4,4	Wehrpflicht	29 000	170	79	4	2,3
Polen	39,0	Wehrpflicht	240 000	1727	297	2	2,1
Portugal	9,9	Wehrpflicht[3]	53 600	180	68	10	2,6
Spanien	39,0	Wehrpflicht[3]	194 000	725	193	18	1,4
Tschechien	10,0	Wehrpflicht	59 000	938	109	keine	1,9
Türkei	62,0	Wehrpflicht	639 000	4205	440	21	7,5
Ungarn	10,0	Wehrpflicht	43 000	835	114	keine	1,4
USA	270,0	Berufsarmee	1 400 000	7836	2604	138	3,3

1) in Mio; 2) % des BSP; 3) Übergang zur Berufsarmee geplant; Quelle: Welt am Sonntag, 14.3.99

▶ **Sitz:** Paris/Frankreich ▶ **Gründung:** 1961 (Nachfolgeorganisation der 1948 gegründeten OEEC) ▶ **Mitglieder:** 29 Staaten ▶ **Generalsekretär:** Donald J. Johnston/Kanada (seit 1996) ▶ **Funktion:** Koordination der Wirtschafts- und Entwicklungspolitik der Mitgliedsstaaten ▶ **http://www.oecd.org**

Wirtschaft: Auf der Ministerkonferenz der OECD im Mai 1999 in Paris sah Generalsekretär Johnston positive Aussichten für die Weltkonjunktur (+2,25 % Wachstum in den Industrieländern). Für viele Länder Europas forderte die Konferenz, an der erstmals acht Minister von Nicht-OECD-Mitgliedern teilnahmen (u. a. Brasilien, China, Indien, Indonesien und Russland) flexiblere Arbeitsmärkte, um erwerbslose Randgruppen einzugliedern. Die Frührente habe die Staatskasse belastet und das Arbeitsangebot gedrosselt, aber keine neuen Stellen geschaffen. Der Teufelskreis der »sozialen Ausgrenzung« und Verarmung, von dem im OECD-Gebiet 2–6% der Haushalte seit mind. 1995 betroffen seien, müsse durchbrochen werden. Notwendig seien Anreize für lohnende Arbeit und Verbesserung der Ausbildung.

Korruption: Eine am 15.2.1999 in Kraft getretene Konvention sieht u. a. das Verbot des steuerlichen Abzugs von Bestechungsgeldern und die Bestechung selbst als Strafdelikt vor.

OIC

▶ **Name:** Organization of the Islamic Conference (engl.: Organisation der Islamischen Konferenz) ▶ **Sitz:** Dschidda/Saudi-Arabien ▶ **Gründung:** 1971 ▶ **Mitglieder:** 56 Staaten mit islamischen Bevölkerungsanteilen ▶ **Generalsekretär:** Azeddin Laraki/Marokko (seit 1997) ▶ **Funktion:** Zusammenarbeit der Mitgliedsstaaten auf den Gebieten Wirtschaft, Soziales, Kultur und Wissenschaft; Schutz der heiligen Stätten des Islam ▶ **http://www.sesrtcic.org/oicgenhp.htm**

OPEC

▶ **Name:** Organization of Petroleum Exporting Countries (engl.: Organisation Erdöl exportierender Länder) ▶ **Sitz:** Wien/Österreich ▶ **Gründung:** 1960 ▶ **Mitglieder:** 11 Staaten ▶ **Generalsekretär:** Rilwanu Lukman/Nigeria (seit 1995) ▶ **Funktion:** Kartell zur Koordinierung der Erdölpolitik ▶ **http://www.opec.org**

Nachdem die OPEC auf ihrem Gipfeltreffen im März 1999 die Drosselung der Ölproduktion um täglich 2 Mio Barrel (1 Barrel=159 l) angekündigt hatte, stiegen die Preise teilweise um fast 40% im Vergleich zum Dezember 1998. Auch die größten Erdöl fördernden Nicht-OPEC-Staaten unterstützten die Aktion. Das größte OPEC-Land Saudi-Arabien hatte angekündigt, seine Fördermenge unter 8 Mio Barrel/Tag zu senken, ein Wert, der seit der Golfkrise von 1990/91 nicht mehr unterschritten wurde. Die leichte Erholung der wirtschaftlichen Situation in Südostasien beeinflusste durch die erhöhte Nachfrage den Aufwärtstrend des Ölpreises.

▶ **Energie** → Erdöl

OSZE

▶ **Name:** Organisation für Sicherheit und Zusammenarbeit in Europa ▶ **Sitz:** Wien ▶ **Gründung:** 1975 (unter dem Namen Konferenz für Sicherheit und Zusammenarbeit in Europa; KSZE) ▶ **Vorsitz:** jährlicher Wechsel, Norwegen (1999); Österreich (2000) ▶ **Mitglieder:** 55 Staaten ▶ **Generalsekretär:** Giancarlo Aragona/Italien (seit 1996) ▶ **Funktion:** Organisation für Sicherheitspolitik, militärische Vertrauensbildung, Konfliktverhütung, Krisenmanagement, Durchsetzung von Menschen- und Bürgerrechten sowie wirtschaftliche, technische und ökologische Kooperation ▶ **http://www.osce.org**

Sicherheitscharta: Die Stellung der OSZE im Verhältnis zu NATO, WEU, EU und UNO war außer dem Konflikt auf dem Balkan Hauptthema auf der jährlichen Ratstagung im Dezember 1998 in Oslo. Die USA und Großbritannien betonten die starke Position der von den USA dominierten NATO auch gegenüber der UNO, Vertreter Russlands bevorzugten den Ausbau der OSZE, um ein Gegengewicht zur von Moskau abgelehnten NATO-Osterweiterung zu schaffen.

Die rot-grüne deutsche Bundesregierung forderte für die OSZE ebenfalls eine aktivere Rolle in der internationalen Sicherheitspolitik. Um friedenssichernde Maßnahmen wie im Kosovo erfüllen zu können, sei eine bessere finanzielle Ausstattung notwendig. Im Haushaltsentwurf des Bundes für 1999 waren für die OSZE mit 56,4 Mio DM 71% mehr Mittel vorgesehen (1998: 33 Mio DM).

Kosovo-Einsatz: Insgesamt 2000 unbewaffnete Beobachter sollten Anfang 1999 die Verwirklichung der UN-Resolutionen zum Kosovo-Konflikt durch die Bundesrepublik Jugoslawien überwachen. Das Scheitern des Einsatzes, der die Rolle der Organisation stärken sollte, verschob jedoch – anders als von vielen OSZE-Mitgliedern geplant – das politische und militärische Gewicht innerhalb Europas zugunsten der NATO.

Rotes Kreuz, Internationales

▶ **Abkürzung:** IRK ▶ **Sitz:** Genf/Schweiz ▶ **Zusammensetzung:** Nationale Rotkreuz- und Halbmondgesellschaften aus 175 Ländern, Internationales Komitee vom Roten Kreuz (IKRK), Föderation der Rotkreuz- und Halbmondgesellschaften ▶ **Gründung:** 1963 (IKRK), 1919 (Föderation) ▶ **Präsident:** Cornelio Sommaruga/Schweiz (Präsident des IKRK 1987–99), Jakob Kellenberger/Schweiz (Präsident des IKRK ab 2000); Astrid Heiberg/Norwegen (Präsidentin der Föderation seit 1997) ▶ **Funktion:** Schutz und Hilfe bei internationalen und innerstaatlichen Konflikten. 1917, 1944 und 1963 erhielt das IKRK den Friedensnobelpreis
▶ **http://www.icrc.org; http://www.ifrc.org**

Haushalt: Die Opfer von bewaffneten Konflikten sollten 1999 mit 660 Mio sfr unterstützt werden. Die Hilfe war für über 40 Länder geplant, davon fast die Hälfte für Programme in Afrika, vor allem in Kongo-Zaïre und den Nachbarländern sowie in Angola, Sierra-Leone, Somalia, im Süden Äthiopiens und in Eritrea. Das IKRK betonten, dass ihre Mitarbeiter bei ihrer Arbeit behindert werden. Durch Missachtung der Grundregeln humanitären Rechts machten die Konfliktparteien Hilfe unmöglich oder gefährdeten sie, sodass 1998 nicht alle vorgesehenen Gelder ausgegeben wurden. **Organisation:** Mit der Wahl eines neuen IKRK-Präsidenten wurde die Diskussion um eine Straffung der Strukturen weitergeführt. Angesichts der wachsenden Konkurrenz anderer Hilfsorganisationen bemühte sich das Rote Kreuz um mehr Transparenz bei der Mittelvergabe, Steigerung des Kostenbewusstseins und systematischere Planung der jeweiligen Hilfsoperationen.

Städtetag, Deutscher

▶ **Sitz:** Köln ▶ **Gründung:** 1905 (Neugründung 1945) ▶ **Mitglieder:** 6000 Mitgliedstädte (davon 262 unmittelbare Mitgliedstädte) mit über 51 Mio Einwohnern und Einwohnerinnen ▶ **Präsident:** Hajo Hoffmann, Oberbürgermeister von Saarbrücken ▶ **Funktion:** Vertretung der Interessen der kreisfreien und kreisangehörigen Städte gegenüber Bund und Bundesländern ▶ **http://www.staedtetag.de**

Auf der 30. Hauptversammlung im Mai 1999 in Saarbrücken wurde für das laufende Jahr das Defizit der Städte auf 3,7 Mrd DM

geschätzt, davon 1,7 Mrd DM in Ostdeutschland. Bei der Haupteinnahmequelle der Kommunen, der Gewerbesteuer, erwarteten die Finanzexperten des S. einen Rückgang von 2,8% im Westen (Osten: +3%). Bei der von der rot-grünen Bundesregierung durchgesetzten Anhebung des Kindergeldes von 220 auf 250 DM würden die Städte mit 6 Mrd DM massiv in die Mitfinanzierung einbezogen, obgleich es keine kommunale Aufgabe sei.

■ **Steuern und Finanzen** → Gemeindefinanzen

UNCTAD

▶ **Name:** United Nations Conference on Trade and Development (engl.: Handels- und Entwicklungskonferenz der Vereinten Nationen) ▶ **Sitz:** Genf/Schweiz ▶ **Gründung:** 1964 ▶ **Mitglieder:** 188 Staaten ▶ **Generalsekretär:** Rubens Ricupero/Brasilien (seit 1995) ▶ **Funktion:** Unterorganisation der UNO zur Förderung des internationalen Handels vor allem mit den Entwicklungsländern
▶ **http://www.unctad.org**

UNDP

▶ **Name:** United Nations Development Programme (engl.: Entwicklungsprogramm der Vereinten Nationen) ▶ **Sitz:** New York/USA ▶ **Gründung:** 1965 ▶ **Mitglieder:** 174 Staaten ▶ **Direktor:** James Gustave Speth/USA (seit 1993) ▶ **Funktion:** Unterorganisation der UNO zur Finanzierung und Koordination der technischen Hilfe für die Entwicklungsländer ▶ **http://www.undp.org**

UNEP

▶ **Name:** United Nations Environment Programme (engl.: Umweltprogramm der Vereinten Nationen) ▶ **Sitz:** Nairobi/Kenia ▶ **Gründung:** 1972 ▶ **Mitglieder:** alle UNO-Staaten ▶ **Exekutivdirektor:** Klaus Töpfer/Deutschland (seit 1998) ▶ **Funktion:** Unterorganisation der UNO zur Koordination von Umweltschutzmaßnahmen und zur Beratung der Regierungen in den Entwicklungsländern
▶ **http://www.unep.org**

UNESCO

▶ **Name:** United Nations Educational, Scientific and Cultural Organization (engl.: Organisation der Vereinten Nationen für Erziehung, Wissenschaft und Kultur) ▶ **Sitz:** Paris/Frankreich ▶ **Gründung:** 1945 ▶ **Mitglieder:** 186 Staaten ▶ **Generaldirektor:** Federico Mayor/Spanien (seit 1987) ▶ **Funktion:** Sonderorganisation der UNO zur Förderung der Bildung und Kultur sowie der internationalen Kooperation bei Erziehung, Wissenschaft und Information ▶ **http://www.unesco.org**

UNFPA

▶ **Name:** United Nations Fund for Population Activities (engl.: Bevölkerungsfonds der Vereinten Nationen) ▶ **Sitz:** New York/USA ▶ **Gründung:** 1966 als United Nations Trust Fund for Population Activities ▶ **Exekutivdirektorin:** Nafis Sadik/Pakistan (seit 1987) ▶ **Funktion:** Unterorganisation der UNO zur Förderung von Familienplanung und Aufklärung über Zusammenhänge von Bevölkerungs- und Wirtschaftsentwicklung ▶ **http://www.unfpa.org**

UNHCR

▶ **Name:** United Nations High Commissioner of Refugees (engl.: Hoher Flüchtlingskommissar der Vereinten Nationen) ▶ **Sitz:** Genf/Schweiz ▶ **Gründung:** 1950 ▶ **Mitglieder:** 140 Staaten ▶ **Hochkommissarin:** Sadako Ogata/Japan (seit 1991) ▶ **Funktion:** Unterorganisation der UNO zur Hilfe für rassistisch, religiös oder politisch verfolgter Flüchtlinge und Vertriebene. 1954 und 1981 erhielt der UNHCR den Friedensnobelpreis ▶ **http://www.unhcr.org; http://www.unhcr.ch; http://www.unhcr.de**

Das UN-Flüchtlingskommissariat forderte am 30.4.1999 die Mitgliedstaaten der EU zu einer fairen Asylpolitik auf. Anlass war die bevorstehende Inkraftsetzung des Amsterdamer Vertrages (1.5.1999), der die EU-Asylgesetzgebung zur Gemeinschaftsaufgabe macht. Der UNHCR hatte mehrfach auf Praktiken in Europa hingewiesen, nicht mehr zwischen Asylsuchenden u. a. Migranten zu unterscheiden. Aus Sicht von UNHCR haben die Regierungen auf Kontroll- und Abschreckungsmaßnahmen zurückgegriffen, um Einwanderer davon abzuhalten, in EU-Staaten zu kommen. Viele Asylsuchende seien nicht nur vor individuell ausgerichteter politischer Verfolgung geflohen, sondern auch vor innerstaatlichen Konflikten und Bürgerkriegen. Der UNHCR setzte sich dafür ein, dass alle Personen, die internationalen Schutz benötigen, Zugang zu einem individuellen Asylverfahren erhalten.

EU →Amsterdamer Vertrag

UNICEF

▶ **Name:** United Nations International Childrens' Fund (engl.: Internationales Kinderhilfswerk der Vereinten Nationen) ▶ **Sitz:** New York/USA ▶ **Gründung:** 1946 ▶ **Exekutivdirektorin:** Carol Bellamy/ USA (seit 1995) ▶ **Funktion:** Unterorganisation der UNO zur weltweiten Versorgung von Kindern und Müttern mit Nahrungsmitteln, Kleidern, Medikamenten und medizinischer Hilfe
▶ **http://www.unicef.org**

UNIDO

▶ **Name:** United Nations Industrial Development Organization (engl.: Organisation der Vereinten Nationen für industrielle Entwicklung) ▶ **Sitz:** Wien/ Österreich ▶ **Gründung:** 1966 ▶ **Mitglieder:** 168 Staaten ▶ **Generaldirektor:** Carlos Alfredo Magariños/Argentinien (seit 1997) ▶ **Funktion:** Sonderorganisation der UNO zur Förderung der industriellen Entwicklung vor allem in den Entwicklungsländern ▶ **http://www.unido.org**

UNO

▶ **Name:** United Nations Organization (engl.: Organisation der Vereinten Nationen) ▶ **Sitz:** New York/USA ▶ **Gründung:** 1945 ▶ **Mitglieder:** 185 Staaten ▶ **Generalsekretär:** Kofi A. Annan/Ghana (seit 1997) ▶ **Funktion:** Staatszusammenschluss zur Sicherung des Weltfriedens und zur Förderung der wirtschaftlichen und sozialen Entwicklung der ärmeren Länder sowie der internationalen Zusammenarbeit ▶ **http://www.un.org; http://www.uno.de**

Finanzen: Die UNO finanziert sich aus den Beiträgen ihrer Mitglieder und für bestimmte Programme der UN-Organisationen durch freiwillige Zahlungen auch von Nichtmitgliedern. Der Beitrag jedes Mitgliedstaates wird auf der Basis seines Anteils an der Weltwirtschaft und seiner Zahlungsfähigkeit berechnet. Die Leistungen werden für drei Jahre festgelegt (zuletzt für 1998, 1999 und 2000) und betragen 0,001–25% vom Haushalt der UNO (1998: ca. 2,6 Mrd US-Dollar).
Die USA als größter Beitragszahler (25%) sind zugleich der größte Schuldner der UNO. Im Oktober 1998 verweigerte US-Präsident Bill Clinton die Zustimmung zu einer Vorlage im Kongress, mit der Zahlungsrückstände von rund 1 Mrd US-Dollar beglichen werden sollten. Die republikanische Mehrheit hatte in den Passus die sachfremde Auflage hinzugefügt, dass mit dem Geld keine internationale Familienplanungsorganisation unterstützt werden dürften, die Abtreibungen unterstützen. Die USA zahlten an die UNO nur ein Minimum ihrer Verpflichtungen, um ihr Stimmrecht nicht zu verlieren.
Sicherheitsrat: Die seit Jahren diskutierte Erweiterung des UNO-Sicherheitsrats, der aus fünf ständigen Vertretern (China, Frankreich, Großbritannien, Russland, USA) und zehn weiteren Mitgliedern besteht, von denen jeweils fünf alle zwei Jahre ausgewechselt werden, wurde auf der Vollver-

UNO: Die größten Beitragszahler

		Beitragsanteil (%)	Zahlungen 1998 (Mio US-Dollar)
USA	🇺🇸	25,0[1]	297,7[2]
Japan	●	17,9	189,1
Deutschland	🇩🇪	9,6	101,3
Frankreich	🇫🇷	6,5	· 68,3
Italien	🇮🇹	5,4	56,7
Großbritannien	🇬🇧	5,1	53,4
Russland		2,9	30,2
Kanada	🇨🇦	2,8	28,7
Spanien		2,6	27,0
Niederlande		1,6	17,0
Brasilien		1,5	15,9
Australien		1,5	15,5
Schweden		1,1	11,6
Belgien		1,1	11,5
übrige Mitglieder		15,4	161,6

1) Beitragsanteil (%), Zahlen gerundet; 2) Zahlungen 1998 (Mio US-Dollar); Quelle: UNO

sammlung im Herbst 1998 erneut vertagt. Deutschland und Japan galten als Kandidaten für einen ständigen Sitz, der mit dem Vetorecht verbunden ist. Die Vollversammlung beschloss, dass eine Veränderung des Sicherheitsrats nur mit Zweidrittelmehrheit der 185 Mitgliedsstaaten möglich ist. Argentinien, Kanada, die Niederlande, Malaysia und Namibia wurden für 1999 und 2000 an die Stelle von Costa Rica, Japan, Kenia, Portugal und Schweden in den Sicherheitsrat gewählt. **Kosovo-Konflikt:** Die Balkankrise und das militärische Eingreifen der NATO in Serbien ohne vorheriges UNO-Mandat im Frühjahr 1999 bedeuteten für die Vereinten Nationen einen erheblichen Ansehensverlust im Hinblick auf ihren Anspruch als Organisation zur internationalen Friedenssicherung.

UNPO

▶ **Name:** Unrepresented Nations' and Peoples' Organization (engl.: Organisation nichtrepräsentierter Nationen und Völker) ▶ **Sitz:** Den Haag/Niederlande ▶ **Gründung:** 1991 ▶ **Mitglieder:** 52 Nationen und Völker ▶ **Generalsekretär:** Michel van Walt van Prag/Niederlande (seit 1991) ▶ **Funktion:** Interessenvertretung von Nationen und Völkern, die in der UNO nicht oder unzureichend vertreten sind
▶ **http://www.unpo.org**

UPU

▶ **Name:** Universal Post Union (engl.: Weltpostverein) ▶ **Sitz:** Bern/Schweiz ▶ **Gründung:** 1874 (Neugründung 1948) ▶ **Mitglieder:** 189 Staaten ▶ **Generaldirektor:** Thomas W. Leavy/USA (seit 1995) ▶ **Funktion:** Sonderorganisation der UNO zur Verbesserung der internationalen Postdienste
▶ **http://www.upu.int**

Weltbank

▶ **Name:** engl.: International Bank for Reconstruction and Development, IBRD; Internationale Bank für Wiederaufbau und Entwicklung ▶ **Sitz:** Washington/USA ▶ **Gründung:** 1944 ▶ **Mitglieder:** 181 Staaten ▶ **Präsident:** James Wolfensohn/USA (seit 1995) ▶ **Funktion:** Sonderorganisation der UNO zur Förderung der wirtschaftlichen Entwicklung in den Mitgliedsländern ▶ **http://www.worldbank.org**

Im April 1999 veröffentlichte die Weltbank die Welt-Entwicklungs-Indikatoren 1999: Durch zurückgehendes Wachstum in Asien und Lateinamerika sowie instabile Volkswirtschaften in den Staaten der früheren UdSSR sei es schwieriger geworden, die Ziele der Entwicklungspolitik (0,7% des BIP pro Land für Entwicklungshilfe) zu erreichen. 1991–97 wuchsen die Volkswirtschaften der Entwicklungsländer im Schnitt um 5,3%, seitdem sei die Tendenz rückläufig. Die Zahl der Armen werde sich 1999 auf 1,5 Mrd erhöhen. In Osteuropa und den Staaten der früheren Sowjetunion hätten 1989 rund 14 Mio Bürger unterhalb der Armutsgrenze (4 US-Dollar/Tag) gelebt; bis Mitte der 90er Jahre habe sich die Zahl auf 147 Mio verzehnfacht.
Als positive Entwicklungen sei der Lebensstandard seit den 70er Jahren stark gestiegen. China und Indien, die zusammen 38% der Weltbevölkerung stellen, seien von der Krise in Asien kaum oder nur am Rande berührt worden. Der Welthandel wachse trotz zunehmenden Protektionismus.

   Entwicklungspolitik → Armut
→ Entwicklungsländer
   Weltwirtschaft → Asienkrise → Welthandel
→ Weltkonjunktur

WEU

▶ **Name:** Westeuropäische Union ▶ **Sitz:** Brüssel/Belgien ▶ **Gründung:** 1954 ▶ **Mitglieder:** 10 EU-Staaten, 6 assoziierte Mitglieder, 5 Beobachter, 7 assoziierte Partner ▶ **Generalsekretär:** José Cutileiro/Portugal (seit 1994) ▶ **Funktion:** Beistandspakt (militärischer Schutz durch die NATO),

europäische Integration; humanitäre, Friedens-
und Militäreinsätze ▶ **http://www.weu.int**

Nachdem im Mai 1999 beim WEU-Minis-
terrat in Bremen die Übernahme der militärischen Gremien der WEU in die EU angekündigt worden war, legten im Juni 1999
die 15 Staats- und Regierungschefs der
EU-Länder in Köln den Grundstein für eine
europäische Sicherheits- und Verteidigungs-
union. Die WEU soll militärischer Arm der
EU werden, aber die NATO nicht ersetzen.
Zur Verwirklichung der Kölner Beschlüsse
sollen in der EU neue Gremien gebildet
werden, darunter ein ständiger Ausschuss
beim Europäischen Rat, ein EU-Militär-
ausschuss, ein Militärstab und ein Lage-
zentrum.

WFP

▶ **Name:** Word Food Programme ▶ **Sitz:** Rom/Italien
▶ **Gründung:** 1963 ▶ **Exekutivdirektorin:** Catheri-
ne Bertini/USA (seit 1992) ▶ **Funktion:** Unterorganisation der UNO zur Ernährungssicherheit und Nah-
rungsmittelnothilfe ▶ **http://www.wfp.org**

WHO

▶ **Name:** World Health Organization (engl.: Welt-
gesundheitsorganisation) ▶ **Sitz:** Genf/Schweiz
▶ **Gründung:** 1948 ▶ **Mitglieder:** 191 Staaten
▶ **Generaldirektorin:** Gro Harlem Brundtland/
Norwegen (seit 1998) ▶ **Funktion:** Sonderorgani-
sation der UNO zur Bekämpfung von Seuchen und
Epidemien und zur Verbesserung der Gesundheits-
versorgung ▶ **http://www.who.org**

Auf der Jahrestagung der WHO im Mai
1999 in Genf wurden weitere 15 Mio US-
Dollar für die wichtigsten Programme
bereitgestellt. Dazu gehören der Kampf
gegen Malaria, Polio, Tuberkulose, AIDS
und das Rauchen. Der größte Teil der
Finanzmittel fließt in die Staaten der sog.
Dritten Welt.

> **Drogen** → Rauchen
> **Krankheiten** → Aids

WIPO

▶ **Name:** World Intellectual Property Organization
(engl.: Weltorganisation für geistiges Eigentum)
▶ **Sitz:** Genf/Schweiz ▶ **Gründung:** 1967 ▶ **Mitglieder:** 171 Staaten ▶ **Generaldirektor:** Kamil Idris/
Sudan (seit 1997) ▶ **Funktion:** Sonderorganisation
der UNO zur Förderung des gewerblichen Rechts-
schutzes sowie des Urheberrechts
▶ **http://www.wipo.org**

WMO

▶ **Name:** World Meteorological Organization (engl.:
Weltorganisation für Meteorologie) ▶ **Sitz:** Genf/
Schweiz ▶ **Gründung:** 1947 ▶ **Mitglieder:** 185
Staaten ▶ **Generalsekretär:** Godwin Obasi/Nigeria
(seit 1984) ▶ **Funktion:** Sonderorganisation der
UNO zur Kooperation bei der Errichtung von
Stationsnetzen und meteorologischen Messstellen
▶ **http://www.wmo.ch**

WTO

▶ **Name:** World Trade Organization (engl.: Welthandelsorganisation) ▶ **Sitz:** Genf/Schweiz ▶ **Gründung:** 1995 (Nachfolgeorganisation des 1947
gegründeten GATT, Allgemeines Zoll- und Handelsabkommen) ▶ **Mitglieder:** 135 Staaten ▶ **Generaldirektor:** Renato Ruggiero/Italien (seit 1995) ▶
Funktion: Sonderorganisation der UNO zur Förderung und Überwachung des Welthandels
▶ **http://www.wto.org**

Führungskrise: Die vierjährige Amtszeit
von WTO-Generaldirektor Renato Ruggiero
lief Ende April 1999 aus, doch die 135 Mitgliedstaaten konnten sich Anfang Mai nicht
auf einen Nachfolger einigen. Zwei Länder-
gruppen standen einander unversöhnlich gegenüber: 62 Staaten unter Führung der USA
(Deutschland) bevorzugten den ehemaligen
neuseeländischen Ministerpräsidenten Mike
Moore. 59 Länder, vor allem ostasiatische
Schwellenländer sowie Japan, unterstützten
den stellv. Ministerpräsidenten von Thailand,
Supachai Panitchpakdi. Der ehemalige Gewerkschafter Moore hatte sich in Augen der
USA und anderer Industrieländer für den
Posten qualifiziert, weil er in Neuseeland
eine drastische wirtschaftliche Deregulie-
rung durchgesetzt hatte. Seine Ziele als
WTO-Chef sind mehr Transparenz und Sen-
siblität gegenüber sozialen und ökologischen
Anliegen. Die asiatischen Schwellenländer
verurteilten jedoch Umwelt- und Sozialstan-
dards als Mittel der Industrieländer, ihnen
den Zugang zum Weltmarkt zu erschweren.
Entscheidungen: Durch die Führungskrise wurden wichtige Entscheidungen der
WTO wie die Aufnahme Chinas und eine
Lösung des Handelskonflikts zwischen der
EU und den USA um hormonbehandeltes
Rindfleisch verzögert. Ein Beitritt Chinas
war erst möglich geworden, nachdem sich
die US-Regierung trotz Bedenken gegen
Chinas Menschenrechtspolitik dafür eingesetzt hatten. Dabei stand auch die wichtige
Rolle Chinas bei den Verhandlungen über
den Kosovo-Konflikt im Mittelpunkt.

Personen

Der Personenteil verzeichnet Kurzbiographien von Personen aus Politik, Wirtschaft, Kultur, Wissenschaft, Gesellschaft und Sport, die im Berichtszeitraum von August 1998 bis Juli 1999 im Blickpunkt standen, u. a.:

– deutsche Bundesminister
– EU-Ministerpräsidenten
– neu gewählte oder ernannte Staats- und Regierungschefs
– Nobelpreisträger.

Hinzu kommen Empfänger wichtiger Kulturpreise und Personen von allgemeinem öffentlichen Interesse. Dem jeweiligen Namen folgen Nationalität, Funktion oder Berufsbezeichnung, Geburtsdatum und Geburtsort. Anschließend werden die herausragenden Aufgaben und Leistungen der Personen im Berichtszeitraum dargestellt. Bei zahlreichen Artikeln sind im ergänzenden Datenblock die wichtigsten biographischen Stationen nachgezeichnet.

König Abdullah

Abdullah

König von Jordanien (seit 1999), *30.1.1962 Amman

Der 37-jährige A. wurde erst kurz vor dem Tod seines Vaters Hussein II. im Februar 1999 zum Nachfolger auf dem Haschemiten-Thron ernannt. Bereits mit vier Jahren kam er auf die private St. Edmunds School in Surrey; später studierte er in Oxford Arabisch und Politik. Im Rahmen einer militärischen Karriere wurde A. an der britischen Militärakademie Sandhurst ausgebildet. Der haschemitische Thronfolger fühlt sich wie sein Vater dem Ausgleich zwischen Israelis und Arabern verpflichtet.

Ahern, Bertie

Irischer Politiker, *12.9.1951 Dublin
Ministerpräsident (seit 1997)

A. wurde 1997 mit 46 Jahren jüngster Regierungschef in der Geschichte Irlands. Er führt ein Parteienbündnis aus Fianna Fáil (FF) und Progressiven Demokraten (PD). Politisches Hauptziel ist die Schaffung des Friedens in der britischen Provinz Nordirland. Am 1998 erzielten Nordirland-Abkommen über eine Teilautonomie trug A. mit seinem britischen Amtskollegen Tony Blair maßgeblich bei. A. ist zuzuschreiben, dass die Wähler in der Republik Irland 1998 mit klarer Mehrheit (94,4%) einem Verzicht auf Territorialansprüche zustimmten.

☐ 1977 Parlamentsmitgl. ☐ 1986–91 Bürgermeister von Dublin ☐ 1991–94 Finanzminister ☐ seit 1994 Vorsitzender der Finna Fáil ☐ seit 1997 Ministerpräs.

Madeleine Albright

Ahtisaari, Martti

Finnischer Politiker, *23.6.1937 Wyborg,
Staatspräsident Finnlands (seit 1994)

Im Juni 1999 gelang es A. mit dem russischen Kosovo-Beauftragten Viktor Tschernomyrdin, den jugoslawischen Staatschef Slobodan Milosevic zur Unterzeichnung des G-8-Friedensplans zu bewegen. Milosevic akzeptierte u. a. den Abzug der serbischen Truppen, weitgehende Autonomie des Kosovo im jugoslawischen Staatenbund sowie die Stationierung einer internationalen Schutztruppe mit Nato-Beteiligung. A. war bereits 1992 als Vorsitzender der Arbeitsgruppe Bosnien-Herzegowina zu Gesprächen mit Milosevic in Belgrad.

☐ 1959–63 Privatdozent am schwedisch-pakistanischen Institut in Karatschi ☐ 1971–90 UN-Kommissar für Namibia ☐ seit 1994 Staatspräsident.

Albright, Madeleine

US-amerikanische Politikerin, *15.5.1937 Prag,
US-Außenministerin (seit 1997)

Die Tochter eines tschechischen Diplomaten, studierte Politik-, Staats- und Rechtswissenschaftlerin, befürwortete den Militärschlag der NATO gegen Serbien im März 1999. Sie stand damit im Gegensatz zur UNO, den Nato-Angriff grundsätzlich verurteilte und während des rund zehnwöchigen Krieges die Wiederaufnahme der Verhandlungen forderte. In den 70er Jahren trat A. in den Stab des demokratischen Senators Edmund Muskie. Als außenpolitische Beraterin der Präsidentschaftskandidaten Walter Mondale und Michael Dukakis machte sie sich in der US-Öffentlichkeit einen Namen. Nach dem Wahlsieg von Bill Clinton 1992 wurde A. Botschafterin bei der UNO, 1997 Nachfolgerin Warren Christophers im US-Außenministerium.

Annan, Kofi

Ghanaischer Diplomat, *8.4.1938 Kumasi,
UNO-Generalsekretär (seit 1997)

Der studierte Ökonom A. arbeitet mit kurzen Unterbrechungen (1974–76) seit 1962 im Dienst der UNO. Bevor er 1993 zum Untergeneralsekretär ernannt wurde, bekleidete er Diplomatenposten in Genf, Afrika und New York. 1995–96 war er Sonderbeauftragter für Jugoslawien und UN-Gesandter bei der Nato. Den Einsatz von Nato-Truppen in Serbien im Frühjahr 1999 hielt A. ohne UN-Mandat für nicht berechtigt. Im Kaschmir-Konflikt Mitte 1999 lehnte Indien eine Vermittlung von A. ab, der vom pakistanischen Ministerpräsidenten Nawaz Sharif um Hilfe gebeten worden war.

☐ ab 1962 Dienst für die UN ☐ 1974–76 Leiter der Gesellschaft zur Entwicklung des Fremdenverkehrs in Ghana ☐ 1993–95 Untergeneralsekretär für Friedenssicherung ☐ 1995–96 Sonderbeauftrager für Jugoslawien ☐ seit 1997 UN-Generalsekretär.
http://www.un.org

Arafat, Jasir

Palästinensischer Politiker, *24.8.1927 Kairo, Vorsitzender des Palästinensischen Autonomierats und der Palästinensischen Autonomiebehörde (seit 1996)

A. sah sein Ziel, einen unabhängigen Palästinenserstaat zu errichten, nach der Wahl Ehud Baraks zum neuen israelischen Ministerpräsidenten im Mai 1999 in greifbare Nähe gerückt. Der Mitbegründer der Palästinenserbewegung Al Fatah (1959) wurde 1994 mit dem damaligen Ministerpräsidenten Yitzak Rabin und dem israelischen Außenminister Shimon Peres mit dem Friedensnobelpreis geehrt. Mit Rabin unterzeichnete er das Autonomieabkommen für das Westjordanland, das eine begrenzte Selbstverwaltung für einen Teil der 1967 von Israel besetzten Gebiete besiegelte.

☐1951–55 Elektrotechnik-Studium in Kairo ☐ 1951 Gründung der General Union of Palestine Students (GUPS) ☐ 1956 Reserveoffizier in der äpyptischen Armee ☐ 1957–65 Bauingenieur in Kuwait ☐ 1959 Mitbegründer der Al Fatah ☐ seit 1969 Vorsitzender des Exekutivkomitees der Palästinensischen Befreiungsorganisation (PLO) ☐ seit 1989 Präsident des »Unabhängigen Staates Palästina« ☐ seit 1996 Vorsitzender des Palästinensischen Autonomierats und der Palästinensischen Autonomiebehörde.

Aznar, José Maria

Spanischer Politiker, *25.2.1953 Madrid, Ministerpräsident (seit 1996)

Der Jurist führt seit 1996 eine konservative Minderheitsregierung, unterstützt von den Nationalisten aus Katalonien, dem Baskenland und von den Kanarischen Inseln. Als Vorsitzender versucht A., die Volkspartei (PP) zum politischen Zentrum zu führen.

Seine rigorosen Sparmaßnahmen (vor allem im Sozialbereich) zur Sanierung des Staatshaushalts wurden von Gewerkschaften und Sozialisten heftig kritisiert, da sie insbes. auf Kosten sozial schwacher Bevölkerungskreise gingen.

☐ seit 1979 Mitglied der Volkspartei (PP) ☐ 1987–89 Regierungschef von Kastilien-Leon ☐ seit 1989 Vorsitzender der PP ☐ seit 1996 Ministerpräsident

Kofi Annan

Bachler, Klaus

Österreichischer Schauspieler und Intendant, *29.3.1951 Judenburg/Steiermark, Direktor des Wiener Burgtheaters (ab 1.9.1999)

Mit Beginn der Spielzeit 1999/2000 übernimmt B. von Claus Peymann (Wechsel nach Berlin) als Intendant der »Burg«. Der bisherige Chef der Wiener Volksoper gilt in seinem Fach als Pragmatiker. Er studierte Schauspiel am Max-Reinhardt-Seminar und hatte danach Engagements an Bühnen in Göttingen, Hamburg und Berlin. Ab 1987 war er künstlerischer Betriebsdirektor der Berliner Staatlichen Schauspielbühnen. 1991 wurde er Intendant der Wiener Festwochen, 1996 übernahm er die Volksoper. Unter seiner Leitung soll die »Burg«, die als renommierteste Bühne Österreichs gilt, eine zeitgemäße Mischung aus klassischem Theater und Moderne präsentieren.

Barak, Ehud

Israelischer Politiker, *12.2.1942 Kibbuz Mischmar Hascharon bei Netanja, Premierminister (seit 1999)

Mit 55,9% der Stimmen wurde der ehemalige Generalstabschef und Sozialdemokrat B. (Mitte-Links-Bündnis) im Mai 1999 zum neuen Premier gewählt. Er löste den seit 1996 amtierenden Benjamin Netanjahu ab. B. steht in Israel für die Fortführung der Politik seines 1995 ermordeten Parteifreundes Yitzhak Rabin im Nahost-Friedensprozess und befürwortet den Aufbau eines Palästinenserstaates. Zu seinen innenpolitischen Zielen gehört die Wiederherstellung der sozialen Gerechtigkeit und die Abgrenzung zu den orthodoxen Juden.

Ehud Barak

☐ Nach Studium u. a. der Physik und Mathematik militärische Karriere, Beteiligung an Kommandoaktionen (Sechstagekrieg 1967, Jom-Kippur-Krieg 1973) ☐ 1982 stellv. Kommandeur der israelischen Streitkräfte ☐ 1991–95 Leiter des Generalstabs ☐ 1995 Innenminister ☐ 1995–96 Außenminister ☐ seit Juni 1999 Ministerpräsident.

Roberto Benigni

Benigni, Roberto

Italienischer Schauspieler und Drehbuchautor,
*27.10.1952 Misericordia bei Arezzo

Als bester Hauptdarsteller in »La vita è
bella« (Das Leben ist schön) wurde der italienische Komiker mit dem Oscar 1999 geehrt. B. ist gleichzeitig Autor dieser Holo-
caust-Tragikomödie, die auch den Oscar für
den besten ausländischen Film und den
Europäischen Filmpreis erhielt. Der aus
ärmlichen Verhältnissen stammende B. begann seine Karriere Anfang der 70er Jahre
in Rom. Mit Ein-Mann-Auftritten als Cioni
Mario, einer von ihm selbst geschaffenen
grotesk-komischen Bühnenfigur, sorgte er
für Furore. Den internationalen Durchbruch
erlangte er 1986 in dem US-Film »Down by
Law« von Jim Jarmusch.

Bergmann, Christine

Deutsche Politikerin (SPD), *7.9.1939 Dresden,
Bundesministerin für Familie, Senioren, Frauen
und Jugend (seit 1998)

Neben Staatsminister Rolf Schwanitz ist B.
die einzige Vertreterin der Ostdeutschen in
der rot-grünen Bundesregierung. Ab 1991
war sie Bürgermeisterin und Senatorin für
Arbeit und Frauen in Berlin. Die studierte
Pharmazeutin trat 1989 nach der politischen
Wende in der DDR in die Ost-SPD ein und
kam im Mai 1990 in die erste frei gewählte
Ostberliner Stadtverordnetenversammlung.
☐ 1957–63 Pharmaziestudium ☐ 1963–67 Apothe-
kerin ☐ 1967–77 freiberufliche Arbeit am Institut für
Arzneimittelwesen in Berlin ☐ ab 1978 Abteilungs-
leiterin ☐ 1989 Eintritt in die SPD, stellv. Landesvorsitzende der Berliner SPD ☐ 1990–91 Präsidentin
der Stadtverordnetenversammlung von Berlin ☐
1991–95 Familiensenatorin ☐ seit 1995 Mitglied
des SPD-Parteivorstandes und -präsidiums.
www.bundesregierung.de

Bisky, Lothar

Deutscher Politiker (PDS), *17.8.1941 Zollbrück,
Vorsitzender der PDS (seit 1998)

Mit 5,1% der Wählerstimmen erhielt die PDS
bei den Bundestagswahlen im September
1998 36 Mandate und erstmals Fraktionsstatus. B. sicherte der rot-grünen Regierung
zwar Unterstützung in wichtigen Abstim-
mungsfragen (z.B. Steuerreform) zu, wandte sich aber gegen eine Beschneidung des
Sozialstaates. Auf Landesebene (Mecklen-

burg-Vorpommern, Sachsen-Anhalt) gab es
Mitte 1999 bereits Regierungskoalitionen
zwischen SPD und PDS. Mit Fraktionschef
Gregor Gysi will B. auch die Wählerschaft
im Westen für die PDS mobilisieren.
☐ 1962–66 Studium der Philosophie und der Kulturwissenschaften ☐ 1966–67 Assistent an der Karl-
Marx-Universität ☐ 1967–80 Wissenschaftlicher
Mitarbeiter, Abteilungsleiter Zentralinstitut für Ju-
gendforschung ☐ 1969 Promotion ☐ 1979 Hono-
rarprofessor ☐ 1980–86 Dozent an der Akademie
für Gesellschaftswissenschaften ☐ 1986–90 Rektor
der Hochschule für Film und Fernsehen.

Blair, Anthony (Tony)

Britischer Politiker, *6.5.1953 Edinburgh,
Premierminister (seit 1997)

B. gilt als Befürworter Europas und plant
für 2002 die Einführung des Euros in Großbritannien. Im Mai 1999 erhielt er für seine
Mithilfe beim 1998 geschlossenen Nord-
irland-Friedensabkommen den Internationalen Karlspreis der Stadt Aachen. Im Krieg
gegen Serbien (März–Juni 1999) vertrat B.
von Beginn an einen harten Kurs gegen den
jugoslawischen Präsidenten Slobodan Milosevic. Im Juni 1999 stellte B. mit Bundeskanzler Gerhard Schröder ein Papier zur
Modernisierung sozialdemokratischer Politik vor. Kernpunkte sind Kürzung öffentlicher Ausgabe, ein leistungsförderndes
Steuersystem sowie die Stärkung der Inve-
stitionskraft von Unternehmen.
☐ 1975 Eintritt in die Labour Party ☐ 1983 Wahl ins
Unterhaus ☐ 1992 Mitglied im Schattenkabinett
von John Smith (Arbeit, Inneres) ☐ seit 1994 La-
bour-Vorsitzender ☐ seit 1997 Premierminister.

Breuer, Rolf Ernst

Deutscher Banker, *3.11.1937 Bonn, Vorstandssprecher der Deutschen Bank (seit Mai 1997)

Durch die Fusion der Deutschen Bank mit
Bankers Trust New York im Juni 1999 entstand das weltgrößte Finanzunternehmen
(Bilanzsumme: 1,3 Billionen DM). Um
weitere Übernahmeprojekte in Angriff nehmen zu können, plante er eine Kapitalerhöhung durch Aktienausgabe im Wert von
6 Mrd DM. B. arbeitet seit 1954 bei der
Deutschen Bank, 1974 wurde er Leiter der
Frankfurter Wertpapierabteilung, 1985 Vorstandsmitglied. Bis 1997 war er für den Bereich Investmentbanking verantwortlich.
www.deutschebank.de

Bulmahn, Edelgard

Deutsche Politikerin (SPD), *4.3.1951 Minden, Bundesministerin für Bildung und Forschung (seit 1998)

Die Studienrätin machte sich als Sprecherin der SPD-Fraktion im Bundestag für Forschungspolitik (ab 1996) mit Themen wie Ausbildungsabgabe und Hochschulrahmengesetz einen Namen. Wegen drastischer Einsparungen im Haushalt 2000 ist ihr bildunspolitischer Spielraum eng gesteckt.

☐ 1969 Eintritt in die SPD, seit 1987 MdB ☐ seit 1993 Mitglied im Parteivorstand ☐ seit 1996 Sprecherin für Bildung und Forschung der SPD-Fraktion ☐ seit 1998 Landesvorsitzende der SPD Niedersachsen ☐ seit 1995 Vorsitzende des Wissenschaftsforums der Sozialdemokratie ☐ seit 1998 Bundesministerin für Bildung und Forschung.
www.bmbf.de; www.bundesregierung.de

Chirac, Jacques

Französischer Politiker, *29.11.1932 Paris, Staatspräsident Frankreichs (seit 1995)

Der konservative Ch. – strikter Befürworter der Europäischen Währungsunion und des Stabilitätspakts – sprach sich im Mai 1999 auf dem deutsch-französischen Gipfel mit Bundeskanzler Gerhard Schröder für die Stärkung auch der militärischen Rolle der EU aus. In der Kohabitation zwischen C. und dem sozialistischen Premier Lionel Jospin bahnten sich 1999 Konflikte an, nachdem Jospin seine Bewerbung um das Amt des Präsidenten (Wahl: 2002) anmeldete.

☐ 1972/73 Landwirtschaftsminister ☐ 1974 Innenminister ☐ 1974–76, 1986–88 Premierminister ☐ 1976–80, 1982–84 Vorsitzender der gaullistischen Sammelbewegung RPR ☐ 1977–95 Bürgermeister von Paris ☐ seit 1995 Staatspräsident.

Ciampi, Carlo Azeglio

Italienischer Politiker, *9.12.1920 Livorno, Staatspräsident Italiens (seit 1999)

Der 78-jährige bisherige Schatzminister in der Regierung Massimo D'Alemas war zuvor 14 Jahre Gouverneur der italienischen Notenbank und in zahlreichen internationalen Bankgremien aktiv. Erst 1993 wechselte der Parteilose in die Politik: Als Übergangspremier war er maßgeblich daran beteiligt, dass Italien die Maastricht-Kriterien für die EU-Währungsunion erfüllte. Unter Regierungschef Romano Prodi wurde er 1996 Doppelminister für Haushalt und wirtschaftliche Rahmenplanung.

Clark, Wesley

US-amerikanischer General, *23.12.1944 Chicago/Illinois, NATO-Oberbefehlshaber (seit 1997)

C. leitete im Frühjahr 1999 den Luftkrieg der NATO gegen Serbien. Bis 1997 war er Oberbefehlshaber der US-Verbände in Mittel- und Südamerika. 1994 gehörte er neben dem Diplomaten Richard Holbrooke zum US-Verhandlungsteam in Bosnien, das den Frieden von Dayton aushandelte.

☐ 1969–70 Offizier in Vietnam ☐ 1971–74 Assistenzprofessor an der Militärakademie Westpoint ☐ 1978–79 Stabsoffizier des NATO-Oberbefehlshabers in Belgien ☐ 1986–91 Truppenkommandos mit Ausbildungsposten am Generalstabscollege Fort Leavenworth ☐ 1991–92 Brigadegeneral ☐ 1994–96 Direktor für Strategieplanung und Politik im Pentagon ☐ seit 1997 NATO-Oberbefehlshaber.

Edelgard Bulmahn

Clinton, Bill

US-amerikanischer Politiker, *19.8.1946 Hope/Arkansas, Präsident der USA (seit 1993)

Mit Beendigung des Kosovo-Krieges im Juni 1999 konnte C. für sich einen bedeutenden außenpolitischen Sieg verbuchen. Nach dem Skandal um seine Liebesaffäre mit der Ex-Praktikantin Monica Lewinsky und dem – erfolglosen – Amtsenthebungsverfahren wegen angeblichen Machtmissbrauch gewann C. innenpolitisch neues Terrain. 1993 war mit C. erstmals nach zwölf Jahren wieder ein Demokrat ins Weiße Haus eingezogen, 1996 wurde er mit großer Mehrheit für eine zweite Amtszeit wiedergewählt.

☐ 1964–68 Studium der internationalen Angelegenheiten in Washington ☐ 1970–74 Jurastudium und Promotion ☐ 1974–76 Assistenzprof. an der Universität Arkansas ☐ 1976–78 Generalstaatsanwalt in Arkansas ☐ 1978–82 Gouverneur von Arkansas ☐ seit 1993 Präsident der USA.

Carlo Azeglio Ciampi

Däubler-Gmelin, Herta

Deutsche Politikerin (SPD), *12.8.1943 Preßburg, Bundesministerin der Justiz (seit 1998)

Als Bundesministerin will D. neue Strafformen für jugendliche Kriminelle durchsetzen. Nach dem Studium der Rechtswissenschaft und Volkswirtschaft arbeitete D. als Rechtsanwältin. Sie ist in zahlreichen Vereinigungen Mitglied, u. a. in der Kammer für Sozialordnung der EKD und der World Women Parliamentarians for Peace.

☐ seit 1965 Mitglied der SPD ☐ seit 1972 MdB ☐ 1980–83 Vorsitzende des Rechtsausschusses

Herta Däubler-Gmelin

Massimo D'Alema

Jürgen Dormann

Milo Djukanovic

☐ 1988–97 stellv. Bundesvorsitzende ☐ 1983–93 stellv. Vorsitzende der SPD-Fraktion ☐ seit 1998 Bundesjustizministerin
http://www.bmj.bund.de
http://www.bundesregierung.de

D'Alema, Massimo

Italienischer Politiker, *20.4.1949 Rom, Ministerpräsident (seit Oktober 1998)

Mit D'A. übernahm erstmals in der italienischen Geschichte ein Funktionär der ehemaligen Kommunistischen Partei die Leitung der Regierung. Als eine der wichtigsten Aufgaben sieht er die Einführung der 35-Stunden-Woche, die seit Jahren geplante Verfassungsreform sowie die Schaffung eines neuen Wahlrechts, das für klare Mehrheiten im Parlament sorgt. Der frühere Chefredakteur des KP-Blattes »Unità« wurde 1994 Vorsitzender der KPI-Nachfolgerin PDS, nachdem er 1991 für die Konversion der Kommunisten in Linksdemokraten eingetreten war.

Dehaene, Jean-Luc

Belgischer Politiker, *7.8.1940 Montpellier (Frankreich)

Nach der Niederlage seiner Christdemokraten und der mit ihnen koalierenden Sozialisten bei der Parlamentswahl im Juni 1999 trat D. zurück. Als Grund für die Wahlniederlage galt u.a. die Affäre um dioxinverseuchte Lebensmittel in Belgien. Bereits 1998 hatte D. wegen undurchsichtiger Ermittlungsarbeit der belgischen Behörden im Kindermordfall Dutroux nur mit Mühe ein Misstrauensvotum des Parlaments gegen seine Regierung abwehren können.

Djukanovic, Milo

Jugoslawischer Politiker, *15.2.1962 Nikic, Republikpräsident von Montenegro (seit 1998)

Der Präsident der jugoslawischen Teilrepublik Montenegro versucht, einen gegen das Belgrader Regime von Slobodan Milosevic gerichteten Kurs zu steuern. Dazu gehört die verstärkte Anbindung Montenegros an die EU. D. bekennt sich zum Fortbestand der Bundesrepublik Jugoslawien und zum Daytoner Friedensabkommen (Teilung Bosnien-Herzegowinas). Nach dem Studium der Wirtschaftswissenschaften trat D. dem kommunistischen BdKJ bei und stieg zum ZK-Mitglied (1986–89) auf. Nach dem Zerfall Jugoslawiens trat er der Demokratischen Partei der Sozialisten (DPS) bei. Als Ministerpräsident Montenegros (1991–98) erreichte er die Absetzung des Milosevic-treuen Bulatovic als Vorsitzenden der DPS.

Dormann, Jürgen

Deutscher Industriemanager, *12.1.1940 Heidelberg, Vorstandsvorsitzender der Hoechst AG (seit 1994)

Der 1995 zum Manager des Jahres gewählte D. ist seit 1965 im Hoechst-Konzern tätig und setzte bedeutende personelle und organisatorische Veränderungen durch. Dazu gehört u.a. die Verlagerung von Entscheidungskompetenzen auf einzelne Geschäftsbereiche. Seit 1995 konzentriert sich der Vorstand im Stile einer Managment-Holding auf die eigentliche Konzernführung. Durch Fusion mit dem französischen Unternehmen Rhône-Poulenc zum Aventis-Konzern im November 1999 entsteht der weltgrößte Pharmakonzern.

☐ 1965–75 Im Verkauf der Hoechst AG ☐ 1980 Leiter der Zentralen Direktionsabteilung ☐ 1984 Vorstandsmitgl. ☐ seit 1994 Vorstandsvorsitz.

Draskovic, Vuk

Serbischer Politiker, *29.11.1946 Mali Idjos

Scharfe Angriffe gegen den jugoslawischen Staatschef Slobodan Milosevic führten am 18.4.1999 zur Entlassung D. aus dem Amt des Vizepremiers (seit 1997). Bevor D. mit dem Kommunismus brach und zum großserbisch-nationalistischen Politiker und Schriftsteller avancierte, kämpfte er während der Studentenrevolte 1968 gegen das Tito-Regime, arbeitete für die amtliche Nachrichtenagentur Tanjug als Afrika-Korrespondent und war Mitglied im kommunistischen Gewerkschaftsapparat. Höhepunkt seiner oppositionellen Auftritte waren die Belgrader Massenproteste 1996/97.

Dreifuss, Ruth

Schweizer Politikerin, *9.1.1940 St. Gallen, Bundespräsidentin der Schweiz (seit 1999)

27 Jahre nach Einführung des Frauenwahlrechts kürte die Vereinigte Bundesversammlung in Bern mit D. erstmals eine Frau zur Präsidentin der Schweiz (Amtszeit: ein Jahr). Die Wirtschaftswissenschaftlerin trat

1965 der sozialdemokratischen SPS bei. Als Sekretärin des Schweizer Gewerkschaftsbundes (ab 1981) befasste sie sich vor allem mit den Themen Sozialversicherungen, Arbeitsrecht und Frauenfragen.

☐ 1961–64 Redakteurin ☐ 1972–81 wissenschaftliche Mitarbeiterin an der Genfer Universität ☐ 1989–92 Mitglied im Berner Stadtrat ☐ seit 1993 Bundesrätin ☐ 1999 Bundespräsidentin.

Duisenberg, Wim (Willem)

Niederländischer Volkswirt, *9.7.1935 Heerenveen, Präsident der Europäischen Zentralbank (seit 1999)

Als Chef der EZB ist D. Europas oberster Wächter der Preisstabilität. Im Gegensatz zu anderen Finanzfachleuten betrachtete er die Kursschwäche des Euro im ersten Halbjahr 1999 als vorübergehend. Der Sozialdemokrat D. war in den Niederlanden u. a. Prof. für Volkswirtschaft (1970–73) und (ab 1982) Notenbankchef. 1997 wurde er Präsident des Europäischen Währungsinstituts in Frankfurt/M., das in die EZB aufging.

Ecevit, Bülent

Türkischer Politiker, *28.5.1925 Istanbul, Ministerpräsident der Türkei (seit 1999)

Nach dem Sieg seiner Demokratischen Linkspartei (DSP, 21,6% der Stimmen) bei den Parlamentswahlen im Mai 1999 bildete E. im Juni mit der rechtsextremen Partei des Nationalen Aufbruchs (MHP) und der konservativen Mutterlandspartei eine Koalition. Wie der konservative Staatspräsident Süleyman Demirel gilt sein jahrelanger Gegenspieler E. als Euroskeptiker; in der Kurdenfrage und im Umgang mit den griechischen Nachbarn gehört E. zu den Hardlinern.

☐ 1957–60 und ab 1961 Abgeordneter im Parlament ☐ 1972–80 Vorsitzender der Republikanischen Volkspartei ☐ 1974, 1977, 1978/79 und seit Juni 1999 Ministerpräsident.

Eichel, Hans

Deutscher Politiker (SPD), *24.12.1941 Kassel, Bundesminister der Finanzen (seit 1999)

Als Nachfolger von Oskar Lafontaine übernahm E. im April 1999 das Amt des Bundesfinanzministers. Der von E. vorgelegte Haushaltsplan für 2000 sieht Einsparungen von 30 Mrd DM vor, von denen alle Ressorts prozentual gleich betroffen sind. Kriti-

siert wurde u. a. die Beschränkung der Rentenerhöhung 2000 und 2001 auf Inflationsausgleich sowie die Kürzung der Arbeitslosenhilfe. Der langjährige hessische Ministerpräsident E. hatte im März 1999 die Landtagswahlen in Hessen verloren, sein Nachfolger wurde Roland Koch (CDU).

☐ seit 1964 Mitglied der SPD ☐ 1969–72 stellv. Bundesvorsitzender der Jusos ☐ seit 1989 Mitglied des SPD-Bundesvorstandes ☐ 1975–91 Oberbürgermeister von Kassel ☐ 1991–98 Ministerpräsident von Hessen ☐ seit 1999 Bundesfinanzminister.

www.bundesfinanzministerium.de
www.bundesregierung.de

Ruth Dreifuss

Eisenman, Peter David

US-amerikanischer Architekt, *11.8.1932 Newark/New Jersey

Im Juni 1999 beschloss der deutsche Bundestag nach fast zehnjähriger kontroverser Diskussion in Deutschland, E.s Entwurf für das geplante Holocaust-Mahnmal in Berlin – 2500 Betonpfeiler verteilt auf der Größe eines Sportfeldes – umzusetzen. Kritiker bezweifelten, dass sein monumentales Projekt einen Ort der stillen Erinnerung an den Völkermord an den Juden während des NS-Regimes schaffen könnte. E. gründete 1967 das New Yorker »Institute of Architecture and Urban Studies«, das er bis 1982 leitete. 1989 stellte er sein erstes eigenes Projekt, das Wexner Center for Visual Arts, fertig. Weitere bedeutende Bauten sind der Forschungskomplex an der Carnegie-Mellon-Universität in Pittsburgh/Pennsylvania und das Kongress-Zentrum in Columbus/Ohio.

Bülent Ecevit

Enzensberger, Hans Magnus

Deutscher Schriftsteller, *11.11.1929 Kaufbeuren

Im Dezember 1998 wurde E. mit dem Heinrich-Heine-Preis der Stadt Düsseldorf geehrt. E. begann in den 50er- und 60er-Jahren als Rundfunkredakteur und Verlagslektor. Als Gründer der Zeitschrift »Kursbuch« (1965) und Herausgeber des »Transatlantik« (80er Jahre) übte E. großen Einfluss auf die deutschen Intellektuellen aus, als Lyriker kritisierte er den Zeitgeist. Seit 1985 gab er die kunstvoll gestalteten Bände der »Anderen Bibliothek« heraus.

☐ 1957 »Verteidigung der Wölfe« 1964 »Politik und Verbrechen« ☐ 1967 »Deutschland, Deutschland unter anderem« ☐ 1970 »Das Verhör von Habana« ☐ 1980 »Die Furie des Verschwindens« ☐ 1987 »Ach, Europa!« ☐ 1992 »Die große Wanderung«.

Epstein, Samuel

Britischer Mediziner, *1926 London

Für ein Forscherleben im Dienste humanitärer Aktivitäten wurde E. mit dem Alternativen Nobelpreis 1998 geehrt. Durch die von ihm gegründete »Cancer Prevention Coalition« übte er Druck auf Regierungen und Konzerne aus, die Verantwortung für die Sicherheit ihrer Produkte und den Schutz der Umwelt zu übernehmen, da Umweltverschmutzung viele vermeidbare Krebserkrankungen auslöse. Nach seinem Medizinstudium arbeitete S. als Pathologe an der Londoner Universität, bis er 1960 in die USA emigrierte. Ab 1976 lehrte er als Prof. für Arbeits- und Umweltmedizin an der Universität Chicago, wo er die ersten Laboratorien für Toxikologie und Krebsentstehung in den USA einrichtete.

Andrea Fischer

Fischer, Andrea

Deutsche Politikerin (Bündnis 90/Die Grünen), *14.1.1960 Arnsberg/Westfalen, Bundesministerin für Gesundheit (seit 1998)

Mit der Vorlage des von SPD und Grünen ausgehandelten Gesetzentwurfs zur Gesundheitsreform 2000 erntete F. harte Kritik vor allem von Vertretern der Ärzteschaft. Der Entwurf sieht u.a. ein Globalbudget für das Gesundheitswesen vor, das von den Krankenkassen zu verteilen ist, sowie eine Positivliste für Medikamente. Die Stellung des Hausarztes wird im Entwurf aufgewertet. Hauptkritikpunkt des Ärzteverbandes ist der Versuch, die Zahl der niedergelassenen Mediziner zu begrenzen. Nach ihrem Studium (Volkswirtschaft) war F. als wissenschaftliche Mitarbeiterin beim Europaparlament und der Bundesversicherungsanstalt für Angestellte tätig. Bei den Grünen, denen sie 1985 beitrat, machte sie sich durch ihr Rentenreformkonzept einen Namen.

www.bmgesundheit.de
www.bundesregierung.de

Joschka Fischer

Fischer, Joseph (Joschka)

Deutscher Politiker (Bündnis 90/Die Grünen), *12.4.1948 Gerabronn, Bundesminister des Auswärtigen und Vizekanzler (seit 1998)

Eine starke Minderheit der Friedenspartei Bündnis 90/Die Grünen kritisierte im Frühjahr 1999 die von F. unterstützte NATO-Strategie im Kosovo (Luftangriffe bis zum Rückzug der serbischen Truppen). Auf dem Bielefelder Sonderparteitag im Mai 1999 konnte sich der Realpolitiker F. mit seiner Position nur knapp durchsetzen. Auf diplomatischem Parkett fand der professionell agierende F. breite Zustimmung. Der von ihm ausgearbeitete Plan zur schrittweisen Deeskalation im Kosovo setzte sich nach anfänglicher Kritik der USA durch. Auf Widerstand innerhalb der NATO stieß Fischer 1999 mit seiner Forderung nach Verzicht der Allianz auf die Strategie des atomaren Erstschlags.

☐ seit 1982 Mitglied der Grünen ☐ 1983–85 MdB ☐ 1985–87 Staatsminister für Umwelt und Energie in Hessen (erneut 1991–94) ☐ 1994–98 Sprecher der Fraktion Bündnis 90/Die Grünen im Bundestag.
www.bundesregierung.de

Foster, Norman

Sir (seit 1994), britischer Architekt, *1.6.1935 Manchester

F. erhielt 1999 den mit 100 000 US-Dollar dotierten Pritzker-Preis, der als inoffizieller »Nobelpreis für Architektur« gilt. Sein Werk umfasst u. a. die Hongkong- und Shanghai-Bank, das Flughafengebäude Stansted (London), das Sainsbury Centre for Visual Arts (Norwich) und die Commerzbankzentrale in Frankfurt/M., das mit 258 m höchste Bürogebäude Europas. Vielgelobt wurde seine im Frühjahr 1999 eingeweihte neueste Schöpfung, die Umgestaltung des Berliner Reichstagsgebäudes mit der schwerelosen Glaskuppel über dem Plenarsaal.

Funke, Karl-Heinz

Deutscher Politiker, *29.4.1946 Dangast, Bundesminister für Ernährung, Landw. und Forsten (seit 1998)

Mit der EU-Agrarreform »Agenda 2000« (u. a. Einschränkung der Agrarsubventionen) war F. 1998/99 mit einem bei den Landwirten unpopulären Thema konfrontiert. F. setzt sich im Sinne des Verbrauchers gegen die Massentierhaltung ein. Die Aufhebung des EU-weiten Exportverbots für Rindfleisch aus Großbritannien 1999 versuchte er vergeblich zu verhindern.

☐ 1966 Eintritt in die SPD ☐ 1968–72 Studium der Staats- und Wirtschaftswissenschaften ☐ seit 1978 MdL in Niedersachsen ☐ 1981–96 Bürgermeister von Varel ☐ 1990–98 Niedersächsischer Minister für Ernährung, Landwirtschaft und Forsten ☐ seit 1998 Bundeslandwirtschaftsminister.
www.bml.de; www.bundesregierung.de

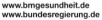
Karl-Heinz Funke

Furchgott, Robert Francis

US-amerikanischer Biochemiker und Pharmakologe, *4.6.1916 Charleston/Süd-Carolina

Mit seinen Kollegen Louis Ignarro und
Ferid Murad erhielt F. 1998 den Medizinnobelpreis für die Erkenntnis, dass das Abgas-
gift Stickstoffmonoxid im Körper ein wichtiger Signalstoff ist. In geringer Dosis stärkt
es u.a. das Herz, stimuliert das Gedächtnis,
tötet Bakterien und fördert die Durch-
blutung. Von 1956–88 lehrte F. als Prof. an
der Universität New York. Gastprofessuren
führten ihn u.a. nach Genf (1962/63), San
Diego/Kalifornien (1971/72) und Los Angeles (1980). 1988 wurde F. Beigeordneter
Prof. am Fachbereich Pharmakologie der
Universität Miami/Florida.

Gates, William Henry (Bill)

US-amerikanischer Computer-Unternehmer,
*28.10.1955 Seattle/Washington

Für 5 Mrd US-Dollar übernahm Microsoft-
Chef G. 1999 einen Anteil von 3,5% an der
führenden US-Telefongesellschaft AT&T.
Das bis dahin auf Vermittlung von Ferngesprächen beschränkte Unternehmen plante
umfassenden Informationstransfer über Ka-
belfernsehleitungen (Telefongespräche, Internet, Fernsehen und Datenübertragung).
Microsoft beabsichtigt, beim Digitalfernse-
hen den technischen Standard zu bestimmen
und Decoder mit dem Betriebssystem Windows CE auszurüsten. In den USA sah sich
Microsoft 1998/99 mit juristischen Auseinandersetzungen wegen marktbeherrschender Stellung im Software-Bereich konfrontiert. Bereits mit 19 Jahren gründete G.
seine Firma, die er in den 80er Jahren mit
Entwicklung des Betriebssystems MS-DOS
und der Benutzeroberfläche Windows zum
Weltkonzern ausbaute.
www.microsoft.de

Gerhardt, Wolfgang

Deutscher Politiker (FDP), *31.12.1943 Ulrichstein-
Helpershain, Vorsitzender der FDP (seit 1995)

Seit der Wahlniederlage der konservativ-
liberalen Koalition vom 27.9.1998 ist die
FDP erstmals seit 27 Jahren wieder in der
Opposition. G. fordert Reformen in der Wirt-
schafts- und Sozialpolitik, insbes. verstärkte
private Altersvorsorge. Nach dem schlechten

Ergebnis bei der Bürgerschaftswahl in Bremen im Juni 1999 (2,5%) wurde G. von
Teilen seiner Partei Führungsschwäche vorgeworfen. Mit nur 3% der Stimmen bei der
Europawahl im Juni 1999 verfehlte die FDP
den Einzug ins Straßburger Parlament.

☐ 1970 Nach Studium (Erziehungswiss., Germanistik, Politik) und Promotion persönlicher Referent
des hessischen Innenministers, dann Leiter des
Ministerbüros (bis 1978) ☐ seit 1982 FDP-Vorsit-
zender in Hessen ☐ seit 1995 Bundesvorsitzender.
www.fdp.de

Robert F. Furchgott

Guterres, António Manuel de Oliveira

Portugiesischer Politiker, *30.4.1949 Santos-o-Veho
(bei Lissabon), Ministerpräsident (seit 1995)

Als Generalsekretär (ab 1992) modernisier-
te G. die Sozialistische Partei (PS) mit Erfolg: Nach zehn Jahren Opposition ging sie
1995 als stärkste Kraft aus den Parlamentswahlen hervor. Unter der Regierung von G.
wurde der Haushalt saniert, sodass Portugal
mit einem Staatsdefizit von nur 2,6% die gesetzte Maastricht-Marge (3%) für den Beitritt zur Europäischen Währungsunion ab
1999 erreichte.

☐ 1974 Eintritt in die Sozialistische Partei (PS) ☐
1984–85 Abteilungsleiter bei der Staatsholding IPE
☐ 1976–79 Mitglied der Kommission für die Verhandlungen über den EG-Beitritt ☐ seit 1992 Generalsekretär der PS ☐ seit 1992 Vizepräsident der
Sozialistischen Internationale ☐ seit 1995 Ministerpräsident Portugals.

António Manuel Guterres

Hackl, Georg

Deutscher Rennrodler, *9.9.1966 Berchtesgaden,
Deutscher Sportler des Jahres 1998

Ein Sturz bei der WM 1999 am bayerischen
Königssee nahm dem dreifachen Olympia-
sieger H. (1992, 96 und 98) die Chance auf
einen weiteren Titel. Der gelernte Schlosser
begann seine Rodelkarriere mit dem Gewinn
der Bronzemedaille bei der Junioren-WM
1983. Außer WM-Erfolgen im Einzel (1989,
90 und 97), Weltcup-Siegen und EM-Titeln
wurde er erfolgreichste deutsche Rennrodler seit 1987 neunmal Deutscher Meister.

Häkkinen, Mika

Finnischer Automobil-Rennfahrer,
*28.9.1968 Helsinki, Formel-1-Weltmeister 1998

Im November 1998 gewann H. auf McLa-
ren-Mercedes erstmals den WM-Titel vor

Mika Häkkinen

Michael Schumacher. H. begann mit fünf Jahren als Kart-Fahrer und wurde als Jugendlicher 1981–87 fünfmal finnischer Kart-Meister. Seit 1991 als Fahrer in der Formel 1, lag er nach einem schweren Unfall 1995 in Adelaide (Australien) tagelang im Koma, kehrte aber nach seiner Genesung wenige Wochen später auf die Rennstrecke zurück.
www.formel1-net.de

Handke, Peter

Österreichischer Schriftsteller,
*6.12.1942 Griffen (Kärnten)

Aus Protest gegen die NATO-Luftangriffe auf Jugoslawien gab der Schriftsteller H. 1999 seinen 1973 erhaltenen Georg-Büchner-Preis zurück. Gleichzeitig gab er seinen Austritt aus der katholischen Kirche bekannt, die sich seiner Ansicht nach nicht entschieden genug gegen die NATO-Aggression geäußert hätte. 1996 erschien seine »Winterliche Reise zu den Flüssen Donau, Save, Morakawa und Drina oder Gerechtigkeit für Serbien«. Sein neuestes Theaterstück »Die Fahrt im Einbaum oder das Stück zum Film vom Krieg« wurde im Juni 1999 im Wiener Burgtheater uraufgeführt. Während H. in seinen frühen Werken die Abhängigkeit des Menschen von der Sprachkultur beschrieb, griff er zuletzt auf die klassisch-literarische Tradition des psychologischen Erzählens zurück.
☐ 1966 »Publikumsbeschimpfung« ☐ 1967 »Der Hausierer« ☐ 1972 »Der kurze Brief zum langen Abschied« ☐ 1976 »Die linkshändige Frau« ☐ 1977 »Das Gewicht der Welt« ☐ 1983 »Der Chinese des Schmerzes« ☐ 1986 »Die Wiederholung« ☐ 1991 »Versuch über den geglückten Tag« ☐ 1997 »In einer dunklen Nacht ging ich aus meinem stillen Haus«.

Henkel, Hans-Olaf

Deutscher Industriemanager, *14.3.1940 Hamburg,
Präsident des Bundesverbandes der Deutschen
Industrie (seit 1995)

H. gilt als einer der schärfsten Kritiker der Politik der rot-grünen Bundesregierung – von der geplanten Steuerreform bis zur Wiedereinführung der vollen Lohnfortzahlung im Krankheitsfall. Er fordert zur Verbesserung des Wirtschaftsstandorts Deutschland Lohnzurückhaltung, Ausweitung des Billiglohnsektors und Absenkung der Körperschaftssteuer. H., der 1985 die Geschäftsführung von IBM Deutschland

übernahm, wurde 1989 Vizepräsident der IBM-Corporation. Für seine konsequenten Umweltschutzmaßnahmen bei IBM Deutschland erhielt er 1992 die Auszeichnung »Öko-Manager des Jahres«.

Hitzfeld, Ottmar

Deutscher Fußballtrainer, *12.1.1949 Lörrach,
Trainer des FC Bayern München (seit 1998)

Der gelernte Mathematiklehrer führte in seiner ersten Saison als Trainer des FC Bayern München sein Team zur Deutschen Meisterschaft 1999. Mit den »Bayern« verfehlte H. zwei weitere Saisonziele: Im Mai 1999 wurde das Champions-League-Finale gegen Manchester United mit 1:2 verloren, im Juni 1999 unterlag H. mit seiner Mannschaft im DFB-Pokalspiel gegen Werder Bremen (5:6 nach Elfmeterschießen). Mitte der 90er Jahre führte H. als Trainer Borussia Dortmund zu zwei Meistertiteln und dem Sieg in der Champions League.
☐ 1971–75 Spieler beim FC Basel (1972/73 Schweizer Meister) ☐ 1975–78 Spieler des VfB Stuttgart ☐ 1988–91 Trainer von Grashoppers Zürich (1990/91 Schweizer Meister) ☐ 1991–97 Trainer von Borussia Dortmund (1995/96 Deutscher Meister, 1997 Sieger der Champions League) ☐ 1997 Welt-Klubtrainer des Jahres ☐ 1997–98 Sportdirektor bei Borussia Dortmund ☐ seit 1998 Trainer des FC Bayern München.
www.sport1.de/fcbayern

Hombach, Bodo

Deutscher Politiker (SPD), *19.8.1952 Mülheim an
der Ruhr, Bundesminister für besondere Aufgaben
und Chef des Bundeskanzleramtes (1998/99)

Der gelernte Sozialarbeiter wollte als »Modernisierer« die SPD zu einem wirtschaftsfreundlichen Kurs führen. Doch schon nach zehn Monaten als Kanzleramtsminister wechselte er im Juli 1999 auf den Posten des Koordinators der Balkanhilfe. Er war Mitinitiator des im Juni 1999 veröffentlichten, innerhalb der SPD heftig umstrittenen »Schröder-Blair-Papiers« zur Reform des Sozialstaats. Als Kanzleramtschef wurde H. 1999 auch parteiintern für Abstimmungsprobleme innerhalb der rot-grünen Koalition verantwortlich gemacht.
☐ 1981–91 Landesgeschäftsführer der SPD NRW ☐ 1990–98 MdL in NRW ☐ 1991 Direktor des Bereichs Marketing d. Salzgitter Stahl AG ☐ 1992–98 Mitglied der Geschäftsführung der Preussag Handel GmbH ☐ Juni–Oktober 1998 Wirtschaftsminister in NRW ☐ 1998/99 Kanzleramtsminister.

Bodo Hombach

Hoppe, Jörg-Dietrich

Deutscher Mediziner, *24.10.1940 Thorn/Weichsel,
Präsident der Bundesärztekammer und des Deutschen Ärztetages (seit Juni 1999)

Der Nachfolger von Karsten Vilmar als Chef der Interessenvertretung der deutschen Ärzte ist erklärter Gegner des Gesundheitsreform-Entwurfs von Bundesgesundheitsministerin Andrea Fischer (Bündnis 90/Die Grünen) und vehementer Verfechter der ärztlichen Selbstverwaltung. Er wandte sich vor allem gegen die geplante Begrenzung der Zahl zugelassener Ärzte.

☐ 1976–91 Erster Vorsitzender des Marburger Bundes ☐ seit 1982 Chefarzt des Instituts für Pathologie des Krankenhaus Düren GmbH ☐ 1989–95 Mitglied der »Sachverständigenkommission zu Fragen der Neuordnung des Medizinstudiums« beim Bundesminister für Gesundheit ☐ seit 1993 Präsident der Ärztekammer Nordrhein, Düsseldorf ☐ seit 1999 Präsident der Bundesärztekammer und des Deutschen Ärztetages.

Hume, John

Nordirischer Politiker, *18.1.1937 Londonderry

Im Oktober 1998 wurde der Katholik H., Vorsitzender der Social Democratic and Labour Party (SDLP), mit dem Protestanten David Trimble, Führer der Ulster Unionist Party (UUP), für den Abschluss des Friedensabkommens in Nordirland mit dem Friedensnobelpreis ausgezeichnet. 1970 gehörte H. zu den Mitbegründern der SDLP, der ersten für ein einiges Irland eintretenden Partei, die sich entschieden für Gewaltlosigkeit aussprach; 1973 gründete H. in Londonderry den »Inner City Trust« aus Mitgliedern beider verfeindeter Religionsgemeinschaften, der den Wiederaufbau der im Bürgerkrieg weitgehend zerstörten Innenstadt bewerkstelligte.

☐ 1968 Führung der Bürgerrechtsbewegung »Non-Violent Civil Rights« ☐ 1969–72 Abgeordneter im nordirischen Parlament ☐ seit 1979 Vorsitzender der SDLP ☐ 1979–82 Mitglied im Europäischen Parlament ☐ 1983 Wahl ins Londoner Unterhaus ☐ seit 1998 Mitglied im nordirischen Parlament.

Ignarro, Louis J.

US-amerikanischer Pharmakologe,
*31.5.1941 New York

Mit seinen Kollegen Robert Furchgott und Ferid Murad erhielt I. 1998 den Medizinnobelpreis. Unabhängig von ihnen erkannte er die Identität des Botenstoffes EDRF (Endothelium-Derived Relaxing Factor) als gewöhnliches, giftiges Stickstoffmonoxid. Dieser Luftschadstoff steuert, in geringer Konzentration, wichtige Funktionen im Blutgefäßsystem. Am Departement of Molecular and Medical Pharmacology in Los Angeles erforscht I. Funktionen des Stickoxids als Neurotransmitter (erregungsleitende Substanz im Gehirn). 1979–85 arbeitete er als Prof. am Fachbereich Pharmakologie der Tulane-Universität in New Orleans, seit 1985 ist er Prof. an der Universität Los Angeles.

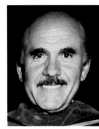

Louis J. Ignarro

Jelinek, Elfriede

Österreichische Schriftstellerin,
*20.10.1946 Mürzzuschlag/Steiermark

J. erhielt 1998 den mit 60 000 Mark dotierten Georg-Büchner-Preis, der als bedeutendste deutsche Literaturauszeichnung gilt. In ihren Romanen und Dramen setzt sich die streitbare Autorin aus feministischer Sicht kritisch mit Sexualität, Gewalt und Macht auseinander. Die studierte Kunsthistorikerin und Theaterwissenschaftlerin ist seit 1993 Ehrenpräsidentin der Österreichischen Dramatiker Vereinigung.

☐ 1975 »Die Liebhaberinnen« ☐ 1980 »Die Ausgesperrten« ☐ 1983 »Die Klavierspielerin« ☐ 1986 »Krankheit« ☐ 1989 »Lust«

Jelzin, Boris Nikolajewitsch

Russischer Politiker, *1.2.1931 Butko (Sibirien),
Staatspräsident Russlands (seit 1991)

Den faktischen Staatsbankrott Russlands und die angeschlagene Gesundheit J. nahm das von den Kommunisten dominierte Parlament im Frühjahr 1999 zum Anlass für die Einleitung eines – gescheiterten – Amtsenthebungsverfahren. Auch mit der reibungslosen Annahme des Ministerpräsidenten Sergej Stepaschin durch die Duma konnte J. einen Sieg für sich verbuchen. Das Verhältnis zum Westen war wegen der NATO-Luftangriffe (Kosovo-Krieg) im Frühjahr 1999 stark abgekühlt. Der von ihm beauftragte Viktor Tschernomyrdin erreichte mit dem finnischen Staatspräsidenten Martti Ahtisaari bei Verhandlungen mit Jugoslawiens Präsident Slobodan Milosevic im Juni 1999 den Rückzug der serbischen Truppen aus dem Kosovo. Auf dem Weltwirtschafts-

Boris N. Jelzin

gipfel im Juni 1999 in Köln wurde Russland als achtes Mitglied in den Kreis der wichtigsten Industrienationen aufgenommen.

☐ 1981 Mitglied des ZK der KPdSU ☐ 1985 Leiter der Abteilung für Bauangelegenheiten im ZK ☐ 1985–88 Parteichef in Moskau ☐ 1988–90 Bauminister ☐ 1990 Austritt aus der KPdSU ☐ 1991 Wahl zum Präsidenten Russlands ☐ 1996 Wiederwahl.

Jobs, Steve

US-amerikanischer Computer-Manager, *24.2.1955 San Francisco

Der Gründer und Interims-Chef (seit 1997) von Apple verhalf dem in den 90er Jahren angeschlagenen Konzern mit Einführung der farbigen iMacs 1998 zu neuen Verkaufserfolgen. Mit 22 Jahren brachte J. seinen ersten Heimcomputer auf den Markt. 1985 wurde er aus seinem eigenen Unternehmen gedrängt, nachdem der Apple-Konzern mit den IBM-kompatiblen PC Verluste schrieb. 1997 erreichte J. die finanzielle Beteiligung seines Erzrivalen, Microsoft-Chef Bill Gates, bei Apple. Seitdem wurde der Schuldenberg abgebaut. Zuvor hatte J. zwei erfolgreiche Firmen gegründet.

Jordan, Michael

US-amerikanischer Basketballprofi, *17.2.1963 New York

Nach fast 15-jähriger Karriere erklärte der Star der US Basketball-Profiliga (NBA) im Januar 1999 seinen Rücktritt. Nur wenige Monate später, im Juni 1999, schloss J. ein Comeback bei den Los Angeles Lakers nicht aus. In 14 Jahren als Spieler der Chicago Bulls hatte J. sein Team zu sechs Meisterschaften geführt. Mit jeweils über 2000 Punkten (im Durchschnitt 31,5 Punkte/Match) in elf Saisons stellte er eine Rekordserie auf.

Lionel Jospin

Jospin, Lionel

Französischer Politiker, *12.7.1937 Meudon bei Paris, Premierminister (seit 1997)

Die nie spannungsfreie Kohabitation zwischen dem Sozialisten J. und dem konservativen französischen Staatspräsidenten Jacques Chirac drohte 1999 zu entzweien, da beide Politiker ihre Kandidatur für die Präsidentschaftswahl 2002 ankündigten. J. musste sein Wahlversprechen von 1997, als Premier rund 700 000 neue Arbeitsplätze zu

Viktor Klima

schaffen, teilweise zurücknehmen, um die Maastricht-Kriterien für die Teilnahme Frankreichs an der Europäischen Währungsunion ab 1999 (u.a. Begrenzung des Staatsdefizits auf 3%) erfüllen zu können.

☐ 1965–70 Mitarbeiter im Außenministerium ☐ 1970–81 Dozent für Wirtschaftswissenschaften an der Universität Paris ☐ 1973 Parteisekretär der Sozialisten (PS) ☐ ab 1979 zuständig für Außenpolitik ☐ 1981–88 Vorsitzender der PS ☐ 1988–92 Erziehungsminister ☐ 1993 wissenschaftliche Lehrtätigkeit ☐ seit 1994 PS-Vorsitz. ☐ seit 1997 Premier.

Juncker, Jean-Claude

Luxemburgischer Politiker, *9.12.1954 Redingen/Attert, Ministerpräsident (seit 1995)

Der Jurist J. regiert das Großherzogtum in einer Koalition mit den Sozialisten. Er gehört zu den Befürwortern einer europäischen Steuerharmonisierung. Damit Investoren in L. nicht in finanziell attraktivere Staaten abwandern, forderte J. in Brüssel eine Angleichung der Unternehmensbesteuerung bzw. Mindeststregeln für alle Mitgliedstaaten. Luxemburg ist für private Geldanleger interessant, da in dem kleinen Land bis Mitte 1999 – im Gegensatz zu den meisten EU-Staaten – keine Quellensteuer auf Zinserträge erhoben wurde.

☐ ab 1979 Sekretär der Parlamentsfraktion der Christlich Sozialen Volkspartei (CSV) ☐ 1979–85 Präsident des Christlich-Liberalen Jugendverbandes ☐ 1989 Arbeits- und Finanzminister ☐ seit 1990 Vorsitzender der CSV ☐ seit 1995 Ministerpräsident.

Klestil, Thomas

Österreichischer Politiker, *4.11.1932 Wien, Bundespräsident (seit 1992)

K. wurde 1998 mit überwältigender Mehrheit (ca. 60%) für eine zweite Amtsperiode wiedergewählt. Der Wirtschaftswissenschaftler schlug vor seiner politischen Karriere zunächst die Diplomatenlaufbahn ein. Von 1966–69 arbeitete er als Sekretär des Bundeskanzlers J. Klaus, 1978–82 als Botschafter bei der UN (New York). Bis 1987 Botschafter in Washington, wurde K. 1992 Generalsekretär im Außenministerium.

Klima, Viktor

Österreichischer Politiker, *4.6.1947 Schwechat bei Wien, Bundeskanzler (seit 1997)

Sozialdemokrat K. wurde 1992 von seinem Vorgänger Franz Vranitzky als Bundesminister für Öffentliche Wirtschaft und Verkehr ins Kabinett berufen. Zuvor war der studierte Betriebs- und Wirtschaftinformatiker in der Unternehmensberatung tätig, ab 1969 arbeitete er beim Mineralölkonzern ÖMV. 1995 Finanzminister, wurde K. nach dem Rücktritt Vranitzkys 1997 Bundeskanzler Österreichs. Die Koalition mit der Österreichischen Volkspartei (ÖVP) setzte K. fort. Seit April 1997 ist er auch Vorsitzender der SPÖ.

Kohn, Walter

US-amerikanischer Chemiker, *9.3.1923 Wien

Der Nobelpreis für Chemie 1998 ging zu gleichen Teilen an den Amerikaner K. und an seinen britischen Kollegen John Pople. Mit der von K. entwickelten Dichtefunktionaltheorie lassen sich große Moleküle untersuchen und chemische Reaktionen erklären. Der in Wien geborene Jude K. musste 1939 aus Österreich nach England fliehen. 1942 kam er nach Kanada, wo er in Toronto Physik studierte. Nach mehreren Gastprofessuren wurde K. 1979 zum Direktor des Institutes für Theoretische Physik in Santa Barbara/Kalifornien ernannt; 1984 übernahm er eine Professur für Physik an der Universität von Kalifornien.

Kok, Wim (Willem)

Niederländischer Politiker, *29.9.1938 Bergambacht, Ministerpräsident (seit 1994)

Mitte Mai 1999 kündigte K. den Rücktritt seiner bei den Wahlen 1998 bestätigten Koalition aus linker Partei der Arbeit (PvdA), liberaler Volkspartei für Freiheit und Demokratie (VVD) und linksliberalen Demokraten 66 an. Die D 66 wollten die Koalition verlassen, weil an der Gegenstimme eines VVD-Abgeordneten im Senat eine von ihr vorangetriebene Verfassungsreform scheiterte, welche eine größere Rolle für Volksabstimmungen in der Innenpolitik vorsieht. Im Juni 1999 wurde die Koalition neu formiert. Für das niederländische Beschäftigungsmodell – K. schuf binnen vier Jahren eine halbe Mio Teilzeitarbeitsplätze – erntete K. innerhalb der EU hohe Anerkennung.

☐ 1973–86 Präsident des Gewerkschaftsverbandes NVV ☐ seit 1986 Partei- und Fraktionsvorsitz der Partei der Arbeit ☐ 1989–94 stellv. Ministerpräs. und Finanzminister ☐ seit 1994 Premierminister.

Kruhonja, Katarina

Kroatische Ärztin, *1949 Osijek

K. wurde 1998 für ihre humanitäre Arbeit auf dem kriegszerstörten Balkan mit dem Alternativen Nobelpreis geehrt. Sie arbeitete jahrelang als Ärztin für Nuklearmedizin im Krankenhaus von Osijek, bevor sie sich ab 1997 ganz der Friedensarbeit widmete. K. ist Direktorin des 1992 gegründeten »Center for Peace, Non-Violence and Human Rights« in Osijek, und Mitglied der »Croatian Anti-War Campaign« (ARK).

Lafontaine, Oskar

Deutscher Politiker (SPD), *16.9.1943 Saarlouis

Im März 1999 trat L. nach nur fünf Monaten von seinem Amt als Bundesfinanzminister und als SPD-Vorsitzender zurück. Der wegen seiner Steuerpolitik von Vertretern der Wirtschaft attackierte L. gab später wirtschaftspolitische Differenzen zwischen ihm und Bundeskanzler Gerhard Schröder sowie Abstimmungsprobleme in der Regierung zu. Der studierte Diplom-Physiker L. hatte seit 1995 den Bundesvorsitz inne und seit den 80er Jahren Image und Programm seiner Partei maßgeblich mitbestimmt.

☐ 1976–85 Oberbürgermeister von Saarbrücken ☐ 1985–98 Ministerpräsident des Saarlands ☐ 1979 Mitglied im SPD-Bundesvorstand ☐ 1990 Spitzenkandidat der SPD bei der Bundestagswahl ☐ 1995–99 Bundesvorsitzender der SPD ☐ Oktober 1998–März 1999 Bundesfinanzminister.

Wim Kok

Laughlin, Robert B.

US-amerikanischer Physiker, *1950 Visalia/Kalifornien

Den Nobelpreis für Physik 1998 vergab das Stockholmer Komitee zu gleichen Teilen an L., Daniel Tsui und Horst Störmer. Im Mai 1983 legte L. eine Aufsehen erregende Theorie vor, mit der er die Forschungsergebnisse des deutschen Physikers Störmer und dessen US-Kollegen Daniel Tsui im Jahr zuvor erklärte: Die beiden hatten beim Studium des Verhaltens von Elektronen unter extremen Temperatur- und Kräfteschwankungen eine neue Quantenflüssigkeit entdeckt, deren Anregungszustände sog. Quasiteilchen mit gebrochenzahliger Ladung entsprechen. Der Physiker L. lehrt seit 1989 an der renommierten Stanford-Universität in Palo Alto/Kalifornien.

Robert B. Laughlin

Lipponen, Paavo

Finnischer Politiker, *23.4.1941 Turtola,
Ministerpräsident (seit 1995)

Die Regierung des Sozialdemokraten L.
steigerte das Wirtschaftswachstum Finnlands um 5% und senkte die Arbeitslosigkeit
von 17% auf rund 10%, doch die Verwick-
lung führender Sozialdemokraten in einen
Bankenskandal um die parteinahe Arbeiter-
sparkasse führte zum Vertrauensverlust bei
den Wählern. Seit 1999 regiert L. in einer
Koalition mit Nationalen, Linksverband,
Schwedischer Volkspartei und Grünen.

☐ 1979–82 Vorsitzender der Sozialdemokraten
(SDP) ☐ 1985–92 Direktor des Finnischen Instituts
für Außenpolitik ☐ seit 1993 Parteivorsitzender der
SDP ☐ seit 1995 Ministerpräsident.

Thabo Mbeki

Mbeki, Thabo

Südafrikanischer Politiker, *18.6.1942 Idutywa,
Präsident von Südafrika (seit 1999)

Bei den zweiten Parlamentswahlen in
Südafrika nach Ende der Apartheid erhielt
der Afrikanische Nationalkongress (ANC)
eine knappe Zweidrittelmehrheit. Nachfolger Nelson Mandelas wurde sein bisheriger Stellvertreter im Amt, M. Er plant Verfassungsänderungen, um weitere Reformen
in Südafrika zu realisieren. Im Vordergrund
steht der Kampf gegen Arbeitslosigkeit,
Korruption und Kriminalität. Der Wirtschaftswissenschaftler trat mit 14 Jahren
der Jugendliga des ANC bei, nach dessen
Verbot 1960 begann M. im Untergrund zu
arbeiten. 1962 ging er auf Anraten Mandelas nach Großbritannien, wo er unter der
Obhut des damaligen ANC-Vizepräsidenten
Oliver Tambo stand. Als ANC-Informa-
tionsdirektor gewann M. in den 80er Jahren
weltweit Profil.

Joachim Milberg

Middelhoff, Thomas

Deutscher Medienmanager, *11.5.1953 Düsseldorf,
Bertelsmann Vorstandschef (seit 1998)

1999 trennte sich M. von seinem zeitweili-
gen Verbündeten Leo Kirch und damit vom
Pay-TV. M. will mit der Luxemburger CLT-
Ufa ganz auf das herkömmliche werbefi-
nanzierte Fernsehen (»Free-TV«) setzen.
Mit einer neuen Senderfamilie rund um
RTL in Köln soll dieses Geschäftsfeld aus-
gebaut werden. Geplant ist eine Mehr-

heitsübernahme bei Super RTL und RTL 2;
über AOL-TV, einem für die Zukunft
geplanten Ableger im Online-Bereich von
Bertelsmann, sollen Dutzende von Fern-
sehkanälen angeboten werden. M., seit
1995 im Stab des US-Online-Marktführers
America Online (AOL), setzt mit dem Internet-Buchhandel BOL zugleich auf den
elektronischen Direktverkauf per Computer
(E-Commerce) im Internet.

Milberg, Joachim

Deutscher Manager, *10.4.1943 Verl (Westfalen),
Vorstandsvorsitzender der BMW AG (seit 1999)

M. löste 1999 Bernd Pischetsrieder ab, der
wegen ungelöster Probleme bei der finanziell angeschlagenen britischen Tochtergesellschaft Rover von seinem Amt entbunden
worden war. Der gelernte Fertigungstechni-
ker M. hat u. a. die Aufgabe, für Rover ein
neues Marketing zu konzipieren. Kurz nach
seiner Amtsübernahme gab der BMW-
Konzern bekannt, rund 4,7 Mrd DM in die
Entwicklung neuer Automobile bei Rover
investieren zu wollen. Die Herstellung soll
im Stammwerk Longbridge erfolgen, sofern
die britische Regierung die Sanierung des
maroden Werkes unterstützt.

☐ 1959–62 Ausbildung zum Maschinenschlosser
☐ 1962–69 Studium der Fertigungstechnik ☐
1970–72 Wissenschaftlicher Assistent an der TU
Berlin ☐ 1972–78 Ltd. Angestellter bei der Werk-
zeugmaschinenfabrik Gildemeister AG ☐ 1981
Ordinarius für Werkzeugmaschinen und Betriebs-
wissenschaft an der TU München ☐ 1993 Vorstandsmitglied für Produktion und Engineering
bei BMW ☐ seit 1999 Vorstandsvorsitzender.
www.bmw.de

Milosevic, Slobodan

Jugoslawischer Politiker, *29.8.1941 Pozarevac,
Staatspräsident Jugoslawiens (seit 1997)

Anfang Juni 1999, nach zehnwöchigen
NATO-Luftangriffen auf Serbien, akzeptier-
te M. die monatelang von ihm abgelehnten
Forderungen des Westens: Abzug der
Serben aus dem Kosovo, weitestgehende
Autonomie der Provinz im jugoslawischen
Staatenverbund und Stationierung einer in-
ternationalen Sicherheitspräsenz mit Nato-
Beteiligung. M. war kurz zuvor vom UN-
Kriegsverbrechertribunal in Den Haag
angeklagt worden, 740 000 Kosovo-Albaner
vertrieben und 340 namentlich bekannte er-
mordet haben zu lassen.

☐ 1984 Belgrader Staatssekretär ☐ 1987 serbischer Parteisekretär ☐ 1990 Vorsitzender der Sozialistischen Partei Serbiens (SPS) ☐ 1989–97 Republikpräsident ☐ 1997 Präsident Jugoslawiens.

Müller, Werner

Deutscher Politiker, *1.6.1946 Essen, Bundesminister für Wirtschaft und Technologie (seit 1998)

Mit seinem im Juni 1999 vorgestellten Konzept eines langfristigen Ausstiegs aus der Atomenergie (Restlaufzeit: ca. 30 Jahre) geriet M. in Konflikt mit Bundesumweltminister Jürgen Trittin, der für kürzere Restlaufzeiten deutlich unter 30 Jahren eintrat. Als Wirtschaftsminister ist M., für die Energiepolitik zuständig, Trittin für die atomrechtlichen Weisungen. Ab 1991 war M. Berater des damaligen niedersächsischen Ministerpräsidenten Gerhard Schröder.

☐ 1970–72 Fachhochschullehrer für Wirtschaftsmathematik und Statistik ☐ 1970–73 Lehrauftrag der Universität Mannheim für Wirtschaftsmathematik ☐ 1973–80 Referatsleiter Marktforschung bei RWE AG ☐ 1980–92 Veba AG, seit 1990 als Generalbevollmächtigter ☐ 1992–97 Veba-Vorstand Kraftwerke Ruhr AG ☐ seit 1997 selbstständiger Industrieberater.
www.bmwi.de; www.bundesregierung.de

Müntefering, Franz

Deutscher Politiker, *16.1.1940 Neheim, Bundesminister für Verkehr, Bau- und Wohnungswesen (seit 1998)

Der gelernte Industriekaufmann leitete als SPD-Bundesgeschäftsführer 1998 den erfolgreichen Bundestagswahlkampf. Als Minister hielt er 1999 am Konzept des Transrapid fest und versprach eine Fortsetzung der Investitionen im Wohnungsbau.

☐ Kaufmännischer Angestellter in der metallverarbeitenden Industrie ☐ seit 1966 Mitglied der SPD ☐ 1992–95 Minister für Arbeit, Gesundheit und Soziales in Nordrhein-Westfalen ☐ 1992–98 Vorsitzender des Bezirkes Westliches Westfalen ☐ 1995–98 Bundesgeschäftsführer der SPD ☐ seit 1998 Bundesminister für Verkehr, Bau und Wohnwesen.
www.bmvbw.de; www.bundesregierung.de

Murad, Ferid

US-amerikanischer Mediziner, Biologe, Pharmakologe und Physiologe, *14.9.1936 Whiting/Indiana

Der an der Medical School der Universität von Chicago arbeitende Prof. wurde mit Louis Ignarro und Robert Furchgott mit dem Nobelpreis für Medizin 1998 geehrt. M. analysierte Nitroglyzerin, das gegen Herz-

anfälle angewendet wird, und die Wirkung weiterer gefäßerweiternder Substanzen. 1977 entdeckte er, dass sie Stickoxid freisetzen, welches die glatten Muskelzellen entspannt. 1975 erhielt M. eine Prof. für Innere Medizin und Pharmakologie an der Universität von Charlottesville und wurde Direktor des Klinischen Forschungszentrums. 1982–89 lehrte er als Prof. für Innere Medizin und Pharmakologie an der Stanford-Universität in Palo Alto/Kalifornien.

Werner Müller

Murdoch, Rupert

Australisch-US-amerikanischer Medienunternehmer, *11.3.1931 Melbourne

Im Frühjahr 1999 erwarb M. für den Münchener Sender tm3, an dem er 66% Anteile besitzt, für vier Jahre die deutschen Übertragungsrechte der Fußball-Champions League. Für 2000 plante M. den Erwerb der Bundesliga-Senderechte. Mitte 1999 war M. mit 49%-Anteil am deutschen Fernsehsender Vox beteiligt. Der Medienunternehmer begann seine Karriere 1952, als er von seinem Vater die australischen Zeitungen »The Adelaide News« und »Sunday Mail« übernahm. Zu seinem Medienimperium gehörten 1998/99 Printmedien und TV-Sender in Großbritannien, den USA, Asien und Australien, die Filmgesellschaft Twentieth Century Fox und der Buchverlag Harper-Collins (beide USA).

Franz Müntefering

Naumann, Michael

Deutscher Politiker und Journalist, *8.12.1941 Koethen/Anhalt, Bundesminister im Kanzleramt für Kultur und Medien (seit 1998)

Der langjährige Journalist, Redakteur und Verleger N. ist der erste Bundesminister für Kultur. 1999 setzte er sich insbes. für die Schaffung des Holocaust-Mahnmals in Berlin und bei der EU in Brüssel für die Beibehaltung der Buchpreisbindung im deutschsprachigen Raum ein.

☐ 1969–76 Redakteur beim »Münchner Merkur« und Mitarbeiter der »Zeit« ☐ 1971–76 Wissenschaftlicher Assistent an der Ruhr-Universität Bochum ☐ 1983–85 Ressortleiter »Ausland« beim »Spiegel« ☐ 1985–95 Geschäftsführer und Verlagsleiter der Rowohlt-Verlage ☐ 1995–96 Vorsitzender Geschäftsführer des Verlags Metropolitain Books ☐ 1996–98 Vorsitzender Geschäftsführer des Verlags Henry Holt ☐ seit 1998 Bundesminister für Kultur und Medien.

Michael Naumann

Olusegun Obasanjo

Obasanjo, Olusegun

Nigerianischer Autor und Politiker, *5.3.1935 Abeo-kuta, Staatspräsident Nigerias (seit 1999)

Als erster demokratisch gewählter Präsident nach 15 Jahren Militärdiktatur übernahm O. im Mai 1999 die Staatsgeschäfte. Sein Hauptziel ist die Bekämpfung von Korruption und Machtmissbrauch in Nigeria. Der ehemalige General (bis 1979 Mitglied in der Armee) kämpfte nach dem Militärputsch 1985 durch General Sani Abacha gegen dessen Terrorregime; 1995–98 war er in Haft.

□ 1958 Eintritt in die Armee □ 1975 Kommissar für Öffentliche Arbeiten und Wohnungswesen im Obersten Militärrat (SMC) □ ab 1976 Generalleutnant □ 1976–79 Staatschef □ 1979 Austritt aus der Armee □ 1985 Vizevorsitzender der Commonwealth Eminent Persons Group (EPG) □ seit 1999 Präsident.

Öcalan, Abdullah

Kurdischer Politiker, *1949 Halfetti

Im Juni 1999 wurde der wegen Hochverrat angeklagte Führer der marxistisch orientierten Arbeiterpartei Kurdistans (PKK) Ö. auf der türkischen Gefängnisinsel Imrali zum Tod verurteilt. Seine Verteidiger kündigten Revision gegen den Spruch an. In den 70er Jahren studierte Ö. Politologie in Ankara, dort gründete er 1978 die PKK. Im August 1984 nahm sie den Kampf gegen die türkische Armee auf. Jahrelang lenkte Ö. seine Partei von Damaskus (Syrien) aus. Auf Druck der Türkei musste Ö. 1998 Syrien verlassen. Nach einer Odyssee durch Europa wurde er am 15.2.1999 vom türkischen Geheimdienst in Nairobi (Kenia) festgesetzt.

Abdullah Öcalan

Gwyneth Paltrow

Ogata, Sadako

Japanische Diplomatin, *16.9.1927 Tokio, UNO-Hochkommissarin für Flüchtlinge (seit 1991)

Im Zuge der Kosovo-Krise und der Flucht von knapp 1 Mio Menschen forderte O. die europäischen Staaten auf, Flüchtlinge aufzunehmen, sie nach einheitlichen Maßstäben zu behandeln und ihnen so lange wie nötig Schutz zu gewähren. Ziel der engagierten Menschenrechtlerin ist die Entwicklung einer fairen und harmonisierten Asylpolitik in ganz Europa. Sie lehnt die Differenzierung zwischen Asylsuchenden u. a. Migranten ab und forderte die EU-Staaten mehrfach auf, Schutzsuchenden ein individuelles Asylverfahren zu ermöglichen.

□ Studium in Japan und USA □ 1966 Promotion an der University of California in Berkeley □ 1974–80 Professur an der Internationalen Christlichen Universität Tokio □ 1976–79 Ministerin an der japanischen UN-Mission □ 1982–85 japanische Delegierte bei der Genfer Menschenrechtskommission □ 1980–89 Direktorin des Instituts für Internationale Beziehungen □ seit 1991 UNO-Hochkommissarin für Flüchtlinge. www.uno.de

Orrego, Juan Pablo

Chilenischer Ökologe, *1949 Chile

O. erhielt 1998 den Alternativen Nobelpreis. In ihrem Bestreben, die ökologische Zerstörung des Biobio-Flusstals durch mehrere Staudämme zu verhindern, haben O. und seine 1991 gegründete Organisation »Grupo Acciónpor el Biobio« die grundlegende Debatte über eine nachhaltige Entwicklung in die chilenische Bevölkerung getragen. Sie wollen den Fluss Biobio in seinem natürlichem Lauf erhalten; in dem Gebiet leben u.a. die Pehuenche-Indianer.

Paltrow, Gwyneth

US-amerikanische Schauspielerin, *28.9.1973 Los Angeles

Als beste weibliche Hauptdarstellerin in dem Film »Shakespeare in Love« erhielt P. 1999 den Oscar. Mit ihren Eltern, Schauspielerin Blythe Danner sowie Produzent und Regisseur Bruce Paltrow, verbrachte P. den größten Teil ihrer Kindheit in Theatern. Sie studierte Kunstgeschichte, trat dann aber in Filmen auf, u.a. in dem Thriller »Sieben« (1995) an der Seite ihres zeitweiligen Verlobten Brad Pitt. 1996 spielte sie neben Michael Douglas in »Ein perfekter Mord«.

Persson, Göran

Schwedischer Politiker, *20.1.1949 Vingåker, Ministerpräsident (seit 1996)

Bei den Reichstagswahlen im September 1998 verlor die schwedische Sozialdemokratie rund 9% ihrer Wählerstimmen, blieb jedoch mit 36,6% stärkste Partei. Als Chef einer Minderheitsregierung sanierte P. durch konsequente Sparpolitik den wegen hoher Sozialleistungen defizitären Staatshaushalt und trug zur Senkung der Arbeitslosenquote auf unter 10% bei. Sein Ziel des Beitritts Schwedens zur Europäischen Währungsunion am 1.1.1999 schob er auf, da ein Großteil der Bevölkerung die Einführung des Euro ablehnte.

☐ 1989–91 Bildungsminister ☐ 1994–96 Finanzminister ☐ seit 1996 Vorsitzender der SAP.

Piëch, Ferdinand

Deutscher Manager, *17.4.1937 Wien, Vorstandsvorsitzender von Volkswagen AG (seit 1993)

Nach Übernahme der britischen Automobilmarke Rolls-Royce 1998 konnte VW unter P.s Führung den Umsatz auf 2,2 Mrd DM (+65%) steigern. 1999 kommen sechs neue Automodelle auf den Markt, u. a. das Drei-Liter-Fahrzeug Lupo. P. plante 1999 den Einstieg in den Nutzfahrzeug-Bereich. Zur Kapitalerhöhung wurden 1999 Aktien im Wert von 782 Mio DM ausgegeben. P. begann seine berufliche Laufbahn als Autobauer und Manager bei Porsche, 1972 wechselte er zu Audi, wo er 1993 die Leitung des Mutterkonzerns VW übernahm.

www.volkswagen.de

Pinochet, Augusto

Chilenischer Ex-Diktator und General, *25.11.1915 Valparaiso (Chile)

Im Herbst 1998 wurde der ehemalige Diktator Chiles (1974–90) in London wegen Mordverdachts verhaftet. Die Festnahme erfolgte auf Grund eines spanischen Auslieferungsantrags. Darin wird dem 84-jährigen General vorgeworfen, für die Ermordung spanischer Bürger zwischen dem 11.9.1973 – dem blutigen Putsch gegen den gewählten sozialistischen Präsidenten Salvador Allende – und Ende 1983 verantwortlich zu sein. Das im Oktober von den britischen Lordrichtern gefällte Urteil, dass P. Immunität zusprach, wurde einen Monat später zurückgenommen. P. musste Mitte 1999 mit einem Auslieferungsverfahren rechnen, auch wenn die Anklagepunkte sich auf solche Folterverbrechen beschränken, die P. nach dem 8.12.1988 begangen hat.

Pople, John A.

Britischer Chemiker und Mathematiker, *31.10.1925 Burnham-on-Sea (Somerset)

Mit seinem US-Kollegen Walter Kohn erhielt P. 1998 den Nobelpreis für Chemie. Er entwickelte Rechenmethoden zur Erklärung der Eigenschaften von Molekülen und che-mischen Prozessen. In sein weit verbreitetes Computerprogramm »Gaussian« integrierte er die Theorie seines Kollegen Kohn.

☐ 1951 Forschungsmitarbeiter am Trinity College in Cambridge ☐ 1954–58 Mathematik-Dozent ebd. ☐ ab 1964 Professor für chemische Physik an der Universität Pittsburgh/Pennsylvania (USA) ☐ 1974–93 Prof. für Naturwissenschaften ☐ seit 1993 Prof. für Chemie an der Universität Evanston/Illinois.

Prodi, Romano

Italienischer Politiker, *9.8.1939 Scandiano, Präsident der EU-Kommission (seit 1999)

Der Prof. für Wirtschaftswissenschaften an der Universität Bologna folgte 1999 EU-Kommissionspräsident Jacques Santer im Amt, der mit seinen Kollegen im Frühjahr nach Korruptionsvorwürfen zurückgetreten war. P. hatte 1996 mit dem Mitte-Links-Bündnis Per l'Ulivio die Parlamentswahlen gewonnen. Als Ministerpräsident Italiens (bis 1998) schuf er u. a. durch Sanierung des Staatshaushalts die finanziellen Voraussetzungen für die Teilnahme des Landes an der Europäischen Währungsunion.

☐ 1978–79 Industrieminister im Kabinett Giulio Andreotti ☐ 1982–89, 1993–94 Präsident des Staatskonzerns IRI ☐ 1996–98 Ministerpräsident ☐ seit 1999 Präsident der EU-Kommission.

Radcke, Antje

Deutsche Politikerin (Bündnis 90/Die Grünen), *7.2.1960 Hamburg, Sprecherin des Bundesvorstandes (seit 1998)

R. lehnte bis Mitte 1999 die von Bundesfinanzminister Hans Eichel (SPD) geplanten Einschnitte im sozialen Netz (u.a. Kürzung der Arbeitslosenhilfe) ab und forderte statt dessen die Einstellung des Milliardenprojektes Transrapid. Die studierte Sonderpädagogin war ein Jahr lang Mitglied der SPD, bevor sie 1993 als Bezirkskandidatin für die GAL Hamburg gewählt wurde. Bei den Koalitionsverhandlungen 1997 in Hamburg zwischen SPD und Grünen war R. für die Pressearbeit verantwortlich. R., Expertin für Frauen- und Asylpolitik.

Rasmussen, Poul Nyrup

Dänischer Politiker, *15.6.1943 Esbjerg, Ministerpräsident (seit 1993)

Der studierte Staats- und Wirtschaftswissenschaftler gilt als überzeugter Europapolitiker. Er regiert nach dem Stimmen-

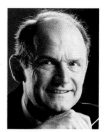

Ferdinand Piëch

Romano Prodi

John A. Pople

verlust seiner Mitte-Links-Koalition 1994 mit einem Minderheitskabinett, das 1998 bestätigt wurde. In seiner Regierungszeit konnte der Politiker die Arbeitslosenrate in Dänemark auf rund 5% senken. Vor allem die Jugenderwerbslosigkeit wurde durch staatlich geförderte Projekte zurückgeführt.

☐ seit 1986 Geschäftsführ. Direktor der Arbeitnehmerorganisation ECPF ☐ seit 1987 stellv. Vorsitzender der Sozialdemokraten ☐ seit 1988 Mitglied des Folketing ☐ seit 1993 Ministerpräsident.

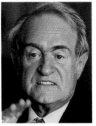

Johannes Rau

Rau, Johannes

Deutscher Politiker (SPD), *16.1.1931 Wuppertal, Bundespräsident (seit 1999)

R., der am 23.5.1999 von der Bundesversammlung im Berliner Reichstagsgebäude zum achten deutschen Bundespräsidenten gewählt wurde, war zuvor 20 Jahre Ministerpräsident in NRW. Er setzte sich gegen CDU-Kandidatin Dagmar Schipanski und die von der PDS favorisierte Uta Ranke-Heinemann durch. Bereits 1993 hatte R. bei der Wahl zum Staatsoberhaupt kandidiert, war jedoch gegen Roman Herzog (CDU) unterlegen. Im neuen Amt will R. sich für das weitere Zusammenwachsen von West- und Ostdeutschland einsetzen. R. erklärte: »Jeder soll gehört werden«.

☐ 1957 Eintritt in die SPD ☐ 1964–67 Vorsitzender der SPD-Landtagsfraktion in NRW ☐ 1969/70 Oberbürgermeister von Wuppertal ☐ 1970–78 Minister für Wissenschaft und Forschung ☐ 1978–98 Ministerpräsident von Nordrhein-Westfalen.

Riester, Walter

Deutscher Politiker (SPD), *27.9.1943 Kaufbeuren, Bundesminister für Arbeit u. Sozialordnung (seit 1998)

Als Arbeitsminister löste R. kurz nach seinem Amtsantritt heftige Debatten mit dem Vorschlag für die Rente ab 60 und seinem Plädoyer für die bedarfsorientierte Grundsicherung im Alter aus. Das Gesetz zur Bekämpfung der Scheinselbstständigkeit und zur Begrenzung der Zahl der 630-Mark-Jobs wurde von Vertretern der Wirtschaft wegen Zusatzkosten attackiert. Im Rahmen des Ende Juni 1999 von der rot-grünen Bundesregierung verabschiedeten Sparpakets 2000 muss R. in seinem Ressort 13,8 Mrd DM zusammenstreichen.

☐ 1957 Eintritt in die Gewerkschaft IG Bau-Steine-Erden ☐ seit 1966 Mitglied der SPD ☐ 1970–77 Referatssekretär für Jugendfragen beim DGB ☐ 1977 Übertritt in die IG Metall ☐ 1988–93 Bezirks-

Walter Riester

leiter der IG-Metall in Stuttgart ☐ 1993–98 Zweiter Vorsitzender der IG Metall.
www.bma.de; www.bundesregierung.de

Röstel, Gunda

Deutsche Politikerin (Bündnis 90/Die Grünen), *13.1.1962 Hohenstein-Ernstthal, Vorstandssprecherin von Bündnis 90/Die Grünen (seit 1996)

Die Mitbegründerin des »Neuen Forum« wurde 1998 als Sprecherin des Bundesvorstandes bestätigt. Ihre Themenschwerpunkte liegen in der Wirtschafts- und Steuerpolitik. Besonderes Augenmerk legt R. auf die Verbesserung der ökonomischen Rahmenbedingungen für klein- und mittelständische Firmen in Ostdeutschland.

☐ Studium der Sonderpädagogik ☐ 1990–96 Direktorin der Lernförderschule Flöha Sachsen ☐ 1991–94, 1996 Mitglied im sächsischen Landesvorstand von Bündnis 90/Die Grünen ☐ 1993–94 Sprecherin des Landesvorstandes ☐ seit 1996 Bundesvorstandssprecherin.
www.gruene.de

Rugova, Ibrahim

Jugoslawischer Politiker und Literaturwissenschaftler, *1944 in Istok im Kosovo

Während des Kosovo-Kriegs im Frühjahr 1999 emigrierte Albaner-Führer R., der zuvor mit dem jugoslawischen Präsidenten Slobodan Milosevic im serbischen TV aufgetreten war, zuerst nach Italien, dann nach Deutschland. Der 1992 zum Präsidenten der »Republik Kosova« gewählte Literaturwissenschaftler befürwortete die Forderungen der G-8-Staaten nach vollständigem Abzug serbischer Truppen aus der jugoslawischen Provinz. Nach Aufhebung des Autonomiestatus des Kosovo durch Serbien im März 1989 war R. Mitbegründer der Demokratischen Liga Kosova (LDK). R. ist ein Anhänger des gewaltlosen Widerstandes.

Rühe, Volker

Deutscher Politiker (CDU), *25.9.1942 Hamburg

Als CDU-Spitzenkandidat in Schleswig-Holstein kandidiert R. bei den Landtagswahlen im Frühjahr 2000 gegen die amtierende Ministerpräsidentin Heide Simonis. Als langjähriger Bundesverteidigungsminister war R. ein entschiedener Verfechter eines stärkeren Engagements der Bundeswehr innerhalb der NATO.

□ seit 1963 Mitglied der CDU □ 1968–76 Studienrat im Schuldienst □ 1973–75 Mitglied im Bundesvorstand der Jungen Union □ 1983–89 Vorsitzender des Bundesausschusses Außen- und Deutschlandpolitik □ 1989–92 Generalsekretär der CDU □ 1992–98 Verteidigungsminister □ seit 1998 stellv. CDU-Vorsitzender.

Saramago, José

Portugiesischer Autor, *16.11.1922 Azinhaga, Literaturnobelpreisträger 1998

Als erster Portugiese erhielt S. den Literaturnobelpreis für seine Parabeln, welche die »trügerische Wirklichkeit fassen« ließen (Nobelpreis-Laudatio). S. entstammt einer Landarbeiterfamilie, war Maschinenschlosser, technischer Zeichner und Verlagsmitarbeiter, bevor er sich ab 1966 intensiv der Literatur zuwandte. In seinem Werk spielt er mit mündlichen Erzählformen, vermischt Geschichte und Magie und wendet sich gegen stereotype Denkweisen in Kirche und Staatswesen seines Heimatlandes.
Wichtigste Werke: □ 1980 »Hoffnung im Alentejo« □ 1982 »Das Memorial« □ 1984 »Das Todesjahr des Ricardo Reis« □ 1989 »Geschichte der Belagerung von Lissabon« □ 1995 »Die Stadt der Blinden«.

Scharping, Rudolf

Deutscher Politiker (SPD), *2.12.1947 Niederelfert/Westerwald, Bundesverteidigungsminister (seit 1998)

S. war 1998/99 innerhalb der rot-grünen Bundesregierung der schärfste Kritiker der Vertreibungspolitik des jugoslawischen Präsidenten Slobodan Milosevic im Kosovo. Unter S. politischer Führung beteiligte sich die Bundeswehr erstmals seit ihrer Gründung (1955) an einem Krieg. S. war als Parteichef und Kanzlerkandidat der SPD erfolglos, erwarb sich aber Respekt als Fraktionschef im Deutschen Bundestag.
□ 1966 Eintritt in die SPD □ 1969–74 Landesvorsitzender der Jungsozialisten in Rheinland-Pfalz □ 1975–94 MdL in Rheinland-Pfalz □ 1985–91 Vorsitzender der SPD-Landtagsfraktion □ 1985–93 Vorsitzender der SPD Rheinland-Pfalz □ 1991–94 Ministerpräsident von Rheinland-Pfalz □ 1993–95 Vorsitzender der Bundes-SPD □ 1994–98 Vorsitzender der SPD-Bundestagsfraktion □ seit 1998 Bundesverteidigungsminister.
www.bundeswehr.de; ww.bundesregierung.de

Schäuble, Wolfgang

Deutscher Politiker (CDU), *18.9.1942 Freiburg, Fraktions- und Parteivorsitzender der CDU

Nach dem schlechtesten Ergebnis von CDU/CSU bei einer Bundestagswahl im Herbst 1998 (Stimmenanteil: 35,2%) will S. als Oppositionsführer seiner Partei neues Programmprofil verschaffen. 1999 trat er als rigoroser Kritiker der rot-grünen Bundesregierung auf. Mit einer in Teilen der Partei umstrittenen Unterschriftenaktion versuchte er vergeblich, den Gesetzentwurf der Bundesregierung zur doppelten Staatsbürgerschaft zu stoppen. Bei der Europawahl am 13.6.1999 wurde die CDU mit 48,7% der Stimmen in Deutschland klarer Sieger.
□ 1965 Eintritt in die CDU □ seit 1972 MdB □ 1981–84 Parlamentarischer Geschäftsführer der CDU/CSU-Bundestagsfraktion □ 1984–89 Bundesminister für besondere Aufgaben und Chef des Kanzleramts □ 1989–91 Bundesinnenminister □ seit 1991 Vorsitzender der Unionsfraktion □ seit 1998 Parteivorsitzender.

Schily, Otto

Deutscher Politiker (SPD), *20.7.1932 Bochum, Bundesminister des Innern (seit 1998)

S., der in den 70er Jahren als Anwalt u. a. RAF-Mitglieder verteidigte, wandelte sich zum Verfechter eines starken Rechtsstaats. Der 1999 verabschiedete Kompromiss zum Lauschangriff (Abhören von Wohnungen und Geschäftsräumen) im Kampf gegen organisierte Kriminelle geht maßgeblich auf seine Verhandlungsführung zurück. Im Asylrecht hielt S. an der Abschiebepraxis der alten CDU/CSU/FDP-Bundesregierung fest. Bei der Einbürgerung von Ausländern im Rahmen der doppelten Staatsbürgerschaft setzte S. strenge Bedingungen an (u.a. keine Vorstrafen).
□ 1980 Gründungsmitglied der Grünen □ 1983–89 MdB für die Grünen □ 1989 Eintritt in die SPD □ 1993/94 Vorsitzender des Treuhand-Untersuchungsausschusses □ 1994–98 stellv. Vorsitzender der SPD-Fraktion.
www.bundesregierung.de

Otto Schily

Schrempp, Jürgen

Deutscher Manager, *15.9.1944 Freiburg, Vorstandsvorsitzender von DaimlerChrysler (seit 1994)

Zu den weltgrößten Fusionen in der Autobranche gehörte 1998 der Zusammenschluss von Daimler-Benz (D) und Chrysler (USA; Übernahmewert: 36 Mrd DM). Von dem von S. geförderten Modell Smart wurden trotz Nachbesserungen nach dem verunglückten »Elchtest« in Schweden (bei dem der Wagen umgekippt war) bis Mitte 1999 erst 30 000 Stück verkauft (Ziel: 80 000).

Rudolf Scharping

805

Gerhard Schröder

Rudolf Schuster

☐ 1967–74 Ingenieur bei der Firmenzentrale in Stuttgart ☐ 1974–82 bei Daimler-Benz in Südafrika ☐ 1982–84 Präsident des Lkw-Herstellers Euclid ☐ 1984/85 Vizepräsident und Vorstandsvorsitzender von Daimler-Benz Südafrika ☐ 1989–94 Vorstandschef der deutschen Aerospace ☐ 1994–98 Vorstandsvorsitzender der Daimler-Benz-AG ☐ seit 1998 Vorstandsvorsitz von DaimlerChrysler AG

Schröder, Gerhard

Deutscher Politiker (SPD), *7.4.1944 Mossenburg, deutscher Bundeskanzler (seit 1998) und SPD-Vorsitzender (seit 1999)

Die Bundestagswahlen vom 27.9.1998 brachten für den Spitzenkandidaten der SPD 40,9% der Wählerstimmen. Der dritte SPD-Bundeskanzler nach Willy Brandt und Helmut Schmidt hatte vor allem folgende Ziele: Senkung der Arbeitslosenrate durch ein Bündnis für Arbeit, Modernisierung des Staatsbürgerrechts, Reformierung des Justizapparates und eine umfassende Steuerreform. Außenpolitisch etablierte sich S. 1999 als einer der führenden Regierungschefs in der EU. Innenpolitisch wurde er mit Kompetenzstreitigkeiten und Konflikten im Regierungslager konfrontiert. Die Wahlen zum Europaparlament im Juni 1999 brachten der SPD mit 32,2% der Stimmen (−8,7 Prozentpunkte gegenüber der Bundestagswahl) eine herbe Niederlage ein und wurden als Reaktion auf die Regierungspolitik gedeutet.

☐ 1963 Eintritt in die SPD ☐ 1966–71 Studium der Rechtswissenschaften ☐ 1978–80 Anwalt in Hannover ☐ 1978–80 Juso-Bundesvorsitzender ☐ 1983–93 Vorsitzender des SPD-Bezirks Hannover ☐ seit 1986 Mitglied im SPD-Parteivorstand ☐ seit 1989 Mitglied des Präsidiums der SPD ☐ 1994–98 Landesvorsitzender der SPD Niedersachsen ☐ 1990–98 Ministerpräsident von Niedersachsen ☐ seit 1998 Bundeskanzler. **www.bundesregierung.de**

Schulte, Dieter

Deutscher Gewerkschafter, *13.1.1940 Duisburg, Vorsitz. des Dt. Gewerkschaftsbundes (seit 1994)

S. vertritt bei den Verhandlungen über das Bündnis für Arbeit die Interessen der Arbeitnehmer. Er fordert u.a. eine Rente ab 60 Jahren, bei der Abschläge für den Vorruhestand über einen Tariffonds, in den Arbeitnehmer- und Arbeitgeber einzahlen, ausgeglichen werden. Betriebe, die nicht ausbilden, sollen eine Lehrstellenabgabe entrichten. Die von Arbeitgebern geforderten Niedriglohngruppen zur Förderung von

Beschäftigung lehnt er ebenso ab wie eine weitgehende Flexibilisierung der Arbeitszeit (z.B. Samstag als Regelarbeitstag).

☐ 1957 Eintritt in die IG-Bau-Steine-Erden ☐ seit 1991 Vorstandsmitglied der IG Metall ☐ seit 1994 DGB-Vorsitzender. **http://www.dgb.de**

Schuster, Rudolf

Slowakischer Politiker, *1934, Präsident (seit 1999)

Bei den ersten Direktwahlen für das Amt des Staatsoberhauptes der Slowakei setzte sich der prowestliche Regierungskandidat S. im Mai 1999 mit 57,2% gegen den Nationalisten und früheren Ministerpräsidenten Vladimir Meciar (42,8%) durch. In der CSSR war S. Mitglied des Zentralkomitees der slowakischen Kommunisten, im Wahlkampf bekannte er sich zur Westintegration der Republik. Sein Hauptziel ist die Mitgliedschaft der Slowakei in die EU.

Schwanitz, Rolf

Deutscher Politiker (SPD), *2.4.1959 Gera/Thüringen, Bundesminister im Kanzleramt für die Angelegenheiten der neuen Länder (seit 1998)

Der diplomierte Jurist und Ingenieur S. ist in der Bonner Regierungskoalition für den Aufbau Ost zuständig. Neben Christine Bergmann ist er der einzige ostdeutsche Politiker im rot-grünen Kabinett. Trotz geplanter Einsparungen von 30 Mrd DM kündigte Bundeskanzler Gerhard Schröder 1999 für den Aufbau Ost eine Aufstockung der Mittel an.

☐ 1989/90 Mitglied des Neuen Forums ☐ März–Oktober 1990 Mitglied der Volkskammer für die SPD (rechtspolitischer Sprecher) ☐ seit Okt. 1990 MdB ☐ seit 1993 stellv. Landesvorsitzender der SPD in Sachsen ☐ seit 1998 Bundesminister im Kanzleramt für die Angelegenheiten der neuen Länder.

Seizinger, Katja

Deutsche alpine Skirennläuferin, *10.5.1972 Eberbach, Deutsche Sportlerin des Jahres 1998

Überraschend gab S., die 1998 nach 1994 und 1996 bereits zum dritten Mal deutsche Sportlerin des Jahres geworden war, im April 1999 ihren Rücktritt nach einer schweren Knieverletzung bekannt. Bei den olympischen Winterspielen 1998 in Nagano (Japan) gewann sie zweimal Gold (Abfahrt und Kombination) und Bronze im Riesenslalom. 1996 und 1998 war sie Siegerin im Gesamt-Weltcup.

Sen, Amartya

Indischer Ökonom, *3.11.1933 Santiniketan/Bengalen, Nobelpreisträger für Wirtschaftswiss. 1998

In seiner Studie »Poverty and Famines« (1981) stellte S. fest, dass Armut und Hunger auch in Gesellschaften ohne Nahrungsmittelmangel auftreten. Hunger leide, wer keinen Zugang zu Nahrungsmitteln habe, weil er kein Einkommen besitze. S. gehört zu den Beratern des Entwicklungsprogramms der Vereinten Nationen (UNDP) und ist Verfechter des »Human Development Index«. Als Wohlfahrtsindikatoren berücksichtigt er außer dem Durchschnittseinkommen auch den Gesundheits- und Bildungsstand. S. lehrte zunächst an den Universitäten Neu Delhi (1963–71), London (1971–77) und Oxford (1977–87). Bis 1998 war er Prof. an der Harvard-Universität in Cambridge/Massachusetts, seitdem lehrt er in Cambridge (Großbritannien).

Simitris, Konstantinos

Griechischer Politiker, *23.6.1936 Piräus, Ministerpräsident (seit 1996)

Als Nachfolger von Andreas Papandreou steht der Sozialist S. in Griechenland für einen Neuanfang. 1998 bildete er seine Regierung um: Kabinettsmitglieder, die seinen rigorosen Sparkurs kritisierten, wurden entlassen. S. will mit seiner Politik dazu beitragen, dass Griechenland die strengen Kriterien für die Teilnahme am Europäischen Währungssystem erfüllt (u.a. Begrenzung des Haushaltsdefizits auf 3% des BIP).

☐ 1974 Mitgründer der Panhellistischen Sozialistischen Bewegung (PASOK) ☐ 1981–84 Landwirtschaftsminister ☐ 1985–88 Wirtschafts- und Finanzminister ☐ 1993–95 Industrieminister ☐ seit 1996 Vorsitzender der PASOK und Premier.

Solana, Javier

Spanischer Politiker, *14.7.1942 Madrid, NATO-Generalsekr. (1995–99), EU-Außenminister (ab 2000)

S. war im Frühjahr 1999 entschiedener Befürworter des NATO-Luftkriegs gegen Jugoslawien. Das politische Ziel der NATO (Rückzug der serbischen Truppen aus der Provinz Kosovo) wurde aber erst nach zehnwöchigen massiven Bombardements erreicht. Ab 2000 wird S. als Hoher Repräsentant der im Amsterdamer Vertrag (1997) festgeschriebenen gemeinsamen Außen- und Sicherheitspolitik (Gasp) der EU auf internationalem Parkett Stimme verleihen.

☐ 1963 als Gegner des Franco-Regimes Emigration über die Niederlande und Großbritannien in die USA, dort Studium der Physik und Promotion in Festkörperphysik ☐ seit 1964 Mitglied der noch verbotenen Sozialistischen Partei (PSOE) ☐ ab 1971 Prof. in Madrid ☐ 1982–88 Kulturminister ☐ 1988–92 Minister für Erziehung und Wissenschaft ☐ 1992–95 Außenminister ☐ 1995–99 Generalsekretär der NATO ☐ ab 1.1.2000 Europäischer Außenminister.

Amartya Sen

Sommer, Ron

Deutscher Manager, *29.7.1949 Haifa (Israel), Vorstandsvorsitz. der Dt. Telekom AG (seit 1995)

Die von S. 1999 geplante Fusion mit der Telecom Italia SpA scheiterte; der italienische Olivetti-Konzern übernahm das Unternehmen. Um auf dem hart umkämpften Wachstumsmarkt für Informationstechnik und Telekommunikation weltweit konkurrenzfähig bleiben zu können, suchte S. nach neuen Partnern. Zur Kapitalbeschaffung (20 Mrd DM) wurden im Juni 1999 im Rahmen eines zweiten Börsenganges alle 1,74 Mio Altaktien des Bundes und der Kreditanstalt für Wiederaufbau (KfW) an den deutschen Börsen zugelassen. Zugleich gab die Deutsche Telekom 250 Mio neue Aktien aus; mit dem Kapital will S. die Globalisierungsstrategie konsequent fortsetzen.

☐ 1979 als Mathematiker in den Vorstand des Siemens-Nixdorf-Konzerns berufen ☐ 1980 Wechsel zur deutschen Sony-Zentrale, ab 1990 in den USA, ab 1993 Leiter von Sony-Europa. ☐ seit 1995 Vorstandsvorsitzender der Deutschen Telekom AG. **www.telekom.de**

Ron Sommer

Spielberg, Steven

US-amerikanischer Filmregisseur, *18.12.1947 Cincinnati (Ohio)

1998 erhielt S. das Bundesverdienstkreuz für seine 1994 gegründete Shoah-Stiftung, welche die Zeugnisse Überlebender für ein Multimedia-Holocaust-Archiv sammelt. Ziel des jüdischen Regisseurs ist, das Archiv mit fünf Dokumentationsstätten auf der Welt online zu verbinden, u. a. mit dem Holocaust Museum in Washington und der Holocaust-Gedenkstätte Yad Vashem in Jerusalem. In dem sieben Oscars aus-

Steven Spielberg

gezeichneten Film »Schindlers Liste« (1993) hatte sich S. mit dem Holocaust erstmals filmisch beschäftigt. Für den Kriegsstreifen »Der Soldat James Ryan« erhielt S. 1999 den Regie-Oscar.

Weitere Filme: □ 1974 »Der weiße Hai« □ 1977 »Unheimliche Begegnung der dritten Art« □ 1982 »E.T. □ 1985 »Die Farbe Lila« □ 1993 »Jurassic Park« □ 1996 »Lost World«.
Zeitgeschichte → Shoah-Stiftung

Horst Ludwig Störmer

Steinmeier, Frank-Walter

Deutscher Jurist und Politiker,
*5.1.1956 Detmold,
Chef des Bundeskanzleramtes (ab Juli 1999)

S. war seit Herbst 1999 Stellv. von Kanzleramtsleiter Bodo Hombach, der Ende Juni 1999 zurücktrat. S. ist seit Jahren Berater von Bundeskanzler Gerhard Schröder, für den er 1996–98 während dessen Zeit als Ministerpräsident in Niedersachsen die Staatskanzlei leitete.

□ ab 1993 Büroleiter des niedersächsischen Ministerpräsidenten Schröder in Hannover □ ab 1998 Staatssekretär im Bundeskanzleramt □ seit Juli 1999 Chef des Bundeskanzleramts.

Stepaschin, Sergej

Russischer Politiker, *2.3.1952,
Ministerpräsident Russlands (seit Mai 1999)

Der bisherige russische Innenminister S. wurde im Mai 1999 zum Nachfolger Jewgenij Primakows gewählt. Er sagte der Korruption den Kampf an und erklärte das Zahlen der seit Monaten ausstehenden Gehälter und Renten zum Hauptziel. S. machte eine militärische Karriere bei der Miliz, an der Militärhochschule und im Geheimdienst.

□ 1973–90 als Oberst und Generaloberst bei den Truppen des Innenministeriums □ 1991–95 stellv. Generaldirektor der russischen Spionageabwehr, ab 1995 deren Chef □ 1997 Justizminister □ 1998–99 Innenminister □ seit Mai 1999 Ministerpräsident.

Stern, Fritz

Deutsch-US-amerikanischer Historiker,
*2.2.1926 Breslau, Friedenspreisträger des Deutschen Buchhandels 1999

S. gilt als einer der bedeutendsten Historiker der Gegenwart. Mit zwölf Jahren war der in Breslau geborene Jude mit seinen Eltern vor den Nationalsozialisten nach New York geflohen. Dort studierte er an der Columbia-Universität, wo er noch 1999 als Prof. lehrte. Zu seinen wichtigsten Werken gehören

Wolfgang Thierse

»Kulturpessimismus als politische Gefahr. Eine Analyse nationaler Ideologie in Deutschland« (1961) und die Essay-Sammlung »Der Traum vom Frieden und die Versuchung der Macht« (1987).

Störmer, Horst Ludwig

Deutscher Physiker, *6.4.1949 Sprendlingen bei Frankfurt/M., Physiknobelpreisträger 1998

Mit seinen US-Kollegen Daniel Tsui und Robert Laughlin wurde S. für die Erforschung von Quantenphänomenen in Festkörpern mit dem Physiknobelpreis 1998 ausgezeichnet. Seit seiner Promotion 1977 in Stuttgart arbeitet S. am Bell Labs Forschungszentrum in New Jersey. Anfang der 80er Jahre untersuchte S. mit seinem Kollegen Tsui den Quanten-Hall-Effekt. 1983 wurde S. Leiter der Abteilung für elektronische und optische Festkörpereigenschaften, 1992 Direktor des Instituts. S. lehrt als Prof. an der Columbia-Universität in New York.

Terselec, Vesna

Kroatische Friedenskämpferin, *1962 Zagreb

T. erhielt 1998 den Alternativen Nobelpreis (Right Livelihood Arward). Wie ihre Mitstreiterin Katarina Kruhonja setzt sich die junge Kroatin für den Friedensprozess auf dem Balkan ein. Nach Studium in Zagreb widmete sich T. zunächst dem Straßentheater und anschließend dem Umweltschutz. Sie gehörte zu den Gründern der »Croatian Anti-War Campaign« (ARK), deren nationale Koordinatorin sie einige Jahre war.

Thierse, Wolfgang

Deutscher Politiker (SPD), *22.10.1943 Breslau, Bundestagspräsident (seit 1998)

T. ist als Parlamentspräsident nach der Verfassung der zweithöchste Politiker Deutschlands hinter dem Bundespräsidenten und vor dem Bundeskanzler. Als erster Politiker aus Ostdeutschland rückte T. in eines der wichtigsten repräsentativen Ämter der Bundesrepublik vor. Nach dem Studium an der Humboldt-Universität Berlin (Kulturwissenschaften und Germanistik) arbeitete der bis 1990 parteilose T. vor allem wissenschaftlich. 1989 schloss er sich dem »Neuen Forum« an, 1990 trat er in die Ost-SPD ein.

☐ 1975–76 Mitarbeiter im Ministerium für Kultur der DDR ☐ seit 1990 MdB für die SPD u. stellv. Vorsitzender der SPD ☐ seit 1998 Bundestagspräsident.

Trimble, David

Irischer Politiker, *15.10.1944 Belfast, Erster Minister von Nordirland (seit 1998), Friedensnobelpreisträger 1998

Der Protestant T. war entscheidend beteiligt am Zustandekommen des Nordirland-Friedensvertrags 1998, das von der irischen Bevölkerung mit großer Mehrheit angenommen wurde. Mit seinem katholischen Partner John Hume erhielt er für die Verständigungspolitik 1998 den Friedensnobelpreis. Nach den Wahlen zu einem nordirischen Parlament (25.6.1998) wurde T. zum Ersten Minister der halbautonomen britischen Provinz gewählt. In jungen Jahren hatte er der extremen protestantischen Vanguard-Bewegung angehört. Nach dem Sieg Tony Blairs 1997 bei den Parlamentswahlen in Großbritannien wandelte sich T. vom Hardliner zum Befürworter einer Friedensregelung in Nordirland.

☐ 1977 Eintritt in die Partei Ulster Unionists (UUP) ☐ seit 1990 Abgeordneter im Londoner Unterhaus ☐ seit 1995 Vorsitzender der UUP ☐ seit 1998 Erster Minister in Nordirland.

Trittin, Jürgen

Deutscher Politiker (Bündnis 90/Die Grünen), *25.7.1954 Bremen, Bundesminister für Umwelt, Naturschutz und Reaktorsicherheit (seit 1998)

T. übt die oberste Atomaufsicht aus und ist für den geplanten Ausstieg aus der Kernenergie verantwortlich. 1998 löste der Minister die Kommissionen für Strahlenschutz und Reaktorsicherheit auf. Innerhalb der rot-grünen Bundesregierung und bei Vertretern der Atomwirtschaft war bis Mitte 1999 die Frage der Restlaufzeiten der Atomkraftwerke am meisten umstritten. T. berief sich auf das Koalitionsabkommen (höchstens 20 Jahre), der für Energiepolitik zuständige Bundeswirtschaftsminister Müller schlug allerdings eine Restlaufzeit von über 30 Jahren vor.

☐ seit 1980 Mitglied der Grünen ☐ 1985–86 und 1988–90 Vorsitzender der Landtagsfraktion in Niedersachsen ☐ 1990–94 niedersächsischer Minister für Bundes- und Europaangelegenheiten ☐ 1994–98 Sprecher des Bundesvorstands von Bündnis 90/Die Grünen ☐ seit 1998 MdB. **www.gruene.de**

Tschernomyrdin, Viktor

Russischer Politiker, *9.4.1938 Ohrenburg

Nachdem die Duma (Parlament) im September 1998 T. die erforderliche Zustimmung zur Regierungsbildung verweigerte, ernannte ihn Boris Jelzin im März 1999 zum russischen Balkan-Beauftragten im Kosovo-Konflikt. Mit dem finnischen Staatspräsidenten Martti Ahtisaari konnte T. den jugoslawischen Staatschef Slobodan Milosevic zur Unterzeichnung des G-8-Friedensabkommens bewegen und den Krieg auf dem Balkan beenden. Der studierte Ingenieur war 1992–98 Ministerpräsident Russlands. Im März 1998 enthob ihn Jelzin aus dem Amt.

☐ 1967–73 Parteifunktionär in Orsk ☐ 1978–82 Instrukteur in der ZK-Abteilung für Schwerindustrie ☐ 1983 Leiter der größten Erdgasförderanlage der UdSSR im westsibirischen Tjumen ☐ 1985–89 Minister der sowjetischen Gasindustrie ☐ 1989 Vorstandsvorsitzender der russischen Gasindustrie ☐ 1992– März 1998, August und September 1998 russischer Ministerpräsident.

Tsui, Daniel Chee

US-amerikanischer Physiker, *1939 Henan (China), Physiknobelpreisträger 1998

Für seine Entdeckung des gebrochenzahligen Quanten-Hall-Effekts, die aus den gemeinsamen Forschungsarbeiten mit dem deutschen Physiker Horst Störmer erwuchs, erhielt T. 1998 den Nobelpreis für Physik. In den Forschungslaboratorien der Telekommunikationsfirma Bell (New Jersey) arbeitete T. 1982 mit Störmer: Die beiden entdeckten beim Studium des Verhaltens von Elektronen unter extremen Temperatur- und Kräfteschwankungen eine neue Quantenflüssigkeit, deren Anregungszustände sog. Quasiteilchen mit gebrochenzahliger Ladung entsprechen. Von besonderer Bedeutung sind seine Arbeiten zum Übergang von Quantenflüssigkeiten. Der promovierte Physiker (1967) T. ist seit 1982 Fakultätsmitglied der Universität Princeton/New Jersey.

Jürgen Trittin

Turner, Ted

US-amerikanischer Medienunternehmer, *19.11.1938 Cincinnati/Ohio

1998 wurde der Medienunternehmer T. von der »Nuclear Age Peace Foundation«, einer Interessenorganisation zur Beseitigung der Atomwaffen, mit dem »World Citizenship

Ted Turner

Award« ausgezeichnet. Atomwaffengegner T. erntete bereits 1997 durch seine Spende an die UNO (1 Mrd Dollar binnen zehn Jahren) Lob in der US-Öffentlichkeit. 1998 wurden die ersten 100 Mio Dollar aus dem Fonds zugeteilt: u. a. Vitaminhilfen für Mütter in Timor (Indonesien), zur Bekämpfung der Masern in Nigeria und zur Demobilisierung der Kindersoldaten in Sierra Leone. T. übernahm 1963 die Werbeagentur seines Vaters und baute sie zum Medienkonzern Turner Broadcasting System um. 1980 startete er mit CNN einen der weltweit erfolgreichsten Nachrichtensender.

Welteke, Ernst

Deutscher Volkswirt, *21.8.1942 Korbach

Am 1.9.1999 tritt SPD-Mitglied W. die Nachfolge von Hans Tietmeyer (CDU) als Präsident der Bundesbank an. Hauptaufgabe des als Pragmatiker geltenden Ökonoms ist deren Neustrukturierung, nachdem die Bundesbank mit Beginn der Europäischen Währungsunion 1999 einen Teil ihrer Kompetenzen an die Europäische Zentralbank abgegeben hat. An erster Stelle steht ein Personalabbau (1998: 16 000 Mitarbeiter).
☐ 1964 Eintritt in die SPD ☐ ab 1974 Mitglied des Hessischen Landtags ☐ 1984 Fraktionsvorsitzender der SPD Hessen ☐ 1991–94 Minister für Wirtschaft, Verkehr und Technologie in Hessen ☐ 1994–95 Hessischer Finanzminister ☐ 1995–99 Präsident der Landeszentralbank Hessen ☐ seit 1.9.1999 Präsident der Deutschen Bundesbank.

Zinedine Yazid Zidane

Wieczorek-Zeul, Heidemarie

Deutsche Politikerin (SPD), *21.11.1942 Frankfurt/M., Bundesministerin für wirtschaftliche Zusammenarbeit und Entwicklung (seit 1998)

Das von W. verantwortete Ressort Entwicklungshilfe sollte 1998 zunächst dem Auswärtigen Amt angegliedert werden. Auf dem Kölner G-8-Gipfel im Juni 1999 wurde ein Vorschlag von W. verwirklicht: Den ärmsten Entwicklungsländern wurden rund 70 Mrd Dollar Schulden erlassen.
☐ 1965–74 Lehrerin ☐ 1965 Eintritt in die SPD ☐ 1974–77 Bundesvorsitzende der Jungsozialisten ☐ 1984 Mitglied des SPD-Parteivorstandes ☐ 1987 Bezirksvorsitzende der SPD Südhessen ☐ 1993 stellv. Bundesvorsitzende der SPD ☐ 1979–87 Mitglied des Europ. Parlaments ☐ seit 1987 MdB ☐ seit 1998 Bundesministerin für wirtschaftliche Zusammenarbeit und Entwicklung.
www.bundesregierung.de

Heidemarie
Wieczorek-Zeul

Zahrnt, Angelika

Deutsche Volkswirtin, *26.6.1944 Köslin (Pommern), Vorsitzende des Bundes für Umwelt und Naturschutz Deutschland (seit 1998)

Z. wurde 1998 als Nachfolgerin von Hubert Weinzierl als erste Frau an die Spitze der Naturschutzorganisation BUND gewählt. Die Pragmatikerin gilt als Expertin für die Ökosteuerreform, dessen Konzept sie mitentwickelte. Maßgeblich arbeitete sie an der Erstellung der Studie »Zukunftsfähiges Deutschland« mit, die der BUND 1997 gemeinsam mit der bischöflichen Welthungerhilfe Misereor präsentierte.
☐ 1968–69 Lehrstuhl für Wirtschaftstheorie an der Universität Heidelberg ☐ 1970/71 Tätigkeit bei Siemens München ☐ 1973–77 Referentin für Statistik und Prognosen der Hessischen Staatskanzlei ☐ 1986–89 Sprecherin des BUND-Arbeitskreises »Finanzen und Wirtschaft« ☐ seit 1989 Mitglied des Bundesvorstandes ☐ seit 1998 Vorsitzende.
www.bund.net

Zidane, Zinedine Yazid

Französischer Fußballspieler, *23.6.1972 Marseille, Weltfußballer u. Europas Fußballer des Jahres 1998

Seine beiden Tore zum Endspielerfolg der französischen Nationalmannschaft über Brasilien (3:0) bei der Fußball-WM 1998 in Frankreich machten den Mittelfeld-Regisseur zum »Nationalhelden«. Der Sohn algerischer Einwanderer begann seine Karriere in Cannes (1988–92) und spielte 1992–96 für Girondins Bordeaux, bevor er 1996 nach Italien zu Juventus Turin wechselte.
www.tifonet.it/free/juveworld

Zimmermann, Udo

Deutscher Komponist und Dirigent, *6.10.1943 Dresden, Intendant der Leipziger Oper (seit 1990)

Im Herbst 2001 wird Z. die Nachfolge von Götz Friedrich als Intendant der Deutschen Oper Berlin antreten. Z. war Assistent beim renommierten Opernregisseur Walter Felsenstein an der Komischen Oper Berlin, bevor er 1970 Dramaturg an der Staatsoper Dresden wurde. Dort gründete er das »Studio Neue Musik« (ab 1986 »Dresdner Zentrum für Neue Musik«). Als Intendant (seit 1990) machte er die Leipziger Oper zu einem der führenden deutschen Musiktheater. Zu den meistgespielten zeitgenössischen Werken gehört seine Oper »Weiße Rose« (1986).

Nekrolog

Im Nekrolog sind Kurzbiographien von Personen aus Politik, Wirtschaft, Wissenschaft und Kultur verzeichnet, die im Berichtszeitraum von August 1998 bis Juli 1999 verstorben sind.

Althoff, Adolf

Deutscher Zirkusdirektor, *Juni 1913 Sonsbeck, †14.10.1998 Stolberg

A. stammte aus einer der ältesten deutschen Zirkusfamilien (1560 erstmals erwähnt). Der Artist und Dompteur gründete 1940 seinen eigenen Zirkus. Die von der Gestapo gesuchte jüdische Clownsfamilie Bento fand in seinem Unternehmen während der NS-Zeit Zuflucht. Bis 1979 leitete A. den Zirkus. Zu seinen berühmtesten Nummern zählte die mit dem »reitenden Tiger«, mit der A. auch in den USA Erfolge feierte.

Ambler, Eric

Britischer Schriftsteller, *28.6.1909 London, †22.10.1998 ebd.

Der Meister des zeitgenössischen Thrillers verpackte weltpolitische Auseinandersetzungen in spannende Geschichten. Bis 1940 erschienen fünf Romane, welche die Intrigen der Großindustrie sowie die Aufrüstung thematisierten. In den 50er Jahren setzte sich A. mit antikolonialen Befreiungsbewegungen auseinander. Etliche seiner Romane wurden verfilmt. Berühmt wurden »Der dunkle Grenzbereich« (1935), »Die Maske des Dimitrios« (1939), »Der Fall Deltschwe« (1951) und »Das Intercom-Komplott« (1969). Sein Drehbuch zum Film »Die grausame See« wurde 1953 in Hollywood für den Oscar nominiert.

Attenhofer, Elsie

Schweizer Kabarettistin, *21.2.1909 Lugano, †16.6.1999 Bassersdorf bei Zürich

Als Ensemblemitglied des 1934 gegründeten Kabaretts »Cornichon«, das sich gegen den Nationalsozialismus wandte, bewies A. Zivilcourage. Als Schauspielerin feierte sie ihre größten Erfolge in den Filmen »Füsilier Wipf« und »Die missbrauchten Liebesbriefe«. Ihr selbst verfasstes Theaterstück »Wer wirft den ersten Stein?« über den Antisemitismus in der Schweiz wurde 1944 in Basel uraufgeführt.

Barlog, Boleslaw

Deutscher Theaterintendant, *28.3.1906 Breslau, †17.3.1999 Berlin

Als 1951 das wieder aufgebaute Schiller-Theater Berlin eröffnete, wurde B. dessen Intendant. Mit Schauspielern wie Carl Raddatz, Bernhard Minetti, Ernst Deutsch und Fritz Kortner baute B. die Schiller-Bühne und die 1959 eröffnete Schiller-Werkstatt zu einem der renommiertesten Theater der Welt auf. 1963 zum Generalintendanten befördert, verpflichtete B. bedeutende Regisseure wie Erwin Piscator, Rudolf Noelte und George Tabori. Samuel Beckett inszenierte dort 1965 sein Stück »Warten auf Godot«. Zu B.s großen Inszenierungen gehört die deutsche Erstaufführung von Edward Albees »Wer hat Angst vor Virginia Woolf« 1963.

Ben-Chorin, Schalom

eigtl. Fritz Rosenthal, israelischer Religionsphilosoph, Journalist und Autor, *20.7.1913 München, †7.5.1999 Jerusalem

Bevor B. 1934 nach Palästina auswanderte, hatte er bereits erste Bände mit Dichtungen veröffentlicht. 1936 und 1941 war er Mitherausgeber deutschsprachiger Anthologien jüdischer Dichter. In den 60er Jahren suchte B. in Deutschland Christen das Judentum zu vermitteln. Zeitlebens war er der jüdischen Orthodoxie gegenüber kritisch eingestellt (»Jüdischer Glaube«, 1975).

Eric Ambler

Bogarde, Dirk

Sir (seit 1992), eigtl. Derek Jules Gaspard Ulric Niven van den Bogaerde, britischer Schauspieler, *28.3.1921 Hampstead, †8.5.1999 London

B. wurde bekannt durch Abenteuer- und Kriegsfilme, Komödien und Serien. Der internationale Durchbruch erfolgte 1963 mit der Rolle des sadistischen »Dieners« im Film von Joseph Losey nach dem Stück von Harold Pinter. Zu B.s größten Filmrollen gehören der des Gustav von Aschenbach in Luchino Viscontis Umsetzung von Thomas Manns Roman »Tod in Venedig« (1971).

Dirk Bogarde

Seit Ende der 70er-Jahre schrieb B. mehrere Romane und eine Autobiographie. 1991 stand er noch einmal in Bertrand Taverniers »Daddy Nostalgie« vor der Kamera.

Casares, Adolfo Bioy

Argentinischer Schriftsteller, *15.9.1914 Buenos Aires, †8.3.1999 ebd.

Als Gymnasiast schrieb C. phantastische Geschichten; der erste anerkannte Roman war 1940 »Morels Erfindung«. 1945 folgte »Fluchtplan«. Beide Werke verbinden phantastische Erzählung und Science-fiction. In Zeiten nationalistischer Ideologie unter Präsident Juan D. Perón wurden C.s Geschichten als »Landesverrat« diffamiert. Eine verdeckte Parodie auf den Peronismus war C.s Roman »Der Traum der Helden« (1954).

August Everding

Chadwick, John

Englischer Philologe, *21.5.1920 London, †24.11.1998 ebd.

Mit dem englischen Architekten M. Ventris entzifferte der Altertumswissenschaftler und Linguist C. 1952 einen Teil der mykenischen Linearschrift B, einen frühen Dialekt des Griechischen. Die 2000 Tontafeln mit eingebrannten Schriftzeichen entpuppten sich als umfangreiches Archiv, in dem über den Handel mit Gold, Getreide, Waffen und Tongefäßen detailliert Buch geführt wurde.

DiMaggio, Joe

US-amerikanischer Baseballspieler, *25.11.1914 Martinez/Kalifornien, †8.3.1999 Hollywood/Florida

Weltruhm erlangte der Sohn italienischer Einwanderer 1936, als er von San Francisco nach New York zog und dort die Yankees zu einem der erfolgreichsten Teams der Baseball-Profiliga machte. Siebenmal gewann D. mit seinem Klub die »World Series«, die Meisterschaft der Baseball-Profis. 1954 heiratete er Hollywoodstar Marilyn Monroe. Die Ehe hielt aber nur 274 Tage.

Joe DiMaggio

Elion, Gertrude B.

US-amerikanische Pharmakologin und Biochemikerin, *23.1.1918 New York, †21.2.1999 ebd.

Für die Entwicklung einer Reihe lebensrettender Chemotherapeutika erhielt E. 1988 den Medizinnobelpreis. Sie war zunächst als Lebensmitteltechnikerin tätig und übernahm 1944 bei dem Pharmakonzern Burroughs Wellcome in New Jersey eine leitende Position. Mit ihrem Kollegen und Mitpreisträger George Hitchings entdeckte sie Substanzen, die das Wachstum von Krankheitserregern hemmen, die für die Entwicklung von Arzneimitteln genutzt wurden.

Everding, August

Deutscher Theaterintendant, *31.10.1928 Bottrop, †27.1.1999 München

E. begann 1955 als Regisseur an den Münchener Kammerspielen, wo er 1963 Intendant wurde. Seine eigentliche Liebe galt der Oper: Insgesamt 125 Werke (vor allem von Richard Wagner) wurden von ihm inszeniert. 1973 übernahm E. die Intendanz der Hamburgischen Staatsoper, 1977 kehrte er nach München zurück, um dort die Leitung der Bayerischen Staatsoper zu übernehmen. 1982 wurde er Generalintendant der Bayerischen Staatstheater. Auf seine Initiative wurde das Münchner Prinzregententheater renoviert und wiedereröffnet; 1993 wurde E. dort zusätzlich Intendant.

Feiniger, Andreas

US-amerikanischer Fotograf, *27.12.1906 Paris, †18.2.1999 New York

Der Sohn des Bauhaus-Malers Lyonel F. studierte Architektur. Früh erprobte er Solarisationseffekte und schuf meditative Bilder von zeitlosen, natürlichen Mustern. Nach seiner Emigration in die USA (1939) wurde er mit Schwarzweißaufnahmen von New York berühmt. Für das Magazin »Life« erarbeitete er in über 20 Jahren fast 400 Fotoreportagen. Mit rund 40 technischen Lehrbüchern schrieb F. Fotogeschichte.

Frank, Horst

Deutscher Schauspieler, *28.5.1929 Lübeck, †25.5.1999 Heidelberg

Bis zu seinem Tod kurz vor seinem 70. Geburtstag stand F. in München im Stück »Kugeln über dem Broadway« von Woody Allen auf der Bühne. Auf dem Theater befreite sich F. vom Rollen-Image des »Bösewichts«. In Filmen wie »Stern von Afrika« (1956) und »Der Greifer« (1958) spielte er den introvertierten, zynischen Einzelgänger.

Green, Julien

Französisch-kanadischer Schriftsteller,
*6.9.1900 Paris, † 13.8.1998 ebd.

Katholik G. schilderte in seinem Werk die Verlorenheit menschlicher Seelen in einer Welt der Angst und Enge sowie des Verbrechens. Er schrieb in englischer und französischer Sprache. Zu seinen berühmtesten Werken gehören »Mont-Cinère« (1926), »Adrienne Mesurat« (1927), »Treibgut« (1932), »Mitternacht« (1936), »Jeder Mensch in seiner Nacht« (1960), »Paris« (1983), »Von fernen Ländern« (1987) und die Autobiographie »Junge Jahre« (1986).

Haffner, Sebastian

Eigtl. Raimund Pretzel, deutscher Publizist und Journalist, *27.12.1907 Berlin, †2.1.1999 ebd.

H. floh 1938 vor dem NS-Regime nach London, wo er ab 1940 als Redakteur eines deutschsprachigen Emigrantenblattes arbeitete. Bis Anfang der 60er-Jahre arbeitete H. für die britische Zeitung »Observer«. Nach Deutschland zurückgekehrt, trat er u. a. als Kolumnist des »stern« (ab 1963) für die Anerkennung der DDR und einen fairen Umgang mit dem SED-Regime ein. Seine bedeutendsten Werke sind »Anmerkungen zu Hitler« (1978), »Preußen ohne Legende« (1979), »Die sieben Todsünden des Deutschen Reiches im Ersten Weltkrieg« (1981) und »Von Bismarck zu Hitler« (1987).

Hager, Kurt

Deutscher Politiker (DDR), *24.7.1912
Bietigheim/Enz, † 18.9.1998 Berlin

H. war jahrzehntelang Chefideologe der DDR-Staatspartei SED. 1990 wurde er mit anderen ehemaligen DDR-Führern aus der Partei ausgeschlossen. Die 1995 gegen ihn erhobene Anklage wegen der Todesschüsse an der Mauer wurde 1996 wegen H.s angeschlagener Gesundheit zurückgezogen.

Henkel, Konrad

Deutscher Industrieller, *25.10.1915 Düsseldorf,
† 22.4.1999 ebd.

Bis 1980 leitete H. die Geschäfte des Waschmittel-Konzerns, danach stand er bis 1990 dem Aufsichtsrat und dem Gesellschafterausschuss vor. Nach dem Chemie-studium trat er 1948 in die Firma ein; nach dem Tod seines Bruders Jost übernahm er 1961 die Alleinverantwortung. Auf seine Initiative hin engagierte sich Henkel im Bereich der nachwachsenden Rohstoffe.

Hussein II.

Jordanischer König (ab 1952), *14.11.1935
Amman, †7.2.1999 ebd.

Als ältester von drei Söhnen wurde H. auf Eliteschulen u. a. in England ausgebildet und noch nicht volljährig zum König proklamiert. Gegen palästinensische Freischärler, die 1970 in Jordanien einen »Staat im Staat« errichten wollten, setzte er sich militärisch durch. Nach der Teilnahme Jordaniens am arabisch-israelischen Sechstagekrieg 1967 verlor Jordanien das Westjordanland. H.s Gegner kritisierten den von ihm abgeschlossenen Friedensvertrag mit Israel (1994).

Jahn, Gerhard

Deutscher Politiker und Jurist, *10.9.1927 Kassel,
†20.10.1998 Mülheim

Als SPD-Justizminister (1969–74) schuf J. mit dem Wohnraumkündigungsschutzgesetz 1971, dem 1975 eine Neufassung folgte, die Grundzüge des bis heute geltenden sozialen Mietrechts. Er war bis 1992 Bundestagsabgeordneter, zuletzt Parlamentarischer Geschäftsführer. 1979–95 leitete J. als Präsident den Deutschen Mieterbund.

Killanin, Michael Morris

Baron (seit 1927), Industriemanager,
*30.7.1914 London, †25.4.1999 Dublin

Seine Amtszeit als Präsident des Internationalen Olympischen Komitees (IOC, 1972–80) war geprägt vom Attentat arabischer Terroristen auf israelische Sportler bei den Spielen in München 1972 und vom westlichen Boykott der Spiele in Moskau (1980) wegen des Afghanistan-Kriegs.

Krahl, Hilde

Österreichische Schauspielerin, *10.1.1917
Brod an der Save (Kroatien), †28.6.1999 Wien

K. wurde von Kritikern wegen ihrer »zauberischen Natürlichkeit ohne Starallüren« gepriesen. 1936 war sie nach dem Besuch

Julien Green

Hussein II.

Sebastian Haffner

der Wiener Schauspielschule an der Max Reinhardt-Bühne des Theaters in der Josefstadt engagiert, 1938 wechselte sie ans Berliner Deutsche Theater. Parallel zur Bühne begann K. noch vor dem Zweiten Weltkrieg eine beispielhafte Filmkarriere.

Filme: □ 1936 »Lumpacivagabundus« □ 1937 »Serenade« □ 1940 »Der Postmeister« (mit Heinrich George) □ 1943 »Großstadtmelodie« □ 1944 »Träumerei« □ 1949 »Liebe 47« □ 1960 »Ein Glas Wasser«.

Hans-Joachim
Kulenkampff

Krolow, Karl

Deutscher Dichter, *11.3.1915 Hannover,
†21.6.1999 Darmstadt

Krolow, einer der einflussreichsten deutschen Lyriker der Nachkriegszeit, schrieb stimmungshafte Naturgedichte (»Wind und Zeit«, 1954) und wandte sich später experimentellen Formen ohne Reim zu (»Als es so weit war«, 1988). Kennzeichen seiner Lyrik sind abstrakte Metaphern, ausgeprägte Rhythmik und unpathetischer Ausdruck (»Alltägliche Gedichte«, 1968). Auch als Literaturkritiker sowie Nachdichter spanischer und französischer Verskunst war er anerkannt. 1956 erhielt er die bedeutendste deutsche Literaturauszeichnung, den Georg-Büchner-Preis.

Kubel, Alfred

Deutscher Politiker, *21.5.1909 Braunschweig,
†24.5.1999 Bad Pyrmont

Sozialdemokrat K. verbrachte wegen »illegaler politischer Tätigkeit« während des NS-Rgimes ein Jahr in Haft. Nach Ende des Zweiten Weltkriegs war er von Mai bis November 1946 Regierungschef des Landes Braunschweig und danach in verschiedenen Regierungen niedersächsischer Finanz-, Arbeits-, Wirtschafts- und Landwirtschaftsminister. 1970–76 war er Ministerpräsident Niedersachsens.

Kubrick, Stanley

US-amerikanischer Regisseur, *26.7.1928 New York,
†7.3.1999 Childwickbury Manor (Großbritannien)

Als Fotograf für die Illustrierte »Look« begann K. ab 1946 durch Europa und Amerika zu reisen. Erst 1953 stieg er ins Filmgeschäft ein. 1957 gelang ihm der Hollywood-Durchbruch mit dem antimilitaristischen Film »Wege zum Ruhm«. Mit »2001 – Odyssee im Weltraum« (1968) setzte K. neue ästhetische Maßstäbe im Science-fiction-Genre. Weitere erfolgreiche Streifen waren »Lolita« (1961), »Dr. Seltsam, oder wie ich lernte, die Bombe zu lieben« (1963), »Uhrwerk Orange« (1971), »Barry Lyndon« (1975), »Shining« (1979) und »Full Metal Jacket« (1987).

Kulenkampff, Hans-Joachim

Deutscher Schauspieler u. Quizmaster,
*27.4.1921 Bremen,
†14.8.1998 Seeham (Österreich)

K. begann seine berufliche Laufbahn kurz nach dem Zweiten Weltkrieg beim Rundfunk. In den 50er und 60er Jahren war er mit »Wer gegen wen« und »Einer wird gewinnen« einer der populärsten deutschen TV-Showmaster. Seine späteren Sendungen »Nachtgedanken« (1985–90) zum Sendeschluss der ARD und »Kulis Buchclub« auf RTL konnten nicht an den Erfolg der frühen Jahre anknüpfen. Auf der Bühne verkörperte er u.a. 1968 in Zürich den Major Harras in Carl Zuckmayers »Des Teufels General«.

Kurosawa, Akira

Japanischer Filmregisseur, *23.3.1910 Tokio,
†6.9.1998 Tokio

Der Offizierssohn aus verarmtem Samurai-Geschlecht drehte Filmepen meist mit mittelalterlichen Kriegern und finsteren Herrschern als Hauptfigur. Häufig stammten seine Vorlagen aus der russischen oder angelsächsischen Literatur. Für »Das Schloss im Spinnwebwald« (1957) diente ihm Shakespeares »Macbeth« als Vorlage. Stets suchte K. die Psyche und Zerrissenheit der Figuren darzustellen. 1990 erhielt er den Ehren-Oscar für sein Lebenswerk.

Weitere bekannte Filme: □ 1950 »Rashomon«, □ 1953 »Die sieben Samurai«, □ 1975 »Uzala, der Kirgise«, □ 1980 »Kagemusha – der Schatten des Kriegers«, □ 1985 »Ran«, □ 1989 »Träume«.

Leontief, Wassily

US-amerikanisch-russischer Nationalökonom,
*5.8.1906 St. Petersburg, †5.2.1999 New York

L. erhielt 1973 für seine Forschungen zur Produktionsplanung den Nobelpreis für

Wirtschaftswissenschaften. In St. Petersburg hatte er Philosophie, Soziologie und Volkswirtschaft studiert. Bereits in seiner Promotion über »Die Wirtschaft als Kreislauf« (1929) legte er die Grundlagen für seine Input-Output-Analyse der Volkswirtschaft. In weiteren Modellen versuchte er die Auswirkungen wirtschaftspolitischer Maßnahmen auf Produktionsentwicklungen abzuschätzen. 1931 zog L. in die USA, um dort ab 1946 44 Jahre an der Harvard-Universität in Cambridge/Massachusetts zu lehren. 1975–91 leitete er das New Yorker Institut für Wirtschaftsanalyse.

Liebermann, Rolf

Schweizer Komponist, *14.9.1910 Zürich, †2.1.1999 Paris

Der Großneffe des Malers Max L. leitete ab 1957 in Hamburg die Musikabteilung des Norddeutschen Rundfunks. Als Komponist wurde er mit den Opern »Leonore 40/45« (1952), »Penelope« (1954) und »Die Schule der Frauen« (1957) berühmt. 1959–72 machte er als Leiter die Hamburger Staatsoper zu einem der führenden Musiktheater in Deutschland. Mit ähnlich großem Erfolg stand er 1973–80 der Pariser Oper vor. 1985–89 erneut als Intendant in Hamburg, verabschiedete er sich mit der unkonventionellen Multimedia-Jazzoper »Cosmopolitan Greetings«, vom Publikum.

Lieffen, Karl

Eigtl. Carel Frantisek Lifka, deutscher Schauspieler, *17.5.1926 Ossek (Böhmen), †13.1.1999 Starnberg

An der Akademie für Musik und Darstellende Kunst in Braunschweig studierte L. Schauspiel. Seine ersten Theaterstationen nach dem Krieg waren Freiburg und Wiesbaden; es folgten die Münchner Kammerspiele unter Hans Schweikart, das Frankfurter Schauspiel (1951–57) und seit den 70er-Jahren das Bayerische Staatsschauspiel. Beim Film feierte der Darsteller L. seinen ersten Erfolg mit »Nick Knattertons Abenteuer« (1958). Als Inspektor Janot in der Krimireihe »Dem Täter auf der Spur« unter der Regie von Jürgen Roland und der Serie »Tadellöser und Wolff« wurde L. dem TV-Publikum bekannt. 1991 wurde ihm der Titel eines Bayerischen Staatsschauspielers verliehen.

Lowitz, Siegfried

Deutscher Schauspieler, *22.9.1914 Berlin, †27.6.1999 München

Der Sohn eines Bildhauers absolvierte die Schauspielschule in Frankfurt, bevor er sich als Charakterdarsteller auf der Bühne profilierte. In den 50er- und 60er-Jahren gehörte L. dem Ensemble der Münchner Kammerspiele an, bis 1978 war er Mitglied des Bayerischen Staatsschauspiels. Bekannt wurde der Schauspieler dem deutschen Publikum durch seine Mitwirkung in zahlreichen Edgar-Wallace-Filmen. Popularität erlangte L. für seine Darstellung in »Der Trinker« nach Hans Fallada (1968), für die er mit der Goldenen Kamera ausgezeichnet wurde. In der Krimiserie »Der Alte« spielte er in 100 Folgen den Kommissar Köster.

Wassily Leontief

Martin, Hansjörg

Deutscher Kriminalschriftsteller, *1.11.1920 Leipzig, †11.3.1999 Mallorca

Mit phantasievollen Kinderbüchern machte sich M. in den 50er und 60er Jahren einen Namen. Sein erster Kriminalroman »Gefährliche Neugier« (1965) hob sich durch eindringliche Milieuschilderung, die sozialpsychologische Sicht auf den Täter und die Erforschung seiner Motive von früheren deutschen Krimis ab. Zu seinen bekanntesten Krimifiguren gehört Kommissar Klipp.

Matthiesen, Klaus

Deutscher Politiker, *15.2.1941 Gangerschild, †9.12.1998 Düsseldorf

Kurz vor seinem Tod hatte sich der Sozialdemokrat M. abrupt aus der Politik zurückgezogen, um den Vorstandschef des Kölner Rohstoffverwerters Interseroh AG zu werden. Ab 1973 war M. SPD-Fraktionschef im Kieler Landtag, 1983 wechselte er unter Ministerpräsident Johannes Rau in die Landesregierung von NRW, zunächst als Landwirtschafts-, dann als Umweltminister.

Karl Lieffen

Menuhin, Yehudi

US-amerikanischer Geiger und Dirigent, *22.4.1916 New York, †12.3.1999 Berlin

M. setzte sich zeitlebens für zeitgenössische ebenso wie für wenig aufgeführte ältere, insbes. indische (Ravi Shankar) Musik ein.

Yehudi Menuhin

Mit sieben Jahren debütierte das Geigen-Wunderkind in San Francisco, mit 19 Jahren (1935) absolvierte er mit 110 Konzerten die erste große Welttournee. Als Humanist setzte sich M. für Menschenrechte u. a. in der UdSSR und in China ein, 1939–45 gab er rund 500 Konzerte, um Flüchtlingskindern und Kriegsopfern zu helfen. Der Jude M. gab als einer der ersten Künstler nach 1945 in Deutschland Konzerte. 1963 gründete er in London die Yehudi Menuhin School für junge Musiker. Er erhielt u. a. den Friedenspreis des Deutschen Buchhandels (1979) und den Siemens-Musikpreis (1984).

Minetti, Bernhard

Deutscher Schauspieler, *26.1.1905 Kiel,
† 12.10.1998 Berlin

M. verkörperte nahezu alle dramatischen Helden der Weltliteratur. Nach der Schauspielschule in Berlin debütierte er 1927 in Gera als Kapuziner in »Wallensteins Lager«. Zum Ensemble des Preußischen Staatstheaters Berlin gehörte er 1930–45. Nach dem Krieg wechselte er als Theaterdirektor nach Kiel, 1947–49 zum Ensemble des Hamburger Schauspielhauses. Den größten Teil seines Theaterlebens verbrachte M. am Berliner Schiller-Theater, wo er 1965 den Pozzo in »Warten auf Godot« (Samuel Beckett) verkörperte. In den 70er-Jahren arbeitete er oft mit dem Dichter Thomas Bernhard zusammen, der ihm mehrere Stücke widmete (»Minetti«, 1976).

Mosch, Ernst

Deutscher Musiker und Produzent, *7.11.1925 Zwodau an der Eger, † 15.5.1999 Germaringen

Mit seinen Original Egerländer Musikanten und der Mischung aus Schlagern, Volksmusik und Operettenmelodien errang M. hohe Popularität. Als Posaunist beim Südfunk-Tanzorchester gründete er 1956 sein eigenes Blasorchester, das zu einem Gütesiegel für böhmische Volksmusik wurde.

Glenn Th. Seaborg

Murdoch, Dame Iris

Irisch-britische Schriftstellerin, *15.7.1919 Dublin,
† 8.2.1999 Oxford

Nach dem Studium (klassische Sprachen, Philosophie) war die Autorin von 27 Romanen im Londoner Finanzministerium tätig,

Dame Iris Murdoch

1944–46 als Flüchtlingsbetreuerin in Belgien und Österreich. 1948–63 war sie Prof. für Philosophie in Oxford. Der Einfluss der Philosophie Jean-Paul Sartres und Ludwig Wittgensteins blieb in ihren Werken erkennbar (Wahrheitssuche, Grenzen menschlicher Freiheit, Gegensatz von Gut und Böse). Wichtige Werke: □ 1954 »Unter dem Netz« □ 1958 »Die Wasser der Sünde« □ 1973 »Der schwarze Prinz« □ 1978 »Das Meer, das Meer« □ 1986 »Der gute Lehrling« □ 1993 »Der grüne Ritter«.

Puzo, Mario

US-amerikanischer Autor, *15.10.1920 New York,
† 2.7.1999 Long Island/New York

Mit dem Roman »Der Pate« (1969) über die fiktive New Yorker Mafia-Familie Corleone schrieb P. einen Weltbestseller, der 1972/74 und 1990 in drei Teilen von Francis F. Coppola (nach Drehbüchern von P.) erfolgreich verfilmt wurde (insgesamt neun Oscars).

Sacher, Paul

Schweizer Mäzen und Dirigent, *28.4.1906 Basel,
† 26.5.1999 ebd.

Mit 20 Jahren gründete S. als Musikstudent das Basler Kammerorchester. Mit dem von ihm initiierten Collegium Musicum Zürich wurde S. auf internationalen Bühnen gefeiert. 1933 gründete er in Basel das »Schola Cantorum Basiliensis«, ein Lehr- und Forschungsinstitut für Alte Musik, das später in der Musik-Akademie von Basel aufging. 1934 heiratete S. Maja Hoffmann-Stehlin, die Witwe des Mehrheitsaktionärs des Pharmakonzerns La Roche. Seitdem wirkte S. auch als Musikmäzen: Er vergab Kompositionsaufträge an Béla Bartók, Igor Strawinski und Paul Hindemith.

Seaborg, Glenn Theodore

US-amerikanischer Chemiker, *19.4.1912 Ishpeming/Michigan, † 25.2.1999 Lafayette/Louisiana

Der Chemiker und Atomphysiker gilt als Mitentdecker der Elemente Plutonium, Americium und Berkelium. 1951 erhielt er mit Edwin McMillan den Chemienobelpreis für die Entdeckung der Transurane, die im Periodensystem der Elemente nach dem Uran stehen. S. war beteiligt am sog. Manhattan-Projekt, das zur Entwicklung der ersten Atombombe während des Zweiten Weltkriegs führte. Später wandte sich S., der ab 1945 an der Universität Berkeley in Kalifornien lehrte, gegen die Atomwaffentests der USA. 1961–71 war er Vorsitzender der US-Atomenergiekommission.

Steinberg, Paul

Rumänisch-US-amerikanischer Cartoonist,
*15.6.1914 Ramnicv Sarat (Rumänien),
† 12.5.1999 New York

1932 begann S. in Bukarest Philosophie und Literaturwissenschaft zu studieren, 1933 wechselte er nach Mailand an die Architekturfakultät. Von Lissabon über San Domingo erreichte er 1942 New York; 1953 wurde er US-Bürger. 1945 erschien sein erstes Buch »All in Line«. Jahrzehntelang waren seine hintersinnigen Cartoons in der Zeitschrift »The New Yorker« zu sehen, für den er auch berichtete, u. a. von den Nürnberger Kriegsverbrecherprozessen (1945–49).

Stoph, Willi

Deutscher Politiker (DDR), *9.7.1914 Berlin,
† 13.4.1999 ebd.

Nach der Wende in der DDR (1989) wurde S. wegen Machtmissbrauch aus der SED ausgeschlossen und von allen Ämtern enthoben. Das 1992 gegen S. angesetzte Gerichtsverfahren wegen der Todesschüsse an der innerdeutschen Grenze wurde 1993 aufgrund seines schlechten Gesundheitszustandes eingestellt. Der gelernte Maurer S. war 1931 in die KPD eingetreten, wurde 1950 Mitglied des ZK und 1953 des Politbüros der SED. Nach Stationen als Innen- (1952 bis 1955) und Verteidigungsminister (1956 bis 1960) war er 1964–73 Ministerpräsident und 1973–76 Staatsoberhaupt der DDR.

Strack, Günter

Deutscher Schauspieler, *4.6.1929 Darmstadt,
† 18.1.1999 Münchsteinach (Franken)

Der ausgebildete Bühnendarsteller begann seine Karriere 1949 in Friedrich Schillers »Kabale und Liebe«, 1958 erhielt er seine erste TV-Rolle in »Datterich«. 1966 hatte er neben Paul Newman und Julie Andrews eine Nebenrolle in Alfred Hitchcocks Film »Der zerrissene Vorhang«. Die größten Erfolge feierte S. in den 80er-Jahren in den TV-Serien »Ein Fall für zwei«, »Mit Leib und Seele« und »Diese Drombuschs«.

Streibl, Max

Deutscher Politiker, *6.1.1932 Oberammergau,
† 11.12.1998 München

S. zog 1962 nach Jura- und Volkswirtschaftsstudium als CSU-Abgeordneter in den bayerischen Landtag ein. 1967 wurde er Generalsekretär der CSU (bis 1971). Als erster Umweltminister Deutschlands (1970 bis 1977) trieb er vor allem den Alpenschutz voran. 1970–94 Vorsitzender des größten CSU-Bezirks Oberbayern, hatte S. seit 1977 als bayerischer Finanzminister eine Schlüsselposition im Kabinett inne. Sein Haushaltskonzept führte dazu, dass Bayern das Bundesland mit den niedrigsten Schulden und den höchsten Investitionen wurde. Nach dem Tod von Franz Josef Strauß wurde S. 1988 bayerischer Ministerpräsident. 1993 trat er nach Vorwürfen in einer Steueraffäre zurück.

Max Streibl

Tremper, Willi

Deutscher Regisseur und Autor, *19.9.1928 Braubach/Rhein, † 14.12.1998 München

Nach 1945 war T. als Klatschkolumnist für den Burda-Verlag der Prototyp des Sensationsreporters. Mit dem Drehbuch für den Film »Die Halbstarken« (mit Horst Buchholz) löste er 1956 eine kurzlebige Jugendprotestwelle im deutschen Kino aus.

Weil, Grete

Deutsche Schriftstellerin, *18.7.1906 Rottach-Egern, † 14.5.1999 München

Die Tochter eines jüdischen Rechtsanwalts befasste sich in ihren Werken mit jüdischen Schicksalen des 20. Jh. Sie studierte Germanistik in Berlin, München und Frankfurt/M. 1932 heiratete sie den Dramaturgen Edgar Weil, mit dem sie 1935 ins niederländische Exil ging. Ihr Mann wurde später im KZ Mauthausen ermordet, W. überlebte in einem Versteck. 1947 kehrte sie nach Deutschland zurück. Der 1963 erschienene Roman »Tramhalte Beethovenstraat« wurde in den Niederlanden zu einem der bekanntesten Bücher über die Zeit der deutschen Besatzung. Für »Brautpreis« erhielt W. 1988 den Geschwister-Scholl-Preis. In Deutschland wurde sie mit dem autobiographischen Roman »Meine Schwester Antigone« (1980) bekannt.

Günter Strack

Sachregister

Das Sachregister verzeichnet alle Stichwörter, die im Lexikon zu finden sind, mit einer **halbfett** gesetzten Seitenangabe. Wichtige Begriffe, die im Text behandelt werden, aber keinen eigenen Eintrag haben, sind mit entsprechender Seitenzahl genannt.

Sachregister

Sachregister

Personenregister

Das Personenregister enthält alle wichtigen Namen, die im Lexikon vorkommen.
Halbfette Seitenangaben verweisen auf eine Kurzbiographie, kursive auf eine Abbildung.

Personenregister